Ami l

Le présent volume re

du Guide Michelin France.

Réalisée en toute indépendance,
sa sélection d'hôtels et de restaurants
est le fruit des recherches de ses inspecteurs,
que complètent
vos précieux courriers et commentaires.

Soucieuse d'apporter le meilleur service,
cette édition a mis l'accent
sur les bonnes adresses à prix modérés
(signalées par **Repas** *ou par* ◆*).*
Faites-nous connaître vos "découvertes"
... et merci de votre confiance.

Bon voyage avec Michelin

Les cartes

AVEZ-VOUS PENSÉ

Vous souhaitez trouver une bonne adresse, par exemple, aux environs de Clermont-Ferrand ?

Consultez désormais la carte qui accompagne le plan de la ville.

La « carte de voisinage » (ci-contre) attire votre attention sur toutes les localités citées au Guide autour de la ville choisie, et particulièrement celles qui sont accessibles en automobile en moins de 30 minutes (limite de couleur).

Les « cartes de voisinage » vous permettent ainsi le repérage rapide de toutes les ressources proposées par le Guide autour des métropoles régionales.

NOTA : lorsqu'une localité est présente sur une « carte de voisinage », sa métropole de rattachement est imprimée en BLEU sur la ligne des distances de ville à ville.

Exemple :

CHÂTELGUYON **63140** P.-de-D. 73 ④ **G. Auvergne**
Voir Gorges d'Enval ★ 3 km par ③
Office de Tourisme parc E.-Clementel
Paris 375 ① – ◆ Clermont-Fd 20 ② – Aubusson 99 ③

Vous trouverez CHATELGUYON sur la carte de voisinage de CLERMONT-FERRAND.

de voisinage

À LES CONSULTER ?

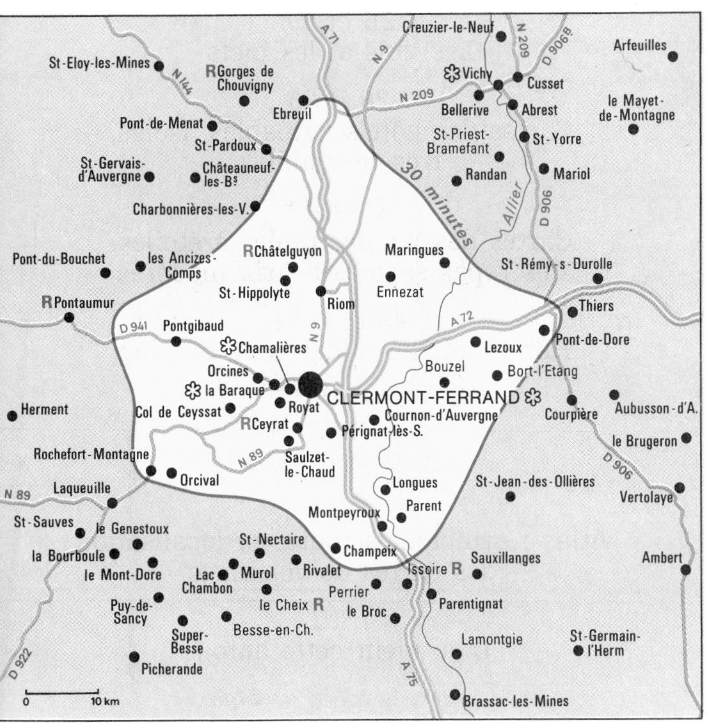

Toutes les « Cartes de voisinage » sont localisées sur l'Atlas en fin de Guide.

Sommaire

Le choix
d'un hôtel, d'un restaurant

Ce guide vous propose une sélection d'hôtels et restaurants établie à l'usage de l'automobiliste de passage. Les établissements, classés selon leur confort, sont cités par ordre de préférence dans chaque catégorie.

CATÉGORIES

🏨🏨🏨🏨🏨	Grand luxe et tradition	XXXXX
🏨🏨🏨🏨	Grand confort	XXXX
🏨🏨🏨	Très confortable	XXX
🏨🏨	De bon confort	XX
🏨	Assez confortable	X
⛱	Simple mais convenable	
M	Dans sa catégorie, hôtel d'équipement moderne	
sans rest.	L'hôtel n'a pas de restaurant	
	Le restaurant possède des chambres	avec ch.

AGRÉMENT ET TRANQUILLITÉ

Certains établissements se distinguent dans le guide par les symboles rouges indiqués ci-après. Le séjour dans ces hôtels se révèle particulièrement agréable ou reposant.
Cela peut tenir d'une part au caractère de l'édifice, au décor original, au site, à l'accueil et aux services qui sont proposés, d'autre part à la tranquillité des lieux.

🏨🏨🏨🏨🏨 à 🏨	Hôtels agréables
XXXXX à X	Restaurants agréables
« Parc fleuri »	Élément particulièrement agréable
🐦	Hôtel très tranquille ou isolé et tranquille
🐦	Hôtel tranquille
≤ mer	Vue exceptionnelle
≤	Vue intéressante ou étendue.

Les localités possédant des établissements agréables ou très tranquilles sont repérées sur les cartes pages 28 à 35.

Consultez-les pour la préparation de vos voyages et donnez-nous vos appréciations à votre retour, vous faciliterez ainsi nos enquêtes.

L'installation

Les chambres des hôtels que nous recommandons possèdent, en général, des installations sanitaires complètes. Il est toutefois possible que dans les catégories 🏠, 🏠 et ⛱, certaines chambres en soient dépourvues.

30 ch	Nombre de chambres
[symbole]	Ascenseur
[symbole]	Air conditionné
TV	Télévision dans la chambre
[symbole]	Établissement en partie réservé aux non-fumeurs
[symbole]	Téléphone dans la chambre relié par standard
[symbole]	Téléphone dans la chambre, direct avec l'extérieur
♿	Chambres accessibles aux handicapés physiques
[symbole]	Repas servis au jardin ou en terrasse
[symbole]	Salle de remise en forme
[symbole] [symbole]	Piscine : de plein air ou couverte
[symbole] [symbole]	Plage aménagée – Jardin de repos
[symbole]	Tennis à l'hôtel
[symbole] 25 à 150	Salles de conférences : capacité des salles
[symbole]	Garage dans l'hôtel (généralement payant)
P	Parking réservé à la clientèle
[symbole]	Accès interdit aux chiens (dans tout ou partie de l'établissement)
Fax	Transmission de documents par télécopie
mai-oct.	Période d'ouverture, communiquée par l'hôtelier
sais.	Ouverture probable en saison mais dates non précisées. En l'absence de mention, l'établissement est ouvert toute l'année.

La table

LES ÉTOILES

Certains établissements méritent d'être signalés à votre attention pour la qualité de leur cuisine. Nous les distinguons par **les étoiles de bonne table**.
Nous indiquons, pour ces établissements, trois spécialités culinaires et des vins locaux qui pourront orienter votre choix.

✿✿✿ 19 — **Une des meilleures tables, vaut le voyage**

Table merveilleuse, grands vins, service impeccable, cadre élégant... Prix en conséquence.

✿✿ 81 — **Table excellente, mérite un détour**

Spécialités et vins de choix... Attendez-vous à une dépense en rapport.

✿ 502 — **Une très bonne table dans sa catégorie**

L'étoile marque une bonne étape sur votre itinéraire.

Mais ne comparez pas l'étoile d'un établissement de luxe à prix élevés avec celle d'une petite maison où à prix raisonnables, on sert également une cuisine de qualité.

REPAS SOIGNÉS A PRIX MODÉRÉS

Vous souhaitez parfois trouver des tables plus simples, à prix modérés ; c'est pourquoi nous avons sélectionné des restaurants proposant, pour un rapport qualité-prix particulièrement favorable, un repas soigné, souvent de type régional. Ces restaurants sont signalés par **Repas**. Ex. **Repas** 100/130.

Consultez les cartes des localités (étoiles de bonne table et **Repas**) *pages 36 à 43.*

Voir aussi → *page suivante*

Les vins et les mets : voir p. 26 et 27

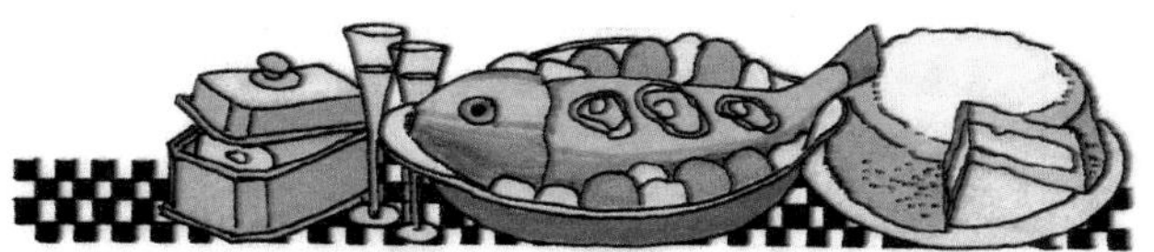

Les prix

Les prix que nous indiquons dans ce guide ont été établis en automne 1991. Ils sont susceptibles de modifications, notamment en cas de variations des prix des biens et services. Ils s'entendent taxes et services compris. Aucune majoration ne doit figurer sur votre note, sauf éventuellement la taxe de séjour.
Les hôtels et restaurants figurent en gros caractères lorsque les hôteliers nous ont donné tous leurs prix et se sont engagés, sous leur propre responsabilité, à les appliquer aux touristes de passage porteurs de notre guide.
Entrez à l'hôtel le guide à la main, vous montrerez ainsi qu'il vous conduit là en confiance.

REPAS

enf. 55	Prix du menu pour enfants
◆	Établissement proposant un menu simple à **moins de 75 F**
R 70/120	**Menus à prix fixe :** minimum 70 maximum 120
70/120	Menu à prix fixe minimum 70 non servi les fins de semaine et jours fériés
bc	Boisson comprise
🍶	vin de table en carafe
R carte 130 à 285	**Repas à la carte** – Le premier prix correspond à un repas normal comprenant : hors-d'œuvre, plat garni et dessert. Le 2e prix concerne un repas plus complet (avec spécialité) comprenant : deux plats, fromage et dessert
☕ 30	Prix du petit déjeuner (généralement servi dans la chambre)

CHAMBRES

ch 155/360	Prix minimum 155 pour une chambre d'une personne prix maximum 360 pour une chambre de deux personnes
29 ch ☕ 165/370	Prix des chambres petit déjeuner compris

DEMI-PENSION

1/2 P 165/350	Prix minimum et maximum de la demi-pension par personne et par jour, en saison ; ces prix s'entendent pour une chambre double occupée par deux personnes. Une personne seule occupant une chambre double se voit parfois appliquer une majoration. La plupart des hôtels saisonniers pratiquent également, sur demande, la pension complète. Dans tous les cas, il est indispensable de s'entendre par avance avec l'hôtelier pour conclure un arrangement définitif.

LES ARRHES - CARTES DE CRÉDIT

Certains hôteliers demandent le versement d'arrhes. Il s'agit d'un dépôt-garantie qui engage l'hôtelier comme le client. Bien faire préciser les dispositions de cette garantie. Demandez à l'hôtelier de vous fournir dans sa lettre d'accord toutes précisions utiles sur la réservation et les conditions de séjour.

AE ① GB JCB	Cartes de crédit acceptées par l'établissement American Express. Diners Club. Carte Bancaire. Japan Card Bank

Les villes

63300	Numéro de code postal de la localité (les deux premiers chiffres correspondent au numéro du département)
✉ 57130 Ars	Numéro de code postal et nom de la commune de destination
P SP	Préfecture - Sous-préfecture
80 ⑤	Numéro de la Carte Michelin et numéro du pli
G. Jura	Voir le Guide Vert Michelin Jura
1 057 h.	Population
alt. 75	Altitude de la localité
Stat. therm.	Station thermale
1 200/1 900	Altitude de la station et altitude maximum atteinte par les remontées mécaniques
2	Nombre de téléphériques ou télécabines
14	Nombre de remonte-pentes et télésièges
	Ski de fond
BY B	Lettres repérant un emplacement sur le plan
9	Golf et nombre de trous
	Panorama, point de vue
	Aéroport
	Localité desservie par train-auto. Renseignements au numéro de téléphone indiqué
	Transports maritimes
	Transports maritimes pour passagers seulement
A.C.	Information touristique - Automobile Club

Les curiosités

INTÉRÊT

★★★	Vaut le voyage
★★	Mérite un détour
★	Intéressant
	Les musées sont généralement fermés le mardi

SITUATION

Voir	Dans la ville
Env.	Aux environs de la ville
N, S, E, O	La curiosité est située : au Nord, au Sud, à l'Est, à l'Ouest
② ④	On s'y rend par la sortie ② ou ④ repérée par le même signe sur le plan du Guide et sur la carte
2 km	Distance en kilomètres

La voiture, les pneus

GARAGISTES, RÉPARATEURS FOURNISSEURS DE PNEUS MICHELIN

RENAULT	Concessionnaire (ou succursale) de la marque Renault.
PEUGEOT	Agent de la marque Peugeot.
Gar. de la Côte	Garagiste qui ne représente pas de marque de voiture.
	Spécialistes du pneu.

Établissements généralement fermés samedi ou parfois lundi. Dans nos agences, nous nous faisons un plaisir de donner à nos clients tous conseils pour la meilleure utilisation de leurs pneus.

DÉPANNAGE

N	**La nuit** – Cette lettre désigne des garagistes qui assurent, la nuit, les réparations courantes.

Le dimanche – Il existe dans toutes les régions un service de dépannage le dimanche. La Police, la Gendarmerie peuvent en général indiquer le garagiste de service le plus proche ou le numéro téléphonique d'appel du groupement départemental d'assistance routière.

Les plans

Hôtels
Restaurants

Curiosités

Bâtiment intéressant et entrée principale
Édifice religieux intéressant :
Catholique – Protestant

Voirie

Autoroute, double chaussée de type autoroutier
Échangeurs numérotés : complet, partiels
Grande voie de circulation
Sens unique – Rue impraticable
Rue piétonne – Tramway
Pasteur Rue commerçante – Parc de stationnement
Porte – Passage sous voûte – Tunnel
Gare et voie ferrée
Funiculaire – Téléphérique, télécabine
Pont mobile – Bac pour autos

Signes divers

Information touristique
Mosquée – Synagogue
Tour – Ruines – Moulin à vent – Château d'eau
Jardin, parc, bois – Cimetière – Calvaire
Stade – Golf – Hippodrome – Patinoire
Piscine de plein air, couverte
Vue – Panorama – Table d'orientation
Monument – Fontaine – Usine – Centre commercial
Port de plaisance – Phare – Tour de télécommunications
Aéroport – Station de métro – Gare routière
Transport par bateau :
passagers et voitures, passagers seulement
Repère commun aux plans et aux cartes Michelin détaillées
Bureau principal de poste restante et Téléphone
Hôpital – Marché couvert – Caserne
Bâtiment public repéré par une lettre :
A C Chambre d'agriculture – Chambre de commerce
G H J Gendarmerie – Hôtel de ville – Palais de justice
M P T Musée – Préfecture, sous-préfecture – Théâtre
U Université, grande école
POL. Police (commissariat central)
Passage bas (inf. à 4 m 50) – Charge limitée (inf. à 19 t)
Garage : Peugeot, Talbot, Citroën, Renault (Alpine)

Les plans de villes sont disposés le Nord en haut.

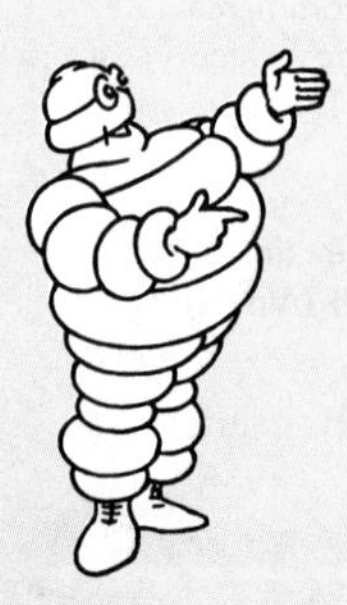

Dear Reader

The present volume is the 83rd edition of the Michelin Guide France.

The unbiased and independent selection of hotels and restaurants is the result of local visits and enquiries by our inspectors. In addition we receive considerable help from our readers' invaluable letters and comments.

In an effort to bring you the best service possible, this edition highlights good, moderately priced restaurants (indicated by **Repas** *or* ◆*).*

Let us know of your "discoveries"... and thank you for your trust in us.

Bon voyage

Local

MAY WE SUGGEST

Should you be looking for a hotel or restaurant not too far from Clermont-Ferrand, for example, you can now consult the map along with the town plan.

The local map (opposite) draws your attention to all places around the town or city selected, provided they are mentioned in the Guide. Places located within a thirty minute drive are clearly identified by the use of a different coloured background.

The various facilities recommended near the different regional capitals can be located quickly and easily.

NOTE : Entries in the Guide provide information on distances to nearby towns. Whenever a place appears on one of the local maps, the name of the town or city to which it is attached is printed in BLUE.

Example :

CHÂTELGUYON **63140** P.-de-D. 73 ④ **G. Auvergne**
Voir Gorges d'Enval ★ 3 km par ③
Office de Tourisme parc E.-Clementel
Paris 375 ① – ◆Clermont-Fd 20 ② – Aubusson 99 ③

CHATELGUYON is to be found on the local map CLERMONT-FERRAND.

maps

THAT YOU CONSULT THEM.

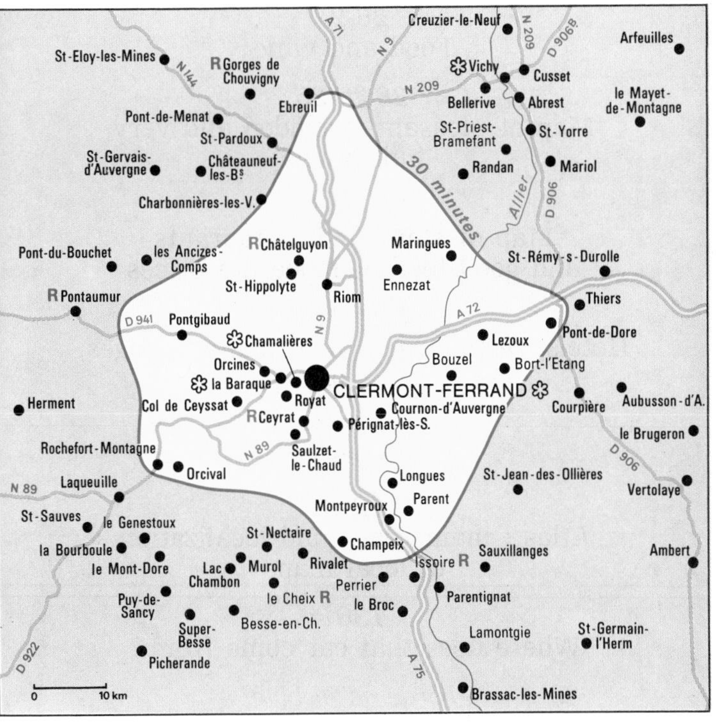

All local maps are positioned on the Atlas at the end of the Guide.

Contents

Choosing
a hotel or restaurant

This guide offers a selection of hotels and restaurants to help the motorist on his travels. In each category establishments are listed in order of preference according to the degree of comfort they offer.

CATEGORIES

	Luxury in the traditional style	XXXXX
	Top class comfort	XXXX
	Very comfortable	XXX
	Comfortable	XX
	Quite comfortable	X
	Simple comfort	
M	In its category, hotel with modern amenities	
sans rest.	The hotel has no restaurant	
	The restaurant also offers accommodation	avec ch.

PEACEFUL ATMOSPHERE AND SETTING

Certain establishments are distinguished in the guide by the red symbols shown below.
Your stay in such hotels will be particularly pleasant or restful, owing to the character of the building, its decor, the setting, the welcome and services offered, or simply the peace and quiet to be enjoyed there.

to	Pleasant hotels
XXXXX to X	Pleasant restaurants
« Parc fleuri »	Particularly attractive feature
	Very quiet or quiet, secluded hotel
	Quiet hotel
< mer	Exceptional view
<	Interesting or extensive view

The maps on pages 28 to 35 indicate places with such very peaceful, pleasant hotels and restaurants.
By consulting them before setting out and sending us your comments on your return you can help us with our enquiries.

Hotel facilities

In general the hotels we recommend have full bathroom and toilet facilities in each room. However, this may not be the case for certain rooms in categories , and .

30 ch	Number of rooms
	Lift (elevator)
	Air conditioning
	Television in room
	Hotel partly reserved for non-smokers
	Telephone in room : outside calls connected by the operator
	Direct-dial phone in room
	Rooms accessible to disabled people
	Meals served in garden or on terrace
	Exercise room
	Outdoor or indoor swimming pool
	Beach with bathing facilities - Garden
	Hotel tennis court
25/150	Equipped conference hall (minimum and maximum capacity)
	Hotel garage (additional charge in most cases)
	Car park for customers only
	Dogs are not allowed in all or part of the hotel
Fax	Telephone document transmission
mai-oct.	Dates when open, as indicated by the hotelier
sais.	Probably open for the season - precise dates not available. Where no date or season is shown, establishments are open all year round.

Cuisine

STARS

Certain establishments deserve to be brought to your attention for the particularly fine quality of their cooking. **Michelin stars** are awarded for the standard of meals served. For each of these restaurants we indicate three culinary specialities and a number of local wines to assist you in your choice.

✿✿✿ 19 — **Exceptional cuisine, worth a special journey**
Superb food, fine wines, faultless service, elegant surrondings. One will pay accordingly !

✿✿ 81 — **Excellent cooking, worth a detour**
Specialities and wines of first class quality. This will be reflected in the price.

✿ 502 — **A very good restaurant in its category**
The star indicates a good place to stop on your journey.
But beware of comparing the star given to an expensive « de luxe » establishment to that of a simple restaurant where you can appreciate fine cuisine at a reasonable price.

GOOD FOOD AT MODERATE PRICES

You may also like to know of other restaurants with less elaborate, moderately priced menus that offer good value for money and serve carefully prepared meals, often of regional cooking.
In the guide such establishments bear Repas just before the price of the menu, for example Repas 100/130.

Please refer to the map of star-rated restaurants and good food at moderate prices Repas *(pp 36 to 43).*

See also ◆ *on next page*

Food and wine : see pages 26 and 27

Prices

Prices quoted are valid for autumn 1991. Changes may arise if goods and service costs are revised. The rates include tax and service and no extra charge should appear on your bill, with the possible exception of visitors' tax.
Hotels and restaurants in bold type have supplied details of all their rates and have assumed responsibility for maintaining them for all travellers in possession of this guide.
Your recommendation is self-evident if you always walk into a hotel Guide in hand.

MEALS

enf. 55	Price of children's menu
◆	Establishment serving a simple menu **for less than 75 F**
R 70/120	**Set meals** - Lowest 70 and highest 120 prices for set meals
70/120	The cheapest set meal 70 is not served on Saturdays, Sundays or public holidays
bc	House wine included
♨	Table wine available by the carafe
R carte 130 à 285	**« A la carte » meals** - The first figure is for a plain meal and includes hors-d'œuvre, main dish of the day with vegetables and dessert The second figure is for a fuller meal (with « spécialité ») and includes 2 main courses, cheese, and dessert
☕ 30	Price of continental breakfast (generally served in the bedroom)

ROOMS

ch 155/360	Lowest price 155 for a single room and highest price 360 for a double
29 ch ☕ 165/370	Price includes breakfast

HALF BOARD

1/2 P 165/350	Lowest and highest prices per person, per day in the season. These prices are valid for a double room occupied by two people. When a single person occupies a double room he may have to pay a supplement. Most of the hotels also offer full board terms on request. It is essential to agree on terms with the hotelier before making a firm reservation.

DEPOSITS - CREDIT CARDS

Some hotels will require a deposit, which confirms the commitment of customer and hotelier alike. Make sure the terms of the agreement are clear.
Ask the hotelier to provide you, in his letter of confirmation, with all terms and conditions applicable to your reservation.

AE ⓓ GB JCB	American Express - Diners Club - Eurocard, Visa - Japan Card Bank

Towns

63300	Local postal number (the first two numbers represent the department number)
✉ **57130** Ars	Postal number and name of the postal area
P SP	Prefecture - Sub-prefecture
80 ⑤	Number of the appropriate sheet and section of the Michelin road map
G. Jura	See the Michelin Green Guide Jura
1 057 h.	Population
alt. 75	Altitude (in metres)
Stat. therm.	Spa
Sports d'hiver	Winter sports
1 200/1 900	Altitude (in metres) of resort and highest point reached by lifts
2	Number of cable-cars
14	Number of ski and chair-lifts
	Cross country skiing
BX B	Letters giving the location of a place on the town plan
9	Golf course and number of holes
	Panoramic view. Viewpoint
	Airport
	Places with motorail pick-up point. Further information from phone no. listed
	Shipping line
	Passenger transport only
A.C.	Tourist Information Centre - Automobile Club

Sights

STAR-RATING

★★★	Worth a journey
★★	Worth a detour
★	Interesting
	Museums and art galleries are generally closed on Tuesdays

LOCATION

Voir	Sights in town
Env.	On the outskirts
N, S, E, O	The sight lies north, south, east or west of the town
② ④	Sign on town plan and on the Michelin road map indicating the road leading to a place of interest
2 km	Distance in kilometres

Car, tyres

CAR DEALERS, REPAIRERS AND MICHELIN TYRE SUPPLIERS

RENAULT	Renault main agent
PEUGEOT	Peugeot dealer
Gar. de la Côte	General repair garage
(tyre symbol)	Tyre specialist

These workshops are usually closed on Saturdays and occasionally on Mondays.
The staff at our depots will be pleased to give advice on the best way to look after your tyres.

BREAKDOWN SERVICE

N	At night – Symbol indicating garage offering night breakdown service.

On Sunday – Each town has a breakdown service available on Sunday. In any event, the Gendarmerie, Police, etc., should usually be able to give the address of the garage on duty.

Town plans

Hotels
Restaurants

Sights

Place of interest and its main entrance
Interesting place of worship :
Catholic – Protestant

Roads

Motorway, dual carriageway
Numbered junctions : complete, limited
Major through route
One-way street – Unsuitable for traffic
Pedestrian street – Tramway
Pasteur — Shopping street – Car park
Gateway – Street passing under arch – Tunnel
Station and railway
Funicular – Cable-car
Lever bridge – Car ferry

Various signs

Tourist information Centre
Mosque – Synagogue
Tower – Ruins – Windmill – Water tower
Garden, park, wood – Cemetery – Cross
Stadium – Golf course – Racecourse – Skating rink
Outdoor or indoor swimming pool
View – Panorama – Viewing table
Monument – Fountain – Factory – Shopping centre
Pleasure boat harbour – Lighthouse – Communications tower
Airport – Underground station – Coach station
Ferry services :
passengers and cars, passengers only
Refence number common to town plans and Michelin maps
Main post office with poste restante and telephone
Hospital – Covered market – Barracks
Public buildings located by letter :
A C — Chamber of Agriculture – Chamber of Commerce
G H J — Gendarmerie – Town Hall – Law Courts
M P T — Museum – Prefecture or sub-prefecture – Theatre
U — University, College
POL. — Police (in large towns police headquarters)
4m4 18 T — Low headroom (15 ft. max.) – Load limit (under 19 t)
Garage: Peugeot, Talbot, Citroën, Renault (Alpine)

North is at the top on all town plans.

LES VINS
WINES

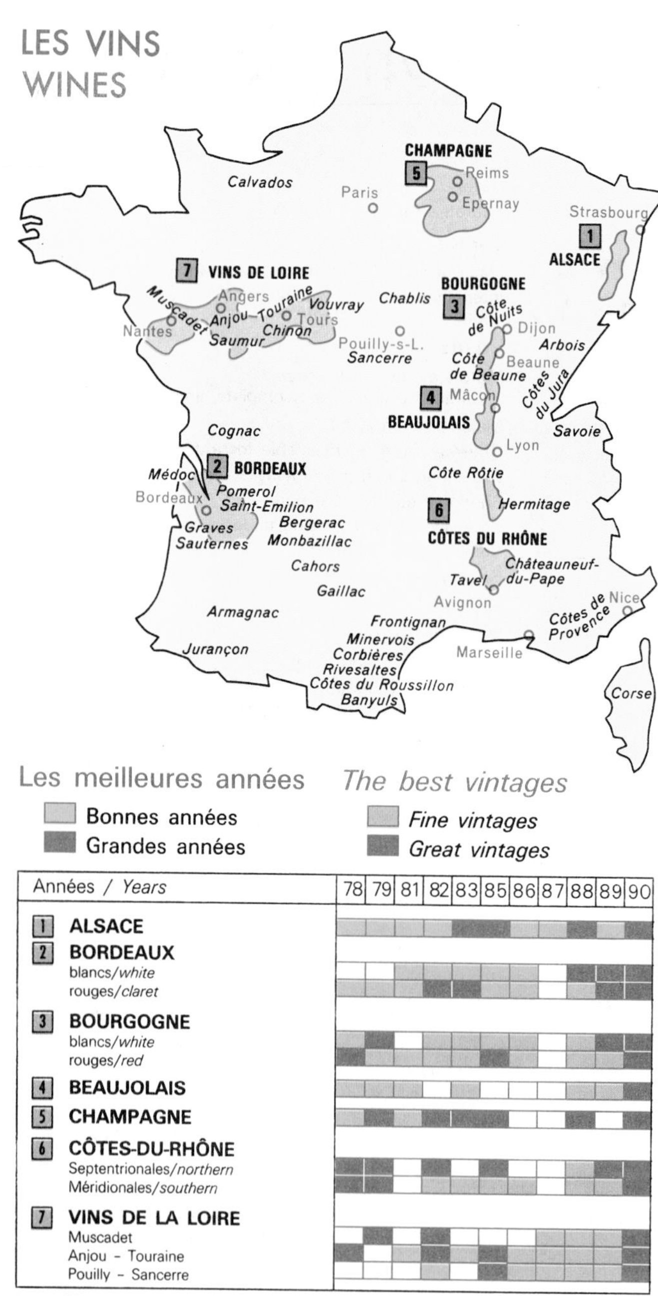

Les meilleures années / *The best vintages*

Bonnes années / *Fine vintages*
Grandes années / *Great vintages*

Années / *Years*	78	79	81	82	83	85	86	87	88	89	90
1 **ALSACE**	Bonne	Bonne	Bonne	Bonne	Grande	Grande	Bonne	Bonne	Grande	Bonne	Grande
2 **BORDEAUX**											
blancs/*white*			Bonne	Bonne	Bonne	Bonne	Bonne		Grande	Grande	Grande
rouges/*claret*	Bonne	Bonne	Bonne	Grande	Grande	Bonne	Bonne		Bonne	Grande	Grande
3 **BOURGOGNE**											
blancs/*white*	Bonne	Grande		Bonne	Bonne	Bonne	Bonne		Bonne	Grande	Grande
rouges/*red*	Grande	Bonne	Bonne	Bonne	Bonne	Grande	Bonne		Bonne	Bonne	Grande
4 **BEAUJOLAIS**	Bonne	Bonne	Bonne		Bonne				Bonne	Bonne	Grande
5 **CHAMPAGNE**	Bonne	Grande	Bonne	Grande	Grande	Grande			Grande		Grande
6 **CÔTES-DU-RHÔNE**											
Septentrionales/*northern*	Grande	Grande		Grande		Grande			Bonne	Grande	Grande
Méridionales/*southern*	Grande	Grande		Bonne	Bonne	Bonne	Bonne		Bonne	Bonne	Grande
7 **VINS DE LA LOIRE**											
Muscadet		Grande		Grande				Bonne	Bonne	Bonne	Grande
Anjou - Touraine	Grande		Bonne	Grande	Bonne	Grande	Bonne	Bonne	Bonne	Bonne	Grande
Pouilly - Sancerre				Bonne		Grande	Bonne	Bonne	Bonne	Bonne	Grande

Rappel des « Grandes années du siècles »

1911 - 1921 - 1928 - 1929
1934 - 1945 - 1947 - 1949 - 1953 - 1955 - 1961

LES VINS et LES METS
FOOD and WINE

Quelques suggestions de vins selon les mets...
A few hints on selecting the right wine with the right dish...

Vins blancs secs
Dry white wines

1	Sylvaner, Riesling, Tokay, Pinot gris
2	Graves secs
3	Chablis, Meursault, Pouilly-Fuissé, Mâcon
5	Champagne (brut)
6	Condrieu, Hermitage, Provence
7	Muscadet, Pouilly-s.-L., Sancerre, Vouvray sec, Montlouis

Vins rouges légers
Light red wines

1	Pinot noir, Riesling (blanc)
2	Graves, Médoc
3	Côtes de Beaune, Mercurey
4	Beaujolais
5	Coteaux champenois
6	Tavel (rosé), Côtes de Provence
7	Bourgueil, Chinon

Vins rouges corsés
Full bodied red wines

2	Pomerol, St-Émilion
3	Chambertin, Côte-de-Nuits, Pommard...
6	Châteauneuf-du-Pape, Cornas, Côte-Rotie

Vins de dessert
Sweet wines

1	Muscat, Gewurztraminer (vins secs)
2	Sauternes, Monbazillac
5	Champagne (demi-sec)
6	Beaumes-de-Venise
7	Anjou, Vouvray (demi-sec)

Un mets préparé avec une sauce au vin s'accommode, si possible, du même vin. Vins et fromages d'une même région s'associent souvent avec succès.

En dehors des grands crus, il existe en maintes régions de France des vins locaux qui, bus sur place, vous réserveront d'heureuses surprises.

Dishes prepared with a wine sauce are best accompanied by the same kind of wine. Wines and cheeses from the same region usually go very well together.

In addition to the fine wines there are many French wines, best drunk in their region of origin and which you will find extremely pleasant.

1

L'AGRÉMENT

PEACEFUL ATMOSPHERE AND SETTING

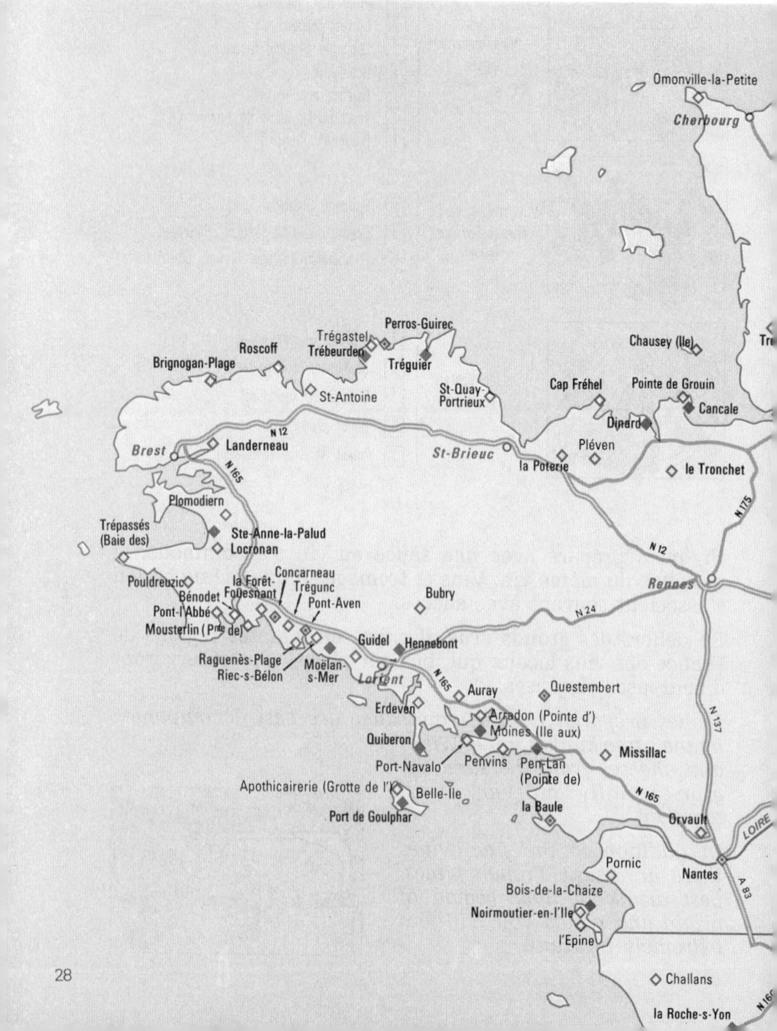

Omonville-la-Petite
Cherbourg
Chausey (Ile)
Perros-Guirec
Trégastel
Trébeurden
Tréguier
Roscoff
Brignogan-Plage
St-Antoine
St-Quay-Portrieux
Cap Fréhel
Pointe de Grouin
Cancale
Dinard
Pléven
la Poterie
St-Brieuc
le Tronchet
N 12
Brest
Landerneau
N 165
Plomodiern
Trépassés (Baie des)
Ste-Anne-la-Palud
Locronan
N 175
N 12
Rennes
Pouldreuzic
Concarneau
la Forêt-Fouesnant
Trégunc
Bénodet
Pont-Aven
Pont-l'Abbé
Mousterlin (Pte de)
Bubry
N 24
Guidel
Hennebont
Raguenès-Plage
Riec-s-Bélon
Moëlan-s-Mer
Lorient
N 165
Auray
Questembert
Erdeven
Arradon (Pointe d')
Moines (Ile aux)
Quiberon
Port-Navalo
Penvins
Pen-Lan (Pointe de)
Missillac
N 137
Apothicairerie (Grotte de l')
Belle-Ile
Port de Goulphar
la Baule
N 165
Orvault
LOIRE
Pornic
Nantes
A 83
Bois-de-la-Chaize
Noirmoutier-en-l'Ile
l'Epine
Challans
la Roche-s-Yon

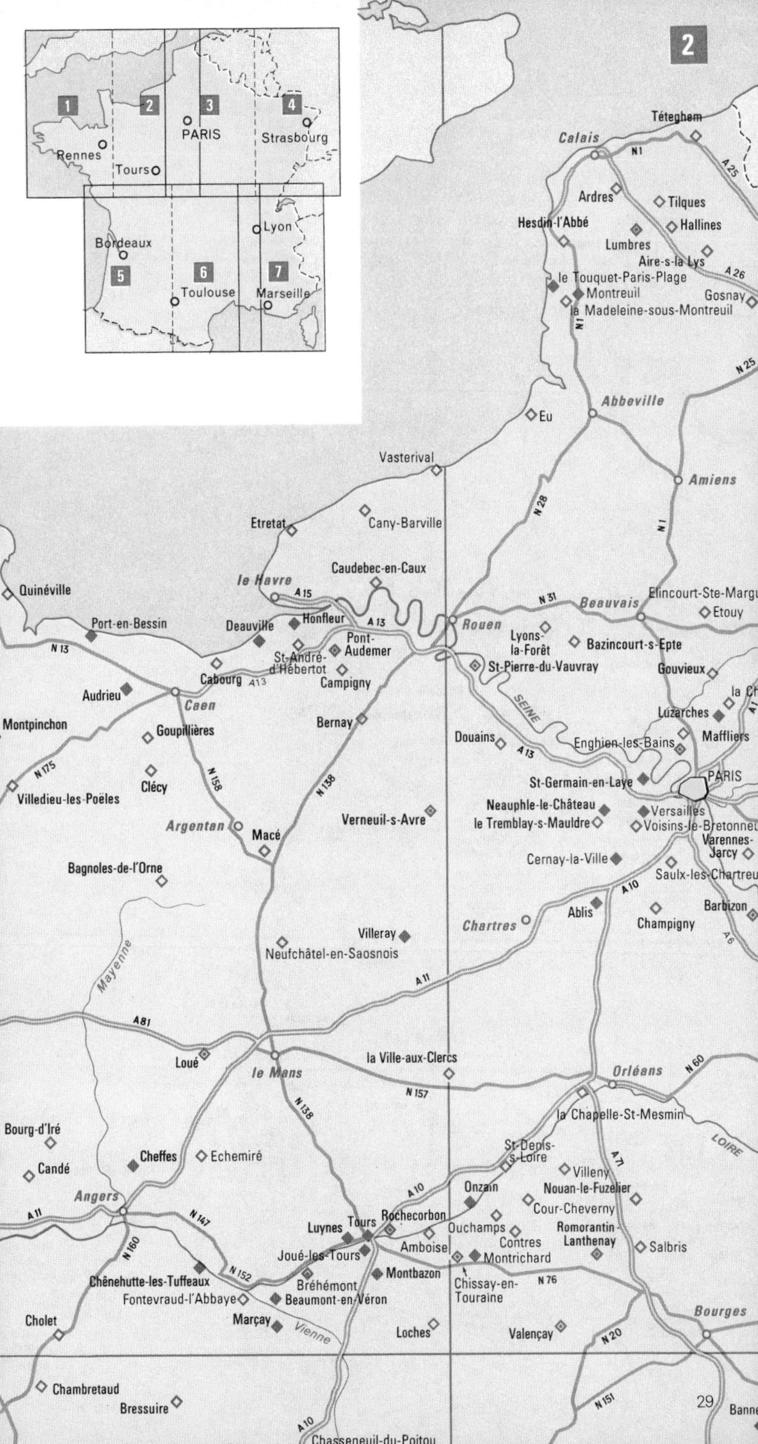

2
1
2
3
4
Rennes
Tours
PARIS
Strasbourg
Bordeaux
Lyon
5
6
7
Toulouse
Marseille
Téteghem
Calais
N1
A 25
Ardres
Tilques
Hesdin-l'Abbé
Lumbres
Hallines
Aire-s-la Lys
A 26
le Touquet-Paris-Plage
Montreuil
Gosnay
la Madeleine-sous-Montreuil
N1
N 25
Abbeville
Eu
Amiens
Vasterival
N 28
N1
Etretat
Cany-Barville
Caudebec-en-Caux
le Havre
A 15
Quinéville
Elincourt-Ste-Margu
N 31
Beauvais
Etouy
Port-en-Bessin
Deauville
Honfleur
A 13
Rouen
Lyons-
la-Forêt
Bazincourt-s-Epte
N 13
Pont-
Audemer
St-André-
d'Hébertot
Campigny
St-Pierre-du-Vauvray
Gouvieux
Cabourg
A13
Audrieu
Caen
SEINE
la Ch
Luzarches
A1
Bernay
Montpinchon
Goupillières
Douains
A 13
Enghien-les-Bains
Maffliers
N 158
N 138
N 175
Clécy
St-Germain-en-Laye
PARIS
Villedieu-les-Poëles
Neauphle-le-Château
Versailles
Verneuil-s-Avre
le Tremblay-s-Mauldre
Voisins-le-Bretonneu
Argentan
Macé
Varennes-
Jarcy
Cernay-la-Ville
Bagnoles-de-l'Orne
Saulx-les-Chartreux
A 10
Ablis
Barbizon
Chartres
Champigny
A6
Villeray
Mayenne
Neufchâtel-en-Saosnois
A 11
A 81
Loué
la Ville-aux-Clercs
le Mans
Orléans
N 60
N 157
N 138
la Chapelle-St-Mesmin
Bourg-d'Iré
LOIRE
St-Denis-
s-Loire
A 71
Cheffes
Echemiré
Villeny
Candé
A 10
Onzain
Nouan-le-Fuzelier
Angers
Cour-Cheverny
A 11
N 147
Rochecorbon
Tours
Ouchamps
Romorantin-
Lanthenay
Luynes
Contres
Amboise
Salbris
N 160
Joué-les-Tours
Montrichard
Chênehutte-les-Tuffeaux
N 152
Bréhémont
Montbazon
Chissay-en-
Touraine
N 76
Fontevraud-l'Abbaye
Beaumont-en-Véron
Bourges
Cholet
Marçay
Vienne
Loches
Valençay
N 20
Chambretaud
Bressuire
N 151
A 10
Banne
Chasseneuil-du-Poitou

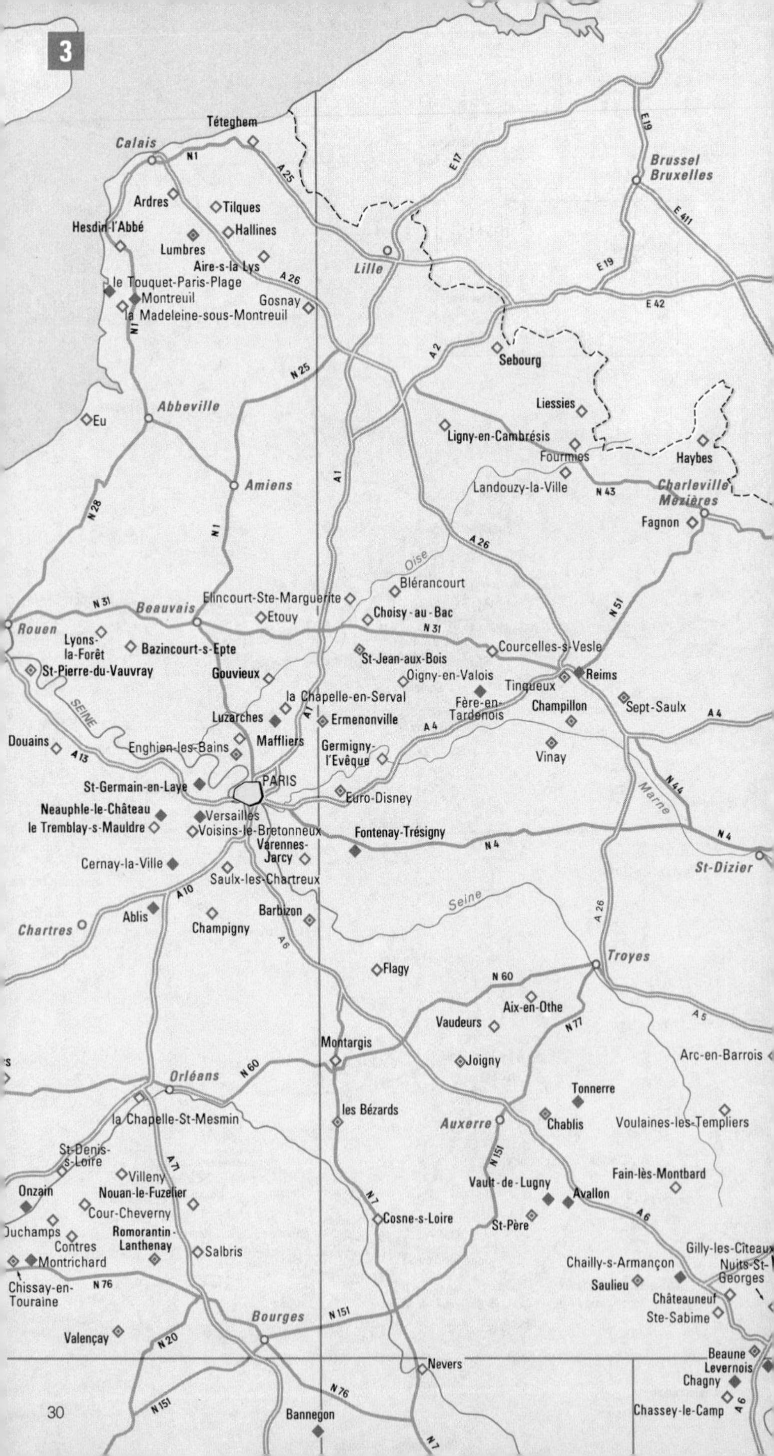
3
Téteghem
Calais
N1
A25
E17
E19
Brussel
Bruxelles
E 411
Ardres
Tilques
Hesdin-l'Abbé
Hallines
Lumbres
Aire-s-la Lys
Lille
E19
A 26
le Touquet-Paris-Plage
Montreuil
Gosnay
E 42
la Madeleine-sous-Montreuil
N1
A2
Sebourg
N 25
Abbeville
Liessies
Eu
Ligny-en-Cambrésis
Fourmies
Haybes
A1
Amiens
Landouzy-la-Ville
N 43
Charleville
Mezières
N 28
Fagnon
N1
A 26
Oise
Blérancourt
Elincourt-Ste-Marguerite
N 51
N 31
Beauvais
Choisy-au-Bac
Etouy
Rouen
N 31
Lyons-la-Forêt
Bazincourt-s-Epte
Courcelles-s-Vesle
St-Jean-aux-Bois
St-Pierre-du-Vauvray
Gouvieux
Oigny-en-Valois
Reims
Tingueux
la Chapelle-en-Serval
Sept-Saulx
SEINE
Champillon
A 4
Luzarches
Fère-en-Tardenois
A1
Ermenonville
A 4
Douains
A 13
Maffliers
Germigny-l'Evêque
Enghien-les-Bains
Vinay
PARIS
N 44
St-Germain-en-Laye
Marne
Euro-Disney
Neauphle-le-Château
Versailles
le Tremblay-s-Mauldre
Voisins-le-Bretonneux
Fontenay-Trésigny
N 4
Varennes-Jarcy
N 4
Cernay-la-Ville
St-Dizier
Saulx-les-Chartreux
A 10
Seine
A 26
Barbizon
Ablis
Champigny
Chartres
A6
Troyes
Flagy
N 60
Aix-en-Othe
Vaudeurs
A 5
N 77
Montargis
Arc-en-Barrois
Joigny
Orléans
N 60
Tonnerre
les Bézards
la Chapelle-St-Mesmin
Auxerre
Chablis
Voulaines-les-Templiers
St-Denis-s-Loire
A 71
N 151
Villeny
Fain-lès-Montbard
Onzain
Nouan-le-Fuzelier
Vault-de-Lugny
Avallon
Cour-Cheverny
N 7
Cosne-s-Loire
A 6
Duchamps
Romorantin-Lanthenay
St-Père
Contres
Salbris
Gilly-les-Citeaux
Montrichard
Chailly-s-Armançon
Nuits-St-Georges
Chissay-en-Touraine
N 76
Saulieu
Châteauneuf
Bourges
N 151
Ste-Sabime
Valençay
N 20
Nevers
Beaune
Levernois
N 76
Chagny
N 151
Bannegon
Chassey-le-Camp
A 6
N 7

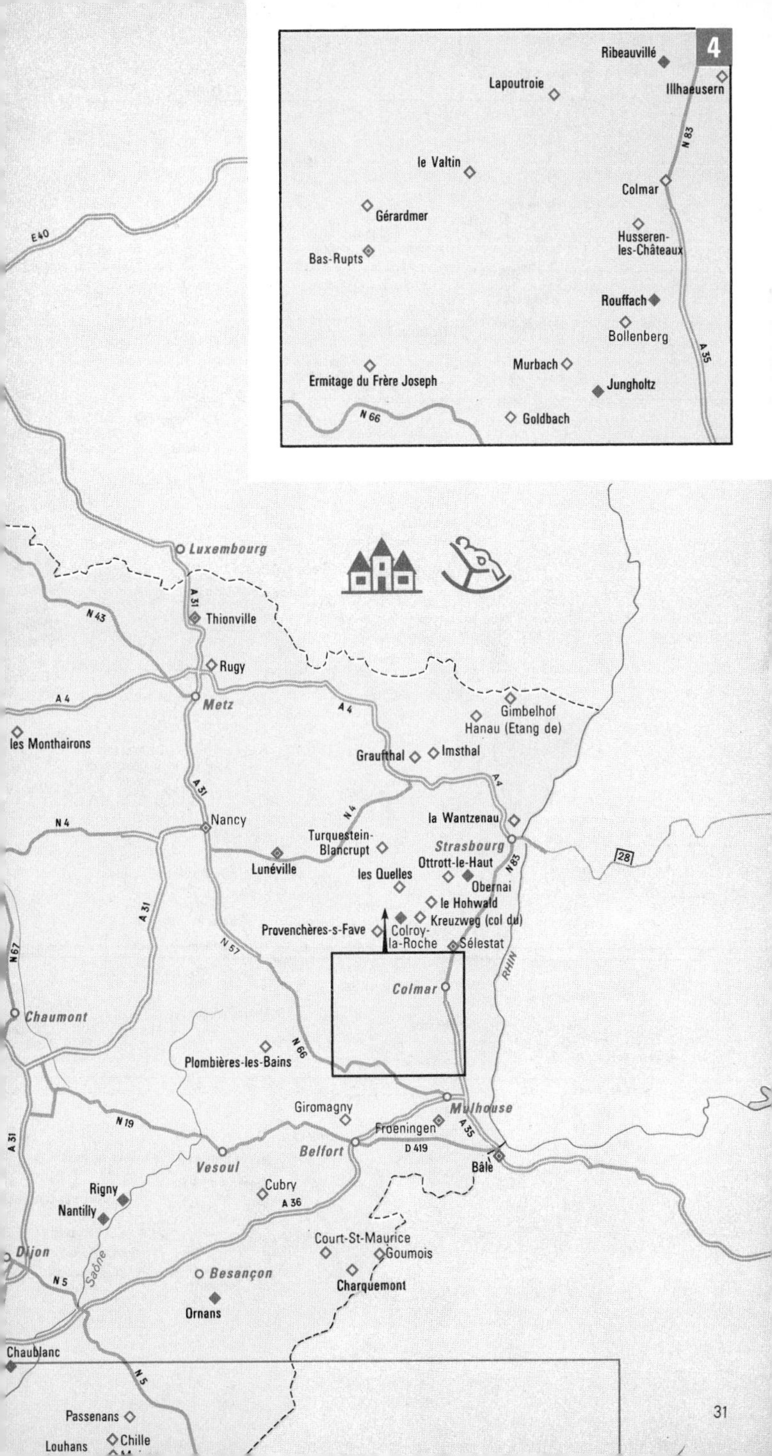

4
Ribeauvillé
Lapoutroie
Illhaeusern
N 83
le Valtin
Colmar
Gérardmer
Husseren-
les-Châteaux
Bas-Rupts
Rouffach
Bollenberg
A 35
Murbach
Ermitage du Frère Joseph
Jungholtz
N 66
Goldbach
E 40
Luxembourg
N 43
A 31
Thionville
Rugy
A 4
Metz
A 4
Gimbelhof
Hanau (Etang de)
les Monthairons
Graufthal
Imsthal
A 31
A 4
N 4
Nancy
N 4
la Wantzenau
Turquestein-
Blancrupt
Strasbourg
28
Lunéville
Ottrott-le-Haut
les Quelles
Obernai
N 83
le Hohwald
Kreuzweg (col du)
Provenchères-s-Fave
Colroy-
la-Roche
Sélestat
A 31
N 57
RHIN
N 67
Colmar
Chaumont
N 66
Plombières-les-Bains
Giromagny
Mulhouse
N 19
Froeningen
A 35
D 419
Belfort
A 31
Vesoul
Bâle
Rigny
Cubry
A 36
Nantilly
Court-St-Maurice
Goumois
Dijon
Saône
N 5
Besançon
Charquemont
Ornans
Chaublanc
N 5
Passenans
Louhans
Chille

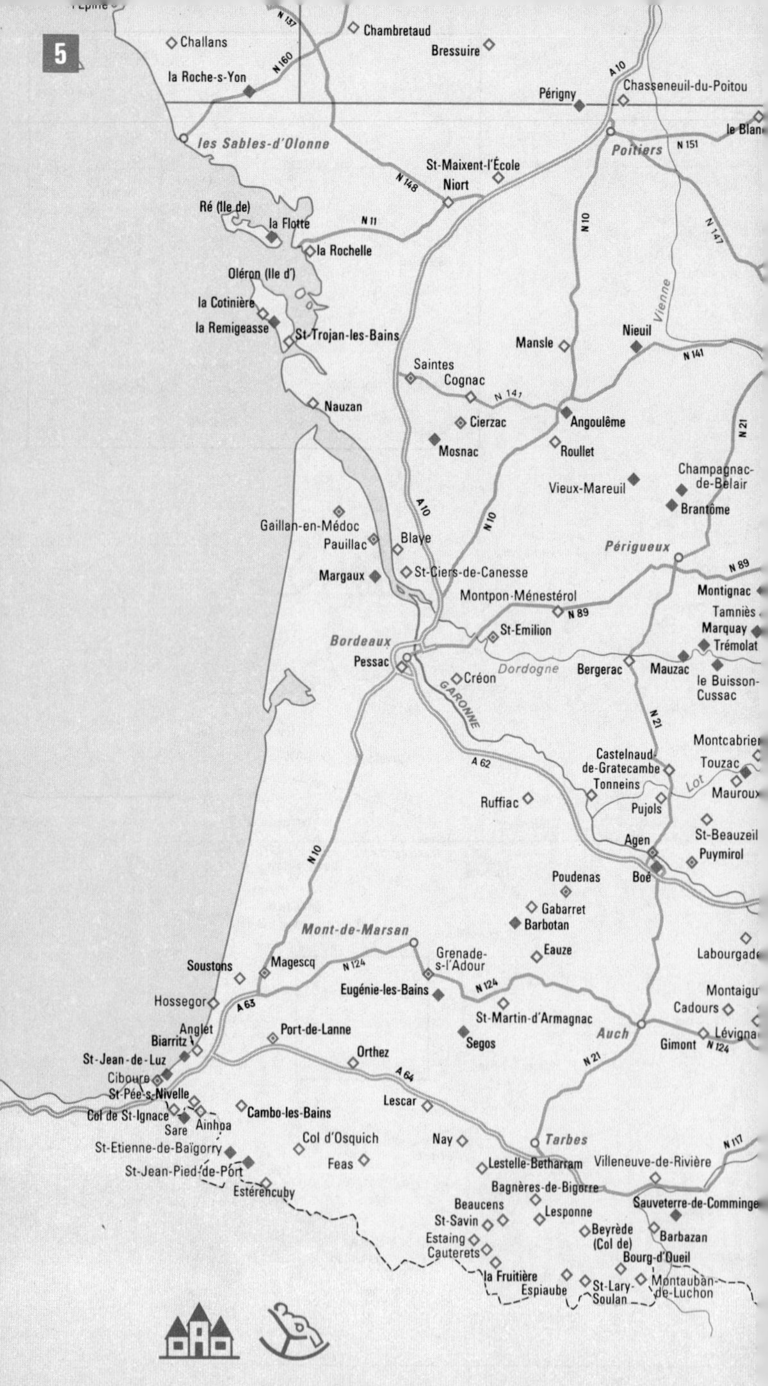
5
Challans
Chambretaud
Bressuire
la Roche-s-Yon
N 160
N 137
A 10
Périgny
Chasseneuil-du-Poitou
les Sables-d'Olonne
Poitiers
N 151
le Blanc
St-Maixent-l'École
Niort
N 148
Ré (Ile de)
la Flotte
N 11
la Rochelle
N 10
N 147
Oléron (Ile d')
la Cotinière
la Remigeasse
St-Trojan-les-Bains
Vienne
Nieuil
Mansle
N 141
Saintes
Cognac
N 141
Nauzan
Cierzac
Angoulême
Mosnac
Roullet
N 21
Champagnac-de-Belair
Vieux-Mareuil
Brantôme
A 10
N 10
Gaillan-en-Médoc
Pauillac
Blaye
Périgueux
Margaux
St-Ciers-de-Canesse
N 89
Montpon-Ménestérol
N 89
Montignac
Tamniès
Marquay
St-Emilion
Trémolat
Bordeaux
Pessac
Créon
Dordogne
Bergerac
Mauzac
le Buisson-Cussac
GARONNE
N 21
Montcabrier
A 62
Castelnaud-de-Gratecambe
Touzac
Tonneins
Lot
Mauroux
Ruffiac
Pujols
St-Beauzeil
Agen
Puymirol
N 10
Poudenas
Boé
Gabarret
Barbotan
Mont-de-Marsan
Grenade-s-l'Adour
Eauze
Labourgade
Soustons
Magescq
N 124
Eugénie-les-Bains
N 124
Montaigu
Hossegor
A 63
St-Martin-d'Armagnac
Cadours
Anglet
Biarritz
Port-de-Lanne
Segos
Auch
Gimont
N 124
Lévignac
St-Jean-de-Luz
Orthez
N 21
Ciboure
A 64
St-Pée-s-Nivelle
Lescar
Col de St-Ignace
Cambo-les-Bains
Sare
Ainhoa
Col d'Osquich
Nay
Tarbes
N 117
St-Etienne-de-Baïgorry
Feas
Lestelle-Betharram
Villeneuve-de-Rivière
St-Jean-Pied-de-Port
Estérencuby
Bagnères-de-Bigorre
Beaucens
Sauveterre-de-Comminges
St-Savin
Lesponne
Beyrède (Col de)
Barbazan
Estaing
Cauterets
Bourg-d'Oueil
la Fruitière
Espiaube
St-Lary-Soulan
Montauban-de-Luchon

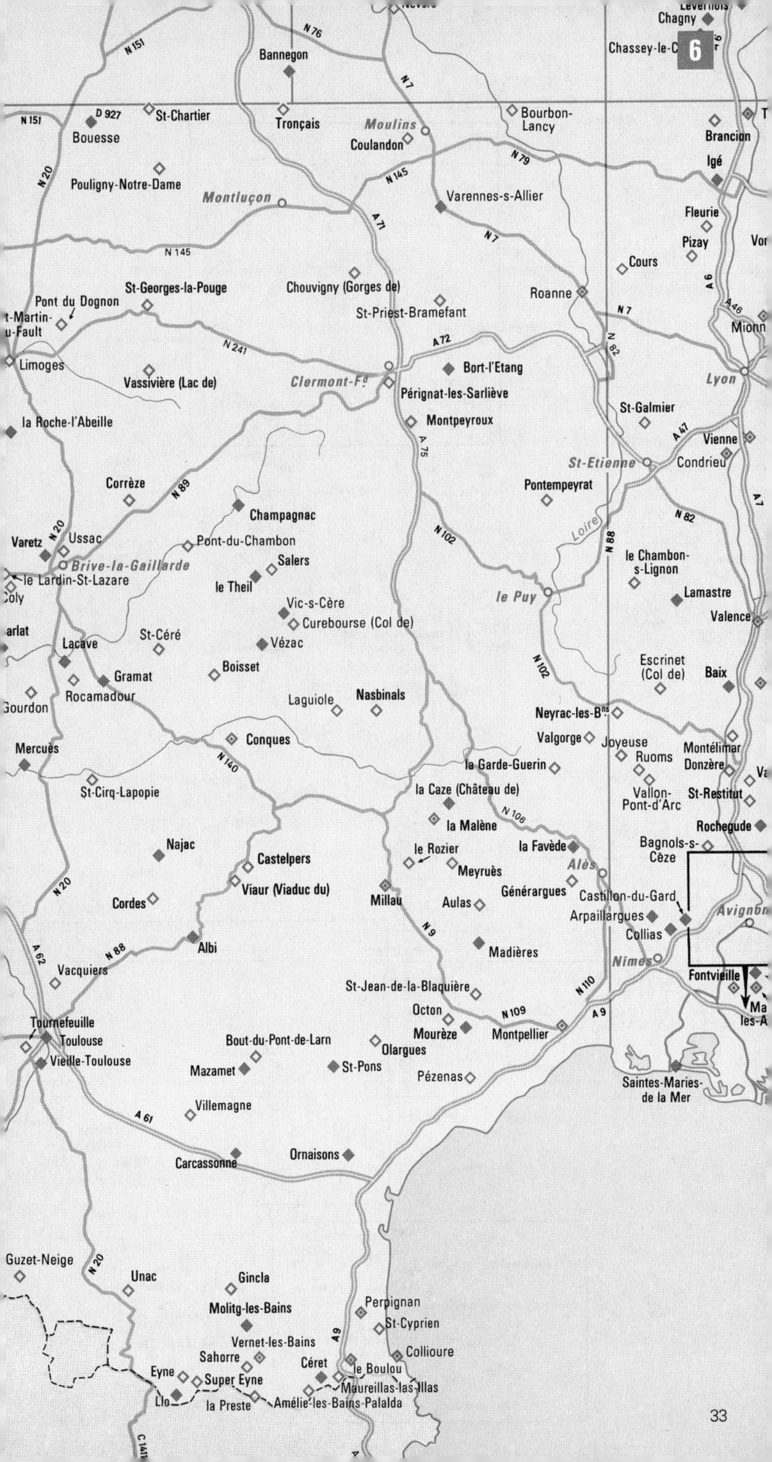
6
Chagny
Chassey-le-C
Bannegon
N 76
N 151
N 7
Bouesse
D 927
St-Chartier
Tronçais
Moulins
Coulandon
Bourbon-Lancy
Brancion
Igé
N 79
N 20
Pouligny-Notre-Dame
N 145
Montluçon
Varennes-s-Allier
A 71
Fleurie
Pizay
N 145
Cours
St-Georges-la-Pouge
Chouvigny (Gorges de)
Roanne
Pont du Dognon
St-Priest-Bramefant
Limoges
N 241
A 72
Bort-l'Etang
N 82
Lyon
Vassivière (Lac de)
Clermont-Fd
Pérignat-les-Sarliève
St-Galmier
la Roche-l'Abeille
Montpeyroux
A 75
A 47
Vienne
St-Etienne
Condrieu
Corrèze
N 89
Pontempeyrat
A 7
Champagnac
N 82
N 102
Loire
N 88
Varetz
Ussac
Pont-du-Chambon
le Chambon-s-Lignon
Brive-la-Gaillarde
Salers
le Lardin-St-Lazare
le Theil
le Puy
Lamastre
Vic-s-Cère
Valence
Curebourse (Col de)
Lacave
St-Céré
Vézac
Escrinet (Col de)
Baix
Gramat
Boisset
Rocamadour
Laguiole
Nasbinals
Gourdon
Neyrac-les-Bns
Valgorge
Joyeuse
Montélimar
Conques
Ruoms
Donzère
Mercuès
N 140
la Garde-Guerin
St-Cirq-Lapopie
la Caze (Château de)
Vallon-Pont-d'Arc
St-Restitut
N 106
la Malène
Rochegude
Najac
le Rozier
la Favède
Bagnols-s-Cèze
Castelpers
Meyruès
Alès
N 20
Viaur (Viaduc du)
Millau
Générargues
Castillon-du-Gard
Cordes
Aulas
Arpaillargues
Avignon
N 9
Collias
N 88
Albi
Madières
A 62
Nîmes
Vacquiers
Fontvieille
St-Jean-de-la-Blaquière
N 110
Octon
N 109
A 9
Tournefeuille
Mourèze
Montpellier
Toulouse
Bout-du-Pont-de-Larn
Olargues
Vieille-Toulouse
Mazamet
St-Pons
Pézenas
Saintes-Maries-de la Mer
Villemagne
A 61
Carcassonne
Ornaisons
Guzet-Neige
N 20
Unac
Gincla
Perpignan
Molitg-les-Bains
St-Cyprien
Vernet-les-Bains
A 9
Collioure
Sahorre
Céret
le Boulou
Eyne
Super Eyne
Maureillas-las-Illas
Llo
la Preste
Amélie-les-Bains-Palalda

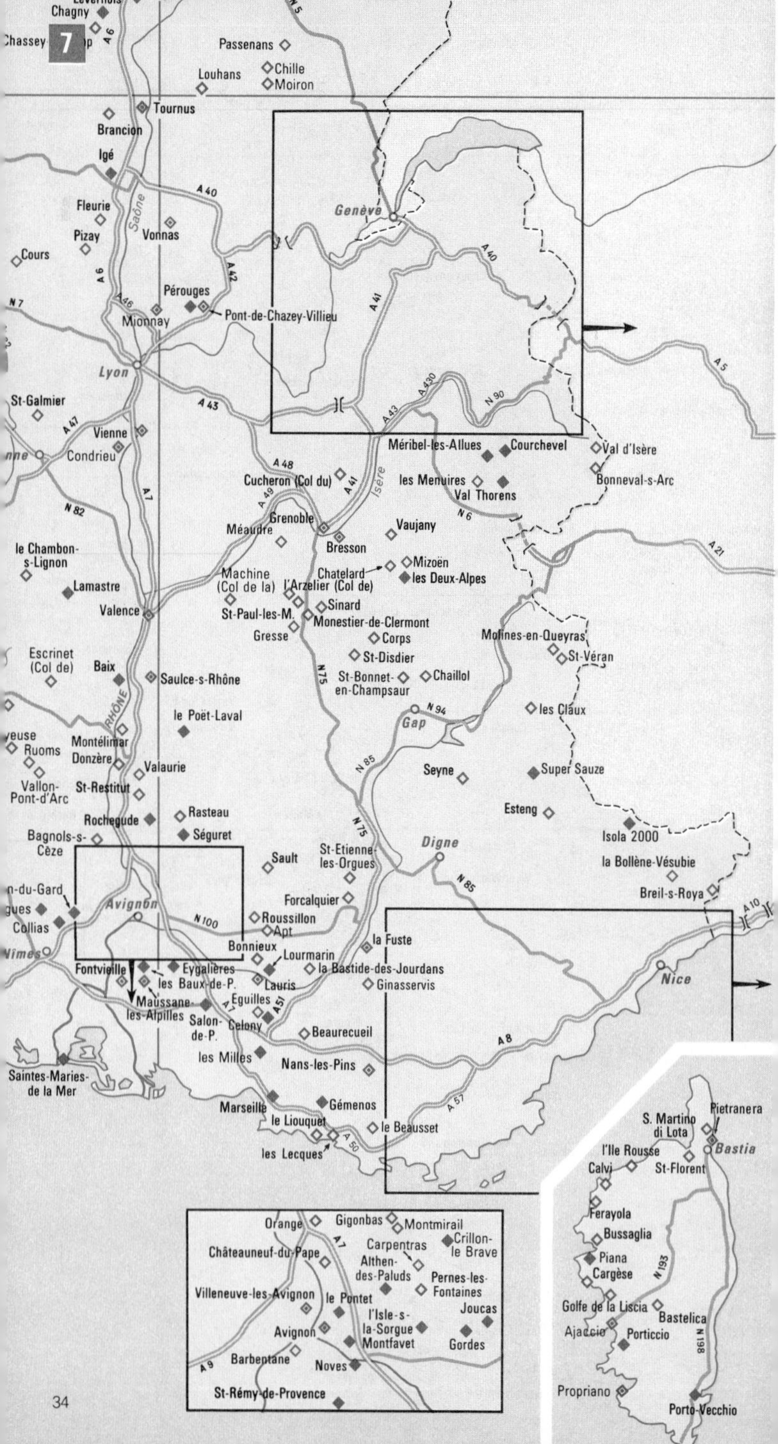
7
Levernois
Chagny
Passenans
Chille
Moiron
Louhans
Tournus
Brancion
Igé
Fleurie
Saône
Vonnas
Pizay
Cours
Genève
A 40
A 41
A 42
A 46
A 6
Pérouges
Pont-de-Chazey-Villieu
Mionnay
N 7
Lyon
A 5
St-Galmier
A 43
A 430
N 90
A 47
Vienne
Condrieu
A 48
A 7
Méribel-les-Allues
Courchevel
Val d'Isère
Cucheron (Col du)
Isère
les Menuires
Val Thorens
Bonneval-s-Arc
N 82
A 49
N 6
Grenoble
Méaudre
Bresson
Vaujany
le Chambon-s-Lignon
A 21
Machine (Col de la)
Chatelard
Mizoën
les Deux-Alpes
Lamastre
l'Arzelier (Col de)
Sinard
Valence
St-Paul-les-M.
Monestier-de-Clermont
Gresse
Corps
Molines-en-Queyras
St-Véran
Escrinet (Col de)
Baix
St-Disdier
N 75
Saulce-s-Rhône
St-Bonnet-en-Champsaur
Chaillol
RHÔNE
le Poët-Laval
Gap
N 94
les Claux
Ruoms
Montélimar
Donzère
Valaurie
N 85
Seyne
Super Sauze
Vallon-Pont-d'Arc
St-Restitut
Rasteau
Esteng
Rochegude
Séguret
Isola 2000
Bagnols-s-Cèze
Digne
Sault
St-Etienne-les-Orgues
la Bollène-Vésubie
Breil-s-Roya
Forcalquier
Avignon
A 10
Roussillon
N 100
Collias
Apt
Bonnieux
la Fuste
Lourmarin
Nice
Fontvieille
Eygalières
la Bastide-des-Jourdans
les Baux-de-P.
Lauris
Ginasservis
Maussane-les-Alpilles
Eguilles
A 51
Salon-de-P.
Celony
Beaurecueil
A 8
Saintes-Maries-de la Mer
les Milles
Nans-les-Pins
Marseille
Gémenos
A 57
le Liouquet
le Beausset
les Lecques
A 50
S. Martino di Lota
Pietranera
Bastia
l'Ile Rousse
Calvi
St-Florent
Orange
Gigonbas
Montmirail
Feravola
Carpentras
Crillon-le Brave
Bussaglia
Châteauneuf-du-Pape
Althen-des-Paluds
Pernes-les-Fontaines
Piana
Cargèse
N 193
Villeneuve-les-Avignon
le Pontet
Joucas
Golfe de la Liscia
Bastelica
l'Isle-s-la-Sorgue
Avignon
Montfavet
Gordes
Ajaccio
Porticcio
N 198
A 9
Barbentane
Noves
St-Rémy-de-Provence
Propriano
Porto-Vecchio

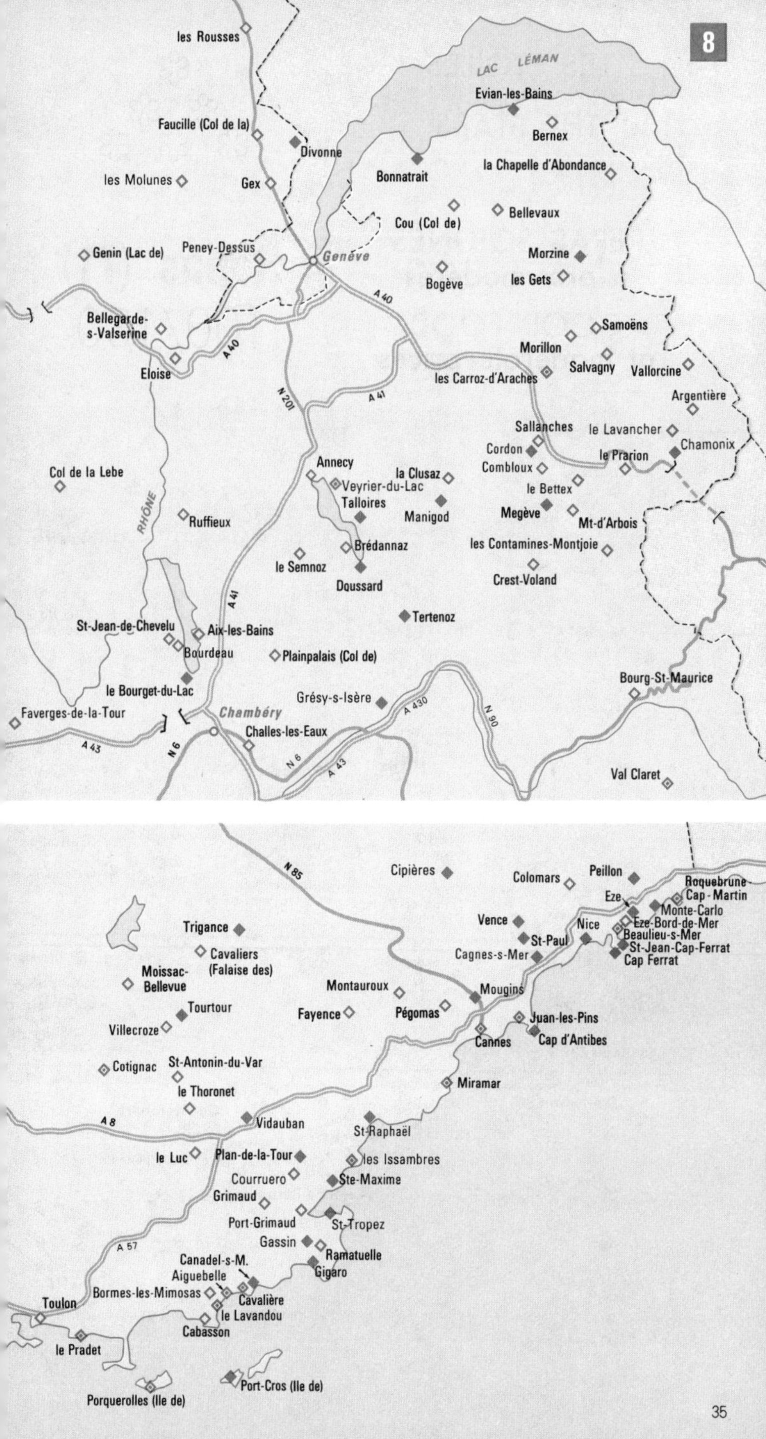
8
Lac Léman
les Rousses
Faucille (Col de la)
Divonne
les Molunes
Gex
Evian-les-Bains
Bernex
Bonnatrait
la Chapelle d'Abondance
Cou (Col de)
Bellevaux
Genin (Lac de)
Peney-Dessus
Genève
Morzine
Bogève
les Gets
A 40
Bellegarde-s-Valserine
Eloise
Samoëns
Morillon
Salvagny
Vallorcine
les Carroz-d'Araches
A 41
N 201
Argentière
Sallanches
le Lavancher
Cordon
Chamonix
le Prarion
Combloux
Col de la Lebe
Annecy
la Clusaz
Veyrier-du-Lac
Talloires
Manigod
le Bettex
Megève
Mt-d'Arbois
Rhône
Ruffieux
Brédannaz
les Contamines-Montjoie
le Semnoz
Crest-Voland
Doussard
Tertenoz
St-Jean-de-Chevelu
Aix-les-Bains
Bourdeau
Plainpalais (Col de)
le Bourget-du-Lac
Grésy-s-Isère
Bourg-St-Maurice
A 430
N 90
Faverges-de-la-Tour
Chambéry
Challes-les-Eaux
A 43
N 6
Val Claret
N 85
Cipières
Peillon
Colomars
Roquebrune-Cap-Martin
Eze
Monte-Carlo
Trigance
Vence
Nice
Eze-Bord-de-Mer
St-Paul
Beaulieu-s-Mer
Cavaliers (Falaise des)
Cagnes-s-Mer
St-Jean-Cap-Ferrat
Cap Ferrat
Moissac-Bellevue
Montauroux
Mougins
Tourtour
Fayence
Pégomas
Juan-les-Pins
Villecroze
Cannes
Cap d'Antibes
Cotignac
St-Antonin-du-Var
Miramar
le Thoronet
A 8
Vidauban
St-Raphaël
le Luc
Plan-de-la-Tour
les Issambres
Courruero
Ste-Maxime
Grimaud
Port-Grimaud
St-Tropez
Gassin
A 57
Ramatuelle
Canadel-s-M.
Gigaro
Aiguebelle
Bormes-les-Mimosas
Cavalière
Toulon
le Lavandou
Cabasson
le Pradet
Port-Cros (Ile de)
Porquerolles (Ile de)

LES ÉTOILES
THE STARS

REPAS SOIGNÉS
à prix modérés

GOOD FOOD
at moderate prices

Repas (R)
100/130

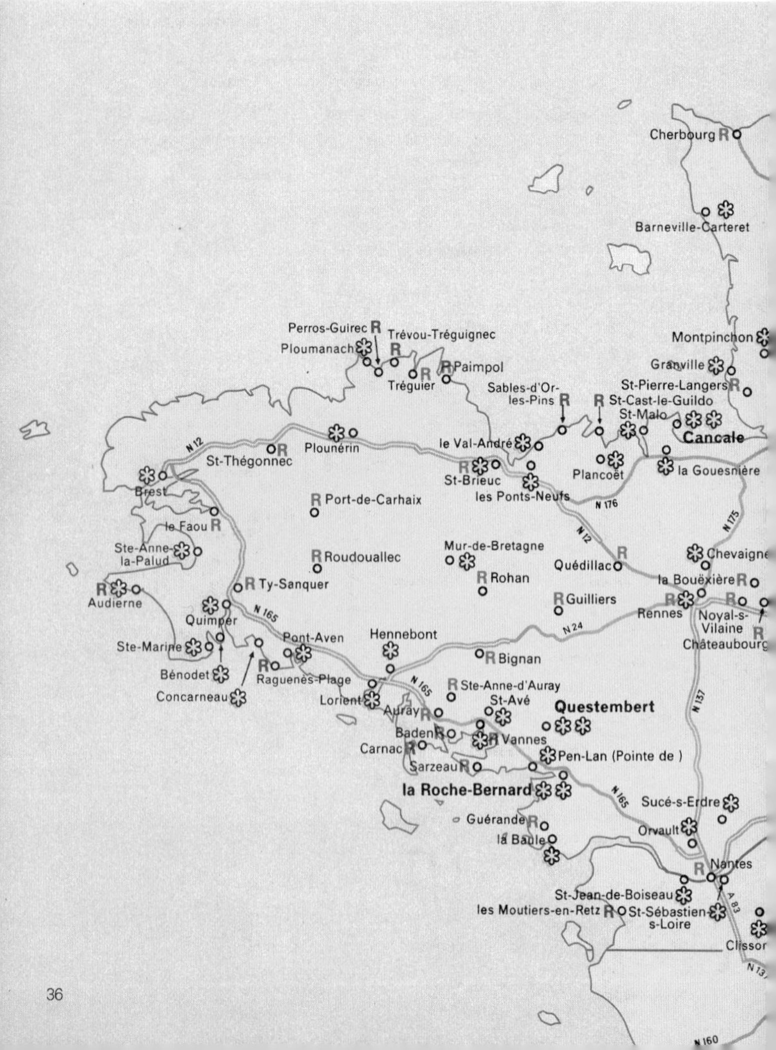

Cherbourg
Barneville-Carteret
Perros-Guirec
Trévou-Tréguignec
Ploumanach
Tréguier
Paimpol
Montpinchon
Granville
St-Pierre-Langers
Sables-d'Or-les-Pins
St-Cast-le-Guildo
St-Malo
Cancale
N 12
St-Thégonnec
Plounérin
le Val-André
St-Brieuc
Plancoët
la Gouesnière
Brest
les Ponts-Neufs
N 176
Port-de-Carhaix
le Faou
N 12
N 175
Ste-Anne-la-Palud
Mur-de-Bretagne
Roudouallec
Quédillac
Chevaigné
Rohan
la Bouëxière
Audierne
Ty-Sanquer
Guilliers
Rennes
Noyal-s-Vilaine
Châteaubourg
Quimper
N 165
N 24
Ste-Marine
Pont-Aven
Hennebont
Bignan
Bénodet
Raguenès-Plage
N 165
Ste-Anne-d'Auray
Concarneau
Lorient
St-Avé
Questembert
N 137
Auray
Baden
Vannes
Carnac
Pen-Lan (Pointe de)
Sarzeau
la Roche-Bernard
N 165
Sucé-s-Erdre
Guérande
Orvault
la Baule
Nantes
St-Jean-de-Boiseau
A 83
les Moutiers-en-Retz
St-Sébastien-s-Loire
Clisson
N 137
N 160

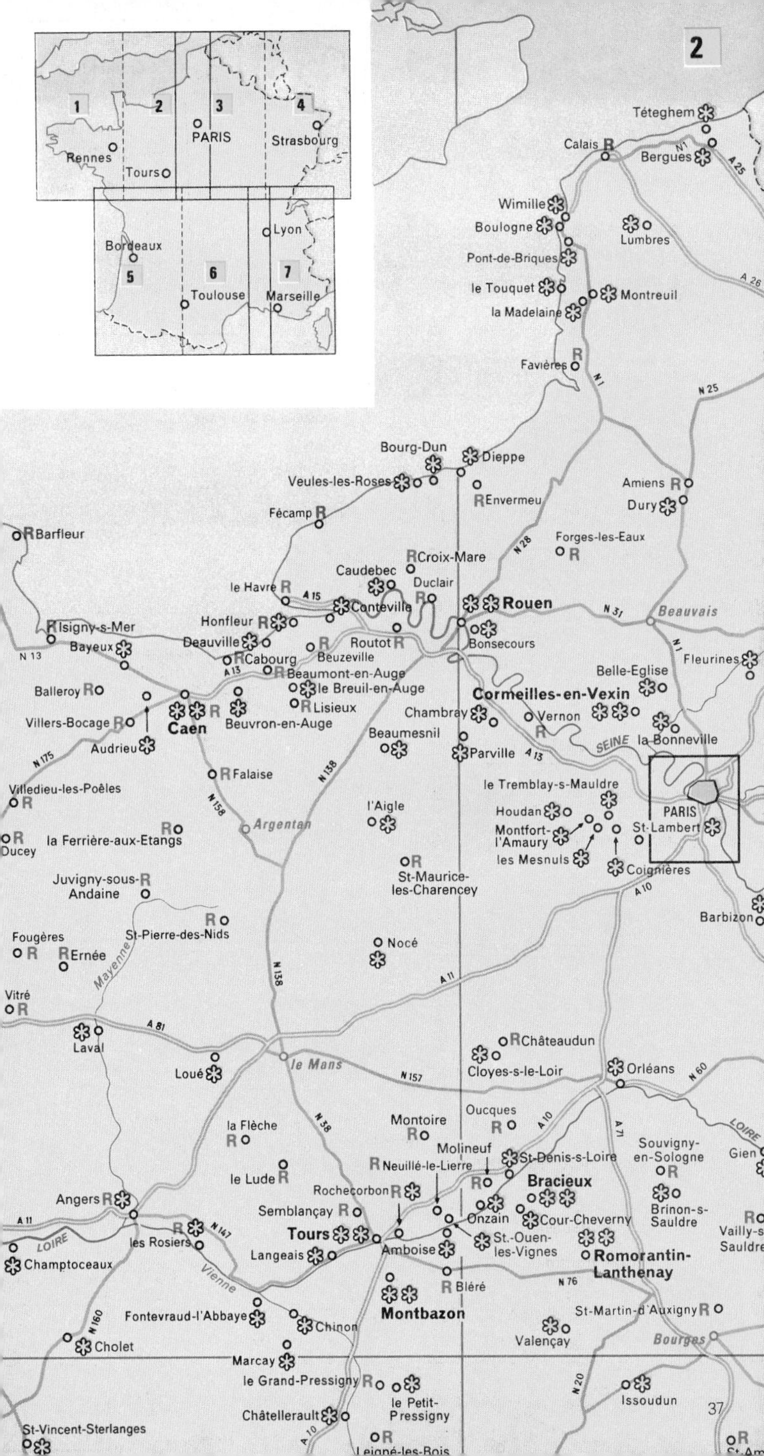

2
1
2
3
4
PARIS
Strasbourg
Rennes
Tours
Lyon
Bordeaux
5
6
7
Toulouse
Marseille
Téteghem
Calais
Bergues
Wimille
Boulogne
Lumbres
Pont-de-Briques
le Touquet
Montreuil
la Madelaine
Favières
Bourg-Dun
Dieppe
Veules-les-Roses
Envermeu
Amiens
Dury
Fécamp
Barfleur
Forges-les-Eaux
Croix-Mare
Caudebec
Duclair
le Havre
Conteville
Rouen
Beauvais
Honfleur
Isigny-s-Mer
Routot
Bonsecours
Deauville
Bayeux
Cabourg
Beuzeville
Fleurines
Beaumont-en-Auge
Belle-Eglise
Balleroy
le Breuil-en-Auge
Cormeilles-en-Vexin
Lisieux
Chambray
Vernon
Villers-Bocage
Caen
Beuvron-en-Auge
Beaumesnil
la Bonneville
Audrieu
Parville
Falaise
le Tremblay-s-Mauldre
Villedieu-les-Poêles
l'Aigle
Houdan
Montfort-l'Amaury
St-Lambert
Argentan
la Ferrière-aux-Etangs
Ducey
les Mesnuls
Coignières
St-Maurice-les-Charencey
Juvigny-sous-Andaine
Barbizon
St-Pierre-des-Nids
Fougères
Ernée
Noçé
Mayenne
Vitré
Laval
Châteaudun
Loué
le Mans
Cloyes-s-le-Loir
Orléans
Oucques
la Flèche
Montoire
Molineuf
Souvigny-en-Sologne
Gien
Neuillé-le-Lierre
St-Denis-s-Loire
le Lude
Bracieux
Angers
Rochecorbon
Brinon-s-Sauldre
Semblançay
Onzain
Cour-Cheverny
Vailly-s-Sauldre
Tours
St.-Ouen-les-Vignes
les Rosiers
Langeais
Amboise
Romorantin-Lanthenay
Champtoceaux
LOIRE
Vienne
Bléré
Fontevraud-l'Abbaye
Montbazon
St-Martin-d'Auxigny
Chinon
Valençay
Cholet
Bourges
Marcay
le Grand-Pressigny
le Petit-Pressigny
Issoudun
Châtellerault
St-Vincent-Sterlanges
Leigné-les-Bois
SEINE
N 1
A 25
A 26
N 25
N 28
N 31
N 13
A 15
A 13
N 175
N 158
N 138
A 10
A 11
A 81
N 157
N 38
N 60
A 71
N 147
N 76
N 160
N 20

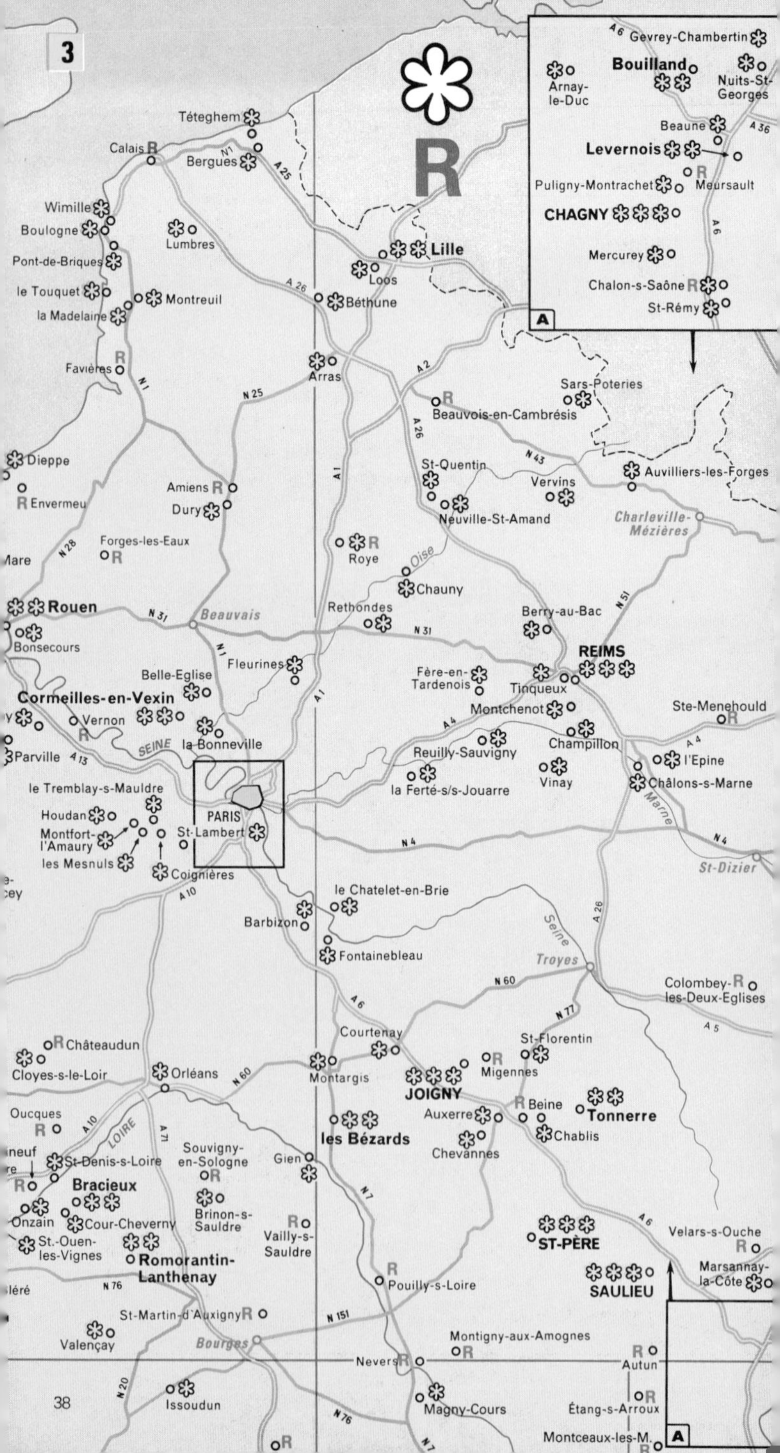
3
R
Téteghem
Calais
Bergues
N1
A 25
Wimille
Boulogne
Lumbres
Pont-de-Briques
le Touquet
Montreuil
la Madelaine
Favières
N1
Lille
Loos
A 26
Béthune
Arras
A 2
N 25
Sars-Poteries
Beauvois-en-Cambrésis
A 26
Dieppe
Envermeu
Amiens
Dury
A 1
St-Quentin
N 43
Vervins
Auvilliers-les-Forges
Neuville-St-Amand
Charleville-Mézières
Forges-les-Eaux
N 28
Mare
Roye
Oise
Chauny
Rouen
N 31
Beauvais
Rethondes
N 31
Berry-au-Bac
N 51
Bonsecours
N1
REIMS
Belle-Eglise
Fleurines
Fère-en-Tardenois
Tinqueux
Cormeilles-en-Vexin
A 1
Montchenot
Ste-Menehould
Vernon
A 4
Champillon
SEINE
la Bonneville
Reuilly-Sauvigny
A 4
l'Epine
Parville
A 13
Vinay
la Ferté-s/s-Jouarre
Châlons-s-Marne
le Tremblay-s-Mauldre
Marne
Houdan
PARIS
Montfort-l'Amaury
St-Lambert
N 4
N 4
les Mesnuls
Coignières
St-Dizier
A 10
le Chatelet-en-Brie
Seine
Barbizon
A 26
Fontainebleau
Troyes
N 60
Colombey-les-Deux-Eglises
A 6
N 77
A 5
Courtenay
Châteaudun
St-Florentin
Cloyes-s-le-Loir
Orléans
Montargis
Migennes
N 60
JOIGNY
Oucques
Beine
Tonnerre
A 10
Auxerre
LOIRE
Chablis
A 71
les Bézards
Souvigny-en-Sologne
Chevannes
St-Denis-s-Loire
Gien
Bracieux
N 7
Onzain
Brinon-s-Sauldre
Cour-Cheverny
Vailly-s-Sauldre
A 6
Velars-s-Ouche
St.-Ouen-les-Vignes
ST-PÈRE
Romorantin-Lanthenay
Marsannay-la-Côte
Pouilly-s-Loire
SAULIEU
N 76
St-Martin-d'Auxigny
N 151
Valençay
Bourges
Montigny-aux-Amognes
Nevers
Autun
N 20
Issoudun
Magny-Cours
Étang-s-Arroux
N 76
N 7
Montceaux-les-M.
A
Gevrey-Chambertin
Bouilland
Arnay-le-Duc
Nuits-St-Georges
Beaune
A 36
Levernois
Puligny-Montrachet
Meursault
CHAGNY
A 6
Mercurey
Chalon-s-Saône
St-Rémy
A
38

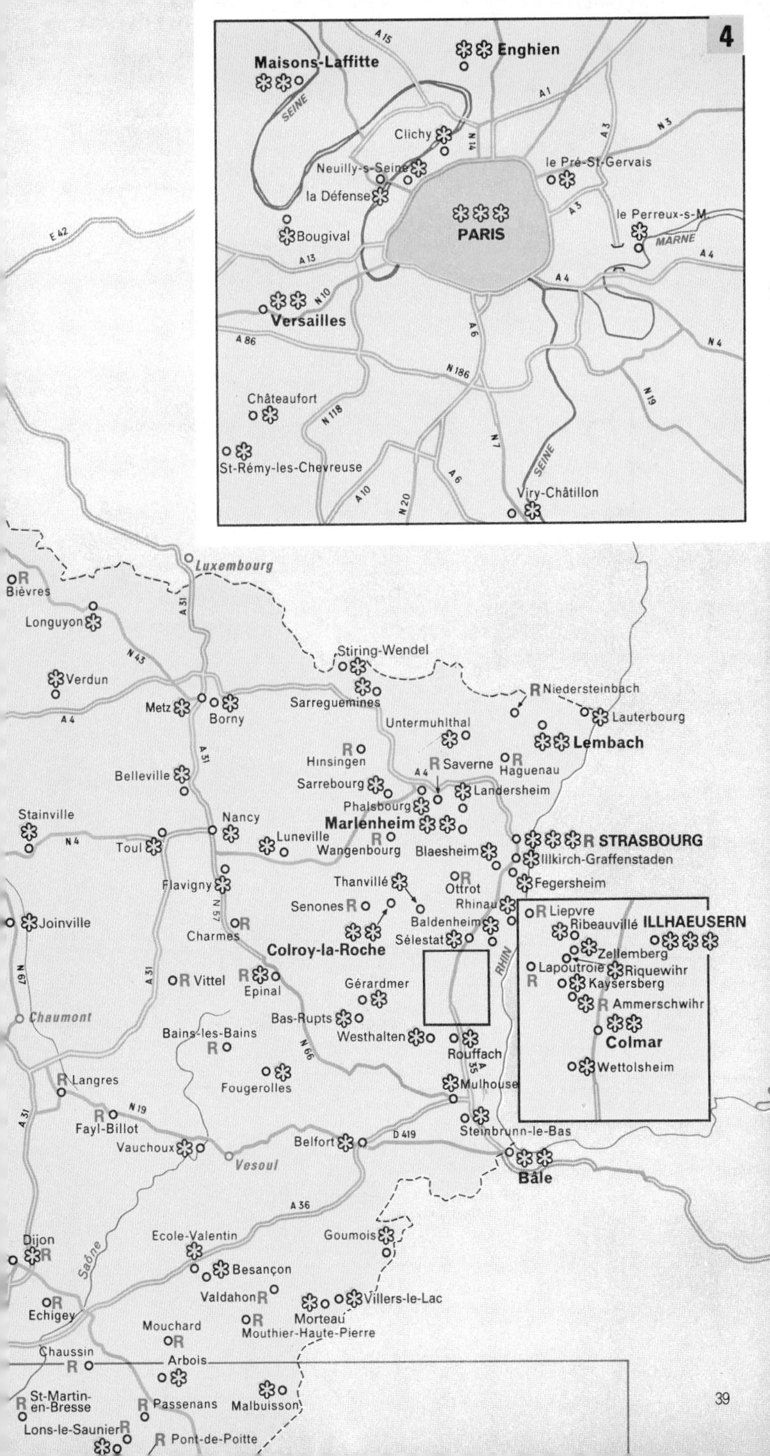
4
Maisons-Laffitte
Enghien
A 15
A 1
SEINE
Clichy
N 14
A 3
N 3
Neuilly-s-Seine
le Pré-St-Gervais
la Défense
PARIS
le Perreux-s-M.
Bougival
MARNE
A 13
A 4
Versailles
N 10
A 86
A 6
N 4
N 186
Châteaufort
N 118
N 19
N 7
St-Rémy-les-Chevreuse
A 6
SEINE
A 10
N 20
Viry-Châtillon
E 42
Luxembourg
Bièvres
Longuyon
A 31
N 43
Stiring-Wendel
Verdun
Niedersteinbach
Metz
Borny
Sarreguemines
Lauterbourg
A 4
Untermuhlthal
Lembach
A 31
Hinsingen
Saverne
Haguenau
Belleville
Sarrebourg
A 4
Landersheim
Phalsbourg
Stainville
Nancy
Marlenheim
N 4
Toul
Luneville
Wangenbourg
Blaesheim
STRASBOURG
Illkirch-Graffenstaden
Flavigny
Thanvillé
Ottrot
Fegersheim
N 57
Senones
Rhinau
Liepvre
Joinville
Charmes
Baldenheim
Ribeauvillé
ILLHAEUSERN
Sélestat
Zellemberg
Colroy-la-Roche
RHIN
Lapoutroie
Riquewihr
N 67
A 31
Vittel
Epinal
Gérardmer
Kaysersberg
Chaumont
Ammerschwihr
Bas-Rupts
Bains-les-Bains
Westhalten
Colmar
N 66
Rouffach
A 35
Wettolsheim
Langres
Fougerolles
Mulhouse
N 19
Fayl-Billot
Steinbrunn-le-Bas
A 31
Vauchoux
Belfort
D 419
Vesoul
Bâle
A 36
Dijon
Ecole-Valentin
Goumois
Saône
Besançon
Valdahon
Villers-le-Lac
Echigey
Morteau
Mouchard
Mouthier-Haute-Pierre
Chaussin
Arbois
St-Martin-en-Bresse
Passenans
Malbuisson
Lons-le-Saunier
Pont-de-Poitte

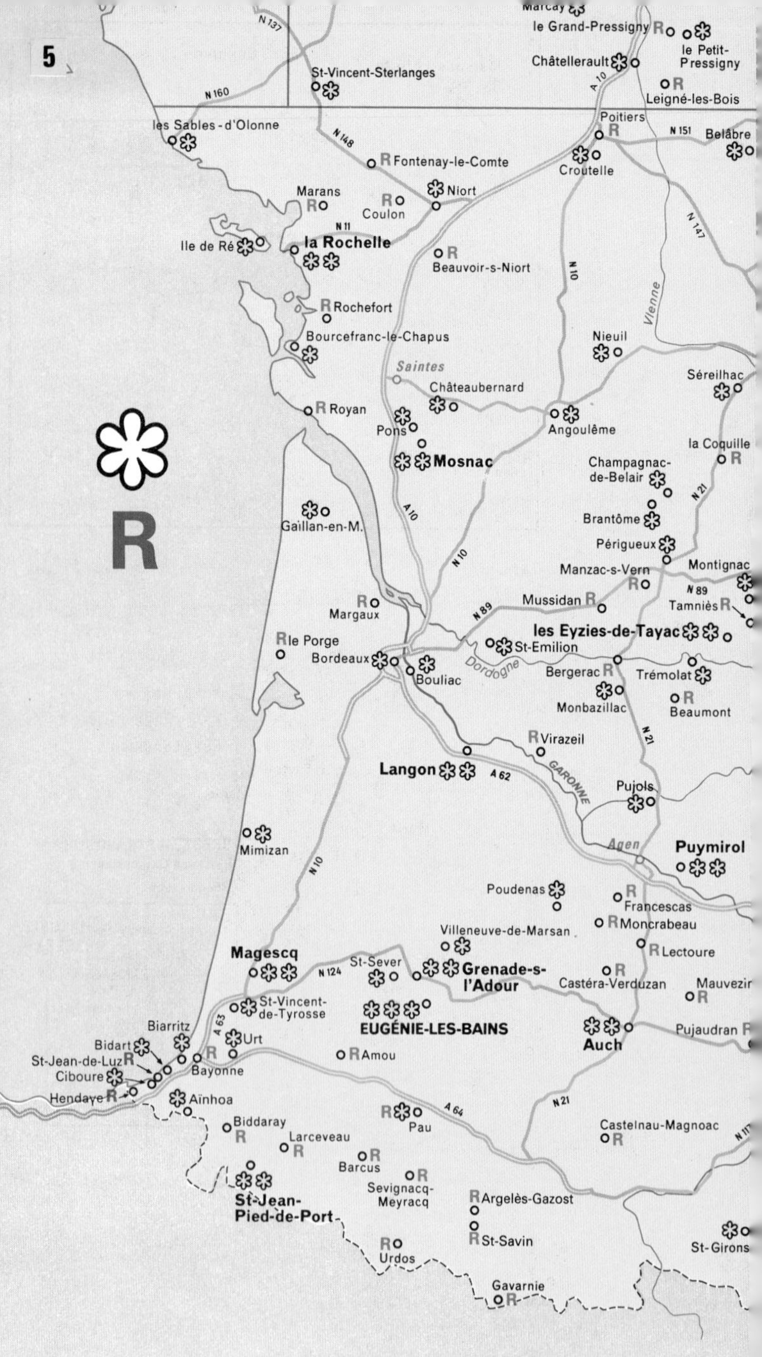
5
N 137
N 160
St-Vincent-Sterlanges
le Grand-Pressigny
le Petit-Pressigny
Châtellerault
A 10
Leigné-les-Bois
Poitiers
N 151
Belâbre
les Sables-d'Olonne
N 148
Fontenay-le-Comte
Croutelle
Marans
Coulon
Niort
N 11
Ile de Ré
la Rochelle
Beauvoir-s-Niort
N 10
N 147
Vienne
Rochefort
Bourcefranc-le-Chapus
Nieuil
Saintes
Châteaubernard
Séreilhac
Royan
Pons
Angoulême
la Coquille
Mosnac
Champagnac-de-Belair
N 21
Gaillan-en-M.
Brantôme
Périgueux
Montignac
Manzac-s-Vern
N 89
Mussidan
Tamniès
Margaux
les Eyzies-de-Tayac
le Porge
St-Emilion
Bordeaux
Bouliac
Dordogne
Bergerac
Trémolat
Monbazillac
Beaumont
Virazeil
Langon
A 62
GARONNE
Pujols
Mimizan
Agen
Puymirol
Poudenas
Francescas
Moncrabeau
Villeneuve-de-Marsan
Lectoure
Magescq
St-Sever
N 124
Grenade-s-l'Adour
Castéra-Verduzan
Mauvezin
St-Vincent-de-Tyrosse
EUGÉNIE-LES-BAINS
Biarritz
A 63
Urt
Pujaudran
Auch
Bidart
St-Jean-de-Luz
Amou
Ciboure
Bayonne
Hendaye
Aïnhoa
A 64
Pau
Biddaray
Castelnau-Magnoac
Larceveau
Barcus
Sevignacq-Meyracq
Argelès-Gazost
St-Jean-Pied-de-Port
St-Savin
St-Girons
Urdos
Gavarnie
R

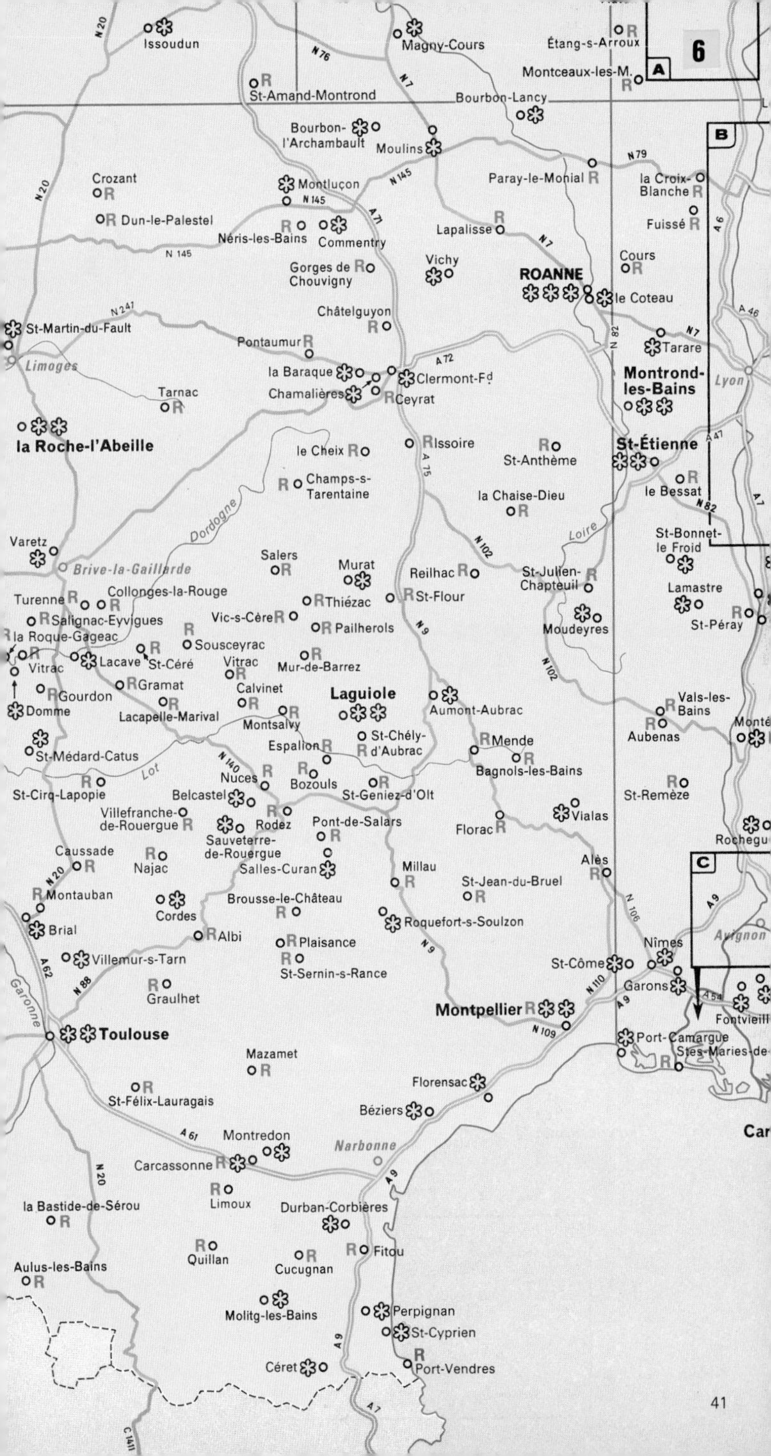
6
A
B
C
N 20
Issoudun
Magny-Cours
N 76
N 7
Étang-s-Arroux
Montceaux-les-M.
St-Amand-Montrond
Bourbon-Lancy
Bourbon-l'Archambault
Moulins
N 79
Crozant
Montluçon
N 145
Paray-le-Monial
la Croix-Blanche
Dun-le-Palestel
A 71
Fuissé
A 6
Néris-les-Bains
Commentry
Lapalisse
N 145
Gorges de Chouvigny
Vichy
Cours
ROANNE
le Coteau
N 247
Châtelguyon
A 46
St-Martin-du-Fault
N 7
Tarare
Pontaumur
Limoges
A 72
N 82
la Baraque
Clermont-Fd
Montrond-les-Bains
Lyon
Tarnac
Chamalières
Ceyrat
la Roche-l'Abeille
Issoire
St-Étienne
A 47
le Cheix
St-Anthème
Champs-s-Tarentaine
A 75
le Bessat
la Chaise-Dieu
N 82
A 7
Dordogne
Loire
St-Bonnet-le Froid
N 102
Varetz
Salers
Brive-la-Gaillarde
Murat
Reilhac
St-Julien-Chapteuil
Lamastre
Turenne
Collonges-la-Rouge
Thiézac
St-Flour
Salignac-Eyvigues
Vic-s-Cère
Pailherols
Moudeyres
St-Péray
la Roque-Gageac
Sousceyrac
N 9
Vitrac
Lacave
St-Céré
Vitrac
Mur-de-Barrez
N 102
Gourdon
Gramat
Calvinet
Laguiole
Aumont-Aubrac
Vals-les-Bains
Domme
Lacapelle-Marival
Montsalvy
St-Chély-d'Aubrac
Aubenas
St-Médard-Catus
Espalion
Mende
Lot
N 140
Nuces
Bozouls
Bagnols-les-Bains
St-Cirq-Lapopie
Belcastel
St-Geniez-d'Olt
St-Remèze
Villefranche-de-Rouergue
Rodez
Pont-de-Salars
Vialas
Sauveterre-de-Rouergue
Florac
Caussade
Najac
Salles-Curan
Millau
Alès
N 20
St-Jean-du-Bruel
Montauban
Cordes
Brousse-le-Château
N 106
Brial
Albi
Roquefort-s-Soulzon
A 9
Plaisance
N 9
Nîmes
Avignon
A 62
Villemur-s-Tarn
St-Côme
St-Sernin-s-Rance
N 88
N 110
Garons
A 54
Garonne
Graulhet
A 9
Montpellier
Fontvieill
N 109
Toulouse
Port-Camargue
Stes-Maries-de-
Mazamet
Florensac
St-Félix-Lauragais
Béziers
Car
A 61
Montredon
Narbonne
Carcassonne
N 20
A 9
Limoux
la Bastide-de-Sérou
Durban-Corbières
Quillan
Fitou
Cucugnan
Aulus-les-Bains
Molitg-les-Bains
Perpignan
St-Cyprien
A 9
Céret
Port-Vendres
A 7
C 1411

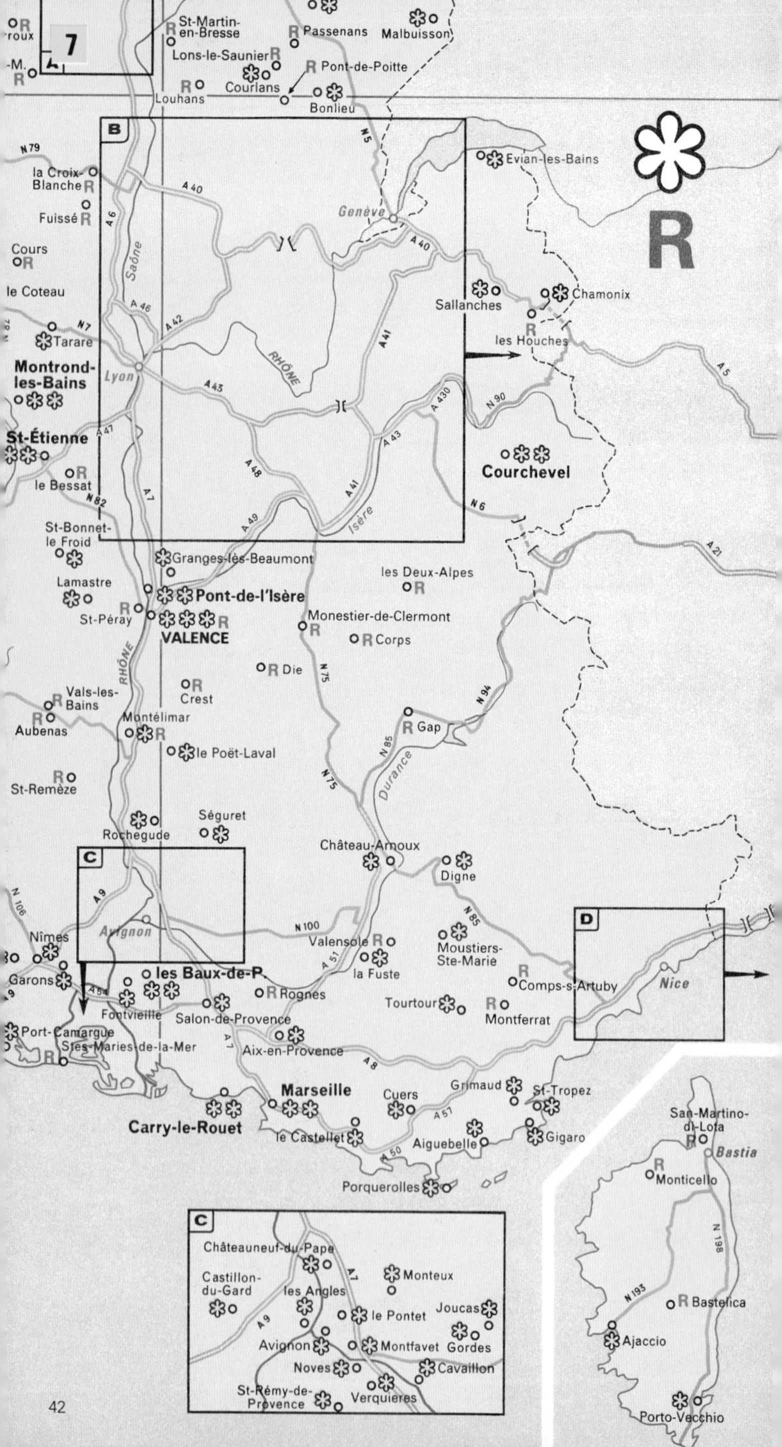

7
B
C
D
R
St-Martin-en-Bresse
Passenans
Malbuisson
Lons-le-Saunier
Pont-de-Poitte
Courlans
Louhans
Bonlieu
Evian-les-Bains
la Croix-Blanche
Fuissé
Cours
le Coteau
Genève
Chamonix
Sallanches
les Houches
Tarare
Montrond-les-Bains
Lyon
St-Étienne
Courchevel
le Bessat
St-Bonnet-le Froid
Granges-lès-Beaumont
Lamastre
Pont-de-l'Isère
les Deux-Alpes
St-Péray
VALENCE
Monestier-de-Clermont
Corps
Die
Crest
Vals-les-Bains
Aubenas
Montélimar
Gap
le Poët-Laval
St-Remèze
Séguret
Rochegude
Château-Arnoux
Digne
Avignon
Nîmes
Valensole
Moustiers-Ste-Marie
Garons
les Baux-de-P.
la Fuste
Comps-s-Artuby
Nice
Rognes
Tourtour
Montferrat
Fontvieille
Salon-de-Provence
Port-Camargue
Stes-Maries-de-la-Mer
Aix-en-Provence
Marseille
Grimaud
St-Tropez
Cuers
Carry-le-Rouet
le Castellet
Aiguebelle
Gigaro
San-Martino-di-Lota
Bastia
Monticello
Porquerolles
Châteauneuf-du-Pape
Castillon-du-Gard
Monteux
les Angles
le Pontet
Joucas
Avignon
Montfavet
Gordes
Noves
Cavaillon
St-Rémy-de-Provence
Verquieres
Bastelica
Ajaccio
Porto-Vecchio
Saône
RHÔNE
Isère
Durance
N 79
N 7
N 82
N 5
N 90
N 6
N 94
N 85
N 75
N 100
N 106
N 193
N 198
A 40
A 6
A 46
A 42
A 41
A 43
A 47
A 48
A 7
A 49
A 430
A 5
A 21
A 9
A 51
A 54
A 8
A 57
A 50

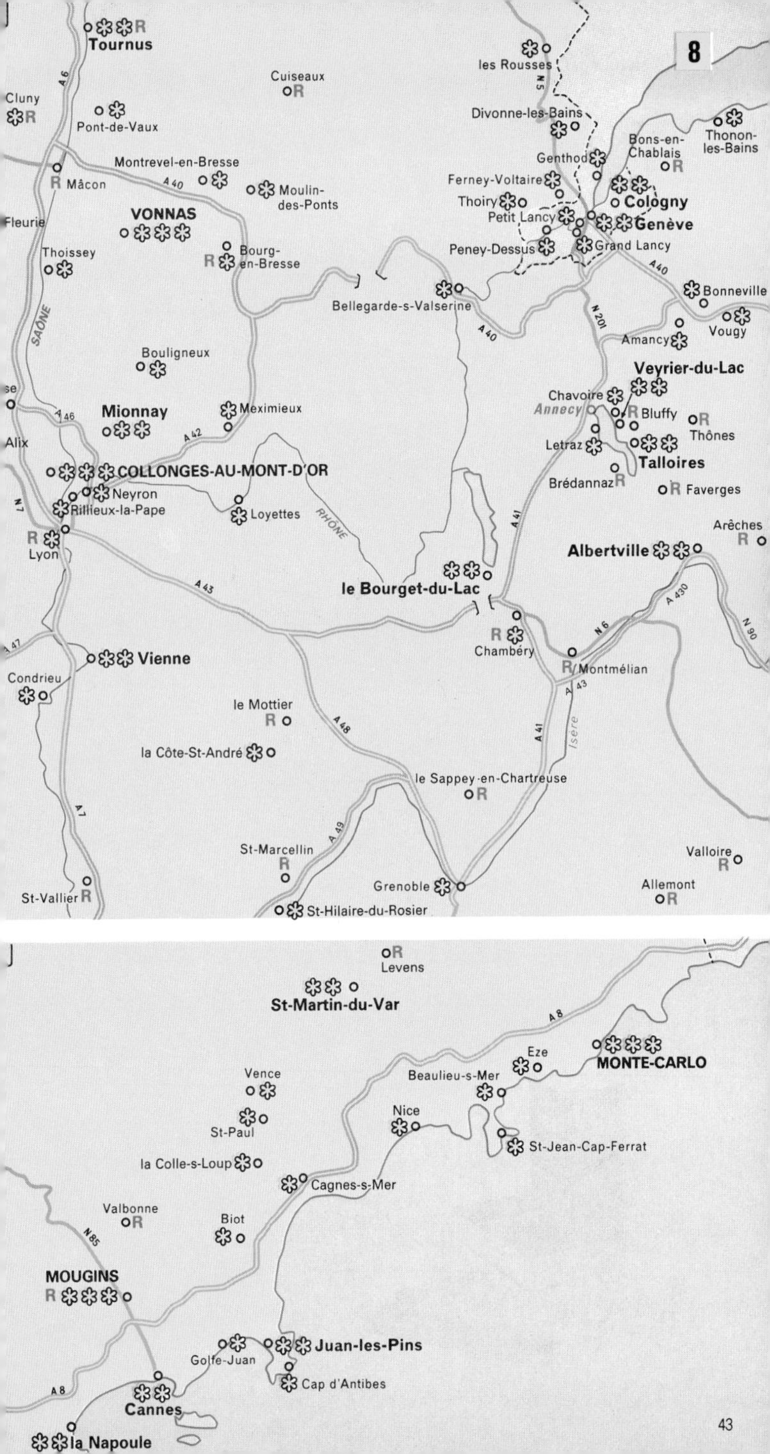
Tournus
Cuiseaux
les Rousses
Cluny
Pont-de-Vaux
Divonne-les-Bains
Thonon-les-Bains
Bons-en-Chablais
Genthod
Montrevel-en-Bresse
Mâcon
Moulin-des-Ponts
Ferney-Voltaire
Cologny
Thoiry
VONNAS
Petit Lancy
Genève
Fleurie
Thoissey
Bourg-en-Bresse
Peney-Dessus
Grand Lancy
Bellegarde-s-Valserine
Bonneville
Vougy
Amancy
SAÔNE
Bouligneux
Veyrier-du-Lac
Chavoire
Annecy
Bluffy
Mionnay
Meximieux
Thônes
Alix
Letraz
Talloires
COLLONGES-AU-MONT-D'OR
Brédannaz
Neyron
Faverges
Rillieux-la-Pape
Loyettes
RHÔNE
Arêches
Lyon
Albertville
le Bourget-du-Lac
Vienne
Chambéry
Montmélian
Condrieu
le Mottier
Isère
la Côte-St-André
le Sappey-en-Chartreuse
St-Marcellin
Valloire
Allemont
Grenoble
St-Vallier
St-Hilaire-du-Rosier
Levens
St-Martin-du-Var
MONTE-CARLO
Eze
Vence
Beaulieu-s-Mer
St-Paul
Nice
St-Jean-Cap-Ferrat
la Colle-s-Loup
Cagnes-s-Mer
Valbonne
Biot
MOUGINS
Juan-les-Pins
Golfe-Juan
Cap d'Antibes
Cannes
la Napoule

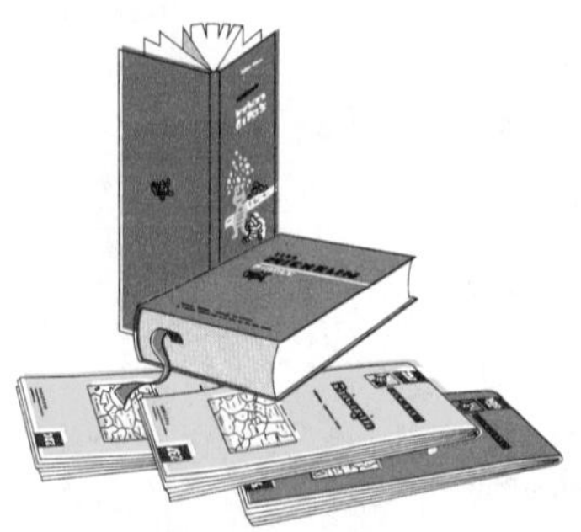

Localités

par ordre alphabétique

Places

in alphabetical order

ABBEVILLE <SP> **80100** Somme 52 ⑥ ⑦ **G. Flandres Artois Picardie** – 23 787 h.

Voir Château de Bagatelle★ BZ – Façade★ de l'église St-Vulfran AZ – Musée Boucher de Perthes★ BY **M.**

Env. St-Riquier : intérieur★★ de l'église★ 9 km par ② – Vallée de la Somme★ par ⑤.

Office de Tourisme 1 pl. Amiral Courbet ☎ 22 24 27 92, Télex 155881 et pl. Gén.-de-Gaulle (juil.-août).

Paris 165 ④ – ♦Amiens 44 ③ – Arras 77 ② – Beauvais 89 ④ – Béthune 85 ② – Boulogne-sur-Mer 79 ① – Dieppe 63 ⑥ – ♦Le Havre 161 ⑤ – ♦Rouen 97 ⑤ – St-Omer 87 ①.

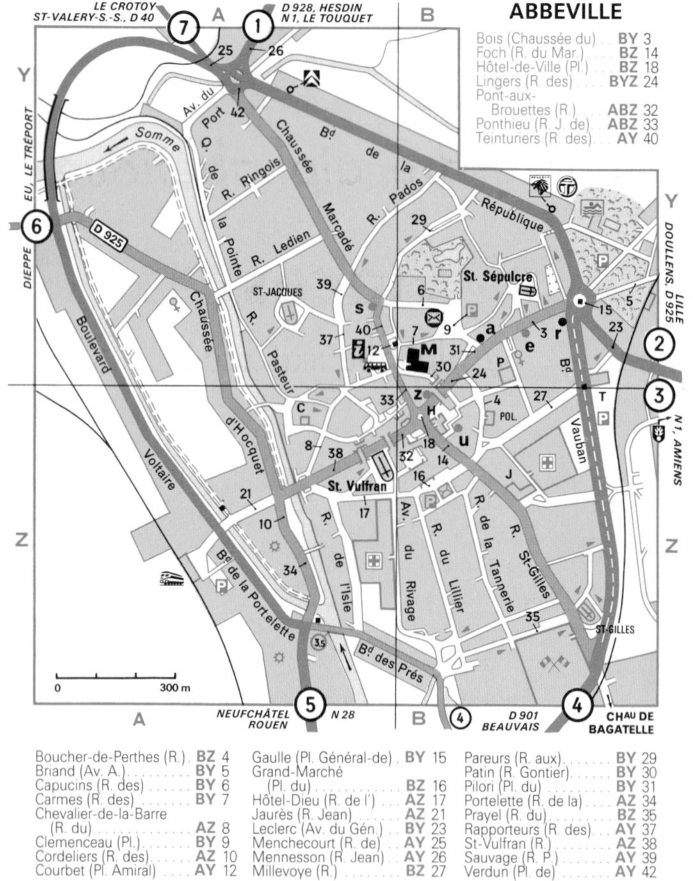

France, 19 pl. Pilori ☎ 22 24 00 42, Télex 155365, Fax 22 24 26 15 – TV ☎ & – 35 à 70. AE ⦿ GB. rest — BY **a**
R *(fermé 15 déc. au 8 janv., sam. midi et dim. midi du 1er nov. au 15 avril)* 105 ꟗ, enf. 48 – ☐ 38 – **69 ch** 230/300.

Ibis , par ③ et rte d'Amiens : 2 km ☎ 22 24 80 80, Télex 145045, Fax 22 31 75 96 – TV ☎ & P – 50. GB
R 79/185 ꟗ, enf. 42 – ☐ 32 – **45 ch** 240/289.

Relais Vauban M sans rest, 4 bd Vauban ☎ 22 31 30 35, Fax 22 31 75 97 – TV ☎. GB. — BY **r**
fermé dim. soir de nov. à mars – ☐ 25 – **22 ch** 220/255.

XX **Aub. de la Corne,** 32 chaussée du Bois ☎ 22 24 06 34 – AE ⦿ GB — BY **e**
fermé 25 fév. au 10 mars, dim. soir et lundi – **R** 90/260.

XX **Au Châteaubriant,** 1 pl. Hôtel de Ville ☎ 22 24 08 23 – GB — BYZ **z**
fermé 29 juin au 19 juil., dim. soir et lundi – **R** 75/185 bc, enf. 40.

XX **L'Escale en Picardie,** 15 r. Teinturiers ✆ 22 24 21 51, poissons et coquillages – AE ⓓ GB. ✻ AY **s**
fermé 10 août au 4 sept., vacances de fév., dim. soir, fériés le soir et lundi – **R** 135/245.

X **Condé** avec ch, 14 pl. Libération ✆ 22 24 06 33 – GB BZ **u**
fermé 15 au 30 oct. et dim. – **R** 75/165 ⅄ – ☕ 25 – **7 ch** 130/240 – ½ P 175/230.

ALFA-ROMEO Idéal Garage, 17 r. Schumann, ZI ✆ 22 24 57 77
CITROEN S.N.G.R., 214 bd République ✆ 22 24 30 80
FORD Abbeville-Autom., 29 chaussée Hocquet ✆ 22 24 08 54
PEUGEOT-TALBOT Les Gds Gar. de l'Avenir, 8 bd République ✆ 22 24 77 55
RENAULT Palais Autom., ZI, rte de Doullens par ② ✆ 22 24 29 80 N ✆ 22 31 52 23
V.A.G Bailly Automobiles, 53 av. Robert Schuman ✆ 22 24 34 81
VOLVO Picard Automobiles, 22 quai de la Pointe ✆ 22 31 22 11

Lagrange-Pneus, 76 rte de Doullens ✆ 22 24 14 72

L'ABER-WRAC'H 29 Finistère 58 ④ **G. Bretagne** – alt. 53 – ✉ **29214** Landéda.
Paris 607 – ♦Brest 28 – Landerneau 37 – Landivisiau 48 – Morlaix 69 – Quimper 96.

Baie des Anges ⛰, sans rest, ✆ 98 04 90 04, ≤ – ☎ **P**. GB
Pâques-vacances de nov. – ☕ 45 – **17 ch** 175/288.

ABLIS **78660** Yvelines 60 ⑨ 106 ㊵ – 2 033 h. alt. 178.
Paris 63 – Chartres 31 – Étampes 29 – Mantes 61 – ♦Orléans 75 – Rambouillet 15 – Versailles 44.

XX **Croix Blanche,** ✆ (1) 30 59 10 31 – GB
fermé 20 fév. au 20 mars, mardi soir et merc. – **R** 130/240, enf. 45.

à l'Ouest : 6 km par D 168 – ✉ **28700** Auneau :

Château d'Esclimont ⛰, ✆ 37 31 15 15, Télex 780560, Fax 37 31 57 91, ≤, « Parc, étang, forêt », ⛱, ✻ – |♦| TV ☎ **P** – 🏛 130. GB. ✻ rest
R 300/470 – ☕ 80 – **48 ch** 550/1650, 6 appart. 2500 – ½ P 680/1205.

ABONDANCE **74360** H.-Savoie 70 ⑱ **G. Alpes du Nord** – 1 251 h. alt. 930 – Sports d'hiver : 1 000/1 900 m ⛷1 ⛷14.
Voir Abbaye★ : Fresques★★ du cloître.
Office de Tourisme à la Mairie ✆ 50 73 02 90.
Paris 597 – Thonon-les-Bains 27 – Annecy 96 – Évian-les-Bains 28 – Morzine 39.

Les Touristes, ✆ 50 73 02 15, Fax 50 73 04 20, ⛱, ⛱ – ☎ **P**. GB. ✻
1er juin-30 sept. et Noël-début avril – **R** 85/180 – ☕ 25 – **28 ch** 180/320 – ½ P 200/270.

à Richebourg NE : 3 km – ✉ **74360** Abondance :

Bel Air, à Richebourg NE : 3 km ✆ 50 73 01 71, Fax 50 73 08 37, ≤ – ☎ **P**. GB. ✻
15 mai-15 sept. et 20 déc.-15 avril – **R** *(fermé merc. hors sais.)* 65/140 ⅄, enf. 40 – ☕ 25 – **23 ch** 130/210 – ½ P 200/220.

CITROEN Trincaz, à Richebourg ✆ 50 73 03 16
RENAULT-TOYOTA Gar. des Alpes ✆ 50 73 01 41 N

ABREST 03 Allier 73 ⑤ – rattaché à Vichy.

Les ABRETS **38490** Isère 74 ⑭ – 2 804 h. alt. 399.
Paris 518 – ♦Grenoble 49 – Aix-les-B. 43 – Belley 33 – Chambéry 38 – La Tour-du-Pin 12 – Voiron 22.

X **Savoy** avec ch, ✆ 76 32 03 54 – TV ☎. AE GB
R *(fermé 2 au 15 juil., 3 au 18 janv. et merc.)* 68/200 ⅄, enf. 50 – ☕ 22 – **9 ch** 120/180 – ½ P 200/250.

FIAT Gar. Moderne ✆ 76 32 04 13
PEUGEOT, TALBOT Bosse-Platière ✆ 76 32 06 77

ACCOLAY **89460** Yonne 65 ⑤ – 377 h. alt. 125.
Paris 190 – Auxerre 21 – Avallon 29 – Tonnerre 35.

Host. de la Fontaine ⛰, ✆ 86 81 54 02, Fax 86 81 52 78, ⛱ – ☎ **P**. AE GB
fermé 5 janv. au 15 fév., dim. soir et lundi du 15 nov. au 5 janv. sauf fériés – **R** 95/260 ⅄ – ☕ 43 – **11 ch** 200/300 – ½ P 220.

ACQUIGNY 27 Eure 55 ⑰ – rattaché à Louviers.

ADÉ 65 H.-Pyr. 85 ⑧ – rattaché à Lourdes.

Les ADRETS-DE-L'ESTÉREL 83600 Var 84 ⑧ 195 ㉝ – 1 474 h. alt. 300.

Env. Mt Vinaigre ☀★★★ S : 8 km puis 30 mn, **G. Côte d'Azur.**

Paris 886 – Fréjus 18 – Cannes 22 – Draguignan 43 – Grasse 29 – Mandelieu 15 – St-Raphaël 21.

La Verrerie sans rest, ✆ 94 40 93 51, – TV ☎. GB.
1er avril-30 sept – ☐ 40 – **7 ch** 310.

SE : 3 km par D 237 et N 7 – ✉ **83600** Les Adrets-de-l'Esterel :

XX **Aub. des Adrets,** ✆ 94 40 36 24, Fax 94 40 34 06, – GB
fermé 1er au 15 mars, 11 nov. au 9 déc. et lundi sauf fériés – **R** 198.

AGAY 83 Var 84 ⑧ 195 ㉝ ㉞ **G. Côte d'Azur** – ✉ **83700** St-Raphaël.

Office de Tourisme bd Plage N 98 ✆ 94 82 01 85.

Paris 886 – Fréjus 12 – Cannes 31 – Draguignan 41 – ♦Nice 63 – St-Raphaël 9.

France-Soleil sans rest, ✆ 94 82 01 93, ≤, – ☎ P. AE GB JCB
Pâques-oct. – ☐ 45 – **18 ch** 380/480.

Beau Site, à Camp Long SO : 1 km par N 98 ✆ 94 82 00 45, Fax 94 82 71 02, – ch TV ☎ P. AE ◑ GB. rest
R *(fermé mardi sauf du 15 juin au 15 sept.)* (dîner seul.) 127 , enf. 70 – ☐ 39 – **20 ch** 220/345 – ½ P 262/315.

AGDE 34300 Hérault 83 ⑮ ⑯ **G. Gorges du Tarn** (plan) – 17 583 h. alt. 15.

Voir Ancienne cathédrale St-Étienne★.

Office de Tourisme espace Molière ✆ 67 94 29 68.

Paris 809 – ♦ Montpellier 53 – Béziers 23 – Lodève 67 – Millau 122 – Sète 27.

à La Tamarissière SO : 4 km par D 32E – ✉ **34300** Agde :

La Tamarissière, ✆ 67 94 20 87, Télex 490225, Fax 67 21 38 40, ≤, – TV ☎. AE ◑ GB. rest
15 avril-18 oct. et fermé dim. soir sauf du 15 juin au 15 sept. et lundi sauf le soir du 15 juin au 15 sept. – **R** 220/330 – ☐ 65 – **25 ch** 540/620 – ½ P 545/585.

au Cap d'Agde SE : 5 km par D 32E – ✉ **34300** Agde :

du Golf M, Ile des Loisirs ✆ 67 26 87 03, Télex 480709, Fax 67 26 26 89, – ch TV ☎ P – 70. AE ◑ GB JCB
15 mars-1er nov. – **R** 130, enf. 55 – ☐ 45 – **50 ch** 340/630 – ½ P 370/485.

Capaô M, av. Corsaires ✆ 67 26 99 44, Télex 485414, Fax 67 26 67 72, – ch TV ☎ – 40 à 100. AE ◑ GB. rest
11 avril-2 nov. – **R** 85/140, enf. 38 – ☐ 40 – **51 ch** 550/670, 10 duplex – ½ P 440/465.

St-Clair M sans rest, pl. St-Clair ✆ 67 26 36 44, Télex 480464, Fax 67 26 31 11, – TV ☎ P – 100. AE ◑ GB JCB
mi-mars-fin oct. – ☐ 25 – **64 ch** 520/550, 18 duplex 750.

Les Pins M sans rest, Mont-St-Martin ✆ 67 26 00 11, Télex 480942, Fax 67 26 66 63, – ☎ P. AE ◑ GB JCB
15 mars-15 oct. – ☐ 40 – **40 ch** 340/475.

Alizé M sans rest, av. Alisés ✆ 67 26 77 80, – cuisinette TV ☎ P. AE GB
Pâques-11 oct. – ☐ 32 – **33 ch** 330/380.

Azur M sans rest, 18 av. Iles d'Amérique ✆ 67 26 98 22, Fax 67 26 48 14, – TV ☎ P. AE GB
☐ 28 – **34 ch** 320/360.

XXX Les Trois Sergents, av. Sergents ✆ 67 26 73 13,
saisonnier.

CITROEN Agde-Auto, 21 rte de Bessan ✆ 67 94 24 84
CITROEN Gar. des Plages, rte de Sète ✆ 67 94 13 50
PEUGEOT Gar. Four, 12 av. Gén.-de-Gaulle ✆ 67 94 11 41

RENAULT Briffa, av. de Béziers à Vias ✆ 67 21 62 50 N

Gautrand-Pneus, rte de Sète ✆ 67 94 30 60

AGEN P 47000 L.-et-G. 79 ⑮ **G. Pyrénées Aquitaine** – 30 553 h. alt. 48.

Voir Musée★★ AYZ **M.**

Agen-Bon Encontre ✆ 53 96 95 78, par ③.

d'Agen-la-Garenne : ✆ 53 96 22 50, SO : 3 km.

Office de Tourisme 107 bd Carnot ✆ 53 47 36 09.

Paris 719 ① – Albi 157 ⑤ – Auch 72 ④ – ♦Bayonne 215 ⑥ – ♦Bordeaux 139 ⑤ – Brive-la-Gaillarde 173 ① – Pau 157 ⑥ – Périgueux 139 ① – Tarbes 147 ④ – ♦Toulouse 115 ⑤.

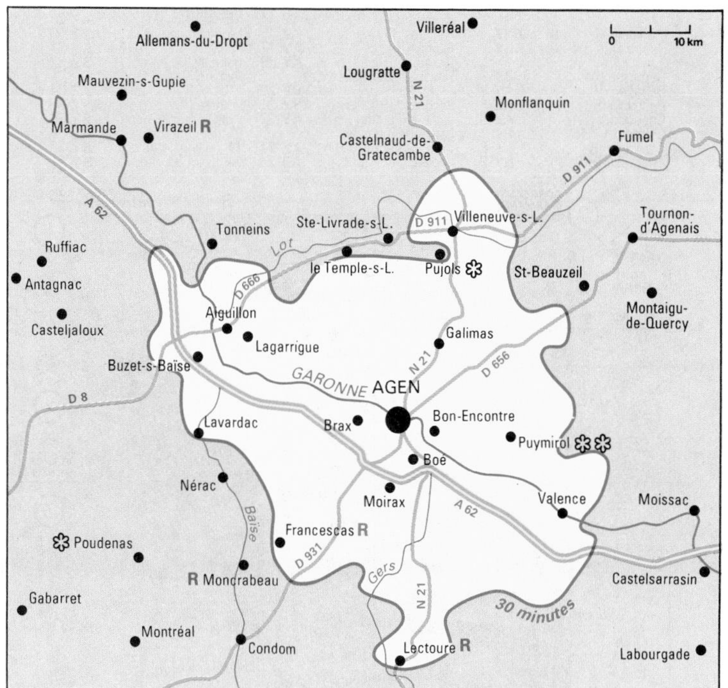

Host. des Jacobins , 1 ter pl. Jacobins ☎ 53 47 03 31, Télex 571162, Fax 53 47 02 80, « Décoré avec recherche, meubles anciens » – TV ☎ P. AE O GB JCB AZ **f**
R *(fermé 1er au 15 nov., lundi midi et sam.)* (nombre de couverts limité, prévenir) 100/300, enf. 60 – ☐ 55 – **14 ch** 280/600 – ½ P 400/450.

Provence M sans rest, 22 cours 14 Juillet ☎ 53 47 39 11, Fax 53 68 26 24 – TV ☎ – 25. AE GB BY **s**
☐ 33 – **23 ch** 275/360.

Atlantic H. sans rest, 133 av. J. Jaurès par ③ ☎ 53 96 16 56, Fax 53 98 34 80, – TV ☎ & P – 30. AE O GB
fermé 24 déc. au 1er janv. – ☐ 28 – **44 ch** 200/290.

Urbis M sans rest, 16 r. C. Desmoulins ☎ 53 47 43 43, Télex 573155, Fax 53 47 68 54 – TV ☎ & P. GB BY **b**
☐ 32 – **56 ch** 260/280.

Campanile M, par ⑤ : 3 km ☎ 53 68 08 08, Télex 573118, Fax 53 98 32 46, – TV ☎ & P – 25. AE GB
R 77 bc/99 bc, enf. 39 – ☐ 28 – **50 ch** 258 – ½ P 234/256.

Ibis M, 105 bd Carnot ☎ 53 47 31 23, Télex 541331, Fax 53 47 48 70 – TV ☎ & – 25. GB BZ **a**
R *(fermé sam. midi et dim. midi)* 75/84 , enf. 39 – ☐ 34 – **57 ch** 258/278.

XX **Lamanguié,** 66 r. C. Desmoulins ☎ 53 66 24 35 – . AE GB BY **n**
fermé 10 au 26 août, sam. midi et dim. – **R** 110/150.

à Galimas par ① : 11 km – ✉ **47340** Laroque-Timbaut :

La Sauvagère, ☎ 53 68 81 21, Fax 53 68 82 19, – TV ☎ P. AE O GB. ch
fermé 1er au 7 juil., 23 déc. au 5 janv. et dim. hors sais. – **R** 98/198, enf. 78 – **12 ch** ☐ 298/438 – ½ P 260/318.

à Bon-Encontre par ③ : 5 km – 5 362 h. – ✉ **47240** :

XX **Parc** M avec ch, r. République ☎ 53 96 17 75, – rest TV ☎ P. AE O GB
fermé dim. soir (sauf hôtel en sais.) et lundi – **R** 90/230, enf. 60 – ☐ 28 – **10 ch** 190/250 – ½ P 240/295.

AGEN

Président-Carnot (Bd) **BYZ**
République (Bd de la) **ABY**

Barbusse (Av. H.) . . . . . **BY** 2
Banabéra (R.) . . . . **AY** 3
Beauville (R.) . . . . **AZ** 5
Chaudordy (R.) . . . . **AZ** 6
Colmar (Av. de) . . . . **BZ** 7
Cornières (R.) . . . . **AY** 8
Desmoulins (R. C.) . . . . **BY** 9
Docteur P. Esquirol (Pl.) **AZ** 10
Dolet (R. E.) . . . . **AZ** 13
Durand (Pl. J.-B.) . . . . . **AY** 14
Fallières (Pl. A.) . . . . **AZ** 15
Floirac (R.) . . . . **AY** 17
Garonne (R.) . . . . **AY** 18
Héros-de-la-Résistance (R. des) . . . . **BY** 20
Jacquard (R.) . . . . **ABY** 21
Laitiers (Pl. des) . . . . . . **AY** 22
Lattre-de-Tassigny (R. Maréchal de) . . . . **AZ** 24
Leclerc (Av. Mar.) . . . . . **AZ** 25
Lomet (R.) . . . . **AZ** 27
Moncorny (R.) . . . . **AZ** 28
Monnet (Av. J.) . . . . **AZ** 29
Montesquieu (R.) . . . . . **AYZ** 30
Puits-du-Saumon (R.) . . **AY** 31
Rabelais (Pl.) . . . . **BY** 32
Richard-Cœur-de-Lion (R.) . . . . **AZ** 34
Voltaire (R.) . . . . **AYZ** 35
Washington (Cours) . . . **BZ** 36
9e-de Ligne (Cours du) . **AZ** 38
14-Juillet (Cours du) . . . **BY** 39
14-Juillet (Pl. du) . . . . . . **BY** 41

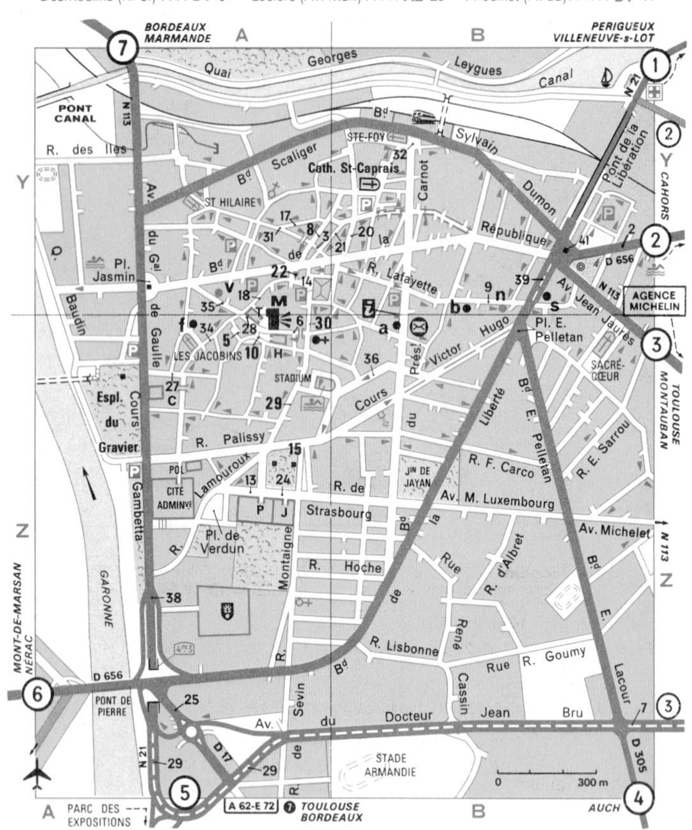

à ***Boé*** par ③ : 6 km – 4 021 h. – ✉ **47550** :

Château St Marcel Ⓜ, ✆ 53 96 61 30, Télex 573113, Fax 53 96 94 33, ←, , parc, , – ▤ TV ☎ ♿ Ⓟ – 60. AE ⓓ GB JCB. rest
R *(fermé dim. soir d'oct. à mai)* 180/330 – ☕ 55 – **25 ch** 550/1150 – ½ P 490/790.

à ***l'Aéroport*** SO : 3 km - AZ – ✉ **47000** Agen :

Aéroport, ✆ 53 96 38 95, – ▤ Ⓟ. AE ⓓ GB
fermé août, dim. soir et sam. – **R** 155/165 .

à ***Moirax*** par ⑤, N 21 et D 268 : 9 km – ✉ **47310** :

Aub. de Moirax, ✆ 53 87 12 61 – GB
fermé 20 oct. au 10 nov., dim. soir et lundi – **R** 90/200, enf. 48.

à ***Brax*** par ⑥ et D 119 : 6 km – ✉ **47310** :

La Renaissance de l'Étoile, ✆ 53 68 69 23, , « Jardin fleuri » – TV ☎ Ⓟ. GB
fermé vacances de fév., dim. soir, lundi midi et sam. midi sauf fêtes – **R** 96/273 – ☕ 38 – **9 ch** 208/288 – ½ P 258/298.

rte Bordeaux par ⑦ :

XXX **La Corne d'Or** avec ch, 1,5 km N 113 ✉ 47450 Colayrac ☎ 53 47 02 76, Fax 53 66 87 23 – ▤ rest TV ☎ P – 🏛 35. AE ⊙ GB
fermé dim. soir sauf fériés – **R** 95/280 ⅄, enf. 60 – ☕ 32 – **14 ch** 250/380 – ½ P 220/280.

XX **Host. La Rigalette** 🐎 avec ch, 2 km av. Véronne ✉ 47000 Agen ☎ 53 47 37 44, ≤, 🌳, « Parc fleuri » – TV ☎ P – 🏛 60. AE ⊙ GB
fermé 24 au 31 août (sauf hôtel), dim. soir et lundi – **R** 150/340 – ☕ 25 – **7 ch** 240/310.

MICHELIN, Agence, 4 r. D.-Papin, ZI J.-Malèze à Bon-Encontre par ③ ☎ **53 96 28 47**

FORD SERVAUTO, 14 bd Liberté ☎ 53 96 87 90 N
JAGUAR Tastets, 182 bd Liberté ☎ 53 47 10 63
OPEL Palissy Garage, av. de Colmar ☎ 53 98 17 77 N ☎ 53 98 11 11
RENAULT S.A.V.R.A., r. du Midi Agen Sud par ⑤ ☎ 53 66 81 75 N ☎ 05 05 15 15

Périphérie et environs

ALFA ROMEO GSO 47, RN 113 Petit Colayrac à Boé ☎ 53 96 50 94
BMW, Gar. Chollet, rte de Toulouse à Boé ☎ 53 96 29 55
CITROEN S.A.G.G., bd E.-Lacour prolongé, Boé par ④ ☎ 53 96 47 03 N
FIAT Pradat-Auto, bd E.-Lacour prolongé, Boé ☎ 53 96 43 78
MERCEDES-BENZ Gar. T.V.I., , rte de Toulouse, Bon-Encontre ☎ 53 96 22 25 N ☎ 53 98 11 11
Ⓜ Central Pneu, rte de Layrac, Boé ☎ 53 96 46 43
Faure-Pneu, ZI J.-Malèze, Bon-Encontre ☎ 53 96 08 63
Pneu-Service, ZI J.-Malèze, Bon-Encontre ☎ 53 96 38 13
Techni-Pneus, Lafon N 113, Bon-Encontre ☎ 53 98 28 18

AGON-COUTAINVILLE 50230 Manche 54 ⑫ G. Normandie Cotentin – 2 510 h. alt. 35 – Casino.

⛳9 ☎ 33 47 03 31.

ℹ Office de Tourisme pl. 28 Juillet 1944 (saison) ☎ 33 47 01 46.

Paris 349 – Saint-Lô 44 – Barneville-Carteret 48 – Carentan 42 – Cherbourg 75 – Coutances 13.

🏨 **Neptune** sans rest, ☎ 33 47 07 66, ≤ – ☎. AE ⊙ GB JCB
1er avril-oct. – ☕ 43 – **11 ch** 340/400.

XX **Hardy** avec ch, ☎ 33 47 04 11, Fax 33 47 39 00 – TV ☎. AE ⊙ GB
fermé 10 janv. au 15 fév., lundi soir et dim. hors sais. sauf vacances scolaires et fériés – **R** 95/330 ⅄, enf. 60 – ☕ 40 – **17 ch** 220/380 – ½ P 280/350.

AGOS-VIDALOS 65 H.-Pyr. 85 ⑰ – rattaché à Argelès-Gazost.

AGUESSAC 12520 Aveyron 80 ⑭ – 811 h. alt. 372.

Paris 635 – Mende 89 – Rodez 66 – Florac 76 – Millau 7 – Sévérac-le-Château 25.

🏠 **Le Rascalat,** NO : 2 km N 9 ☎ 65 59 80 43, 🌳, 🌲 – TV ☎ 🚗 P. GB
fermé janv. et lundi du 1er oct. au 31 mars – **R** 90/200 – ☕ 25 – **20 ch** 110/250 – ½ P 170/240.

L'AIGLE 61300 Orne 60 ⑤ G. Normandie Vallée de la Seine – 9 466 h. alt. 209.

ℹ Office de Tourisme pl. F.-de-Beina (Rameaux-oct.) ☎ 33 24 12 40.

Paris 140 – Alençon 61 – Chartres 79 – Dreux 59 – Évreux 57 – Lisieux 57.

🏨 ✿ **Dauphin** (Bernard), pl. Halle ☎ 33 24 43 12, Télex 170979, Fax 33 34 09 28 – TV ☎ – 🏛 25 à 100. AE ⊙ GB JCB
R 119/345, enf. 68 - **La Renaissance** (brasserie) **R** 59/79 ⅄, enf. 43 – ☕ 37 – **30 ch** 337/432 – ½ P 292/335
Spéc. Feuilleté d'oeufs brouillés aux escargots, Langouste de Bretagne, Coup de foudre au chocolat.

E : 3,5 km par rte Chartres – ✉ **61300** L'Aigle :

XX **Aub. St-Michel,** N 26 ☎ 33 24 20 12, 🌳 – P. GB
fermé 2 au 25 janv., merc. soir et jeudi – **R** 75/150 ⅄, enf. 45.

à Chandai E : 8,5 km par rte Chartres – ✉ **61300** :

X **Le Trou Normand,** N 26 ☎ 33 24 08 54 – AE GB
fermé janv., lundi soir et mardi sauf juil.-août – **R** 85/245.

FIAT-LANCIA-ALFA ROMEO Bongiovanni, rte de Paris ☎ 33 24 06 87
PEUGEOT-TALBOT Centre Autom., Aiglon, rte de Paris à St-Sulpice-sur-Risle ☎ 33 24 14 66
RENAULT Pavard, rte de Paris à St-Sulpice-sur-Risle ☎ 33 24 18 99 N ☎ 33 24 51 50
RENAULT Gar. Dano, 4 r. L.-Pasteur ☎ 33 24 00 34
V.A.G Poirier, rte de Paris à St-Michel-Tuboeuf ☎ 33 24 02 43
Gar. de l'Avenir, 86 av. Perche ☎ 33 24 58 80

Ⓜ Lallemand-Pneus, rte de Paris à St-Sulpice-sur-Risle ☎ 33 24 48 24

AIGOUAL (Mont) 30 Gard 80 ⑯ G. Gorges du Tarn – alt. 1 567.

Voir Observatoire ✻★★★.

Accès par le col de la Séreyrède ≤★.

AIGUEBELETTE-LE-LAC ★ 73 Savoie 74 ⑮ G. Alpes du Nord – 170 h. alt. 417.

Voir Lac★ – Site★ de la Combe.

Paris 539 – ◆ Grenoble 60 – Belley 36 – Chambéry 24 – Voiron 37.

à la Combe – ✉ 73610 Lépin-le-Lac :

de la Combe " chez Michelon " avec ch, ✆ 79 36 05 02, ←, – Ⓟ. GB. *fermé nov., lundi soir et mardi hors sais.* – **R** 140/220, enf. 70 – ☕ 26 – **9 ch** 120/310 – ½ P 195/250.

à Lépin-le-Lac – ✉ 73610 :

Clos Savoyard , ✆ 79 36 00 15, ←, , – Ⓟ. GB. rest
16 mai-13 sept. – **R** 93/220, enf. 48 – ☕ 28 – **13 ch** 120/165 – ½ P 200.

à Novalaise – alt. 427 – ✉ 73470 :

Novalaise-Plage , ✆ 79 36 02 19, ← lac, , – Ⓟ. GB.
1er avril-1er oct. et fermé mardi hors sais. – **R** 90/250, enf. 60 – ☕ 30 – **12 ch** 140/350 – ½ P 260/320.

à St-Alban-de-Montbel – alt. 440 – ✉ 73610 :

St-Alban-Plage sans rest, NE : 1,5 km D 921 ✆ 79 36 02 05, ←, , – Ⓟ. GB.
1er mai-1er oct. – ☕ 30 – **16 ch** 200/380.

à Attignat-Oncin S : 7 km par D 39 – ✉ 73610 :

Mont-Grêle avec ch, ✆ 79 36 07 06, ←, – ☎ Ⓟ. GB. ch
1er mars-1er déc. et fermé lundi soir et mardi sauf juil.-août – **R** 95/260, enf. 65 – ☕ 32 – **11 ch** 140/280 – ½ P 200/290.

AIGUEBELLE 73220 Savoie 74 ⑰ – 848 h. alt. 323.

Paris 582 – Albertville 28 – Allevard 32 – Chambéry 38 – St-Jean-de-Maurienne 35.

Soleil avec ch, ✆ 79 36 20 29, – Ⓟ. GB
fermé 15 au 30 nov., dim. soir et lundi – **R** 65/200 – ☕ 20 – **12 ch** 120/260 – ½ P 160/180.

AIGUEBELLE 83 Var 84 ⑰ – rattaché au Lavandou.

AIGUES-MORTES 30220 Gard 83 ⑧ G. Provence (plan) – 4 999 h. alt. 3.

Voir Remparts★★ et tour de Constance★★ : ★★ – Tour Carbonnière ★ NE : 3,5 km.

Office de Tourisme porte de la Gardette ✆ 66 53 73 00.

Paris 750 – ◆ Montpellier 29 – Arles 48 – Nîmes 37 – Sète 54.

St-Louis, r. Amiral Courbet ✆ 66 53 72 68, Télex 485465, Fax 66 53 75 92, – TV ☎ . AE GB
hôtel : 15 mars-31 déc. ; rest. : 15 avril-31 oct. et fermé le midi sauf dim. et fériés – **L'Archère R** 90/160 – ☕ 42 – **22 ch** 360/395 – ½ P 345/355.

Croisades M sans rest, 2 r. Port ✆ 66 53 67 85, Fax 66 53 72 95 – TV ☎ . GB.
fermé 15 au 30 nov. et 15 au 31 janv. – ☕ 30 – **14 ch** 220/280.

Arcades M avec ch, 23 bd Gambetta ✆ 66 53 81 13, Fax 66 53 75 46, , « Demeure du 16e siècle » – TV ☎. AE GB. ch
fermé fév. – **R** *(fermé lundi sauf le soir en juil.-août)* 120/190, enf. 60 – **6 ch** ☕ 480/550.

La Goulue, 2 ter r. Denfert-Rochereau ✆ 66 53 69 45,
5 avril-4 oct. – **R** 60/150.

rte de Nîmes NE : 1,5 km – ✉ 30220 Aigues-Mortes :

Royal H. M, ✆ 66 53 66 40, Télex 490897, Fax 66 53 72 29, – ch TV ☎ Ⓟ. GB
R 58/155, enf. 37 – ☕ 25 – **34 ch** 250/270 – ½ P 213.

PEUGEOT Gar. SOVERA, 104 rte de Nîmes ✆ 66 53 61 92

RENAULT Gar. Guyon-Autom. ✆ 66 53 81 10 N

AIGUILLON 47190 L.-et-G. 79 ⑭ – 4 169 h. alt. 35.

Paris 690 – Agen 30 – Houeillès 31 – Marmande 28 – Nérac 28 – Villeneuve-sur-Lot 33.

Terrasse de l'Étoile, cours A.-Lorraine ✆ 53 79 64 64, , – TV ☎. AE GB
R 70/165 , enf. 45 – ☕ 25 – **9 ch** 195/240 – ½ P 210.

à Lagarrigue E : 4,5 km par D 278 et VO – ✉ 47190 :

Aub. des Quatre Vents, ✆ 53 79 62 18, ←, , – Ⓟ. AE GB
fermé 3 au 30 nov., sam. midi, dim. soir et lundi – **R** 90/190.

L'AIGUILLON-SUR-MER 85460 Vendée 71 ⑪ G. Poitou Vendée Charentes – 2 175 h. alt. 4 – Casino à La Faute-sur-Mer.

Paris 453 – La Rochelle 49 – La Roche-sur-Yon 48 – Luçon 20 – La Tranche-sur-Mer 11,5.

à la Faute-sur-Mer O : 0,5 km – ✉ 85460 :

Les Chouans sans rest, ✆ 51 56 45 56 – . GB
fermé 16 oct. au 20 déc. et lundi – ☕ 35 – **22 ch** 190/310.

AIGUINES 83630 Var 84 ⑥ G. Alpes du Sud – 207 h. alt. 823.

Voir Cirque de Vaumale ≤★★ E : 4 km – Col d'Illoire ≤★ E : 2 km.

Paris 789 – Digne-les-Bains 61 – Castellane 56 – Draguignan 49 – Manosque 61 – Moustiers-Ste-Marie 17.

Altitude 823 avec ch, ℘ 94 70 21 09, ≤, 🍽 – GB
début avril-début nov. et fermé vend. hors sais. – **R** 75/180, enf. 45 – ☕ 30 – **13 ch** 90/245 – ½ P 195/250.

AIGURANDE 36140 Indre 68 ⑲ – 1 932 h. alt. 425.

Paris 316 – Argenton-sur-C. 33 – Châteauroux 47 – La Châtre 26 – Guéret 36 – La Souterraine 41.

Berry et rest. La Gourmandière avec ch, 49 r. Grande ℘ 54 06 30 38, 🍽 – 🅟. GB
fermé dim. soir et lundi sauf juil.-août – **R** 98/145 – ☕ 35 – **7 ch** 120/260 – ½ P 250.

Relais de la Marche avec ch, ℘ 54 06 31 58 – 📺 ☎. GB
R *(fermé 1er au 15 sept. et sam. hors sais.)* 55/190 🍷 – ☕ 30 – **7 ch** 200/273 – ½ P 250/290.

LANCIA, FIAT Guillebaud ℘ 54 06 31 12 🅽
PEUGEOT-TALBOT Buvat ℘ 54 06 33 15 🅽
RENAULT Yvernault, 38 r. Marche ℘ 54 06 30 59 🅽
Tisseron ℘ 54 06 30 54

AILEFROIDE 05 H.-Alpes 77 ⑰ – rattaché à Pelvoux (Commune de).

AIME 73210 Savoie 74 ⑱ G. Alpes du Nord – 2 963 h. alt. 690.

Voir Ancienne basilique St-Martin★.

Office de Tourisme av. Tarentaise ℘ 79 09 79 79, Télex 980973.

Paris 622 – Albertville 40 – Bourg-Saint-Maurice 12 – Chambéry 87 – Moutiers 13.

La Tourmaline Ⓜ, N 90 ℘ 79 55 62 93, Fax 79 55 52 48, 🍽, 🏋, 🏊 – 📺 ☎ 🅟 – 🏛 40. GB
R *(fermé 28 avril au 15 mai, 1er au 10 oct., sam. midi et dim. soir sauf en hiver)* 80/145 – ☕ 40 – **29 ch** 385/430 – ½ P 295/330.

Palanbo Ⓜ sans rest, N 90 ℘ 79 55 67 55, 🍽 – ☎ 🅟. AE GB
☕ 27 – **20 ch** 220/310.

Le Cormet sans rest, N 90 ℘ 79 09 71 14 – ☎ 🅟. ① GB. ✗
fermé 15 mai au 1er juin, dim. soir en mai-juin et oct.-nov. – ☕ 25 – **14 ch** 200/260.

L'Atre, N 90 ℘ 79 09 75 93 – ① GB
fermé 9 au 23 juin, 6 au 27 oct. et mardi – **R** carte 140 à 225.

AINAY-LE-VIEIL 18200 Cher 69 ⑪ G. Berry Limousin – 170 h. alt. 160.

Voir Château★.

Paris 296 – La Châtre 49 – Montluçon 39 – Moulins 72 – St-Amand-Montrond 11.

Crémaillère avec ch, ℘ 48 63 50 14, 🍽 – GB
R 89/215 – ☕ 30 – **8 ch** 140/250 – ½ P 230.

AINCILLE 64 Pyr.-Atl. 85 ③ – rattaché à St-Jean-Pied-de-Port.

AINGERAY 54 M.-et-M. 64 ④ – rattaché à Liverdun.

AINHOA 64250 Pyr.-Atl. 85 ② G. Pyrénées Aquitaine – 539 h. alt. 124.

Voir Rue principale★.

Paris 797 – Biarritz 26 – ◆Bayonne 25 – Cambo-les-Bains 11 – Pau 126 – St-Jean-de-Luz 22.

Argi-Eder 🐚, ℘ 59 29 91 04, Télex 570067, Fax 59 29 74 33, ≤, 🍽, « Jardin », 🏊, 🎾 – ▤ rest 📺 ☎ 🅟 – 🏛 35. AE ① GB JCB. ✗ ch
10 avril-15 nov. et fermé dim. soir et merc. hors sais. – **R** (dim. prévenir) 135/250, enf. 75 – ☕ 45 – **30 ch** 580/700, 6 appart. 600/720 – ½ P 545/595.

✿ **Ithurria** (Isabal), ℘ 59 29 92 11, Fax 59 29 81 28, « Maison basque du 17e siècle, jardin », 🏊 – ▤ rest 📺 ☎ 🅟 – 🏛 25. AE ① GB
20 mars-15 nov. et fermé mardi soir et merc. de mi-sept. à juin sauf fériés – **R** (dim. prévenir) 150/260 – ☕ 42 – **27 ch** 480/550 – ½ P 450/510
Spéc. Foie gras au naturel, Escalope de morue à la tomate et basilic, Râgout de queues de langoustines aux pâtes. **Vins** Jurançon, Madiran.

Oppoca, ℘ 59 29 90 72, 🍽, 🍽 – ☎ 🅟. GB
22 mars-15 nov. – **R** *(fermé mardi du 15 sept. à mars sauf vacances de nov.)* 120/240, enf. 62 – ☕ 38 – **12 ch** 270/400 – ½ P 280/380.

à Dancharia S : 3 km – ✉ **64250** Cambo-les-Bains :

Ur Hegian, ℘ 59 29 91 16 – ☎ 🅟. GB. ✗ rest
fermé janv. et merc. du 15 sept. au 1er juil. – **R** 80/160 🍷, enf. 40 – ☕ 28 – **22 ch** 160/240 – ½ P 200/220.

AIRAINES 80270 Somme 52 ⑦ G. Flandres Artois Picardie – 2 175 h. alt. 49.

Paris 144 – ◆Amiens 27 – Abbeville 21 – Beauvais 68 – Le Tréport 46.

XX **L'Écu de France,** ✆ 22 29 40 97 – GB
fermé 27 juil. au 4 août, vacances de fév., dim. soir et lundi – **R** 85/280.

X **Pont d'Hure,** O : 5 km sur D 936 (rte d'Oisemont) ✆ 22 29 42 10 – P. GB
fermé 30 juil. au 14 août, 2 au 20 janv. et mardi – **R** (déj. seul. sauf sam. : déj. et dîner) 78/170, enf. 45.

RENAULT Gar. Mille, 33 av. Gén.-Leclerc ✆ 22 29 40 71 N

AIRE-SUR-L'ADOUR 40800 Landes 82 ① ② G. Pyrénées Aquitaine – 6 205 h. alt. 80.

Voir Sarcophage de Ste-Quitterie★ dans l'église Ste-Quitterie **B**.

Office de Tourisme ✆ 58 71 64 70.

Paris 724 ⑤ – Mont-de-Marsan 31 ⑤ – Auch 83 ② – Condom 67 ② – Dax 74 ⑤ – Orthez 58 ④ – Pau 50 ③ – Tarbes 70 ②.

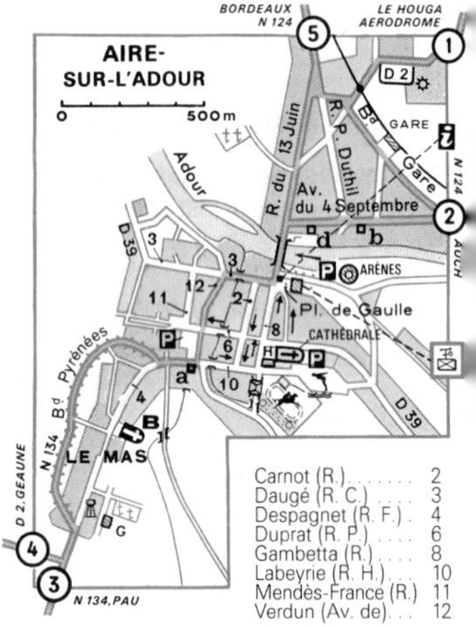

Adour H. M sans rest, 28 av. 4 Septembre **(b)** ✆ 58 71 66 17, Fax 58 71 87 66, – TV ☎ & P. GB
25 – **31 ch** 195/230.

Les Platanes, 2 pl. Liberté **(d)** ✆ 58 71 60 36 – TV ☎. GB. ch
fermé 1er au 9 mai, 15 oct. au 7 nov. et vend. – **R** 60/150, enf. 40 – 20 – **12 ch** 130/250 – ½ P 140/195.

XX **Commerce** avec ch, 3 bd Pyrénées **(a)** ✆ 58 71 60 06, – ☎. GB. ch
fermé janv., lundi (sauf hôtel) et dim. soir – **R** 66/180 – 18 – **19 ch** 95/180 – ½ P 170/220.

X **Les Bruyères** avec ch, ✆ 58 71 80 90, Fax 58 71 87 21, – TV ☎ & P. AE GB
fermé 15 au 30 oct. – **R** *(fermé dim. soir)* 60/195, enf. 38 – 25 – **8 ch** 180/250 – ½ P 200/220.

X **Chez l'Ahumat** avec ch, 2 r. Mendès-France **(e)** ✆ 58 71 82 61 – GB. ch
fermé 30 mars au 12 avril, 31 août au 15 sept. et merc. – **R** 47/125 – 20 – **13 ch** 95/145 – ½ P 140/155.

Carnot (R.)	2
Daugé (R. C.)	3
Despagnet (R. F.)	4
Duprat (R. P.)	6
Gambetta (R.)	8
Labeyrie (R. H.)	10
Mendès-France (R.)	11
Verdun (Av. de)	12

à Ségos (32 Gers) par ③, N 134 rte Pau et D 260 : 9 km – ✉ 32400 :

Domaine de Bassibé M, ✆ 62 09 46 71, Fax 62 08 40 15, , parc, – TV ☎ & P – 30. AE GB
fermé 2 janv. au 1er mars – **R** *(fermé dim. soir et lundi du 15 oct. à avril)* 185/310 – 70 – **15 ch** 550/750, 4 appart. 950 – ½ P 645/745.

par ⑤ : 4,5 km sur N 124 – ✉ 40270 Cazères-sur-l'Adour :

Airotel M sans rest, ✆ 58 71 72 72, Fax 58 71 87 66, parc, , – TV ☎ & P – 25. GB
25 – **34 ch** 195/230.

FORD Gar. Daudon-Sadra, 52 av. 4-Septembre ✆ 58 71 60 64
PEUGEOT, TALBOT Labarthe, ZI Cap de la Coste, N 124 par ⑤ ✆ 58 71 71 95
RENAULT SADIA, rte de Bordeaux par ⑤ ✆ 58 71 60 01 N ✆ 58 06 73 20
V.A.G Perron, rte de Pau ✆ 58 71 61 62
Central Pneu, 65 av. de Bordeaux ✆ 58 71 62 14

AIRE-SUR-LA-LYS 62120 P.-de-C. 51 ⑭ G. Flandres Artois Picardie – 9 529 h. alt. 22.

Voir Bailliage★ **B** – Collégiale St-Pierre★ **E**.

Syndicat d'Initiative au Bailliage, Grand'Place (avril-nov.) ✆ 21 39 65 66.

Paris 239 ② – ◆Calais 61 ④ – Arras 58 ② – Béthune 24 ② – Boulogne-sur-Mer 60 ③ – ◆Lille 61 ① – Montreuil 55 ③.

AIRE-SUR-LA-LYS

Arras (R. d') 4
Bourg (R. du) 7
Grand-Place
St-Omer (R. de) 28
Vignette (R.) 37

Armes (Pl. d') 3
Béguines (Pl. des) 6
Carnot (Av.) 8
Château (Pl. du) 10
Château (R. du) 12
Clemenceau (Bd) 13
Doyen (R. du) 16
Fort Gassion (R. du) 17
Gaulle (Bd de) 18
Jehan-d'Aire (Pl.) 21
Leclerc (R. du Mar.) 23
Mardyck (R. de) 24
Notre-Dame (Pl.) 25
Paris (R. de) 26
St-Martin (R. de) 27
St-Pierre (Pl.) 29
St-Pierre (R.) 31
Tour Blanche (R. de la) 33
Vauban (Av.) 35

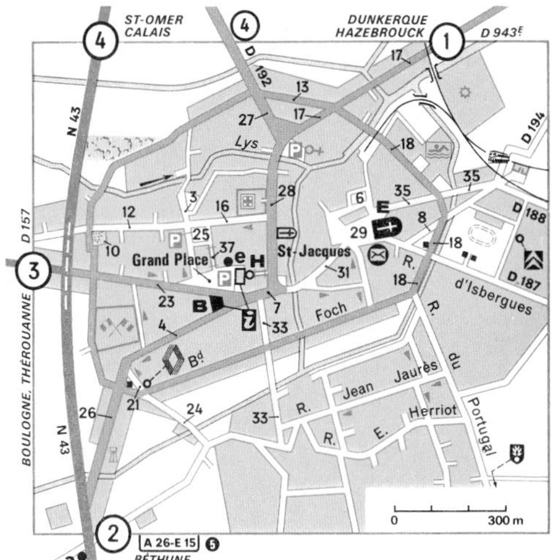

Host. Trois Mousquetaires ⛰, Château de la Redoute **(a)** ✆ 21 39 01 11, Fax 21 39 50 10, ←, « Parc avec pièce d'eau » – TV ☎ P – 25. AE ① GB. ch
fermé 20 déc. au 20 janv., dim. soir et lundi – **R** 101/205 ♂, enf. 58 – ☐ 42 – **31 ch** 350/500.

Europ H. sans rest, 14 Gd'Place **(e)** ✆ 21 39 04 32, Fax 21 39 99 65 – TV ☎. AE GB
fermé 1er au 9 mars – ☐ 25 – **14 ch** 120/230.

à la gare de Berguette SE : 6 km par D 187 – ✉ **62330** Isbergues :

Le Buffet avec ch, ✆ 21 25 82 40, ⛱, – TV. GB
fermé 3 au 30 août, Noël au Jour de l'An, sam. midi, dim. soir et lundi – **R** 70/190, enf. 55 – ☐ 20 – **5 ch** 140/180.

AUDI VOLKSWAGEN Inglard, RN 43 ✆ 21 38 00 11
CITROEN Warmé, 14 r. Lyderic ✆ 21 39 00 31
LANCIA Gar. Cornuel, 3 pl. Castel ✆ 21 39 06 65
NISSAN Gar. Barbara, RN 43, St-Martin par ④ ✆ 21 39 00 76

RENAULT Gar. Noël Stéphane, 5 pl. Jéhan-d'Aire ✆ 21 39 02 98 N ✆ 21 38 34 00

Auto-Pneu, 1 r. Alsace-Lorraine ✆ 21 39 07 08

AISEY-SUR-SEINE **21400** Côte-d'Or 65 ⑧ – 172 h. alt. 256.

Paris 252 – Chaumont 74 – Châtillon-sur-Seine 15 – ◆Dijon 69 – Montbard 27.

Roy ⛰, ✆ 80 93 21 63, – ☎ P. AE GB
fermé 1er déc. au 3 janv. et mardi sauf juil.-août – **R** 150 ♂ – ☐ 30 – **12 ch** 130/260 – ½ P 250/270.

AIX-EN-OTHE **10160** Aube 61 ⑮ G. Champagne – 2 260 h. alt. 132.

Voir Jubé★ dans l'église de Villemaur-sur-Vanne N : 4,5 km.

Paris 155 – Troyes 32 – Nogent-sur-Seine 39 – St-Florentin 35 – Sens 35.

Aub. de la Scierie ⛰, à la Vove S : 1,5 km ✆ 25 46 71 26, Fax 25 46 65 69, ⛱, « En bordure de rivière dans un parc », – TV ☎ P. AE ① GB
fermé fév. – **R** 110/300, enf. 60 – ☐ 38 – **14 ch** 230/330 – ½ P 320.

RENAULT Gar. Carton 1 av. Roger Bidaut ✆ 25 46 70 13 N ✆ 25 46 64 55

AIX-EN-PROVENCE SP **13100** B.-du-R. 84 ③ 93 ⑬ G. Provence – 123 842 h. alt. 177 – Stat. therm. (fermé pour travaux) – Casino AY.

Voir Le Vieil Aix★★ BXY : Cours Mirabeau★★ BY, Cathédrale St-Sauveur BX (Triptyque du Buisson Ardent★★, baptistère★ et vantaux★ du portail), Musée des Tapisseries★ BX **M1**, Cloître St-Sauveur★ BX **N**, Cour★ de l'Hôtel de Ville BY **H** – Fontaine des Quatre-Dauphins★ BY **S** – Eglise St-Jean de Malte : Nef★ CY – Musée Granet★ CY **M3** – Vierge★ et triptyque de l'Annonciation★ dans l'église Ste-Marie-Madeleine CY – Fondation Vasarely★ AV **M4** O : 4 km.

18 de Marseille-Aix ✆ 42 24 20 41, par ④ et D 9 : 8,5 km ; 18 du Château d'Arc à Fuveau ✆ 42 53 28 38, SE : 16 km par ② et D 6.

Office de Tourisme pl. Gén.-de-Gaulle ✆ 42 26 02 93, Télex 430466 – A.C. 7 bd J.-Jaurès ✆ 42 23 33 73.

Paris 759 ⑤ – ◆Marseille 31 ④ – Avignon 82 ⑤ – ◆Nice 176 ② – Nîmes 107 ⑤ – ◆Toulon 81 ②.

AIX-EN-PROVENCE

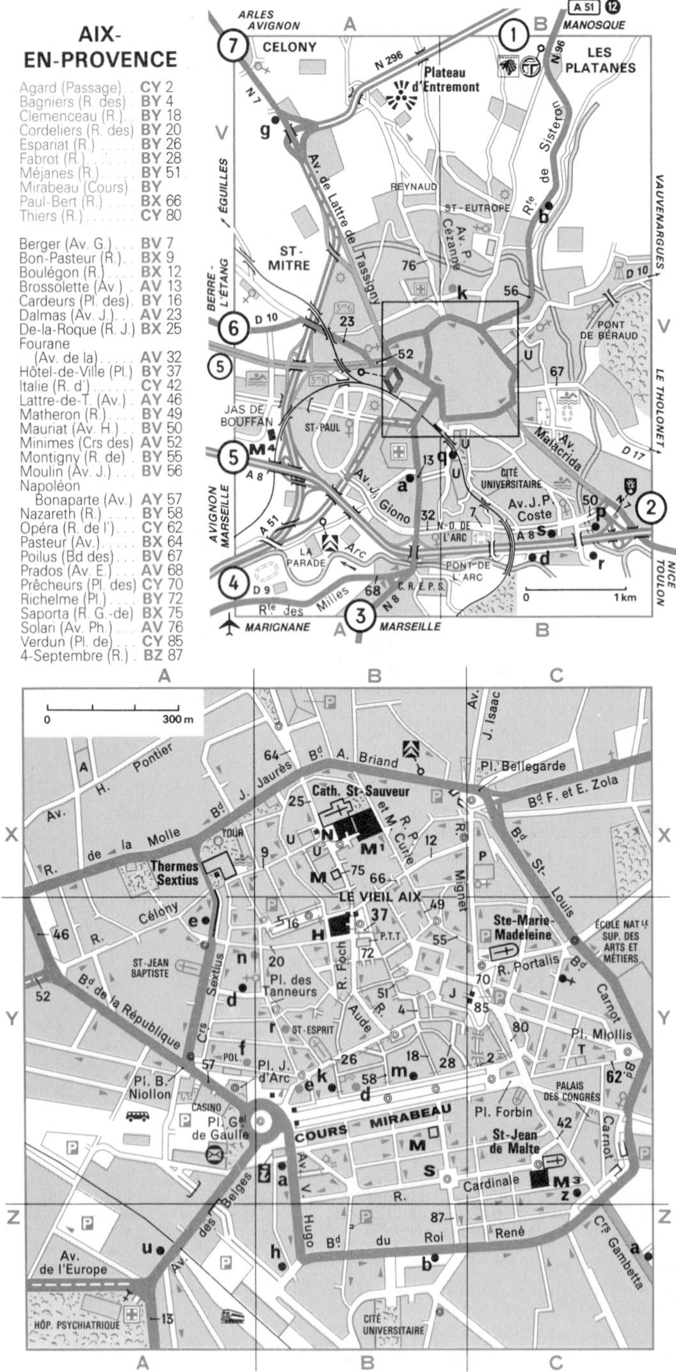

Pullman Roi René M, 24 bd Roi René ℘ 42 37 61 00, Télex 403328, Fax 42 37 61 11, – 60. AE GB BZ **b**
R 150/360, enf. 100 – 65 – **131 ch** 660/960, 3 appart. 1400 – ½ P 600/740.

Mercure Paul Cézanne M sans rest, 40 av. V. Hugo ℘ 42 26 34 73, Télex 403158, Fax 42 27 20 95, « Bel aménagement intérieur » – . AE GB JCB BZ **h**
50 – **55 ch** 570/760.

Le Pigonnet, 5 av. Pigonnet 13090 ℘ 42 59 02 90, Télex 410629, Fax 42 59 47 77, « Parc fleuri », – ch – 40. AE GB AV **a**
R *(fermé 1er au 21 nov., 1er au 15 fév., sam. midi et dim. midi du 1er sept. au 31 mai)* 220/300, enf. 150 – 75 – **50 ch** 600/1050 – ½ P 625/800.

Augustins sans rest, 3 r. Masse ℘ 42 27 28 59, Télex 441052, Fax 42 26 74 87, « Ancien couvent » – . AE GB JCB. BY **k**
50 – **30 ch** 395/795.

Gd H. Nègre Coste sans rest, 33 cours Mirabeau ℘ 42 27 74 22, Télex 440184, Fax 42 26 80 93 – . AE GB JCB BY **m**
60 – **36 ch** 400/600.

Mascotte M, av. Cible ℘ 42 37 58 58, Télex 403305, Fax 42 37 58 59, – ch – 25 à 100. AE GB BV **s**
R 65/150, enf. 39 – 40 – **93 ch** 380/495.

Mozart M sans rest, 49 cours Gambetta ℘ 42 21 62 86, Fax 42 96 17 36 – . GB CZ **a**
48 ch 273/356.

St-Christophe, 2 av. V. Hugo ℘ 42 26 01 24, Télex 403608, Fax 42 38 53 17 – – 30. GB BY **a**
R 100/145, enf. 45 – 35 – **56 ch** 265/350 – ½ P 300/325.

Résidence Rotonde sans rest, 15 av. Belges ℘ 42 26 29 88, Fax 42 38 66 98 – . AE GB AZ **u**
fermé 20 nov. au 15 janv. – 35 – **42 ch** 250/380.

Caravelle sans rest, 29 bd Roi René ℘ 42 21 53 05, Télex 401015, Fax 42 96 55 46 – . AE GB JCB CY **z**
30 – **32 ch** 180/380.

Globe sans rest, 74 cours Sextius ℘ 42 26 03 58, Fax 42 26 13 68 – . AE GB
fermé 20 déc. au 1er fév. – 30 – **46 ch** 210/310. AY **e**

Le Moulin sans rest, 1 av. R. Schumann (près nouvelles facultés) 13090 ℘ 42 59 41 68, Fax 42 20 44 28 – cuisinette . AE GB JCB BV **q**
fermé 15 déc. au 6 janv. – 36 – **37 ch** 190/350.

Le Manoir sans rest, 8 r. Entrecasteaux ℘ 42 26 27 20, Télex 441489, Fax 42 27 17 97 – . AE GB AY **d**
fermé 10 janv. au 15 fév. – 35 – **43 ch** 281/468.

XXX ✿ **Clos de la Violette** (Banzo), 10 av. Violette ℘ 42 23 30 71, Fax 42 21 93 03, , – . AE GB. BV **k**
fermé 26 avril au 15 mai, dim. (sauf le soir en juil.) et lundi midi – **R** (nombre de couverts limité - prévenir) 290/400
Spéc. Filets de rougets de roche et caillettes d'herbes, Feuilletine de poulette à la sarriette (juin à oct.), Fondant de chocolat noir à la menthe fraîche. Vins Coteaux d'Aix-en-Provence.

XXX **Les Frères Lani,** 22 r. Leydet ℘ 42 27 76 16, Fax 42 22 68 67 – . AE GB AY **f**
fermé 1er au 15 août, vacances de fév., dim. (sauf fêtes le midi) et lundi – **R** 140/300.

XX **Vieille Auberge,** 63 r. Espariat ℘ 42 27 17 41 – AE GB JCB BY **e**
fermé jeudi midi et merc. – **R** 105/220.

XX **Côté Cour,** 19 cours Mirabeau ℘ 42 26 32 39, – AE GB JCB BY **d**
fermé lundi – **R** carte 140 à 250.

XX **Bistro Latin,** 18 r. Couronne ℘ 42 38 22 88 – . AE GB BY **r**
fermé dim. soir et lundi – **R** 120/230, enf. 75.

XX **Abbaye des Cordeliers,** 21 r. Lieutaud ℘ 42 27 29 47, – AE GB ABY **n**
fermé dim. soir de sept. à juin, mardi midi en juil.-août et lundi – **R** 95/200, enf. 58.

au Nord par ① :

Le Prieuré sans rest, 3 km rte Sisteron ℘ 42 21 05 23, ← – . BV **b**
30 – **23 ch** 285/380.

au Nord par ① et D 13 : 9 km – 13100 Aix-en-Provence :

XX **Puyfond,** rte St-Canadet, lieu-dit Rigoulon ℘ 42 92 13 77, – GB
fermé 17 août au 7 sept., 15 fév. au 15 mars, dim. soir et lundi – **R** 110/200, enf. 80.

à Tholonet par ② : 5 km – 13100 :

La Reine Jeanne M, espace les Lavandières ℘ 42 66 82 18, Fax 42 66 83 81, – . AE GB. rest
R *(fermé 8 au 23 août, 1er au 16 nov., sam. midi et dim.)* 125/180, enf. 50 – 35 – **34 ch** 310/340.

au Sud-Est 3 km ou par sortie d'autoroute Aix-Est-3 Sautets :

Novotel Beaumanoir [M], ℘ 42 27 47 50, Télex 400244, Fax 42 38 46 41, , – ch – 200. AE GB BV **p**
R carte environ 150 , enf. 50 – 46 – **102 ch** 400/450.

Novotel Aix Sud [M], ℘ 42 27 90 49, Télex 420517, Fax 42 26 00 09, , – – 80. AE GB BV **d**
R carte environ 150 , enf. 50 – 46 – **80 ch** 400/460.

Ibis [M], ℘ 42 27 98 20, Télex 420519, Fax 42 38 50 76, , – rest – 60. GB BV **r**
R 65 – 32 – **83 ch** 293/330.

aux Milles par ④, A 51 (sortie les Milles) : 5 km – ✉ **13290** :

Château de la Pioline [M], ℘ 42 20 07 81, Fax 42 59 96 12, , parc, « Belle demeure dans un jardin à la française », – – 40. AE GB
fermé fév. – **R** 230/360 – 75 – **19 ch** 750/1200 – ½ P 730/855.

Mas des Écureuils, chemin de Castel Blanc ℘ 42 24 40 48, Fax 42 39 24 57, , parc, « Dans une pinède », – – 30. AE GB
R *(fermé lundi midi et dim.)* 120/275 – 50 – **19 ch** 380/760 – ½ P 400/540.

Host. La Bastide, rte Luynes par D 7 ℘ 42 24 48 50, Fax 42 60 01 36, ←, , , –
– 30. AE GB
R *(fermé dim. soir)* 120/185 – 45 – **16 ch** 290/350 – ½ P 300.

à Celony par ⑦ : 3 km sur N 7 – ✉ **13090** Aix-en-Provence :

Mas d'Entremont, ℘ 42 23 45 32, Fax 42 21 15 83, ←, , « Demeure provençale avec terrasses dans un parc, », – ch – 70. GB AV **g**
15 mars-1er nov. – **R** *(fermé dim. soir et lundi midi sauf fériés)* 190/220 – 50 – **18 ch** 550/800 – ½ P 550/610.

Amadeus sans rest, montée d'Avignon ℘ 42 23 20 99, Fax 42 21 27 29 – . AE GB
45 – **34 ch** 300/420.

à Éguilles par D 17 AV : 11 km – 5 950 h. – ✉ **13510** :

Aub. du Belvédère, ℘ 42 92 52 92, Fax 42 92 31 03, ←, , , – –
60. AE GB
R *(fermé dim. soir de nov. au 15 avril)* 140/275, enf. 100 – 45 – **25 ch** 250/400 – ½ P 315/400.

ALFA-ROMEO B + B, av. Club-Hippique, D 65 ℘ 42 59 01 32
CITROEN CNC, av. Club Hippique ℘ 42 59 22 22
FORD Novo, Zéda-la Pioline, les Milles ℘ 42 20 17 17
FORD Novo, 62 av. de Nice à Gardanne ℘ 42 51 02 84
FORD Novo, 39 bd Aristide Briand ℘ 42 23 16 20
HONDA Cogédis, av. Club-Hippique ℘ 42 20 15 35
LADA Arc Auto Racing, r. B.-Verdache la Pioline, les Milles ℘ 42 20 80 03
MERCEDES MASA, 40 r. Irma-Moreau ℘ 42 64 45 45
PEUGEOT Josserand Pneus, rte des Alpes les Platanes ℘ 42 21 17 55
PEUGEOT-TALBOT Gds Gar. de Provence, Zéda-La Pioline, rte des Milles AV ℘ 42 20 01 45
RENAULT Verdun-Aix, 5 rte Galice AV ℘ 42 64 47 47
SEAT Autos Nouveau Monde, La Pioline, les Milles ℘ 42 20 00 38
TOYOTA Gar. Bondil, av. Club-Hippique ℘ 42 59 59 34
V.A.G Touring-Autom., Zéda-la Pioline, les Milles ℘ 42 20 14 08

Cambi-Pneus, 9 r. Signoret ℘ 42 23 06 77
Josserand Pneus, rte des Alpes les Platanes ℘ 42 21 17 55
Jules-Pneus, Pont de l'Arc, rte des Milles ℘ 42 27 67 02
Les Milles Pneus, chem. Valette, ZI les Milles ℘ 42 24 30 90
Omnica, ZI des Milles, 128 av. Bessemer ℘ 42 24 46 56
Provence Pneus Sces Rome Pneus, 13 bd J.-Jaurès ℘ 42 23 16 54
Pyrame, 66 cours Gambetta ℘ 42 21 49 16
Pyrame, r. A. Ampère, ZI les Milles ℘ 42 39 91 48
Sornin, 7 cours Gambetta ℘ 42 21 29 93
Station Pneumatic, 31 bd A.-Briand ℘ 42 23 32 28

AIX (Ile d') ★ 17123 Char.-Mar. 71 ⑬ G. Poitou Vendée Charentes – 199 h.

Accès par transports maritimes.

depuis la **Pointe de la Fumée** (2,5 km NO de Fouras). En 1991 : juin-août, 16 services quotidiens ; hors saison, 6 services quotidiens - Traversée 20 mn - 54 F (AR). Renseignements : Société Fouras-Aix, 14 cours des Dames (La Rochelle) ℘ 46 41 76 24.

depuis **La Rochelle**. En 1991 : juin-sept., 2 à 3 services quotidiens ; avril-mai, 3 services hebdomadaires - Traversée 1 h - 130 F (AR). Renseignements : Croisières Inter Iles, 14 bis cours des Dames (La Rochelle) ℘ 46 50 55 54.

depuis **Boyardville** (Ile d'Oléron). En 1991 : en saison, 4 à 5 services quotidiens ; avril-juin, sept., 2 à 3 services quotidiens - Traversée 30 mn - 70 F (AR). Renseignements : Croisières Inter Iles, 14 bis cours des Dames (La Rochelle) ℘ 46 50 55 54.

AIX-LES-BAINS 73100 Savoie 74 ⑮ **G. Alpes du Nord** – 24 683 h. alt. 260 – Stat. therm. (6 janv.-15 déc.) et Marlioz – Casinos Grand Cercle CZ, Nouveau Casino BZ.

Voir Esplanade au bord du Lac★ AX – Escalier★ de l'Hôtel de Ville CZ **H** – Musée Faure★ CY.

Env. Le tour du lac du Bourget★★ 51 km, en bateau★ : 4 h – Abbaye de Hautecombe★★ (Chant Grégorien), en bateau : 2 h – Renseignements sur excursions en bateau : Bateau Gwel, Grand Port ☎ 79 35 05 92 – ≤★★ sur lac du Bourget, à la Chambotte par ① : 14 km.

18 ☎ 79 61 23 35, par ③ : 3 km.

de Chambéry-Aix-les-Bains : ☎ 79 54 46 00, au Bourget-du-Lac par ④ : 8 km.

Office de Tourisme pl. M.-Mollard ☎ 79 35 05 92, Télex 980015 et Résidence les Belles Rives au Grand Port (juin-sept.) ☎ 79 34 15 80.

Paris 540 ④ – Annecy 33 ① – Bourg-en-Bresse 109 ④ – Chambéry 18 ④ – ◆Lyon 106 ④.

Plan page suivante

Ariana et rest. Adélaïde M, av. de Marlioz à Marlioz : 1,5 km ☎ 79 88 08 00, Télex 980266, Fax 79 88 87 46, ≤, « Parc », – ch – 40 à 600. AE GB AX **a**
R 150/360, enf. 80 – 60 – **60 ch** 520/720 – ½ P 465/530.

Acquaviva M, av. Marlioz à Marlioz : 1,5 km ☎ 79 88 16 16, Fax 79 34 02 13, ≤, « Parc » – cuisinette ch rest . AE GB AX **s**
R 95/150, enf. 50 – 35 – **100 ch** 330/390 – P 365/375.

Le Manoir, 37 r. Georges-1er ☎ 79 61 44 00, Télex 980793, Fax 79 35 67 67, – – 25 à 80. GB. rest CZ **r**
fermé 22 déc. au 12 janv. – **R** 135/245, enf. 90 – 48 – **73 ch** 295/495 – ½ P 300/450.

Palais des Fleurs M, 17 r. Isaline ☎ 79 88 35 08, Télex 320657, Fax 79 35 42 79, – cuisinette – 25. GB. rest CZ **m**
hôtel : 1er mars-10 nov. ; rest. : 20 mars-5 nov. – **R** 89/136, enf. 49 – 30 – **40 ch** 252/346 – ½ P 249/281.

Vendôme M, 12 av. Marlioz ☎ 79 61 23 16 – . AE GB CZ **b**
1er fév.-1er nov. – **R** 95/195 – 35 – **32 ch** 220/360.

Beaulieu, 29 av. Ch. de Gaulle ☎ 79 35 01 02, Fax 79 34 04 82, – . GB JCB BZ **r**
2 avril-15 déc. – **R** *(fermé dim. soir)* 95/280 – 35 – **31 ch** 230/265 – ½ P 225/300.

Paix, 11 r. Lamartine ☎ 79 35 02 10, Télex 980940, Fax 79 88 16 48, – . AE GB CZ **d**
R 85 – 25 – **70 ch** 200/250 – ½ P 230/260.

Eglantiers, 20 bd Berthollet ☎ 79 61 43 21 – . AE GB JCB CZ **h**
fermé 1er fév. au 15 mars – **Le Salon d'Elvire** *(fermé merc.)* **R** 140/400 – 30 – **30 ch** 210/250.

Parc, 28 r. Chambéry ☎ 79 61 29 11, – rest . GB. rest CZ **n**
20 avril-15 oct. – **R** 95/170 – 35 – **47 ch** 180/280 – P 255/295.

Cottage H., 9 r. Davat ☎ 79 35 00 55, Fax 79 88 22 85, – . GB. rest CZ **k**
18 mars-11 nov. – **R** 85/95 – 27 – **55 ch** 220/250 – ½ P 230/300.

Revotel sans rest, 40 r. Genève ☎ 79 35 03 37 – . GB. CZ **v**
fermé fin nov. au 15 janv. – 23 – **18 ch** 180/215.

Cécil H. sans rest, 20 av. Victoria ☎ 79 35 04 12 – . GB. CZ **a**
fermé 15 fév. au 15 mars – 27 – **18 ch** 145/280.

Croix du Sud sans rest, 3 r. Dr Duvernay ☎ 79 35 05 87 – CZ **f**
15 avril-fin oct. – 25 – **16 ch** 137/217.

Palma sans rest, 19 bis square A. Boucher ☎ 79 35 01 10 – . GB BCY **n**
18 avril-1er nov. – 25 – **16 ch** 110/205.

Central, 6 r. H. Murger ☎ 79 35 21 19 – . GB. ch CZ **s**
fermé 5 déc. au 30 janv. et dim. de nov. à fév. – **R** 59/140 – 30 – **20 ch** 130/160 – P 170/190.

Au Temple de Diane, 11 av. Annecy ☎ 79 88 16 61 – AE GB CY **e**
fermé 10 au 31 août, dim. soir et lundi – **R** 105/210.

Brasserie Poste, 32 av. Victoria ☎ 79 35 00 65 – AE GB JCB BZ **t**
fermé nov. et lundi – **R** 72/165.

par la sortie ① :

à Grésy-sur-Aix : 5 km – ✉ **73100** :

Le Pont Neuf, (près gare) ☎ 79 35 12 04 – . GB
fermé 1er au 23 août, vacances de fév., dim. soir et sam. – **R** 75/200.

par la sortie ② :

à Pugny-Chatenod : 4,5 km – ✉ **73100** :

Clairefontaine, ☎ 79 61 47 09, ≤, – cuisinette . GB. rest
1er avril-10 oct. – **R** *(fermé lundi soir et mardi)* 110/180, enf. 50 – 30 – **29 ch** 160/420 – ½ P 206/336.

AIX-LES-BAINS

Bains (R. des) . . . CZ 2
Carnot (Pl.) . . . . . CZ 6
Casino (R. du) . . . CZ 8
Chambéry (R. de) CZ 9
Davat (R.) . . . . . . CZ 15
Temple-de-Diane (Sq.) . . . . CZ 45

Berthollet (Bd) . . CZ 3
Boucher (Sq. A.) CY 5
Charcot (Bd J.) . . AX 10
Clemenceau (Pl.) BY 12
Dacquin (R.) . . . . CZ 13
Fleurs (Av. des) . CZ 16
Garrod (R. Sir-A.) CZ 18
Gaulle (Av. Ch.-de) . . CZ 19
Georges-1er (R.) . CZ 21
Lamartine (R.) . . . CZ 22
Lattre-de-Tassigny (Av. Mar.-de) . BY 23
Liège (R. de) . . . . CZ 24
Marlioz (Av. de) . AX 26
Mollard (Pl. M.) . CZ 27
Pierpont-Morgan (Bd) . . . . BY 29
Prés-Riants (R.) . BY 30
République (R.) . CY 32
Revard (Pl. du) . . CZ 33
Roche-du-Roi (Bd de la) . . . . CZ 34
Rops (Av. D.) . . . . AX 35
Roosevelt (Av. F.) AX 37
Russie (Bd de) . . . AX 39
Seyssel (R. C.-de) CZ 40
Solms (Av. M.-de) BZ 42
Temple (R. du) . . CZ 43
Victoria (Av.) . . . . CZ 47
Zander (R. de l'Institut) CZ 48

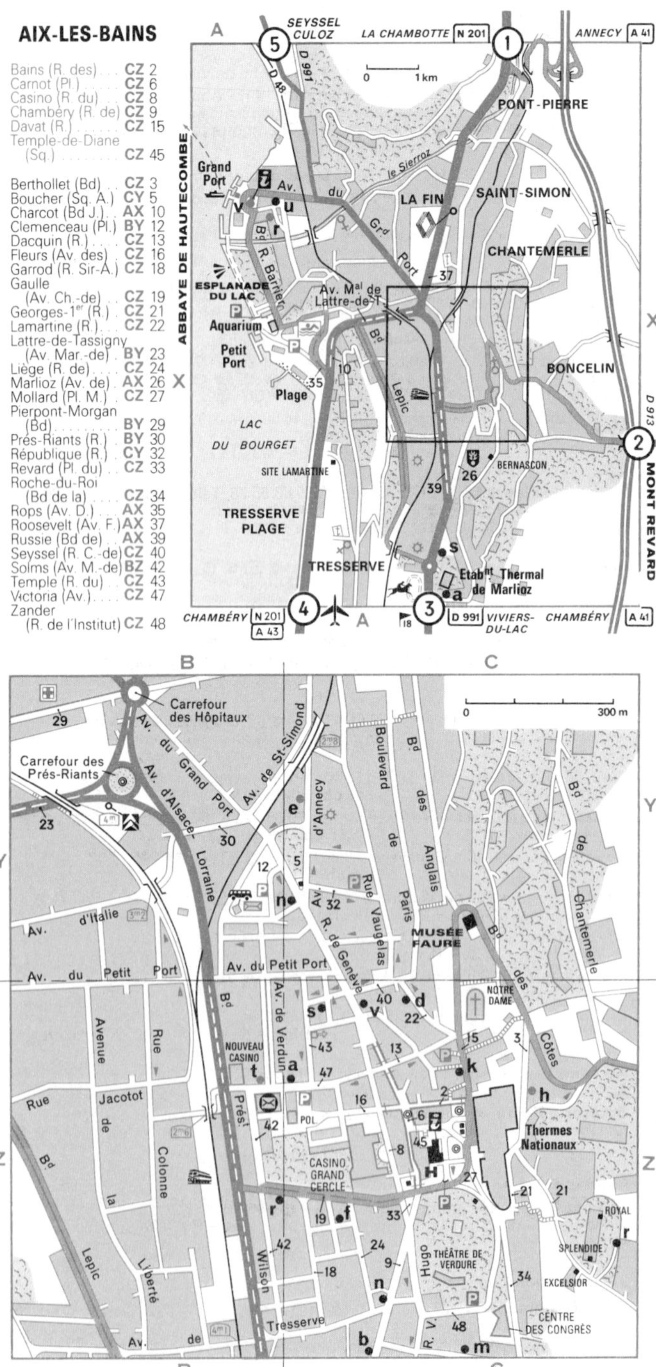

par la sortie③ :

avenue du golf : 3 km :

Campanile ⚐, ✆ 79 61 30 66, Télex 980090, Fax 79 61 18 26, ⚐, ⚐ – TV ☎ ♿ P – 25. AE GB
R 77 bc/99 bc, enf. 39 – ☐ 28 – **60 ch** 258 – ½ P 234/256.

à Viviers-du-Lac : 4 km – ✉ **73420** :

Chambaix H. sans rest, D 991 ✆ 79 61 31 11, Fax 79 88 43 69, ⚐, ⚐, ⚐ – ⚐ TV ☎ ⚐ P. AE ⓓ GB
fermé 10 oct. au 5 nov. et 20 déc. au 5 janv. – ☐ 32 – **29 ch** 250/300.

Assinie M sans rest, O : 1,5 km sur N 201 ✆ 79 54 40 07, Fax 79 54 40 76 – ⚐ TV ☎ ♿ P – 25. GB
☐ 32 – **41 ch** 270/300.

par la sortie④ :

sur N 201 : 5 km – ✉ **73420** Viviers-du-Lac :

Week-end ⚐ avec ch, ✆ 79 54 40 22, Fax 79 54 46 70, ←, ⚐ – ⚐ rest TV ☎. GB
fermé déc. et lundi sauf juil.-août – **R** 95/195 ⚐, enf. 50 – ☐ 32 – **14 ch** 160/280 – ½ P 255/265.

par la sortie⑤ :

au Grand Port : 3 km – ✉ **73100** Aix-les-Bains :

La Pastorale M, 221 av. Grand Port ✆ 79 63 40 60, Télex 309709, Fax 79 63 44 26, ⚐, « Jardin » – ⚐ TV ☎ P – 30. AE ⓓ GB AX **u**
fermé 1er fév. au 20 mars – **R** *(fermé dim. soir et lundi de nov. à avril)* 95/205, enf. 60 – **30 ch** ☐ 305/370 – ½ P 370.

Lille avec ch, ✆ 79 63 40 00, Fax 79 34 00 30, ⚐, ⚐ – ⚐ TV ☎ ♿ P – 25. AE ⓓ GB
fermé janv. – **R** *(fermé merc.)* (dim. et fêtes prévenir) 140/360, enf. 70 – ☐ 32 – **18 ch** 230/340 – P 460. AX **v**

Davat ⚐ avec ch, à 100 m Grand Port ✆ 79 63 40 40, ⚐, « Cadre de verdure, jardin fleuri » – TV ☎ P. GB AX **r**
25 mars -2 nov. et fermé lundi soir (sauf hôtel) et mardi – **R** (dim. prévenir) 90/250, enf. 60 – **20 ch** ☐ 230/340 – ½ P 310/330.

à Brison-les-Oliviers : 9 km D 991 – ✉ **73100** Aix-les-Bains :

Bocquin, ✆ 79 54 21 81, ⚐ – P. GB
15 mars-1er oct. et fermé mardi – **R** 130/190.

ALFA-ROMEO-ROVER-TOYOTA Gar. de Savoie, 7 bd de Russie ✆ 79 61 26 80 N
CITROEN Gar. Domenge, Les Prés Riants, 17 bd de Lattre-de-Tassigny ✆ 79 35 07 89
FIAT-MERCEDES Rouchon, rond-point Lamartine ✆ 79 61 41 35
FORD Seigle, 41 av. Marlioz ✆ 79 61 09 55
LANCIA Coudurier-Curioz, 104 av. Marlioz ✆ 79 35 39 82
NISSAN Gar. St-Christophe, 31 bd Lepic ✆ 79 61 29 45
OPEL Auto Sud, che. du Cores à Drumettaz ✆ 79 88 08 07
PEUGEOT-TALBOT Gar. du Golf, D 991 à Drumettaz par ③ ✆ 79 61 12 88
PORSCHE-MITSUBISHI Gar. du Mt-Blanc, 1 square A.-Boucher ✆ 79 35 22 60
RENAULT Sogaral, 42 av. F.-Roosevelt X ✆ 79 88 30 00
SEAT-VOLVO Perrel, 11 square A.-Boucher ✆ 79 35 01 66
V.A.G S.A.S., ZAC à Grésy-sur-Aix ✆ 79 35 47 18

⚐ Aix Pneus, 205 av. de St-Simond ✆ 79 88 11 56

Plans de villes : *Les rues sont sélectionnées en fonction de leur importance pour la circulation et le repérage des établissements cités. Les rues secondaires ne sont qu'amorcées.*

AJACCIO 2A Corse-du-Sud 90 ⑰ – voir à Corse.

ALBERT 80300 Somme 52 ⑨ G. Flandres Artois Picardie – 10 010 h. alt. 69.
Paris 151 – ♦Amiens 28 – Arras 39 – St-Quentin 56.

Basilique, 3 r. Gambetta ✆ 22 75 04 71 – TV ☎ – 25. GB. ⚐
fermé 16 au 30 août, 20 déc. au 10 janv., sam. soir hors sais. et dim. – **R** 79/240 ⚐, enf. 46 – ☐ 28 – **10 ch** 180/260 – ½ P 236/290.

CITROEN Gges Richard, 41 av. Anatole-France ✆ 22 75 27 76

ALBERTVILLE ⚐ 73200 Savoie 74 ⑰ G. Alpes du Nord – 17 411 h. alt. 345.
Voir à Conflans : Bourg★, Porte de Savoie ←★ Y **B**.
Env. Route du fort du Mont ←★★ E : 11 km par D 105 Y
i Office de Tourisme 1 r. Bugeaud ✆ 79 32 04 22.
Paris 582 ① – Annecy 45 ① – Chambéry 50 ③ – Chamonix 67 ① – ♦Grenoble 80 ③.

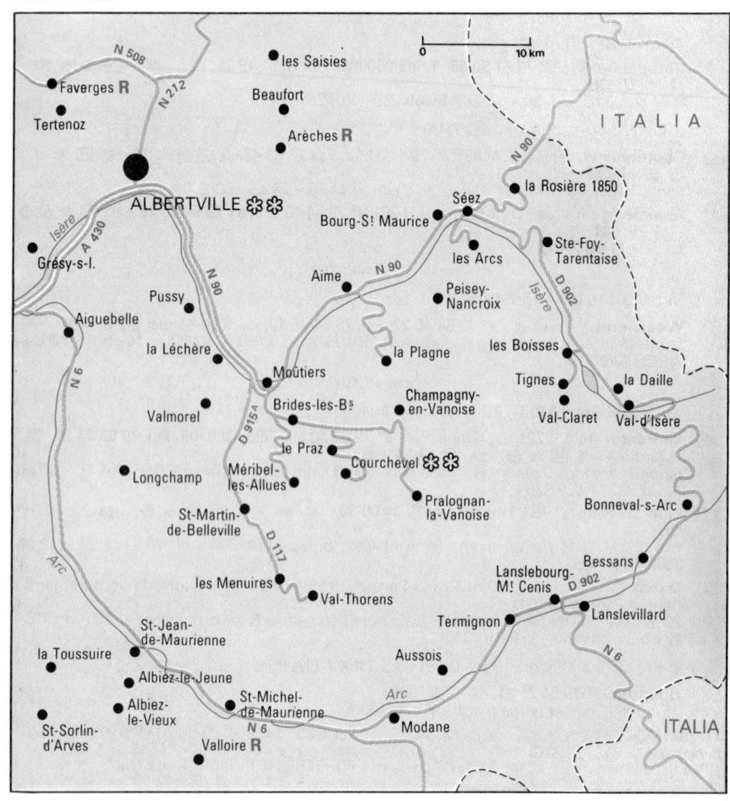

🏨 ✿✿ **Million,** 8 pl. Liberté ✆ 79 32 25 15, Télex 306022, Fax 79 32 25 36, ⛱, 🌳 – 🛗 ▤ ch 📺 ☎ 🚗 – 🏛 40. AE ⓞ GB — Y **a**
fermé 27 avril au 17 mai et 21 sept. au 6 oct. – **R** *(fermé dim. soir et lundi)* 180/480 et carte – ☕ 70 – **28 ch** 400/700
Spéc. Melon de caille et salade à l'huile de truffe, Brezzoles de ris de veau, Soufflé glacé à la Chartreuse. **Vins** Chignin, Mondeuse.

🏨 **Le Roma** Ⓜ, rte Chambéry par ③ : 1 km ✆ 79 37 15 56, Télex 980140, Fax 79 37 01 31, ⛱, 🏋, 🏊, 🌳, 🎾 – 🛗 cuisinette ⇆ ch ▤ rest 📺 ☎ ♿ 🅟 – 🏛 500. AE ⓞ GB
R 99/145 🍷 – ☕ 50 – **140 ch** 300/500, 10 appart. – ½ P 380/400.

🏨 **Ibis** Ⓜ, rte Chambéry par ③ : 4 km ✆ 79 37 89 99, Télex 319194, Fax 79 37 89 98 – 🛗 📺 ☎ ♿ 🅟 – 🏛 60. GB
R 63/150 🍷, enf. 39 – ☕ 32 – **75 ch** 285/340 – ½ P 245.

🏨 **Costaroche,** 1 chemin Pierre du Roy ✆ 79 32 02 02, 🌳 – 📺 ☎ 🅟. GB. 🐕 — Z **e**
fermé dim. soir et lundi d'oct. à juin – **R** 80/160 🍷 – ☕ 25 – **20 ch** 205/290 – ½ P 205/220.

XXX **Chez Uginet,** Pont des Adoubes ✆ 79 32 00 50, Fax 79 31 21 41, ≤, ⛱ – AE ⓞ GB
fermé 25 juin au 10 juil., 12 nov. au 5 déc. et mardi – **R** 110/315, enf. 60. — Y **d**

BMW Portier, rte de Moûtiers ✆ 79 32 23 32 🅽
CITROEN Albertville Auto Diffusion, 9 rte de Grignon, pt. Albertin par D 925 ✆ 79 32 47 37
FIAT, LANCIA-AUTOBIANCHI S.A.V.A., rte de Moûtiers ✆ 79 32 06 82
FORD Tarentaise-Auto, 1 rte de Grignon, carr. Pierre-du-Roy ✆ 79 32 04 98
PEUGEOT-TALBOT Arly-Auto, 113 r. Pasteur ✆ 79 32 23 75 🅽 ✆ 79 37 49 81
RENAULT S.A.G.A.M., N 90 ✆ 79 32 45 70 🅽
V.A.G Jean Lain, 1 r. R.-Piddat ✆ 79 32 31 97

Ⓜ Centrale du Pneu, ZI à La Bâthie ✆ 79 31 02 98
Piot-Pneu, ZI du Chiriac, r. A.-Croizat ✆ 79 32 56 15
Tessaro-Pneus, ZI du Chiriac, 156 r. L.-Armand ✆ 79 32 04 60

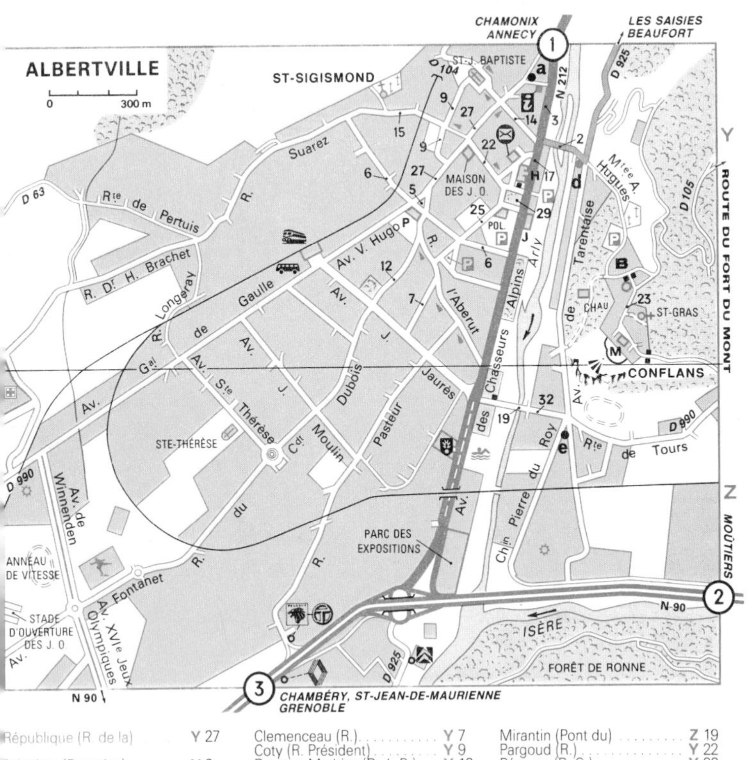

République (R. de la)	Y 27	Clemenceau (R.)	Y 7	Mirantin (Pont du)	Z 19
		Coty (R. Président)	Y 9	Pargoud (R.)	Y 22
Adoubes (Pont des)	Y 2	Docteur Mathias (R. J.-B.)	Y 12	Pérouse (R. G.)	Y 23
Allobroges (Quai des)	Y 3	Gambetta (R.)	Y 14	Porraz (R. J.)	Y 25
Bulle (Pl. Cdt)	Y 5	Genoux (R. Cl.)	Y 15	Soutiras (Square)	Y 29
Chautemps (R. F.)	Y 6	Hôtel-de-Ville (Crs)	Y 17	8 Mai 1945 (Av.)	Z 32

ALBI P **81000** Tarn 82 ⑩ **G. Pyrénées Roussillon** – 46 579 h. alt. 174.

Voir Cathédrale*** Y – Palais de la Berbie* : musée Toulouse-Lautrec** Y **M** – Le vieil Albi* YZ – Pont Vieux* Y – **Env.** Église St-Michel de Lescure* 5,5 km par ①.

18 de Las Bordes ☎ 53 53 98 07, O : 4 km par r. de la Berchère.

Autodrome 2 km par ⑤.

✈ Le Séquestre : T.A.T. ☎ 63 54 45 28, par ⑤.

ℹ Office de Tourisme et Accueil de France (Informations, change et réservations d'hôtels, pas plus de 5 jours à l'avance) avec A.C. Palais de la Berbie, pl. Ste-Cécile ☎ 63 54 22 30, Télex 533404.

Paris 710 ⑤ – ♦Toulouse 75 ⑤ – Béziers 144 ④ – ♦Clermont-Ferrand 292 ① – ♦St-Étienne 358 ①.

Plan page suivante

La Réserve M, rte Cordes par ⑥ : 3 km ☎ 63 47 60 22, Fax 63 47 63 60, ≤, « Dans un parc au bord du Tarn », – TV ☎ P – 50. AE O GB. rest
mai-oct. – **R** 160/300, enf. 90 – 68 – **24 ch** 480/1000 – ½ P 480/750.

Host. St Antoine M, 17 r. St Antoine ☎ 63 54 04 04, Télex 520850, Fax 63 47 10 47, « Jardin, meubles anciens » – TV ☎ P – 30 à 50. AE O GB JCB Z **d**
R *(fermé sam. midi et dim. sauf le soir d'avril à sept.)* 150/260, enf. 70 – 60 – **47 ch** 360/850 – ½ P 400/600.

Chiffre, 50 r. Séré-de-Rivières ☎ 63 54 04 60, Fax 63 47 20 61 – rest TV ☎ P – 25 à 100. AE O GB JCB Z **b**
R *(fermé dim. du 1er nov. au 31 mars)* 90/230, enf. 55 – 33 – **40 ch** 250/420 – ½ P 300/380.

Altéa M, 41 bis r. Porta ☎ 63 47 66 66, Télex 532596, Fax 63 46 18 40, ≤ le Tarn et cathédrale, – TV ☎ P. AE O GB Y **n**
R *(fermé sam.)* 120 bc/280, enf. 55 – 55 – **56 ch** 320/495.

ALBI

Lices G.-Pompidou . . . . YZ
Malroux (R. A.) . . . . Y 25
Mariès (R.) . . . . Y
Ste-Cécile (R.) . . . . Z 47
Timbal (R.) . . . . Z 58
Verdusse (R. de) . . . . Z 64
Vigan (Pl. du) . . . . Z

Alsace-Lorraine (Bd) V
Andrieu (Bd Ed.) . . . . X 2
Archevêché (Pl. de l') . . . . Y 3
Berchère (R. de la) . . . . Z
Bodin (Bd P.) . . . . X 5
Cantepau (R.) V
Carnot (Bd) X
Castelviel (R. du) . . . . Y 7
Choiseul (Quai) . . . . Y 8
Croix-Blanche (R. de la) . . . . Z 9
Croix-Verte (R. de la) . . . . . . V, YZ 12
Dembourg (Av.) . . . . V 13
Dr-Camboulives (R. du) . . . . Z 14
Empeyralots (R. d') . . . . Z 15
Foch (Av. Mar.) X
Gambetta (Av.) X
Gaulle (Av. Gén. de) X
Genève (R. de) . . . . Z 18
Grand (R. E.) . . . . Y
Hôtel-de-Ville (R. de l') . . . . Z 19
Jaurès (Pl. J.) . . . . Z
Joffre (Av. Mar.) . . . . X 22
Lacombe (Bd) . . . . X 23
Lapérouse (Pl.) . . . . Z
Lattre-de-Tassigny (Av. de) . . . . . V 24

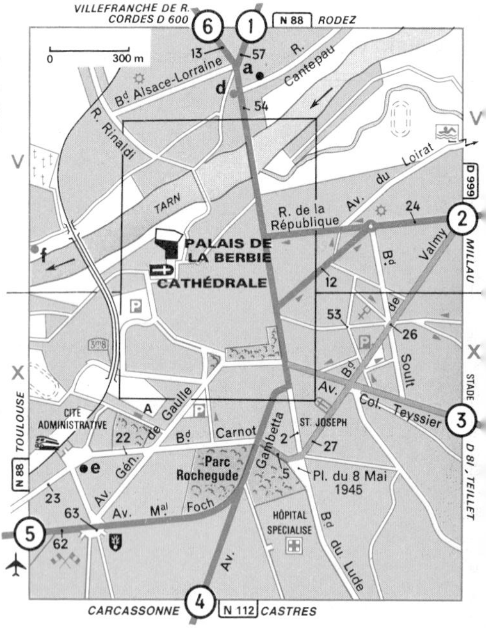

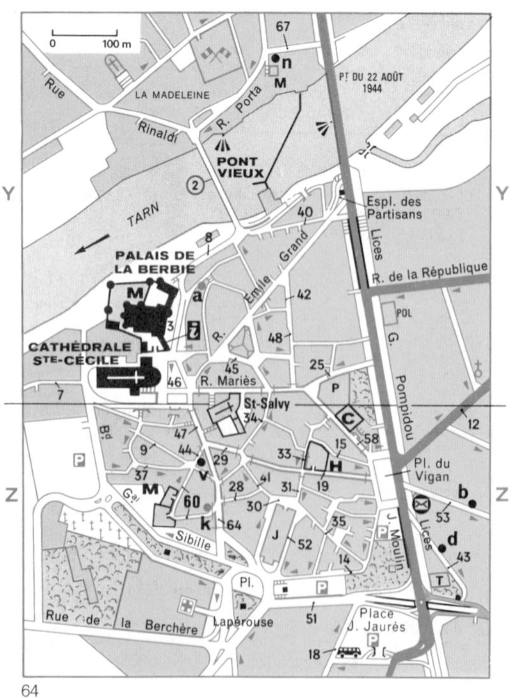

Lices Jean-Moulin . . . . Z
Loirat (Av. du) V
Lude (Bd du) X
Maquis (Pl. du) . . . . X 26
Montebello (Bd) . . . . X 27
Nobles (R. des) . . . . Z 28
Oulmet (R. de l') . . . . Z 29
Palais (Pl. du) . . . . Z 30
Palais (R. du) . . . . Z 31
Partisans (Espl. des) . . . . Y
Pénitents (R. des) . . . . Z 33
Peyrolière (R.) . . . . YZ 34
Porta (R.) . . . . Y
Porte Neuve (R.) . . . . Z 35
Puech-Bérenguier (R.) . . . . . . Z 37
République (R. de la) . . . . . V, Y
Rinaldi (R.) . . . . Y
Rivière (R. de la) . . . . Y 40
Roquelaure (R.) . . . . Z 41
St-Afric (R.) . . . . Y 42
St-Antoine (R.) . . . . Z 43
St-Clair (R.) . . . . Z 44
St-Julien (R.) . . . . Y 45
Ste-Cécile (Pl.) . . . . Y 46
Ste-Claire (R.) . . . . Y 48
Savary (R. H.) . . . . Z 51
Sel (R. du) . . . . Z 52
Séré-de-Rivière (R.) . . . . Z 53
Sibille (Bd Gén.) . . . . Z
Soult (Bd) VX
Strasbourg (Bd de) . . . . V 54
Teyssier (Av. Col.) X
Thomas (Av. A.) . . . . V 57
Toulouse-Lautrec (R. H. de) . . . . Z 60
Valmy (Bd. de) VX
Verdier (Av. F.) . . . . X 62
Verdun (Pl. de) . . . . X 63
Visitation (R. de la) . . . . Y 67
8-Mai-1945 (Pl. du) X

Gd H. Orléans, pl. Gare ✆ 63 54 16 56, Télex 521605, Fax 63 54 43 41, ⛱ – |♦| ▤ rest TV ☎ – 🏛 30. AE ⓓ GB X **e**
hôtel : fermé 20 déc. au 4 janv. ; rest. : fermé 1er au 8 mars, 20 déc. au 4 janv., sam. midi et dim. – **R** 75/200 ♁, enf. 60 – ☕ 32 – **48 ch** 210/450 – ½ P 240/320.

Cantepau sans rest, 9 r. Cantepau ✆ 63 60 75 80, Fax 63 47 57 91 – |♦| TV ☎ Ⓟ. AE GB V **a**
fermé 18 déc. au 4 janv. – ☕ 25 – **33 ch** 203/220.

St Clair sans rest., r. St Clair ✆ 63 54 25 66 – cuisinette TV ☎. GB. ✻ Z **v**
fermé janv. – ☕ 28 – **12 ch** 190/250.

Bateau Ivre, 17 r. Engueysses ✆ 63 38 08 06 – AE ⓓ GB Y **a**
fermé 15 au 29 oct., 10 au 24 janv. et jeudi – **Repas** 90/300, enf. 50.

Jardin des Quatre Saisons, 19 bd Strasbourg ✆ 63 60 77 76, 🏛 – AE GB V **d**
fermé lundi – **R** 120/170.

Moulin de la Mothe, r. de la Mothe ✆ 63 60 38 15, Fax 63 47 68 84, ≤, 🏛, parc, « Au bord du Tarn » – ▤ Ⓟ. AE ⓓ GB V **f**
fermé vacances de nov., de fév., dim. soir (sauf juil.-août) et merc. – **R** 110/210, enf. 50.

Le Vieil Alby avec ch, 25 r. Toulouse-Lautrec ✆ 63 54 14 69, 🏛 – ▤ rest. AE GB. ✻ ch
fermé 21 juin au 6 juil., 1er au 24 janv., dim. (sauf le midi de sept. à juin) et lundi sauf juil.-août – **R** 70/200 ♁, enf. 50 – ☕ 25 – **9 ch** 130/230 – ½ P 180/200. Z **k**

à Marssac-sur-Tarn par ⑤ : 10 km – ✉ **81150** :

Tilbury, ✆ 63 55 41 90, 🏛, ⛱, 🏛 – ▤ Ⓟ – 🏛 100.

ALFA-ROMEO-SEAT Mauries Autom., 101 av. Gambetta ✆ 63 54 06 75
CITROEN Gar. Marlaud, rte de Rodez, Lescure par ① ✆ 63 60 70 84
FIAT Caylus Autom., rte de Castres ✆ 63 54 03 02
FORD Albi Auto, 22 av. A.-Thomas ✆ 63 60 79 03
HONDA Gar. Auriol, 14 av. Gambetta ✆ 63 54 06 51 **N** ✆ 63 38 32 83
LADA, VOLVO Gar. Grimal, 128 av. A.-Thomas ✆ 63 60 72 05
MERCEDES Antras Auto Albi, rte de Castres ✆ 63 47 19 40
NISSAN A.C.A., 174 av. de Lattre-de-Tassigny ✆ 63 60 35 00
OPEL Auto-Loisirs, rte de Millau ✆ 63 60 60 22
PEUGEOT, TALBOT Gd Gar. Albigeois, 15 r. J.-Monod, Val de Caussels par ② ✆ 63 47 57 50
RENAULT Rossi Autom., 179 av. Gambetta par ④ ✆ 63 54 68 00 **N** ✆ 63 42 70 18

Bellet Pneus, rte de Castres ✆ 63 54 23 47
Central Pneu, 30 r. Ampère, ZI de Jarlard ✆ 63 46 01 07
Escoffier-Pneus, 101 av. F.-Verdier ✆ 63 54 04 99
Pneus Service, 51 av. Albert Thomas ✆ 63 60 71 98

Restaurants, die sorgfältig zubereitete, preisgünstige Mahlzeiten anbieten, sind durch das Zeichen ◆ kenntlich gemacht.

ALBIEZ-LE-JEUNE 73300 Savoie 77 ⑦ – 61 h. alt. 1 350.
Paris 631 – Albertville 77 – Chambéry 87 – St-Jean-de-Maurienne 15 – St-Michel-de-Maurienne 22.

L'Escale ♨ avec ch, ✆ 79 59 85 08, ≤ – GB
fermé 1er au 12 avril, 16 nov. au 13 déc. et merc. hors sais. – **R** 80/250 – ☕ 27 – **12 ch** 135 – ½ P 180/210.

ALBIEZ-LE-VIEUX 73300 Savoie 77 ⑦ – 301 h. alt. 1 522.
Voir Col du Mollard ≤★ S : 3 km, **G. Alpes du Nord.**
Paris 635 – Albertville 81 – Chambéry 91 – St-Jean-de-Maurienne 17 – St-Sorlin-d'Arves 14.

La Rua ♨, ✆ 79 59 30 76, ≤ – ☎ Ⓟ. GB. ✻ rest
15 juin-15 sept. et 15 déc.-20 avril – **R** 70/180 – ☕ 24 – **22 ch** 140/207 – ½ P 180/250.

ALBIGNY-SUR-SAONE 69 Rhône 74 ① – rattaché à Neuville-sur-Saône.

Les ALBRES 12220 Aveyron 80 ① – 342 h.
Paris 596 – Rodez 46 – Decazeville 10,5 – Figeac 19 – Villefranche-de-Rouergue 35.

Frechet ♨, ✆ 65 80 42 46, ⛱ – TV ☎. GB
fermé 24 au 30 août – **R** 60/180 ♁ – ☕ 25 – **18 ch** 160/225 – ½ P 230.

ALBY-SUR-CHÉRAN 74540 H.-Savoie 74 ⑯ **G. Alpes du Nord** – 1 224 h. alt. 399.
Paris 543 – Annecy 13 – Aix-les-Bains 20 – Chambéry 37.

Alb'H. M, ✆ 50 68 24 93, Fax 50 68 13 01, 🏛, ⛱, 🏛 – |♦| TV ☎ ♿ Ⓟ – 🏛 40. AE ⓓ GB
R grill *(fermé dim.)* 80/200, enf. 50 – ☕ 35 – **37 ch** 270/310 – ½ P 250/270.

ALENÇON P 61000 Orne 60 ③ **G. Normandie Cotentin** – 29 988 h. alt. 135.
Voir Église N.-Dame★ (vitraux★) BZ – Musée des Beaux-Arts et de la Dentelle★ : collection de dentelles★★ AZ **M** – Musée de la Dentelle : collection de dentelles★★ BZ **M**[1].
Env. Forêt de Perseigne★ 9 km par ③.
ℹ Office de Tourisme Maison d'Ozé ✆ 33 26 11 36 – A.C. 2 cours Clemenceau ✆ 33 32 27 27.
Paris 192 ② – Chartres 119 ③ – Évreux 116 ② – Laval 92 ⑤ – ◆Le Mans 48 ④ – ◆Rouen 146 ①.

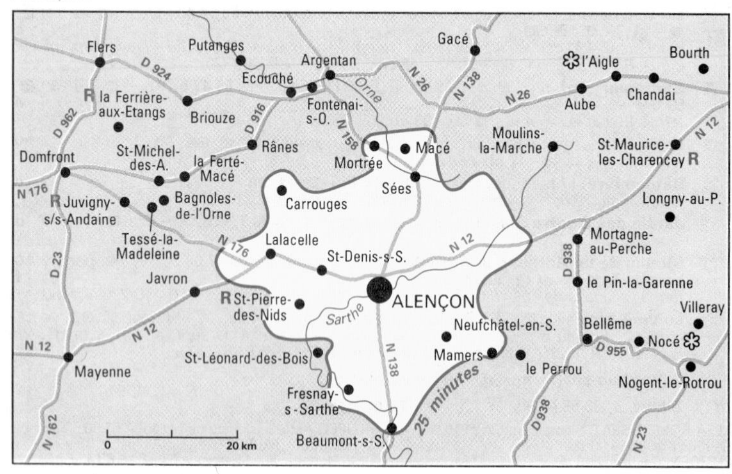

Chapeau Rouge sans rest, 1 bd Duchamp ☎ 33 26 20 23 – TV ☎. GB — Y **v**
☕ 25 – **16 ch** 140/270.

Arcade M sans rest, 187 av. Gén. Leclerc par ④ ☎ 33 28 64 64, Télex 772149, Fax 33 28 64 72 – |‡| TV ☎ ♿ P – 60. GB
☕ 32 – **55 ch** 250/275.

Urbis M sans rest, 13 pl. Poulet-Malassis ☎ 33 26 55 55, Télex 772323, Fax 33 26 02 88 – |‡| TV ☎ ♿. AE ⓓ GB — BZ **n**
☕ 32 – **52 ch** 220/245.

Gd H. Gare, 50 av. Wilson ☎ 33 29 03 93, Fax 33 29 28 59 – TV ☎ P. AE GB — Y **r**
fermé 20 déc. au 5 janv. – **R** *(fermé sam. de déc. à mai et dim.)* 56/120 ♀, enf. 42 – ☕ 24 – **22 ch** 160/270.

Campanile, rte Paris par ② : 2,5 km ☎ 33 29 53 85, Télex 171908, Fax 33 29 60 06, – TV ☎ P – 25 à 50. AE GB
R 77 bc/99 bc, enf. 39 – ☕ 28 – **42 ch** 258 – ½ P 234/256.

Marmotte, rte de Rouen par ① : 2 km ☎ 33 27 42 64 – TV ☎ ♿ P. GB
R 65/84 ♀, enf. 35 – ☕ 24 – **37 ch** 169/191 – ½ P 174/185.

XXX **Au Petit Vatel,** 72 pl. Cdt Desmeulles ☎ 33 26 23 78 – . AE ⓓ GB JCB — AZ **s**
fermé 10 août au 2 sept., vacances de fév., dim. soir et merc. – **R** 125/228 ♀, enf. 58.

XX **Au Jardin Gourmand,** 14 r. Sarthe ☎ 33 32 22 56 – GB — AZ **u**
fermé 4 au 18 janv. et lundi – **R** 98/185.

XX **Escargot Doré,** 183 av. Gén. Leclerc par ④ ☎ 33 28 67 67 – P. GB
fermé dim. soir et lundi – **R** 90/240 ♀, enf. 50.

XX **Grand St-Michel** avec ch, 7 r. Temple ☎ 33 26 04 77, Télex 772252, Fax 33 26 71 82 – TV ☎ . GB — AZ **a**
fermé juil. et vacances de fév. – **R** *(fermé dim. soir d'oct. à mai et lundi)* 82/250, enf. 45 – ☕ 25 – **13 ch** 125/280 – ½ P 200/250.

XX **L'Inattendu,** 21 r. Sarthe ☎ 33 26 51 69 – AE GB — AZ **b**
fermé 28 juil. au 16 août, sam. midi et dim. – **R** 136/198.

AUSTIN, ROVER Gar. de Bretagne, 141 r. de Bretagne ☎ 33 26 08 27
BMW, OPEL Gar. de l'Europe, 160 av. Gén.-Leclerc ☎ 33 27 75 75
CITROEN Roques, N 138 rte du Mans par ④ ☎ 33 28 10 20 N
FIAT, LANCIA Kosellek, 45 av. de Quakenbruck ☎ 33 29 40 67
FORD Legrand-Autos, 132 av. de Quakenbruck ☎ 33 29 45 61 N ☎ 33 28 21 86
NISSAN Guérin Autom., 21 r. Demées ☎ 33 29 06 15
PEUGEOT, TALBOT Gds Gar. de l'Orne, 111 av. de Basingstoke par ① ☎ 33 29 22 22 N

RENAULT SODIAC, N 12, rte de Paris à Cerisé par ② ☎ 33 29 20 22 N ☎ 33 28 24 19
RENAULT Chantepie, 37 r. Marchant-Saillant par r. Cazault Y ☎ 33 29 21 60
TOYOTA Baroche, 136 av. Rhin-et-Danube ☎ 33 31 00 00
V.A.G Gar. Poirier, 36 r. Ampère, ZI Nord ☎ 33 31 10 74

Alençon-Pneus, 71 av. de Basingstoke ☎ 33 29 16 22
Marsat Pneus, ZI Nord, 26 r. Lazare Carnot ☎ 33 27 78 83

ALENÇON

Bercail (R. du) .... BZ 4
Clemenceau (Cours) ...... ABZ
Grande-Rue .... ABZ 15
Mans (R. du) .... Y 24
Pont-Neuf (R. du) . BZ 29
Sieurs (R. aux) .. ABZ

Argentan (R. d') .... Y 2
Basingstoke (Av. de) Y 3
Duchamp (Bd) ...... Y 8
Écusson (R. de l') .. Y 9
Fresnay (R. de) .... AZ 13
Grandes-Poteries (R. des) .... AZ 14
Halle-au-Blé (Pl. de la) .... AZ 17
Lamagdelaine (Pl.) BZ 18
Lattre-de-Tassigny (R. du Mar.) .. ABZ 19
Leclerc (Av. du Gén.) Y 20
Marguerite-de-Lorraine (Pl. de) AZ 25
Porte-de-la-Barre (R.) .... AZ 30
Poterne (R. de la) . BZ 33
Quakenbruck (Av. de) .... Y 34
Rhin et Danube (Av.) Y 35
Tisons (R. des) ..... Y 39
1er-Chasseur (Bd du) Y 40
14e-Hussards (R. du) Y 42

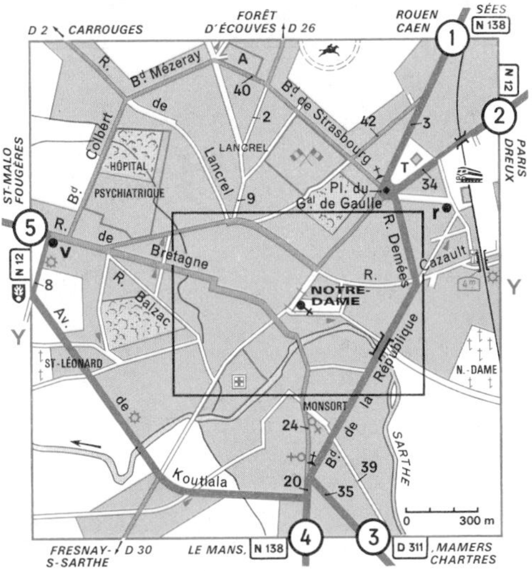

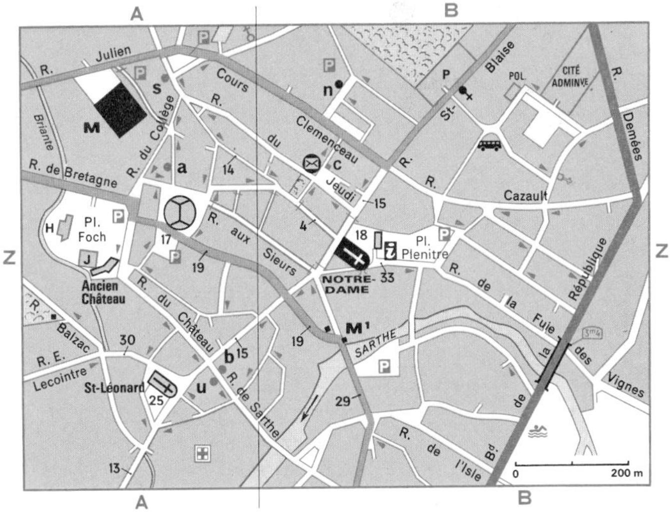

Dans ce guide

un même symbole, un même caractère,
imprimé en couleur ou en noir, en maigre ou en **gras**
n'ont pas tout à fait la même signification.
Lisez attentivement les pages explicatives.

ALÈS <SP> **30100** Gard **80** ⑰ ⑱ **G. Gorges du Tarn** – 41 037 h. alt. 140.

Voir Musée-bibliothèque Pierre-André-Benoit★, 0 : 2 km par le pont de Rochebelle.

Office de Tourisme 2 r. Michelet (Chambre de Commerce) ☎ 66 78 49 10, Télex 490855 et pl. G.-Péri (Pâques-Toussaint) ☎ 66 52 32 15 – A.C. quai J.-Jaurès ☎ 66 30 44 40.

Paris 708 ② – Albi 231 ④ – Avignon 73 ③ – ♦Montpellier 72 ④ – Nîmes 44 ③ – Valence 147 ②.

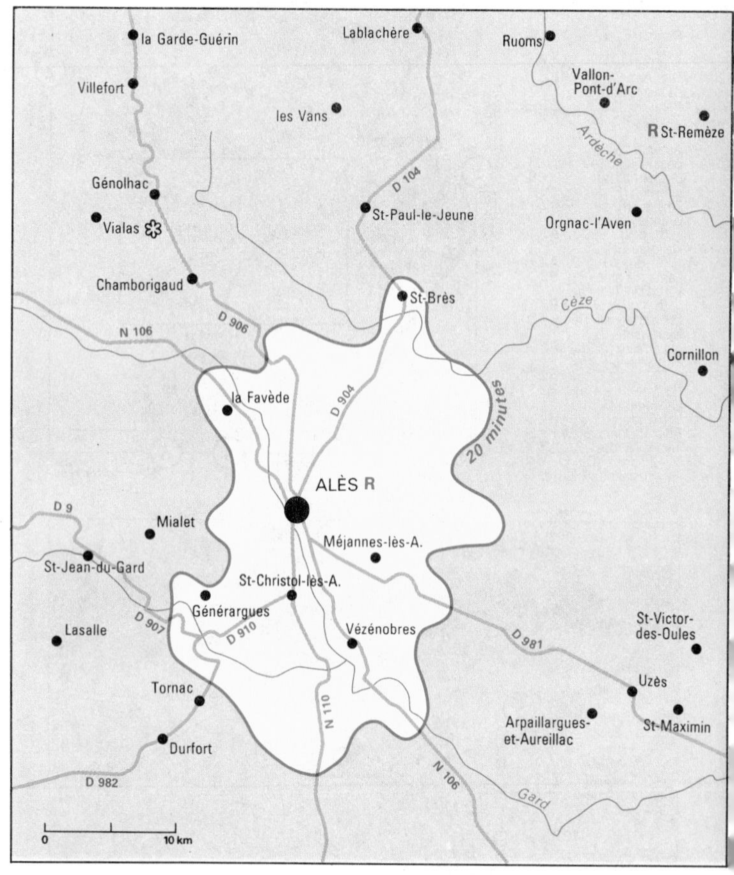

Mercure M, r. E. Quinet ✆ 66 52 27 07, Télex 480830, Fax 66 52 36 33 – ▯ ▤ TV ☎ ♿ P – 🧑‍🏫 30 à 100. AE ⓓ GB B **e**
R *(fermé sam. et dim.)* 85/120 ♁, enf. 40 – ☕ 42 – **75 ch** 360/410.

Le Riche avec ch, 42 pl. Sémard ✆ 66 86 00 33, Fax 66 30 02 63, salle 1900 – ✈ ch TV ☎. ⓓ GB B **n**
fermé 1er août au 30 août – **Repas** 82/280 ♁ – ☕ 35 – **20 ch** 220/320 – ½ P 220.

Parc avec ch, 174 rte Nîmes par ③ : 2 km ✆ 66 30 62 33, Fax 66 30 98 54, ⛱, 🌳 – TV ☎ P – 🧑‍🏫 50 à 70. AE GB
R *(fermé dim. soir et lundi)* 90/210, enf. 50 – ☕ 26 – **5 ch** 180/230 – ½ P 250/300.

rte de Nîmes par ③ : 4 km sur N 106 – ✉ **30560** St-Hilaire-de-Brethmas :

Aub. St-Hilaire, ✆ 66 30 11 42 – ▤ P. GB. ✂
fermé dim. soir et lundi sauf fériés – **R** 140/360, enf. 70.

à Méjannes-lès-Alès par ③ et D 981 : 7,5 km – ✉ **30340** Salindres :

Aub. des Voutins, ✆ 66 61 38 03, ⛱, 🌳 – P. AE ⓓ GB
fermé 1er au 10 sept., dim. soir et lundi sauf fériés – **R** 140/270.

à St-Christol-lès-Alès par ④ : 5 km – 4 973 h. – ✉ **30380** :

Ibis M, rte Anduze ✆ 66 60 75 75, Télex 485748, Fax 66 60 94 78, 🏊 – ▤ rest TV ☎ ♿ P – 🧑‍🏫 40. GB
R 79/110 ♁, enf. 39 – ☕ 32 – **44 ch** 250/290.

ALÈS

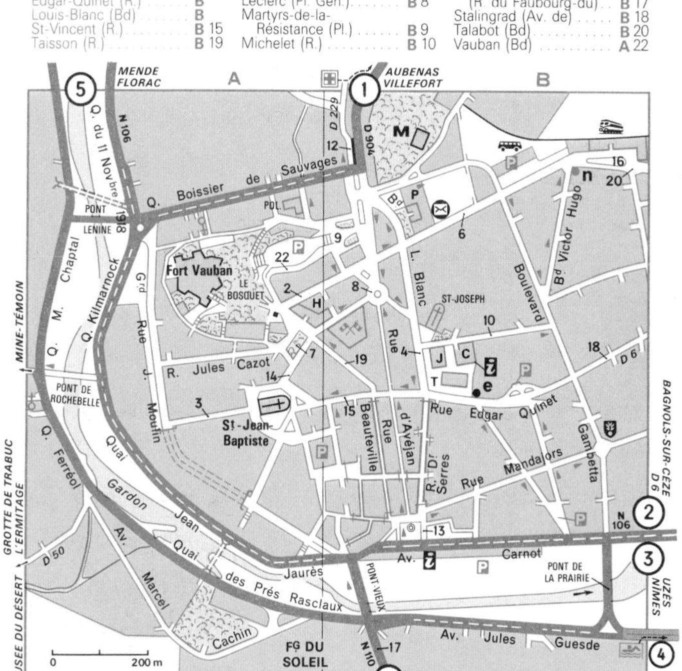

ALFA-ROMEO Paszek, 30 bd Gambetta ✆ 66 30 07 66
BMW Méridional Autos, 571 chem. de la Tourtugue ✆ 66 30 14 14
CITROEN Rokad Auto, rte de Nîmes à St-Hilaire-de-Brethmas par ③ ✆ 66 86 25 25
FIAT Cévennes-Autom., rte d'Aubenas à St-Martin-de-Valgalgues ✆ 66 30 22 46
FORD Morel, 15 av. Gibertine ✆ 66 86 44 73
LADA Gar. Chauvet, 92 bis rte d'Alsace ✆ 66 30 13 80
LANCIA Sud Auto, rte d'Aubenas à St-Martin-de-Valgalgues ✆ 66 86 49 64
OPEL Gar. SOGIR, rte de Nîmes à St-Hilaire-de-Brethmas ✆ 66 61 32 97

PEUGEOT-TALBOT Guiraud, 1 165 rte d'Uzès par ③ ✆ 66 86 41 87
RENAULT Auto Christol, montée des Cyprès par ④ ✆ 66 52 20 88 N ✆ 05 05 15 15
V.A.G Provence-Auto, Km 3, rte de Nîmes à St-Hilaire-de-Brethmas ✆ 66 30 81 23

Ayme-Pneus, av. Rameau, ZI Croupillac ✆ 66 30 22 10
Escoffier Pneus, 8 pl. H.-Barbusse ✆ 66 52 38 72
Escoffier Pneus, ZI av. Frères-Lumière ✆ 66 56 77 77
Rouveyran, rte de Nîmes à St-Hilaire-de-Brethmas ✆ 66 61 33 30

ALISSAS **07** Ardèche 76 ⑲, 77 ⑪ – rattaché à Privas.

ALIX **69380** Rhône 73 ⑨ 74 ① – 665 h. alt. 284.

Paris 447 – ♦Lyon 29 – L'Arbresle 12 – Villefranche-sur-Saône 13.

X **Le Vieux Moulin,** ✆ 78 43 91 66, – P. GB
fermé 10 août au 8 sept., lundi et mardi – **Repas** 99/230.

ALLAIRE **56350** Morbihan 63 ⑤ – 2 990 h. alt. 66.

Paris 421 – Ploermel 46 – Redon 9,5 – ♦Rennes 75 – La Roche-Bernard 26 – Vannes 48.

Gaudence sans rest, rte Redon ✆ 99 71 93 64 – TV ☎ P. GB
☕ 30 – **17 ch** 180/253.

ALLASSAC **19240** Corrèze 75 ⑧ **G. Périgord Quercy** – 3 379 h. alt. 170.

Paris 479 – Brive-la-Gaillarde 15 – ♦Limoges 82 – Tulle 35.

- **Midi,** av. V. Hugo ✆ 55 84 90 35 – GB
  fermé 15 déc. au 15 janv. – **R** 80/100 – ☕ 25 – **10 ch** 120/200 – ½ P 180/200.

ALLÈGRE **43270** H.-Loire 76 ⑥ **G. Vallée du Rhône** – 1 176 h. alt. 1 021.

Voir Ruines du château ※★.

Paris 527 – Le Puy-en-Velay 28 – Ambert 45 – Brioude 40 – Langeac 31.

- **Voyageurs,** D 13 ✆ 71 00 70 12 – ☎ Ⓟ. GB
  15 mars-15 déc. – **R** 60/150, enf. 45 – ☕ 25 – **25 ch** 110/240 – ½ P 150/190.

PEUGEOT-TALBOT Gar. Marrel ✆ 71 00 70 62 N

ALLEMANS-DU-DROPT **47800** L.-et-G. 79 ④ – 455 h. alt. 39.

Paris 586 – Agen 66 – Marmande 22 – Villeneuve-sur-Lot 47.

- **Étape Gasconne,** ✆ 53 20 23 55, ⛱, – TV ☎. GB
  R *(fermé vend. soir et sam. midi)* 58/215 – ☕ 30 – **27 ch** 170/260 – ½ P 180/230.

ALLEMONT **38114** Isère 77 ⑥ – 600 h. alt. 820.

Voir Traverse d'Allemont ※★★ O : 6 km, **G. Alpes du Nord.**

Paris 615 – ♦Grenoble 45 – Le Bourg-d'Oisans 10 – St-Jean-de-Maurienne 60 – Vizille 27.

- **Giniès** ⛰, ✆ 76 80 70 03, ←, – ☎ Ⓟ. GB. ⊘
  Repas *(vacances de printemps, 2 mai-15 sept. et vacances de fév.)* 80/170 – ☕ 32 – **28 ch** 180/270 – ½ P 210/250.

ALLEVARD **38580** Isère 74 ⑯ 77 ⑥ **G. Alpes du Nord** – 2 558 h. alt. 475 – Stat. therm. (21 mai-29 sept.) – Sports d'hiver au Collet d'Allevard : 1 450/2 100 m ⛷13.

Voir Route du Collet★★ par ②.

ℹ Office de Tourisme pl. Résistance ✆ 76 45 10 11.

Paris 578 ① – ♦Grenoble 39 ③ – Albertville 50 ① – Chambéry 34 ① – St-Jean-de-Maurienne 68 ①.

ALLEVARD

Rues piétonnes en saison thermale

Baroz (R.)	2
Bir-Hakeim (R. de)	3
Charamil (R.)	5
Chenal (R.)	6
Davallet (Av.)	7
Docteur-Chataing (R.)	8
Docteur-Mansord (R.)	9
Docteur-Niepce (R.)	10
Gerin (Av. Louis)	15
Grand-Pont (R. du)	19
Libération (R. de la)	21
Louaraz (Av.)	23
Ponsard (R.)	24
Rambaud (Pl. P.)	25
Résistance (Pl. de la)	27
Savoie (Av. de)	28
Stalingrad (R. de)	29
Verdun (Pl. de)	32
8-Mai-1945 (R. du)	34

- **Les Pervenches** ⛰, **(s)** ✆ 76 97 50 73, Fax 76 45 09 52, ←, parc, ⛱, – ☎ Ⓟ. GB
  ⊘ rest
  10 mai-15 oct. et 1er fév.-15 avril – **R** *(fermé midi sauf week-ends du 1er fév. au 15 avril)* 100/220, enf. 55 – ☕ 32 – **30 ch** 248/320 – ½ P 275/295.
- **Parc** ⛰ sans rest, **(u)** ✆ 76 97 54 22, Fax 76 97 56 57, ←, parc – ⇅ TV ☎. GB
  13 mai-27 sept. – ☕ 36 – **47 ch** 140/300.
- **Speranza** ⛰, rte Moutaret ✆ 76 97 50 56, ←, – cuisinette ☎ Ⓟ. GB. ⊘ rest
  15 mai-30 sept. et 1er fév.-1er mars – **R** (résidents seul.) 72/105 – ☕ 28 – **20 ch** 175/278 – ½ P 200/242.
- **Continental, (r)** ✆ 76 45 03 25, – ⇅ ☎ Ⓟ. GB. ⊘ rest
  1er mai-fin sept. et vacances scolaires – **R** 85, enf. 50 – ☕ 25 – **40 ch** 170/350 – ½ P 195/237.
- **Alpes, (d)** ✆ 76 97 51 18, Fax 76 45 80 81 – ☎. GB
  fermé 21 au 30 avril, 2 nov. au 10 déc., dim. soir et lundi midi d'oct. à avril (sauf vacances scolaires) – **R** 75/170, enf. 45 – ☕ 28 – **16 ch** 175/300 – ½ P 199/238.

à Pinsot S : 7 km par D 525 A – ✉ **38580** :

Pic Belle Étoile, ✆ 76 97 53 62, Fax 76 97 55 47, ←, 🌳, 🏋, 🏊, 🚗, 🎾 – 🛗 📺 ☎ 🅿 – 🏨 30 à 100. GB. ✻ rest
fermé 12 avril au 12 mai et 23 oct. au 20 déc. – **R** 90/166, enf. 58 – ☕ 43 – **34 ch** 236/387 – ½ P 295/351.

CITROEN Auto B 2, par ① ✆ 76 45 09 28 🅽 ✆ 76 45 08 31
PEUGEOT-TALBOT Gar. Tissot ✆ 76 97 50 62
RENAULT Gar. des Alpes ✆ 76 45 11 16 🅽 ✆ 76 97 56 27

ALLIGNY-EN-MORVAN 58230 Nièvre 65 ⑰ – 679 h. alt. 454.

Paris 261 – Autun 33 – Château-Chinon 32 – Clamecy 75 – Nevers 96 – Saulieu 11,5.

Aub. du Morvan avec ch, ✆ 86 76 13 90 – ✻ ch
1er mars-11 nov. et fermé jeudi et le soir sauf sam. hors sais. – **R** 72/190 🍷 – ☕ 23 – **6 ch** 124/163 – ½ P 170/180.

ALLONZIER-LA-CAILLE 74350 H.-Savoie 74 ⑥ – 851 h. alt. 643.

Voir Ponts de la Caille★ N : 1,5 km, G. Alpes du Nord.

Paris 531 – Annecy 13 – Bellegarde-sur-Valserine 35 – Bonneville 31 – ◆Genève 30.

Manoir 🔇 avec ch, ✆ 50 46 81 82, Fax 50 46 88 55, ←, 🌳 – 📺 ☎ 🚗 🅿 – 🏨 40. AE ⓓ GB
fermé nov., déc. et lundi d'oct. à mai – **R** 120/280, enf. 60 – ☕ 45 – **16 ch** 300/360 – ½ P 350/380.

Découvrez la France avec les guides Verts Michelin :
24 titres illustrés en couleurs.

ALLOS 04260 Alpes-de-H.-P. 81 ⑧ G. Alpes du Sud – 705 h. alt. 1 425.

Env. ✻★★ du col d'Allos NO : 15 km.

Paris 773 – Digne-les-Bains 79 – Barcelonnette 35 – Colmars 8.

au Seignus O : 2 km par D 26 – alt. 1 500 – Sports d'hiver 1 400/2 426 m 🚡1 ⛷11 – ✉ **04260** Allos.

ℹ Office de Tourisme au Seignus ✆ 92 83 02 81, Télex 405945.

Altitude 1500 🔇, ✆ 92 83 01 07, ←, 🌳 – GB. ✻ ch
1er juil.-15 sept. et 20 déc.-25 avril – **R** 85/90, enf. 35 – ☕ 25 – **16 ch** 160/190 – ½ P 205.

à la Foux d'Allos NO : 9 km par D 908 – alt. 1 800 – Sports d'hiver 1 800/2 600 m 🚡3 ⛷20 – ✉ **04260** Allos.

ℹ Office de Tourisme ✆ 92 83 80 70, Télex 430684.

du Hameau Ⓜ 🔇, ✆ 92 83 82 26, Fax 92 83 87 50, ←, 🌳, 🏊 – 🛗 📺 ☎ ♿ 🅿 – 🏨 35. AE GB
6 juin-4 oct. et 28 nov.-25 avril – **R** 85/150, enf. 45 – ☕ 34 – **36 ch** 342/494 – ½ P 293/338.

ALOTZ 64 Pyr.-Atl. 78 ⑱ – rattaché à Biarritz.

ALOXE-CORTON 21 Côte-d'Or 170 ① – rattaché à Beaune.

L'ALPE D'HUEZ 38750 Isère 77 ⑥ G. Alpes du Nord – alt. 1 860 – Sports d'hiver : 1 100/3 350 m 🚡14 ⛷72 ⛷.

Voir Pic du Lac Blanc ✻★★★ NE par téléphérique B – Route de Villars-Reculas★ 4 km par D 211B.

Altiport ✆ **76 80 41 15, SE : 1,5 km.**

ℹ Office de Tourisme pl. Paganon ✆ 76 80 35 41, Télex 320892.

Paris 632 ① – ◆Grenoble 62 ① – Le Bourg-d'Oisans 13 ① – Briançon 71 ①.

Plan page suivante

Royal Ours Blanc Ⓜ, ✆ 76 80 35 50, Fax 76 80 34 50, ← massif de l'Oisans, 🌳, 🏋, 🏊 – 🛗 📺 ☎ ♿ 🚗 – 🏨 60. AE ⓓ GB JCB — B **a**
20 déc.-2 avril – **La Baratte** (brasserie) **R** 200 – ☕ 75 – **45 ch** 800/1250 – ½ P 670/900.

Petit Prince 🔇, rte Poste ✆ 76 80 33 51, ← massif de l'Oisans, 🌳 – 🛗 ☎ 🅿 – 🏨 25. AE ⓓ GB. ✻ rest — A **k**
Noël-Pâques – **R** 220 – ☕ 50 – **40 ch** 460/700 – ½ P 470/630.

Les Gdes Rousses, ✆ 76 80 33 11, Télex 308437, Fax 76 80 69 57, ← massif de l'Oisans, 🏊, 🎾 – 🛗 📺 ☎ – 🏨 30. AE GB — A **d**
15 juin-15 sept. et 1er déc.-2 mai – **R** 160/195, enf. 105 – ☕ 65 – **45 ch** 710, 4 appart. 830 – ½ P 620/840.

Au Chamois d'Or Ⓜ 🔇, ✆ 76 80 31 32, Fax 76 80 34 90, ← pistes et montagnes, 🌳, 🏋 – 🛗 📺 ☎ 🚗 🅿. GB. ✻ — B **e**
15 déc.-5 mai – **R** 220/280 – ☕ 70 – **42 ch** 680/1080, 3 appart. 1500 – ½ P 600/820.

ALPE D'HUEZ

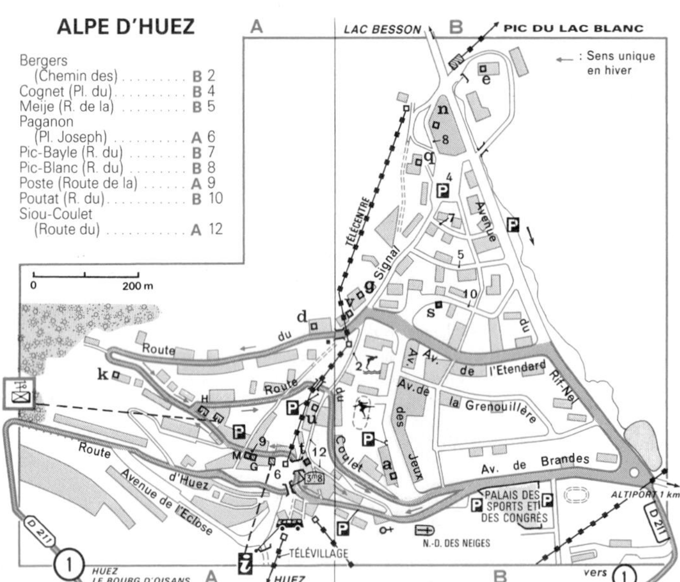

Le Christina M, ☎ 76 80 33 32, Fax 76 80 66 12, ≤ massif de l'Oisans, ⛱, ✂ – |‡| TV ☎ ⇔ P. AE GB. ✂ rest — B n
2 juil.-20 août et 20 déc. au 20 avril – **R** 160 – ☐ 50 – **27 ch** 500/624 – ½ P 500/642.

Le Dôme et rest Gd Tétras, ☎ 76 80 32 11, Fax 76 80 66 48, ≤ massif de l'Oisans, ⛱ – |‡| TV ☎ ⇔ P – 🏔 25. AE ⓓ GB. ✂ rest — B q
hôtel : 27 juin-30 août et 5 déc.-2 mai ; rest. : 27 juin-23 août et 15 déc.-18 avril – **R** 140/300 – ☐ 50 – **18 ch** 490/610.

Bel Alpe M sans rest, ☎ 76 80 32 33 – |‡| TV ☎ ♿ ⇔. AE GB — A u
4 juil.-23 août et 5 déc.-vacances de printemps – ☐ 38 – **16 ch** 370/520.

Belle Aurore, ☎ 76 80 33 17, Fax 76 80 68 80, ≤ – |‡| ☎. GB. ✂ rest — B g
20 déc.-15 avril – **R** 170/190 – ☐ 42 – **37 ch** 400/600 – ½ P 480/580.

Alp'Azur sans rest, ☎ 76 80 34 02, ≤ – ☎. GB — B v
fermé 15 mai au 15 juin – ☐ 35 – **22 ch** 340/420.

XX **L'Outa** avec ch, ☎ 76 80 34 56, ≤, ⛱ – ☎. ⓓ GB JCB. ✂ rest — B s
15 déc.-31 mars – **R** 120/170, enf. 55 – ☐ 35 – **11 ch** 500/530 – ½ P 285/385.

X **Au P'tit Creux,** ☎ 76 80 62 80 – ⓓ GB — A t
fermé 6 mai au 20 juin, 11 au 30 nov., dim. soir et lundi du 1er oct. au 11 nov. – **R** 110/175.

Gar. du Pic Blanc ☎ 76 80 32 20 N ☎ 76 80 32 20

ALTENSTADT **67** B.-Rhin 57 ⑲ – rattaché à Wissembourg.

ALTHEN-DES-PALUDS **84** Vaucluse 81 ⑫ – rattaché à Carpentras.

ALTKIRCH ⊗ **68130** H.-Rhin 66 ⑨ **G. Alsace Lorraine** – 5 090 h. alt. 312.
Paris 447 – ♦Mulhouse 19 – ♦Basel 35 – Belfort 32 – Montbéliard 51 – Thann 28.

*à **Hirtzbach*** S : 4 km – ✉ **68118** :

XX **Ottié-Baur** avec ch, à la bifurcation de D 432 et D 17 ☎ 89 40 93 22, ⛱, 🌳 – ☎ ⇔ P. GB. ✂ ch
fermé 20 juin au 10 juil., 22 déc. au 2 janv., lundi soir (sauf août) et mardi – **R** 95/250 🍷 – ☐ 28 – **13 ch** 85/200 – ½ P 200/250.

*à **Wahlbach*** : E : 10 km par D 419 et D 19B – ✉ **68230** :

XX Aub. de la Gloriette avec ch, ☎ 89 07 81 49, ⛱, 🌳 – TV P
4 ch.

PEUGEOT, TALBOT Maute gar. du Centre, 21 r. de l'Ill ☎ 89 40 01 15
RENAULT Gar. Fritsch, 29 r. 3e Zouaves ☎ 89 40 01 07 N ☎ 89 26 71 17

Ⓜ Altkirch Pneus, 50 fg de Belfort ☎ 89 40 95 26

ALVIGNAC 46500 Lot 75 ⑲ – 473 h. alt. 390.

Bureau de Tourisme r. Centrale (juil.-août) ☎ 65 33 66 42.

Paris 536 – Brive-la-Gaillarde 51 – Cahors 60 – Figeac 42 – Gourdon 37 – Rocamadour 8,5 – Tulle 68.

Palladium (Hôtel d'Application Hôtelière) ⓢ, ☎ 65 33 60 23, Fax 65 33 67 83, ←, ⛱, 🏊, 🌳 – 📺 ☎ 🅿. AE ⓓ GB JCB
1er avril-15 oct. – **R** 82/260, enf. 45 – ☕ 37 – **25 ch** 230/330 – ½ P 230/270.

Nouvel H., ☎ 65 33 60 30, ⛱, 🌳 – ☎ 🅿. GB
fermé 15 déc. au 1er mars, vend. soir, dim. soir et sam. du 15 nov. à Pâques – **R** 55/160 🍷 – ☕ 23 – **13 ch** 95/195 – ½ P 155/200.

Aub. Madeleine, ☎ 65 33 61 47, ⛱, 🌳
Pâques-fin sept. et fermé le soir sauf juil.-août – **R** 60/150 🍷.

AMANCY 74 H.-Savoie 74 ⑦ – rattaché à La Roche-sur-Foron.

AMBÉRIEU-EN-BUGEY 01500 Ain 74 ⑬ G. Jura – 10 455 h. alt. 271.

Paris 461 – Belley 46 – Bourg-en-Bresse 30 – ♦Lyon 55 – Nantua 43.

Fontaine de Jouvence, 13 r. A. Vingtrinier ☎ 74 34 06 66, ⛱ – GB
fermé dim. (sauf fêtes et sauf le midi du 1er oct. au 1er juil.) et sam. midi – **R** 89/159.

CITROEN Gar. de la Gare, 85 av. Roger-Salengro ☎ 74 38 00 15
RENAULT Gar. Arpin Gonnet, 25 r. A.-Bérard ☎ 74 38 00 60
V.A.G Chapelle, 16 r. de la Résistance ☎ 74 38 21 84
CDP Ayme Pneus, 64 r. A.-Bérard ☎ 74 34 62 66
Relais-Pneus, 700 r. Léon-Blum ☎ 74 34 55 88

AMBÉRIEUX-EN-DOMBES 01330 Ain 74 ① ② – 1 156 h. alt. 300.

Paris 438 – ♦Lyon 37 – Bourg-en-Bresse 39 – Mâcon 42 – Villefranche-sur-Saône 16.

Aub. des Bichonnières ⓢ, rte Ars-sur-Formans ☎ 74 00 82 07, Fax 74 00 89 61, ⛱, « Ancienne ferme bressanne », 🌳 – ☎ 🅿 – 🏛 25. AE GB
fermé 23 nov. au 5 déc., 25 janv. au 6 fév., lundi sauf le soir de juin à août et dim. soir sauf juil.-août – **R** 110/240, enf. 65 – ☕ 35 – **10 ch** 230/290 – ½ P 240.

PEUGEOT-TALBOT Butillon ☎ 74 00 84 02 N
RENAULT Vacheresse ☎ 74 00 83 46 N

Routes enneigées

Pour tous renseignements pratiques, consultez les cartes Michelin « **Grandes Routes** » 918, 919, 915 ou 989.

AMBERT ⟨SP⟩ 63600 P.-de-D. 73 ⑯ G. Auvergne – 7 420 h. alt. 537.

Voir Église St-Jean★ Y – Vallée de la Dore★ N et S.

Office de Tourisme 4 pl. Hôtel de Ville ☎ 73 82 61 90 et pl. G.-Courtial (saison) ☎ 73 82 14 15.

Paris 434 ① – ♦Clermont-Ferrand 75 ① – Brioude 60 ③ – Montbrison 46 ② – Le Puy-en-Velay 70 ③ – Thiers 55 ①

AMBERT

Chabrier (Av. E.) . . . . Z
Château (R. du) . . . . Z 3
Cheix (Rue du Petit) . . . . . . Z
Clemenceau (Av. G.) . . . . . Y 4
Courtial (Pl. G.) . . . . Y 6
Croves du Mas (Av. des) . . Y
Filéterie (R. de la) . . . . Z 7
Foch (Av. du Mar.) . . . . Y 8
Gaulle (Pl. Ch.-de) . . . . Z 10
Goye (R. de) . . . . Y 12
Henri IV (Bd) . . . . Z
Livradois (Pl. du) . . . . Z
Lyon (Av. de) . . . . Z 13
Nord (Bd du) . . . . YZ
Pontel (Pl. du) . . . . Z 16
Portette (Bd de la) . . . . Y 17
République (R. de la) . . . . . Z 19
St-Jean (Pl.) . . . . Y 20
St-Joseph (R.) . . . . Z
Sully (Bd) . . . . Z 21
11 Novembre (Av. du) . . . . Z 23

Michelin n'accroche pas de panonceau aux hôtels et restaurants qu'il signale.

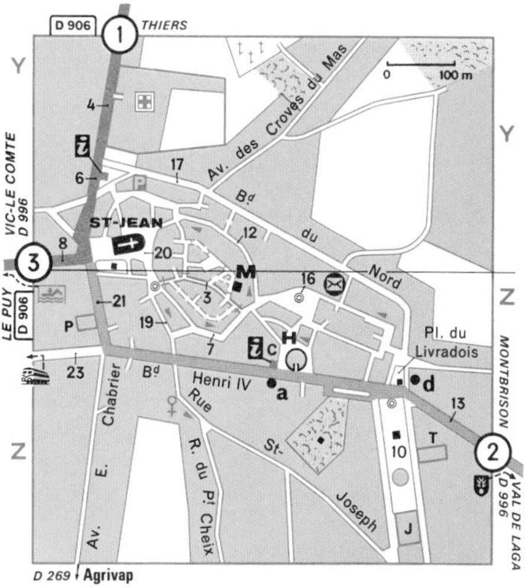

Chaumière, 41 av. Mar. Foch par ③ ✆ 73 82 14 94, Fax 73 82 33 52 – TV ☎ ♿ 🚗. AE ⓓ GB JCB
hôtel : fermé janv. et sam. d'oct. à mai ; rest. : fermé janv., sam. (sauf août) et dim. soir sauf fêtes – **R** 75/180 ♁, enf. 55 – ☕ 30 – **23 ch** 220/300 – ½ P 220/240.

Copains, 42 bd Henri IV ✆ 73 82 01 02 – ☎. GB. ✻ ch Z **a**
fermé 21 au 29 mars, 28 août au 27 sept., dim. soir et sam. sauf du 24 juil. au 28 août – **R** 65/140 ♁ – ☕ 25 – **15 ch** 140/260 – ½ P 150/190.

Livradois avec ch, 1 pl. Livradois ✆ 73 82 10 01, Fax 73 82 12 10 – TV ☎ 🚗. AE ⓓ GB Z **d**
fermé 15 au 30 nov., dim. soir et lundi hors sais. – **R** 90/300 ♁ – ☕ 30 – **14 ch** 130/300.

CITROEN Rigaud, rte de Clermont par ① ✆ 73 82 01 57
FORD Autos Livradois, rte de Clermont ✆ 73 82 01 28
Ⓜ Arcis-Pneus, 34 av. Dore ✆ 73 82 02 69

AMBIALET **81340** Tarn 80 ⑫ **G. Gorges du Tarn** – 386 h. alt. 200.

Voir Site★.

Paris 704 – Albi 22 – Castres 54 – Lacaune 52 – Rodez 71 – St-Affrique 62.

Pont, ✆ 63 55 32 07, Fax 63 55 37 21, ≤, 🍽, ⛱, 🌳 – ▤ rest ☎ Ⓟ. AE ⓓ GB
15 fév.-fin nov. et fermé lundi midi hors sais. – **R** 85/250, enf. 50 – ☕ 30 – **14 ch** 213/270 – ½ P 230/250.

AMBIERLE **42820** Loire 73 ⑦ **G. Vallée du Rhône** – 1 763 h. alt. 467 – Voir Église★.

Paris 376 – Roanne 19 – Lapalisse 34 – Thiers 65 – Vichy 51.

Le Prieuré, ✆ 77 65 63 24 – GB
fermé 1er au 7 sept., fév., dim. soir en juil.-août, mardi soir et merc. de sept. à juin – **R** 78/275 ♁, enf. 50.

AMBLANS-ET-VELOTTE **70** H.-Saône 66 ⑥ – rattaché à Lure.

AMBOISE **37400** I.-et-L. 64 ⑯ **G. Châteaux de la Loire** – 10 982 h. alt. 57.

Voir Château★★ B : ≤★★ de la Terrasse, ≤★★ de la tour des Minimes – Clos-Lucé★ B – Pagode de Chanteloup★ 3 km par ④.

ℹ Office de Tourisme quai Gén.-de-Gaulle ✆ 47 57 01 37.

Paris 222 ① – ◆Tours 24 ⑤ – Blois 34 ① – Loches 34 ④ – Vierzon 92 ③.

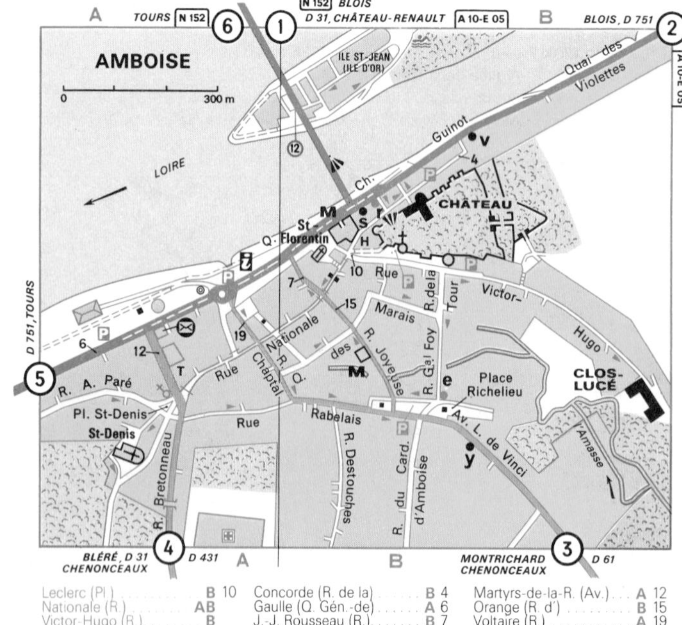

Leclerc (Pl.) . . . . . B 10
Nationale (R.) . . . . . AB
Victor-Hugo (R.) . . . . . B
Concorde (R. de la) . . . . . B 4
Gaulle (Q. Gén.-de) . . . . . A 6
J.-J. Rousseau (R.) . . . . . B 7
Martyrs-de-la-R. (Av.) . . . A 12
Orange (R. d') . . . . . B 15
Voltaire (R.) . . . . . A 19

Le Choiseul, 36 quai Ch. Guinot ✆ 47 30 45 45, Télex 752068, Fax 47 30 46 10, ≤, parc, « Élégante installation », – 📺 ☎ 🅟 – 50 à 200. GB B v
fermé 30 nov. au 18 janv. – **R** 200/380 – ☕ 70 – **28 ch** 500/900, 4 appart. 1250 – ½ P 610/985.

Novotel Ⓜ, S : 2 km par ③ rte de Chenonceaux ✆ 47 57 42 07, Télex 751203, Fax 47 30 40 76, ≤, – 📺 ☎ & 🅟 – 300. AE ⓓ GB
R carte environ 150, enf. 50 – ☕ 50 – **121 ch** 400/510.

Belle Vue sans rest, 12 quai Ch.-Guinot ✆ 47 57 02 26 – 📺 ☎. GB. B s
15 mars-15 nov. – ☕ 30 – **34 ch** 200/300.

Parc, 8 av. L. de Vinci ✆ 47 57 06 93, Fax 47 30 52 06, – ☎ 🅟. GB.
hôtel : fermé 15/12 au 15/1 et dim. hors sais. ; rest. : fermé 1/12 au 28/2, dim. (sauf le soir en sais.) et lundi – **R** 95/195, enf. 55 – ☕ 40 – **19 ch** 240/425 – ½ P 220/340. B y

Ibis Ⓜ, E : La Boitardière par ② et D 31 : 3 km ✆ 47 23 10 23, Télex 752414, Fax 47 57 31 41, – 📺 ☎ & 🅟 – 30 à 120. GB
R 72/95 ♁, enf. 39 – ☕ 30 – **70 ch** 270/320.

Lion d'Or, 17 quai Ch. Guinot ✆ 47 57 00 23 – GB B r
fermé 4 janv. au 12 fév., dim. soir et lundi hors sais. – **R** 136/237, enf. 63 – ☕ 32 – **23 ch** 273/292 – ½ P 304/314.

La Brèche, 26 r. J. Ferry par ① ✆ 47 57 00 79, – ☎. GB. ch
fermé 21 déc. au 1er fév. et dim. soir hors sais. – **R** 79/168 ♁, enf. 52 – ☕ 29 – **12 ch** 156/327 – ½ P 160/223.

XXX ❀ **Le Manoir Saint Thomas** (Le Coz), pl. Richelieu ✆ 47 57 22 52, Fax 47 30 44 71, « Elégant pavillon Renaissance, jardin » – AE ⓓ GB JCB B e
fermé 15 janv. au 15 mars, dim. soir hors sais. et lundi – **R** 200/300, enf. 100
Spéc. Matelote d'anguille au vin d'Amboise (juin à déc.), Sandre fermière, Tarte minute aux pommes et au miel. **Vins** Vouvray, Chinon.

XX **Aub. du Mail** avec ch, 32 quai Gén. de Gaulle par ⑤ ✆ 47 57 60 39 – ☎ 🅟. AE ⓓ GB
fermé 1er au 15 déc. et vend. hors sais. – **R** 90/230, enf. 65 – ☕ 35 – **12 ch** 235/400 – ½ P 260.

à St-Ouen-les-Vignes par ① et D 431 : 6,5 km – ✉ **37530** :

XX ❀ **L'Aubinière** (Arrayet), ✆ 47 30 15 29, – 🅟. GB
fermé vacances de fév., dim. soir de nov. à mai, mardi soir et merc. – **R** 95 (sauf week-ends)/250, enf. 60
Spéc. Pannequet de saumon mariné, Dos de sandre au Touraine Mesland, Nougat glacé au miel.

au NE par ② – ✉ **37400** Amboise :

Château de Pray , à 3 km ✆ 47 57 23 67, Fax 47 57 32 50, ≤, « Terrasse dominant la vallée, parc » – ☎ 🅟. AE ⓓ GB. rest
fermé 2 janv. au 15 fév. – **R** 195/250, enf. 60 – ☕ 45 – **15 ch** 550/1 100 – ½ P 515/565.

XX **La Bonne Étape** Ⓜ avec ch, à 2,5 km ✆ 47 57 08 09, – 📺 ☎ 🅟. GB
fermé 24 fév. au 12 mars, 21 déc. au 7 janv., dim soir et lundi – **R** 100/250, enf. 80 – ☕ 35 – **7 ch** 250/300.

à Négron par ⑥ et rte de Tours : 3 km – ✉ **37530** Nazelles-Négron :

Petit Lussault sans rest, N 152 ✆ 47 57 30 30, – ☎ 🅟
1er avril-15 oct. – **24 ch** ☕ 250/300.

CITROEN Gar. Guérin, à Pocé-sur-Cisse ✆ 47 57 27 84
FIAT, V.A.G Gar. du Relais des Châteaux, rte de Chenonceaux ✆ 47 57 07 64 🅽 ✆ 43 96 36 42
FORD Gar. A.-France, 41 r. de Blois ✆ 47 57 11 30
PEUGEOT-TALBOT C.G.F., 108 r. St-Denis par D 83 ✆ 47 57 42 82
Ⓜ Nourry Pneus, 25 quai Gén.-de-Gaulle ✆ 47 57 44 71

AMBONNAY **51150** Marne 56 ⑰ – 917 h. alt. 102.
Paris 163 – ♦Reims 29 – Châlons-sur-Marne 22 – Épernay 19 – Vouziers 66.

Aub. St Vincent Ⓜ, ✆ 26 57 01 98, Fax 26 57 81 48 – 📺 ☎. AE ⓓ GB. ch
fermé dim. soir et lundi – **R** 110/350, enf. 40 – ☕ 35 – **10 ch** 270/350 – ½ P 260/275.

CITROEN Mirbel, ✆ 26 59 01 71

AMBRAULT **36120** Indre 68 ⑨ – 669 h. alt. 180.
Paris 265 – Bourges 54 – Châteauroux 23 – La Châtre 24 – Issoudun 19 – St-Amand-Montrond 46.

X **Commerce,** ✆ 54 49 01 07 – 🅟. GB.
fermé 1er au 15 oct., 1er au 15 janv., dim. soir, fériés le soir et lundi – **R** (dim. prévenir) 60/180 ♁.

AMÉLIE-LES-BAINS-PALALDA **66110** Pyr.-Or. 86 ⑱ ⑲ G. Pyrénées Roussillon – 3 239 h. alt. 230 – Stat. therm. (20 janv.-19 déc.) – Casino .
Voir Vallée du Mondony★ S : voir plan.
🅸 Office du Tourisme et du Thermalisme quai du 8 Mai 45 ✆ 68 39 01 98.
Paris 944 ② – ♦Perpignan 38 ② – Céret 8 ② – Prats-de-Mollo-la-Preste 23 ③ – Quillan 105 ②.

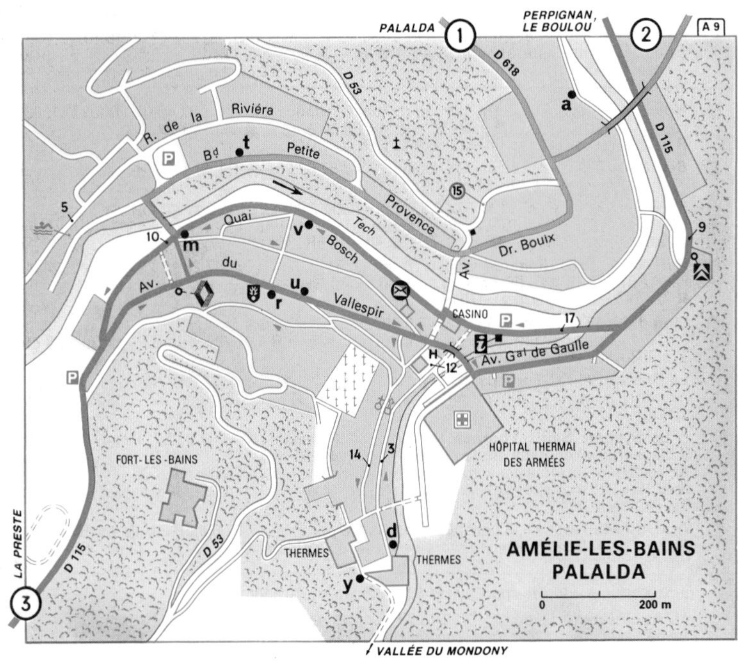

Vallespir (Av. du)

Castellane (R.) 3

Corniche (Rte de la) 5
Leclerc (Av. Gén.) 9
Palmiers (Av. des) 10

République (Pl. de la) 12
Thermes (R. des) 14
8-Mai (Av. du) 17

Gd H. Reine-Amélie [M], bd Petite Provence **(t)** ℘ 68 39 04 38, Fax 68 39 31 13, ← – |‡| TV ☎ ⇔ P. AE ⓓ GB
R 105/170, enf. 60 – ☐ 35 – **69 ch** 270/395 – P 290/375.

Catalogne ⛰, 67 rte Vieux Pont **(a)** ℘ 68 39 80 31, Télex 506141, Fax 68 39 85 51, ←, ☂, ⛱ – |‡| TV ☎ ⇔ P. GB
fermé 21 déc. au 22 janv. – **R** 100/150 – ☐ 35 – **38 ch** 290/350 – ½ P 260/280.

Palmarium H. [M], av. Vallespir **(u)** ℘ 68 39 19 38, Fax 68 39 39 22 – |‡| TV ☎ ⇔. GB
fermé 15 déc. au 1er fév. – **R** 95/160, enf. 58 – ☐ 30 – **63 ch** 200/300 – P 260/285.

Castel Émeraude ⛰, par rte de la Corniche - ouest du plan ℘ 68 39 02 83, Télex 506260, Fax 68 39 03 09, ←, ☂, ⛱ – |‡| ☎ P – 🏛 30. GB
fermé déc. et janv. – **R** 95/290, enf. 65 – ☐ 35 – **59 ch** 225/340 – P 293/338.

Martinet ⛰, r. Herma-Bessière **(d)** ℘ 68 39 00 64, ← – |‡| ☎. GB. ✂ rest
fermé 20 déc. au 1er fév. – **R** 90/120, enf. 30 – ☐ 26 – **42 ch** 190/240 – P 265/290.

Gorges, pl. Arago **(y)** ℘ 68 39 29 02 – |‡| ☎
fermé 20 déc. au 1er mars – **R** 85/120, enf. 55 – ☐ 30 – **44 ch** 200/260 – P 220/260.

Le Roussillon [M], av. Beau Soleil ℘ 68 39 34 39, ⛱ – |‡| TV ☎ ♿ P. GB
fermé janv. – **R** 75/155 ♨, enf. 45 – ☐ 40 – **30 ch** 200/260 – P 275/285.

Palm Tech [M], quai G. Bosch **(v)** ℘ 68 83 98 00, Fax 68 39 39 22 – |‡| ☎ ♿ ⇔ P. GB
fermé 12 déc. au 1er fév. – **R** 90/125 – ☐ 27 – **56 ch** 170/250 – P 240/260.

Host. Toque Blanche, av. Vallespir **(r)** ℘ 68 39 00 57 – |‡| ☎. GB. ✂ rest
fermé 15 déc. au 25 janv. – **R** 50/204 – ☐ 23 – **43 ch** 129/193 – P 226/284.

Ensoleillade et Rive sans rest, 70 r. J. Coste **(m)** ℘ 68 39 06 20, ⛱ – |‡| cuisinette ☎ P. GB
1er avril-30 nov. – ☐ 24 – **19 ch** 175/210.

CITROEN Gar. Gusta ℘ 68 39 07 40 N
OPEL-TOYOTA Gar. Cédo ℘ 68 39 29 05

RENAULT Gar. du Vallespir ℘ 68 39 05 05

L'AMÉLIE-SUR-MER **33** Gironde 71 ⑯ – rattaché à Soulac-sur-Mer.

AMIENS P 80000 Somme 52 ⑧ G. Flandres Artois Picardie – 131 872 h. alt. 27.

Voir Cathédrale★★★ CY – Hortillonnages★ DY – Hôtel de Berny★ CY **M1** – Musée de Picardie★★ CZ.

Env. Samara★ NO : 10 km par D191.

✆ 22 93 04 26, par ② : 7 km ; de Salouël (privé) ✆ 22 95 40 49, S par D 210 : 5,5 km.

✆ 22 92 50 50.

Office de Tourisme r. J.-Catelas (transfert prévu) ✆ 22 91 79 28, Gare SNCF ✆ 22 92 65 04 et pl. Notre-Dame (mai-sept.) ✆ 22 91 16 16 – A.C. 472 av. 14 Juillet 1789 ✆ 22 91 64 73.

Paris 150 ③ – ♦Lille 116 ② – ♦Reims 170 ③ – ♦Rouen 114 ⑤ – St-Quentin 74 ③.

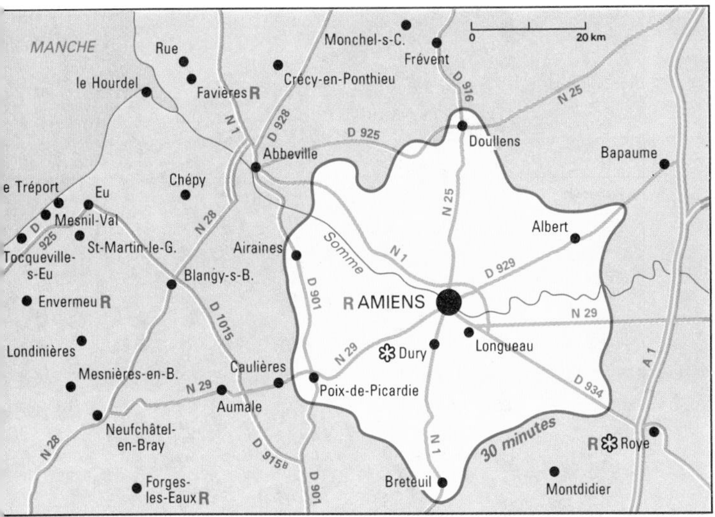

Carlton M, 42 r. Noyon ✆ 22 97 72 22, Télex 155825, Fax 22 97 72 00 – 50. AE GB. rest — CZ **s**
Le Baron (grill) **R** 60/78 – 45 – **24 ch** 380/550.

Postillon sans rest, 19 pl. au Feurre ✆ 22 91 46 17, Fax 22 91 86 57 – 80. AE GB — BY **u**
39 – **48 ch** 290/490.

Prieuré, 17 r. Porion ✆ 22 92 27 67, Fax 22 92 46 16 – AE GB — CY **d**
R *(fermé 17 au 31 août, dim. soir et lundi)* 90/260 – 33 – **22 ch** 230/400 – ½ P 240/322.

Ibis, 4 r. Mar. de-Lattre-de-Tassigny ✆ 22 92 57 33, Télex 140765, Fax 22 91 67 50 – 25. GB — BY **e**
R 79/100, enf. 35 – 32 – **94 ch** 270/290.

Normandie sans rest, 1 bis r. Lamartine ✆ 22 91 74 99 – GB — CY **f**
25 – **27 ch** 145/270.

Les Marissons, pont Dodane ✆ 22 92 96 66, – AE GB — CY **n**
fermé sam. midi, dim. soir et lundi – **R** 135/205.

Le Vivier, 593 rte Rouen ✆ 22 89 12 21, produits de la mer – AE GB — AZ **d**
fermé 3 au 31 août, 24 déc. au 4 janv., dim. et lundi – **R** 165/230.

Aux As du Don, 1 pl. Don ✆ 22 92 41 65, – AE GB — CY **b**
fermé 21 août au 7 sept., sam. midi, dim. soir et lundi – **R** 110/220.

La Couronne, 64 r. St Leu ✆ 22 91 88 57 – GB — CX **k**
fermé 11 juil. au 12 août, 2 au 11 janv., dim. soir et sam. – **Repas** 85/155.

à Longueau par ③ : 7 km – 4 940 h. – ✉ **80330** :

La Potinière, N 29 ✆ 22 46 22 83 – GB
fermé août, jeudi soir, dim. soir et lundi – **R** 115/185, enf. 50.

par ③ et N 29 : 7 km – ✉ **80440** Boves :

Novotel M, ✆ 22 46 22 22, Télex 140731, Fax 22 53 94 75, – 25 à 150. AE GB JCB
R carte environ 150, enf. 50 – 50 – **94 ch** 415/465.

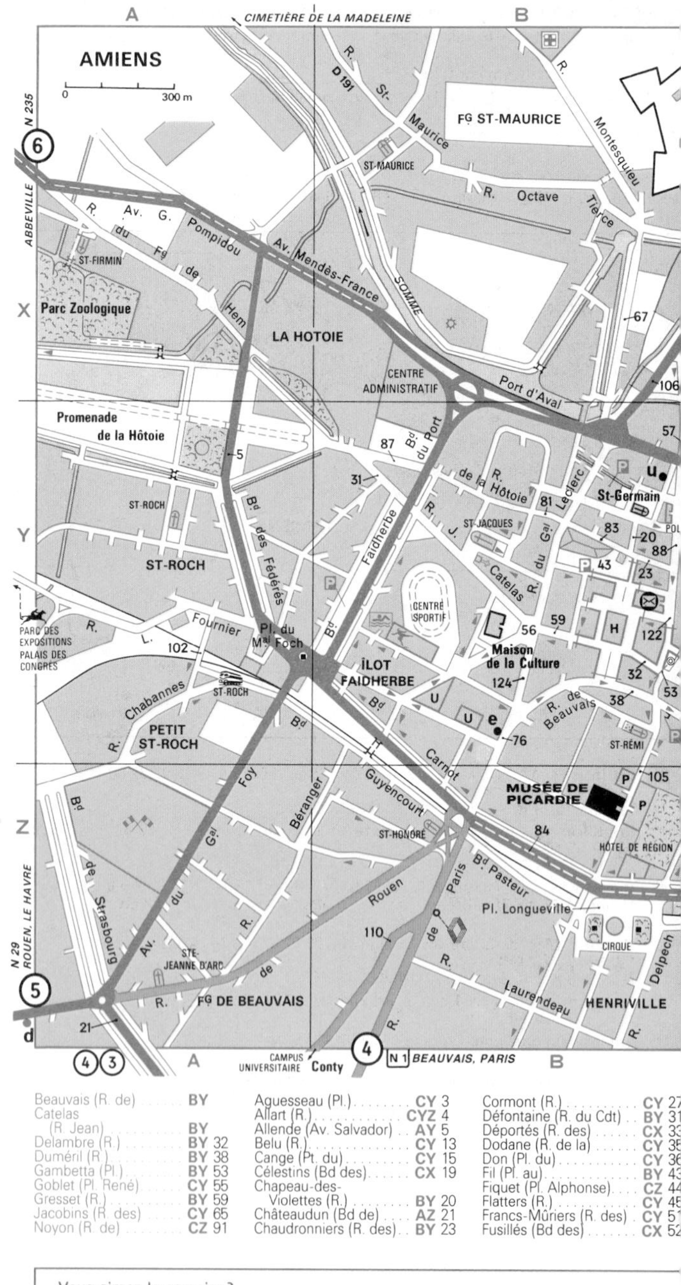

Beauvais (R. de) . . . . . BY
Catelas
  (R. Jean) . . . . BY
Delambre (R.) . . . . . . BY 32
Duméril (R.) . . . . BY 38
Gambetta (Pl.) . . . . . . BY 53
Goblet (Pl. René) . . . . CY 55
Gresset (R.) . . . . BY 59
Jacobins (R. des) . . . . CY 65
Noyon (R. de) . . . . CZ 91

Aguesseau (Pl.) . . . . CY 3
Allart (R.) . . . . CYZ 4
Allende (Av. Salvador) . . AY 5
Belu (R.) . . . . CY 13
Cange (Pt. du) . . . . CY 15
Célestins (Bd des) . . . . . . CX 19
Chapeau-des-
  Violettes (R.) . . . . BY 20
Châteaudun (Bd de) . . . . AZ 21
Chaudronniers (R. des) . . BY 23

Cormont (R.) . . . . CY 27
Défontaine (R. du Cdt) . . . BY 31
Déportés (R. des) . . . . CX 33
Dodane (R. de la) . . . . CY 35
Don (Pl. du) . . . . CY 36
Fil (Pl. au) . . . . BY 43
Fiquet (Pl. Alphonse) . . . . CZ 44
Flatters (R.) . . . . CY 45
Francs-Mûriers (R. des) . . CY 51
Fusillés (Bd des) . . . . CX 52

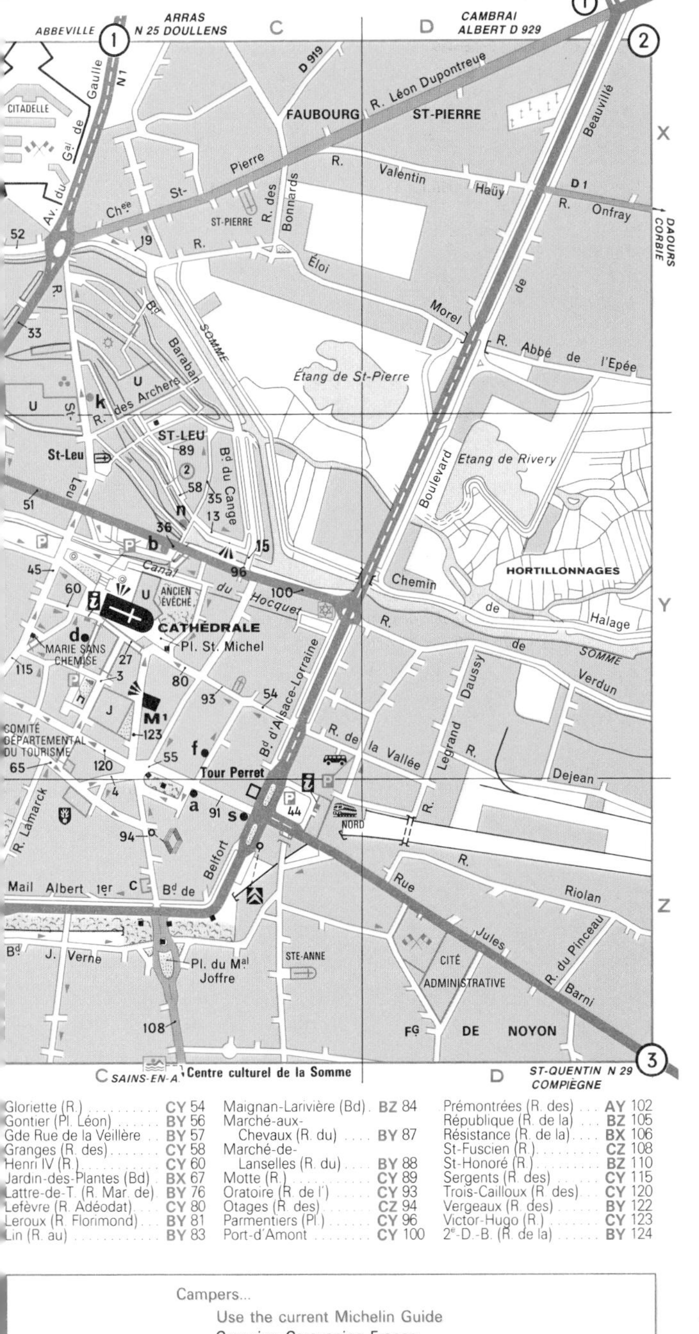

Gloriette (R.) . . . . CY 54
Gontier (Pl. Léon) . . . . . . BY 56
Gde Rue de la Veillère . . BY 57
Granges (R. des) . . . . CY 58
Henri IV (R.) . . . . CY 60
Jardin-des-Plantes (Bd) . BX 67
Lattre-de-T. (R. Mar. de) BY 76
Lefèvre (R. Adéodat) . . . . CY 80
Leroux (R. Florimond) . . . BY 81
Lin (R. au) . . . . BY 83

Maignan-Larivière (Bd) . BZ 84
Marché-aux-Chevaux (R. du) . . . . BY 87
Marché-de-Lanselles (R. du) . . . . BY 88
Motte (R.) . . . . CY 89
Oratoire (R. de l') . . . . . . CY 93
Otages (R. des) . . . . CZ 94
Parmentiers (Pl.) . . . . CY 96
Port-d'Amont . . . . CY 100

Prémontrées (R. des) . . . AY 102
République (R. de la) . . . BZ 105
Résistance (R. de la) . . . . BX 106
St-Fuscien (R.) . . . . CZ 108
St-Honoré (R.) . . . . BZ 110
Sergents (R. des) . . . . . . CY 115
Trois-Cailloux (R. des) . . . CY 120
Vergeaux (R. des) . . . . . . BY 122
Victor-Hugo (R.) . . . . CY 123
2e-D.-B. (R. de la) . . . . . . BY 124

Campers...

Use the current Michelin Guide
Camping Caravaning France.

à Dury par ④ : 6 km – ✉ **80480** :

Bonne Étoile, N 1 ☎ 22 95 10 80, – TV ☎ ♿ P. GB
R *(fermé dim. soir)* 83/103 , enf. 36 – ☕ 25 – **40 ch** 190/210.

XXX ✿ **L'Aubergade** (Grandmougin), 78 rte Nationale ☎ 22 89 51 41 – AE GB
fermé 3 au 17 août, dim. soir et lundi – **R** 95/480
Spéc. Terrine de foie gras de canard, Fricassée de St-Jacques aux champignons (oct. à avril), Filet de turbot à la graine de moutarde.

XX **La Bonne Auberge,** 63 rte Nationale ☎ 22 95 03 33 – AE GB
fermé dim. soir et lundi sauf fériés – **R** 95/280, enf. 85.

MICHELIN, Agence régionale, 212 av. Défense-Passive, D 929 à Rivery par ② ☎ 22 92 47 28

ALFA-ROMEO-HONDA-MITSUBISHI La Bretèche, 33 quai Charles-Tellier ☎ 22 52 04 61
BMW La Veillère, 12 r. Résistance ☎ 22 91 80 26
CITROEN Gds Gar. de Picardie, 3 bd de Belfort CZ ☎ 22 91 57 45 N
CITROEN Fournier, r. d'Australie par ⑥ ☎ 22 43 01 16
FIAT Auto Picardie, 7 bd Beauville ☎ 22 44 53 12
FORD Éts Leroux, 92 r. Gaulthier-de-Rumilly ☎ 22 95 37 20
MERCEDES-BENZ-SEAT SAFI 80, 85 bd Alsace-Lorraine ☎ 22 91 28 63
OPEL-GM Renel, N 1, Dury ☎ 22 95 42 42
OPEL-GM Renel Autom., 33 av. Europe ☎ 22 43 58 15
PEUGEOT-TALBOT S.C.A. S.I.A.N., 35 N 1 Dury par ④ ☎ 22 45 33 88
RENAULT Gueudet Automobiles, 19 r. Otages CZ ☎ 22 97 70 00 N ☎ 22 45 76 71
RENAULT SARVA, 7 rte de Paris BZ ☎ 22 95 17 60 N ☎ 22 45 44 26
RENAULT Fleury, 654 r. de Paris, Dury par ④ ☎ 22 95 36 49
TOYOTA Gar. Pruvost, ZAC Haute borne - av. Défense Passive ☎ 22 44 86 20
V.A.G Gar. de la Croix de Fer, rte St-Quentin à Longueau ☎ 22 46 12 91
VOLVO Gar. Picard, 235 r. J.-Moulin ☎ 22 95 66 26

Fischbach Pneu, 120 ch. J.-Ferry ☎ 22 53 95 50
Picardie-Pneus, 126 r. Gaulthier-de-Rumilly ☎ 22 95 33 89

Ferienreisen wollen gut vorbereitet sein.
Die Straßenkarten und Führer von Michelin
geben Ihnen Anregungen und praktische Hinweise zur Gestaltung Ihrer Reise :
Streckenvorschläge, Auswahl und Besichtigungsbedingungen
der Sehenswürdigkeiten, Unterkunft, Preise ... u. a. m.

AMILLY 45 Loiret 65 ② – rattaché à Montargis.

AMMERSCHWIHR 68770 H.-Rhin 62 ⑱ ⑲ **G. Alsace Lorraine** – 1 869 h. alt. 230.
Voir Nécropole nationale de Sigolsheim ✻★ du terre-plein central N : 4 km.
Paris 438 – Colmar 9 – Gérardmer 53 – St-Dié 48 – Sélestat 24.

A l'Arbre Vert, ☎ 89 47 12 23, Fax 89 78 27 21, « Salle à manger avec boiseries sculptées » – TV ☎. AE GB. ch
fermé 25 nov. au 6 déc., 10 fév. au 25 mars et mardi – **Repas** 70/320 , enf. 45 – ☕ 30 – **17 ch** 190/340 – ½ P 280/330.

XXX ✿ **Aux Armes de France** (Gaertner) avec ch, ☎ 89 47 10 12, Fax 89 47 38 12 – ☎ P. AE GB. ch
fermé janv., jeudi midi et merc. – **R** (prévenir) 350/450, enf. 90 – ☕ 35 – **10 ch** 310/460
Spéc. Foie d'oie frais à la cuillère, Ragoût de grenouilles et oreilles de porc, Gibier (saison). **Vins** Riesling, Tokay-Pinot gris.

AMNÉVILLE 57360 Moselle 57 ③ – 8 926 h. alt. 163 – Stat. therm. (fév.-déc.) – Casino.
Office de Tourisme Bois de Coulange ☎ 87 70 10 40.
Paris 318 – ◆Metz 21 – Briey 13 – Thionville 17 – Verdun 64.

Diane H. M sans rest, Parc de loisirs, bois de Coulange S : 2,5 km ☎ 87 70 16 33 Télex 861308, Fax 87 72 36 72 – TV ☎ ♿ P. AE GB
fermé 20 déc. au 4 janv. – ☕ 25 – **51 ch** 260/280, 4 appart. 400.

Orion M , Parc de loisirs, bois de Coulange, S : 2,5 km ☎ 87 70 20 20, Fax 87 72 36 21 – TV ☎ ♿ – 30 à 50. AE GB
fermé 20 déc. au 4 janv. – **R** 65/100 – ☕ 25 – **44 ch** 210/230.

XX **La Forêt,** Parc de loisirs, bois de Coulange S : 2,5 km ☎ 87 70 34 34, Fax 87 72 36 72, – . AE GB
fermé 23 déc. au 10 janv. et dim. soir – **R** 120/200.

CITROEN Gar. du Centre, 17 r. Clemenceau ☎ 87 71 35 52

AMOU 40330 Landes 78 ⑦ – 1 481 h. alt. 41.
Syndicat d'Initiative à la Mairie ☎ 58 89 00 22.
Paris 769 – Mont-de-Marsan 46 – Aire-sur-l'Adour 51 – Dax 31 – Hagetmau 18 – Orthez 13 – Pau 49.

Commerce, ☎ 58 89 02 28, – TV ☎ P – 40. AE GB
fermé 12 nov. au 1er déc., 14 au 28 fév. et lundi hors sais. – **Repas** 65/190, enf. 60 – ☕ 28 – **20 ch** 200/260.

AMPHION-LES-BAINS 74 H.-Savoie 70 ⑰ G. Alpes du Nord – alt. 375 – ✉ 74500 Évian-les-Bains.

Syndicat d'Initiative r. du Port (10 juin-sept.) ✆ 50 70 00 63.

Paris 575 – Thonon-les-Bains 5,5 – Annecy 80 – Évian-les-Bains 3,5 – ♦Genève 39.

Plage, ✆ 50 70 00 06, Fax 50 70 88 05, ←, parc, – ☎ . GB. rest
24 mai-27 sept. – **R** 98/165, enf. 42 – ▭ 30 – **38 ch** 260/330 – ½ P 220/340.

Princes, ✆ 50 75 02 94, ←, – ☎ . GB
1er mai-30 sept. – **R** 80/220, enf. 50 – ▭ 30 – **35 ch** 180/400 – ½ P 220/320.

Parc et Beauséjour, ✆ 50 75 14 52, ←, parc, – ☎ – 100. GB
fermé 15 nov. au 31 janv., dim. soir et lundi d'oct. à fin avril – **R** 68/160, enf. 50 – ▭ 30 – **50 ch** 145/320 – ½ P 280.

Tilleul, ✆ 50 70 00 39, Fax 50 70 03 03, – ☎ . GB
fermé 28 déc. au 31 janv., lundi (sauf hôtel) et dim. soir sauf juil.-août – **R** 90/220 – ▭ 30 – **27 ch** 200/320 – ½ P 265/270.

Chablais, à Publier S : 1 km ✉ 74500 Évian ✆ 50 75 28 06, ←, – rest ☎ . GB. rest
fermé 24 déc. au 24 janv. et dim. d'oct. à avril – **R** 75/160 – ▭ 29 – **25 ch** 120/270 – ½ P 175/250.

Le Relais, ✆ 50 70 00 21, Fax 50 70 88 02, ←, – AE GB
fermé 16 déc. au 1er fév., mardi de sept. à juin et lundi sauf le midi du 1er sept. au 30 juin) – **R** 88/240.

AMPUS 83111 Var 84 ⑥ G. Côte d'Azur – 622 h. alt. 585.

Paris 875 – Castellane 52 – Draguignan 14 – ♦Toulon 93.

Roche Aiguille, ✆ 94 70 97 24 – GB
fermé 15 nov. au 15 déc., dim. soir et lundi sauf juil.-août – **R** 90/195, enf. 58.

Fontaine d'Ampus, ✆ 94 70 97 74, – GB
12 avril-15 nov. et fermé mardi sauf le soir en juil.-août et merc. midi – **R** (nombre de couverts limité, prévenir) 95/145.

ANCENIS 44150 Loire-Atl. 63 ⑱ G. Châteaux de la Loire – 6 896 h. alt. 13.

Office de Tourisme pl. Millénaire ✆ 40 83 07 44.

Paris 347 – ♦Nantes 37 – Angers 53 – Châteaubriant 43 – Cholet 47 – Laval 98 – La Roche-sur-Yon 103.

Akwaba M, bd Dr Moutel ✆ 40 83 30 30, Fax 40 83 25 10, – ☎ – 100. AE GB
R 68/135 – ▭ 35 – **51 ch** 250/320 – ½ P 200.

Val de Loire, E : 2 km par rte Angers ✆ 40 96 00 03, Télex 711592, Fax 40 83 17 30, – ☎ – 80. GB
fermé Noël au Jour de l'An – **R** *(fermé sam.)* 67/185, enf. 48 – ▭ 23 – **40 ch** 215/300 – ½ P 199/213.

Les Terrasses de Bel Air, E : 1 km rte Angers ✆ 40 83 02 87, – GB
fermé dim. soir et lundi soir – **R** 90/250, enf. 50.

CITROEN Gar. Moderne, 339 av. F.-Robert ✆ 40 83 28 06
RENAULT Gar. Leroux, ZI rte de Châteaubriant ✆ 40 83 23 20
Clinique du Pneu, 151 r. de Barème ✆ 40 83 27 73

Les ANCIZES-COMPS 63770 P.-de-D. 73 ③ G. Auvergne – 1 910 h. alt. 710.

Env. Méandre de Queuille★★ NE : 7,5 km puis 15 mn.

Paris 396 – ♦Clermont-Ferrand 36 – Aubusson 63 – Montluçon 63 – Vichy 63 – Ussel 73.

Vieille Ferme, ✆ 73 86 81 25 – ☎ – **14 ch.**

PEUGEOT-TALBOT Brousse ✆ 73 86 80 37 N ✆ 73 86 80 37

ANCY-LE-FRANC 89160 Yonne 65 ⑦ G. Bourgogne – 1 174 h. alt. 193.

Voir Château★★.

Paris 217 – Auxerre 54 – Châtillon-sur-Seine 37 – Montbard 27 – Tonnerre 19.

Centre, ✆ 86 75 15 11, Fax 86 75 14 13, – ☎ – 25. GB
fermé 13 au 21 juin (sauf hôtel), 15 déc. au 5 janv., sam. midi hors sais. et vend. soir – **R** 78/210, enf. 48 – ▭ 38 – **18 ch** 175/300 – ½ P 200/300.

PEUGEOT Gar. Marquand ✆ 86 75 12 21
RENAULT Gar. Royer ✆ 86 75 15 29 N

ANCY-SUR-MOSELLE 57130 Moselle 57 ⑬ – 1 339 h.

Paris 326 – ♦Metz 13 – Jarny 22 – Pont-à-Mousson 20 – St-Mihiel 54 – Verdun 60.

Saint-Clément, ✆ 87 30 93 34 – GB
fermé 16 au 31 août, sam. midi, dim. soir et lundi – **R** 170/250.

ANDARD 49800 M.-et-L. 64 ⑪ – 2 085 h. alt. 24.

Paris 288 – Angers 15 – Baugé 26 – La Flèche 46 – Saumur 40 – Seiches-sur-le-Loir 17.

Le Dauphin, ✆ 41 80 41 59 – . GB
fermé 1er au 20 août, lundi soir et mardi – **R** 95/150, enf. 45.

ANDELOT-EN-MONTAGNE 39110 Jura 70 ⑤ – 561 h. alt. 604.
Voir Forêt de la Joux★★ : sapin Président★ E : 4 km, G. Jura.
Paris 416 – Arbois 18 – Champagnole 16 – Lons-le-Saunier 45 – Pontarlier 38 – Salins-les-Bains 14.

Bourgeois, ☏ 84 51 43 77 – ☎.
fermé 15 nov. au 10 déc. – **R** 60/130 – 22 – **15 ch** 110/170 – ½ P 150/160.

Les ANDELYS 27700 Eure 55 ⑰ 106 ① G. Normandie Vallée de la Seine – 8 455 h. alt. 23.
Voir Ruines du Château Gaillard★★ A – Église N.-Dame★ B.
Syndicat d'Initiative 24 r. Ph.-Auguste (fermé matin hors saison) ☏ 32 54 41 93.
Paris 93 ② – ♦ Rouen 38 ① – Beauvais 64 ② – Évreux 37 ③ – Gisors 29 ② – Mantes-la-Jolie 53 ③.

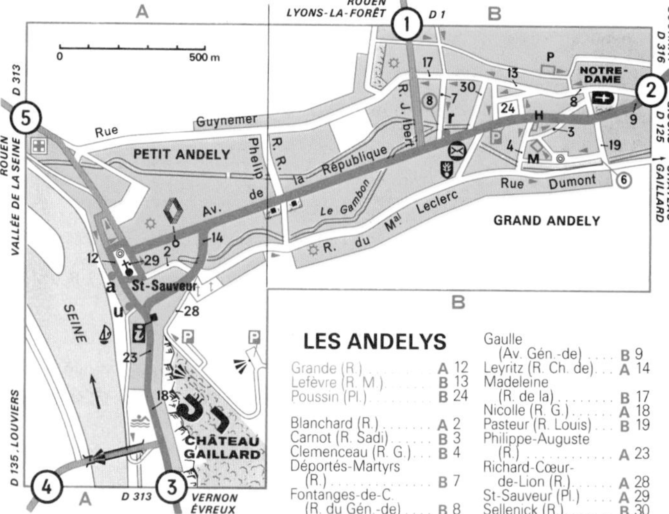

LES ANDELYS

Grande (R.)	A	12
Lefèvre (R. M.)	B	13
Poussin (Pl.)	B	24
Blanchard (R.)	A	2
Carnot (R. Sadi)	B	3
Clemenceau (R. G.)	B	4
Déportés-Martyrs (R.)	B	7
Fontanges-de-C. (R. du Gén.-de)	B	8
Gaulle (Av. Gén.-de)	B	9
Leyritz (R. Ch. de)	A	14
Madeleine (R. de la)	B	17
Nicolle (R. G.)	A	18
Pasteur (R. Louis)	B	19
Philippe-Auguste (R.)	A	23
Richard-Cœur-de-Lion (R.)	A	28
St-Sauveur (Pl.)	A	29
Sellenick (R.)	B	30

XXX **Chaîne d'Or** avec ch, 27 r. Grande ☏ 32 54 00 31, ← – TV ☎ P. GB. — A a
fermé 2 janv. au 2 fév., dim. soir et lundi (sauf hôtel du 1er avril au 30 sept.) – **R** 135/320 – 45 – **11 ch** 380/520.

XX **Normandie** avec ch, 1 r. Grande ☏ 32 54 10 52, – TV ☎ P. GB — A u
fermé déc., merc. soir et jeudi – **R** 100/240 – 29 – **10 ch** 150/290.

X **Paris** avec ch, 10 av. République ☏ 32 54 00 33, – ☎. GB — B
fermé 16 fév. au 1er mars, merc. (sauf le midi d'oct. à avril) et dim. d'oct. à avril – **R** 70/168 – 26 – **8 ch** 140/225 – ½ P 225.

PEUGEOT, Gouedard, 27 r. Rémy par ② ☏ 32 54 11 36 N ☏ 32 54 34 05
RENAULT Consortium Autom., 75 av. République ☏ 32 54 21 49
ROVER Gar. J.F.C., 44 av. République ☏ 32 54 12 80

ANDERNOS-LES-BAINS 33510 Gironde 78 ① G. Pyrénées Aquitaine – 7 176 h. alt. 4 – Casino.
Office de Tourisme esplanade du Broustic ☏ 56 82 02 95.
Paris 628 – ♦ Bordeaux 46 – Arcachon 40 – ♦ Bayonne 178 – Mont-de-Marsan 125.

Aub. Le Coulin, 3 av. d'Arès ☏ 56 82 04 35, – ☎ P. GB. ch
fermé 20 déc. au 1er fév. et lundi – **R** 60/165 – 30 – **11 ch** 270 – ½ P 210/230.

CITROEN Millot, 108 av. de Bordeaux ☏ 56 82 13 05
RENAULT Gar. Artis, 144 bd République ☏ 56 82 00 88

ANDLAU 67140 B.-Rhin 62 ⑨ G. Alsace Lorraine – 1 632 h. alt. 246.
Voir Église★ : porche★★.
Paris 431 – ♦ Strasbourg 39 – Erstein 22 – Le Hohwald 8 – Molsheim 24 – Sélestat 17.

Kastelberg , ☏ 88 08 97 83, Fax 88 08 48 34, – TV ☎ P – 30. GB
hôtel : fermé 20 au 28 déc. ; rest. : ouvert 5 avril-15 nov. – **R** (en sem. dîner seul.) 85/250 , enf. 60 – 35 – **28 ch** 270/340 – ½ P 270/300.

XX **Boeuf Rouge,** ☏ 88 08 96 26 – AE GB
fermé 26 juin au 10 juil., 8 au 29 janv., merc. soir et jeudi – **R** 155/230 , enf. 80.

ANDOLSHEIM 68 H.-Rhin 62 ⑲ – rattaché à Colmar.

ANDORRE (Principauté d') ★★ 86 ⑭ ⑮, 43 ⑥ ⑦ **G. Pyrénées Roussillon.**

Ressources hôtelières :

Voir Guide Rouge Michelin : **España Portugal.**

ANDRÉSY 78570 Yvelines 55 ⑲ 106 ⑰ – 12 548 h.

Paris 40 – Mantes-la-Jolie 31 – Poissy 7 – Pontoise 10,5 – Saint-Germain-en-Laye 14 – Versailles 25.

XXX **Villa Hadrien,** 75 r. Gén. Leclerc ℘ (1) 39 74 10 00, Fax (1) 39 70 87 07, ☂, ⛱ – ℗. AE GB
fermé dim. soir et lundi – **R** carte 240 à 400.

ANDRÉZIEUX-BOUTHÉON 42160 Loire 73 ⑱ – 9 407 h.

Voir Lac de retenue de Grangent★★ S : 9 km, **G. Vallée du Rhône.**

Paris 511 – ♦St-Étienne 16 – ♦Lyon 76 – Montbrison 18 – Roanne 72.

Novotel M, Z.I. Centre-Vie ℘ 77 36 55 63, Télex 900722, Fax 77 55 09 05, ☂, ⛱, ⛱ – 🛗 ▤ TV ☎ ♿ ℗ – 🏛 150. AE ⓓ GB
R carte environ 150 ⚲, enf. 50 – ☕ 45 – **98 ch** 375.

XX **Villa les Iris** M ⛰ avec ch, 32 av. J. Martouret près gare ℘ 77 36 54 15, Fax 77 36 42 21, ☂, ⛱, ⛱ – TV ☎ ℗. AE GB. ✻ rest
R *(fermé sam. midi et dim. soir)* 170 bc/240 – ☕ 60 – **10 ch** 380 – ½ P 385.

ANDUZE 30140 Gard 80 ⑰ **G. Gorges du Tarn** – 2 913 h. alt. 131.

Voir Bambouseraie de Prafrance★ N : 3 km par D 129.

ℹ Syndicat d'Initiative plan de Brie ℘ 66 61 98 17.

Paris 730 – Alès 13 – ♦Montpellier 60 – Florac 67 – Lodève 86 – Nîmes 46 – Le Vigan 54.

au NO 3 km par D 907 – ✉ **30140** Anduze :

Porte des Cévennes M ⛰, ℘ 66 61 99 44, Fax 66 61 73 65, ≤, ☂, ⛱ – ☎ ℗. AE ⓓ GB. ✻
1er avril-27 oct. – **R** (dîner seul.) 89/155 – ☕ 40 – **41 ch** 240 – ½ P 220.

à Mialet : NO : 10 km par D 129 et D 50 – ✉ **30140**.

Voir Le Mas Soubeyran : musée du Désert★ (souvenirs protestants 17e-18e s.) S : 3 km.

Grottes de Trabuc ⛰, sur D 50 ℘ 66 85 02 81, ≤, ☂ – ☎ ℗. ✻ rest
avril-6 oct. et fermé mardi – **R** 70/110 ⚲ – ☕ 20 – **8 ch** 150/210 – ½ P 200/250.

X **Aub. du Fer à Cheval,** ℘ 66 85 02 80 – GB
15 mars-30 sept., week-ends d'oct. à nov. et fermé dim. soir et lundi – **R** 75/98, enf. 45.

à Générargues : NO 5,5 km par D 129 et D 50 – ✉ **30140** :

Trois Barbus ⛰, ℘ 66 61 72 12, Fax 66 61 72 74, ≤ vallée des Camisards, ☂, ⛱ – TV ☎ ℗ – 🏛 30. AE ⓓ GB. ✻ rest
fermé 2 janv. au 15 mars, dim. soir, lundi et mardi en nov. et déc. – **R** 110/300, enf. 80 – ☕ 50 – **35 ch** 320/550 – ½ P 400/492.

à Tornac : SE : 6 km par D 982 – ✉ **30140** :

Demeures du Ranquet M, ℘ 66 77 51 63, Fax 66 77 55 62, ☂, parc, ⛱ – ⇌ ch ▤ ch TV ☎ ♿ ℗. GB. ✻ rest
1er mars-1er déc. et fermé mardi soir et merc. du 15 sept. au 15 juin – **R** 150/340, enf. 58 – ☕ 60 – **10 ch** 680/780 – ½ P 520/560.

à Durfort SO : 12 km par D 982 – ✉ **30170** :

X **Le Real,** rte St-Hippolyte-du-Fort ℘ 66 77 50 68, ☂ – ℗
fermé 2 au 7 juil., 3 au 10 sept., 5 au 9 nov., dim. soir et lundi – **R** (déj. seul. en hiver) 95/200 ⚲, enf. 50.

ANET 28260 E.-et-L. 55 ⑰ 106 ⑬ – 2 696 h. alt. 71.

Voir Château★, **G. Normandie Vallée de la Seine.**

Paris 76 – Chartres 50 – Dreux 16 – Évreux 31 – Mantes-la-Jolie 27 – Versailles 56.

Dousseine ⛰ sans rest, rte Sorel-Moussel ℘ 37 41 49 93, Fax 37 41 90 54, « Jardin fleuri », ✻ – TV ☎ ℗ – 🏛 50. GB
☕ 35 – **20 ch** 220/280.

XX **Manoir d'Anet,** ℘ 37 41 91 05 – ⇌. GB
fermé 15 au 30 sept., 2 au 20 janv., mardi soir, jeudi soir et merc. – **R** 120/195.

à Ézy-sur-Eure (27 Eure) NO : 2 km – ✉ **27530** :

XXX **Maître Corbeau,** rte Ivry ℘ 37 64 73 29, ☂ – ⇌ ℗. ⓓ GB
fermé 1er au 10 sept., janv., mardi soir et merc. sauf juil.-août – **R** 140 (sauf sam.)/320.

PEUGEOT-TALBOT Dafeur ℘ 37 41 91 02 **N**
RENAULT Bonnin ℘ 37 41 90 51 **N** ℘ 37 41 45 64
RENAULT Ézy Auto, à Ézy-sur-Eure (27) ℘ 37 64 74 33

ANGERS P 49000 M.-et-L. 63 ⑳ G. Châteaux de la Loire – 141 404 h. alt. 47.

Voir Château*** AYZ : tenture de l'Apocalypse***, tapisseries mille-fleurs**, tapisseries* du Logis du Gouverneur – Vieille ville** : cathédrale** BY, galerie romane** de la Préfecture* BZ **P**, galerie David d'Angers* BZ **E**, Maison d'Adam* BYZ **D**, hôtel Pincé* BY **M2** – Choeur** de l'église St-Serge* CY – Musée Jean Lurçat et de la Tapisserie contemporaine** dans l'ancien hôpital St-Jean ABY – La Doutre* AY.

18 ☎ 41 91 96 56, par ④ : 8 km.

Office de Tourisme pl. Kennedy ☎ 41 88 69 93, Télex 720930 – A.C. pl. République (près Halles) ☎ 41 88 4 22.

Paris 294 ① – ♦Caen 219 ⑥ – Laval 75 ⑥ – ♦Le Mans 95 ① – ♦Nantes 89 ⑤ – ♦Orléans 214 ① – Poitiers 132 ④ – ♦Rennes 119 ⑥ – Saumur 49 ③ – ♦Tours 107 ①.

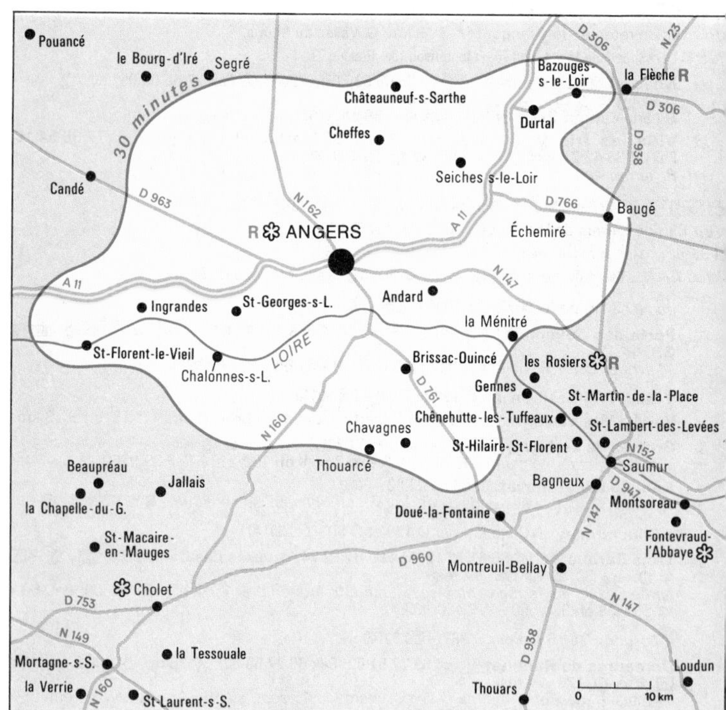

Anjou et rest. Salamandre, 1 bd Mar. Foch ✉ 49100 ☎ 41 88 24 82, Télex 720521, Fax 41 87 22 21, « Belle décoration intérieure » – 🛗 TV ☎ – 🏛 70. AE ⓓ GB JCB. ✂ rest — CZ h
R *(fermé dim.)* 110/200, enf. 110 – ☕ 48 – **53 ch** 330/550.

Concorde M, 18 bd Mar. Foch ✉ 49100 ☎ 41 87 37 20, Télex 720923, Fax 41 87 49 54 – 🛗 ▤ rest TV ☎ – 🏛 25 à 200. AE ⓓ GB JCB — CZ u
R (brasserie) 100/130 – ☕ 45 – **70 ch** 470/600.

Mercure M, pl. Mendès-France (Centre des Congrès) ✉ 49100 ☎ 41 60 34 81, Télex 722139, Fax 41 60 57 84 – 🛗 ch ▤ TV ☎ ♿. AE ⓓ GB JCB — CY a
R 95/135 🍷, enf. 40 – ☕ 50 – **86 ch** 430/540.

France et rest. Plantagenets, 8 pl. Gare ✉ 49100 ☎ 41 88 49 42, Télex 720895, Fax 41 86 76 70 – 🛗 ch ▤ rest TV ☎ – 🏛 30. AE ⓓ GB JCB — AZ t
R *(fermé 21 déc. au 6 janv. et sam.)* 98 – ☕ 45 – **57 ch** 300/500.

Progrès sans rest, 26 r. D. Papin ✉ 49100 ☎ 41 88 10 14, Télex 720982, Fax 41 87 82 93 – 🛗 TV ☎. AE ⓓ GB JCB — AZ x
fermé 20 déc. au 6 janv. – ☕ 35 – **41 ch** 275/330.

Univers sans rest, 16 r. Gare ✉ 49100 ☎ 41 88 43 58 – 🛗 TV ☎. AE ⓓ GB. ✂ — AZ m
☕ 24 – **45 ch** 140/230.

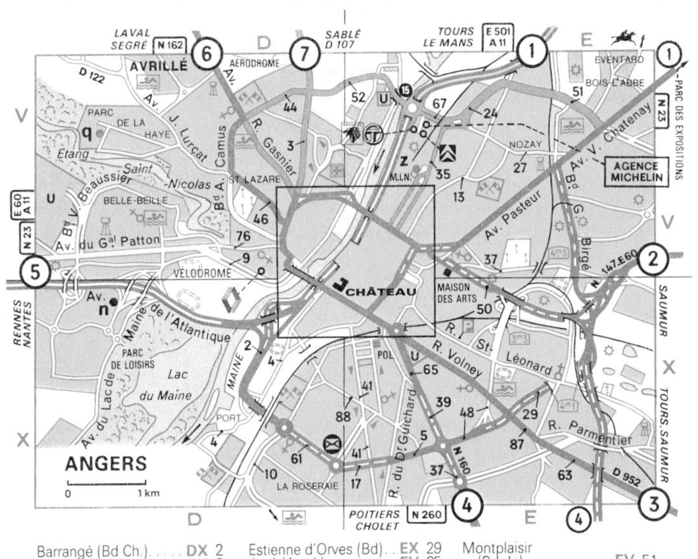

St Julien sans rest, 9 pl. Ralliement ✉ 49100 ✆ 41 88 41 62, Fax 41 20 95 19 – |‡| [TV] ☎. GB — CY **e**
☕ 27 – **34 ch** 210/305.

Champagne sans rest, 34 r. D. Papin ✉ 49100 ✆ 41 88 78 06, Fax 41 87 03 94 – |‡| [TV] ☎. AE GB — AZ **x**
fermé 18 déc. au 2 janv. – ☕ 27 – **30 ch** 169/284.

Europe sans rest, 3 r. Château-Gontier ✉ 49100 ✆ 41 88 67 45, Télex 722125 – [TV] ☎. AE ◑ GB — CZ **a**
☕ 25 – **29 ch** 175/225.

Ibis [M], r. Poissonnerie ✉ 49100 ✆ 41 86 15 15, Télex 720916, Fax 41 87 10 41 – |‡| [TV] ☎ ♿ – 🧑‍🏫 40. GB — BY **b**
R 79 🍷, enf. 39 – ☕ 32 – **95 ch** 290/310.

Mail sans rest, 8 r. Ursules ✉ 49100 ✆ 41 88 56 22 – [TV] ☎ Ⓟ. ◑ GB JCB — CY **b**
27 ch ☕ 140/265.

Fimotel, 23 bis r. P. Bert ✉ 49100 ✆ 41 88 10 10, Télex 722735, Fax 41 88 85 46 – |‡| [TV] ☎ ♿ Ⓟ – 🧑‍🏫 150. AE ◑ GB — CZ **s**
R 80/105 🍷, enf. 34 – ☕ 38 – **50 ch** 280/295 – ½ P 220/250.

Continental sans rest, 12 r. L. de Romain ✉ 49100 ✆ 41 86 94 94, Télex 723042, Fax 41 86 96 60 – |‡| [TV] ☎. AE GB JCB — BZ **n**
☕ 26 – **25 ch** 205/295.

Royalty [M] sans rest, 21 bd Ayrault ✉ 49100 ✆ 41 43 78 76 – |‡| [TV]. GB JCB — CY **z**
☕ 23 – **20 ch** 220/242.

Royal sans rest, 8 bis pl. Visitation ✉ 49100 ✆ 41 88 30 25 – |‡| ☎. AE ◑ GB — AZ **k**
fermé 23 déc. au 3 janv. – ☕ 22 – **40 ch** 106/190.

XXXX ✿ **Pavillon Le Quéré** [M] avec ch, 3 bd Mar. Foch ✉ 49100 ✆ 41 20 00 20, Fax 41 20 06 20, 🍴, « Ancien hôtel particulier du 19e siècle » – |‡| 🚭 ch [TV] ☎ ♿ Ⓟ. AE GB JCB — CZ **h**
R 200 bc/420 – ☕ 60 – **6 ch** 500/700, 4 appart. 1200
Spéc. Marbré de foie gras et artichaut. Tronçon de turbot au jus de veau. Fondant au chocolat amer.

XXX **Le Toussaint,** 7 pl. Kennedy, 1er étage ✉ 49100 ✆ 41 87 46 20, Fax 41 87 96 64 – ▤. AE GB — AZ **v**
fermé dim. soir et lundi – **R** 110/280 🍷.

XXX **La Rose d'Anjou,** 9 pl. Ralliement ✉ 49100 ✆ 41 87 64 94 – ▤. AE ◑ GB — CY **e**
fermé sam. midi – **R** 105/195.

ANGERS

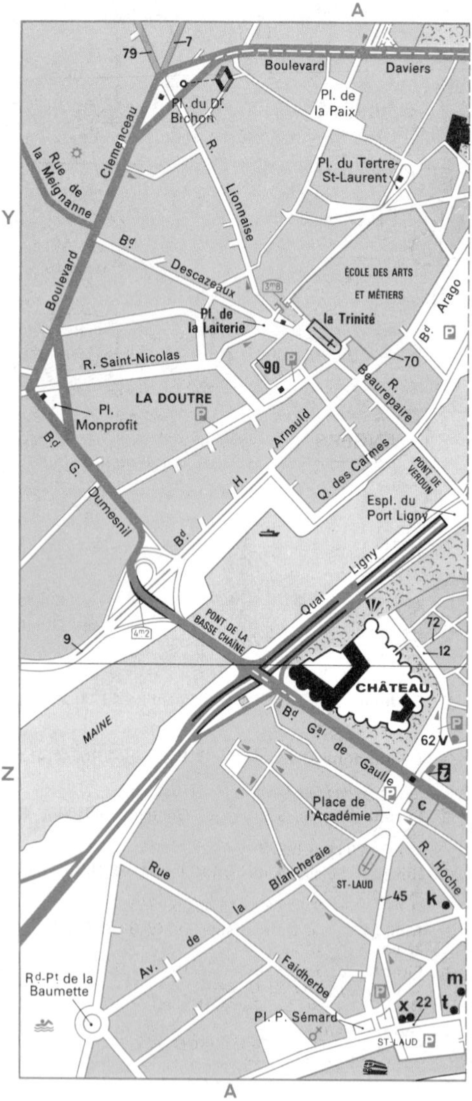

XX **Le Méridor,** 4 r. de l'Espine ✉ 49100 ☎ 41 87 40 97 – AE GB — BY **r**
fermé 10 au 24 août, dim. soir et lundi – **R** 95/220 bc, enf. 60.

XX **Le Logis,** 17 r. St-Laud ✉ 49100 ☎ 41 87 44 15, produits de la mer – AE ⓓ GB — BY **u**
fermé 14 juil. au 7 août, sam. et dim. du 7 août au 15 sept. et fêtes – **R** 100/320.

XX **Rose d'Or,** 21 r. Delaage ✉ 49100 ☎ 41 88 38 38 – ▤. GB. ✻ — BZ **v**
fermé août, dim. soir et lundi – **R** 100/170.

X **L'Entrecôte,** av. Joxé (M.I.N.) par av. M. Talet et av. Besnardière ✉ 49100 ☎ 41 43 71 77, Fax 41 37 06 78 – ▤. GB — EV **z**
fermé 1er au 23 août, Noël au jour de l'An, sam. et dim. – **R** (déj. seul.) 70/130.

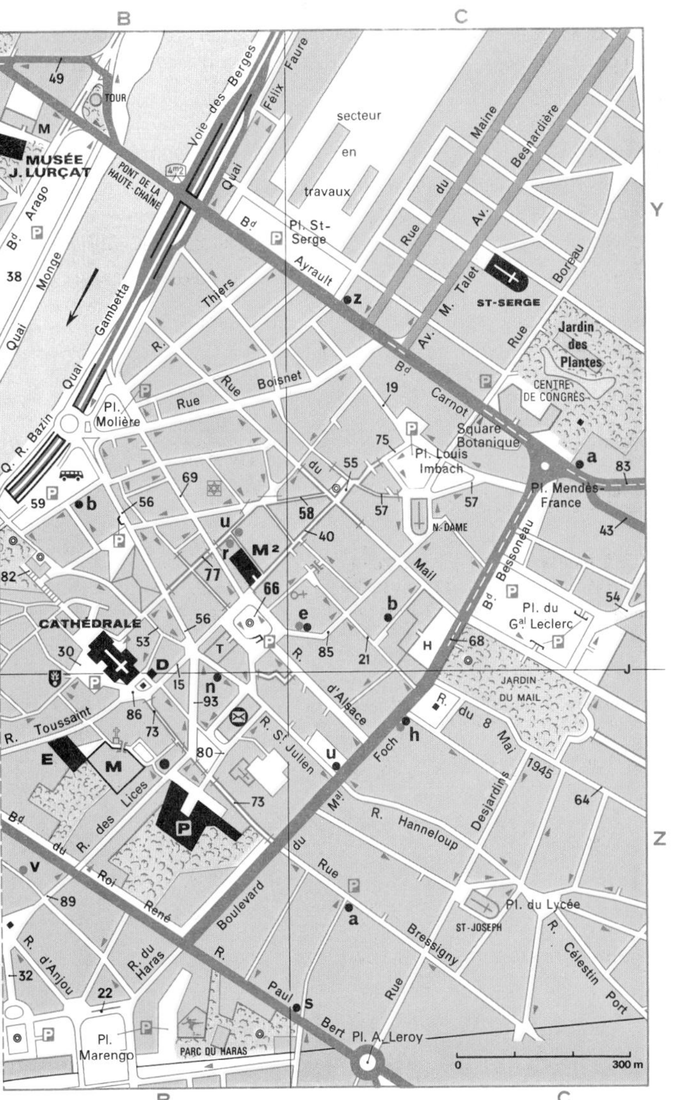

près du Parc des Expositions par ① N 23 : 6 km – ✉ **49480** St Sylvain d'Anjou :

Acropole M sans rest, ✆ 41 60 87 88, Fax 41 60 30 03, ⛱, 🌳 – |‡| TV ☎ ♿ 🅟 – 🏛 50 à 100. AE GB
☐ 35 – **54 ch** 280/290.

Aub. d'Éventard, ✆ 41 43 74 25, Télex 722145, Fax 41 47 24 81, ⛱, 🌳 – ⇆ 🅟. AE ⓓ GB. ✈
fermé vacances de fév., dim. soir et lundi – **R** 180/380.

Le Clafoutis, ✆ 41 43 84 71, 🌳 – ▤ 🅟. GB
fermé 23 juil. au 22 août, vacances de fév., dim. soir, mardi soir et merc. – **Repas** 80/245, enf. 60.

vers ⑤ par autoroute de Nantes sortie Lac de Maine O : 2 km – ✉ **49000** Angers :

Altéa Lac de Maine M, ✆ 41 48 02 12, Télex 721111, Fax 41 48 57 51, – ch TV ☎ ♿ P – 200. AE ① GB DX **n**
R 110/220 bc, enf. 60 – 50 – **80 ch** 370/430.

au parc de la Haye NO : 4 km – ✉ **49240** Avrillé :

Aub. de la Haye, av. Geoffroy-Martel, Parc de la Haye ✆ 41 69 33 58, – AE ① GB DV **q**
fermé vacances de fév., dim. soir et lundi – **R** 80/170, enf. 45.

à la Croix-Cadeau par ⑥ : 8 km – ✉ **49240** Avrillé :

Le Cavier M, ✆ 41 42 30 45, Télex 723110, Fax 41 42 40 32, « Salle à manger installée dans un ancien moulin », – TV ☎ ♿ P. AE ① GB. rest
R *(fermé 21 déc. au 3 janv. et dim.)* 90, enf. 38 – 40 – **29 ch** 230/280, 4 duplex – ½ P 215/230.

MICHELIN, Agence, 18 bd G.-Ramon, ZI St-Serge EV ✆ **41 43 65 52**

BMW Guitteny Automobiles, 2 av. Besnardière ✆ 41 43 72 88
CITROEN SOVAM, 3 r. Vaucanson EV ✆ 41 43 16 24 N ✆ 41 66 82 66
MERCEDES-BENZ Gar. Bretagne, 107 bd Bedier ✆ 41 44 51 51 N ✆ 41 66 82 66
PEUGEOT-TALBOT SIAA, 9 quai F.-Faure, ZI St-Serge EV ✆ 41 60 56 05
RENAULT Succursale, bd Bon-Pasteur DVX ✆ 41 48 35 34 N ✆ 41 95 01 76
RENAULT Gar. Plessis, 5 pl. Dr Bichon AY ✆ 41 87 46 86
ROVER Gar. Rallye-Service, 4 bis r. St-Maurille ✆ 41 88 03 39
SAAB Gar. Lafayette-Messie, 21 pl. Lafayette ✆ 41 88 42 20

Cailleau, 9 r. Thiers ✆ 41 88 73 20
Perry Pneus, Les Ponts de Cé ✆ 41 69 96 16
Perry-Pneus, 4 av. Besnardières ✆ 41 43 67 49
Rodier-Pneu, 7 bd Romanerie ✆ 41 43 95 14
Sofrap, Les Ponts de Cé ✆ 41 44 97 87

ANGERVILLE 91670 Essonne 60 ⑲ – 3 012 h. alt. 141.

Paris 68 – Chartres 44 – Ablis 28 – Étampes 19 – Évry 54 – ♦Orléans 52 – Pithiviers 27.

France, pl. du Marché ✆ (1) 64 95 20 03, Fax (1) 64 95 39 59, – TV ☎ – 30. AE ① GB. rest
R 130 – 40 – **18 ch** 280/400.

à La Poste de Boisseaux S : 7 km sur N 20 – ✉ **28310** (E.-et-L.) Barmainville :

La Panetière, ✆ 38 39 58 26, – P. GB
fermé dim. soir et lundi – **R** 80/200.

Les ANGLES 30133 Gard 81 ⑪ – 6 838 h. alt. 66.

Paris 683 – Avignon 7 – Alès 68 – Nîmes 39 – Remoulins 18.

Voir plan de Avignon agglomération.

Le Petit Manoir, av. J. Ferry ✆ 90 25 03 36, Fax 90 25 49 13, – ☎ ♿ P – 70. GB. rest AV **s**
R *(fermé 1er nov. au 1er fév., lundi de sept. à juin, lundi midi et merc. midi en juil.-août)* 85/180, enf. 55 – 30 – **46 ch** 190/320 – ½ P 230/270.

Host. Ermitage M, ✆ 90 25 41 02, Fax 90 25 11 68, – ch ☎ P. AE ① GB
fermé janv. et fév. – 55 – **16 ch** 230/440 – ½ P 480.

Ermitage-Meissonnier, à Bellevue sur D 900 rte Nîmes ✆ 90 25 41 68, Fax 90 25 11 68, « Jardin fleuri », – P. AE ① GB AV **r**
fermé 25 janv. au 9 fév., lundi (sauf le soir en juil. et août) et dim. soir de nov. à mars – **R** 150/450, enf. 120
Spéc. Agates de langoustines et petits ravioli de crustacés, Bisquebouille d'Avignon, Profiterolles de lapereau à la fleur de thym. **Vins** Costières de Nîmes, Cairanne.

Oustaou dou Terraie, sur D 900, rte Nîmes ✆ 90 25 49 26, Fax 90 25 20 45, – P. AE ① GB
fermé dim. soir et lundi – **R** 145/235.

Les ANGLES 66210 Pyr.-Or. 86 ⑯ – 528 h. alt. 1 600 – Sports d'hiver : 1 600/2 400 m 2 17.

Office de Tourisme av. de l'Aude ✆ 68 04 32 76, Télex 506073.

Paris 881 – Font-Romeu 20 – Mont-Louis 10,5 – ♦Perpignan 90 – Quillan 59.

Le Yaka, ✆ 68 04 46 46, Fax 68 04 39 56, ← – TV ☎ P. GB. rest
1er juin-10 oct. et 28 nov.-30 avril – **R** 78/160, enf. 39 – ☕ 34 – **35 ch** 240/260 – ½ P 234/268.

ANGLET 64600 Pyr.-Atl. 78 ⑱ **G. Pyrénées Aquitaine** – 33 041 h. alt. 28.

de Chiberta ✆ 59 63 83 20, N : 5 km.

de Biarritz-Parme : ✆ 59 23 90 66, SO : 2 km.

Office de Tourisme 1 av. Chambre-d'Amour ✆ 59 03 77 01.

Paris 775 – Biarritz 4 – ♦Bayonne 3 – Cambo-les-Bains 19 – Pau 109 – St-Jean-de-Luz 20.

Plan : voir Biarritz-Anglet-Bayonne.

Atlanthal M, 153 bd Plages ✆ 59 52 75 75, Télex 573428, Fax 59 52 75 13, ←, centre de thalassothérapie, – rest TV ☎ P – 30 à 180. AE GB. rest
R 210 bc, enf. 65 – ☕ 70 – **99 ch** 579/1008 – ½ P 749/899.

Novotel Biarritz Aéroport M, 64 av. Espagne ✆ 59 03 50 70, Télex 572127, Fax 59 03 33 55, – TV ☎ P – 200. AE GB JCB BX **m**
R carte environ 180, enf. 50 – ☕ 50 – **120 ch** 460/540.

Ibis M, 64 av. Espagne ✆ 59 03 45 45, Télex 560121, Fax 59 03 27 97 – TV ☎ – 50. GB BX **m**
R 91, enf. 37 – ☕ 32 – **83 ch** 275/315.

Climat de France M, bd B.A.B. ✆ 59 52 99 00, Télex 572140, Fax 59 52 29 11, – rest TV ☎ P – 25. AE GB BX **f**
R 72/118, enf. 38 – ☕ 30 – **75 ch** 298.

Relais de Parme, à l'aéroport SO : 2 km ✆ 59 23 93 84, ← – P. AE GB ABX
fermé sam. – **R** carte 175 à 360.

au lac de Brindos SO : 3,5 km par N 10 - voir à Biarritz

CITROEN C et C, bd B.A.B. ✆ 59 63 89 85
FIAT Gar. Côte Basque, 44 av. de Bayonne ✆ 59 63 04 04
FORD Auto-Durruty, ZI des Pontots, bd B.A.B. ✆ 59 52 33 33
OPEL Gar. Lafontaine, BAB 2, les Pontots ✆ 59 52 26 46
RENAULT Gar. Aylies Fres, 54 av. d'Espagne ✆ 59 03 98 13

ANGOULÊME P 16000 Charente 72 ⑬ ⑭ **G. Poitou Vendée Charentes** – 42 876 h. alt. 72.

Voir Site★ – Promenade des Remparts★★ YZ – Cathédrale★ : façade★★ Y **F**.

de l'Hirondelle ✆ 45 61 16 94, S : 2 km X.

Office de Tourisme 2 pl. St-Pierre ✆ 45 95 16 84, Télex 792215 – A.C. r. L.-Pergaud ✆ 45 25 22 28.

Paris 444 ① – Agen 202 ③ – ♦Bordeaux 114 ⑤ – Châteauroux 209 ② – ♦Limoges 103 ② – Niort 106 ① – Périgueux 87 ③ – Poitiers 108 ① – La Rochelle 141 ⑥ – Royan 110 ⑥.

Plan page suivante

Altéa H. de France M, 1 pl. Halles ✆ 45 95 47 95, Télex 793191, Fax 45 92 02 70, – ☎ P – 60. AE GB JCB. rest Y **e**
R 150 bc/180 bc, enf. 60 – ☕ 50 – **90 ch** 410/520.

Européen M sans rest, pl. G. Pérot ✆ 45 92 06 42, Télex 793591, Fax 45 94 88 29 – TV ☎ – 25. AE GB JCB Y **a**
☕ 40 – **32 ch** 320/420.

Épi d'Or M sans rest, 66 bd René Chabasse ✆ 45 95 67 64, Fax 45 92 97 23 – TV ☎ P. AE GB X **v**
fermé 24 déc. au 5 janv. – ☕ 28 – **33 ch** 260/306.

St Antoine M, 31 r. St Antoine ✆ 45 68 38 21, Télex 790909, Fax 45 69 10 31 – TV ☎ P – 100. AE GB X **f**
R *(fermé dim. soir du 15 oct. au 20 avril)* 58/146 – ☕ 30 – **32 ch** 230/280 – ½ P 180/235.

Le Flore, 414 rte Bordeaux par ⑤ : 2 km ✆ 45 91 99 46, Télex 791573, Fax 45 91 40 71, – TV ☎ P. AE GB
R *(fermé août, sam. midi et dim.)* 120/195 – ☕ 27 – **36 ch** 225/310.

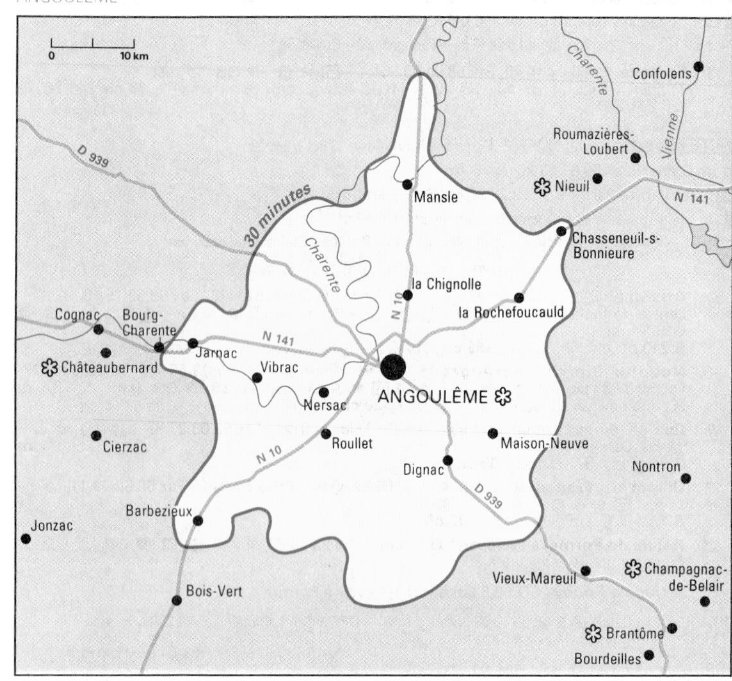

Palais sans rest, 4 pl. F. Louvel ✆ 45 92 54 11, Télex 791683, Fax 45 92 01 83 – TV ☎ ⇔. AE ⓓ GB — Y **k**
☕ 32 – **50 ch** 225/340.

H. Terminus sans rest, pl. Gare ✆ 45 92 39 00, Télex 790572, Fax 45 92 68 10 – |♦| TV. AE GB — Y **n**
☕ 25 – **33 ch** 158/230.

La Ruelle, 6 r. Trois Notre-Dame ✆ 45 95 15 19 – AE GB — Y **x**
fermé 3 au 24 août, vacances de fév., sam. midi et dim. – **R** 140/280 ♁, enf. 80.

Le Margaux, 25 r. Genève ✆ 45 92 58 98 – AE GB — Y **d**
fermé dim. – **R** 85/190.

Les Halles, 11 r. Massillon ✆ 45 92 65 24 — Y **b**

Le Palma, 4 rampe d'Aguesseau ✆ 45 95 22 89 – GB — Y **u**
fermé 20 déc. au 4 janv. et dim. – **R** 56/170 ♁, enf. 42.

Rest. Terminus, pl. Gare ✆ 45 95 27 13 – AE GB — Y **n**
fermé sam. midi – **R** 70/220 ♁.

La Cité, 28 r. St Roch ✆ 45 92 42 69 – GB — Y **r**
fermé 2 au 8 mars, 1er au 15 août, dim. et lundi – **R** 70/150 ♁.

par la sortie ① :

rte de Poitiers – ✉ **16430** Champniers :

Novotel M, à 6 km près échangeur Nord ✆ 45 68 53 22, Télex 790153, Fax 45 68 33 83, ⛱, ⛱, 🌳 – |♦| ▤ TV ☎ ♿ P – 🏛 50 à 200. AE ⓓ GB
R carte environ 160 ♁, enf. 50 – ☕ 47 – **103 ch** 380/420.

Motel PM 16 M sans rest, à 8 km ✆ 45 68 03 22, Télex 790345, Fax 45 69 07 67, 🌳 – TV ☎ P – 🏛 50. AE ⓓ GB
fermé 24 déc. au 2 janv. et sam. soir de nov. à mars – **R** voir rest. **Feu de Bois** ci-après – ☕ 32 – **41 ch** 232/300.

ANGOULÊME

ɔuvel (Pl. F.) . . . . Y 31
larengo (R.) . . . . YZ 33
lonlogis (R.) . . . . X 35
aris (R. de) . . . . Y
érigueux (R. de) . . . . . X, YZ
ostes (R. des) . . . . Y 39
t-Martial
(Esp. et R.) . . . . Z 45
aintes (R. de) X

guesseau (Rampe) . . . . . Y 2
nciens-Combattants
(Bd) . . . . Y 3
arthou (R. L.) . . . . Y 4
ouillaud (Pl.) . . . . Z 5
riand (Bd A.) . . . . Y 6
habasse (Bd) . . . . X 8
hamps-de-Mars (Pl.) . . . . Y 9
hurchill (Bd W.) . . . . Z 10
loche-Verte (R.) . . . . Y 12
enis-Papin (R.) . . . . Y 16
esaix (Rempart) . . . . Z 20
ambetta (Av.) . . . . Y 25
aulle (R. Gén.-de) . . . . . . Y 26
alles (Pl. des) . . . . Y 27
a Rochefoucauld (R.) . . . . Y 29
attre-de-T. (Av. de) . . . X, Y 30
Aidi (Rempart du) . . . . Y 34
asteur (Bd) . . . . Y 37
t-André (R.) . . . . Y 42
t-Antoine (R.) . . . . X 44
-Mai-1945 (Bd du) . . . . . . X 55

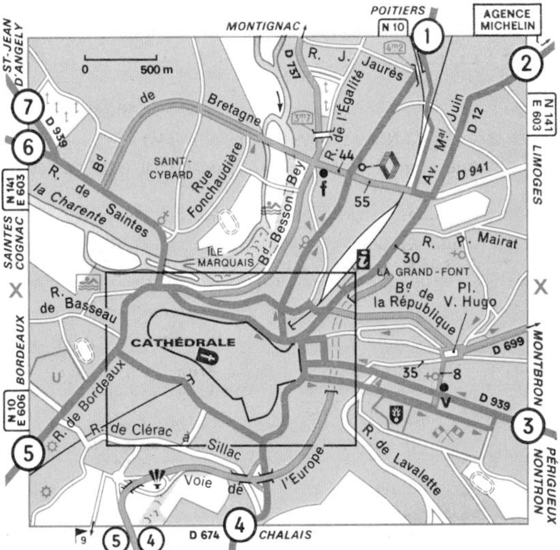

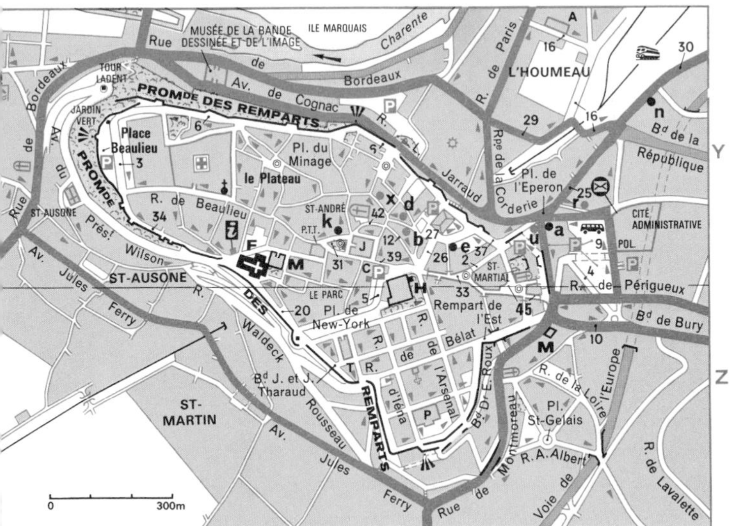

Ibis Ⓜ, à 6 km près échangeur Nord ✆ 45 69 16 16, Télex 793598, Fax 45 68 20 77, 🏞 – 📺 ☎ ♿ 🅿 – 🏊 25. GB
R 65/80, enf. 37 – ☕ 30 – **61 ch** 260/295.

Le Feu de Bois, à 8 km ✆ 45 68 69 96 – ▤ 🅿. GB
fermé 11 au 31 janv. et lundi soir sauf fériés – **R** 75/195 🍷, enf. 42.

par la sortie ③ :

à Maison Neuve 17 km par D 939, D 4 et D 25 – ✉ **16410** Dignac :

Orée des Bois Ⓜ 🐎 avec ch, ✆ 45 24 94 38, 🏞 – 📺 ☎ 🅿. ⓓ GB
fermé 2 au 20 nov., dim. soir et lundi du 1er sept. au 15 juin – **R** 90/240, enf. 60 – ☕ 30 – **7 ch** 200/260 – ½ P 220/240.

à Dignac rte de Périgueux : 16 km – ✉ 16410 :

La Marronnière ⛰, ☎ 45 24 50 42, 🌳, 🍽 – ☎ 🅿 – 🏢 30. AE GB. ✗ ch
R 65/140 ⅄ – ☕ 30 – **10 ch** 140/180 – ½ P 185.

par la sortie ⑤ :

à Nersac N 10 et D 699 : 10 km – ✉ 16440 :

XX **Aub. Pont de la Meure,** rte Hiersac ☎ 45 90 60 48 – AE ⓓ GB
fermé août, vend. soir et sam. – **R** 105/190.

à Roullet : 14 km – 3 378 h. – ✉ 16440 Roullet-St-Estèphe :

Vieille Étable M ⛰, rte Mouthiers ☎ 45 66 31 75, Fax 45 66 47 45, 🌳, « A l'intérieur d'un parc », 🏊, 🎾 – TV ☎ ♿ 🅿 – 🏢 25 à 80. GB. ✗ rest
fermé dim. soir de fin sept. à mi-mai – **R** 73/250 ⅄ – ☕ 30 – **29 ch** 260/335 – ½ P 306/381.

par la sortie ⑥ :

rte de Cognac par N 141 et D 120 : 10 km – ✉ 16290 Hiersac :

✿ **Host. du Moulin du Maine Brun** ⛰, ☎ 45 90 83 00, Télex 791053, Fax 45 96 91 14, ⩽, 🌳, Parc animalier, « Élégante installation avec beau mobilier, 🏊 » – TV ☎ 🅿 – 🏢 25 à 250. AE ⓓ GB
fermé 1er nov. au 30 déc. – **R** *(fermé dim. soir et lundi de janv. à mars)* 185/370, enf. 70 – ☕ 60 – **16 ch** 450/750, 4 appart. 1500 – ½ P 600/700
Spéc. Carpaccio de foie gras, Filet de boeuf poêlé au jus de truffe, Effeuillé de poire et sorbet en croûte de chocolat blanc.

MICHELIN, Agence, r. S.-Allende, ZI n° 3, Isle-d'Espagnac, par av. Mar.-Juin X ☎ **45 69 30 02**

BMW Laujac Autom., 51 r. St-Antoine ☎ 45 69 38 88
RENAULT Succursale, 11 rte de Paris X ☎ 45 69 50 50 N ☎ 45 24 76 12
SEAT Espace Autos, ZI n° 3, Le Gond Pontouvre ☎ 45 68 70 55
VOLVO Gar. Bris, 340 rte de Bordeaux ☎ 45 91 59 60

Piot-Pneu, Port L'Houmeau, 37 bd Besson-Bey ☎ 45 92 06 04
Rogeon-Pneus, ZI de Rabion ☎ 45 91 35 36

Périphérie et environs

CITROEN Gar. Léger, rte de Bordeaux à La Couronne par ⑤ ☎ 45 67 26 03
CITROEN DAC, à Puymoyen par ④ ☎ 45 95 79 64
MERCEDES-BENZ SAFI-16, ZI n° 3, Gond-Pontouvre ☎ 45 68 00 11
OPEL-GM Angoulême-Nord-Auto, Z.I. n° 3 à Isle d'Espagnac ☎ 45 68 74 33
PEUGEOT Perga, ZI à l'Isle-d'Espagnac par ② ☎ 45 68 78 33
PEUGEOT Gar. Bonetta, RN 10 à La Couronne par ⑤ ☎ 45 67 21 38
PEUGEOT Fetiveau, 250 bis av. République à l'Isle-d'Espagnac par ② ☎ 45 68 73 58

Participez à notre effort permanent de mise à jour

Adressez-nous vos remarques et vos suggestions.

Cartes et guides Michelin

46 avenue de Breteuil - 75324 Paris Cedex 07

ANIANE 34 Hérault 83 ⑥ – rattaché à Gignac.

ANNEBAULT 14430 Calvados 54 ⑰ – 317 h. alt. 146.

Paris 206 – ◆Caen 35 – Cabourg 15 – Pont-L'Evêque 11,5.

XX **Aub. Le Cardinal** avec ch, ☎ 31 64 81 96, 🌳, 🍽 – ☎ 🅿. GB
fermé janv., fév., mardi soir et merc. hors sais. – **R** 90/210, enf. 58 – ☕ 30 – **7 ch** 180/300 – ½ P 270/290.

ANNECY P 74000 H.-Savoie 74 ⑥ **G. Alpes du Nord** – 49 644 h. alt. 448.

Voir Le Vieil Annecy★★ : Descente de Croix★ dans l'église St-Maurice BY **B**, Palais de l'Isle★ BY **R**, rue Ste-Claire★ ABY, pont sur le Thiou ⩽★ BY **N** – Château★ BY – Les Jardins de l'Europe★ CY – Forêt du crêt du Maure★ : ⩽★★ 3 km par D41 CV.

Env. Tour du lac★★★ 39 km (ou en bateau 1 h 30) – Gorges du Fier★★ : 11 km par ⑥ – Collections★ du château de Montrottier : 11 km par ⑥ – Crêt de Châtillon ✱★★★ S : 18,5 km par D 41 puis 15 mn.

⛳18 du Lac d'Annecy ☎ 50 60 12 89, par ② : 10 km.

✈ d'Annecy-Meythet : T.A.T ☎ 50 27 30 30, par ⑥ et D 14 : 4 km.

ℹ Office de Tourisme clos Bonlieu 1 r. J.-Jaurès ☎ 50 45 00 33, Télex 309347 – A.C. 15 r. Préfecture ☎ 50 45 09 12.

Paris 536 ⑥ – Aix-les-Bains 33 ⑤ – ◆Genève 43 ① – ◆Lyon 137 ⑤ – ◆St-Étienne 182 ⑤.

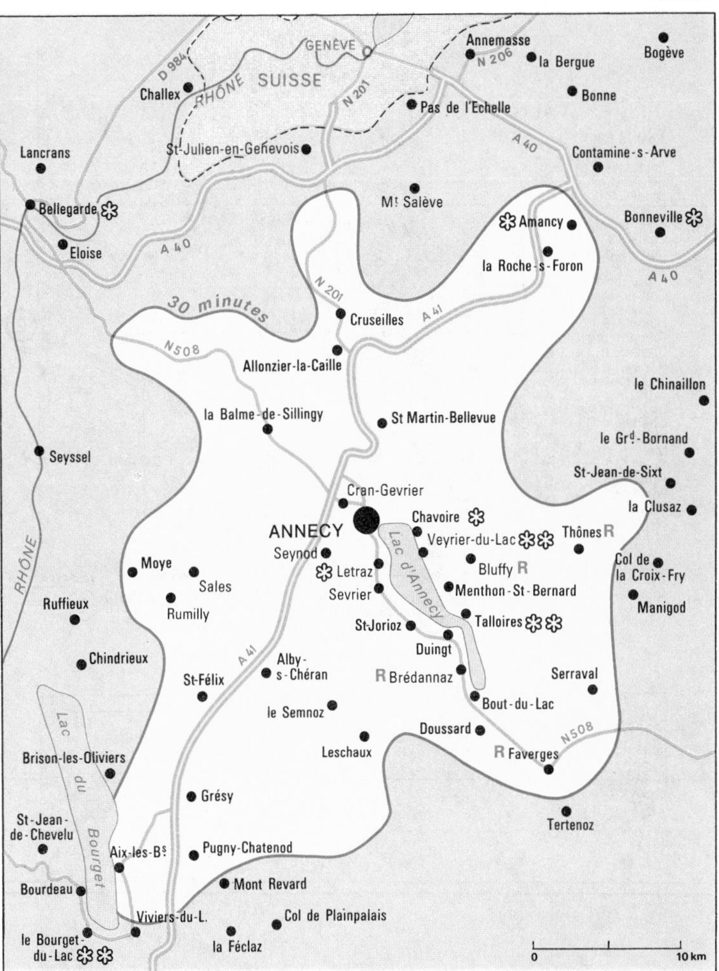

Impérial Palace M, 32 av. Albigny ☎ 50 09 30 00, Fax 50 09 33 33, ←, 🏖, « Décor contemporain » – |‡| ≡ rest TV ☎ ♿ 🚗 P – 🎤 500. AE ⓓ GB. ✂ rest CV **s**
R 115/550 – ☕ 80 – **91 ch** 880/1650, 8 appart..

L'Abbaye 🔇, 15 chemin Abbaye à Annecy-le-Vieux ✉ 74940 ☎ 50 23 61 08, Fax 50 27 77 65, 🏖, « Belle décoration intérieure », 🏞 – TV ☎ P. AE ⓓ GB CU **b**
R *(fermé sam. midi et dim.)* 160/320 – ☕ 45 – **15 ch** 400/700, 3 appart. 1100 – ½ P 390/740.

Carlton, 5 r. Glières ☎ 50 45 47 75, Télex 309472, Fax 50 51 84 54 – |‡| TV ☎ 🚗. AE ⓓ GB AY **g**
R *(fermé sam. midi et dim.)* 135/200 – ☕ 38 – **55 ch** 365/485 – ½ P 331/363.

Mercure M, rte Aix-les-Bains ✉ 74600 ☎ 50 52 09 66, Télex 385303, Fax 50 69 29 32, 🏖, 🏊 – ⇔ ch ≡ rest TV ☎ ♿ P – 🎤 120. AE ⓓ GB
R 135/150 🍷, enf. 45 – ☕ 48 – **69 ch** 410/620 – ½ P 365.

Splendid H. sans rest, 4 quai E. Chappuis ☎ 50 45 20 00, Télex 385233, Fax 50 51 26 23 – |‡| TV ☎ ♿. GB JCB BY **s**
fermé 21 déc. au 3 janv. – ☕ 40 – **51 ch** 420/480.

ANNECY

Lac (R. du) . . . . . BY 31
Pâquier (R. du) . . BY 44
République (R.) . AY 56
Royale (R.) . . . . . AY 58
Ste-Claire (Fg et R.) . . . . . AY 64

Abbaye (Ch.) . . . CU 2
Aléry (Av. d') . . . BV 3
Balmettes (Fg) . . BV 4
Bel-Air (Ch. du) . BU 5
Bordeaux (R. H.) . CU 6
Boschetti (Av. L.) BV 7
Chambéry (Av.) . BV 8
Chappuis (Q. E.) . BY 9
Chevesnes (Av.) . BV 10
Corniche (Bd de la) . . . . CV 12
Crêt-du-Maure (Av. du) . . . . . . BV 15
Filaterie (R.) . . . . BY 16
Fins (Ch. des) . . . BU 20
Grenette (R.) . . . . BY 23
H.-de-Ville (Pl.) . . BY 27
J.-J.-Rousseau (R.) . . . . AY 30
Leclerc (R. Mar.) BU 35
Libération (Pl.) . . BY 36
Loverchy (Av.) . . . BV 38
Mouettes (R. des) CU 40
Novel (Av. de) . . . CU 42
Perrière (R.) . . . . BY 45
Poste (R. de la) . AY 50
Prés-Riants (R.) . CU 52
St-François (Pl.) . BY 60
St-François-de-Sales (R.) . . . . AY 61
Stade (Av. du) . . . BU 65
Theuriet (R. A.) . CV 69
Tour-de-la-Reine (Ch.) . . . BY 70
Trésum (Av. de) . CV 72

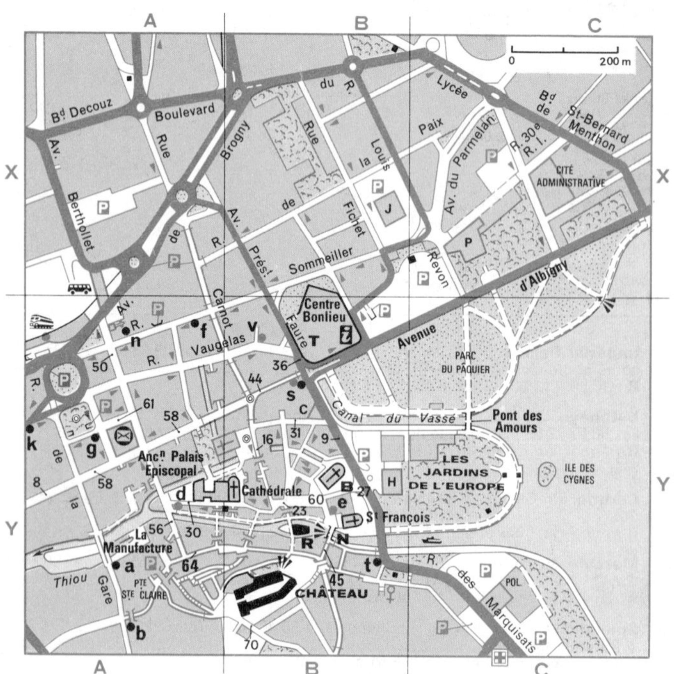

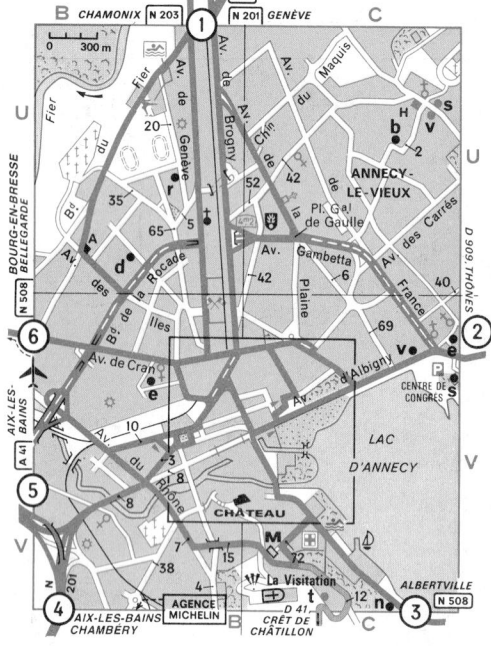

Allobroges sans rest, 11 r. Sommeiller ✆ 50 45 03 11, Télex 309268, Fax 50 51 88 32 – AE GB AY **n**
☕ 49 – **54 ch** 350/560.

Motel le Flamboyant M sans rest, 52 r. Mouettes à Annecy-le-Vieux par av. d'Albigny et D129 -CU- ✉ 74940 ✆ 50 23 61 69, Télex 309284, Fax 50 27 97 23 – cuisinette AE GB JCB
☕ 38 – **32 ch** 245/420.

Faisan Doré, 34 av. Albigny ✆ 50 23 02 46, Fax 50 23 11 10 – 50. GB
fermé 24 oct. au 2 nov. et 13 déc. au 25 janv. – **R** *(fermé dim. soir hors sais.)* 110/190 – ☕ 38 – **40 ch** 260/390 – ½ P 310/350. CV **e**

de la Mandallaz M sans rest, 1 pl. Mandallaz ✆ 50 45 51 74, Fax 50 45 51 75 – GB
☕ 35 – **75 ch** 280/325.

Palais de l'Isle M sans rest, 13 r. Perrière ✆ 50 45 86 87, Fax 50 51 87 15 – AE GB. BY **t**
☕ 42 – **26 ch** 350/455.

Réserve, 21 av. Albigny ✆ 50 23 50 24, Fax 50 23 51 17, ←, – GB CV **v**
fermé 26 juin au 10 juil. et 20 déc. au 20 janv. – **R** 115/250 – ☕ 36 – **12 ch** 280/400 – ½ P 325/350.

Marquisats sans rest, 6 chemin Colmyr ✆ 50 51 52 34, Télex 385228, Fax 50 51 89 42, ← – AE GB CV **n**
☕ 35 – **25 ch** 300/425.

Ibis M, 12 r. Gare ✆ 50 45 43 21, Télex 385585, Fax 50 52 81 08 – 35. GB
R 79/96, enf. 39 – ☕ 30 – **83 ch** 310/350. AY **a**

d'Aléry sans rest, 5 av. d'Aléry ✆ 50 45 24 75, Fax 50 51 26 90 – AE GB AY **k**
fermé 24 déc. au 10 janv. – ☕ 34 – **22 ch** 220/350.

Semnoz sans rest, 1 fg Balmettes ✆ 50 45 04 12, Télex 319253 – AE GB.
fermé 20 déc. au 8 janv. et dim. de nov. à avril – ☕ 32 – **24 ch** 280/330. AY **b**

Crystal H. sans rest, 20 r. L. Chaumontel ✆ 50 57 33 90, Fax 50 67 86 43 – AE GB BV **e**
☕ 30 – **22 ch** 270/296.

Nord sans rest, 24 r. Sommeiller ✆ 50 45 08 78, Fax 50 51 22 04 – GB AY **f**
☕ 30 – **33 ch** 170/300.

du Parmelan sans rest, 41 av. Romains ✆ 50 57 14 89, – BU **d**
1er avril-1er oct. – ☕ 26 – **28 ch** 250/275.

Parc sans rest, 43 chemin des Fins, vers le parc des sports ✆ 50 57 02 98, – GB BU **r**
fermé 13 au 26 juin et 30 nov. au 10 janv. – ☕ 26 – **24 ch** 130/210.

XXX **Belvédère** avec ch, rte du Semnoz par ④ : 2 km ✆ 50 45 04 90, ← Annecy et lac, – GB. CV **t**
hôtel : ouvert fév. à début oct. ; rest. : fermé 13 au 23/4, 1er au 10/10, 25/11 au 12/12, dim. soir et lundi – **R** 200/400 – ☕ 33 – **10 ch** 160/220 – ½ P 260/300.

XXX **Didier Roque,** 13 r. J. Mermoz à Annecy-le-Vieux par av. France et rte Thônes ✉ 74940 ✆ 50 23 07 90, – GB. CU **v**
fermé dim. soir et merc. sauf juil.-août – **R** 175/335, enf. 90.

XX **La Ciboulette,** 10 r. Vaugelas - impasse Pré Carré ✆ 50 45 74 57, – GB BY **v**
fermé 1er au 20 juil, dim. soir et lundi – **R** 130/240.

XX **Le Pré de la Danse,** 16 r. J. Mermoz à Annecy-le-Vieux, par av. France et rte Thônes ✉ 74940 ✆ 50 23 70 41, – AE GB CU **s**
fermé merc. – **R** 110/250, enf. 60.

XX **Aub. du Lyonnais** avec ch, 9 r. République ✆ 50 51 26 10, – AE GB AY **d**
fermé 16 au 28 juin et 2 janv. au 2 fév. – **R** 108/170 – ☕ 30 – **9 ch** 250/320.

XX **Le Parvis,** 1 pl. St-François ✆ 50 45 03 05 – AE GB BY **e**
fermé lundi soir et mardi – **R** 130/320, enf. 70.

XX **Buffet Gare T.G.V.,** ✆ 50 45 42 24, Fax 50 45 48 26 – GB AY
R 78/120, enf. 35.

X **Garcin,** 11 r. Paquier (1er étage) ✆ 50 45 20 94 – AE GB BY **s**
fermé 15 juin au 10 juil., mardi soir et merc. – **R** 75/160.

à St-Martin-Bellevue N : 11 km par ①, N 203, D 14 – ✉ **74370** :

Beau Séjour, à la gare : 1 km ✆ 50 60 30 32, Fax 50 60 38 44, ←, – – 25 à 40. GB. rest
fermé 10 déc. au 20 mars, dim. soir et lundi sauf juil.-août – **R** 86/215 – ☕ 33 – **35 ch** 235/260 – ½ P 250/295.

à Chavoire par ② : 4,5 km – ✉ **74290** Veyrier :

Demeure de Chavoire M sans rest, 71 rte Annecy ✆ 50 60 04 38, Fax 50 60 05 36, ←, « Élégante installation » – AE GB
☕ 60 – **10 ch** 700/950, 3 appart. 1400.

XXX ❀ **Pavillon de l'Ermitage** (Tuccinardi) avec ch, ✆ 50 60 11 09, ⛱, « Jardin fleuri et belle vue sur le lac » – ☎ ⛟. AE ⓓ GB
début mars-fin oct. – **R** (nombre de couverts limité - prévenir) 200/410 – ☕ 45 – **9 ch** 385/520 – ½ P 400/590
Spéc. Omble chevalier meunière, Soufflé de brochet "Ermitage", Poularde de Bresse chavoisienne. **Vins** Crépy, Seyssel.

à Veyrier-du-Lac par ② : 5,5 km – alt. 504 – ✉ **74290** :.

ℹ Syndicat d'Initiative, pl. Mairie ✆ 50 60 22 71.

XXXXX ❀❀ **Aub. de l'Éridan** (Veyrat) M ⚲ avec ch, 13 Vieille rte des Pensières ✆ 50 66 22 04, Fax 50 09 93 62, ≤ lac, ⛱, ⛰ – |♿| ▤ TV ☎ ♿ ⛟ Ⓟ. AE ⓓ GB
R *(fermé dim. soir et merc.)* 450/900 et carte – ☕ 95 – **11 ch** 800/1800
Spéc. Poêlée de tartiffles à l'acha confite, Bar grillé aux livèches sauvages, Carré d'agneau au jus de pimpiolet. **Vins** Rousette de Seyssel, Mondeuse.

XXX ❀ **L'Amandier** (Cortési), 91 rte Annecy ✆ 50 60 01 22, Fax 50 60 03 25, ≤ lac, ⛱ – AE ⓓ GB
fermé dim. du 1er oct. au 31 janv. – **R** 180/350
Spéc. Farçon au reblochon, Poissons du lac, Rissoles de poires aux fruits secs. **Vins** Chignin-Bergeron, Mondeuse d'Arbin.

rte du Semnoz par D 41 CV : 3,5 km – ✉ **74000** Annecy :

X **Super Panorama** avec ch, ✆ 50 45 34 86, ≤ lac et montagnes, ⛱, ⛰ – Ⓟ. GB. ⚘ rest
fermé 15 déc. au 1er fév., lundi soir et mardi – **R** 120/250 – ☕ 38 – **5 ch** 240.

à Seynod par ④ : 4 km – 14 764 h. alt. 530 – ✉ **74600** :

🏨 **Altess** M sans rest, 250 av. Aix-les-Bains (N 201) ✆ 50 69 11 05, Fax 50 69 20 13 – |♿| TV ☎ Ⓟ – 🧑 40. AE ⓓ GB
☕ 30 – **40 ch** 280/300.

à Cran-Gevrier par ⑥ : 2 km – 15 566 h. alt. 445 – ✉ **74960** :

🏨 **Chorus,** av. République ✆ 50 67 13 54, Fax 50 67 20 61 – |♿| cuisinette TV ☎ ♿ ⛟. GB
R 98/165, enf. 45 – ☕ 30 – **31 ch** 280/320, 9 studios 400/500 – ½ P 250/270.

MICHELIN, Agence régionale, ZI de Vovray, 5 r. Sansy, Seynod par av. de Loverchy ✆ 50 51 59 70

FIAT, LANCIA-AUTOBIANCHI Gar. Pont-Neuf, 1 av. Pont-Neuf ✆ 50 51 40 30
OPEL Epagny Automobiles, rte de Bellegarde à Epagny ✆ 50 22 64 64

Ⓜ Bruyère, 18 ch. des Fins ✆ 50 57 16 68
Dupanloup, 119 av. de Genève ✆ 50 57 03 81
Pneumatech, 3 r. de Rumilly ✆ 50 45 72 11

Périphérie et environs

BMW Aravis Automobile, 100 av. d'Aix, Seynod ✆ 50 52 02 71
CITROEN Dieu, rte d'Aix, Seynod par ④ ✆ 50 69 16 72
FORD S.A.E.M., 140 av. d'Aix, Seynod ✆ 50 69 15 04
JAGUAR Gar. Ducros, 72 av. d'Aix, Seynod ✆ 50 52 03 81
MAZDA Cochet, le Grand Epagny à Epagny ✆ 50 22 63 50
MERCEDES-BENZ SEVI 74, ZAE des Césardes, ch. Croix-Seynod ✆ 50 69 17 40
OPEL Gar. du Parmelan Bocquet, 33 av. Petit-Port, Annecy-le-Vieux ✆ 50 23 12 85

PEUGEOT-TALBOT Gar. Central, 28 av. Carrés, Annecy-le-Vieux CU ✆ 50 09 20 20
RENAULT Savoie-Automobile, av. d'Aix, Seynod par ④ ✆ 50 45 82 13 N ✆ 05 05 15 15
V.A.G SAT, ZI des Césardes, rte des Creuses à Seynod ✆ 50 69 06 79
VOLVO Cochet, Le Grand Epagny à Epagny ✆ 50 22 63 51

Ⓜ Piot-Pneu, 6 r. Césière, ZI de Vovray à Seynod ✆ 50 51 72 85

ANNEMASSE 74100 H.-Savoie 74 ⑥ **G. Alpes du Nord** – 27 669 h. alt. 433.

⛳18 Country Club de Bossey ✆ 50 43 75 25, par ③.

ℹ Office de Tourisme r. de la Gare ✆ 50 92 53 03.

Paris 540 ③ – Annecy 50 ③ – Thonon-les-Bains 29 ① – Bonneville 21 ③ – ✦Genève 8 ③ – St-Julien-en-Genevois 15 ③.

Plan page suivante

🏨 **Mercure** M, au sud, par ③, r. des Jardins à Gaillard ✉ 74240 Gaillard ✆ 50 92 05 25, Télex 385815, Fax 50 87 14 57, ⛱, 🏊 – |♿| ⚡ ch ▤ TV ☎ ♿ Ⓟ – 🧑 25 à 100. AE ⓓ GB JCB
R 130/150 ♀, enf. 48 – ☕ 50 – **78 ch** 415/500.

🏨 **Parc** M sans rest, 19 r. Genève ✆ 50 38 44 60, Télex 309034, Fax 50 92 75 71 – |♿| TV ☎. AE ⓓ GB Z t
fermé 22 déc. au 3 janv. – ☕ 38 – **30 ch** 230/380.

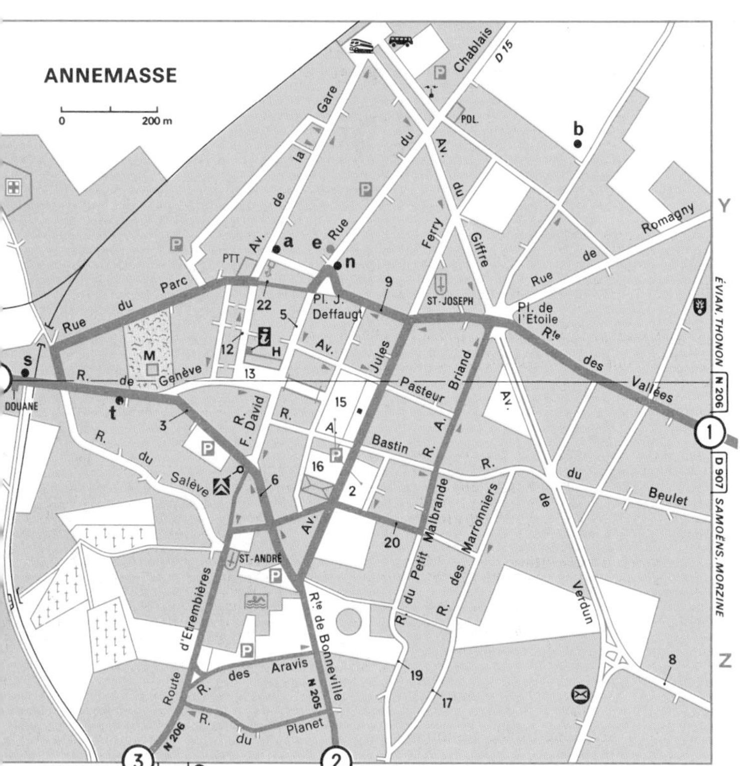

Commerce (R. du)	Y 5	Courriard (R. M.)	Z 6	Marché-de-Gros (Pl. du)	Z 16
Gare (R. de la)	Y 12	Dusonchet (R. Ph.)	Z 8	Massenet (R.)	Z 17
		Faucigny (R. du)	Y 9	Saget (R. du)	Z 19
Clemenceau (Pl. G.)	Z 2	Hôtel-de-Ville (Pl. de l')	Y 13	Vaillat (R. L.)	Z 20
Clos-Fleury (R. du)	Z 3	Libération (Pl. de la)	Z 15	Voirons (R. des)	Y 22

Hague sans rest, 42 r. Genève ☎ 50 38 47 14, Fax 50 37 36 10 – |‡| ⇔ TV ☎ P. AE ⓓ GB Y s
☕ 35 – **23 ch** 210/290.

National sans rest, pl. J. Deffaugt ☎ 50 92 06 44, Télex 319003 – |‡| TV ☎ P. GB Y n
☕ 33 – **45 ch** 235/280.

Arc-en-Ciel M sans rest, 21 r. Tournelles (à Ville-la-Grand) ☎ 50 92 66 00, Fax 50 87 06 88 – |‡| TV ☎ ♿ P – 🏊 25. AE GB Y b
☕ 30 – **41 ch** 300/370.

Pax H. sans rest, 22 av. Gare ☎ 50 38 25 46 – |‡| TV ☎ 🚗. GB Y a
☕ 26 – **44 ch** 155/226.

Campanile M, pont d'Étrembières, échangeur A 40 par ③ ☎ 50 37 84 85, Télex 309511, Fax 50 37 02 04, 🍴 – TV ☎ ♿ P. AE GB
R 77 bc/99 bc, enf. 39 – ☕ 28 – **42 ch** 258 – ½ P 234/256.

Gourmandins, 2 km sur rte Thonon ☎ 50 95 53 50, Fax 50 95 53 65, 🍴 – P. AE ⓓ GB
fermé 23 déc. au 6 janv. et dim. soir – **R** 100/320.

Le Temps de Vivre, 47 chemin des Belosses à Ambilly par ④ et rte de Gaillard ☎ 50 92 36 06 – AE ⓓ GB
fermé 3 au 23 août, 24 déc. au 3 janv., sam. midi, lundi midi et dim. – **R** (prévenir) 140/270 🍷, enf. 60.

L'Alouette, 1 r. Chablais ☎ 50 37 08 66 – GB Y e
fermé dim. soir et merc. – **R** (prévenir) 105/300.

à Pas-de-l'Échelle par ③ : 4 km – ✉ **74100** Annemasse :

Tilleuls sans rest, N 206 ✆ 50 37 61 79 – Ⓟ.
fermé août – 22 – **12 ch** 110/170.

à La Bergue E : 6 km par ① – ✉ **74380** Bonne :

La Pergola, ✆ 50 39 30 27, – Ⓟ. GB
fermé 31 août au 13 sept., 4 au 30 janv., jeudi midi et merc. – **R** 92/250.

BMW, NISSAN Borgel, r. de Montréal, ZI, Ville-la-Grand ✆ 50 37 07 60 ✆ 50 39 33 82
CITROEN SADAL, rte de Taninges à Vétraz-Monthoux par ① ✆ 50 36 78 78
CITROEN Gar. de Savoie, 4 r. Étrembières ✆ 50 92 11 75
PEUGEOT TALBOT Lemuet Genevois Faucigny, 57 rte de Thonon par ① ✆ 50 37 70 22
RENAULT Renault Annemasse, 2 av. du Léman ✆ 50 92 05 11
V.A.G Gar. Duchamp, 36 r. Résistance, ZI ✆ 50 37 13 43

Piot-Pneu, 75 rte des Vallées ✆ 50 37 27 11
Piot-Pneu, 3 av. Giffre ✆ 50 37 78 04

ANNONAY 07100 Ardèche 77 ① **G. Vallée du Rhône** – 18 525 h. alt. 357.

de Gourdan ✆ 75 67 03 84, par ① : 6 km.

Office de Tourisme pl. des Cordeliers ✆ 75 33 24 51.

Paris 535 ① – ♦St-Étienne 43 ④ – Valence 52 ① – ♦Grenoble 101 ① – Tournon 35 ① – Vienne 44 ① – Yssingeaux 56 ③.

Midi sans rest, 17 pl. Cordeliers **(n)** ✆ 75 33 23 77, Fax 75 33 02 43 – AE GB JCB
fermé 20 déc. au 20 janv. et dim. soir en hiver – 30 – **40 ch** 115/240.

Marc et Christine, 29 av. Marc Seguin **(e)** ✆ 75 33 46 97, – GB
fermé 17 août au 1er sept., 4 au 19 janv., dim. soir et lundi sauf fériés – **R** 95/275, enf. 60 - **Le Patio R** 92/129, enf.45.

à Davézieux par ① : 4,5 km sur D 82 – ✉ **07100**.

Voir Safari-parc★ de Peaugres NE : 3 km.

Don Quichotte et Siesta, rte Valence ✆ 75 33 11 99, Télex 346380, Fax 75 67 57 19, – rest Ⓟ – 35 à 60. AE GB
R 94/235 – 35 – **56 ch** 165/282 – ½ P 225.

CITROEN Gar. du Vivarais, ZI La Lombardière, à Davézieux par ① ✆ 75 33 26 32 ✆ 75 33 42 27
FIAT Gar. Dhennin, 47 bd République ✆ 75 33 24 43
FORD Caule, rte de Lyon, à Davézieux ✆ 75 33 22 98
PEUGEOT-TALBOT Desruol, N 82, St-Clair par ① ✆ 75 33 10 98
RENAULT Soverad, rte de Lyon à Davézieux ✆ 75 33 20 21
V.A.G Siterre, 33 bd République ✆ 75 33 42 10

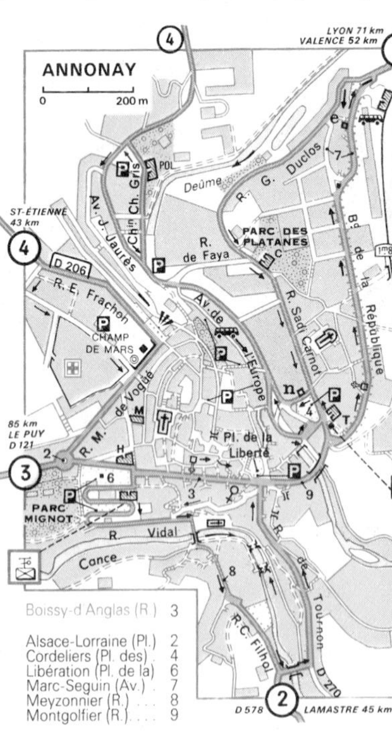

Eyraud, 45 bd République ✆ 75 33 42 19
Jurdit, 47 r. G.-Duclos ✆ 75 33 27 49
Technique Auto Service, 7 av. M.-Seguin ✆ 75 33 10 53

CONSTRUCTEUR : Renault Véhicules Industriels, rte de Roanne ✆ 75 33 11 11

ANNOT 04240 Alpes-de-H.-P. 81 ⑱ 195 ⑫ **G. Alpes du Sud** – 1 053 h. alt. 700.

Voir Vieille ville★ – Clue de Rouaine★ S : 4 km.

Syndicat d'Initiative pl. Mairie (saison) ✆ 92 83 23 03.

Paris 820 – Digne 70 – Castellane 32 – Manosque 109.

Avenue, ✆ 92 83 22 07 – AE GB
hôtel : 1er avril-15 nov. ; rest. : 1er avril-30 nov. – **R** 83/195, enf. 60 – 27 – **12 ch** 183/276 – ½ P 243/273.

ANOST **71550** S.-et-L. 69 ⑦ **G. Bourgogne** – 746 h. alt. 550.

Voir ☼★ de Notre-Dame de l'Aillant : 30 mn.

Paris 275 – Autun 23 – Château-Chinon 19 – Mâcon 135 – Montsauche 17.

La Galvache, ✆ 85 82 70 88 – GB
10 avril-1er déc. et fermé lundi sauf juil.-août – **R** 50/160 ♁, enf. 40.

ANSE **69480** Rhône 74 ① – 4 458 h. alt. 176.

Paris 438 – ♦Lyon 27 – L'Arbresle 20 – Bourg-en-Bresse 56 – Mâcon 46 – Villefranche-sur-Saône 6.

St-Romain ⛰, rte Graves ✆ 74 68 05 89, Fax 74 67 12 85, 🌳, ☂ – TV ☎ P – 🏛 30 à 60. AE ⓓ GB JCB
fermé 30 nov. au 7 déc. et dim. soir du 1er nov. au 30 avril – **Repas** 93/300 ♁ – ☕ 28 – **24 ch** 200/270 – ½ P 229/240.

à Lachassagne SO : 4 km par D 39 – ✉ **69480** :

Paul Clavel, ✆ 74 67 14 99, 🌳, terrasse avec ≤ les vignes – P. AE GB
fermé 15 juil. au 6 août, merc. soir, dim. soir et lundi – **R** 135/230.

ANTAGNAC **47** L.-et-G. 79 ⑬ – rattaché à Casteljaloux.

ANTHY-SUR-LÉMAN **74** H.-Savoie 170 ⑰ – rattaché à Thonon-les-Bains.

Au moment de chercher un hôtel ou un restaurant, soyez efficace.
Sachez utiliser les noms soulignés en rouge sur les cartes Michelin à 1/200 000.
Mais ayez une carte à jour !

ANTIBES **06600** Alpes-Mar. 84 ⑨ 195 ㊱ ㊵ **G. Côte d'Azur** – 70 005 h. alt. 9 – Casino "la Siesta" sur D 41.

Voir Vieille ville★ X : Av. Amiral-de-Grasse ≤★ – Château Grimaldi (Déposition de Croix★, Musée Picasso★) X **B** – Musée Peynet★ X **M**1 – Marineland★ 4 km par ①.

18 de Biot ✆ 93 65 08 48, NO : 4 km.

Maison du Tourisme 11 pl. Gén.-de-Gaulle ✆ 93 33 95 64, Télex 970103.

Paris 915 ② – Cannes 9,5 ③ – ♦Nice 22 ① – Aix-en-Provence 159 ②.

Plan page suivante

Royal et rest. Le Dauphin, bd Mar. Leclerc ✆ 93 34 03 09, Fax 93 34 23 31, ≤, 🌳, 🏖 – 🛗 ▤ ch ☎. AE ⓓ GB. ✂ rest — X **q**
hôtel : fermé 5 nov. au 5 déc. ; rest. : fermé 5 nov. au 1er fév., dim. soir et lundi sauf juil.-août – **R** 120/230, enf. 55 – ☕ 35 – **38 ch** 390/560 – ½ P 380/450.

Josse sans rest, 8 bd James Wyllie ✆ 93 61 47 24, Fax 93 61 97 62, ≤ – ▤ TV ☎ 🚗. AE ⓓ GB JCB — Z **f**
☕ 40 – **26 ch** 429/579.

Petit Castel sans rest, 22 chemin des Sables ✆ 93 61 59 37, Fax 93 67 51 28 – ▤ TV ☎. GB — Z **b**
fermé 22 au 27 déc. et vacances de fév. – ☕ 30 – **16 ch** 360/450.

L'Étoile M sans rest, 2 av. Gambetta ✆ 93 34 26 30, Fax 93 34 41 48 – 🛗 ▤ TV ☎. AE ⓓ GB — X **m**
☕ 30 – **29 ch** 280/340.

Mas Djoliba ⛰, 29 av. Provence ✆ 93 34 02 48, Fax 93 34 05 81, 🌳, « Jardin », 🏊 – TV ☎ P. AE ⓓ GB JCB — Y **h**
R (dîner seul.)(résidents seul.) 140 – ☕ 40 – **13 ch** 350/620 – ½ P 430/460.

La Marguerite, 11 r. Sadi Carnot ✆ 93 34 08 27 – ▤ — X **s**

L'Ecurie Royale, 33 r. Vauban ✆ 93 34 76 20 – ▤. AE ⓓ GB — X **t**
fermé 15 janv. au 15 fév., le midi du 1er juin au 20 sept., dim. soir et lundi du 20 sept. au 31 mai – **R** 95/200 ♁.

Les Vieux Murs, av. Amiral de Grasse ✆ 93 34 06 73, 🌳 – AE ⓓ GB — X **b**
R 200.

Aub. Provençale avec ch, pl. Nationale ✆ 93 34 13 24, 🌳 – TV ☎. AE ⓓ GB — X **k**
fermé 15 avril au 15 mai, 15 nov. au 15 déc., mardi midi et lundi – **R** 145/230 – **5 ch** ☕ 240/350.

du Bastion, 1 av. Gén. Maizière ✆ 93 34 13 88, Fax 93 34 72 13, 🌳 – AE ⓓ GB — X **p**
fermé 20 fév. au 8 mars, lundi (sauf le soir en sais.) et dim. soir hors sais. – **R** 140/198.

L'Armoise, 2 r. Touraque ✆ 93 34 71 10 – ▤. AE GB — X **u**
fermé 15 nov. au 15 déc. et merc. sauf juil.-août – **R** 98/148.

L'Oursin, 16 r. République ✆ 93 34 13 46, produits de la mer – ▤. GB — X **z**
fermé 20 juil. au 27 août, dim. soir et lundi – **R** carte 110 à 220 ♁.

Le Romantic, 5 r. Rostan ✆ 93 34 59 39 – ▤. AE ⓓ GB — X **v**
fermé 2 au 12 mars, 23 nov. au 9 déc., le midi en juil.-août (sauf dim), dim. soir et merc. – **R** 105/175.

par ① et N7 – ✉ **06600** Antibes :

Bleu Marine Ⓜ sans rest, chemin 4 Chemins ☎ 93 74 84 84, Fax 93 95 90 26 – ascenseur TV ☎ Ⓟ. AE ① GB. ✻
☕ 30 – **18 ch** 270/340.

par ② 4,5 km – ✉ **06600** Antibes :

Apogia Ⓜ, 2599 rte de Grasse (sortie péage Antibes) ☎ 93 74 46 36, Télex 461181 Fax 93 74 53 04, ☂, ⛱, ✕ – ascenseur ≡ ch TV ☎ ♿ Ⓟ – 🏛 150. AE ① GB
R 95/210 – ☕ 45 – **75 ch** 500.

CITROEN Gar. Riviera, bretelle autoroute par ② ☎ 92 91 23 23 N ☎ 93 64 62 31
OPEL Gge Dugommier, 172 rte de Nice La Fontonne ☎ 93 74 59 99
PEUGEOT TALBOT Ortelli, rte de Grasse, bretelle autoroute par ② ☎ 93 33 29 88

V.A.G Sport-Auto-Route, 2329 rte de Grasse ☎ 93 33 28 59 N ☎ 93 61 62 03

Massa-Pneus, 127 rte de Grasse ☎ 93 74 27 01

ANTIBES

Albert-1er (Bd) X
Gaulle (Pl. du Gén.-de) . . . . X 22
Nationale (Pl.) . . . . X 35
République (R. de la) . . . . X 45

Alger (R. d') . . . . X 2
Aubernon (R.) . . . . X 3
Bourgarel (R.) . . . . X 6
Briand (Av. A.) . . . . X 8
Chaudon (Av. Dir.) . . . . X 12
Dugommier (Bd) . . . . X 15
Grand-Cavalier (Av. du) . . . . X 24
Immaculée-Concept. (✚) . . . . X D
Libération (Av. de la) . . . . X 29
Masséna (Cours) . . . . X 32
Mistral (Av. F.) . . . . X 34
Pasteur (Av.) . . . . X 39
Safranier (Pl. du) . . . . X 48
Vauban (R.) . . . . X 53
Vautrin (Bd du Gén.) . . . . X 58

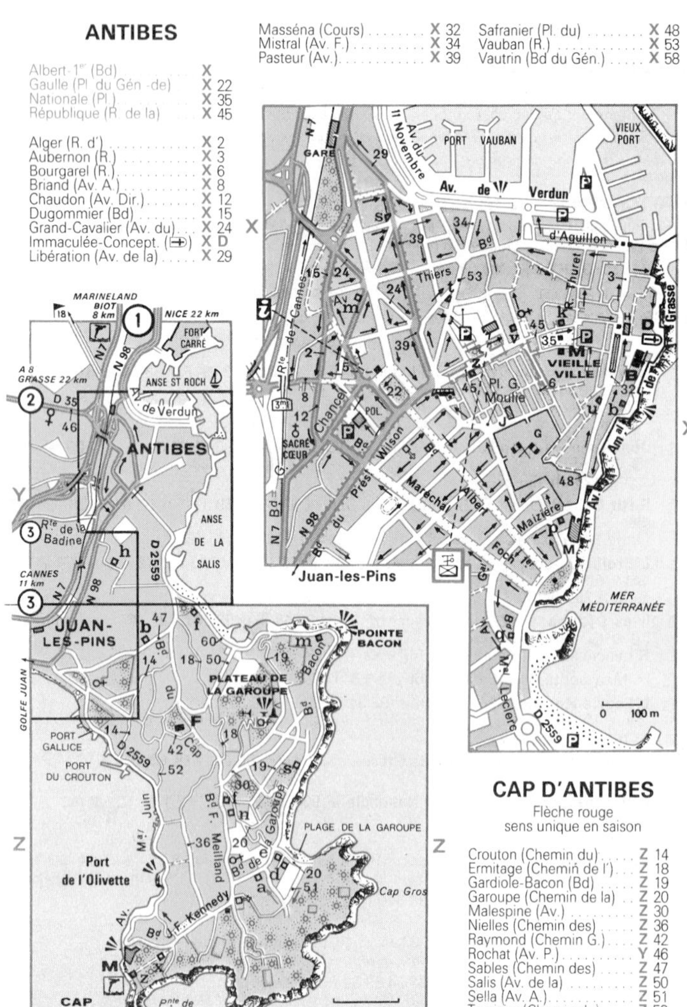

CAP D'ANTIBES

Flèche rouge
sens unique en saison

Crouton (Chemin du) . . . . Z 14
Ermitage (Chemin de l') . . . . Z 18
Gardiole-Bacon (Bd) . . . . Z 19
Garoupe (Chemin de la) . . . . Z 20
Malespine (Av.) . . . . Z 30
Nielles (Chemin des) . . . . Z 36
Raymond (Chemin G.) . . . . Z 42
Rochat (Av. P.) . . . . Y 46
Sables (Chemin des) . . . . Z 47
Salis (Av. de la) . . . . Z 50
Sella (Av. A.) . . . . Z 51
Tamisier (Chemin du) . . . . Z 52
Wyllie (Bd James) . . . . Z 60

Cap d'Antibes – ✉ 06600 Antibes.

Voir Plateau de la Garoupe ✻★★ Z – Jardin Thuret★ Z F – ≤★ Pointe Bacon Z – ≤★ de la plate-forme du bastion (musée naval) Z **M.**

du Cap, bd Kennedy ☎ 93 61 39 01, Télex 470763, Fax 93 67 76 04, ≤ littoral et le large, « Grand parc fleuri face à la mer », – ch – 140. Z **x**
avril-oct. – **R** voir rest **Pavillon Eden Roc** ci-après – 120 – **121 ch** 2300/3000, 9 appart.

Don César M, 40 bd Garoupe ☎ 93 67 15 30, Fax 93 67 18 25, ≤, – AE GB Z **s**
6 mars-15 nov. – **R** 220 – 65 – **18 ch** 600/1000 – ½ P 500/700.

Levant sans rest, à la Garoupe, chemin plage ☎ 93 61 41 33, ≤, – GB. Z **e**
Pâques-début oct. – 48 – **27 ch** 500/730.

La Gardiole et rest. Chez Gilles, chemin La Garoupe ☎ 93 61 35 03, Fax 93 67 61 87, – ch AE GB Z **n**
1er mars-4 nov. – **R** 100/175, enf. 50 – 45 – **21 ch** 260/650 – ½ P 380/450.

Manoir Castel Garoupe Axa sans rest, 959 bd la Garoupe ☎ 93 61 36 51, Fax 93 67 74 88, « Jardin fleuri », – cuisinette GB JCB. Z **a**
20 ch 630/680.

La Garoupe et Réserve du Cap sans rest, 81 bd F. Meilland ☎ 93 61 54 97, Fax 93 67 92 65, – AE GB JCB Z **f**
40 – **24 ch** 280/750.

Miramar, à la Garoupe, chemin plage ☎ 93 61 52 58, Fax 93 61 60 01, – GB
1er mars-30 nov. – **R** (résidents seul.) 80/160, enf. 65 – 35 – **14 ch** 395/445 – ½ P 360/380. Z **d**

XXXX **Pavillon Eden Roc** - Hôtel du Cap, bd Kennedy ☎ 93 61 39 01, Télex 470763, Fax 93 67 76 04, ≤ littoral et les îles, parc, « Isolé sur un roc, en bordure de mer, » – Z **z**
avril-oct. – **R** carte 480 à 580.

XXXX ✿ **Bacon,** bd Bacon ☎ 93 61 50 02, Fax 93 61 65 19, ≤ Antibes et baie des Anges, – AE GB. Z **m**
fermé 15 nov. au 31 janv., dim. soir (sauf juil.-août) et lundi – **R** 350/450 dîner à la carte
Spéc. Bouillabaisse, Chapon en papillote (mai à sept.), Millefeuille chaud. **Vins** Bellet, Côtes de Provence.

ANTICHAN-DE-FRONTIGNES 31510 H.-Gar. 86 ① – 73 h. alt. 580.
Paris 805 – Bagnères-de-Luchon 25 – Lannemezan 34 – St-Girons 60 – ♦Toulouse 109.

X **La Palombière** avec ch, carrefour D 9 et D 618 ☎ 61 79 67 01, ≤, – GB
fermé nov., vacances de fév. et merc. du 1er déc. au 30 avril – **R** 50/135 – 20 – **6 ch** 170/240 – ½ P 160/200.

ANTONNE-ET-TRIGONANT 24 Dordogne 75 ⑥ – rattaché à Périgueux.

ANTONY 92 Hauts-de-Seine 60 ⑩ – Voir à Paris, Environs.

ANTRAIGUES-SUR-VOLANE 07530 Ardèche 76 ⑲ **G. Vallée du Rhône** – 506 h. alt. 471.
Paris 642 – Le Puy-en-Velay 72 – Aubenas 13 – Lamastre 58 – Langogne 65 – Privas 41.

X **La Remise,** au pont de l'Huile ☎ 75 38 70 74 – .
fermé nov., dim. soir et vend. sauf juil.-août – **R** 120/200.

AOSTE 38490 Isère 74 ⑭ – 1 548 h. alt. 225.
Paris 516 – ♦ Grenoble 56 – Belley 26 – Chambéry 35 – ♦Lyon 70.

à la Gare de l'Est NE : 2 km sur N 516 – ✉ 38490 Les Abrets :

Vieille Maison, ☎ 76 31 60 15, Fax 76 31 69 75, – GB. rest
fermé 8 sept. au 1er oct., 20 déc. au 1er janv., dim. soir et merc. sauf juil.-août – **R** 110/260 – 32 – **13 ch** 250/360 – ½ P 350.

Au Coq en Velours, ☎ 76 31 60 04, « Jardin fleuri » – AE GB. ch
fermé 2 au 15 janv., dim. soir et lundi (sauf hôtel en juil.-août) – **R** 90/260 – 25 – **16 ch** 200/240 – ½ P 220/240.

OPEL Gar. Carriot ☎ 76 31 64 51

AOUSTE-SUR-SYE 26 Drôme 77 ⑫ – rattaché à Crest.

APPOIGNY 89380 Yonne 65 ⑤ G. Bourgogne – 2 755 h. alt. 110.

Paris 163 – Auxerre 9,5 – Joigny 17 – St-Florentin 27.

XX **Aub. Les Rouliers,** ☎ 86 53 20 09, Fax 86 53 02 61 – Ⓟ. GB
R 78/175, enf. 40.

APT 84400 Vaucluse 81 ⑭ G. Provence – 11 506 h. alt. 221.

Office de Tourisme av. Ph.-de-Girard ☎ 90 74 03 18.

Paris 730 ③ – Digne 90 ① – Aix-en-P. 51 ② – Avignon 51 ③ – Carpentras 49 ③ – Cavaillon 31 ③.

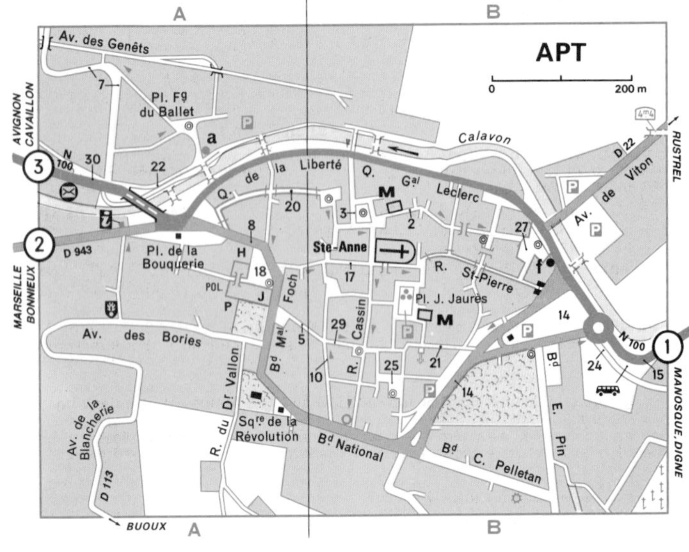

Docteur-Gros (R. du)	A 8	Cucuronne (Mtée de la)	A 7	Rousset (R. Louis)	B 21
Marchands (R. des)	B 17	Gambetta (R.)	B 10	Sagy (Quai Léon)	A 22
St-Pierre (R.)	B	Girard (Av. Ph.-de)	A 12	Saignon (Av. de)	B 24
		Lauze-de-Perret (Crs et Pl.)	B 14	St-Martin (Pl.)	B 25
Amphithéâtre (R. de l')	B 2	Libération (Av. de la)	B 15	St-Pierre (Pl.)	B 27
Carnot (Pl.)	B 3	Péri (Pl. Gabriel)	A 18	Scudéry (R.)	B 29
Cély (R.)	AB 5	République (R. de la)	A 20	Victor-Hugo (Av.)	A 30

Aptois H. sans rest, 6 cours Lauze-de-Perret ☎ 90 74 02 02 – ☎. GB. B **f**
fermé 15 fév. au 15 mars – ☕ 28 – **26 ch** 140/270.

XXX **Aub. du Luberon** avec ch, 17 quai Léon Sagy ☎ 90 74 12 50, Fax 90 04 79 49, – TV ☎. AE ⓓ GB A **a**
hôtel : fermé 1er au 7/7 ; rest. : fermé 1er au 7/7, 2 au 18 janv., dim. soir et lundi sauf vacances scolaires – **R** (nombre de couverts limité, prévenir) 150/230, enf. 85 – ☕ 45 – **15 ch** 210/400 – ½ P 285/355.

par ① : 7 km sur N 100 – ✉ 84750 St-Martin-de-Castillon :

Lou Caleu M, ☎ 90 75 28 88, – TV ☎ & Ⓟ. AE ⓓ GB
R 82/165, enf. 45 – ☕ 40 – **16 ch** 250/320 – ½ P 300.

par ③ , N 100 et VO – ✉ 84400 Apt :

Relais de Roquefure, à 6 km ☎ 90 04 88 88, ←, , parc – ☎ Ⓟ. GB
fermé 5 janv. au 15 fév. – **R** *(dîner seul. sauf dim.)* 99/130 – ☕ 35 – **15 ch** 170/290 – ½ P 200/250.

X **La Grasille,** à 7 km ☎ 90 74 25 40, – Ⓟ. ⓓ GB
fermé janv., dim. soir et lundi – **R** grill 80/160, enf. 55.

CITROEN Aymard, 53 av. V.-Hugo par ③ ☎ 90 74 04 39 N ☎ 90 74 15 02
FORD Germain, 56 av. V.-Hugo ☎ 90 74 10 17 N ☎ 90 74 15 02
PEUGEOT-TALBOT Splendid Gar., quartier Lançon, N 100, rte d'Avignon par ③ ☎ 90 74 02 11

RENAULT Automobile Cavaillonnaise, quartier Lançon, RN 100 par ③ ☎ 90 74 18 41 N ☎ 05 05 15 15

Aptalec, 41 av. V.-Hugo ☎ 90 74 31 04
Ayme-Pneus, quartier Lançon, N 100 ☎ 90 74 07 78

La guida cambia, cambiate la guida ogni anno.

ARAVIS (Col des) 74 H.-Savoie 74 ⑦ G. Alpes du Nord – alt. 1 498 – ✉ 74220 La Clusaz.

Voir ≤★★.

Paris 587 – Chamonix 57 – Albertville 33 – Annecy 39 – Bonneville 33 – La Clusaz 7,5 – Megève 21.

X **Rhododendrons,** ☎ 50 02 41 50, ≤, 🍽 – GB
1er mai-30 sept. – **R** 75/135 🍷, enf. 42.

ARBOIS 39600 Jura 70 ④ G. Jura (plan) – 3 900 h. alt. 291.

Voir Maison paternelle de Pasteur★ – Reculée des Planches★★ et grottes des Planches★ E : 4,5 km par D 107.

Env. Cirque du Fer à Cheval★★ S : 7 km par D 469 puis 15 mn.

🅸 Office de Tourisme à la Mairie ☎ 84 37 47 37.

Paris 398 – ◆Besançon 47 – Dole 35 – Lons-le-Saunier 39 – Salins-les-Bains 13.

🏨 ✿ **Jean-Paul Jeunet** M, r. de l'Hôtel de Ville ☎ 84 66 05 67, Fax 84 66 24 20, 🍽 – 🛗 TV ☎ 🚗 – 🏛 50. ◑ GB
fermé déc., janv., merc. midi (sauf vacances scolaires et sept.) et mardi – **R** 200/500, enf. 80 – ☕ 55 – **17 ch** 280/500
Spéc. Foie gras juste poché et caramel de Macvin, Embeurrée d'escargots dans une nage à la réglisse, Poularde en gigot au Vin Jaune et morilles. Vins Arbois-Pupillin, Château-Chalon.

🏨 **des Cépages** M, rte Villette-les-Arbois ☎ 84 66 25 25, Télex 361621, Fax 84 37 49 62 – 🛗 TV ☎ ♿ 🅿 – 🏛 40. AE GB
R *(fermé sam., dim. et fériés)* (dîner seul) 98 – ☕ 38 – **33 ch** 298 – ½ P 258.

🏨 **Messageries** sans rest, r. Courcelles ☎ 84 66 15 45, Fax 84 37 41 09 – ☎ 🚗 GB
fermé 1er déc. au 31 janv. et merc. hors sais. – ☕ 28 – **26 ch** 170/280.

XX **Caveau d'Arbois,** 3 rte Besançon ☎ 84 66 10 70, Télex 361621, Fax 84 37 49 62 – AE GB. ✗
R 69/228.

PEUGEOT-TALBOT Ganeval ☎ 84 66 02 78 RENAULT Dupré ☎ 84 66 05 70

ARBOIS (Mont d') 74 H.-Savoie 74 ⑧ – rattaché à St-Gervais-les-Bains.

ARBONNE-LA-FORÊT 77630 S.-et-M. 61 ① – 762 h. alt. 73.

Paris 58 – Fontainebleau 10 – Évry 29 – Melun 16 – Nemours 25.

XX **Aub. du Petit Corne Biche,** ☎ (1) 60 66 26 34, 🍽 – GB
fermé 19 août au 12 sept., 23 déc. au 10 janv., mardi et merc. – **R** 110/190.

ARCACHON 33120 Gironde 78 ② ⑫ G. Pyrénées Aquitaine – 11 770 h. alt. 5 – Casino.

Voir Boulevard de la Mer★ AX.

⛳ ☎ 56 54 44 00, par ② : 4 km ; ⛳ ⛳ de Gujan-Mestras ☎ 56 66 86 36, par ① N 250 puis D 652 : 11 km.

🅸 Office de Tourisme pl. F.-Roosevelt ☎ 56 83 01 69, Télex 570503 et Château Deganne.

Paris 653 ① – ◆Bordeaux 64 ① – Agen 193 ① – ◆Bayonne 182 ① – Dax 143 ① – Royan 194 ①.

Plan page suivante

🏨 **Arc Hôtel sur Mer** M 🐦 sans rest, 89 bd Plage ☎ 56 83 06 85, Télex 571044, Fax 56 83 53 72, ≤, 🏊 – 🛗 ▤ TV ☎ 🅿. AE ◑ GB. ✗ BZ **b**
☕ 50 – **30 ch** 398/850, 3 appart.

🏨 **Deganne** M sans rest, r. Prof. Jolyet ☎ 56 83 99 91, Fax 56 83 28 67, ≤ – 🛗 ▤ TV ☎ ♿ 🅿. AE ◑ GB BZ **r**
☕ 58 – **57 ch** 580/950.

🏨 **Les Vagues** M 🐦, 9 bd Océan ☎ 56 83 03 75, Fax 56 83 77 16, ≤ – 🛗 TV ☎ 🅿 – 🏛 30. AE ◑ GB. ✗ rest AZ **b**
R *(Pâques-2 oct.)* (dîner seul.) (½ pens. seul.) 180, enf. 120 – ☕ 49 – **30 ch** 490/710 – ½ P 474/584.

🏨 **Point France** sans rest, 1 r. Grenier ☎ 56 83 46 74, Télex 573049, Fax 56 22 53 24 – 🛗 TV ☎ 🚗. AE ◑ GB BZ **q**
1er mars-15 nov. – ☕ 45 – **34 ch** 380/645.

🏨 **Gd H. Richelieu** sans rest, 185 bd Plage ☎ 56 83 16 50, Télex 540043, Fax 56 83 47 78, ≤ – 🛗 TV ☎ 🅿. AE ◑ GB BZ **n**
15 mars-3 nov. – ☕ 40 – **43 ch** 380/600.

🏨 **Les Ormes** M 🐦, 77 bd Plage ☎ 56 83 09 27, Fax 56 54 97 10, ≤, 🍽 – 🛗 TV ☎ 🅿 – 🏛 50. AE ◑ GB BZ **d**
R 90/160, enf. 50 – ☕ 48 – **28 ch** 310/695 – ½ P 400/570.

🏨 **Sémiramis** 🐦, 4 allée Rebsomen ☎ 56 83 25 87 – ☎ 🅿. GB. ✗ rest AZ **m**
fermé dim. du 15 oct. au 28 fév. – **R** (sur réservation seul.) 138/195 – ☕ 45 – **11 ch** 495/560 – ½ P 420/475.

🏨 **Aquamarina** M sans rest, 82 bd Plage ☎ 56 83 67 70, Fax 56 83 77 16 – 🛗 TV ☎ ♿ 🚗. AE ◑ GB BZ **x**
☕ 47 – **33 ch** 440/545.

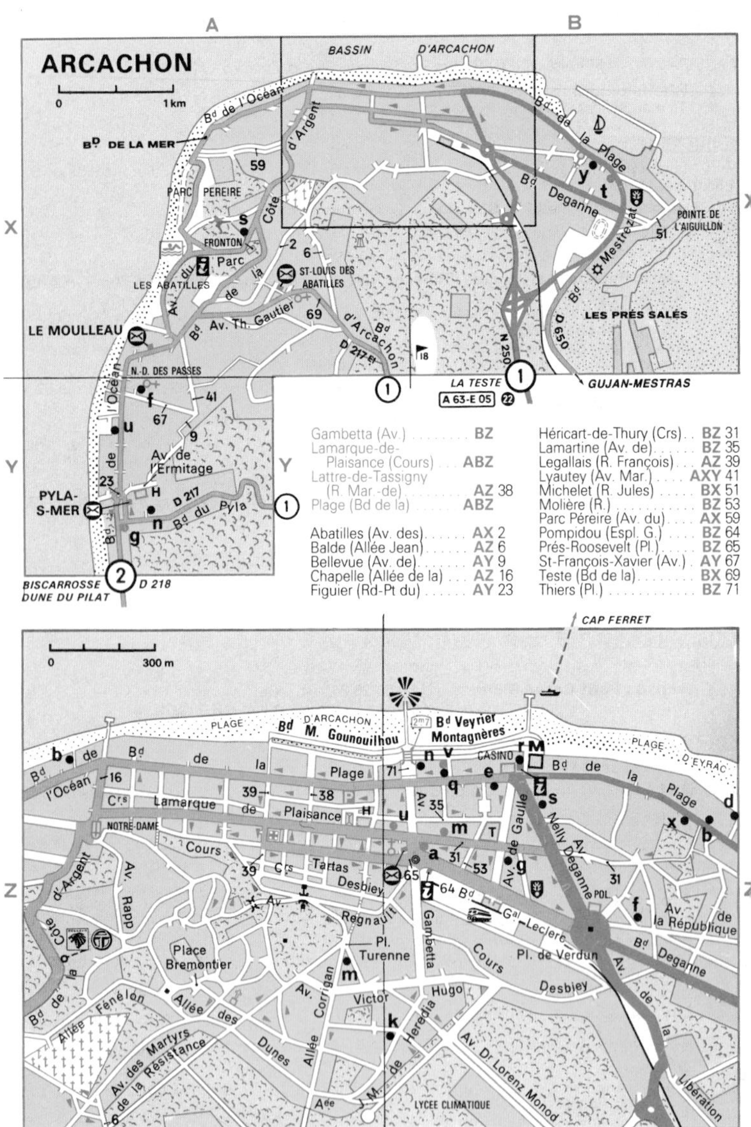

🏨 **Le Nautic** Ⓜ sans rest, 20 bd Plage ✆ 56 83 01 48, Fax 56 83 04 67 – |‡| TV ☎ Ⓟ – 🏊 80. AE ⓓ GB BX **y**
☕ 37 – **43 ch** 340/395.

🏨 **Plage** Ⓜ, 10 av. N. Deganne ✆ 56 83 06 23, Télex 572082, Fax 56 83 41 47, 🏖 – |‡| TV ☎ Ⓟ. AE ⓓ GB JCB BZ **s**
R *(fermé lundi du 15 oct. au 1er avril)* 85/135, enf. 55 – ☕ 33 – **50 ch** 365/420 – ½ P 310/330.

🏨 **Roc Hôtel et Moderne,** 200 bd Plage ✆ 56 83 05 01, Fax 56 83 22 76, 🏖 – |‡| TV ☎ – 🏊 60. AE GB BZ **e**
1er mars-1er déc. et fermé lundi sauf de mai à sept. – **R** 95/165 🍷, enf. 70 – ☕ 39 – **54 ch** 250/500.

Le Novel sans rest, 24 av. Gén. de Gaulle ✆ 56 83 40 11 – |‡| TV ☎. AE GB — BZ **g**
fermé janv. – ☕ 32 – **22 ch** 260/360.

Mimosas sans rest, 77 bis av. République ✆ 56 83 45 86 – TV ☎ P. ◑ GB — BZ **f**
☕ 30 – **21 ch** 250/350.

Marinette ⛰ sans rest, 15 allée J.-M. de Hérédia ✆ 56 83 06 67 – TV ☎. GB — BZ **k**
15 mars-30 oct. – ☕ 30 – **23 ch** 300/380.

XX **Patio,** 10 bd Plage ✆ 56 83 02 72, Fax 56 54 89 98, 🏖 – ⚡. GB — BX **t**
fermé 16 au 30 nov., fév. et mardi sauf juil.-août – **R** *(fermé lundi midi et mardi midi en sais.)* carte 210 à 290.

XX **L'Ombrière et H. Gascogne** avec ch, 79 cours H. de Thury ✆ 56 83 42 52, Fax 56 83 15 55, 🏖 – |‡| TV ☎. AE ◑ GB — BZ **m**
R *(fermé 15 au 31 janv. et merc. d'oct. à mars)* 128 – ☕ 34 – **26 ch** 180/320 – ½ P 210/290.

XX **France,** 20 bd Veyrier-Montagnières ✆ 56 83 49 43, Fax 56 22 53 11, 🏖 – ▤. AE ◑ GB
fermé 20 déc. au 5 janv., mardi soir et merc. du 15 oct. au 15 avril – **R** 85/150. — BZ **v**

X **Chez Yvette,** 59 bd Gén. Leclerc ✆ 56 83 05 11, produits de la mer – ⚡. AE ◑ GB
fermé janv. – **R** carte 190 à 290, enf. 60. — BZ **a**

X **Bayonne** avec ch, 9 cours Lamarque ✆ 56 83 33 82, Fax 56 83 73 06 – TV ☎. AE GB — BZ **u**
1er avril-20 oct. – **R** *(fermé lundi en avril-mai)* 78/120 – ☕ 32 – **18 ch** 250/350 – ½ P 300/330.

aux Abatilles SO : 2 km – ✉ **33120** Arcachon :

Parc ⛰ sans rest, 5 av. Parc ✆ 56 83 10 58, Fax 56 54 05 30 – |‡| TV ☎ P. GB. ✂
1er juin-1er oct. – ☕ 38 – **30 ch** 430/495. — AX **s**

au Moulleau SO : 5 km – ✉ **33120** Arcachon :

Les Buissonnets ⛰, 12 r. L. Garros ✆ 56 54 00 83, 🏖, 🌳 – TV ☎. GB. ✂ — AY **f**
R 96/185 – ☕ 40 – **13 ch** 450 – ½ P 360.

PEUGEOT, TALBOT Gleizes, 36 bd Côte-d'Argent ✆ 56 83 06 43
V.A.G Dupin, 61 bd Mestrezat ✆ 56 83 13 28

ARCANGUES 64 Pyr.-Atl. 78 ⑱ – rattaché à Biarritz.

ARC-EN-BARROIS 52210 H.-Marne 166 ② **G. Champagne** – 874 h. alt. 270.

ℹ Syndicat d'Initiative Hôtel de Ville (15 juin-15 sept. après-midi seul.) ✆ 25 02 52 17.

Paris 255 – Chaumont 23 – Bar-sur-Aube 53 – Châtillon-sur-Seine 42 – Langres 30.

Château d'Arc ⛰, ✆ 25 02 57 57, Fax 25 32 99 15, ≤, « Bâtisse d'époque Louis-Philippe, parc », 🏃 – |‡| TV ☎ P – 🎪 40. AE ◑ GB JCB
R 160/250 – **29 ch** ☕ 350/800 – ½ P 460.

Parc, ✆ 25 02 53 07 – ☎ – 🎪 80. GB
R 70/165 – ☕ 25 – **18 ch** 120/295.

ARCENS 07310 Ardèche 76 ⑱ – 479 h. alt. 610.

Paris 602 – Le Puy-en-Velay 73 – Le Cheylard 16 – Privas 64 – St-Agrève 21.

Chalet des Cévennes ⛰, ✆ 75 30 41 90, ≤, 🌳 – ☎ 🚗 P. GB. ✂ ch
fermé oct., dim. soir et vend. – **R** 75/150 – ☕ 27 – **16 ch** 150/220 – ½ P 170/190.

ARC-ET-SENANS 25610 Doubs 170 ④ **G. Jura** – 1 277 h. alt. 232 – **Voir** Saline Royale★★.

Paris 395 – ◆Besançon 33 – Pontarlier 61 – Salins-les-Bains 17.

X **Le Relais** avec ch, pl. Église ✆ 81 57 40 60, 🏖 – GB
fermé 15 déc. au 15 janv. et dim. soir sauf juil.-août – **R** 50/190 🍷 – ☕ 22 – **11 ch** 105/165 – ½ P 120/150.

RENAULT Gar. des Salines, r. de Rans ✆ 81 57 40 77 N ✆ 81 57 43 62

ARCHES 15200 Cantal 76 ① – 174 h.

Paris 496 – Aurillac 63 – Bort-les-Orgues 28 – Mauriac 11 – Ussel 44.

X **Le Donjon** ⛰ avec ch, ✆ 71 69 74 00, 🌳 – ☎ ♿ P. GB
fermé lundi hors sais. – **R** 80/110, enf. 32 – ☕ 26 – **7 ch** 180/250 – ½ P 185/220.

ARCINS 33 Gironde 171 ⑧ – rattaché à Margaux.

L'ARCOUEST (Pointe de) 22 C.-d'Armor 59 ② – rattaché à Paimpol.

Les ARCS 73 Savoie 74 ⑱ **G. Alpes du Nord** – alt. 1 600 – Sports d'hiver : 1 600/3 200 m 🚡1 ⛷64 – ✉ **73700** Bourg-St-Maurice.

Voir Arc 1800 ✱★★ – Arc 1600 ≤★.

🏌18 des Arcs Le Chantel ✆ 79 07 43 95, NO : 5 km.

ℹ Office de Tourisme (saison) ✆ 79 41 55 55.

Paris 646 – Albertville 64 – Bourg-Saint-Maurice 11 – Chambéry 110 – Val-d'Isère 40.

Latitudes ⚘, S : 5 km - alt. 1 800 ✆ 79 07 49 79, Télex 309743, Fax 79 07 49 87, ⛱ – |♦| ☎ ⟹ – 🏋 100. AE ⓞ GB. ✂
1er juil.-31 août et 20 déc.-15 avril – **R** 150, enf. 80 – **158 ch** ☐ 650/980 – ½ P 430/580.

Les ARCS 83460 Var 84 ⑦ **G. Côte d'Azur** – 4 744 h. alt. 74.

Voir Polyptyque★ dans l'église – Chapelle Ste-Roseline★ NE : 4 km.

Syndicat d'Initiative pl. Gén.-de-Gaulle ✆ 94 73 37 30.

Paris 851 – Fréjus 23 – Brignoles 41 – Cannes 55 – Draguignan 10 – St-Raphaël 26 – Ste-Maxime 29.

XX **Logis du Guetteur** ⚘ avec ch, au village médiéval, SE par D 57 ✆ 94 73 30 82, Fax 94 73 39 95, ⛱, « Pittoresque installation dans un vieux fort » – ☎ Ⓟ. AE ⓞ GB JCB
fermé 15 nov. au 15 déc. – **R** 125/180 – ☐ 41 – **11 ch** 420 – ½ P 390.

CITROEN Gar. Audibert ✆ 94 73 31 41

RENAULT Gar. des 4 Chemins ✆ 94 47 40 43 N

ARCUEIL 94 Val-de-Marne 60 ⑩, 101 ㉕ – voir à Paris, Environs.

ARCY-SUR-CURE 89270 Yonne 65 ⑤ **G. Bourgogne** – 503 h. alt. 133.

Paris 200 – Auxerre 31 – Avallon 21 – Vézelay 21.

X **Grottes** avec ch, N 6 ✆ 86 81 91 47, ⛱ – ☎ Ⓟ. GB
fermé 20 déc. au 25 janv. et merc. du 15 sept. au 15 mai – **R** 68/148 ♂, enf. 45 – ☐ 25 – **7 ch** 125/200 – ½ P 180/220.

RENAULT Gar. Teissier ✆ 86 81 90 42

ARDÈCHE (Gorges de l') ★★★ 07 Ardèche 80 ⑨ **G. Provence.**

Ressources hôtelières : voir ***Vallon Pont d'Arc.***

ARDENTES 36120 Indre 68 ⑨ **G. Berry Limousin** – 3 511 h. alt. 163.

Paris 279 – Bourges 63 – Argenton-sur-Creuse 42 – Châteauroux 13 – La Châtre 22 – Issoudun 28 – St-Amand-Montrond 58.

XX **Gare,** ✆ 54 36 20 24 – Ⓟ. GB
fermé 2 au 24 août, vacances de fév., soirs de fêtes, dim. soir et lundi – **R** 110/150.

XX **Chêne Vert** avec ch, av. Verdun ✆ 54 36 22 40 – TV ☎. AE ⓞ GB
fermé 2 au 18 août, 3 au 19 janv. et dim. soir – **R** 108/210, enf. 62 – ☐ 29 – **7 ch** 220/320 – ½ P 170/355.

CITROEN Godiard, 46 av. de Verdun ✆ 54 36 20 26 N ✆ 54 36 20 26
PEUGEOT-TALBOT Gar. Bucheron, 33 av. de Verdun ✆ 54 36 21 40

RENAULT Gar. du Chêne Vert, 30 av. de Verdun ✆ 54 36 22 47
Gar. Marteau ✆ 54 36 22 95

ARDRES 62610 P.-de-C. 51 ② **G. Flandres Artois Picardie** – 3 936 h. alt. 11.

Paris 276 – ♦Calais 17 – Arras 95 – Boulogne-sur-Mer 35 – Dunkerque 41 – ♦Lille 93 – St-Omer 26.

Clément ⚘, espl. Mar. Leclerc ✆ 21 82 25 25, Fax 21 82 98 92, ⛱ – TV ☎ ⟹ Ⓟ – 🏋 30. AE ⓞ GB
fermé 15 janv. au 15 fév., mardi midi d'oct. à mars et lundi – **R** 95/320 ♂, enf. 70 – ☐ 35 – **17 ch** 220/320 – ½ P 200/250.

La Chaumière sans rest, 67 av. Rouville ✆ 21 35 41 24, ⛱ – ☎. GB
☐ 25 – **12 ch** 160/300.

à Cocove SE : 9 km par N 43, D 217 et D 226 – ✉ **62890** Recques-sur-Hem :

Château de Cocove, ✆ 21 82 68 29, Télex 810985, Fax 21 82 72 59, « ⚘ dans un parc » – TV ☎ ♿ Ⓟ – 🏋 30. AE ⓞ GB
R 99/330 – ☐ 40 – **24 ch** 395/625 – ½ P 337/452.

CITROEN Gar. Carpentier, Champ de Foire ✆ 21 35 42 16

Fischbach Pneu, av. Alliés à Audruicq ✆ 21 82 75 81

ARÊCHES 73 Savoie 74 ⑰ **G. Alpes du Nord** – alt. 1 080 – Sports d'hiver : 1 080/2 080 m ≴12 – ✉ **73270** Beaufort-sur-Doron – **Voir** Hameau de Boudin★ E : 2 km.

Syndicat d'Initiative ✆ 79 38 15 33.

Paris 607 – Albertville 25 – Chambéry 75 – Megève 47.

Aub. du Poncellamont M ⚘, ✆ 79 38 10 23, ≤, ⛱ – ☎ Ⓟ. GB. ✂ rest
20 mai-30 sept., 20 déc.-20 avril et fermé dim. soir et merc. hors sais. – **Repas** 92/310, enf. 53 – ☐ 32 – **14 ch** 240/265 – ½ P 250/260.

ARÈS 33740 Gironde 71 ⑲ **G. Pyrénées Aquitaine** – 3 911 h. alt. 6.

Paris 629 – ♦Bordeaux 47 – Arcachon 45.

XX **St Éloi** avec ch, 11 bd Aérium ✆ 56 60 20 46, ⛱ – GB
fermé dim. soir et lundi de fin sept. à fin mars – **R** 98/280, enf. 55 – ☐ 26 – **11 ch** 120/155 – ½ P 239/270.

ARETTE-PIERRE-ST-MARTIN **64570** Pyr.-Atl. 85 ⑮ **G. Pyrénées Aquitaine** – Sports d'hiver : 1 500/ 2 200 m ⛷15.

Voir Site★.

Office de Tourisme à Pierre-St-Martin ✆ 59 66 20 09.

Paris 859 – Pau 75 – Lourdes 96 – Oloron-Sainte-Marie 40.

Pic d'Anie M sans rest, ✆ **59 66 00 05**, ← – TV ☎. AE ⓓ GB
1er juil.-15 sept. et 15 déc.-vacances de printemps – ☕ 30 – **16 ch** 295/340.

ARFEUILLES **03640** Allier 73 ⑥ – 843 h. alt. 424.

Paris 357 – ◆ Clermont-Ferrand 84 – Roanne 36 – Lapalisse 15 – Moulins 63 – Thiers 60 – Vichy 30.

Nord, ✆ 70 55 50 22, – **P**. GB
fermé 23 mars au 6 avril, 11 nov. au 10 déc. et dim. soir de sept. à Pâques – **R** 75/165 – ☕ 20 – **9 ch** 120/210 – ½ P 175/185.

ARGEIN **09800** Ariège 86 ② – 164 h. alt. 560.

Paris 811 – Bagnères-de-Luchon 66 – Foix 59 – St-Girons 15.

Host. la Terrasse, ✆ 61 96 70 11, – ☎
fermé 15 déc. au 15 fév. – **R** 70/180, enf. 45 – ☕ 23 – **10 ch** 140/240 – ½ P 180/230.

ARGELÈS-GAZOST SP **65400** H.-Pyr. 85 ⑰ **G. Pyrénées Aquitaine** – 3 229 h. alt. 463 – Stat. therm. (10 mai-20 oct.).

Voir Route du Hautacam★ à l'Est par D 100 Y.

Office de Tourisme Grande Terrasse ✆ 62 97 00 25 – Paris 827 ① – Pau 55 ① – Lourdes 12 ① – Tarbes 32 ①.

Miramont, r. Pasteur ✆ 62 97 01 26, « Jardin fleuri » – ☎ **P**. GB. Z **n**
fermé 20 oct. au 22 déc. et lundi de janv. à mars sauf vacances scolaires – **Repas** (nombre de couverts limité - prévenir) 50/175 – ☕ 30 – **29 ch** 160/250 – ½ P 200/220.

Les Cimes ⛰, pl. Ourout ✆ 62 97 00 10, Fax 62 97 10 19, – cuisinette TV ☎ **P**. AE ⓓ GB Z **a**
fermé 11 nov. au 18 déc. – **R** 65/168, enf. 37 – ☕ 27 – **27 ch** 170/259 – P 230/248.

Host. Le Relais, 25 r. Mar. Foch ✆ 62 97 01 27, – ☎ **P**. GB Y **h**
15 fév.-15 oct. – **Repas** 60/190, enf. 40 – ☕ 25 – **23 ch** 180/240 – ½ P 180/200.

Bernède, r. Mar. Foch ✆ 62 97 06 64, Télex 531040, – TV ☎ **P**. AE ⓓ GB. rest
fermé 25 oct. au 18 déc. et 4 au 31 janv. – **R** *(fermé dim. soir et merc. du 20 sept. au 31 mai)* 58/180, enf. 40 – ☕ 30 – **41 ch** 165/300 – P 225/235. Y **s**

Printania, av. Pyrénées ✆ 62 97 06 57 – TV ☎ ♿ **P** – 30. GB Y **r**
R 52/168, enf. 40 – ☕ 25 – **23 ch** 210/230 – P 230.

Soleil Levant, 17 av. Pyrénées ✆ 62 97 08 68, Fax 62 97 04 60, – ☎ **P**. AE GB. rest Y **t**
fermé 1er au 20 déc. et 6 au 31 janv. – **R** 50/200, enf. 40 – ☕ 27 – **37 ch** 160/200 – P 220.

Gabizos, av. Pyrénées ✆ 62 97 01 36, , – rest ☎ **P**. GB Z **x**
11 avril-20 oct. et vacances de fév. – **R** 55/135, enf. 50 – ☕ 22 – **26 ch** 150/200 – ½ P 190.

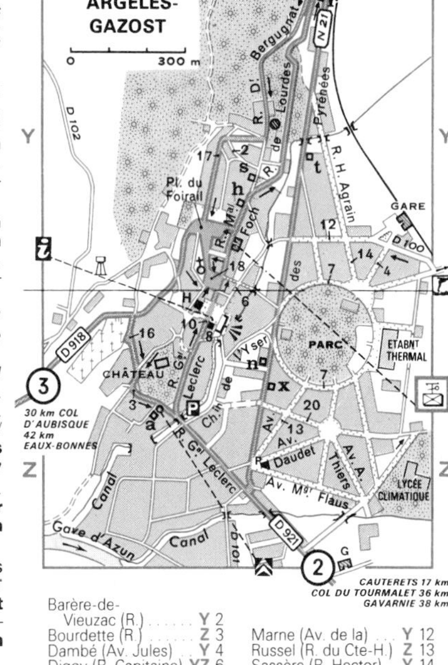

Barère-de-Vieuzac (R.) Y 2
Bourdette (R.) Z 3
Dambé (Av. Jules) Y 4
Digoy (R. Capitaine) YZ 6
Hébrard (Av. Adrien) YZ 7
La Terrasse Z 8
Mairie (Pl. de la) Z 10
Marne (Av. de la) Y 12
Russel (R. du Cte-H.) Z 13
Sassère (R. Hector) Y 14
St-Orens (R.) Z 16
Sorbé-Bualé (R.) Y 17
Victoire (Pl. de la) Y 18
Victor-Hugo (Av.) Z 20

Le Temps de Vivre, rte Lourdes par ① ✆ 62 97 05 12, – **P**. AE GB
fermé 15 nov. au 18 déc., 4 janv. au 27 mars et lundi sauf juil.-août – **R** 75/300, enf. 45.

à St-Savin S : 3 km par D 101 - Z – alt. 580 – ✉ **65400**.

Voir Site★ de la Chapelle de Piétat S : 1 km.

Rochers ⛰, ✆ 62 97 09 52, ←, , – TV ☎ **P**. GB
1er fév.-15 oct. – **R** 75/210, enf. 40 – ☕ 30 – **28 ch** 160/240 – ½ P 170/220.

Panoramic, 62 97 08 22, vallée, – . AE GB. rest
Pâques-10 oct. et fermé mardi de Pâques au 15 juin – **R** 74/160, enf. 33 – 25 – **20 ch** 160/235 – ½ P 160/220.

XX **Viscos** avec ch, 62 97 02 28, – . AE GB
fermé 1er au 26 déc. – Repas (fermé lundi sauf vacances scolaires) 98/235, enf. 45 – 30 – **16 ch** 215/275 – ½ P 210/226.

à Agos par ① : 5 km – ✉ **65400** Agos-Vidalos :

Chez Pierre d'Agos, 62 97 05 07, Fax 62 97 50 14, – TV . AE GB JCB
R 50/200, enf. 40 – 21 – **70 ch** 200/206 – ½ P 200/210.

à Beaucens SE : 5 km par D 100 - Y - et D 13 – Stat. therm. (18 mai-10 oct.) – ✉ **65400** :

Thermal , 62 97 04 21, , « Parc » – . GB. rest
18 mai-10 oct. – **R** 85/170 – 26 – **30 ch** 185/290 – ½ P 210/240.

CITROEN Gar. Ananos 62 97 00 41

RENAULT Gar. Cappeleto et Lafaille, par D 100 Y 62 97 02 06 N 62 97 00 76

ARGELÈS-SUR-MER **66700** Pyr.-Or. 86 ⑳ – 7 188 h. alt. 15 – Casino à Argelès-Plage.
Paris 934 – ♦Perpignan 20 – Céret 27 – Port-Vendres 10,5 – Prades 63.

Relais d'Arras de Grando M , O : 1 km par rte Sorède et VO 68 81 42 88, Fax 68 81 67 66, – TV – 40. AE GB
fermé 15 janv. au 15 fév. – **Aub. du Roua R** 160/200 enf. 85 – 54 – **20 ch** 490/670 – ½ P 400/490.

Cottage M , r. A. Rimbaud 68 81 07 33, Fax 68 81 59 69, – . AE GB
hôtel : 1er avril-31 oct. ; rest : 15 avril-31 oct. – **R** 125/260, enf. 60 – 40 – **28 ch** 240/450 – ½ P 230/365.

Mouettes M, rte Collioure : 3 km 68 81 21 69, , – TV . AE GB
R 120 – 33 – **33 ch** 300/490 – ½ P 300/390.

Gd H. Commerce, rte Nationale 68 81 00 33, Fax 68 81 69 49 – . AE GB
fermé 20 déc. au 30 janv. – **R** *(fermé dim. soir et lundi du 1er oct. au 31 mai)* 63/163 , enf. 41 – 30 – **38 ch** 193/263 – ½ P 189/248.

Annexe Le Parc M , – – 80. AE GB
1er juin-30 sept. – 34 – **24 ch** 250/296 – ½ P 247/273.

Acapulco M, rd-pt Pont de Pujols 68 81 51 52, Fax 68 81 50 25, – TV . AE GB. ch
hôtel : fermé fév. ; rest. : ouvert 1er juin-30 sept. – **R** 70/150 – 35 – **26 ch** 280/350 – ½ P 260.

Soubirana, rte Nationale 68 81 01 44, – GB
fermé 27 oct. au 12 nov., dim. soir et sam. du 15 sept. au 1er juin – **R** 63/255 , enf. 38 – 28 – **17 ch** 135/195 – ½ P 180/195.

à Argelès-Plage E : 2,5 km G. Pyrénées Roussillon – ✉ **66700** Argelès-sur-Mer.

Voir SE : Côte Vermeille★★.

Office de Tourisme pl. de l'Europe 68 81 15 85, Télex 500911.

Lido M, bd Mer 68 81 10 32, Télex 505220, Fax 68 81 10 98, , – . AE GB
16 mai-30 sept. – **R** 130/150, enf. 65 – 40 – **73 ch** 360/640 – ½ P 340/510.

Plage des Pins M, 68 81 09 05, Télex 506134, Fax 68 81 12 10, , – TV . GB.
30 mai-28 sept. – **R** 120/170 – 42 – **49 ch** 420/466 – ½ P 383/405.

Maritime M, bd Albères 68 81 50 00, – . AE GB
25 mars-30 oct. – **R** 115 , enf. 65 – 35 – **24 ch** 260/310 – ½ P 285.

Beau Rivage sans rest, av. Plage 68 81 11 29 – . AE GB
25 mai-30 sept. – 32 – **26 ch** 295/315.

Solarium, av. Vallespir 68 81 10 74 – .
hôtel : 1er mai-30 sept. ; rest. : 1er juin-30 sept. – **R** (dîner seul.) 77 – 28 – **18 ch** 120/255 – ½ P 204.

à Racou-Plage SE : 3 km – ✉ **66700** Argelès-sur-Mer :

Val Marie sans rest, 68 81 11 27, – .
15 mai-30 sept. – 22 – **25 ch** 115/214.

CITROEN Argelès-Autos, 76 rte de Collioure 68 81 45 45
PEUGEOT TALBOT Venzal, ZI rte de St-André 68 81 06 86 N 68 81 24 28

RENAULT Cadmas, 3 bis rte de Collioure 68 81 12 29

Mallau Pneus, 80 rte de Collioure 68 81 43 90

ARGENTAN 🅢🅟 **61200** Orne **60** ② ③ **G. Normandie Cotentin** – 16 413 h. alt. 160.

Voir Église St-Germain★.

Office de Tourisme pl. Marché ✆ 33 67 12 48.

Paris 195 ② – Alençon 44 ③ – ◆Caen 58 ⑤ – Chartres 134 ② – Dreux 114 ② – Évreux 112 ② – Flers 43 ④ – Laval 107 ④ – Lisieux 56 ① – ◆Rouen 127 ②.

ARGENTAN

Chaussée (R. de la) 8
Henri-IV (Pl.) 18
Panthou (R. E.) 20
St-Germain (R.) 28

Beiglé (R. du) 2
Boschet (R. P.) 3
Briand (R. Aristide) 4
Carnot (Bd) 7
Collège (R. du) 9
Forêt-Normande (Av. de la) 13
Gaulle (Bd Général-de) 14
Griffon (R. du) 15
Leclerc (Pl. Général) 19
Paty (R. du) 23
Poterie (R. de la) 24
République (R. de la) 25
St-Martin (R.) 29
Victor-Hugo (Bd) 30
Vimal-du-Bouchet (Pl.) 33
Wolf (R. J.) 34
2e-D.-B. (Av. de la) 35
104e-d'Infanterie (R. du) 38

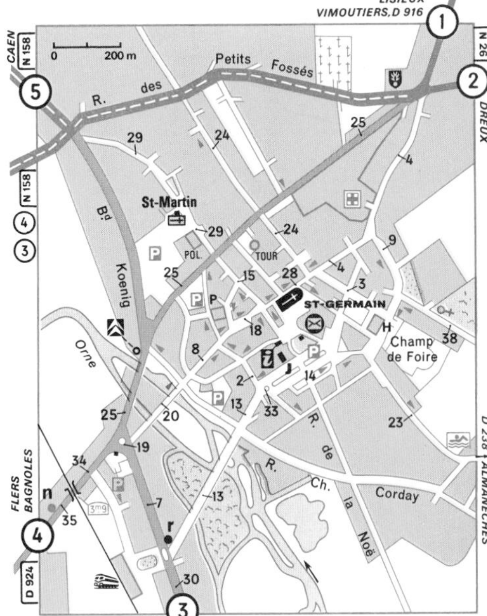

Pour un bon usage des plans de villes, voir les signes conventionnels dans l'introduction.

France, 8 bd Carnot **(r)** ✆ 33 67 03 65, Fax 33 36 62 24, – TV ☎. AE GB
fermé 25 fév. au 15 mars, 30 août au 10 sept. et dim. – **R** 68/170 ♁, enf. 50 – ☕ 28 – **13 ch** 140/280 – ½ P 220/310.

XXX **Renaissance** avec ch, 20 av. 2e-Division-Blindée **(n)** ✆ 33 36 14 20 – TV ☎ P. AE ⓓ GB
fermé 24 déc. au 4 janv. et dim. sauf fêtes – **R** 145/200, enf. 60 – ☕ 27 – **15 ch** 160/260 – ½ P 200/247.

à Fontenai-sur-Orne par ④ : 4,5 km – ✉ **61200** :

Faisan Doré, ✆ 33 67 18 11, Fax 33 35 82 15 – TV ☎ P – 100. GB
fermé 2 au 20 janv. et dim. soir – **R** 85/240 – ☕ 35 – **20 ch** 150/280 – ½ P 175/225.

à Écouché par ④ : 9 km – ✉ **61150** :

XX **Lion d'Or** avec ch, 1 r. Pierre Pigot ✆ 33 35 16 92, Fax 33 36 60 48, – TV ☎ P – 60. AE GB
R 115/350 – ☕ 40 – **8 ch** 250/330.

CITROEN Brunet, 21 r. République ✆ 33 36 79 99
V.A.G Poirier Autom., rte de Falaise ✆ 33 36 19 19

Marsat-Pneus Argentan-Pneus, 30 av. 2e-D.-B. ✆ 33 67 26 79

Fischer-Pneus, 21 r. République ✆ 33 36 08 36

ARGENTAT **19400** Corrèze **75** ⑩ **G. Berry Limousin** – 3 189 h. alt. 188.

Voir Site★.

Office de Tourisme av. Pasteur (15 juin-15 sept.) et à la Mairie (hors saison) ✆ 55 28 16 05.

Paris 516 – Brive-la-Gaillarde 53 – Aurillac 55 – Mauriac 50 – St-Céré 39 – Tulle 32.

Nouvel H. Gilbert, r. Vachal ✆ 55 28 01 62, – ☎ P – 30. ⓓ GB
1er avril-15 déc. et fermé vend. soir et sam. midi sauf du 1er juin au 15 sept. – **R** 80/200, enf. 45 – ☕ 30 – **26 ch** 245/340 – ½ P 225/270.

X **Fouillade** avec ch, pl. Gambetta ✆ 55 28 10 17, – ☎. GB
fermé 3 nov. au 7 déc. et lundi du 21 sept. au 15 juin – **R** 65/150 – ☕ 24 – **15 ch** 150/220 – ½ P 185/220.

CITROEN Frizon, 25 av. Xaintries ✆ 55 28 10 79 **N** ✆ 55 28 16 50

Corrèze-Pneus, 30 av. des Xaintries ✆ 55 28 14 31

ARGENTEUIL **95** Val-d'Oise 55 ⑳, 101 ⑭ – voir à Paris, Environs.

ARGENTIÈRE **74** H.-Savoie 74 ⑨ **G. Alpes du Nord** – alt. 1 253 – Sports d'hiver : 1 200/3 300 m 3 8 – ✉ **74400** Chamonix-Mont-Blanc.

Voir SE : Aiguille des Grands Montets ≤★★ par téléphérique – Trélechamp ≤★★ N : 2,5 km – Réserve naturelle des Aiguilles Rouges★★ N : 3,5 km.

Paris 620 – Chamonix 8 – Annecy 102 – Vallorcine 8.

Montana M, ✆ 50 54 14 99, Fax 50 53 17 03, ≤ – TV ☎ P. GB.
15 juin-15 oct. et 15 déc.-15 mai – **R** (dîner seul.)(résidents seul.) 95/130 – ☕ 40 – **24 ch** 450 – ½ P 350/390.

Grands Montets, près téléphérique de Lognan ✆ 50 54 06 66, ≤, – TV ☎ P. AE GB. rest
20 juin-10 sept. et 19 déc.-20 avril – **R** carte 120 à 205, enf. 67 – ☕ 36 – **40 ch** 582 – ½ P 408.

XX **Dahu** avec ch, ✆ 50 54 01 55, ≤, – ☎ P. AE GB
fermé 15 mai au 15 juin, 15 oct. au 15 déc. et merc. du 15 sept. au 15 oct. – **R** 78/140 – ☕ 27 – **22 ch** 130/270.

à Montroc-le-Planet NE : 2 km par N 506 et VO – ✉ **74400** Argentière :

Les Becs Rouges, ✆ 50 54 01 00, Fax 50 54 00 51, ≤vallée et chaîne du Mont-Blanc, – TV ☎ P – 35. AE GB. rest
R 108/350 – ☕ 60 – **24 ch** 205/480 – ½ P 324/380.

PEUGEOT-TALBOT Gar. Costa ✆ 50 54 04 30 **N**

ARGENTON-SUR-CREUSE **36200** Indre 68 ⑰ ⑱ **G. Berry Limousin** – 5 193 h. alt. 108.

Voir Vieux pont ≤★ K – ≤★ de la terrasse de la chapelle N.-D.-des-Bancs – Vallée de la Creuse★ SE par D 48.

Office de Tourisme pl. République ✆ 54 24 05 30.

Paris 302 ① – Châteauroux 31 ① – Guéret 67 ③ – ◆Limoges 94 ④ – Montluçon 103 ② – Poitiers 102 ⑤ – ◆Tours 130 ⑤.

ARGENTON-SUR-CREUSE

Acacias (Allée des) 2
Barbès (R.) 5
Chapelle-N.-D. (R. de la) 7
Châteauneuf (R.) 8
Chauvigny (R. A. de) 10
Coursière (R. de la) 12
Gare (R. de la) 14
Grande (Rue) 15
Merle-Blanc (R. du) 18
Point-du-Jour (R. du) 20
Pont-Neuf (R. du) 23
Raspail (R.) 24
République (Pl. de la) 25
Rochers-St-Jean (R. des) 27
Rosette (R.) 28
Rousseau (R. Jean-J.) 29
Victor-Hugo (R.) 30

Les plans de villes sont orientés le Nord en haut.

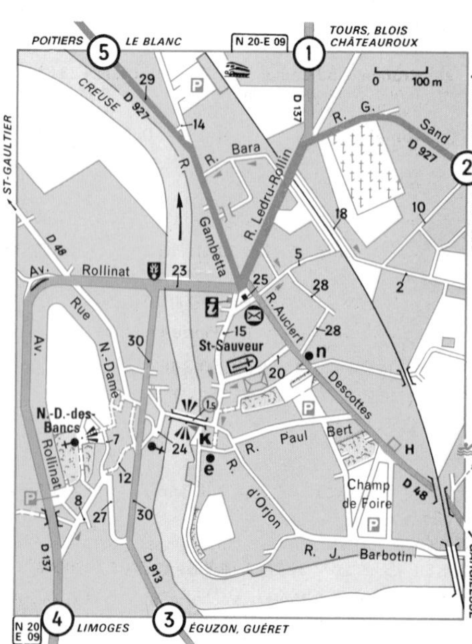

Manoir de Boisvillers sans rest, 11 r. Moulin de Bord **(e)** 54 24 13 88, – TV ☎ P. GB
fermé 20 déc. au 3 janv. – ☐ 34 – **14 ch** 200/310.

Cheval Noir, 27 r. Auclert-Descottes **(n)** 54 24 00 06, Télex 751183, Fax 54 24 11 22 – rest TV ☎ P. GB
fermé janv., dim. soir et lundi midi hors sais. – **R** 75/200 ♁, enf. 50 – ☐ 35 – **30 ch** 130/285 – ½ P 160/250.

à St-Marcel par ① : 2 km – ✉ 36200.

Voir Église★.

Le Prieuré, 54 24 05 19, ≤, – ☎ P – 30. GB
fermé 15 janv. au 15 fév., dim. soir hors sais. et lundi – **R** 70/170 ♁, enf. 45 – ☐ 26 – **12 ch** 150/240.

à Tendu par ① : 8 km – ✉ 36200 :

XX **Moulin des Eaux Vives,** SE : 4 km par D 30 et VO 54 24 12 25, « Moulin du 18e siècle au bord de l'eau » – AE GB
fermé 2 au 23 janv., lundi soir et mardi sauf juil.-août – **R** (dim. prévenir) 100/270, enf. 60.

à Bouesse par ② : 11 km – ✉ 36200 :

Château de Bouesse , 54 25 12 20, Fax 54 25 12 30, ≤, , « Château du 13e siècle dans un parc » – ☎ P. AE GB.
fermé 2 au 31 janv. – **R** *(fermé lundi)* 175/330, enf. 75 – ☐ 40 – **5 ch** 350/450, 3 appart. 650 – ½ P 375/425.

CITROEN Gar. Besson, N 20 à Tendu par ① 54 24 12 26
PEUGEOT-TALBOT Chavegrand, rte de Limoges par ④ 54 24 04 32 N

Gar. Allignet, 15 bis bd G.-Sand 54 24 07 01 N 54 24 24 95

Gebhard-Pneu, rte de Limoges, N 20 54 24 13 08

Pas de publicité payée dans ce guide.

ARGENT-SUR-SAULDRE 18410 Cher 65 ⑪ G. Châteaux de la Loire – 2 525 h. alt. 171.

Paris 174 – ♦Orléans 60 – Bourges 57 – Cosne-sur-Loire 45 – Gien 21 – Salbris 41 – Vierzon 53.

Relais de la Poste, 48 73 60 25, Fax 48 73 30 62 – TV ☎. GB
fermé 20 au 25 juin, 15 janv. au 15 fév. et lundi hors sais. – **R** 85/310, enf. 55 – ☐ 30 – **10 ch** 220/280 – ½ P 260/300.

X **Relais du Cor d'Argent** avec ch, 48 73 63 49 – GB
fermé mi-fév. à mi-mars, 12 au 19 oct., mardi soir et merc. sauf juil.-août – **R** 73/180 ♁ – ☐ 23 – **7 ch** 100/240 – ½ P 149/198.

PEUGEOT Gar. Léger 48 73 63 06

RENAULT Carlot 48 73 61 83

ARGOULES 80120 Somme 51 ⑫ G. Flandres Artois Picardie – 363 h. alt. 20.

Paris 216 – ♦Calais 85 – Abbeville 31 – ♦Amiens 66 – Hesdin 18 – Montreuil 17.

XX **Aub. Coq-en-Pâte,** 22 29 92 09, – P. GB
fermé 1er au 7 sept., 2 au 31 janv., dim. soir et lundi sauf fériés – **R** (week-ends, prévenir) carte 150 à 250.

ARLEMPDES 43490 H.-Loire 76 ⑰ G. Vallée du Rhône – 142 h. alt. 840.

Voir ≤★★ du château.

Paris 568 – Le Puy-en-Velay 27 – Aubenas 66 – Langogne 27.

Manoir , 71 57 17 14, ≤ – ☎. ch
1er mars-1er nov. – **R** 75/170 ♁ – ☐ 28 – **16 ch** 180/220 – ½ P 195/205.

ARLES SP 13200 B.-du-R. 83 ⑩ G. Provence – 52 058 h. alt. 9.

Voir Arènes★★ YZ – Théâtre antique★★ Z – Cloître St-Trophime★★ et église★ Z : portail★★ – Les Alyscamps★ X – Palais Constantin★ Y **F** – Hôtel de ville : voûte★ du vestibule Z **H** – Musées : Art chrétien★★ et cryptoportiques★ Z **M1**, Arlaten★ Z **M3**, Art paien★ Z **M2**, **Réattu**★ Y **M4** – Ruines de l'abbaye de Montmajour★ 5 km par ①.

Office de Tourisme esplanade des Lices 90 96 29 35, Télex 440096 et à la Gare SNCF 90 49 36 90 – A.C. 12 r. Liberté 90 96 40 28.

Paris 728 ① – Avignon 36 ① – Aix-en-Provence 76 ② – Béziers 140 ⑤ – Cavaillon 42 ① – ♦Marseille 89 ② – ♦Montpellier 77 ⑤ – Nîmes 31 ⑥ – Salon-de-Provence 39 ② – Sète 109 ⑤.

Plan page suivante

Jules César, bd Lices 90 93 43 20, Télex 400239, Fax 90 93 33 47, , « Ancien couvent avec son cloître, jardins intérieurs », – ch TV ☎ – 50. AE GB JCB Z **b**
fermé début nov. au 22 déc. – **Lou Marquès R** 185/350 enf. 65 – **Le Cloître** *(déj. seul.)* **R** 98 ♁ – ☐ 60 – **55 ch** 500/950, 3 appart. 1750 – ½ P 568/858.

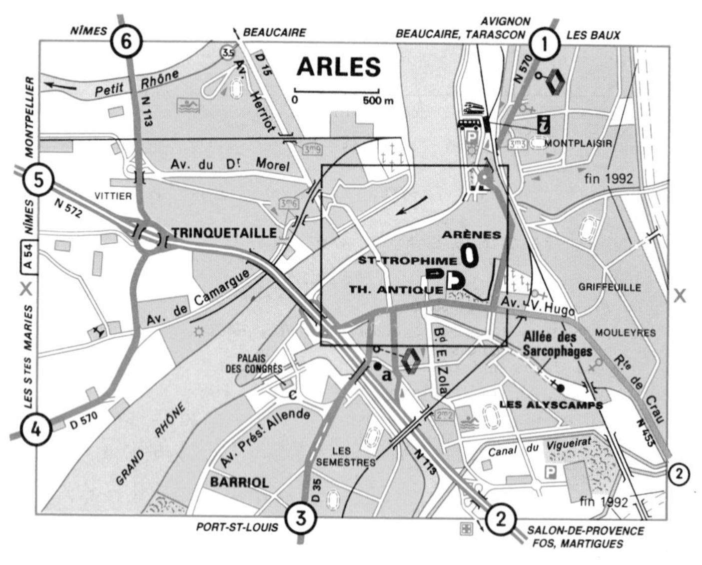
ARLES
0 500 m
NÎMES
6
BEAUCAIRE
AVIGNON
BEAUCAIRE, TARASCON
1
LES BAUX
MONTPELLIER
Petit Rhône
N 113
D 15
Av. Herriot
N 570
MONTPLAISIR
Av. du Dr Morel
5
NÎMES
N 572
VITTIER
fin 1992
TRINQUETAILLE
ARÈNES
ST-TROPHIME
TH. ANTIQUE
A 54
LES STES MARIES
X
Av. de Camargue
GRIFFEUILLE
Av. V. Hugo
MOULEYRES
Allée des Sarcophages
PALAIS DES CONGRÈS
Bd E. Zola
Rte de Crau
LES ALYSCAMPS
4
D 570
GRAND RHÔNE
Av. Prés. Allende
LES SEMESTRES
N 113
Canal du Vigueirat
N 453
BARRIOL
D 35
3
PORT-ST-LOUIS
2
SALON-DE-PROVENCE
FOS, MARTIGUES
fin 1992

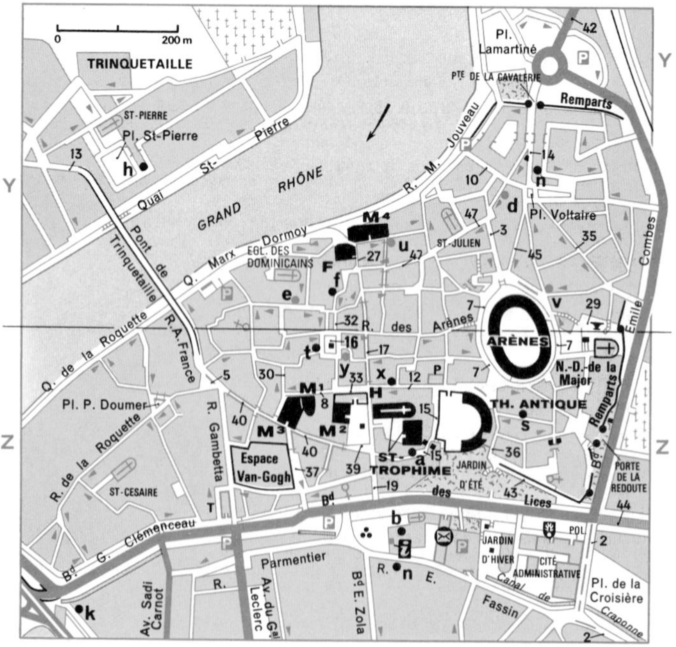

0 200 m
TRINQUETAILLE
Pl. Lamartine
42
Y
PTE DE LA CAVALERIE
Remparts
ST-PIERRE
Pl. St-Pierre
Quai St-Pierre
13
GRAND RHÔNE
R. M. Jouveau
14
10
Pont de Trinquetaille
Q. Marx Dormoy
EGL. DES DOMINICAINS
M4
27
u
47
ST-JULIEN
d
Pl. Voltaire
3
45
35
Combes
Q. de la Roquette
R. A. France
32
R. des Arènes
7
V
29
Émile
ARÈNES
16
17
t
y
33
x
12
N.-D.-de la Major
30
5
M1
8
H
15
TH. ANTIQUE
Pl. P. Doumer
R. Gambetta
40
M3
M2
s
R. de la Roquette
Espace Van-Gogh
37
39
ST-TROPHIME
36
Remparts
ST-CESAIRE
JARDIN D'ÉTÉ
Bd des Lices
43
PORTE DE LA REDOUTE
44
19
Bd G. Clémenceau
b
n
POL
2
JARDIN D'HIVER
CITÉ ADMINISTRATIVE
Pl. de la Croisière
Parmentier
R. E. Fassin
Canal de Craponne
Av. Sadi Carnot
Av. du Gal Leclerc
Bd E. Zola
k
2
Z

Mercure M, 45 av. Sadi-Carnot ☎ 90 99 40 40, Télex 403613, Fax 90 93 32 50, – ch – 70. AE GB JCB X **a**
R carte 115 à 205, enf. 45 – 49 – **67 ch** 410/500.

D'Arlatan sans rest, 26 r. Sauvage (près pl. Forum) ☎ 90 93 56 66, Télex 441203, Fax 90 49 68 45, « Demeure du 15e, beau mobilier, vitrine de vestiges archéologiques », – – 25. AE GB Y **f**
50 – **30 ch** 385/680, 11 appart. 750/1250.

Nord Pinus M, pl. Forum ☎ 90 93 44 44, Fax 90 93 34 00 – AE GB
R *(fermé 3 janv. au 1er mars)* 145 – 60 – **21 ch** 450/1200. Z **t**

L'Atrium M, 1 r. E. Fassin ☎ 90 49 92 92, Télex 403903, Fax 90 93 38 59 – – 100. AE GB JCB Z **n**
R 82/155, enf. 62 – 49 – **91 ch** 645 – ½ P 395/495.

Mireille M, 2 pl. St Pierre ☎ 90 93 70 74, Télex 440308, Fax 90 93 87 28, – AE GB JCB Y **h**
début mars-15 nov. – **R** 95/190 – 50 – **34 ch** 295/550 – ½ P 370/450.

Calendal sans rest, 22 pl. Pomme ☎ 90 96 11 89, « Jardin ombragé » – GB Z **s**
10 fév.-15 nov. – 30 – **27 ch** 180/290.

St-Trophime sans rest, 16 r. Calade ☎ 90 96 88 38, Fax 90 96 92 19 – AE GB JCB Z **x**
fermé 16 nov. au 18 déc. – 30 – **22 ch** 175/305.

La Roseraie sans rest, à Pont-de-Crau E : 2 km par N 453 - X ☎ 90 96 06 58, « Jardin fleuri » –
15 mars-15 oct. – 32 – **12 ch** 260/320.

Mirador sans rest, 3 r. Voltaire ☎ 90 96 28 05 – AE GB Y **n**
fermé 15 janv. au 15 fév. – 27 – **15 ch** 160/235.

Le Cloître sans rest, 18 r. Cloître ☎ 90 96 29 50, Fax 90 96 02 88 – AE GB JCB Z **a**
fermé 5 janv. au 28 fév. – 30 – **33 ch** 190/275.

Constantin sans rest, 59 bd Craponne ☎ 90 96 04 05 – AE GB. Z **k**
15 mars-15 nov. – 25 – **15 ch** 135/245.

L'Olivier, 1 bis r. Réattu ☎ 90 49 64 88, – GB. Y **u**
fermé 1er au 21 nov., lundi midi et dim. sauf juil. – **R** 178/390, enf. 80.

Vaccarès, pl. Forum (1er étage) ☎ 90 96 06 17, – GB Z **y**
fermé 2 janv. au 3 fév., dim. soir et lundi sauf fériés – **R** 170/300.

Côté Cour, r. A. Pichot ☎ 90 49 77 76 – AE GB Y **d**
fermé 4 au 19 août, 5 au 20 janv. et mardi – **R** 160/170.

La Paillote, 28 r. Dr Fanton (près pl. Forum) ☎ 90 96 33 15, – AE GB JCB Y **e**
fermé 15 nov. au 15 déc. et mardi sauf le soir de juil. à sept. – **R** 120/300.

Host. des Arènes, 62 r. Refuge ☎ 90 96 13 05, – GB Y **v**
fermé 1er au 15 déc., 7 janv. au 1er fév. et mardi – **R** 70/99.

par ① et petite rte de Tarascon : 5 km :

Mas de la Chapelle , ✉ 13200 ☎ 90 93 23 15, Fax 90 96 53 74, « Ancienne chapelle du 16e siècle, parc », – AE GB. rest
fermé fin janv. à début mars – **R** *(fermé dim. soir et lundi du 15 nov. à début mars)* 190/270, enf. 90 – 50 – **13 ch** 460/660 – ½ P 470/570.

à l'Est : 7,5 km par N 453 et chemin privé - X – ✉ **13280** Raphèle-lès-Arles :

Aub. la Fenière , ☎ 90 98 47 44, Télex 441237, Fax 90 98 48 39, ←, « Jardin fleuri » – rest ch GB. rest
R *(fermé 1er nov. au 20 déc., le midi du 7 juin au 1er nov. et sam. midi)* 160/235 – 44 – **25 ch** 292/609 – ½ P 315/479.

à Fourques (Gard) par ⑥ : 2 km – ✉ **30300** :

Le Mas des Piboules M, N 113 ☎ 90 96 25 25, Fax 90 93 68 88, – – 30. AE GB
R 85/105, enf. 40 – 35 – **50 ch** 296/330 – ½ P 250/267.

BMW Gar. de la Verrerie, 10 av. Dr.-Morel, Trinquetaille ☎ 90 96 19 59
CITROEN Trébon Autos, 35 av. Libération par ① ☎ 90 96 42 83
MERCEDES TOYOTA Provem, Gar. du Lion, 10 r. Verrerie, Trinquetaille ☎ 90 93 53 55
PEUGEOT-TALBOT Roux, 19 av. de la Libération par ① ☎ 90 93 98 59 N ☎ 90 99 80 58
RENAULT Arles Autom. Services, 84 av. Stalingrad ☎ 90 96 82 82 N ☎ 90 96 53 13
RENAULT Lacoste, 27 av. Sadi-Carnot ☎ 90 96 37 76
V.A.G Gar. de l'Avenir, 5 av. Libération, rte de Tarascon ☎ 90 96 98 10

Ayme-Pneus, ZI Nord, r. Cotton ☎ 90 93 56 95
Gay Pneus, av. du Pont de Crau ☎ 90 93 60 13
Jauffret-Pneus, 22 bd V.-Hugo ☎ 90 93 50 14
Vulcania, 8 bd V.-Hugo ☎ 90 96 02 03

ARLES-SUR-TECH 66150 Pyr.-Or. 86 ⑱ **G. Pyrénées Roussillon** – 2 837 h. alt. 270.

Syndicat d'Initiative r. Barjau ☏ 68 39 11 99.

Paris 948 – ♦Perpignan 43 – Amélie-les-Bains-Palalda 4 – Prats-de-Mollo-la-Preste 19.

- **Glycines**, ☏ 68 39 10 09, Fax 68 39 83 02, – ☎ Ⓟ. AE GB
  fermé 1er janv. au 1er mars – **R** *(fermé lundi de mars à juin)* 90/220, enf. 65 – ☕ 35 – **32 ch** 170/275 – ½ P 175/240.

ARMBOUTS-CAPPEL 59 Nord 51 ③ – rattaché à Dunkerque.

ARMENTIÈRES 59280 Nord 51 ⑮ **G. Flandres Artois Picardie** – 25 219 h. alt. 19.

A.C. 26 pl. St-Vaast ☏ 20 77 10 12.

Paris 238 ③ – ♦Lille 21 ③ – Dunkerque 59 ⑥ – Kortrijk 36 ② – Lens 33 ③ – St-Omer 50 ⑥.

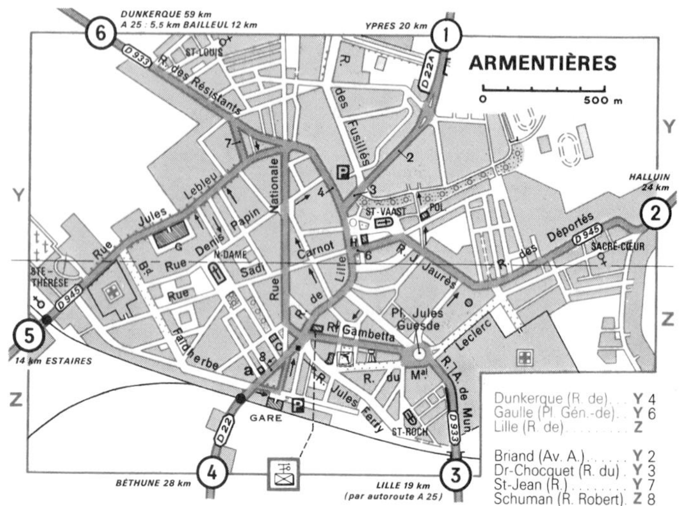

- **Albert 1er** sans rest, 28 r. Robert Schuman ☏ 20 77 31 02 – TV ☎. AE GB Z a
  ☕ 29 – **18 ch** 190/270.

RENAULT Gar. de la Lys, 1797 r. d'Armentières, Nieppe par ⑥ ☏ 20 48 57 50 N

Hennette, 75 bis rte Nat. à Ennetières-en-Weppes ☏ 20 35 85 28

ARMOY 74 H.-Savoie 70 ⑰ – rattaché à Thonon-les-Bains.

ARNAC-POMPADOUR 19230 Corrèze 75 ⑧ **G. Berry Limousin** – 1 444 h. alt. 421.

Paris 455 – Brive-la-Gaillarde 37 – ♦Limoges 58 – Périgueux 66 – St-Yrieix 24 – Uzerche 23.

- **Aub. de la Marquise**, à la gare ☏ 55 73 33 98, – TV ☎ Ⓟ. GB. ✻ ch
  mai-oct. – **R** *(fermé mardi sauf juil.-août)* 85/200, enf. 49 – ☕ 32 – **12 ch** 230/275 – ½ P 260/290.
- **Aub. de la Mandrie**, O : 4,5 km par D 7 ☏ 55 73 37 14, Fax 55 73 67 13, parc, – TV ☎ Ⓟ – 30. GB
  fermé 16 au 29 nov. – **R** 68/189, enf. 42 – ☕ 26 – **22 ch** 192/215 – ½ P 177/199.

CITROEN Nouaille, à Pompadour ☏ 55 73 30 18 N
PEUGEOT-TALBOT Francolon P., 17 av. Midi ☏ 55 73 94 03 N

RENAULT Debernard, à Pompadour ☏ 55 73 30 57

ARNAGE 72 Sarthe 64 ③ – rattaché au Mans.

ARNAY-LE-DUC 21230 Côte-d'Or 65 ⑱ **G. Bourgogne** – 2 040 h. alt. 374.

Paris 287 – ♦Dijon 57 – Autun 28 – Beaune 36 – Chagny 41 – Montbard 72 – Saulieu 28.

- ✿ **Chez Camille** (Poinsot), ☏ 80 90 01 38, Fax 80 90 04 64 – TV ☎. AE GB
  R 130 (sauf sam. soir)/390, enf. 70 – ☕ 50 – **9 ch** 395 – ½ P 490
  Spéc. Crème de grenouilles aux perles du Japon, Rissoles d'escargots aux pâtes fraîches, Fricassée de chapon "Archiduc". Vins Hautes Côtes de Beaune.

  Annexe Clair de Lune sans rest, ☏ 80 90 15 50 – TV ☎ Ⓟ. GB
  ☕ 28 – **13 ch** 185/310.
- **Poste** sans rest, ☏ 80 90 00 76, – ☎ Ⓟ. GB. ✻
  avril-oct. – ☕ 25 – **14 ch** 140/250.

Terminus avec ch, N 6 ℘ 80 90 00 33 – Ⓟ. GB
fermé 6 janv. au 6 fév. et merc. – **R** 70/220 – ☕ 25 – **11 ch** 130/250 – ½ P 180/280.

PEUGEOT, TALBOT Gar. de l'Arquebuse ℘ 80 90 05 16 N
RENAULT Gar. Contant ℘ 80 90 07 09
V.A.G Binet, à St-Prix ℘ 80 90 10 07 N ℘ 80 90 04 92

ARPAILLARGUES-ET-AUREILLAC 30 Gard 80 ⑲ – rattaché à Uzès.

ARPAJON 91290 Essonne 60 ⑩ – 8 713 h. alt. 50.

Syndicat d'Initiative de la Région Arpajonnaise pl. Hôtel de Ville (fermé matin) ℘ (1) 60 83 36 51.

Paris 32 – Fontainebleau 49 – Chartres 62 – Évry 17 – Melun 40 – ♦Orléans 89 – Versailles 33.

Arpège M sans rest, 23 bd J. Jaurès ℘ (1) 60 83 25 25, Télex 681083, Fax (1) 60 83 09 00 – |‡| TV ☎ ⇔ Ⓟ – 🔏 50. AE ⓓ GB
☕ 30 – **48 ch** 310.

Saint Clément, 16 av. Hoche ℘ (1) 64 90 21 01, Fax (1) 60 83 32 67 – ▤. GB
fermé 3 au 26 août, dim. soir et lundi soir – **R** 220/230.

Aub. de la Montagne, 2 av. Div. Leclerc ℘ (1) 64 90 01 07 – AE GB
fermé 1er au 15 sept., lundi soir et mardi – **R** 85/250.

Green-Autos, 56 r. Salvador Allende à La Norville ℘ (1) 60 83 03 55

ARPAJON-SUR-CÈRE 15 Cantal 76 ⑫ – rattaché à Aurillac.

ARRADON 56 Morbihan 63 ③ – rattaché à Vannes.

ARRAS P 62000 P.-de-C. 53 ② **G. Flandres Artois Picardie** – 38 983 h. alt. 72.

Voir Grand'Place★★ CY et Place des Héros★★ CY – Hôtel de Ville et beffroi★ BY **H** – Ancienne abbaye St-Vaast★ : musée★ BY.

Office de Tourisme à l'Hôtel de Ville ℘ 21 51 26 95 – A.C. r. H. Geiger ℘ 21 50 25 25.

Paris 180 ② – ♦Lille 51 ① – ♦Amiens 60 ④ – ♦Calais 112 ① – Charleville-Mézières 159 ② – Douai 25 ① – ♦Rouen 175 ④ – St-Quentin 74 ②.

Plan page suivante

Moderne sans rest, 1 bd Faidherbe ℘ 21 23 39 57, Télex 133701, Fax 21 71 55 42 – |‡| TV ☎. AE ⓓ GB JCB — CZ **u**
fermé 24 déc. au 2 janv. – ☕ 30 – **55 ch** 200/310.

Les 3 Luppars M sans rest, 49 Grand'Place ℘ 21 07 41 41, Télex 133007, Fax 21 24 24 80 – |‡| TV ☎ ♿ – 🔏 50. AE ⓓ GB JCB — CY **r**
☕ 30 – **42 ch** 240/300.

La Belle Etoile M, Z.A. Les Alouettes à **St Nicolas** par ① ✉ 62223 ℘ 21 58 59 00, Fax 21 48 86 49, 🌳 – ⇎ ch TV ☎ ♿ Ⓟ – 🔏 40. AE ⓓ GB
R *(fermé dim. soir)* 65/140 🍷, enf. 48 – ☕ 32 – **36 ch** 250/280 – ½ P 218/250.

Astoria et rest. Carnot, 12 pl. Foch ℘ 21 71 08 14, Télex 160768, Fax 21 71 60 95 – ▤ rest TV ☎. AE ⓓ GB — CZ **s**
R 79/160 🍷 – ☕ 28 – **31 ch** 120/300 – ½ P 215/250.

✿ **La Faisanderie** (Dargent), 45 Grand'Place ℘ 21 48 20 76, « Cave du 17e siècle » – AE ⓓ GB JCB — CY **f**
fermé 3 au 24 août, vacances de fév., dim. soir et lundi – **R** 165/355, enf. 75
Spéc. Bar rôti au jus de crevettes grises. Estouffade de homard breton et de pieds de veau. Gibier (saison).

Le Victor Hugo, 11 pl. V. Hugo ℘ 21 71 84 00 – AE ⓓ GB — AZ **e**
fermé août, dim. soir et lundi – **R** (nombre de couverts limité - prévenir) 175/380.

Ambassadeur (Buffet Gare), ℘ 21 23 29 80, Fax 21 71 17 07 – AE ⓓ GB — CZ
fermé dim. soir – **R** 120/280 🍷.

Le Régent avec ch, r. A. France à **St-Nicolas** ✉ 62223 ℘ 21 71 51 09, Fax 21 07 87 56, 🏡, 🌳 – TV ☎ – 🔏 30. GB — BY **d**
R *(fermé dim. soir)* 90/350 – ☕ 45 – **11 ch** 280/450.

La Rapière, 44 Grand'Place ℘ 21 55 09 92, Fax 21 22 24 29 – AE ⓓ GB — CY **a**
fermé dim. soir – **R** 65/149 🍷, enf. 40.

La Coupole, 26 bd Strasbourg ℘ 21 71 88 44, Fax 21 71 52 46, brasserie – AE ⓓ GB — CZ **x**
fermé lundi – **R** 89/169 🍷.

à Beaurains par ③ : 3 km – 4 379 h. – ✉ **62217** :

L'Auberge, N 17 ℘ 21 71 59 30 – Ⓟ. AE ⓓ GB
fermé dim. soir – **R** 70/240 🍷, enf. 50.

à Écurie par ① et N 17 : 3 km – ✉ **62223** :

Park H., ℘ 21 55 43 40, Télex 133454, Fax 21 24 91 33, 🌳 – |‡| TV ☎ Ⓟ – 🔏 60. AE ⓓ GB JCB. ⚘
R grill *(fermé 22 déc. au 5 janv. et dim. soir)* 68/98, enf. 50 – ☕ 32 – **64 ch** 180/320 – ½ P 220/270.

MICHELIN, Agence, rte de Béthune, D 63, Ste-Catherine-lès-Arras AY ℘ 21 71 12 08

ARRAS

*Welcome to France !
Remember,
keep to the right.*

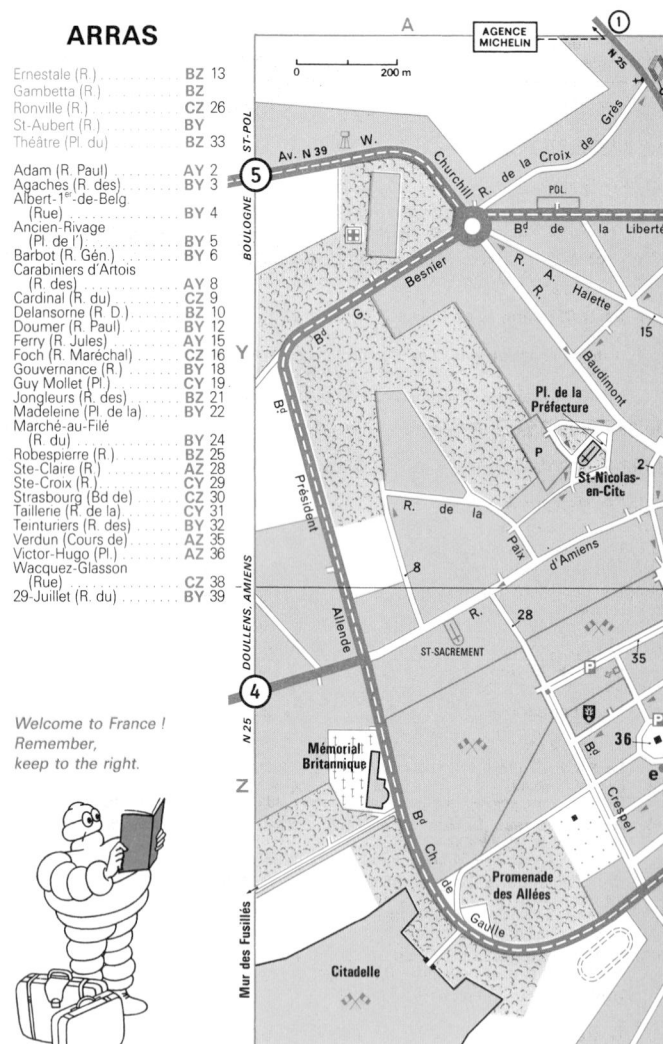

BMW Centre Autom. Artésien, Port Fluvial à St-Laurent-Blangy ☎ 21 58 11 44
CITROEN SO. CA. AR., 2 r. des Rosati ☎ 21 55 39 10
DATSUN Gar. Kennedy, 22 av. Kennedy ☎ 21 51 06 98
FIAT Gar. Michonneau, 6 av. Michonneau ☎ 21 55 37 52
FORD Autovale Bleu, 16 av. Michonneau ☎ 21 55 42 42 **N**
LANCIA Specq, 21 r. Saumon ☎ 21 73 59 20
PEUGEOT-TALBOT Cyr-Leroy, 75 rte de Cambrai par ② ☎ 21 73 26 26 **N** ☎ 05 44 24 24
RENAULT Arras Sud-Autom., 134 rte de Cambrai par ② ☎ 21 55 46 15

RENAULT Nouv. Gar. de l'Artois, 40 voie Notre-Dame-de-Lorette ☎ 21 23 02 56
RENAULT Gar. Leclercq, 38 bd de Strasbourg ☎ 21 71 62 33
TOYOTA Auto Leader, 95 rte de St-Pol ☎ 21 71 54 41
V.A.G Willerval, 13 bis r. G.-Clemenceau à St-Laurent-Blangy ☎ 21 55 30 75

Chamart, 245 av. Kennedy ☎ 21 71 31 95
Delit-Pneus, av. Michonneau prolongée, St-Nicolas ☎ 21 55 38 25
Pneus Sces Lamblin, 157 av. Winston Churchill ☎ 21 58 56 56
Pneus et Services DK, 8 r. Diderot ☎ 21 51 74 84

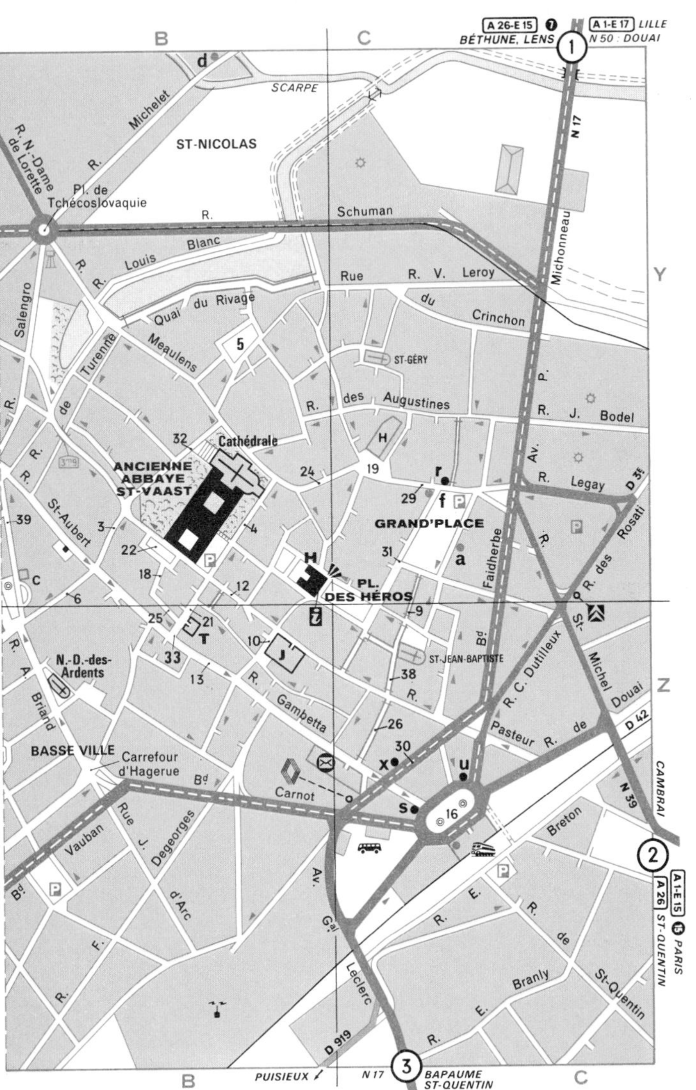

Des pneus mal gonflés s'usent vite, tiennent moins bien la route, sont moins confortables. Respectez les pressions recommandées.

ARREAU **65240** H.-Pyr. 85 ⑲ **G. Pyrénées Aquitaine** – 853 h. alt. 704.

Voir Vallée d'Aure★ S.

Paris 851 – Bagnères-de-Luchon 33 – Auch 91 – Lourdes 59 – St-Gaudens 53 – Tarbes 58.

Angleterre, rte Luchon ✆ 62 98 63 30, Fax 62 98 69 66, – ☎ – 30. GB.
1er juin-15 oct., 20 déc.-15 avril et fermé lundi hors sais. – **R** 68/180, enf. 40 – ☕ 33 – **25 ch** 240/265 – ½ P 205/235.

RENAULT Buetas ✆ 62 98 60 67 N

ARRENS-MARSOUS 65400 H.-Pyr. 85 ⑰ G. Pyrénées Aquitaine – 721 h. alt. 878.

Office de Tourisme ✆ 62 97 02 63.

Paris 839 – Pau 65 – Argelès-Gazost 12 – Laruns 36 – Lourdes 24 – Tarbes 44.

- Au Relais des Cols, NE : 4 km sur D 918 ✆ 62 97 05 53, ←, – P
  saisonnier – **17 ch.**

ARROMANCHES-LES-BAINS 14117 Calvados 54 ⑮ G. Normandie Cotentin – 409 h. alt. 15.

Voir Musée du débarquement – La Côte du Bessin★ O.

Syndicat d'Initiative r. Mar.-Joffre (avril-sept.) ✆ 31 21 47 56.

Paris 269 – ◆Caen 31 – Bayeux 11 – St-Lô 47.

- **La Marine,** ✆ 31 22 34 19, Fax 31 22 98 80, ← Port artificiel du Débarquement – TV ☎ P. AE GB
  1er mars-15 nov. – **R** 78/270, enf. 50 – ☕ 30 – **30 ch** 220/330 – ½ P 290/320.
- **Mountbatten** M, ✆ 31 22 59 70 – TV ☎ ♿ P. GB
  hôtel : 1er mars-30 oct. et fermé lundi de sept. à mai ; rest. : 15 mars-1er oct. et fermé lundi hors sais. – **R** 70/130 – ☕ 28 – **9 ch** 250/260.

à la Rosière SO : 3 km par rte de Bayeux – ✉ **14117** Arromanches-les-Bains :

- **La Rosière,** ✆ 31 22 36 17, Fax 31 22 19 33, – ☎ ♿ P. GB
  10 avril-3 nov. – **R** 65/170, enf. 40 – ☕ 25 – **25 ch** 150/280 – ½ P 210/260.

ARS-EN-RÉ 17 Char.-Mar. 171 ⑫ – voir Ré (Ile de).

ARSONVAL 10 Aube 61 ⑱ – rattaché à Bar-sur-Aube.

ARS-SUR-FORMANS 01480 Ain 74 ① G. Vallée du Rhône – 851 h. alt. 250.

Paris 433 – ◆Lyon 38 – Bourg-en-Bresse 42 – Mâcon 40 – Villefranche-sur-Saône 9,5.

- **Régina,** ✆ 74 00 73 67, Télex 305767, Fax 74 00 73 37 – ☎ P. GB. ✻ ch
  15 mars-15 nov. – **R** 80/170 – ☕ 23 – **36 ch** 140/190 – ½ P 162/187.

ARTANNES-SUR-INDRE 37260 I.-et-L. 64 ⑭ – 2 089 h.

Paris 257 – ◆Tours 18 – Azay-le-Rideau 10 – Chinon 31 – Montbazon 10.

- XX **Aub. de la Vallée du Lys,** ✆ 47 26 80 02 – GB
  fermé 16 août au 8 sept., vacances de fév., dim. soir et lundi – **R** 120/250, enf. 45.

ARTEMARE 01510 Ain 74 ④ – 961 h. alt. 258.

Voir Cascade de Cerveyrieu★ NO : 3 km, G. Jura.

Paris 509 – Aix-les-Bains 32 – Belley 14 – Bourg-en-Bresse 78 – ◆Genève 71 – Nantua 49.

- **Host. du Valromey** sans rest, ✆ 79 87 30 10, Fax 79 87 36 09 – TV ☎ P – 25. GB
  fermé lundi – ☕ 25 – **16 ch** 205/220.

à Luthézieu NO : 8 km par D 31 et D 8 – ✉ **01260** Belmont-Luthézieu :

- **Au Vieux Tilleul** ✆ 79 87 64 51, ←, – ☎ P. GB
  fermé janv., mardi soir et merc. sauf juil.-août – **R** 70/188 ⅌, enf. 35 – ☕ 22 – **10 ch** 135/175 – ½ P 167/190.

CITROEN Mochon ✆ 79 87 30 14 N
PEUGEOT-TALBOT Gar. Pochet ✆ 79 87 32 67 N
✆ 79 87 41 58
RENAULT Boléa ✆ 79 87 30 43

ARTIGUELOUVE 64 Pyr.-Atl. 85 ⑥ – rattaché à Pau.

ARTZENHEIM 68320 H.-Rhin 62 ⑲ – 607 h. alt. 182.

Paris 454 – Colmar 16 – ◆Mulhouse 54 – Sélestat 19 – ◆Strasbourg 66.

- XX **Aub. d'Artzenheim** avec ch, ✆ 89 71 60 51, Fax 89 71 68 21, « Joli décor d'auberge, jardin » – ☎ P. GB. ✻ ch
  fermé 15 fév. au 15 mars, lundi soir et mardi – **R** 148/278 ⅌, enf. 68 – ☕ 35 – **10 ch** 235/305.

ARUDY 64260 Pyr.-Atl. 85 ⑥ G. Pyrénées Aquitaine – 2 537 h. alt. 410.

Paris 799 – Pau 25 – Argelès-Gazost 56 – Lourdes 44 – Oloron-Sainte-Marie 21.

- **France,** pl. Hôtel de Ville ✆ 59 05 60 16, Fax 59 05 70 06 – ☎ P. GB. ✻
  fermé mai et sam. hors sais. sauf vacances scolaires – **R** 64/103 ⅌, enf. 48 – ☕ 24 – **19 ch** 110/230 – ½ P 148/190.

CITROEN Rignol, ✆ 59 05 60 23 N ✆ 59 05 72 34
RENAULT Orensanz ✆ 59 05 61 93 N

ARVERT 17530 Char.-Mar. 171 ⑭ – 2 734 h. alt. 23.

Paris 513 – Royan 19 – Marennes 14 – Rochefort 34 – La Rochelle 68 – Saintes 47.

- **Villa Fantaisie** ✆ 46 36 40 09, parc – ☎ P. AE GB
  fermé dim. soir et lundi hors sais. – **R** 160/280, enf. 60 – ☕ 35 – **23 ch** 350/380 – ½ P 330/390.

L'ARZELIER (Col de) 38 Isère 77 ④ – rattaché à Château-Bernard.

ASCAIN **64310** Pyr.-Atl. 85 ② **G. Pyrénées Aquitaine** – 2 653 h. alt. 30.

Syndicat d'Initiative (saison) ☎ 59 54 00 84.

Paris 800 – Biarritz 23 – Cambo-les-Bains 26 – Hendaye 20 – Pau 135 – St-Jean-de-Luz 7.

Rhûne (annexe Oberena, parc, 15 ch, 4 bungalows) ☎ **59 54 00 04**, Fax 59 54 41 67, ←, – ☎. GB. rest
fermé 15 janv. au 15 mars – **R** 85/145 – 30 – **40 ch** 250/350 – ½ P 250/380.

Parc Trinquet-Larralde, ☎ 59 54 00 10, – ☎. AE GB. ch
fermé janv. – **R** *(fermé dim. soir et lundi d'oct. à juin)* 95/145, enf. 38 – 35 – **28 ch** 240/350 – ½ P 270/295.

Pont, carrefour D 4-D 918 ☎ 59 54 00 40, Fax 59 54 44 00, – ☎. GB
fermé janv. – **R** *(fermé dim. soir et lundi de nov. à avril)* 65/110, enf. 45 – 30 – **28 ch** 175/260 – ½ P 205/240.

au col de St-Ignace SE : 3,5 km – ✉ **64310** Ascain :.

Voir Montagne de la Rhune ※★★★, 1h par chemin de fer à crémaillère.

Les Trois Fontaines avec ch, ☎ 59 54 20 80, – . AE. ch
hôtel : ouvert 1er juin-30 sept. ; rest. : fermé fév. et merc. hors sais. – **R** 68/120 – 25 – **5 ch** 210/260 – ½ P 220/240.

ASNIÈRES-SUR-SEINE **92** Hauts-de-Seine 55 ⑳, 106 ⑮ – voir à Paris, Environs.

ASPIN (Col d') **65** H.-Pyr. 85 ⑲ **G. Pyrénées Aquitaine** – alt. 1 489.

Voir ※★★★.

Paris 841 – Arreau 11 – Bagnères-de-Bigorre 25.

Europe — Si le nom d'un hôtel figure en petits caractères demandez, à l'arrivée, les conditions à l'hôtelier.

ASPRES-SUR-BUËCH **05140** H.-Alpes 81 ⑤ **G. Alpes du Sud** – 743 h. alt. 764.

Paris 666 – Gap 34 – ◆Grenoble 96 – Sisteron 45 – Valence 126.

Parc, ☎ 92 58 60 01, – ☎. AE GB
6 mai-30 sept. et fermé merc. sauf juil.-août – **R** 95/150, enf. 52 – 30 – **24 ch** 150/260 – ½ P 220/275.

ATHIS-MONS **91** Essonne 61 ①, 101 ㊱ – voir à Paris, Environs.

ATTIGNAT **01340** Ain 170 ⑫ ⑬ – 1 776 h. alt. 223.

Paris 403 – Mâcon 33 – Bourg-en-Bresse 11 – Lons-le-Saunier 61 – Louhans 43 – Tournus 40.

Dominique Marcepoil M avec ch, D 975 ☎ 74 30 92 24, – TV ☎. GB. ch
fermé 7 au 21 sept., 4 au 18 janv., dim. soir et lundi sauf juil.-août – **R** 105/350, enf. 70 – 35 – **9 ch** 250/400.

RENAULT Gar. des Prés ☎ 74 30 92 28

ATTIGNAT-ONCIN **73** Savoie 74 ⑮ – rattaché à Aiguebelette-le-Lac.

ATTIN **62** P.-de-C. 51 ⑫ – rattaché à Montreuil.

AUBAGNE **13400** B.-du-R. 84 ⑬ **G. Provence** – 41 100 h. alt. 104.

Voir Musée de la Légion Étrangère★.

Office de Tourisme espl. Charles-de-Gaulle ☎ 42 03 49 98.

Paris 792 – ◆Marseille 17 – Aix-en-Provence 36 – Brignoles 47 – ◆Toulon 47.

à St-Pierre-lès-Aubagne N : 5 km par N 96 ou D 43 – ✉ **13400** :

Host. de la Source M, ☎ 42 04 09 92, Fax 42 04 58 72, ←, parc, – TV ☎ – 40 à 80. AE GB JCB
R *(fermé vacances de nov., de fév., dim. soir et lundi)* 170/260 – 45 – **26 ch** 350/900 – ½ P 335/610.

CITROEN Parascandola, CD 2, Camp Major ☎ 42 03 47 14
FORD Gar. Gargalian, 31 av. Goums ☎ 42 03 04 99
PEUGEOT-TALBOT Gar. Richelme, rte de la Ciotat ☎ 42 82 13 10 N ☎ 91 97 36 65
RENAULT Viano St-Lambert, N 8, ZI St-Mitre ☎ 42 03 60 50
V.A.G Auto-Sud, ZI les Paluds ☎ 42 70 03 06

Chivalier, ZI St-Mitre ☎ 42 03 29 33
Gay Pneus, 153 av. des Paluds ☎ 42 84 26 38
Omnica, N 8, quartier Fyols ☎ 42 82 16 02
Pasero, ZI des Paluds Centre Agora ☎ 42 84 36 06

AUBAZINE **19190** Corrèze 75 ⑨ **G. Périgord Quercy** – 788 h. alt. 345.

Voir Église★ : tombeau de St-Étienne★★ – Puy de Pauliac ←★ NE : 3,5 km puis 15 mn.

18 du Coiroux ☎ 55 27 25 66, E : 4 km.

Paris 500 – Brive-la-Gaillarde 14 – Aurillac 88 – St-Céré 54 – Tulle 17.

🏨 **de la Tour,** ✆ 55 25 71 17 – 📺. GB
fermé fév., dim. soir et lundi midi hors sais. – **R** (dim. prévenir) 80/140 🍷 – ☕ 28 – **20 ch** 160/265 – ½ P 215/250.

🏨 **Le Coiroux,** ✆ 55 25 75 22, Fax 55 25 75 70, ≤, 🌳, 🏊, 🌿 – 🛗 📺 ☎ 🚗 🅿. GB
fermé 1er au 15 nov. – **R** 80/180 🍷 – ☕ 35 – **40 ch** 230/260 – ½ P 240/290.

🏨 **St-Étienne,** ✆ 55 25 71 01, 🌳, 🌿 – ☎ 🅿 – 🧑‍🤝‍🧑 40. GB
◆ *1er mars-20 nov.* – **R** 75/130 🍷, enf. 45 – ☕ 25 – **40 ch** 90/250 – ½ P 160/220.

✕ **Saut de la Bergère** 🌿 avec ch, E : 2 km par D 48 ✆ 55 25 74 09, 🌳, 🌿 – ☎ 🅿. GB
◆ *1er mars-30 nov.* – **R** 68/155 🍷, enf. 38 – ☕ 25 – **10 ch** 125/210 – ½ P 155/195.

AUBE 61270 Orne 60 ④ G. Normandie Vallée de la Seine – 1 681 h. alt. 214.
Paris 147 – Alençon 54 – l'Aigle 7 – Argentan 48 – Mortagne-au-Perche 32.

✕ **Aub. St-James,** 62 rte Paris ✆ 33 24 01 40 – GB
◆ *fermé 25 août au 8 sept., vacances de fév., dim. soir et lundi* – **R** 62/120 🍷.

AUBENAS 07200 Ardèche 76 ⑲ G. Vallée du Rhône – 11 105 h. alt. 300.
Voir Site★.
ℹ Office de Tourisme 4 bd Gambetta ✆ 75 35 24 87 – A.C. 49 rte Vals ✆ 75 93 47 83.
Paris 631 ② – Le Puy-en-Velay 89 ① – Alès 74 ④ – Mende 107 ④ – Montélimar 42 ③ – Privas 30 ②.

AUBENAS

Gambetta (Bd) Z
Gaulle (Pl. Gén.-de) Z 7
Grande-Rue Y 8
Vernon (Bd de) Z 33

Bouchet (R. Auguste) Y 2
Champ-de-Mars (Pl.) Y 3
Couderc (R. G.) Z 5
Delichères (R.) Y 6
Grenette (P. de la) Y 9
Hoche (R.) Z 12
Hôte-de-Ville (Pl.) Y 13
Jaurès (R. Jean) Y 15
Jourdan (R.) Y 16
Laprade (Bd C.) Z 18
Lasin-Lacoste (R.) Y 19
Liberté (Av. de la) Z 20
Montlaur (R.) Y 21
Nationale (R.) Y 22
Paix (Pl. de la) Z 23
Radal (R.) Z 24
République (R. de la) Y 26
Réservoirs (R. des) Y 27
Roure (Pl. Jacques) Y 29
St-Benoît (Rampe) Y 30
Silhol (R. Henri) Y 32
4-Septembre (R.) Y 35

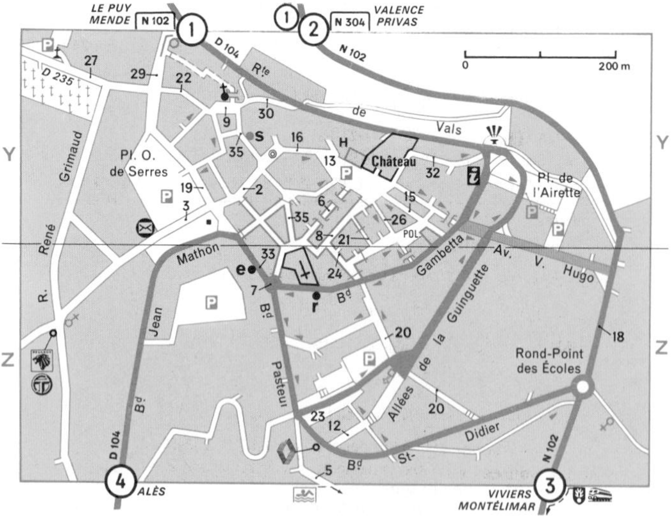

LE PUY MENDE N 102 ① — ① ② N 304 VALENCE PRIVAS — ③ VIVIERS MONTÉLIMAR — ④ ALÈS

🏨 **Le Cévenol** sans rest, 77 bd Gambetta ✆ 75 35 00 10, Fax 75 35 03 29 – 🛗 📺 ☎ 🅿. GB. 🚫
☕ 30 – **45 ch** 150/260. Z r

🏨 **Provence** sans rest, 5 bd Vernon ✆ 75 35 28 43 – 🛗 ☎. GB. 🚫
☕ 25 – **21 ch** 130/220. Z e

✕✕ **Le Fournil,** 34 r. 4-Septembre ✆ 75 93 58 68, 🌳 – GB. 🚫 Y s
fermé juin, janv., dim. soir et lundi – **Repas** 100/220.

à Lavilledieu par ③ : 6 km – ✉ **07170** :

🏨 **Persedes,** N 102 ✆ 75 94 88 08, ≤, 🌳, 🏊, 🌿 – ☎ 🅿. GB. 🚫 rest
1er avril-1er nov. et fermé dim. soir et lundi midi sauf juil.-août – **R** 80/160 – ☕ 32 – **24 ch** 240/320 – ½ P 250/290.

CITROEN Dumas Automobiles, rte de Montélimar par ③ ✆ 75 35 05 77 **N** ✆ 75 35 09 82
FIAT, LANCIA Gounon, 22 bd St-Didier ✆ 75 35 08 21
PEUGEOT-TALBOT Vivarais Automobiles, 2 r. Dr Saladin ✆ 75 35 30 30
RENAULT Diffusion Automobiles, 4 bd St-Didier ✆ 75 93 70 88

VOLVO Coudène, 28 rte de Vals ✆ 75 35 22 05

Maison du Pneu Grange Fils, 36 rte de Vals ✆ 75 35 20 53
Pneurama, 12 bd Camille Laprade ✆ 75 93 67 61
R.I.P.A., rte de Vals ✆ 75 35 40 66

AUBIGNY-SUR-NÈRE 18700 Cher 65 ⑪ G. Châteaux de la Loire – 5 803 h. alt. 168.

Voir Maisons anciennes★.

Syndicat d'Initiative r. Dames (mai-sept.) et à la Mairie (hors saison) ✆ 48 58 00 09.

Paris 183 – Bourges 48 – Cosne 40 – Gien 30 – ♦Orléans 66 – Salbris 32 – Vierzon 44.

à Ste Montaine O : 9 km par D 13 – ✉ **18700** :

Le Cheval Blanc, ✆ 48 58 06 92 – TV ☎ P. AE GB
fermé 1er au 26 janv., dim. soir et lundi sauf juil.-août – **R** 65/170 – ☕ 25 – **18 ch** 135/270 – ½ P 298/368.

CITROEN Gar. Rafaitin, rte de Bourges ✆ 48 58 36 91
FORD Bouchet ✆ 48 58 05 30 **N**

PEUGEOT TALBOT Gar. Devailly ✆ 48 58 00 43
RENAULT Petat ✆ 48 58 00 26 **N**
Guérard ✆ 48 58 00 64 **N**

AUBRAC 12 Aveyron 76 ⑭ G. Gorges du Tarn – alt. 1 300 – ✉ 12470 St-Chély-d'Aubrac.

Paris 581 – Aurillac 99 – Rodez 58 – Mende 67 – St-Flour 64.

Moderne 🐦, ✆ 65 44 28 42 – ☎ P. GB. ✻ rest
1er mai-3 oct., vacances de fév. et fermé merc. en mai, juin et sept. – **R** 90/180 🍷 – ☕ 30 – **27 ch** 150/245 – ½ P 180/232.

Demandez chez le libraire le catalogue des publications Michelin.

AUBREVILLE 55120 Meuse 56 ⑳ – 387 h. alt. 186.

Paris 240 – Bar-le-Duc 54 – Dun-sur-Meuse 35 – Ste-Menehould 20 – Verdun 26.

Commerce, ✆ 29 87 40 35 – 🚗 P. GB. ✻ rest
fermé 30 sept. au 15 oct. – **R** 60/100 🍷 – ☕ 20 – **10 ch** 100/210 – ½ P 150/230.

AUBRIVES 08320 Ardennes 53 ⑧ ⑨ – 1 139 h. alt. 106.

Paris 255 – Charleville-Mézières 50 – Fumay 17 – Givet 7,5 – Rocroi 35.

Debette avec ch, ✆ 24 41 64 72, 🌳, ✻ – TV ☎. AE GB
fermé 23 déc. au 12 janv., dim. soir et lundi midi sauf fériés – **R** 60/200 🍷 – ☕ 30 – **19 ch** 110/270 – ½ P 190/220.

AUBUSSON ⟨SP⟩ 23200 Creuse 73 ① G. Berry Limousin – 5 097 h. alt. 430.

Voir Musée départemental de la Tapisserie★ **M**.

Syndicat d'Initiative r. Vieille ✆ 55 66 32 12.

Paris 394 ① – ♦Clermont-Ferrand 89 ③ – Guéret 43 ① – ♦Limoges 86 ④ – Montluçon 63 ① – Tulle 106 ③ – Ussel 59 ③.

AUBUSSON

Chapitre (R. du)	2
Chateaufavier (R.)	4
Dayras (Pl. M.)	5
Déportés (R. des)	7
Espagne (Pl. Gén.)	8
Fusillés (R. des)	10
Iles (Quai des)	12
Libération (Pl. de la)	15
Lissiers (R. des)	16
Lurçat (Pl. J.)	18
Marché (Pl. du)	20
République (Av.)	23
St-Jean (R.)	24
Sandeau (R. J.)	26
Terrade (Pont de la)	27
Vaveix (R.)	29
Vieille (R.)	30

Pour un bon usage des plans de villes, voir les signes conventionnels dans l'introduction.

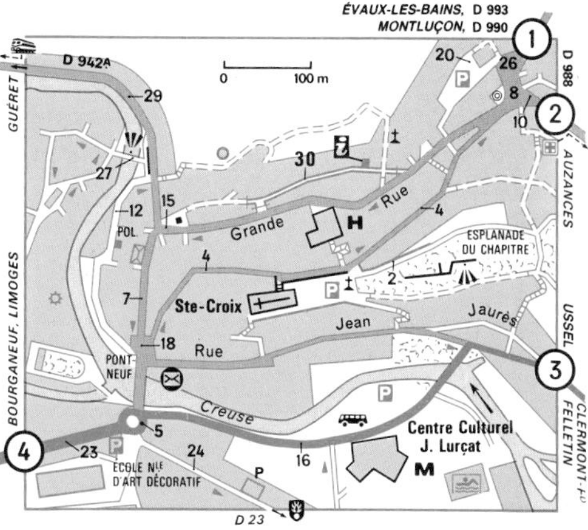

rte de Clermont-Ferrand par ③ : 2,5 km – ✉ **23200** Aubusson :

La Seiglière, ☎ 55 66 37 22, Fax 55 66 22 47, ⛱, 🏊, 🎾 – |♦| 📺 ☎ 🅿 – 🏛 50. GB. ✂
fermé 15 déc. au 1ᵉʳ mars – **R** 100/140 – ☕ 34 – **42 ch** 320/450 – ½ P 530/670.

PEUGEOT-TALBOT Hirlemann, à Moutier-Rozeille par ③ ☎ 55 66 29 33
PEUGEOT-TALBOT Barraud, Pont d'Alleyrat par D 942ᴬ ☎ 55 66 19 91

RENAULT GAC, av. d'Auvergne par ② ☎ 55 66 14 54 🅽 ☎ 55 66 38 38

Ⓜ Loulergue, 2 av. d'Auvergne ☎ 55 66 10 50

AUBUSSON D'AUVERGNE **63120** P.-de-D. 73 ⑯ – 191 h. alt. 418.
Paris 467 – ♦Clermont-Ferrand 50 – Ambert 42 – Thiers 24.

Au Bon Coin avec ch, ☎ 73 53 55 78 – GB. ✂ ch
fermé 20 déc. au 20 janv. et lundi du 15 sept. au 20 juin – **R** 85/300 🍷 – ☕ 28 – **7 ch** 100/200 – ½ P 180/200.

AUCAMVILLE **31** H.-Gar. 82 ⑧ – rattaché à Toulouse.

AUCH 🅿 **32000** Gers 82 ⑤ **G. Pyrénées Aquitaine** – 23 136 h. alt. 136.
Voir Cathédrale Ste-Marie★ : stalles★★★, vitraux★★ AZ.

⛳ de Fleurance ☎ 62 06 26 26, par ① sur N 21 : 20 km ; ⛳ d'Auch-Embats ☎ 62 05 20 80, par ⑤ N 124 : 5 km.

ℹ Office de Tourisme avec A.C. pl. Cathédrale ☎ 62 05 22 89, Télex 532941.

Paris 785 ① – Agen 72 ① – ♦Bayonne 220 ④ – ♦Bordeaux 205 ① – Lourdes 92 ④ – Montauban 82 ② – Pau 105 ④ – St-Gaudens 74 ④ – Tarbes 75 ④ – ♦Toulouse 79 ②.

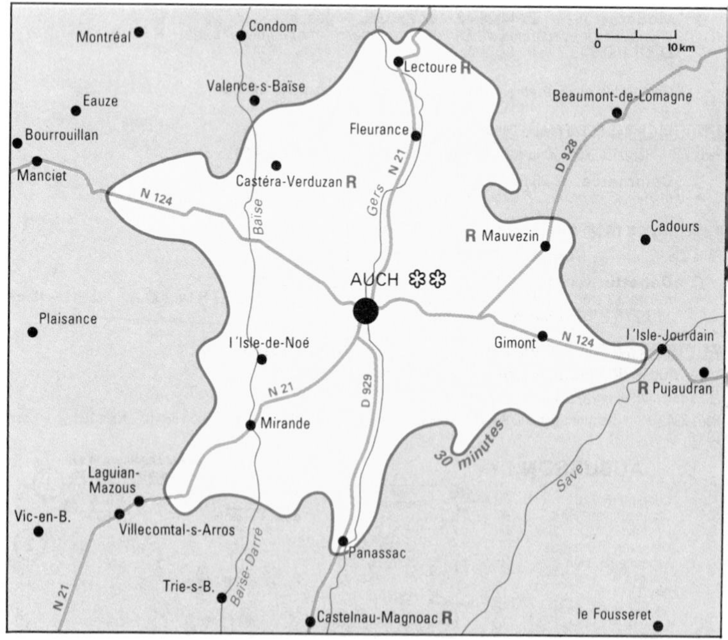

✿✿ **France** (Daguin), pl. Libération ☎ 62 05 00 44, Télex 520474, Fax 62 05 88 44, « Belle décoration intérieure » – |♦| ▤ 📺 ☎ – 🏛 30. AE ⓓ GB JCB — AZ **a**
R *(fermé janv., dim. soir et lundi sauf fêtes)* (dim. prévenir) 300 (déj.)/495 et carte - **Côté Jardin R** *(mi avril-mi oct.)* carte 140 à 190 – **Le Neuvième R** 150 – ☕ 85 – **28 ch** 350/1250 – ½ P 680/930
Spéc. Foies gras, Tresse de filet mignon de maigret, Dessert chocolat-réglisse. **Vins** Colombelle, Côtes de Saint-Mont.

Relais de Gascogne, 5 av. Marne ☎ 62 05 26 81 – 📺 ☎ 🚗. GB — BY **s**
fermé 20 déc. au 10 janv. – **R** 85/200 🍷, enf. 65 – ☕ 30 – **38 ch** 240/310 – ½ P 245/280.

Claude Laffitte, 38 r. Dessoles ☎ 62 05 04 18 – AE ⓓ GB — AY **e**
fermé lundi (sauf le midi en juil.-août) et dim. soir – **R** 150/350 🍷, enf. 60.

Table d'Hôtes, 7 r. Lamartine ☎ 62 05 55 62, ⛱ – GB — AY **b**
fermé 15 au 31 mai, 15 au 30 sept., dim. soir et lundi – **R** 80/125.

AUCH

Alsace (Av. d') . . . . BY
Dessoles (R.) . . . . AY 5
Gambetta (R.) . . . . AY 8

Caillou (Pl. du) . . . . AZ 2
David (R. J.) . . . . AY 4
Libération (Pl. de la) . . . AZ 16
Marne (Av. de la) . . . . . BY 17
Marronniers (Q. des) . . BZ 18
Montebello (R.) . . . . . ABZ 19
Pasteur (R.) . . . . BZ 20
Pont-National
(R. du) . . . . AZ 21
Prieuré (Pt et R. du) . . . BY 23
Pyrénées (Av. des) . . . . AZ 24
République
(Pl. et R. de la) . . . . . AZ 26
Salinis (Pl.) . . . . AZ 29
Somme (R. de la) . . . . . BY 30
Treille (Pont de la) . . . . BY 31
Yser (Av. de l') . . . . BY 32

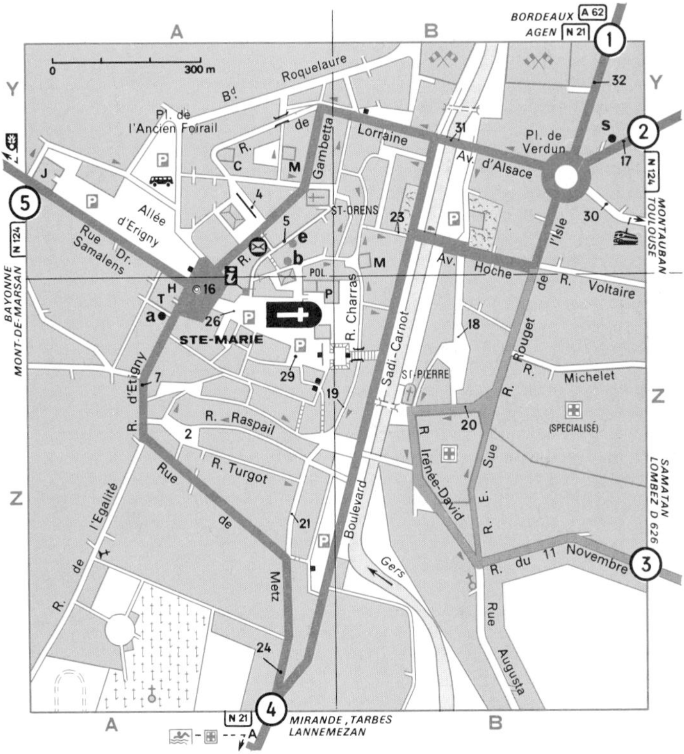

par ① : 6 km – ✉ **32810** Auch :

✗ **Le Papillon,** N 21 ✆ 62 65 51 29, – Ⓟ. GB
fermé 31 août au 9 sept. et merc. – **R** 88/200, enf. 40.

à Robinson par ④ : 2 km – ✉ **32000** Auch :

Robinson sans rest, rte Tarbes ✆ 62 05 02 83 – TV ☎ Ⓟ. GB
28 – **25 ch** 210/270.

ALFA-ROMEO, FIAT Beaulieu-Auto-Sce, rte de Tarbes ✆ 62 05 57 45
CITROËN Gd Gar. de Gascogne, ZI Nord rte d'Agen par ① ✆ 62 63 08 55
FORD Lamazouère, 52 av. des Pyrénées ✆ 62 05 63 07
OPEL G.D.A., 46 bis av. de l'Yser rte d'Agen ✆ 62 63 33 22
PEUGEOT, TALBOT Téchené, rte de Toulouse par ② ✆ 62 63 15 44

RENAULT S.A.D.A.G., rte de Toulouse par ② ✆ 62 63 11 33 N ✆ 62 22 27 80
V.A.G Dambax, ZI du Sousson à Pavie ✆ 62 05 93 55

Central Pneu, ZI Nord, rte d'Agen ✆ 62 63 14 41
Central Pneu, 84 av. 1ère Armée ✆ 62 63 49 12
Rivière, 193 r. V.-Hugo ✆ 62 05 64 21

Donnez-nous votre avis sur les tables que nous recommandons,
sur leurs spécialités et leurs vins de pays.

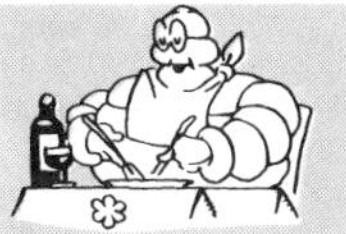

AUDIERNE **29770** Finistère 58 ⑬ **G. Bretagne** – 2 746 h.
Voir Site★ – Chapelle de St-Tugen★ O : 4,5 km.
Office de Tourisme pl. Liberté ☎ 98 70 12 20.
Paris 594 – Quimper 36 – Douarnenez 22 – Pointe du Raz 15 – Pont-l'Abbé 32.

- ✿ **Le Goyen** (Bosser) M, sur le port ☎ 98 70 08 88, Fax 98 78 18 77, ← – ascenseur TV ☎ P – 30. GB. rest
fermé début janv. à début mars, lundi hors sais. (sauf fériés) et mardi midi en hiver – **R** 160/400 – 60 – **25 ch** 340/650, 3 appart. 1200 – ½ P 420/680
Spéc. Poêlée de langoustines à la fleur de sel, Estouffade de homard breton au bouillon de coquillages et pommes de terre, Poissons de pêche côtière.
- **Roi Gradlon,** sur la plage ☎ 98 70 04 51, Fax 98 70 14 73, ← – TV ☎ P. AE GB. rest
fermé 7 janv. au 20 fév., dim. soir (sauf hôtel) et lundi du 1er oct. au 15 avril – **Repas** 85/300, enf. 55 – 35 – **20 ch** 280/300 – ½ P 300/330.
- **Cornouaille** sans rest, face au port ☎ 98 70 09 13, ← – ☎.
35 – **10 ch** 200/330.

à Esquibien O : 2 km – ✉ **29770** :

- **Le Cabestan,** ☎ 98 70 08 82, – ☎ P. GB
fermé 1er déc. au 6 janv. et dim. d'oct. à avril – **R** 70/98, enf. 46 – 27 – **17 ch** 140/260 – ½ P 190/230.

AUDINCOURT **25400** Doubs 166 ⑧ ⑱ **G. Jura** – 16 361 h. alt. 322.
Voir Église du Sacré-Coeur★ AY **B**.
Bureau de Tourisme av. A.-Briand (fermé matin) ☎ 81 30 59 00.
Paris 481 – ◆Mulhouse 58 – ◆Basel 66 – Baume-les-D. 48 – Belfort 22 – ◆Besançon 82 – Montbéliard 9 – Morteau 71.

Voir plan de Montbéliard agglomération.

à Taillecourt N : 1,5 km rte de Sochaux – ✉ **25400** :

- XX **Aub. La Gogoline,** ☎ 81 94 54 82, , – P. AE GB AY **k**
fermé 1er au 21 sept., vacances de fév., sam. midi, dim. soir et lundi – **R** 94/310, enf. 50.

FORD Gar de l'Est, ZI à Exincourt ☎ 81 94 51 11
V.A.G S.M.D. Autom, ZI des Arbletiers ☎ 81 35 59 68
Equipneu Service, ZI des Arbletiers, r. de Belfort ☎ 81 35 56 32
Pneus et Services D.K., 33 r. d'Audincourt, Exincourt ☎ 81 94 51 36

AUDRESSELLES **62164** P.-de-C. 51 ① – 587 h. alt. 10.
Paris 304 – ◆Calais 28 – Boulogne-sur-Mer 13 – St-Omer 56.

- X **Le Champenois,** ☎ 21 32 94 68 – GB
fermé fév. et le soir (sauf vend., sam. et dim.) d'oct. à mars – **R** 69/145.

AUDRIEU **14** Calvados 55 ⑪ – rattaché à Bayeux.

AUDUN-LE-TICHE **57390** Moselle 57 ③ – 5 959 h. alt. 317.
Paris 329 – Longwy 22 – Luxembourg 23 – ◆Metz 53 – Thionville 28 – Verdun 62.

- **Poste,** 59 r. Mar. Foch ☎ 82 52 10 40 – ☎ P – 30. AE GB
R *(fermé 15 fév. au 15 mars et lundi midi)* 70/130, enf. 45 – 22 – **15 ch** 110/230 – ½ P 140/170.

PEUGEOT-TALBOT Blasi, 467 r. Clemenceau ☎ 82 52 21 63 **N**
RENAULT Rea, 152 r. Moulin ☎ 82 52 21 72 **N** ☎ 82 89 19 94

AULAS **30** Gard 80 ⑯ – rattaché au Vigan.

AULNAY **17** Char.-Mar. 72 ② **G. Poitou Vendée Charentes** – 1 462 h. alt. 89 – Voir Église St-Pierre★★.
Paris 425 – Poitiers 83 – St-Jean-d'Angély 18.

AULNAY-SOUS-BOIS **93** Seine-St-Denis 56 ⑪, 101 ⑰ – voir à Paris, Environs.

AULUS-LES-BAINS **09140** Ariège 86 ③ ④ **G. Pyrénées Aquitaine** – 210 h. alt. 762.
Voir Vallée du Garbet★ N.
Syndicat d'Initiative résidence de l'Ars ☎ 61 96 01 79.
Paris 827 – Foix 62 – Oust 15 – St-Girons 32.

- **Terrasse,** ☎ 61 96 00 98, ←, – ☎. GB. rest
1er juin-30 sept., vacances scolaires et fêtes – **Repas** (nombre de couverts limité, prévenir) 95/200, enf. 60 – 35 – **17 ch** 180/250 – ½ P 240/285.
- **Beauséjour,** ☎ 61 96 00 06, ←, – cuisinette ☎. rest
1er mai-15 oct. – **R** 90 – 25 – **30 ch** 130/200 – ½ P 215/245.
- **France,** ☎ 61 96 00 90, ←, – ☎ P. GB. rest
fermé 1er oct. au 25 déc. – **Repas** 85/150, enf. 40 – 25 – **25 ch** 120/180 – ½ P 150/190.

AUMALE **76390** S.-Mar. 52 ⑯ **G. Normandie Vallée de la Seine** – 2 690 h. alt. 131.

Paris 123 ② – ♦Amiens 44 ② – Beauvais 47 ③ – Dieppe 59 ⑤ – Gournay-en-Bray 36 ③ – ♦Rouen 69 ⑤.

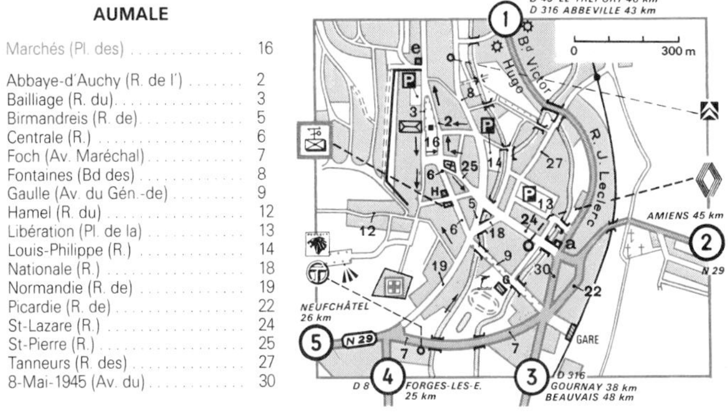

AUMALE

Marchés (Pl. des) 16

Abbaye-d'Auchy (R. de l') 2
Bailliage (R. du) 3
Birmandreis (R. de) 5
Centrale (R.) 6
Foch (Av. Maréchal) 7
Fontaines (Bd des) 8
Gaulle (Av. du Gén.-de) 9
Hamel (R. du) 12
Libération (Pl. de la) 13
Louis-Philippe (R.) 14
Nationale (R.) 18
Normandie (R. de) 19
Picardie (R. de) 22
St-Lazare (R.) 24
St-Pierre (R.) 25
Tanneurs (R. des) 27
8-Mai-1945 (Av. du) 30

Dauphin, 27 r. St-Lazare **(a)** ✆ 35 93 41 92 – TV ☎. AE ⓓ GB
fermé 23 déc. au 15 janv., dim. soir et lundi midi – **R** 69/157 ⅓ – ☕ 26 – **14 ch** 130/210 – ½ P 147/170.

Mouton Gras avec ch, 2 r. Verdun **(e)** ✆ 35 93 41 32, « Maison normande fin 17e siècle, bel intérieur » – TV. AE ⓓ GB. ✂
fermé 19 août au 13 sept., 23 déc. au 10 janv., lundi soir et mardi – **R** 90/150, enf. 45 – ☕ 30 – **8 ch** 200/300.

CITROEN Legrand ✆ 35 93 42 04 N
PEUGEOT-TALBOT Gar. Fertun ✆ 35 93 41 21
RENAULT Ducrocq ✆ 35 93 41 17 N
Ⓜ Parin, rte de Beauvais à Quincampoix-Fleuzy ✆ 35 93 93 93

AUMONT-AUBRAC **48130** Lozère 76 ⑮ – 1 050 h. alt. 1 043.

Paris 559 – Aurillac 117 – Mende 42 – Le Puy-en-Velay 88 – Espalion 57 – Marvejols 23 – St-Chély-d'Apcher 8.

✿ **Gd H. Prouhèze,** ✆ 66 42 80 07, Fax 66 42 87 78, 🚗 – TV ☎ Ⓟ – 🏠 25. GB
mars-oct. et fermé dim. soir et lundi sauf juil.-août – **R** 150/500, enf. 80 – ☕ 70 – **29 ch** 210/450 – ½ P 290/370
Spéc. Nage de bulots aux truffes, Queues de langoustines sautées, Pot au feu de foie gras.

Chez Camillou, N 9 ✆ 66 42 80 22, Fax 66 42 91 78, ☂, 🏊 – |♦| ☎ Ⓟ. GB
fermé 3 janv. au 1er mars – **R** 85/200 – ☕ 38 – **44 ch** 250/450 – ½ P 255/270.

Gar. Benoit ✆ 66 42 80 17

AUNAY-SUR-ODON **14260** Calvados 54 ⑮ **G. Normandie Cotentin** – 2 878 h. alt. 188.

ℹ Office de Tourisme pl. Hôtel de Ville ✆ 31 77 60 32.

Paris 269 – ♦Caen 33 – Falaise 41 – Flers 35 – St-Lô 40 – Vire 31.

St-Michel avec ch, r. Caen ✆ 31 77 63 16 – TV ☎. GB
fermé 16 au 30 nov., 15 au 31 janv., lundi sauf le soir en juil.-août et dim. soir de sept. à juin – **R** 68/220 ⅓, enf. 48 – ☕ 25 – **7 ch** 165/195 – ½ P 180/200.

FIAT-LANCIA Gar. de l'Odon ✆ 31 77 62 88 N ✆ 31 77 63 25
RENAULT Aunay-Gar. ✆ 31 77 63 48

AUPS **83630** Var 84 ⑥ **G. Côte d'Azur** – 1 796 h. alt. 505.

ℹ Office de Tourisme pl. F.-Mistral ✆ 94 70 00 80.

Paris 821 – Digne-les-Bains 78 – Aix-en-Provence 83 – Castellane 73 – Draguignan 29 – Manosque 59.

à Moissac-Bellevue NO : 7 km par D 9 – ✉ **83630** :

Le Calalou 🐦, ✆ 94 70 17 91, Télex 461885, Fax 94 70 50 11, ⩽, ☂, 🏊, 🚗, 🎾 – TV ☎ Ⓟ. AE ⓓ GB
fermé 14 mars au 1er nov. et lundi hors sais. – **R** *(fermé lundi midi)* 150/290, enf. 90 – ☕ 60 – **38 ch** 420/700 – ½ P 470/660.

AURAY **56400** Morbihan 63 ② **G. Bretagne** – 10 323 h. alt. 36 – **Voir** Quartier St-Goustan★ – Promenade du Loch★ – Église St-Gildas★ – Ste-Avoye : Jubé★ et charpente★ de l'église 4 km par ①.

⛳9 ⛳18 de St-Laurent ✆ 97 56 85 18, par ③ : 11 km ; ⛳18 de Baden ✆ 97 57 18 96, par ① puis D 101 : 9 km – 🚗 ✆ 97 24 44 65.

ℹ Office de Tourisme pl. République ✆ 97 24 09 75 et pl. St-Sauveur (juil.-août).

Paris 475 ① – Vannes 20 ① – Lorient 38 ④ – Pontivy 49 ④ – Quimper 100 ④.

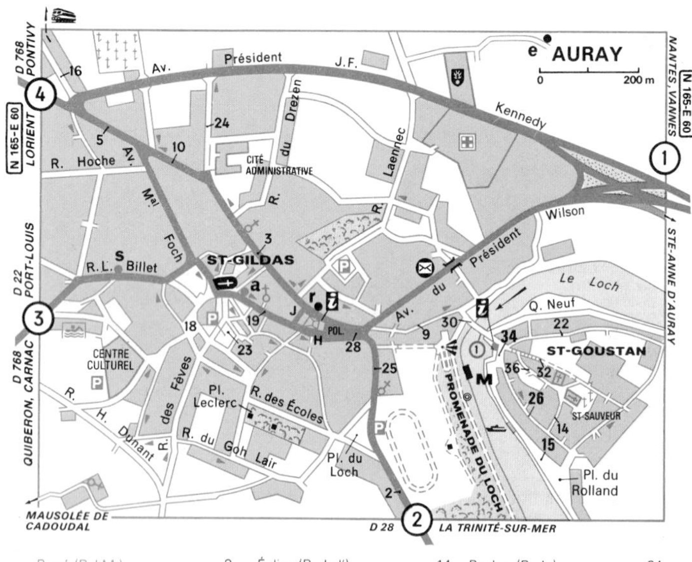

Barré (R.J.M.) 3
Clemenceau (R. Georges) . . 10
République (Pl. de la) 28

Abbé-Martin (R.) 2
Briand (R. Aristide). 5
Château (R. du) 9

Église (R. de l') 14
Franklin (Quai B.) 15
Gaulle (Av. Gén.-de) 16
Joffre (Pl. du Maréchal) . . . 18
Lait (R. du) 19
Neuve (R.) 22
Notre-Dame (Pl.) 23

Penher (R. du) 24
Père-Éternel (R. du) 25
Petit-Port (R. du) 26
St-Goustan (Pont de) 30
St-René (R.) 32
St-Sauveur (Pl.) 34
St-Sauveur (R.) 36

Loch et rest. La Sterne Ⓜ, quartier Petite Forêt **(e)** ✆ 97 56 48 33, Télex 951025, Fax 97 56 63 55, – – 50. GB.
Repas *(fermé dim. soir sauf fêtes du 1er nov. au 1er mars)* 90/247, enf. 60 – 30 – **30 ch** 260/335 – ½ P 280/300.

La Diligence, 160 av. Gén. de Gaulle au NO : 2 km ✆ 97 24 00 18, Fax 97 56 67 93, – – 30. AE GB
fermé 27 oct. au 12 nov., 24 fév. au 12 mars, dim. soir et lundi de sept. à fin mai – **R** 70/210 – 35 – **19 ch** 260/360 – ½ P 280/300.

Le Branhoc Ⓜ sans rest, 1,5 km par rte du Bono ✆ 97 56 41 55, – . GB.
24 – **28 ch** 250/280.

Mairie, pl. Mairie **(r)** ✆ 97 24 04 65 – . GB
fermé 4 au 25 oct., 3 au 17 janv., sam. soir et dim. hors sais. sauf fériés – **R** 66/130, enf. 32 – 32 – **21 ch** 145/270.

La Closerie de Kerdrain, 14 r. L. Billet **(s)** ✆ 97 56 61 27, , – . AE GB
fermé 4 janv. au 8 fév. et mardi du 15 sept. au 15 juin – **R** 160/350, enf. 80.

Le Chaudron, 1,5 km par rte du Bono ✆ 97 56 39 74 – . AE GB
fermé 15 au 30 nov., fév., sam. midi du 8 juil. au 8 oct. et lundi hors sais. – **R** 68 (sauf sam.)/320.

Aub. La Plaine, r. Lait **(a)** ✆ 97 24 09 40 – GB
fermé 9 au 31 mars, 11 au 31 oct. lundi soir (sauf juil.-août) et mardi – **R** 68/180, enf. 45.

à Baden par ① et D 101 : 9 km – ✉ **56870** :

Le Gavrinis Ⓜ, à Toul-Broche E : 2 km ✆ 97 57 00 82, Fax 97 57 09 47, – – 30. AE GB
fermé déc., janv. et lundi sauf le soir en sais. – Repas 130/320, enf. 82 – 36 – **19 ch** 297/420.

au golf de St-Laurent par ③ et D 22 : 10 km – ✉ **56400** Auray :

Fairway H. Ⓜ, ✆ 97 56 88 88, Télex 951819, Fax 97 56 88 28, ←, – – 60. AE GB. rest
R 110/135 – 40 – **42 ch** 460/540 – ½ P 410.

OPEL Océane Autom., Porte Océane ✆ 97 24 12 12 N ✆ 97 55 04 34
PEUGEOT-TALBOT Gar. Laine, rte de Lorient par ④ ✆ 97 24 05 14 N ✆ 97 46 00 00
RENAULT S.C.A.D.A., rte de Ste-Anne-d'Auray Kerfontaine par ① ✆ 97 24 05 94 N ✆ 97 01 68 69

V.A.G Kermorvant, rte de Quiberon, ZI ✆ 97 24 11 73

Auray-Pneus, r. Paix ✆ 97 56 50 55
Auray-Pneus, ZI de Toul Garros ✆ 97 24 24 48

AUREC-SUR-LOIRE **43110** H.-Loire 76 ⑧ – 4 510 h. alt. 432.

Syndicat d'Initiative r. du Monument (20 juin-15 sept.) ✆ 77 35 42 65.

Paris 541 – ♦St-Étienne 21 – Firminy 10 – Montbrison 42 – Le Puy 57 – Yssingeaux 32.

à **Semène** NE : 3 km par D 46 – ✉ **43110** Aurec-sur-Loire :

XX **Coste** avec ch, ✆ 77 35 40 15, – TV ☎ P. GB
fermé 1er au 26 août, vacances de fév., lundi (sauf hôtel) et dim. soir – **R** 79/180, enf. 53 – ☕ 27 – **7 ch** 190/270 – ½ P 170/225.

RENAULT Parrat, rte de Firminy ✆ 77 35 40 01 N ✆ 77 35 36 27

Gar. Vérot, 15 av. de Firminy ✆ 77 35 41 03

AUREILLE **13930** B.-du-R. 84 ① – 1 220 h. alt. 132.

Paris 714 – Avignon 34 – Arles 32 – ♦Marseille 68 – Salon-de-Provence 17.

X **La Sartan,** pl. Église ✆ 90 59 95 16 – GB
fermé 12 au 18 nov., dim. soir et lundi – **R** 100/180 ♨, enf. 50.

AUREL **84** Vaucluse 81 ⑭ – rattaché à Sault.

AURIBEAU-SUR-SIAGNE **06810** Alpes-Mar. 84 ⑧ 195 ㉔ **G. Côte d'Azur** – 2 072 h. alt. 72.

Paris 905 – Cannes 13 – Draguignan 62 – Grasse 9 – ♦Nice 44 – St-Raphaël 42.

XXX **Aub. Vignette Haute** avec ch, rte village ✆ 93 42 20 01, Fax 93 42 31 16, ←, « Beau décor rustique », – TV ☎ ♿ P – 30. AE GB JCB
fermé 17 nov. au 19 déc. – **R** *(fermé mardi midi et lundi hors sais.)* 310 bc/430 bc – ☕ 70 – **10 ch** 800/1100 – ½ P 620/770.

XX **Aub. Nossi-Bé** avec ch, au village ✆ 93 42 20 20, – ☎. GB
fermé 7 janv. au 25 fév., mardi soir et merc. hors sais., lundi midi et merc. midi en saison – **R** 210 – ☕ 27 – **6 ch** 220 – ½ P 232.

AURIGNAC **31420** H.-Gar. 82 ⑯ **G. Pyrénées Aquitaine** – 983 h. alt. 394.

Voir Donjon ☀★.

Syndicat d'Initiative pl Mairie (juil.-août) ✆ 61 98 70 06.

Paris 771 – Bagnères-de-Luchon 69 – Auch 70 – Pamiers 91 – St-Gaudens 22 – St-Girons 42 – ♦Toulouse 75.

Cerf Blanc M, r. St Michel ✆ 61 98 95 76, – rest TV ☎ P. GB
fermé lundi sauf juil.-août – **R** 78/320, enf. 45 – ☕ 30 – **11 ch** 130/250 – ½ P 280.

AURILLAC P **15000** Cantal 76 ⑫ **G. Auvergne** – 30 773 h. alt. 631.

Voir Maison des Volcans★★ (Château St-Étienne) CX – Route des Crêtes★★ NE par D 35 CX.

18 de la Cère ✆ 71 46 50 00, par ③ : 8 km par N 122, D 153 et D 53.

Office de Tourisme pl. Square ✆ 71 48 46 58.

Paris 575 ② – Brive-la-G. 108 ④ – ♦Clermont-Ferrand 157 ② – Montauban 178 ③ – Montluçon 258 ④.

Plan page suivante

St-Pierre, 16 cours Monthyon ✆ 71 48 00 24, Fax 71 64 81 83 – TV ☎. AE GB JCB — CY **a**
R 98/230 – ☕ 33 – **29 ch** 220/380 – ½ P 270/290.

La Thomasse, r. Dr Mallet ✆ 71 48 26 47, Fax 71 48 83 66, , parc – TV ☎ P. AE GB — AZ **d**
R *(fermé dim.) (dîner seul. du 15 sept. au 1er juin)* carte 105 à 170 ♨ – ☕ 35 – **21 ch** 310/360 – ½ P 270/320.

Bordeaux M sans rest, 2 av. République ✆ 71 48 01 84, Télex 990316, Fax 71 48 49 93 – TV ☎ – 25 à 40. AE GB JCB — BY **r**
fermé 18 déc. au 10 janv. – ☕ 36 – **34 ch** 290/450.

La Ferraudie M sans rest, 15 r. Bel Air ✆ 71 48 72 42 – TV ☎ P. GB — AZ **b**
☕ 30 – **22 ch** 220/340.

Renaissance, pl. Square ✆ 71 48 09 80, Fax 71 48 54 81 – TV ☎. GB. ch
fermé 1er au 15 juil., 21 déc. au 10 janv. et dim. sauf juil.-août – **R** 75/180 ♨ – ☕ 28 – **25 ch** 170/280. — BY **k**

Delcher, 20 r. Carmes ✆ 71 48 01 69, Fax 71 48 86 66, – TV ☎ P. AE GB
fermé 22 juin au 4 juil., 21 au 27 déc. et dim. soir – **R** 68/200 ♨, enf. 35 – ☕ 23 – **23 ch** 200/230 – ½ P 195. — BY **q**

Campanile, rte de Clermont-Ferrand ✆ 71 64 64 84, Télex 392173, Fax 71 64 55 90 – TV ☎ ♿ P. AE GB
R 77 bc/99 bc, enf. 39 – ☕ 28 – **50 ch** 258 – ½ P 234/256.

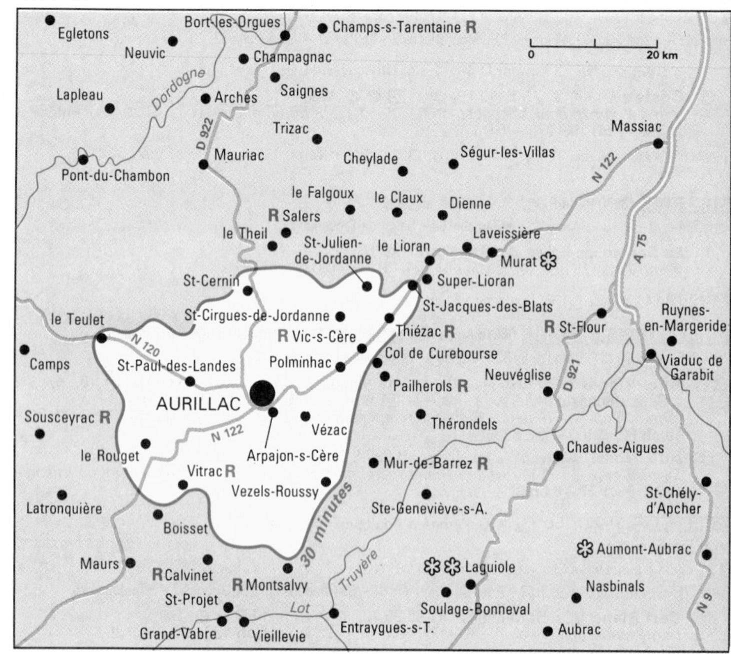

🏨 **Les Arcades,** 9 av. G. Pompidou par rte Clermont-Ferrand ✆ 71 64 15 11, Fax 71 64 28 54 – TV ☎ P – 🅰 35. AE GB JCB
R 65/120 🍷 – ☕ 26 – **42 ch** 190/250.

🏨 **Terminus** sans rest, 8 r. Gare ✆ 71 48 01 17 – ☎ 🚗. GB — AZ **s**
☕ 25 – **22 ch** 110/260.

XX **Reine Margot,** 19 r. G. de Veyre ✆ 71 48 26 46, 🏕 – ▤. GB — BYZ **u**
fermé lundi – **R** 85/260.

X **Quatre Saisons,** 10 r. Champeil ✆ 71 64 85 38 – AE GB — CY **v**
fermé dim. soir et lundi – **R** 75/140 🍷, enf. 40.

à Vézac par ③, D 920 et D 990 : 10 km – ✉ **15130** Arpajon-sur-Cère :

🏨 **Château de Salles** 🌿, ✆ 71 62 41 41, Fax 71 62 44 14, ←, 🏕, 🏊, 🎾 – 🛗 TV ☎ ♿ P – 🅰 30. GB. ✻ rest
R 120/200 – ☕ 45 – **9 ch** 700/800 – ½ P 490/540.

à Arpajon-sur-Cère par ③ et 2 km sur D 920 – 5 296 h. – ✉ **15130** :

🏨 **Les Provinciales** M sans rest, pl. Foirail ✆ 71 64 29 50, 🚗 – TV ☎ ♿ P. GB
☕ 24 – **20 ch** 190/240.

MICHELIN, Entrepôt, r. Gutenberg ZI de Lescudillier par r. F.-Meynard AZ ✆ 71 64 90 33

ALFA-ROMEO, HONDA Tachet, 24 av. Cdt-H.-Monraisse ✆ 71 63 76 15
AUSTIN-ROVER Gar. du Centre, 46 av. Pupilles-de-la-Nation ✆ 71 48 08 84
BMW SEAT Auvergne Auto, av. G.-Pompidou ✆ 71 64 58 44
CITROEN Daix, av. G.-Pompidou ✆ 71 64 14 82
CITROEN Auto Vialenc, av. Georges-Pompidou ✆ 71 48 00 00
FIAT Gar. Moderne Ladoux, 70 av. Gén.-Leclerc ✆ 71 64 65 65 **N** ✆ 71 48 17 01
FORD Gar. Dalbouze, bd Vialenc ✆ 71 64 14 43
MERCEDES-V.A.G TCS Automobile Sce, av. G.-Pompidou ✆ 71 63 41 83
OPEL Vidal, 47 av. Pupilles-de-la-Nation ✆ 71 48 01 51
PEUGEOT-TALBOT Socauto, av. G.-Pompidou, ZI de Sistrières par ③ ✆ 71 63 66 00
RENAULT Rudelle-Fabre, 100 av. Ch.-de-Gaulle par r. F.-Maynard AZ ✆ 71 63 76 22 **N** ✆ 05 05 15 15
TOYOTA Gar. Arnaud, av. G.-Pompidou ✆ 71 48 12 31

Ⓜ Cantal-Pneus, 8 r. Gutenberg, ZI de Lescudillier ✆ 71 63 57 30
Estager-Pneu, rte Conthe ✆ 71 63 40 60
Ladoux-France-Pneus, 1 bd de Verdun ✆ 71 48 17 01 **N**
Laval, av. Gén.-Leclerc ✆ 71 63 61 42

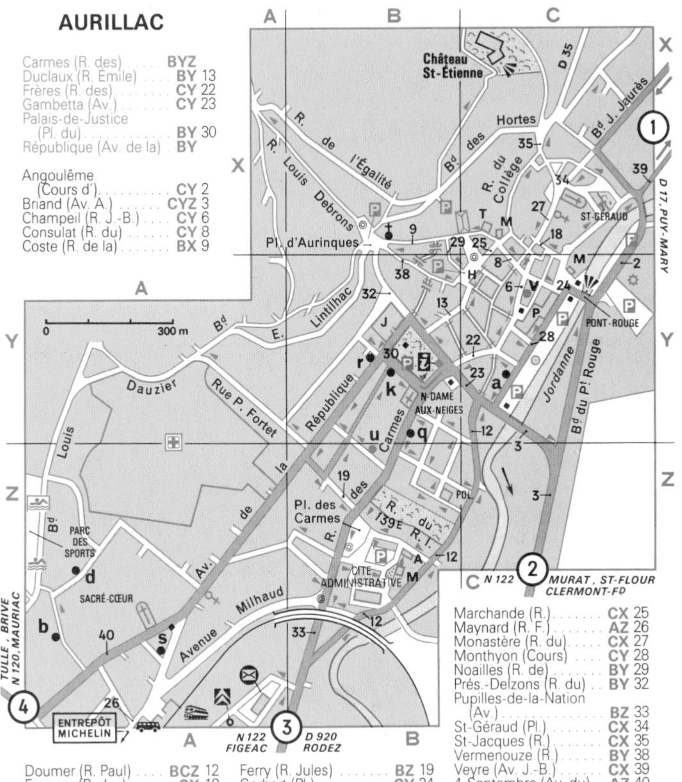

Repas 100/125 A good moderately priced meal.

AURIOL **13390** B.-du-R. 84 ⑭ – 6 788 h. alt. 192.

Sainte-Baume à Nans-les-Pins (83) ☎ 94 78 60 12, E par N 560 : 15 km.

Paris 785 – ◆Marseille 29 – Aix-en-Provence 28 – Brignoles 37 – ◆Toulon 56.

Commerce, ☎ 42 04 70 25, – *fermé 1er fév. au 10 mars, dim. soir et merc. sauf juil.-août* – **R** 88/150 – 24 – **11 ch** 140/200 – ½ P 160.

AURON **06** Alpes-Mar. 81 ⑨ 195 ④ **G. Alpes du Sud** – alt. 1 608 – Sports d'hiver : 1 600/2 450 m 3 24 – ✉ **06660** St-Étienne-de-Tinée.

Voir Décor peint★ de la chapelle St-Érige – ∈★ des abords de la chapelle – SO : Las Donnas ∈★★ par téléphérique – Vallée de la Tinée★★.

Office de Tourisme Immeuble la Ruade ☎ 93 23 02 66, Télex 470300.

Paris 808 – Barcelonnette 66 – Cannes 110 – ◆Nice 91 – St-Étienne-de-Tinée 7.

Savoie, ☎ 93 23 02 51, ∈, – – 60. AE GB. rest *20 déc.-15 avril* – **R** 150/190, enf. 60 – 40 – **22 ch** 320/480 – ½ P 400/520.

Las Donnas, ☎ 93 23 00 03, Fax 93 23 07 39, ∈ – – 40. GB. *6 juil.-31 août et 19 déc.-10 avril* – **R** 95/115, enf. 55 – 28 – **48 ch** 225/420 – ½ P 200/345.

St Érige, ☎ 93 23 00 32, ∈, – . AE GB *25 juin-30 sept. et 1er déc.-26 avril* – **R** 130/300 – 40 – **16 ch** 450 – ½ P 385/410.

AUROUX **48600** Lozère 76 ⑯ – 395 h. alt. 1 000.

Paris 572 – Mende 49 – Le Puy-en-Velay 50 – Langogne 15.

France, D 988 ☎ 66 69 55 02, ∈ – GB *fermé 15 déc. au 31 janv.* – **R** 50/130 – 22 – **23 ch** 87/140 – ½ P 140/155.

AUSSOIS 73500 Savoie 77 ⑧ G. Alpes du Nord – 530 h. alt. 1 489 – Sports d'hiver : 1 500/2 750 m ≴11.

Voir Site★ – Monolithe de Sardières★ NE : 3 km.

Office de Tourisme ☏ 79 20 30 80.

Paris 654 – Albertville 100 – Chambéry 110 – Lanslebourg-Mont-Cenis 16 – Modane 7 – St-Jean-de-Maurienne 38.

- **Le Choucas,** ☏ 79 20 32 77, ≤, 余, 🐕 – ☎. ⓓ GB. ⚘ rest
  1er juin-30 sept. et 1er déc.-31 avril – **R** 90/120, enf. 60 – ☐ 27 – **28 ch** 180/270 – ½ P 250.
- **Soleil,** ☏ 79 20 32 42, Fax 79 20 37 78, ℔ – TV ☎ ℗. GB. ⚘
  fermé 27 avril à mi-juin et début oct. à mi-déc. – **R** 96/135, enf. 60 – ☐ 47 – **22 ch** 240/295 – ½ P 260/350.
- **Les Mottets,** ☏ 79 20 30 86, Fax 79 20 34 22, ≤ – TV ☎ ℗. ⓓ GB
  R 87/140 – ☐ 30 – **25 ch** 170/280 – ½ P 240/265.

AUTERIVE 31190 H.-Gar. 82 ⑱ – 5 814 h. alt. 186.

Paris 728 – ♦Toulouse 32 – Carcassonne 86 – Castres 82 – Muret 20 – St-Gaudens 74.

- **Pyrénées** avec ch, rte Espagne ☏ 61 50 61 43 – TV ☎ 🚗. GB
  fermé 13 au 20 avril, 23 oct. au 23 nov. et lundi – **R** 65/220 🍷 – ☐ 22 – **14 ch** 120/160 – ½ P 190.

CITROEN Gimbrède, N 20 ☏ 61 50 76 76 — FORD Gar. Blanc ☏ 61 50 78 54

AUTIGNY-LE-GRAND 52 H.-Marne 62 ① – rattaché à Joinville.

AUTRANS 38880 Isère 77 ④ – 1 406 h. alt. 1 050 – Sports d'hiver : 1 250/1 650 m ≴16 ⛷.

Office de Tourisme rte de Méaudre ☏ 76 95 30 70.

Paris 596 – ♦Grenoble 35 – Romans-sur-Isère 58 – St-Marcellin 45 – Villard-de-Lans 15.

- **Poste,** ☏ 76 95 31 03, Fax 76 95 30 17, 余, ⛱, 🐕 – TV ☎. GB. ⚘ rest
  fermé 25 avril au 10 mai et 20 oct. au 15 déc. – **R** 70/240, enf. 50 – ☐ 30 – **30 ch** 220/280 – ½ P 255/290.
- **La Buffe,** ☏ 76 95 33 26, ≤, 余, 🐕 – TV ☎ ℗. AE ⓓ GB. ⚘ rest
  fermé 1er au 18 avril, 25 nov. au 15 déc., mardi soir et merc. en mai, juin et de sept. à nov. – **R** 85/180, enf. 55 – ☐ 37 – **23 ch** 265/335 – ½ P 335/375.
- **Feu de Bois,** ☏ 76 95 33 32, ≤, 余, 🐕 – ☎ ℗. GB
  1er juil.-30 sept. et 20 déc.-30 mai – **R** 100/150 🍷, enf. 55 – ☐ 28 – **11 ch** 250 – ½ P 290.
- **Montbrand** 🐚 sans rest, ☏ 76 95 34 58, ≤, 🐕 – ☎
  juil.-août et Noël-Pâques – ☐ 28 – **8 ch** 220/250.
- **La Tapia** sans rest, ☏ 76 95 33 00 – ☎
  fermé 1er au 20 oct. et 15 avril au 1er mai – ☐ 30 – **10 ch** 200/270.

à Méaudre S : 5,5 km – ✉ **38112** :

- **Prairie** 🐚, ☏ 76 95 22 55, ≤, 余, ⛱, 🐕 – TV ☎ ℗ – 🏛 30. GB
  fermé 11 au 30 avril, 10 oct. au 10 nov., sam. et dim. d'oct au 15 déc. – **R** 80/130, enf. 35 – ☐ 26 – **25 ch** 200/270.
- **Pertuzon** avec ch, ☏ 76 95 21 17, 余, 🐕 – ☎ ℗. GB
  fermé 1er au 15 juin, oct., mardi soir et merc. hors sais. – **R** 85/185, enf. 45 – ☐ 30 – **10 ch** 150/220 – ½ P 195/225.

CITROEN Gar. Bonnet, à Méaudre ☏ 76 95 20 74
PEUGEOT Gouy et Velay ☏ 76 95 30 04 N
RENAULT Joubert ☏ 76 95 30 22 N ☏ 76 95 24 44

AUTREVILLE 88300 Vosges 62 ④ – 108 h. alt. 310.

Paris 305 – ♦Nancy 40 – Neufchâteau 20 – Toul 23.

- **Relais Rose,** ☏ 83 52 04 98, 🐕 – ☎ 🚗 ℗. AE GB
  R *(fermé sam. midi et dim. soir du 1er oct. au 15 avril)* 90/260 🍷 – ☐ 30 – **18 ch** 130/350 – ½ P 170/330.

AUTUN ⟨SP⟩ 71400 S.-et-L. 69 ⑦ G. Bourgogne – 17 906 h. alt. 306.

Voir Cathédrale★★ : tympan★★★ BZ – Porte St-André★ BY – Grilles★ du lycée Bonaparte AZ **B** – Manuscrits★ (bibliothèque de l'Hôtel de Ville) BZ **H** – Musée Rolin★ : statuaire romane★★, Nativité★★ du Maître de Moulins et vierge★★ BZ **M1**.

Env. Croix de la Libération ≤★ SO : 6 km par D 120 BZ.

⛳9 du Vallon ☏ 85 52 09 28, par ③ : 3 km.

Office de Tourisme avec A.C. 3 av. Ch.-de-Gaulle ☏ 85 52 20 34 et pl. du Terreau (juin-sept.) ☏ 85 52 56 03.

Paris 290 ① – Chalon-sur-Saône 53 ③ – Auxerre 127 ① – Avallon 79 ① – ♦Dijon 85 ② – ♦Lyon 180 ③ – Mâcon 111 ③ – Moulins 99 ④ – Nevers 102 ⑤ – Roanne 122 ④.

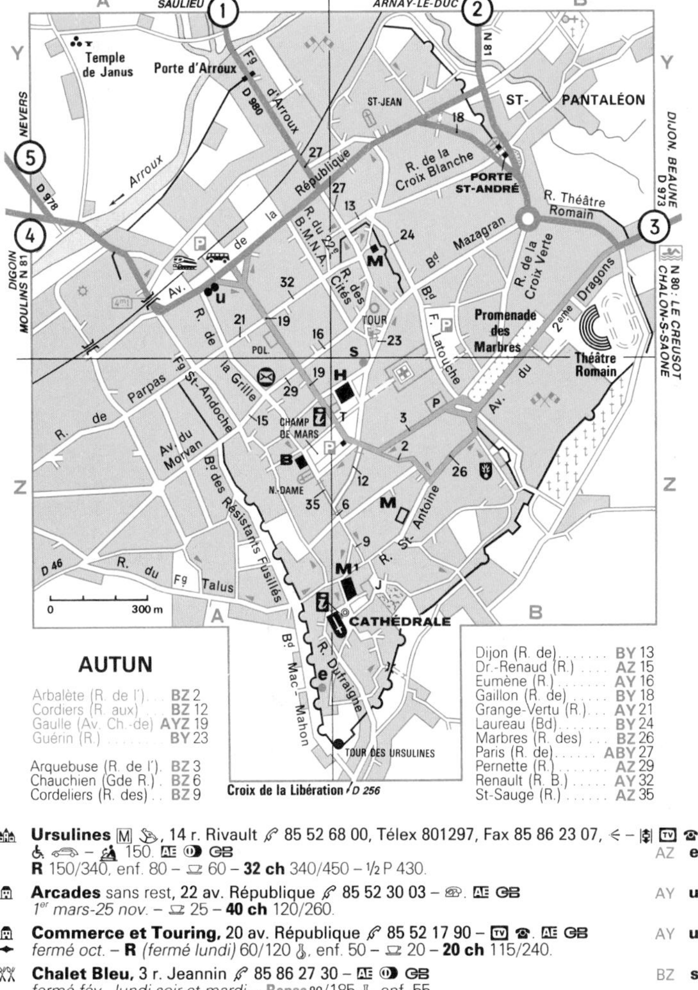

AUTUN

Arbalète (R. de l') . . . BZ 2
Cordiers (R. aux) . . . BZ 12
Gaulle (Av. Ch.-de) AYZ 19
Guérin (R.) . . . . BY 23

Arquebuse (R. de l'). BZ 3
Chauchien (Gde R.) . BZ 6
Cordeliers (R. des) . . BZ 9

Dijon (R. de) . . . . . . BY 13
Dr.-Renaud (R.) . . . . AZ 15
Eumène (R.) . . . . . . AY 16
Gaillon (R. de) . . . . . BY 18
Grange-Vertu (R.) . . . AY 21
Laureau (Bd) . . . . . . BY 24
Marbres (R. des) . . . BZ 26
Paris (R. de) . . . . . . ABY 27
Pernette (R.) . . . . . . AZ 29
Renault (R. B.) . . . . . AY 32
St-Sauge (R.) . . . . . . AZ 35

Ursulines M, 14 r. Rivault ✆ 85 52 68 00, Télex 801297, Fax 85 86 23 07, ≤ – |‡| TV ☎ & – 🚗 150. AE ⓓ GB — AZ **e**
R 150/340, enf. 80 – ☕ 60 – **32 ch** 340/450 – ½ P 430.

Arcades sans rest, 22 av. République ✆ 85 52 30 03 – ☎. AE GB — AY **u**
1er mars-25 nov. – ☕ 25 – **40 ch** 120/260.

Commerce et Touring, 20 av. République ✆ 85 52 17 90 – TV ☎. AE GB — AY **u**
fermé oct. – **R** *(fermé lundi)* 60/120 ♁, enf. 50 – ☕ 20 – **20 ch** 115/240.

Chalet Bleu, 3 r. Jeannin ✆ 85 86 27 30 – AE ⓓ GB — BZ **s**
fermé fév., lundi soir et mardi – **Repas** 80/185 ♁, enf. 55.

au plan d'eau du Vallon par ③ : 2 km – ✉ **71400** Autun :

Golf H. M, N 80 ✆ 85 52 00 00, Fax 85 52 20 20, ☂, – ch TV ☎ & ℗ – 🚗 40. AE ⓓ GB JCB
R *(fermé dim. soir de nov. à Pâques)* 70/140, enf. 40 – ☕ 29 – **44 ch** 230/250.

Primevère, N 80 ✆ 85 86 25 25, Télex 651530, ☂ – TV ☎ & ℗ – 🚗 25. AE GB
R 71/95 ♁, enf. 39 – ☕ 30 – **21 ch** 230/250.

BMW Bosset, 28 r. B.-Renault ✆ 85 52 30 21
CITROEN Auto-Gar. Lemaître, 56 rte d'Arnay, ZI par ② ✆ 85 52 15 32 N
PEUGEOT, TALBOT S.A.V.A., ZI, rte d'Arnay par ② ✆ 85 52 13 10

Gaudry-Pneu, rte d'Étang-sur-Arroux, La Verrerie ✆ 85 52 16 62

AUVERS 77 S.-et M. 61 ⑪ – rattaché à Milly-la-Forêt (Essonne).

Les prix Pour toutes précisions sur les prix indiqués dans ce guide, reportez-vous aux pages explicatives.

AUVERS-SUR-OISE 95430 Val-d'Oise 55 ⑳ 106 ⑥ G. Ile de France – 6 129 h. alt. 71.

Office de Tourisme Manoir des Colombières, r. Sansonne ✆ (1) 30 36 10 06.

Paris 36 – Compiègne 72 – Beauvais 48 – Chantilly 29 – L'Isle-Adam 7,5 – Pontoise 6,5 – Taverny 6,5.

XX **Host. du Nord,** r. Gén. de Gaulle ✆ (1) 30 36 70 74, Fax (1) 34 48 03 10, ☂, ☂ – P. AE GB
fermé 2 au 9 mars, 17 août au 7 sept., 21 au 28 déc., vacances de fév., dim. soir et lundi – **R** 160/220.

AUVILLERS-LES-FORGES 08260 Ardennes 53 ⑰ – 822 h. alt. 210.

Paris 214 – Charleville-Mézières 29 – Hirson 24 – Laon 74 – Rethel 46 – Rocroi 13.

XXX ✿ **Host. Lenoir** avec ch, ✆ 24 54 30 11, Fax 24 54 34 70, ☂ – |♦| ☎. AE ⓓ GB
fermé 2 janv. au 1er mars et vend. sauf fêtes – **R** (dim. et fêtes prévenir) 200/420 – ☐ 33 – **18 ch** 150/320, 3 appart. 420 – ½ P 280/440
Spéc. Mousse de pigeon au fois gras, Poisson du jour au Bouzy, Noisettes d'agneau aux morilles.

AUXERRE P 89000 Yonne 65 ⑤ G. Bourgogne – 38 819 h. alt. 127.

Voir Cathédrale** : trésor* BY – Ancienne abbaye St-Germain* BY.

Env. Gy-l'Évêque : Christ aux Orties* de la chapelle 9,5 km par ③.

Office de Tourisme 1 et 2 quai République ✆ 86 52 06 19 – A.C. 9 r. E.-Dolet ✆ 86 46 25 15.

Paris 166 ⑤ – Bourges 137 ④ – Chalon-sur-Saône 174 ② – Chaumont 141 ② – ♦Dijon 149 ② – ♦Lyon 299 ② – Nevers 111 ③ – ♦Orléans 154 ⑤ – Sens 58 ⑤ – Troyes 82 ①.

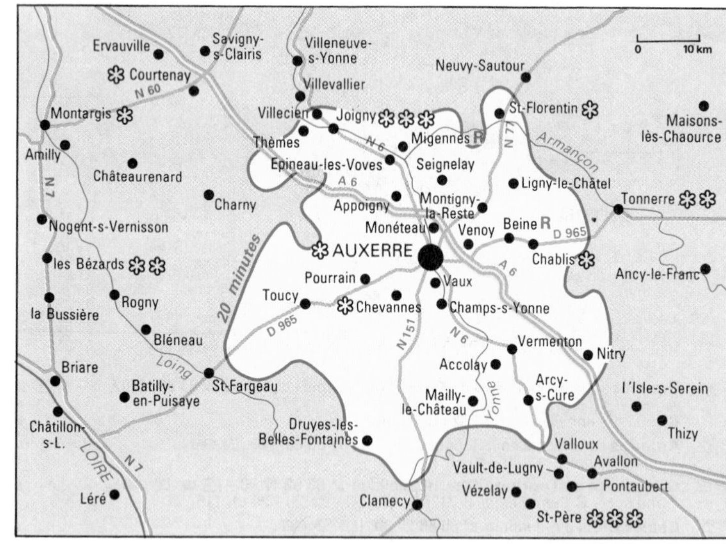

H. Le Maxime sans rest, 2 quai Marine ✆ 86 52 14 19, Fax 86 52 21 70 – |♦| TV ☎ 🚗. AE ⓓ GB BY e
☐ 38 – **25 ch** 350/580.

Parc des Maréchaux sans rest, 6 av. Foch ✆ 86 51 43 77, Fax 86 51 31 72, parc – |♦| TV ☎ P. AE GB AZ u
☐ 38 – **25 ch** 280/405.

Normandie sans rest, 41 bd Vauban ✆ 86 52 57 80, Fax 86 51 54 33 – |♦| TV ☎ 🚗 – 🏛 50. AE ⓓ GB JCB AY b
☐ 30 – **47 ch** 250/300.

Les Clairions, av. Worms par ⑤ : 2 km ✆ 86 46 85 64, Télex 800039, Fax 86 48 16 38, ⛱, 🎾 – |♦| TV ☎ ♿ P – 🏛 30 à 150. AE ⓓ GB
R 95/140 🍷, enf. 45 – ☐ 26 – **62 ch** 260/300 – ½ P 245/270.

Seignelay, 2 r. Pont ✆ 86 52 03 48, ☂ – TV ☎ 🚗. GB BZ n
fermé 8 fév. au 11 mars et lundi d'oct. à juin – **R** 63/190 🍷 – ☐ 30 – **21 ch** 120/270 – ½ P 185/260.

Cygne sans rest, 14 r. 24-Août ✆ 86 52 26 51, Fax 86 51 68 33 – TV ☎ P. AE ⓓ GB JCB AZ r
☐ 25 – **24 ch** 230/300.

AUXERRE

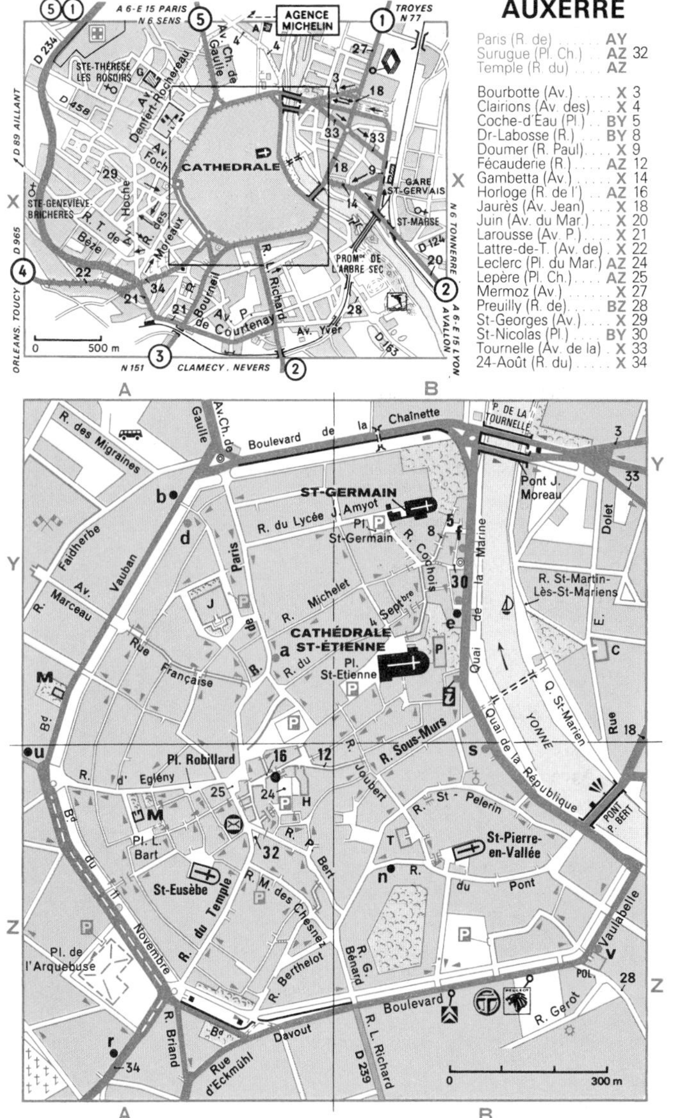

Paris (R. de) . . . . . . AY
Surugue (Pl. Ch.) . . AZ 32
Temple (R. du) . . . . AZ

Bourbotte (Av.) . . . . . X 3
Clairions (Av. des) . . . X 4
Coche-d'Eau (Pl.) . . BY 5
Dr-Labosse (R.) . . . BY 8
Doumer (R. Paul) . . . . X 9
Fécauderie (R.) . . . . AZ 12
Gambetta (Av.) . . . . . X 14
Horloge (R. de l') . . AZ 16
Jaurès (Av. Jean) . . . X 18
Juin (Av. du Mar.) . . . X 20
Larousse (Av. P.) . . . X 21
Lattre-de-T. (Av. de) . X 22
Leclerc (Pl. du Mar.) AZ 24
Lepère (Pl. Ch.) . . . . AZ 25
Mermoz (Av.) . . . . . . X 27
Preuilly (R. de) . . . . BZ 28
St-Georges (Av.) . . . . X 29
St-Nicolas (Pl.) . . . . BY 30
Tournelle (Av. de la) . X 33
24-Août (R. du) . . . . . X 34

XXXX ✿ **Barnabet,** 14 quai République ☎ 86 51 68 88, 🏵 – GB — BYZ **s**
fermé 20 déc. au 15 janv., dim. soir et lundi – **R** 170/250, enf. 95
Spéc. Meurette d'oeufs pochés aux escargots, Croustillant de saumon aux condiments, Pigeonneau rôti sans os à l'ail et foie gras (mai à oct.). **Vins** Bourgogne rouge.

XXX **Rest. Le Maxime,** 5 quai Marine ☎ 86 52 04 41 – AE ⓓ GB — BY **e**
fermé 27 juil. au 2 août, 21 déc. au 3 janv. et dim. sauf fériés – **R** 170/250.

XX **Jardin Gourmand,** 56 bd Vauban ☎ 86 51 53 52, Fax 86 52 33 82, 🏵 – GB — AY **d**
fermé déc. et lundi sauf juil.-août – **R** 130/260, enf. 75.

XX **Salamandre,** 84 r. Paris ☎ 86 52 87 87, produits de la mer – AE GB — AY **a**
fermé 22 déc. au 5 janv. et dim. – **R** 98/240.

XX **Le Trou Poinchy,** 34 bd Vaulabelle ✆ 86 52 04 48, Fax 86 52 52 30 – AE ⓓ GB BZ **v**
fermé dim. soir et merc. du 1er oct. au 31 mars – **R** 75/120 ♫.

X **Le Quai,** 4 pl. St-Nicolas ✆ 86 51 66 67, Fax 86 52 33 82 – GB BY **f**
R 70.

à Monéteau par ① : 7,5 km – 4 239 h. – ✉ **89470** :

XXX **Monte-Cristo,** 7 A r. Sommeville ✆ 86 40 77 49 – P. AE GB
fermé dim. soir et lundi – **R** 160/255.

à Venoy par ② : 8 km près échangeur A 6 Auxerre-Sud, rte de Chablis – ✉ **89290** :

XX **Le Moulin,** ✆ 86 40 23 79, Fax 86 40 23 55, 斎 – P. GB
fermé 19 au 29 août, 15 au 28 fév., dim. soir et lundi – **R** 99/350, enf. 60.

à Champs-sur-Yonne par ② et N 6 : 11 km – ✉ **89290** :

XX **Les Rosiers,** ✆ 86 53 31 11 – GB
fermé 15 juil. au 4 août, 18 déc. au 5 janv., le soir (sauf vend. et sam.) et merc. midi – **R** 95/132.

à Vaux SE : 6 km par D 163 – ✉ **89290** Auxerre :

XX **La Petite Auberge,** ✆ 86 53 80 08 – P. GB
fermé 10 au 24 fév., dim. soir et lundi sauf fériés – **R** 140/190, enf. 80.

à Chevannes par ③ et D1 : 8 km – ✉ **89240** :

XXX ✿ **La Chamaille** (Siri), ✆ 86 41 24 80, 斎 – P. AE ⓓ GB
fermé 7 au 15 sept., 15 janv. au 15 fév., lundi et mardi – **R** (nombre de couverts limité, prévenir) 145/248
Spéc. Langoustines rôties aux épices, Canard colvert au sang (mi-sept. à mi-janv.), Nougat glacé au gingembre et ananas confit. **Vins** Coulanges-la-Vineuse, Epineuil.

près échangeur Auxerre-Nord par ⑤ : 7 km – ✉ **89380** Appoigny :

Mercure M, N 6 ✆ 86 53 25 00, Télex 800095, Fax 86 53 07 47, 斎, ⛱, 斎 – ⇔ ch TV ☎ ♿ P – 🏛 80. AE ⓓ GB
R 95/250 ♫, enf. 45 – ☕ 49 – **82 ch** 370/450 – ½ P 350.

Revotel, N 6 ✆ 86 53 25 34, Fax 86 53 05 27, ✗ – TV ☎ ♿ P – 🏛 80. GB
Le Marais ✆ 86 53 25 50 *(fermé dim. soir)* **R** 68/160, enf. 36 – ☕ 22 – **73 ch** 160/210.

Campanile, ✆ 86 40 71 11, Télex 352711, Fax 86 40 50 74 – TV ☎ ♿ P – 🏛 25. AE GB
R 77 bc/99 bc, enf. 39 – ☕ 28 – **78 ch** 258 – ½ P 234/256.

MICHELIN, Agence, r. Rozanoff, ZAC des Pieds-de-Rats X ✆ 86 46 98 66

CITROEN Auxerre Autos, 20 bd Vaulabelle ✆ 86 51 59 33
MERCEDES-BENZ Europe-Auto, 11 av. Charles-de-Gaulle ✆ 86 46 90 23
NISSAN-VOLVO Carette, 34/36 av. Ch.-de-Gaulle ✆ 86 46 96 38
PEUGEOT-TALBOT Gar. Central, 24 bd Vaulabelle ✆ 86 51 47 47
RENAULT SODIVA, 2 av. J.-Mermoz ✆ 86 46 75 75 N ✆ 05 05 15 15
V.A.G Jeannin, 40-47 av. Ch.-de-Gaulle ✆ 86 46 95 86
Auto-Pôle, 9 à 11 r. du Moulin du Président ✆ 86 48 30 40 N ✆ 86 52 38 48

Ⓜ Auxerre-Pneus, 7 av. Marceau ✆ 86 52 09 22
Pneu-Centre, 4 av. J.-Mermoz ✆ 86 46 58 94
S.O.V.I.C., 14 allée Frères-Lumière ✆ 86 46 93 57

AUXEY-DURESSES 21 Côte-d'Or 69 ⑨ – rattaché à Beaune.

AUXONNE 21130 Côte-d'Or 66 ⑬ **G. Bourgogne** – 6 781 h. alt. 188.

ℹ Office de Tourisme 23 pl. Armes (juin-sept.) ✆ 80 37 34 46.

Paris 344 – ◆Dijon 32 – Dole 16 – Gray 36 – Vesoul 80.

à Villers les Pots NO : 5 km par N 5 et D 976 – ✉ **21130** :

Aub. du Cheval Rouge, ✆ 80 31 44 88 – TV ☎ P. AE GB. ✗ rest
fermé dim. soir sauf vacances scolaires – **R** 80/250, enf. 60 – ☕ 35 – **10 ch** 170/210 – ½ P 210/230.

à Lamarche-sur-Saône NO : 11,5 km par N 5 et D 976 – ✉ **21760** :

X **Host. St-Antoine** avec ch, ✆ 80 47 11 33, Fax 80 47 13 56, 斎, 斎 – TV ☎ P. AE GB. ✗ ch
R 80/230, enf. 52 – ☕ 35 – **8 ch** 260/300 – ½ P 285/300.

aux Maillys S : 8 km par D 20 – ✉ **21130** :

✗✗ **Virion,** ✆ 80 39 13 40 – ▤. ⓓ GB
fermé fév., dim. soir et lundi – **R** 135/240, enf. 60.

PEUGEOT, TALBOT Bourg, rte de Dijon ✆ 80 36 35 53
RENAULT Gar. de l'Aiglon, rte de Dole ✆ 80 37 32 20

Ⓟ Jurassienne du Pneumatique, 64 av. Gén. de Gaulle ✆ 80 31 46 58

Plans de villes : *Les rues sont sélectionnées en fonction de leur importance pour la circulation et le repérage des établissements cités. Les rues secondaires ne sont qu'amorcées.*

AVALLON SP **89200** Yonne 65 ⑯ **G. Bourgogne** – 8 617 h. alt. 254.

Voir Site★ – Ville fortifiée★ : Portails★ de l'église St-Lazare – Miserere★ du musée de l'Avallonnais **M** – Vallée du Cousin★ S par D 427.

ℹ Syndicat d'Initiative 6 r. Bocquillot ✆ 86 34 14 19.

Paris 215 ② – Auxerre 51 ④ – Beaune 106 ② – Chaumont 134 ② – Nevers 97 ③ – Troyes 105 ①.

AVALLON

Gde-Rue A.-Briand . . . 13
Paris (R. de) . . . .
Vauban (Pl.) . . . .

Belgrand (R.) 2
Bocquillot (R.) 3
Capucins (Prom. des) . 5
Collège (R. du) 6
Fontaine-Neuve (R.) . . 8
Fort-Mahon (R.) 9
Gaulle (Pl. Gén. de) . . . 12
Porte-Auxerroise (R.) . 14
Terreaux (Prom. des) . . 16

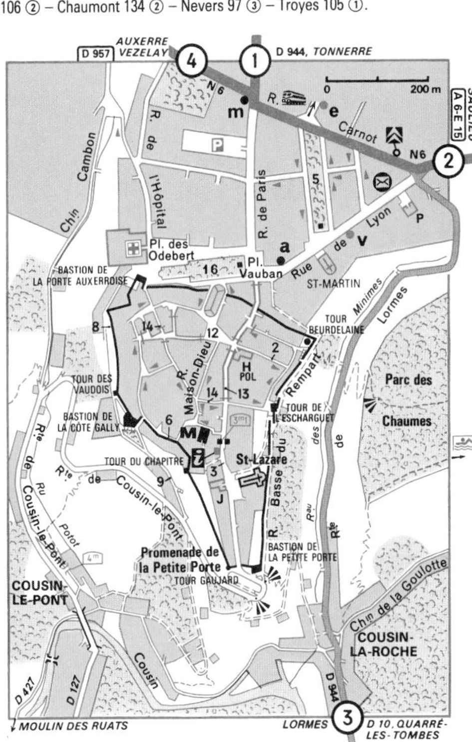

🏨 **Hostellerie de la Poste,** 13 pl. Vauban **(a)** ✆ 86 34 06 12, Télex 809000, Fax 86 34 47 11, 🏞, « Ancien relais de poste du 18ᵉ siècle, jardin » – TV ☎ 🚗 Ⓟ – 🏛 25. AE ⓓ GB. ✗ rest
15 mars-15 nov. – **R** 220/320 – ☕ 60 – **23 ch** 400/1100 – ½ P 450/700.

🏨 **Relais Fleuri** M 🐎, rte Saulieu N 6,5 km par ③ ✆ 86 34 02 85, Télex 800084, Fax 86 34 09 98, 🏊, 🏞, ✗ – TV ☎ ♿ Ⓟ – 🏛 30. AE ⓓ GB
R 145/190 – ☕ 40 – **48 ch** 340/410.

🏨 **Vauban** sans rest, 53 r. Paris **(m)** ✆ 86 34 36 99, Fax 86 31 66 31, parc – |‡| cuisinette TV ☎ Ⓟ. GB
☕ 30 – **26 ch** 250/290, 5 studios 475.

🏨 **Dak'Hotel** M sans rest, rte Saulieu ✆ 86 31 63 20, Télex 352705, Fax 86 34 25 28, 🏊 – TV ☎ ♿ Ⓟ. AE GB
☕ 38 – **26 ch** 250/420.

XXX **Morvan,** 7 rte de Paris (N 6) ✆ 86 34 18 20, parc – P. AE GB
fermé 12 au 22 nov., 8 janv. au 26 fév., dim. soir et lundi sauf fériés – **R** 128/225.

XX **Les Capucins** avec ch, 6 av. P. Doumer **(e)** ✆ 86 34 06 52, – ☎ P. AE GB
fermé mi-nov. à mi-janv., mardi soir (hors sais.) et merc. – **R** 125/280 – ☐ 30 – **8 ch** 290/350 – ½ P 250.

X **Le Gourmillon,** 8 r. Lyon **(v)** ✆ 86 31 62 01 – AE GB
fermé 4 au 25 janv., dim. soir hors sais. et lundi – **R** 80/145 ♁, enf. 50.

près échangeur Autoroute A6 par ② et D 50 : 7 km – ✉ 89200 Magny :

Alt'H. M, ✆ 86 33 01 33, Fax 86 33 00 66 – ch TV ☎ ♿ P – 30. AE GB
R 80/135, enf. 40 – ☐ 30 – **42 ch** 250/285 – ½ P 195.

à Pontaubert par ④ : 5 km – ✉ 89200 :

XX **Les Fleurs** avec ch, ✆ 86 34 13 81, – TV ☎. GB
fermé 23 nov. au 22 janv., jeudi midi hors sais. et merc. – **R** 90/250 – ☐ 30 – **7 ch** 230/350 – ½ P 270/290.

dans la vallée du Cousin par ④, Pontaubert et D 427 – ✉ 89200 Avallon :

Moulin des Ruats , à 6 km ✆ 86 34 07 14, Fax 86 31 65 47, « Jardin au bord de l'eau » – ☎ P. GB
fermé 15 nov. au 15 déc., janv., lundi midi et mardi sauf du 1er mai au 30 oct. – **R** 240/350 – ☐ 40 – **26 ch** 300/580.

Moulin des Templiers sans rest, à 4 km ✆ 86 34 10 80, « Jardin au bord de l'eau » – ☎ P.
15 mars-30 oct. – ☐ 33 – **14 ch** 220/320.

à Vault de Lugny par ④ et D 142 : 6 km – ✉ 89200 :

Château de Vault de Lugny, ✆ 86 34 07 86, Fax 86 34 16 36, ←, « Château du 16e siècle dans un grand parc, », – TV ☎ P. AE GB
mi-mars - mi-nov. – **R** (résidents seul.)(table d'hôtes) carte 240 à 370 – **11 ch** ☐ 750/2200 – ½ P 530/2560.

à Valloux par ④ : 6 km sur N 6 – ✉ 89200 Avallon :

XX **Chenêts,** ✆ 86 34 23 34 – AE GB
fermé 12 au 22 nov., 21 déc. au 1er janv., vacances de fév., lundi soir et mardi – **R** 92 (sauf sam.)/280 ♁.

CITROEN Éts Michot, 10 r. Carnot ✆ 86 34 01 23
RENAULT Sodiva, RN 6 ✆ 86 34 19 27
V.A.G Jeannin, 2 rte de Paris ✆ 86 34 13 03

Éts Piot-Pneu, 10 rte de Paris ✆ 86 34 20 04
Comptoir du Pneu, ZI r. de l'Étang ✆ 86 34 16 19

When looking for a hotel or restaurant use the most efficient method.
Look for the names of towns underlined in red
on the Michelin maps scale: 1:200 000.
But make sure you have an up-to-date map!

AVEN ARMAND ★★★ 48 Lozère 80 ⑤ G. Gorges du Tarn.

Les AVENIÈRES 38630 Isère 74 ⑭ – 3 933 h. alt. 281.

Paris 510 – Belley 23 – Chambéry 39 – ◆Grenoble 63 – ◆Lyon 69 – La Tour du Pin 14.

Relais des Vieilles Postes, Les Nappes : 2 km par D 40B ✆ 74 33 62 99, Fax 74 33 66 84, – TV ☎ P – 25. AE GB. rest
fermé 20 mars au 1er avril, 23 déc. au 15 janv., merc. (sauf hôtel) et mardi soir – **R** 150/220, enf. 70 – ☐ 30 – **17 ch** 200/270 – ½ P 215/250.

PEUGEOT-TALBOT Grégot ✆ 74 33 60 10 N
RENAULT Gar. du Parc ✆ 74 33 61 30 N

AVESNES-SUR-HELPE 59440 Nord 53 ⑥ G. Flandres Artois Picardie – 5 108 h. alt. 152.

Voir L'Avesnois★★ E par D 133.

Syndicat d'Initiative 41 pl Gén.-Leclerc ✆ 27 57 92 40.

Paris 208 ③ – St-Quentin 67 ③ – Charleroi 52 ① – Valenciennes 41 ⑤ – Vervins 33 ③.

Plan page suivante

XX **La Crémaillère,** 26 pl. Gén. Leclerc **(a)** ✆ 27 61 02 30 – AE GB JCB
fermé lundi soir et mardi sauf fériés – **R** 120 bc/260 ♁, enf. 58.

XX **La Bretagne,** 12 pl. Gén. Leclerc **(a)** ✆ 27 61 17 80 – GB
fermé fév., dim. soir et lundi – **R** 68/298.

CITROEN Gar. Roze, 8 bis r. d'Aulnoye ✆ 27 57 92 00
PEUGEOT-TALBOT Éts Depret, 39 rte de Sains, Avesnelles par ② ✆ 27 61 15 70

RENAULT Gar. Moderne, rte de Maubeuge par ① ✆ 27 61 24 55 N

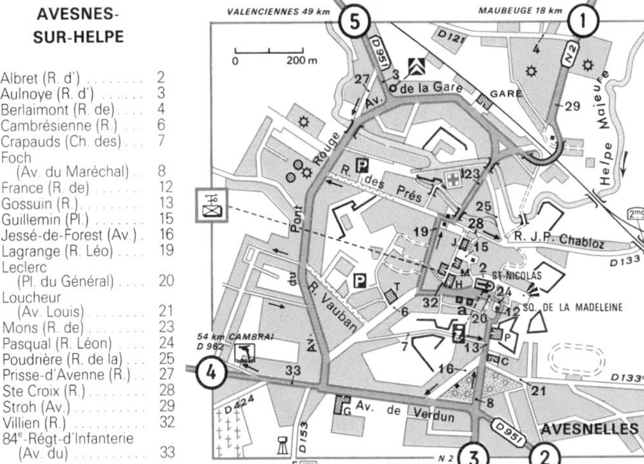

Stadtpläne : Die Auswahl der Straßen wurde unter Berücksichtigung des Verkehrs und der Zufahrt zu den erwähnten Häusern getroffen. Die weniger wichtigen Straßen wurden nur angedeutet.

AVÈZE **63690** P.-de-D. 73 ⑫ – 258 h.

Voir Gorges d'Avèze★ **G. Auvergne.**

Paris 477 – ◆Clermont-Ferrand 53 – Le Mont-Dore 19 – Montluçon 121 – Ussel 38.

Aub. Audigier, ☎ 73 21 10 16, – ☎. GB
fermé nov. – **R** 85/125 – 24 – **10 ch** 85/295 – ½ P 198/220.

AVIGNON P **84000** Vaucluse 81 ⑪ ⑫ **G. Provence** – 86 939 h. alt. 23.

Voir Palais des Papes★★★ EY – Rocher des Doms ≤★★ EY – Pont St-Bénézet★★ EY – Remparts★ – Vieux hôtels★ (rue Roi-René) EZ **K** – Coupole★ de la cathédrale EY – Façade★ de l'hôtel des Monnaies EY **B** – Vantaux★ de l'église St-Pierre EY – Retable★ et fresques★ de l'église St-Didier EZ – Musées : Petit Palais★★ EY, Calvet★ EZ **M**[1], Lapidaire★ EZ **M**[2], Louis Vouland (faïences★) DY **M**[4].

Académie SA ☎ 90 33 39 08, par ③ : 12 km par N 100 et D 171.

d'Avignon-Caumont : ☎ 90 81 51 51, par ④ et N 7.

☎ 90 82 50 50.

Office de Tourisme et Accueil de France (Informations et réservations d'hôtels, pas plus de 5 jours à l'avance), 41 cours J.-Jaurès ☎ 90 82 65 11, Télex 432877 et au Châtelet, Pont d'Avignon ☎ 90 85 60 16 – A.C. 185 rte Rémouleurs ☎ 90 86 28 71.

Paris 688 ② – Aix-en-Pr. 82 ④ – Arles 36 ⑤ – ◆Marseille 95 ④ – Nîmes 44 ⑥ – Valence 127 ②.

Plans pages suivantes

Europe et rest. Vieille Fontaine M, 12 pl. Crillon ☎ 90 82 66 92, Télex 431965, Fax 90 85 43 66, , « Belle demeure du 16e siècle » – ☎ – 25 à 150. AE GB JCB EY **d**
R *(fermé sam. midi et dim.)* 250/420 – 85 – **44 ch** 550/1250, 3 appart. 1900
Spéc. Au hasard d'un agneau de lait. Petite tarte fine à la tomate et basilic (avril à oct.). Palette de fruits compotés à l'ancienne.

La Mirande M, 4 pl. Amirande ☎ 90 85 93 93, Fax 90 86 26 85, ≤, , « Hôtel particulier du 17e siècle luxueusement aménagé » – ☎ . AE GB EY **g**
R 245/300 – 95 – **18 ch** 1200/2000.

Mercure Avignon Sud M, rte Marseille : 3 km ☎ 90 88 91 10, Télex 431994, Fax 90 87 61 88, , – ☎ – 25 à 200. AE GB BX **m**
R 85/125, enf. 42 – 48 – **105 ch** 400/540.

Mercure Palais des Papes M sans rest, quartier Balance ☎ 90 85 91 23, Télex 431215, Fax 90 85 32 40 – ☎ – 30 à 120. AE GB JCB EY **r**
49 – **87 ch** 440/540.

Cloître St-Louis , 20 r. Portail Boquier ☎ 90 27 55 55, Fax 90 82 24 01, , « Cloître du 16e siècle », – ☎ – 30. AE GB EZ **s**
R 150 – 60 – **73 ch** 750/850, 7 appart. 1050/1300 – ½ P 505/605.

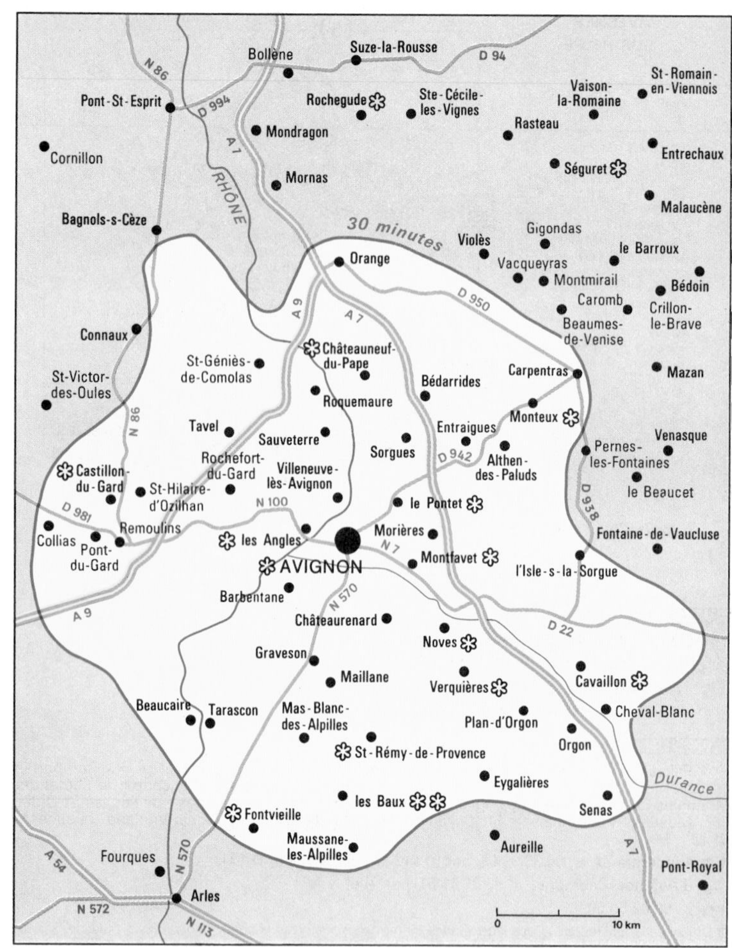

Novotel Avignon Sud [M], rte Marseille : 4 km ℘ 90 87 62 36, Télex 432878, Fax 90 88 38 47, ⚲, ⛱, ⚲ – ▤ [TV] ☎ ♿ Ⓟ – 🏊 150. AE ⓓ GB — CX **n**
R carte environ 150 🍷, enf. 50 – ☕ 45 – **79 ch** 400/460.

Cité des Papes sans rest, 1 r. J. Vilar ℘ 90 86 22 45, Télex 432734, Fax 90 27 39 21 – |‡| ▤ [TV] ☎. AE ⓓ GB — EY **b**
fermé 18 déc. au 23 janv. – ☕ 50 – **64 ch** 375/475.

Primotel Horloge [M] sans rest, 1 r. F. David (pl. Horloge) ℘ 90 86 88 61, Télex 431902, Fax 90 82 17 32 – |‡| ▤ [TV] ☎ ♿ – 🏊 35. AE ⓓ GB — EY **t**
☕ 38 – **70 ch** 385/470.

Danieli [M] ⛐ sans rest, 17 r. République ℘ 90 86 46 82, Fax 90 27 09 24 – [TV] ☎. AE ⓓ GB JCB – ☕ 35 – **29 ch** 360/480. — EY **s**

Bristol [M] sans rest, 44 cours J. Jaurès ℘ 90 82 21 21, Télex 432730, Fax 90 86 22 72 – |‡| ⚲ ▤ [TV] ☎ ⛐. AE ⓓ GB — EZ **m**
☕ 38 – **65 ch** 400/500.

Ibis Centre Gare [M], 42 bd St-Roch (à la Gare) ℘ 90 85 38 38, Télex 432502, Fax 90 86 44 81 – |‡| [TV] ☎ ♿. GB — EZ **v**
R 80/120 🍷, enf. 39 – ☕ 30 – **98 ch** 280/350.

Fimotel [M], 8 bd St Dominique ℘ 90 82 08 08, Télex 432739, Fax 90 86 27 19, ⚲ – |‡| ▤ [TV] ☎ ♿ Ⓟ – 🏊 60. AE GB — DZ **e**
R 100/180 🍷, enf. 38 – ☕ 39 – **95 ch** 320/350.

Angleterre sans rest, 29 bd Raspail ✆ 90 86 34 31, Fax 90 86 86 74 – 📶 ☎ Ⓟ – 🏛 25. GB. ✂ DZ a
fermé 20 déc. au 27 janv. – ☕ 30 – **40 ch** 190/350.

Garlande sans rest, 20 r. Galante ✆ 90 85 08 85, Fax 90 27 16 58 – TV ☎. AE ⓓ GB EY f
☕ 30 – **12 ch** 220/375.

Médiéval sans rest, 15 r. Petite Saunerie ✆ 90 86 11 06, Fax 90 82 08 64 – cuisinette TV ☎. GB FY e
fermé 31 déc. au 1er mars – ☕ 26 – **20 ch** 170/250.

XXX ✿ **Christian Étienne,** 10 r. Mons ✆ 90 86 16 50, Fax 90 86 67 09, <, 🏰, « Vieilles demeures des 13e et 14e s. accolées au Palais des Papes » – ▤. AE GB EY h
fermé 15 au 31 août, 15 fév. au 1er mars, sam. midi et dim. sauf juil. – **R** 260/500
Spéc. Menu des légumes provençaux, Filets de rouget au coulis d'olives noires, Sorbet au fenouil sauce safran. **Vins** Côtes du Rhône.

XXX ✿ **Hiély,** 5 r. République (entresol) ✆ 90 86 17 07, Fax 90 86 32 38 – ▤. GB EY n
fermé 15 juin au 2 juil., 11 au 26 janv., mardi midi et lundi sauf juil.-août – **R** (nombre de couverts limité - prévenir) 195/295 🍷, enf. 120
Spéc. Flan de foie gras aux morilles, Chartreuse de Saint-Pierre (avril à nov.), Pigeonneau à la compote d'oignons. **Vins** Tavel, Châteauneuf-du-Pape.

XXX ✿ **Brunel,** 46 r. Balance ✆ 90 85 24 83, Fax 90 86 26 67 – ▤. AE GB EY e
fermé 12 juil. au 5 août, lundi de déc. à août et dim. – **R** 200/360, enf. 100
Spéc. Compotée de légumes, Fondant de saumon au jus de pintade, Millefeuille au chocolat noir. **Vins** Costières du Gard, Côtes du Rhône.

XXX **Le Grangousier,** 17 r. Galante ✆ 90 82 96 60 – GB EY v
fermé 16 au 31 août et dim. sauf fêtes – **R** 160/210, enf. 85.

XX **Trois Clefs,** 26 r. Trois Faucons ✆ 90 86 51 53 – ▤. GB. ✂ EZ f
fermé dim. sauf fériés – **R** 170, enf. 70.

XX **Jardin de la Tour,** 9 r. Tour ✆ 90 85 66 50, Fax 90 27 90 72, 🏰 – AE ⓓ GB GY a
fermé 15 au 31 août, dim. soir et lundi – **R** 145/255, enf. 70.

XX **L'Aquarelle,** 41 r. Saraillerie ✆ 90 86 33 79, 🏰 – GB EZ a
fermé 26 août au 9 sept., 4 au 13 janv., mardi soir et merc. sauf juil.-août – **R** 135/195.

XX **Le Vernet,** 58 r. J. Vernet ✆ 90 86 64 53, Fax 90 85 98 14, 🏰, « Jardin » – GB. ✂ EZ e
fermé fév., sam. soir et dim. du 1er oct. au 30 avril sauf fêtes – **R** 175 🍷, enf. 80.

XX **Au Pied de Bœuf,** 49 rte Marseille ✆ 90 82 16 52 – ▤. AE ⓓ GB BX r
fermé dim. – **R** 100/155 🍷, enf. 75.

XX **Les Mayenques,** 41 bis rte Lyon ✆ 90 82 45 98 – GB BV s
fermé merc. – **R** 110/260 🍷, enf. 60.

X **L'Isle Sonnante,** 7 r. Racine ✆ 90 82 56 01 – ▤. GB. ✂ EY k
fermé 7 au 30 août, Noël au Jour de l'An, 19 au 27 janv., dim. et lundi – **R** 150.

X **La Fourchette II,** 17 r. Racine ✆ 90 85 20 93 – ▤. GB EY u
fermé 13 au 29 juin, sam. et dim. – **R** 140.

X **Les Domaines,** 28 pl. Horloge ✆ 90 82 58 86, Fax 90 86 26 31, 🏰 – ▤. AE GB EY b
R 150/280.

dans l'île de la Barthelasse N : 5 km par D 228 et VO – ✉ **84000** Avignon :

La Ferme 🐚, chemin des Bois ✆ 90 82 57 53, Fax 90 27 15 47, 🏰, 🏊 – ⇆ ch ☎ ♿ Ⓟ. GB. ✂
fermé janv. – **R** *(fermé lundi d'oct. à mars et sam. midi)* 90/165, enf. 47 – ☕ 42 – **20 ch** 315/370 – ½ P 283/305.

au Pontet NE : 5 km par N 7 – 15 688 h. – ✉ **84130** :

Les Agassins M 🐚, rte Lyon ✆ 90 32 42 91, Fax 90 32 08 29, 🏰, « Jardin fleuri », 🏊 – 📶 ▤ TV ☎ Ⓟ – 🏛 40. AE ⓓ GB JCB CV u
fermé 1er janv. au 1er mars – **R** *(fermé sam. midi de nov. à avril)* 210/380 – ☕ 65 – **24 ch** 350/850 – ½ P 550/710.

Christina sans rest, 34 av. G. Goutarel ✆ 90 31 13 62 – 📶 ▤ ☎ Ⓟ. ✂ CV d
15 mars-15 oct. – ☕ 15 – **46 ch** 140/195.

XXX ✿ **Aub. de Cassagne** M 🐚 avec ch, 450 allée de Cassagne près échangeur Avignon-Nord - CV - ✆ 90 31 04 18, Télex 432997, Fax 90 32 25 09, 🏰, « Beau jardin, 🏊 » – ▤ TV ☎ Ⓟ. AE ⓓ GB
fermé 10 nov. au 10 déc. – **R** 190/360, enf. 110 – ☕ 70 – **19 ch** 420/980, 3 appart. 1680 – ½ P 715/965
Spéc. Terrine provençale au foie gras, Filets de rouget poêlés au citron vert, Emincé d'agneau et côtelettes de lapereau panées. **Vins** Cairanne, Lirac.

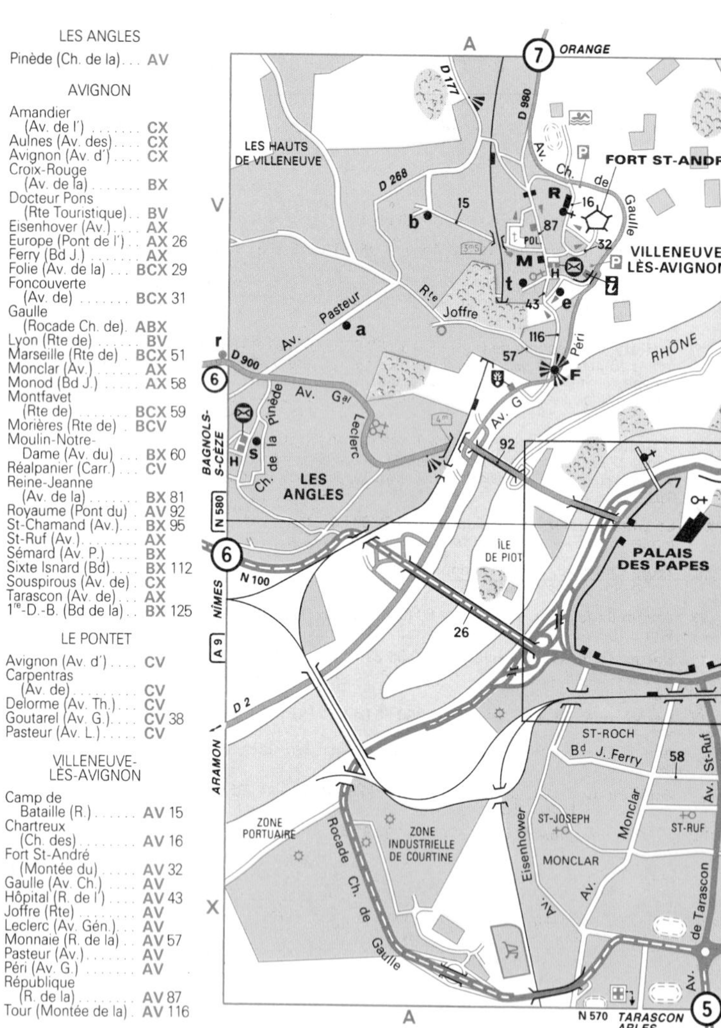

à Montfavet E : 5,5 km par av. Avignon - CX - ✉ **84140** :

🏨 ✿ **Les Frênes** (Biancone) Ⓜ, av. Vertes Rives ☏ 90 31 17 93, Télex 431164, Fax 90 23 95 03, 🍽, « Mobilier ancien, parc, 🏊 » – 🛗 ▤ ch 📺 ☎ Ⓟ – 🏛 35. AE ⓓ GB. ✻ rest
hôtel : 15 mars-15 nov. ; rest. : 1er avril-31 oct. – **R** 340/390 – ☕ 75 – **18 ch** 595/1350, 7 appart. 1600/2500 – ½ P 810/1090
Spéc. Anchoïade aux langoustines, Sandre poêlé à la fondue de morilles, Filet d'agneau au romarin. **Vins** Châteauneuf-du-Pape, Viognier.

✗ **Ferme St-Pierre,** av. Avignon ☏ 90 87 12 86, Fax 90 89 80 27, 🍽 – Ⓟ. AE ⓓ GB
fermé 25 juil. au 16 août, 19 déc. au 3 janv., sam. et dim. – **R** 130 🍷. CX **a**

à l'échangeur A 7 Avignon Nord : 7 km par ② – ✉ **84700** Sorgues :

🏨 **Novotel Avignon Nord** Ⓜ, ☏ 90 31 16 43, Télex 432869, Fax 90 32 22 21, 🍽, 🏊, 🌳, 🎾 – 🛗 ⇔ ch ▤ 📺 ☎ ♿ Ⓟ – 🏛 200. AE ⓓ GB JCB
R carte environ 150 🍷, enf. 50 – ☕ 46 – **100 ch** 395/460.

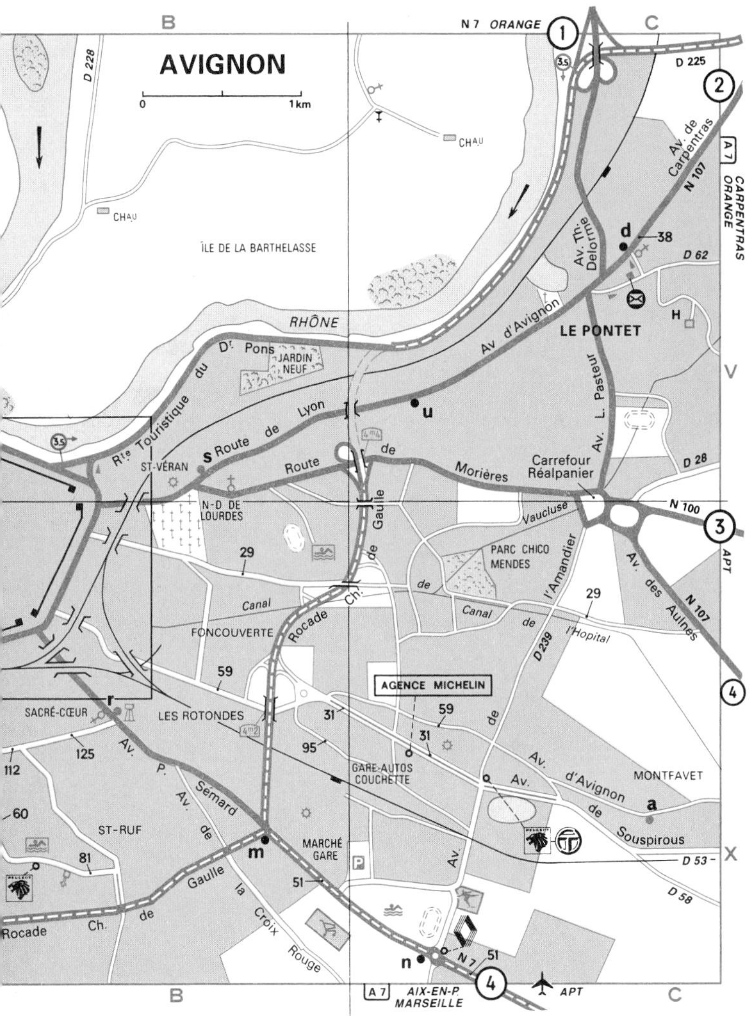

à Morières-lès-Avignon par ③ : 9 km – 6 405 h. – ✉ **84310** :

Le Paradou, N 100 ☎ 90 33 34 15, Télex 432407, Fax 90 33 46 93, 30. AE GB
15 mars-15 nov. – **R** 100/160, enf. 40 – ☕ 40 – **29 ch** 320/350 – ½ P 280/290.

à l'aéroport par ④ : 8 km – ✉ **84140** Montfavet :

Paradou-Avignon M, ☎ 90 88 29 30, Fax 90 89 54 22, 80. AE GB JCB
R 100/150, enf. 60 – ☕ 45 – **42 ch** 380/410 – ½ P 300/340.

par ① : 10 km – ✉ **84140** Montfavet :

Aub. de Bonpas avec ch, rte Cavaillon ☎ 90 23 07 64, Fax 90 23 07 00, 40. AE GB. rest
R 160/350, enf. 80 – ☕ 45 – **10 ch** 240/370 – ½ P 300/320.

MICHELIN, Agence régionale, 28 av. de Fontcouverte CX ☎ 90 88 11 10

AVIGNON

Fourbisseurs (R. des) .... EF 31
Jaurès (Cours J.) .... EZ
Marchands (R. des) .... EY 49
République (R. de la) .... EYZ
St-Agricol (R.) .... EY 94
Vernet (R. J.) .... EYZ
Vieux-Sextier (R. du) .... FY 122

Annanelle (R. d') .... DZ 2
Arroussaire (Av. de l') .... FZ 3
Aubanel (R. Théodore) .... EZ 5
Balance (R. de la) .... EY 7
Bancasse (R.) .... EY 9
Bertrand (R.) .... FY 10
Bon-Martinet (R.) .... FZ 13
Campane (R.) .... FY 14
Collège-d'Annecy (R. du) .... EZ 18
Collège-du-Roure (R. du) .... EY 19
Corps-Saints (Pl. des) .... EZ 20
David (R. F.) .... EY 22
Dorée (R.) .... EY 23
Eisenhower (Av.) .... DZ 24
Folco-de-Baroncelli (R.) .... EY 28
Folie (Av. de la) .... GY 29
Four-de-la-Terre (R. du) .... FZ 35
Galante (R.) .... EY 37
Grande-Fusterie (R. de la) .... EY 39
Grottes (R. des) .... EY 41
Italiens (Av. des) .... GY 44
Jérusalem (Pl.) .... FY 45
Ledru-Rollin (R.) .... FY 47
Manivet (R. P.) .... FZ 48
Masse (R. de la) .... FZ 52
Molière (R.) .... EY 54
Monclar (Av.) .... EZ 55

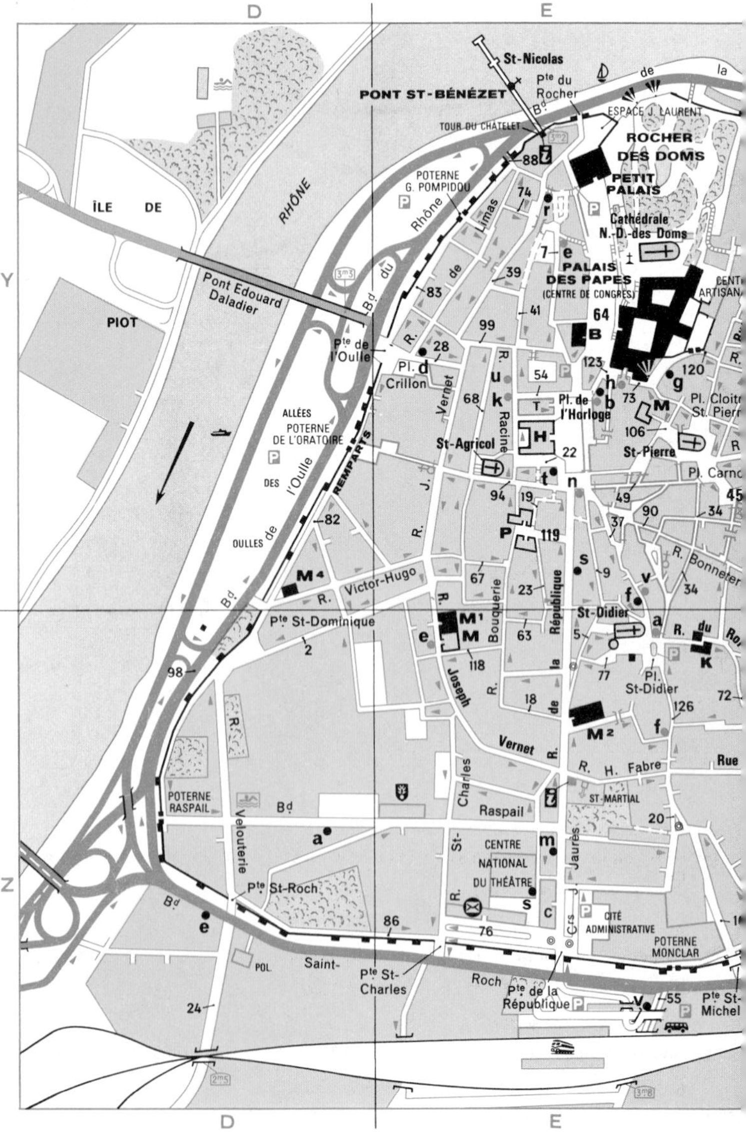

ALFA-ROMEO Sud-Autom., 30 bd St-Roch ✆ 90 86 28 33
BMW Foch Automobiles, ZI St-Tronquet au Pontet ✆ 90 32 60 60
CITROEN Sofidia, rte de Marseille, N 7 par ④ ✆ 90 87 05 45 **N** ✆ 90 89 58 72
FIAT, LANCIA Gar. Royal, 141 rte de Marseille ✆ 90 88 29 55
FORD Autom. du Centre, N 7, 1 bis rte de Morières ✆ 90 82 16 76
MERCEDES-BENZ Autom. Avignonnaise, centre commercial Cap Sud, rte de Marseille ✆ 90 88 01 35
NISSAN Gar. Danse, ZI de Courtine, r. Petit-Mas ✆ 90 86 48 37
PEUGEOT Gar. de l'Abbaye, 4/6 av. Reine-Jeanne ✆ 90 82 15 51
PEUGEOT-TALBOT Vaucluse-Auto, 35 av. Fontcouverte, ZI ✆ 90 88 07 61
PORSCHE MITSUBISHI Auto-Service, 1 rte de Montfavet ✆ 90 86 39 58
RENAULT A.S.A., rte de Marseille, N 7 ✆ 90 87 08 51 **N** ✆ 90 82 90 05
RENAULT Autom. des Remparts, SAR, 14 bd St-Michel ✆ 90 85 34 55 **N** ✆ 90 82 90 05
V.A.G E.G.S.A., Centre des Affaires Cap Sud ✆ 90 87 63 22 **N** ✆ 90 88 50 39
V.A.G E.G.S.A., RN 7 Zone Portuaire au Pontet ✆ 90 32 20 33 **N** ✆ 90 88 50 39
VOLVO Gar. du Clos de Trams, 67 rte de Lyon ✆ 90 82 12 56
Gar. Coste, 19 av. de la Folie ✆ 90 82 18 37

Ayme Pneus, av. de l'Étang, ZI Fontcouverte ✆ 90 87 65 37
Ayme-Pneus, 32 bd St-Michel ✆ 90 82 71 38
Dibon Pneus, 1 rte de Marseille ✆ 90 86 31 65
Dibon Pneus, Le Pigeonnier RN 7 au Pontet ✆ 90 31 14 13
Luciani Pneus, 5 r. Fernand-Serre ✆ 90 82 47 47
Metifiot, 27 av. de Fontcouverte ✆ 90 87 56 48
Page-Pneus, 37 ter bd Sixte-Isnard ✆ 90 82 06 85
Perrot-Pneus, 31 av. du Grand Gigognan ✆ 90 86 22 21
Piot-Pneu, Lot Activité La Gauloise Le Pontet ✆ 90 31 29 60

AVON **77** S.-et-M. **61** ⑫ – rattaché à Fontainebleau.

Demandez chez le libraire le catalogue des publications Michelin.

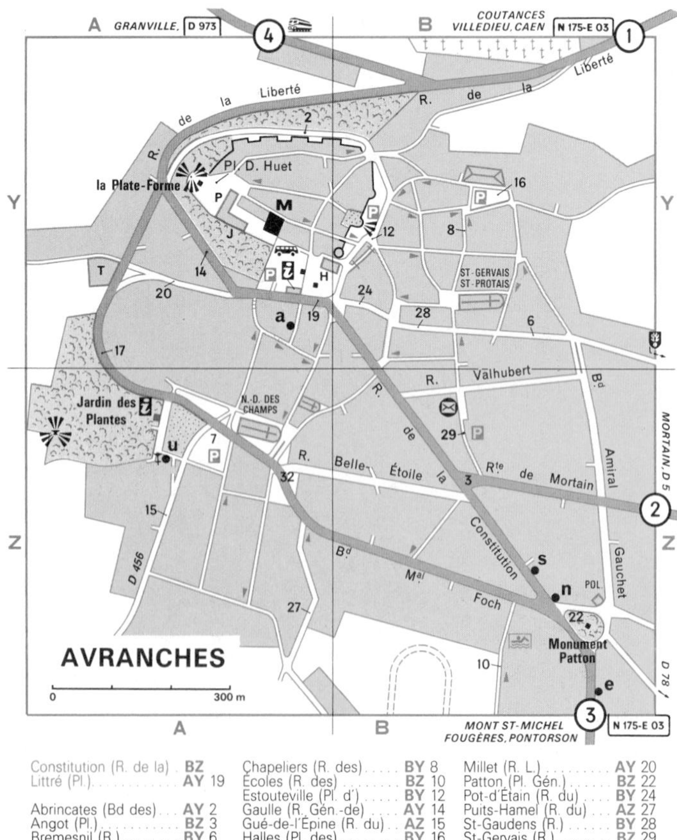

Constitution (R. de la) . BZ
Littré (Pl.) . . . . . AY 19

Abrincates (Bd des) . . . AY 2
Angot (Pl.) . . . . . BZ 3
Bremesnil (R.) . . . . . BY 6
Carnot (Pl.) . . . . . AZ 7
Chapeliers (R. des) . . . . . BY 8
Écoles (R. des) . . . . . BZ 10
Estouteville (Pl. d') . . . . . BY 12
Gaulle (R. Gén.-de) . . . . . AY 14
Gué-de-l'Épine (R. du) . . AZ 15
Halles (Pl. des) . . . . . BY 16
Jozeau-Marigné (Bd) . . . AY 17
Millet (R. L.) . . . . . AY 20
Patton (Pl. Gén.) . . . . . BZ 22
Pot-d'Étain (R. du) . . . . BY 24
Puits-Hamel (R. du) . . . AZ 27
St-Gaudens (R.) . . . . . BY 28
St-Gervais (R.) . . . . . BZ 29
Scelles (Pl. G.) . . . . . AZ 32

AVRANCHES ◇SP◇ 50300 Manche 59 ⑧ G. Normandie Cotentin – 8 638 h. alt. 88.

Voir Manuscrits★★ du Mont-St-Michel (musée) AY **M** – Jardin des Plantes : ✳★ AZ – La "plate-forme" ✳★ AY.

Office de Tourisme r. Gén.-de-Gaulle ✆ 33 58 00 22 et pl. Carnot (juil.-août) ✆ 33 58 67 06.

Paris 341 ① – St-Lô 59 ① – St-Malo 64 ③ – ◆Caen 99 ① – Dinan 69 ③ – Flers 67 ① – Fougères 41 ③ – ◆Rennes 75 ③.

Plan page précédente

Croix d'Or ⛲, 83 r. Constitution ✆ 33 58 04 88, « Décor rustique normand, jardin » – ☎ ⛐ 🅿. GB. ✂ rest BZ **s**
mi-mars à mi-nov. – **R** 90/300, enf. 60 – ☕ 35 – **30 ch** 130/450.

Les Abrincates, 37 bd Luxembourg ✆ 33 58 66 64, Fax 33 58 40 11 – ⏏ 📺 ☎ 🅿. GB. ✂ ch BZ **e**
fermé 20 déc. au 8 janv. et dim. du 1er oct. au 30 avril – **R** voir rest **Le Ménestrel** ci-après – ☕ 28 – **29 ch** 250/300.

Le Pratel sans rest, 24 r. Vanniers par ③ ✆ 33 68 35 41, ⛱ – 📺 ☎ 🅿. AE GB
fermé 27 fév. au 7 mars – ☕ 29 – **7 ch** 260/300.

Jardin des Plantes, 10 pl. Carnot ✆ 33 58 03 68, Fax 33 60 01 72, ⛱ – 📺 ☎. GB
◆ **R** *(fermé dim. soir du 29 sept. à Pâques)* 65/280 🍷, enf. 45 – ☕ 28 – **19 ch** 150/260 – ½ P 195/250. AZ **u**

Central sans rest, 2 r. Jardin des Plantes ✆ 33 58 16 59 – ☎. GB AY **a**
fermé 1er au 15 nov., 1er au 15 fév. et dim. soir de nov. à Pâques – ☕ 26 – **14 ch** 120/220.

Patton sans rest, 93 r. Constitution ✆ 33 48 52 52 – ⏏ ☎ 🅿. AE GB BZ **n**
fermé janv. – ☕ 28 – **26 ch** 190/390.

✕ **Le Ménestrel** -Hôtel Les Abrincates-, 37 bd Luxembourg ✆ 33 58 12 20, Fax 33 58 40 11 –
◆ GB
fermé vacances de nov., 26 déc. au 7 janv., dim. (sauf de mai à sept.) et sam. midi – **R** 59/168 🍷, enf. 34.

à St-Quentin-sur-le-Homme SE : 5 km par D 78 BZ - – ✉ **50220** :

✕✕ **Le Gué du Holme,** ✆ 33 60 63 76, ⛲, ⛱ – GB
fermé 1er au 15 juil., 23 déc. au 10 janv., sam. midi hors sais., dim. soir et lundi soir – **R** 140/300, enf. 65.

CITROEN Basse Normandie Auto, 38 bd du Luxembourg, Le Val-St-Père par ③ ✆ 33 58 23 15 **N**
FIAT A.S. Auto, 25/27 r. de Liberté ✆ 33 58 61 61
FORD Gosselin, ZI de St-Senier ✆ 33 68 38 61
PEUGEOT-TALBOT Pavie, D 911, Marcey-les-Grèves par ④ ✆ 33 58 04 22 **N** ✆ 33 68 52 89
RENAULT Poulain, 87 r. Cdt-Bindel par ② ✆ 33 58 09 00 **N** ✆ 33 68 51 26

V.A.G Avranches-Autom., 3 av. du Quesnoy, St-Martin-des-Champs ✆ 33 58 14 96

Lefrançois, à St-Quentin-sur-le-Homme ✆ 33 58 15 31 **N** ✆ 33 60 49 71
Vallée-Pneus, 17 bd du Luxembourg ✆ 33 58 04 24

AVRILLÉ 85440 Vendée 67 ⑬ – 1 004 h. alt. 20.

Paris 444 – La Rochelle 66 – La Roche-sur-Yon 26 – Luçon 25 – Les Sables-d'Olonne 23.

✕ **Le Menhir,** ✆ 51 22 32 18 – AE ⓓ GB
◆ *fermé 18 janv. au 8 mars., dim. soir et lundi d'oct. à Pâques* – **R** 67/190, enf. 47.

AX-LES-THERMES 09110 Ariège 86 ⑮ G. Pyrénées Roussillon – 1 489 h. alt. 720 – Stat. therm. – Sports d'hiver au Saquet par route du plateau de Bonascre★ (8 km) et télécabine : 1 400/2 000 m 🚡1 ⛷16.

Voir Vallée d'Orlu★ au SE.

Office de Tourisme pl. du Breilh ✆ 61 64 20 64.

Paris 822 – Foix 42 – Andorre-la-Vieille 63 – Carcassonne 105 – Prades 114 – Quillan 53.

Royal Thermal Ⓜ, ✆ 61 64 22 51, Télex 533311, Fax 61 64 37 77 – ⏏ 📺 ☎. AE ⓓ GB JCB. ✂ rest
hôtel : fermé 31 oct. au 1er déc. ; rest. : fermé 31 oct. au 15 déc. – **R** 90/180, enf. 48 – ☕ 37 – **46 ch** 315/345 – ½ P 295.

La Lauzeraie Ⓜ, ✆ 61 64 20 70, Fax 61 64 38 50, ⛲ – ☎. AE GB. ✂ rest
◆ *fermé 20 nov. au 15 déc.* – **R** 59/165, enf. 45 – ☕ 35 – **33 ch** 240/340 – ½ P 200/235.

Terminus, ✆ 61 64 20 55 – ☎. AE ⓓ GB
◆ *fermé oct., dim. soir et lundi hors sais. sauf vacances scolaires* – **R** 75/220, enf. 35 – ☕ 28 – **16 ch** 185/220 – ½ P 200/220.

Chalet ⛲, ✆ 61 64 24 31 – ☎. GB. ✂ ch
◆ **R** 60/160 – ☕ 24 – **10 ch** 210/230 – ½ P 190/250.

au Castelet NO : 4 km – alt. 660 – ✉ **09110** Ax-les-Thermes :

Le Castelet ⛲, ✆ 61 64 24 52, Télex 533376, Fax 61 64 05 93, ≤, ⛲, ⛱ – 📺 ☎ 🅿. AE GB. ✂ rest
10 mai-15 oct. et fermé mardi soir et merc. sauf juil.-août – **R** 85/205 – ☕ 32 – **27 ch** 220/325 – ½ P 250/267.

à Unac NO : 9 km par N 20 et D 2 – ✉ **09250** :

XXX **L'Oustal** ⛰ avec ch, ☎ **61 64 48 44**, ≤, 🍽, « Auberge rustique », – AE GB
fermé 5 janv. à début fév. et lundi hors sais. – **R** 185/280 – ☕ 45 – **5 ch** 195/350.

AYTRÉ **17** Char.-Mar. 71 ⑫ – rattaché à La Rochelle.

AZAY-LE-RIDEAU **37190** I.-et-L. 64 ⑭ **G. Châteaux de la Loire** (plan) – 3 053 h. alt. 44.

Voir Château*** (spectacle son et lumière**) – Façade* de l'église St-Symphorien.

Syndicat d'Initiative pl. Europe ☎ 47 45 44 40.

Paris 264 – ◆Tours 26 – Châtellerault 60 – Chinon 21 – Loches 52 – Saumur 48.

Gd Monarque, ☎ **47 45 40 08**, Fax 47 45 46 25, 🍽 – ☎ P. AE ⓓ GB JCB
hôtel : fermé 15 déc. au 1er fév. ; rest. : ouvert 15 mars-6 nov. – **R** 150/410 bc – ☕ 45 – **25 ch** 295/550 – ½ P 300/420.

Fitness M ⛰, rte Villandry N : 1 km ☎ **47 45 24 24**, Fax 47 45 33 66, 🍽, Ⅎ, ▣ – TV ♿ P. ⓓ GB
fermé janv. – **R** 99/185 ♂, enf. 52 – ☕ 32 – **21 ch** 280/340 – ½ P 262/318.

De Biencourt sans rest, ☎ **47 45 20 75** – ☎. GB. ✻
1er mars-15 nov. – ☕ 32 – **16 ch** 195/340.

XX **Aigle d'Or**, ☎ **47 45 24 58**, 🍽 – GB
fermé 2 au 9 sept., 10 au 20 déc., fév., mardi soir hors sais., dim. soir et merc. – **R** (prévenir) 135/275, enf. 50.

X **Grottes**, ☎ **47 45 21 04**, 🍽 – GB
fermé 5 au 16 sept., 5 janv. au 5 fév., jeudi soir et lundi – **R** 76/165, enf. 45.

X **L'Automate Gourmand**, à La Chapelle-St-Blaise S : 1 km ☎ **47 45 39 07** – GB
fermé 12 au 28 mars et mardi – **R** 85/175 ♂.

RENAULT Gar. Martin, à la Chapelle-St-Blaise ☎ 47 45 42 02

AZERAILLES **54120** M.-et-M. 62 ⑥ – 792 h. alt. 259.

Paris 357 – ◆Nancy 49 – Épinal 49 – Lunéville 19 – St-Dié 32 – Sarrebourg 43.

XX **Gare** avec ch, ☎ **83 75 15 17**, – GB
◆ *fermé 12 au 20 juil., 24 déc. au 1er janv., 17 janv. au 7 fév., dim. soir et lundi* – **R** 60/180 ♂ – ☕ 25 – **6 ch** 100/130 – ½ P 130/150.

BADEFOLS-SUR-DORDOGNE **24150** Dordogne 75 ⑮ ⑯ **G. Périgord Quercy** – 188 h. alt. 50.

Env. Cloître** et église* de Cadouin SE : 7,5 km.

Paris 552 – Périgueux 57 – Bergerac 26 – Sarlat-la-Canéda 47.

BADEN **56** Morbihan 63 ② – rattaché à Auray.

BAGNÈRES-DE-BIGORRE ⟨SP⟩ **65200** H.-Pyr. 85 ⑱ **G. Pyrénées Aquitaine** – 8 424 h. alt. 556 – Stat. therm. (6 avril-oct.) – Casino AZ.

Voir Parc thermal de Salut* par D 153 AZ – Grotte de Médous** par ② : 2,5 km.

Office du Tourisme et du Thermalisme 3 allée Tournefort ☎ 62 95 50 71.

Paris 815 ③ – Pau 59 ③ – Lourdes 22 ③ – St-Gaudens 56 ① – Tarbes 21 ③.

Plan page suivante

La Résidence ⛰, Parc Thermal de Salut ☎ **62 95 03 97**, ≤, 🍽, ⛱, – ☎ P. GB. ✻ par av. P.-Noguès AZ
15 avril-15 oct. – **R** 115/160, enf. 65 – ☕ 38 – **31 ch** 325/340 – ½ P 340/360.

Host. d'Asté, par ② : 4 km ☎ **62 91 74 27**, Fax 62 91 76 74, ≤, – ☎ P – 🏛 50.
◆ GB. ✻
fermé 12 nov. au 12 déc. – **R** 70/190, enf. 40 – ☕ 32 – **21 ch** 157/291 – ½ P 203/270.

Trianon ⛰, pl. Thermes ☎ **62 95 09 34**, parc, ⛱ – ☎ P. GB. ✻ rest ABZ **s**
5 avril-29 oct. – **R** 80/130, enf. 45 – ☕ 26 – **30 ch** 110/270 – P 260/275.

Gd H. Angleterre sans rest, pl. La Fayette ☎ **62 95 22 24** – |‡| TV ☎. GB BZ **v**
fermé 12 nov. au 6 déc. – ☕ 22 – **28 ch** 108/215.

St-Vincent, 31 r. Mar. Foch ☎ **62 91 10 00** – ☎. GB BY **e**
◆ *fermé 3 nov. au 3 déc. et lundi d'oct. à mai* – **R** 58/110 ♂, enf. 45 – ☕ 20 – **22 ch** 180/190 – P 200/250.

Glycines sans rest, 12 pl. Thermes ☎ **62 95 28 11** – ☎. AE ⓓ GB AZ **t**
☕ 25 – **18 ch** 110/220.

à Lesponne par ②, S : 10 km par D 935 et D 29 – ✉ **65710** Campan.

Voir Vallée de Lesponne*.

Domaine de Ramonjuan ⛰, ☎ **62 91 75 75**, Fax 62 91 74 54, ≤, 🍽, parc, Ⅎ, – ☎ P. AE GB. ✻ rest
fermé 6 au 31 janv. – **R** *(fermé dim. soir et lundi)* 98, enf. 49 – ☕ 35 – **21 ch** 230/300 – ½ P 250/280.

BAGNÈRES-DE-BIGORRE

Coustous (Allées des) .... BZ 7
Foch (R. Maréchal) .... BY 8
Lafayette (Pl.) .... ABY 22
Strasbourg (Pl. de) .... BZ 32
Thermes (R. des) .... AZ 34
Victor-Hugo (R.) .... AZ 35

Alsace-Lorraine (R. d') .... AZ 2
Arras (R. du Pont d') .... AZ 3
Belgique (Av. de) .... AY 4
Costallat (R.) .... BY 6
Frossard (R. Émilien) .... BZ 12
Gambetta (R.) .... AY 13
Joffre (Av. Mar.) .... AY 17
Jubinal (Pl. A.) .... BZ 20
Leclerc (Av. Gén.) .... AY 23
Lorry (R. de) .... BZ 25
Pasteur (R.) .... BY 26
Pyrénées (R. des) .... BZ 27
République (R. de la) .... AY 28
Thermes (Pl. des) .... AZ 33
Vigneaux .... BY 37
3-Frères-Duthu (R.) .... BZ 39

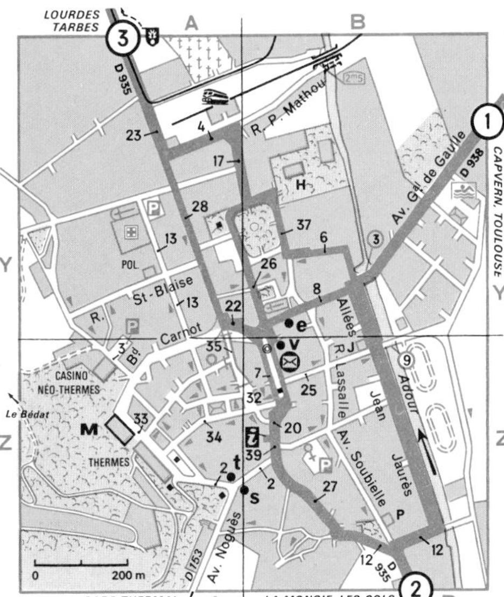

Pour aller loin rapidement, utilisez les cartes Michelin *des pays d'Europe à 1/1 000 000.*

CITROEN Fourcade, rte des Cols par ② ℘ 62 95 26 68 N
CITROEN Gar. Garcia, 1 av. de la Mongie à Pouzac par ③ ℘ 62 95 06 23

PEUGEOT, TALBOT Laloubère, rte de Tarbes par ③ ℘ 62 95 26 84 N

BAGNÈRES-DE-LUCHON 31 H.-Gar. 85 ⑳ – voir à Luchon.

BAGNEUX 49 M.-et-L. 64 ⑫ – rattaché à Saumur.

BAGNOLES-DE-L'ORNE 61140 Orne 60 ① G. Normandie Cotentin – 875 h. alt. 194 – Stat. therm. (5 mai-28 oct.) – Casino A.

Voir Site★ – Lac★ A – Parc★ AB.

℘ 33 37 81 42, par ③ : 3 km.

Office de Tourisme pl. République (8 avril-28 oct.) ℘ 33 37 85 66.

Paris 233 ① – Alençon 48 ② – Argentan 38 ① – Domfront 19 ③ – Falaise 45 ① – Flers 27 ④.

Plan page suivante

Le Cetlos M, r. Casinos ℘ 33 38 44 44, Télex 772521, Fax 33 38 46 23, ≤, – 25 à 150. AE GB — A **k**
R 95/270 – ☐ 45 – **75 ch** 390/690 – P 430/550.

Lutetia-Reine Astrid ⑤, bd Paul Chalvet ℘ 33 37 94 77, – 25. AE GB. rest — B **n**
début avril-début nov. – **R** 115/330, enf. 70 – ☐ 40 – **33 ch** 190/420 – P 380/480.

Capricorne ⑤, allée Montjoie ℘ 33 37 96 99, – AE GB. rest
1er avril-15 oct. – **R** (dîner seul.) 98/140 – ☐ 32 – **21 ch** 260/420, 3 appart. 520 – ½ P 300/320. — A **v**

Bois Joli ⑤, av. Ph. du Rozier ℘ 33 37 92 77, Télex 171782, – AE GB. rest — A **w**
R *(fermé janv. et merc. du 1er nov. au 30 mars)* 105/310 – ☐ 40 – **20 ch** 285/485 – P 350/500.

Ermitage ⑤ sans rest, 24 bd P.-Chalvet ℘ 33 37 96 22, Télex 772274, – GB — B **p**
1er avril-30 oct. – ☐ 35 – **39 ch** 205/330.

Beaumont ⑤, 26 bd Le Meunier-de-la-Raillère ℘ 33 37 91 77, « Jardin fleuri » – GB — B **f**
avril-oct. – **R** 80/180 , enf. 48 – ☐ 31 – **38 ch** 226/350 – P 260/385.

Le Gd Veneur, pl. République ℘ 33 37 86 79 – GB — A **r**
mi-mars-fin oct. – **R** 70/170, enf. 40 – ☐ 31 – **23 ch** 166/288 – P 267/310.

BAGNOLES-DE-L'ORNE

Casinos (R. des) . . . . A 2
Dr-Poulain (Av. du) . . . . . A 8
Château (Av. du) . . . . A 3
Christophle (Bd A.) BAGNOLES . . . . B 4
Christophle (Av. A.) TESSE . . . . A 7
Gaulle (Pl. Général-de) . . . B 9
Hartog (R. G.) . . . . A 13
Le Meunier de la Raillère (Bd) . . . . B 14
Rozier (Av. Ph. du) . . . . . A 15
Sergenterie-de-Javains (Av.) . . . . A 18

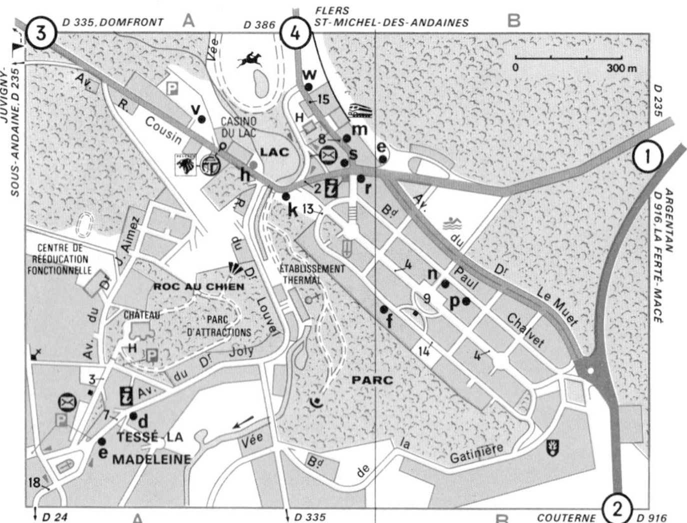

Gayot, pl. République ✆ 33 37 90 22 – |‡| TV ☎. AE GB. ✗ rest — B **e**
7 avril-28 oct. – **R** *(fermé lundi)* 90/175 – ☐ 35 – **17 ch** 220/350 – ½ P 260/340.

Albert 1er, av. Dr Poulain ✆ 33 37 80 97, Fax 33 30 03 64 – |‡| TV ☎. AE ① GB — A **m**
fermé 20 déc. au 15 janv. – **R** 85/185 ♨, enf. 45 – ☐ 30 – **20 ch** 170/300 – P 270/350.

Terrasse sans rest, pl. République ✆ 33 37 92 39, Fax 33 38 98 32 – ☎ Ⓟ. GB. ✗ — A **s**
☐ 28 – **26 ch** 100/265.

Café de Paris, av. R. Cousin ✆ 33 37 81 76, ≤ – AE ① GB — A **h**
7 avril-27 oct. et fermé lundi sauf fériés – **R** 109/205, enf. 77.

à Tessé-la-Madeleine – ✉ **61140** :

Nouvel H., av. A. Christophle ✆ 33 37 81 22, 🌳 – |‡| ☎ Ⓟ. GB. ✗ rest — A **e**
6 avril-28 oct. – **R** 77/200, enf. 40 – ☐ 26 – **30 ch** 214/288 – ½ P 240/276.

Celtic, av. A. Christophle ✆ 33 37 92 11, 🌳 – ☎. GB. ✗ — A **d**
fermé janv., dim. soir et lundi – **R** 62/150 ♨, enf. 45 – ☐ 26 – **13 ch** 200/260 – ½ P 205/240.

par ③ et D 235 : 3 km – ✉ **61140** Bagnoles-de-l'Orne :

Manoir du Lys 🐴, ✆ 33 37 80 69, Fax 33 30 05 80, 🏞, « Dans un parc fleuri », 🎾 – TV ☎ ♿ Ⓟ – 🏛 25 à 50. AE ① GB JCB. ✗ rest
fermé 6 janv. au 28 fév., dim. soir et lundi de nov. à avril – **R** 110/350, enf. 70 – ☐ 45 – **19 ch** 290/650, 3 appart. 1000 – ½ P 350/615.

PEUGEOT-TALBOT Constant, 8 av. R.-Cousin ✆ 33 37 83 11

BAGNOLET 93 Seine-St-Denis 56 ⑪, 101 ⑯ – voir à Paris, Environs.

BAGNOLS-LES-BAINS 48190 Lozère 80 ⑥ G. Gorges du Tarn – 200 h. alt. 913 – Stat. therm. (30 mars-17 oct.) – Paris 609 – Mende 20 – Langogne 40 – Villefort 38.

Modern'H. et Malmont, ✆ 66 47 60 04, Fax 66 47 62 73 – cuisinette ☎ Ⓟ. GB
fermé vacances de nov. au 26 déc. – **R** 63/160 – ☐ 28 – **38 ch** 165/280 – ½ P 195/250.

Commerce, ✆ 66 47 60 07 – ☎ Ⓟ. AE GB. ✗ rest
avril-nov. – **Repas** 60/120 – ☐ 25 – **28 ch** 130/220 – ½ P 150/200.

BAGNOLS-SUR-CÈZE 30200 Gard 80 ⑩ G. Provence (plan) – 17 872 h. alt. 51.

Voir Musée d'Art moderne★.

Env. Belvédère★★ du Centre d'Énergie Atomique de Marcoule SE : 9,5 km.

🅸 Office de Tourisme esplanade Mont-Cotton ✆ 66 89 54 61.

Paris 653 – Avignon 34 – Alès 50 – Nîmes 51 – Orange 24 – Pont-Saint-Esprit 10,5.

Mas de Ventadous M, rte Avignon ✆ 66 89 61 26, Télex 490949, Fax 66 79 99 88, « Bungalows provençaux dans un parc, » – ch 40. GB
R *(fermé sam. midi)* 98/210, enf. 70 – **22 ch** 650/800 – ½ P 650.

rte de Pont-St-Esprit N : 5,5 km par N 86 – ✉ **30200** Bagnols-sur-Cèze :

Valaurie M sans rest, ✆ **66 89 66 22, Télex 490947**, ≤, – . GB
fermé 24 déc. au 24 janv. – ☕ 38 – **22 ch** 240/350.

à Connaux S : 8,5 km sur N 86 – ✉ **30330** :

Paul Itier, ✆ **66 82 00 24,** – . AE GB
R 95/380 ⅛.

TROEN Jeolas, 239 rte d'Avignon ✆ 66 89 60 43
AT Électro-Diesel, 29 rte de Nîmes ✆ 66 89 61 20
PEL Électronic-Auto, 731 rte d'Avignon
66 89 56 07
EUGEOT-TALBOT Pailhon, rte de Nîmes
66 89 54 95
ENAULT Gar. Stolard, 252 av. A.-Daudet
66 89 56 36

V.A.G Gar. Paulus et Fils, 37 av. L.-Blum
✆ 66 89 60 30

Europneu 30, rte d'Avignon ✆ 66 89 04 49
Piot-Pneu, Rond-Point de l'Europe ✆ 66 89 54 19

BAILLARGUES 34670 Hérault 83 ⑦ – 4 375 h. alt. 23.
aris 750 – ◆ Montpellier 13 – Lunel 10 – Nîmes 41.

H. de Massane M, au golf de Massane S : 1,5 km par D 26E ✆ 67 87 87 87, Fax 67 87 87 90, ≤, – 200. AE GB
R *(fermé dim. soir)* 50/145 bc dîner à la carte ⅛, enf. 48 – ☕ 35 – **32 ch** 375/495 – ½ P 375/408.

BAILLEAU-LE-PIN 28120 E.-et-L. 60 ⑰ – 1 495 h. alt. 174.
aris 104 – Brou 23 – Châteaudun 38 – Chartres 15 – ◆Le Mans 104 – Nogent-le-Rotrou 40.

à Sandarville SE : 3,5 km par D 28 – ✉ **28120** :

Aub. de Sandarville, près Église ✆ 37 25 33 18, « Ancienne ferme beauceronne », – GB
fermé 15 au 30 août, 11 janv. au 1er fév., dim. soir et lundi – **R** 180/235, enf. 70.

BAILLEUL 59270 Nord 51 ⑤ **G. Flandres Artois Picardie** – 13 847 h. alt. 44.
'oir ✱★ du beffroi.
aris 249 – ◆ Lille 32 – Armentières 12 – Béthune 29 – Dunkerque 44 – Ieper 19 – St-Omer 36.

Belle H. M sans rest, 19 r. Lille ✆ 28 49 19 00, Fax 28 49 22 11 – . AE GB
☕ 32 – **31 ch** 260/280.

Pomme d'Or avec ch, 27 r. Ypres ✆ 28 49 11 01, Fax 28 49 16 01 – . AE
fermé 10 au 31 août – **R** *(fermé dim. soir et lundi soir)* 105 ⅛, enf. 35 – ☕ 26 – **7 ch** 110/240 – ½ P 160/200.

BAINS-LES-BAINS 88240 Vosges 62 ⑮ **G. Alsace Lorraine** – 1 466 h. alt. 308 – Stat. therm. (avril-19 oct.).
Office de Tourisme pl. Bain Romain (saison) ✆ 29 36 31 75.
aris 357 ④ – Épinal 30 ① – Luxeuil-les-Bains 27 ② – ◆Nancy 93 ① – Neufchâteau 71 ④ – Vesoul 51 ② – Vittel 2 ④.

BAINS-LES-BAINS

Docteur-Leroy (R. du) 5
Chavane (Av. du Lieutenant-Colonel) 2
Demazure (Av.) 3
Docteur-Bailly (Av. du) 4
Docteur-Mathieu (Av. du) 6
Leclerc (R. du Général) 7
Poirot (R. Marie) 10
Verdun (R. de) 12
2e-D.-B. (Pl. de la) 14

Les plans de villes sont orientés le Nord en haut.

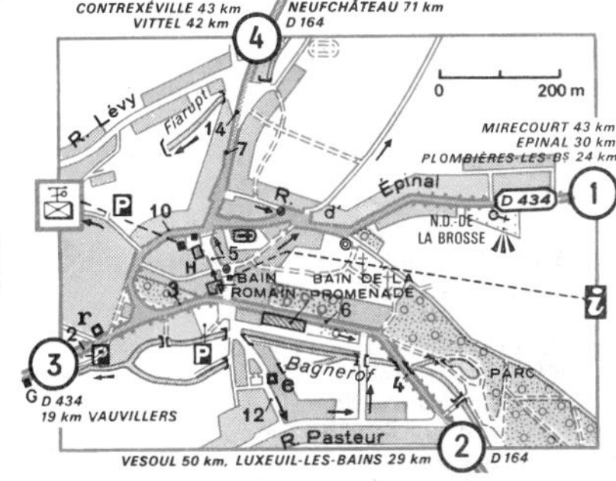

Promenade, (r) ✆ 29 36 30 06, – . GB.
1er mars-31 oct. – **R** 70/210 ⅛ – ☕ 27 – **32 ch** 180/220 – P 265/300.

Poste, (e) ✆ 29 36 31 01 – . GB.
hôtel : ouvert 1er avril-1er nov. – **Repas** *(fermé 15 déc. au 15 janv., sam. et dim. du 1er nov. au 1er avril)* (prévenir) 64/153 ⅛ – ☕ 25 – **21 ch** 103/203 – P 214/287.

BAIX **07210** Ardèche 77 ⑪ – 748 h. alt. 86.

Paris 593 – Valence 33 – Crest 29 – Montélimar 21 – Privas 18.

La Cardinale et sa Résidence, 75 85 80 40, Télex 346143, Fax 75 85 82 07, « Ancienne demeure seigneuriale » – rest ch TV. AE GB
fermé janv. et fév. – **R** *(fermé lundi d'oct. à mai)* 250/450 – 60 – **5 ch** 650/1500 ½ P 780/1040.

La Résidence, 3 km, parc, – ch TV. AE GB
fermé janv. et fév. – **R** voir rest. La Cardinale – 60 – **10 ch** 500/1260.

Aub. des Quatre Vents, rte Chomérac, NO : 2 km 75 85 84 49, – GB
R 60/135 – 20 – **16 ch** 130/210 – ½ P 150/200.

BALARUC-LES-BAINS **34540** Hérault 83 ⑯ **G. Gorges du Tarn** – 5 013 h. alt. 4 – Stat. therm. (24 fév. 12 déc.).

Office de Tourisme 6 av. du Port 67 48 50 07.

Paris 786 – ♦Montpellier 26 – Agde 31 – Béziers 48 – Frontignan 7 – Lodève 60 – Sète 9,5.

Arcadius M, quartier Pech Meja 67 80 28 00, Fax 67 48 55 52, institut bio marin, – TV – 40. AE GB
fermé 15 janv. au 15 fév. – **R** 110, enf. 50 – 40 – **58 ch** 230/350 – ½ P 280/310.

Martinez et Moderne, 2 r. M. Clavel 67 48 50 22, – rest GB. ch
fermé 15 janv. au 15 mars, dim. soir et lundi en déc. – **R** 90/270 – 35 – **30 ch** 150/300.

St Clair, quai Port 67 48 48 91 – AE GB
1er mars-15 déc. – **R** 150.

BALDENHEIM **67** B.-Rhin 62 ⑲ – rattaché à Sélestat.

Participez à notre effort permanent
de mise à jour

Adressez-nous vos remarques
et vos suggestions.

Cartes et guides Michelin

46 avenue de Breteuil - 75324 Paris Cedex 07

BALDERSHEIM **68** H.-Rhin 166 ⑩ – rattaché à Mulhouse.

BÂLE **(BASEL) 4000** Suisse 166 ⑩ 216 ④ **G. Suisse** – 171 036 h. alt. 273 – et les environs : de France 19-41-61, de Suisse 061.

Voir Cathédrale (Münster)★★ : ≤★ CY – Jardin zoologique (Zoologischer Garten)★★★ AZ – Port (Hafen)★, Exposition★ T – Fontaine du Marché aux poissons (Fischmarktbrunnen)★ BY – Vieilles rues★ BY – Oberer Rheinweg ≤★ CY – Musées : Beaux-Arts (Kunstmuseum)★★★ CY Historique (Historisches Museum)★ CY, d'Ethnographie (Museum für Völkerkunde)★ CY M Kirschgarten (Haus zum Kirschgarten)★ CZ, d'Art antique (Antikenmuseum)★ CY – ★ de tour de la Batterie (wasserturm) 3,5 km par ⑥ U.

18 privé 89 68 50 91 à Hagenthal-le-Bas (68-France) SO : 10 km.

de Bâle-Mulhouse 325 31 11, Bâle (Suisse) par la Zollfreie Strasse 8 km T et Saint-Louis (68-France) 89 69 00 00.

Office de Tourisme Blumenrain 2/Schifflände 261 50 50, Télex 963318 et à la Gare (Bahnhof) 261 36 8 – A.C. Suisse, Birsigstr. 4 272 39 33 – T.C.S., Petrihof, Steinentorstr. 13 272 19 55.

Paris 554 ⑧ – Bern 95 ⑤ – Freiburg 71 ① – ♦Lyon 400 ⑧ – ♦Mulhouse 35 ⑧ – ♦Strasbourg 145 ①.

Plans pages suivantes

Les prix sont donnés en francs suisses

Trois Rois, Blumenrain 8, ✉ 4001 261 52 52, Télex 962937, Fax 261 21 53, ≤, – TV – 80. AE GB. rest BY
Rôtisserie des Rois R 77/140, enf. 30 – **Rhy-Deck R** 22/45 – 26 – **80 ch** 250/480, 8 appar

Plaza M, Riehenring 45 ✉ 4058 692 33 33, Télex 964439, Fax 691 56 33, – TV – 50. AE GB JCB. rest DX
Rôtisserie Plaza *(fermé 12 juil. au 16 août et dim.)* **R** 65/120, enf. 25 – **Grand Café** carte 25 à 50 – **223 ch** 420, 26 appart.

International M, Steinentorstrasse 25, ✉ 4001 281 75 85, Télex 96237 Fax 281 76 27, – ch ch TV – 230. AE GB JCB. rest BZ
Steinenpick R carte 40 à 80, enf. 11 – **Rôt. Charolaise R** carte 70 à 95 – **210 ch** 19 420, 5 appart.

Euler, Centralbahnplatz 14, ✉ 4002 272 45 00, Télex 962215, Fax 271 50 00 – rest TV – 160. AE GB. rest CZ
R carte 90 à 115 – 17 – **55 ch** 245/425, 9 appart. 470/850.

BASEL

Aeschenvorstadt . . . . CYZ
Barfüsserpl. . . . . BY 3
Centralbahnpl. . . . . CZ 10
Clarapl. . . . . CY
Eisengasse . . . . BY 15
Falknerstr. . . . . BY 16
Freie Str. . . . . CY
Gerbergasse . . . . BY
Greifengasse . . . . CY
Marktpl. . . . . BY
Steinenvorstadt . . . . . . BY

Augustinergasse . . . . . CY 2
Bäumlihofstr. . . . . T 5
Bottmingerstr. . . . . U 6
Bruderholzallee . . . . U 7
Brunngässlein . . . . CY 9
Centralbahnstr. . . . . CZ 12
Dreirosenbrücke . . . . T 14
Fischmarkt . . . . BY 18
Flughafenstr. . . . . T 19
Gemsberg . . . . BY 20
Grenzacherstr. . . . . T 21
Gundeldingerrain . . . . . . U 22
Gundeldinger Str. . . . . . . U 23
Holeestr. . . . . U 24
Horburgstr. . . . . T 26
Hüningerstr. . . . . T 27
Innere
Margarethenstr. . . . . . BZ 29
Kannenfeldstr. . . . . AX 30
Kohlenberg . . . . BY 31
Laupenring . . . . U 32
Leonhardsgraben . . . . . . BY 33
Lindenhofstr. . . . . CZ 35
Marktgasse . . . . BY 36
Münchensteinerstr. . . . . . U 37
Münsterpl. . . . . CY 38
Neubadstr. . . . . U 39
St. Alban-Graben . . . . . . CY 40
St-Jakobs Str. . . . . U 41
Schneidergasse . . . . BY 42
Spalenvorstadt . . . . BY 43
Stadthausgasse . . . . BY 45
Thiersteinerallee . . . . U 46
Unterer Batterieweg . . . . U 48
Wettsteinstr. . . . . CY 49
Wittlingerstr. . . . . T 51

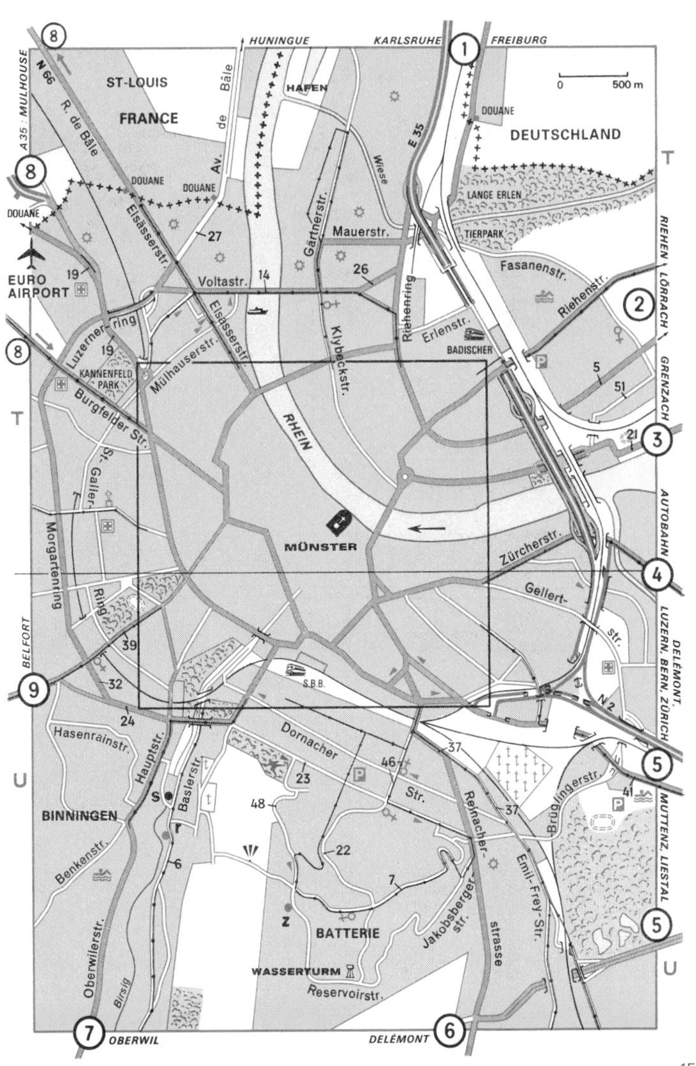

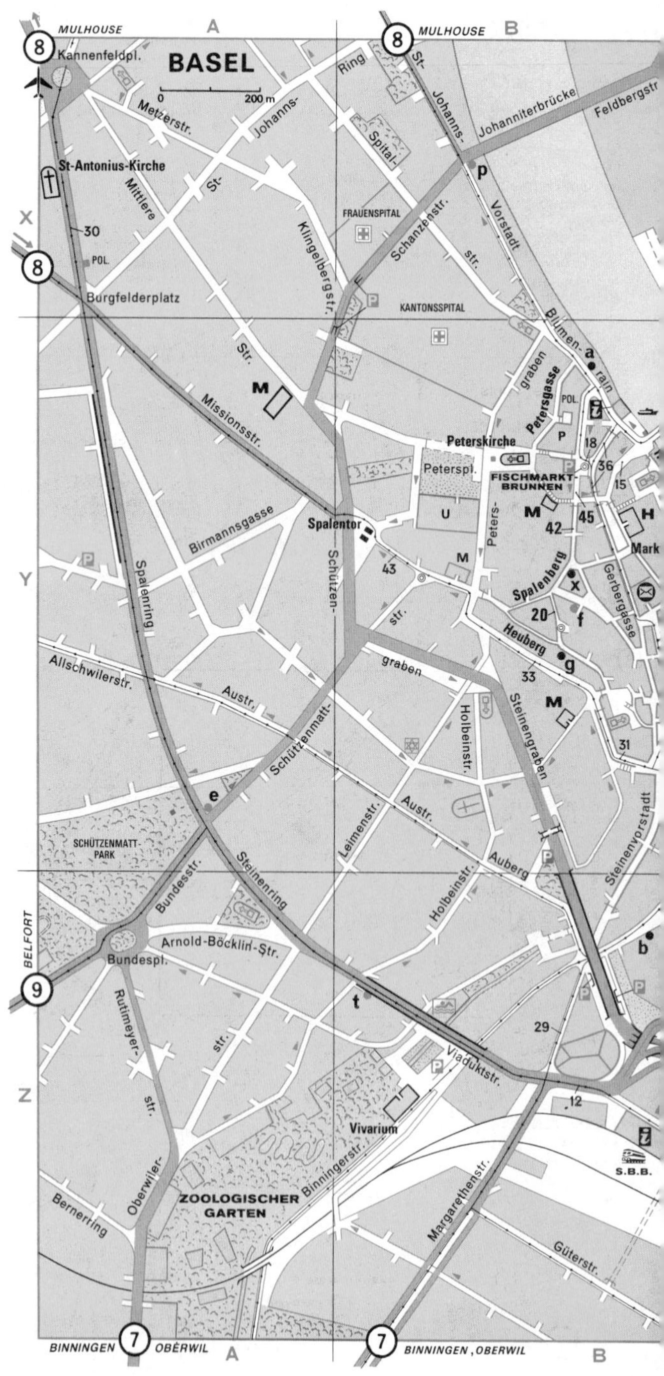
BASEL
0
200 m
MULHOUSE
A
MULHOUSE
B
8
Kannenfeldpl.
Metzerstr.
St-Johanns-Ring
Spital-
St-Johanns-Vorstadt
Johanniterbrücke
Feldbergstr
St-Antonius-Kirche
Mittlere Str.
Klingelbergstr.
Schanzenstr.
FRAUENSPITAL
KANTONSSPITAL
30
POL.
Burgfelderplatz
Missionsstr.
M
Blumenrain
Petersgraben
Petersgasse
Peterskirche
Peterspl.
FISCHMARKT-BRUNNEN
U
Spalentor
Birmannsgasse
Schützengraben
Spalenring
Spalenberg
Heuberg
Gerbergasse
Mark
Allschwilerstr.
Austr.
Schützenmattstr.
Holbeinstr.
Steinengraben
Leimenstr.
SCHÜTZENMATT-PARK
Steinenring
Bundesstr.
Auberg
Steinenvorstadt
BELFORT
Arnold-Böcklin-Str.
Bundespl.
Rutimeyer-str.
Viaduktstr.
Vivarium
Binningerstr.
ZOOLOGISCHER GARTEN
Oberwiler-str.
Bernerring
Margarethenstr.
Güterstr.
S.B.B.
BINNINGEN
OBERWIL
BINNINGEN, OBERWIL
X
Y
Z
A
B

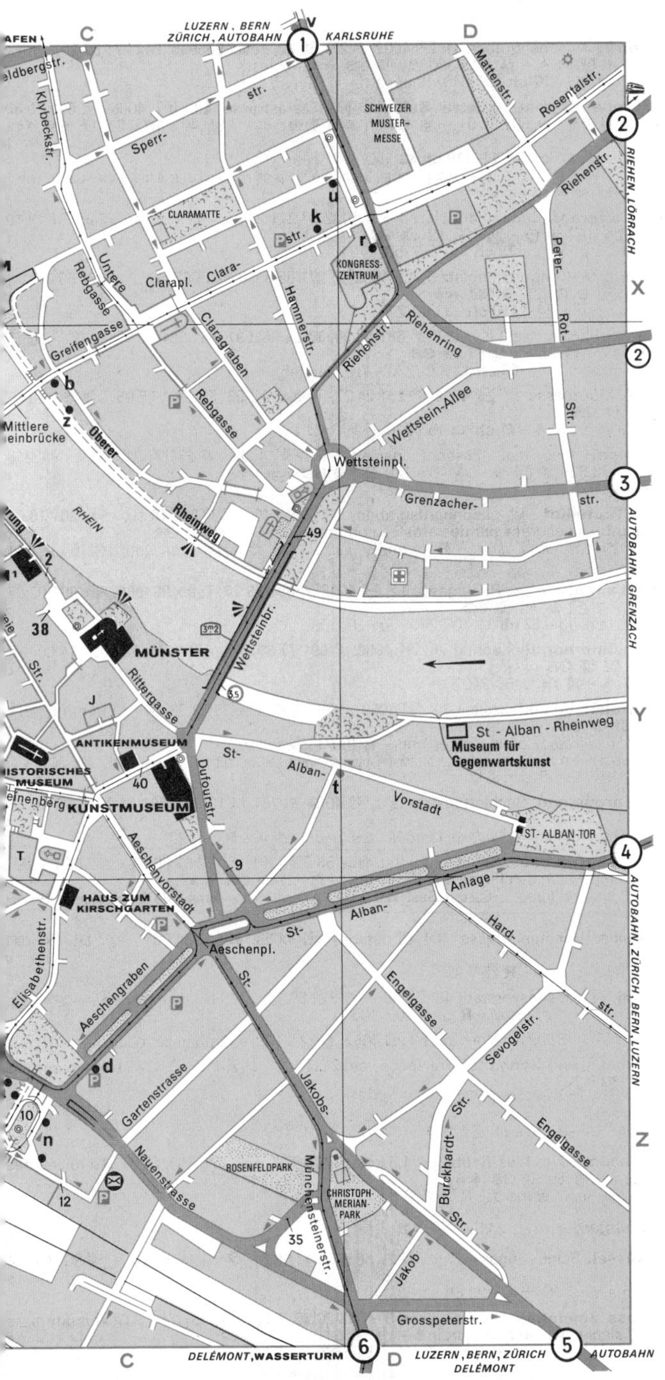
LUZERN, BERN
ZÜRICH, AUTOBAHN
KARLSRUHE
C
D
SCHWEIZER MUSTER-MESSE
Mattenstr.
Rosentalstr.
RIEHEN, LÖRRACH
Riehenstr.
Klybeckstr.
Sperr-
str.
CLARAMATTE
KONGRESS-ZENTRUM
Untere
Rebgasse
Clarapl.
Clara-
Claragraben
Hammerstr.
Riehenring
Peter-
Rot-
Str.
X
Greifengasse
Riehenstr.
Rebgasse
Wettstein-Allee
Mittlere
Oberer
Rheinweg
RHEIN
Wettsteinpl.
Grenzacher-
str.
AUTOBAHN, GRENZACH
49
38
MÜNSTER
Wettsteinbr.
Rittergasse
Y
St - Alban - Rheinweg
Museum für Gegenwartskunst
ANTIKENMUSEUM
Dufourstr.
St-
Alban-
Vorstadt
40
KUNSTMUSEUM
ST-ALBAN-TOR
Aeschenvorstadt
9
HAUS ZUM KIRSCHGARTEN
Anlage
Alban-
St-
Hard-
Aeschenpl.
St-
Elisabethenstr.
Aeschengraben
Engelgasse
str.
AUTOBAHN, ZÜRICH, BERN, LUZERN
Sevogelstr.
Gartenstrasse
Jakobs-
Str.
Engelgasse
Z
10
12
Nauenstrasse
ROSENFELDPARK
Münchensteinerstr.
CHRISTOPH-MERIAN-PARK
Burckhardt-
Str.
35
Jakob
Grosspeterstr.
DELÉMONT, WASSERTURM
LUZERN, BERN, ZÜRICH
DELÉMONT
AUTOBAHN

Hilton [M], Aeschengraben 31, ✉ 4002 ☎ 271 66 22, Télex 965555, Fax 271 52 20, – ch – 50 à 300. AE O GB JCB. rest CZ c
R 44 – 26 – **207 ch** 195/340, 10 appart.

✿ **Europe et rest. Quatre Saisons** [M], Clarastrasse 43, ✉ 4005 ☎ 691 80 80 Télex 964103, Fax 691 82 01 – ch – 40 à 100. AE O GB JCB rest CX k
R *(fermé dim.)* 75/160 – **170 ch** 150/290
Spéc. Soufflé de panais en salade à la truffe noire, Soupe à l'orge perlé aux capuns de turbotin, Jalousie de joue de porc aux lentilles. Vins Maispracher.

Schweizerhof, Centralbahnplatz 1, ✉ 4002 ☎ 271 28 33, Télex 962373, Fax 271 29 19 – – 100. AE O GB CZ r
R carte 50 à 115 – **75 ch** 150/250.

Victoria [M], Centralbahnplatz 3, ✉ 4002 ☎ 271 55 66, Télex 962362, Fax 271 55 01 – rest . AE O GB JCB CZ n
R 20/63 , enf. 14 – **110 ch** 140/220.

Mérian, Rheingasse 2 ✉ 4058 ☎ 681 00 00, Télex 963537, Fax 681 11 01, <, – – 25 à 100. AE O GB CY b
R 28/45 , enf. 10 – **63 ch** 175/230 – ½ P 135/145.

Basel, Münzgasse 12, ✉ 4051 ☎ 261 24 23, Télex 964199, Fax 261 25 95 – rest . AE O GB BY x
R carte 70 à 110 – **71 ch** 155/210.

Métropol sans rest, Élisabethenanlage 5 ✉ 4002 ☎ 271 77 21, Télex 962268, Fax 271 78 82 – – 40 à 120. AE O GB JCB CZ a
46 ch 160/265.

Der Teufelhof [M], Leonhardsgraben 47 ✉ 4051 ☎ 261 10 10, Fax 261 10 04, « Chambres décorées par des artistes contemporains » – . AE GB BY g
fermé 24 déc. au 7 janv. – **R** *(fermé 7 juil. au 18 août, dim. et lundi)* 92/165 – **8 ch** 135/245.

Krafft am Rhein , Rheingasse 12, ✉ 4058 ☎ 691 88 77, Télex 964360, Fax 691 09 07, <, – . AE O GB CY z
R 14/50, enf. 13 – **52 ch** 100/260 – ½ P 91/156.

Muenchnerhof, Riehenring 75, ✉ 4058 ☎ 691 77 80, Télex 964476, Fax 691 14 90 – . AE O GB CX u
R 14/60 – **40 ch** 50/240.

XXXX ✿✿ **Stucki**, Bruderholzallee 42, ✉ 4059 ☎ 35 82 22, Fax 35 82 03, , « Jardin fleuri » – . AE O GB U z
fermé 26 juil. au 17 août, dim. et lundi – **R** 100/165 et carte
Spéc. Gratin de topinambours aux truffes blanches (automne-hiver), Lotte au curry, Ris de veau braisé à la sauge. Vins Pinot noir de Pratteln, Riesling de Kaisten.

XXX **Le Bourguignon**, Bachlettenstrasse 1 ✉ 4054 ☎ 281 14 10, Fax 281 14 20 – . AE O GB. BZ t
fermé 9 au 15 mars, 26 juil. au 16 août, sam. midi et dim. – **R** 69/120 .

XXX **Zum Schützenhaus**, Schützenmattstrasse 56 ✉ 4051 ☎ 272 67 60, Fax 272 65 86, , « Ancien pavillon de chasse du 16e siècle » – . AE O GB JCB AY e
fermé dim. et fêtes – **Garten Saal R** 85/115 , enf. 30 – **Brasserie Le Schluuch R** 25/35 .

XXX **Terrasse**, Haltingerstrasse 104 (5e étage) ✉ 4058 ☎ 692 34 78 – . AE O GB JCB CX v
fermé dim. et lundi – **R** 75/110.

XX **Donati**, St-Johannsvorstadt 48, ✉ 4056 ☎ 322 09 19, , cuisine italienne BX p
fermé juil., lundi et mardi – **R** carte 70 à 100 .

XX St Alban Eck, St Alban Vorstadt 60 ✉ 4052 ☎ 22 03 20, « Ambiance locale » CDY t

X **Wirtshaus zum Schnabel**, Trillengässlein 2 ✉ 4051 ☎ 261 49 09, « Bistrot typique » – AE O GB BY f
fermé dim. et fêtes – **R** 10/36 .

à Aesch par ⑥ : 10 km – ✉ **4147** :

XX **Nussbaumer**, rte Klus-Rebberg : 1,5 km ☎ 78 16 85, Fax 78 37 04, , « Au milieu des vignes » – . AE O GB JCB
fermé fév., lundi et mardi – **R** 70/130 .

à Binningen vers ⑦ : 2 km – ✉ **4102** :

Schlüssel, Schlüsselgasse 1 ☎ 47 25 66, Fax 47 66 62, – – 30. AE O GB U s
R *(fermé dim.)* 18/45 – **28 ch** 80/140.

XXX **Schloss Binningen**, Schlossgasse 5 ☎ 47 20 55, Fax 47 06 35, , « Gentilhommière du 16e siècle, bel intérieur, jardin » – . AE GB U r
fermé 19 juil. au 10 août, dim. et lundi – **R** 95/125 .

à Flüh par ⑦ : 10,5 km – ✉ 4112 :

XX **Martin,** ☎ 75 10 02, ☂ – P. GB
fermé 1er au 24 oct., dim. et lundi – **R** 60/80.

à Hofstetten par ⑦ : 13 km – ✉ 4114 :

X **Landgasthof "Rössli"** ⛰ avec ch, ☎ 75 10 47, Fax 75 12 53, ☂ – P. AE ⓓ GB
fermé 15 janv. au 15 fév., merc. et jeudi – **R** 34/40 ⛁, enf. 15 – **7 ch** ☕ 40/80.

à l'aéroport de Bâle-Mulhouse par ⑧ : 8 km :

XX Airport rest, 5e étage de l'aérogare, ← – ▤.
Secteur Suisse, ✉ 4030 Bâle ☎ 325 32 32, Fax 325 32 65 – AE ⓓ GB
R 50 ⛁, enf. 10.
Secteur Français, ✉ 68300 St-Louis ☎ 89 69 77 48, Fax 89 69 15 19 – AE ⓓ GB
R (en FF) 175 ⛁, enf. 31.

Autres ressources hôtelières : voir aussi : ***St-Louis*** (France) NO : 5 km

Europe — Si le nom d'un hôtel figure en petits caractères
demandez, à l'arrivée,
les conditions à l'hôtelier.

La BALEINE **50** Manche 59 ⑧ – rattaché à Hambye.

BALLEROY **14490** Calvados 54 ⑭ **G. Normandie Cotentin** – 613 h.
Voir Château★.
Paris 282 – St-Lô 23 – Bayeux 15 – Caen 44 – Vire 45.

XXX **Manoir de la Drôme,** ☎ 31 21 60 94, ⛱ – P. AE GB
fermé vacances de fév., dim. soir et lundi – **Repas** 120/185.

CITROEN Gar. du Bessin ☎ 31 21 60 11 N ☎ 31 21 69 59

BALMA **31** H.-Gar. 82 ⑧ – rattaché à Toulouse.

La BALME-DE-SILLINGY **74330** H.-Savoie 74 ⑥ – 3 075 h. alt. 487.
Paris 526 – Annecy 10 – Bellegarde-sur-Valserine 30 – Belley 58 – Frangy 13 – ◆Genève 45.

🏨 **Les Rochers,** N 508 ☎ 50 68 70 07, Fax 50 68 82 74, ←, ⛱ – TV ☎ P – 🏛 60. AE GB
fermé 1er au 11 nov., janv., dim. soir et lundi hors sais. – **R** 82/250, enf. 45 – ☕ 34 – **26 ch** 210/280 – ½ P 230/290.
Annexe La Chrissandière,, ←, « Jardin fleuri, ⛱ » – TV ☎ P. AE GB
fermé 1er au 11 nov., janv., dim. soir et lundi hors sais. – **R** voir H. **Les Rochers** – ☕ 34 – **10 ch** 340 – ½ P 320.

BAN-DE-LAVELINE **88520** Vosges 62 ⑱ – 1 240 h. alt. 427.
Paris 403 – Colmar 48 – Épinal 63 – St-Dié 12 – Ste Marie-aux-Mines 14 – Sélestat 39.

X **Aub. Lorraine** avec ch, ☎ 29 51 78 17 – ☎. AE GB
fermé 5 au 23 oct., dim. soir et lundi sauf juil.-août – **R** 88/160 ⛁, enf. 48 – ☕ 26 – **7 ch** 110/190 – ½ P 160/199.

BANDOL **83150** Var 84 ⑭ **G. Côte d'Azur** – 7 431 h. alt. 1 – Casino Y.
Voir Allées Jean-Moulin★ Z.
Accès dans l'Ile de Bendor par vedette 8 mn - En 1991 : voyageurs 19 F (AR) - ☎ 94 29 44 34 (Bandol).
ℹ Office de Tourisme allées Vivien ☎ 94 29 41 35, Télex 400383.
Paris 824 ① – ◆Toulon 17 ② – Aix-en-Provence 67 ② – ◆Marseille 51 ②.

Plan page suivante

🏨 **Pullman Ile Rousse** ⛰, bd L. Lumière ☎ 94 29 46 86, Télex 400372, Fax 94 29 49 49, ←, ☂, ⛱ – 🛗 ▤ TV ☎ 🚗 – 🏛 60. AE ⓓ GB — Z e
Les Oliviers R 190bc/370bc, enf.110 – ☕ 75 – **53 ch** 790/1190 – ½ P 700/950.

🏨 **Le Provençal,** r. Écoles ☎ 94 29 52 11, Télex 400308, ☂ – TV ☎. AE GB. ⚘
hôtel : fermé dim. soir hors sais. – **R** *(1er avril-1er nov.)* 95/135 – ☕ 32 – **20 ch** 250/320 – ½ P 280/330. — Z d

🏨 **Réserve,** rte de Sanary par ② ☎ 94 29 42 71, Fax 94 32 48 92, ←, ☂ – TV ☎ P. AE ⓓ GB
fermé 23 nov. au 12 déc. – **R** *(fermé dim. soir et lundi du 1er nov. à Pâques)* 130/370, enf. 70 – ☕ 40 – **16 ch** 270/470 – ½ P 280/390.

🏨 **Baie** sans rest, 62 r. Dr L. Marçon ☎ 94 29 40 82 – TV ☎. GB — Y r
fermé janv. – ☕ 30 – **14 ch** 275/290.

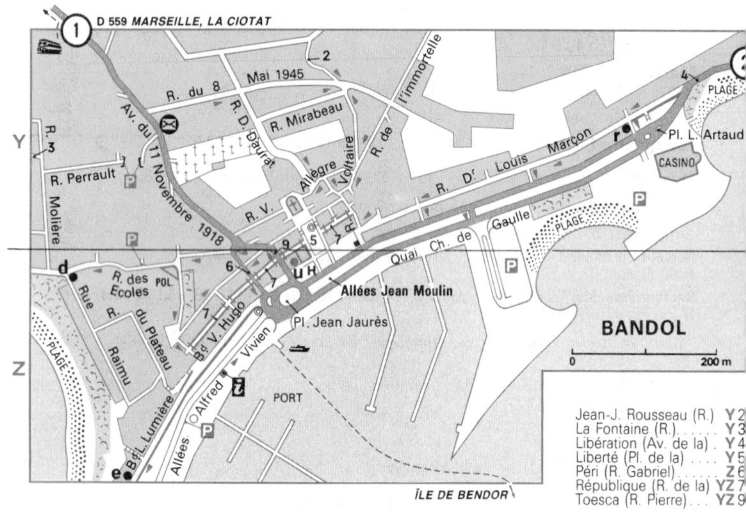

Les Galets, par ② : 0,5 km ☎ 94 29 43 46, ←, – ☎ Ⓟ. GB.
hôtel : 27 mars-31 oct. ; rest. : 1er mai-30 sept. – **R** 120/195 – ☐ 27 – **21 ch** 133/235 – ½ P 214/265.

Bel Ombra, r. La Fontaine - Y - ☎ 94 29 40 90, – ☎. GB. rest
hôtel : 1er avril-30 sept. ; rest. : 1er mai-30 sept. – **R** 105 – ☐ 38 – **21 ch** 250/290 – ½ P 248/288.

Golf H. sans rest, sur plage Rénecros par bd L. Lumière - Z - ☎ 94 29 45 83, ← – ☎ Ⓟ. GB.
Pâques-fin oct. – ☐ 30 – **24 ch** 300/680.

XXX **Aub. du Port**, 9 allées J. Moulin ☎ 94 29 42 63, Fax 94 29 44 59, ←, – AE ⓓ GB — Z **u**
R 135/295, enf. 70.

XX **Parc**, corniche Bonaparte par bd L. Lumière - Z - ☎ 94 32 36 36, ←, – GB
fermé mi-janv. à mi-fév., mardi soir de sept. à juin et merc. (sauf le soir en juil.-août) – **R** 85/235.

BANGOR 56 Morbihan 63 ⑪ – voir à Belle-Ile-en-Mer.

BANNALEC 29380 Finistère 58 ⑯ – 4 840 h. alt. 100.

Syndicat d'Initiative pl. Libération (15 juin-août) ☎ 98 39 43 34.

Paris 528 – Quimper 34 – Carhaix-Plouguer 50 – Châteaulin 57 – Concarneau 24 – Pontivy 69.

au NE : 4,5 km par rte de St-Thurien et VO – ✉ **29380** Bannalec :

Manoir du Ménec M, ☎ 98 39 47 47, Fax 98 39 46 17, « Manoir dans la campagne », – TV ☎ Ⓟ – 25 à 40. GB.
fermé 16 au 30 nov. et 15 au 28 fév. – **R** *(fermé dim. soir et lundi hors sais.)* 120/250, enf. 78 – ☐ 30 – **10 ch** 300/350 – ½ P 375.

BANNEGON 18210 Cher 69 ② – 260 h. alt. 180.

Paris 283 – Bourges 43 – Moulins 69 – St-Amand-Montrond 21 – Sancoins 18.

XXX **Aub. Moulin de Chaméron** avec ch, SE : 3 km par D 76 et VO ☎ 48 61 83 80, Fax 48 61 84 92, « Moulin du 18e siècle et musée de la meunerie », – TV ☎ Ⓟ. AE GB
1er mars-15 nov. et fermé mardi hors sais. – **R** 130/200, enf. 53 – ☐ 42 – **12 ch** 290/420.

Pour vos voyages, en complément de ce guide utilisez :
– Les **guides Verts Michelin** régionaux
paysages, monuments et routes touristiques.
– Les **cartes Michelin** à 1/1 000 000 grands itinéraires
1/200 000 cartes détaillées.

BANYULS-SUR-MER 66650 Pyr.-Or. 86 ⑳ G. Pyrénées Roussillon – 4 662 h. alt. 1.

Voir ** du cap Réderis E : 2 km.

Office de Tourisme av. République ✆ 68 88 31 58.

Paris 950 – ♦ Perpignan 37 – Cerbère 10 – Port-Vendres 6.

Le Catalan, rte Cerbère ✆ 68 88 02 80, Fax 68 88 16 14, ≤ Banyuls et la côte, ⛱, ✂ – |♦| ☎ Ⓟ. AE ⓓ GB
1er mai-30 oct. – **R** 130/320, enf. 60 – ☕ 45 – **36 ch** 460 – ½ P 430.

Solhotel M sans rest, Cap d'Osne ✆ 68 88 53 16, ≤ mer – |♦| ▤ TV ☎ ♿ Ⓟ. GB
fermé 4 janv. au 6 fév. – ☕ 30 – **23 ch** 250/370.

Les Elmes, plage des Elmes ✆ 68 88 03 12, Fax 68 88 53 03, ≤, – ▤ ch TV ☎ Ⓟ. AE GB. ✗ rest
1er mars-15 nov. – **R** 90/235 ♁, enf. 50 – ☕ 38 – **31 ch** 270/450 – ½ P 255/330.

XXX **Le Sardinal**, pl. Reig ✆ 68 88 30 07, – ▤. AE GB
fermé 10 nov. au 15 déc., dim. soir et lundi du 1er oct. au 20 juin – **R** 90/300, enf. 50.

XX **La Pergola** avec ch, av. Fontaulé ✆ 68 88 02 10 – ☎. GB
Pâques-1er nov. – **R** 60/270, enf. 35 – ☕ 25 – **17 ch** 190/290 – ½ P 200/260.

Dans ce guide
un même symbole, un même caractère,
*imprimé en couleur ou en noir, en maigre ou en **gras**,*
n'ont pas tout à fait la même signification.
Lisez attentivement les pages explicatives.

BAPAUME 62450 P.-de-C. 53 ⑫ – 3 509 h. alt. 121.

Paris 157 – ♦ Amiens 48 – St-Quentin 49 – Arras 27 – Cambrai 29 – Douai 36 – Doullens 44.

Paix, av. A.-Guidet ✆ 21 07 11 03 – TV ☎ Ⓟ. AE ⓓ GB. ✗
hôtel : fermé 20 déc. au 4 janv. – **R** *(fermé 1er au 15 août, 20 déc. au 4 janv. et sam.)* 65/140 ♁ – ☕ 26 – **16 ch** 140/270 – ½ P 160/220.

BAPEAUME-LÈS-ROUEN 76 S.-Mar. 52 ⑭ – rattaché à Rouen.

La BARAQUE 63 P.-de-D. 73 ⑭ – rattaché à Clermont-Ferrand.

BARAQUEVILLE 12160 Aveyron 80 ② – 2 458 h. alt. 791.

Paris 650 – Rodez 18 – Albi 60 – Millau 73 – Villefranche-de-Rouergue 42.

Segala Plein Ciel , rte Albi ✆ 65 69 03 45, Fax 65 70 14 54, ≤, ⛱, , ✂ – |♦| TV ☎ Ⓟ – 300. GB. ✗ ch
R *(fermé vend. soir, dim. soir et lundi hors sais.)* 100/250 – ☕ 35 – **45 ch** 200/350 – ½ P 260/290.

PEUGEOT-TALBOT Sacrispeyre ✆ 65 69 00 43 N

BARBAZAN 31510 H.-Gar. 86 ① – 351 h. alt. 450.

Paris 798 – Bagnères-de-Luchon 31 – Lannemezan 24 – St-Gaudens 12 – Tarbes 57 – ♦ Toulouse 102.

Host. de l'Aristou , rte Sauveterre ✆ 61 88 30 67, Fax 61 95 55 66, ≤, – TV ☎ Ⓟ – 40. GB. ✗
fermé 22 au 31 déc., dim. soir et lundi du 15 nov. à Pâques – **R** 105/210, enf. 65 – ☕ 40 – **7 ch** 350 – ½ P 280.

au hameau de Burs NO : 3 km par D 33 et VO – ✉ **31510** Barbazan :

Panoramique M , ✆ 61 88 35 23, Fax 61 89 06 02, ≤ Pyrénées, , – ☎ Ⓟ – 30. GB. ✗ rest
fermé dim. soir et lundi – **R** 90/220 – ☕ 30 – **20 ch** 230/250 – ½ P 220.

La BARBEN 13 B.-du-R. 84 ② – rattaché à Salon-de-Provence.

BARBENTANE 13570 B.-du-R. 83 ⑩ G. Provence – 3 273 h. alt. 52.

Voir Décoration intérieure* du château – Abbaye St-Michel-de-Frigolet : boiseries* de la chapelle N.-D.-du-Bon-Remède S : 5 km.

Syndicat d'Initiative à la Mairie ✆ 90 95 50 39.

Paris 699 – Avignon 10 – Arles 33 – ♦ Marseille 99 – Nîmes 37 – Tarascon 15.

Castel Mouisson sans rest, quartier Castel-Mouisson, par rte Rognonas : 1,5 km ✆ 90 95 51 17, ⛱, , ✂ – ☎ Ⓟ. ✗
15 mars-15 oct. – ☕ 29 – **16 ch** 240/270.

Négociants sans rest, ✆ 90 95 52 45
☕ 25 – **10 ch** 140/175.

BARBEREY-ST-SULPICE 10 Aube 61 ⑯ – rattaché à Troyes.

BARBEZIEUX 16 Charente 72 ⑫ G. Poitou Vendée Charentes – 4 774 h. alt. 79 – ✉ 16300 Barbezieux St-Hilaire.

Syndicat d'Initiative pl. Château (25 juin-15 sept.) ☎ 45 78 02 54.

Paris 474 – Angoulême 32 – ◆Bordeaux 82 – Cognac 35 – Jonzac 23 – Libourne 69.

Bon Repos M sans rest, rte Angoulême : 1,5 km ☎ 45 78 01 92, Fax 45 78 89 81 – TV – P – 60. GB
30 – **16 ch** 230/270.

Vieille Auberge, 5 ter bd Gambetta ☎ 45 78 02 61 – AE GB
fermé lundi d'oct. à juin – **R** 70/230, enf. 45.

à Bois-Vert S : 11 km sur N 10 – ✉ 16360 Baignes-Ste-Radegonde :

La Venta, ☎ 45 78 40 95, Fax 45 78 63 42, parc, – P – 30. GB
fermé 19 déc. au 5 janv., vend. soir et sam. midi d'oct. à mars – **R** 58/120 – 23 – **23 ch** 140/200 – ½ P 175/195.

RENAULT Cholet, av. Vergnes ☎ 45 78 11 66 N ☎ 45 24 76 27

Charente-Pneus, St-Hilaire ☎ 45 78 03 58

BARBIZON 77630 S.-et-M. 61 ① ② 106 ㊺ G. Ile de France – 1 407 h. alt. 80.

Voir Gorges d'Apremont★ : Grand Belvédère★ E : 4 km puis 15 mn.

Office de Tourisme Grande Rue ☎ (1) 60 66 41 87.

Paris 57 – Fontainebleau 10 – Étampes 40 – Melun 11,5 – Pithiviers 46.

Bas-Bréau M, ☎ (1) 60 66 40 05, Télex 690953, Fax (1) 60 69 22 89, , parc « Jardin fleuri », – TV P – 30. AE GB
fermé 4 au 29 janv. – **R** carte 425 à 640 – 85 – **12 ch** 950/1500, 8 appart. 1700/2800
Spéc. Côte de boeuf "Blonde d'Aquitaine" à la fleur de sel, Grouse d'Écosse rôtie (15 août au 31 déc.), Colvert rôti aux fines épices (mi-juil. à fin fév.).

Les Pléiades avec ch, ☎ (1) 60 66 40 25, Télex 691753, Fax (1) 60 66 41 68, , – TV P – 40. AE GB
R 180/320 – 45 – **23 ch** 300/450 – ½ P 480.

L'Angélus, ☎ (1) 60 66 40 30, – P. AE GB
fermé 1er au 12 août, vacances de fév., mardi soir et merc. – **R** 153.

Le Relais de Barbizon, ☎ (1) 60 66 40 28, – GB
fermé 17 août au 2 sept, 21 déc. au 6 janv., mardi et merc. – **R** 130/160.

sur la N 7, à l'orée de la forêt E : 1,5 km – ✉ 77630 Barbizon :

Grand Veneur, ☎ (1) 60 66 40 44, « Décor de pavillon de chasse, cuisine à la broche » – P. AE GB
fermé 22 juil. au 21 août, merc. soir et jeudi sauf fériés – **R** carte 280 à 400.

BARBOTAN-LES-THERMES 32 Gers 79 ⑫ G. Pyrénées Aquitaine – alt. 136 – Stat. therm. (24 fév-28 nov.) – ✉ 32150 Cazaubon.

Office de Tourisme pl. Armagnac ☎ 62 69 52 13.

Paris 714 – Mont-de-Marsan 42 – Aire-sur-l'Adour 36 – Auch 74 – Condom 38 – Marmande 72 – Nérac 45.

La Bastide Gasconne, ☎ 62 69 52 09, Télex 521009, Fax 62 69 51 97, , , , – TV P – 50. AE GB. rest
22 mars-31 oct. – **R** 160/340, enf. 80 – 65 – **34 ch** 390/600.

Château de Bégué, SO : 2 km par D 656 ☎ 62 69 50 08, Fax 62 69 57 25, parc, – P. GB. rest
2 mai-30 sept. – **R** *(fermé lundi)* 80/210 – 30 – **12 ch** 275/340 – ½ P 300/320.

Paix, ☎ 62 69 52 06, , – P. GB. ch
2 avril-22 nov. – **R** 95/140 – 28 – **32 ch** 250/350 – P 300/360.

Aubergade M, ☎ 62 69 55 43, – TV. AE GB. ch
1er mars -30 nov. – **R** 90/240 – 30 – **19 ch** 250/400 – P 310/410.

Ambassade Gourmande, ☎ 62 69 53 75, , – P. AE GB. rest
1er avril-30 nov. – **R** 60/170 – 35 – **16 ch** 240/290 – P 330/340.

Cante Grit, ☎ 62 69 52 12, Fax 62 69 53 98 – TV P. AE GB. rest
12 avril-3 nov. – **R** 110 – 31 – **23 ch** 185/310 – P 287/341.

Beauséjour, ☎ 62 69 52 01, – rest P. GB. rest
mars-nov. – **R** 100/170, enf. 60 – 32 – **30 ch** 180/280 – ½ P 210/250.

Roseraie, ☎ 62 69 53 26, , – TV P. GB. rest
1er avril-31 oct. – **R** 68/125 – 30 – **30 ch** 180/250 – P 320/380.

à Cazaubon SO : 3 km par D 626 – ✉ 32150 :

Château Bellevue, ☎ 62 09 51 95, Télex 521429, , « Dans un parc », – TV P. AE GB.
fermé 2 janv. au 22 fév., mardi soir et merc. en déc. – **R** 145/320 – 45 – **25 ch** 210/450 – ½ P 260/399.

L'EUROPE en une seule feuille : Carte Michelin n° 970.

Le BARCARÈS 66420 Pyr.-Or. 86 ⑩ – 2 422 h. alt. 1 – Casino à Port-Barcarès.

Office de Tourisme Front de Mer ☎ 68 86 16 56, Télex 506133 et Centre Culturel Cocteau/Marais (mai-sept.) ☎ 68 86 18 23.

Paris 899 – ◆Perpignan 22 – Narbonne 54 – Quillan 81.

à Port-Barcarès - G. Pyrénées Roussillon.

Hélios M, ☎ 68 86 32 82, Télex 506194, Fax 68 86 01 82, centre de thalassothérapie, – ch ☎ – 30. AE GB. rest
fermé janv. – **R** 95, enf. 45 – 34 – **50 ch** 305/370 – ½ P 325.

RENAULT Gar. Castay, bd 14-Juillet ☎ 68 86 10 35

BARCELONNETTE 04400 Alpes-de-H.-P. 81 ⑧ G. Alpes du Sud – 2 976 h. alt. 1 132 – Sports d'hiver au Sauze SE : 4 km, à Super-Sauze SE : 10 km et à Pra-Loup SO : 8,5 km.

Voir Portail Sud★ de l'église de St-Pons NO : 2 km.

Office de Tourisme pl. F.-Mistral ☎ 92 81 04 71, Télex 401590.

Paris 742 – Gap 68 – Briançon 88 – Cannes 221 – Cuneo 100 – Digne-les-Bains 86 – ◆Nice 209.

Azteca M sans rest, 3 r. F. Arnaud ☎ 92 81 46 36, Fax 92 81 43 92, « Mobilier et objets de l'artisanat mexicain » – ☎ – 70. AE GB
37 – **27 ch** 340/470.

Le Passe-Montagne, SO : 3 km rte Cayolle ☎ 92 81 08 58, – AE GB
fermé 15 nov. au 15 déc. et merc. hors sais. – **R** 107/198.

La Mangeoire, pl. 4-Vents (près Église) ☎ 92 81 01 61, – GB
fermé lundi sauf vacances scolaires – **R** 69/300.

au Sauze SE : 4 km par D 900 et D 209 – alt. 1 380 – Sports d'hiver : 1 400/2 450 m 24 – ✉ 04400 Barcelonnette

Alp'H. M, ☎ 92 81 05 04, Télex 420437, Fax 92 81 45 84, ←, – cuisinette ☎ – 30. AE GB JCB
23 mai-18 oct. et 18 déc.-20 avril – **R** 115/125, enf. 59 – 45 – **24 ch** 400/440, 10 appart. – ½ P 340/355.

L'Équipe, ☎ 92 81 05 12 – ☎. GB. rest
15 juin-15 sept. et 20 déc.-15 avril – **R** 95/120 – 32 – **24 ch** 220/280 – ½ P 250/270.

Soleil des Neiges, ☎ 92 81 05 01, Télex 405879, Fax 92 81 28 65, ←, – ☎. AE GB. rest
13 juin-30 sept., 15 déc.-15 mai et week-ends fériés – **R** 130/180, enf. 65 – 38 – **30 ch** 170/350 – ½ P 260/315.

Les Flocons, ☎ 92 81 05 03, ← – ☎. AE GB. rest
1er juin-15 sept. et 15 déc.-30 avril – **R** 70/170, enf. 50 – 30 – **20 ch** 200/270 – ½ P 250/280.

à Super-Sauze S : 10 km par D 9 et D 9A – alt. 1 700 – Sports d'hiver : voir au Sauze – ✉ 04400 Barcelonnette :

Pyjama M sans rest, ☎ 92 81 12 00, Fax 92 81 03 16, ← – ☎. AE GB
25 juin-8 sept. et 15 déc.-15 avril – 38 – **10 ch** 290/420, 4 studios 550.

Op Traken , ☎ 92 81 05 22, ←, –
saisonnier – **12 ch.**

à Pra-Loup SO : 8,5 km par D 902 et D 109 – alt. 1 600 – Sports d'hiver : 1 600/2 500 m 3 30 – ✉ 04400 Barcelonnette.

Office de Tourisme La Maison de Pra-Loup (saison) ☎ 92 84 10 04.

Le Prieuré de Molanès, à Molanès ☎ 92 84 11 43, – ☎. AE GB
fermé oct. et nov. – **R** 75/95, enf. 45 – 27 – **17 ch** 330/380 – ½ P 350/380.

La Tisane, Chenonceau 1 ☎ 92 84 10 55 – GB
1er juil.-31 août, vacances de nov. et 15 déc.-3 mai – **R** 105/245.

aux Thuiles O : 7 km par D 900 – ✉ 04400 Barcelonnette :

Aub. de la Pastourière avec ch, ☎ 92 81 15 54 – GB
fermé 4 nov. au 21 déc., 6 janv. au 15 fév., dim. soir et lundi hors sais. – **R** 70/150, enf. 40 – 30 – **5 ch** 190/260 – ½ P 220/230.

CITROEN Gar. de la Gravette ☎ 92 81 01 66

PEUGEOT-TALBOT Gar. de l'Ubaye, ZI du Chazelas ☎ 92 81 02 45 N ☎ 92 81 02 45

BARCUS 64130 Pyr.-Atl. 85 ⑤ – 788 h. alt. 210.

Paris 819 – Pau 53 – Mauléon-Licharre 14 – Oloron-Sainte-Marie 18 – St-Jean-Pied-de-Port 54.

Chilo avec ch, ☎ 59 28 90 79, Fax 59 28 93 10, – ☎. GB
fermé mi-janv. à mi-fév., dim. soir et lundi hors sais. – **Repas** 70/185, enf. 45 – 25 – **15 ch** 95/450 – ½ P 180/350.

BARÈGES **65120** H.-Pyr. 85 ⑱ **G. Pyrénées Aquitaine** – 257 h. alt. 1 250 – Stat. therm. (11 mai-10 oct.) – Sports d'hiver : 1 600/2 350 m 1 23.

Office de Tourisme ✆ 62 92 68 19, Télex 521995.

Paris 853 – Pau 81 – Arreau 52 – Bagnères-de-Bigorre 40 – Lourdes 38 – Luz-Saint-Sauveur 7 – Tarbes 58.

Central, ✆ 62 92 68 05, Fax 62 92 66 40, – TV ☎. AE ① GB. rest
hôtel : 1er juin-30 sept. et 15 déc.-20 avril ; rest. : 1er juil.-30 sept. et 15 déc.-20 avril – **R** (dîner seul. en hiver) 70/120, enf. 45 – 32 – **20 ch** 230/285 – ½ P 260/280.

Richelieu, ✆ 62 92 68 11, Fax 62 92 66 00 – ☎. AE GB
13 juin-26 sept. et 19 déc.-6 avril – **R** 70/140, enf. 45 – 35 – **34 ch** 230 – ½ P 200/250.

BAREMBACH **67** B.-Rhin 62 ⑧ – rattaché à Schirmeck.

BARENTIN **76360** S.-Mar. 55 ⑥ **G. Normandie Vallée de la Seine** – 12 721 h. alt. 75.

Paris 154 – ♦Rouen 17 – Dieppe 49 – Duclair 10 – Yerville 15 – Yvetot 19.

XX **Aub. Gd Saint-Pierre,** 19 av. V. Hugo ✆ 35 91 03 37 – P. GB
fermé 27 juil. au 19 août, dim. soir et lundi – **R** 90/150.

PEUGEOT-TALBOT Bossart Automobiles, av. A. Briand, carrefour la Liberté ✆ 35 92 80 01

RENAULT Sellier, av. E.-Zola ✆ 35 91 11 60
V.A.G Barbier, 32 av. V.-Hugo ✆ 35 91 22 64

BARFLEUR **50760** Manche 54 ③ **G. Normandie Cotentin** – 599 h.

Voir Phare de la Pointe de Barfleur : ** N : 4 km.

Office de Tourisme rond-point Guillaume le Conquérant (avril-sept.) ✆ 33 54 02 48.

Paris 359 – Cherbourg 27 – ♦Caen 121 – Carentan 47 – St-Lô 75 – Valognes 25.

Conquérant sans rest, ✆ 33 54 00 82, « Jardin à la française » – TV ☎. GB.
fermé 15 nov. au 15 déc. et 2 janv. au 1er mars – 35 – **17 ch** 130/350.

XX **Moderne** avec ch, ✆ 33 23 12 44 – GB
fermé 1er fév. au 15 mars, mardi et merc. du 15 sept. au 31 janv. – **Repas** 75/230, enf. 60 – 20 – **8 ch** 105/210 – ½ P 200/250.

CITROEN Pesnelle, à Anneville-en-Saire ✆ 33 54 00 77 N

BARGEMON **83830** Var 84 ⑦ **G. Côte d'Azur** – 1 069 h. alt. 465.

Paris 883 – Castellane 43 – Comps-sur-Artuby 20 – Draguignan 21 – Grasse 44.

X **Maître Blanc,** ✆ 94 76 60 24 – . AE ① GB
fermé merc. – **R** 68/160.

BARJAC **48000** Lozère 80 ⑤ – 557 h. alt. 666.

Paris 598 – Mende 14 – Millau 82 – Rodez 100 – St-Flour 82.

Midi, ✆ 66 47 01 02 – ☎. GB
fermé vend. soir et sam. du 15 sept. à Pâques – **R** 55/130 – 25 – **20 ch** 120/200 – ½ P 150/200.

BARJOLS **83670** Var 84 ⑤ **G. Côte d'Azur** – 2 166 h. alt. 288.

Syndicat d'Initiative bd Grisolle (juin-sept.) ✆ 94 77 20 01 et à la Mairie ✆ 94 77 07 15.

Paris 815 – Aix-en-Provence 58 – Brignoles 22 – Digne 82 – Draguignan 45 – Manosque 49.

Pont d'Or, rte St-Maximin ✆ 94 77 05 23 – TV ☎ . GB
fermé 1er déc. au 15 janv. – **R** *(fermé dim. soir du 1er nov. au 12 avril et lundi de mi-sept. à fin juin)* 80/180 – 28 – **16 ch** 150/300 – ½ P 203/258.

RENAULT Penal ✆ 94 77 00 51

Inaudi ✆ 94 77 06 13

BAR-LE-DUC P **55000** Meuse 62 ① **G. Champagne** – 17 545 h. alt. 184.

Voir Ville haute★ : "le Squelette" (statue)★★ dans l'église St-Étienne AZ.

de Combles-en-Barrois ✆ 29 45 16 03, par ④ : 5 km.

Office de Tourisme 5 r. Jeanne d'Arc ✆ 29 79 11 13 et pl. St-Pierre (saison) – A.C. 14 r. A.-Maginot ✆ 29 45 27 97.

Paris 231 ④ – Châlons-sur-Marne 70 ④ – Charleville-Mézières 143 ④ – Épinal 150 ② – ◆Metz 92 ① – ◆Nancy 82 ② – Neufchâteau 70 ② – ◆Reims 115 ④ – St-Dizier 24 ③ – Verdun 56 ①.

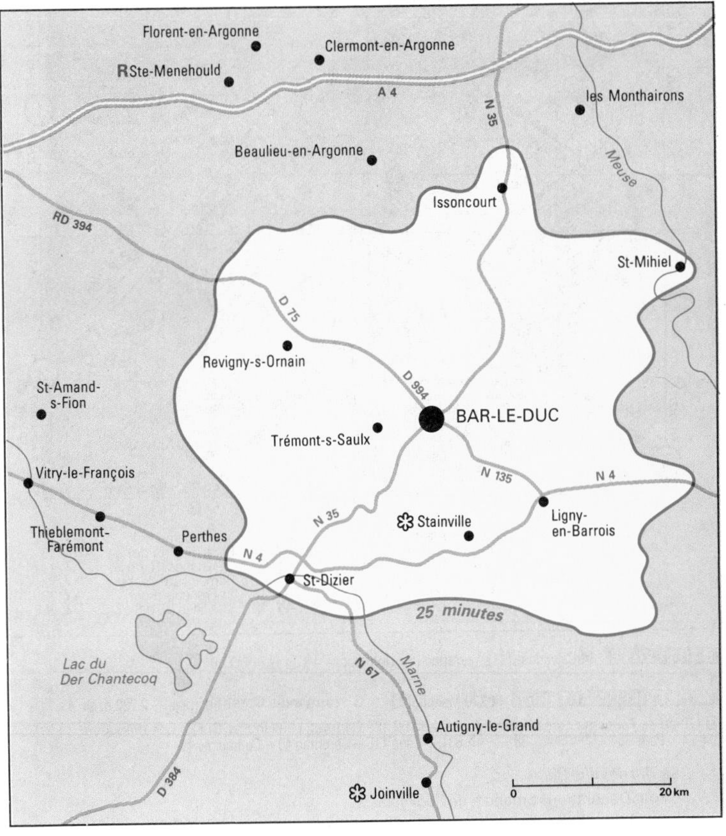

Gare M, 2 pl. République ✆ 29 79 01 45, Fax 29 76 39 19 – TV ☎ – 100. GB. BY **v**
R 65/160 – 35 – **45 ch** 210/300.

Meuse Gourmande, 1 r. F. de Guise (Ville Haute) ✆ 29 79 28 40, ←, AZ **e**

à Trémont-sur-Saulx par ③ et D 3 : 9,5 km – ✉ **55000** :

Aub. de la Source M, ✆ 29 75 45 22, Fax 29 75 48 55, – TV ☎ P – 25. AE GB. rest
fermé 2 au 24 août, 21 déc. au 4 janv., dim. soir et lundi midi – **R** 82/285, enf. 60 – 30 – **25 ch** 250/430 – ½ P 335/380.

ALFA ROMEO TOYOTA Poincaré Automobile, 1 bis et 16 bd Poincaré ✆ 29 45 26 62
CITROEN Gd Gar. Lorrain, rte de Reims à Fains-Veel par ④ ✆ 29 45 30 22
FIAT Gar. Marinoni, 38 r. J.-d'Arc ✆ 29 76 22 65
FORD Goullet Autom., 41 bd R. Poincaré ✆ 29 45 36 36
PEUGEOT-TALBOT Gar. Billet, 83 r. Bradfer par ② ✆ 29 79 01 30

RENAULT Gar. Central, Parc Bradfer ✆ 29 79 40 66 N ✆ 29 76 52 58

Barrois Pneus, 22 av. 94ème-RI ✆ 29 79 27 67
Barrois-Pneus, 31 r. Bradfer ✆ 29 79 13 01
Tiffay Pneus, r. Lieutenant-Levasseur ✆ 29 76 10 69

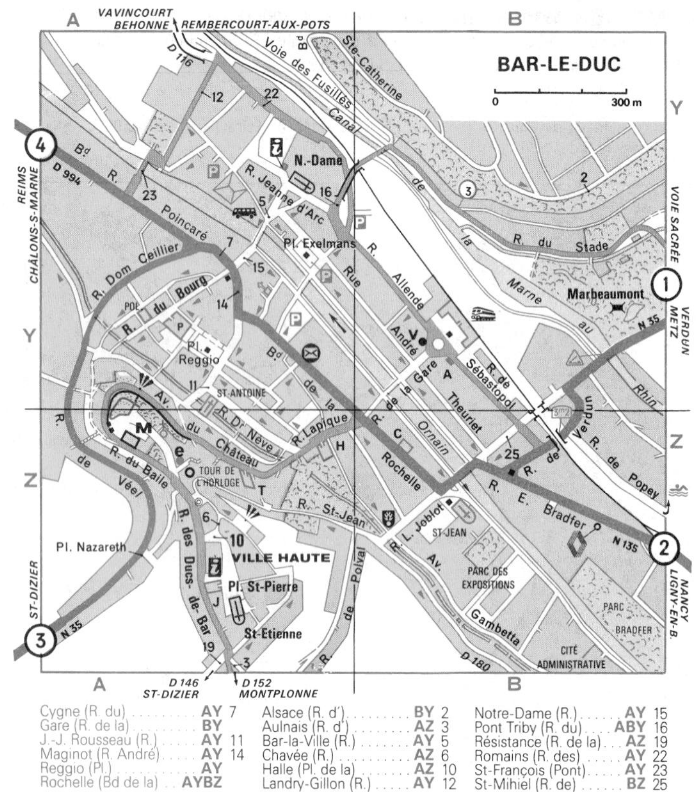

BARNEVILLE 14 Calvados 55 ③ – rattaché à Honfleur.

BARNEVILLE-CARTERET 50270 Manche 54 ① **G. Normandie Cotentin** (plan) – 2 222 h. alt. 43.

Office de Tourisme r. des Écoles ☎ 33 04 90 58 et à Carteret, pl. Flandres-Dunkerque (Pâques-oct.) ☎ 33 04 94 54 – Paris 354 – Cherbourg 38 – St-Lô 63 – ◆Caen 116 – Carentan 43 – Coutances 49.

à Barneville-Plage.

Voir Décoration romane★ de l'église.

Les Isles, ☎ 33 04 90 76, ≤, – ☎. GB
fermé 10 janv. au 10 fév. – **R** 82/250, enf. 40 – ☕ 32 – **34 ch** 170/300 – ½ P 210/280.

à Carteret.

Voir Table d'orientation ≤★.

✿ **La Marine** (Cesne), 11 r. de Paris ☎ 33 53 83 31, Fax 33 53 39 60, ≤ – TV ☎ P. GB
6 fév.-6 nov. – **R** *(fermé lundi midi sauf juil.-août, dim. soir et lundi en fév., mars et oct.)* 120/360 – ☕ 40 – **31 ch** 350/620 – ½ P 350/480
Spéc. Foie gras poêlé aux pommes (saison), Tourte de pigeonneau sauce rouennaise (automne-hiver), Turbotin rôti aux artichauts (juil.-août).

PEUGEOT, TALBOT Gar. de la Poste ☎ 33 04 95 22 N

RENAULT Gar. Dubost ☎ 33 53 80 14 N ☎ 33 04 63 34

BARR 67140 B.-Rhin 62 ⑨ **G. Alsace Lorraine** – 4 839 h. alt. 201.

Office de Tourisme (juil.-août) ☎ 88 08 66 65.

Paris 497 – ◆Strasbourg 34 – Colmar 40 – Le Hohwald 11,5 – Saverne 48 – Sélestat 17.

Manoir sans rest, 11 r. St-Marc ☎ 88 08 03 40 – TV ☎ P. AE GB. ❄
fermé mi-janv. à mi-fév. – ☕ 30 – **17 ch** 280/330.

Maison Rouge avec ch, av. Gare ✆ 88 08 90 40, Fax 88 08 57 55 – ☎ 🚗. GB
fermé fév., dim. soir et lundi – **R** 70/180 🍷 – ☕ 35 – **13 ch** 120/250 – ½ P 235/265.

rte Ste-Odile : 2 km par D 854 – ✉ **67140** Barr :

Domaine St-Ulrich M 🔇 sans rest, ✆ 88 08 54 40, Fax 88 08 57 55, ≤, 🏊, 🌳, 🎾 – ☎ ♿ P – 🏛 180. GB
fermé janv. – ☕ 30 – **24 ch** 200/250.

Château d'Andlau 🔇 sans rest, ✆ 88 08 96 78, Fax 88 08 00 93, 🌳 – ☎ P – 🏛 30. GB. 🐕
☕ 30 – **24 ch** 210/280.

PEUGEOT-TALBOT Gar. Karrer ✆ 88 08 94 48

BARRAGE voir au nom propre du barrage.

Les BARRAQUES-EN-VERCORS 26 Drôme 77 ③ ④ – alt. 676 – ✉ **26420** La Chapelle-en-Vercors.
Env. NO : Gorges des Grands-Goulets★★★, **G. Alpes du Nord.**
Paris 602 – ♦Grenoble 57 – Valence 56 – Die 45 – Romans-sur-Isere 40 – St-Marcellin 27 – Villard-de-Lans 23.

Grands Goulets 🔇, ✆ 75 48 22 45, ≤, 🍽, 🌳 – ☎ 🚗 P. GB
1er mai-30 sept. et week-ends d'oct. et avril – **R** 80/160, enf. 48 – ☕ 25 – **30 ch** 210/275 – ½ P 205/245.

BARROUX 84 Vaucluse 81 ⑬ – rattaché à Caromb.

BARSAC 33720 Gironde 79 ① ② **G. Pyrénées Aquitaine** – 2 058 h. alt. 10.
Paris 615 – ♦Bordeaux 36 – Langon 8 – Libourne 44 – Marmande 47.

Host. du Château de Rolland 🔇, ✆ 56 27 15 75, Fax 56 27 01 69, 🍽, parc – TV ☎ P – 🏛 30. AE ⓓ GB
fermé 18 nov. au 7 déc. – **R** *(fermé merc. midi sauf sept. et oct.)* 95/220, enf. 68 – ☕ 45 – **9 ch** 350/650.

☞ *Die auf den* Michelin-Karten *im Maßstab 1 : 200 000 rot unterstrichenen Orte sind in diesem Führer erwähnt.*
Nur eine neue Karte gibt Ihnen die aktuellsten Hinweise.

BAR-SUR-AUBE <SP> 10200 Aube 61 ⑲ **G. Champagne** – 6 707 h. alt. 165.
ℹ Syndicat d'Initiative bd Gambetta (15 mai-15 sept.) ✆ 25 27 24 25.
Paris 207 – Chaumont 42 – Châtillon-sur-Seine 58 – Troyes 52 – Vitry-le-François 65.

Relais des Gouverneurs avec ch, 38 r. Nationale ✆ 25 27 08 76, Fax 25 27 20 80 – TV ☎ 🚗. AE GB
R *(fermé sam. midi)* 115/295, enf. 60 – ☕ 35 – **15 ch** 280/300 – ½ P 320/350.

à Arsonval NO : 6 km – ✉ **10200** :

La Chaumière, ✆ 25 27 91 02, 🍽, 🌳 – P. AE GB
fermé dim. soir et lundi sauf fériés – **R** 98/162.

à Dolancourt NO : 9 km par rte Troyes – ✉ **10200** :

Moulin du Landion, ✆ 25 27 92 17, Fax 25 27 94 44, « Parc » – TV ☎ P – 🏛 30. AE ⓓ GB. 🐕 rest
fermé déc. et janv. – **R** 95/210 – ☕ 38 – **16 ch** 280/320 – ½ P 298.

CITROEN Privé, 11 av. Gén.-Leclerc ✆ 25 27 01 23
N ✆ 25 27 13 45
OPEL Gar. Damotte, à Proverville ✆ 25 27 04 47
PEUGEOT-TALBOT Vauthier, N 19 ✆ 25 27 15 03
RENAULT Maigrot, 18 av. Gén.-Leclerc ✆ 25 27 01 29
ROVER Gar. Roussel, 2 fg de Belfort ✆ 25 27 14 00

Le BAR-SUR-LOUP 06620 Alpes-Mar. 84 ⑨ **G. Côte d'Azur** – 2 465 h. alt. 320.
Voir Site★ – Église St-jacques : danse macabre★ – Place de l'église : ≤★.
Paris 919 – Cannes 22 – Grasse 9,5 – ♦Nice 33 – Vence 16.

Jarrerie, N 210 ✆ 93 42 92 92, Fax 93 42 91 22, 🍽, « Ancien monastère » – P. ⓓ GB
fermé 2 au 31 janv., lundi soir du 15 sept. au 15 juin, merc. midi du 15 juin au 15 sept. et mardi – **R** 135/250 🍷.

BAR-SUR-SEINE 10110 Aube 61 ⑰ ⑱ **G. Champagne** – 3 630 h. alt. 152.
Voir Intérieur★ de l'église St-Étienne.
Paris 189 – Troyes 32 – Bar-sur-Aube 38 – Châtillon-sur-Seine 35 – St-Florentin 57 – Tonnerre 48.

Barséquanais, av. Gén. Leclerc ✆ 25 29 82 75, Fax 25 29 70 01, 🍽 – TV ☎ P. AE GB
fermé 10 fév. au 10 mars, dim. soir et lundi midi – **R** 55/155 🍷 – ☕ 25 – **26 ch** 100/180 – ½ P 145/185.

Commerce avec ch, r. République ✆ 25 29 86 36, Fax 25 29 64 87 – ☎ 🚗. GB. 🐕 ch
fermé dim. soir sauf juil.-août – **R** 60/190 🍷 – ☕ 20 – **12 ch** 150/180 – ½ P 110/130.

près échangeur autoroute A5 NO : 9 km par D 443 – ✉ **10110** Magnant :

Val Moret M, ✆ 25 29 85 12, Fax 25 29 70 81 – TV ☎ ♿ P. GB
R 50/210 ♁, enf. 36 – ☕ 25 – **30 ch** 160/250 – ½ P 180/210.

CITROEN Éts Lhenry ✆ 25 29 80 20 N
PEUGEOT-TALBOT Gar. Lamoureux Panot ✆ 25 29 87 08
RENAULT Jollois chemin de la Motte Noire ✆ 25 29 87 45 N

Pneumatik'Seine ✆ 25 29 86 12

BARTENHEIM **68870** H.-Rhin 166 ⑩ – 2 483 h. alt. 261.

Paris 476 – ♦Mulhouse 18 – Altkirch 21 – ♦Basel 15 – Belfort 61 – Colmar 56.

Aub. d'Alsace, à la Gare E : 1 km ✆ 89 68 31 26, 🌂 – P. GB
fermé 26 juin au 16 juil., 15 janv. au 1er fév., merc. soir et jeudi – **R** 80/240.

BASEL Suisse 166 ⑩ 216 ④ – voir à Bâle.

BAS-RUPTS **88** Vosges 62 ⑰ – rattaché à Gérardmer.

BASSE-GOULAINE **44** Loire-Atl. 67 ③ ④ – rattaché à Nantes.

BASTIA **2B** H.-Corse 90 ③ – voir à Corse.

La BASTIDE **83840** Var 84 ⑦ 195 ㉒ – 136 h. alt. 1 000.

Paris 826 – Digne-les-Bains 76 – Castellane 23 – Comps-sur-Artuby 11,5 – Draguignan 41 – Grasse 48.

de Lachens ⛰, ✆ 94 76 80 01, 🚗 – ☎ P
fermé déc., janv. et vend. – **R** 70/130 – ☕ 20 – **14 ch** 120/170.

La BASTIDE-DE-SÉROU **09240** Ariège 86 ④ **G. Pyrénées Roussillon** – 933 h. alt. 410.

Paris 774 – Foix 17 – Le Mas-d'Azil 17 – St-Girons 27.

Delrieu avec ch, rte St-Girons ✆ 61 64 50 26, 🌂 – P. GB. ✂ ch
fermé 4 au 31 janv., dim. soir et lundi hors sais. – **Repas** 65/152 ♁, enf. 38 – ☕ 20 – **10 ch** 95/120 – ½ P 160.

RENAULT Montané ✆ 61 64 50 06 N

La BASTIDE-DES-JOURDANS **84240** Vaucluse 84 ④ – 814 h. alt. 420.

Paris 764 – Digne-les-Bains 75 – Aix-en-Provence 37 – Apt 39 – Manosque 17.

Le Mirvy M ⛰ avec ch, ✆ 90 77 83 23, ←, 🌂, parc, 🏊 – TV ☎ P. GB
fermé fév. – **R** *(fermé merc. sauf le soir en sais. et mardi soir hors sais.)* 148/178, enf. 65 – ☕ 40 – **10 ch** 250/330 – ½ P 280/300.

Cheval Blanc avec ch, ✆ 90 77 81 08, 🌂 – TV ☎. GB
fermé 18 au 25 juin, 15 au 22 oct., fév., merc. soir de sept. à juin et jeudi sauf le soir en sais. – **R** 120/190 ♁, enf. 80 – ☕ 30 – **6 ch** 180/450 – ½ P 290/310.

BATILLY-EN-PUISAYE **45420** Loiret 65 ② ③ – 95 h. alt. 180.

Paris 166 – Auxerre 61 – Gien 21 – Montargis 52 – ♦Orléans 89.

Aub. de Batilly ⛰ avec ch, ✆ 38 31 96 12, 🚗 – ✂ ch – 🏢 30
fermé 1er au 30 août – **R** 68/150 ♁ – ☕ 15 – **9 ch** 125/150 – ½ P 160/170.

BATZ (Ile de) **29253** Finistère 58 ⑥ – 746 h. **G. Bretagne.**

Accès par transports maritimes.

⛴ depuis **Roscoff.** En 1991 : 15 juin-15 sept., 13 services quotidiens; hors saison, 8 services quotidiens - Traversée 15 mn - 26 F (A.R.) - Renseignements : Cie Finistérienne d'Acconage 29253 Ile-de-Batz ✆ 98 61 79 66.

BATZ-SUR-MER **44740** Loire-Atl. 63 ⑭ **G. Bretagne** – 2 734 h. alt. 10.

Voir ✳** de l'église* – Chapelle N.-D. du Mûrier* – Rochers* du sentier des douaniers – La Côte Sauvage* – Paris 460 – ♦Nantes 82 – La Baule 9 – Redon 60 – Vannes 73.

Le Lichen sans rest, Le Manérick, SE : 2 km par D 45 ✆ 40 23 91 92, Fax 40 23 84 88, ←, 🚗 – ☎ P. GB
15 fév.-10 nov. – ☕ 38 – **14 ch** 300/600.

L'Atlantide, 59 bd Mer ✆ 40 23 92 20, ←, produits de la mer – GB
15 mars-10 nov. – **R** 110/210.

BAUDREIX **64800** Pyr.-Atl. 85 ⑦ – 402 h. alt. 250.

Paris 785 – Pau 15 – Lourdes 27 – Oloron-ste-Marie 41 – Tarbes 35.

La Grignotière, ✆ 59 61 17 72, 🌂, 🚗 – GB
fermé dim. soir et lundi – **R** 140/200, enf. 50.

BAUDUEN 83630 Var 84 ⑥ G. Alpes du Sud – 240 h. alt. 483.

Voir Site★ – Lac de Ste Croix★★.

Paris 809 – Digne-les-Bains 66 – Draguignan 44 – Moustiers-Sainte-Marie 29.

Aub. du Lac, ✆ 94 70 08 04, ≤ lac, – TV ☎. GB. ✻ ch
15 mars-15 nov. – **R** 90/260, enf. 55 – ☐ 38 – **10 ch** 290/360 – ½ P 280/320.

BAUGÉ 49150 M.-et-L. 64 ⑫ G. Châteaux de la Loire (plan) – 3 748 h. alt. 56.

Voir Croix d'Anjou★★ dans la chapelle des Filles du Cœur de Marie – Pharmacie★ de l'hôpital St-Joseph – Le Vieil-Baugé : choeur★ de l'église SO : 2 km par D 61 – Forêt de Chandelais★ SE : 3 km – Pontigné : peintures murales★ dans l'église E : 5 km par D 141.

Syndicat d'Initiative Château de Baugé (15 juin-15 sept.) ✆ 41 89 18 07 et à la Mairie ✆ 41 89 12 12.

Paris 274 – Angers 42 – La Flèche 18 – ◆Le Mans 61 – Saumur 36 – ◆Tours 67.

Boule d'Or, 4 r. Cygne ✆ 41 89 82 12 – . GB. ✻ ch
fermé 25 avril au 11 mai, 20 déc. au 7 janv., dim. soir (sauf juil.-août) et lundi – **R** 75/230 ♁, enf. 45 – ☐ 35 – **10 ch** 120/240 – ½ P 230/270.

à Echemiré O : 5 km par D 766 – ✉ **49150** :

XXX **Château de la Grifferaie** ⛰ avec ch, ✆ 41 89 70 25, , « Demeure du 19ᵉ siècle dans un parc », ✻ – ☎ P. GB. ✻ rest
R 165/225 – ☐ 45 – **18 ch** 450/900 – ½ P 450/580.

CITROEN-VOLVO Michaud, 30 av. Général-de-Gaulle, rte de Saumur ✆ 41 89 18 12 N ✆ 41 89 01 15

PEUGEOT-TALBOT Gar. Baugé Autom., 14 rte d'Angers ✆ 41 89 20 62 N

RENAULT Ahier, 5 r. Foulgues-Nerra ✆ 41 89 10 46 N ✆ 41 89 00 07

La BAULE 44500 Loire-Atl. 63 ⑭ G. Bretagne – 14 845 h. alt. 7 – Casino BZ.

Voir Front de mer★★ – Parc des Dryades★ DZ.

18 à St-André-des-Eaux ✆ 40 60 46 18, par ② : 7 km.

✈ de St-Nazaire-Montoir-La Baule : T.A.T. ✆ 40 90 15 89, par ③ : 24 km.

Office de Tourisme et Accueil de France (Informations et réservations d'hôtels, pas plus de 5 jours à l'avance) 8 pl. Victoire ✆ 40 24 34 44, Télex 710050.

Paris 448 ② – ◆Nantes 70 ② – ◆Rennes 125 ② – St-Nazaire 12 ③ – Vannes 72 ①.

Plan page suivante

Hermitage ⛰, espl. F. André ✆ 40 60 37 00, Télex 710510, Fax 40 24 33 65, ≤, , parc, , , ✻ – | TV ☎ P – 30 à 150. AE GB. ✻ rest BZ **h**
1ᵉʳ avril-31 oct. – **R** 200 et carte 210 à 280, enf. 165 – **Eden Beach R** 180 et carte 210 à 330 – ☐ 75 – **214 ch** 1030/2050, 9 appart. – ½ P 1135/1335.

Royal ⛰, espl. F. André ✆ 40 60 33 06, Télex 701135, Fax 40 60 20 07, ≤, , parc, – | rest TV ☎ ♿ P – 100 à 150. AE GB JCB. ✻ rest BZ **t**
fermé 15 nov. au 15 déc. – **R** 210 – ☐ 70 – **87 ch** 750/1600, 8 appart. – ½ P 790/1090.

❀ **Castel Marie-Louise** M ⛰, espl. Casino ✆ 40 60 20 60, Télex 700408, Fax 40 42 72 10, ≤, , « Parc » – | TV ☎ P – 25. AE GB. ✻ rest BZ **g**
R (en saison : prévenir) 410 et carte 310 à 425, enf. 85 – ☐ 80 – **29 ch** 1260/1890 – ½ P 973/1245
Spéc. Gaspacho de homard breton, Bar de ligne à la coque de sel, Marinière de homard flambé au pur malt. Vins Gros Plant, Muscadet.

Bellevue Plage et rest. La Véranda M, 27 bd Océan ✆ 40 60 28 55, Télex 710459, Fax 40 60 10 18, ≤, – | rest TV ☎ P. AE GB. ✻ rest DZ **r**
vacances de fév. - vacances de nov. – **R** *(fermé mardi hors sais.)* 160/195, enf. 75 – ☐ 50 – **32 ch** 550/750 – ½ P 480/580.

Majestic sans rest, espl. F. André ✆ 40 60 24 86, Télex 701905, Fax 40 42 03 13, ≤ – | TV ☎ P. AE GB BZ **e**
16 avril-30 oct. – ☐ 45 – **66 ch** 705/800, 6 appart. 1100.

Alexandra, 3 bd R. Dubois ✆ 40 60 30 06, Fax 40 24 57 09, ≤ – | TV ☎ P. AE GB. ✻ rest CZ **u**
hôtel : 5 avril-1ᵉʳ oct. ; rest. : 15 juin-20 sept. – **R** 160/240 – ☐ 42 – **36 ch** 480/580 – ½ P 550/600.

Concorde sans rest, 1 bis av. Concorde ✆ 40 60 23 09, Fax 40 42 72 14 – | TV ☎. GB. ✻ BZ **f**
11 avril-11 oct. – ☐ 40 – **47 ch** 400/520.

Alcyon sans rest, 19 av. Pétrels ✆ 40 60 19 37, Fax 40 42 71 33 – | TV ☎ P BY **s**
32 ch.

La Palmeraie ⛰, 7 allée Cormorans ✆ 40 60 24 41, Fax 40 42 73 71, « Cour fleurie » – TV ☎. AE GB. ✻ rest BZ **n**
début avril-1ᵉʳ oct. – **R** 120/140 – ☐ 32 – **23 ch** 280/370 – ½ P 320/330.

Manoir du Parc M ⛰ sans rest, 3 allée Albatros ✆ 40 60 24 52, Fax 40 60 55 96, – TV ☎ ♿. GB. ✻ BYZ **a**
1ᵉʳ mars-1ᵉʳ nov. – ☐ 45 – **17 ch** 340/480.

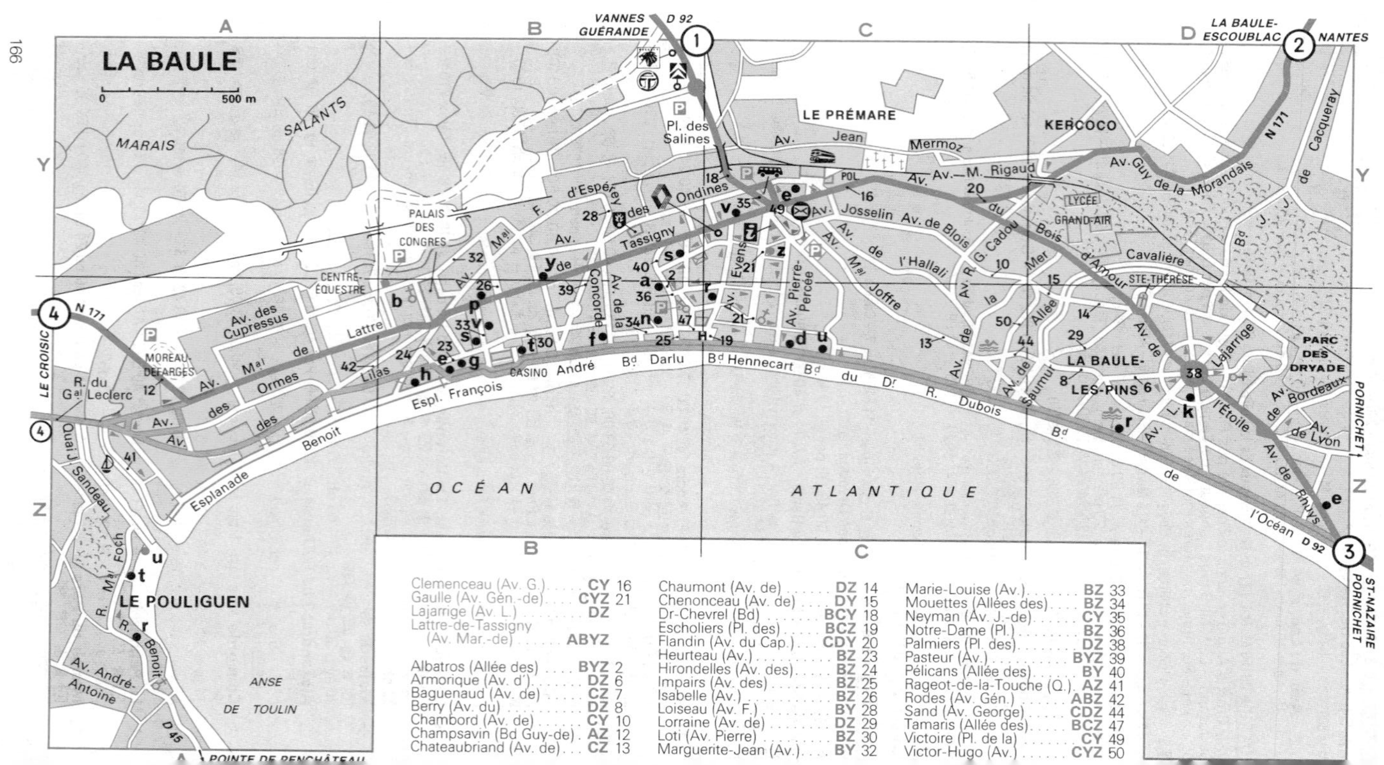
LA BAULE
0
500 m
VANNES D 92
GUÉRANDE
LA BAULE-ESCOUBLAC
NANTES
N 171
LE PRÉMARE
KERCOCO
MARAIS
SALANTS
Pl. des Salines
PALAIS DES CONGRES
CENTRE-ÉQUESTRE
MOREAU-DEFARGES
LE CROISIC
PORNICHET
ST-NAZAIRE PORNICHET
PARC DES DRYADE
LYCÉE GRAND-AIR
STE-THÉRÈSE
LA BAULE-LES-PINS
CASINO
OCÉAN ATLANTIQUE
LE POULIGUEN
ANSE DE TOULIN
POINTE DE PENCHÂTEAU
D 45
D 92
Av. Jean Mermoz
Av. M. Rigaud
Av. Guy de la Morandais
Av. Josselin
Av. de Blois
Av. de l'Hallali
Av. Mal Joffre
Av. Pierre-Percée
Av. des Ondines
Av. de la Concorde
Av. Mal de Lattre de Tassigny
Av. F. d'Espérey
Av. des Cupressus
Av. des Ormes
Av. des Lilas
Bd du Dr R. Dubois
Bd Hennecart
Bd Darlu
Espl. François André
Esplanade Benoit
Av. de l'Étoile
Av. de Rhuys
Av. de Bordeaux
Av. de Lyon
Av. de l'Océan
Bd J. J. de Cacqueray
R. du Gal Leclerc
Quai J. Sandeau
R. Mal Foch
R. Benoit
Av. André-Antoine
Clemenceau (Av. G.) CY 16
Gaulle (Av. Gén.-de) CYZ 21
Lajarrige (Av. L.) DZ
Lattre-de-Tassigny (Av. Mar.-de) ABYZ
Albatros (Allée des) BYZ 2
Armorique (Av. d') DZ 6
Baguenaud (Av. de) CZ 7
Berry (Av. du) DZ 8
Chambord (Av. de) CY 10
Champsavin (Bd Guy-de) AZ 12
Chateaubriand (Av. de) CZ 13
Chaumont (Av. de) DZ 14
Chenonceau (Av. de) DY 15
Dr-Chevrel (Bd) BCY 18
Escholiers (Pl. des) BCZ 19
Flandin (Av. du Cap.) CDY 20
Heurteau (Av.) BZ 23
Hirondelles (Av. des) BZ 24
Impairs (Av. des) BZ 25
Isabelle (Av.) BZ 26
Loiseau (Av. F.) BY 28
Lorraine (Av. de) DZ 29
Loti (Av. Pierre) BZ 30
Marguerite-Jean (Av.) BY 32
Marie-Louise (Av.) BZ 33
Mouettes (Allées des) BZ 34
Neyman (Av. J.-de) CY 35
Notre-Dame (Pl.) BZ 36
Palmiers (Pl. des) DZ 38
Pasteur (Av.) BYZ 39
Pélicans (Allée des) BY 40
Rageot-de-la-Touche (Q.) AZ 41
Rodes (Av. Gén.) ABZ 42
Sand (Av. George) CDZ 44
Tamaris (Allée des) BCZ 47
Victoire (Pl. de la) CY 49
Victor-Hugo (Av.) CYZ 50

La Mascotte M, 26 av. Marie Louise ☎ 40 60 26 55, Fax 40 60 15 67, ⛱, 🪑 – TV ☎ 🚗. AE GB. ⚘ rest BZ **v**
1er mars-11 nov. – **R** 95/235 – ☕ 35 – **22 ch** 350/430 – ½ P 340/380.

Les Alizés M, 10 av. de Rhuys ☎ 40 60 34 86, Télex 701961 – |⇕| TV ☎. AE ⓓ GB. ⚘ rest DZ **e**
R *(ouvert juil.-août)* 140/250 – ☕ 38 – **30 ch** 460/540 – ½ P 435/448.

Christina, 26 bd Hennecart ☎ 40 60 22 44, Télex 701963, Fax 40 11 04 31, ≤ – |⇕| ▤ rest TV ☎ Ⓟ. GB. ⚘ CZ **d**
R *(mai-oct.)* 170/200 – ☕ 40 – **36 ch** 320/450 – ½ P 400/450.

Les Dunes, 277 av. de Lattre-de-Tassigny ☎ 40 24 53 70, Fax 40 60 36 42 – |⇕| TV ☎ Ⓟ. GB. ⚘ ch CY **v**
R voir rest. **Le Maréchal** ci-après – ☕ 32 – **37 ch** 248/360 – ½ P 245/301.

Flepen sans rest, 145 av. de Lattre-de-Tassigny ☎ 40 60 29 30, Fax 40 60 74 07 – TV ☎ Ⓟ. AE GB BZ **p**
1er avril-31 oct. – ☕ 40 – **24 ch** 215/420.

Delice H. sans rest, 19 av. Marie-Louise ☎ 40 60 23 17, Fax 40 24 48 88 – TV ☎ Ⓟ. GB
fin avril-début oct. – ☕ 33 – **14 ch** 330/380. BZ **s**

La Closerie sans rest, 173 av. de Lattre-de-Tassigny ☎ 40 60 22 71 – TV ☎ Ⓟ. GB
15 mars-11 nov., vacances de Noël et de fév. – ☕ 25 – **15 ch** 200/340. BY **y**

Le Paris, 138 av. Ondines ☎ 40 60 30 53 – TV ☎. AE ⓓ GB. ⚘ ch CY **e**
fermé 10 oct. au 8 nov., 22 déc. au 3 janv. et week-ends d'oct. à Pâques – **R** 72/150 🍷, enf. 50 – ☕ 28 – **16 ch** 270/310 – ½ P 242/340.

Ty-Gwenn sans rest, 25 av. Gde Dune ☎ 40 60 37 07 – ☎. GB DZ **k**
fermé 15 nov. au 15 déc. et 4 janv. au 10 fév. – ☕ 27 – **18 ch** 190/310.

XXX **La Marcanderie,** 5 av. d'Agen ☎ 40 24 03 12, Fax 40 11 08 21 – AE GB BZ **b**
fermé 6 au 31 janv., 9 au 15 nov., lundi (sauf le soir en juil.-août) et dim. soir de sept. à juin sauf fériés – **R** 145/370, enf. 80.

XX Le Maréchal, 277 av. de Lattre de Tassigny ☎ 40 24 51 14 – ▤ Ⓟ. CY **v**

XX **Lutétia-Rossini** avec ch, 13 av. Evens ☎ 40 60 25 81 – TV ☎. AE GB CZ **r**
fermé 5 au 30 janv. – **R** *(fermé merc. d'oct. à Pâques)* 110/230 – ☕ 32 – **14 ch** 200/350 – ½ P 280/300.

X **Chalet Suisse,** 114 av. Gén. de Gaulle ☎ 40 60 23 41 – AE GB CY **z**
fermé dim. soir et merc. du 1er oct. au 31 mai sauf fériés et vacances scolaires – **R** 118/165.

BMW, LANCIA Gar. Gilot, rte de Guérande à la Baule ☎ 40 60 28 06 N ☎ 40 60 07 33
CITROEN Salines-Automobiles, pl. Salines ☎ 40 60 20 71
PEUGEOT, TALBOT Gar. Le Déan, rte de Guérande ☎ 40 24 08 57 N ☎ 40 14 78 46

RENAULT Richard, 206 av. Mar.-de-Lattre-de-Tassigny ☎ 40 60 20 30 N ☎ 40 90 75 92
V.A.G Gar. des Platanes, 3 av. Foch ☎ 40 60 23 62

Le Pneu Baulois, 79 av. Mar.-de-Lattre-de-Tassigny ☎ 40 24 22 46

BAUME-LES-DAMES 25110 Doubs 66 ⑯ G. Jura – 5 237 h. alt. 291.

18 du Château de Bournel à Rougemont ☎ 81 86 00 10, N : 19 km par D 50.

Office de Tourisme r. Provence ☎ 81 84 27 98.

Paris 443 – ♦ Besançon 29 – Belfort 64 – Lure 48 – Montbéliard 51 – Pontarlier 62 – Vesoul 47.

Central sans rest, 3 r. Courvoisier ☎ 81 84 09 64 – TV ☎. GB
fermé 15 nov. au 15 déc., 15 janv. au 15 fév. et dim. d'oct. à avril – ☕ 24 – **12 ch** 110/205.

XXX **Host. du Château d'As** avec ch, ☎ 81 84 00 66, ≤ – ☎ Ⓟ. AE GB
fermé 15 déc. au 27 fév., dim. soir et lundi sauf fériés – **R** 130/295 – ☕ 27 – **10 ch** 240.

à Pont-les-Moulins S : 6 km par D 50 – ✉ **25110** :

Aub. des Moulins, rte Pontarlier ☎ 81 84 09 97, Fax 81 84 04 44 – TV ☎ Ⓟ – 🏛 25. GB
R *(fermé sam. midi du 15 déc. au 15 fév.)* 85/150 🍷, enf. 39 – ☕ 25 – **15 ch** 210/260 – ½ P 240/280.

à Hyèvre-Paroisse E : 7 km sur N 83 – ✉ **25110** :

Ziss et rest. Crémaillère, ☎ 81 84 07 88, ⛱ – |⇕| ☎ 🚗 Ⓟ. AE GB
fermé 8 au 31 oct., 24 déc. au 7 janv. et sam. sauf le soir d'avril à sept. – **R** 70/180 🍷 – ☕ 32 – **21 ch** 240/260 – ½ P 240/260.

OPEL-GM Gar. Routhier, à Pont-les-Moulins ☎ 81 84 02 15

RENAULT Gar. Central, 10 av. Gén.-Leclerc ☎ 81 84 02 45 N ☎ 81 32 93 17

BAUME-LES-MESSIEURS 39210 Jura 70 ④ G. Jura – 196 h. alt. 320.

Voir Retable à volets★ dans l'église – Belvédère des Roches de Baume ≤★★★ sur cirque★★★ et grottes★ de Baume S : 3,5 km.

Paris 400 – Champagnole 26 – Dole 49 – Lons-le-Saunier 16 – Poligny 19.

X **Grottes,** aux Grottes S : 3 km ☎ 84 44 61 59, ≤, ⛱ – Ⓟ. GB. ⚘
15 avril-30 sept. et fermé merc. sauf juil.-août – **R** (déj. seul. sauf juil.-août : déj. et dîner) 68/180 🍷.

BAUVIN 59221 Nord 51 ⑮ – 5 444 h. alt. 25.

Paris 209 – ♦Lille 26 – Arras 33 – Béthune 20 – Lens 14.

XXX **Salons du Manoir,** 53 r. J. Guesde ✆ 20 85 64 77, Fax 20 86 72 22, parc – ▤ P. AE ⓓ GB
fermé août, 15 au 28 fév. et lundi – **R** 190/340.

CITROEN Franchi, ✆ 20 86 65 07

Les BAUX-DE-PROVENCE 13520 B.-du-R. 84 ① **G. Provence** (plan) – 457 h. alt. 280.

Voir Site★★★ – Château ★★ – Monument Charloun Rieu ≤★★ – Place St-Vincent★ – Rue du Trencat★ – Tour Paravelle ≤★ – Fête des Bergers (Noël, messe de minuit)★★ – Cathédrale d'Images★ N : 1 km par D 27 – ★★★ sur le village N : 2,5 km par D 27.

Office de Tourisme impasse du Château (Pâques-fin oct.) ✆ 90 54 34 39.

Paris 714 – Avignon 29 – Arles 18 – ♦Marseille 83 – Nîmes 43 – St-Rémy-de-Provence 9,5 – Salon-de-Provence 33.

au village :

XX **Bérengère,** ✆ 90 54 35 63, Fax 90 54 42 77 – ▤. GB
fermé vacances de fév., mardi soir et merc. – **R** (nombre de couverts limité- prévenir) 185/360.

dans le Vallon :

XXXXX ✿✿ **Oustaù de Baumanière** (Thuilier) avec ch, ✆ 90 54 33 07, Télex 420203, Fax 90 54 40 46, ≤, « Demeures anciennes aménagées, avec élégance, terrasses fleuries, , , club hippique », – ▤ ch TV ☎ P. AE ⓓ GB
fermé 18 janv. au 4 mars, jeudi midi et merc. du 31 oct. au 31 mars – **R** 400/650 et carte – ☐ 90 – **11 ch** 800/950, 13 appart. 1400 – ½ P 1175/1300
Spéc. Ravioli de truffes, Filets de rougets au basilic, Gigot d'agneau en croûte. **Vins** Coteaux des Baux, Gigondas.

XXX ✿ **La Riboto de Taven,** ✆ 90 54 34 23, Fax 90 54 38 88, ≤, « Terrasse ombragée et jardin fleuri au pied des rochers, » – P. AE ⓓ GB
fermé 1er fév. au 15 mars, mardi soir hors sais. et merc. – **R** 300/420
Spéc. Trio de poissons en soupe d'ail doux, Lasagne de homard, Galette d'agneau au thym. **Vins** Coteaux des Baux, Châteauneuf-du-Pape.

XXX ✿ **La Cabro d'Or** M avec ch, ✆ 90 54 33 21, Télex 401810, Fax 90 54 45 98, ≤, , « Terrasses ombragées, jardin fleuri, pièce d'eau », , – ▤ ch TV ☎ P – 80. AE ⓓ GB
fermé 15 nov. au 19 déc., mardi midi et lundi du 31 oct. au 31 mars – **R** 300/370 – ☐ 62 – **22 ch** 550/800 – ½ P 610/720
Spéc. Salade Cabro d'Or, Pageot grillé au pistou, Noisettes d'agneau. **Vins** Coteaux d'Aix-en-Provence, Coteaux des Baux.

à l'Est sur D 27 A :

Mas d'Aigret , ✆ 90 54 33 54, Fax 90 54 41 37, ≤, , , – TV ☎ P. AE ⓓ GB. rest
fermé 4 janv. au 28 fév. – **R** *(fermé merc. midi)* 200/400 – ☐ 65 – **14 ch** 450/800 – ½ P 570/745.

au Sud-Ouest sur D 78 F :

Mas de l'Oulivié M sans rest, ✆ 90 54 35 78, Fax 90 54 44 31, ≤, « Piscine dans un jardin fleuri », – ▤ TV ☎ ♿ P. AE ⓓ GB
fermé 5 janv. au 15 mars – **20 ch** ☐ 680/780.

La Benvengudo , ✆ 90 54 32 54, Fax 90 54 42 58, ≤, , « Jardin fleuri », , – ▤ ch TV ☎ P. AE GB. rest
hôtel : 1er fév.-15 nov. et 23 déc.-2 janv. ; rest. : 1er fév.-15 nov. et fermé dim. – **R** (dîner seul.) 220/295 – ☐ 52 – **17 ch** 460/590, 3 appart. 840 – ½ P 493/558.

BAVAY 59570 Nord 53 ⑤ **G. Flandres Artois Picardie** – 3 751 h. alt. 123.

Paris 227 – Avesnes-sur-Helpe 22 – Le Cateau-Cambrésis 29 – Lille 73 – Maubeuge 15 – Mons 24 – Valenciennes 21.

XXX **Le Bourgogne,** porte Gommeries ✆ 27 63 12 58 – AE GB
fermé 27 juil. au 17 août, vacances de fév., dim. soir, merc. soir et lundi sauf fériés – **R** 100/350 .

XXX **Bagacum,** r. Audignies ✆ 27 66 87 00, Fax 27 66 86 44 – P. AE GB
fermé 1er au 21 juil., dim. soir et lundi – **R** 85/250 bc.

RENAULT Gar. Dal, 11 r. des Platanes, RN 49 ✆ 27 63 17 08

BAYEUX <SP> 14400 Calvados 54 ⑮ **G. Normandie Cotentin** – 14 704 h. alt. 50.

Voir Tapisserie de la reine Mathilde★★★ Z – Cathédrale★★ Z – Maison à colombage★(rue St-Martin) Z D.

Env. Brécy : portail★ et jardins★ du château SE : 10 km par D 126 Y – Port★ de Port-en-Bessin NO : 9 km par ⑦.

9 18 Omaha Beach Golf Club ✆ 31 21 72 94, 11 r. de Bayeux par ⑦.

Office de Tourisme 1 r. Cuisiniers ✆ 31 92 16 26, Télex 171704.

Paris 269 ② – ♦Caen 31 ② – Cherbourg 94 ⑥ – Flers 68 ③ – St-Lô 36 ④ – Vire 60 ③.

BAYEUX

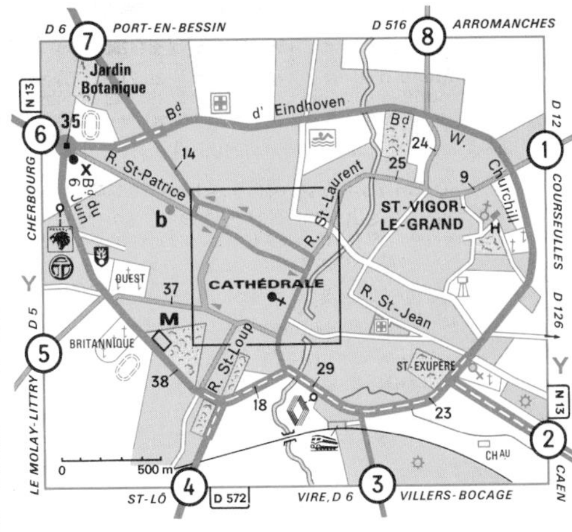

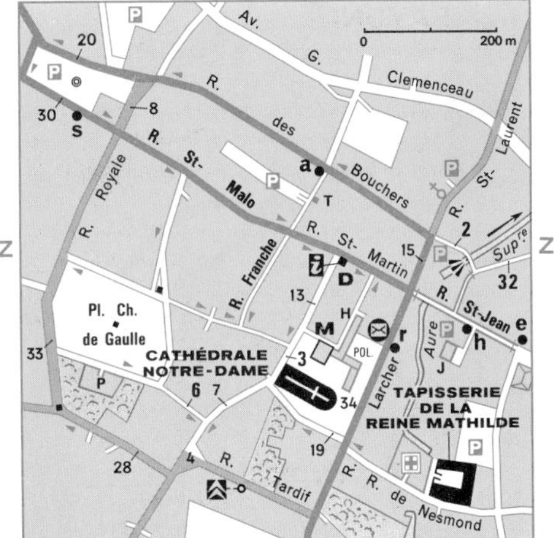

Les pastilles numérotées des plans de villes ①, ②, ③ sont répétées sur les cartes Michelin à 1/200 000. Elles facilitent ainsi le passage entre les cartes et les guides Michelin.

Lion d'Or, 71 r. St Jean ☎ 31 92 06 90, Télex 171143, Fax 31 22 15 64, « Ancien relais de poste », – TV ☎ P. AE ⓓ GB — Z e
fermé 20 déc. au 20 janv. – **R** 150/300 – ☕ 45 – **28 ch** 380/730 – ½ P 355/555
Spéc. Foie gras de canard au miel et aux agrumes, Filet mignon maniguette, Fricassée de St-Pierre "Pays d'Auge".

Luxembourg M, 25 r. Bouchers ☎ 31 92 00 04, Télex 171663, Fax 31 92 54 26 – TV ☎ P. AE GB. rest — Z a
R 118/450, enf. 88 – ☕ 48 – **22 ch** 315/1100 – ½ P 330/700.

Novotel M, 117 r. St Patrice ☎ 31 92 16 11, Télex 170176, Fax 31 21 88 76, – ch TV ☎ & P – 150. AE ⓓ GB — Y x
R carte environ 160 , enf. 50 – ☕ 50 – **78 ch** 410/480.

Argouges sans rest, 21 r. St Patrice ☎ 31 92 88 86, Télex 772402, Fax 31 92 69 16, « Ancien hôtel particulier du 18e siècle », – TV ☎ P. AE ⓓ GB — Z s
☕ 32 – **25 ch** 260/380.

Churchill et rest. l'Amirauté, 14 r. St Jean ☎ 31 21 31 80, Télex 171755, Fax 31 21 41 66 – TV ☎ &. AE ⓓ GB. — Z h
hôtel : ouvert 15 mars-15 nov. ; rest. : fermé 1er déc. au 15 fév. – **R** 85/240 – ☕ 34 – **31 ch** 330/390 – ½ P 300/350.

Reine Mathilde sans rest, 23 r. Larcher ☎ 31 92 08 13 – TV ☎. AE GB. — Z r
fermé 20 déc. au 1er fév. et dim. du 15 nov. au 15 mars – ☕ 28 – **16 ch** 230/290.

L'Amaryllis, 32 r. St-Patrice ☎ 31 22 47 94 – GB — Y b
fermé lundi hors sais. – **R** 98/150.

à Audrieu par ② et D 158 : 13 km – ✉ **14250** :

Château d'Audrieu Ⓜ, ✆ 31 80 21 52, Télex 171777, Fax 31 80 24 73, ≤, « Château du 18e siècle, parc », – TV ☎ P. GB. rest
1er mars-30 nov. – **R** *(fermé jeudi midi et merc.)* 290/530 – ☐ 75 – **21 ch** 670/1150, 9 appart 1800 – ½ P 727/943
Spéc. Croustade d'huîtres d'Isigny, Langoustines rôties à la semoule de blé aux raisins, Daube de canard à la livèche.

rte de Port-en-Bessin par ⑦ : 4 km – ✉ **14400** Bayeux :

Château de Sully Ⓜ, ✆ 31 22 29 48, Fax 31 22 64 77, Parc – TV ☎ P – 40. AE GB
fermé fév. – **R** *(fermé mardi midi et lundi d'oct. à mars)* 180/265, enf. 95 – ☐ 70 – **17 ch** 495/850 – ½ P 515/895.

CITROEN St-Patrice-Auto, rte de Cherbourg à Vaucelles par ⑥ ✆ 31 92 18 35 N
CITROEN Gar. Danjou, 13 r. Tardif ✆ 31 92 07 31 N ✆ 31 92 13 51
PEUGEOT, TALBOT Fortin, bd 6-Juin ✆ 31 92 09 77 N ✆ 31 21 51 00

RENAULT Gd Gar. de la Gare, 16 bd Carnot ✆ 31 92 00 70 N

Bayeux Pneus, ZI rte de Caen ✆ 31 92 01 61
Schmitt-Pneus, bd Eindhoven ✆ 31 92 02 98

Ne voyagez pas aujourd'hui avec une carte d'hier.

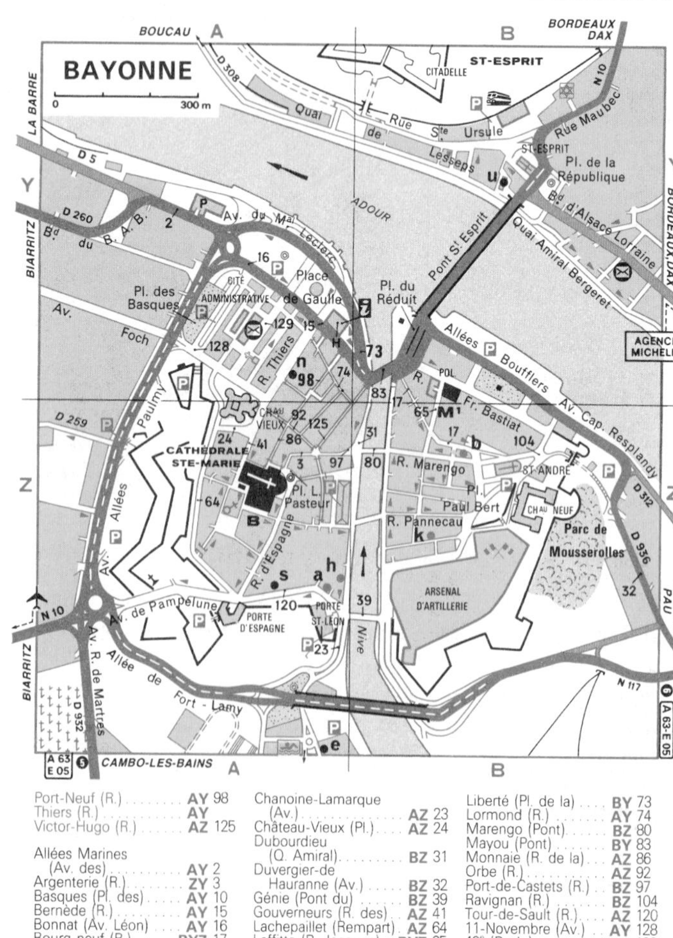

BAYONNE 64100 Pyr.-Atl. 78 ⑱ G. Pyrénées Aquitaine – 40 051 h. alt. 5.

Voir Cathédrale★ AY et cloître★ AY B – Musée Bonnat★★ BY M1 – Grandes fêtes★ (fin juil.-début août).

Env. Route Impériale des Cimes★ au Sud-Est par ③ – Croix de Mouguerre ✻★ SE : 5,5 km par D 52 BY – voir plan de Biarritz BX.

de Biarritz-Parme : ✆ 59 23 90 66, SO : 5 km par N 10 AZ.

Office de Tourisme pl. Liberté ✆ 59 59 31 31.

Paris 773 ⑦ – Biarritz 7 – ♦Bordeaux 184 ⑦ – Pamplona 118 ⑤ – ♦Perpignan 429 ② – San-Sebastián 54 ⑤ – Toulouse 295 ②.

Plan page précédente

Accès et sorties : voir à Biarritz.

Mercure M, av. J. Rostand ✆ 59 63 30 90, Télex 550621, Fax 59 42 06 64, – ch ch TV ☎ P – 180. AE ① GB AZ e
R 100 ₰, enf. 45 – ☕ 50 – **109 ch** 410/480.

Le Grand Hôtel, 21 r. Thiers ✆ 59 59 14 61, Télex 570794, Fax 59 25 61 70 – ch TV ☎ – 50. AE ① GB. ✡ rest AY n
R 120 ₰ – ☕ 40 – **54 ch** 340/550 – ½ P 350/400.

Loustau, 1 pl. République ✆ 59 55 16 74, Télex 570073, Fax 59 55 69 36, ≤ – TV ☎ – 30. AE ① GB. ✡ rest BY u
R *(fermé 20 déc. au 15 janv., sam. midi et dim. de nov. à mars)* 80/165, enf. 50 – ☕ 32 – **44 ch** 260/380 – ½ P 250/260.

Basses-Pyrénées, 12 r. Tour de Sault ✆ 59 59 00 29, Télex 541535, Fax 59 59 42 02 – ☎. AE ① GB AZ s
R *(fermé 20 déc. au 1er fév., dim. sauf le soir en sais. et lundi midi)* 85/140, enf. 49 – ☕ 27 – **40 ch** 190/300 – ½ P 187/262.

XXX **Aub. Cheval Blanc,** 68 r. Bourgneuf ✆ 59 59 01 33 – ▤. AE ① GB BZ b
fermé vacances de fév., dim. soir et lundi sauf juil.-août – **R** 136/250.

XX **François Miura,** 29 r. Cordeliers ✆ 59 59 49 89 – AE ① GB BZ k
fermé 10 juil. au 10 août, 20 au 31 déc., dim. soir et merc. – **Repas** 95/150.

XX **Chez Jacques,** 17 quai Jauréguiberry ✆ 59 25 66 33 – GB AZ h
fermé lundi – **R** 75/160.

XX **Le Saint Simon,** 1 r. Basques ✆ 59 59 13 40 – AE ① GB ABZ a
fermé 1er au 15 sept., dim. soir hors sais., merc. soir en sais. et lundi – **R** 90/130.

par ④ : 4,5 km rte de Cambo – ✉ **64100** Bayonne :

Aster "Les Genets", ✆ 59 42 24 24, Fax 59 42 24 26, – TV ☎ ♿ P – 25. AE GB
R 59/110 ₰, enf. 37 – ☕ 32 – **42 ch** 210/285 – ½ P 275/283.

MICHELIN, Agence, ZAC St-Frédéric II, 89 r. Chalibardon ✆ 59 55 13 73

ALFA-ROMEO, MERCEDES Slavi, av. Mar.-Juin ✆ 59 55 46 55
BMW Gar. Durruty, ZI St-Étienne ✆ 59 55 88 77 N ✆ 59 45 51 36
FERRARI, JAGUAR Daverat, 7 quai Lesseps ✆ 59 55 07 48 N ✆ 59 23 68 68
FIAT Gar. Côte Basque, 44 av. de Bayonne, Anglet N 10 AZ ✆ 59 63 04 04
FORD Autom. Durruty, 15 r. Etcheverry ✆ 59 55 13 34
PEUGEOT-TALBOT Gambade, av. Mar.-Soult, N 10 AZ ✆ 59 52 45 45 N ✆ 59 45 54 36
RENAULT Sté Basque Autom., 59 allées Marines par D 5 AX ✆ 59 52 46 46 N ✆ 59 93 46 53
ROVER Morin, 117 r. Mar.-Juin ✆ 59 55 05 61
VOLVO Le Crom, 30 av. Dubrocq ✆ 59 59 25 57

Central Pneu, rte de Castera, quartier Ste-Croix ✆ 59 55 84 55
Central-Pneu, 35 allées Marines ✆ 59 59 18 26
Comptoir du Pneu Pneu +, 4 av. Mar.-Foch ✆ 59 59 11 73
Sud-Ouest Sécurité, 34-36 bd Alsace-Lorraine ✆ 59 55 04 72 N ✆ 59 23 68 68

BAZAS 33430 Gironde 79 ② G. Pyrénées Aquitaine – 4 379 h.

Voir Cathédrale★.

Office de Tourisme 1 pl. Cathédrale ✆ 56 25 25 84.

Paris 640 – ♦ Bordeaux 60 – Agen 83 – Bergerac 99 – Langon 15 – Mont-de-Marsan 68.

Domaine de Fompeyre ⛰, rte Mont-de-Marsan ✆ 56 25 98 00, Fax 56 25 16 25, parc, – TV ☎ ♿ P – 40. AE GB
R *(fermé sam. du 15 oct. au 15 mai)* 125/210 – ☕ 45 – **31 ch** 280/380, 4 appart. 460 – ½ P 330/370.

BAZEILLES 08 Ardennes 53 ⑲ – rattaché à Sedan.

BAZINCOURT-SUR-EPTE 27 Eure 55 ⑧ ⑨ – rattaché à Gisors.

BAZOUGES-SUR-LE-LOIR 72200 Sarthe 64 ② G. Châteaux de la Loire – 1 088 h. alt. 28.

Voir Pont ≤★.

Paris 257 – Angers 45 – ♦ Le Mans 58 – La Flèche 7.

X **Croissant,** N 23 ✆ 43 45 32 08 – GB
fermé 17 au 31 août, 3 au 24 janv., dim. soir et lundi – **R** 110/150 ₰.

BEAUCAIRE 30300 Gard 81 ⑪ **G. Provence** – 13 400 h. alt. 18.

Voir Château★ : ※★★ Y – Abbaye de St-Roman ≤★ 4,5 km par ⑤.

Maison du Tourisme 24 cours Gambetta ✆ 66 59 26 57.

Paris 708 ⑥ – Avignon 24 ① – Alès 68 ⑥ – Arles 18 ③ – Nîmes 24 ⑤ – St-Rémy-de-Pr. 17 ②.

BEAUCAIRE

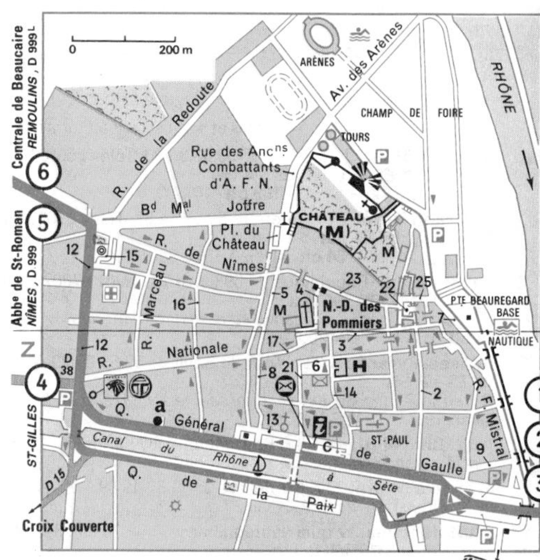

Une réservation confirmée par écrit est toujours plus sûre.

🏨 **Les Doctrinaires,** quai Gén. de Gaulle et 32 r. Nationale ✆ 66 59 41 32, Télex 480706, Fax 66 59 31 97, 🍽, « Ancien collège du 17ᵉ siècle » – 🛗 📺 ☎ 🅟 – 🏊 50. AE GB
R *(fermé dim. soir de fin oct. au 15 mars et sam. midi)* 110/250, enf. 60 – ☕ 47 – **34 ch** 350/370 – ½ P 350. Z a

🏨 **Vignes Blanches,** rte Nîmes par ⑤ : 1 km ✆ 66 59 13 12, Télex 480690, Fax 66 59 40 97, 🏊 – 🛗 ▤ rest 📺 ☎ 🅟. AE GB
13 avril-10 oct. – **R** *(fermé le midi sauf juil.-août)* 98/180, enf. 45 – ☕ 38 – **61 ch** 260/420 – ½ P 285/333.

PEUGEOT-TALBOT SOREVA, 41 r. des Marronniers par ④ ✆ 66 59 13 63

Ⓜ Ayme-Pneus, rte de St-Gilles ✆ 66 59 23 98

Nelle piante di città il Nord è sempre in alto.

BEAUCENS 65 H.-Pyr. 85 ⑱ – rattaché à Argelès-Gazost.

Le BEAUCET 84210 Vaucluse 81 ⑬ – 280 h. alt. 300.

Paris 690 – Avignon 33 – Apt 40 – Carpentras 11,5 – Cavaillon 28 – Orange 35.

✗ **Aub. du Beaucet,** ✆ 90 66 10 82, ≤, 🍽 – GB
fermé 5 au 23 oct. et 10 au 29 janv. – **R** 140, enf. 60.

BEAUFORT 73270 Savoie 74 ⑰ ⑱ **G. Alpes du Nord** – 1 996 h. alt. 743.

Office de Tourisme pl. Mairie ✆ 79 38 37 57.

Paris 601 – Albertville 19 – Chambéry 70 – Megève 42.

🏨 **Gd Mont,** ✆ 79 38 33 36 – ☎. GB
fermé 23 au 30 avril et 30 sept. au 5 nov. – **R** *(fermé dim. soir hors sais.)* 80/135 🍷, enf. 55 – ☕ 30 – **13 ch** 165/215 – ½ P 205/235.

🏨 **de la Roche,** ✆ 79 38 33 31, 🍽 – AE GB
fermé 4 nov. au 15 déc. – **R** 55/150 🍷 – ☕ 25 – **17 ch** 110/210 – ½ P 180/210.

BEAUGENCY 45190 Loiret 64 ⑧ **G. Châteaux de la Loire** – 6 917 h. alt. 106.

Voir Église N.-Dame★ – Donjon★ – Tentures★ dans l'hôtel de ville H – Musée de l'Orléanais★ dans le château.

Office de Tourisme 28 pl. Martroi ✆ 38 44 54 42.

Paris 151 ① – ✈Orléans 29 ① – Blois 36 ④ – Châteaudun 40 ⑥ – Vendôme 48 ⑤ – Vierzon 84 ②.

BEAUGENCY

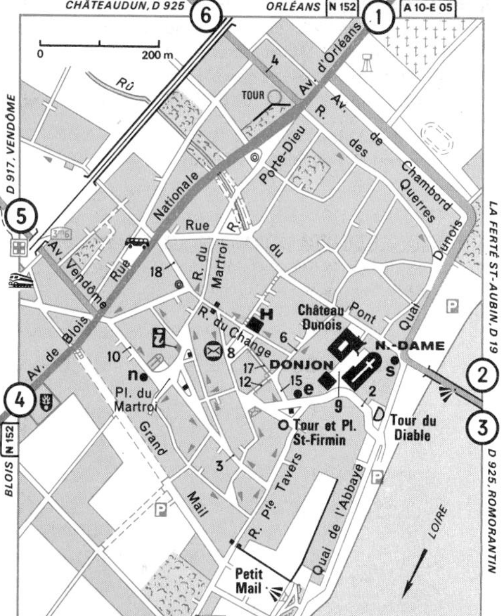

Dans la liste des rues des plans de villes, les noms en rouge indiquent les principales voies commerçantes.

L'Abbaye, quai Abbaye **(s)** ✆ 38 44 67 35, Télex 780038, Fax 38 44 87 92, ←, – TV ☎ – 40. AE ⓓ GB
R *(fermé 23 au 29 déc. et 14 au 19 janv.)* 190 – ☕ 40 – **14 ch** 430/560, 4 duplex 680.

Écu de Bretagne, pl. Martroi **(n)** ✆ 38 44 67 60, Fax 38 44 68 06 – ☎. AE ⓓ GB. rest
R 110/290, enf. 75 – ☕ 35 – **26 ch** 130/260 – ½ P 200/250.

Sologne sans rest, pl. St Firmin **(e)** ✆ 38 44 50 27, Fax 38 44 90 19 – TV ☎. GB.
fermé 20 déc. au 1er fév. et dim. soir de nov. à fév. – ☕ 40 – **16 ch** 160/280.

à Lailly-en-Val par ② : 5 km – ✉ **45740** :

Aub. Trois Cheminées avec ch, rte Blois par D 951 : 2 km ✆ 38 44 74 20, – ☎. GB
fermé 20 fév. au 19 mars, dim. soir et lundi sauf de juin à sept. – **R** 85/180 ⅉ, enf. 50 – ☕ 35 – **12 ch** 150/390 – ½ P 150/250.

à Tavers par ④ : 3 km – ✉ **45190** :

La Tonnellerie , près Église ✆ 38 44 68 15, Télex 782479, Fax 38 44 10 01, , « Jardin fleuri, » – ☎. GB.
15 avril-11 oct. – **R** 175/405, enf. 80 – ☕ 47 – **17 ch** 630/900, 3 appart. 1100 – ½ P 545/680.

PEUGEOT Gar. Mahu, 49 av. de Blois par ④ ✆ 38 44 53 20

RENAULT Gar. de la Mardelle, ZI, 63 av. d'Orléans par ① ✆ 38 44 50 40

BEAUJEU

69430 Rhône **73** ⑨ **G. Vallée du Rhône** – 1 874 h. alt. 293.

Syndicat d'Initiative square Grand'Han (fin mars-mi déc., fermé matin sauf juil.-oct.) ✆ 74 69 22 88.

Paris 426 – Mâcon 39 – Roanne 61 – Bourg-en-Bresse 55 – ♦Lyon 61 – Villefranche-sur-Saône 26.

Anne de Beaujeu avec ch, ✆ 74 04 87 58, Fax 74 69 22 13, – ☎. GB
fermé 2 au 13 août, 14 déc. au 17 janv., dim. soir et lundi – **R** 105/320 – ☕ 28 – **7 ch** 185/225.

CITROEN Gar. du Centre ✆ 74 04 87 64
PEUGEOT-TALBOT Gar. Desplace ✆ 74 69 21 56 **N**

V.A.G Gar. Daniel ✆ 74 04 87 14

BEAULIEU-EN-ARGONNE

55250 Meuse **56** ⑳ **G. Champagne** – 42 h. alt. 273.

Voir Pressoir★ dans l'anc. abbaye.

Paris 239 – Bar-le-Duc 36 – Futeau 10 – Ste-Menehould 23 – Verdun 38.

Host. Abbaye , ✆ 29 70 72 81, ←, , – ☎. GB. ch
fermé 15 déc. au 1er fév. et dim. soir du 1er oct. au 1er mars – **R** 75/145 ⅉ – ☕ 20 – **10 ch** 100/180 – ½ P 145/185.

BEAULIEU-SUR-DORDOGNE 19120 Corrèze 75 ⑲ **G. Berry Limousin** – 1 265 h. alt. 144.

Voir Église★ : portail méridional★★ et vierge romane★ du trésor.

Syndicat d'Initiative pl. Marbot (avril-sept.) ✆ 55 91 09 94.

Paris 532 – Brive-la-Gaillarde 44 – Aurillac 70 – Figeac 60 – Sarlat-la-Canéda 70 – Tulle 44.

- **Le Turenne,** ✆ 55 91 10 16, Fax 55 91 22 42, – ☎. AE ⓓ GB
  fermé 15 janv. au 15 fév., dim. soir et lundi du 1er oct. au 1er mai – **R** 98/280, enf. 55 – ☕ 30 – **22 ch** 200/260 – ½ P 230/250.
- **Central H. Fournié,** ✆ 55 91 01 34, Fax 55 91 23 57, – ☎ Ⓟ. GB
  mi mars-mi nov. – **R** 80/250, enf. 50 – ☕ 28 – **28 ch** 150/300 – ½ P 200/260.

RENAULT Lavastroux ✆ 55 91 12 82

BEAULIEU-SUR-MER 06310 Alpes-Mar. 84 ⑩ 195 ㉗ **G. Côte d'Azur** – 4 013 h. alt. 10 – Casino.

Voir Site★ de la Villa Kerylos★ **M** – Baie des Fourmis★.

Office de Tourisme pl. G.-Clemenceau ✆ 93 01 02 21.

Paris 943 ④ – ♦ Nice 11 ④ – Menton 23 ③.

BEAULIEU-SUR-MER

Marinoni (Bd)	19
Albert-1er (Av.)	2
Blundell-Maple (Av.)	3
Cavell (Av. Edith)	4
Clemenceau (Pl. et R.)	5
Doumer (R. Paul)	6
Gaulle (Pl. Charles-de)	12
Gauthier (Bd Eugène)	13
Hellènes (Av. des)	14
Joffre (Bd Maréchal)	15
Leclerc (Bd Maréchal)	18
May (Av. F.)	21
Orangers (Montée des)	22
St-Jean (Pont)	25
Yougoslavie (R. de)	27

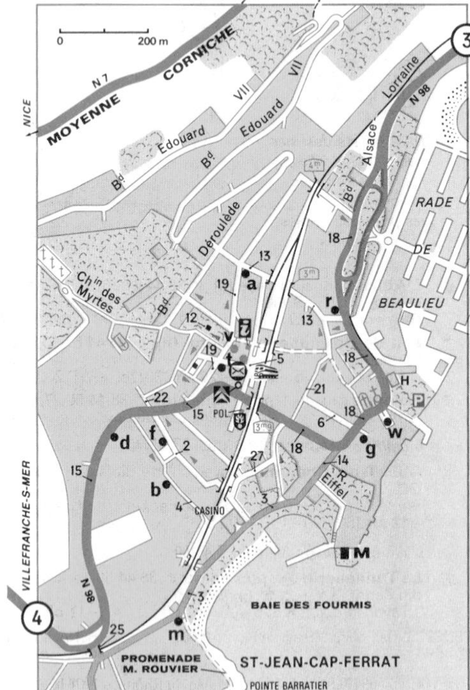

Le feu est le plus terrible ennemi de la forêt. Soyez prudent !

- **La Réserve**, bd Mar. Leclerc **(w)** ✆ 93 01 00 01, Télex 470301, Fax 93 01 28 99, ←, « Intérieur luxueux en bordure de mer », – ch TV ☎ Ⓟ. AE ⓓ GB
  R 280/450 – ☕ 90 – **37 ch** 2000/3000, 3 appart. – ½ P 1495/1995.
- ✿ **Métropole** M, bd Mar. Leclerc **(g)** ✆ 93 01 00 08, Télex 470304, Fax 93 01 18 51, ←, « Vaste terrasse sur mer, parc, » – TV ☎ Ⓟ. AE GB
  fermé 20 oct. au 20 déc. – **R** 360/480 – ☕ 95 – **50 ch** 905/2450, 3 appart. – ½ P 1180/1760
  Spéc. Salade de langoustines et julienne de céleri, Croustillant de Saint-Pierre, Composé chaud et froid de mangues et mandarines. **Vins** Bellet, Côtes de Provence.
- **Royal Riviera** M, av. J. Monnet **(m)** ✉ 06230 St-Jean-Cap-Ferrat ✆ 93 01 20 20, Télex 470302, Fax 93 01 23 07, ←, « Jardin fleuri, » – TV ☎ & Ⓟ – 80. AE ⓓ GB JCB. rest
  Le Panorama R 250/300 – ☕ 90 – **76 ch** 1000/2400.

Carlton M, av. E. Cavell **(b)** ✆ 93 01 14 70, Télex 970421, Fax 93 01 29 62, – P – 100. AE GB
hôtel : fermé 31 oct. au 28 déc. ; rest. : ouvert 16 avril-30 sept. et fermé merc. – **R** 120/300 – 60 – **33 ch** 640/1100 – ½ P 650/750.

Résidence Carlton M sans rest, av. Albert 1er **(f)** ✆ 93 01 06 02, – P. AE GB
16 avril-30 sept. – 50 – **27 ch** 500/700.

Frisia sans rest, bd Mar. Leclerc **(r)** ✆ 93 01 01 04, Fax 93 01 31 92, ← – . AE GB
fermé 31 oct. au 22 déc. – 20 – **35 ch** 490/540.

Comté de Nice M sans rest, bd Marinoni **(a)** ✆ 93 01 19 70, Télex 461744, Fax 93 01 23 09, – . AE GB.
40 – **33 ch** 385/450.

Frantour-Victoria M, bd Marinoni **(t)** ✆ 93 01 02 20, Télex 470303, Fax 93 01 32 67, – . AE GB. rest
1er fév.-15 oct. – **R** carte environ 140 – 29 – **79 ch** 281/462 – ½ P 285/340.

Le Havre Bleu sans rest, bd Mar. Joffre **(d)** ✆ 93 01 01 40, Fax 93 01 29 92 – P. AE GB.
28 – **22 ch** 276/296.

Le Maxilien, bd Marinoni **(v)** ✆ 93 01 47 48 – . AE GB
fermé vacances de nov., de fév. et mardi – **R** 245/550.

Les Agaves, r. Mar. Foch **(t)** ✆ 93 01 12 90 – . GB
fermé 15 nov. au 10 déc. et lundi sauf le soir en sais. – **R** (nombre de couverts limité - prévenir) 130/310.

CITROEN Gar. de la Poste ✆ 93 01 00 13

BEAUMES-DE-VENISE 84190 Vaucluse 81 ⑫ G. Provence – 1 784 h. alt. 100.

Voir Clocher★ de la chapelle N.-D. d'Aubune O : 2 km.

Syndicat d'Initiative Intercommunal cours Jean-Jaurès (fermé après-midi hors saison) ✆ 90 62 94 39.

Paris 671 – Avignon 32 – Nyons 40 – Orange 23 – Vaison-la-Romaine 24.

Aub. St-Roch avec ch, ✆ 90 62 94 29 – GB. ch
fermé 18 nov. au 3 fév. (sauf rest.), 3 fév. au 1er mars, 18 août au 1/09, dim. soir (sauf en été) et lundi – **R** 105/180 – 25 – **4 ch** 150/235 – ½ P 175/215.

BEAUMESNIL 27410 Eure 55 ⑲ G. Normandie Vallée de la Seine – 527 h – Voir Château★.

Paris 143 – ◆Rouen 58 – Bernay 12 – Dreux 65 – Evreux 39.

L'Étape Louis XIII (Sureau), ✆ 32 44 44 72, « Maison normande du 17e siècle », – P. AE GB JCB
fermé 17 juin au 9 juil., 1er au 20 fév., dim. soir, lundi et mardi – **R** 98/290
Spéc. Poêlée de foie gras à la vinaigrette pourpre. Tranche de bar à la peau et beurre de cerfeuil. Jeu de pommes caramélisées.

BEAUMETTES 84220 Vaucluse 81 ⑬ – 219 h. alt. 126.

Voir ←★ du chevet de l'église de Ménerbes S : 3,5 km, G. Provence.

Paris 712 – Apt 18 – Avignon 33 – Carpentras 31 – Cavaillon 13.

Le Moulin Blanc, E : 0,5 km par N 100 ✆ 90 72 34 50, Télex 432926, Fax 90 72 25 41, ←, « Beaux aménagements dans un ancien moulin, parc », – P. AE GB
R 200/370 – 65 – **18 ch** 600/930 – ½ P 515/680.

BEAUMONT 24440 Dordogne 75 ⑮ G. Périgord Quercy – 1 155 h. alt. 160.

Syndicat d'Initiative (juin-sept.) ✆ 53 22 39 12.

Paris 558 – Périgueux 67 – Bergerac 29 – Fumel 45 – Sarlat-la-Canéda 52 – Villeneuve-sur-Lot 46.

Voyageurs avec ch, ✆ 53 22 30 11,
fermé 15 nov. au 10 déc., 20 janv. au 15 fév., dim. soir et lundi sauf du 21 juin au 30 août – **Repas** (dim. prévenir) 75/420 – 35 – **10 ch** 105/230.

RENAULT Delpech ✆ 53 22 30 16 N

BEAUMONT 86490 Vienne 68 ④ G. Poitou Vendée Charentes – 1 585 h. alt. 146.

Paris 317 – Poitiers 22 – Châtellerault 14.

Relais du Clain, ✆ 49 85 50 36 – P.

BEAUMONT-DE-LOMAGNE 82500 T.-et-G. 82 ⑥ G. Pyrénées Aquitaine – 3 488 h. alt. 102.

Paris 684 – Auch 46 – Agen 58 – Castelsarrasin 25 – Condom 57 – Montauban 36 – ◆Toulouse 61.

Commerce, r. Mar. Foch ✆ 63 02 31 02, – . AE GB. ch
fermé janv., dim. soir et lundi – **R** 68/195, enf. 45 – 26 – **14 ch** 110/190 – ½ P 158/185.

CITROEN Daure ✆ 63 02 35 76
PEUGEOT TALBOT Gar. Pons ✆ 63 02 36 60
PEUGEOT, TALBOT Gar. Oustric ✆ 63 02 41 18 N ✆ 63 02 25 58
RENAULT Gar. Bedouch, ✆ 63 65 39 95 N

BEAUMONT-EN-AUGE 14950 Calvados 55 ③ **G. Normandie Vallée de la Seine** – 472 h. alt. 95.

Paris 204 – ◆Caen 41 – Deauville 11 – Lisieux 21 – Pont-l'Évêque 8.

XX **Aub. de l'Abbaye,** ☎ 31 64 82 31, « Cadre rustique normand » – GB
fermé fév., mardi et merc. sauf vacances scolaires – **R** 155/280.

à la Haie Tondue S : 2 km par D 58 – ✉ 14130 :

XX **La Haie Tondue,** ☎ 31 64 85 00 – P. GB
fermé 23 juin au 7 juil., 6 au 20 oct., lundi soir et mardi – **Repas** 100/170.

BEAUMONT-EN-VERON 37 I.-et-L. 67 ⑨ – rattaché à Chinon.

BEAUMONT-LE-ROGER 27170 Eure 55 ⑮ **G. Normandie Vallée de la Seine** – 2 694 h. alt. 91.

18 du Champ de Bataille ☎ 32 35 03 72, NE : 16 km par D 133 et D 39.

Syndicat d'Initiative pl. de Clerc (Mairie) ☎ 32 45 23 88.

Paris 133 – ◆Rouen 48 – L'Aigle 42 – Bernay 15 – Évreux 30 – Louviers 33 – Verneuil 42.

XX **Le Paris sur Risle,** ☎ 32 45 22 23 – GB
fermé 17 au 30 août, dim. soir et lundi – **R** 75 bc (sauf vend. soir et sam.)/158.

PEUGEOT-TALBOT Gar. du Centre 22 place de l'Église ☎ 32 45 20 49
RENAULT J.P.C. ☎ 32 45 22 16 N
RENAULT Gar. Pont aux Chèvres ☎ 32 45 20 44

BEAUMONT-SUR-SARTHE 72170 Sarthe 60 ⑬ – 1 874 h. alt. 85.

Paris 222 – Alençon 23 – ◆Le Mans 25 – La Ferté-Bernard 48 – Mamers 25 – Mayenne 62.

XX **Chemin de Fer** avec ch, à la Gare E : 1,5 km par D 26 ☎ 43 97 00 05, Fax 43 33 52 17, – TV ☎. GB
fermé 18 oct. au 6 nov., 10 fév. au 6 mars, dim. soir et lundi de nov. à Pâques – **R** 68/195, enf. 47 – ☕ 22 – **15 ch** 154/236 – ½ P 152/208.

PEUGEOT, TALBOT Gar. Noyer ☎ 43 97 01 14
PEUGEOT, TALBOT Thureau, à la Croix-Margot-Juillé ☎ 43 97 00 33 N
RENAULT Gar. Despelchain ☎ 43 97 00 03

BEAUMONT-SUR-VESLE 51360 Marne 56 ⑰ – 686 h. alt. 100.

Voir Faux de Verzy★ S : 3,5 km, **G. Champagne.**

Paris 159 – ◆Reims 16 – Châlons-sur-Marne 30 – Épernay 26 – Ste-Menehould 62.

X **La Maison du Champagne** avec ch, ☎ 26 03 92 45, Fax 26 03 97 59, – TV ☎ P. AE GB. ch
fermé 1er au 15 oct., 1er au 15 fév., dim. sauf le midi en hiver et lundi sauf le soir en été – **R** 69/170, enf. 38 – ☕ 28 – **13 ch** 160/250 – ½ P 192/222.

RENAULT Gar. Lahante, 14 RN ☎ 26 03 90 59 N

BEAUNE SP 21200 Côte-d'Or 69 ⑨ **G. Bourgogne** – 21 289 h. alt. 218.

Voir Hôtel-Dieu★★ et polyptyque du Jugement dernier★★★ AZ – Collégiale N.-Dame★ : tapisseries★★ AY – Hôtel de la Rochepot★ AY **B** – Remparts★ AZ – Musée du vin de Bourgogne★ AYZ **M1** – Office de Tourisme avec A.C. pl. Halle face Hôtel-Dieu ☎ 80 22 24 51.

Paris 313 ③ – Chalon-sur-Saône 29 ③ – ◆Dijon 44 ③ – Autun 48 ④ – Auxerre 150 ③ – Dole 68 ③.

Plan page suivante

Belena M, 12 bd Foch ☎ 80 24 01 01, Fax 80 24 09 90 – ch TV ☎ P. AE GB — AY **d**
R voir rest. **Jacques Lainé** ci-après – ☕ 55 – **34 ch** 500/900, 6 duplex 1100/1300.

Le Cep, 27 r. Maufoux ☎ 80 22 35 48, Télex 351256, Fax 80 22 76 80, « Ameublement de style » – TV ☎ P – 70. AE GB JCB — AZ **z**
R voir rest. **Bernard Morillon** ci-après – ☕ 60 – **49 ch** 550/1000, 3 appart. 1500.

H. de la Poste M, 3 bd Clémenceau ☎ 80 22 08 11, Télex 350982, Fax 80 24 19 71, – ch TV ☎ – 30. AE GB — AZ **s**
R 150/360 – ☕ 50 – **18 ch** 750/1000, 8 appart. 1300/1500 – ½ P 581/836.

Henry II sans rest, 12 fg St Nicolas ☎ 80 22 83 84, Fax 80 24 15 13 – TV ☎ – 25. AE GB JCB — AY **q**
☕ 40 – **50 ch** 350/550.

La Closerie M sans rest, par ④ rte Autun N 74 ☎ 80 22 15 07, Télex 351213, Fax 80 24 16 22, – TV ☎ P. AE GB JCB
fermé 24 déc. au 14 janv. – ☕ 37 – **46 ch** 380/500.

Athanor M sans rest, 9 r. République ☎ 80 24 09 20, Fax 80 24 09 15 – TV ☎. AE GB — AZ **e**
☕ 45 – **29 ch** 380/460.

H. de la Paix, 47 fg Madeleine ☎ 80 22 33 33, Fax 80 22 84 39, – TV ☎. AE GB
Le Bouchon *(fermé 12 au 26 juil., 16 fév. au 1er mars, lundi midi et dim.)* **R** 65/105 – **La Rôtisserie** *(fermé 16 au 30 mars, 27 juil. au 10 août, mardi midi et lundi)* **R** 115/285 – ☕ 45 – **10 ch** 310/450. — BZ **s**

Central, 2 r. V. Millot ☎ 80 24 77 24, Fax 80 22 30 40 – TV ☎. GB — AZ **n**
fermé 26/11 au 18/12, 10 au 25/01, dim. soir et merc. de nov. à mars et merc. (sauf hôtel) d'avril à juin – **R** 125/300 – ☕ 38 – **20 ch** 320/490.

BEAUNE

Carnot (R.) . . . . AZ 3
Lorraine (R. de) . . . . AY

Alsace (R. d') . . . . AZ 2
Carnot (Pl.) . . . . AZ 4
Château (R. du) . . . . BY 6
Fleury (Pl.) . . . . AZ 7
Fraysse (R. E.) . . . . AZ 8
Halle (Pl. de la) . . . . AZ 10
Maufoux (R.) . . . . AZ 12
Monge (Pl.) . . . . AY 13
Monge (R.) . . . . AZ 14
Perpreuil (Bd) . . . . AZ 16
Poterne (R.) . . . . AZ 17
Rousseau-Deslandes (R.) . . . . . . BY 18
St-Nicolas (R. du fg.) . . . AY 20
Tonneliers (R. des) . . . . . AY 22

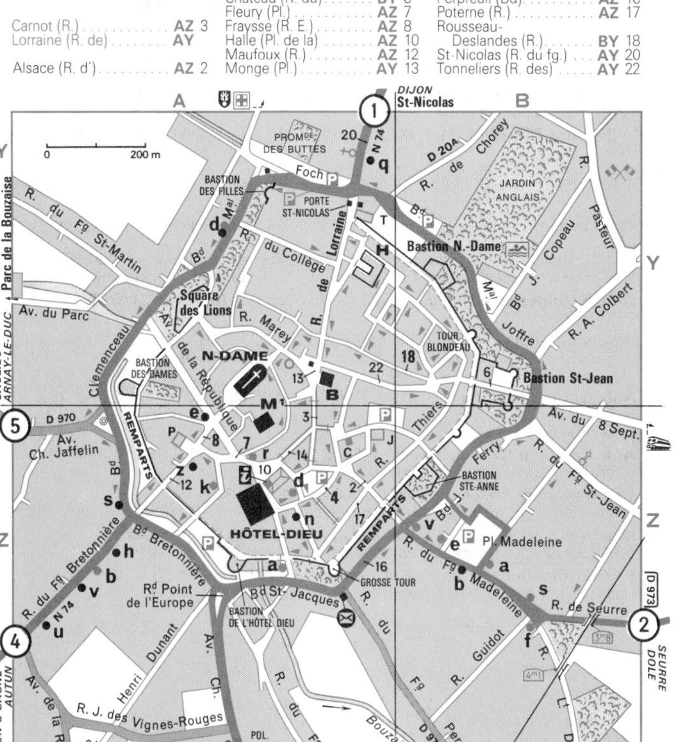

Altéa Samotel sans rest, par ④ rte Autun N 74 ℘ 80 22 35 55, Télex 350596, Fax 80 22 09 14, ⛱ – TV ☎ Ⓟ – 🏛 50. AE ⓪ GB
fermé 1er déc. au 3 janv. – ☕ 48 – **65 ch** 350/500.

Belle Epoque sans rest, 15 fg Bretonnière ℘ 80 24 66 15, Fax 80 24 17 49 – TV ☎ 🚗. AE ⓪ GB — AZ **h**
☕ 40 – **16 ch** 315/460.

Grillon sans rest, 21 rte Seurre par ② : 1 km ℘ 80 22 44 25, 🌳 – ☎ Ⓟ. AE ⓪ GB
fermé 15 janv. au 15 fév. – ☕ 28 – **18 ch** 250/320.

Le Home sans rest, 138 rte Dijon par ① ℘ 80 22 16 43, Fax 80 24 90 74, 🌳 – Ⓟ. AE GB
☕ 30 – **23 ch** 285/340.

La Cloche, 42 fg Madeleine ℘ 80 24 66 33, Fax 80 24 04 24 – ▤ rest TV ☎ Ⓟ. GB
fermé 15 déc. au 23 janv. – **R** *(fermé lundi soir du 1er mai au 15 oct. et mardi)* 79/215 – ☕ 30 – **21 ch** 260/350. — BZ **b**

Host. de Bretonnière sans rest, 43 fg Bretonnière ℘ 80 22 15 77 – TV ☎ Ⓟ. GB — AZ **v**
☕ 31 – **27 ch** 155/330.

Alésia sans rest, av. Sablières, rte Dijon par ① : 1 km ℘ 80 22 63 27 – ☎ Ⓟ. GB
fermé 15 déc. au 20 janv. – ☕ 28 – **15 ch** 195/305.

Beaun H. sans rest, 55 bis fg Bretonnière ℘ 80 22 11 01 – Ⓟ. GB — AZ **u**
fermé 15 janv. au 15 fév. et dim. soir hors sais. – ☕ 25 – **16 ch** 140/280.

XXX ⚜ **Jacques Lainé** - Hôtel Belena, 10 bd Foch ✆ 80 24 76 10, Fax 80 22 77 78, 🍽 - Ⓟ. AE GB AY **d**
fermé fév., merc. midi et mardi – **R** 170/400, enf. 90
Spéc. Emincé de chou vert et foie gras de canard poêlé, Pigeon de Bresse au vin rouge, Escargots sautés à la mousse d'ail. **Vins** Saint-Romain blanc, Beaune.

XXX **Le Jardin des Remparts,** 10 r. Hôtel-Dieu ✆ 80 24 79 41, 🍽 - GB AZ **a**
fermé 3 au 10 août, 8 fév. au 8 mars, dim. soir et lundi sauf fériés – **R** 130/280.

XXX ⚜ **Bernard Morillon,** 31 r. Maufoux ✆ 80 24 12 06, Fax 80 22 66 22, 🍽 - AE ⓓ GB JCB AZ **z**
fermé 5 au 28 fév., mardi midi et lundi – **R** 160/490
Spéc. Petit farci de calamars aux escargots, Queues de langoustines facon Brillat-Savarin, Pigeonneau de Bresse rôti et jus à la Souvaroff. **Vins** Beaune, Savigny-lès-Beaune.

XX ⚜ **L'Écusson** (Senelet), pl. Malmédy ✆ 80 24 03 82, Fax 80 24 74 02, 🍽 - AE ⓓ GB BZ **f**
fermé mi-fév. à mi-mars et dim. sauf le midi de Pâques au 19 nov. – **R** 130/350
Spéc. Poireaux rôtis aux truffes, Turbot rôti à la crème d'oignons fumés, Lait de miel au caramel mou et au café.

XX **Aub. St-Vincent,** pl. Halle ✆ 80 22 42 34, Télex 352110, Fax 80 24 02 75 – ▤. AE ⓓ GB
R 130/300, enf. 85. AZ **r**

XX **Relais de Saulx,** 6 r. Very ✆ 80 22 01 35, Fax 80 22 41 01 – GB AZ **k**
fermé 15 au 30 juin, 10 au 31 déc., dim. soir, lundi et fériés – **R** (nombre de couverts limité - prévenir) 200/260

XX **Aub. Bourguignonne** avec ch, 4 pl. Madeleine ✆ 80 22 23 53 – ▤ rest ☎. GB BZ **a**
fermé 12 déc. au 18 janv., dim. soir en déc. et janv. et lundi sauf fériés – **R** 87/192 – ☕ 29 – **8 ch** 230/280.

XX **Aub. Toison d'Or,** 4 bd J. Ferry ✆ 80 22 29 62, Télex 351301, Fax 80 24 07 11 – GB
fermé dim. soir et lundi – **R** 125/230, enf. 50. BZ **v**

XX **Benaton,** 25 fg Bretonnière ✆ 80 22 00 26, 🍽 – AE GB AZ **b**
fermé 23 nov. au 7 déc., 1er au 15 fév., merc. soir et jeudi – **R** 110/150.

X **Maxime,** 3 pl. Madeleine ✆ 80 22 17 82, Fax 80 24 90 81, 🍽 – GB BZ **e**
fermé 3 au 26 janv., dim. soir du 1er oct. au 30 avril et lundi – **R** 70/160.

X **Le Gourmandin** Ⓜ avec ch, 8 pl. Carnot ✆ 80 24 07 88 – ▤ TV ☎. GB AZ **d**
fermé 20 déc. au 12 janv. et dim. soir – **R** 92/99 – ☕ 40 – **3 ch** 330.

à Savigny-lès-Beaune par ① et D 18 : 6 km – ✉ **21420** :

L'Ouvrée, rte Bouilland ✆ 80 21 51 52, 🍽, 🌳 – TV ☎ Ⓟ. GB
fermé 1er fév. au 15 mars – **R** 90/200, enf. 50 – ☕ 26 – **22 ch** 210/250 – ½ P 223/244.

par ① rte de Dijon : 4 km – ✉ **21200** Beaune :

XXXX ⚜ **Ermitage de Corton** (Parra) Ⓜ avec ch, ✆ 80 22 05 28, Télex 351189, Fax 80 24 64 51, ←, 🍽, 🌳 – TV ☎ Ⓟ. AE ⓓ GB
fermé mi-janv. à mi-fév. – **R** *(fermé dim. soir et lundi)* (nombre de couverts limité - prévenir) 180/580 – ☕ 80 – **2 ch** 750/850, 8 appart. 850/1500
Spéc. Langoustines au beurre de curry, Salade de sots-l'y-laisse et foie gras, Canette pochée aux pêches de vigne. **Vins** Aloxe Corton blanc, Chorey-les-Beaune.

XX **Bareuzai,** ✆ 80 22 02 90, ←, 🍽 – ▤ Ⓟ. AE ⓓ GB
fermé 2 janv. au 10 fév. – **R** 65/300, enf. 39.

à Aloxe-Corton par ① : 6 km sur N 74 – ✉ **21420** :

Clarion Ⓜ sans rest, ✆ 80 26 46 70, Fax 80 26 47 16, « Jardin » – TV ☎ Ⓟ. GB
fermé 1er janv. au 15 fév. – ☕ 75 – **10 ch** 450/770.

à Ladoix-Serrigny par ① : 7 km sur N 74 – ✉ **21550** :

Les Paulands sans rest, ✆ 80 26 41 05, Télex 351293, Fax 80 26 47 56, 🏊 – TV ☎ Ⓟ. GB
fermé 22 déc. au 2 janv. – ☕ 45 – **20 ch** 340/380.

XX **Les Coquines,** N 74 à Buisson ✆ 80 26 43 58, 🍽 – Ⓟ. AE ⓓ GB
fermé merc. soir et jeudi – **R** 132/195.

par ③ près de l'échangeur A 6 : 2 km – ✉ **21200** Beaune :

Novotel Ⓜ, av. Charles de Gaulle ✆ 80 24 59 00, Télex 352237, Fax 80 24 59 29, 🍽, 🏊 – |ǂ| ▤ TV ☎ ♿ Ⓟ – 🏛 25 à 200. AE ⓓ GB
R carte environ 160, enf. 55 – ☕ 52 – **127 ch** 390/510.

Primevère Ⓜ, ✆ 80 24 15 30, Fax 80 24 16 10, 🍽 – TV ☎ ♿ Ⓟ – 🏛 25. ⓓ GB
R 74/100 🍷, enf. 40 – ☕ 31 – **42 ch** 250/260.

à Levernois SE : 5 km par rte Verdun sur le Doubs D 970 et D 111 - BZ – ✉ **21200** :

Colvert Golf H. Ⓜ 🔇 sans rest, ✆ 80 24 78 20, Fax 80 24 77 70, ← – |ǂ| TV ☎ ♿ 🚗. GB
fermé 5 au 30 janv. – ☕ 50 – **24 ch** 350/400.

Parc 🔇 sans rest, ✆ 80 24 63 00, parc – TV ☎ Ⓟ. GB
fermé 28 déc. au 17 janv. – ☕ 32 – **25 ch** 200/450.

XXXX ✿✿ **Host. de Levernois** (Crotet) M ≫ avec ch, ✆ 80 24 73 58, Télex 351468, Fax 80 22 78 00, ⌂, « Jardin fleuri et parc », ✗ – TV ☎ P. AE GB JCB. ✗ ch
fermé 15 déc. au 15 janv., merc. midi et mardi – **R** 380/520 et carte – ☐ 75 – **12 ch** 900 – ½ P 900
Spéc. Petits escargots de Bourgogne en cocotte lutée, Combiné de poissons de Bretagne, Pigeon poêlé au foie gras.

à Montagny-lès-Beaune par ③ et D 113 : 3 km – ✉ **21200** :

⌂ **Les Genièvres** sans rest, ✆ 80 22 37 74, ⌂ – ☎ ⇔ P. AE GB
fermé 20 déc. au 10 fév. et dim. du 1er oct. au 28 fév. – ☐ 24 – **19 ch** 150/210.

par ③ : 7 km sur Autoroute A6 (vers Lyon) – ✉ **21200** Beaune :

⌂ **Altéa,** ✆ 80 21 46 12, Télex 350627, Fax 80 21 46 57 – TV ☎ ♿ P. AE ⓓ GB
R rest. d'autoroute sur place dont **La Bourguignotte R** 171/193, enf. 42 – ☐ 44 – **150 ch** 341/363.

à Meursault par ④ : 8 km – ✉ **21190** :

ℹ Syndicat d'Initiative pl. Hôtel de Ville (saison) ✆ 80 21 25 90.

⌂ **Les Charmes** ≫ sans rest, pl. Murger ✆ 80 21 63 53, Fax 80 21 62 89, ⛱, ⌂ – TV ☎ ♿ P. GB. ✗
fermé 1er au 15 fév. – ☐ 42 – **15 ch** 320/480.

⌂ **Les Magnolias** sans rest, 8 r. P. Joigneaux ✆ 80 21 23 23, Fax 80 21 29 10 – ☎. GB. ✗
22 mars-1er déc. – ☐ 45 – **12 ch** 350/550.

⌂ **Motel Au Soleil Levant,** rte Beaune ✆ 80 21 23 47, Fax 80 21 65 67 – TV ☎ P. GB
R 59/115 ♁ – ☐ 22 – **35 ch** 168/300.

XX **Relais de la Diligence,** à la gare SE : 2,5 km par D 23 ✆ 80 21 21 32, Fax 80 21 64 69, ≤ – P. AE ⓓ GB
fermé 15 déc. au 5 fév., mardi soir et merc. – **Repas** 62 (sauf sam. soir)/136 ♁, enf. 40.

à Puligny-Montrachet par ④ et N 74 : 12 km – ✉ **21190** :

⌂ ✿ **Le Montrachet** M, ✆ 80 21 30 06, Fax 80 21 39 06, ⌂ – ☎ ♿. AE ⓓ GB JCB
fermé 30 nov. au 7 janv. – **R** *(fermé merc.)* 160/395 – ☐ 45 – **32 ch** 375/475
Spéc. Escargots de Bourgogne en coquille, Filet de canard au cassis, Tarte aux pommes chaude et sorbet au cidre. **Vins** Puligny-Montrachet.

à Auxey-Duresses par ④ et D 973 : 8 km – ✉ **21190** :

XX **La Crémaillère,** ✆ 80 21 22 60, Fax 80 21 62 65 – GB
fermé 3 fév. au 13 mars, lundi soir et mardi – **R** 85/250.

BMW Savy 21, r. J.-Germain ZI à Beaune-Savigny ✆ 80 22 88 69
CITROEN Gar. Champion, 1 rte de Pommard par ④ ✆ 80 22 28 14 N
CITROEN Gar. Chaffraix, 47 r. Fg-St-Nicolas par ① ✆ 80 22 17 55
FIAT Bolatre, 40 fg Bretonnière ✆ 80 24 02 18 N
FORD Gar. Moreau, 135 bis rte de Dijon ✆ 80 22 27 00 N
PEUGEOT, TALBOT Champion, 42 rte de Pommard par ④ ✆ 80 22 12 30 N
RENAULT Beaune-Auto, 78 rte de Pommard par ④ ✆ 80 24 35 00 N ✆ 80 22 87 04

Ⓜ Gaudry-Pneu, 148 rte de Dijon ✆ 80 22 14 21
Techni-Pneu, 4 bd Bretonnière ✆ 80 22 80 10

BEAUPRÉAU 49600 M.-et-L. 67 ⑤ G. Châteaux de la Loire – 5 937 h. alt. 86.

ℹ Office de Tourisme (22 avril-15 sept.) ✆ 41 63 06 49.

Paris 346 – Angers 51 – Ancenis 28 – Châteaubriant 71 – Cholet 18 – ◆Nantes 50 – Saumur 74.

⌂ **France,** pl. Gén. Leclerc ✆ 41 63 00 26 – ☎ P. AE GB
fermé 1er au 15 août – **R** *(fermé sam. soir et dim.)* 62/135 ♁ – ☐ 25 – **13 ch** 150/250 – ½ P 200/240.

à la Chapelle-du-Genêt SO : 3 km – ✉ **49600** :

XX **Aub. de la Source,** ✆ 41 63 03 89 – GB
fermé 27 juil. au 16 août, sam. midi et dim. soir – **R** 98/250, enf. 60.

CITROEN Pineau, ZI Ste-Anne ✆ 41 63 00 15 N ✆ 41 63 00 03

BEAURAINS 62 P.-de-C. 53 ② – rattaché à Arras.

BEAURAINVILLE 62990 P.-de-C. 51 ⑫ – 2 093 h. alt. 14.

Paris 226 – ◆Calais 75 – Arras 72 – Hesdin 14 – Montreuil 12 – St-Omer 50.

X **Val de Canche** avec ch, ✆ 21 90 32 22, ⌂ – P. GB
R 65/130 ♁ – ☐ 25 – **10 ch** 115/220.

V.A.G Gar. du Relais, RN 39 les Quatre Routes ✆ 21 90 30 33

BEAURECUEIL 13100 B.-du-R. 84 ③ – 510 h. alt. 254.

Paris 768 – ◆Marseille 34 – Aix-en-Provence 12 – Aubagne 32 – Brignoles 49.

⌂ **Mas de la Bertrande** ≫, D 58 ✆ 42 66 90 09, Fax 42 66 82 01, ⌂, ⛱, ⌂ – TV ☎ P – 🏛 25. AE ⓓ GB
30 mars-3 nov. et fermé dim. soir et lundi sauf du 15 juin au 30 sept. – **R** 100/180, enf. 90 – ☐ 40 – **10 ch** 320/520 – ½ P 390/490.

XXX **Relais Ste-Victoire** M avec ch, D 46 ✆ 42 66 94 98, ←, 🍽, 🏊, 🌳 – ▤ TV ☎ P – 🏆 30. AE ⓓ GB
fermé vacances de nov., 1er au 7 janv., vacances de fév., dim. soir et lundi – **R** (week-ends prévenir) 170/300, enf. 100 – ☕ 50 – **5 ch** 300/500, 6 appart. – ½ P 380/500.

BEAUREGARD **01** Ain 74 ① – rattaché à Villefranche-sur-Saône.

BEAUREPAIRE **38270** Isère 77 ② – 3 735 h. alt. 257.

Paris 521 – Annonay 41 – ♦Grenoble 64 – Romans 37 – ♦St-Étienne 79 – Tournon-sur-Rhône 55 – Vienne 30.

XXX **Fiard** avec ch, av. Terreaux ✆ 74 84 62 02, Fax 74 84 71 13 – ▤ rest TV ☎ – 🏆 25. AE ⓓ GB
fermé 2 janv. au 2 fév., dim. soir (hors sais.) et lundi – **R** 115/380 🍷 – ☕ 35 – **15 ch** 250/350.

CITROEN Gar. des Alpes ✆ 74 84 60 13
FORD Gar. Dumoulin ✆ 74 84 61 22
PEUGEOT TALBOT Gar. Boyet ✆ 74 84 61 37
RENAULT Gar. des Terreaux ✆ 74 84 61 50 N

BEAUREPAIRE-EN-BRESSE **71** S.-et-L. 170 ⑬ – rattaché à Louhans.

BEAUSOLEIL **06** Alpes-Mar. 84 ⑩, 195 ㉗ – rattaché à Monaco.

Le BEAUSSET **83330** Var 84 ⑭ – 7 114 h. alt. 180.

Voir ←★ de la chapelle N.-D. du Beausset-Vieux S : 4 km, **G. Côte d'Azur.**

🅸 Syndicat d'Initiative pl. Ch.-de-Gaulle ✆ 94 90 55 10.

Paris 820 – ♦Toulon 19 – Aix-en-Provence 64 – ♦Marseille 47.

🏨 **Motel la Cigalière** M, N : 1,5 km par N 8 et VO ✆ 94 98 64 63, Fax 94 98 66 04, ←, 🍽, 🏊, 🌳, 🎾 – cuisinette ☎ P – 🏆 35. GB. 🐕
hôtel : fermé 1er au 20 oct. et dim. hors sais.; rest. : ouvert 15 mai-30 sept. – **R** (dîner seul.) carte 125 à 180 – ☕ 35 – **14 ch** 300/390, 5 studios 550/650 – ½ P 300/350.

X **Aub. Couchoua,** N : 3,5 km par N 8 et VO ✆ 94 98 72 24, 🍽, viandes grillées, 🌳 – P. 🐕
fermé 9 au 22 mars, 14 au 27 oct., dim. soir et merc. – **R** (dîner seul. en août) 145 🍷.

X **La Miquelette,** S : 2 km par N 8 et VO ✆ 94 90 50 79, ←, 🍽, 🌳 – P. GB. 🐕
fermé début janv. à mi-mars, le midi (sauf sam. et dim.) en juil.-août, dim. soir et lundi – **R** carte 130 à 180.

à Ste-Anne-d'Evenos S : 3 km par N 8 – ✉ **83330** Le Beausset :

XX **Le Poivre d'Ane,** ✆ 94 90 37 88, 🍽, 🌳 – P. AE GB
fermé 4 au 25 janv., lundi (sauf le soir en juil.-août) et dim. soir de sept. à juin – **R** (nombre de couverts limité, prévenir) 170/240.

RENAULT Central-Gar. ✆ 94 98 70 10
Michel Pneum. ✆ 94 90 44 70

BEAUVAIS P **60000** Oise 55 ⑨ ⑩ **G. Flandres Artois Picardie** – 54 190 h. alt. 64.

Voir Cathédrale★★★ : horloge astronomique★ – Église St-Étienne★ : vitraux★★ et arbre de Jessé★★★ – Musée départemental de l'Oise★ dans l'ancien palais épiscopal **M.**

✈ de Beauvais-Tillé : ✆ 44 45 01 06, par ② : 4 km.

🅸 Office de Tourisme r. Beauregard ✆ 44 45 08 18.

Paris 76 ④ – Compiègne 59 ③ – ♦Amiens 59 ② – Arras 119 ② – Boulogne-sur-Mer 168 ① – Dieppe 107 ⑦ – Évreux 99 ⑥ – ♦Reims 153 ③ – ♦Rouen 82 ⑦ – St-Quentin 111 ②.

Plan page suivante

🏨 **Chenal** sans rest, 63 bd Gén. de Gaulle **(a)** ✆ 44 45 03 55, Télex 145223, Fax 44 45 07 81 – 🛗 TV ☎. AE ⓓ GB. 🐕
☕ 39 – **29 ch** 330/430.

🏨 **Palais** sans rest, 9 r. St Nicolas **(s)** ✆ 44 45 12 58 – TV ☎. AE GB
☕ 25 – **15 ch** 160/260.

🏨 **La Résidence** sans rest, 24 r. L. Borel par ② et r. D. Maillart ✆ 44 48 30 98, Fax 44 45 09 42 – TV ☎ P. AE GB
☕ 32 – **23 ch** 160/230.

🏨 **Bristol** sans rest, 60 r. Madeleine **(k)** ✆ 44 45 01 31 – TV ☎. GB
fermé 23 déc. au 3 janv. – ☕ 30 – **19 ch** 100/220.

XXX **A la Côtelette,** 8 r. Jacobins **(e)** ✆ 44 45 04 42, Fax 44 45 09 95 – AE GB
fermé dim. sauf fériés – **R** 180 bc.

XX **La Coquerie,** 1 r. St-Quentin **(b)** ✆ 44 48 58 45, 🍽 – AE GB
fermé 2 au 16 août, sam. midi et dim. soir – **R** 160, enf. 50.

à Tillé par ② : 4 km – ✉ **60000** :

XX **Le Pradou,** 45 r. Ile de France ✆ 44 45 66 14, Fax 44 45 56 47, 🍽 – P. GB
fermé 1er au 16 mars, 2 au 24 août, dim. soir et lundi – **R** 130, enf. 60.

par ④ : 3 km, quartier St-Lazare sur rte de Paris – ✉ **60000** Beauvais :

🏨 **Mercure** M sans rest, av. Montaigne ✆ 44 02 03 36, Télex 150210, Fax 44 02 12 50, 🏊 – 🚭 TV ☎ ♿ P – 🏆 90. AE ⓓ GB JCB
☕ 46 – **60 ch** 395/460.

BEAUVAIS

Carnot (R.)		Beauregard (R.)	2	Loisel (Bd A.)	16
Gambetta (R.)		Brière (Bd J.)	3	Nully-d'Hécourt (R.)	19
Hachette (Pl. J.)	10	Dr-Gérard (R.)	5	République (Av. de la)	20
Madeleine (R. de la)		Dr-Lamotte (Bd du)	6	St-André (Bd)	22
Malherbe (R. de)	18	Grenier-à-Sel (R.)	8	St-Laurent (R.)	23
St-Pierre (R.)	24	Guéhengnies (R. de)	9	St-Vincent-de-Beauvais (R.)	26
		Halles (Pl. des)	12	Scellier (Cours)	27
		Leclerc (R. Gén.)	13	Taillerie (R. de la)	29
		Lignières (R. J. de)	15	Tapisserie (R. de la)	30

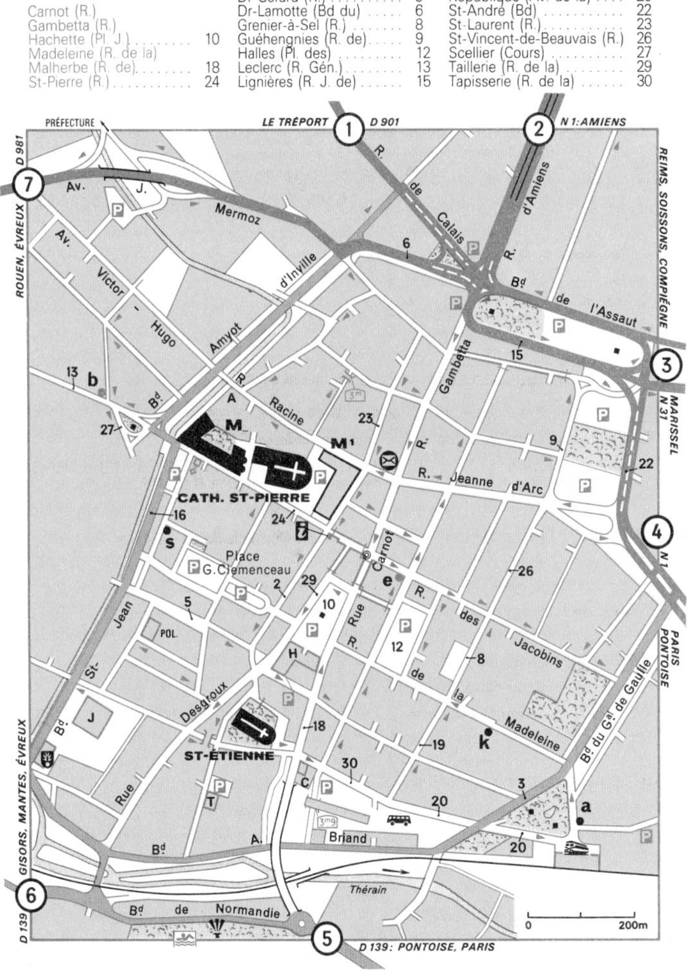

à Savignies O : 10 km par ⑦ et D 1 – ✉ **60650** :

✗✗ **Aub. de la Poterie,** ✆ 44 82 27 72, ⛱ – GB
fermé 24 juil. au 7 août, 19 janv. au 9 fév., dim. soir, merc. soir et lundi sauf fêtes – **R** 100/198 bc, enf. 75.

ALFA-ROMEO Gar. Lemaire Napoléon, RN 1 à Allonne ✆ 44 02 33 32
BMW, TOYOTA Gar. du Franc-Marché, av. P.-et-M.-Curie ZAC St-Lazare ✆ 44 05 15 25
CITROEN Gd Gar. Paintré, 63 r. de Calais par ① ✆ 44 45 62 37
FIAT Gar. Piscine, r. Becquerelle ✆ 44 05 16 00
FORD Automobiles du Thil, 11 r. N.-D.-du-Thil ✆ 44 84 06 06
OPEL Beauvais-Autos, r. P.-et-M.-Curie ZAC St-Lazare ✆ 44 02 05 21
PEUGEOT-TALBOT Le Nouveau Gar., 2 r. Gay-Lussac, N 1 par ④ ✆ 44 05 20 40

RENAULT Gueudet, N 181, rte d'Amiens par ② ✆ 44 48 25 78 🅽 ✆ 44 04 95 01
ROVER Gar. Paris-Londres, r. Gay-Lussac ✆ 44 02 21 42
V.A.G S.A.G.A. 60, r. de Clermont ✆ 44 05 45 47
VOLVO Mondial Garage, 22 fg St-Jacques et bd Ile-de-France ✆ 44 84 78 78

Ⓜ Beauvais Pneum., 5 r. 51e R.-I. ✆ 44 45 91 23
Cacaux, 21 av. B.-Pascal, ZI n° 2 ✆ 44 05 21 60
Fischbach Pneu, 55 r. E.-de-St-Fuscien à Grandvilliers ✆ 44 46 54 95

☛ *Un automobiliste averti utilise le guide Michelin de l'année.*

BEAUVEZER 04370 Alpes-de-H.-P. 81 ⑧ G. Alpes du Sud – 226 h. alt. 1 150.

Paris 787 – Digne-les-Bains 65 – Annot 30 – Castellane 43 – Manosque 104 – Puget-Théniers 52.

Verdon, ☎ 92 83 44 44, ≤, – P. GB. ⋘
juin-fin oct. et fév.-mi-mai – **R** *(fermé dim. soir hors sais.)* 87 – ☐ 26 – **26 ch** 100/200 – ½ P 149/195.

BEAUVOIR 50 Manche 59 ⑦ – rattaché au Mont-St-Michel.

BEAUVOIR-SUR-MER 85230 Vendée 67 ① ② – 3 277 h. alt. 20.

Office de Tourisme r. Ch.-Gallet (mai-sept.) ☎ 51 68 71 13 et à la Mairie (hors saison) ☎ 51 68 70 32.

Paris 445 – ◆Nantes 59 – La Roche-sur-Yon 55 – Challans 15 – Noirmoutier-en-l'Ile 28 – Pornic 32 – La Rochelle 128.

Touristes (annexe M), rte Gois ☎ 51 68 70 19, Fax 51 49 33 45 – ☎ ♿ P. AE ⓓ GB
R *(fermé 4 janv. au 15 fév.)* 63/280, enf. 45 – ☐ 28 – **36 ch** 172/313 – ½ P 220/310.

BEAUVOIR-SUR-NIORT 79360 Deux-Sèvres 72 ① – 1 242 h. alt. 66.

Paris 418 – La Rochelle 58 – Niort 16 – St-Jean-d'Angély 28.

Aub. des Voyageurs, ☎ 49 09 70 16 – GB
fermé merc. sauf le midi en été – **Repas** 68/280 ♁, enf. 45.

RENAULT Gar. Savin ☎ 49 09 70 12

BEAUVOIS-EN-CAMBRÉSIS 59 Nord 53 ④ – rattaché à Cambrai.

BEAUZAC 43590 H.-Loire 76 ⑧ G. Vallée du Rhône – 1 955 h. alt. 555.

Paris 558 – Le Puy-en-Velay 40 – ◆St-Étienne 40 – Craponne-sur-Arzon 30.

L'Air du Temps avec ch, à Confolens, O par D 461 ☎ 71 61 49 05 – TV ☎. AE GB
fermé 1er au 15 sept., vacances de fév., dim. soir et lundi – **R** 95/195, enf. 45 – ☐ 30 – **8 ch** 240 – ½ P 210.

Le BEC-HELLOUIN 27800 Eure 55 ⑮ G. Normandie Vallée de la Seine – 434 h. alt. 70.

Voir Abbaye★★.

Paris 157 – ◆Rouen 39 – Bernay 23 – Évreux 43 – Pont-Audemer 22 – Pont-l'Évêque 43.

Aub. de l'Abbaye avec ch, ☎ 32 44 86 02, « Maison normande du 18e siècle » – ☎. GB
fermé 4 janv. au 20 fév., lundi soir et mardi hors sais. – **R** 120/260 – ☐ 35 – **8 ch** 320/350.

BÉDARRIDES 84370 Vaucluse 81 ⑫ – 4 816 h. alt. 26.

Paris 672 – Avignon 15 – Carpentras 13 – Cavaillon 33 – Orange 13.

Logis 7, ancienne N 7, quartier Duret Est ☎ 90 33 05 98, Fax 90 33 07 41, , – ☎ P. AE ⓓ GB
R 60/145 ♁ – ☐ 25 – **20 ch** 120/220 – ½ P 110/170.

BÉDOIN 84410 Vaucluse 81 ⑬ G. Provence et Alpes du Sud – 2 215 h. alt. 310.

Voir Le Paty ≤★ NO : 4,5 km.

Syndicat d'Initiative espace Marie-Louis Gravier ☎ 90 65 63 95.

Paris 688 – Avignon 40 – Carpentras 15 – Nyons 37 – Sault 30 – Vaison-la-Romaine 21.

Pins M, ☎ 90 65 92 92, , – TV ☎ P. GB
fermé 2 janv. au 2 fév. – **R** *(fermé dim. hors sais.)* (dîner seul.)(résidents seul.) 100 – ☐ 35 – **25 ch** 250/270 – ½ P 250/260.

L'Oustau d'Anaïs, ☎ 90 65 67 43, – P. AE GB
fermé oct., lundi et mardi sauf fériés – **R** 150/190 ♁, enf. 50.

à Ste-Colombe E : 4 km par rte du Mont Ventoux – ✉ 84410 :

La Colombe, ☎ 90 65 61 20, – GB. ⋘
fermé 15/11 au 1/12, vacances de fév., dim. soir, mardi soir, merc. soir et jeudi soir du 15/10 à Pâques et lundi – **R** 130/240.

BEG-MEIL **29** Finistère 58 ⑮ **G. Bretagne** – ✉ **29170** Fouesnant.

de Quimper et de Cornouaille ✆ 98 56 97 09, NE : 9,5 km ; de l'Odet ✆ 98 54 87 88, N par D 45 puis D 44 et D 134 : 13 km.

Office de Tourisme (15 juin-15 sept.) ✆ 98 94 97 47.

Paris 554 – Quimper 20 – Carhaix-Plouguer 70 – Concarneau 19 – Pont-l'Abbé 23 – Quimperlé 44.

Thalamot, ✆ 98 94 97 38, Fax 98 94 49 92, – TV ☎. AE GB. rest
18 avril-5 oct. – **R** 94/248, enf. 60 – ☐ 35 – **35 ch** 220/375 – ½ P 258/337.

Bretagne, 14 r. Glénan ✆ 98 94 98 04, Fax 98 94 90 58, – TV ☎ ♿ P. GB. rest
1er avril-10 oct. – **R** *(fermé mardi sauf du 1er juil. au 10 sept.)* 93/189, enf. 55 – ☐ 32 – **30 ch** 290/350 – ½ P 290/330.

BÉGUEY **33410** Gironde 171 ⑩ – 910 h. alt. 20.

Paris 609 – ◆Bordeaux 31 – Langon 14 – Libourne 38 – Marmande 51.

Château de la Tour, D 10 ✆ 56 76 92 00, Fax 56 62 11 59, ≤, parc, – rest TV ☎ ♿ P – 25 à 60. AE GB
R 100/210, enf. 40 – ☐ 45 – **31 ch** 325/345 – ½ P 320.

Central Pneu, av. Libération ✆ 56 62 17 61

Comptoir Cadillacais du Pneu, ZA de Beguey ✆ 56 62 90 83

BEINE **89** Yonne 65 ⑤ – rattaché à Chablis.

BÉLÂBRE **36370** Indre 68 ⑯ – 1 062 h. alt. 92.

Paris 330 – Poitiers 76 – Argenton-sur-Creuse 37 – Bellac 54 – Le Blanc 13 – Châteauroux 59 – Montmorillon 27.

XX ✿ **L'Écu** (Cotar) avec ch, ✆ **54 37 60 82** – ☎. AE GB
fermé 16 au 30 nov., 11 janv. au 2 fév., dim. soir et lundi – **R** (dim. prévenir) 150/350, enf. 80 – ☐ 50 – **6 ch** 200/300 – ½ P 350/400
Spéc. Escalope de sandre au vinaigre de cidre, Emincé de pigeonneau au miel de Brenne, Farandole de desserts. **Vins** Reuilly, Quincy.

CITROEN Nibodeau ✆ 54 37 62 44

Repas 100/130 Repas soignés à prix modérés.

BELCAIRE **11340** Aude 86 ⑥ – 360 h. alt. 1 002.

Voir Forêts★★ de la Plaine et Comus NO.

Env. Belvédère du Pas de l'Ours★★ E : 13 km puis 15 mn, **G. Pyrénées Roussillon.**

Paris 827 – Foix 53 – Ax-les-Thermes 25 – Carcassonne 80 – Quillan 28.

X **Bayle** avec ch, ✆ 68 20 31 05, Fax 68 20 35 24, – ☎ P. GB.
fermé 2 nov. au 15 déc. et lundi (sauf de juin à sept. et vacances scolaires) – **R** 65/190, enf. 45 – ☐ 22 – **13 ch** 95/230 – ½ P 150/210.

BELCASTEL **12390** Aveyron 80 ① **G. Gorges du Tarn** – 245 h. alt. 407.

Paris 653 – Rodez 23 – Decazeville 29 – Villefranche de Rouergue 36.

XX ✿ **Vieux Pont** (Mlle Fagegaltier), ✆ 65 64 52 29, ≤ – AE GB
fermé janv., fév., dim. soir sauf juil.-août et lundi – **R** 130/320, enf. 60
Spéc. Craquant de cèpes à la crème d'ail, Aile de pigeon panée à la poudre d'ail, Biscuit chaud aux amandes et à la réglisse.

BELFORT P **90000** Ter.-de-Belf. 166 ⑧ **G. Jura** – 50 125 h. alt. 358.

Voir Le Lion★ Z – Château★ : ✻★ de la terrasse du fort Z.

Office de Tourisme passage de France ✆ 84 28 12 23 – A.C. 18 bis r. Marseillaise ✆ 84 28 00 30.

Paris 414 ④ – ◆Besançon 98 ④ – ◆Mulhouse 38 ③ – ◆Basel 79 ③ – Colmar 69 ③ – ◆Dijon 187 ④ – Épinal 96 ⑥ – ◆Genève 243 ④ – ◆Nancy 165 ⑥ – Troyes 259 ⑥.

Plan page suivante

Altéa H. du Lion, 2 r. G. Clemenceau ✆ 84 21 17 00, Télex 360914, Fax 84 22 56 63 – ch TV ☎ P – 25 à 55. AE GB — Y **k**
Les Saisons R 105/175bc – ☐ 50 – **82 ch** 380/670.

Boréal M sans rest, 2 rue Comte de la Suze ✆ 84 22 32 32, Fax 84 28 15 01 – TV ☎ ♿ – 30. AE GB — Z **n**
☐ 45 – **53 ch** 370/450.

Modern H. sans rest, 9 av. Wilson ✆ 84 21 59 45, Télex 360417 – ☎ P. AE GB. — VX **a**
fermé 20 déc. au 7 janv. et dim. en hiver – ☐ 30 – **42 ch** 200/310.

Capucins, 20 fg Montbéliard ✆ 84 28 04 60, Fax 84 28 15 01 – TV ☎. GB — Z **n**
fermé 20 déc. au 4 janv., sam. midi et dim. – **R** 82/195, enf. 50 – ☐ 28 – **35 ch** 220/300 – ½ P 180/230.

Climat de France, r. G. Defferre ✆ 84 22 09 84, Télex 361017, Fax 84 22 59 63 – ch TV ☎ ♿ P – 30. AE GB — V **d**
R 78/110, enf. 36 – ☐ 30 – **46 ch** 248.

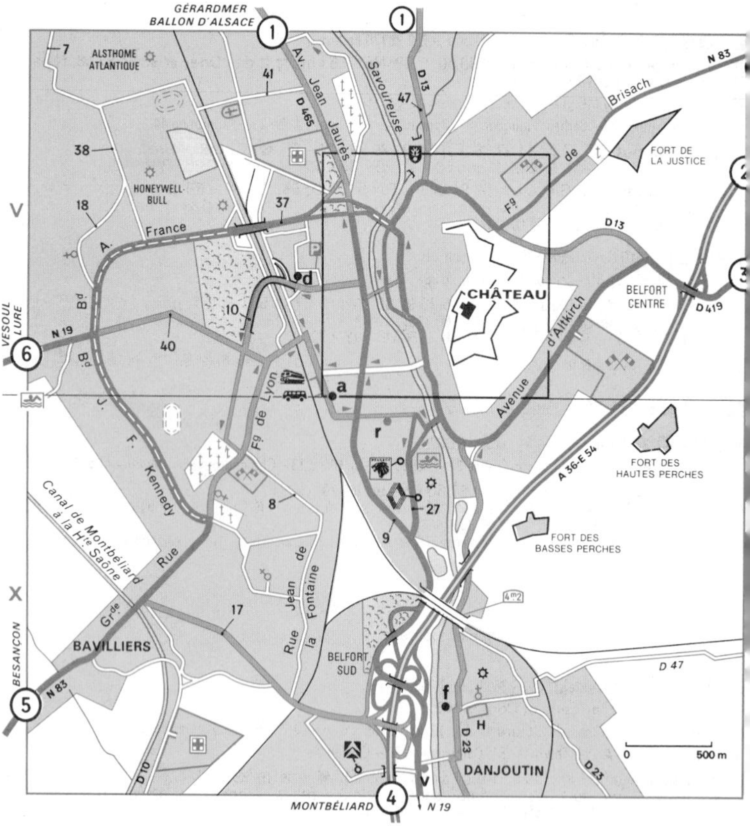

GÉRARDMER
BALLON D'ALSACE
ALSTHOME ATLANTIQUE
HONEYWELL-BULL
Av. Jean Jaurès
D 465
Savoureuse
D 13
N 83
Fg de Brisach
FORT DE LA JUSTICE
France
Bd A.
Bd J. F. Kennedy
VESOUL LURE
N 19
Fg de Lyon
CHÂTEAU
D 13
BELFORT CENTRE
D 419
Avenue d'Altkirch
A 36-E 54
FORT DES HAUTES PERCHES
FORT DES BASSES PERCHES
Canal de Montbéliard à la Hte Saône
Rue Jean de la Fontaine
Gde Rue
BAVILLIERS
BESANÇON
N 83
BELFORT SUD
D 47
D 23
DANJOUTIN
D 10
0 500 m
MONTBÉLIARD
N 19

BELFORT

Ancêtres (Fg des) . . . . Y 3
Carnot (Bd) . . . . Z 15
Dr-Corbis (Pl. du) . . . . Z 23
France (Fg de) . . . . Z 30

Armes (Pl. d') . . . . Y 5
As-de-Carreau (Pl. de l') . . . . Z 6
Auxelles (via d') . . . . V 7
Bavilliers (R. de) . . . . X 8
Besançon (R. de) . . . . X 9
Boulloche (Pt A.) . . . . V 10
Bourgeois (Pl. des) . . . . Y 12
Charmeuse (R. de la) . . . . X 17
Château-d'Eau (Av. du) . . . . . V 18
Clemenceau (R. G.) . . . . Y 20
Denfert-Rochereau (R.) . . . . . Z 21
Dr-Fréry (R. du) . . . . Y 24
Dreyfus-Schmidt (R.) . . . . Y 25
Dunant (Bd H.) . . . . X 27
Foch (Av. Maré.) . . . . Z 28
Grande-Fontaine (R.) . . . . Y 33
Grande-Rue . . . . Y 34
Joffre (Bd du Mar.) . . . . VY 37
Juin (Av. du Mar.) . . . . V 38
Leclerc (Av. du Gén.) . . . . V 40
Lille (R. de) . . . . V 41
Magasin (Q. du) . . . . Y 43
Metz-Juteau (R.) . . . . Y 45
Moulin (Av. J.) . . . . V 47
Pompidou (R. G.) . . . . Y 48
République (Pl. de la) . . . . Y 49
République (R. de la) . . . . Z 50
Roussel (R. du Gén.) . . . . Y 51
Sarrail (Av. du Gén.) . . . . Z 52

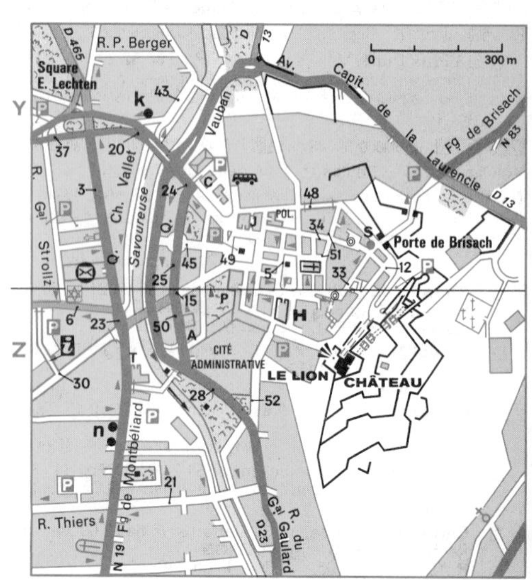

XXX ✿ **Host. du Château Servin** avec ch, 9 r. Gén. Négrier ✆ 84 21 41 85, Fax 84 57 05 57, « – ascenseur ▤ rest TV ☎ P. AE ⓓ GB. ch X r
fermé 3 au 27 août, 25 janv. au 7 fév., dim. soir et vend. – **R** (nombre de couverts limité - prévenir) 180/450 – ☕ 40 – **10 ch** 300/480
Spéc. Salade tiède "Dominique", Lotte rôtie, Foie gras de canard poêlé au vinaigre de framboise. **Vins** Kaefferkopf, Pinot rouge.

XXX ✿ **Le Sabot d'Annie** (Barbier), D 13 entrée Offemont -V- N : 3 km ✉ 90300 Valdoie ✆ 84 26 01 71 – ▤ P. AE GB
fermé 27 juil. au 17 août, vacances de fév., sam. midi et dim. – **R** 150/350
Spéc. Salade de langoustines à la vinaigrette de homard, Sole meunière aux cèpes, Ris de veau poêlé aux pistaches. **Vins** Arbois rosé.

XX **Le Pot au Feu**, 27 bis Grand'rue ✆ 84 28 57 84. GB Y s
fermé 1er au 21 août, 1er au 8 janv., dim. et lundi – **R** *carte* 210 à 290

à Valdoie par ① : 5 km – 4 314 h. – ✉ **90300** :

XXX **L'Orée du Bois**, sur D 465 ✆ 84 26 18 49, « Cadre de verdure », – P. AE ⓓ GB JCB
fermé 17 août au 6 sept., dim. soir et lundi – **R** 105/280.

à Offemont par ① et D 13 : 6 km – 4 213 h. – ✉ **90300** :

Mon Village, 53 r. A. Briand ✆ 84 26 65 66, Fax 84 26 18 50 – ascenseur TV ☎ & P – 25 à 150. AE ⓓ GB
R *(fermé dim. soir)* 70/195 – ☕ 26 – **32 ch** 170/265 – ½ P 165/205.

par ② : 4 km sur N 83, rte de Colmar – ✉ **90000** Belfort :

X **La Petite Auberge**, ✆ 84 29 82 91, – P. GB
fermé fév., dim. soir, lundi et mardi – **R** 65/160.

à Danjoutin : 3 km X – 3 103 h. – ✉ **90400** :

Mercure M, ✆ 84 57 88 88, Télex 360801, Fax 84 21 32 12, – ascenseur ch ▤ rest TV ☎ & P – 200. AE ⓓ GB X f
R 110/160, enf. 45 – ☕ 50 – **80 ch** 410/535.

XX **Pot d'Étain**, ✆ 84 28 31 95 – P. GB X v
fermé 6 au 21 juil., 4 au 19 janv., sam. midi, dim. soir et lundi sauf fériés – **R** 140/250.

à Sevenans S : 5 km par N 19 – ✉ **90400** :

Seven Hôtel M sans rest, ✆ 84 56 11 92, Fax 84 56 13 55 – TV ☎ & P. ⓓ GB
☕ 30 – **31 ch** 250.

PEUGEOT S.I.A. de Belfort, 10 r. du Rhône ✆ 84 21 53 23 N ✆ 84 56 01 51
RENAULT Gd Gar. Belfortain, bd H.-Dunant par bd Richelieu BZ ✆ 84 21 46 90 N ✆ 84 54 93 26
Chapuis-Pneus, 58 r. 1re-Armée ✆ 84 26 42 00
Salomon, 23 r. Brasse ✆ 84 21 60 50
Toupneu, 86 fg de Montbéliard ✆ 84 21 43 05

Périphérie et environs

CITROEN Citroën Est ZI, Danjoutin par ④ ✆ 84 21 22 08
FIAT Autom. Valdoyenne, 37 r. de Turenne, Valdoie ✆ 84 26 54 31
MERCEDES-BENZ Gar. Etoile 90, 29 av. d'Alsace, à Denney ✆ 84 29 81 02
Equipneu Service, ZI d'Argiesans ✆ 84 22 25 08
Pneus et Services D.K., 1 rte de Montbéliard, Andelnans ✆ 84 28 03 55

BELIN-BÉLIET **33830** Gironde 78 ③ **G. Pyrénées Aquitaine** – 2 626 h. alt. 44.

Paris 640 – ♦Bordeaux 51 – Arcachon 49 – ♦Bayonne 134 – Mont-de-Marsan 80.

Aliénor d'Aquitaine, ✆ 56 88 01 23, « Intérieur rustique », – ☎ P.
R 90/150 – ☕ 30 – **12 ch** 185/240 – ½ P 250.

CITROEN Gar. Souleyreau ✆ 56 88 00 63
PEUGEOT Gar. Bernard, à Lavignolle ✆ 56 88 62 08
RENAULT Gar. Dubourg ✆ 56 88 00 84 N

BELLAC <SP> **87300** H.-Vienne 72 ⑦ **G. Berry Limousin** – 4 924 h. alt. 242.

Voir Châsse★ dans l'église.

Office de Tourisme 1 bis r. L.-Jouvet ✆ 55 68 12 79.

Paris 381 – ♦Limoges 40 – Angoulême 99 – Châteauroux 110 – Guéret 73 – Poitiers 80.

Châtaigniers M, O : 2 km rte Poitiers ✆ 55 68 14 82, Fax 55 68 77 56, – TV ☎ & P. AE GB
fermé nov., dim. soir et lundi hors sais. – **R** 103/223, enf. 58 – ☕ 34 – **27 ch** 216/362.

Central, 7 av. Denfert-Rochereau ✆ 55 68 00 34 – TV ☎. AE GB
fermé 30 avril au 5 mai, 20 sept. au 13 oct., 3 au 19 janv. et dim. soir d'oct. à mars – **R** *(fermé lundi d'avril à sept.)* 80/182, enf. 50 – ☕ 30 – **15 ch** 180/320.

CITROEN Lachaise, 7 r. F.-Foureau ✆ 55 68 07 13 N
PEUGEOT, TALBOT Nogaret, rte de Poitiers ✆ 55 68 00 10
RENAULT Gar. Sauteraud, Les Gatines à Blanzac ✆ 55 68 94 48

BELLE-ÉGLISE **60540** Oise 55 ⑳ – 503 h.

Paris 46 – Compiègne 61 – Beauvais 32,5 – Pontoise 24,5.

XXX ✿ **Grange de Belle-Eglise** (Duval), 28 bd Belle église ✆ 44 08 49 00 – ▤ ℗. GB
fermé 3 au 25 août, 24 fév. au 10 mars, dim. soir et lundi – **R** 150/290, enf. 90
Spéc. Méli-Mélo de la mer, Côte de veau rôtie "façon grand-mère", Feuilleté aux poires caramélisées.

BELLEGARDE **45270** Loiret 65 ① **G. Châteaux de la Loire** – 1 442 h. alt. 114.

Voir Château★.

Paris 110 – ◆Orléans 49 – Gien 40 – Montargis 22 – Nemours 39 – Pithiviers 27.

Agriculture, ✆ 38 90 10 48 – ☎ ℗. GB
fermé 5 au 22 oct., 15 fév. au 12 mars et mardi – **R** 60/140 ⅌, enf. 40 – ▭ 23 – **18 ch** 80/200 – ½ P 150/250.

BELLEGARDE-SUR-VALSERINE **01200** Ain 74 ⑤ **G. Jura** – 11 153 h. alt. 350.

Voir La Valserine ★★ par ⑤.

Env. Défilé de l'Écluse★★ 10 km par ② – Barrage de Génissiat★★ 16 km par ③.

ℹ Syndicat d'Initiative 24 pl. V.-Bérard ✆ ✆ 50 48 48 68.

Paris 498 ⑤ – Annecy 41 ③ – Aix-les-Bains 57 ③ – Bourg-en-Bresse 81 ⑤ – ◆Genève 41 ③ – ◆Lyon 121 ⑤ – St-Claude 46 ⑤.

BELLEGARDE-SUR-VALSERINE

Beauséjour (R. de)	YZ	
Bérard (Pl. Victor)	YZ	2
Bertola (R. Joseph)	YZ	4
Carnot (Pl.)	YZ	
Dumont (R. Louis)	Y	5
Ferry (R. Jules)	Y	7
Gambetta (Pl.)	Y	8
Gare (Av. de la)	Y	10
Lafayette (R.)	Z	
Lamartine (R.)	YZ	12
Lilas (R. des)	Y	
Musinens (R. de)	Y	14
Painlevé (R. Paul)	Y	15
République (R. de la)	Z	

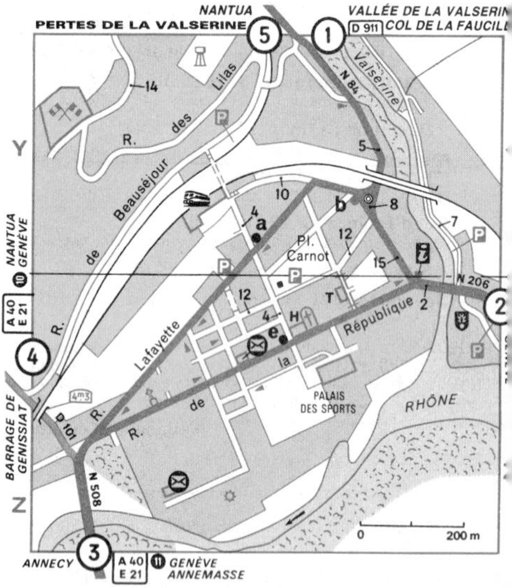

Avec votre guide Rouge
Utilisez la carte
et le guide Vert.

Ils sont inséparables.

✿ **La Belle Époque** (Sévin), 10 pl. Gambetta ✆ 50 48 14 46, Fax 50 56 01 71 – ▤ ☎ ⇔. GB — Y **b**
fermé 5 au 21 juil., 9 nov. au 1er déc., dim. soir et lundi du 1er oct. au 20 juil. – **R** 120 (sauf week-ends)/320 – ▭ 35 – **20 ch** 250/400
Spéc. Grenouilles sautées comme en Dombes (avril à nov.), Poularde de Bresse aux morilles à la crème, Tournedos Rossini. **Vins** Roussette de Seyssel, Arbois-Pupillin.

Europa M sans rest, 19 r. J. Bertola ✆ 50 56 04 74, Télex 319030, Fax 50 48 19 11 – |‡| ⇔ TV ☎ ⇔. AE ① GB JCB — Y **a**
fermé sam. soir sauf vacances scolaires – ▭ 40 – **24 ch** 240/260.

La Colonne, 1 r. J. Bertola ✆ 50 48 10 45, Télex 319019 – |‡| ☎ – 🏛 35. AE ① GB — Z **e**
fermé dim. soir – **R** 75/195 ⅌, enf. 45 – ▭ 20 – **28 ch** 120/200 – ½ P 150/170.

à Lancrans par ① : 3 km – alt. 500 – ✉ **01200** :

Sorgia ⛰, ✆ 50 48 15 81, ⇌ – ☎ ℗. GB
fermé 29 août au 21 sept., 4 au 13 janv., dim. soir et lundi midi – **R** 72/180 ⅌ – ▭ 30 – **17 ch** 150/220 – ½ P 170/200.

à Éloise (74 H.-Savoie) par ③ : 5 km – ✉ **01200** (Ain) :

Le Fartoret ⛰, ✆ 50 48 07 18, Fax 50 48 23 85, ≤, ⌂, parc, ⛱, ✕ – |‡| TV ☎ ℗ – 🏛 40. AE ① GB
R 165/280 – ▭ 46 – **40 ch** 240/480 – ½ P 385/466.

à Ochiaz O : 5 km par D 101 – ✉ **01200** Châtillon-en-Michaille :

XX **Aub. de la Fontaine** avec ch, ✆ 50 56 57 23, – ☎ Ⓟ. AE ⓓ GB
fermé 8 au 18 juin, janv., dim. soir et lundi – **R** 120/280 – ☕ 30 – **7 ch** 140/200.

route du Plateau de Retord O : 12 km par Ochiaz D 101 – ✉ **01200** Bellegarde-sur-Valserine :

X **Aub. Le Catray** avec ch, ✆ 50 56 56 25, ← Mt Blanc et les Alpes, – ☎ Ⓟ. GB
fermé 1er au 15 sept., 1er au 15 nov., lundi soir et mardi – **R** 75/150, enf. 40 – ☕ 25 – **9 ch** 160/200 – ½ P 200.

CITROEN Gar. Carrel, 62 av. St-Exupéry par ④ ✆ 50 48 06 85 🅽 ✆ 50 42 52 51
NISSAN Gar. du Centre, 20 rte de Vouvray ✆ 50 48 38 31

RENAULT Renault Bellegarde, r. Mar.-Leclerc par D 101 E, ZUP Musinens ✆ 50 48 27 21 🅽 ✆ 50 42 50 76

Norsa-Pneu, av. Mar.-Leclerc, ZI Musinens ✆ 50 48 20 37

BELLE-ILE-EN-MER ★★ **56** Morbihan 63 ⑪ ⑫ **G. Bretagne** (plan).

Accès par transports maritimes, pour **Le Palais** (en été **réservation indispensable** pour le passage des véhicules).

depuis **Quiberon** (Port-Maria). En 1991 : Pâques-sept., 8 à 14 services quotidiens ; hors saison, 5 services quotidiens - Traversée 45 mn – Voyageurs 77 F (AR), autos 355 à 780 F (AR). Renseignements : Cie Morbihannaise et Nantaise de Navigation ✆ 97 31 80 01 (Le Palais).

L'Apothicairerie – NO de l'île – ✉ **56360**

L'Apothicairerie Ⓜ, ✆ 97 31 62 62, Fax 97 31 63 63, ← – TV ☎ ♿ Ⓟ. GB
Hôtel : fermé 1er janv. au 15 fév., rest. : fermé 1er nov. au 15 fév. – **Relais de la Roche Percée** **R** 95/220, enf. 60 – ☕ 35 – **38 ch** 247/470.

Bangor – 735 h. alt. 49 – ✉ **56360** Le Palais.

Voir Le Palais : citadelle Vauban★ NE : 3,5 km.

18 de Belle-Ile ✆ 97 31 64 65, N par D 190A puis D 25 : 9 km.

La Désirade Ⓜ sans rest, rte Port Goulphar ✆ 97 31 70 70, Fax 97 31 89 63, – TV ☎ Ⓟ. AE ⓓ GB
fermé janv. et fév. – ☕ 50 – **24 ch** 460.

XX **La Forge,** rte Port-Goulphar ✆ 97 31 51 76, – Ⓟ. AE ⓓ GB
vacances de printemps-30 sept., vacances de nov. et fermé merc. sauf vacances scolaires – **R** 105 (déj. seul.)/295, enf. 55.

Port-Donnant

Voir Site★★, 30 mn.

Port-Goulphar – ✉ **56360** Le Palais.

Voir Site★, 15 mn – Aiguilles de Port-Coton★★ NO : 1 km – Grand Phare : ☼★★ N : 2,5 km.

Castel Clara Ⓜ, ✆ 97 31 84 21, Télex 730750, Fax 97 31 51 69, ← crique et falaises, – TV ☎ Ⓟ. GB. rest
fermé 15 déc. au 15 fév. – **R** 225/365, enf. 90 – ☕ 65 – **43 ch** 820/995 – ½ P 660/785.

Manoir de Goulphar, ✆ 97 31 80 10, Fax 97 31 51 69, ← crique et falaises, – TV ☎ Ⓟ. GB. rest
mi-mars-début nov. – **R** carte 150 à 330, enf. 70 – ☕ 40 – **53 ch** 345/590, 7 duplex – ½ P 460/475.

Poulains (Pointe des) ★.

Voir ☼★.

Sauzon – 701 h. alt. 23 – ✉ **56360**.

Voir Site★.

X **Contre Quai,** ✆ 97 31 60 60 – GB
11 avril-1er nov. et fermé dim. soir et lundi sauf juil.-août – **R** carte 200 à 300.

BELLE-ISLE-EN-TERRE **22810** C.-d'Armor 59 ① **G. Bretagne** – 1 067 h. alt. 99.

Voir Loc-Envel : jubé★ et voûte★ de l'église S : 4 km.

Syndicat d'Initiative à la Mairie ✆ 96 43 30 38.

Paris 503 – St-Brieuc 50 – Guingamp 19 – Lannion 28 – Morlaix 33.

XX **Relais de l'Argoat** avec ch, ✆ 96 43 00 34 – ☎ Ⓟ – 50. GB.
fermé fév. – **R** *(fermé dim. soir et lundi)* 75/230 – ☕ 35 – **10 ch** 175/210 – ½ P 260.

RENAULT Le Quenven, r. Guic ✆ 96 43 30 45 🅽

BELLÊME 61130 Orne 60 ⑭ ⑮ G. Normandie Vallée de la Seine (plan) – 1 788 h. alt. 225.

Voir N : Forêt★.

18 de Bellême-St-Martin ✆ 33 73 15 35, SO : 1,5 km.

Paris 167 – Alençon 43 – ◆ Le Mans 54 – Chartres 75 – La Ferté-Bernard 24 – Mortagne-au-Perche 17.

Du Golf M ⛍, SO : 1,5 km par D 938 ✆ 33 73 00 07, Fax 33 73 00 17, ←, – TV ☎ ♿ P. GB
R 80/195, enf. 43 – ☕ 45 – **25 ch** 350, 5 duplex 510 – ½ P 345.

XX **Paix,** ✆ 33 73 03 32 – GB
fermé 15 au 30 janv., dim. soir et lundi sauf fériés – **R** 75/280, enf. 55.

à Nocé E : 8 km par D 203 – ✉ **61340** :

XX ✿ **Aub. des 3 J.** (Joly), ✆ 33 73 41 03 – AE GB
fermé 15 au 30 sept., 10 au 25 fév., dim. soir et lundi sauf juil.-août – **R** (nombre de couverts limité, prévenir) 110/320
Spéc. Beignets de foie gras, Saint-Pierre et laurier en caramel d'orange et girolles (avril à oct.), Goulafre percheron.

BELLERIVE-SUR-ALLIER 03 Allier 73 ⑤ – rattaché à Vichy.

BELLES-HUTTES 88 Vosges 62 ⑰ – rattaché à La Bresse.

BELLEVAUX 74470 H.-Savoie 70 ⑰ G. Alpes du Nord – 1 113 h. alt. 907 – Sports d'hiver : 1 100/1 800 m ⛷ 23.

Voir Site★.

ℹ Syndicat d'Initiative ✆ 50 73 71 53.

Paris 577 – Thonon-les-Bains 23 – Annecy 71 – Bonneville 34 – ◆ Genève 43.

Les Moineaux M ⛍, ✆ 50 73 71 11, Fax 50 73 75 79, ←, ⛱, , ✂ – cuisinette TV ☎
1er juin-30 sept. et 20 déc.-20 avril – **R** 75/95, enf. 50 – ☕ 35 – **14 ch** 180/200 – ½ P 200.

La Cascade, ✆ 50 73 70 22, – P. GB
1er juin-20 sept. et 20 déc.-15 avril – **R** 70/130 🍷, enf. 60 – ☕ 25 – **24 ch** 90/180 – ½ P 160/195.

au SO : 5 km par D 26, D 32 et VO – ✉ **74470** Bellevaux :

Gai Soleil ⛍, ✆ 50 73 71 52, ←, – ☎ P. ✻ rest
26 juin-20 sept. et 20 déc.-15 avril – **R** 50/65 🍷 – ☕ 25 – **20 ch** 180/200 – ½ P 200.

à Hirmentaz SO : 7 km par D 26 et D 32 – ✉ **74470** Bellevaux :

Panoramic M ⛍, ✆ 50 73 70 34, ←, ⛱ – ☎ P. GB. ✻
15 juin-15 sept. et 20 déc.-20 avril – **R** 95 – ☕ 30 – **30 ch** 230/250 – ½ P 210/260.

Christania ⛍, ✆ 50 73 70 77, ←, ⛱ – ☎ P. ✻ rest
15 juin-15 sept. et 20 déc.-20 avril – **R** 90/120, enf. 55 – ☕ 30 – **29 ch** 240/270 – ½ P 220/285.

Excelsa ⛍, ✆ 50 73 73 22, ←, – 🛗 TV ☎ P. GB. ✻ rest
20 juin-5 sept. et Noël-Pâques – **R** 85/120 – ☕ 32 – **20 ch** 180/260.

Skieurs ⛍, ✆ 50 73 70 46, ← – ☎. GB. ✻ rest
juil.-août et 15 déc.-20 avril – **R** 85/120, enf. 50 – ☕ 28 – **22 ch** 200/230 – ½ P 190/230.

BELLEVILLE 54940 M.-et-M. 57 ⑬ – 1 276 h. alt. 191.

Paris 337 – ◆ Nancy 16 – ◆ Metz 39 – Pont-à-Mousson 13 – Toul 27.

XXX ✿ **Bistroquet** (Mme Ponsard), ✆ 83 24 90 12, Fax 83 24 04 01, – ▤ P. GB
fermé 18 au 30 sept., 2 au 10 janv., sam. midi, dim. soir et lundi – **R** (nombre de couverts limité, prévenir) 250/380
Spéc. Foie gras lorrain poêlé en aiguillette, Pot au feu de pigeon fermier de la Meuse, Soufflé chaud à la mirabelle de Lorraine. **Vins** Côtes de Toul.

XX **La Moselle,** face gare ✆ 83 24 91 44, Fax 83 24 99 38, – ▤ P. AE ⓓ GB
fermé 19 août au 2 sept., 17 fév. au 3 mars., mardi soir et merc. – **R** 110/235, enf. 80.

BELLEVILLE 69220 Rhône 74 ① G. Vallée du Rhône – 5 935 h. alt. 190.

ℹ Syndicat d'Initiative à la Mairie ✆ 74 66 44 67 – Maison du Beaujolais (fermé lundi soir et mardi) à St-Jean-d'Ardières sur N 6 : 1,5 km, sortie Autoroute Belleville ✆ 74 66 16 46 – vin : dégustations et à emporter, spécialités beaujolaises.

Paris 417 – Mâcon 25 – Bourg-en-Bresse 40 – ◆ Lyon 46 – Villefranche-sur-Saône 15.

Charme M, péage A 6 ✆ 74 69 61 69, Fax 74 66 58 04, – TV ☎ ♿ P. GB
R 65/130 🍷, enf. 39 – ☕ 30 – **40 ch** 225/245.

Ange Couronné, 18 r. République ✆ 74 66 42 00, Fax 74 66 49 20 – ☎ 🚗. AE ⓓ GB
fermé 20 nov. au 10 déc., 1er au 10 fév. et dim. soir d'oct. à Pâques – **R** *(fermé dim. soir et lundi)* 50/180 🍷 – ☕ 25 – **20 ch** 180/300 – ½ P 180/220.

XX **Beaujolais,** 40 r. Mar. Foch ✆ 74 66 05 31 – ▤. AE GB
R 73/200 🍷, enf. 55.

à Taponas NE : 3 km – ✉ **69220** :

Aub. des Sablons ⛍, ✆ 74 66 34 80, Fax 74 66 35 22, – ☎ P. GB
fermé 24 déc. au 24 janv. et mardi hors sais. – **R** 115/220 – ☕ 30 – **15 ch** 200/280 – ½ P 240/260.

à Pizay NO : 5 km par D18 et D69 – ✉ **69220** Belleville :

Château de Pizay M ⛳, ✆ 74 66 51 41, Télex 305772, Fax 74 69 65 63, « Au milieu du vignoble, jardin à la française », ⛱, ✂ – ▤ ch TV ☎ ♿ P – 🏔 200. AE ⓓ GB JCB
fermé 20 déc. au 3 janv. – **R** 185/325, enf. 90 – ☐ 47 – **48 ch** 445/600 – ½ P 440/475.

RENAULT Dépérier, 172 r. République ✆ 74 66 17 15

Relais du Pneu, ZAC des Gouchoux à St-Jean d'Ardières ✆ 74 66 41 09

BELLEY

<SP> **01300** Ain **74** ⑭ **G. Jura** – 7 807 h. alt. 277.

Voir Choeur★ de la cathédrale St-Jean.

Office de Tourisme pl. Victoire ✆ 79 81 29 06.

Paris 507 – Aix-les-Bains 32 – Bourg-en-Bresse 76 – Chambéry 37 – ♦Lyon 96.

Urbis M sans rest, îlot Baudin ✆ 79 81 01 20, Télex 319107 – |☰| TV ☎ ♿. GB
☐ 30 – **36 ch** 240/265.

XXX **Pavillon Bellevue** M avec ch, 1 av. Hoff ✆ 79 81 01 02, Fax 79 81 15 66, – TV ☎. AE GB
fermé 1er au 10 août, 1er au 10 janv., dim. soir et lundi – **R** 120/330 – ☐ 40 – **3 ch** 350/500.

SE : 2 km sur rte Chambéry – ✉ **01300** Belley :

XX **Aub. Fine Fourchette,** N 504 ✆ 79 81 59 33, ←, – P. GB
fermé lundi – **R** 98/270, enf. 65.

à Contrevoz NO : 9 km sur D 32 – ✉ **01300** :

X **Aub. la Plumardière,** ✆ 79 81 82 54, – P. GB
fermé 22 juin au 4 juil., 31 août au 5 sept., 20 déc. à début fév., mardi d'oct. à fin juin, dim. soir et lundi – **R** 98/240, enf. 50.

CITROEN Gar. Callet, rte de Lyon ✆ 79 81 06 43
PEUGEOT-TALBOT Belley Automobiles, ZI du Coron ✆ 79 81 05 53

CDP Ayme Pneus, rte de Bourg ✆ 79 81 20 09

BELZ

56550 Morbihan **63** ① – 3 372 h.

Paris 489 – Vannes 34 – Auray 14 – Lorient 25 – Quiberon 26.

XX **Relais de Kergou** avec ch, rte Auray ✆ 97 55 35 61, – ☎ P. AE GB
fermé vacances de nov., de fév. et merc. d'oct. à Pâques – **R** *(fermé merc. d'oct. à juin)* 55/180 – ☐ 27 – **12 ch** 180/291 – ½ P 157/235.

BENFELD

67230 B.-Rhin **87** ⑥ **G. Alsace Lorraine** – 4 330 h.

Paris 503 – ♦Strasbourg 29 – Colmar 40 – Obernai 14 – Sélestat 18.

XX **Au Petit Rempart,** 1 r. Petit Rempart ✆ 88 74 42 26 – AE GB
fermé 1er au 22 juil., 1er au 16 janv., mardi soir et merc. – **R** 132/335, enf. 50 **Au Canon** brasserie **R** carte 110 à 170 ♀.

BÉNODET

29950 Finistère **58** ⑮ **G. Bretagne** (plan) – 2 436 h. alt. 20 – Casino.

Voir Phare ✻★ – Pont de Cornouaille ←★ NO : 1 km.

Excurs. L' Odet★★ en bateau (1 h 30).

de Quimper et de Cornouaille ✆ 98 56 97 09, NE : 12 km ; de l'Odet ✆ 98 54 87 88, N par D 34, puis VC : 4 km.

Office de Tourisme av. Plage ✆ 98 57 00 14.

Paris 558 – Quimper 16 – Concarneau 22 – Fouesnant 8,5 – Pont-l'Abbé 12 – Quimperlé 48.

Gwel-Kaër, av. Plage ✆ 98 57 04 38, Fax 98 57 14 15, ←, – |☰| TV ☎ P. GB. ✾
fermé 15 déc. au 1er fév., dim. soir et lundi d'oct. à Pâques sauf vacances scolaires et fériés – **R** 130/360 – ☐ 38 – **24 ch** 450/495 – ½ P 378/432.

Ker Moor ⛳, av. Plage ✆ 98 57 04 48, Télex 941182, Fax 98 57 17 96, « Parc, ⛱, ✂ » – |☰| TV ☎ P – 🏔 80. GB. ✾ rest
fin mars-fin sept. – **R** 170/400 – ☐ 45 – **60 ch** 350/550 – ½ P 460/510.

Kastel Moor, av. Plage ✆ 98 57 05 01, ←, ⛱, ✂ – |☰| TV ☎ P – 🏔 25 à 80. GB. ✾ rest
fin mars-fin sept. – **R** voir H. **Ker Moor** – ☐ 45 – **23 ch** 350/550 – ½ P 460/510.

Menez-Frost ⛳ sans rest, près poste ✆ 98 57 03 09, « Jardin fleuri, ⛱ », ✂ – cuisinette ☎ P. GB. ✾
Pâques-30 sept. – ☐ 42 – **43 ch** 380/500, 8 studios 580/1000.

Host. Abbatiale, r. Odet ✆ 98 57 05 11, Télex 941865, Fax 98 57 14 41 – |☰| TV ☎ ♿ P – 🏔 30. AE GB
R 99/180 – ☐ 45 – **60 ch** 350/700 – ½ P 350/420.

Ker Vennaik M, av. Plage ✆ 98 57 15 40, Télex 941818 – TV ☎ ♿ P. AE ⓓ GB
15 mars-15 nov. – **R** voir **H. Poste** – ☐ 40 – **16 ch** 370/410 – ½ P 325/350.

Le Minaret ⛳, corniche de l'Estuaire ✆ 98 57 03 13, ←, – |☰| TV ☎ P. GB. ✾ rest
10 avril-30 sept. – **R** *(fermé mardi en avril-mai et fériés)* 90/195 – ☐ 35 – **21 ch** 285/380 – ½ P 280/360.

Bains de Mer, r. Kerguelen ✆ 98 57 03 41, Fax 98 57 11 07, – ▤ rest TV ☎ P. AE GB
15 mars-17 nov. – **R** 80/150, enf. 42 – ☕ 30 – **32 ch** 220/320 – ½ P 240/295.

Poste, r. Église ✆ 98 57 01 09 – ▤ rest TV ☎. AE ⓓ GB
fermé janv. – **R** *(fermé dim. soir et lundi du 1er nov. au 31 mars)* 75/300 – ☕ 30 – **19 ch** 220/330 – ½ P 250/310.

XX ✿ **Ferme du Letty** (Guilbault), au Letty SE : 2 km par D 44 et VO ✆ 98 57 01 27, – AE ⓓ GB JCB.
1er mars-15 oct. et fermé merc. (sauf le soir en juil.-août) et jeudi midi – **R** 197/380, enf. 65
Spéc. Bouille de moules et soles à l'orange, Homard au jus de navet, Kuign Amann à la crème fouettée.

rte de Quimper NE : 2,5 km par D 34 et VO – ✉ **29950** Bénodet :

Domaine de Kereven, ✆ 98 57 02 46, – ☎ P.
1er mai-30 sept. – **R** (dîner seul.)(résidents seul.) 105, enf. 55 – ☕ 33 – **16 ch** 300/360 – ½ P 275/310.

à Clohars-Fouesnant NE : 3 km par D 34 – ✉ **29950** :

XX **La Forge d'Antan,** ✆ 98 54 84 00, – P. GB
fermé dim. soir (sauf juil.-août) et lundi – **R** 145/295, enf. 59.

BENON 17 Char.-Mar. 71 ② – rattaché à La Laigne.

BÉNONCES 01470 Ain 74 ⑭ – 249 h. alt. 484.
Paris 484 – Belley 29 – Bourg-en-Bresse 56 – ◆Lyon 66 – Nantua 66 – La Tour du Pin 36.

XX **Aub. Terrasse** avec ch, ✆ 74 36 73 56, – ☎ P. AE GB
1er avril-31 déc. – **R** *(fermé dim. soir et lundi)* 95/220, enf. 40 – ☕ 22 – **7 ch** 125/250 – ½ P 165/220.

BÉNOUVILLE 14 Calvados 55 ② – rattaché à Caen.

BERCK-SUR-MER 62600 P.-de-C. 51 ⑪ G. Flandres Artois Picardie – 14 167 h. alt. 10.

Voir Phare ☀★ B – Parc d'attractions de Bagatelle★ 5 km par ①.

9 18 de Nampont-St-Martin (80) ✆ 22 29 92 90, par ③ : 15 km.

Office Municipal de Tourisme pl. Entonnoir ✆ 21 09 50 00.

Paris 208 – ◆Calais 71 – Abbeville 42 – Arras 95 – Boulogne-sur-Mer 39 – Montreuil 14 – St-Omer 70 – Le Touquet-Paris-Plage 16.

BERCK-PLAGE

Carnot (R.) . . . 4
Entonnoir (Pl.)
Gaulle (Av. de) 6

Boulogne (Bd) 2
Calvaire (R. du) 3
Lambert (R. A.) 7
Péri (R. G.) . . . 8
Singer (R.) 10

à Berck-Plage :

Neptune M, esplanade Parmentier **(a)** ✆ 21 09 21 21, Fax 21 09 29 29, ← – TV ☎ & P – 70. AE GB. rest
fermé 10 au 31 janv. – **R** 80/180, enf. 45 – ☕ 30 – **63 ch** 248/333 – ½ P 240/275.

Banque, 2 r. Rothschild **(s)** ✆ 21 09 01 09 – TV ☎. AE ⓓ GB
R 65/98 – ☕ 30 – **14 ch** 120/235 – ½ P 225/285.

Littoral, 36 av. Marianne-Toute-Seule **(a)** ✆ 21 09 07 76 – ☎. AE ⓓ GB. rest
fermé 1er au 26 oct. et 12 nov. au 20 déc. – **R** 65/100 – ☕ 24 – **19 ch** 175/200 – ½ P 225/265.

XX **Aub. du Bois,** 149 av. Dr Quettier par ① ✆ 21 09 03 43 – AE ⓓ GB
fermé 15 janv. au 4 fév. et lundi sauf juil.-août – **R** 88/160.

CITROEN Artois-Autom., ZI, rte d'Abbeville par ③ ✆ 21 09 26 42 N ✆ 21 84 30 39
PEUGEOT-TALBOT Damour, ZI, rte d'Abbeville par ③ ✆ 21 09 43 50

RENAULT Campion-Berck, pl. Fontaine par ② ✆ 21 09 04 11 N ✆ 21 84 13 13

BERGERAC <SP> **24100** Dordogne 75 ⑭ ⑮ **G. Périgord Quercy** – 26 899 h. alt. 37.

Voir Le Vieux Bergerac★ : musée du Tabac★★ (maison Peyrarède★) AZ – Musée du Vin, de la Batellerie et de la Tonnellerie★ AZ **M2**.

Office de Tourisme 97 r. Neuve-d'Argenson ✆ 53 57 03 11.

Paris 544 ⑥ – Périgueux 47 ① – Agen 91 ③ – Angoulême 111 ⑥ – ✦Bordeaux 88 ⑤ – Pau 216 ④.

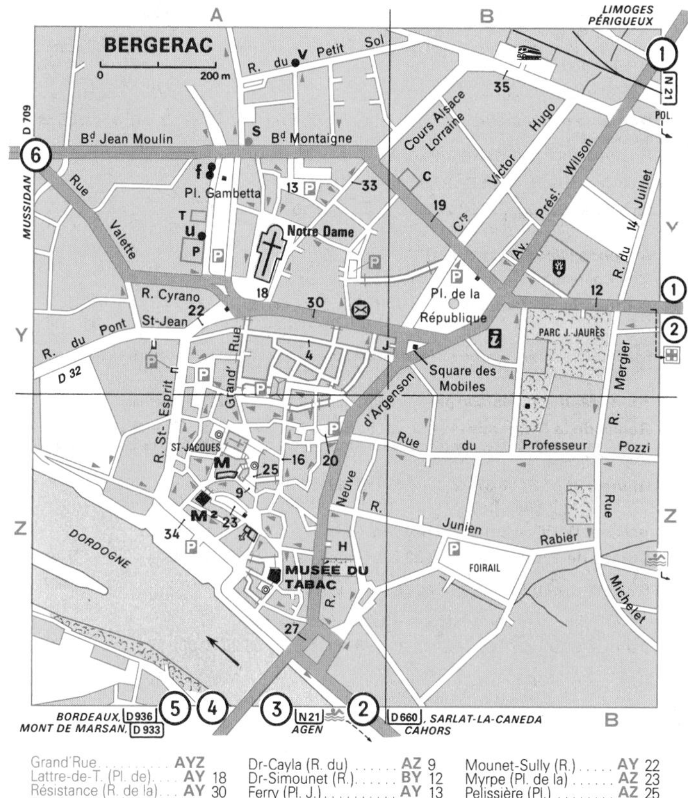

Grand'Rue	AYZ		Dr-Cayla (R. du)	AZ	9	Mounet-Sully (R.)	AY	22
Lattre-de-T. (Pl. de)	AY	18	Dr-Simounet (R.)	BY	12	Myrpe (Pl. de la)	AZ	23
Résistance (R. de la)	AY	30	Ferry (Pl. J.)	AY	13	Pelissière (Pl.)	AZ	25
Ste-Catherine (R.)	AY	30	Fontaines (R. des)	AZ	16	Pont (Pl. du)	AZ	27
			Maine-de-Biran (R.)	BY	19	Salvette (Quai)	AZ	34
Boubarraud (R.)	AY	4	Malbec (Pl.)	AZ	20	108e-R.-I. (Av. du)	BY	35

La Flambée, rte Périgueux par ① : 3 km ✆ 53 57 52 33, Fax 53 61 07 57, « Parc fleuri, », – TV ☎ P – 70. AE GB
2 avril-2 janv. – **Repas** *(fermé dim. soir et lundi sauf juil.-août)* 100/250, enf. 75 – ☕ 40 – **21 ch** 290/430 – ½ P 310/380.

Bordeaux, 38 pl. Gambetta ✆ 53 57 12 83, Télex 550412, Fax 53 57 72 14, , , – rest TV ☎ – 50. AE GB JCB — AY **f**
fermé 20 déc. au 31 janv. – **R** 90/200, enf. 55 – ☕ 40 – **36 ch** 265/480 – ½ P 320/340.

Commerce, 36 pl. Gambetta ✆ 53 27 30 50, Télex 541888, Fax 53 58 23 82 – ch TV ☎ – 50. AE GB — AY **f**
fermé 15 au 30 nov. et dim. soir du 15 nov. au 31 mars – **R** 90/150 , enf. 50 – ☕ 40 – **35 ch** 270/350 – ½ P 240/300.

Europ H. sans rest, 20 r. Petit Sol ✆ 53 57 06 54, , – TV ☎ P. GB — AY **v**
☕ 28 – **22 ch** 205/255.

France sans rest, 18 pl. Gambetta ✆ 53 57 11 61 – TV ☎. AE GB — AY **u**
☕ 36 – **20 ch** 230/320.

XXX **Le Cyrano** avec ch, 2 bd Montaigne ✆ 53 57 02 76 – rest TV ☎. AE GB — AY **s**
fermé 21 au 27 déc., dim. soir et lundi sauf juil.-août – **R** 90/200, enf. 60 – ☕ 28 – **11 ch** 210 – ½ P 220/230.

à Campsegret par ① et N 21 : 13 km – ✉ **24140** :

La Gentilhommière ⛰, N : 2,5 km par VO ✆ 53 24 23 04, ☂, 🏊, ⛟ – ☎ Ⓟ. GB
Pâques-31 oct. – **R** 70/170 – ☕ 28 – **10 ch** 230/260 – ½ P 225/240.

par ① N 21, D 107 et VO : 12 km – ✉ **24140** St-Julien-de-Crempse :

Manoir Gd Vignoble ⛰, ✆ 53 24 23 18, Télex 541629, Fax 53 24 20 89, ☂, parc, 🏊, 🎾 – TV ☎ Ⓟ – 🏛 40. AE ⓓ GB. ✗ rest
fermé 20 déc. au 10 janv. – **R** 145/295, enf. 75 – ☕ 55 – **41 ch** 490/610, 3 appart. 960 – ½ P 420/480.

par ③ et N 21 : 3 km – ✉ **24100** Bergerac :

Domaine de Lespinassat M, ✆ 53 24 89 76, Fax 53 57 72 24, 🏊 – |ǂ| ▤ ch TV ☎ ♿ Ⓟ – 🏛 50. GB
R *(fermé lundi midi et dim.)* 85/140 – ☕ 42 – **38 ch** 320, 12 duplex 480 – ½ P 295.

à St-Nexans par ③ et D 19 : 6 km – ✉ **24520** :

XX **La Vieille Grange,** ✆ 53 24 32 21, ☂, ⛟ – Ⓟ. AE ⓓ GB
fermé vacances de nov., de fév. mardi soir (sauf juil.-août) et merc. – **R** 95/210, enf. 50.

à Monbazillac S : 7 km par D 13 – ✉ **24240**.

Voir Château★.

XXX ❀ **Closerie St-Jacques,** ✆ 53 58 37 77, ☂ – ✗. AE ⓓ GB
fermé 2 janv. au 7 fév., dim. soir, mardi midi et lundi du 1er oct. au 31 mai – **R** 150/235, enf. 80
Spéc. Escalope de foie de canard au Monbazillac, Médaillons de lotte au Pécharmant, Pied de cochon aux truffes. **Vins** Monbazillac, Bergerac.

rte de Mont-de-Marsan par ④ : 6 km sur D 933 – ✉ **24240** Monbazillac :

XX **Relais de la Diligence** avec ch, ✆ 53 58 30 48, ≤ vignoble, ☂ – ☎ Ⓟ. AE GB. ✗ ch
fermé vacances de fév., mardi soir et merc. d'oct. à juin – **R** 100/250 – ☕ 30 – **8 ch** 230/300 – ½ P 290.

XX **Ruines,** ✆ 53 57 16 37, ≤, ☂ – ✗ Ⓟ. AE ⓓ GB
fermé 1er au 5 sept., 4 au 9 janv., dim. soir, lundi soir et mardi – **R** 75/440 ♁.

par ⑤ et D 936 : 4 km – ✉ **24100** Bergerac :

Climat de France, ✆ 53 57 22 23, Télex 573353, Fax 53 58 25 24, ☂ – TV ☎ ♿ Ⓟ – 🏛 25. AE GB
R 65/125 ♁, enf. 48 – ☕ 30 – **46 ch** 265 – ½ P 198.

rte de Mussidan par ⑥ : 13 km – ✉ **24130** Laveyssière :

XX **Aub. de la Devinière** avec ch, ✆ 53 81 66 43, Fax 53 80 76 98, ☂, parc – TV ☎ Ⓟ. GB. ✗ ch
fermé nov. – **R** *(fermé dim. soir et lundi d'oct. à mai)* (nombre de couverts limité, prévenir) 160/250 – ☕ 45 – **6 ch** 350/390 – ½ P 340/420.

CITROEN Cazes, rte de Bordeaux ✆ 53 57 73 77 🅽
FIAT, LANCIA Gar. de Naillac, 39 av. de Bordeaux ✆ 53 57 36 08
FORD Centre Autom. Pecou, rte de Périgueux ✆ 53 57 27 41 🅽
PEUGEOT-TALBOT Géraud, 117 r. Clairat par ② ✆ 53 57 62 72
RENAULT Bergerac-Autos, N 21 rte de Périgueux par ① ✆ 53 57 42 11 🅽 ✆ 53 63 91 47
V.A.G Gar. Wilson, 26 av. Wilson ✆ 53 27 20 08

Ⓜ P. Soubzmaigne, rte d'Eymet ✆ 53 57 19 54
Tours Pneus Interpneus, 112 av. Pasteur ✆ 53 57 46 77

BERGÈRES-LÈS-VERTUS 51 Marne 56 ⑯ – rattaché à Vertus.

BERGHEIM 68750 H.-Rhin 62 ⑲ G. Alsace Lorraine – 1 802 h. alt. 235.

Voir Cimetière militaire allemand ✻★.

Paris 436 – Colmar 17 – Ribeauvillé 3,5 – Selestat 8,5.

X **Wistub du Sommelier,** ✆ 89 73 69 99, restaurant à vins – ✗
fermé vacances de fév., lundi sauf fériés et dim. – **R** carte 120 à 180 ♁.

La BERGUE 74 H.-Savoie 74 ⑥ – rattaché à Annemasse.

BERGUES 59380 Nord 51 ④ G. Flandres Artois Picardie – 4 163 h.

Voir Couronne d'Hondschoote★.

🅸 Office de Tourisme à la Mairie et le Beffroi (mai-sept.) ✆ 28 68 60 44.

Paris 284 – ◆ Calais 50 – Bourbourg 19 – Dunkerque 9 – Hazebrouck 32 – ◆ Lille 67 – St-Omer 30.

Au Tonnelier, près église ✆ 28 68 70 05 – TV ☎. GB. ✗ ch
fermé 20 août au 8 sept., 1er au 15 janv. et vend. sauf fériés – **R** 75/185 ♁ – ☕ 26 – **11 ch** 165/260.

Commerce sans rest, près église ✆ 28 68 60 37 – ☎. GB
☕ 30 – **18 ch** 110/240.

XXX ⊛ **Cornet d'Or** (Tasserit), 26 r. Espagnole ☎ 28 68 66 27 – AE GB
fermé mi-juin à mi-juil., dim. soir et lundi – **R** 180/250
Spéc. Foie gras de canard, Filets de sole aux poireaux et pommes de terre, Canette de Licques rôtie.

PEUGEOT-TALBOT Gar. Moderne Desmidt, à Esquelbecq ☎ 28 65 61 44

RENAULT Houtland Autom., à Wormhout ☎ 28 62 99 00 N ☎ 28 29 45 84

BERNAY

⟨SP⟩ **27300** Eure 55 ⑮ **G. Normandie Vallée de la Seine** (plan) – 10 582 h. alt. 108.

Voir Boulevard des Monts★.

Syndicat d'Initiative 29 r. Thiers (fermé matin) ☎ 32 43 32 08.

Paris 154 – ◆Rouen 57 – Argentan 69 – Évreux 50 – ◆Le Havre 85 – Louviers 51.

Acropole M sans rest, SO : 3 km sur rte de Broglie ☎ 32 46 06 06, Fax 32 44 01 04 – TV ☎ ♿ P – 🏛 30 à 70. AE GB. ✻
☕ 28 – **51 ch** 210/260.

XX **La Marigotière**, SO : 1,5 km par rte Broglie et D 704 ☎ 32 45 28 88, 🌳 – P. GB
fermé dim. soir et lundi – **R** 95/330.

XX **L'Ancienne Auberge**, NE : 1 km sur rte de Rouen ☎ 32 43 21 54 – GB. ✻
fermé 19 août au 2 sept., 24 déc. au 1er janv., dim. soir, mardi soir et merc. – **R** 220/330.

au Sud : 4 km par D 833 et VO :

XX **Moulin Fouret** 🐦 avec ch, ☎ 32 43 19 95, 🌳, « Parc en bordure de rivière » – P. AE GB
fermé vacances de fév., dim. soir et lundi sauf fériés – **R** 95/250 – ☕ 30 – **8 ch** 150/200.

CITROEN Lauvrière, 36 r. B.-Gombert ☎ 32 43 22 78
MAZDA Levard, rte de Rouen à Menneval ☎ 32 43 44 43
NISSAN Edouin, carr. Malbrouck, N 13 à Carsix ☎ 32 46 23 59
OPEL Gar. Robillard, rte de Broglie, ZI ☎ 32 43 09 99
PEUGEOT-TALBOT Lefèvre Elsa, N 138, rte de Broglie, ZI ☎ 32 43 34 28 N ☎ 32 43 82 77

Subé-Pneurama, 5 r. L.-Gillain ☎ 32 43 37 78

BERNEX

74500 H.-Savoie 70 ⑱ **G. Alpes du Nord** – 737 h. alt. 1 000 – Sports d'hiver : 1 000/2 000 m ⚡15 ⛷.

Syndicat d'Initiative ☎ 50 73 60 72.

Paris 587 – Thonon-les-Bains 18 – Annecy 92 – Évian-les-Bains 14 – Morzine 34.

Chez Tante Marie 🐦, ☎ 50 73 60 35, ≤, 🌳, 🌲 – ☎ P. ⓓ GB. ✻ ch
fermé 1er au 10 avril et 15 oct. au 15 déc. – **R** *(fermé dim. soir hors sais.)* 85/180 🍷, enf. 55 – ☕ 35 – **27 ch** 290/320 – ½ P 290/305.

à La Beunaz NO : 1,5 km par D 52 – alt. 1 000 – ✉ **74500** Évian-les-Bains :

Bois Joli 🐦, ☎ 50 73 60 11, Fax 50 73 65 28, ≤, 🌲, 🎾 – ☎ ♿ P. ⓓ GB. ✻ rest
fermé 16 mars au 16 avril et 15 nov. au 15 déc. – **R** 110/230 – ☕ 35 – **24 ch** 270/310 – ½ P 260/290.

Renardière 🐦, ☎ 50 73 60 02, Fax 50 73 69 29, ≤, 🌳, 🏊, 🌲 – ☎ P – 🏛 30. AE GB. ✻ ch
fermé 20 oct. au 15 déc., merc. et jeudi sauf juil.-août – **R** 120/270 – ☕ 35 – **17 ch** 205/340 – ½ P 290/360.

X **Relais Savoyard** avec ch, ☎ 50 73 60 14, ≤, 🌳 – TV P. ⓓ GB
fermé nov. – **R** 62/170, enf. 40 – ☕ 27 – **10 ch** 150/190 – ½ P 180/235.

BERRY-AU-BAC

02190 Aisne 56 ⑥ – 509 h. alt. 56.

Paris 160 – ◆Reims 20 – Laon 29 – Rethel 45 – Soissons 48 – Vouziers 67.

XXX ⊛ **La Côte 108** (Courville), ☎ 23 79 95 04, Fax 23 79 83 50, 🌲 – P. AE ⓓ GB
fermé 15 au 27 juil., 26 déc. au 19 janv., dim. soir et lundi – **R** (dim. prévenir) 150/450
Spéc. Foie gras chaud en croque au sel, Saint-Jacques rôties au lard fumé (15 oct. au 15 avril), Crépinettes de pieds de porc champenoise. **Vins** Coteaux champenois rouges.

BERRY-BOUY

18 Cher 68 ⑩ – rattaché à Bourges.

BERTHOLÈNE

12310 Aveyron 80 ③ – 918 h. alt. 592.

Paris 622 – Rodez 23 – Espalion 21 – Pont-de-Salars 21 – Sévérac-le-Château 27.

Bancarel, ☎ 65 69 62 10, 🌲 – 🚗 P. AE ⓓ GB
fermé 25 sept. au 15 oct. – **R** 50/130 🍷 – ☕ 25 – **13 ch** 120/210.

BERVEN

29 Finistère 58 ⑤ **G. Bretagne** – ✉ **29440** Plouzévédé.

Voir Église★ : clôture★ du choeur.

Paris 561 – ◆Brest 47 – Landivisiau 14 – Morlaix 24 – St-Pol de Léon 14.

XX **Voyageurs** avec ch, ☎ 98 69 98 17 – P. GB. ✻
fermé mi-sept. à mi-oct. – **R** *(fermé dim. soir et lundi)* 57/160 🍷 – ☕ 24 – **6 ch** 120/160 – ½ P 180.

BESANÇON P 25000 Doubs 66 ⑮ G. Jura – 113 828 h. alt. 242 – Casino BY.

Voir Site★★ – Citadelle★★ BZ : ≤★★ des chemins de ronde, musée d'Histoire naturelle★, musée comtois★, musée de la Résistance et de la Déportation★, musée agraire★ – Vieille ville★ ABYZ : Palais Granvelle★, Vierge aux Saints★ et Rose de Saint-Jean★ (cathédrale), horloge astronomique★ – Préfecture★ AZ **P** – Bibliothèque municipale★ BZ **X** – Promenade Micaud★ BY – Grille★ de l'Hôpital St-Jacques AZ – Musée des Beaux-Arts★ AY – Fort Chaudanne ≤★ S : 2 km puis 15 mn BX.

Env. N.-D.-de-la-Libération ≤★ SE : 5,5 km BX – Belvédère de Montfaucon ≤★ 8 km par D 111 BX.

18 ✆ 81 55 73 54, par ② : 13 km.

Office de Tourisme et Accueil de France (Informations, change et réservations d'hôtels, pas plus de 5 jours à l'avance) 2 pl. 1ère Armée Française ✆ 81 80 92 55, Télex 360242 – A.C. 7 av. E.-Cusenier ✆ 81 81 26 11.

Paris 406 ⑥ – ◆Basel 151 ⑥ – Bern 157 ② – ◆Dijon 82 ⑥ – ◆Genève 177 ② – ◆Grenoble 284 ③ – ◆Lyon 254 ⑥ – ◆Nancy 206 ⑥ – ◆Reims 335 ⑤ – ◆Strasbourg 238 ⑥.

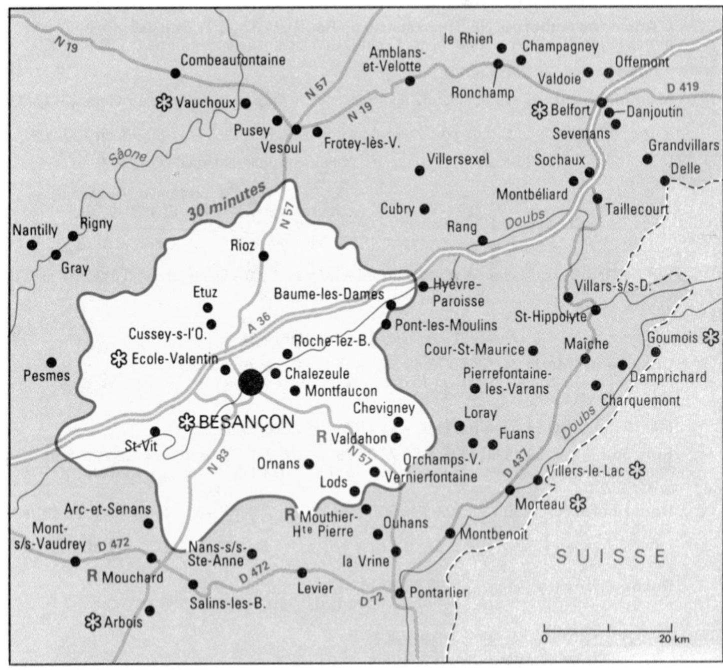

Altéa Parc Micaud, av. E. Droz ✆ 81 80 14 44, Télex 360268, Fax 81 53 29 83 – rest – 75 à 220. AE ⓞ GB BY **d**
Le Vesontio **R** 110/160, enf. 50 – 50 – **95 ch** 365/570.

Novotel M, r. Trey ✆ 81 50 14 66, Télex 360009, Fax 81 53 51 57 – 130. AE ⓞ GB JCB BX **e**
R carte environ 150 ♂, enf. 50 – 42 – **107 ch** 395/435.

Mercure M, 4 av. Carnot ✆ 81 80 33 11, Télex 361276, Fax 81 88 11 14 – 40 à 60. AE ⓞ GB BY **a**
R 95 ♂, enf. 40 – 45 – **67 ch** 360/480.

Siatel M, 3 chemin des Founottes par N 57 : 3 km ✆ 81 80 41 41, Fax 81 80 41 41 – 35. GB AX **q**
R 56/85 ♂, enf. 36 – 25 – **36 ch** 246 – ½ P 185.

Urbis M, 5 av. Foch (face gare) ✆ 81 88 27 26, Télex 361576, Fax 81 80 07 65 – 40. GB BX **b**
R Brasserie 95 ♂, enf. 40 – 32 – **95 ch** 275/310.

Nord sans rest, 8 r. Moncey ✆ 81 81 34 56, Télex 361582, Fax 81 81 85 96 – AE ⓞ GB BY **r**
26 – **44 ch** 155/249.

BESANÇON

Belfort (R. de) . . . . BX
Carnot (Av.) . . . . BX 10

Allende (Bd S.) . . . . AX 2
Brulard (Bd Gén.) . . . . AX 8
Chaillot (R.) . . . . BX 12
Clemenceau (Av. Georges) . . . . AX 15
Clerc (R. F.) . . . . BX 16
Fontaine-Argent (Av. de) . . . . BX 17
Jouchoux (R. A.) . . . . AX 24
Montrapon (Av. de) . . . . AX 33
Observatoire (Av. de l') . . . . . AX 34
Ouest (Bd de l') . . . . AX 37
Paix (Av. de la) . . . . BX 38
Vaite (R. de la) . . . . BX 43
Voirin (R.) . . . . BX 44

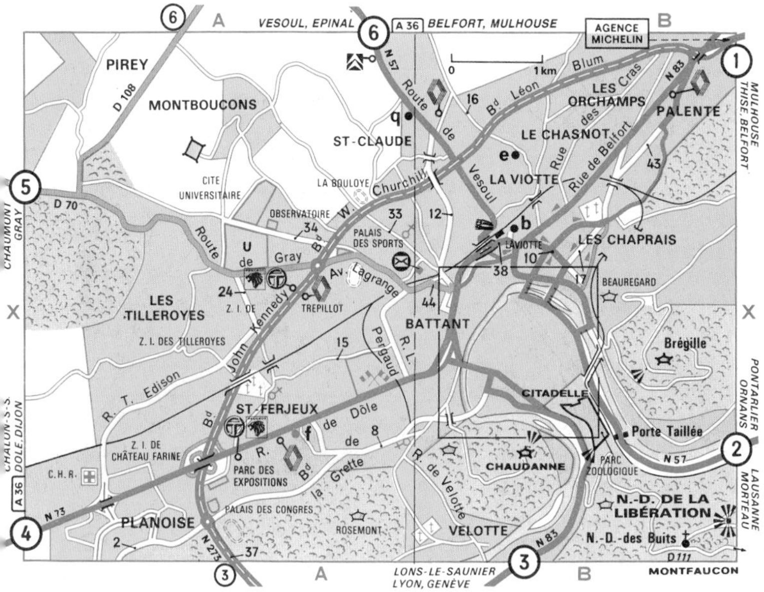

Moncey sans rest, 6 r. Moncey ✆ 81 81 24 77, Fax 81 61 94 89 – TV ☎. AE ① GB — BY **n**
35 – **25 ch** 226/260.

Relais Bleus M, 3 r. P. Rubens par bd de l'Ouest - AX ✆ 81 52 02 02, Télex 361666, Fax 81 51 18 26, ⇐ – TV ☎ P. AE GB
R 75/150 ♁, enf. 40 – 32 – **49 ch** 260 – ½ P 215/235.

Arcade sans rest, 21 r. Gambetta ✆ 81 83 50 54, Télex 361247, Fax 81 81 89 65 – ⎮ ⇆ TV ☎ ♿ P – 25. AE GB — BY **k**
35 – **49 ch** 275/360.

XXX **Le Chaland,** promenade Micaud, près pont Brégille ✆ 81 80 61 61, Télex 361813, « Bateau restaurant » – GB — BY **s**
fermé 1er au 18 août, vacances de fév., dim. soir et lundi – **R** 180/380.

XXX ✿ **Mungo Park** (Mme Choquart), 11 r. Jean Petit ✆ 81 81 28 01, Fax 81 83 36 97, ⛱ – GB — AY **e**
fermé 9 au 31 août, vacances de fév., sam. midi et dim. – **R** 180/450
Spéc. Filet de carpe aux morilles, Suprême de volaille de Bresse au foie gras et vin jaune, Gâteau au chocolat et épices. **Vins** Arbois, Pupillin.

XX **Daniel Achard,** 95 r. Dôle ✆ 81 52 06 13, ⛱ – P. GB — AX **f**
fermé 1er au 15 août, vacances de Noël, sam. et dim. – **R** 78/338, enf. 55.

XX **Poker d'As,** 14 square St-Amour ✆ 81 81 42 49, Fax 81 81 05 59, sculptures sur bois – AE ① GB — BY **u**
fermé 5 au 27 juil., 25 déc. au 1er janv., dim. soir et lundi – **R** 85/220 ♁.

XX **Relais de la Mouillère,** parc du Casino ✆ 81 80 61 01, ⛱ – P. AE ① GB JCB — BY **v**
fermé mardi – **R** 110/175 ♁, enf. 45.

à Chalezeule par ① et D 217 : 5,5 km – ✉ **25220** :

Trois Iles ♨ sans rest, ✆ 81 61 00 66, ⛱ – ☎ P. GB
28 – **16 ch** 195/300.

à Roche-lez-Beaupré par ① : 8 km – ✉ **25220** :

X **Aub. des Rosiers,** ✆ 81 57 05 85 – P. GB
fermé 1er au 10 mars, 14 au 29 juil., merc soir et mardi – **R** 83/290 ♁, enf. 55.

BESANÇON

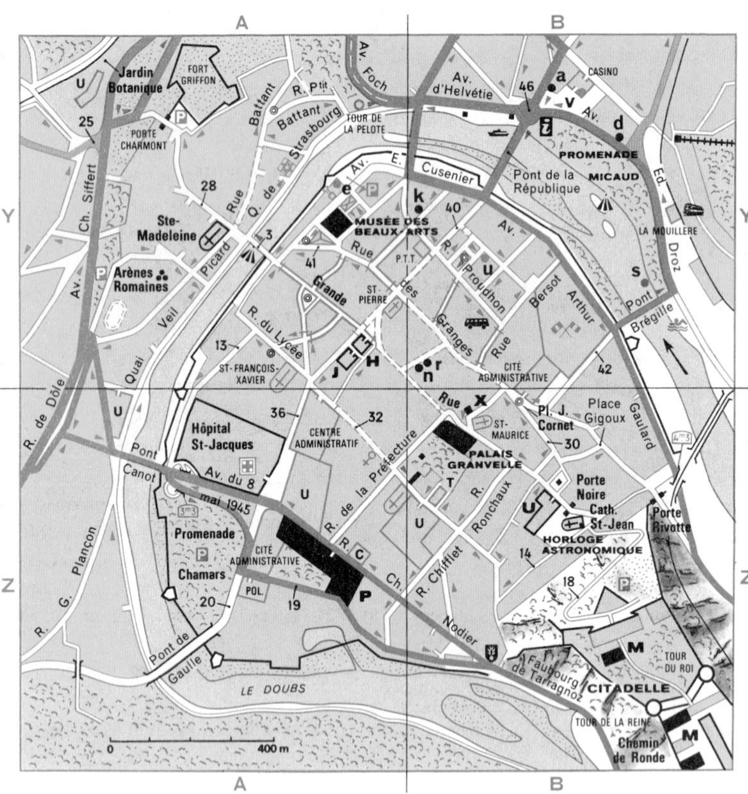

à Montfaucon par ②, D 464 et D 111^E : 9 km – ✉ **25660** :

XX **La Cheminée,** rte Belvédère ☎ 81 81 17 48, ≤, terrasse – **P**. GB
fermé 31 août au 14 sept., 1er au 15 fév., dim. soir et lundi sauf fériés – **R** 110/250, enf. 70.

à École Valentin par ⑥ : 5 km – ✉ **25480** :

XXX ✿ **Le Valentin** (Maire), 19 rte Épinal ☎ 81 80 03 90, Fax 81 53 45 49, terrasse, jardin – **P**. AE ⓓ GB
fermé 3 au 17 août, dim. soir et lundi – **R** 99/335
Spéc. Harmonie de homard et d'escargots, Ragoût de ris et de rognon de veau aux morilles, Gibier (saison). **Vins** Gy, Arbois Pupillin.

MICHELIN, Agence régionale, r. Vallières Sud à Chalezeule BX ☎ 81 80 24 53

BMW Gar. Loux, ZAC Valentin à École-Valentin ☎ 81 88 48 48
CITROEN Succursale, 228 rte de Dole par ④ ☎ 81 61 47 47
CITROEN Cassard Auto Service, 123 r. de Vesoul ☎ 81 50 45 24
CITROEN Gar. des Maisonnettes, à École-Valentin par ⑥ ☎ 81 80 09 64
DATSUN-NISSAN Mécanique, Loisirs, Autos, 72 r. de Belfort ☎ 81 88 29 23
FORD Est-Auto, 18 av. Carnot ☎ 81 80 85 11
MERCEDES-BENZ C.M.B., ZAC de Valentin ☎ 81 50 47 34
OPEL GM J.C.L. Motors, ch. des Graviers Blancs ☎ 81 53 74 44
PEUGEOT-TALBOT Sté Ind. Autom. Besançon, bd Kennedy, ZI Trépillot ☎ 81 80 50 44 **N** ☎ 81 53 91 27
PEUGEOT-TALBOT Gar. Girard, 129 r. de Dole ☎ 81 52 05 39
RENAULT Succursale, bd Kennedy ☎ 81 54 25 25 **N** ☎ 05 05 15 15

RENAULT Gar. Betteto, 148 r. de Belfort ☏ 81 80 41 70
RENAULT Masson, 91 r. de Dole ☏ 81 52 05 22
RENAULT Gar. Salmer, 5 r. Grands-Bas ☏ 81 50 26 19

Eco-Pneu, 17 rte d'Épinal à École-Valentin ☏ 81 53 32 44
La Maison du Pneu, Mariotte, 10 r. de Dole ☏ 81 81 23 89
Pneus et Services D.K., 8 bd L.-Blum ☏ 81 50 29 30
Pneus et Services D.K., 6 r. Weiss ☏ 81 50 05 54

BESSANS **73480** Savoie 77 ⑨ G. Alpes du Nord – 303 h. alt. 1 700 – Sports d'hiver : 1 700/2 200 m ⛷4 ⛷.

Voir Peintures★ de la chapelle St-Antoine.

Syndicat d'Initiative ☏ 79 05 96 52.

Paris 681 – Albertville 127 – Chambéry 137 – Lanslebourg-Mont-Cenis 11 – Val-d'Isère 37.

- **Vanoise** ⛰, ☏ 79 05 96 79, ≤ – ☎ 🅿. GB. ⚘
  27 juin-29 sept. et 12 déc.-20 avril – **R** 65/150 ♁ – ☕ 38 – **30 ch** 150/300 – ½ P 240/290.
- **Mont-Iseran** ⛰, ☏ 79 05 95 97 – TV ☎ 🚗. GB. ⚘ rest
  25 juin-1er oct. et 10 déc.-25 avril – **R** 60/120, enf. 50 – ☕ 35 – **19 ch** 210/285 – ½ P 190/245.

Le BESSAT **42660** Loire 76 ⑨ – 250 h. alt. 1 160 – Sports d'hiver : 1 200/1 360 m ⛷4 ⛷.

Paris 535 – ◆ St-Étienne 18 – Annonay 30 – Bourg-Argental 15 – St-Chamond 18 – Yssingeaux 54.

- **France,** ☏ 77 20 40 99, 🌳 – ☎ – 🏛 30. AE GB
  fermé nov., dim. soir et lundi sauf juil.-août – **R** 55/160 – ☕ 22 – **30 ch** 110/175 – ½ P 150/160.
- XX **La Fondue** avec ch, ☏ 77 20 40 09 – ☎ 🚗. AE ⓓ GB. ⚘ rest
  fermé 21 janv. au 28 fév. – **Repas** 72/230 – ☕ 26 – **9 ch** 160/270 – ½ P 200/240.

BESSE-EN-CHANDESSE **63610** P.-de-D. 73 ⑬ ⑭ G. Auvergne (plan) – 1 799 h. alt. 1 050 – Sports d'hiver à Super Besse.

Voir Église St-André★ – Rue de la Boucherie★ – Porte de ville★ – Lac Pavin★★ et Puy de Montchal★★ SO : 4 km par D 978.

Env. Vallée de Chaudefour★★ NO : 11 km.

Office de Tourisme pl. Dr-Pipet ☏ 73 79 52 84.

Paris 470 – ◆ Clermont-Ferrand 52 – Condat 27 – Issoire 31 – Le Mont-Dore 30.

- **Mouflons** ⛰, rte Super-Besse ☏ 73 79 51 31, Fax 73 79 56 93, ≤, 🏋, 🌳 – TV ☎ 🅿 – 🏛 40. AE GB
  fermé 2 au 30 nov. – **R** 98/225, enf. 60 – ☕ 35 – **50 ch** 310/340 – ½ P 320.
- **Charmilles** M sans rest, rte Super-Besse ☏ 73 79 50 79 – ☎ 🅿. GB
  15 juin-15 sept., vacances de fév. et de printemps – ☕ 22 – **20 ch** 190/250.
- **Levant,** ☏ 73 79 50 17, 🌳 – TV ☎ 🚗. GB. ⚘ rest
  hôtel : 20 juin-25 sept. et 15 déc.-début mai ; rest. : 20 juin-25 sept. et 15 janv.-début mai – **R** 85/140 – ☕ 32 – **16 ch** 210/230 – ½ P 180/240.
- **Le Clos** ⛰, rte Mont Dore : 0,5 km ☏ 73 79 52 77, Fax 73 79 56 67, 🏋, 🏊, 🌳 – ☎ 🅿. GB. ⚘ rest
  11 avril-9 mai, 30 mai-26 sept. et 19 déc.-31 mars – **R** 90/180, enf. 38 – ☕ 30 – **29 ch** 180/225 – ½ P 230/260.
- **Beffroy,** ☏ 73 79 50 08 – ☎. GB
  fermé du 23 mars au 9 avril, 15 oct. au 30 nov., jeudi midi et merc. sauf vacances scolaires – **R** 90/220 – ☕ 38 – **14 ch** 230 – ½ P 220/260.

à Super-Besse O : 7 km – alt. 1 350 – Sports d'hiver : 1 350/1 850 m 🚡1 ⛷20 ⛷ – ✉ **63610** Besse-en-Chandesse.

Office de Tourisme rond-point des Pistes (15 juin-15 sept., 20 déc.-10 mai) ☏ 73 79 60 29.

- **Gergovia** ⛰, ☏ 73 79 60 15, Fax 73 79 61 43, ≤, 🏋 – TV ☎ 🅿. AE GB. ⚘ rest
  14 juin-13 sept. et 19 déc.-31 mars – **R** 95/135 – ☕ 45 – **53 ch** 190/360 – ½ P 446.

LADA-PEUGEOT-TOYOTA Gar. Fabre ☏ 73 79 51 10

BESSENAY **69690** Rhône 73 ⑲ – 1 611 h. alt. 390.

Paris 467 – Roanne 70 – ◆ Lyon 31 – Montbrison 49 – ◆ St-Étienne 62.

- **Aub. de la Brevenne** M, N 89 ☏ 74 70 80 01, Fax 74 70 82 31, 🌳 – 🛗 TV ☎ ♿ 🅿. AE GB. ⚘ ch
  fermé dim. soir – **R** 95/250 ♁, enf. 60 – ☕ 32 – **20 ch** 240/320 – ½ P 320.

BESSÉ-SUR-BRAYE **72310** Sarthe 64 ⑤ – 2 815 h. alt. 76.

Syndicat d'Initiative r. Val-de-Braye (saison) ✆ 43 35 31 13 et à la Mairie (hors saison) ✆ 43 35 30 29.

Paris 191 – ◆Le Mans 55 – La-Ferté-Bernard 42 – ◆Tours 55 – Vendôme 31.

La Chaumière, rte Troo ✆ 43 35 30 59 – TV ☎ ♿ P
15 ch.

à Pont-de-Braye SO : 8 km par D 303 – ✉ **72310** Bessé-sur-Braye :

Voir Escalier★★ du château de Poncé-sur-le-Loir O : 3,5 km, **G. Châteaux de la Loire.**

Petite Auberge avec ch, ✆ 43 44 45 08 – GB. ch
fermé 25 janv. au 2 fév., lundi soir de janv. à mars et mardi sauf juil.-août – **R** 65/150 – 20 – **3 ch** 150.

CITROEN Gar. Legeay Yves ✆ 43 35 32 63
PEUGEOT-TALBOT Gar. Ched'homme ✆ 43 35 30 42
RENAULT Gar. Bouttier ✆ 43 35 30 70

BESSINES-SUR-GARTEMPE **87250** H.-Vienne 72 ⑧ – 2 988 h. alt. 344.

Paris 363 – ◆Limoges 36 – Argenton-sur-Creuse 58 – Bellac 29 – Guéret 54 – La Souterraine 21.

Vallée, N 20 ✆ 55 76 01 66, Fax 55 76 60 16 – TV ☎ P. GB
fermé dim. soir – **R** 61/190, enf. 48 – 27 – **20 ch** 122/230 – ½ P 144/186.

Centre sans rest, ✆ 55 76 03 17 – P
Pâques-Noël – 25 – **13 ch** 100/240.

Bellevue, N 20 ✆ 55 76 01 99 – P. GB
fermé 10 fév. au 10 mars et lundi de sept. à fin juin sauf fêtes – **R** 45/140.

à la Croix-du-Breuil N : 3 km sur N 20 – ✉ **87250** Bessines-sur-Gartempe :

Manoir Henri IV, ✆ 55 76 00 56, Fax 55 76 14 14, – TV ☎ P. GB
fermé lundi d'oct. à avril et dim. soir – **R** 110/260, enf. 60 – 32 – **14 ch** 180/270.

BÉTHUNE SP **62400** P.-de-C. 51 ⑭ **G. Flandres Artois Picardie** – 24 556 h. alt. 25.

Office de Tourisme avec A.C. 34 Grand'Place ✆ 21 68 26 29.

Paris 215 ② – ◆Lille 40 ② – ◆Amiens 88 ④ – Arras 34 ④ – Boulogne 88 ⑤ – Douai 40 ② – Dunkerque 68 ⑥.

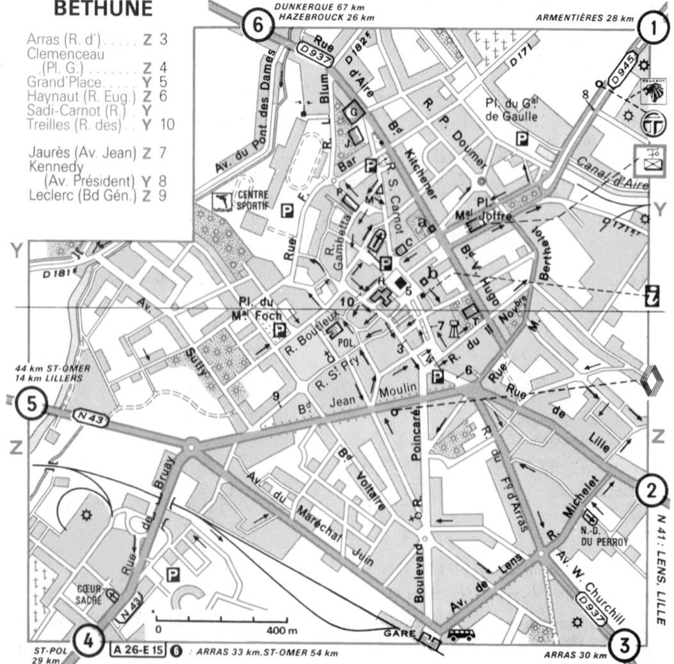

France II ⑤, à Beuvry par ② : 4 km rte Lille ✉ 62660 Beuvry ✆ 21 65 11 00, Télex 110691, Fax 21 65 09 30, parc – ascenseur TV ☎ P – 25 à 90. AE ① GB JCB
R 110/228, enf. 60 – ☕ 38 – **59 ch** 295/400.

Vieux Beffroy, 48 Grand'Place ✆ 21 68 15 00, Télex 134105, Fax 21 56 66 32 – ascenseur TV ☎ – 30 à 60. AE ① GB Y **b**
R 90/190 – ☕ 30 – **36 ch** 165/350 – ½ P 230/242.

XXX ✿ **Le Meurin,** 15 pl. République ✆ 21 68 88 88, – AE ① GB Y **a**
fermé août, dim. soir et lundi – **R** 150 bc (sauf week-ends)/420.
Spéc. Gâteau de tourteau, Poêlée de rognons de veau aux nouilles fraîches, Blanc de volaille de Licques aux pieds de veau.

à Gosnay par ④ et N 41 : 5 km – ✉ **62199** :

Chartreuse du Val St-Esprit ⑤, ✆ 21 62 80 00, Télex 134418, Fax 21 62 42 50, parc, – TV ☎ & P – 25. AE GB
R 110/350 – ☕ 45 – **23 ch** 320/540.

CITROEN SO.CA.BE., 1 220 av. W.-Churchill par ③ ✆ 21 57 65 70 N ✆ 21 57 16 83
LANCIA Gar. Cornuel, rte de Lille à Beuvry ✆ 21 65 09 60
PEUGEOT-TALBOT Société Automobile Béthune Artois, 329 av. Kennedy ✆ 21 57 12 05 N ✆ 21 57 16 83
PEUGEOT-TALBOT Bondu, 136 rte Nationale, Beuvry par ② ✆ 21 65 15 06
RENAULT Dist.-Autom.-Béthunoise, 255 r. J.-Moulin ✆ 21 57 24 30
TOYOTA Éts Duhem, 4 av. W.-Churchill ✆ 21 57 20 60

Équipneu, RN 43, r. Martyrs Prolongés à Lillers ✆ 21 02 24 87
La Maison du Pneu, 371 r. Aire ✆ 21 57 02 10

Le BETTEX 74 H.-Savoie 74 ⑧ – rattaché à St-Gervais-les-Bains.

BEUIL 06470 Alpes-Mar. 81 ⑨ 195 ④ **G. Alpes du Sud** – 330 h. alt. 1 450 – Sports d'hiver : 1 400/2 000 m 6 – **Voir** Site★.
Paris 868 – Barcelonnette 83 – Digne-les-Bains 118 – ♦Nice 77 – Puget-Théniers 30 – St-Martin-Vésubie 52.

L'Escapade, ✆ 93 02 31 27, ←, – TV ☎
fermé 15 nov. au 15 déc. – **R** 90/130, enf. 52 – ☕ 47 – **11 ch** 290 – ½ P 295.

X **Bellevue** avec ch, ✆ 93 02 30 04, ←, –
hôtel : 20 juin-1er oct. et 20 déc.-10 mai ; rest. : 30 juin-30 oct. et 20 déc.-10 juin – **R** 90/120 – ☕ 28 – **6 ch** 160/200 – ½ P 200/240.

BEUVRON-EN-AUGE 14430 Calvados 54 ⑰ **G. Normandie Vallée de la Seine** – 274 h.
Voir Village★ – ★ de l'église de Clermont-en-Auge NE : 3 km.
Paris 221 – ♦Caen 30 – Cabourg 15 – Lisieux 24 – Pont-l'Évêque 26.

XXX ✿ **Pavé d'Auge** (Bansard), ✆ 31 79 26 71, « Halles anciennes » – GB
fermé 29 nov. au 15 déc., 6 au 28 janv., lundi (sauf le midi de mars à nov.) et mardi – **R** 125/260
Spéc. Brick croustillant de tourteau, Poulet "Vallée d'Auge", Vacherin glacé à la confiture de lait et sauce chicorée.

BEUZEVILLE 27210 Eure 55 ④ **G. Normandie Vallée de la Seine** – 2 702 h. alt. 125.
Paris 184 – Bernay 36 – Deauville 25 – Évreux 77 – Honfleur 14 – ♦Le Havre 49 – Pont-l'Évêque 14.

Petit Castel M sans rest, ✆ 32 57 76 08, – TV ☎. GB.
fermé 15 déc. au 15 janv. – **R** voir rest. **Aub. Cochon d'Or** ci-après – ☕ 30 – **16 ch** 220/290.

XX **Aub. Cochon d'Or** avec ch, ✆ 32 57 70 46 – ☎. GB.
fermé 15 déc. au 15 janv. et lundi – **Repas** 72 (sauf sam. soir)/215 – ☕ 30 – **5 ch** 140/205.

CITROEN Perrin ✆ 32 57 70 52
FORD Bouloché, à Boulleville ✆ 32 41 21 31 N ✆ 32 57 75 27
PEUGEOT Gar. Normandy ✆ 32 57 70 94
RENAULT Coquerel ✆ 32 57 70 26 N ✆ 32 42 33 77

BEYNAC ET CAZENAC 24220 Dordogne 75 ⑰ **G. Périgord Quercy** – 498 h. alt. 60.
Voir Château★★ : site★★, ★★ – Calvaire ★★ – Château de Castelnaud★ : site★★, ★★★ S : 4 km.
Paris 533 – Brive-la-Gaillarde 63 – Périgueux 65 – Sarlat-la-Canéda 11 – Bergerac 63 – Fumel 64 – Gourdon 33.

Bonnet, ✆ 53 29 50 01, ←, – ☎ P. GB. ch
10 avril-10 oct. – **R** 120/230, enf. 60 – ☕ 28 – **22 ch** 215/280 – ½ P 270/300.

à Vézac SE : 2 km – ✉ **24220** :

Oustal de Vézac ⑤, ✆ 53 29 54 21, ←, – ☎ P. GB. rest
Pâques-1er nov. – **R** grill carte 80 à 120 – ☕ 38 – **20 ch** 320/350 – ½ P 300.

XX **Le Souqual,** ✆ 53 29 50 59, – P. GB
1er juil.-30 sept. – **R** 90/315, enf. 45.

BEYRÈDE-JUMET **65** H.-Pyr. 85 ⑲ – 256 h. alt. 1 417 – ✉ **65710** Campan.

Paris 841 – Bagnères-de-Luchon 42 – Auch 94 – Bagnères-de-Bigorre 25 – Lannemezan 30 – St-Gaudens 56 – Tarbes 47.

au col de Beyrède :

✗ **du Col** avec ch, ✆ 62 91 83 70, ≤, – Ⓟ. ch
15 juin-8 nov. – **R** 75/100, enf. 50 – ☕ 23 – **10 ch** 180/200 – ½ P 160/190.

Les BÉZARDS **45** Loiret 65 ② – alt. 163 – ✉ **45290** Boismorand.

Paris 137 – Auxerre 73 – Cosne-sur-Loire 49 – Gien 16 – Joigny 59 – Montargis 23 – ◆Orléans 73.

✿✿ **Auberge des Templiers** Ⓜ, ✆ 38 31 80 01, Télex 780998, Fax 38 31 84 51, ≤, , « Bel ensemble hôtelier dans un parc », , – TV ☎ ♿ Ⓟ – 30. AE ⓓ GB JCB
fermé fév. – **R** 380/580 et carte, enf. 120 – ☕ 80 – **22 ch** 580/1300, 8 appart. – ½ P 750/1050
Spéc. Royale de cailles en trois services, Gibiers de Sologne (saison), Entremets de l'Auberge. **Vins** Pouilly-Fumé, Sancerre.

BÉZAUDUN-LES-ALPES **06510** Alpes-Mar. 81 ⑳ 195 ㉕ – 87 h. alt. 800.

Paris 868 – ◆Nice 42 – Castellane 67 – Grasse 39 – St-Martin-Vésubie 66 – Vence 24.

✗ **Les Lavandes** avec ch, ✆ 93 59 11 08, ≤
hôtel : ouvert 1er juil.-30 sept. ; rest. : ouvert toute l'année et fermé jeudi – **R** 120, enf. 65 – ☕ 40 – **9 ch** 220 – P 250.

BÉZIERS SP **34500** Hérault 83 ⑮ **G. Gorges du Tarn** – 70 996 h. alt. 70.

Voir Anc. cathédrale St-Nazaire★ BZ : terrasse ≤★.

de St-Thomas ✆ 67 98 62 01, par ② : 12 km.

de Béziers-Vias : ✆ 67 90 99 10, par ③ : 18 km.

Office de Tourisme Hôtel du Lac, 27 r. Quatre-Septembre ✆ 67 49 24 19.

Paris 822 ③ – ◆Montpellier 65 ③ – ◆Clermont-Ferrand 359 ③ – ◆Marseille 227 ③ – ◆Perpignan 94 ⑥.

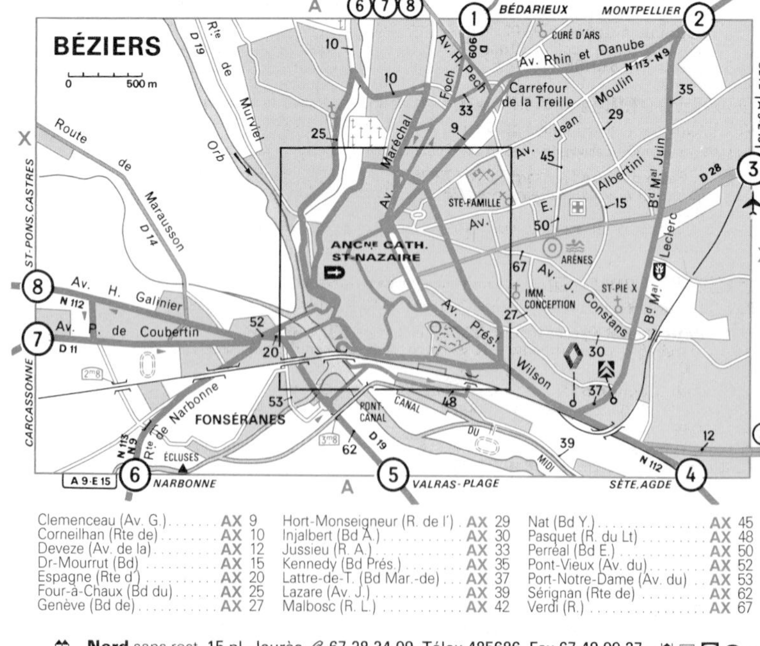

Clemenceau (Av. G.) . . . . AX 9
Corneilhan (Rte de) . . . . AX 10
Deveze (Av. de la) . . . . AX 12
Dr-Mourrut (Bd) . . . . AX 15
Espagne (Rte d') . . . . AX 20
Four-à-Chaux (Bd du) . . . . AX 25
Genève (Bd de) . . . . AX 27
Hort-Monseigneur (R. de l') . AX 29
Injalbert (Bd A.) . . . . AX 30
Jussieu (R. A.) . . . . AX 33
Kennedy (Bd Prés.) . . . . AX 35
Lattre-de-T. (Bd Mar.-de) . . . AX 37
Lazare (Av. J.) . . . . AX 39
Malbosc (R. L.) . . . . AX 42
Nat (Bd Y.) . . . . AX 45
Pasquet (R. du Lt) . . . . AX 48
Perréal (Bd E.) . . . . AX 50
Pont-Vieux (Av. du) . . . . AX 52
Port-Notre-Dame (Av. du) . . AX 53
Sérignan (Rte de) . . . . AX 62
Verdi (R.) . . . . AX 67

Nord sans rest, 15 pl. Jaurès ✆ 67 28 34 09, Télex 485686, Fax 67 49 00 37 – ▤ TV ☎ – 60. AE ⓓ GB BCZ **z**
☕ 32 – **40 ch** 230/400.

Imperator sans rest, 28 allées P. Riquet ✆ 67 49 02 25 – TV ☎. AE ⓓ GB CY **n**
☕ 30 – **45 ch** 200/360.

BÉZIERS

Flourens (R.) . . . . BY 23
Péri (Pl. G.) . . . . BYZ 49
République (R. de la) . . . . . . BY 55
Riquet (R. P.) . . . . BY 58

Abreuvoir (R. de l') . . . . BZ 2
Albert-1er (Av.) . . . . CY 3
Canterelles (R.) . . . . BZ 6
Capus (R. du) . . . . BZ 7
Citadelle (R. de la) . . . . BZ 9
Drs-Bourguet (R. des) . . . . . . BZ 13
Dr-Vernhes (R. du) . . . . BZ 16
Estienne-d'Orves (Av.) . . . . . BZ 22
Garibaldi (Pl.) . . . . CZ 26
Joffre (Av. Mar.) . . . . CZ 32
Massol (R.) . . . . BZ 43
Moulins (Rampe des) . . . . . . BY 44
Orb (R. de l') . . . . BZ 47
Puits-des-Arènes (R.) . . . . . . BZ 54
Révolution (Pl. de la) . . . . . . BZ 57
St-Jacques (R.) . . . . BZ 60
Strasbourg (Bd de) . . . . CY 64
Tourventouse (Bd) . . . . BZ 65
Victoire (Pl. de la) . . . . BCY 68
Viennet (R.) . . . . BZ 69
4-Septembre (R. du) . . . . BY 72
11-Novembre (Pl. du) . . . . . . CY 74

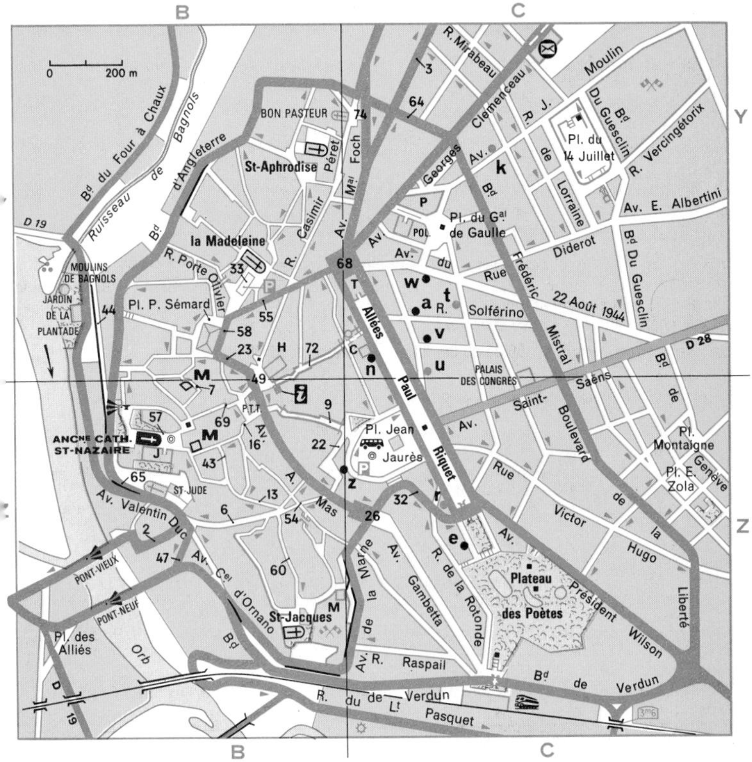

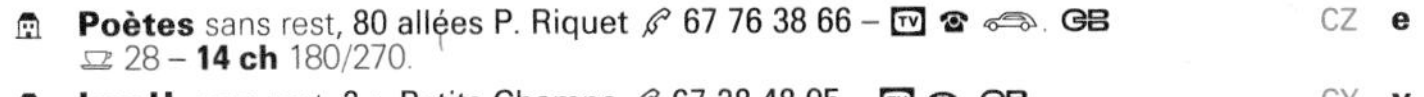

Poètes sans rest, 80 allées P. Riquet ✆ 67 76 38 66 – TV ☎ 🚗. GB — CZ **e**
28 – **14 ch** 180/270.

Lux H. sans rest, 3 r. Petits Champs ✆ 67 28 48 05 – TV ☎. GB — CY **v**
20 – **22 ch** 110/210.

Concorde sans rest, 7 r. Solférino ✆ 67 28 31 05, Fax 67 28 31 28 – TV ☎. AE ⓓ GB — CY **a**
25 – **25 ch** 170/310.

Splendid H. sans rest, 24 av. du 22-Août ✆ 67 28 23 82 – |‡| TV ☎. GB — CY **w**
27 – **24 ch** 130/260.

XXX ✿ **Le Framboisier** (Yagues), 12 r. Boeildieu ✆ 67 49 90 00 – ▤. AE ⓓ GB — CY **u**
fermé 18 août au 8 sept., vacances de fév., dim. et lundi – **R** (nombre de couverts limité, prévenir) 130/350
Spéc. Gratiné d'asperges au saumon fumé (saison), Huîtres chaudes à l'oseille, Emincé de magret de canard au Saint-Chinian. Vins Coteaux du Languedoc, Saint-Chinian.

XX **Le Jardin,** 37 av. J. Moulin ✆ 67 36 41 31 – ▤. AE ⓓ GB — CY **k**
fermé 28 juin au 20 juil., 16 fév. au 2 mars, dim. sauf le midi de sept. à juin et lundi – **R** 120/260, enf. 60.

X **Cigale,** 60 allées P. Riquet ✆ 67 28 21 56 – ▤. AE GB — CZ **r**
fermé 21 juin au 8 juil., 21 nov. au 8 déc., lundi soir et mardi – **R** 85/165 ♨.

X **Chez Soi,** 10 r. Guilhemon ✆ 67 28 63 34 – AE GB — CY **t**
fermé juil., vacances de fév. et dim. sauf fêtes – **R** 52 (sauf sam.)/150, enf. 30.

par ③ : 6 km à l'échangeur A9-Béziers-Est – ✉ **34420** Villeneuve-lès-Béziers :

Climat de France M, 1 km, rte Valras ✆ 67 39 40 00, Télex 485912, Fax 67 39 39 61, ☂, ⛱, ⚔ – ▤ TV ☎ ♿ P – 🏫 40. AE GB
R 80/118 ♌, enf. 48 – ☕ 28 – **79 ch** 290 – ½ P 230/249.

rte de Narbonne par ⑥ : 4 km sur N 113-N 9 – ✉ **34500** Béziers :

Castelet, ✆ 67 28 82 60, Télex 485509, ☂, ⛱, ⛱ – ▤ ch TV ☎ P. AE ⓓ GB JCB
fermé lundi – **R** 105/180, enf. 75 – ☕ 30 – **27 ch** 210/310 – ½ P 200/265.

ALFA-ROMEO Gar. Gayraud, 18 bd Kennedy ✆ 67 30 36 28
CITROEN Éts Tressol, rte d'Agde ✆ 67 76 90 90
FORD SAVAB, rte de Bessan ✆ 67 76 55 34
MERCEDES-BENZ S.A.B.V.I., le Manteau Bleu, rte de Narbonne ✆ 67 28 86 04
OPEL France-Auto, rte de Bessan ✆ 67 62 07 21
PEUGEOT-TALBOT Gds Gar. du Biterrois, rte de Bessan par ③ ✆ 67 35 49 00
RENAULT Succursale, 121 av. Prés.-Wilson ✆ 67 35 64 00 N ✆ 67 36 96 77
V.A.G Capiscol-Auto, 11 r. Artisans, ZI du Capiscol ✆ 67 76 50 25

VOLVO SOCRA, 49 bd de Verdun ✆ 67 76 57 54

Ⓜ Estournet, 65 bd Mistral ✆ 67 28 22 82
Fogues, 135 av. Foch ✆ 67 31 18 65
Gautrand-Pneu, 48 av. Rhin-et-Danube ✆ 67 30 63 88
Longuelanes, 16 av. Pont-Vieux ✆ 67 49 00 47
Pagès et Fils, 115 av. Prés.-Wilson ✆ 67 76 19 46
Pagès, 27 quai Port-Notre-Dame ✆ 67 28 61 53
Piot-Pneu, av. de la Devèze, ZI du Capiscole ✆ 67 76 11 15
Piot-Pneu, 102 bd Liberté ✆ 67 76 47 98

BIARRITZ

BIARRITZ 64200 Pyr.-Atl. 78 ⑪ ⑱ 85 ② **G. Pyrénées Aquitaine** – 28 742 h. alt. 40 – Casino Bellevue EY.

Voir ≤★★ de la Perspective DZ **E** – ≤★ du phare et de la Pointe St-Martin AX – Rocher de la Vierge★ DY – Musée de la mer★ DY **M.**

18 ✆ 59 03 71 80, NE : 1 km AX ; 18 de Chiberta ✆ 59 63 83 20, N : 5 km.

✈ de Biarritz-Parme : ✆ 59 23 90 66, 2 km ABX – 🚗 ✆ 59 55 50 50.

ℹ Office de Tourisme square d'Ixelles ✆ 59 24 20 24, Télex 570032.

Paris 779 ⑦ – ♦Bayonne 7 – ♦Bordeaux 190 ⑦ – Pau 113 ② – S.-Sebastiàn 50 ⑤.

Plans pages suivantes

✿ **Palais** ⛵, 1 av. Impératrice ✆ 59 41 64 00, Télex 570000, Fax 59 41 67 99, ≤, ☂, « Belle piscine avec grill », ⛱ – 🛗 ▤ rest TV ☎ P – 🏫 250. AE ⓓ GB JCB. ✂ rest
fermé fév. – **Le Grand Siècle R** carte 400 à 600 – **La Rotonde R** carte 235 à 400 – **L'Hippocampe** *(avril-nov.)* **R** (déj. seul.) 240/300 – ☕ 100 – **133 ch** 1300/2550, 25 appart. – ½ P 1250/1600
Spéc. Gaspacho de homard aux tomates confites (avril à oct.), Dos de merlu et raviole de morue biscayenne, Poêlée de framboises et glace vanille (saison). **Vins** Irouleguy. EY **k**

✿ **Miramar** M ⛵, av. Impératrice ✆ 59 41 30 00, Télex 540831, Fax 59 24 77 20, ≤, ☂, centre de thalassothérapie, ⛱, 🏋 – 🛗 ▤ TV ☎ ♿ 🚗 – 🏫 80 à 300. AE ⓓ GB. ✂ rest AX **k**
Relais Miramar R 270/400 – ☕ 100 – **109 ch** 1490/2355, 17 appart. 2955 – ½ P 1398
Spéc. Sauté de langoustines et artichauts, Escalopes de foie gras poêlées aux épices, Pyramide au chocolat en nage d'orange "Suzette". **Vins** Irouleguy, Jurançon sec.

Régina et Golf, 52 av. Impératrice ✆ 59 41 33 00, Télex 541330, Fax 59 41 33 99, ≤, ⛱ – 🛗 ⇆ ch TV ☎ ♿ P – 🏫 35. AE ⓓ GB. ✂ rest AX **s**
fermé 15 nov. au 22 déc. – **R** 180/250, enf. 130 – ☕ 100 – **60 ch** 980/1200, 10 appart. 1350/2300 – ½ P 1720/1870.

Plaza, av. Édouard VII ✆ 59 24 74 00, Télex 570048, Fax 59 22 22 01, ≤ – 🛗 TV ☎ ♿ P – 🏫 30. AE ⓓ GB. ✂ EY **p**
R *(fermé janv. et dim. hors sais.)* 185 – ☕ 51 – **60 ch** 300/648 – ½ P 530.

Président sans rest, pl. Clemenceau ✆ 59 24 66 40, Télex 573446 – 🛗 TV ☎ – 🏫 50. AE ⓓ GB EY **s**
☕ 45 – **64 ch** 420/590.

Windsor, Gde Plage ✆ 59 24 08 52, Fax 59 24 98 90, ☂ – 🛗 ▤ rest TV ☎. AE ⓓ GB JCB. ✂ rest EY **z**
fermé 10 janv. au 15 fév. – **R** *(fermé mardi du 15 nov. au 15 mars)* 100/250 – ☕ 40 – **53 ch** 340/700 – ½ P 285/510.

Florida, 3 pl. Ste-Eugénie ✆ 59 24 01 76, Télex 560654, Fax 59 24 36 54 – 🛗 TV ☎. AE ⓓ GB. ✂ rest DY **u**
11 avril-4 nov. – **R** 95/180 – ☕ 42 – **45 ch** 480/650 – ½ P 380/470.

Comfort Inn M sans rest, 19 av. Reine Victoria ✆ 59 22 04 80, Fax 59 24 91 19 – 🛗 ⇆ ▤ TV ☎ ♿ 🚗. AE ⓓ GB AX **h**
☕ 40 – **40 ch** 420/500, 3 duplex 600.

Tonic M, 58 av. Édouard VII ✆ 59 24 58 58, Fax 59 24 86 14 – 🛗 cuisinette ▤ rest TV ☎ ♿ 🚗 P – 🏫 110. AE ⓓ GB. ✂ rest EY **d**
R 140 – ☕ 45 – **63 ch** 730/820 – ½ P 460/550.

Fronton et Résidence, 35 av. Mar. Joffre ✆ 59 23 09 36 – 🛗 TV ☎ P. GB EZ **y**
fermé 22 mars au 5 avril et 25 oct. au 29 nov. – **R** 64/118 – ☕ 28 – **42 ch** 300/320 – ½ P 250/265.

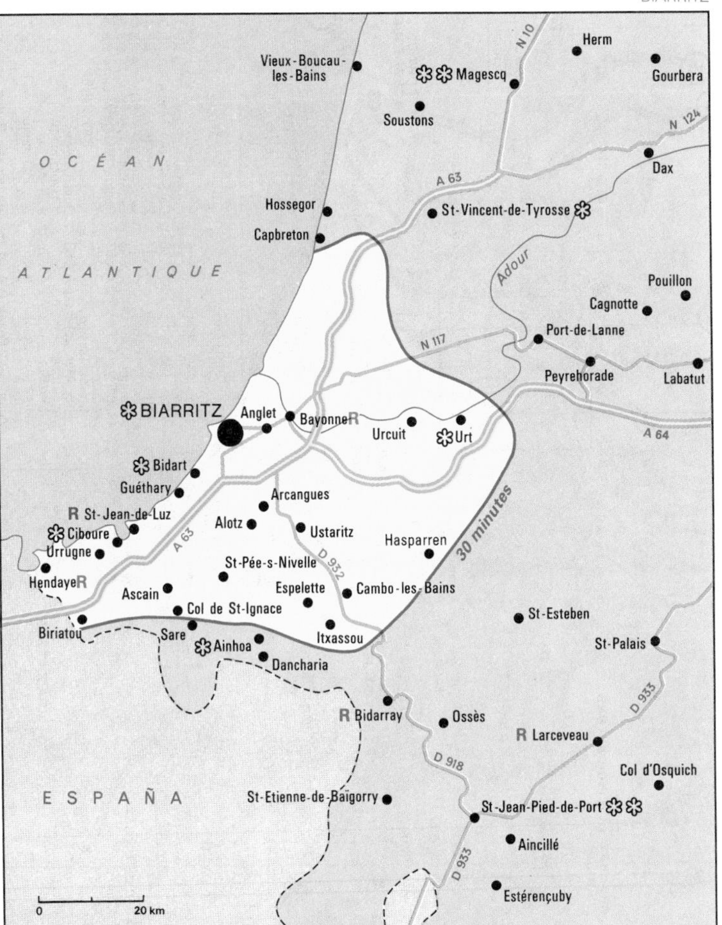

Océan, 9 pl. Ste-Eugénie 59 24 03 27, Fax 59 24 18 50 – TV. AE GB JCB — DY **s**
fermé 1er au 15 déc. et 10 au 31 janv. – **R** 88/180 – 38 – **24 ch** 400/600 – ½ P 370/490.

Marbella, 11 r. Port Vieux 59 24 04 06, Fax 59 24 63 26 – TV. AE GB — DY **a**
fermé 15 déc. au 15 janv. – **R** *(fermé sam. et dim. de fin sept. à Pâques)* (dîner seul.) (résidents seul.) 65/85 – 30 – **28 ch** 270/330 – ½ P 275/300.

Maïtagaria sans rest, 34 av. Carnot 59 24 26 65, – . GB — EZ **m**
28 – **17 ch** 175/250.

Palacito sans rest, 1 r. Gambetta 59 24 04 89, Fax 59 24 33 43 – TV. AE GB — EY **v**
fermé 4 au 31 janv. – 30 – **28 ch** 210/330.

Etche Gorria sans rest, 21 av. Mar. Foch 59 24 00 74, – . GB. — EZ **e**
fermé 23 déc. au 24 janv. – 25 – **11 ch** 140/260.

Malouthéa sans rest, 3 av. Jardin Public 59 24 06 00 – TV. GB — EZ **q**
fermé vacances de fév. – 31 – **27 ch** 180/310.

Atalaye sans rest, 6 r. Goélands 59 24 06 76 – . GB — DY **e**
30 – **24 ch** 260/350.

Central sans rest, 8 r. Maison Suisse 59 22 02 06 – TV. GB — EY **t**
32 – **16 ch** 190/290.

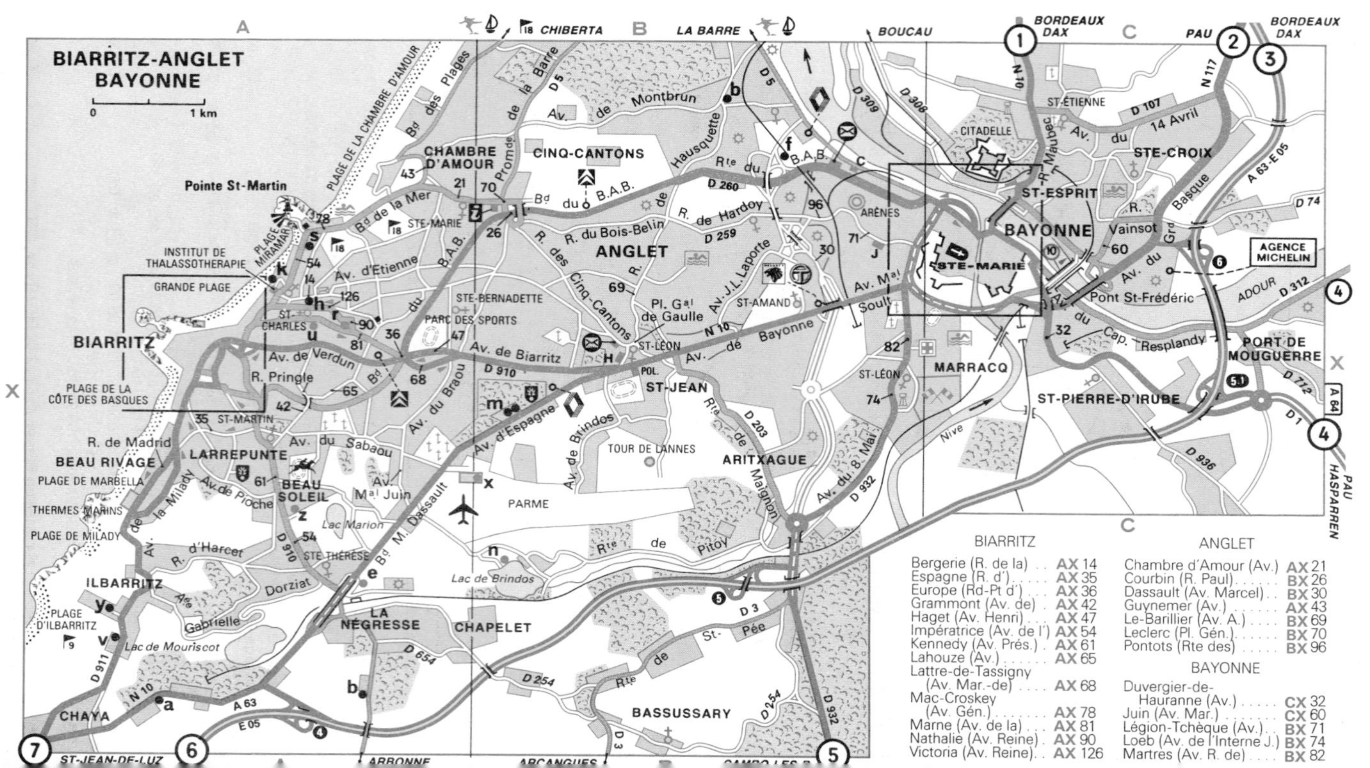

BIARRITZ		
Bergerie (R. de la)	AX	14
Espagne (R. d')	AX	35
Europe (Rd-Pt d')	AX	36
Grammont (Av. de)	AX	42
Haget (Av. Henri)	AX	47
Impératrice (Av. de l')	AX	54
Kennedy (Av. Prés.)	AX	61
Lahouze (Av.)	AX	65
Lattre-de-Tassigny (Av. Mar.-de)	AX	68
Mac-Croskey (Av. Gén.)	AX	78
Marne (Av. de la)	AX	81
Nathalie (Av. Reine)	AX	90
Victoria (Av. Reine)	AX	126

ANGLET		
Chambre d'Amour (Av.)	AX	21
Courbin (R. Paul)	BX	26
Dassault (Av. Marcel)	BX	30
Guynemer (Av.)	AX	43
Le-Barillier (Av. A.)	BX	69
Leclerc (Pl. Gén.)	BX	70
Pontots (Rte des)	BX	96

BAYONNE		
Duvergier-de-Hauranne (Av.)	CX	32
Juin (Av. Mar.)	CX	60
Légion-Tchèque (Av.)	BX	71
Loeb (Av. de l'Interne J.)	BX	74
Martres (Av. R. de)	BX	82

- **Monguillot** sans rest, 3 r. G. Larre ✆ 59 24 12 23 – ☎. ✱ — DY **m**
  fermé 6 janv. au 3 fév. – ☕ 24 – **14 ch** 180/310.
- **Argi-Eder** sans rest, 13 r. Peyroloubilh ✆ 59 24 22 53 – ☎. ✱ — DZ **h**
  ☕ 27 – **19 ch** 220/280.
- **Port Vieux** sans rest, 43 r. Mazagran ✆ 59 24 02 84 – ☎. ✱ — DY **d**
  15 mars-15 nov. – **18 ch** ☕ 159/260.

XXXX **Café de Paris,** 5 pl. Bellevue ✆ 59 24 19 53, Fax 59 24 18 20 – ▤. AE ⓓ GB — EY **f**
R 230/390.

XXX **Le Galion,** 17 bd Gén. de Gaulle ✆ 59 24 20 32, ≤, 斋 – ▤. GB — EY **a**
fermé fév., dim. soir et lundi sauf juil.-août – **R** 140.

XX **Belle Epoque,** 10 av. V. Hugo ✆ 59 24 66 06 – AE ⓓ GB JCB — EY **b**
fermé 15 au 31 janv. et lundi sauf juil.-août – **R** carte 120 à 240 ♨.

XX **L'Operne,** 17 av. Edouard VII ✆ 59 24 30 30, ≤ océan, 斋 – ▤. AE ⓓ GB — EY **u**
fermé 10 au 31 janv. – **R** 150/245.

XX **Croque-en-Bouche,** 5 r. Centre ✆ 59 22 06 57 – ▤. AE GB — EZ **n**
fermé 1er au 16 juil., 1er au 16 déc., dim. soir et lundi – **R** carte environ 155.

XX **Le Vaudeville,** 5 r. Centre ✆ 59 24 34 66 – ▤. AE GB — EZ **n**
fermé lundi midi et mardi midi – **R** (nombre de couverts limité - prévenir) 98/150.

XX **Aub. de la Négresse,** 10 bd M. Dassault (sous viaduc) ✆ 59 23 15 83, 斋 – ▤. GB — AX **e**
fermé 30 sept. au 5 nov. et lundi (sauf le soir en juil.-août) – **R** 53/148 ♨.

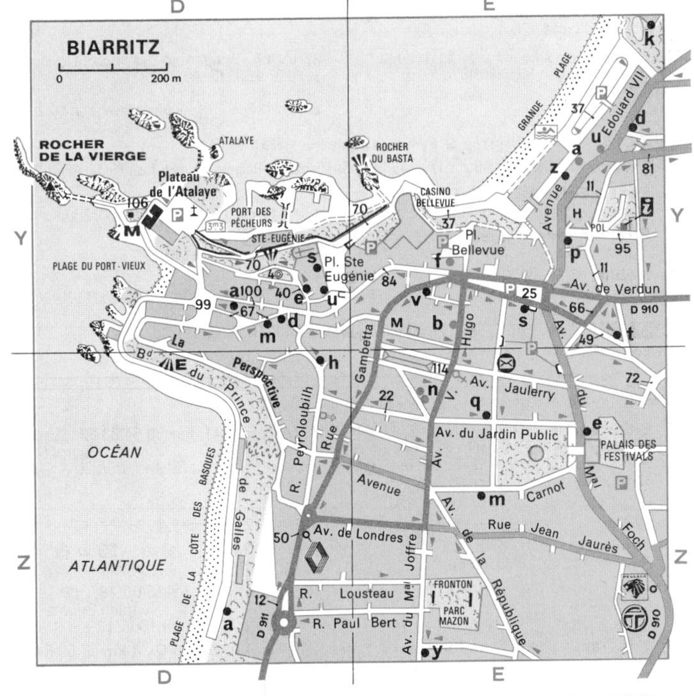

Clemenceau (Pl.) . . . . . EY 25
Edouard-VII (Av.) . . . . . EY
Espagne (R. d') . . . . . . DZ
Foch (Av. du Mar.) . . EYZ
Gambetta (R.) . . . . . . DEZ
Mazagran (R.) . . . . . . EY 84
Port-Vieux (Pl. du) . . . DY 99
Verdun (Av. de) . . . . . EY 124
Victor-Hugo (Av.) . . . EYZ

Atalaye (Pl.) . . . . DY 4
Barthou (Av. Louis) . . . . . EY 11
Beaurivage (Av.) . . . . . . DZ 12
Champ-Lacombe (R.) . . . EZ 22
Gaulle (Bd du Gén. de) . . EY 37
Goélands (R. des) . . . . . DY 40
Helder (R. du) . . . . EY 49
Hélianthe (Carr. d') . . . . DZ 50
Larralde (R.) . . . . EY 66

Larre (R. Gaston) . . . . DY 67
Leclerc (Bd Mar.) . . . DEY 70
Libération (Pl. de la) . . EZ 72
Marne (Av. de la) . . . . EY 81
Osuna (Av. d') . . . . EY 95
Port-Vieux (R. du) . . . . DY 100
Rocher de la Vierge (Espl. du) . . . DY 106
Sobradiel (Pl.) . . . . EZ 114

XX **Aub. du Relais** avec ch, 44 av. Marne ✆ 59 24 85 90, Fax 59 22 13 94 – ▤ rest ☎. AE GB
fermé du 1er au 14 déc. et 4 au 25 janv. – **R** *(fermé mardi d'oct. à avril)* 95/210 – ☐ 30 – **11 ch** 190/310 – ½ P 207/278. AX **u**

XX **Le Petit Doyen,** 87 av. Marne ✆ 59 24 01 61 – ▤. AE GB AX **r**
fermé lundi – **R** 120/240.

X **Les Platanes,** 32 av. Beausoleil ✆ 59 23 13 68 – GB AX **z**
fermé 20 au 30 nov., mardi midi et lundi – **R** 150 (déj.)/290.

rte d'Arbonne S : 4 km par Pont de la Négresse et D 255 – ✉ **64200** Biarritz :

Château du Clair de Lune ⑤ sans rest, ✆ 59 23 45 96, ←, « Parc » – TV ☎ P. AE ⓓ GB JCB AX **b**
☐ 50 – **14 ch** 450/600.

au lac de Brindos SE : 5 km BX – ✉ **64600** Anglet :

XXXX **Château de Brindos** M ⑤ avec ch, près aéroport ✆ 59 23 17 68, Télex 541428, Fax 59 23 48 47, « Belle décoration intérieure, bord du lac, parc », ←, ⛱, ✂ – TV ☎ P – 30 à 60. AE ⓓ GB BX **n**
R carte 275 à 455 – ☐ 85 – **12 ch** 850/1400.

à Arcangues S : 7 km par D 254 et D 3 - BX – ✉ **64200**.
Voir ✻★ du cimetière.

Marie-Eder sans rest, ✆ 59 43 05 61, ☞ – TV ☎ P. GB. ✂
fermé 30 oct. au 1er déc. et mardi hors sais. – ☐ 27 – **8 ch** 190/320.

à Alotz S : 8 km par Pont de la Négresse, D 255 et VO – ✉ **64200** Biarritz :

XX **Moulin d'Alotz,** ✆ 59 43 04 54, ☞, ☞ – GB
fermé 15 janv. au 15 fév., mardi d'oct. à juin et lundi – **R** (nombre de couverts limité - prévenir) carte 220 à 310, enf. 60.

CITROEN Artola, 88 av. Marne ✆ 59 41 01 30 N
PEUGEOT-TALBOT Gar. Victoria, 48 av. Foch ✆ 59 23 16 24

RENAULT Central-Auto-Gar., 1 carr. Hélianthe ✆ 59 24 92 32 N ✆ 59 93 48 22

Perisse Pneu, 18 av. Beau-Rivage ✆ 59 23 02 76

BIDARRAY 64780 Pyr.-Atl. 85 ③ **G. Pyrénées Aquitaine** – 585 h. alt. 71.
Paris 806 – Biarritz 37 – Cambo-les-Bains 17 – Pau 121 – St-Étienne-de-Baïgorry 15 – St-Jean-Pied-de-Port 19.

Pont d'Enfer ⑤, ✆ 59 37 70 88, ←, ☞, ☞ – ☎ P
Pâques-1er nov. – **Repas** 100/195, enf. 65 – ☐ 30 – **17 ch** 120/320 – ½ P 180/260.

Erramundeya sans rest, ✆ 59 37 71 21, ←, ☞ – ☎ P
1er mars-30 nov. et fermé mardi sauf juil.-août – ☐ 22 – **10 ch** 140/195.

Noblia, ✆ 59 37 70 89, ☞ – ☎ P. AE GB
fermé 15 déc. au 15 janv. et merc. – **R** 60/130 – ☐ 25 – **18 ch** 140/220 – ½ P 170/200.

BIDART 64210 Pyr.-Atl. 78 ⑪ ⑱ **G. Pyrénées Aquitaine** – 4 123 h. alt. 60.
Voir Chapelle Ste-Madeleine ✻★.
Office de Tourisme r. Grande-Plage (fermé oct.-déc. et après-midi janv.-juin) ✆ 59 54 93 85.
Paris 785 – Biarritz 6,5 – ✦Bayonne 13 – Pau 120 – St-Jean-de-Luz 8,5.

Bidartea, NE : 3 km sur N 10 ✆ 59 54 94 68, Télex 573441, Fax 59 54 83 82, ⛱, ☞ – |♦| TV ☎ P – 100. AE ⓓ GB JCB. ✂ rest plan Biarritz AX **a**
fermé 1er au 15 janv. – **R** *(fermé dim. soir et lundi du 1er oct. au 30 avril)* 80/230 ♨ – ☐ 42 – **32 ch** 296/416 – ½ P 350/380.

Itsas-Mendia, ✆ 59 54 90 23, ←, ☞ – ☎ P. ✂
15 mars-30 sept. – **R** 110, enf. 60 – ☐ 35 – **18 ch** 145/210 – ½ P 220/260.

Pénélope ⑤, à Ilbarritz N : 3 km, av. Château ✆ 59 23 00 37, ←, ☞ – TV ☎ P
R *(1er mai-30 oct.)* (résidents seul.) 75/85 – ☐ 18 – **23 ch** 220 plan Biarritz AX **y**

Les Dunes, à Ilbarritz N : 3 km sur D 911 ✆ 59 23 00 28, ☞, ☞ – P. AE GB plan Biarritz AX **v**
fermé 2 janv. au 10 fév. et lundi – **R** 60/120, enf. 35 – ☐ 22 – **16 ch** 130/240 – ½ P 200/240.

XXX ✿ **La Table des Frères Ibarboure,** S par N 10, rte Ahetze et VO : 4 km ✆ 59 54 81 64, Fax 59 54 75 65, ☞, parc – ▤ P. AE ⓓ GB
fermé 16 nov. au 6 déc., merc. d'oct. à juin et merc. midi en sept. – **R** 220/380, enf. 130
Spéc. Ravioles de morue à la biscayenne, Encornets farcis à la hure de porc, Foie chaud de canard aux agrumes. **Vins** Irouléguy, Jurançon.

X **Élissaldia,** pl. Église ✆ 59 54 90 03 – P. GB
R 70/130.

RENAULT Gar. Cazenave ✆ 59 54 92 57

BIESHEIM 68 H.-Rhin 62 ⑲ – rattaché à Neuf-Brisach.

BIÈVRES **08370** Ardennes 56 ⑩ – 75 h. alt. 210.
Paris 258 – Charleville-Mézières 56 – Longuyon 38 – Sedan 33 – Verdun 59.

XX **Relais de St-Walfroy,** ✆ 24 22 61 62 – P. GB
fermé mardi – **Repas** 75/140 ⅓.

BIGNAN **56** Morbihan 63 ③ – rattaché à Locminé.

BILLIERS **56** Morbihan 63 ⑭ – rattaché à Muzillac.

BIOT **06410** Alpes-Mar. 84 ⑨ 195 ㉕ G. Côte d'Azur – 5 575 h. alt. 80.
Voir Musée Fernand Léger** – Retable du Rosaire* dans l'église.
18 ✆ 93 65 08 48, S : 1,5 km – Office de Tourisme pl. de la Chapelle ✆ 93 65 05 85.
Paris 920 – Cannes 17 – ◆Nice 22 – Antibes 8 – Cagnes-sur-Mer 11 – Grasse 19 – Vence 19.

XXX ✿ **Les Terraillers,** au pied du village (D 4) ✆ 93 65 01 59, Fax 93 65 13 78, « Ancienne poterie du XVIe siècle » – P. AE GB
fermé 2 au 8 mars, nov., jeudi midi en juil.-août et merc. – **R** 160/340, enf. 90
Spéc. Salade de homard et ravioles de chèvre, Magret de canard et son foie gras, Tarte aux pommes soufflée glacée. Vins Bellet.

XX ✿ **Aub. du Jarrier** (Métral), au village ✆ 93 65 11 68, Fax 93 65 50 03, – AE GB
fermé 12 nov. au 8 déc., mardi midi et merc. midi en juil.-août, lundi soir et mardi de sept. à juin – **R** 190/350
Spéc. Rougets grillés sauce antiboise et chiffonade de basilic, Pomme de ris de veau croustillante aux dés de potiron et morilles, Sorbet aux trois parfums. Vins Côtes de Provence.

X **Plat d'Etain,** au village ✆ 93 65 09 37 – AE GB
fermé 15 janv. au 5 fév. et lundi sauf le soir de juil. à sept. – **R** 140/210.

X **Chez Odile,** au village ✆ 93 65 15 63,
fermé 15 nov. au 20 déc. et jeudi (sauf le soir en juil.-août) – **R** 150.

Le BIOT **74430** H.-Savoie 70 ⑱ – 333 h. alt. 820.
Paris 590 – Thonon-les-Bains 20 – Annecy 95 – Chamonix-Mont-Blanc 78 – ◆Genève 54.

Tilleuls ,✆ 50 72 13 41, Fax 50 72 14 57 – ☎ P. AE ⓓ GB
fermé 15 au 30 mai, 1er au 15 oct. et lundi hors sais. – **R** 65/165 ⅓ – ☐ 25 – **17 ch** 180/230 – ½ P 250.

BIRIATOU **64** Pyr.-Atl. 85 ① – rattaché à Hendaye.

BIRKENWALD **67440** B.-Rhin 87 ⑭ – 228 h. alt. 275.
Paris 460 – ◆Strasbourg 33,5 – Molsheim 22,5 – Saverne 11,5.

Au Chasseur , ✆ 88 70 61 32, Fax 88 70 66 02, ← Schneeberg, – rest TV ☎ P. AE GB. ch
fermé 29 juin au 6 juil., 3 au 27 fév., dim. soir et lundi – **R** 85/300 ⅓ – ☐ 38 – **26 ch** 250/320 – ½ P 260/320.

BISCARROSSE **40600** Landes 78 ⑬ G. Pyrénées Aquitaine – 9 054 h. alt. 24.
Office de Tourisme pl. Marsan (juil.-août) ✆ 58 78 80 92.
Paris 661 – ◆Bordeaux 72 – Arcachon 39 – ◆Bayonne 131 – Dax 92 – Mont-de-Marsan 86.

à Biscarrosse-Bourg :

Atlantide M sans rest, pl. Marsan ✆ 58 78 08 86, Fax 58 78 75 98 – TV ☎ & P. AE ⓓ GB.
fermé 21 déc. au 12 janv. – ☐ 27 – **33 ch** 205/340.

St-Hubert sans rest, 588 av. G. Latécoère ✆ 58 78 09 99, Fax 58 78 79 37, – TV ☎ & P. GB.
☐ 29 – **16 ch** 260/315.

Le Relais sans rest, rte Parentis ✆ 58 78 10 46, Fax 58 78 09 71 – ☎ P. ⓓ GB.
fermé 21 déc. au 5 janv. – ☐ 28 – **24 ch** 215/300.

à Navarosse N : 3,5 km par D 652 et D 305 – ✉ **40600** Biscarrosse :

Transaquitain sans rest, ✆ 58 09 83 13 – ☎. GB.
Pâques-15 oct. – ☐ 29 – **12 ch** 220/310.

à Ispe N : 6 km par D 652 et D 305 – ✉ **40600** Biscarrosse :

La Caravelle , ✆ 58 09 82 67, ←, – ☎ P. GB. ch
R *(fermé 15 nov. au 15 fév. et lundi midi hors sais.)* 78/250 ⅓, enf. 40 – ☐ 35 – **11 ch** 260/310 – ½ P 250/290.

à la Plage NO : 9,5 km par D 146 – ✉ **40600** Biscarrosse.
Office de Tourisme av. Plage ✆ 58 78 20 96.

Aub. Régina, av. Libération ✆ 58 78 23 34, – ☎. GB
25 mars-25 sept. – **R** 73/180, enf. 38 – ☐ 32 – **11 ch** 140/310 – ½ P 239/307.

CITROEN Atlantic Autos, 68 r. E.-Branly ✆ 58 78 13 63

PEUGEOT-TALBOT Labarthe, N 652, ZI ✆ 58 78 12 46

BISCHWIHR 68 H.-Rhin 62 ⑲, 87 ⑦ – rattaché à Colmar.

BISCHWILLER 67240 B.-Rhin 87 ④ – 10 969 h. alt. 136.

Paris 482 – ◆Strasbourg 28 – Haguenau 8 – Saverne 40.

Stade M sans rest, 29 rte Haguenau ☎ 88 53 96 96, Fax 88 53 89 49, – TV ☎ & P. GB.
25 – **20 ch** 250/280.

RENAULT Gar. Stern, 6 r. du Conseil ☎ 88 63 22 87

BITCHE 57230 Moselle 57 ⑱ **G. Alsace Lorraine** – 5 517 h. alt. 243.

Voir Citadelle★ – Fort du Simserhof★ O : 4 km.

Office de Tourisme à la Mairie ☎ 87 06 16 16.

Paris 437 – ◆Strasbourg 72 – Haguenau 43 – Sarrebourg 58 – Sarreguemines 33 – Saverne 52 – Wissembourg 48.

Relais des Châteaux Forts M, 6 quai E. Branly ☎ 87 96 14 14, Fax 87 96 07 36, –
TV ☎ & P. GB
R *(fermé 28 août au 3 sept., 1er au 14 fév., vend. midi et jeudi)* 90/130 ♁, enf. 50 – 38 – **30 ch** 215/300 – ½ P 275.

XX **Strasbourg** avec ch, 24 r. Teyssier ☎ 87 96 00 44 – TV ☎ – 30. GB
fermé 1er au 21 sept., 1er au 15 janv., dim soir et lundi – **R** 105/130 ♁, enf. 52 – 30 – **11 ch** 120/300 – ½ P 250.

XX **Aub. de la Tour,** 3 r. Gare ☎ 87 96 29 25 – P. GB.
fermé 15 fév. au 2 mars, lundi soir et mardi – **R** 70/240 ♁.

CITROEN Riwer, 1 r. Bastion ☎ 87 96 00 08 N
FORD-LADA Bitche Autos, 40 r. de Sarreguemines ☎ 87 96 05 26 N
PEUGEOT-TALBOT Feger, pl. Gare ☎ 87 96 04 57 N
RENAULT Gar. Rébmeister, 47 r. Pasteur ☎ 87 09 70 36 N
RENAULT Gar. Hemmer, 103 r. d'Ingwiller à Goetzenbruck ☎ 87 96 80 96 N ☎ 87 96 80 61

BLACERET 69 Rhône 73 ⑨ – alt. 250 – ✉ 69460 St Étienne-des-Oullières.

Paris 425 – Mâcon 33 – Bourg-en-Bresse 50 – Chauffailles 45 – ◆Lyon 43 – Villefranche-sur-S. 10,5.

X **Beaujolais,** ☎ 74 67 54 75, – AE ① GB
fermé 21 au 30 déc., lundi et mardi – **R** 125/220.

RENAULT Bénétullière, Le Perréon ☎ 74 03 22 67

BLAESHEIM 67113 B.-Rhin 62 ⑨ ⑩ – 1 000 h. alt. 162.

Paris 492 – ◆Strasbourg 17 – Erstein 13 – Molsheim 15 – Obernai 14 – Sélestat 35.

✿ **Au Boeuf** (Voegtling) M, ☎ 88 68 68 99, Fax 88 68 60 07 – TV ☎ & P – 100.
AE ① GB
R *(fermé 27 juil. au 12 août, 5 au 20 fév., dim. soir et lundi)* 190/340 dîner à la carte ♁ – 50 – **20 ch** 390/550
Spéc. Filets de sandre "Belle Marinière", Jambon à la façon des "Dames du Couvent", Noisette de chevreuil à la forestière (juin-15 déc.). Vins Pinot blanc.

XX **Schadt,** ☎ 88 68 86 00 – AE ① GB
fermé 1er au 15 août, 1er au 10 janv., dim. soir et jeudi – **R** 170/280 ♁.

BLAGNAC 31 H.-Gar. 82 ⑧ – rattaché à Toulouse.

Le BLANC ⟨SP⟩ 36300 Indre 68 ⑯ **G. Berry Limousin** – 7 361 h. alt. 81.

Office de Tourisme pl. Libération (juin-sept.) ☎ 54 37 05 13.

Paris 300 – Poitiers 63 – Bellac 62 – Châteauroux 61 – Châtellerault 50.

Théâtre M sans rest, 2 bis av. Gambetta ☎ 54 37 68 69 – TV ☎. AE ① GB
30 – **18 ch** 180/250.

Ile d'Avant, rte Châteauroux : 2 km ☎ 54 37 01 56, – TV ☎ P – 30. AE ① GB
fermé dim. soir et lundi hors sais. – **R** 65/270 – 30 – **15 ch** 190/240 – ½ P 180/260.

par rte de Belâbre, D 10 et VO : 6 km : – ✉ 36300 Le Blanc :

Domaine de l'Étape , ☎ 54 37 18 02, parc – ☎ P – 100. AE ① GB
R (dîner seul.) (résidents seul.) 110 ♁ – 38 – **30 ch** 190/400.

CITROEN SAVRA, rte de Châteauroux ☎ 54 37 03 75
PEUGEOT-TALBOT AUTO AGRI, 28 r. A.-Chichery ☎ 54 37 06 38
Perry-Pneus, 72 bis r. République ☎ 54 37 00 39

Le BLANC-MESNIL 93 Seine-St-Denis 56 ⑪, 101 ⑰ – voir Paris, Environs (Le Bourget).

BLANGY-SUR-BRESLE 76340 S.-Mar. 52 ⑥ – 3 447 h. alt. 50.

Paris 148 – ◆Amiens 53 – Abbeville 25 – Dieppe 46 – Neufchâtel-en-Bray 28 – Le Tréport 24.

X **Les Pieds dans le Plat,** 27 r. St-Denis ☎ 35 93 38 36 – GB
fermé vacances de fév., jeudi soir d'oct. à mai et lundi sauf fériés – **R** 80/150 ♁, enf. 40.

BLANQUEFORT 33 Gironde 71 ⑨ – rattaché à Bordeaux.

BLAYE 33390 Gironde 71 ⑦ ⑧ G. Pyrénées Aquitaine (plan) – 4 286 h. alt. 8.

Voir Citadelle★.

Bac: renseignements ✆ 57 42 04 49.

Syndicat d'Initiative allées Marines (fermé matin oct.-mai) ✆ 57 42 12 09.

Paris 543 – ◆Bordeaux 48 – Cognac 77 – Libourne 46 – Royan 81.

- **La Citadelle** M, dans la citadelle ✆ 57 42 17 10, Fax 57 42 10 34, ≤ estuaire, – TV ☎ P – 30. AE GB
  R 120/240 – 36 – **21 ch** 270/350 – ½ P 405.
- **L'Olifant** M, rte de Bordeaux ✆ 57 42 22 96 – TV ☎ ♿ P – 60. AE GB
  R 80 bc/95, enf. 38 – 28 – **12 ch** 220/280.
- **Caneton d'Argent**, 31 r. St Romain ✆ 57 42 81 00 – AE GB
  fermé 15 déc. au 3 janv., dim. soir et lundi – **R** (nombre de couverts limité - prévenir) carte 110 à 180.

au Nord sur D 255 : 1,5 km – ✉ 33390 Blaye :

- **Château La Grange de Luppé** sans rest, ✆ 57 42 80 20, Fax 57 42 10 34, « Château du 19e siècle au milieu d'un parc » – TV ☎ P – 30 à 50. AE GB
  1er mars-1er nov. – 30 – **12 ch** 200/250.

FORD Gar. Fouchereau, ZI cours Bacalan ✆ 57 42 08 09
PEUGEOT-TALBOT Ferandier-Sicard, à St-Martin-Lacaussade ✆ 57 42 03 41
RENAULT Soulat ✆ 57 42 02 20

BLÉNEAU 89220 Yonne 65 ③ – 1 585 h. alt. 171.

Paris 155 – Auxerre 51 – Bonny-sur-Loire 21 – Briare 19 – Clamecy 64 – Gien 29 – Montargis 41.

- **Blanche de Castille** M, 17 r. d'Orléans ✆ 86 74 92 63, Fax 86 74 94 43, – TV ☎ P. AE GB
  R *(fermé dim. soir hors sais.)* 80/160 – 40 – **13 ch** 250/400.
- **Aub. du Point du Jour**, pl. Mairie ✆ 86 74 94 38, Fax 86 74 85 92 – . AE GB
  fermé 1er au 8 sept., fév., dim. soir et lundi – **R** 130/380.

Die Stadtpläne sind eingenordet (Norden = oben).

BLÉNOD-LÈS-PONT-A-MOUSSON 54 M.-et-M. 57 ⑬ – rattaché à Pont-à-Mousson.

BLÉRANCOURT 02300 Aisne 56 ③ G. Flandres Artois Picardie – 1 270 h. alt. 68.

Voir Musée national de la coopération franco-américaine.

Paris 112 – Compiègne 34 – Chauny 13 – Laon 42 – Noyon 14 – St-Quentin 44 – Soissons 23.

- **Host. Le Griffon**, Château de Blérancourt ✆ 23 39 60 11, Fax 23 39 69 29, , parc – TV ☎ P – 30. AE GB. rest
  fermé 23 au 30 déc., vacances de fév., dim. soir et lundi – **R** 95/190, enf. 65 – 38 – **21 ch** 300/350 – ½ P 280/350.

BLÉRÉ 37150 I.-et-L. 64 ⑯ G. Châteaux de la Loire – 4 388 h. alt. 60.

Office de Tourisme r. J.-J.-Rousseau (15 juin-sept.) ✆ 47 57 93 00.

Paris 232 – ◆Tours 27 – Blois 43 – Château-Renault 32 – Loches 25 – Montrichard 16.

- **Cheval Blanc**, pl. Église ✆ 47 30 30 14, Fax 47 23 52 80, – TV ☎ P. GB JCB
  fermé janv. – **Repas** *(fermé lundi sauf le soir en juil.-août et dim. soir)* (prévenir) 98/240 – 35 – **12 ch** 250/360 – ½ P 260/280.
- **Cher**, r. Pont ✆ 47 57 95 15, – TV ☎ P. GB.
  R 79/193, enf. 45 – 28 – **19 ch** 165/236 – ½ P 180/210.

CITROEN Caillet ✆ 47 30 26 26
PEUGEOT-TALBOT Gar. Vigean, ZAC la Vinerie, La Croix-en-Touraine ✆ 47 23 55 55 N ✆ 47 23 55 55

BLÉRIOT-PLAGE 62 P.-de-C. 51 ② – rattaché à Calais.

BLETTERANS 39140 Jura 70 ③ – 1 423 h. alt. 201.

Paris 380 – Chalon-sur-Saône 49 – Dole 42 – Lons-le-Saunier 13 – Poligny 26.

- **Chevreuil**, ✆ 84 85 00 83 – GB
  fermé 4 janv. au 1er fév., 5 au 12 oct., dim. soir et lundi – **R** 75/240 – 25 – **16 ch** 120/200 – ½ P 200/230.

CITROEN Gar. Roy, ✆ 84 85 00 89
RENAULT Gar. Moderne ✆ 84 85 00 31 N

BLIGNY-SUR-OUCHE 21360 Côte-d'Or 69 ⑨ G. Bourgogne – 745 h. alt. 362.

Paris 291 – ◆Dijon 47 – Autun 43 – Beaune 19 – Pouilly-en-Auxois 22 – Saulieu 44.

- **Host. Trois Faisans** avec ch, ✆ 80 20 10 14, – P. AE GB. rest
  fermé 20 déc. au 1er fév., dim. soir et mardi d'oct. à juin – **R** 50 bc/145 – 25 – **7 ch** 150/210 – ½ P 160/205.

BLOIS P 41000 L.-et-Ch. 64 ⑦ **G. Châteaux de la Loire** – 49 318 h. alt. 73.

Voir Château*** Z : musée des Beaux-Arts* – Pavillon Anne de Bretagne* Z **B** – Église St-Nicolas* Z – Hôtel d'Alluye* YZ **E** – jardins de l'Evêché ≤* Y – Jardin du Roi ≤* Z.

de la Carte à Chouzy-sur-Cisse ✆ 54 20 49 00, par ⑥ : 10 km.

Office de Tourisme et Accueil de France (Informations et réservations d'hôtels, pas plus de 5 jours à l'avance) Pavillon Anne-de-Bretagne, 3 av. J.-Laigret ✆ 54 74 06 49, Télex 750135 – A.C. 3 pl. Louis-XII ✆ 54 74 58 92 – Paris 182 ① – ♦Orléans 59 ① – ♦Tours 64 ① – Angers 166 ① – ♦Le Mans 110 ⑧.

Plan page suivante

L'Horset La Vallière M, 26 av. Maunoury ✆ 54 74 19 00, Télex 752328, Fax 54 74 57 97 – rest TV ☎ & P – 50 à 70. AE GB JCB Y **t**
R 100/150, enf. 50 – 50 – **78 ch** 435/470 – ½ P 390.

Monarque, 61 r. Porte Chartraine ✆ 54 78 02 35, Télex 752327, Fax 54 74 82 76 – TV ☎. GB Y **v**
fermé 19 déc. au 3 janv. – **R** *(fermé dim.)* 70/160 – 30 – **25 ch** 190/290 – ½ P 190/240.

Urbis M sans rest, 3 r. Porte Côte ✆ 54 74 01 17, Télex 752287, Fax 54 74 85 69 – TV ☎. AE GB – 32 – **56 ch** 270/330. Z **u**

Anne de Bretagne sans rest, 31 av. J. Laigret ✆ 54 78 05 38, Fax 54 74 37 79 – TV ☎. AE GB – *fermé 1er au 29 mars et 20 au 28 fév.* – 30 – **29 ch** 225/335. Z **k**

Savoie sans rest, 6 r. Ducoux ✆ 54 74 32 21, Fax 54 74 29 58 – TV ☎. AE GB X **s**
fermé 18 déc. au 2 janv., vend. et sam. du 6 nov. au 20 mars – 25 – **26 ch** 180/250.

Le Lys sans rest, 3 r. Cordeliers ✆ 54 74 66 08 – ☎ &. GB. Y **b**
fermé 20 déc. au 6 janv. et sam. hors sais. – 25 – **15 ch** 180/240.

XXX **L'Orangerie du Château**, 1 av. Dr J. Laigret ✆ 54 78 05 36, Fax 54 78 22 78, « Élégante installation » – AE GB Z **e**
fermé vacances de fév., dim. soir et lundi sauf fériés – **R** 140/300, enf. 70.

XX **Le Médicis** M avec ch, 2 allée François 1er ✆ 54 43 94 04, Fax 54 42 04 05 – TV ☎. AE GB – *fermé 2 au 18 janv. et dim. soir sauf juil.-août* – **R** 95/298, enf. 60 – 35 – **11 ch** 300/350 – ½ P 330/450. X **p**

XX **Bocca d'Or**, 15 r. Haute ✆ 54 78 04 74, « Caveau du 15e siècle » – AE GB. YZ **d**
fermé 26 janv. au 11 mars, lundi midi et dim. – **R** 140/185, enf. 60.

XX **La Péniche**, promenade Mail ✆ 54 74 37 23, péniche aménagée – . AE GB. X **n**
fermé dim. sauf fériés – **R** 150.

XX **Noë**, 10 bis av. Vendôme ✆ 54 74 22 26, Fax 54 56 12 18 – GB X **a**
fermé sam. midi, dim. soir, mardi soir et lundi – **R** 150/220, enf. 50.

X **Bouchon Lyonnais**, 25 r. Violettes ✆ 54 74 12 87, – GB Z **a**
fermé 21 déc. au 21 janv., dim. sauf juil.-août et lundi – **R** 94/160.

X **Rendez-vous des Pêcheurs**, 27 r. Foix ✆ 54 74 67 48, Fax 54 74 47 67 – GB X **r**
fermé 2 au 24 août, vacances de fév., lundi midi, dim. et fériés – **R** 130.

par ① : 2 km - Z.A. Vallée Mailland, près échangeur A 10 – ✉ 41100 Blois :

Ibis M, ✆ 54 74 60 60, Télex 750959, Fax 54 74 85 71 – TV ☎ P. GB
R 79, enf. 39 – 32 – **61 ch** 270/350.

Campanile, ✆ 54 74 44 66, Télex 751628, Fax 54 74 02 40, – TV ☎ & P. AE GB
R 77 bc/99 bc, enf. 39 – 28 – **54 ch** 258 – ½ P 234/256.

Cottage H., ✆ 54 78 89 90, Télex 752242, Fax 54 56 02 27 – TV ☎ & P. AE GB
R *(fermé sam. midi)* 80 bc/100 bc, enf. 43 – 26 – **42 ch** 250/260 – ½ P 240/280.

à La Chaussée-St-Victor par ② : 4 km – 4 036 h. – ✉ 41260 :

Novotel M, ✆ 54 78 33 57, Télex 750232, Fax 54 74 25 13, – ch rest TV ☎ & P – 150. AE GB
R carte environ 150, enf. 50 – 50 – **116 ch** 400/490.

XX **La Tour**, N 152 ✆ 54 78 98 91, – P. GB
fermé dim. soir et lundi sauf fériés – **R** 120/190, enf. 70.

à St-Denis-sur-Loire par ② : 6 km – ✉ 41000 :

XXX ✿ **Host. La Malouinière** (Berthon) M avec ch, ✆ 54 74 76 81, Fax 54 74 85 96, « Jardin ombragé », – TV ☎ P. GB
fermé 4 janv. au 1er mars, dim. soir et lundi hors sais. – **R** (nombre de couverts limité-prévenir) 200 bc (déj.) et carte 290 à 440 – 75 – **8 ch** 800/1200
Spéc. Saint-Jacques au beurre blanc de Champagne (saison). Pigeon rôti aux saveurs d'antan. Délice noir à l'écorce d'orange.

à St-Gervais-la-Forêt par ④ : 4 km – ✉ 41350 :

Primevère, 320 r. Fédération ✆ 54 42 77 22, Fax 54 42 03 63, – P. GB – **R** 76/100, enf. 39 – 32 – **42 ch** 245/265.

à Vineuil par ④ : 4 km par D 956 ou par déviation Vierzon – 6 253 h. – ✉ 41350 :

Climat de France M, 48 r. Quatre Vents ✆ 54 42 70 22, Télex 752302, Fax 54 42 43 81 – TV ☎ & P – 60. AE GB
R *(fermé 24 au 31 déc.)* 85/130, enf. 42 – 32 – **58 ch** 270/350.

BLOIS

Commerce (R. du) . . . . Z
Orfèvres (R. des) . . . . Z 43
Papin (R. Denis) . . . . Z
Porte-Côté (R.) . . . . Z 48
Prés.-Wilson (Av.) . . . . Z 51

Abbé-Grégoire
(Quai de l') . . . . Z 2
Anne-de-Bretagne (R.) . . . . Z 3
Balzac (R. H.) . . . . V 5
Beauvoir (R.) . . . . Y 6
Bourg-Neuf
(R. du) . . . . X 9
Bourg-St-Jean
(R. du) . . . . Y 10
Cartier (R. R.) . . . . V 13
Chemonton (R.) . . . . Y 16
Clouseau (Mail) . . . . Y 17
Cordeliers (R. des) . . . . Y 18
Curie
(R. P. et M.) . . . . X 19
Dion (R. R.) . . . . V 20
Élus (R. F.) . . . . Z 22
Fossés-du-Chât.
(R. des) . . . . Z 23
Gambetta (Av.) . . . . X 25
Gaulle
(Pont Ch.-de) . . . . X 26
Guerry (Pl.) . . . . Y 27
Industrie
(Bd de l') . . . . V 29
Laigret (R. J.) . . . . Z 32
Leclerc (Av. du Mar.) . . . . . X 33
Lion-Ferré (R. du) . . . . Z 35

CHARTRES
CHÂTEAUDUN
ORLÉANS
PARIS
A 10-E 05
LE MANS
VENDÔME
ORLÉANS
0
500 m
R. A. Boulle
Av. de Châteaudun
Av. Gutenberg
R. de France
Vendôme
R. Latham
Bd des Cités Unies
Av. des Déportés
N.D. - DE
LA TRINITÉ
R. d'Auvergne
ST-
JOSEPH
R. de Wardshut
R. E. Branly
LOIRE
POL.
CHÂTEAU
Q. H. Chavigny
Bd A. Carrel
Levée des Parcs
Bd Dupuis
Q. du Foix
Q. A. Briand
ST-SATURNIN
VELODROME
ANGERS
CHÂTEAU-RENAULT
VIERZON
CHÂTEAUROUX
AMBOISE
TOURS
AMBOISE
MONTRICHARD

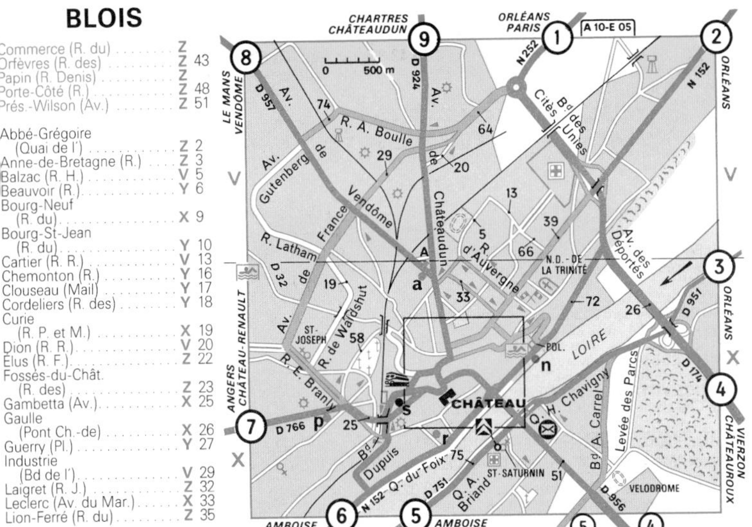

0
200 m
R. du Bourg-Neuf
R. d'Angleterre
Pl. J. Jaurès
Bd Eug. Riffault
Rue du Bourg
Rue du Haut-
Prêche
CENTRE DE
RENCONTRE
ET DE CONGRÈS
Pl. de la
République
Jardins
de l'Evêché
R. de la Paix
R. de la Franciade
R. Chambourbin
Cathédrale
St-Louis
R. du Palais
R. de la Garenne
R. Gallois
Rue Denis Papin
Rue du Commerce
R. J. Moulin
Pl. V.-Hugo
Pl. du
Château
Jardin
du Roi
CHÂTEAU
R. du Mal de Lattre de T.
LOIRE
Pont J. Gabriel
Q. de la Saussaye
R. St-Lubin
Av. Gambetta
R. des Lices
ST-NICOLAS
Chocolateries
Poulain

Louis-XII (Pl.) . . . . Z 38
Maunoury
(Av. du Mar.) . . . . Y 39
Monsabre
(R. du Père) . . . . Z 41
Papegaults (R. des) . . . . . . Y 44
Papin (Escaliers D.) . . . . . . Y 45
Pierre-de-Blois (R.) . . . . . . Z 46
Poids-du-Roi (R. du) . . . . . Z 47

Puits-Châtel (R. du) . . . . . . Y 52
Remparts (R. des) . . . . Y 53
Résistance
(Rd-Pt-de la) . . . . Z 55
Ronsard (R. P.) . . . . X 58
St-Honoré (R.) . . . . YZ 59
St-Jean (Q.) . . . . Y 60
St-Louis (Pl.) . . . . Y 62
St-Martin (R.) . . . . Z 63

Schuman (Av. R.) . . . . V 64
Signeuix (R. de) . . . . V 66
Trois-Marchands
(R. des) . . . . Z 67
Trouessard (R.) . . . . Y 69
Vauvert (R.) . . . . Z 70
Verdun (Av. de) . . . . X 72
Vezin (R. A.) . . . . V 74
Villebois-Mareuil (Q.) . . . . X, Z 75

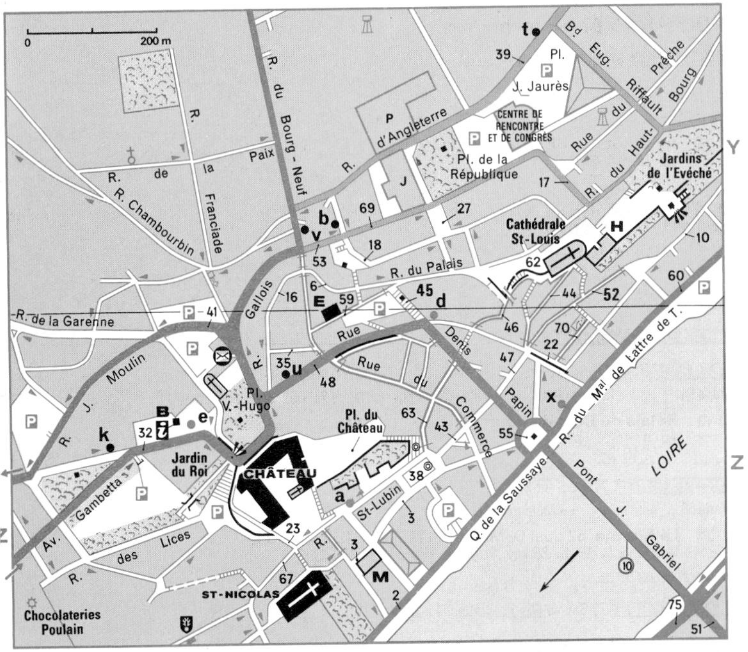

à Chailles par ⑤ : 8 km – ✉ **41120** :

XX **Aub. de Chailles,** D 751 ✆ 54 79 43 85, – P. AE ① GB
fermé 9 sept. au 4 oct., 28 janv. au 14 fév., merc. soir et jeudi hors sais. – **R** 75 (sauf sam.)/190, enf. 45.

par ⑥ : 2,5 km sur N 152 – ✉ **41000** Blois :

XX **L'Espérance,** par ⑤ : 2 km N 152 ✆ 54 78 09 01, ≤ – P. GB.
fermé 17 au 31 août, 3 au 24 fév., dim. soir et lundi – **R** 120/320, enf. 60.

à Molineuf par ⑦ : 9 km – ✉ **41190** :

XX **Poste,** ✆ 54 70 03 25, Fax 54 70 12 46 – P. AE ① GB
fermé fév., dim. soir et merc. – **Repas** 88/198, enf. 50.

ALFA-ROMEO Gar. Blot Frères, 47 bis R. Nle à la Chaussée-St-Victor ✆ 54 78 67 13
BMW Gar. Papon, 44 r. Mar.-de-Lattre-de-Tassigny ✆ 54 78 77 06
CITROEN Alteam 2, ZA Gds Champs, bd Jos Paul Boncour ✆ 54 78 42 22
FIAT Blanc, 42 av. Mar.-Maunoury ✆ 54 78 04 62
MERCEDES-BENZ Malard, rte de Paris, La Chaussée-St-Victor ✆ 54 78 34 40
PEUGEOT-TALBOT Sté Autom. Blésoise, 11 R Nle, La Chaussée-St-Victor par ① ✆ 54 55 22 00
RENAULT Blois les Saules Autom., carrefour Schuman ✆ 54 74 02 99 N ✆ 54 74 02 99
V.A.G Auto-Service, av. R.-Schuman ✆ 54 78 67 84
VOLVO Gar. Ribout, 6 r. Berthonneau ✆ 54 20 07 09

Perry-Pneus, av. de Châteaudun ✆ 54 78 18 74
Tours Pneus Interpneus, 44 av. de Vendôme ✆ 54 43 48 40

BLUFFY (Col de) **74** H.-Savoie 74 ⑧ – 203 h. alt. 670 – ✉ **74290** Veyrier-du-Lac.
Paris 548 – Albertville 37 – Annecy 11 – La Clusaz 23 – Megève 52.

X **Dents de Lanfon** avec ch, ✆ 50 02 82 51, – ☎ P. GB
fermé 9 au 16 juin, 2 au 31 janv., dim. soir de sept. à juin (sauf hôtel) et lundi (sauf hôtel en juil.-août) – **Repas** 98/174 ♁, enf. 42 – ☕ 24 – **7 ch** 218/254 – ½ P 220/237.

BOBIGNY **93** Seine-St-Denis 56 ⑪, 101 ⑰ – voir à Paris, Environs.

BOÉ **47** L.-et-G. 79 ⑮ – rattaché à Agen.

BOERSCH **67** B.-Rhin 62 ⑨ – rattaché à Obernai.

BOGÈVE **74250** H.-Savoie 74 ⑦ – 675 h. alt. 925.
Paris 563 – Annecy 57 – Thonon-les-Bains 29 – Bonneville 19 – Genève 31 – Morzine 41.

Le Jorat , SE : 1 km par rte Brasses ✆ 50 36 61 15, Fax 50 36 63 41, ≤, , – ☎ P. AE ① GB
fermé 15 nov. au 15 déc. – **R** 120/300 ♁, enf. 50 – ☕ 30 – **12 ch** 230/280 – ½ P 250/280.

BOGNY-SUR-MEUSE **08120** Ardennes 53 ⑱ – 5 981 h. alt. 145 – **Voir** N : Rocher des Quatre Fils Aymon★, G. Champagne – Paris 243 – Charleville-Mézières 18 – Givet 41 – Monthermé 3,5 – Rocroi 28.

Micass' H, pl. République ✆ 24 32 02 72 – ☎. GB
fermé 5 au 28 août, sam. de nov. à mars et dim. soir – **R** 55/130 ♁ – ☕ 22 – **13 ch** 160/180.

BOIS COLOMBES **92** Hauts-de-Seine 55 ⑳, 101 ⑭ – voir à Paris, Environs.

BOIS DE LA CHAIZE **85** Vendée 67 ① – voir à Noirmoutier (Ile de).

BOIS-DU-FOUR **12** Aveyron 80 ④ – alt. 800 – ✉ **12780** Vézins-de-Lévézou.
Paris 641 – Rodez 45 – Aguessac 15 – Millau 21 – Pont-de-Salars 25 – Sévérac-le-Château 17.

Relais du Bois du Four , ✆ 65 61 86 17, parc – ☎ P. GB. rest
15 mars-30 nov. et fermé merc. hors sais. – **R** 60/150 ♁ – ☕ 26 – **27 ch** 105/220 – ½ P 216/255.

BOIS-LE-ROI **77590** S.-et-M. 61 ② – 4 744 h. alt. 80.
Paris 59 – Fontainebleau 9 – Meulun 9 – Montereau-Faut-Yonne 24.

XX **La Marine,** 52 quai O. Metra ✆ (1) 60 69 61 38, – GB
fermé oct., 15 au 28 fév., lundi et mardi – **R** 150/200.

Gere ✆ 60 69 60 65

Les BOISSES **73** Savoie 74 ⑲ – rattaché à Tignes.

BOISSET **15600** Cantal 76 ⑪ – 653 h. alt. 425.
Paris 603 – Aurillac 29 – Calvinet 17 – Entraygues-sur-Truyère 47 – Figeac 35 – Maurs 13.

NE : 3 km par D 64 – ✉ **15600** Boisset :

Aub. de Concasty (annexe M 6 ch), ✆ 71 62 21 16, Fax 71 62 22 22, ≤, , , – ☎ ♿ P. AE ① GB
R *(fermé merc. sauf vacances scolaires)* (sur réservation seul.) 120/180 – ☕ 38 – **13 ch** 260/360 – ½ P 350.

BOISSEUIL **87220** H.-Vienne 72 ⑰ ⑱ – 1 558 h. alt. 383.
Paris 409 – ◆Limoges 12 – Bourganeuf 46 – Nontron 71 – Périgueux 96 – Uzerche 48.

Le Relais, ✆ 55 06 90 06, – ☎. GB. – *fermé 29 avril au 3 mai, 20 juil. au 10 août, 23 déc. au 3 janv., dim. soir et merc.* – **R** grill 120 – ☕ 25 – **9 ch** 150/270.

BOIS-VERT **16** Charente 75 ② – rattaché à Barbezieux.

BOLBEC **76210** S.-Mar. 55 ④ – 12 372 h. alt. 51.
Paris 190 – Fécamp 23 – ◆Le Havre 30 – ◆Rouen 58 – Yvetot 20.

Fécamp sans rest, 15 r. J. Fauquet ✆ 35 31 00 52 – TV ☎. GB.
fermé 15 janv. au 1er fév. et dim. du 1er oct. au 1er mars – ☕ 22 – **25 ch** 170/270.

PEUGEOT, TALBOT Gar. Quesnel, 484 av. Mar.-Joffre ✆ 35 31 07 11 N

Vulcanisation Normande, 81 bis et 83 r. G.-Clemenceau ✆ 35 31 06 87

BOLLENBERG **68** H.-Rhin 62 ⑱ ⑧ – rattaché à Rouffach.

BOLLÈNE **84500** Vaucluse 81 ① **G. Provence** – 13 907 h.
Paris 639 – Avignon 50 – Montélimar 34 – Nyons 35 – Orange 22 – Pont-Saint-Esprit 10.

Château du Rocher et rest. Belle Écluse, 42 av. E. Lachaux (rte Nyons) ✆ 90 40 09 09, – TV ☎ P. AE GB
R 150/300, enf. 40 – ☕ 40 – **15 ch** 250/350 – ½ P 190/250.

La BOLLÈNE-VÉSUBIE **06** Alpes-Mar. 84 ⑲ 195 ⑰ **G. Côte d'Azur** – 308 h. alt. 690 – ✉ **06450** Lantosque – **Voir** Chapelle St-Honorat ≤★ S : 1 km.
Paris 973 – ◆Nice 55 – Puget-Théniers 56 – Roquebillière 6,5 – St-Martin-Vésubie 16 – Sospel 35.

Gd H. du Parc, D 70 ✆ 93 03 01 01, , parc – ☎ P. AE . rest
1er mai-1er oct. – **R** 80/163 – ☕ 29 – **42 ch** 130/330 – ½ P 290/338.

BOLLEZEELE **59470** Nord 51 ③ – 1 476 h. alt. 38.
Paris 265 – ◆Calais 47 – Dunkerque 23 – ◆Lille 70 – St. Omer 17.

Host. St-Louis M , ✆ 28 68 81 83, Fax 28 68 01 17, – TV ☎ P – 25 à 90. AE GB
fermé janv., lundi (sauf hôtel) et dim. soir – **R** 140/320 – ☕ 50 – **20 ch** 260/450 – ½ P 325.

BONDUES **59** Nord 51 ⑯ – rattaché à Lille.

BON-ENCONTRE **47** L.-et-G. 79 ⑮ – rattaché à Agen.

Le BONHOMME **68** H.-Rhin 62 ⑱ **G. Alsace Lorraine** – 607 h. alt. 700 – Sports d'hiver : 830/1 230 m 10 – ✉ **68650** Lapoutroie.
Paris 421 – Colmar 26 – Gérardmer 36 – St-Dié 31 – Ste-Marie-aux-Mines 16 – Sélestat 39.

Poste, ✆ 89 47 51 10, Fax 89 47 23 85, – TV ☎ P. AE GB. rest
fermé 4 nov. au 19 déc., merc. midi en sais., mardi soir et merc. hors sais. – **R** 70/200 , enf. 40 – ☕ 30 – **24 ch** 135/250 – ½ P 170/250.

BONLIEU **39130** Jura 70 ⑮ **G. Jura** – 206 h. alt. 780.
Voir Belvédère de la Dame Blanche ≤★ NO : 2 km puis 30 mn.
Paris 426 – Champagnole 22 – Lons-le-Saunier 33 – Morez 25 – St-Claude 41.

Lac , E : 2 km par N 78 et VO ✆ 84 25 57 11, ≤, – P – 25 – **39 ch.**

XXX ✿ **La Poutre** (Moureaux) avec ch, ✆ 84 25 57 77 – TV ☎ P. GB
fermé 11 nov. au 8 fév. – **R** 120/420 – ☕ 33 – **10 ch** 280/350 – ½ P 270/330
Spéc. Ragoût d'écrevisses (juil. à oct.), Filet de truite aux morilles, Crêpes au praliné. **Vins** Arbois, Côtes du Jura.

BONNATRAIT **74** H.-Savoie 70 ⑰ – rattaché à Thonon-les-Bains.

BONNE **74380** H.-Savoie 74 ⑥ ⑦ – 1 815 h. alt. 493.
Paris 550 – Annecy 44 – Thonon-les-Bains 30 – Bonneville 15 – ◆Genève 19 – Morzine 42.

Hexagone, ✆ 50 39 20 19, Fax 50 36 27 80 – TV ☎ & P. GB – *fermé 6 au 19 janv. et dim. midi* – **R** carte 110 à 170 – ☕ 28 – **36 ch** 170/295 – ½ P 175/190.

XX **Baud** avec ch, ✆ 50 39 20 15, , – ☎ P. GB
fermé 15 juin au 5 juil. – **R** 80/200 – ☕ 26 – **12 ch** 130/230 – ½ P 230/280.

BONNEUIL-SUR-MARNE **94** Val-de-Marne 61 ①, 101 ㉗ – Voir à Paris, Environs.

BONNEVAL **28800** E.-et-L. 60 ⑰ **G. Châteaux de la Loire** – 4 420 h. alt. 123.
Voir Porte fortifiée★ de l'ancienne abbaye.
Paris 117 – Chartres 30 – ◆Orléans 58 – Ablis 57,5 – Châteaudun 14,5 – Étampes 70.

XX **Host. Bois Guibert** avec ch, S : 2 km sur N 10 ✆ 37 47 22 33, parc, « Ancienne gentilhommière du 17e siècle » – ☎ P. AE GB
fermé 17 janv. au 20 fév., lundi (sauf le soir du 1er mai au 20 sept.) et dim. soir hors sais. – **R** 110/280 – ☕ 40 – **14 ch** 200/400 – ½ P 270/370.

CITROEN Gar. Pasquier, 80 r. de Chartres ✆ 37 47 28 90

PEUGEOT-TALBOT Boudet, 45 r. de la Résistance ✆ 37 47 24 39
RENAULT Miard, 138 r. de Chartres ✆ 37 47 46 60

BONNEVAL-SUR-ARC 73480 Savoie 74 ⑲ G. Alpes du Nord – 216 h. alt. 1 800 – Sports d'hiver : 1 800, 3 000 m ⛷10.

Voir Vieux village★.

Syndicat d'Initiative ✆ 79 05 95 95.

Paris 689 – Albertville 113 – Chambéry 145 – Lanslebourg 19 – Val-d'Isère 30.

La Marmotte M, ✆ 79 05 94 82, Fax 79 05 90 08, ←, – ☎ P. GB.
20 juin-20 sept. et 20 déc.-5 mai – **R** 97/180, enf. 60 – ☐ 30 – **28 ch** 275/300.

La Bergerie, ✆ 79 05 94 97, Fax 79 05 93 24, ← – ☎ P. GB.
15 juin-30 sept. et 20 déc.-10 mai – **R** 62/135, enf. 45 – ☐ 32 – **23 ch** 180/250 – ½ P 240/260.

XX **Aub. Le Pré Catin,** ✆ 79 05 95 07, ←, – AE GB
26 juin-27 sept., 19 déc.-9 mai et fermé lundi – **R** 92/147, enf. 50.

BONNEVILLE SP 74130 H.-Savoie 74 ⑦ G. Alpes du Nord – 9 998 h. alt. 450.

Syndicat d'Initiative pl. Hôtel de Ville ✆ 50 97 38 37.

Paris 558 – Annecy 41 – Chamonix 54 – Thonon 46 – Albertville 70 – Nantua 86.

Sapeur H. et rest. L'Eau Sauvage (Guénon), pl. Hôtel de Ville ✆ 50 97 20 68, Fax 50 25 73 48 – TV ☎ – 25. AE GB.
fermé 31 août au 10 sept., 2 au 15 janv., lundi (sauf le soir du 15/7 au 30/8) et dim. soir de sept. à mi-juil. – **R** 200/300, enf. 100 – ☐ 40 – **15 ch** 250/300 – ½ P 280/300
Spéc. Carpaccio de bar aux concombres, Minestrone de lotte et langouste, Marquise aux trois chocolats. Vins Roussette de Seyssel, Gamay.

Arve, r. Pont ✆ 50 97 01 28, – TV ☎. GB. ch
fermé sept., vend. soir et sam. sauf août – **R** 83/198 – ☐ 24 – **15 ch** 190/226 – ½ P 201.

Aub. du Coteau, à Ayse, E : 2,5 km par D 6 ✆ 50 97 25 07, Fax 50 25 67 02, – TV ☎ P. GB
R *(fermé 23 au 30 mai, 14 au 29 août, 1er au 15 janv., lundi midi et dim.)* 75/125 – ☐ 28 – **9 ch** 250/320 – ½ P 220/230.

Bellevue, à Ayse E : 2,5 km par D 6 ✆ 50 97 20 83, ←, – ☎ P. GB. rest
25 juin-10 sept. – **R** 83/125 – ☐ 25 – **22 ch** 210/240 – ½ P 195/205.

PEUGEOT-TALBOT Andréoléty, 403 av. Glières ✆ 50 97 20 93

Barret, 744 av. de Genève ✆ 50 97 02 22

La BONNEVILLE 95 Val-d'Oise 55 ⑳, 106 ⑥ – rattaché à Cergy-Pontoise (Pontoise).

BONNIÈRES-SUR-SEINE 78270 Yvelines 55 ⑱ 106 ② – 3 437 h. alt. 20.

Paris 70 – ◆Rouen 68 – Évreux 33 – Magny-en-Vexin 25 – Mantes-la-Jolie 12 – Vernon 10,5 – Versailles 56.

XXX **Host. Bon Accueil,** rte Vernon : 1,5 km ✆ (1) 30 93 01 00 – P. AE GB
fermé août, vacances de fév., mardi soir et merc. – **R** 95/290.

BONNIEUX 84480 Vaucluse 81 ⑬ G. Provence (plan) – 1 422 h. alt. 400.

Voir Tableaux★ dans l'église neuve – Terrasse ←★.

Syndicat d'Initiative Intercommunal pl. Carnot ✆ 90 75 91 90.

Paris 724 – Aix-en-Provence 45 – Apt 11,5 – Avignon 44 – Carpentras 43 – Cavaillon 25.

Host. du Prieuré, ✆ 90 75 80 78, ←, « Ancien prieuré », – GB
15 fév.-5 nov. – **R** *(fermé mardi midi, merc. midi, jeudi midi de juil. à sept., merc. midi et mardi d'oct. à juin)* 135/190 – ☐ 37 – **10 ch** 450/490 – ½ P 316/391.

au SE : 6 km par D 36, D 943 et chemin privé – ✉ 84480 Bonnieux :

L'Aiguebrun, ✆ 90 74 04 14, ←, « Dans un vallon du Lubéron », – ☎ P
9 ch.

BONSECOURS 76 S.-Mar. 55 ⑥ – rattaché à Rouen.

BONS-EN-CHABLAIS 74890 H.-Savoie 70 ⑰ – 3 275 h. alt. 548.

Paris 554 – Thonon-les-Bains 15 – Annecy 59 – Bonneville 31 – ◆Genève 22.

Progrès M, ✆ 50 36 11 09, – TV ☎. GB
fermé 2 au 31 janv., dim. soir et lundi sauf du 15 juil. au 30 août – **Repas** 80/260 – ☐ 30 – **10 ch** 280/300 – ½ P 245.

BONSON 42160 Loire 73 ⑱ – 3 880 h. alt. 485.

Voir Sury-le-Comtal : décoration★ du château NO : 3 km – St-Rambert-sur-Loire : église★, bronzes★ du musée SE : 3,5 km, G. Vallée du Rhône.

Paris 515 – ◆St-Etienne 18 – Feurs 28 – Montbrison 14.

X **Voyageurs** avec ch, à la Gare ✆ 77 55 16 15, Fax 77 36 76 33, – TV ☎ P. AE GB
fermé vend. soir en hiver et sam. – **R** 70/150 – ☐ 25 – **7 ch** 145/215.

BORDEAUX Ⓟ **33000** Gironde **171** ⑨ **G. Pyrénées Aquitaine** – 210 336 h. Communauté urbaine 624 286 h alt. 5.

Voir Grand Théâtre★★ DX – Cathédrale St-André★ et tour Pey Berland★ DY **E** – Place de la Bourse★ EX – Basilique St-Michel★ EY – Place du Parlement★ EX **66** – Église Notre-Dame★ DX – Façade★ de l'église Ste-Croix FZ – Fontaines★ du monument aux Girondins DX **R** – Grosse cloche★ EY **Q** – Cour d'honneur★ de l'hôtel de ville DY **H** – Balcons★ du cours Xavier-Arnozan AU **5** – Musées : des Beaux-Arts★★ CDY **M**[1], des Arts décoratifs★ DY **M**[2], d'Aquitaine★ DY **M**[3] – Établissement monétaire★ de Pessac AV **K**.

⛳18 Golf Bordelais ℘ 56 28 56 04, NO par D 109 : 4 km AU ; ⛳18 ⛳18 de Bordeaux Lac ℘ 56 50 92 72, N par D 2 : 10 km R ; ⛳9 ⛳18 de Cameyrac ℘ 56 72 96 79, par ② : 18 km ; ⛳9 ⛳9 ⛳9 ⛳9 Internat. Bordeaux-Pessac ℘ 56 36 24 47, par ⑦ : 16 km.

✈ de Bordeaux-Mérignac : ℘ 56 34 50 00, par ⑧ : 11 km.

🚗 ℘ 56 92 50 50.

🅸 Office de Tourisme et Accueil de France (Informations, change et réservations d'hôtels, pas plus de 5 jours à l'avance) 12 cours 30-Juillet ℘ 56 44 28 41, Télex 570362, à la Gare St-Jean ℘ 56 91 64 70 et à l'Aéroport, hall arrivée ℘ 56 34 39 39 – A.C. du Sud-Ouest 8 pl. Quinconces ℘ 56 44 22 92 – Maison du vin de Bordeaux, 3 cours 30-juillet (Informations, dégustation - fermé week-end 16 oct.-14 mai) ℘ 56 00 22 66 DX **z**.

Paris 579 ① – ♦Lyon 531 ② – ♦Nantes 324 ① – ♦Strasbourg 919 ① – ♦Toulouse 245 ⑤.

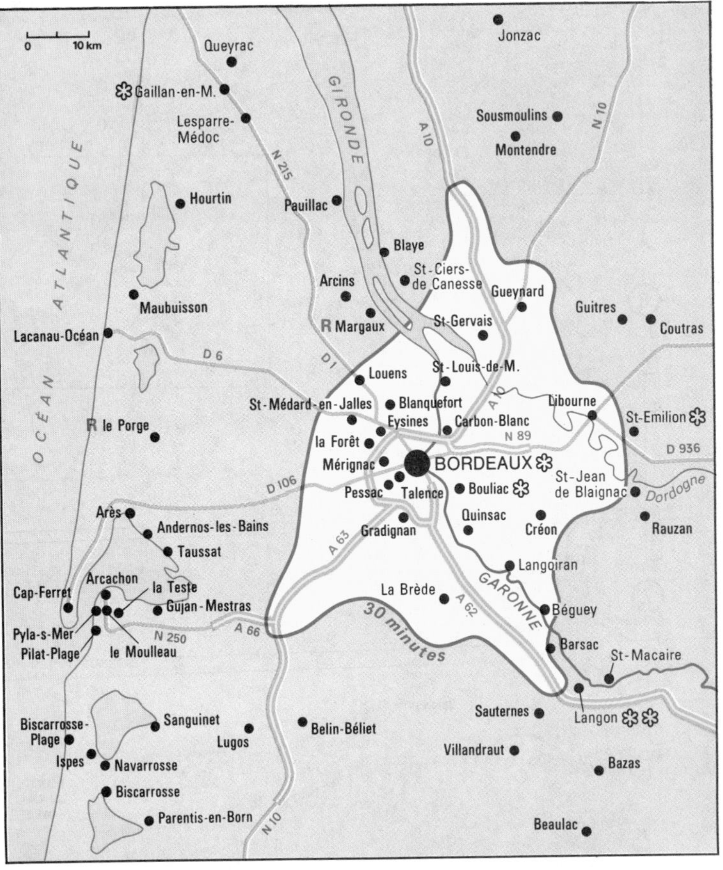

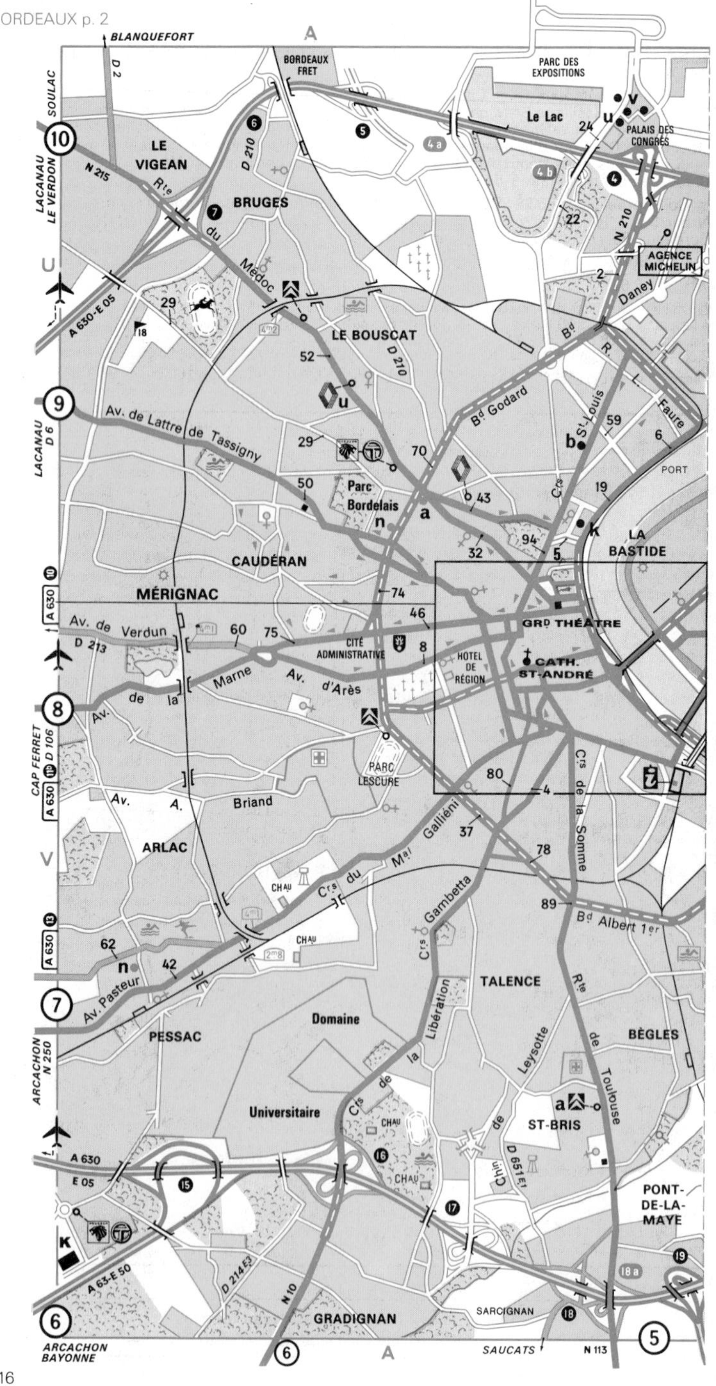
BLANQUEFORT
BORDEAUX FRET
PARC DES EXPOSITIONS
Le Lac
PALAIS DES CONGRÈS
AGENCE MICHELIN
LE VIGEAN
BRUGES
LE BOUSCAT
Parc Bordelais
CAUDÉRAN
MÉRIGNAC
LA BASTIDE
GRD THÉATRE
CATH. ST-ANDRÉ
HOTEL DE RÉGION
CITÉ ADMINISTRATIVE
PARC LESCURE
ARLAC
TALENCE
PESSAC
Domaine Universitaire
BÈGLES
ST-BRIS
PONT-DE-LA-MAYE
GRADIGNAN
SARCIGNAN
SOULAC
LACANAU LE VERDON
LACANAU D 6
CAP FERRET
ARCACHON N 250
ARCACHON BAYONNE
SAUCATS
N 113
Av. de Lattre de Tassigny
Av. de Verdun
Av. de la Marne
Av. d'Arès
Av. A. Briand
Crs du Mal Gallieni
Crs Gambetta
Crs de la Libération
Crs de la Somme
Rte de Toulouse
Chin de Leysotte
Bd Albert 1er
Bd Godard
Crs St-Louis
R. L. Faure
Bd Daney
Rte du Médoc
Av. Pasteur
PORT
A 630-E 05
A 63-E 50
D 2
D 210
N 215
D 213
D 214E3
D 651E1
N 10
N 210

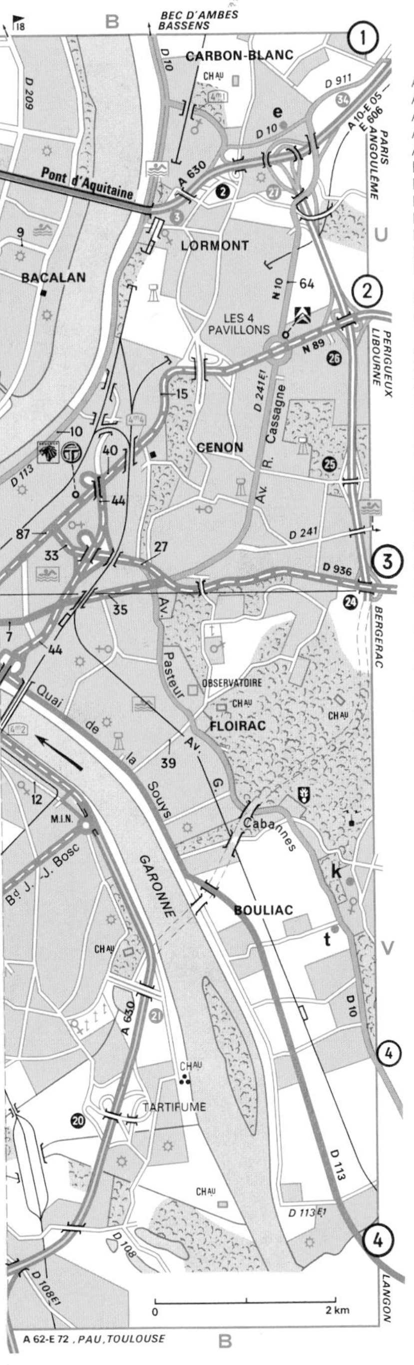

BORDEAUX

Les cartes Michelin sont constamment tenues à jour.

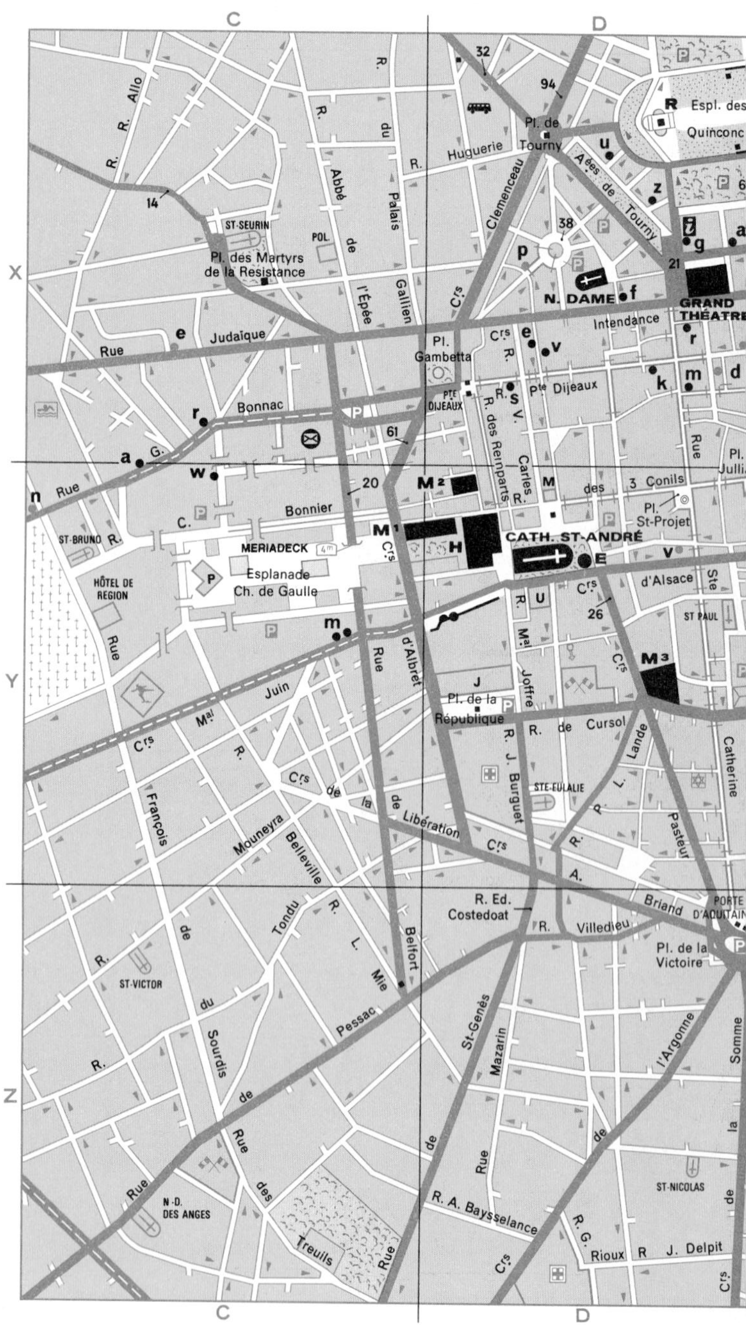
C
D
X
Y
Z
Pl. de Tourny
Espl. des Quinconces
Huguerie
Clemenceau
Allées de Tourny
ST-SEURIN
Pl. des Martyrs de la Résistance
POL.
R. Abbé de l'Épée
R. du Palais Gallien
N. DAME
GRAND THÉÂTRE
Intendance
Rue Judaïque
Pl. Gambetta
PTE DIJEAUX
Pte Dijeaux
R. des Remparts
Bonnac
Bonnier
MERIADECK
Esplanade Ch. de Gaulle
ST-BRUNO
HÔTEL DE REGION
CATH. ST-ANDRÉ
Crs d'Albret
Crs d'Alsace
ST PAUL
Pl. St-Projet
Conils
Pl. Jullien
Pl. de la République
R. de Cursol
R. J. Burguet
STE-EULALIE
Crs Mal Juin
Crs de la Libération
R. François de Sourdis
Mouneyra
Belleville
Tondu
R. L. Mie
Belfort
R. Ed. Costedoat
R. Villedieu
Crs A. Briand
PORTE D'AQUITAINE
Pl. de la Victoire
Pasteur
Catherine
ST-VICTOR
Pessac
St-Genès
Mazarin
l'Argonne
Somme
ST-NICOLAS
N-D. DES ANGES
Rue des Treuils
R. A. Baysselance
R. G. Rioux
R. J. Delpit

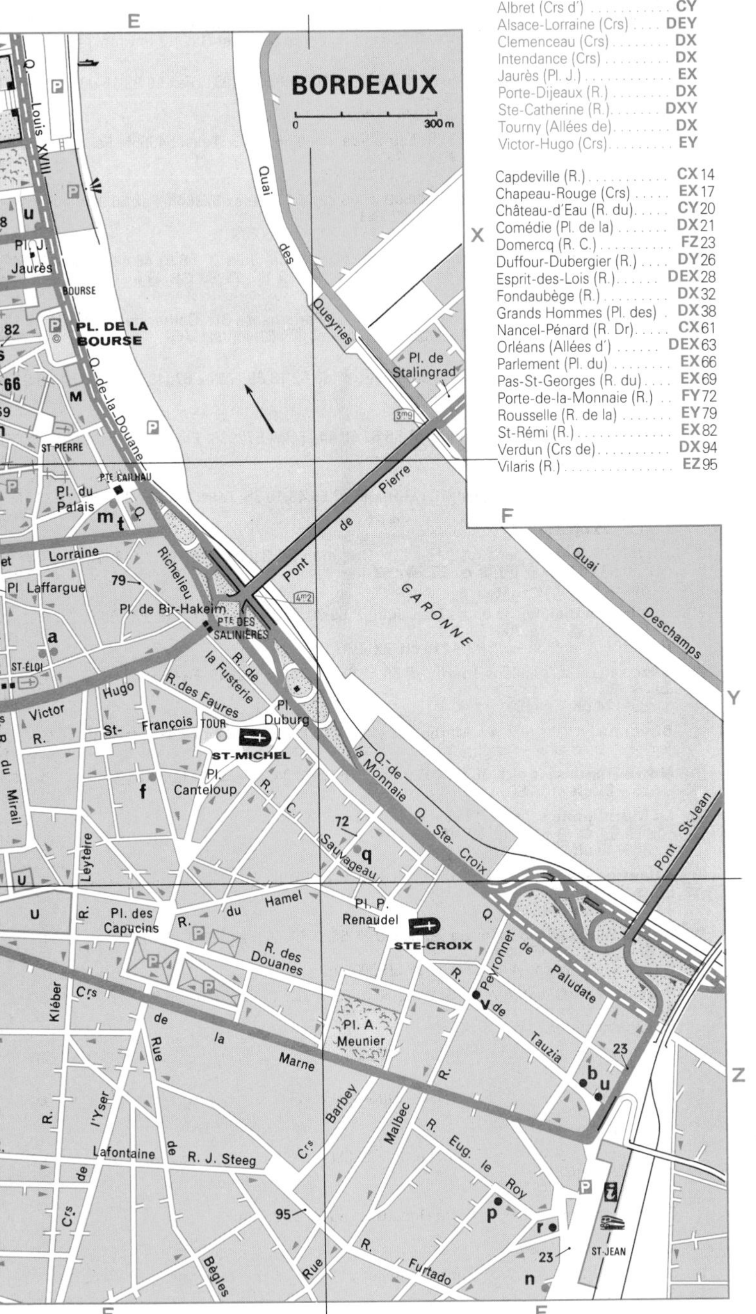
BORDEAUX
0
300 m
Albret (Crs d') . . . . CY
Alsace-Lorraine (Crs) . . . . DEY
Clemenceau (Crs) . . . . DX
Intendance (Crs) . . . . DX
Jaurès (Pl. J.) . . . . EX
Porte-Dijeaux (R.) . . . . DX
Ste-Catherine (R.) . . . . . . DXY
Tourny (Allées de) . . . . DX
Victor-Hugo (Crs) . . . . EY
Capdeville (R.) . . . . CX 14
Chapeau-Rouge (Crs) . . . . . EX 17
Château-d'Eau (R. du) . . . . . CY 20
Comédie (Pl. de la) . . . . DX 21
Domercq (R. C.) . . . . FZ 23
Duffour-Dubergier (R.) . . . . DY 26
Esprit-des-Lois (R.) . . . . . . DEX 28
Fondaubège (R.) . . . . DX 32
Grands Hommes (Pl. des) . DX 38
Nancel-Pénard (R. Dr) . . . . . CX 61
Orléans (Allées d') . . . . . . DEX 63
Parlement (Pl. du) . . . . EX 66
Pas-St-Georges (R. du) . . . . EX 69
Porte-de-la-Monnaie (R.) . . FY 72
Rousselle (R. de la) . . . . EY 79
St-Rémi (R.) . . . . EX 82
Verdun (Crs de) . . . . DX 94
Vilaris (R.) . . . . EZ 95
E
F
X
Y
Z
Q. Louis XVIII
Pl. J. Jaurès
BOURSE
PL. DE LA BOURSE
Q.-de-la-Douane
ST PIERRE
PTE CAILHAU
Pl. du Palais
Q. Richelieu
Lorraine
Pl Laffargue
Pl. de Bir-Hakeim
PTE DES SALINIÈRES
ST-ÉLOI
R. de la Fusterie
R. des Faures
Victor Hugo
R. St- François
TOUR
ST-MICHEL
Pl. Duburg
Pl. Canteloup
R. du Mirail
Leyteire
Pl. des Capucins
R. du Hamel
R. C. Sauvageau
Pl. P. Renaudel
STE-CROIX
R. des Douanes
Q. de la Monnaie
Q. Ste-Croix
Q. de Paludate
R. Peyronnet
R. de Tauzia
Crs de la Marne
Pl. A. Meunier
Kléber
Rue de
R. de l'Yser
Lafontaine
R. J. Steeg
Crs Barbey
Malbec
R. Eug. le Roy
R. Furtado
Rue
Crs de Bègles
ST-JEAN
Quai des Queyries
Pl. de Stalingrad
Pont de Pierre
GARONNE
Quai Deschamps
Pont St-Jean

Château Chartron [M], 81 cours St-Louis ✉ 33300 ✆ 56 43 15 00, Télex 573938, Fax 56 69 15 21, – |♦| ≡ ▣ ☎ ♿ – 🏋 30 à 200. AE ⓓ GB
Novamagus *(fermé sam. et dim.)* **R** 350 enf. 120 – **Le Cabernet R** carte environ 140 – ☕ 60 – **130 ch** 650/850, 15 appart. 1100/1500. AU **b**

Burdigala [M], 115 r. G. Bonnac ✆ 56 90 16 16, Télex 572981, Fax 56 93 15 06 – |♦| ≡ ▣ ☎ ♿ – 🏋 100. AE ⓓ GB JCB CX **r**
R 140/340 – ☕ 65 – **68 ch** 720/1300, 7 duplex 1100/1900.

Pullman Mériadeck [M], 5 r. R. Lateulade ✆ 56 56 43 43, Télex 540565, Fax 56 96 50 59 – |♦| ≡ ▣ ☎ – 🏋 350. AE ⓓ GB. ✻ rest CY **w**
Le Mériadeck R 140/210bc – ☕ 65 – **192 ch** 520/750.

Alliance [M], 30 r. de Tauzia ✉ 33800 ✆ 56 92 21 21, Télex 573848, Fax 56 91 08 06, – |♦| ch ≡ ▣ ☎ ♿ – 🏋 80. AE GB FZ **v**
R *(fermé dim.)* 90/120 – ☕ 50 – **90 ch** 450/500 – ½ P 305/315.

Novotel Bordeaux-Centre [M], 45 cours Maréchal Juin ✆ 56 51 46 46, Télex 573749, Fax 56 98 25 56, – |♦| ch ≡ ▣ ☎ ♿ – 🏋 80. AE ⓓ GB JCB CY **m**
R carte environ 160, enf. 50 – ☕ 48 – **136 ch** 480/530.

Sainte-Catherine [M] sans rest, 27 r. Parlement Ste-Catherine ✆ 56 81 95 12, Télex 573215, Fax 56 44 50 51 – |♦| ≡ ▣ ☎ – 🏋 45. AE ⓓ GB JCB DX **m**
☕ 65 – **82 ch** 510/810.

Normandie sans rest, 7 cours 30-Juillet ✆ 56 52 16 80, Télex 570481, Fax 56 51 68 91 – |♦| ▣ ☎. AE ⓓ GB JCB DX **z**
☕ 37 – **100 ch** 280/530.

Majestic sans rest, 2 r. Condé ✆ 56 52 60 44, Télex 572938, Fax 56 79 26 70 – |♦| ≡ ▣ ☎. AE ⓓ GB JCB DX **a**
☕ 32 – **49 ch** 310/440.

Gd H. Français [M] sans rest, 12 r. Temple ✆ 56 48 10 35, Télex 550587, Fax 56 81 76 18 – |♦| ≡ ▣ ☎ ♿. AE ⓓ GB DX **v**
☕ 45 – **35 ch** 330/550.

Royal St Jean [M] sans rest, 15 r. Ch. Domercq ✉ 33800 ✆ 56 91 72 16, Télex 570468, Fax 56 94 08 32 – |♦| ▣ ☎ ♿. AE ⓓ GB FZ **u**
☕ 40 – **37 ch** 250/410.

Ibis Mériadeck [M], 35 cours Mar. Juin ✆ 56 90 10 33, Télex 572918, Fax 56 96 33 15 – |♦| ≡ ▣ ☎ ♿ Ⓟ – 🏋 250. AE GB CY **m**
R 80/155 🍷, enf. 35 – ☕ 32 – **210 ch** 306/389.

Sèze sans rest, 23 allées Tourny ✆ 56 52 65 54, Télex 572808, Fax 56 44 31 83 – |♦| ▣ ☎. AE ⓓ GB DX **u**
☕ 35 – **24 ch** 290/450.

Bayonne [M] sans rest, 4 r. Martignac ✆ 56 48 00 88, Fax 56 44 59 58 – |♦| ▣ ☎ ♿. AE GB
fermé 1er au 8 janv. – ☕ 45 – **36 ch** 300/460. DX **f**

Notre Dame sans rest, 36 r. N.-Dame ✆ 56 52 88 24, Fax 56 79 12 67 – ▣ ☎. AE ⓓ GB
☕ 25 – **21 ch** 210/280. AU **k**

La Méridienne sans rest, 155 r. G. Bonnac ✆ 56 24 08 88, Télex 560883, Fax 56 98 14 28 – |♦| ≡ ▣ ☎ Ⓟ – 🏋 40. AE ⓓ GB. ✻ CXY **a**
☕ 30 – **40 ch** 270/330.

Atlantic sans rest, 69 r. E. Leroy ✉ 33800 ✆ 56 92 92 22, Télex 572248, Fax 56 94 21 42 – ▣ ☎. AE ⓓ GB FZ **r**
☕ 30 – **36 ch** 190/280.

Relais Bleus [M], 68 r. Tauzia ✉ 33800 ✆ 56 91 55 50, Fax 56 91 08 41 – |♦| ≡ rest ▣ ☎ ♿ Ⓟ – 🏋 60. AE ⓓ GB FZ **b**
R 68 bc/120 bc, enf. 45 – ☕ 32 – **88 ch** 280/350.

Presse [M] sans rest, 6 r. Porte Dijeaux ✆ 56 48 53 88, Fax 56 01 05 82 – |♦| ▣ ☎. AE ⓓ GB DX **k**
☕ 29 – **30 ch** 185/340.

Trianon sans rest, 5 r. Temple ✆ 56 48 28 35, Fax 56 51 17 81 – ▣ ☎. GB. ✻ DX **e**
☕ 35 – **18 ch** 260/360.

du Théâtre sans rest, 10 r. Maison Daurade ✆ 56 79 05 26, Fax 56 81 15 64 – ▣ ☎. AE ⓓ GB DX **r**
☕ 25 – **23 ch** 200/290.

California [M] sans rest, 47 r. E. Leroy ✉ 33800 ✆ 56 91 58 97, Fax 56 91 61 90 – ▣ ☎ – 🏋 25. AE ⓓ GB FZ **p**
☕ 30 – **17 ch** 250/290.

Gambetta sans rest, 66 r. Porte Dijeaux ✆ 56 51 21 83, Fax 56 81 00 40 – |♦| ▣ ☎. AE ⓓ GB DX **s**
☕ 30 – **31 ch** 245/290.

des 4 Soeurs sans rest, 6 cours 30-Juillet ✆ 56 48 16 00, Télex 560334, Fax 56 01 04 28 – |♦| ▣ ☎. AE ⓓ GB DX **g**
☕ 35 – **35 ch** 200/370.

XXXX ✿ **Le Chapon Fin** (Garcia), 5 r. Montesquieu ✆ 56 79 10 10, Fax 56 79 09 10, « Original décor de rocaille 1900 » – ▤. AE ⓓ GB JCB DX **p**
fermé dim. et lundi – **R** 140 (déj.)/400
Spéc. Ravioles de langoustines au citron vert, Lamproie à la bordelaise, Tournedos de homard aux chips d'artichaut.

XXX ✿ **Le Rouzic** (Gautier), 34 cours Chapeau Rouge ✆ 56 44 39 11, Fax 56 40 55 10 – ▤. AE ⓓ GB JCB DX **b**
fermé sam. midi et dim. – **R** 195/420
Spéc. Terrine de foie de canard aux morilles, Lamproie à la bordelaise, La marée du jour en tamis. Vins St-Julien.

XXX ✿ **La Chamade** (Carrère), 20 r. Piliers de Tutelle ✆ 56 48 13 74 – ▤. GB DX **d**
fermé 7 au 14 août, week-ends en juil.-août et sam. midi – **R** 180/280
Spéc. Foie de canard en terrine à l'Armagnac, Salade de goujonnettes de sole et foie gras poêlé, Noix de ris de veau grillée et raviole de morilles. Vins Graves, Saint-Julien.

XXX ✿ **Jean Ramet** (Ramet), 7 pl. J. Jaurès ✆ 56 44 12 51 – ▤. GB EX **u**
fermé 10 au 30 août, sam. et dim. – **R** carte 240 à 440
Spéc. Salade de Saint-Jacques crues aux épinards et champignons (nov. à fév.), Blanc de turbot braisé au Médoc, Aumonières de crêpes en chaud et froid. Vins Moulis.

XXX ✿ **Pavillon des Boulevards** (Franc), 120 r. Croix de Seguey ✆ 56 81 51 02, Fax 56 51 14 58, ☂ – ▤. AE ⓓ GB JCB AU **a**
fermé 1er au 10 mai, 8 au 16 août, sam. midi et dim. – **R** 280/350
Spéc. Poêlée de homard au chou, Chinoiseries de pigeonneau, Millefeuille chocolat à la sauce Malaga. Vins Bordeaux Côtes de Francs, Pessac Léognan.

XXX **l'Alhambra,** 111 bis r. Judaïque ✆ 56 96 06 91 – ▤. GB. ✗ CX **e**
fermé 14 juil. au 15 août, sam. midi. et dim. – **R** 200.

XXX **Le Cailhau,** 3 pl. Palais ✆ 56 81 79 91, Fax 56 44 86 58 – ▤. AE ⓓ GB. ✗ EY **m**
fermé 1er au 25 août, sam. midi et dim. – **R** 160/370.

XXX ✿ **Le Vieux Bordeaux** (Bordage), 27 r. Buhan ✆ 56 52 94 36, ☂ – AE ⓓ GB EY **a**
fermé 1er au 24 août, vacances de fév., sam. midi, dim. et fériés – **R** 145/250, enf. 70
Spéc. Omelette aux truffes et lard fumé, Homard sauté et gratin dauphinois, Canard rosé et son foie gras aux pêches. Vins Canon-Fronsac.

XXX **Villa Carnot,** 335 bd Wilson ✉ 33200 ✆ 56 08 04 21, ☂ – AE ⓓ GB. ✗ AU **n**
fermé 31 août au 15 sept., dim. et lundi – **R** 166/350.

XX **Les Plaisirs d'Ausone,** 10 r. Ausone ✆ 56 79 30 30, Fax 56 51 38 16 – AE GB EY **t**
fermé 4 au 26 août,, lundi midi, sam. midi et dim. – **R** 150/250.

XX **Le Buhan,** 28 r. Buhan ✆ 56 52 80 86 – AE ⓓ EY **a**
fermé lundi – **R** 130/230.

XX **Les Provinces,** 41 r. St-Rémi ✆ 56 81 74 30, Fax 56 48 05 05 – GB DX **t**
fermé sam. midi et dim. – **R** 115/280.

XX **Didier Gélineau,** 26 r. Pas St Georges ✆ 56 52 84 25 – AE ⓓ GB EX **n**
fermé sam. midi et dim. du 16 avril au 14 oct., dim. soir et lundi hors sais. – **R** carte 175 à 300, enf. 65.

XX **Le Clavel Barnabet,** 44 r. Ch. Domercq ✉ 33800 ✆ 56 92 91 52 – ▤. GB FZ **n**
fermé août, lundi midi et dim. – **R** 55/220.

XX **La Tupina,** 6 r. Porte de la Monnaie ✆ 56 91 56 37, Fax 56 31 92 11, cuisine typique du Sud-Ouest – AE GB FY **q**
fermé dim. – **R** carte 170 à 270.

XX **Le Loup,** 66 r. Loup ✆ 56 48 20 21 – AE GB DY **v**
fermé 9 au 16 août, sam. midi et dim. – **R** carte 240 à 385.

XX **La Ferme St Michel,** 21 r. Menuts ✆ 56 91 54 77 – AE GB EY **f**
fermé 1er au 20 août, sam. midi et dim. – **R** 120/180.

X **La Ténarèze,** 18 pl. Parlement ✆ 56 44 43 29, ☂ – ▤. GB EX **s**
fermé vacances de nov., vacances de fév. et dim. de mai à oct. – **R** 93/180.

X **La Coquille d'Oeuf,** 197 r. G. Bonnac ✆ 56 93 09 86 – ▤. GB CY **n**
fermé sam. midi, lundi soir et dim. – **R** carte 170 à 245.

au Parc des Expositions : Bordeaux-le-Lac – ✉ **33300** Bordeaux :

Sofitel Aquitania [M], ✆ 56 50 83 80, Télex 570557, Fax 56 39 73 75, ≤, ⛱ – |♣| ⇆ ch ▤ TV ☎ ♿ P – 🔼 25 à 600. AE ⓓ GB. ✗ rest AU **u**
Le Flore R 110/160 – ☕ 65 – **212 ch** 575.

Mercure Pont d'Aquitaine [M], ✆ 56 43 36 72, Télex 540097, Fax 56 50 23 95, ☂, ⛱, ✗ – |♣| ⇆ ch ▤ TV ☎ ♿ P – 🔼 80 à 120. AE ⓓ GB. ✗ rest AU **v**
R 98, enf. 42 – ☕ 48 – **100 ch** 420/550.

Novotel-Bordeaux le Lac [M], ✆ 56 50 99 70, Télex 570274, Fax 56 43 00 66, ≤, ☂, ⛱ – |♣| ⇆ ch ▤ TV ☎ ♿ P. AE ⓓ GB AU **v**
R carte environ 180 ♂, enf. 50 – ☕ 48 – **176 ch** 440.

Mercure Bordeaux le Lac [M], ✆ 56 50 90 30, Télex 540077, Fax 56 43 07 55, ☂ – |♣| ⇆ ch ▤ TV ☎ ♿ P – 🔼 250. AE ⓓ GB JCB AU **v**
R 95 bc/145, enf. 45 – ☕ 48 – **108 ch** 420/550.

à Carbon-Blanc NE : 8 km - BU - vers ① – 5 842 h. – ✉ **33560** :

XXX **Marc Demund,** av. Gardette ✆ 56 74 72 28, Fax 56 06 55 40, ☂, parc – P. AE ⓓ GB
fermé 14 au 26 août, dim. soir et lundi – **R** 160/340. BU **e**

à Bouliac vers ④ – ✉ 33270 :

Le St-James (Amat) Ⓜ, pl. C. Hostein, près église ℘ 56 20 52 19, Télex 573001, Fax 56 20 92 58, ≤ Bordeaux, « Original décor contemporain », – TV ☎ P. AE ① GB JCB. rest BV k
R 300 bc/450, enf. 80 - **Le Bistroy R** carte 120 à 170 – ☕ 70 – **18 ch** 750/1350 – ½ P 780/950
Spéc. Alose à la bordelaise (mai-juin), Lamproie à la bordelaise, Noisette d'agneau de Pauillac à la crème d'ail. **Vins** Premières Côtes de Bordeaux-Cadillac, Médoc.

Aub. du Marais, 22 rte de Lastresne ℘ 56 20 52 17, – P. GB BV t
fermé 2 au 24 août, 28 fév. au 15 mars et merc. – **R** 150/250.

par la sortie ⑥ :

à Talence : 6 km – 34 485 h. – ✉ 33400 :

Guyenne (Lycée Hôtelier), av. F. Rabelais ℘ 56 80 75 08, Fax 56 37 53 17, – TV ☎ P – 30. AE ① GB. rest
fermé vacances de printemps, 15 juin au 1er oct., vacances de Noël et de fév. – **R** *(fermé sam. soir et dim.)* 85/140 – ☕ 35 – **27 ch** 250/280, 3 appart. 390.

à Gradignan : 8 km – 21 727 h. – ✉ 33170 :

Châlet Lyrique Ⓜ, 169 cours Gén. de Gaulle ℘ 56 89 11 59, Fax 56 89 53 37, – TV ☎ ♿ P – 25. ① GB
R *(fermé 2 au 30 août et dim.)* carte 150 à 260 – ☕ 35 – **40 ch** 275/350.

par la sortie ⑦ :

à Pessac : par la sortie n° 13 de la rocade – 51 055 h. – ✉ 33600 :

La Réserve Ⓜ, av. Bourgailh ℘ 56 07 13 28, Télex 560585, Fax 56 36 31 02, « Parc », – TV ☎ P – 60. AE ① GB
25 fév.-25 nov. – **R** 250 – ☕ 58 – **19 ch** 530/900 – ½ P 670/750.

Royal Brion sans rest, 10 r. Pin Vert ℘ 56 45 07 72, Fax 56 46 13 75 – TV ☎ P. AE ① GB
fermé 22 déc. au 5 janv. – ☕ 35 – **25 ch** 260/340.

Le Cohé, 8 av. R. Cohé ℘ 56 45 73 72 – GB AV n
fermé août, dim. soir et lundi – **R** 110/280.

par la sortie ⑧ :

à Mérignac : par la sortie n° 10 de la rocade – ✉ 33700 :

Interhôtel, r. Chataigniers ℘ 56 47 89 50, Télex 571241, Fax 56 13 00 81, – TV ☎ ♿ P – 160. AE ① GB
R 80, enf. 40 – ☕ 30 – **50 ch** 240/260 – ½ P 230.

à Mérignac : 5 km par D 106 et D 213 – 57 273 h. – ✉ 33700 :

Les Charmilles, 408 av. Verdun ℘ 56 97 53 01 – P. GB
fermé août, sam. soir et dim. sauf fériés – **R** 90/200.

à l'Aéroport : par la sortie n° 11A de la rocade – ✉ 33700 Mérignac :

Novotel-Mérignac Ⓜ, av. Kennedy ℘ 56 34 10 25, Télex 540320, Fax 56 55 99 64, – TV ☎ ♿ P – 25 à 100. AE ① GB JCB
R carte environ 180, enf. 50 – ☕ 48 – **137 ch** 450.

Mercure Aéroport Ⓜ, 1 av. Ch. Lindbergh ℘ 56 34 74 74, Télex 573953, Fax 56 34 30 84, – ch TV ☎ ♿ P – 200. AE ① GB
R carte 160 à 230 – ☕ 48 – **105 ch** 295/550.

Le Patio Ⓜ, av. J.-F. Kennedy à Mérignac ℘ 56 55 93 42, Télex 540183, Fax 56 47 64 94, – ch TV ☎ ♿ P – 60. AE ① GB
R 125 – ☕ 48 – **81 ch** 395/445.

Fimotel Ⓜ, 97 av. J.-F. Kennedy ℘ 56 34 33 08, Télex 541315, Fax 56 34 01 90, – TV ☎ ♿ P – 35. AE ① GB
R 80/120, enf. 40 – ☕ 35 – **60 ch** 300/330 – ½ P 244.

par la sortie ⑨ :

par la sortie n° 9 de la rocade – ✉ 33700 Mérignac :

Dotel Ⓜ, av. Magudas à Mérignac ℘ 56 34 24 05, Télex 541355, Fax 56 47 60 41, – ch TV ☎ ♿ P – 30 à 60. AE ① GB
R 89, enf. 60 – ☕ 42 – **47 ch** 400/520.

à la Forêt : 8,5 km par ⑨ – ✉ 33320 Eysines :

Les Tilleuls, ℘ 56 28 04 56, – P. GB
fermé août, sam. du 1er juil. au 15 sept. et dim. – **R** 100/150.

à Eysines : 10 km – 16 391 h. – ✉ 33320 :

Alizés Ⓜ sans rest, 15 av. St-Médard ℘ 56 28 36 52, Fax 56 28 63 11 – TV ☎ ♿ P. GB
☕ 24 – **40 ch** 195/250.

à St-Médard-en-Jalles : 15 km – 22 064 h. alt. 13 – ✉ **33160** :

Le Montaigne [M], av. La Boëtie ☏ **56 95 81 33, Fax 56 05 88 97** – 30 à 50. AE ⓓ GB
R 100/200 – ☕ 30 – **40 ch** 260/320 – ½ P 260.

La Chaumière, rte Lacanau : 1 km ☏ **56 05 07 64, Fax 56 95 87 12**, – 30 à 60. GB. ch
R *(fermé dim. soir, lundi et soirs fériés)* 85/220, enf. 65 – ☕ 22 – **20 ch** 185/230.

Tournebride, rte Porge : 2 km ☏ **56 05 09 08** – P. GB
fermé 2 au 9 mars, 3 au 31 août, dim. soir et lundi – **R** 85/186.

par la sortie ⑩ :

à Blanquefort : 11 km par la sortie n° de la rocade et D 210 – 12 843 h. – ✉ **33290** :

Host. des Criquets avec ch, 130 av. 11-nov. ☏ **56 35 09 24, Fax 56 57 13 83**, – P. AE ⓓ GB
R *(fermé dim. soir)* 150/400 – ☕ 40 – **20 ch** 295/350 – ½ P 335.

MICHELIN, Agence régionale, Zone d'Entrepôts A.-Daney, av. de Tourville AU ☏ **56 39 94 95**

AUTOBIANCHI, LANCIA, FIAT Gar. d'Aquitaine, 19 pl. Victoire ☏ 56 91 60 54
BMW Brienne Auto, 23 quai Brienne ☏ 56 49 43 43 N ☏ 56 87 20 99
CITROEN Gar. Parc Sports, 2 av. Parc-Lescure AV ☏ 56 98 65 63
HONDA Mondial Autos, 147 cours Médoc ☏ 56 39 45 78
PEUGEOT, TALBOT S.I.A.S.O., 350 av. Thiers BU ☏ 56 86 84 02
RENAULT Atlantique Autos, 11-13 r. Arsenal AU ☏ 56 44 32 73

Ⓜ Bouyssalet-Pneu Plus, 83 r. Tauzia ☏ 56 91 49 54
Casanave, r. Lamothe-Piquey, Zone d'Entrepôts A.-Daney ☏ 56 43 11 84
Central Pneu, 226 av. Thiers ☏ 56 86 24 13
Central-Pneu, 80 cours Dupré-de-St-Maur ☏ 56 50 84 58
Comet, 91 av. République ☏ 56 02 43 80
Comptoir Aquitain du Pneu Pneu +, 56 quai Paludate ☏ 56 85 61 53

Périphérie et environs

ALFA-ROMEO Milano Autos, 21 allée Félix-Nadar à Mérignac ☏ 56 13 10 36
CITROEN Citroën Sud Ouest, 357 av. Libération, Le Bouscat AU ☏ 56 42 46 46
CITROEN Citroën Sud Ouest, N 10, les 4 Pavillons, Lormont BU ☏ 56 74 25 00
CITROEN Citroën Sud Ouest, 411 rte de Toulouse, Villenave-d'Ornon AV a ☏ 56 37 37 37
FIAT Bordeaux Sud Autos, 114-118 av. Pyrénées à Villenave-d'Ornon ☏ 56 75 47 94
FORD Palau, 423 rte de Médoc, Bruges ☏ 56 57 43 43
FORD SAFI 33, 486 rte de Toulouse à Bègles ☏ 56 37 80 08
LANCIA, FERRARI Gar. Lopez, ZI du phare Rocade sortie n° 10 à Mérignac ☏ 56 34 28 80
MERCEDES BENZ Cleal Autom. Aquitaine, 262 av. de la Libération, Le Bouscat ☏ 56 08 78 85 N ☏ 88 72 00 94
OPEL A.V.I., 363 rte de Toulouse à Villenave-d'Ornon ☏ 56 37 30 00
PEUGEOT, TALBOT Auto-Pessac, av. G.-Eiffel, Pessac AV ☏ 56 46 66 30
PEUGEOT, TALBOT S.I.A.S.O, 84 av. Libération, Le Bouscat AU ☏ 56 42 42 42
PEUGEOT, TALBOT S.I.A.S.O., 327 rte de Toulouse à Villenave-d'Ornon par ⑤ ☏ 56 80 80 00
RENAULT SAPA, Alouette Rocade sortie n° 13, Pessac par ⑦ ☏ 56 36 25 64 N ☏ 56 36 25 80

RENAULT Succursale, 253 av. Libération, Le Bouscat AU ☏ 56 57 48 00
RENAULT Succursale Pont-de-la-Maye, 50 av. Pyrénées, à Villenave-d'Ornon par ⑤ ☏ 56 04 58 58 N
RENAULT Gar. de Pichey, 7 pl. Gén.-Gouraud à Mérignac par av. de Verdun AV ☏ 56 34 04 89 N ☏ 05 05 15 15
ROVER Stewart et Ardern, 39 av. Marne Mérignac ☏ 56 96 86 62
SAAB Autom. Bordelaise, 270 av. de la Libération, le Bouscat ☏ 56 02 71 71
V.A.G Gar. Chambéry, 54 r. Jean Pagès, Villenave-d'Ornon ☏ 56 87 72 30

Ⓜ Central Pneu, 65/69 rte de Toulouse à Talence ☏ 56 37 40 97
Comptoir Aquitain du Pneu Pneu +, 7 r. Marceau à Talence ☏ 56 04 31 42
Ets Vallejo Pneu +, ZI de Pinel, av. G.-Cabannes à Floirac ☏ 56 86 40 62
Maison du Pneu, 24 av. de la Somme à Mérignac ☏ 56 47 43 50
Radial, 98 quai Wilson à Bègles ☏ 56 49 01 15
Relais du Pneu, 228 av. de Tivoli, le Bouscat ☏ 56 08 84 05

Les BORDES 45 Loiret 65 ① – rattaché à Sully-sur-Loire.

BORMES-LES-MIMOSAS 83230 Var 84 ⑯ **G. Côte d'Azur** – 5 083 h. alt. 120.

Voir Site★ – ←★ du château – Forêt domaniale du Dom★ N : 4 km.

18 de Valcros ☏ 94 66 81 02, NO : 12 km.

Office de Tourisme pl. Gambetta ☏ 94 71 15 17 et bd de la Plage La Favière (juin-sept.) ☏ 94 64 82 57.

Paris 879 – Fréjus 58 – Hyères 22 – Le Lavandou 5 – St-Tropez 34 – Ste-Maxime 38 – ♦Toulon 42.

Le Mirage [M], rte Stade ☏ **94 71 09 83, Télex 404603, Fax 94 64 93 03**, ← baie et les îles, – P – 30. AE ⓓ GB JCB.
fermé 3 janv. au 15 fév. – **Balcon des Iles R** 195/395, enf. 90 – ☕ 65 – **35 ch** 890 – ½ P 705.

Palma sans rest, D 559 ☏ **94 71 17 86, Fax 94 71 83 52**, – P. AE ⓓ GB JCB
☕ 40 – **20 ch** 390/500.

Paradis sans rest, Mt des Roses, quartier du Pin ☏ **94 71 06 85**, ←, – P.
1er avril-10 oct. – ☕ 25 – **20 ch** 178/330.

XX **Tonnelle des Délices,** pl. Gambetta ✆ 94 71 34 84 – GB
1er avril-25 oct. – **R** 148/225, enf. 69.

XX **Le Jardin des Perlefleurs,** 100 chemin Orangerie près Chapelle St-François ✆ 94 64 99 23, ≤, 帘, cuisine provençale
1er mai-30 sept. – **R** (dîner seul. en semaine) 220.

X **La Cassole,** ruelle Moulin ✆ 94 71 14 86 – AE
fin janv.-15 oct. et fermé mardi midi et lundi sauf du 1er juil. au 15 sept. et fériés – **R** (dîner seul. de juil. à mi-sept. sauf dim. et fériés) 150/360, enf. 85.

X **Lou Portaou,** r. Cubert des Poètes ✆ 94 64 86 37, 帘 – ▤. GB
fermé 10 nov. au 20 déc. et mardi sauf le soir en sais. – **R** 120/150, enf. 80.

à Cabasson S : 8 km par D 41 – ✉ **83230** Bormes-les-Mimosas :

Palmiers ⑤, ✆ 94 64 81 94, Fax 94 64 93 61, 帘, 🐎 – ▣ ☎ Ⓟ. AE ⓞ GB
R 145/195 – ☕ 60 – **21 ch** 540/1000 – ½ P 440/800.

BORNY **57** Moselle 57 ⑭ – rattaché à Metz.

BORT-LES-ORGUES **19110** Corrèze 76 ② **G. Auvergne** – 4 208 h. alt. 430.

Voir Barrage★★ N : 1 km – Orgues de Bort★ : ✳★★ SO : 3 km puis 15 mn.

ℹ Office de Tourisme pl. Marmontel ✆ 55 96 02 49.

Paris 481 – Aurillac 81 – ◆Clermont-Ferrand 81 – Mauriac 29 – Le Mont-Dore 48 – St-Flour 87 – Tulle 79 – Ussel 29.

Le Rider, av. Gare ✆ 55 96 00 47 – ▤ rest TV ☎ 🚗 Ⓟ. AE ⓞ GB
fermé 20 déc. au 5 janv., vend. soir et sam. midi – **R** 68/190 ♁, enf. 45 – ☕ 26 – **20 ch** 195/230 – ½ P 190/200.

à Veillac (15 Cantal) N : 5 km sur D 922 – ✉ **15270** Champs-sur-Tarentaine.

Voir Musée de la radio et du phonographe★ N : 3 km – Site★★ du château de Val★ N : 4 km.

CITROEN Serre, à Lanobre ✆ 71 40 30 06 N
CITROEN Gar. Theil, 570 av. de la Gare ✆ 55 96 72 83
FIAT, LANCIA-AUTOBIANCHI Gar. du Pont Neuf ✆ 55 96 00 75 N
FORD Gar. Rouel, à Lanobre ✆ 55 96 71 40
PEUGEOT Vergeade, 821 av. Gare ✆ 55 96 74 78
PEUGEOT, TALBOT Monteil, à Lanobre ✆ 71 40 30 05 N

BORT-L'ÉTANG **63** P.-de-D. 73 ⑮ – rattaché à Lezoux.

Les BOSSONS **74** H.-Savoie 74 ⑧ – rattaché à Chamonix.

BOUAYE **44830** Loire-Atl. 67 ③ – 4 815 h. alt. 19.

Paris 406 – ◆Nantes 17 – Challans 40 – St-Nazaire 60.

à la Roderie NE : 2,5 km – ✉ **44830** Bouaye :

X **Aub. de la Grignotière,** ✆ 40 65 46 11, 帘 – GB
fermé 1er au 14 août – **R** 80/185, enf. 65.

BOUC-BEL-AIR **13320** B.-du-R. 84 ③ ⑬ – 11 512 h.

Paris 767 – ◆Marseille 20 – Aix-en-Provence 12 – Aubagne 38 – St-Maximin-la-Ste-Beaume 45 – Salon-de-Provence 45.

L'ÉtapeLani, au Sud sur D 6 ✆ 42 22 61 90, Télex 403639, Fax 42 22 68 67, ⛱ – ▤ rest TV ☎ Ⓟ. AE ⓞ GB
fermé 15 au 31 août, 23 au 31 déc., lundi (sauf hôtel), sam. midi et dim. soir – **R** 145/235, enf. 80 – ☕ 43 – **40 ch** 190/330 – ½ P 238/310.

CITROEN Gar. Laugier, RN 8 Plan Marseillais ✆ 42 22 20 90

BOUESSE **36** Indre 68 ⑱ – rattaché à Argenton-sur-Creuse.

LA BOUEXIERE **35** I.-et-V. 59 ⑰ – rattaché à Liffré.

BOUGIVAL **78** Yvelines 55 ⑳, 101 ⑬ – voir à Paris, Environs.

BOUILLAND **21420** Côte-d'Or 166 ⑪ **G. Bourgogne** – 145 h. alt. 410.

Paris 296 – ◆Dijon 46 – Autun 55 – Beaune 17 – Bligny-sur-Ouche 12 – Saulieu 56.

XXX ✿✿ **Host. du Vieux Moulin** (Silva) M ⑤ avec ch, ✆ 80 21 51 16, Fax 80 21 59 90, 帘 – ▤ rest TV ☎ ♿ Ⓟ. GB
fermé 14 déc. au 15 janv. – **R** *(fermé jeudi midi et merc. sauf fériés)* 190/450 et carte – ☕ 70 – **12 ch** 380/800
Spéc. Estouffade de jeunes poireaux et jambonnettes de grenouilles en meurette, Mijoté de lentilles au pied de porc et brochet, Filets de chapon aux truffes.

Découvrez la France avec les guides Verts Michelin :

24 titres illustrés en couleurs.

La BOUILLE 76530 S.-Mar. 55 ⑥ G. Normandie Vallée de la Seine – 862 h. alt. 5.

Voir Château de Robert le Diable★ : ※★ SE : 3 km – Moulineaux : vitrail★ de l'église E : 3 km.

Bac: renseignements ✆ 35 18 01 76.

Paris 137 – ◆Rouen 19 – Bernay 43 – Elbeuf 13 – Louviers 32 – Pont-Audemer 35.

Bellevue, ✆ 35 18 05 05, Fax 35 18 00 92, ≤ – |≡| TV ☎ – 25. GB
fermé 20 au 27 déc. – **R** 95/225 – ☐ 30 – **20 ch** 230/320 – ½ P 225/270.

St-Pierre avec ch, ✆ 35 18 01 01, Fax 35 18 12 76, ≤, – ☎. AE ⓓ GB.
fermé mardi soir et merc. du 1er nov. au 31 mars – **R** 160/240 – ☐ 40 – **7 ch** 350/400.

Poste, ✆ 35 18 03 90, ≤, – GB
fermé 20 déc. au 12 janv., lundi soir et mardi – **R** 105/220.

Les Gastronomes, ✆ 35 18 02 07, – AE ⓓ GB
fermé 1er au 15 sept., 1er au 15 fév., merc. soir et jeudi – **R** 145/210, enf. 95.

Maison Blanche, ✆ 35 18 01 90, ≤ – GB
fermé 15 juil. au 6 août, dim. soir et lundi – **R** 105/260.

BOUIN 85230 Vendée 67 ② – 2 268 h.

Paris 435 – ◆Nantes 51 – La Roche-sur-Yon 59 – Challans 22 – Noirmoutier-en-l'Ile 36 – St-Nazaire 52.

Martinet sans rest, ✆ 51 49 08 94, « Jardin fleuri », – TV ☎ ♿ P. AE ⓓ GB
☐ 26 – **16 ch** 180/310.

Le Courlis, ✆ 51 68 64 65, – P. GB
fermé 22 au 29 juin, 2 au 23 janv., et lundi sauf du 16 juil. au 6 sept. – **R** 65/180, enf. 38.

BOULIAC 33 Gironde 71 ⑨ – rattaché à Bordeaux.

La guida cambia, cambiate la guida ogni anno.

BOULIGNEUX 01 Ain 74 ② – rattaché à Villars-les-Dombes.

BOULOGNE-BILLANCOURT 92 Hauts-de-Seine 55 ⑳, 101 ㉔ – voir à Paris, Environs.

BOULOGNE-SUR-MER 62200 P.-de-C. 51 ① G. Flandres Artois Picardie – 43 678 h. alt. 53 – Casino (privé) Y.

Voir Ville haute★★ YZ : coupole★, crypte et trésor★ de la basilique Y B, ≤★ du Beffroi Y H – Nausicaa★★ Y – Perspectives★ des remparts YZ – Calvaire des marins ≤★ Y – Château-Musée★ Y – Colonne de la Grande Armée★ : ※★★ 5 km par ① – Côte d'Opale★ par ①.

Env. St-Étienne-au-Mont ≤★ 7 km par ④.

18 de Wimereux ✆ 21 32 43 20, par ① : 8 km.

✆ 21 80 50 50.

Office de Tourisme quai de la Poste ✆ 21 31 68 38 et Espl. Mariette Haute Ville ✆ 21 31 57 67.

Paris 244 ③ – ◆Calais 32 ② – ◆Amiens 122 ④ – Arras 116 ④ – ◆Le Havre 241 ④ – ◆Lille 116 ③ – ◆Rouen 177 ④.

Plan page suivante

Métropole sans rest, 51 r. Thiers ✆ 21 31 54 30, Fax 21 30 45 72, – |≡| TV ☎. AE GB
fermé 19 déc. au 4 janv. – ☐ 30 – **26 ch** 275/360. Z e

Ibis, bd Diderot ✆ 21 30 12 40, Télex 160485, Fax 21 87 48 98 – |≡| TV ☎ – 25. GB
R 79 , enf. 39 – ☐ 32 – **79 ch** 275/305. Z k

Urbis M sans rest, 168 bd Sainte-Beuve ✆ 21 32 15 15, Télex 135248, Fax 21 30 47 97 – |≡| TV ☎ ♿. GB X a
☐ 30 – **42 ch** 255/318.

Climat de France, pl. Rouget de Lisle, face gare ✆ 21 80 14 50, Télex 135570, Fax 21 80 45 62 – |≡| TV ☎ ♿ P – 50. AE ⓓ GB Z a
R 88/120 , enf. 40 – ☐ 35 – **48 ch** 270/300 – ½ P 205.

Lorraine sans rest, 7 pl. Lorraine ✆ 21 31 34 78 – TV ☎. AE GB Y v
fermé 15 déc. au 15 janv. – ☐ 25 – **20 ch** 150/250.

Londres sans rest, 22 pl. France ✆ 21 31 35 63 – |≡| TV ☎. GB Z n
☐ 22 – **20 ch** 120/220.

✿ **La Matelote** (Lestienne), 80 bd Ste Beuve ✆ 21 30 17 97, Fax 21 83 29 24 – GB Y q
fermé 23 déc. au 15 janv. et dim. soir – **R** 160/335
Spéc. Saint-Jacques en papillote (oct.-avril), Assiette de homard au basilic, Carré amandine et sa mousse glacée aux fruits confits.

La Liégeoise, 10 r. A. Monsigny ✆ 21 31 61 15, Fax 21 33 76 30 – AE ⓓ GB YZ s
fermé 15 au 31 juil., dim. soir et merc. – **R** 160/310.

Rest de Nausicaa, bd Ste-Beuve ✆ 21 33 24 24, Fax 21 30 15 63, ≤ – ▤. GB Y t
R 110/145 , enf. 45.

à Wimille par ② et N 1 : 5 km – 4 681 h. – ✉ **62126** :

✿ **Relais de la Brocante** (Laurent), près église ✆ 21 83 19 31 – GB
fermé dim. soir et lundi – **R** 145/220
Spéc. Tatin de crabe aux pommes de terre, Filet de turbotin beurre blanc, Tarte flamande aux fruits.

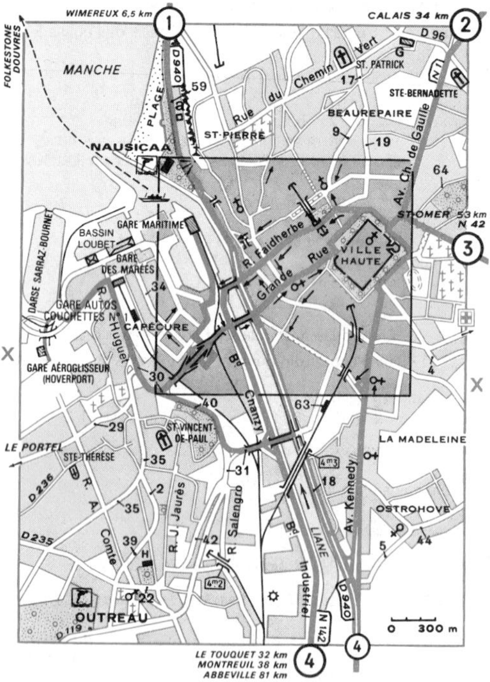

BOULOGNE-SUR-MER

Faidherbe (R.) . . . . . Y
Grande-Rue . . . . Z
Lampe (R. de la) . . . . Z 32
Thiers (R. A.) . . . . . YZ 60
Victor-Hugo (R.) . . . YZ

Adam (R. H.) . . . . . . X 2
Ansart-Rault (R.) . . . X 4
Apolline (R.) . . . . . . X 5
Aumont (R. d') . . . . . Z 7
Beaucerf (Bd) . . . . . Z 8
Beaurepaire (R.) . . . . X 9
Bras-d'Or (R. du) . . . Z 13
Colonne (R. de la) . . . X 17
Diderot (Bd) . . . . . . X 18
Duflos (R. Louis) . . . X 19
Dutertre (R.) . . . . . . Y 20
Égalité (R. de l') . . . . X 22
Entente-Cordiale (Pont de l') . . . . . Z 23
Huguet (Bd A.) . . . . . X 29
Jaurès (Bd Jean) . . . X 30
J.-J.-Rousseau (Bd) . . . . X 31
Lattre-de-Tassigny (R. de) . . . . Y 33
Lavocat (R. Albert) . . X 34
Liberté (Bd de la) . . . X 35
Lille (R. de) . . . . Y 37
Marguet (Pont) . . . . . Z 38
Michelet (R. J.) . . . . . X 39
Montesquieu (Bd) . . . X 40
Mont-Neuf (R. du) . . . X 42
Orme (R. de l') . . . . . X 44
Perrochel (R.) . . . . . . Z 47
Porte-Neuve (R.) . . . . Y 49
Puits-d'Amour (R.) . . Z 53
Résistance (Pl.) . . . . . Y 55
St-Louis (R.) . . . . Y 56
Ste-Beuve (Bd) . . . . . X 59
Tour-N.-Dame (R.) . . Y 61
Victoires (R. des) . . . Y 63
Wicardenne (R. de) . . . . X 64

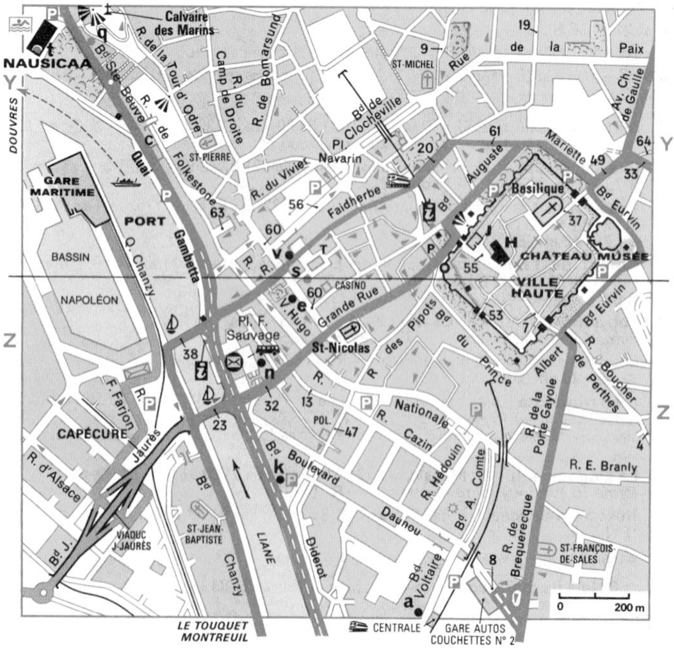

à Pont-de-Briques par ④ : 5 km – ✉ **62360** Pont-de-Briques St-Étienne.

Voir St-Etienne-au-Mont ←* du cimetière SO : 2 km.

XXX ✿ **Host. de la Rivière** (Martin) avec ch, **17** r. Gare ✆ **21 32 22 81**, **Fax 21 87 45 48**, – TV ☎. GB. ch
fermé 17 août au 11 sept., vacances de fév., dim. soir et lundi sauf fêtes – **R** 130/280, enf. 100 – ☕ 40 – **8 ch** 270/300 – ½ P 325/385
Spéc. Poêlée de homard en surprise, Rôti de lotte aux épices, Jambonnette de canard braisée.

à Hesdin-l'Abbé par ④ et N 1 : 9 km – ✉ **62360** :

Cléry M sans rest, au village ✆ 21 83 19 83, Télex 135349, Fax 21 87 52 59, « Parc », – TV ☎ P – 25. AE GB.
☕ 50 – **19 ch** 300/540.

ALFA-ROMEO Éts Cornuel-Boulogne, 13 r. Quéhen ✆ 21 91 10 56
BMW P.B.M., ZI de la Liane à St-Léonard, ✆ 21 80 95 15
CITROEN Liane Automobiles, ZI de la Liane ④ ✆ 21 92 21 11 N ✆ 21 91 02 11
FIAT Gar. Avenue, bd Liane à St-Léonard ✆ 21 80 86 80
FORD Gar. de Paris, ZI de la Liane à St-Léonard ✆ 21 92 05 22 N ✆ 21 91 02 11
MERCEDES Autom. Lecucq, 1 rte de Calais à St-Martin-les-Boulogne ✆ 21 92 18 24
OPEL Europ'Auto, ZI de la Liane à St-Léonard ✆ 21 80 94 10
PEUGEOT-TALBOT Gar. St-Christophe, bd Liane, ZI à St-Léonard par ④ ✆ 21 92 09 11 N ✆ 05 44 24 24
RENAULT Legrand Boulogne, bd Liane par bd Industriel, ZI à St-Léonard ✆ 21 91 18 44 N
V.A.G Sté Nlle des Autos Boulonnaises, 122 ZI de la Liane ✆ 21 80 66 80

Fischbach-Pneu, r. P.-Martin, ZI Inqueterie à St-Martin-les-Boulogne ✆ 21 80 72 72
Peuvion-Pneus, 12 r. Constantine ✆ 21 31 85 62
Pneu Fauchille, 10 r. Gerhard-Hansen ✆ 21 91 04 44 N

Pas de publicité payée dans ce guide.

Le BOULOU **66160** Pyr.-Or. 86 ⑲ **G. Pyrénées Roussillon** – 4 436 h. alt. 89 – Stat. therm. (fév.-nov.).

Office de Tourisme r. Écoles ✆ 68 83 36 32.

Paris 930 – ♦Perpignan 21 – Amélie-les-Bains 16 – Argelès-sur-Mer 19 – Barcelona 165 – Céret 9.

Le Domitien M, aux Thermes ✆ 68 83 49 50, Fax 68 83 45 90, – TV ☎ P – 80. AE GB
R *(fermé dim. soir en déc. et janv.)* 100/160, enf. 60 - **L'Amphore R** *(fermé dim. soir en déc. et janv.)* **R** carte 250 à 350 – ☕ 37 – **40 ch** 350/370, 8 appart. 370/500 – ½ P 310.

Relais des Chartreuses M, SE : 4,5 km par N 9, D 618 et VO ✆ 68 83 15 88, Fax 68 83 26 62, ←, – ☎ P. GB
fermé lundi sauf juil.-août – **R** (prévenir) carte 220 à 330 – ☕ 54 – **10 ch** 420/595.

Néoulous M, près échangeur ✆ 68 83 38 50, Fax 68 83 13 40, – rest ☎ P – 30. AE GB
R 75/170, enf. 55 – ☕ 32 – **47 ch** 220/400 – ½ P 215/250.

H. Grillon d'Or, r. République ✆ 68 83 03 60, – ☎ P. GB
fermé 6 janv. au 1er mars – **rest. Grillon d'Or** ✆ 68 83 06 49 *(fermé 3 janv. au 1er mars et lundi)* **R** 67/180 – ☕ 25 – **37 ch** 130/230.

Canigou, r. Bousquet ✆ 68 83 15 29, – ☎ P. AE GB. rest
1er avril-31 oct. – **R** 80/210, enf. 40 – ☕ 35 – **17 ch** 150/270 – ½ P 205/250.

au village catalan N : 7 km par N 9 – ✉ **66300** Banyuls-dels-Aspres :

Village Catalan M sans rest, accès par N 9 et A 9 ✆ 68 21 66 66, Fax 68 21 70 95, ←, – TV ☎ P – 30. GB
☕ 35 – **52 ch** 300/350.

aux Cluses S : 4 km par N 9 – ✉ **66400** Céret :

Mas de l'Écluse, ✆ 68 83 15 70, – TV ☎ P – 25. GB
fermé fév., dim. soir et lundi sauf du 1er juil. au 15 sept. – **R** 98/185, enf. 55 – ☕ 45 – **21 ch** 250/550 – ½ P 290/415.

à Vivès O : 5 km par D 115 et D 13 – ✉ **66400** :

X **Hostalet de Vivès,** ✆ 68 83 05 52, spécialités catalanes – GB
fermé 15 janv. au 5 mars, mardi hors sais. et merc. – **R** carte environ 160.

V.A.G Auto Center, 18 Z.I. ✆ 68 83 44 00
Sénéchal-Pneus, 40 av. de la Gare ✆ 68 83 40 00

BOULOURIS **83** Var 84 ⑧, 195 ㉝ – rattaché à St-Raphaël.

BOUNIAGUES **24560** Dordogne 75 ⑮ – 466 h. alt. 140.

Paris 557 – Périgueux 60 – Beaumont 23 – Bergerac 13 – Villeneuve-sur-Lot 47.

X **Voyageurs** avec ch, ✆ 53 58 32 26, – ☎ P. GB
fermé 4 au 20 nov., 2 au 25 janv., dim. soir et lundi hors sais. – **R** 70/200, enf. 40 – ☕ 25 – **10 ch** 190/280 – ½ P 190/230.

PEUGEOT Gouyou ✆ 53 58 32 32

BOURBON-LANCY 71140 S.-et-L. 69 ⑯ **G. Bourgogne** – 6 178 h. alt. 276 – Stat. therm. (2 avril-21 oct.).

Voir Maison de bois et tour de l'horloge★ **B.**

Office de Tourisme avec A.C. pl. Aligre (fermé matin nov.-mars) ✆ 85 89 18 27.

Paris 311 ④ – Moulins 36 ④ – Autun 63 ① – Mâcon 110 ③ – Montceau-les-M. 53 ② – Nevers 72 ④.

BOURBON-LANCY

Commerce (R. du)	5
Gaulle (Av. du Gén.-de)	
Aligre (Pl. d')	2
Autun (R. d')	3
Châtaigneraie (R. de la)	4
Dr-Gabriel-Pain (R. du)	6
Dr-Robert (R. du)	7
Gueugnon (R. de)	12
Horloge (R. de l')	13
Martyrs-de-la-Libération (R. des)	15
Musée (R. du)	16
Prébendes (R. des)	18
République (Pl. de la)	22
St-Nazaire (R.)	23

Pour un bon usage des plans de villes, voir les signes conventionnels dans l'introduction.

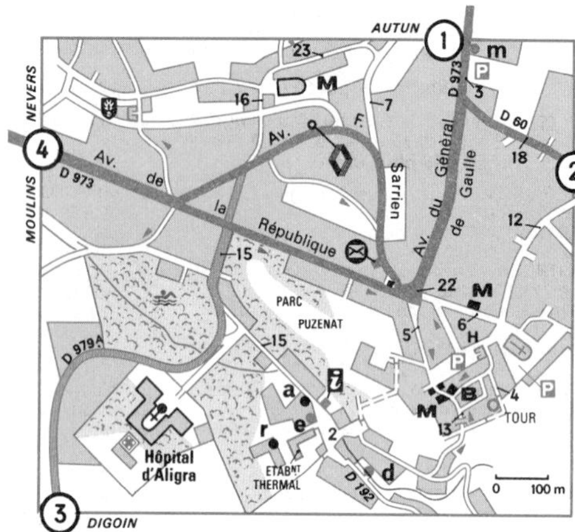

🏨 **Gd Hôtel** 🔇, **(r)** ✆ 85 89 08 87, parc – ascenseur cuisinette ☎ Ⓟ. GB
hôtel : 10 avril-21 oct. ; rest. : 31 mars-21 oct. – **R** 65/150, enf. 40 – ☕ 27 – **30 ch** 122/242 – ½ P 175/223.

🏨 **Agriculture,** 8 r. Autun **(m)** ✆ 85 89 28 85 – ☎ Ⓟ. GB. ✂ rest
fermé 15 nov. au 15 déc., dim. soir d'oct. à mai, sam. midi et vend. – **R** 65/150 🍷 – ☕ 30 – **19 ch** 110/240 – ½ P 170/220.

🏨 **Thermes,** 2 r. Parc **(e)** ✆ 85 89 19 06 – TV ☎. AE GB
fermé fin déc. au 28 fév. – **R** 76/164 🍷, enf. 35 – ☕ 25 – **27 ch** 110/250 – ½ P 145/185.

🏨 **La Roseraie** sans rest, r. Martyrs-de-la-Libération **(a)** ✆ 85 89 07 96, 🌳 – ☎. ⓓ GB
fermé 20 déc. au 15 janv. – ☕ 28 – **11 ch** 115/225.

XXX ✿ **Manoir de Sornat** (Raymond) 🔇 avec ch, allée Platanes, rte Moulins par ④ ✆ 85 89 17 39, Fax 85 89 29 47, 🍽, parc – ☎ Ⓟ. AE ⓓ GB. ✂ rest
fermé 15 au 31 janv., lundi midi et dim. soir d'oct. à mai – **R** 140/350, enf. 80 – ☕ 50 – **13 ch** 350/700 – ½ P 400/550
Spéc. Galette d'escargots aux pieds de porc, Pigeon du Bourbonnais laqué au jus de gentiane, Assortiment de desserts. **Vins** Mâcon rouge, Givry.

XX **Villa Vieux Puits** avec ch, 7 r. Bel Air **(d)** ✆ 85 89 04 04, 🌳 – Ⓟ. GB
Pâques-mi-déc., fermé dim. soir et lundi d'oct. à déc. – **R** 90/250 🍷 – ☕ 35 – **17 ch** 120/200 – ½ P 200/250.

CITROEN Blanc, 47 av. Puzenat par ④ ✆ 85 89 11 07 **N**

RENAULT Ségaud, 30 av. F.-Sarrien ✆ 85 89 19 38 **N**

BOURBON-L'ARCHAMBAULT 03160 Allier 69 ⑬ **G. Auvergne** – 2 630 h. alt. 260 – Stat. therm. (15 janv.-14 déc.).

Voir Nouveau parc ≤★ NE Y – Château ≤★ Y.

Env. St-Menoux : choeur★★ de l'église★ 9 km par ②.

Office de Tourisme 1 pl. Thermes (avril-oct.) ✆ 70 67 09 79.

Paris 290 ① – Moulins 22 ② – Montluçon 48 ③ – Nevers 51 ① – St-Amand-Montrond 55 ③.

Plan page suivante

🏨 ✿ **Thermes** (Barichard), av. Ch.-Louis-Philippe ✆ 70 67 00 15, 🍽, 🌳 – ▤ rest ☎ 🚗. AE GB. ✂ rest — Z **a**
21 mars-31 oct. – **R** 92/310, enf. 60 – ☕ 33 – **21 ch** 132/295 – P 280/350
Spéc. Foie gras d'oie poêlé aux morilles farcies, Filet mignon d'agneau à la "Connétable", Délices des Thermes. **Vins** Sancerre, Saint-Pourçain.

🏨 **Gd H. Montespan-Talleyrand,** pl. Thermes ✆ 70 67 00 24, 🏊, 🌳 – ascenseur ☎. GB. ✂ rest — YZ **e**
5 avril-25 oct. – **R** 68/125, enf. 50 – ☕ 28 – **58 ch** 140/300 – P 230/310.

🏨 **Gd H. Parc et Établissement,** r. Parc ✆ 70 67 02 55, 🌳 – ascenseur ☎ Ⓟ. ✂ rest — Z **b**
3 avril-23 oct. – **R** 85/170, enf. 60 – ☕ 25 – **56 ch** 200/230 – P 200/270.

BOURBON-L'ARCHAMBAULT

Allier (R. Achille) .... Y 2
Bel-Air (R. de) .... Z
Bignon (Bd J.) .... Z 4
Burge (R. de la) .... Y
Château (R. du) .... Y 6
Desbordes (Av. E.) .... Z
Dubost (R. Lieutenant-Colonel) .... Y 8
Fontaine-Jonas (R. de la) .... Z 9
Guillaumin (Av. E.) .... Z 10
Louis-Philippe (Av. Charles) .... Z
Macé (R. Jean) .... Z 13
Meillers (R. de) .... Z 14
Mouillières (Bd des) .... Y 15
Moulin (R. du) .... Y 16
Parc (R. du) .... Z
Paroisse (R. de la) .... Z 19
Pied-de-Fourche (R. du) .... Y 21
République (R. de la) .... YZ
Rondreux (R. A.) .... Y 24
St-Georges (R.) .... Z
Solins (Bd de) .... Z
Thermes (Pl. des) .... Z 27
Thermes (R. des) .... Z
Trois-Maures (R. des) .... Y
Villefranche (R. de) .... Y 29

Les noms des rues sont soit écrits sur le plan soit répertoriés en liste et identifiés par un numéro.

Sources, av. Thermes ✆ 70 67 00 15, – . GB. rest — Z **k**
21 mars-31 oct. – **R** 74/133 – ☕ 23 – **20 ch** 122/210 – P 212/237.

Trois Puits, r. Trois Puits ✆ 70 67 08 35 – rest — Z **u**
5 avril-20 oct. – **R** 90, enf. 55 – ☕ 24 – **30 ch** 65/150 – P 160/240.

L'Oustalet avec ch, av. E. Guillaumin Z ✆ 70 67 01 48 – . GB
fermé 14 au 22 mars, 17 au 31 oct., vend. soir, dim. soir et soirs de fêtes – **R** 98/250 – ☕ 22 – **4 ch** 151/205 – P 190/230.

BOURBONNE-LES-BAINS 52400 H.-Marne 62 ⑬ ⑭ **G. Alsace Lorraine** – 2 764 h. alt. 260 – Stat. therm. (mars-nov.).

Office de Tourisme Centre Borvo, pl. Bains (mars-nov.) ✆ 25 90 01 71.

Paris 306 ④ – Chaumont 54 ④ – ♦Dijon 120 ④ – Langres 38 ④ – Neufchâteau 53 ① – Vesoul 59 ②.

BOURBONNE-LES-BAINS

Bains (R. des) 2
Bassigny (R. du) 3
Capucins (R. des) 4
Daprey-Blache (R.) 5
Écoles (R. des) 6
Gouby (Av. du Lieutenant) 7
Grande-Rue 9
Hôtel-Dieu (R. de l') 12
Lattre-de-Tassigny (Av. Maréchal-de) 14
Maistre (R. du Gén.) 15
Mont-l'Étang (R. de) 17
Pierre (R. Amiral) 22
Porte-Galon (R.) 23
Verdun (Pl. de) 25
Walferdin (Rue) 26

Jeanne d'Arc, r. Amiral Pierre **(s)** ✆ 25 90 12 55, Fax 25 88 78 71, , – . AE GB. rest
fermé 30 nov. au 1er fév. – **R** *(fermé dim. soir et lundi en nov. et fév.)* 98/200 – ☕ 35 – **34 ch** 250/295 – P 300/340.

Des Sources M, 5 r. d'Orfeuil **(u)** ✆ 25 87 86 00 – cuisinette ☎. GB. rest
1er avril-22 nov. et fermé merc. soir – **R** 75/190, enf. 50 – ☕ 25 – **18 ch** 170/200 – P 270/290.

Lauriers Roses, pl. Bains **(d)** ☎ 25 90 00 97 – lift cuisinette ☎ ♿. GB
29 mars-18 oct. – **R** 62/103, enf. 35 – ☕ 22 – **74 ch** 145/320 – P 215/232.

Hérard, Gde Rue **(e)** ☎ 25 90 13 33, Fax 25 88 77 67, terrasse – lift TV ☎. AE ① GB
R 67/190 ♨, enf. 50 – ☕ 30 – **43 ch** 190/260 – P 240/280.

Beau Séjour, r. Orfeuil **(b)** ☎ 25 90 00 34 – lift ☎. GB
29 mars-18 oct. – **R** 62/103, enf. 35 – ☕ 22 – **64 ch** 120/235 – P 160/215.

Orfeuil, r. Orfeuil **(a)** ☎ 25 90 05 71, piscine, parc – lift TV ☎. AE ① GB. ✻ rest
8 mars-24 oct. – **R** 55/150 ♨, enf. 40 – ☕ 24 – **42 ch** 70/195 – P 184/295.

A l'Étoile d'Or, Gde Rue **(r)** ☎ 25 90 06 05 – ▤ rest ☎ garage. AE ① GB
18 avril-18 oct. – **R** 66/120 ♨, enf. 35 – ☕ 21 – **39 ch** 85/180 – P 145/190.

CITROEN Michaud, par ① ☎ 25 90 03 12
PEUGEOT-TALBOT André ☎ 25 90 00 56
RENAULT Beau, 13 av. Lieutenant-Gouby ☎ 25 90 00 72 **N**

When looking for a hotel or restaurant use the most efficient method.
Look for the names of towns underlined in red
on the Michelin maps scale: 1:200 000.
But make sure you have an up-to-date map!

La BOURBOULE 63150 P.-de-D. 73 ⑬ **G. Auvergne** – 2 113 h. alt. 852 – Stat. therm.

Voir Parc Fenêstre★ ABZ – Roche Vendeix ✻★ 4 km par ② puis 30 mn.

ℹ Office de Tourisme pl. Hôtel de Ville ☎ 73 81 07 99, Télex 393554.

Paris 472 ③ – ♦Clermont-Ferrand 48 ③ – Aubusson 80 ③ – Mauriac 70 ③ – Ussel 47 ③.

LA BOURBOULE

Clemenceau (Bd G.) ... ABY
Féron (Quai) ... BY
Foch (Bd Mar.) ... AY 6

Alsace-Lorraine (Av.) ... BY 2
États-Unis (Av. des) ... BY 3
Gambetta (Quai) ... AZ 7
Guéneau-de-Mussy (Av.) ... AY 8
Hôtel-de-Ville (Q.) ... AY 10
Jeanne d'Arc (Q.) ... BY 12
Jet-d'eau (Sq. du) ... AY 13
Joffre (Sq. du Mar.) ... BY 15
Lacoste (Pl. G.) ... AY 16
Libération (Q. de la) ... AZ 17
Mangin (Av. du Gén.) ... AZ 19
République (Pl. de la) ... AZ 21
Souvenir (Pl. du) ... BX 22
Victoire (Pl. de la) ... AY 23

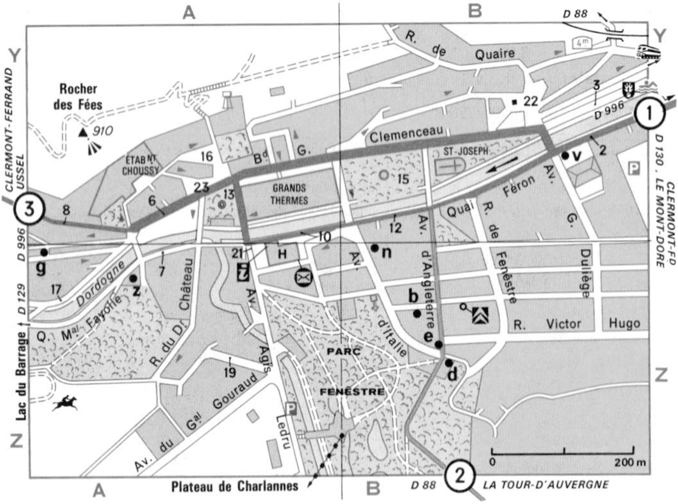

Régina, av. Alsace-Lorraine ☎ 73 81 09 22, terrasse – TV ☎ **P**. GB. ✻ rest — BY **v**
fermé 3 nov. au 25 déc. et 2 janv. au 2 fév. – **R** 70/175, enf. 45 – ☕ 30 – **25 ch** 230/315 – ½ P 220/270.

Le Charlet, bd L. Choussy ☎ 73 65 51 84 – lift ☎. GB. ✻ rest — AZ **g**
fermé 15 oct. au 20 déc. – **R** 85/155, enf. 45 – ☕ 30 – **38 ch** 180/300 – ½ P 200/250.

Pavillon M, av. Angleterre ☎ 73 65 50 18, terrasse – lift TV ☎. GB. ✻ — BZ **d**
fermé nov., déc. et janv. – **R** 68/78 ♨ – ☕ 30 – **27 ch** 190/320 – ½ P 190/230.

Aviation, r. Metz ✆ 73 65 50 50 – ascenseur ☎ garage. GB. rest — BZ **b**
fermé 1er oct. au 26 déc. – **R** 75/85, enf. 50 – ☕ 26 – **42 ch** 160/320 – ½ P 170/250.

International, av. Angleterre ✆ 73 81 05 82 – TV ☎. AE ⓓ GB. — BZ **e**
fermé 2 nov. au 20 déc. – **R** 75, enf. 38 – ☕ 25 – **15 ch** 220 – ½ P 220/240.

Les Fleurs, av. Guéneau de Mussy par ③ ✆ 73 81 09 44, jardin – TV ☎ P. GB. rest
hôtel : 1er janv.-4 oct. ; rest. : 1er fév.-4 oct. – **R** 78/150 – ☕ 27 – **24 ch** 255/265 – ½ P 250.

Parc, quaiMar. Fayolle ✆ 73 81 01 77, jardin – ascenseur ☎. AE ⓓ GB. rest — AZ **z**
18 mai-26 sept. – **R** 80/120 – ☕ 28 – **50 ch** 185/320 – ½ P 220/260.

Valsesia, av. Italie ✆ 73 81 06 29 – TV ☎. GB. — BZ **n**
1er avril-30 nov. et vacances de fév. – **R** 77/161, enf. 42 – ☕ 27 – **12 ch** 191/242 – ½ P 233.

au NE : 2 km par D 996 :

L'Horizon, av. Mar. Leclerc ✆ 73 81 08 40, ←, jardin – ch ☎ P. GB. rest
10 avril-10 oct. et 20 déc.-15 mars – **R** 60/110 – ☕ 24 – **18 ch** 183/210 – ½ P 188/208.

à St-Sauves-d'Auvergne par ③ : 4,5 km – ✉ **63950** :

Poste, pl. Église ✆ 73 81 10 33 – TV ☎ P. GB
R *(fermé 15 nov. au 20 déc.)* 60/170 ♁, enf. 45 – ☕ 25 – **18 ch** 110/220 – ½ P 145/190.

CITROEN Gar. Aviation, r. de Metz ✆ 73 81 02 88

BOURBOURG 59630 Nord 51 ③ – 7 106 h. alt. 5.

Paris 282 – ♦Calais 31 – Cassel 28 – Dunkerque 17 – ♦Lille 85 – St-Omer 25.

La Gueulardière, 4 pl. Hôtel de Ville ✆ 28 22 20 97 – GB
fermé août, dim. soir et lundi sauf fériés – **R** 90/290.

BOURCEFRANC-LE-CHAPUS 17 Char.-Mar. 71 ⑭ – rattaché à Marennes.

BOURDEAU 73 Savoie 74 ⑮ – rattaché au Bourget-du-Lac.

BOURDEAUX 26460 Drôme 77 ⑬ – 562 h. alt. 407 – Syndicat d'Initiative pl. de la Lève ✆ 75 53 35 90.

Paris 615 – Valence 52 – Crest 23 – Montélimar 40 – Nyons 44 – Pont-Saint-Esprit 72.

Trois Châteaux, rte Nyons sur D 70 ✆ 75 53 33 92 – GB
fermé 15 déc. au 15 janv. – **R** *(fermé merc. soir, vend. soir et dim. soir du 1er oct. au 30 avril)* 75/130 ♁ – ☕ 25 – **15 ch** 80/160 – ½ P 150/170.

BOURDEILLES 24 Dordogne 75 ⑤ – rattaché à Brantôme.

BOURGANEUF 23400 Creuse 72 ⑨ G. Berry Limousin – 3 385 h. alt. 446.

Voir Charpente★ de la tour Zizim – Tapisserie★ dans l'Hôtel de Ville.

Syndicat d'Initiative Tour Lastic ✆ 55 64 12 20.

Paris 389 – ♦Limoges 47 – Aubusson 39 – Guéret 34 – Tulle 101 – Uzerche 80.

Commerce, r. Verdun ✆ 55 64 14 55 – TV ☎ garage. GB
fermé 22 déc. au 15 fév., dim. soir et lundi sauf juil.-août et fêtes – **R** 68/260 ♁, enf. 50 – ☕ 28 – **14 ch** 140/320.

Coupole, av. Turgot ✆ 55 64 08 99 – P. AE
fermé nov. et sam. – **R** 55/120 ♁ – ☕ 18 – **13 ch** 100/190.

CITROEN Lacourie ✆ 55 64 00 23
PEUGEOT-TALBOT Barlet ✆ 55 64 08 76
RENAULT Gén. Autom. Creusoise, Bourganeuf ✆ 55 64 14 22
Pradillon ✆ 55 64 22 79

BOURG-CHARENTE 16 Charente 72 ⑫ – rattaché à Jarnac.

BOURG-DE-PÉAGE 26 Drôme 77 ② – rattaché à Romans-sur-Isère.

Le BOURG-D'IRÉ 49 M.-et-L. 63 ⑨ – rattaché à Segré.

Le BOURG-D'OISANS 38520 Isère 77 ⑥ G. Alpes du Nord – 2 911 h. alt. 719.

Voir Musée des Minéraux★ – Cascade de la Sarennes★ NE : 1 km puis 15 mn – Gorges de la Lignarre★ NO : 3 km – Office de Tourisme quai Girard ✆ 76 80 03 25.

Paris 619 – ♦Grenoble 49 – Briançon 67 – Gap 99 – St-Jean-de-Maurienne 71 – Vizille 31.

l'Oberland, ✆ 76 80 24 24, terrasse, jardin – ascenseur ☎ P. AE ⓓ GB. rest
15 mai-15 sept. et 1er déc.-15 mars – **R** 78/115, enf. 32 – ☕ 28 – **30 ch** 220 – ½ P 230.

au Châtelard NE : 12 km par D 211, D 211A et VO – alt. 1 450 – ✉ **38520** Bourg d'Oisans :

La Forêt de Maronne ⛰, ✆ 76 80 00 06, ←, terrasse, jardin – P. GB. rest
10 juin-20 sept. et 20 déc.-20 avril – **R** 88/170 ♁, enf. 50 – ☕ 32 – **12 ch** 150/300 – ½ P 210/250.

CITROEN Gar. Bonnenfant, Les Sables-en-Oisans ✆ 76 80 07 00 N
RENAULT Gar. St-Laurent ✆ 76 80 26 97

BOURG-D'OUEIL 31110 H.-Gar. 85 ⑳ – 19 h. alt. 1 350.

Voir Vallée d'Oueil* au SE – Kiosque de Mayrègne ** SE : 5 km, **G. Pyrénées Aquitaine.**

Paris 843 – Bagnères-de-Luchon 15 – St-Gaudens 57 – Tarbes 100 – ♦Toulouse 147.

Sapin Fleuri, ✆ 61 79 21 90, ≤ – ☎ P. rest
1er juin-30 sept. et vacances scolaires – **R** 110/300, enf. 60 – ☕ 30 – **22 ch** 200/250 – ½ P 180/230.

BOURG-DUN 76740 S.-Mar. 52 ③ **G. Normandie Vallée de la Seine** – 481 h. alt. 40.

Voir Tour* de l'église.

Paris 198 – Dieppe 19 – Fontaine le Dun 7 – ♦Rouen 57 – Saint Valery en Caux 15.

XX ✿ **Aub. du Dun** (Chrétien), face Église ✆ 35 83 05 84 – P. GB.
fermé 1er au 8 juil., 15 au 28 fév., dim. soir et lundi sauf fériés – **R** (nombre de couverts limité, prévenir) 125/350
Spéc. Gâteau de saumon en feuille de brick, Grillons de ris de veau aux oreilles de cochon, Paris-Brest de pommes à la cannelle.

BOURG-EN-BRESSE P 01000 Ain 74 ③ **G. Bourgogne** – 40 972 h. alt. 240.

Voir Église de Brou** : tombeaux***, chapelles et oratoires*** X **B** – Monastère* : musée de Brou* X **E** – Stalles* de l'église N.-Dame Y.

Office de Tourisme 6 av. Alsace-Lorraine ✆ 74 22 49 40 et bd de Brou (juil.-août) ✆ 74 22 27 76 – A.C. 15 av. Alsace-Lorraine ✆ 74 22 43 11.

Paris 426 ⑦ – Annecy 108 ④ – ♦Besançon 148 ② – Chambéry 117 ④ – ♦Dijon 157 ⑦ – ♦Genève 111 ④ – ♦Lyon 65 ⑤ – Mâcon 36 ⑦ – Roanne 118 ⑥.

Plan page suivante

Prieuré M sans rest, 49 bd Brou ✆ 74 22 44 60, Fax 74 22 71 07, « Bel aménagement intérieur », – TV ☎ P. AE GB — X **a**
☕ 43 – **14 ch** 420/530.

Terminus sans rest, 19 av. A. Baudin ✆ 74 21 01 21, Télex 380844, Fax 74 21 36 47, « Parc » – TV ☎ – 30. AE GB — X **t**
☕ 35 – **50 ch** 265/380.

Ariane M, bd Kennedy ✆ 74 22 50 88, Télex 305801, Fax 74 22 51 57, , , – TV ☎ P – 30. GB — X **s**
R *(fermé dim. et fériés)* 110/260 – ☕ 40 – **40 ch** 280/340.

Mercure-Chantecler M, 10 av. Bad-Kreuznach, rte Strasbourg par ② ✆ 74 22 44 88, Télex 380468, Fax 74 23 43 57, , – ch TV ☎ & P – 50. AE GB JCB. rest
R 115/320, enf. 52 – ☕ 45 – **60 ch** 310/470.

Le Logis de Brou sans rest, 132 bd Brou ✆ 74 22 11 55, Fax 74 22 37 30 – TV ☎ P – 30. AE GB — Z **k**
☕ 32 – **30 ch** 250/350.

France, 19 pl. Bernard ✆ 74 23 30 24, Télex 330740, Fax 74 23 69 90 – TV ☎ – 25. AE GB — Y **e**
R voir rest. **Jacques Guy** ci-après – ☕ 35 – **46 ch** 210/350.

Ibis M, bd Ch. de Gaulle ✆ 74 22 52 66, Télex 900471, Fax 74 23 09 58, – TV ☎ & P – 50. AE GB JCB — X **d**
R 79/95, enf. 39 – ☕ 32 – **63 ch** 270/310.

XXX **Auberge Bressane**, face église de Brou ✆ 74 22 22 68, – P. AE GB JCB — X **f**
fermé lundi soir et mardi – **R** 150/460, enf. 100.

XXX ✿ **Jacques Guy**, 19 pl. Bernard ✆ 74 45 29 11, Fax 74 23 69 90 – AE GB — Y **g**
fermé 9 au 24 mars, 5 au 20 oct., 24 au 29 déc., dim. soir et lundi – **R** 140/350
Spéc. Escalope de foie de canard au vinaigre de Banyuls, Sandre à la crème de poireaux et jambonnettes de grenouilles, Volaille de Bresse pochée. **Vins** Brouilly, Seyssel.

XX **Mail** avec ch, 46 av. Mail ✆ 74 21 00 26, Fax 74 21 29 55 – rest ☎ P. AE GB
fermé 12 au 28 juil., 21 déc. au 12 janv., dim. soir et lundi – **R** 125/290, enf. 80 – ☕ 28 – **9 ch** 200/280 – ½ P 260/340. — X **v**

XX **La Galerie**, 4 r. Th. Riboud ✆ 74 45 16 43 – GB — Z **f**
fermé sam. midi et dim. – **Repas** 110/180.

XX **Le Français**, 7 av. Alsace-Lorraine ✆ 74 22 55 14, brasserie – AE GB — Z **r**
fermé 1er au 24 août, 24 au 31 déc., sam. soir et dim. – **R** 100/220.

XX **Chalet de Brou**, face église de Brou ✆ 74 22 26 28, – GB — X **f**
fermé 1er au 15 juin, 23 déc. au 23 janv., jeudi soir et vend. – **R** 68/210.

XX **Ermitage**, 142 bd de Brou ✆ 74 22 19 00 – AE GB — X **b**
fermé 14 juil. au 15 août, 22 déc. au 2 janv., dim. et lundi – **R** 85/190.

X **Rest. de l'Église de Brou**, face église de Brou ✆ 74 22 15 28 – . GB — X **f**
fermé 25 juin au 23 juil., 24 au 31 déc., mardi et merc. – **R** 75/170, enf. 35.

rte de Lons-le-Saunier par ② : 6,5 km N 83 – ✉ 01370 St-Étienne-du-Bois :

X **Les Mangettes**, ✆ 74 22 70 66, – P. AE GB
fermé 20 juil. au 12 août, vacances de fév., dim. soir, lundi soir et mardi – **R** 90/180.

BOURG-EN-BRESSE

Rue	Zone	N°
Foch (R. Maréchal)	Y	20
Gambetta (R.)	Z	21
Notre-Dame (R.)	Y	34
Arsonval (Av. A.)	X	4
Bad-Kreuznach (Av. de)	X	5
Basch (R. Victor)	Z	6
Baudin (Av. A.)	Z	7
Belges (Av. des)	Y	10
Casernes (R. des)	Z	12
Champ-de-Foire (Av. du)	Y	13
Citadelle (Av. de la)	X	14
Debeney (R. Général)	Y	16
Dr-Bouveret (R. du)	Y	18
Europe (Car. de)	X	19
Jaurès (Av. Jean)	Z	22
Juliot-Curie (Bd)	X	23
Joubert (Pl.)	Z	24
Jourdan (Av.)	Z	25
Lévrier (B. A.)	X	26
Lyon (Pont de)	X	28
Mail (Av. du)	XZ	30
Migonney (R. J.)	Z	31
Neuve (Pl.)	Y	33
Palais (R. du)	Y	35
St-Nicolas (Bd)	X	36
Samaritaine (R.)	Z	38
Sémard (Av. P.)	X	40
Teynière (R.)	Z	42
Valéry (Bd P.)	X	43
Verdun (Cours de)	Y	44
4-Septembre (R. du)	Y	48
23e-R.I. (R. du)	X	50

Utilisez toujours les cartes Michelin récentes. Pour une dépense minime vous aurez des informations sûres.

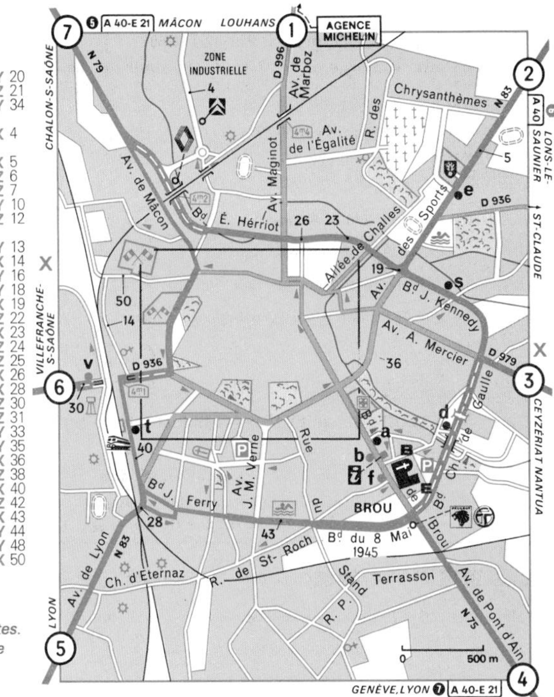

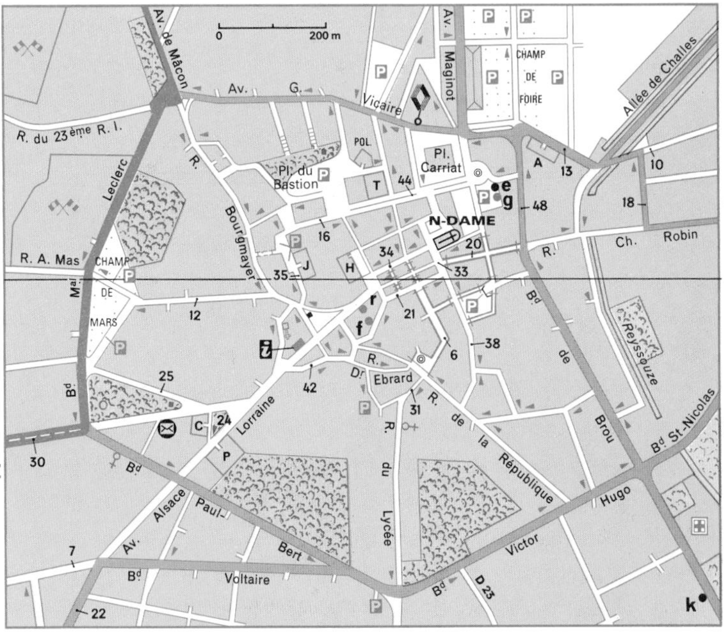

R. du 23ème R. I.
Av. de Mâcon
Av. G. Vicaire
Av. Maginot
CHAMP DE FOIRE
Allée de Challes
Pl. du Bastion
Pl. Carriat
N-DAME
Ch. Robin
R. A. Mas
CHAMP DE MARS
Bd Leclerc
R. Bourgmayer
R. Dr Ebrard
Bd de Brou
Reyssouze
Bd St-Nicolas
Lorraine
R. de la République
R. du Lycée
Av. Alsace
Bd Paul-Bert
Bd Victor Hugo
Bd Voltaire
D 23
200 m

à St-Just par ③ : 3 km sur D 979 – ✉ 01250 :

XXX **La Petite Auberge,** ✆ 74 22 30 04, ⌂, « Auberge fleurie », 🌳 – ⓟ. GB
fermé vacances de nov., mi-janv. à mi-fév., dim. soir (sauf juil.-août), lundi soir et mardi – **R** (prévenir) 110/300, enf. 60.

MICHELIN, Agence, rte de Marboz, ZI Extention-Nord par ① ✆ **74 23 21 43**

ALFA-ROMEO, SEAT Bourg Auto 2 000, 22 r. 4-Septembre ✆ 74 23 19 34
BMW Bresse Auto Sport, ZA la Chambière à Viriat ✆ 74 22 62 55
CITROEN D.A.R.A., ZI Nord av. Arsonval par ⑦ ✆ 74 22 36 44 **N** ✆ 74 45 12 12
FIAT S.E.R.M.A., N 79 Bourg-en-Bresse Nord à Viriat ✆ 74 23 19 55 **N**
FORD Gar. du Bugey, rte de Pont-d'Ain, face Parc des Expositions ✆ 74 22 32 66
HONDA, LANCIA Rignanese, 32 rte de Pont-d'Ain ✆ 74 22 15 21
MERCEDES-BENZ, TOYOTA DBA, 24 av. de Pont-d'Ain ✆ 74 22 65 46
PEUGEOT, TALBOT S.I.C.M.A., 192 bd de Brou ✆ 74 45 93 00 **N** ✆ 74 32 98 26
RENAULT A.R.N.O., bd Ed.-Herriot, ZI Nord ✆ 74 23 35 55 **N**
RENAULT Gar. Carriat, 11 pl. Carriat ✆ 74 22 17 11
ROVER Meunier, rte de Strasbourg N 83 à Viriat ✆ 74 22 20 80
V.A.G Europe-Gar., av. A.-Mercier ✆ 74 23 31 12

Ⓜ CDP Ayme Pneus, r. F.-Arago, ZI Nord ✆ 74 23 34 41
CSR, à Montagnat ✆ 74 22 34 51
Carronnier, r. A.-Mercier ✆ 74 22 30 73
Gaudry Pneu, rond-point Fleyriat-les-Vareys à Viriat ✆ 74 45 05 04
Piot Pneu, ZAC de la Chambière à Viriat ✆ 74 45 21 98

CONSTRUCTEUR : Renault Véhicules Industriels, rte de Ceyzeriat ✆ **74 22 82 00**

Routes enneigées
Pour tous renseignements pratiques, consultez les cartes Michelin **« Grandes Routes »** **918**, **919**, **915** ou **989**.

BOURGES Ⓟ **18000** Cher **69** ① **G. Berry Limousin** – 75 609 h. alt. 130.

Voir Cathédrale*** Z – Palais Jacques-Coeur** Y – Jardins des Prés-Fichaux* Y – Hôtel Lallemant* Y **B** – Jardins de l'Archevêché* Z – Tour octogonale* de l'Hôtel des Échevins Y **D** – Maisons anciennes* YZ – Musée du Berry dans l'hôtel Cujas* : collections gallo-romaines*, prophètes*, pleurants du tombeau du duc de Berry* Y **E**.

⛳ ✆ 48 21 20 01, S : 5 km par D 106.

ℹ Office de Tourisme et Accueil de France (Informations, change et réservations d'hôtels, pas plus de 5 jours à l'avance) 21 r. V.-Hugo ✆ 48 24 75 33, Télex 760290 – A.C. 40 av. J.-Jaurès ✆ 48 24 01 36.

Paris 243 ⑧ – Châteauroux 65 ⑥ – ♦Dijon 247 ② – Nevers 69 ③ – ♦Orléans 119 ⑧ – ♦Tours 153 ⑧.

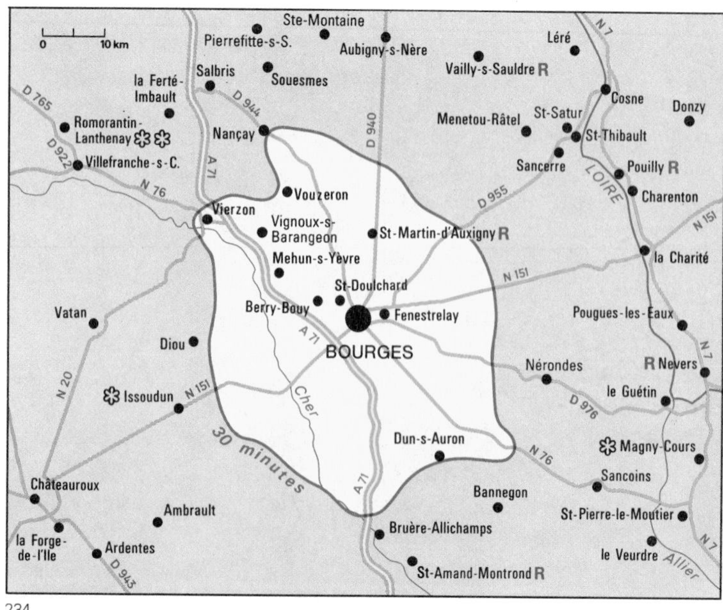

BOURGES

Baffier (R. J.) . . . . X 3
Deux-Ponts (R. des) . . . . V 16
Dormoy (Av. M.) . . . . V 19
Farman (Rd-Pt H.) . . . . X 21
Foch (Bd du Mar.) . . . . X 23
Frères-Voisin (Av. des) . . . . . . X 25
Industrie (Bd de l') . . . . X 30
J.-J. Rousseau (R.) . . . . X 33
Joffre (Bd du Mar.) . . . . X 34
Laudier (Av. H.) . . . . V 38
Liberté (Bd de la) . . . . X 41
Nevers (Av. de) . . . . X 46
Orléans (Av. d') . . . . V 48
Orléans (Rte d') . . . . V 49
Pignoux (R. de) . . . . X 51
Prés-le-Roi (Av. des) . . . . V 53
Prospective (Av. de la) . . . . . . V 56
Pyrotechnie (Pl. de la) . . . . . . X 57
Santos-Dumont (Bd) . . . . X 65
Sellier (R. H.) . . . . X 66
Sémard (Av. P.) . . . . V 68

Bourbon et rest St-Ambroix Ⓜ, Bd République ✆ 48 70 70 00, Fax 48 70 21 22, « Abbaye du 16e siècle » – ⏚ ▤ rest TV ☎ ♿ Ⓟ – 🏃 60. AE ⓓ GB. ✻ rest — Y **b**
R *(fermé sam. midi)* 145/270 bc – ☕ 60 – **60 ch** 460/580.

Le d'Artagnan, 19 pl. Séraucourt ✆ 48 21 51 51, Télex 780312, Fax 48 50 37 88 – ⏚ TV ☎ – 🏃 100. AE GB — X **b**
R 100/180 ♫, enf. 58 – ☕ 35 – **74 ch** 245/310 – ½ P 250.

Angleterre, 1 pl. Quatre Piliers ✆ 48 24 68 51, Fax 48 65 21 41 – ⏚ TV ☎ 🚗 – 🏃 25. AE ⓓ GB. ✻ rest — Y **a**
R *(fermé 21 juin au 6 juil., 20 déc. au 20 janv., lundi midi et dim.)* 82/130 – ☕ 33 – **31 ch** 356/392 – ½ P 298/318.

Olympia sans rest, 66 av. Orléans ✆ 48 70 49 84, Fax 48 65 29 06 – ⏚ TV ☎ 🚗 Ⓟ. AE GB – *fermé 25 déc. au 1er janv.* – ☕ 25 – **42 ch** 190/240. — V **t**

BOURGES

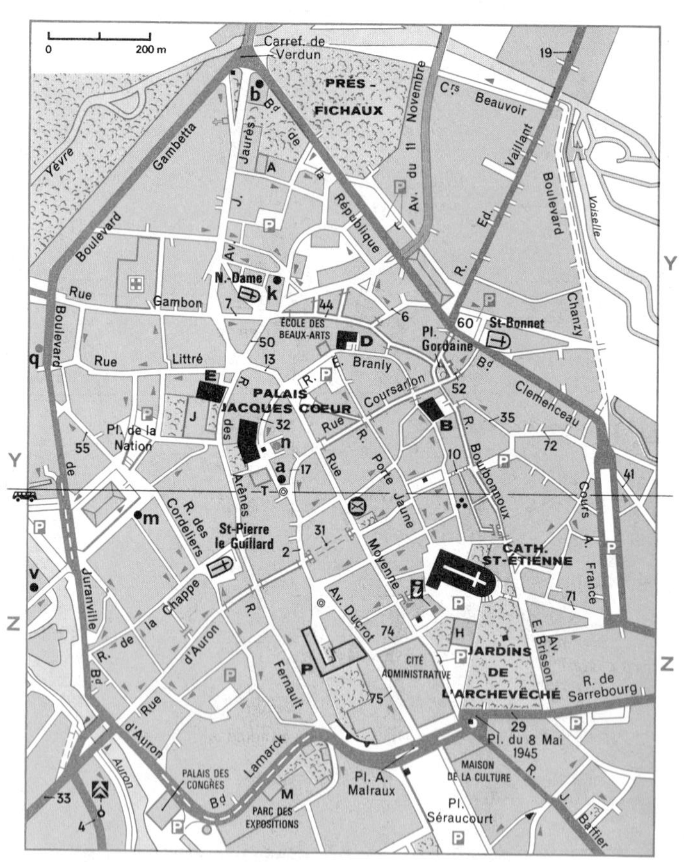

Monitel et rest. La Braisière, 73 r. Barbès ☎ 48 50 23 62, Télex 783397, Fax 48 50 48 96 – 40. AE GB JCB — X u
fermé 23 déc. au 3 janv. – **R** *(fermé sam. midi et dim. soir)* 75/250, enf. 50 – 35 – **48 ch** 225/290.

Tilleuls sans rest, 7 pl. Pyrotechnie ☎ 48 20 49 04, Fax 48 50 61 73, – AE GB — X s
26 – **29 ch** 185/250.

Christina sans rest, 5 r. Halle ☎ 48 70 56 50, Fax 48 70 58 13 – 50. AE GB — Z m
26 – **73 ch** 195/260.

Ibis M, quartier Prado ☎ 48 65 89 99, Télex 782243, Fax 48 65 18 47, – 25 à 60. GB — Z v
R 91/98, enf. 39 – 31 – **86 ch** 285/305 – ½ P 275/300.

Host. Gd Argentier sans rest, 9 r. Parerie ☎ 48 70 84 31 – AE GB JCB — Y k
1er mars-22 déc. et fermé dim. soir et lundi sauf de juin à sept. – 30 – **14 ch** 290/350.

St-Jean sans rest, 23 av. Marx Dormoy ☎ 48 24 13 48 – GB — V m
fermé fév. – 17,50 – **24 ch** 110/240.

XXX **Le Jardin Gourmand,** 15 bis av. E. Renan ✆ 48 21 35 91 – AE GB. ✻ X **r**
fermé 13 au 21 juil., mi-déc. à mi-janv., dim. soir et lundi – **R** 95/230.

XXX **Jacques Cœur,** 3 pl. J. Coeur ✆ 48 70 12 72 – AE ⓓ GB JCB Y **n**
fermé 24 juil. au 21 août, 25 déc. au 2 janv., dim. soir et sam. – **R** 145/180.

XX **Ile d'Or,** 39 bd Juranville ✆ 48 24 29 15 – AE ⓓ GB Y **q**
fermé 1er au 15 mars, 1er au 15 sept., lundi midi et dim. – **R** 100/125.

à Fenestrelay E : 5 km par av. Renan, chaussée de la Chappe (XV) et ② – ✉ **18390** St-Germain-du-Puy :

XX **Aub. du Vieux Moulin,** ✆ 48 24 60 45, 🏞 – Ⓟ. GB
fermé 1er au 25 août, dim. soir et lundi – **R** 120/180.

rte de Châteauroux par ⑥ :

🏨 **Novotel** Ⓜ, Le Bois de Chagnières, à l'échangeur A 7 : 7 km ✉ 18570 Le Subdray ✆ 48 26 53 33, Télex 780352, Fax 48 26 52 22, 🏞, 🏊, 🎾 – |‡| ▤ TV ☎ ♿ Ⓟ – 🏛 200. AE ⓓ GB JCB
R carte environ 120 🍷, enf. 52 – ☕ 48 – **93 ch** 395/480.

🏨 **Confortel** Ⓜ, ✉ 18000 Bourges ✆ 48 67 00 78, Télex 760280, Fax 48 67 95 87, 🏞 – TV ☎ ♿ Ⓟ. GB
R 70/96 🍷, enf. 37 – ☕ 28 – **42 ch** 235 – ½ P 223.

à St-Doulchard NO : 3 km – 9 149 h. – ✉ **18230** :

🏨 **Logitel** sans rest, ✆ 48 70 07 26, Fax 48 24 59 94, 🎾 – TV ☎ Ⓟ. GB V **a**
☕ 22 – **30 ch** 200/225.

à Berry-Bouy NO : 8 km par D 60 – ✉ **18500** :

XX **La Gueulardière,** ✆ 48 26 81 45, 🏞 – ⓓ GB
fermé 26 janv. au 17 fév., lundi soir et mardi – **R** 185/320.

ALFA-ROMEO Gar. Pinon, 130 av. Gén.-de-Gaulle ✆ 48 70 54 81
BMW Gar. Vergès, av. Prospective, Asnières-lès-Bourges ✆ 48 70 47 20
CITROEN Générale-Auto de Bourges, rte de la Charité, ZI St-Germain-du-Puy ✆ 48 24 65 29 N ✆ 48 24 44 44
CITROEN Gar. Bonnet, 13 r. Barbès ✆ 48 50 03 44
FIAT La Fourchette Autom., 207 rte de la Charité ✆ 48 65 80 61
LADA-SKODA Gar. Salmon, 40 av. d'Orléans ✆ 48 65 79 40
MERCEDES-BENZ SAVIB, r. L.-Mallet ✆ 48 21 24 04 N ✆ 88 72 00 94
OPEL Gar. Barbellion, rte d'Orléans, St-Doulchard ✆ 48 24 24 30
PEUGEOT-TALBOT Gds Gar. du Cher, rte d'Orléans, St-Doulchard ✆ 48 24 72 01
RENAULT S.C.A.C. Autom, 259 av. Gén.-de-Gaulle ✆ 48 70 99 97 N ✆ 48 57 53 01
ROVER Gar. Berthot, 136 bis rte de Nevers ✆ 48 50 42 10 N ✆ 48 50 29 46
V.A.G Laudat, 99 rte de la Charité ✆ 48 70 15 17 N ✆ 48 24 19 90

Ⓜ Berry-Pneus, 99 av. Dun ✆ 48 20 34 24
Gar. Gaudichon et Thiault, à St-Florent-sur-Cher ✆ 48 55 65 92 N
Perry Pneus, rte la Charité à St-Germain-du-Puy ✆ 48 65 02 34
Pneu +, Centre Godignon, 58 bd Avenir ✆ 48 50 19 30
Pneu Plus Mathe, ZI n° 2, r. L. Armand ✆ 48 50 51 76

Le BOURGET 93 Seine-St-Denis 56 ⑪, 101 ⑦ ⑰ – voir à Paris, Environs.

Le BOURGET-DU-LAC 73370 Savoie 74 ⑮ **G. Alpes du Nord** – 2 886 h. alt. 262.

Voir Église : frise sculptée★ du choeur – Lac★★.

Env. Chapelle de l'Étoile ≤★★ N : 9 km puis 15 mn.

ℹ Office de Tourisme pl. Gén.-Sevez (saison) ✆ 79 25 01 99.

Paris 532 – Annecy 42 – Aix-les-Bains 8,5 – Belley 24 – Chambéry 13 – La Tour-du-Pin 49.

🏨 ✿ **Ombremont,** N : 2 km par N 504 ✆ 79 25 00 23, Télex 980832, Fax 79 25 25 77, 🏞, « ≤ lac et montagnes 🌳 dans un parc », 🏊 – |‡| TV ☎ Ⓟ – 🏛 60. AE GB
fermé 2 janv. au 5 fév. – **R** 195/420 – ☕ 75 – **13 ch** 550/1400, 6 appart. 1300/2600 – ½ P 920/1210
Spéc. Salade de magrets de canard et foie gras, Filet de sandre à l'oseille, Poitrine de pigeonneau aux fèves et ravioles de Royans. **Vins** Chignin-Bergeron, Mondeuse.

🏨 **Orée du Lac** Ⓜ, ✆ 79 25 24 19, Télex 309773, Fax 79 25 08 51, « Parc », 🏊, 🎾 – TV ☎ ♿ Ⓟ. AE ⓓ GB JCB
fermé 20 nov. au 15 janv. – **R** (résidents seul.) 110/150, enf. 75 – ☕ 55 – **9 ch** 630/820, 3 duplex 1100 – ½ P 515/615.

🏨 **Port,** ✆ 79 25 00 21, Fax 79 25 26 82, ≤, 🏞 – |‡| TV ☎ Ⓟ – 🏛 30. GB. ✻
fermé 1er déc. au 1er fév., dim. soir d'oct. à juin et jeudi – **R** 110/250 – ☕ 35 – **30 ch** 290/340 – ½ P 300/330.

XXX ✿✿ **Le Bateau Ivre** (Jacob), ✆ 79 25 02 66, Télex 309162, Fax 79 25 25 03, ☂, « Ancienne grange à sel, jardin fleuri » – Ⓟ. AE ⓓ GB
7 mai-30 oct. – **R** 200/500 et carte
Spéc. Filets de perche en salade de pommes de terre, Poêlée d'aile de raie aux tomates confites, Tarte Tatin aux pêches et glace caramel. Vins Apremont, Marestel.

XXX ✿ **Aub. Lamartine** (Marin), N : 3,5 km par N 504 ✆ 79 25 01 03, ≤ lac, ☂, ⛰ – Ⓟ. GB
fermé 1er déc. au 20 janv., dim. soir et lundi sauf fériés – **R** 210/360
Spéc. Foie de canard aux airelles et champignons des bois, Omble chevalier farci à la truite saumonée, Gibier (saison). Vins Chignin-Bergeron.

XX **Beaurivage** ⛵ avec ch, ✆ 79 25 00 38, ≤, ☂ – Ⓟ. GB. ✗ ch
fermé fév. et merc. – **R** 120/320, enf. 45 – ☕ 30 – **10 ch** 170/200.

aux Catons NO : 2,5 km par D 42 – ✉ **73370** Le Bourget-du-Lac :

X **La Cerisaie** ⛵ avec ch, ✆ 79 25 01 29, ≤ lac et montagnes, ☂ – Ⓟ. GB. ✗ rest
fermé 21 au 29 avril, 25 oct. au 8 nov., dim. soir sauf juil.-août et merc. sauf hôtel – **R** 125/210, enf. 60 – ☕ 25 – **7 ch** 180/220 – ½ P 210/230.

à Bourdeau N : 4 km par D 14 – ✉ **73370** :

⌂ **Terrasse** Ⓜ ⛵, au village ✆ 79 25 01 01, Fax 79 25 09 97, ≤, ⛰ – TV ☎ Ⓟ. GB. ✗ ch
1er mars-15 oct., et fermé dim. soir hors sais., mardi midi en saison et lundi – **R** 90/300, enf. 55 – ☕ 40 – **12 ch** 300/380 – ½ P 310/330.

BOURG-LÈS-VALENCE **26** Drôme 77 ⑫ – rattaché à Valence.

BOURG-MADAME **66760** Pyr.-Or. 86 ⑯ **G. Pyrénées Roussillon** – 1 238 h. alt. 1 130.

ℹ Syndicat d'Initiative pl. de Catalogne ✆ 68 04 55 35.

Paris 879 – Andorre-la-Vieille 67 – Ax-les-Thermes 57 – Carcassonne 141 – Foix 99 – ◆Perpignan 101.

⌂ **Celisol** sans rest, ✆ 68 04 53 70, ⛰ – ☎ 🚗 Ⓟ. GB
☕ 28 – **14 ch** 220/240.

⌂ **Paix** Ⓜ sans rest, 5 av. E. Brousse ✆ 68 04 53 10 – ☎ Ⓟ. GB. ✗
☕ 25 – **9 ch** 200.

CITROEN Gar. Cerdane ✆ 68 04 51 53 RENAULT Gar. Pallarès ✆ 68 04 50 01

BOURGOIN-JALLIEU

Belmont (R. Robert) B 3
Libération (R. de la) B 12
Liberté (R. de la) B 13
Pontcottier (R.) B
République (R. de la) AB 20
St-Michel (Pl.) B 22
23-Août (Pl. du) B 31
Alsace-Lorraine (Av. d') A 2
Carnot (Pl.) B 4
Clemenceau (R. Georges) A 6
Gambetta (Av.) A 7
Génin (R. Ambroise) A 8
Halle (Pl. de la) B 10
Moulin (R. J.) B 14
Moulins (R. des) B 15
Paix (R. de la) A 16
Pouchelon (R. de) B 17
République (Pl. de la) A 18
Seigner (R. Joseph) AB 23
Victor-Hugo (R.) B 26
19-Mars-62 (R. du) AB 29

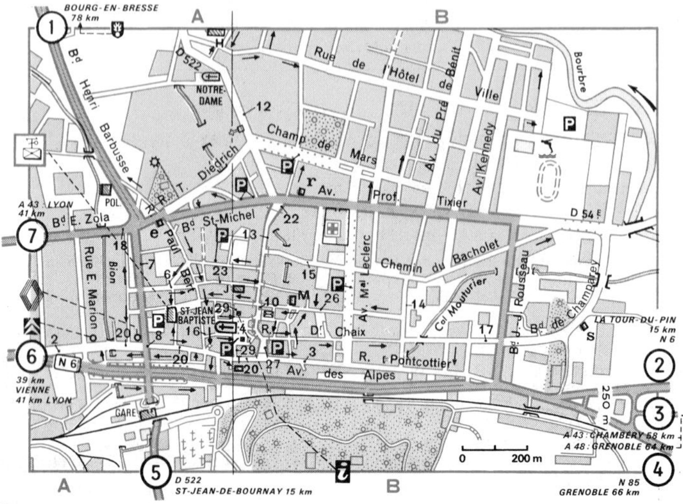

BOURGOIN-JALLIEU 38300 Isère 74 ⑬ G. Vallée du Rhône – 22 392 h. alt. 254.

℘ 74 43 28 84, à l'Isle-d'Abeau par ⑥ : 5,5 km.

Office de Tourisme pl. Carnot ℘ 74 93 47 50.

Paris 509 ⑦ – Lyon 41 ⑦ – Bourg-en-Bresse 80 ① – Grenoble 64 ③ – La Tour-du-Pin 14 ③ – Vienne 38 ⑥.

Plan page précédente

Climat de France M, par ⑦ : 2 km ℘ 74 28 52 29, Fax 74 43 94 81, – rest 25. AE GB
R 80/120, enf. 40 – 30 – **42 ch** 270.

Menestret, par ⑥ : 1 km ℘ 74 93 13 01, Fax 74 28 46 70 – . GB
fermé dim. – **R** 80/180 – 28 – **10 ch** 205/255 – ½ P 205/230.

Chavancy, av. Tixier ℘ 74 93 63 88 – . AE GB — B **r**
fermé 20 juil. au 25 août, dim. soir et lundi – **R** 130/320, enf. 60.

Gérard Potherat, pl. République ℘ 74 43 94 95 – . AE GB. — A **e**
fermé 1er au 10 juil., jeudi soir et sam. midi – **R** 120/185.

La Table Gourmande, quartier Champarey ℘ 74 93 25 70 – GB — B **s**
R *(fermé août, dim. soir et lundi)* 70 bc/170 bc, enf. 50.

par ② : 2 km par N 6 et D 54c – ✉ 38300 Bourgoin-Jallieu :

Laurent Thomas - les Séquoias M avec ch, Vie de Boussieu ℘ 74 93 78 00, Fax 74 28 60 90, , « Demeure bourgeoise dans un parc », – rest . AE GB
fermé 17 août au 10 sept., vacances de fév., dim. soir, merc. et fériés le soir – **R** 190/330, enf. 80 – 55 – **5 ch** 500/700.

à la Combe par ④ : 7 km – ✉ 38300 Bourgoin-Jallieu :

L'Auberge, sur N 85 ℘ 74 92 01 17 – AE GB
fermé 16 au 31 août et lundi soir – **R** 60/145 – 19 – **7 ch** 100/145 – ½ P 135/190.

par ⑥ – ✉ 38080 Bourgoin-Jallieu :

Ibis M sans rest, aire de l'Isle-d'Abeau, 6,5 km ℘ 74 27 27 91, Télex 308239, Fax 74 27 01 45 – . GB
30 – **33 ch** 260.

Bernard Lantelme, N 6 - la Grive : 4 km ℘ 74 28 19 12 – GB
fermé 1er au 25 août, sam. midi et dim. – **R** 150/195.

à l'Isle-d'Abeau nouveau par ⑥ et N 6 : 13 km – ✉ 38090 Villefontaine :

Mercure M, ℘ 74 96 80 00, Télex 308100, Fax 74 96 80 99, , , , , – cuisinette ch – 150. AE GB
R 130, enf. 45 – 45 – **146 ch** 530/610.

à l'Isle-d'Abeau village par ⑦ et D 208 : 4,5 km – 5 554 h. – ✉ 38080 L'isle-d'Abeau :

Otelinn, ℘ 74 27 13 55, Télex 308179, – – 40
45 ch.

CITROEN J.-B. Pellet, 5 av. Alsace-Lorraine ℘ 74 93 25 63
CITROEN Cruizille, à Villefontaine ℘ 74 96 52 30
NISSAN Blondet, N 6, Ruy ℘ 74 93 43 24
PEUGEOT, TALBOT Pellet, ZAC la Maladière av. E.-Zola par ⑦ ℘ 74 93 00 90
RENAULT Girard, quai Bourbre par D 522 A ℘ 74 93 08 36 N ℘ 74 43 09 57
RENAULT Gar. Pin, 63 r. République ℘ 74 93 18 04
SEAT Europ Autos, RN 6 - la Grive ℘ 77 43 83 34

Mathieu-Pneus, 14 bis r. Funas ℘ 74 28 00 22
Piot-Pneu, ZI La Maladière, 4 r. Isaac-Asimov ℘ 74 93 66 31
Prieur-Pneus, 17 av. Alsace-Lorraine ℘ 74 93 31 34
Tessaro-Pneus, 74 av. Prof.-Tixier ℘ 74 28 33 10

BOURG-ST-ANDÉOL 07700 Ardèche 80 ⑨ ⑩ G. Vallée du Rhône (plan) – 7 795 h. alt. 68.

Voir Église★.

Syndicat d'Initiative pl. Champ-de-Mars ℘ 75 54 54 20.

Paris 632 – Montélimar 25 – Nyons 51 – Pont-Saint-Esprit 15 – Privas 55 – Vallon-Pont-d'Arc 30.

Le Prieuré, quai du Rhône ℘ 75 54 62 99, Fax 75 54 63 73, ≤ – . AE GB
R *(fermé lundi)* 98/190 – 32 – **16 ch** 250/380 – ½ P 280/310.

Moderne, pl. Champ de Mars ℘ 75 54 50 12 – . AE GB. rest
1er mars-30 nov. et fermé sam. midi (sauf du 1er juil. au 30 sept.) et dim. soir – **R** 75/165, enf. 47 – 30 – **21 ch** 110/265 – ½ P 150/230.

CITROEN Goussard, 13 fg Notre-Dame ℘ 75 54 50 27 N
RENAULT Provence-Gar., av. F.-Chalamel ℘ 75 54 51 88

BOURG-STE-MARIE 52150 H.-Marne 62 ⑬ – 117 h. alt. 329.

Paris 290 – Chaumont 38 – Langres 45 – Neufchâteau 24 – Vittel 38.

St-Martin, ℘ 25 01 10 15, – – 30. AE GB
fermé 20 déc. au 15 janv. – **R** *(fermé dim. soir)* 68/206, enf. 48 – 29 – **14 ch** 160/230.

Repas 100/130 Sorgfältig zubereitete, preiswerte Mahlzeiten.

BOURG-ST-MAURICE 73700 Savoie 74 ⑱ G. Alpes du Nord – 6 056 h. alt. 840 – Sports d'hiver aux Arcs : 1 600/3 200 m 1 64.

des Arcs Le Chantel ✆ 79 07 43 95, S : 20 km.

Office de Tourisme pl. Gare ✆ 79 07 04 92.

Paris 635 – Albertville 53 – Aosta 87 – Chambéry 99 – Chamonix-Mont-Blanc 76 – Moûtiers 25 – Val-d'Isère 31.

L'Autantic M sans rest, rte Hauteville ✆ 79 07 01 70, Fax 79 07 51 55, ≤, – TV ☎ ♿ Ⓟ – 40. AE ⓓ GB
40 – **23 ch** 440.

Host. Petit St-Bernard, av. Stade ✆ 79 07 04 32, Fax 79 07 32 80, – TV ☎ Ⓟ. AE ⓓ GB
fermé 26 avril au 10 mai et nov. – **R** 90/150, enf. 50 – 50 – **20 ch** 290/350 – ½ P 285/310.

Bon Repos sans rest, r. Centenaire ✆ 79 07 01 78 – TV ☎. AE ⓓ GB.
fermé 10 au 31 mai et oct. – 27 – **11 ch** 150/290.

XX **Le Montagnole,** 26 av. Stade ✆ 79 07 11 52 – GB
fermé 15 juin au 12 juil., 15 sept. au 15 oct., mardi soir hors sais. et merc. – **R** 98/135.

X **Edelweiss,** face gare ✆ 79 07 05 55 – GB
fermé juin et 1er au 15 nov. – **R** 57/140.

PEUGEOT-TALBOT Martin A., pl. Gare ✆ 79 07 01 44 N ✆ 79 07 03 06

RENAULT Gar. Guyon, 70 av. Haute-Tarentaise ✆ 79 07 27 11

BOURGUEIL 37140 I.-et-L. 64 ⑬ G. Châteaux de la Loire – 4 001 h. alt. 42.

Syndicat d'Initiative pl. Halles (juin-oct.) ✆ 47 97 91 39.

Paris 283 – ◆ Tours 45 – Angers 65 – Chinon 17 – Saumur 23.

Le Thouarsais sans rest, pl. Hublin ✆ 47 97 72 05,
fermé 15 au 24 mai, vacances de Noël et dim. d'oct. à Pâques – 23 – **29 ch** 100/272.

XX **Germain,** r. A. Chartier ✆ 47 97 72 22 – GB
fermé 28 sept. au 20 oct., dim. soir et lundi sauf fériés – **R** 90/200, enf. 45.

au N 4 km par D 749 – ✉ **37140** Bourgueil :

XX **Aub. de Touvois,** ✆ 47 97 88 81, – Ⓟ. GB
fermé 1er au 15 oct., 22 déc. au 20 janv. et lundi – **R** 95/240, enf. 50.

PEUGEOT-TALBOT Delafuye, av. St-Nicolas, la Villatte ✆ 47 97 70 48

RENAULT Pigeon, à St-Nicolas-de-Bourgueil ✆ 47 97 71 03

BOURROUILLAN 32 Gers 82 ③ – rattaché à Eauze.

BOURTH 27580 Eure 60 ⑤ – 1 064 h. alt. 192.

Paris 127 – Alençon 76 – l'Aigle 15 – Évreux 44 – Verneuil sur Avre 10,5.

XX **Aub. Chantecler,** face église ✆ 32 32 61 45 – GB
fermé août, vacances de fév., dim. soir et lundi sauf fériés – **R** 68/195.

BOUSSAC 23600 Creuse 68 ⑳ G. Berry Limousin – 1 652 h. alt. 334.

Voir Site★ du château.

Env. Toulx Ste-Croix : ★★ de la tour S : 11 km.

Syndicat d'Initiative pl. Hôtel de Ville (juin-sept.) ✆ 55 65 05 95.

Paris 338 – Aubusson 48 – La Châtre 37 – Guéret 40 – Montluçon 35 – St-Amand-Montrond 55.

XX **Relais Creusois,** ✆ 55 65 02 20 – GB
fermé 1er au 7 juin, fév., mardi soir et merc. sauf juil.-août – **R** 110/350, enf. 60.

à Nouzerines NO : 11 km par D 97 – ✉ **23600** Boussac :

La Bonne Auberge, ✆ 55 82 01 18 – ☎. GB. ch
fermé 20 sept. au 12 oct., 19 déc. au 2 janv., vend. soir et sam. – **R** 50/140, enf. 30 – 18 – **9 ch** 105/150 – ½ P 125/145.

PEUGEOT-TALBOT Chauvet ✆ 55 65 04 11

RENAULT Chaubron ✆ 55 65 01 32

BOUT-DU-LAC 74 H.-Savoie 74 ⑯ – alt. 448 – ✉ **74210** Faverges.

Voir Combe d'Ire★ S : 3 km, G. Alpes du Nord.

Paris 555 – Annecy 18 – Albertville 27 – Megève 42.

au Bord du Lac :

XX **Chappet** avec ch, ✆ 50 44 30 19, ≤, , « Terrasse au bord de l'eau », – TV ☎ Ⓟ. GB
1er fév.-20 oct. et fermé jeudi soir et lundi sauf du 15 juin au 15 sept. – **R** 110/300 – 35 – **9 ch** 310 – ½ P 310.

XX **Sautreau** avec ch, ✆ 50 44 30 02, ≤, , , – TV Ⓟ. GB
1er fév.-fin sept. et fermé mardi soir et merc. sauf du 1er juin au 30 sept. – **R** 200 – 40 – **11 ch** 150/280 – ½ P 200/280.

à Doussard S : 3 km par N 508 et VO – ✉ 74210 :

Marceau 🐦, à Marceau-Dessus O : 2 km par N 508 et VO ☎ 50 44 30 11, Télex 309346, Fax 50 44 39 44, ≤, 🏡, 🌳, 🎾 – TV ☎ 🚗 P. AE ⓓ GB
fermé 15 déc. au 15 janv. – **R** *(fermé dim. soir et merc. hors sais.)* 130/330, enf. 70 – ☕ 45 – **15 ch** 420/630 – ½ P 450/570.

Arcalod, ☎ 50 44 30 22, 🌳 – |ascenseur| TV ☎ P. GB. ⛔ rest
17 avril-15 oct. et 7 fév.-17 mars – **R** 80/140 🍷, enf. 50 – ☕ 35 – **33 ch** 250/350 – ½ P 250/300.

BOUT-DU-PONT-DE-LARN 81 Tarn 83 ⑫ – rattaché à Mazamet.

BOUTENAC-TOUVENT 17120 Char.-Mar. 71 ⑥ – 219 h. alt. 45.

Paris 507 – Royan 31 – Blaye 51 – Jonzac 29 – Pons 23 – Saintes 33.

Le Relais M, à Touvent ☎ 46 94 13 06, 🏡, 🌳 – TV ☎ ♿ P. GB. ⛔
fermé 7 au 28 déc., dim. soir et lundi sauf juil.-août – **R** 90/260 – ☕ 35 – **12 ch** 240/260 – ½ P 280.

BOUXWILLER 67330 B.-Rhin 57 ⑱ **G. Alsace Lorraine** – 3 693 h. alt. 220.

Env. Tapisseries★★ dans l'église St-Pierre et St-Paul★ de Neuwiller-les Saverne O : 7 km.

Paris 448 – ◆Strasbourg 38 – Bitche 36 – Haguenau 23 – Sarrebourg 39 – Saverne 15.

Heintz, ☎ 88 70 72 57, 🏡, 🏊, 🌳 – ☎ 🚗 P. GB. ⛔
fermé 6 au 28 janv., dim. soir et lundi – **R** 110/250 🍷 – ☕ 25 – **16 ch** 195/220 – ½ P 200/250.

RENAULT Gar. Braunecker, à Ingwiller ☎ 88 89 43 78 **N**

BOUZEL 63910 P.-de-D. 73 ⑮ – 510 h.

Paris 437 – ◆Clermont-Ferrand 20 – Ambert 61 – Issoire 39 – Thiers 25 – Vichy 47.

Aub. du Ver Luisant, ☎ 73 62 93 83 – GB. ⛔
fermé 15 août au 5 sept., 25 déc. au 1er janv., dim. soir et lundi sauf fériés – **R** 130/360.

BOUZIÈS 46330 Lot 79 ⑧ – 77 h. alt. 136.

Paris 588 – Cahors 26 – Figeac 49 – Gourdon 47 – Villefranche-de-Rouergue 40.

Les Falaises 🐦, ☎ 65 31 26 83, Fax 65 30 23 87, 🏡, 🏊, 🌳, 🎾 – ☎ ♿ P – 🏛 40. GB
1er avril-31 oct. – **R** 73/254, enf. 45 – ☕ 30 – **39 ch** 219/285 – ½ P 219/268.

BOUZIGUES 34 Hérault 83 ⑯ – rattaché à Mèze.

BOYARDVILLE 17 Char.-Mar. 71 ⑬ – voir à Oléron (Ile d').

BOZOULS 12340 Aveyron 80 ③ **G. Gorges du Tarn** – 2 060 h. alt. 610.

Voir Trou de Bozouls★.

Paris 611 – Rodez 23 – Espalion 10,5 – Mende 96 – Sévérac-le-Château 40.

A la Route d'Argent, sur D 988 ☎ 65 44 92 27, 🏊 – ☎ ♿ P. GB
fermé fév. et dim. soir – **R** 65/200 🍷, enf. 50 – ☕ 25 – **18 ch** 110/200 – ½ P 170/200.

Le Belvédère 🐦 avec ch, ☎ 65 44 92 66, ≤ Trou de Bozouls, 🏡 – TV ☎. AE GB
fermé 3 au 30 nov., dim. soir et lundi hors sais. – **Repas** 70/155 – ☕ 25 – **11 ch** 210/260 – ½ P 190/210.

BRACIEUX 41250 L.-et-Ch. 64 ⑱ **G. Châteaux de la Loire** – 1 157 h. alt. 81.

Paris 183 – ◆Orléans 60 – Blois 18 – Châteauroux 92 – Montrichard 37 – Romorantin-Lanthenay 29.

Bonnheure 🐦 sans rest, ☎ 54 46 41 57, 🌳 – cuisinette ☎ ♿ P. GB
☕ 35 – **13 ch** 270/320.

✕✕✕✕ ✿✿ **Bernard Robin,** ☎ 54 46 41 22, Fax 54 46 03 69, 🌳 – GB
fermé 22 déc. à fin janv., mardi soir et merc. – **R** (nombre de couverts limité - prévenir) 290/510 et carte
Spéc. Salade de pigeon et homard, Caille farcie rôtie au four, Gibier (oct. à janv.). **Vins** Vouvray, Chinon.

RENAULT Gar. Warsemann ☎ 54 55 33 34

BRANCION 71 S.-et-L. 70 ⑪ – rattaché à Tournus.

BRANDÉRION 56 Morbihan 63 ① – rattaché à Hennebont.

BRANTÔME 24310 Dordogne 75 ⑤ **G. Périgord Quercy** – 2 080 h. alt. 103.

Voir Site★ – Clocher★★ de l'église abbatiale – Bords de la Dronne★★.

i Syndicat d'Initiative Pavillon Renaissance (Pâques-fin oct.) ☎ 53 05 80 52.

Paris 503 – Angoulême 60 – Périgueux 27 – ◆Limoges 84 – Nontron 24 – Ribérac 37 – Thiviers 27.

Moulin de l'Abbaye M, 53 05 80 22, Fax 53 05 75 27, ≤, «Terrasse au bord de l'eau » – TV ☎. AE ⓓ GB
5 mai-22 oct. – **R** *(fermé lundi midi)* 210/400, enf. 95 – 65 – **17 ch** 650/950, 4 appart. 1200 – ½ P 700/965
Spéc. Lobe de foie gras rôti aux poires épicées, Charlotte de canard confit aux baies de genièvre, Soufflé au chocolat et oranges confites. **Vins** Pécharmant, Bergerac.

Chabrol (Charbonnel), 53 05 70 15, Fax 53 05 71 85, «Terrasse surplombant la rivière » – TV ☎. AE ⓓ GB.
fermé 15 nov. au 15 déc., 8 au 28 fév., dim. soir et lundi du 1er oct. au 30 juin – **R** 160/450 – 50 – **19 ch** 290/480
Spéc. Salade "tout canard", Ragoût du pêcheur, Rossini de pigeonneau. **Vins** Montravel, Pécharmant.

Périgord Vert, 53 05 70 58, – TV ☎ & – 30. GB.
fermé dim. soir et vend. de nov. à mars – **R** 90/200, enf. 50 – 32 – **18 ch** 210/275 – ½ P 250/285.

à Champagnac de Belair NE : 6 km par D 78 et D 83 – ✉ **24530** :

Moulin du Roc (Mme Gardillou) M, 53 54 80 36, Télex 571555, Fax 53 54 21 31, ≤, «Ancien moulin à huile au bord de l'eau », – TV ☎ P. AE ⓓ GB JCB
fermé 15 nov. au 15 déc. et 15 janv. au 15 fév. – **R** *(fermé merc. midi et mardi)* 200/350, enf. 100 – 60 – **10 ch** 400/620, 4 appart. 680 – ½ P 550/680
Spéc. Tourte périgourdine, Croustillant d'agneau persillé aux noix, Marguerite de pommes et glace au Cognac. **Vins** Pécharmant, Bergerac.

à Bourdeilles SO : 10 km – ✉ **24310**.

Voir château★ : mobilier★★, cheminée★★ de la salle à manger.

Griffons, 53 03 75 61, ≤, «Bel intérieur rustique » – ☎. AE ⓓ GB
15 avril-15 oct. – **R** 145/205, enf. 90 – 45 – **10 ch** 390 – ½ P 360/400.

CITROEN Desvergne 53 05 70 29 N 53 05 83 93

BRASSAC-LES-MINES **63570** P.-de-D. 76 ⑤ – 3 446 h. alt. 409.

Env. Auzon : site★, statue de N.-D.-du-Portail★★ dans l'église SE : 6,5 km, **G. Auvergne.**

Paris 474 – ◆Clermont-Ferrand 56 – Brioude 13 – Issoire 21 – Murat 61 – Le Puy 74 – St-Flour 52.

Le Limanais, av. Ste-Florine, par rte Lempdes 73 54 13 98 – ☎ P. GB
fermé 2 au 30 janv., vend. soir et sam. midi sauf juil.-août – **R** 68/230 – 26 – **18 ch** 145/235 – ½ P 195/240.

FORD Gar. Jourdes, 3 pl. Musée 73 54 10 02

BRAX **47** L.-et-G. 79 ⑮ – rattaché à Agen.

BREBIÈRES **62** P.-de-C. 53 ③ – rattaché à Douai.

BRÉDANNAZ **74** H.-Savoie 74 ⑥ ⑯ – alt. 450 – ✉ **74210** Faverges.

Paris 552 – Annecy 15 – Albertville 30 – Megève 45.

Port et Lac, 50 68 67 20, ≤, – ☎ P. GB
fév.-nov. – **R** 75/200, enf. 50 – 41 – **19 ch** 170/330 – ½ P 210/320.

à Chaparon S : 1,5 km par VO – ✉ **74210** Faverges :

La Châtaigneraie, 50 44 30 67, Fax 50 44 83 71, ≤, « Jardin ombragé », – cuisinette TV ☎ P – 25. AE ⓓ GB. rest
1er fév.-18 oct., et fermé dim. soir et lundi du 1er oct. au 1er mai – **Repas** 90/255, enf. 50 – 37 – **25 ch** 250/365 – ½ P 300/345.

La BRÈDE **33650** Gironde 71 ⑩ – 2 846 h. alt. 25.

Paris 601 – ◆Bordeaux 22 – Langon 30 – Libourne 43.

XX **La Maison des Graves,** av. Gén. de Gaulle 56 20 24 45 – AE GB
fermé 17 août au 4 sept., dim. soir et lundi sauf fériés – **R** 96/160.

BRÉHAL **50290** Manche 59 ⑦ – 2 351 h. alt. 52.

9 33 51 58 88, O : 5 km.

Paris 344 – St-Lô 48 – Coutances 19 – Granville 10 – Villedieu-les-Poêles 26.

Gare, 33 61 61 11 – TV ☎ P. GB
fermé 12 au 25 mai, 22 déc. au 31 janv., dim. soir et lundi (sauf fériés et juil.-août) – **R** 59/195, enf. 44 – 30 – **9 ch** 250 – ½ P 220.

Game Fair M, Rd-Pt de la Rocade 33 90 04 00, Fax 33 90 22 38 – TV ☎ & P. AE ⓓ GB JCB
R 45/99, enf. 39 – 21 – **38 ch** 195/255 – ½ P 240/270.

RENAULT Lainé 33 61 62 52 N

BREHEMONT **37** I.-et-L. 64 ⑭ – rattaché à Langeais.

BREIL-SUR-ROYA 06540 Alpes-Mar. 84 ⑳ 195 ⑱ G. Côte d'Azur – 2 058 h. alt. 286.

Env. Saorge : site★★, <★, Madonna del Poggio★, couvent des Franciscains <★ N : 9 km – Gorges de Saorge★★ N : 9 km.

Paris 898 – Menton 32 – ♦Nice 58 – Tende 20 – Ventimiglia 25.

- **Castel du Roy** 🐎, N : 1 km par N 204 ✆ 93 04 43 66, <, 🍴, parc, 🏊 – TV ☎ 🅟. AE GB
  1er mars-31 oct. – **R** *(fermé mardi d'oct. à mai)* 100/240, enf. 70 – ☕ 30 – **15 ch** 290/320 – ½ P 250/265.
- **Roya**, pl. Biancheri ✆ 93 04 48 10 – TV ☎. AE GB
  ✦ *hôtel : fermé fév. ; rest. : fermé janv., fév. et vend. soir* – **R** 70 bc/145 🧒, enf. 55 – ☕ 25 – **12 ch** 220/260 – ½ P 220/240.

BREITENBACH-HAUT-RHIN 68 H.-Rhin 62 ⑱ – rattaché à Munster.

BRELIDY 22140 C.-d'Armor 59 ② – 325 h. alt. 100.

Voir Église de Runan★ NE : 4 km, G. Bretagne.

Paris 499 – St-Brieuc 45 – Carhaix-Plouguer 61 – Guingamp 14 – Lannion 26 – Morlaix 55 – Plouaret 23.

- **Château de Brelidy**, ✆ 96 95 69 38, Fax 96 95 18 03, <, « Demeure du 16e siècle 🐎 dans un parc » – ☎ ♿ 🅟 – 🏛 25. GB. ✻ rest
  10 avril-3 nov. – **R** (dîner seul.)(résidents seul.) 165 – ☕ 45 – **10 ch** 410/610.

La BRESSE 88250 Vosges 62 ⑰ G. Alsace Lorraine – 5 191 h. alt. 650 – Sports d'hiver : 900/1 350 m ⛷30 ⛷ – ℹ Office de Tourisme 21 quai Iranées ✆ 29 25 41 29.

Paris 423 – Colmar 53 – Épinal 58 – Gérardmer 13 – Remiremont 33 – Thann 38 – Le Thillot 19.

- **Vallées et sa Résidence** M 🐎, 31 r. P. Claudel ✆ 29 25 41 39, Télex 960573, Fax 29 25 64 38, <, « Parc », 🏊, 🎾 – 🛗 cuisinette TV ☎ ♿ 🅟 – 🏛 25 à 200. AE ⓓ GB
  R 85/210 🧒, enf. 50 – ☕ 32 – **54 ch** 280/350, 60 studios 320/420 – ½ P 290/340.
- **du Chevreuil Blanc**, 3 r. P. Claudel ✆ 29 25 41 08 – TV ☎ 🅟. GB
  ✦ *fermé 10 au 25 mai et 15 au 31 oct.* – **R** 70/95 🧒, enf. 40 – ☕ 28 – **10 ch** 210/250 – ½ P 220.

au NE : 6,5 km par D 34 et D 34D – ✉ 88250 La Bresse :

- XX **Aub. du Pêcheur** avec ch, ✆ 29 25 43 86, < – TV 🅟. AE ⓓ GB
  ✦ *fermé 15 au 30 juin, 1er au 15 déc., mardi soir et merc.* – **R** 65/120 🧒, enf. 45 – ☕ 22 – **5 ch** 160/210.

à Belles-Huttes NE : 8 km par D 34 et D 34D – ✉ 88250 La Bresse :

- X **Le Slalom**, ✆ 29 25 41 71, < – 🅟. AE ⓓ GB
  fermé 12 nov. au 1er déc. – **R** (libre-service en saison d'hiver) 90/190 🧒, enf. 50.

CITROEN Gar. Jeangeorge ✆ 29 25 40 41
PEUGEOT-TALBOT Gar. du Pont de la Plaine 23 rte de Cornimont ✆ 29 25 40 88
RENAULT Gar. Bertrand ✆ 29 25 40 69 N ✆ 29 25 55 06
V.A.G Gar. Deybach, 52 rte de Vologne ✆ 29 25 46 91

BRESSON 38 Isère 77 ⑤ – rattaché à Grenoble.

BRESSUIRE

Gambetta (R.)	20
Notre-Dame (Pl. et ⛪)	29
Albert-1er (Bd)	2
Alexandre-1er (Bd)	3
Anciens-Combattants (Pl. des)	4
Aubry (Bd du Col.)	5
Bujault (R. J.)	6
Cave (R. de la)	7
Campes (R. des)	8
Clemenceau (Bd G.)	10
Denfert-Rochereau (R.)	12
Docteur-Brillaud (R. du)	14
Dugesclin (R.)	15
Dupin (Pl.)	16
Fossés (R. des)	18
Hardilliers (R. des)	22
Héry (R. René)	23
Jaurès (R. J.)	24
Labâte (Pl.)	25
Libération (Pl. de la)	26
Lorand (R. G.)	27
Nérisson (Bd J.)	28
Pasteur (R.)	30
Religieuses (R. des)	32
St-Jacques (Pl.)	33
St-Jean (Pl. et R.)	35
Salengro (R. Roger)	36
Sarrail (R. du Gén.)	37
Tourette (R. de la)	39
Vergne (R. de la)	40
5-Mai (Pl. du)	42

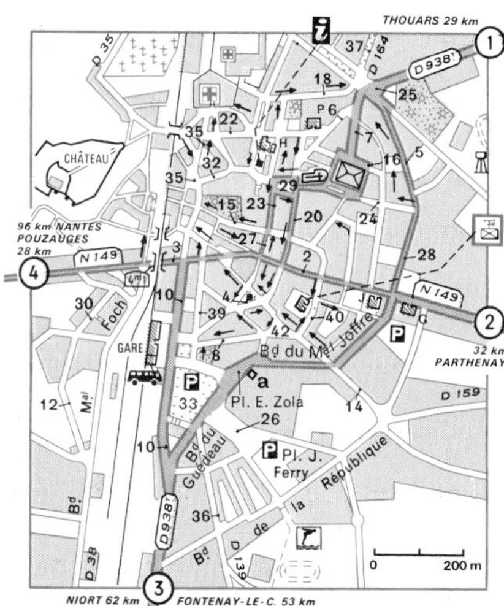

BRESSUIRE 79300 Deux-Sèvres 67 ⑰ G. Poitou Vendée Charentes – 17 827 h. alt. 184.

Office de Tourisme avec A.C. pl. Hôtel de Ville ☎ 49 65 10 27.

Paris 355 ① – Angers 81 ① – Cholet 46 ④ – Niort 62 ③ – Poitiers 82 ② – La Roche-sur-Yon 82 ④.

Plan page précédente

Sapinière M, SE : 2,5 km par ③ et rte Boismé par rocade Niort-Poitiers ☎ 49 74 24 22, Fax 49 65 80 38, ≤, « Au bord d'un étang » – TV ☎ & P – 100. AE GB.
R *(fermé 20 déc. au 7 janv., vend. soir et sam. du 15 nov. au 1er mars)* 63/200 , enf. 55 – 26 – **30 ch** 230/300 – ½ P 220/240.

Boule d'Or, 15 pl. É. Zola **(a)** ☎ 49 65 02 18 – TV ☎ P – 30. GB
fermé août, 1er au 15 fév., dim. soir et lundi midi – **R** 65/175 – 28 – **20 ch** 165/260 – ½ P 170/210.

FIAT Chauvin-Besse, 5 r. Gén.-André ☎ 49 65 06 14
PEUGEOT-TALBOT Gar. Cornu, bd de Thouars par ① ☎ 49 74 20 44
RENAULT Gar. Goyault et Jolly, rte de Poitiers ☎ 49 74 15 33
V.A.G Chollet, rte de Nantes ☎ 49 65 04 00
Bressuire-Pneus, 89 bd de Poitiers ☎ 49 74 13 86

Quando cercate un albergo o un ristorante, siate pratici.
Approfittate delle località sottolineate in rosso sulle carte stradali 1:200 000.
Ma che le carte siano recenti!

BREST 29200 Finistère 58 ④ G. Bretagne – 147 956 h. Communauté urbaine 213 838 h alt. 34.

Voir Oceanopolis★★ par ⑤ – Cours Dajot ≤★★ EZ – Traversée de la rade★ et promenade en rade★ – Visite arsenal et base navale ★ AX – Musée des Beaux-Arts★ EZ **M**.

Env. Pont Albert-Louppe ≤★ 7,5 km par ⑤.

Brest-Iroise ☎ 98 85 16 17, par ④ : 25 km.

de Brest-Guipavas : Air Inter ☎ 98 84 73 33, par ③ : 10 km.

Office de Tourisme 1 pl. Liberté ☎ 98 44 24 96 – A.C. 9 r. Siam ☎ 98 44 32 89.

Paris 596 ② – Lorient 134 ⑤ – Quimper 72 ⑤ – ♦Rennes 244 ② – Saint-Brieuc 143 ②.

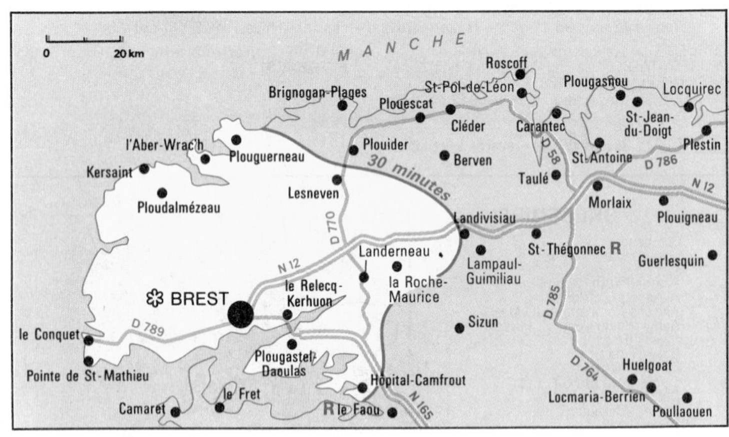

Océania M, 82 r. Siam ☎ 98 80 66 66, Télex 940951, Fax 98 80 65 50 – ch rest TV ☎ & – 200. AE GB EY **r**
R 100/350 , enf. 75 – 48 – **82 ch** 460/750.

Altéa Continental, square La Tour d'Auvergne ☎ 98 80 50 40, Télex 940575, Fax 98 43 17 47 – TV ☎ – 200. AE GB EY **f**
R *(fermé sam. et dim.)* (dîner seul.) 85/120 , enf. 40 – 45 – **75 ch** 360/535.

Voyageurs, 15 av. Clemenceau ☎ 98 80 25 73, Télex 941512, Fax 98 46 52 98 – rest TV ☎. AE GB EY **n**
R *(fermé dim. soir et lundi)* 215/265 - **grill R** 75 – 35 – **40 ch** 185/355 – ½ P 260.

Paix sans rest, 32 r. Algésiras ☎ 98 80 12 97, Fax 98 43 30 95 – TV ☎. AE GB JCB EY **a**
fermé 25 déc. au 4 janv. – 28 – **25 ch** 200/285.

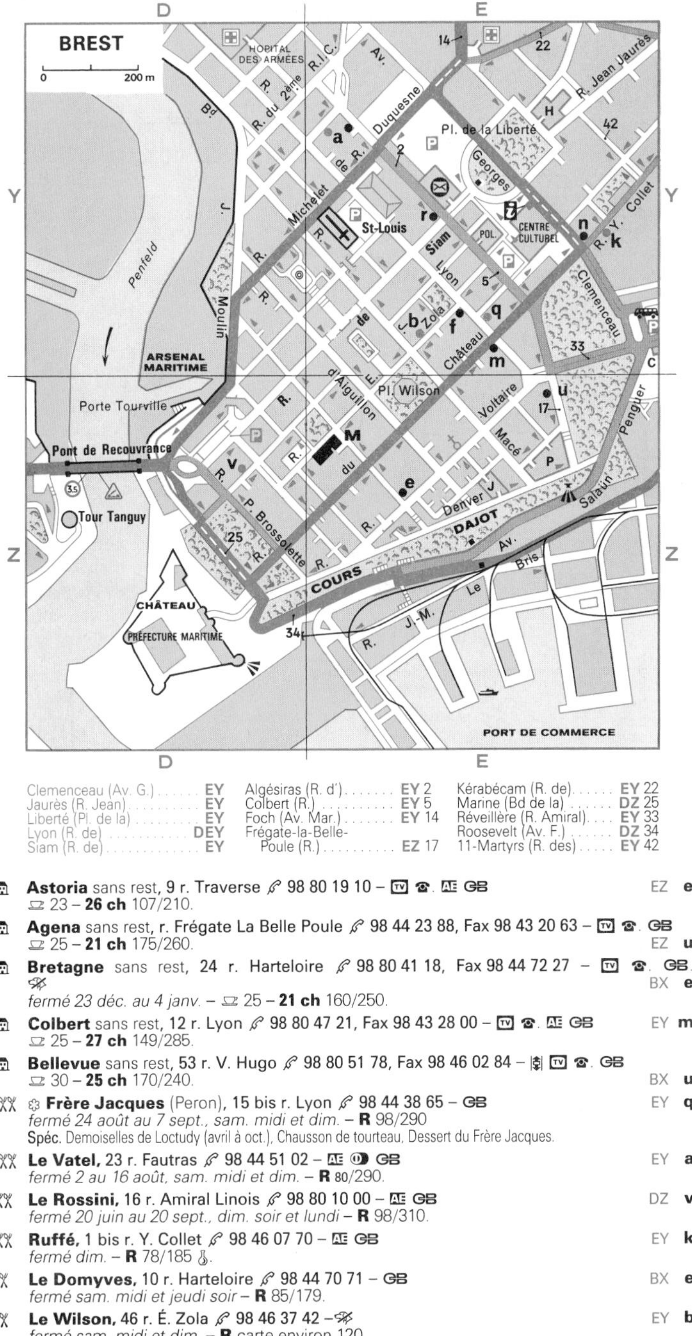

Clemenceau (Av. G.) . . . . . . EY
Jaurès (R. Jean) . . . . EY
Liberté (Pl. de la) . . . . EY
Lyon (R. de) . . . . DEY
Siam (R. de) . . . . EY

Algésiras (R. d') . . . . EY 2
Colbert (R.) . . . . EY 5
Foch (Av. Mar.) . . . . EY 14
Frégate-la-Belle-Poule (R.) . . . . EZ 17

Kérabécam (R. de) . . . . . . EY 22
Marine (Bd de la) . . . . . . DZ 25
Réveillère (R. Amiral) . . . . EY 33
Roosevelt (Av. F.) . . . . . . DZ 34
11-Martyrs (R. des) . . . . . EY 42

Astoria sans rest, 9 r. Traverse ℘ 98 80 19 10 – TV ☎. AE GB — EZ **e**
⊐ 23 – **26 ch** 107/210.

Agena sans rest, r. Frégate La Belle Poule ℘ 98 44 23 88, Fax 98 43 20 63 – TV ☎. GB — EZ **u**
⊐ 25 – **21 ch** 175/260.

Bretagne sans rest, 24 r. Harteloire ℘ 98 80 41 18, Fax 98 44 72 27 – TV ☎. GB. ✻ — BX **e**
fermé 23 déc. au 4 janv. – ⊐ 25 – **21 ch** 160/250.

Colbert sans rest, 12 r. Lyon ℘ 98 80 47 21, Fax 98 43 28 00 – TV ☎. AE GB — EY **m**
⊐ 25 – **27 ch** 149/285.

Bellevue sans rest, 53 r. V. Hugo ℘ 98 80 51 78, Fax 98 46 02 84 – |‡| TV ☎. GB — BX **u**
⊐ 30 – **25 ch** 170/240.

XXX ✿ **Frère Jacques** (Peron), 15 bis r. Lyon ℘ 98 44 38 65 – GB — EY **q**
fermé 24 août au 7 sept., sam. midi et dim. – **R** 98/290
Spéc. Demoiselles de Loctudy (avril à oct.), Chausson de tourteau, Dessert du Frère Jacques.

XXX **Le Vatel,** 23 r. Fautras ℘ 98 44 51 02 – AE ⓓ GB — EY **a**
fermé 2 au 16 août, sam. midi et dim. – **R** 80/290.

XX **Le Rossini,** 16 r. Amiral Linois ℘ 98 80 10 00 – AE GB — DZ **v**
fermé 20 juin au 20 sept., dim. soir et lundi – **R** 98/310.

XX **Ruffé,** 1 bis r. Y. Collet ℘ 98 46 07 70 – AE GB — EY **k**
fermé dim. – **R** 78/185 ♁.

X **Le Domyves,** 10 r. Harteloire ℘ 98 44 70 71 – GB — BX **e**
fermé sam. midi et jeudi soir – **R** 85/179.

X **Le Wilson,** 46 r. É. Zola ℘ 98 46 37 42 – ✻ — EY **b**
fermé sam. midi et dim. – **R** carte environ 120.

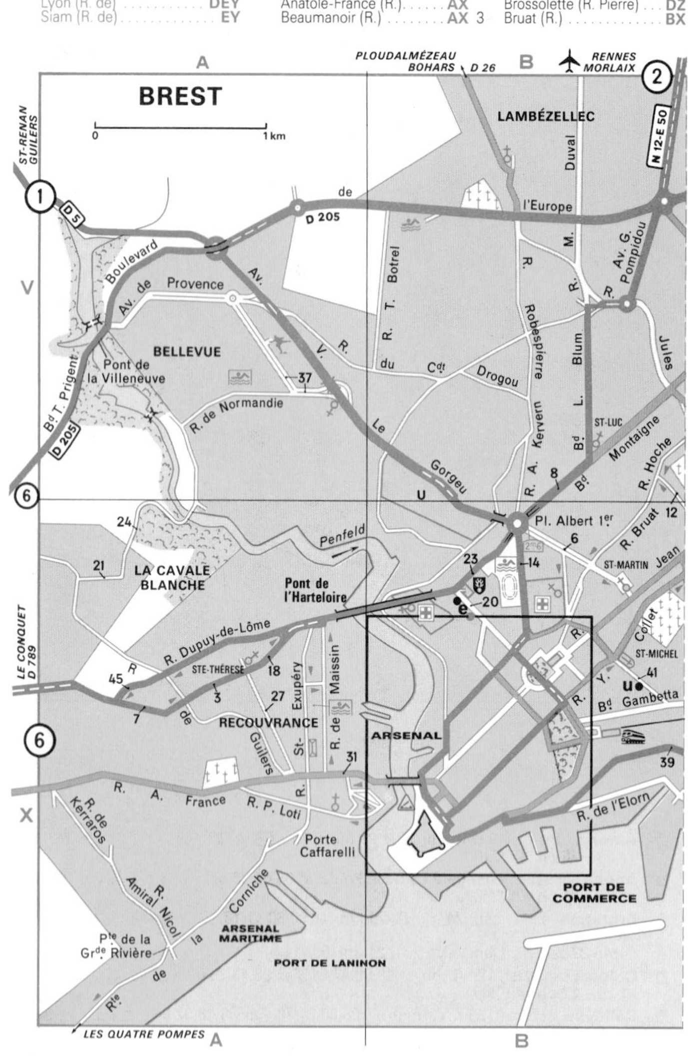

au Nord par D 788 : 5 km – ✉ **29200** Brest :

Novotel M, Z.A. Kergaradec ☎ 98 02 32 83, Télex 940470, Fax 98 41 69 27, , – ch ▤ rest – 25 à 200. AE GB
R carte environ 150 ⅓, enf. 50 – ☐ 46 – **85 ch** 400/480.

Climat de France M, près ZA Kergaradec ☎ 98 47 50 50, Fax 98 47 76 62, – – 30. AE GB
R 78/115 ⅓, enf. 39 – ☐ 29 – **54 ch** 260 – ½ P 230.

au Relecq-Kerhuon par ⑤ : 7,5 km – 10 569 h. – ✉ **29480** :

Relais Confortel M, Z.I. de Kerscao ☎ 98 28 28 44, Télex 940925, Fax 98 28 05 65 – – 45. AE GB
R 59/140, enf. 35 – ☐ 28 – **42 ch** 230/250.

Caffarelli (Porte) .... AX
Château (R. du) ..... EZ
Colbert (R.) .... EY 5
Collet (R. Yves) ..... BX
Corniche (Rte de la) . AX
Dajot (Cours) .... EZ
Denvers (R.) .... EZ
Desmoulins (Av. C.) . BX 6
Dr-Kerrien (R. du) ... AX 7
Doumer (R. Paul) ... BV 8

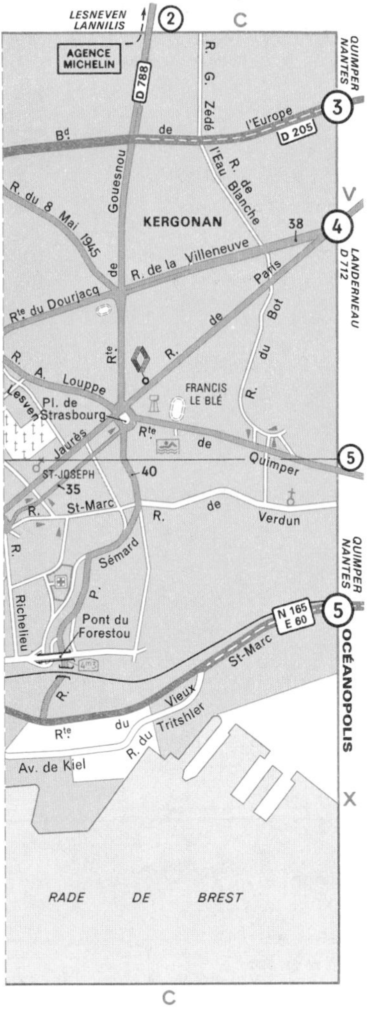

Dourjacq (Rte du) CV
Drogou (R. Com.) .... BV
Dupuy-de-Lôme (R.) .... AX
Duquesne (R.) .... EY
Duval (R. Marcellin) .... BV
Eau-Blanche (R. de l') CV
Elorn (R. de l') .... BX
Europe (Bd de l') .... BV
Ferry (R. J.) .... BCX 12
Foch (Av. Mar.) .... BX 14
Frégate-La-Belle-Poule (R. de la) .... EZ 17
Gallieni (R. du Mar.) .... AX 18
Gambetta (Bd) .... BX
Gouesnou (Rte de) CV
Grande-Rivière (Porte de la) .... AX
Guilers (R. de) .... AX
Harteloire (Pt de l') .... AX
Harteloire (R. de l') .... AX 20
Hoche (R.) .... BV
Kent (R. de) .... AX 21
Kérabécam (R. de) .... EY 22
Kerraros (R. de) .... AX
Kervern (R. Auguste) .... BV
Kiel (Av. de) CX
Lamotte-Picquet .... BX 23
Le Bris (R. J.-M.) .... EZ
Le Gorgeu (Av. Victor) .... AV
Lesven (R. Jules) .... BCV
Libération (Av. de la) .... AX 24
Loti (R. Pierre) .... AX
Louppe (R. Albert) CV
Macé (R. Jean) .... EZ
Maissin (R. de) .... AX
Marine (Bd de la) .... DZ 25
Michelet (R.) .... DY
Montaigne (Bd) .... BV
Mouchotte (Bd Cdt) .... AX 27
Moulin (Bd Jean) .... DY
Nicol (R. de l'Amiral) .... AX
Normandie (R. de) .... AV
Paris (R. de) CV
Pompidou (R. G.) .... BV
Porte (R. de la) .... AX 31
Prigent (Bd T.) .... AV
Provence (Av. de) .... AV
Quimper (Rte de) CV
Recouvrance (Pt de) .... DZ
Réveillère (Av. Amiral) .... EY 33
Richelieu (R.) CX
Robespierre (R.) .... BY
Roosevelt (Av. Fr.) .... DZ 34
St-Exupéry (R.) .... AX
St-Marc (R.) CX
Salaün-Penquer (Av.) .... EZ
Sébastopol (R.) .... CVX 35
Sémard (R. Pierre) CX
Strasbourg (Pl. de) CV
Tarente (Av. de) .... AV 37
Tourville (Porte) .... DZ
Tourbihan (R. de) .... CV 38
Tritshler (R. du) CX
Troude (R. Amiral) .... BX 39
Valmy (R. de) .... CX 40
Verdun (R. de) CX
Victor-Hugo (R.) .... BX 41
Vieux-St-Marc (R. du) CX
Villeneuve (R. de la) CV
Voltaire (R.) .... EZ
Wilson (Pl.) .... EZ
Zédé (R. G.) CV
Zola (R. Émile) .... EY
2e-R.C.I. (R. du) .... DY
8-Mai-1945 (R. du) CV
11-Martyrs (R. des) .... EY 42
19-Mars-1962 (R. du) .... AX 45

à Ste-Anne-du-Portzic par ⑥, D 789 et VO : 7 km – ✉ **29200** Brest :

Belvédère M ⛵, ☎ 98 31 86 00, Fax 98 31 86 39, ← – |‡| TV ☎ ♿ P. AE ① GB
R carte 170 à 300 – ☐ 45 – **26 ch** 395/485 – 1/2 P 420.

MICHELIN, Agence, bd G.-Lippmann par ② ZA Kergaradec à Gouesnou ☎ 98 02 21 08

ALFA-ROMEO, TOYOTA Brest Autom., 84 rte de Gouesnou ☎ 98 02 21 82
AUSTIN-ROVER Sébastopol-Autom., ZI Kergonan angle bd Europe et rte de Gouesnou ☎ 98 42 05 55 N ☎ 98 40 65 75
BMW Ouest-Autom., r. G.-Plante, ZA Kergaradec à Gouesnou ☎ 98 02 11 15 N ☎ 98 40 65 75
CITROEN Succursale, r. G.-Zédé, ZI de Kergonan par ② ☎ 98 02 23 96 N ☎ 98 40 65 75
FIAT G.A.O., 16 r. Villeneuve ☎ 98 02 64 44
FORD Herrou et Lyon, rte de Gouesnou à Kerguen ☎ 98 02 35 62
MERCEDES-BENZ Gar. de l'Étoile, ZAC de l'Hermitage ☎ 98 41 80 80

OPEL Europe Motors, bd de l'Europe ☎ 98 41 70 40
PEUGEOT-TALBOT Sté Brestoise des Gges de Bretagne Lavallot, rte de Guipavas par ④ ☎ 98 02 14 06 N ☎ 98 62 21 82
RENAULT Filiale, 20 rte de Paris ☎ 98 02 20 20 N ☎ 05 05 15 15
SEAT Brittany Motors, 159 rte de Gouesnou ☎ 98 41 43 41 N ☎ 98 40 65 75
V.A.G Gar. St-Christophe, 132 rte de Gouesnou ☎ 98 02 19 80 N ☎ 98 40 65 75

Lorans-Pneus Pneu + Armorique, 7 r. Villeneuve ☎ 98 02 02 11
Madec-Pneus, 19 r. Kerjean-Vras ☎ 98 44 43 13
Pneus Service, 183 rte de Gouesnou ☎ 98 02 35 26
Simon-Pneus, 64 rte de Gouesnou ☎ 98 02 38 66

BRETENOUX **46130** Lot 75 ⑲ **G. Périgord Quercy** – 1 211 h. alt. 126.

Voir Château de Castelnau-Bretenoux★★ : ≤★ SO : 3,5 km.

Syndicat d'Initiative av. Libération (15 juin-15 sept.) ☎ 65 38 59 53.

Paris 534 – Brive-la-Gaillarde 45 – Cahors 78 – Figeac 48 – Sarlat-la-Canéda 68 – Tulle 52.

au Port de Gagnac NE : 6 km par D 940 et D 14 – ✉ **46130** Bretenoux :

Host. Belle Rive, ☎ 65 38 50 04, ≤, – ☎ P. AE GB
fermé déc. – **R** 65/180 ♨, enf. 40 – ☕ 25 – **12 ch** 200/250 – ½ P 230/250.

CITROEN Gar. Croix Blanche, à St-Michel-Loubéjou ☎ 65 38 11 88
PEUGEOT-TALBOT Bretenoux-Auto ☎ 65 38 45 60
RENAULT Bassat ☎ 65 38 45 84

Biars-Pneus, à Biars-sur-Cère ☎ 65 38 58 34

BRETEUIL **60120** Oise 52 ⑱ – 3 879 h. alt. 83.

Paris 108 – ♦Amiens 31 – Compiègne 53 – Beauvais 28 – Clermont 34 – Montdidier 23.

Cap Nord, r. Paris ☎ 44 07 10 33, Fax 44 80 92 71 – TV ☎ P – 60. GB
fermé 20 déc. au 10 janv. – **R** grill *(fermé vend. soir et sam.)* 61 ♨ – ☕ 25 – **38 ch** 190/240.

Globe, r. République ☎ 44 07 01 78, – GB
fermé dim. soir, mardi soir et lundi – **R** 75/250 ♨.

CITROEN Minard, 2 r. de Paris ☎ 44 07 00 36
PEUGEOT TALBOT Gilbert, ☎ 44 07 00 13

Le BREUIL **71** S.-et-L. 69 ⑧ – rattaché au Creusot.

Le BREUIL-EN-AUGE **14130** Calvados 54 ⑰ – 779 h. alt. 38.

Paris 202 – ♦Caen 54 – Deauville 21 – Lisieux 9.

Aub. Dauphin (Lecomte), ☎ 31 65 08 11 – GB.
fermé dim. soir et lundi – **R** carte 250 à 360
Spéc. Barbecue d'huîtres (15 oct. au 31 août), Galette d'andouille de Vire à la crème d'estragon moutardée, Aile de raie poêlée aux coquillages.

BREUILLET **17920** Char.-Mar. 71 ⑮ – 1 863 h. alt. 27.

Paris 505 – Rochefort 36 – La Rochelle 70 – Royan 10 – Saintes 38.

La Grange, Le Grallet O : 1,5 km ☎ 46 22 72 64, Fax 46 22 79 55, , « Ancienne ferme aménagée, parc fleuri, », – P. GB
26 juin-2 sept. – **R** 220.

BRÉVANS **39** Jura 70 ③ – rattaché à Dole.

BRÉVIANDES **10** Aube 61 ⑯ ⑰ – rattaché à Troyes.

BRÉVILLE-SUR-MER **50** Manche 59 ⑦ – rattaché à Granville.

BRÉVONNES **10220** Aube 61 ⑰ ⑱ – 604 h. alt. 116.

Paris 181 – Troyes 26 – Bar-sur-Aube 29 – St-Dizier 58 – Vitry-le-François 51.

Vieux Logis avec ch, ☎ 25 46 30 17, – TV ☎ P. GB
fermé 15 au 30 nov., dim. soir et lundi de nov. à mai – **R** 62/192 ♨, enf. 42 – ☕ 30 – **5 ch** 155/190 – ½ P 175/202.

BREZOLLES **28270** E.-et-L. 60 ⑥ – 1 695 h. alt. 162.

Paris 105 – Chartres 43 – Alençon 87 – Argentan 91 – Dreux 23.

Le Relais, ☎ 37 48 20 84 – TV ☎ P. GB
fermé août, dim. soir et vend. – **R** 66/135 ♨, enf. 45 – ☕ 21 – **21 ch** 170/230 – ½ P 160/180.

BRIAL **82** T.-et-G. 82 ⑦ – rattaché à Montauban.

Un conseil Michelin :

pour réussir vos voyages, préparez-les à l'avance.
Les ***cartes et guides Michelin****, vous donnent toutes indications utiles sur : itinéraires, visite des curiosités, logement, prix, etc.*

BRIANÇON SP **05100** H.-Alpes 77 ⑱ **G. Alpes du Sud** – 11 041 h. alt. 1 321 – Sports d'hiver à Serre-Chevalier par ④ : 6 km, puis téléphérique.

Voir Ville haute★★ : Grande Gargouille★, Pont d'Asfeld★, Remparts ≤★, Statue "La France"★ **B** – Puy St-Pierre ✻★★ de l'église SO : 3 km par Rte de Puy St-Pierre.

Env. Croix de Toulouse ≤★★ par Av. de Toulouse et D232ᵀ : 8,5 km.

✆ 92 51 50 50.

Office de Tourisme au Prorel et Porte de Pignerol ✆ 92 21 08 50, Télex 410898.

Paris 686 ④ – Digne 147 ③ – Gap 88 ③ – ♦Grenoble 117 ④ – ♦Nice 219 ③ – Torino 108 ①.

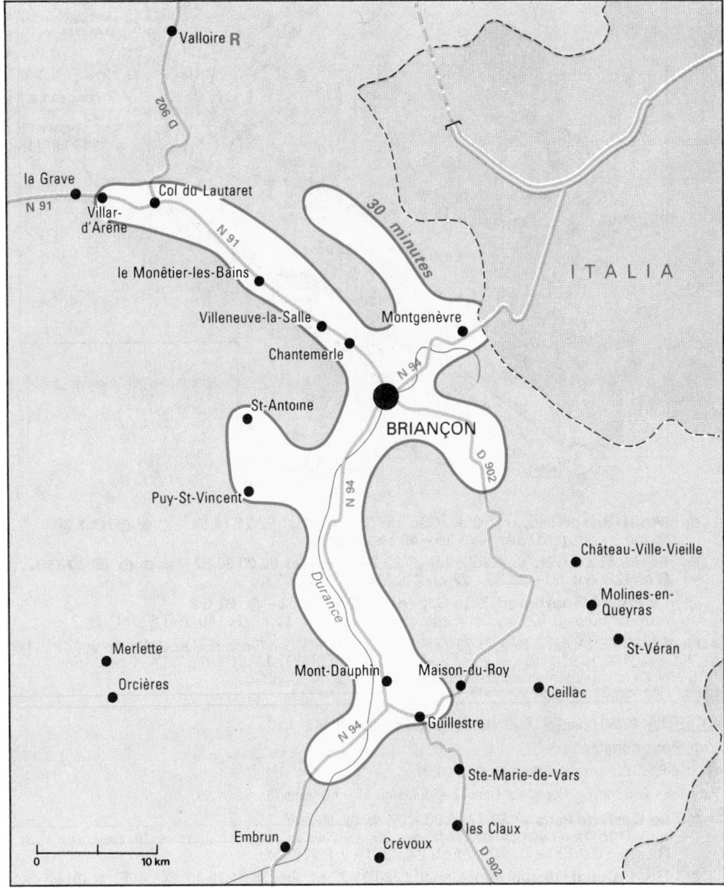

Altéa Grand'Boucle M, av. Dauphiné **(f)** ✆ 92 20 11 51, Télex 405937, Fax 92 20 46 50, – ☎ – 40. AE GB. rest
L'Épicurien **R** 75/145, enf. 45 – ☐ 50 – **99 ch** 280/530.

Vauban, 13 av. Gén. de Gaulle **(n)** ✆ 92 21 12 11, Fax 92 20 58 20, ≤, – ☎. GB
fermé 6 nov. au 18 déc. – **R** 115/170, enf. 75 – ☐ 32 – **44 ch** 230/400 – ½ P 270/350.

Parc H. M sans rest, Central Parc **(d)** ✆ 92 20 37 47, Télex 405932, Fax 92 20 53 74 – ☎ – 50. AE GB
☐ 45 – **60 ch** 440/520.

Le Cristol, 6 rte Italie **(x)** ✆ 92 20 20 11, Fax 92 21 02 58 – ☎. AE GB. rest
R 100/150 – ☐ 35 – **18 ch** 280/320 – ½ P 260/280.

Edelweiss sans rest, 32 av. République **(r)** ✆ 92 21 02 94, – ☎. GB.
fermé 1ᵉʳ nov. au 15 déc. – ☐ 36 – **22 ch** 230/350.

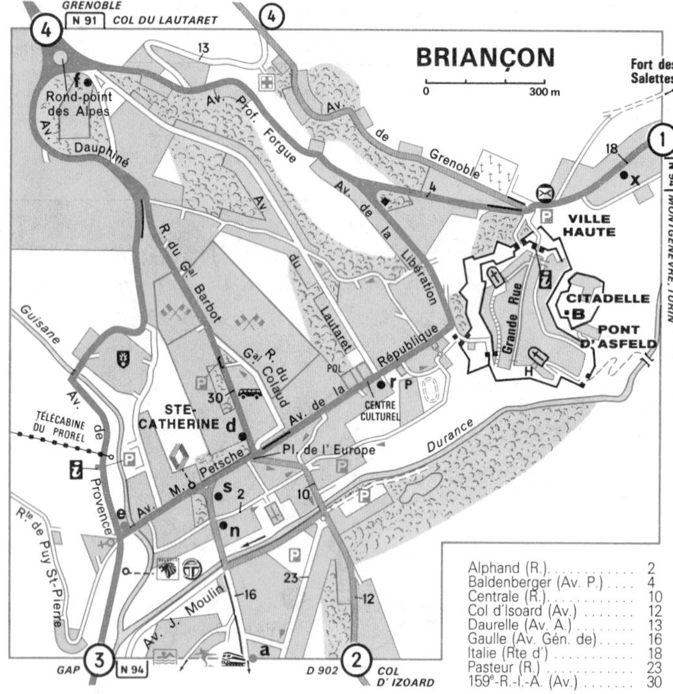

Mont-Brison sans rest, 3 av. Gén. de Gaulle **(s)** ✆ 92 21 14 55 – ☎ Ⓟ. GB.
fermé 3 nov. au 20 déc. – ☕ 30 – **45 ch** 200/260.

Paris, 41 av. Gén. de Gaulle **(a)** ✆ 92 20 15 30, Fax 92 20 30 82 – ☎ Ⓟ. AE ⓓ GB
R 65/128, enf. 50 – ☕ 30 – **22 ch** 210/250 – ½ P 185/235.

Le Péché Gourmand, 2 rte Gap **(e)** ✆ 92 20 11 02 – Ⓟ. AE GB
fermé 7 nov. au 10 déc., dim. soir et lundi sauf juil.-août – **R** 140/250 ♁, enf. 65.

ALFA-ROMEO-RENAULT Jullien, 21-23 av. M.-Petsche ✆ 92 21 30 00 N
CITROEN Durance Automobiles, Z.A. Briançon Sud par av. Gén.-de-Gaulle ✆ 92 20 14 00
FORD Gar. Gignoux, 7 av. J.-Moulin ✆ 92 21 11 56
PEUGEOT-TALBOT S.E.P.R.A., 3 rte de Gap ✆ 92 21 10 02

BRIARE **45250** Loiret 65 ② **G. Bourgogne** – 6 070 h. alt. 144.

Voir Pont-canal★.

Office de Tourisme pl. Église ✆ 38 31 24 51.

Paris 155 – Auxerre 75 – Cosne-sur-Loire 31 – Montargis 41 – ◆Orléans 78.

Le Cerf, rte Paris ✆ 38 37 00 80 – TV ☎ Ⓟ. AE GB
fermé 15 nov. au 15 déc., 1er au 20 fév., vend. soir et sam. midi sauf juil.-août – **R** carte 90 à 190 – ☕ 30 – **21 ch** 270/350 – ½ P 270/300.

Host. Canal, 19 quai Pont-Canal ✆ 38 31 22 54, Fax 38 31 25 17, – TV ☎ Ⓟ. AE GB
fermé 15 déc. au 31 janv., lundi de sept. à juin (sauf hôtel) et dim. soir (sauf juil.-août et fériés) – **R** 110/250, enf. 65 – ☕ 30 – **18 ch** 245/350 – ½ P 300/320.

BRICQUEBEC **50260** Manche 54 ② **G. Normandie Cotentin** – 4 363 h. alt. 34.

Voir Donjon★ du Château.

Paris 353 – Cherbourg 24 – Barneville-Carteret 15 – Coutances 55 – St-Lô 69 – Valognes 12.

Vieux Château , ✆ 33 52 24 49, Fax 33 52 62 71 – ☎ Ⓟ. AE GB
fermé 20 déc. au 1er fév. – **R** 75/170 ♁, enf. 45 – ☕ 38 – **25 ch** 120/380 – ½ P 195/265.

RENAULT Lecocq ✆ 33 52 27 91 N

Les prix Pour toutes précisions sur les prix indiqués dans ce guide, reportez-vous aux pages explicatives.

BRIDES-LES-BAINS 73570 Savoie 74 ⑰ ⑱ G. Alpes du Nord – 611 h. alt. 572 – Stat. therm. (16 mars-14 nov.) – Casino.

Syndicat d'Initiative ☏ 79 55 20 64, Télex 980405.

Paris 614 – Albertville 32 – Annecy 78 – Chambéry 78 – Courchevel 18 – Moûtiers 5.

Gd H. Thermes, ☏ 79 55 29 77, Télex 319137, Fax 79 55 28 29 – |¢| TV ☎ P. AE GB. ✻ rest
fermé 31 oct. au 20 déc. – **R** 160/300 – **98 ch** ☐ 570/880, 4 appart. 1560 – P 575/680.

Golf, ☏ 79 55 28 12, Fax 79 55 24 78, ← – |¢| TV ☎ P. GB. ✻ rest
5 mars-fin oct. – **R** 160 – ☐ 55 – **45 ch** 360/700 – P 450/690.

Savoy, ☏ 79 55 20 55, Fax 79 55 24 21, ←, 🏖, 🏊 – |¢| TV ☎ P. GB. ✻ rest
fermé 15 nov. au 15 déc. – **R** 125/140, enf. 60 – ☐ 50 – **40 ch** 300/660 – ½ P 380/410.

Verseau M 🔇, ☏ 79 55 27 44, Fax 79 55 30 20, ←, 🏖, 🏊 – |¢| TV ☎ P. GB. ✻ rest
15 mars-15 nov. – **R** 105/123 – ☐ 50 – **41 ch** 360/830 – P 415/555.

Bains 🔇, ☏ 79 55 22 05, ←, 🏖 – |¢| TV ☎ 🚗 P. ⓓ GB. ✻ rest
5 avril-25 oct. – **R** 95/135 – ☐ 40 – **34 ch** 350/380 – P 420/520.

Val Vert, ☏ 79 55 22 62, Fax 79 55 29 12, 🏖, 🌳 – TV ☎ P. AE GB. ✻
fermé 10 nov. au 20 déc. – **R** 100/140, enf. 65 – ☐ 40 – **35 ch** 250/480 – P 290/390.

Fontaines 🔇, ☏ 79 55 22 53, ←, 🌳 – TV ☎ P. GB. ✻ rest
mai-fin oct. et 20 déc.-fin avril – **R** (en hiver dîner seul.) 95/110 – ☐ 30 – **26 ch** 200/350 – P 260/310.

XX **La Grillade,** résid. Le Royal ☏ 79 55 20 90, 🏖 – GB
fermé nov. à mi-déc. – **R** 90/135.

BRIEC 29510 Finistère 58 ⑮ – 4 546 h. alt. 158.

Paris 547 – Carhaix-Plouguer 42 – Châteaulin 16 – Morlaix 63 – Pleyben 17 – Quimper 16.

Midi, ☏ 98 57 90 10 – TV ☎ P. GB. ✻ ch
fermé vacances de fév., dim. soir et sam. sauf juil.-août – **R** 65/210 🍷, enf. 42 – ☐ 32 – **14 ch** 260 – ½ P 220.

BRIE-COMTE-ROBERT 77170 S.-et-M. 61 ② 106 ㉝ 101 ㊴ G. Ile de France – 11 501 h. alt. 88.

Voir Verrière★ du chevet de l'église.

🏌9 la Croix des Anges à Réau ☏ (1) 60 60 18 76,S par N 105 : 9,5 km.

Paris 32 – Brunoy 10 – Évry 20 – Melun 18 – Provins 56.

A la Grâce de Dieu M, 79 r. Gén. Leclerc (N 19) ☏ (1) 64 05 00 76, Télex 690452, 🏖 – TV ☎ P. GB
fermé août – **R** *(fermé dim. soir et lundi)* 99/180 🍷 – ☐ 28 – **23 ch** 195/300.

CITROEN Gar. Pasquier, 43 av. Gén.-Leclerc ☏ (1) 64 05 00 94
FORD Zélus Autom., 70 r. Gén.-Leclerc ☏ (1) 64 05 03 10
PEUGEOT, TALBOT Éts Lespourci, 7 r. Gén.-Leclerc ☏ (1) 64 05 50 50
RENAULT Redelé Brie, 17 av. Gén.-Leclerc ☏ (1) 64 05 21 18

BRIENNE-LE-CHÂTEAU 10500 Aube 61 ⑱ G. Champagne – 3 752 h. alt. 126.

Paris 193 – Troyes 40 – Bar-sur-Aube 23 – Châtillon 72 – St-Dizier 45 – Vitry-le-François 42.

à la Rothière S : 5 km par D 396 – ✉ 10500 :

X **Aub. de la Plaine** avec ch, ☏ 25 92 21 79 – TV ☎ P. AE ⓓ GB
fermé 21 déc. au 4 janv. et vend. soir du 15 sept. au 15 mars – **R** 65/180 🍷, enf. 55 – ☐ 28 – **18 ch** 120/235 – ½ P 175/210.

FORD Gar. Blavot ☏ 25 92 80 39
PEUGEOT-TALBOT Gar. Prugnot, r. St-Bernard ☏ 25 92 83 57
RENAULT Consigny ☏ 25 92 80 48
RENAULT Millon, ☏ 25 92 80 59

BRIGNAC 87 H.-Vienne 72 ⑱ – rattaché à St-Léonard-de-Noblat.

BRIGNAIS 69 Rhône 74 ⑪ – rattaché à Lyon.

BRIGNOGAN-PLAGES 29890 Finistère 58 ④ ⑤ G. Bretagne – 836 h. alt. 60.

Voir Clocher★ de l'église de Goulven SE : 3,5 km.

Syndicat d'Initiative r. de l'Église ☏ 98 83 41 08.

Paris 588 – ◆Brest 36 – Carhaix-Plouguer 82 – Landerneau 27 – Morlaix 49 – St-Pol-de-Léon 30.

Castel Régis 🔇, plage Garo ☏ 98 83 40 22, Fax 98 83 44 71, ← Baie, 🏊, 🎾, 🌳 – ☎ P. GB. ✻ rest
11 avril-27 sept. – **R** *(fermé merc.)* (prévenir), 113/198, enf. 75 – ☐ 32 – **21 ch** 260/400 – ½ P 420/440.

BRIGNOLES <SP> 83170 Var 84 ⑮ G. Côte d'Azur (plan) – 11 239 h. alt. 215.

Voir Sarcophage de la Gayole★ dans le musée.

🏌18 Sainte-Baume à Nans-les-Pins ☏ 94 78 60 12, O par N 7 et D 1 : 23 km ; 🏌18 de Barbaroux ☏ 94 59 07 43, E : 4 km par N 7 puis D 79.

Office de Tourisme avec A.C. parking des Augustins ☏ 94 69 01 78.

Paris 813 – Aix-en-Provence 57 – Cannes 93 – Draguignan 51 – ◆Marseille 64 – ◆Toulon 46.

Ibis Ⓜ, N : rte du Val, 1 km sur D 554 et VO ✆ 94 69 19 29, Télex 404556, Fax 94 69 19 90, ☂, ⛱ – ▤ 📺 ☎ ♿ Ⓟ – 🏋 25. GB
R 85/135 ⅋, enf. 45 – ☕ 35 – **41 ch** 320/350.

au Sud : 2,5 km par D 554 rte de Toulon – ✉ **83170** Brignoles :

XX **Mas la Cascade** avec ch, ✆ 94 69 01 49, Fax 94 69 07 17, ☂, « Bel aménagement intérieur » – 📺 ☎ Ⓟ – 🏋 25. GB
R 120/280, enf. 65 – ☕ 50 – **10 ch** 310/490.

PEUGEOT-TALBOT Blanc et Rochebois, N 7, rte d'Aix ✆ 94 69 21 23
RENAULT S.A.D.A.P., ZI ✆ 94 69 23 28 🅽 ✆ 94 22 29 35
Ⓜ Aude, ZI ✆ 94 69 34 13
Santa-Pneus, rte de Marseille N 7 ✆ 94 59 28 43

La BRIGUE 06430 Alpes-Mar. 84 ⑳ 195 ⑨ **G. Côte d'Azur** – 618 h. alt. 765.

Voir Collégiale St-Martin★ : retable de l'Adoration de l'Enfant★, Notre-Dame des Neiges★ (triptyque) – Fresques★★ de la chapelle N.-D.-des-Fontaines E : 4 km.

Paris 884 – ♦Nice 75 – Sospel 36.

Mirval ⛰, ✆ 93 04 63 71, ≤, 🌳 – ☎ Ⓟ. AE ⓓ GB. ✗ ch
1er avril-31 oct. – **R** 85/140, enf. 45 – ☕ 30 – **18 ch** 220/280 – ½ P 230/250.

La BRILLANNE 04 Alpes-de-H.-P. 81 ⑮ – 649 h. alt. 349 – ✉ **04700** Oraison.

Paris 745 – Digne-les-Bains 42 – Forcalquier 11 – Manosque 15.

XXX **Les Templiers,** pl. Mairie ✆ 92 78 68 00, Fax 92 78 71 74 – AE ⓓ GB
fermé 7 au 13 sept., dim. soir et lundi – **R** 200 bc/300 bc.

RENAULT Mazzoleni ✆ 92 78 67 00 🅽

BRINON-SUR-SAULDRE 18410 Cher 64 ⑳ – 1 107 h. alt. 138.

Paris 190 – ♦Orléans 49 – Bourges 65 – Cosne-sur-Loire 58 – Gien 37 – Salbris 24.

✿ **La Solognote** (Girard) ⛰, ✆ 48 58 50 29, Fax 48 58 56 00, 🌳 – ▤ rest 📺 ☎ Ⓟ. GB. ✗ ch
fermé 12 au 20 mai, 8 au 24 sept., 15 fév. au 15 mars, mardi soir du 1er oct. au 30 juin et merc. – **R** 160/310, enf. 90 – ☕ 50 – **13 ch** 270/350
Spéc. Assiette de foie gras. Sauté de langoustines aux bettes et girolles (juin à oct.). Colvert rôti et confit aux champignons sauvages. **Vins** Quincy, Sancerre.

XX **Le Dauphin** avec ch, ✆ 48 58 52 90 – AE GB
fermé 1er au 15 mars, 15 sept. au 1er oct., merc. soir et jeudi – **R** 65/155 ⅋ – ☕ 25 – **12 ch** 120/180 – ½ P 150/180.

PEUGEOT Gar. Duval, 8 r. Gare ✆ 48 58 53 17
RENAULT Gar. de la Jacque ✆ 48 58 50 37 🅽

BRIONNE 27800 Eure 55 ⑮ **G. Normandie Vallée de la Seine** (plan) – 4 408 h. alt. 57.

18 du Champ de Bataille ✆ 32 35 03 72, O : 18 km par D 137 et D 39.

ℹ Syndicat d'Initiative pl. Église (juil.-1er sept.) ✆ 32 45 70 51.

Paris 146 – ♦Rouen 41 – Bernay 16 – Évreux 42 – Lisieux 39 – Pont-Audemer 26.

XXX **Le Logis de Brionne** avec ch, pl. St Denis ✆ 32 44 81 73 – 📺 ☎. AE ⓓ GB
fermé lundi (sauf le soir en sais.) et dim. soir hors sais. – **R** 90/320, enf. 60 – ☕ 40 – **13 ch** 280/350 – ½ P 280/315.

XX **Aub. Vieux Donjon** avec ch, r. Soie ✆ 32 44 80 62, ☂ – Ⓟ. GB
fermé 15 nov. au 10 déc., vacances de fév., dim. soir de nov. à mars et lundi – **R** 75/220 – ☕ 30 – **8 ch** 210/250.

CITROEN Rotrou, à Aclou ✆ 32 44 83 66
FIAT Gar. Leroy, 1 rte de Cormeilles ✆ 32 44 88 32 🅽
PEUGEOT-TALBOT Gar. Leroy, 19 bd République ✆ 32 44 80 16 🅽
RENAULT Maulion, 24 r. Tragin ✆ 32 44 82 02

BRIOUDE <SP> 43100 H.-Loire 76 ⑤ **G. Auvergne** – 7 285 h. alt. 434 – **Voir** Basilique St-Julien★★.

Env. Lavaudieu : fresques★ de l'église et cloître★ de l'ancienne abbaye 9,5 km par ①.

ℹ Office de Tourisme pl. Champanne ✆ 71 74 97 49 et Maison de Mandrin r. du 4 Septembre ✆ 71 74 94 59.

Paris 487 ④ – Le Puy-en-Velay 61 ② – Aurillac 106 ③ – ♦Clermont-Ferrand 69 ④ – Issoire 34 ④ – St-Flour 48 ③.

Plan page suivante

Le Brivas, rte Puy par ② ✆ 71 50 10 49, Fax 71 74 90 69, ⛱, 🌳 – 🛗 📺 ☎ Ⓟ – 🏋 40. AE ⓓ GB JCB
fermé 30 nov. au 4 janv. et vend. soir du 1er oct. au 15 mars et sam. midi sauf juil.-août – **R** 80/270, enf. 50 – ☕ 30 – **30 ch** 200/280 – ½ P 230/250.

Moderne, 12 av. V. Hugo **(n)** ✆ 71 50 07 30, Fax 71 50 22 35 – 📺 ☎ 🚗 Ⓟ. AE ⓓ GB
fermé 27 déc. au 8 fév., dim. soir et lundi midi sauf juil.-août et fériés – **R** 75/200 – ☕ 35 – **17 ch** 220/340 – ½ P 250/290.

Poste et Champanne, 1 bd Dr Devins **(a)** ✆ 71 50 14 62 – 📺 ☎
fermé 2 au 25 janv. et dim. soir du 15 sept. au 15 juin – **R** 62/92 ⅋ – ☕ 27 – **20 ch** 130/220 – ½ P 195.

La Chaumine sans rest, 13 av. Gare par ④ ✆ 71 50 14 10
fermé 1er au 15 mai, 1er au 15 oct. et dim. – ☕ 20 – **17 ch** 90/180.

BRIOUDE

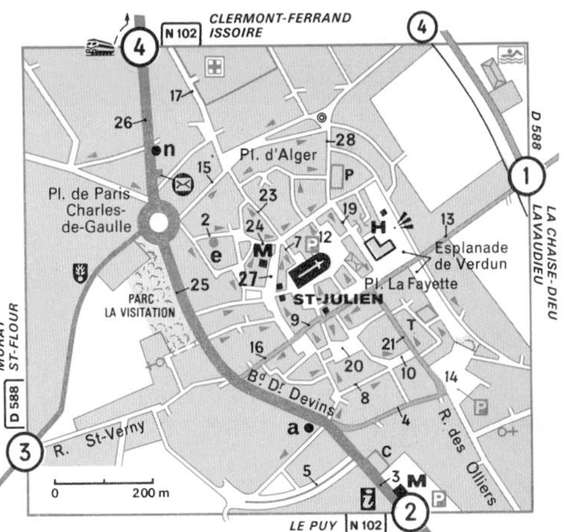

✗ **Julien Chabaud,** 7 r. Assas **(e)** ✆ 71 50 00 03 – GB
fermé 9 au 16 juin, oct., dim. soir et lundi d'oct. à juin – **R** 57/105 ♁.

à Vieille-Brioude par ② : 3,5 km – ✉ **43100** :

Les Glycines, av. Versailles ✆ 71 50 91 80 – ☎ Ⓟ. GB
fermé 24 déc. au 31 janv., vend. soir et sam. midi sauf juil.-août – **R** 65/250 – ☕ 37 – **13 ch** 210/270.

CITROEN Delmas, av. d'Auvergne ✆ 71 50 12 06 🅽
FIAT Legrand, rte de Clermont Cohade ✆ 71 50 08 54 🅽
PEUGEOT-TALBOT Gar. d'Auvergne, av. d'Auvergne ✆ 71 50 06 05
RENAULT Fournier, rte de Clermont ✆ 71 50 02 01

Da-Silva-Pneu (Ripa), av. d'Auvergne ✆ 71 50 10 86
Estager-Pneu, av. d'Auvergne ZI St-Ferréol ✆ 71 50 37 01

BRIOUZE **61220** Orne 60 ① – 1 658 h. alt. 200.
Paris 223 – Alençon 59 – Argentan 26 – La Ferté-Macé 13 – Flers 17.

✗ **Sophie,** ✆ 33 66 00 30 – GB
fermé 15 au 31 août, vacances de fév., dim. soir et vend. soir d'oct. à avril – **R** 60/180, enf. 50.

CITROEN Gar. Boutrois ✆ 33 66 00 28

RENAULT Gar. Tolerie le Chesnay, Le Chesnay à Pointel ✆ 33 66 01 34

BRISON-LES-OLIVIERS **73** Savoie 74 ⑮ – rattaché à Aix-les-Bains.

BRISSAC-QUINCÉ **49320** M.-et-L. 64 ⑪ **G. Châteaux de la Loire** – 2 275 h. alt. 59 – **Voir** Château★★.
Syndicat d'Initiative pl. du Tertre (saison) ✆ 41 91 21 50.
Paris 307 – Angers 16 – Cholet 58 – Saumur 35.

Le Castel sans rest, ✆ 41 91 24 74, – ☎. GB
fermé 15 au 25 fév. – ☕ 25 – **10 ch** 190/270.

BRIVE-LA-GAILLARDE SP **19100** Corrèze 75 ⑧ **G. Périgord Quercy** – 49 765 h. alt. 142.
Voir Hôtel de Labenche★ BZ **X**.
✆ 55 23 50 50.
Office de Tourisme pl. 14-Juillet ✆ 55 24 08 80.
Paris 488 ① – Albi 208 ⑤ – ◆Clermont-Ferrand 167 ② – ◆Limoges 91 ① – ◆Montpellier 339 ⑤ – ◆Toulouse 213 ⑤.

Plan page suivante

Truffe Noire, 22 bd A. France ✆ 55 92 45 00, Fax 55 92 45 13, – |‡| TV ☎ – 30. AE GB AY **r**
R 155/195, enf. 65 – ☕ 45 – **25 ch** 380/630, 4 appart. 680.

Urbis sans rest, 32 r. M. Roche ✆ 55 74 34 70, Télex 590195, Fax 55 23 54 41 – |‡| TV ☎ – 30. GB AY **u**
☕ 32 – **55 ch** 275/305.

Champanatier, 15 r. Dumyrat ✆ 55 74 24 14 AZ **e**
fermé vacances de printemps et 6 au 20 juil. – **R** *(fermé vend. soir et dim. soir sauf juil.-août)* 75/130 ♁, enf. 46 – ☕ 25 – **12 ch** 70/190 – ½ P 145/180.

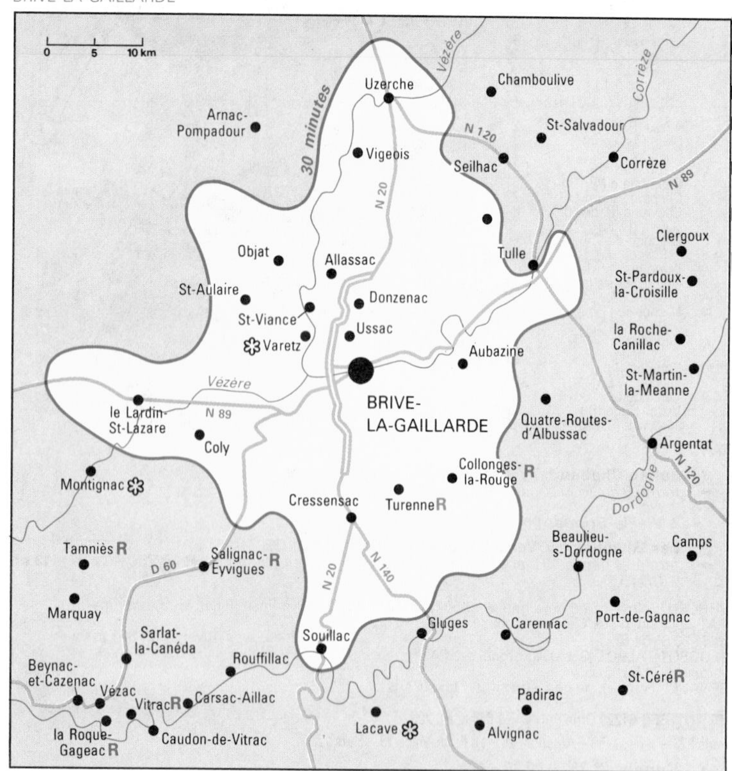

XXX **l'Ermitage,** 25 bd Koenig ☎ 55 23 63 11, – ▤ Ⓟ. AE ⓓ GB JCB — AY **k**
fermé sam. midi du 1er oct. au 15 mai – **R** 95/280, enf. 85.

XXX **La Crémaillère** avec ch, 53 av. Paris ☎ 55 74 32 47, – TV ☎. GB. ch — AY **z**
fermé dim. soir et lundi – **R** 85/240 – ☐ 30 – **9 ch** 240/280.

XX **La Périgourdine,** 15 av. Alsace-Lorraine ☎ 55 24 26 55, – AE GB — BZ **a**
fermé 1er au 10 sept. et dim. – **R** 120/300.

XX **La Belle Époque,** 27 av. J. Jaurès ☎ 55 74 08 75 – GB — AZ **t**
fermé 1er au 8 janv., dim. (sauf le midi du 15 sept. au 1er juin) et sam. midi – **R** 98/190.

à Ussac par ① et D 57 : 5 km – ✉ **19270** :

Aub. St-Jean , ☎ 55 88 30 20, Fax 55 87 28 50 – ☎ . GB
R 70/230, enf. 46 – ☐ 28 – **30 ch** 230/300 – ½ P 250/280.

XX **La Borderie** M avec ch, au Pouret ☎ 55 87 74 45, Fax 55 86 97 91, , « Authentique maison corrézienne », – TV ☎ Ⓟ. GB
R *(fermé dim. soir et lundi hors sais. sauf fériés)* 130/360, enf. 85 – ☐ 48 – **7 ch** 425/675 – ½ P 375/420.

rte d'Argentat par ③ : 3 km – ✉ **19360** Malemort :

Aub. des Vieux Chênes, ☎ 55 24 13 55, Fax 55 24 56 82 – TV ☎ Ⓟ. AE ⓓ GB JCB.
fermé dim. – **R** 56/180 – ☐ 30 – **14 ch** 130/225 – ½ P 185/240.

à l'aérodrome par ⑥ : 6 km – ✉ **19100** Brive-la-Gaillarde :

Campanile, ☎ 55 86 88 55, Télex 590838, – ▤ rest TV ☎ ♿ Ⓟ – 25. AE GB
R 77 bc/99 bc, enf. 39 – ☐ 28 – **42 ch** 258 – ½ P 234/256.

rte de Varetz par ⑦ et D170 : 5,5 km – ✉ **19100** Brive-la-Gaillarde :

Mercure M, ☎ 55 87 15 03, Télex 590096, Fax 55 87 04 40, , , , – TV ☎ Ⓟ – 120. AE ⓓ GB JCB
R 110/230 , enf. 45 – ☐ 50 – **57 ch** 380/480.

BRIVE-LA-GAILLARDE

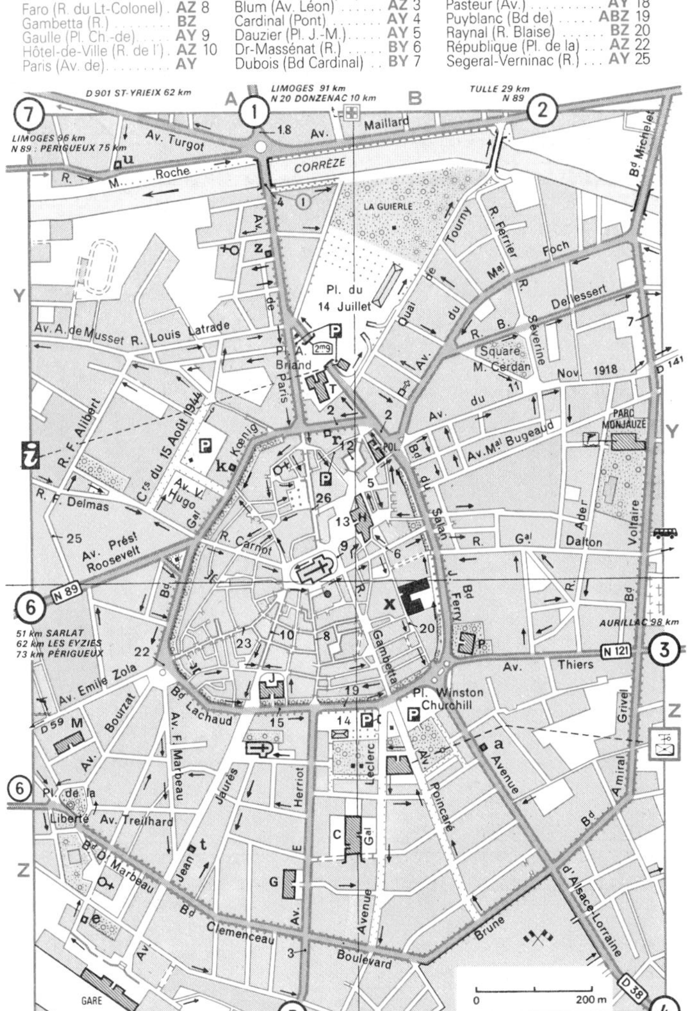

à Varetz par ⑦ et D152 : 10 km – ✉ 19240 :

Château de Castel Novel, ✆ 55 85 00 01, Télex 590065, Fax 55 85 09 03, ←, « Demeure ancienne isolée dans un grand parc », – 100. AE GB
mai-mi-oct. – **R** 225/450, enf. 75 – ☕ 65 – **32 ch** 400/1100, 5 appart. 1550 – ½ P 690/965
Spéc. Foie gras frais de canard en terrine, Fricassée de volaille au vin de Monbazillac, Clafoutis aux cerises noires. **Vins** Cahors, Pécharmant.

à St-Viance par ⑦, D 901 et D 148 : 10 km – ✉ 19240 :

Aub. des Prés de la Vézère, ✆ 55 85 00 50, Fax 55 84 25 36, – TV ☎ P. AE GB
10 avril-11 nov. – **R** 98/235, enf. 50 – ☕ 28 – **11 ch** 220/260 – ½ P 235/255.

BMW Taurisson, 23 av. Ed.-Herriot ✆ 55 74 25 42
CITROEN Midi-Auto, av. J.-Ch.-Rivet par ⑥ ✆ 55 86 90 55
PEUGEOT-TALBOT Morance, ZI Cana, rte d'Objat par ⑦ ✆ 55 88 04 06 **N** ✆ 55 86 99 99
RENAULT Gar. Beauregard, N 89, av. de Bordeaux par ⑥ ✆ 55 86 74 74 **N** ✆ 55 92 52 85
RENAULT Mournetas, 51 Abbé J.-Alvistre Estavel par ⑥ ✆ 55 86 92 91
V.A.G S.O.C.O.D.A., Riante-Borie à Malemort ✆ 55 74 07 31
VOLVO Gar. Valenti, 61 av. 11-Novembre ✆ 55 23 77 64

Brive-Pneus, 44 av. P.-Sémard ✆ 55 87 27 58
Estager-Pneu, 26 av. J.-Ch.-Rivet, Zone de Beauregard ✆ 55 86 89 60
Tours Pneus Interpneus, à Malemort ✆ 55 92 11 43

Le BROC **63** P.-de-D. **73** ⑭ ⑮ – rattaché à Issoire.

BROGLIE **27270** Eure **55** ⑭ **G. Normandie Vallée de la Seine** – 1 168 h. alt. 142.

Paris 157 – L'Aigle 30 – Alençon 78 – Argentan 59 – Bernay 10,5 – Évreux 54 – Lisieux 28.

XX **Poste,** ✆ 32 44 60 18 – AE GB. ✱
fermé 26 oct. au 11 nov., 4 au 15 fév., lundi soir et mardi sauf juil.-août – **R** 98/155.

BRON **69** Rhône **74** ⑫ – rattaché à Lyon.

BROQUIÈS **12480** Aveyron **80** ⑬ – 652 h. alt. 388.

Paris 688 – Albi 61 – Lacaune 53 – Rodez 55 – St-Affrique 30.

Le Pescadou ⛰, S : 2,5 km rte St-Izaire ✆ 65 99 40 21, ≤, 🌳 – **P**
15 mars-15 oct. – **R** 67/175 🍼 – ☕ 24 – **14 ch** 80/168 – ½ P 175/210.

BROU **01** Ain **74** ③ **G. Bourgogne** – alt. 235.

Curiosités★★★ et ressources hôtelières : rattachées à Bourg-en-Bresse.

BROU **28160** E.-et-L. **60** ⑯ **G. Châteaux de la Loire** – 3 803 h. alt. 160.

Voir Yèvres : boiseries★ de l'église 1,5 km à l'Est.

Syndicat d'Initiative r. de la Chevalerie ((Pâques-sept.) ✆ 37 47 01 12.

Paris 127 – Chartres 38 – Châteaudun 22 – ◆Le Mans 86 – Nogent le Rotrou 31,5.

XX **Jardin de la Mer,** 23 pl. Halles ✆ 37 96 03 32, « Dans une maison du 16e siècle » – GB
fermé fév., merc. du 15 sept. au 30 avril et lundi soir – **R** 70/160.

RENAULT Philippe, 32 av. Galliéni ✆ 37 47 08 68

BROUSSE-LE-CHÂTEAU **12480** Aveyron **80** ⑫ **G. Gorges du Tarn** – 203 h. alt. 232.

Voir Village perché★.

Paris 690 – Albi 53 – Cassagnes-Bégonhès 33 – Lacaune 52 – Rodez 58 – St-Affrique 32.

Relays du Chasteau ⛰, ✆ 65 99 40 15, ≤ – **P**. GB
fermé 20 déc. au 20 janv., vend. soir et sam. midi du 1er oct. au 1er mai – **Repas** 65/150 🍼, enf. 32 – ☕ 20 – **14 ch** 100/155 – ½ P 135/175.

BRUAY-LA-BUISSIÈRE **62700** P.-de-C. **51** ⑭ – 24 927 h. alt. 40.

Paris 218 – ◆Calais 86 – Arras 33 – Béthune 9 – Lens 26 – ◆Lille 47 – St-Omer 46 – St-Pol-sur-Ternoise 20.

Univers, 30 r. H. Cadot ✆ 21 62 40 31, Fax 21 62 77 80 – TV ☎. GB
fermé vend. soir et dim. soir – **R** 80/220 🍼, enf. 60 – ☕ 35 – **17 ch** 170/210.

Park H., pl. Cdt L'Herminier ✆ 21 62 40 28, 🌳 – TV **P**. GB
R 70/160 – ☕ 22 – **20 ch** 135/200.

à Gauchin-Légal S : 8 km par D 341 – ✉ **62150**.

Voir Château★ d'Olhain NE : 3 km, **G. Flandres Artois Picardie.**

XX **Hatton,** ✆ 21 22 10 02 – GB
fermé vacances de fév., le soir (sauf sam.) et lundi – **R** 120/200.

FIAT Catteau, 73 rte Nationale à Labuissière ✆ 21 53 44 45
PEUGEOT-TALBOT Gar. Ste-Barbe, 1 r. A.-France à Labuissière ✆ 21 53 44 19
RENAULT Gar. Lourme, 6 r. Aire à Labuissière ✆ 21 52 28 19 **N**
V.A.G Auto Expo, N 41, Labuissière ✆ 21 53 57 30 **N** ✆ 21 52 05 00

BRUÈRE-ALLICHAMPS **18** Cher **69** ① – rattaché à St-Amand-Montrond.

Le BRUGERON **63880** P.-de-D. **73** ⑯ – 359 h. alt. 850.

Paris 490 – ◆Clermont-Ferrand 63 – Ambert 27 – ◆St-Étienne 93 – Thiers 37.

X **Gaudon** avec ch, ✆ 73 72 60 46, ≤, 🌳 – 🚗. GB
fermé 15 déc. au 20 janv., lundi soir et mardi hors sais. – **R** 65/245 – ☕ 20 – **8 ch** 120/160 – ½ P 145.

BRUMATH **67170** B.-Rhin 57 ⑲ – 8 182 h. alt. 150.

Paris 473 – ◆ Strasbourg 18 – Haguenau 11 – Molsheim 29 – Saverne 28.

Ville de Paris, 13 r. Gén. Rampont ✆ 88 51 11 02, Fax 88 51 90 19 – |‡| TV ☎ P – 30. GB
fermé 20 juin au 14 juil. – **R** *(fermé dim. soir et vend.)* 90/230 – 30 – **14 ch** 110/230 – ½ P 135/185.

XXX **Écrevisse** avec ch, 4 av. Strasbourg ✆ 88 51 11 08, Fax 88 51 89 02, – ▤ rest TV ☎ P – 30. AE ⓓ GB
fermé 20 au 31 juil., lundi soir et mardi – **R** 185/380, enf. 60 – 30 – **21 ch** 200/320.

à Mommenheim NO : 6 km par D 421 – ✉ **67670** :

XX **Le Manoir** avec ch, 165 rte Brumath ✆ 88 51 61 78, Fax 88 51 59 96, – TV ☎ P. AE ⓓ GB JCB
fermé fév. – **R** 88/250, enf. 40 – **7 ch** 210/280 – ½ P 210/250.

Le BRUSC **83** Var 84 ⑭ – rattaché à Six-Fours-les-Plages.

BRUSQUE **12360** Aveyron 83 ④ – 422 h. alt. 465.

Paris 715 – Albi 90 – Béziers 76 – Lacaune 33 – Lodève 49 – Rodez 103 – St-Affrique 34.

La Dent de St-Jean, ✆ 65 99 52 87, ← – P. AE ⓓ GB. ch
3 mars-1er nov. et fermé dim. soir et lundi sauf de juin à sept. – **R** 78/180 – 21 – **20 ch** 140/190 – ½ P 175/182.

BRY-SUR-MARNE **94** Val-de-Marne 56 ⑪, 106 ⑳ – voir à Paris, Environs.

BUAIS **50640** Manche 59 ⑨ ⑲ – 702 h. alt. 231.

Paris 280 – Domfront 27 – Fougères 31 – Laval 58 – Mayenne 44 – St-Hilaire-du-H. 11,5 – St-Lô 81.

XX **Rôtisserie Normande,** ✆ 33 59 41 10 – P. AE GB JCB
fermé 20 janv. au 20 fév. dim. soir et lundi du 15 sept. à Pâques – **R** 50/135.

BUBRY **56310** Morbihan 63 ② – 2 445 h. alt. 183.

Paris 481 – Vannes 53 – Carhaix-Plouguer 57 – Lorient 36 – Pontivy 22 – Quimperlé 32.

Coet Diquel, O : 1 km par VO ✆ 97 51 70 70, « Parc », – ☎ P. GB
15 mars-1er déc. – **R** 78/188 – 30 – **20 ch** 250/300 – ½ P 272/298.

BUC **78** Yvelines 60 ⑩, 101 ㉓ – Voir à Paris, Environs.

BUCHÈRES **10** Aube 61 ⑰ – rattaché à Troyes.

BUCHY **76750** S.-Mar. 55 ⑦ – 1 109 h. alt. 192.

Paris 131 – ◆ Rouen 27 – Les Andelys 46 – Dieppe 47 – Neufchâtel-en-Bray 20 – Yvetot 51.

X **Nord,** gare de Buchy NO : 3 km par D 41 ✆ 35 34 40 16 – P. AE GB.
fermé le soir sauf sam. de nov. à fév., dim. soir et lundi – **R** 80/145.

CITROEN Gar. Guérard ✆ 35 34 40 33 RENAULT Lucas ✆ 35 34 40 30

Le BUGUE **24260** Dordogne 75 ⑯ **G. Périgord Quercy** – 2 764 h. alt. 68.

Voir Musée Pierre Baudin : collection d'insectes★ – Gouffre de Proumeyssac★ S : 3 km.

Paris 531 – Périgueux 41 – Bergerac 47 – Brive-la-Gaillarde 73 – Cahors 82 – Sarlat-la-Canéda 31.

Royal Vézère, pl. H. de Ville ✆ 53 07 20 01, Télex 540710, Fax 53 03 51 80, ←, « Au bord de la Vézère », – |‡| ☎ – 30 à 150. AE ⓓ GB JCB
30 avril-10 oct. – **L'Albuca** *(fermé lundi midi et mardi midi)* **R** 130/300, enf. 75 – 40 – **49 ch** 355/490, 4 appart. 690 – ½ P 326/415.

à Campagne SE : 4 km – ✉ **24260** :

Château, ✆ 53 07 23 50, – ☎ P. GB. ch
12 avril-15 oct. – **R** 70/300 – 30 – **17 ch** 200/250 – ½ P 220/250.

BUIS-LES-BARONNIES **26170** Drôme 81 ③ **G. Alpes du Sud** – 2 030 h. alt. 370.

Syndicat d'Initiative pl. Champ-de-Mars ✆ 75 28 04 59.

Paris 692 – Carpentras 40 – Nyons 29 – Orange 49 – Sault 37 – Sisteron 72 – Valence 131.

Sous l'Olivier, ✆ 75 28 01 04, Fax 75 28 16 49, – ☎ P – 25. GB
1er mars-31 oct. – **R** 100/190, enf. 60 – 32 – **36 ch** 235/300 – ½ P 250/270.

Lion d'Or sans rest, ✆ 75 28 11 31 – ☎. GB.
fermé 15 oct. au 15 nov. – 26 – **14 ch** 160/240.

CITROEN Gar. Aubery ✆ 75 28 10 08
PEUGEOT Enguent ✆ 75 28 09 97
RENAULT Gar. des Platanes ✆ 75 28 04 92
V.A.G Gar. des Baronnies ✆ 75 28 05 80

Le BUISSON-CUSSAC 24480 Dordogne 75 ⑯ – 2 003 h.

Env. Cadouin : cloître ★★, église ★ SO : 6 km, **G.Périgord Quercy.**

Paris 541 – Sarlat-la-Canéda 35 – Bergerac 39 – Périgueux 51 – Villefranche-du-Périgord 35.

Manoir de Bellerive ⑤ sans rest, rte Siorac ☎ 53 27 16 19, Fax 53 22 09 05, ≤, « Élégant manoir dans un parc fleuri », ⛱, % – TV ☎ P. AE GB. ✂
15 avril-11 nov. – ☕ 50 – **16 ch** 420/620.

BUJALEUF 87460 H.-Vienne 72 ⑱ ⑲ **G. Berry Limousin** – 999 h. alt. 380.

Voir Pont ≤★.

Paris 416 – ♦Limoges 34 – Aubusson 66 – Guéret 61 – Tulle 84.

Touristes, ☎ 55 69 50 01, 🏞 – GB
fermé 22 déc. au 7 janv., vacances de fév. et mardi soir hors sais. – **R** 59/140 ♁ – ☕ 20 – **12 ch** 95/160 – ½ P 130/200.

BUSCHWILLER 68220 H.-Rhin 87 ⑩ – 767 h. alt. 350.

Paris 472 – ♦Mulhouse 28 – Altkirch 25,5 – ♦Basel 9 – Colmar 66.

Couronne, ☎ 89 69 12 62 – GB. ✂
fermé 16 août au 6 sept., 15 au 28 fév., dim. soir et lundi – **R** 150/330.

BUSSANG 88540 Vosges 166 ⑧ **G. Alsace Lorraine** – 1 809 h. alt. 599.

Env. Petit Drumont ✻★★ NE : 9 km puis 15 mn.

ℹ Syndicat d'Initiative r. d'Alsace ☎ 29 61 50 37.

Paris 414 – Épinal 59 – ♦Mulhouse 47 – Belfort 42 – Gérardmer 39 – Thann 26.

Sources ⑤, NE : 2,5 km par D 89 ☎ 29 61 51 94, ≤, 🌳 – TV ☎ P. GB. ✂
R 86/255 bc, enf. 43 – ☕ 30 – **11 ch** 240/275 – ½ P 220/250.

Le Tremplin, ☎ 29 61 50 30, Fax 29 61 50 89 – ☎ P. AE ⓓ GB
fermé oct., lundi (sauf hôtel) et dim. soir sauf vacances scolaires – **R** 70/250 ♁, enf. 50 – ☕ 30 – **20 ch** 125/300 – ½ P 175/215.

BUSSEAU-SUR-CREUSE 23 Creuse 72 ⑩ – ✉ **23150** Ahun.

Env. Moutier d'Ahun : boiseries★★ de l'église SE : 5,5 km, G. Berry Limousin.

Paris 361 – Aubusson 30 – Guéret 18.

Viaduc avec ch, ☎ 55 62 40 62, Fax 55 62 55 80, ≤ – ☎ P – 🏛 30. GB. ✂ ch
fermé 2 au 31 janv., dim. soir et lundi – **R** 68/255 ♁, enf. 55 – ☕ 30 – **7 ch** 190/240 – ½ P 250.

La BUSSIÈRE 45230 Loiret 65 ② **G. Bourgogne** – 715 h. alt. 161.

Paris 143 – Auxerre 70 – Cosne-sur-Loire 43 – Gien 14 – Montargis 29 – Orléans 79.

Motel le Nuage M ⑤, r. Briare ☎ 38 35 90 73, Fax 38 35 90 62, 🏞, 🏋 – TV ☎ ♿ P – 🏛 25. AE GB. ✂ rest
R 65/145 ♁, enf. 38 – ☕ 30 – **16 ch** 260/280 – ½ P 210/245.

BUSSY-ST-GEORGES 77 S.-et-M. 56 ⑫ – voir à Paris, Environs (Marne-la-Vallée).

BUTHIERS 77 S.-et-M. 61 ⑪ – rattaché à Malesherbes (Loiret).

BUXY 71390 S.-et-L. 170 ① – 1 998 h. alt. 300.

Paris 355 – Chalon-sur-Saône 17 – Autun 53 – Chagny 23 – Mâcon 62 – Montceau-les-Mines 33.

Relais du Montagny M ⑤ sans rest, ☎ 85 92 19 90, Fax 85 92 07 19, ⛱, 🌳 – TV ☎ ♿ P – 🏛 60. GB
☕ 40 – **30 ch** 250/360.

RENAULT Bombardella ☎ 85 92 16 12

BUZANÇAIS 36500 Indre 68 ⑦ – 4 749 h. alt. 122.

Paris 275 – Le Blanc 45 – Châteauroux 26 – Chatellerault 77 – ♦Tours 92.

Hermitage ⑤, rte d'Argy ☎ 54 84 03 90, Fax 54 02 13 19, 🌳 – TV ☎ 🚗 P. ⓓ GB
fermé 13 au 22 sept., 1er au 16 janv., dim. soir et lundi (sauf hôtel en juil.-août) – **R** (dim. prévenir) 72/245 ♁, enf. 62 – ☕ 25 – **15 ch** 105/285 – ½ P 185/235.

Le Croissant, 53 r. Grande ☎ 54 84 00 49, Fax 54 84 20 60, 🏞 – TV ☎. GB. ✂ rest
fermé 10 fév. au 8 mars, vend. soir et sam. sauf juil.-août – **R** 72/200 ♁, enf. 55 – ☕ 26 – **14 ch** 210/258 – ½ P 200/240.

CITROEN Gar. Fontaine, 38 rte de Châteauroux ☎ 54 84 08 39

Éts Chirault, 41 r. Hervault, ☎ 54 84 12 97

BUZET-SUR-BAÏSE 47160 L.-et-G. 79 ⑭ – 1 353 h. alt. 47.

Paris 689 – Agen 30 – ♦Bordeaux 109 – Mont-de-Marsan 84 – Nérac 18 – Villeneuve-sur-Lot 42.

Le Vigneron, bd République ☎ 53 84 73 46 – ⓓ GB
fermé 15 au 28 fév. et lundi – **R** 69/230 ♁, enf. 55.

CABASSON 83 Var 84 ⑯ – rattaché à Bormes-les-Mimosas.

CABOURG **14390** Calvados **55** ② **G. Normandie Vallée de la Seine** – 3 355 h. alt. 3 – Casino A.

18 ☏ 31 91 25 56, par ④ : 3 km ; 9 ☏ 31 91 70 53, 1 km par av. de la Mer A.

Office de Tourisme Jardins du Casino ☏ 31 91 01 09.

Paris 225 ③ – ♦Caen 25 ④ – Deauville 18 ① – Lisieux 35 ② – Pont-l'Évêque 26 ②.

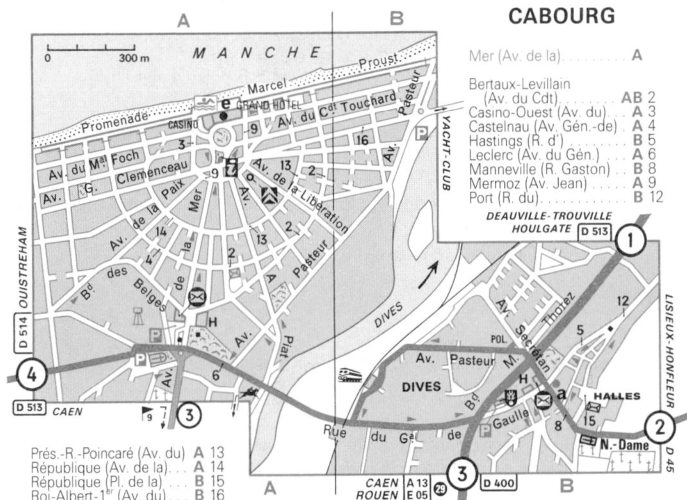

Pullman Grand Hôtel ⛰, prom. M. Proust ☏ 31 91 01 79, Télex 171364, Fax 31 24 03 20, ≤, ☂, ⛱ – |≡| 📺 ☎ 🅟 – 🚶 25 à 300. AE ⓓ GB A **e**
R 180/320, enf. 90 – ☕ 70 – **68 ch** 800/900.

Altéa et rest. Agora M ⛰, av. Hippodrome ☏ 31 24 04 04, Télex 772328, Fax 31 91 03 99, ⛱ – 📺 ☎ ♿ 🅟 – 🚶 30 à 100. GB
R 140/180, enf. 65 – ☕ 48 – **81 ch** 490/610 – ½ P 425/485.

Golf M, av. Hippodrome ☏ 31 24 12 34, Fax 31 24 18 51, ⛱ – 📺 ☎ ♿ 🅟 – 🚶 60. AE GB
R 90/230 ♨ – ☕ 45 – **40 ch** 550/740 – ½ P 358.

à Dives-sur-Mer : Sud du plan – 5 344 h. – ✉ **14160**.

Voir Halles★ B **B**.

Guillaume le Conquérant, 2 r. Hastings ☏ 31 91 07 26, ☂, « Ancien relais de poste du 16e siècle » – AE GB B **a**
fermé 16 au 23 nov., dim. soir et lundi hors sais. et fériés – **R** 106/315, enf. 70.

par ④, D 513 et rte de Gonneville-en-Auge : 7 km – ✉ **14860** Ranville :

Host. Moulin du Pré ⛰ avec ch, ☏ 31 78 83 68, parc – ☎ 🅟. AE ⓓ GB. ✂ ch
fermé 1er au 15 mars, oct., dim. soir et lundi sauf juil.-août et fériés – **R** 250/290 – ☕ 37 – **10 ch** 185/310.

au Hôme par ④ : 2 km ou sur rte Merville-Franceville : 2 km par D 514 – ✉ **14390** Cabourg :

Pied de Cochon, ☏ 31 91 27 55 – GB
fermé 25 nov. au 10 déc., 15 au 31 janv., lundi soir et mardi – **Repas** 110/280 ♨, enf. 65.

CITROEN Gar. Mesnier, 1 av. de la Libération A ☏ 31 91 26 83

CABRERETS **46330** Lot **79** ⑨ **G. Périgord Quercy** – 191 h. alt. 130.

Voir Château de Gontaut-Biron★ – ≤★ sur village de la rive gauche du Célé – Grotte du Pech Merle★★ NO : 3 km – Musée de Cuzals★ NE : 5 km.

Paris 583 – Cahors 31 – Figeac 44 – Gourdon 42 – St-Céré 57 – Villefranche-de-Rouergue 43.

Grottes ⛰, ☏ 65 31 27 02, ≤, ☂, « Terrasse sur la rivière », ⛱ – ☎ 🅟. GB. ✂ ch
15 mai-30 sept. – **R** *(fermé sam. midi)* 76/92 ♨, enf. 55 – ☕ 28 – **18 ch** 140/260 – ½ P 179/235.

Aub. de la Sagne ⛰, ☏ 65 31 26 62, ☂, ⛱, ⛱ – ☎ 🅟. GB. ✂
2 mai-30 sept. – **R** *(fermé merc. midi et vend. midi de sept. à juin et lundi midi en juil.-août) (nombre de couverts limité, prévenir)* 82/125 – ☕ 25 – **10 ch** 190/270 – ½ P 203/243.

CABRIS **06** Alpes-Mar. **84** ⑧, **195** ㉔ – rattaché à Grasse.

CADENET **84160** Vaucluse 84 ③ **G. Provence** – 3 232 h. alt. 234.

Voir Fonts baptismaux★ de l'église.

Env. Abbaye de Silvacane★★ SO : 6,5 km.

Paris 736 – Digne-les-Bains 107 – Aix-en-Provence 28 – Apt 23 – Avignon 58 – Manosque 54 – Salon-de-Provence 31.

Mas du Colombier M, Rte Pertuis ✆ 90 68 29 00, Fax 90 68 36 77, – TV ☎ P. GB
fermé fév. – **R** 75/149, enf. 45 – ☐ 28 – **15 ch** 255/315 – ½ P 250/260.

Aux Ombrelles, ✆ 90 68 02 40, – P. GB.
fermé 1er déc. au 1er fév., dim. soir et lundi hors sais. – **R** 85/170, enf. 55.

La CADIÈRE-D'AZUR **83740** Var 84 ⑭ **G. Côte d'Azur** – 3 139 h. alt. 144.

Voir ≤★ – Le Castelet : village★ NE : 4 km.

Syndicat d'Initiative rond-point R.-Salengro (saison) ✆ 94 90 12 56.

Paris 817 – ◆Toulon 21 – Aix-en-Provence 61 – Brignoles 53 – ◆Marseille 44.

Host. Bérard M, près Poste ✆ 94 90 11 43, Télex 400509, Fax 94 90 01 94, ≤, – TV ☎ – 40. AE GB.
fermé 9 janv. au 20 fév. – **R** *(fermé lundi sauf le soir d'avril à oct. et dim. soir de nov. à mars)* 160/390, enf. 100 – ☐ 65 – **40 ch** 400/1500 – ½ P 473/655.

CITROEN Jansoulin ✆ 94 29 30 36 — RENAULT Gar St-Éloi, av. Libération ✆ 94 90 12 47

CADOURS **31480** H.-Gar. 82 ⑥ – 694 h.

Paris 694 – Auch 43 – ◆Toulouse 39 – Montauban 48.

Demeure d'En Jourdou, NO : 1 km par D 29 ✆ 61 85 77 77, ≤, parc, « Ancienne ferme du 18e siècle » – TV ☎ P. AE GB
R *(fermé lundi sauf fériés)* 127/377 – ☐ 37 – **7 ch** 290/420 – ½ P 265/325.

Au moment de chercher un hôtel ou un restaurant, soyez efficace.
Sachez utiliser les noms soulignés en rouge sur les **cartes Michelin** *à 1/200 000.*
Mais ayez une carte à jour!

CAEN P **14000** Calvados 55 ⑪ ⑫ **G. Normandie Cotentin** – 112 846 h. alt. 8.

Voir Abbaye aux Hommes★★ CY – Abbaye aux Dames EX : Église de la Trinité★★ – Chevet★★, frise★★ et voûtes★★ de l'Église St-Pierre★ DY **L** – Église et cimetière St-Nicolas★ CY **E** – Tour-lanterne★ de l'église St-Jean EZ **D** – Hôtel d'Escoville★ DY **B** – Vieilles maisons★ (n° 52 et 54 rue St-Pierre) DY **K** – Musée des Beaux-Arts★★ dans le château★ DX **M1** – Musée de Normandie★★ DX **M2** – Mémorial★★.

Env. Ruines de l'abbaye d'Ardenne★ AV 6 km par ⑩.

18 ✆ 31 94 72 09, N par D 60 : 5 km ; 9 9 de Garcelles ✆ 31 39 08 58, par ⑥ : 15 km.

Office de Tourisme et Accueil de France (Informations, change et réservations d'hôtels, pas plus de 5 jours à l'avance) pl. St-Pierre ✆ 31 86 27 65, Télex 170353 et Gare SNCF (juin-août) – A.C.O. 20 av. 6-juin ✆ 31 85 47 35.

Paris 240 ④ – Alençon 103 ⑥ – ◆Amiens 236 ④ – ◆Brest 370 ⑧ – Cherbourg 124 ⑩ – Évreux 130 ⑤ – ◆Le Havre 109 ④ – ◆Lille 352 ④ – ◆Le Mans 151 ⑥ – ◆Rennes 174 ⑧.

Plan page suivante

Relais des Gourmets, 15 r. Geôle ✉ 14300 ✆ 31 86 06 01, Télex 171657, Fax 31 39 06 00 – TV ☎ – 45. AE GB JCB — DY **t**
R *(fermé dim.)* 140/220 – ☐ 42 – **23 ch** 320/700.

Mercure M, 1 r. Courtonne ✆ 31 47 24 24, Télex 171890, Fax 31 47 43 88 – rest TV ☎ – 120. AE GB. rest — EY **b**
R 130/250 – ☐ 50 – **126 ch** 450/600, 4 appart. 1000.

Moderne M sans rest, 114 bis bd Mar. Leclerc ✆ 31 86 04 23, Télex 171106, Fax 31 85 37 93 – TV ☎. AE GB — DY **d**
☐ 48 – **40 ch** 325/640.

France sans rest, 10 r. Gare ✉ 14300 ✆ 31 52 16 99, Fax 31 83 23 16 – TV ☎ P – 30. AE GB — EZ **h**
☐ 30 – **47 ch** 230/330.

Quatrans sans rest, 17 r. Gemare ✉ 14300 ✆ 31 86 25 57, Télex 772535, Fax 31 85 27 80 – ☎. GB — DY **p**
☐ 27 – **36 ch** 145/250.

Urbis M sans rest, 33 r. Bras (centre P. Doumer) ✆ 31 50 00 00, Télex 170368, Fax 31 86 85 91 – TV ☎. GB — DY **s**
☐ 32 – **59 ch** 280/310.

Royal sans rest, 1 pl. République ✉ 14300 ✆ 31 86 55 33, Fax 31 79 89 44 – TV ☎. GB — DY **e**
☐ 33 – **42 ch** 240/300.

Central sans rest, 23 pl. J. Letellier ✉ 14300 ✆ 31 86 18 52, Fax 31 86 88 11 – TV ☎. GB — DY **u**
☐ 25 – **25 ch** 150/250.

XXX ✿✿ **La Bourride** (Bruneau), 15 r. du Vaugueux ✆ 31 93 50 76, Fax 31 93 29 63, « Maison du vieux Caen » – AE ⓓ GB — DX **x**
fermé 16 août au 3 sept., 3 au 25 janv., dim. et lundi – **R** (nombre de couverts limité-prévenir) 269/497 et carte
Spéc. Fricassée d'andouille au vinaigre de cidre, Jarret de veau en cinq heures de cidre, Symphonie autour d'une pomme.

XXX **Le Dauphin** avec ch, 29 r. Gemare ✉ 14300 ✆ 31 86 22 26, Télex 171707, Fax 31 86 35 14 – |‡| TV ☎ P. AE ⓓ GB — DY **a**
fermé 15 juil. au 11 août – **R** *(fermé sam.)* 95/310 ♁ – ☕ 45 – **22 ch** 260/460.

XXX ✿ **Daniel Tuboeuf,** 8 r. Buquet ✆ 31 43 64 48, « Original décor contemporain » – ▤. GB. ✗ — DY **y**
fermé 2 au 24 août, dim. soir et lundi – **R** 108/345
Spéc. Galette d'andouille à la crème de cidre, Turbot aux épices et quenelles de rates au jus de viande, Filet d'agneau en croûte.

XXX **Les Echevins,** 35 rte Trouville ✆ 31 84 10 17, Fax 31 84 53 22, parc – P. GB — BV **s**
fermé 2 au 30 août et dim. sauf fêtes – **R** 152/310, enf. 80.

XX **Le Gastronome,** 43 r. St Sauveur ✆ 31 86 57 75 – AE GB — CY **r**
fermé 2 au 11 août, sam. midi et dim. soir – **R** 98/150.

XX **Le Bœuf Ferré,** 10 r. Croisiers ✆ 31 85 36 40 – GB JCB. ✗ — DY **z**
fermé 15 au 31 juil., 1er au 15 janv., sam. midi et dim. – **Repas** (prévenir) 99/180.

XX **L'Écaille,** 13 r. de Geôle ✉ 14300 ✆ 31 86 49 10, produits de la mer – AE ⓓ GB JCB — DY **t**
fermé sam. midi et lundi – **R** 145 bc/190 bc.

XX **La Petite Cale,** 18 quai Vendeuvre ✉ 14300 ✆ 31 86 29 15 – GB — EY **n**
fermé 1er au 26 août, sam. midi, dim. et fêtes – **R** 125/165.

XX **Pub William's,** pl. Courtonne ✆ 31 93 45 52 – ▤. GB — EY **e**
◆ *fermé 1er au 24 août, 23 fév. au 2 mars, dim. et fériés* – **R** 72 ♁.

XX **Alcide,** 1 pl. Courtonne ✆ 31 44 18 06, Fax 31 22 92 90 – GB — EY **e**
◆ *fermé juil., 20 au 30 déc., vend. soir et sam. sauf en août* – **R** 67/119.

X **La Poêle d'Or,** 7 r. Laplace ✆ 31 85 39 86 – GB — EZ **r**
◆ *fermé 24 déc. au 6 janv., sam., dim. et fériés* – **R** 48/62 ♁.

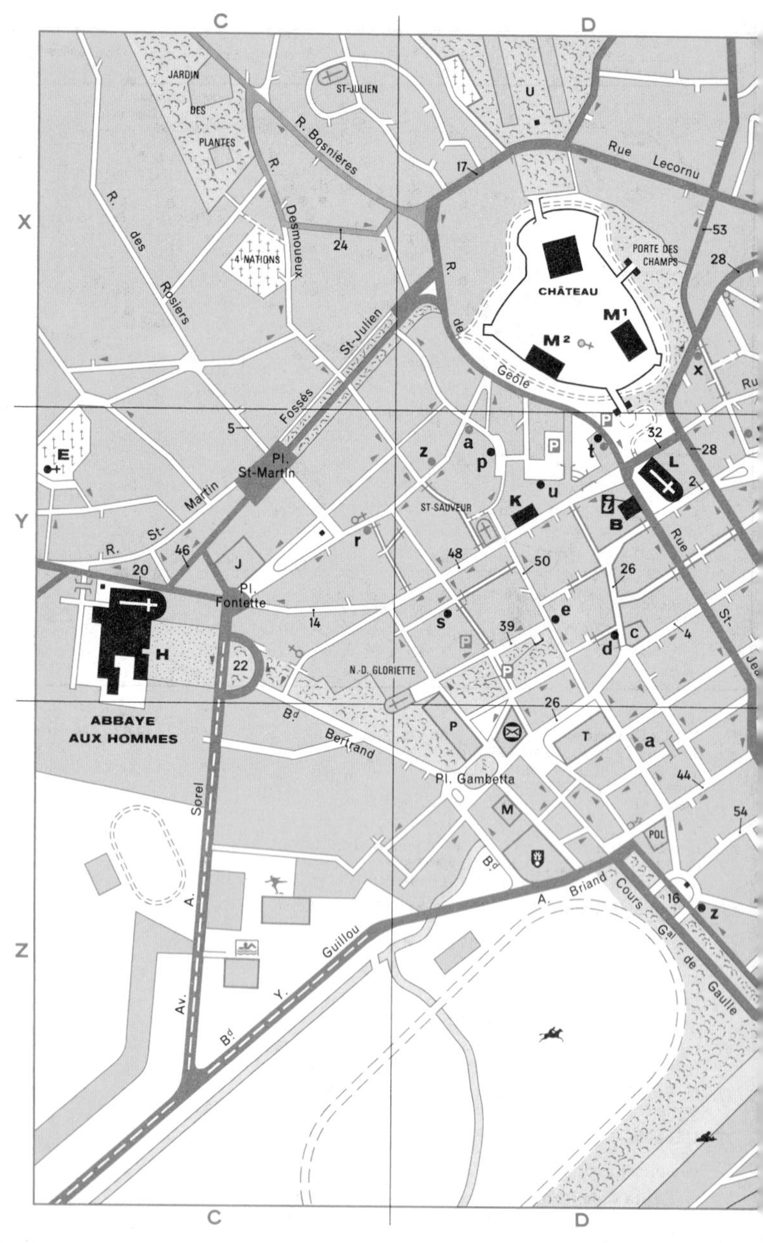

à l'échangeur Caen-Université (bretelle du bd périphérique) – ✉ **14000** Caen :

Novotel M, av. Côte de Nacre ☎ 31 93 05 88, Télex 170563, Fax 31 44 07 28, rest – 200. AE GB AV **b**
R carte environ 150, enf. 50 – 53 – **126 ch** 425/485.

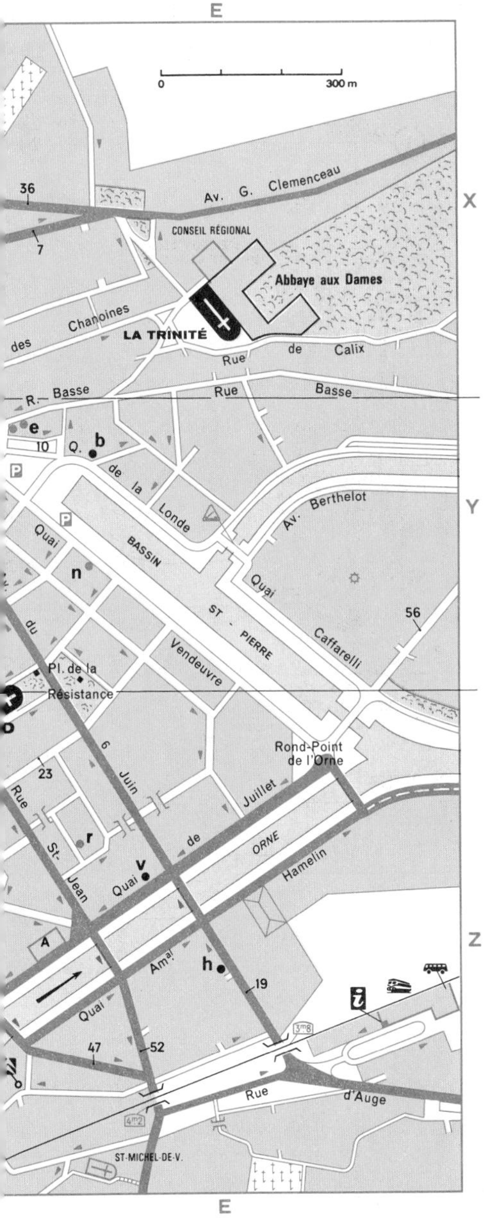

CAEN

Alliés (Bd des) . . . . **DY** 2
Ecuyère (R.) . . . . **CY** 14
Guillouard (Pl. L.) . . . . **CY** 22
Leclerc (Bd Mar.) . . . . **DY** 26
St-Jean (R.) . . . . **DEYZ**
St-Pierre (R.) . . . . **DY** 48
Strasbourg (R. de) . . . . **DY** 50
6-Juin (Av. du) . . . . **EYZ**

Auge (R. d') . . . . **EZ**
Basse (R.) . . . . **EXY**
Bernières (R. de) . . . . **DY** 4
Berthelot (Av.) . . . . **EY**
Bertrand (Bd) . . . . **CZ**
Bosnières (R.) . . . . **CX**
Briand (Bd A.) . . . . **DZ**
Caffarelli (Q.) . . . . **EY**
Calix (R. de) . . . . **EX**
Canada (Av. du) . . . . **CY** 5
Chanoines (R. des) . . . . **EX**
Clemenceau (Av. G.) . . . . . . **EX**
Cordes (R. des) . . . . **EX** 7
Courtonne (Pl.) . . . . **EY** 10
Desmoueux (R.) . . . . **CX**
Foch (Pl. Mar.) . . . . **DZ** 16
Fontette (Pl.) . . . . **CY**
Gaillon (R. du) . . . . **DX** 17
Gambetta (Pl.) . . . . **DZ**
Gare (R. de la) . . . . **EZ** 19
Gaulle (Crs Gén.-de) . . . . . . **DZ**
Geôle (R. de) . . . . **DX**
G.-le-Conquérant (R.) . . . . . **CY** 20
Guillou (Bd Y.) . . . . **CZ**
Hamelin (Q. Amiral) . . . . **EZ**
Havre (R. du) . . . . **EZ** 23
Juifs (R. aux) . . . . **CX** 24
Juillet (Q. de) . . . . **EZ**
Lecornu (R.) . . . . **DX**
Libération (Av. de la) . . . . . **DXY** 28
Londe (Q. de la) . . . . **EY**
Montoir-Poissonnerie (R.) . . . . **DY** 32
Orne (Rd-Pt de l') . . . . **EZ**
Pigacière (R. de la) . . . . **EX** 36
République (Pl. de la) . . . . . **DY** 39
Résistance (Pl. de la) . . . . . . **EY**
Romain (R. J.) . . . . **DZ** 44
Rosiers (R. des) . . . . **CX**
St-Julien (Fossés) . . . . **CX**
St-Manvieu (R.) . . . . **CY** 46
St-Martin (Pl.) . . . . **CY**
St-Martin (R.) . . . . **CY**
St-Michel (R.) . . . . **EZ** 47
Sorel (Av. A.) . . . . **CZ**
Vaucelles (R. de) . . . . **EZ** 52
Vaugueux (R. du) . . . . **DX** 53
Vendeuvre (Q.) . . . . **EY**
Verdun (Av. de) . . . . **DZ** 54
Victor-Hugo (Av.) . . . . **EY** 56

Dans la liste des rues des plans de villes, les noms en rouge indiquent les principales voies commerçantes.

par ① et D 401 : 5 km – ✉ **14200** Hérouville-St-Clair :

Friendly H. Ⓜ, 2 pl. Boston Citis à Hérouville-St-Clair ☎ 31 44 05 05, Télex 772500, Fax 31 44 95 94, ⛹, 🏊, 🌳 – ⛶ ▤ rest ▣ ☎ ♿ Ⓟ – 🏛 300. AE ⓓ GB
R 115/140 🍷, enf. 45 – ☕ 44 – **90 ch** 360/450 – ½ P 275/384.

CAEN

Baladas (Bd des) . . . . AV 3
Clemenceau (Av. G.) . . . . . BV 6
Côte-Fleurie (Rte de la) . . . . AV 8
Délivande (R. de la) . . . . AV 12
Demi-Lune (Pl. de la) . . . . BV 13
Lyautey (Bd Mar.) . . . . AV 29
Montalivet (Cours) . . . . BV 30
Pasteur (R.) . . . . BV 33
Père-Ch.-de-Foucault (Av.) . . . . AV 34
Poincaré (Bd R.) . . . . BV 38
Rethel (Bd de) . . . . BV 42
Richemond (Bd de) . . . . AV 43

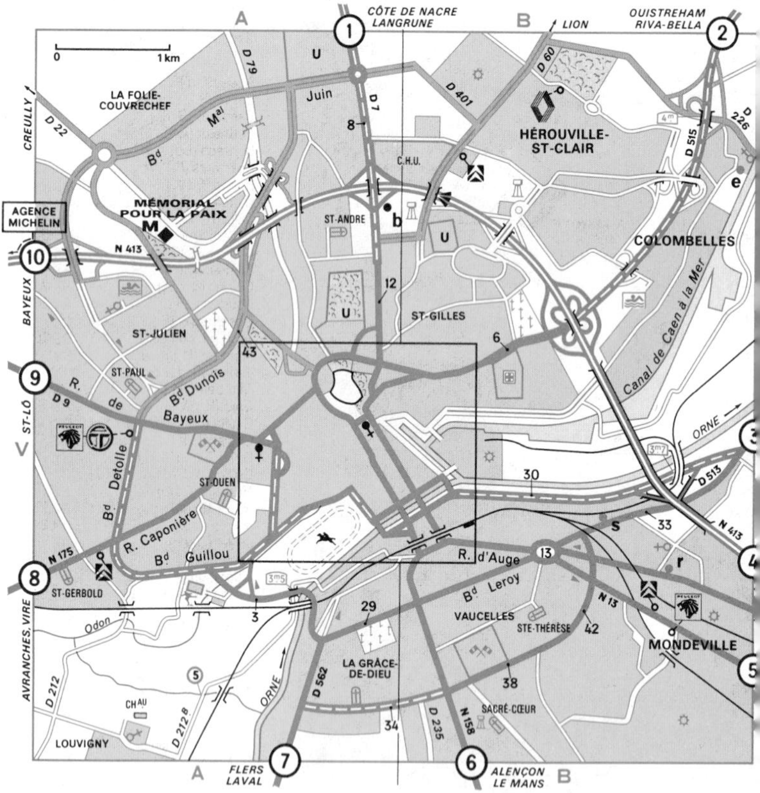

à Hérouville St-Clair NE : 3 km – 24 795 h. – ✉ **14200** :

X **L'Espérance** avec ch, r. Abbé Alix, bord du canal ☎ 31 44 97 10, ≤ – ☎ 🅿 – 🔔 50. GB — BV **e**
fermé 19 août au 10 sept., 1er au 8 janv. et lundi – **R** 50/180 – ☕ 27 – **11 ch** 120/160 – ½ P 173.

à Bénouville par ② : 10 km – ✉ **14970**.

Voir Château★ : escalier d'honneur★★.

XXX **Manoir d'Hastings et la Pommeraie** Ⓜ avec ch, ☎ 31 44 62 43, Fax 31 44 76 18, « Prieuré du 17e siècle, jardin » – 📺 ☎ 🅿. AE ⓓ GB
fermé 7 au 28 fév. – **R** *(fermé dim. soir et lundi)* 180/360 – **11 ch** ☕ 710/900 – ½ P 685/735.

XX **Luc Joignant**, ☎ 31 44 62 26 – 🅿. GB
fermé 15 au 30 janv., dim. soir et lundi – **R** 90/190.

à Mondeville E : 3,5 km – 9 488 h. – ✉ **14120** :

XX **Les Gourmets**, 41 r. E. Zola ☎ 31 82 37 59 – AE GB — BV
fermé sam. soir – **R** 122/250.

à La Jalousie par ⑥ : 13 km – ✉ **14540** St-Aignan-de-Cromesnil :

XX **Aub. de la Jalousie** avec ch, N 158 ☎ 31 23 51 69 – ☎ 🅿. GB. ✻ rest
fermé fév., dim. soir (sauf hôtel) et lundi hors sais. sauf fériés – **R** 74/220, enf. 42 – ☕ 28 – **12 ch** 135/260 – ½ P 180/280.

à Fleury-sur-Orne par ⑦ : 4 km – 3 861 h. – ✉ **14123** :

XX **Ile Enchantée,** au bord de l'Orne ✆ 31 52 15 52, ← – GB
fermé 3 au 10 août, vacances de fév., dim. soir et lundi – **R** 130/260, enf. 50.

à Louvigny S : 4,5 km par D 212B – ✉ **14111** :

XXX **Aub. de l'Hermitage,** au bord de l'Orne ✆ 31 73 38 66 – GB
fermé 24 août au 14 sept., vacances de fév., dim. soir et lundi – **R** (nombre de couverts limité, prévenir) 120 bc/180.

XX **La Tourelle,** 1 r. la Haule ✆ 31 73 35 77 – AE GB
fermé 3 au 23 août et merc. – **R** 125/185.

à la Folie Couvrechef (près Mémorial) NO : 4 km – ✉ **14000** Caen :

Otelinn M, av. Mar. Montgomery ✆ 31 44 34 20, Télex 772191, Fax 31 44 63 80 – TV ☎ ♿ P – 🏛 30 à 60. AE ⊙ GB
R *(fermé dim. soir du 1er nov. au 28 fév.)* 79/154 🍷, enf. 45 – ☕ 37 – **50 ch** 254/305.

MICHELIN, Agence régionale, ZI Carpiquet, rte de Bayeux par ⑩ ✆ 31 26 68 19

BMW Regnault, 19 prom. du Fort ✆ 31 27 14 00
CITROEN Succursale, rte de Lion-sur-Mer ✆ 31 47 52 82 N
CITROEN Lenrouilly, 35 av. Chéron ✆ 31 74 55 98
MERCEDES Gar. Ame 14, 30 av. de Paris ✆ 31 82 38 42 N ✆ 88 72 00 94
PEUGEOT, TALBOT Sté Ind. Auto de Normandie, 36 bd A.-Detolle ✆ 31 74 55 50
ROVER-JAGUAR Gar. J.F.C., 96 bd Yves Guillou ✆ 31 75 40 00
V.A.G Auto-Technic, ZI Nord-Est rte de Lion-sur-Mer ✆ 31 44 09 90
Gar. St-Michel, 13 r. Puits-de-Jacob ✆ 31 82 37 51

Ⓜ Clabeaut-Pneu, 13 prom. du Fort ✆ 31 86 12 05
Vallée-Pneus, 2 r. Chemin-Vert ✆ 31 74 44 09

Périphérie et environs

ALFA-ROMEO Inter-Auto, ZI de la Sphère à Hérouville ✆ 31 47 52 31
CITROEN Petit Gar., 8 rte de Paris, Mondeville ✆ 31 82 20 28 N ✆ 31 52 14 36
FIAT Gar. JM Autos, ZI r. de Bellevue à Carpiquet ✆ 31 26 50 11
FORD Viard, Technopole Cités à Hérouville ✆ 31 47 03 03
NISSAN, OPEL Transac-Auto, ZI de la Sphère à Hérouville ✆ 31 47 64 23
PEUGEOT Gar. Marie, 42 rte de Paris à Mondeville ✆ 31 52 19 32
PEUGEOT TALBOT Gar. Caen Sud, 619 r. de Caen à Ifs par ⑥ ✆ 31 82 32 33
RENAULT Succursale, r. Pasteur à Hérouville ✆ 31 46 44 44 N ✆ 05 05 15 15
RENAULT Gar. Allais, 554 rte de Falaise à Ifs par ⑥ ✆ 31 82 33 31 N ✆ 31 82 45 55
Gar. de l'Étoile, 7 rte de Paris à Mondeville ✆ 31 52 02 34

Ⓜ Clabeaut-Pneu, ZI rte de Paris, Mondeville ✆ 31 82 30 93
Laguerre Pneus, ZI de la Sphère à Hérouville ✆ 31 47 65 00
Vallée-Pneus, ZI Mondeville-Sud à Grentheville ✆ 31 82 37 15

CONSTRUCTEUR : RENAULT Véhicules Industriels, à Blainville-sur-Orne ✆ 31 84 81 33

CAGNES-SUR-MER

06800 Alpes-Mar. 84 ⑨ 195 ㉕ **G. Côte d'Azur** – 40 902 h. alt. 77.

Voir Haut-de-Cagnes★ X – Château-musée★ X : patio★★, ✳★ de la tour – Musée Renoir★ Y.

ℹ Office de Tourisme 6 bd Mar.-Juin ✆ 93 20 61 64.

Paris 921 ⑤ – ♦Nice 13 ② – Antibes 11 ④ – Cannes 21 ⑤ – Grasse 24 ⑥ – Vence 9,5 ①.

Plan page suivante

✿ **Le Cagnard** 🐦, r. Pontis-Long au Haut-de-Cagnes ✆ 93 20 73 21, Télex 462223, Fax 93 22 06 39, ←, 🏖 – |‡| TV ☎ P. AE ⊙ GB — X e
R *(fermé 5 nov. au 20 déc. et jeudi midi)* 370/500 – ☕ 60 – **18 ch** 320/820, 10 appart. 1000/1300
Spéc. Foie de canard chaud aux poires caramélisées, Charlotte d'agneau aux févettes et girolles, Petit pot au jasmin et galette de pain perdu.

Splendid M sans rest, 41 bd Mar. Juin ✆ 93 22 02 00, Fax 93 20 12 44 – ▤ TV ☎ ♿ P. AE ⊙ GB — Y x
☕ 35 – **26 ch** 295/390.

Tiercé H. sans rest, 33 bd Kennedy ✆ 93 20 02 09, Fax 93 20 31 55 – |‡| ▤ TV ☎ 🚗 P. GB — Y v
☕ 30 – **23 ch** 290/430.

Chantilly sans rest, 31 r. Minoterie ✆ 93 20 25 50, Fax 92 02 82 63 – TV ☎ P. AE GB — Y b
fermé 15 oct. au 15 déc. – ☕ 30 – **15 ch** 250/400.

Brasilia sans rest, chemin Grands Plans ✆ 93 20 25 03, Fax 93 22 44 09 – |‡| TV ☎ P. AE ⊙ GB — Y r
☕ 30 – **18 ch** 320/395.

Les Collettes 🐦 sans rest, 38 chemin des Collettes ✆ 93 20 80 66, ←, 🏊, 🎾 – cuisinette ☎ P. AE ⊙ GB — Y f
fermé 1er nov. au 27 déc. – ☕ 33 – **13 ch** 303/406.

XX **Peintres,** 71 montée Bourgade au Haut-de-Cagnes ✆ 93 20 83 08, ← – ▤. AE GB JCB — X s
fermé 15 nov. au 15 déc. et merc. – **R** 120/180.

X **Josy-Jo,** 4 pl. Planastel ✆ 93 20 68 76, 🏖 – GB — X a
fermé 13 juil. au 13 août, sam. midi et dim. – **R** carte 170 à 300.

CAGNES-SUR-MER-VILLENEUVE-LOUBET

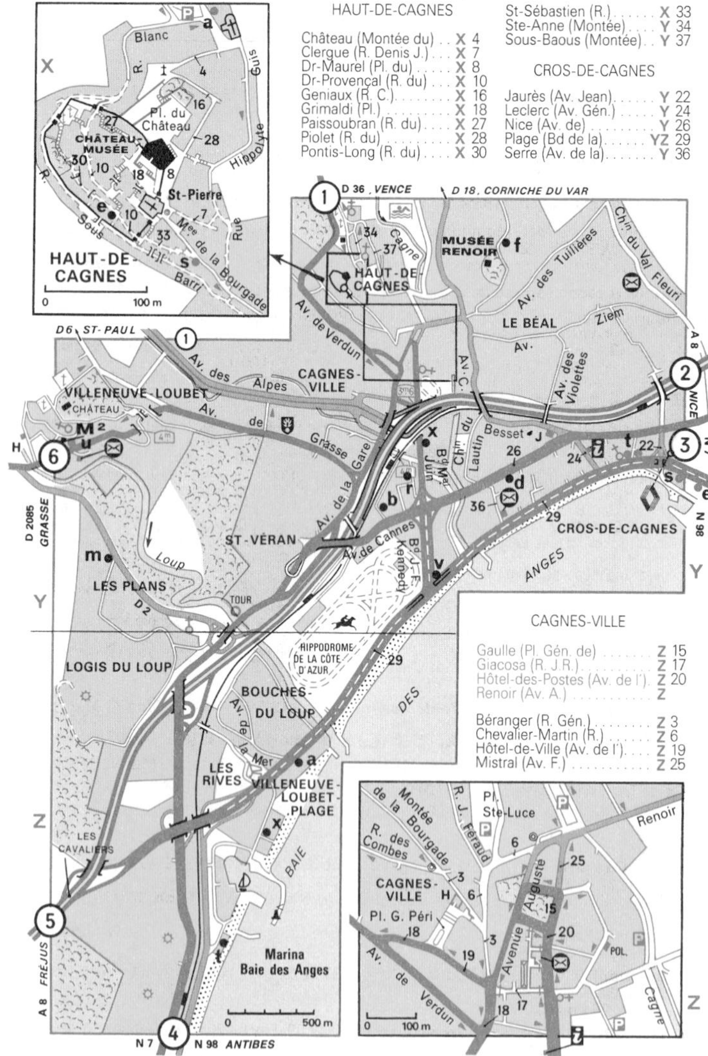

à Cros-de-Cagnes SE : 2 km – ✉ **06800** Cagnes-sur-Mer.

Syndicat d'Initiative 20 av. des Oliviers (transfert sur la plage en Été) ✆ 93 07 67 08.

Mas d'Azur sans rest, 42 av. Nice ✆ 93 20 19 19 – TV ☎ P. GB — Y **d**
fermé dim. du 1er nov. au 1er mars – ▭ 28 – **15 ch** 255/350.

Villa du Cros, port du Cros ✆ 93 07 57 83, – AE ⓓ GB — Y **s**
fermé nov., vacances de fév., dim. soir et lundi sauf juil.-août – **R** (nombre de couverts limité, prévenir) 145/190.

La Bourride, port du Cros ✆ 93 31 07 75, ←, – AE GB — Y **e**
fermé vacances de fév. et dim. sauf juil.-août – **R** 160/250, enf. 80.

Aub. du Port, 93 bd Plage ✆ 93 07 25 28, – AE ⓓ GB — Y **t**
R 105/155.

au Hameau du Soleil NO : 3,5 km par D 6 - Y – ✉ **06270** Villeneuve-Loubet :

Hamotel sans rest, ✆ 93 20 86 60, Télex 970944, Fax 93 73 33 94 – |♦| TV ☎ – P – 25. AE ⓓ GB JCB
☕ 32 – **30 ch** 300/350.

FORD Coll-Auto-Sce, 81 bis av. Gare ✆ 93 20 98 26
PEUGEOT-TALBOT Ortelli, rte de St-Paul par ① Y ✆ 93 20 30 40

RENAULT Succursale de Nice, 104 bd Plage à Cros-de-Cagnes ✆ 93 14 20 20 N ✆ 05 05 15 15

Pneu-Service, 156 rte de Nice, N 7 ✆ 93 31 17 07

CAGNOTTE 40300 Landes 78 ⑦ – 506 h.

Paris 750 – Biarritz 53 – Mont-de-Marsan 67 – ◆Bayonne 39 – Dax 16 – Pau 82.

Boni, ✆ 58 73 03 78, Fax 58 73 13 48, , – ☎ P – 40. AE GB. rest
fermé 26 oct. au 9 nov. et janv. – **R** *(fermé lundi midi du 1er oct. au 15 juin)* 130/200 – ☕ 35 – **10 ch** 160/200 – 1/2 P 190/210.

CAHORS P 46000 Lot 79 ⑧ **G. Périgord Quercy** – 19 735 h. alt. 128.

Voir Pont Valentré★★ AZ – Portail Nord★★ et cloître★ de la cathédrale★ BY **E** – ≤★ du pont Cabessut BY – Croix de Magne ≤★ O : 5 km par D27 AZ – Barbacane et tour St-Jean★ ABY **K**.

Env. Mont-St-Cyr ≤★ BZ 7 km par D 6.

Office de Tourisme pl. A.-Briand ✆ 65 35 09 56 – A.C. 107 quai Cavaignac ✆ 65 35 24 97.

Paris 585 ① – Agen 91 ① – Albi 105 ④ – Aurillac 133 ② – Bergerac 105 ① – ◆Bordeaux 217 ① – Brive-la-Gaillarde 100 ① – Castres 144 ④ – Montauban 60 ④ – Périgueux 123 ①.

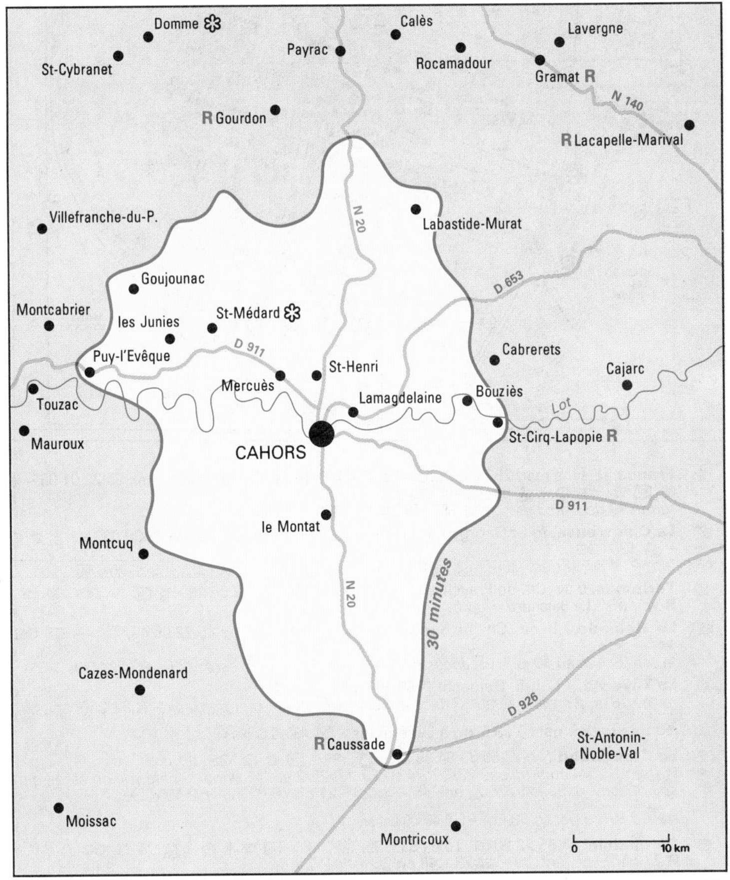

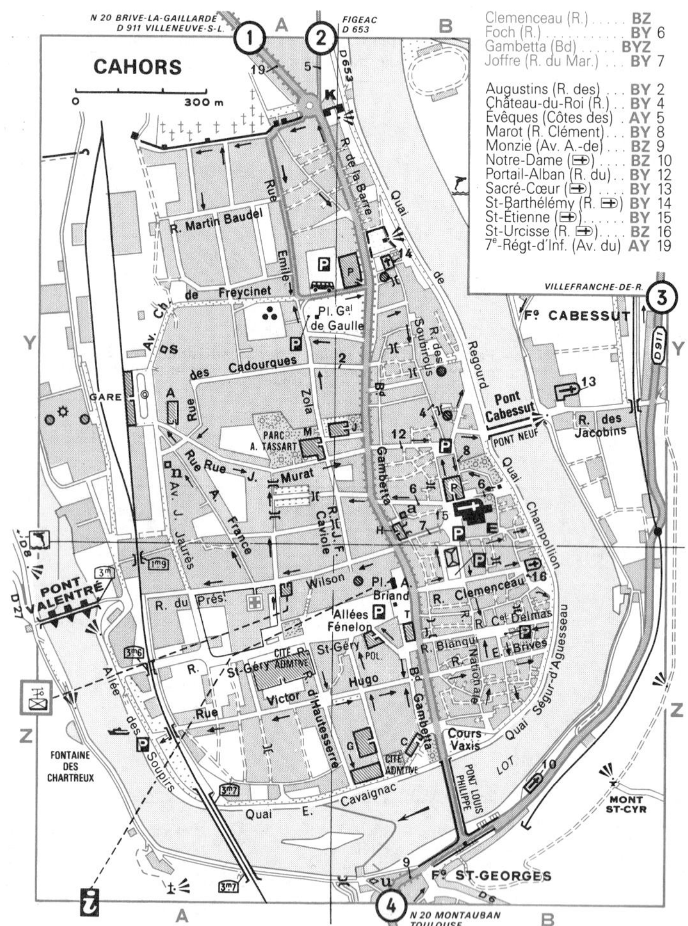

France Ⓜ sans rest, 252 av. J. Jaurès ✆ 65 35 16 76, Télex 520394, Fax 65 22 01 08 – 🛗 ▤ TV ☎ ⇔ Ⓟ – 🏟 50. AE ⓓ GB. ✂ — AY **n**
fermé 19 déc. au 3 janv. – ☕ 35 – **79 ch** 180/360.

La Chartreuse, fg St Georges ✆ 65 35 17 37, Télex 533743, Fax 65 22 30 03, ≤ – 🛗 ☎ Ⓟ – 🏟 120. GB — BZ **u**
fermé 24 au 31 déc. (sauf rest.) – **R** 67/180 – ☕ 35 – **51 ch** 180/300 – ½ P 225/255.

Terminus, 5 av. Ch. de Freycinet ✆ 65 35 24 50, Fax 65 22 06 40 – 🛗 TV ☎. GB. ✂ ch
R voir rest. **Le Balandre** ci-après – ☕ 32 – **31 ch** 240/380. — AY **s**

XXX **Le Balandre,** 5 av. Ch. de Freycinet ✆ 65 30 01 97, Fax 65 22 06 40, 🏟 – AE GB. ✂ — AY **s**
fermé 29 juin au 10 juil., vacances de fév., dim. soir et lundi sauf août – **R** 120/230.

XX **La Taverne,** 1 r. J.-B. Delpech ✆ 65 35 28 66 – AE GB — BY **a**
fermé 18 au 23 mars, 1er au 13 déc., merc. (sauf juil.-août) et dim. soir – **R** 92/250, enf. 65.

rte de Luzech par ① : 3,5 km à Labéraudie – ✉ **46090** Cahors :

Le Clos Grand 🐎, ✆ 65 35 04 39, 🏟, ⛱, 🌳 – TV ☎ Ⓟ. GB. ✂ ch
R *(fermé 25/4 au 5/5, 3 au 23/10, 24 au 29/12, 22/2 au 3/3, lundi sauf le soir en été et dim. soir de janv. à juin)* 70/220 🍷, enf. 45 – ☕ 26 – **21 ch** 160/235 – ½ P 195/230.

rte de Brive par ① : 3 km – ✉ **46000** Cahors :

Campanile, ✆ 65 22 20 21, Télex 533795, 🏟, 🌳 – TV ☎ ♿ Ⓟ – 🏟 25. AE GB
R 77 bc/99 bc, enf. 39 – ☕ 28 – **48 ch** 258 – ½ P 234/256.

à St-Henri par ① et N 20 : 7 km – ✉ **46090** Cahors :

XX **La Garenne,** ✆ 65 35 40 67, 🏠, 🌳 – Ⓟ. GB
fermé 7 janv. au 2 fév., mardi soir et merc. sauf juil.-août – **R** 88/250, enf. 50.

à Mercuès par ① : 9 km – ✉ **46090** :

Château de Mercuès 🐦, ✆ 65 20 00 01, Télex 521307, Fax 65 20 05 72, ≤ vallée du Lot, 🏠, parc, 🏊, 🎾 – ⇅ TV ☎ Ⓟ – 🎤 60. AE ⓓ GB
15 mars-15 nov. – **R** 200/295, enf. 90 – ☕ 65 – **25 ch** 650/1500, 7 appart. 1000/2000 – ½ P 640/1380.

à Lamagdelaine par ② : 7 km – ✉ **46090** :

XXX **Marco,** ✆ 65 35 30 64, 🏠, 🏊, 🌳 – Ⓟ. AE ⓓ GB JCB
fermé 5 janv. au 12 mars, dim. soir et lundi sauf du 15 juin au 15 sept. – **R** 110/260, enf. 65.

au Montat par ④ et D 47 : 8,5 km – ✉ **46090** :

XXX **Les Templiers,** ✆ 65 21 01 23, Fax 65 21 02 38, « Belle salle voûtée » – ▤. AE GB
fermé 1er au 12 juil., 15 janv. au 15 fév., dim. soir (sauf juil.-août) et lundi – **R** 110/255, enf. 60.

rte de Toulouse par ④ : 13 km – ✉ **46230** Lalbenque :

H. Aquitaine Ⓜ, ✆ 65 21 00 51, Télex 532570, Fax 65 21 07 00, ≤, 🏊, 🌳, 🎾 – ⇅ ⇹ ch TV ☎ Ⓟ – 🎤 50. AE ⓓ GB
R voir rest. **Aquitaine** ci-après – ☕ 35 – **44 ch** 260/360 – ½ P 265/290.

XX **Rest. Aquitaine,** ✆ 65 21 00 53, ≤, 🏠 – Ⓟ. GB
fermé 24 oct. au 2 nov., 19 au 27 déc., 20 au 28 fév., sam. midi, dim. soir et lundi du 15 sept. au 31 mai – **R** 65/148 🍷, enf. 53.

CITROEN Quercy Autom., rte de Toulouse par ④ ✆ 65 35 27 61
MERCEDES-BENZ Socadia, rte de Toulouse ✆ 65 35 77 00
PEUGEOT-TALBOT Gd Gar. du Boulevard, rte de Toulouse par ④ ✆ 65 35 16 57
RENAULT Renault Cahors, rte de Toulouse par ④ ✆ 65 35 15 95 🅽 ✆ 65 20 72 19

Central Pneu, rte de Toulouse ✆ 65 35 09 02
Desprat, 129 bd Gambetta ✆ 65 35 04 36
Vidaillac J.-L., 68 bd Gambetta ✆ 65 35 32 17

In questa guida
uno stesso simbolo, uno stesso carattere
stampati a colori o in nero, in magro o in **grassetto**
hanno un significato diverso.
Leggete attentamente le pagine esplicative.

CAJARC **46160** Lot 79 ⑨ **G. Périgord Quercy** – 1 033 h. alt. 152.

Syndicat d'Initiative pl. Foirail (15 juin-15 sept.) ✆ 65 40 72 89.

Paris 588 – Cahors 51 – Figeac 24 – Villefranche-de-Rouergue 26.

au NE : 9 km sur D 662 – ✉ **46160** Cajarc :

XX **La Ferme de Montbrun** avec ch, ✆ 65 40 67 71, ≤, 🏠 – Ⓟ. GB
1er mai-1er oct. et fermé merc. sauf juil.-août – **R** 150 🍷 – ☕ 40 – **3 ch** 200/270.

CALAIS **62100** P.-de-C. 51 ② **G. Flandres Artois Picardie** – 75 309 h. alt. 5 – Casino .

Voir Monument des Bourgeois de Calais★★ Y – Phare ✱★★ X **E** – Musée★ XY **M.**

Env. Cap Blanc Nez★★ SO : 13 km par D 940.

✆ 21 80 50 50.

Office de Tourisme et Accueil de France (Informations et réservations d'hôtels, pas plus de 5 jours à l'avance) 12 bd Clemenceau ✆ 21 96 62 40, Télex 130886.

Paris 292 ② – ♦Amiens 149 ③ – Boulogne-sur-Mer 32 ③ – Dunkerque 42 ① – ♦Le Havre 273 ③ – ♦Lille 115 ① – Oostende 98 ① – ♦Reims 274 ② – ♦Rouen 209 ③ – St-Omer 46 ②.

Plans pages suivantes

Holiday Inn Garden Court Ⓜ, bd Alliés ✆ 21 34 69 69, Télex 135655, Fax 21 97 09 15, ≤, 🏋 – ⇅ ⇹ ch TV ☎ ♿ 🚗 – 🎤 40. AE ⓓ GB JCB X **a**
R (grill) 70 bc/140 bc – ☕ 42 – **62 ch** 380, 3 appart. 450.

Meurice 🐦, 5 r. E. Roche ✆ 21 34 57 03, Télex 135671, 🌳 – ⇅ TV ☎ 🚗. AE ⓓ GB X **v**
La Diligence ✆ 21 96 92 89 *(fermé 1er au 15 août et dim.)* **R** 100/280 – ☕ 35 – **40 ch** 260/375.

Pacary Ⓜ, av. de Lattre-de-Tassigny ✆ 21 96 68 00, Télex 135273, Fax 21 34 21 31 – ⇅ ▤ TV ☎ ♿ Ⓟ – 🎤 200. AE ⓓ GB X **f**
R 70/250, enf. 45 – ☕ 30 – **109 ch** 310 – ½ P 260.

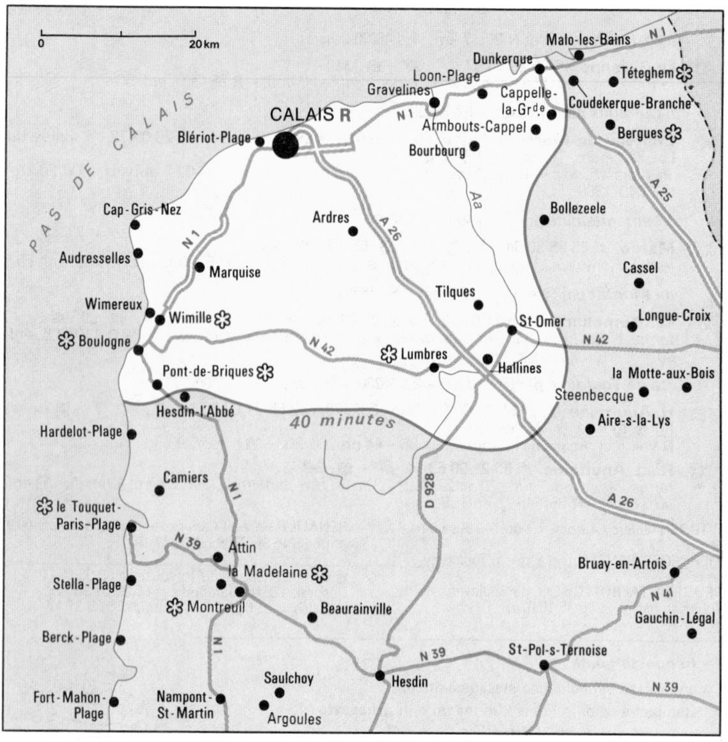

Métropol H. M sans rest, 45 quai du Rhin ☎ 21 97 54 00, Télex 135219, Fax 21 96 69 70 – TV ☎. AE ⓓ GB JCB — Y **h**
fermé 21 déc. au 3 janv. – ☐ 30 – **40 ch** 220/340.

George V, 36 r. Royale ☎ 21 97 68 00, Télex 135159, Fax 21 97 34 73 – TV ☎ P – 40. AE ⓓ GB — X **d**
R *(fermé 21 déc. au 3 janv., sam. midi, dim. soir et soirs fériés)* 145/250 bc – ☐ 35 – **45 ch** 200/290 – ½ P 260/300.

Bellevue sans rest, 23 pl. Armes ☎ 21 34 53 75, Télex 136702, Fax 21 96 88 90 – TV ☎ P – 40. AE ⓓ GB JCB — X **a**
☐ 38 – **56 ch** 179/280.

Jacquard M sans rest, 35 bd Jacquard ☎ 21 97 98 98, Fax 21 34 63 62 – TV ☎. GB — Z **m**
☐ 35 – **42 ch** 260/290.

Climat de France, digue G. Berthe ☎ 21 34 64 64, Télex 135300, Fax 21 34 35 39 – TV ☎ P – 30 à 80. AE ⓓ GB. rest — V **b**
R *(fermé dim. soir d'oct. à mars)* 59/120, enf. 35 – ☐ 30 – **44 ch** 264 – ½ P 240.

Ibis, ZUP Beau Marais, r. Greuze ☎ 21 96 69 69, Télex 135004, Fax 21 97 89 99 – TV ☎ P – 30. GB — V **n**
R 63/120, enf. 39 – ☐ 32 – **55 ch** 270/300.

Richelieu sans rest, 17 r. Richelieu ☎ 21 34 61 60 – TV ☎. AE ⓓ GB. — XY **k**
☐ 21 – **15 ch** 210/230.

Windsor sans rest, 2 r. Cdt Bonningue ☎ 21 34 59 40, Fax 21 97 68 59 – ☎ P. AE ⓓ GB — X **z**
☐ 25 – **15 ch** 130/273.

Le Channel, 3 bd Résistance ☎ 21 34 42 30 – AE ⓓ GB — X **e**
fermé 9 au 18 juin, 21 déc. au 18 janv., dim. soir et mardi – **Repas** 80/300 bc.

La Duchesse, 44 r. Duc de Guise ☎ 21 97 59 69 – AE ⓓ GB JCB — X **v**
fermé 31 juil. au 16 août et sam. midi – **R** 180/350.

Au Côte d'Argent, 1 digue G. Berthe ☎ 21 34 68 07, ← – AE ⓓ GB — V **f**
fermé 20 sept. au 10 oct., 4 au 16 fév., dim. soir et lundi – **R** 90/240, enf. 60.

CALAIS

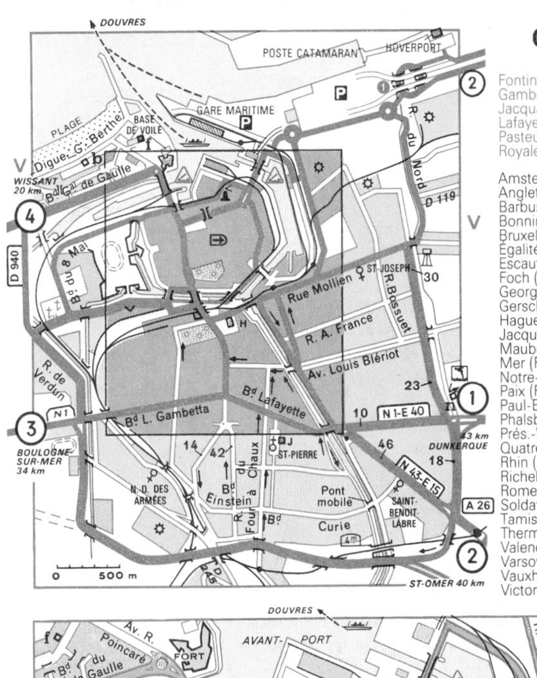

Fontinettes (R. des)	V	14
Gambetta (Bd Léon)	Z	
Jacquard (Bd)	Z	
Lafayette (Bd)	Z	
Pasteur (Bd)	Z	
Royale (R.)	X	36
Amsterdam (R. d')	Y	2
Angleterre (Pl. d')	X	3
Barbusse (Pl. Henri)	X	5
Bonningue (R. Cdt)	X	7
Bruxelles (R. de)	Y	8
Égalité (Bd de l')	V	10
Escaut (Quai de l')	Y	12
Foch (Pl. Mar.)	Y	13
George-V (Pont)	Y	15
Gerschell (R. André)	X	16
Hagueneau (R. de)	V	18
Jacquard (Pont)	Y	19
Maubeuge (R. de)	V	23
Mer (R. de la)	X	24
Notre-Dame (R.)	X	26
Paix (R. de la)	X	27
Paul-Bert (R.)	Y	28
Phalsbourg (R. de)	V	30
Prés.-Wilson (Av.)	Y	31
Quatre-Coins (R.)	Z	32
Rhin (Quai du)	Y	33
Richelieu (R.)	YZ	34
Rome (R. de)	Y	35
Soldat-Inconnu (Pl.)	Y	37
Tamise (Quai de la)	Y	40
Thermes (R. des)	X	41
Valenciennes (R.)	V	42
Varsovie (R. de)	Y	43
Vauxhall (R. du)	Z	44
Victor-Hugo (Bd)	V	46

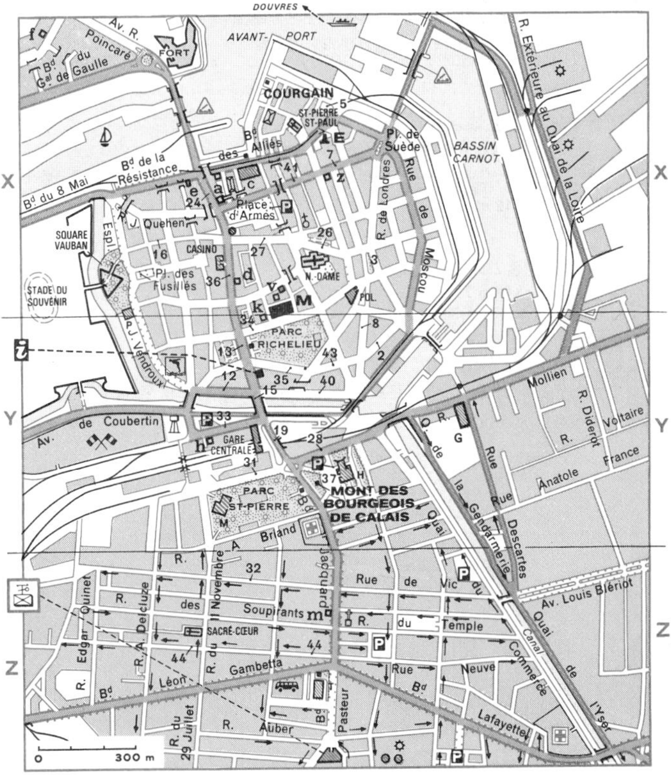

DOUVRES
AVANT-PORT
COURGAIN
BASSIN CARNOT
R. Extérieure au Quai de la Loire
Bd de la Résistance
Bd du 8 Mai
Place d'Armes
CASINO
N.-DAME
PARC RICHELIEU
SQUARE VAUBAN
STADE DU SOUVENIR
Av. de Coubertin
GARE CENTRALE
PARC ST-PIERRE
MONT DES BOURGEOIS DE CALAIS
Rue de Moscou
Quai de la Gendarmerie
Rue Descartes
Av. Louis Blériot
Rue de Vic
R. des Soupirants
R. du Temple
Rue Neuve
Quai du Commerce
Quai de l'Yser
Bd Lafayette
Bd Léon Gambetta
Bd Pasteur
R. Auber
0 300 m

à Blériot-Plage par ④ : 2 km – ✉ **62231** Sangatte :

XX **Dunes** avec ch, ✆ 21 34 54 30 – TV P. AE O GB
fermé dim. soir sauf juil.-août – **R** 80/165 – ☕ 26 – **12 ch** 150/220 – ½ P 265.

BMW Gar. Lengaigne, 229 bis bd V.-Hugo ✆ 21 97 23 96 N ✆ 21 97 81 81
FORD Gar. Europe, 58 rte de St-Omer ✆ 21 34 35 75
PEUGEOT-TALBOT Calais Nord Autom., 361 av. A.-de-St-Exupéry par ① ✆ 21 96 72 42 N
RENAULT D.A.C., 56/60 av. A.-de-St-Exupéry par ① ✆ 21 97 20 99 N ✆ 28 02 24 24
ROVER Littoral Auto Calais, r. G.-Courbet ✆ 21 96 14 41

V.A.G Gar. Ricquart, ZI Beau Marais, r. Courbet ✆ 21 97 34 32

Argot, 62 av. A.-de-St-Exupéry ✆ 21 96 58 34
Fischbach Pneu, 6/8 r. d'Oran ✆ 21 97 37 07
Pneu Fauchille, 155 rte de St-Omer ✆ 21 34 68 17 N ✆ 21 91 04 44
Pneu François, r. C.-Ader, ZI ✆ 21 96 42 36

CALAS **13** B.-du-R. 84 ③ ⑬ – alt. 209 – ✉ **13480** Cabriès.

Paris 764 – ♦Marseille 21 – Aix-en-Provence 11,5 – Marignane 15 – Salon-de-Provence 35.

XXX **Aub. Bourrelly** avec ch, ✆ 42 69 13 13, Fax 42 69 13 40, 余, ⛱, 𝒜 – TV ☎ P – 🏛 40 à 100. AE O GB
fermé dim. soir et lundi – **R** 159/350, enf. 100 – ☕ 45 – **12 ch** 360/490 – ½ P 580.

CALÈS **46350** Lot 75 ⑱ – 141 h. alt. 271.

Paris 533 – Cahors 52 – Sarlat-la-Canéda 38 – Brive-la-Gaillarde 60 – Gourdon 20 – Rocamadour 15 – St-Céré 42.

Pagès, ✆ 65 37 95 87, 余, parc – ☎ P. GB. ✗ rest
fermé 15 au 30 oct., 3 janv. au 3 fév. et mardi du 1er nov. à Pâques – **R** 85/220, enf. 40 – ☕ 28 – **15 ch** 170/300 – ½ P 220/280.

Petit Relais, ✆ 65 37 96 09, 余 – ☎ P. AE GB
fermé 20 déc. au 10 janv. – **R** *(fermé sam. midi du 1er sept. au 15 juin)* 65/230, enf. 38 – ☕ 30 – **9 ch** 175/280 – ½ P 250/280.

CALLAC **22160** C.-d'Armor 59 ⑪ **G. Bretagne** – 2 592 h. alt. 170.

Paris 511 – St-Brieuc 58 – Carhaix-Plouguer 20 – Guingamp 28 – Morlaix 40.

X **Garnier** avec ch, face gare ✆ 96 45 50 09 – P. GB. ✗
fermé 15 sept. au 15 oct. et lundi – **R** 70/150 ♂ – ☕ 20 – **8 ch** 90/140 – ½ P 180.

CITROEN Gar. Laurent ✆ 96 45 50 30 N

PEUGEOT Gar. Perrot ✆ 96 45 50 45

CALVINET **15340** Cantal 76 ⑪ – 404 h. alt. 600.

Paris 609 – Aurillac 36 – Rodez 60 – Entraygues-sur-Truyère 30 – Figeac 39 – Maurs 17.

XX **Beauséjour** M avec ch, ✆ 71 49 91 68, Fax 71 49 98 63, 余 – TV ☎ P. GB. ✗ rest
fermé 5 au 13 oct., 4 au 18 janv., dim. soir et lundi d'oct. à juin sauf fériés – **Repas** 80/200, enf. 45 – ☕ 30 – **12 ch** 220/240 – ½ P 220/240.

PEUGEOT-TALBOT Lavigne ✆ 71 49 91 57

CAMARET-SUR-MER **29570** Finistère 58 ③ **G. Bretagne** – 2 933 h.

Voir Pointe de Penhir★★★ SO : 3,5 km.

Env. Pointe des Espagnols★★ NE : 13 km.

Syndicat d'Initiative quai Toudouze ✆ 98 27 93 60.

Paris 590 – ♦Brest 68 – Châteaulin 43 – Crozon 10 – Morlaix 87 – Quimper 62.

Thalassa M, ✆ 98 27 86 44, Fax 98 27 88 14, ≤, 🏋, ⛱ – 🛗 TV ☎ ♿ P – 🏛 25. AE O GB
hôtel : 18 avril-30 sept. ; rest. : 1er juil.-20 sept. – **R** 105/300, enf. 60 – ☕ 42 – **46 ch** 280/525 – ½ P 285/420.

France, ✆ 98 27 93 06, Fax 98 27 88 14, ≤ – 🛗 TV ☎. AE O GB. ✗ rest
11 avril-4 nov. et fermé vend. soir sauf du 1er juil. au 15 sept. – **R** 99/300, enf. 58 – ☕ 32 – **22 ch** 260/450 – ½ P 250/360.

Styvel, ✆ 98 27 92 74, Fax 98 27 88 37, ≤ – GB
R *(fermé janv. et vend. hors sais.)* 65/250, enf. 45 – ☕ 30 – **13 ch** 160/220 – ½ P 210/250.

Vauban sans rest, ✆ 98 27 91 36, ≤ – GB
fermé déc. et janv. – ☕ 25 – **14 ch** 170/200.

CAMBO-LES-BAINS 64250 Pyr.-Atl. 85 ③ G. Pyrénées Aquitaine – 4 128 h. alt. 65 – Stat. therm. (3 fév.-29 nov.).

Voir Arnaga★ (villa d'Edmond Rostand) **M** – Vallée de la Nive★ au Sud.

Office de Tourisme parc St-Joseph ✆ 59 29 70 25.

Paris 792 ④ – Biarritz 23 ④ – ♦Bayonne 20 ④ – Pau 115 ① – St-Jean-de-Luz 31 ③ – St-Jean-Pied-de-Port 34 ② – San Sebastián 63 ③.

CAMBO-LES-BAINS

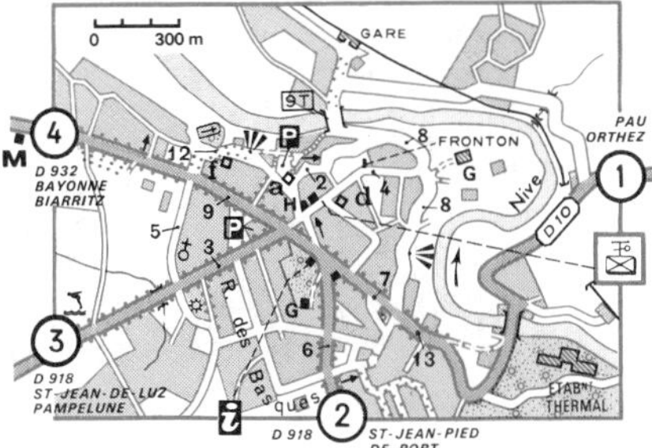

Relais de la Poste, pl. Mairie **(d)** ✆ 59 29 73 03, ≤, 🌳 – TV ☎ P. AE ① GB JCB. ⚡ rest
fermé 2 au 31 janv., dim. soir et lundi du 15 sept. au 15 juin – **R** 160 bc/290 – ☐ 35 – **10 ch** 250/300 – ½ P 270/295.

Bellevue, r. Terrasses **(f)** ✆ 59 29 73 22, ≤, 🌳 – TV ☎ P. AE GB. ⚡ rest
fermé 2 nov. au 1er fév. et lundi sauf juil.-août – **R** 105/220, enf. 52 – ☐ 28 – **27 ch** 230/315 – ½ P 227/276.

Trinquet sans rest, r. Trinquet **(a)** ✆ 59 29 73 38
fermé 15 nov. au 15 déc. et mardi d'oct. à juin – ☐ 19 – **12 ch** 95/122.

CAMBRAI ⟨SP⟩ 59400 Nord 53 ③ ④ G. Flandres Artois Picardie – 33 092 h. alt. 75.

Voir Mise au tombeau★★ de Rubens dans l'église St-Géry AY **F**.

Office de Tourisme 48 r. de Noyon ✆ 27 78 36 15 – A.C. 17 mail St-Martin ✆ 27 81 30 75.

Paris 179 ⑧ – St-Quentin 44 ⑤ – ♦Amiens 77 ⑧ – Arras 36 ⑥ – ♦Lille 64 ⑦ – Valenciennes 32 ①.

Plan page suivante

Château de la Motte Fénelon et rest. Les Douves 🐦, square Château (par allée St Roch - Nord du plan) ✆ 27 83 61 38, Télex 120285, Fax 27 83 71 61, parc, Fö, 🎾 – |‡| TV ☎ P – 🏛 200. AE ① GB
R *(fermé dim. soir et soirs fériés)* 145/195 bc, enf. 100 – ☐ 40 – **40 ch** 270/900.

Beatus 🐦 sans rest, 718 av. Paris par ⑤ : 1,3 km ✆ 27 81 45 70, Télex 820597, Fax 27 78 00 83 – TV ☎ P – 🏛 30. AE ① GB
☐ 40 – **32 ch** 300/330.

Mouton Blanc, 33 r. Alsace-Lorraine ✆ 27 81 30 16, Télex 133365, Fax 27 81 83 54 – |‡| TV ☎ – 🏛 40. AE GB — BY **a**
R *(fermé 1er au 13 août, dim. soir et lundi)* 95/205 🍷 – ☐ 30 – **31 ch** 200/320 – ½ P 200/225.

Poste sans rest, 58 av. Victoire ✆ 27 81 34 69 – |‡| ☎ P. GB. ⚡ — AZ **f**
☐ 30 – **33 ch** 200/290.

France sans rest, 37 r. Lille ✆ 27 81 38 80 – TV ☎. AE GB — BY **d**
fermé 4 au 24 août – ☐ 23 – **24 ch** 100/210.

Le Crabe Tambour, 52 r. Cantimpré ✆ 27 83 10 18 – GB — AY **r**
fermé 1er au 10 janv., dim. soir, lundi et soirs fériés – **R** 98/155.

L'Escargot, 10 r. Gén. de Gaulle ✆ 27 81 24 54, Fax 27 83 95 21 – AE ① GB JCB — BZ **e**
fermé 17 août au 7 sept., merc. soir et lundi sauf fériés – **R** 70/205 🍷.

Livio's, 10 r. Feutriers ✆ 27 83 39 20, rest. uniquement pour non-fumeurs – GB — AY **s**
fermé fin juil. à début août, dim. et lundi – **R** 70 🍷.

à Beauvois-en-Cambrésis par ③ et N 43 : 10 km – ✉ **59157** :

La Buissonnière, ✆ 27 85 29 97, Fax 87 75 07 08 – P. ① GB
fermé vacances de fév., dim. soir et lundi – **Repas** 100/140, enf. 50.

à Ligny-en-Cambrésis SE : 17 km par N 43 et D 74 – ✉ **59191** Ligny-Haucourt :

Château de Ligny 🐦, ✆ 27 85 25 84, ≤, parc – ☎ P
9 ch.

CAMBRAI

Briand (Pl. A.) . . . . AYZ 6
St-Martin (Mail) . . . . . . AZ 40
Victoire (Av. de la) . . . . AZ 47

Albert-1er (Av.) . . . . BY 2
Allende (Pl. Salvador) . . AZ 3
Als.-Lorraine (R. d') . . BYZ 4
Berlaimont (Bd de) . . . . BZ 5
Cantimpré (R. de) . . . . . AY 7
Capucins (R. des) . . . . . AY 8
Chât.-de-Selles (R. du) AY 10
Clefs (R. des) . . . . AY 12
Épée (R. de l') . . . . AZ 13
Fénelon (Gde-Rue) . . . . AY 15
Fénelon (Pl.) . . . . AY 16
Feutriers (R. des) . . . . . AY 17
Gaulle (R. Gén.-de) . . . . BZ 18
Grand-Séminaire (R. du) . . . . AZ 19
Lattre-de-Tassigny (R. du Mar.-de) . . . . BZ 21
Leclerc (Pl. du Mar.) . . . . . BZ 22
Lille (R. de) . . . . BY 23
Liniers (R. des) . . . . AZ 24
Nice (R. de) . . . . AY 27
Pasteur (R.) . . . . AY 29
Porte-Notre-Dame (R.) . . . BY 31
Porte de Paris (Pl. de la) . AZ 32
Râtelots (R. des) . . . . AZ 33
Sadi-Carnot (R.) . . . . AY 35
St-Aubert (R.) . . . . AY 36
St-Géry (R.) . . . . AY 37
St-Ladre (R.) . . . . BZ 39
St-Sépulcre (Pl.) . . . . AZ 41
Selles (R. de) . . . . AY 43
Vaucelette (R.) . . . . AZ 45
9-Octobre (Pl. du) . . . . AY 48

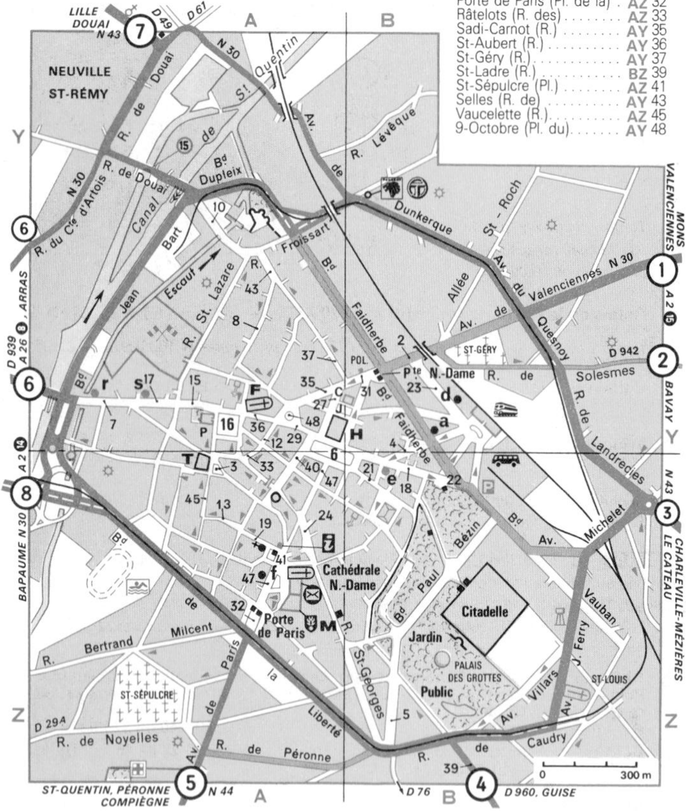

à l'échangeur A2 par ⑧ : 3 km – ✉ **59400** Cambrai :

🏠 **Ibis** Ⓜ, ✆ 27 83 54 54, Télex 135074, Fax 27 81 81 66 – TV ☎ ♿ Ⓟ – 🏛 30. GB
R 79 🍷, enf. 39 – ☕ 32 – **51 ch** 255/280.

🏠 **Campanile,** ✆ 27 81 62 00, Télex 820992, Fax 27 83 07 87 – TV ☎ ♿ Ⓟ – 🏛 30. AE GB
R 77 bc/99 bc, enf. 39 – ☕ 28 – **42 ch** 258 – ½ P 234/256.

CITROEN Marissal Autom., 2 095 av. de Paris par ⑤ ✆ 27 83 68 45 **N** ✆ 27 83 27 17
FORD Gar. Chandelier, 101 bd Faidherbe ✆ 27 83 82 31
NISSAN Dumon, rte d'Arras à Sailly-lez-Cambrai ✆ 27 81 79 27 **N**
OPEL Auto-Vente, 132 bd Faidherbe ✆ 27 81 57 05
PEUGEOT-TALBOT Auto du Cambrésis, 80 av. de Dunkerque ✆ 27 83 84 23

RENAULT S.A.N.A.C., 200 rte de Solesmes par ② ✆ 27 83 82 56 **N** ✆ 28 02 07 66

Ⓜ François-Pneus, 14 av. V.-Hugo ✆ 27 83 70 54
Lesage-Pneus, 28 bd Faidherbe ✆ 27 83 84 85
Multy-Pneus, Centre Routier International ✆ 27 78 05 22

Les prix Pour toutes précisions sur les prix indiqués dans ce guide, reportez-vous aux pages explicatives.

CAMIERS **62176** P.-de-C. 51 ⑪ – 2 176 h. alt. 21.

Paris 224 – ♦Calais 51 – Arras 99 – Boulogne-sur-Mer 19 – Le Touquet 10,5.

- **Cèdres** M ⛰, ✆ 21 84 94 54, Fax 21 09 23 29, 🏖, 🏞 – TV ☎ P. AE ⓓ GB
  fermé 15 déc. au 15 janv. – **R** 80/198 – ☕ 30 – **29 ch** 150/290 – ½ P 280/310.

CAMOËL **56** Morbihan 63 ⑭ – rattaché à La Roche-Bernard.

CAMORS **56330** Morbihan 63 ② – 2 375 h. alt. 113.

Paris 461 – Vannes 31 – Auray 23 – Lorient 38 – Pontivy 26.

- **Les Bruyères** M sans rest, ✆ 97 39 29 99 – TV ☎ ♿ P. GB. ✻
  fermé vacances de fév. – ☕ 28 – **15 ch** 240/300.
- **Ar Brug,** ✆ 97 39 20 10 – ☎. GB
  R 65/160 ♂ – ☕ 27 – **20 ch** 127/250 – ½ P 148/175.

CAMPAGNE **24** Dordogne 75 ⑯ – rattaché au Bugue.

CAMPAN **65** H.-Pyr. 85 ⑱ ⑲ – rattaché à Ste-Marie-de-Campan.

CAMPIGNY **27** Eure 55 ④ – rattaché à Pont-Audemer.

Le CAMP-LAURENT **83** Var 84 ⑤ ⑮ – rattaché à Toulon.

CAMPS **19** Corrèze 75 ⑳ – 293 h. alt. 546 – ✉ **19430** Mercœur.

Voir Rocher du Peintre ≤★ S : 1 km, **G. Berry Limousin.**

Paris 536 – Aurillac 44 – Brive-la-Gaillarde 65 – St-Céré 29 – Tulle 52.

- **Lac** M ⛰, ✆ 55 28 51 83, ≤ – TV ☎ ♿ P. GB
  fermé vacances de nov., de fév., dim. soir et lundi d'oct. à Pâques – **R** 70/200 ♂, enf. 50 – ☕ 25 – **11 ch** 190/210 – ½ P 180/210.

CAMPSEGRET **24** Dordogne 75 ⑮ – rattaché à Bergerac.

CANADEL-SUR-MER **83820** Var 84 ⑰ **G. Côte d'Azur** – alt. 25.

Voir Col du Canadel ≤★★ NE : 4,5 km – Site★ du Rayol E : 2 km.

Paris 891 – Fréjus 51 – Draguignan 65 – Le Lavandou 11 – St-Tropez 27 – Ste-Maxime 31 – ♦Toulon 54.

- **Karlina** ⛰, ✆ 94 05 61 65, ≤, 🏖, 🏊, 🏞 – ☎ P. ⓓ GB
  hôtel : 1er avril-10 oct. ; rest. : 1er mai-30 sept. – **R** 200/275 – **10 ch** ☕ 540/800 – ½ P 720/790.

CANAPVILLE **14** Calvados 55 ③ – rattaché à Deauville.

CANCALE

Les principales voies commerçantes figurent en rouge au début de la liste des plans de villes.

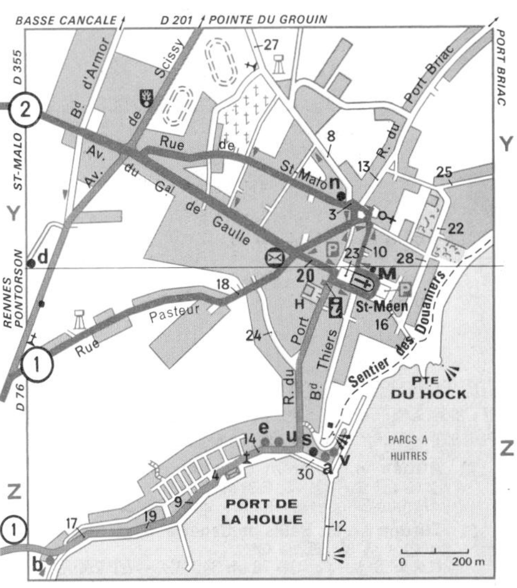

CANCALE 35260 I.-et-V. 59 ⑥ G. Bretagne – 4 910 h. alt. 50.

Voir Site★ du port★ – ✻★ de la tour de l'église St-Méen Z – Pointe du Hock ≤★ Z.

Office de Tourisme r. du Port ✆ 99 89 63 72.

Paris 396 ① – St-Malo 14 – Avranches 60 ① – Dinan 34 ① – Fougères 71 ① – Le Mont-Saint-Michel 47 ①.

Plan page précédente

Continental, quai Thomas ✆ 99 89 60 16, Fax 99 89 69 58, ≤, – TV ☎. AE GB. rest — Z s
R *(fermé 12 nov. au 17 déc., 11 janv. au 12 fév., mardi midi et lundi)* 140/270 – 42 – **19 ch** 390/620 – ½ P 330/470.

Le Chatellier M sans rest, par ② : 1 km sur D 355 ✆ 99 89 81 84, – TV ☎ P. GB
30 – **13 ch** 250/350.

Nuit et Jour M sans rest, r. Arnstein ✆ 99 89 75 59, Fax 99 89 77 13 – ☎ P. GB
fermé janv. – 35 – **20 ch** 285. — YZ d

XXX ✿✿ **de Bricourt** (Roellinger), r. Duguesclin ✆ 99 89 64 76, Fax 99 89 88 47, – AE GB — Y n
fermé mi-déc. à mi-mars, merc. (sauf juil.-août) et mardi – **R** (nombre de couverts limité - prévenir) carte 285 à 405, enf. 120
Spéc. Huîtres tiédies, Saint-Pierre "retour des Indes", Cochon de lait York nourri "comme il se doit" (mars à oct.).

H. de Bricourt M sans rest, NE : 0,5 km par r. Gallais et r. Rimains ✆ 99 89 64 76, Fax 99 89 88 47, ≤ baie du Mont-St-Michel, « dans un jardin surplombant la mer » – TV ☎ P. AE GB

XX **Le St-Cast**, rte Corniche ✆ 99 89 66 08, ≤, – GB — Z b
fermé 15 nov au 15 déc., merc. soir hors sais. et jeudi – **R** 98/250, enf. 45.

XX **Le Cancalais** avec ch, quai Gambetta ✆ 99 89 61 93, ≤ – GB — Z u
fermé 16 déc. au 16 janv. – **R** carte 130 à 190 – 26 – **8 ch** 130/240.

XX **Phare** avec ch, quai Thomas ✆ 99 89 60 24, Fax 99 89 91 75, ≤, – TV ☎. GB — Z a
fermé déc., janv. et merc. – **R** 120/275 – 30 – **11 ch** 245/420 – ½ P 270/350.

XX **L'Armada**, quai Thomas ✆ 99 89 60 02, ≤, – GB — Z v
fermé 9 au 19 juin, 5 janv. au 1er fév., dim. soir et lundi hors sais. – **R** 105/195.

X **Ti Breiz**, quai Gambetta ✆ 99 89 60 26, ≤ – AE GB — Z e
mars-nov. et fermé merc. – **R** 94/170.

à la Pointe du Grouin ★★ N : 4,5 km par D 201 – ✉ 35260 Cancale :

Pointe du Grouin, ✆ 99 89 60 55, Fax 99 89 92 22, ≤ îles et baie du Mt-St-Michel – TV ☎ P. GB. ch
3 avril-15 oct. et fermé mardi – **R** 110/290 – 38 – **18 ch** 270/400 – ½ P 320/380.

CANCON 47290 L.-et-G. 79 ⑤ – 1 324 h. alt. 158.

9 18 de Castelnaud ✆ 53 01 74 64, S par N 21 : 6,5 km.

Paris 586 – Agen 50 – Bergerac 41 – Cahors 80 – Marmande 41.

à Lougratte N : 6 km par N 21 – ✉ 47290 :

XX **Host. du Domaine de Valprès**, N : 1 km par N 21 et VO ✆ 53 01 65 56, – P. AE GB
fermé 20 oct. au 15 nov., fév. et merc. – **R** 90/140, enf. 70.

CANDÉ 49440 M.-et-L. 63 ⑲ – 2 542 h.

Paris 320 – Angers 39 – Ancenis 26 – Château-Gontier 39 – La Flèche 76.

Relais Plaisance sans rest, E : 1,5 km par VO ✆ 41 92 04 25, – ☎ P. GB.
fermé dim. soir d'oct. à mars – 20 – **11 ch** 120/200.

CANDÉ-SUR-BEUVRON 41120 L.-et-Ch. 64 ⑰ – 1 134 h. alt. 86.

Paris 198 – ◆Tours 50 – Blois 14 – Chaumont-sur-Loire 6,5 – Montrichard 21.

Lion d'Or, ✆ 54 44 04 66, – TV ☎ P. GB.
fermé 22 déc. au 15 janv. – **R** *(fermé mardi)* 65/160, enf. 38 – 22 – **10 ch** 103/250 – ½ P 140/215.

XXX **Host. de la Caillère** avec ch, rte Montils ✆ 54 44 03 08, Fax 54 44 00 95, – ch P. GB
fermé 10 janv. au 1er mars – **R** *(fermé merc.)* 98/308, enf. 70 – 42 – **14 ch** 260/360 – ½ P 398/428.

CANET-EN-ROUSSILLON 66140 Pyr.-Or. 86 ⑳ G. Pyrénées Roussillon – 7 575 h. alt. 12 – Casino.

Office de Tourisme pl. Méditerranée (saison) ✆ 68 73 25 20, Télex 500997.

Paris 909 – ◆Perpignan 11 – Argelès-sur-Mer 22 – Narbonne 64.

Althéa M, 120 prom. Côte Vermeille ✆ 68 80 28 59, Télex 505098, Fax 68 73 37 27, ≤ – TV ☎ – 40. GB. rest
31 mars-31 oct. – **R** 90/150, enf. 55 – 37 – **48 ch** 395/435 – ½ P 310/330.

Europa M, av. Hauts de Canet ✆ 68 80 51 80, Fax 68 80 56 33, – TV ☎ P – 80. AE GB
R 90/350 – 40 – **78 ch** 340/430 – ½ P 290/340.

Clos des Pins [M] sans rest, 34 av. Roussillon ✆ 68 80 32 63, – ☎ Ⓟ. AE ⓓ GB.
avril-oct. – ☕ 35 – **20 ch** 280/340.

Les Sables, 25 r. Vallée du Rhône ✆ 68 80 23 63, Télex 505213, Fax 68 73 26 23, – |\$| TV Ⓟ. AE ⓓ GB JCB
4 avril-25 oct. – **R** carte 70 à 120 – ☕ 30 – **41 ch** 260/360.

Galion [M], 20 bis av. Gd Large ✆ 68 80 28 23, – |\$| Ⓟ. AE GB
avril-oct. – **R** 70/145, enf. 45 – ☕ 35 – **24 ch** 350/395, 4 appart. 495 – ½ P 295/305.

Aquarius [M], 40 av. Roussillon ✆ 68 73 30 00, Fax 68 80 24 34, – |\$| TV ☎ Ⓟ. GB.
1er avril-30 sept. – **R** 90, enf. 48 – ☕ 35 – **50 ch** 250/360 – ½ P 220/290.

du Port [M], 21 bd Jetée ✆ 68 80 62 44 – |\$| ☎ ♿ Ⓟ. GB. rest
18 avril-30 sept. – **R** 70/90, enf. 45 – ☕ 30 – **36 ch** 330 – ½ P 245.

Frégate [M], 12 r. Cerdagne ✆ 68 80 22 87, Fax 68 73 82 72 – TV ☎ Ⓟ. AE GB
R (1/2 pens. seul.) – ☕ 32 – **26 ch** 290/330 – ½ P 265/285.

La Chalosse sans rest, 41 av. Méditerranée ✆ 68 80 35 69 – |\$| TV ☎ Ⓟ. AE ⓓ GB.
fermé 15 nov. au 15 déc. – ☕ 25 – **15 ch** 220/400.

La Rascasse, 38 bd Tixador ✆ 68 80 20 79 – ▤. GB
10 avril-30 sept. et fermé jeudi sauf juil.-août – **R** 95/160, enf. 38.

CANNES **06400** Alpes-Mar. 84 ⑨ 195 ㉟ ㊳ **G. Côte d'Azur** – 68 676 h. alt. 2 – Casinos Carlton Casino BYZ, Palm Beach X, Municipal BZ.

Voir Site★★ – Le front de Mer★★ : boulevard★★ BCDZ et pointe★ X de la Croisette – ≤★ de la tour du Mont-Chevalier AZ **V** – Musée de la Castre★ AZ **M** – Chemin des Collines★ NE : 4 km V – La Croix des Gardes X **E** ≤★ **O : 5 km puis 15 mn.**

18 Country-Club de Cannes-Mougins ✆ 93 75 79 13, par ⑤ : 9 km ; 9 18 Golf Club de Cannes-Mandelieu ✆ 93 49 55 39, par ② : 6,5 km ; 18 de Biot ✆ 93 65 08 48, par ⑤ : 14 km ; 18 Opio-Valbonne ✆ 93 42 00 08, par ⑤ : 15 km ; 9 du Val Martin ✆ 93 42 07 98, par ⑤ : 12 km par N 285, D 3 et D 103.

ℹ Direction Générale du Tourisme et des Congrès et Accueil de France (Informations, change et réservations d'hôtels, pas plus de 5 jours à l'avance) espl. Prés.-Georges Pompidou ✆ 93 39 01 01, Télex 470749 (Bureau d'Accueil ✆ 93 39 24 53) et à la Gare SNCF ✆ 93 99 19 77, Télex 470795 – A.C. 12bis rue L.-Blanc ✆ 93 39 38 94.

Paris 903 ⑤ – Aix-en-Provence 146 ⑤ – ♦Grenoble 312 ⑤ – ♦Marseille 159 ⑤ – ♦Nice 32 ⑤ – ♦Toulon 121 ⑤.

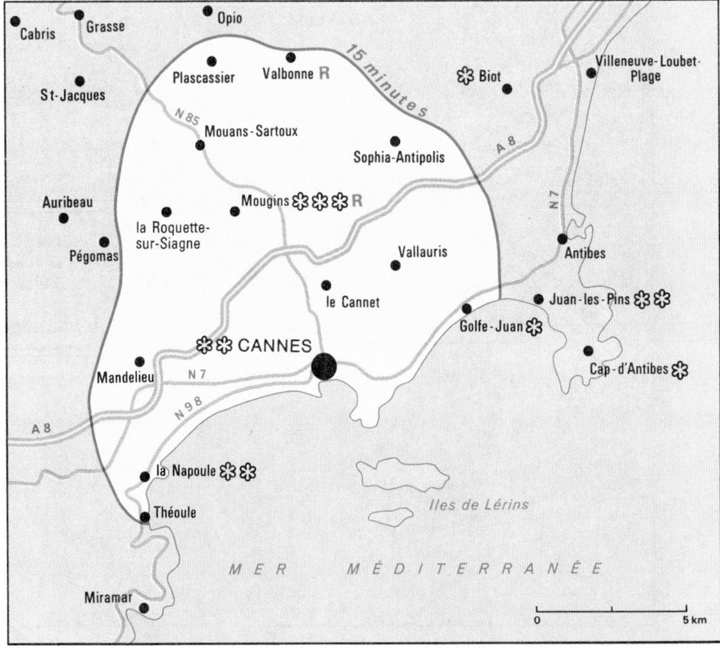

CANNES - LE CANNET - VALLAURIS

André (R. du Cdt) . . . . . . **CZ**
Antibes (R. d') . . . . **BCZ**
Belges (R. des) . . . . **BZ** 12
Chabaud (R.) . . . . **CY** 22
Croisette (Bd de la) . . . **BDZ**
Félix-Faure (R.) . . . . **ABZ**
Foch (R. du Mar.) . . . . . . **BY** 44
Joffre (R. du Mar.) . . . . . . **BY** 60
Riouffe (R. Jean de) . . . . **BY** 98

Albert-Édouard (Jetée) . . **BZ**
Alexandre-III (Bd) . . . . **X** 2
Alsace (Bd) . . . . **BDY**
Amouretti (R.F.) . . . . **CZ** 3
Anc. Combattants d'Afrique du Nord (Av.) . . . . . . **AYZ** 4
Aubarède (Ch. de l') . . . . . **V** 8
Beauséjour (Av.) . . . . . . **DYZ**
Beau-Soleil (Bd) . . . . **X** 10
Bellevue (Pl.) . . . . **V** 13
Blanc (R. L.) . . . . **AZY**
Bréguières (Ch. des) . . . . . **V** 14
Broussailles (Av. des) . . . . **V** 16
Buttura (R.) . . . . **BZ** 17
Canada (R. du) . . . . **CDZ**
Cannes (Av. de) . . . . **V** 18
Carnot (Bd) . . . . **VX** 19
Carnot (Square) . . . . **V** 20
Castre (Pl. de la) . . . . **AZ** 21
Cheval (Av. M.) . . . . **V** 23
Christ-Roi (⊞) . . . . **V** 24
Clemenceau (Av. G.) . . . . . **V** 25
Clemenceau (R. G.) . . . . . **AZ**
Collines (Ch. des) . . . . **V**
Corniches-du-Paradis . . . . **V** 26
Coteaux (Av. des) . . . . **V**
Croix-des-Gardes (Bd) . . **VX** 29
Delaup (Bd) . . . . **AY** 30
Dr-Pierre Gazagnaire (R.) **AZ** 32
Dr-R. Picaud (Av) . . . . **X**
Dollfus (R. Jean) . . . . **AZ** 33
Doumer (Bd P.) . . . . **V**
Esterel (Av. de l') . . . . **X** 34
Faure (R. F.) . . . . **ABZ**
Favorite (Av. de la) . . . . **X** 38
Ferrage (Bd de la) . . . . **ABY** 40
Fiesole (Av.) . . . . **X** 43
Four-à-Chaux (Bd du) . . . . **V** 45
Fournas (Av. de) . . . . **V** 46
Gallieni (R. du Mar.) . . . . **BY** 48
Gambetta (Bd) . . . . **V** 50
Gaulle (Av. Gén.-de) . . . . . **V**
Gaulle (Pl. Gén.-de) . . . . . **BZ** 52
Gazagnaire (Bd E.) . . . . . . **X**
Grasse (Av. de) . . . . **VX** 53
Guynemer (Bd) . . . . **AY**
Haddad-Simon (R. J.) . . . **CY** 54
Hespérides (Av. des) . . . . . . **X** 55
Hibert (Bd J.) . . . . **AZ**
Hibert (R.) . . . . **AZ**
Isnard (Pl. Paul) . . . . **V** 56
Isola-Bella (Av. d') . . . . **X**
Jaurès (R. Jean) . . . . **BY**
Jeanpierre (Av. M.) . . . . . . **V** 58
Juin (Av. Mar.) . . . . **DZ**
Koenig (Av. Gén.) . . . . **DY**
Lacour (Bd A.) . . . . **X** 62
Latour-Maubourg (R.) . . . . **DZ**
Lattre-de-T. (Av. de) . . . . **AY** 63
Laubeuf (Quai) . . . . **AZ**
Leader (Bd) . . . . **VX** 64
Lérins (Av. de) . . . . **X** 65
Lorraine (Bd de) . . . . . . **CDY**
Macé (R.) . . . . **CZ** 66
Madrid (Av. de) . . . . **DZ**
Meynadier (R.) . . . . **ABY**
Mermoz (Av. Jean) . . . . **V** 67
Mimont (R. de) . . . . **BY**
Monod (Bd Jacques) . . . . . **V** 68
Montaigne (R.) . . . . **BY** 70
Mont-Chevalier (R. du) . . **AZ** 72
Montfleury (Bd) . . . . . . **CDY** 73
Monti (R. Marius) . . . . . . **AY** 74
Moulin (Bd du) . . . . **AY** 76
Noailles (Av. J.-de) . . . . **X**
N.-D.-des-Anges (Av.) . . . . **V** 79
N.-D.-de-Bon-Voyage (⊞) . . . . **BZ** 80
N.-D.-d'Espérance (⊞) . **AZ** 82
N.-D.-des-Pins (⊞) . . . . . **X** 83
Observatoire (Bd de l') . . **X** 84
Olivet (Ch. de l') . . . . **V** 85
Olivetum (Bd) . . . . **V** 86
Oxford (Bd d') . . . . **V** 87
Pantiero (la) . . . . **ABZ**
Paris (R. de) . . . . **V** 88
Pasteur (R.) . . . . **DZ**
Pastour (R. L.) . . . . **AY** 90
Perier (Bd du) . . . . **V** 92
Perrissol (R. L.) . . . . **AZ** 93
Petit-Juas (R. du) . . . . . . **VX**
Pinède (Av. de la) . . . . **V** 94
Pins (Bd des) . . . . **X** 95
Pompidou (Av. G.) . . . . **V**
Pompidou (Espl. G.) . . . . . **BZ**
Prince de-Galles (Av. du) **X** 96
République (Bd de la) . . **VX** 97
Riou (Bd du) . . . . **VX**
Roi-Albert (Av.) . . . . **X**
Roosevelt (Av. F) . . . . **V**
Rouguière (R.) . . . . **BZY** 100
Rouvier (Bd M.) . . . . **V** 102
St-Charles (⊞) . . . . **V** 103
St-Joseph (⊞) . . . . **X** 104
St-Nicolas (Av.) . . . . **BY** 105
St-Pierre (Quai) . . . . **AZ**
St-Sauveur (R.) . . . . **V** 106
Ste-Philomène (⊞) . . . . . **V** 107
Sardou (R. L.) . . . . **X** 108
Serbes (R. des) . . . . **BZ** 110
Source (Bd de la) . . . . **X** 112
Stanislas (Pl.) . . . . **AY**
Strasbourg (Bd de) . . . **CDY**
Tapis-Vert (Av. du) . . . . . **V** 113
Teisseire (R.) . . . . **CY** 114
Tuby (Bd Victor) . . . . . . **AYZ** 115
Vallauris (Av. de) . . . . . **VX** 116
Vallombrosa (Bd) . . . . . **AY** 118
Vautrin (Bd Gén.) . . . . **DZ**
Victor-Hugo (R.) . . . . **V** 119
Victoria (Av.) . . . . **V**
Vidal (R. du Cdt) . . . . **CY** 120
Western-Wemyss (Av. Amiral) . . . . **X** 122

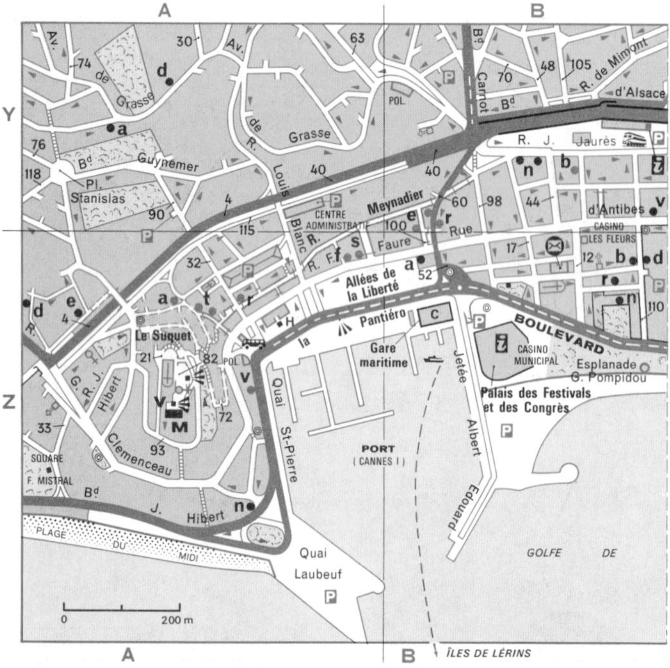

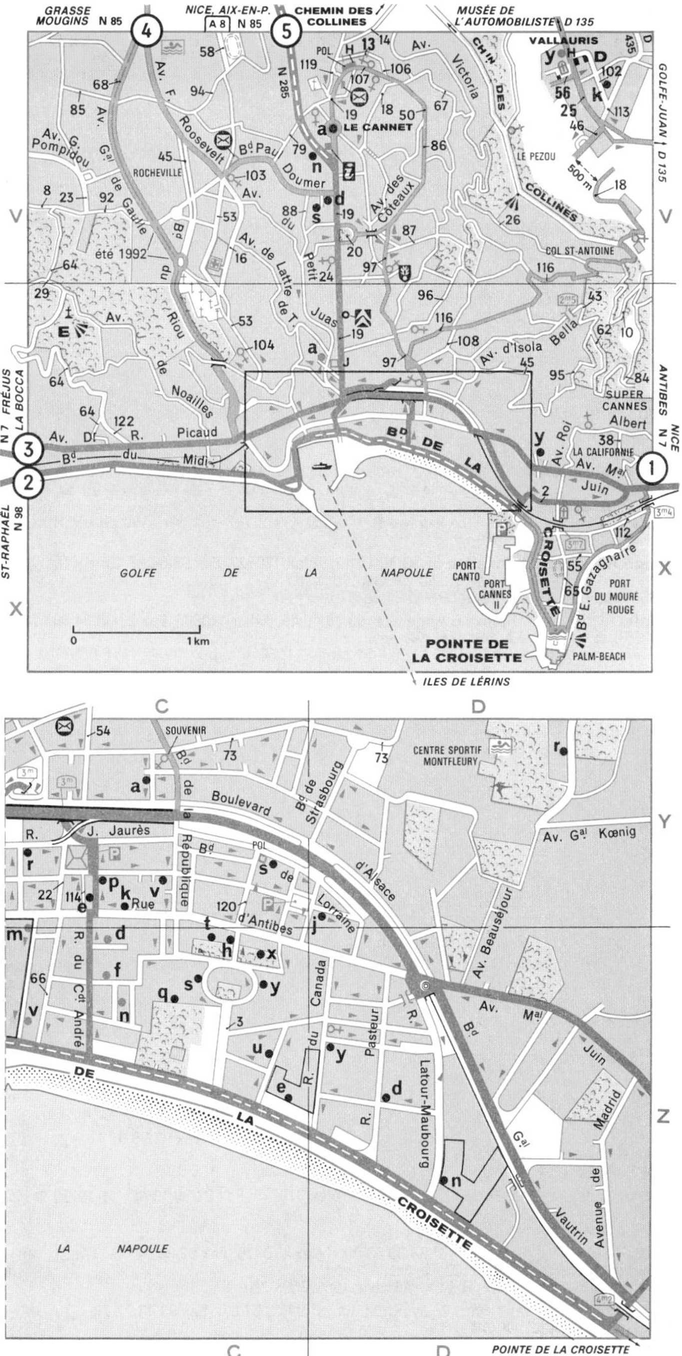

GRASSE
MOUGINS N 85
NICE, AIX-EN-P.
A 8 N 85
CHEMIN DES COLLINES
MUSÉE DE L'AUTOMOBILISTE D 135
VALLAURIS
GOLFE-JUAN D 135
LE CANNET
ROCHEVILLE
LE PEZOU
COL ST-ANTOINE
SUPER CANNES
LA CALIFORNIE
ANTIBES N 7
NICE N 7
N 7 FRÉJUS LA BOCCA
ST-RAPHAËL N 98
GOLFE DE LA NAPOULE
PORT CANTO
PORT CANNES II
PORT DU MOURE ROUGE
POINTE DE LA CROISETTE
PALM-BEACH
ILES DE LÉRINS
CENTRE SPORTIF MONTFLEURY
SOUVENIR
Boulevard de la République
Bd de Strasbourg
Boulevard d'Alsace
Bd de Lorraine
Rue d'Antibes
R. J. Jaurès
R. du Cdt André
Av. Gal Kœnig
Av. Beauséjour
Av. Mal Juin
Bd Gal Vautrin
Avenue de Madrid
R. Latour-Maubourg
R. Pasteur
R. du Canada
DE LA CROISETTE
LA NAPOULE
POINTE DE LA CROISETTE

Carlton Intercontinental, 58 bd Croisette ✆ 93 68 91 68, Télex 470720, Fax 93 38 20 90, ≤, ⅈ, – |♦| ▤ TV ☎ ♿ – 30 à 250. AE ⓓ GB JCB CZ **e**
R voir rest **La Côte** ci-après- **Café Carlton R** carte 295 à 465 – ☕ 140 – **298 ch** 2000/3200, 28 appart.

Martinez, 73 bd Croisette ✆ 93 94 30 30, Télex 470708, Fax 93 39 67 82, ≤, – |♦| ▤ TV ☎ Ⓟ – 60 à 700. AE ⓓ GB JCB DZ **n**
fermé mi-nov. à mi-janv. – **R** voir rest **La Palme d'Or** ci-après - **L'Orangeraie** ✆ 92 98 30 17 **R** 195 ⅈ – ☕ 95 – **417 ch** 1250/3150, 13 appart.

Majestic, 14 bd Croisette ✆ 92 98 77 00, Télex 470787, Fax 93 38 97 90, ≤, – |♦| ▤ TV ☎ ♿ – 400. AE ⓓ GB BZ **n**
fermé 10 nov. au 20 déc. – **Le Sunset R** carte 260 à 430, enf. 150 – ☕ 100 – **258 ch** 1070/3410, 24 appart. – ½ P 975/2045.

Gray d'Albion M, 38 r. Serbes ✆ 92 99 79 79, Télex 470744, Fax 93 99 26 10, – |♦| ch ▤ TV ☎ ♿ – 30 à 200. AE ⓓ GB JCB. ch BZ **d**
R voir rest **Royal Gray** ci-après - **Les 4 Saisons R** carte 155 à 250 – ☕ 85 – **172 ch** 800/1550, 14 appart.

L'Horset-Savoy M, 5 r. F. Einessy ✆ 92 99 72 00, Télex 461873, Fax 93 68 25 59, – |♦| ▤ TV ☎ ♿ – 120. AE ⓓ GB CZ **u**
R *(fermé sam. et dim. du 1er nov. au 31 mars)* 160 bc – ☕ 70 – **101 ch** 820/1150, 5 appart. – ½ P 700.

Pullman Beach M sans rest, 13 r. Canada ✆ 93 94 50 50, Télex 470034, Fax 93 68 35 38, – |♦| ▤ TV ☎ – 40. AE ⓓ GB DZ **y**
fermé 20 nov. au 26 déc. – ☕ 80 – **93 ch** 810/1590.

Sofitel Méditerranée M, 2 bd J. Hibert ✆ 92 99 73 00, Télex 470728, Fax 92 99 73 29, « Piscine et terrasses sur le toit, ≤ baie de Cannes » – |♦| ch ▤ TV ☎ – 150. AE ⓓ GB AZ **n**
fermé 17 nov. au 18 déc. – **Le Palmyre R** 170/250 ⅈ, enf. 90 – ☕ 80 – **150 ch** 850/1250, 5 appart. 1820.

Grand Hôtel, 45 bd Croisette ✆ 93 38 15 45, Télex 470727, Fax 93 68 97 45, ≤, – |♦| ▤ ch TV ☎ Ⓟ – 30. AE ⓓ GB. rest CZ **q**
R 190 – ☕ 60 – **74 ch** 730/1460 – ½ P 698/970.

Cristal M, 15 rd-pt Duboys d'Angers ✆ 93 39 45 45, Télex 470844, Fax 93 38 64 66, – |♦| ▤ TV ☎. AE ⓓ GB JCB. rest CZ **s**
R *(fermé nov.)* carte 180 à 230 – ☕ 65 – **51 ch** 745/1050, 4 appart. 1730 – ½ P 635/720.

Novotel M, 25 av. Beauséjour ✆ 93 68 91 50, Télex 470039, Fax 93 38 37 08, ≤, « Jardin », ⅈ, – |♦| ch ▤ TV ☎ – 400. AE ⓓ GB DY **r**
R carte environ 150, enf. 60 – ☕ 60 – **180 ch** 850/1100.

Splendid sans rest, 4 r. F. Faure ✆ 93 99 53 11, Télex 470990, Fax 93 99 55 02, ≤ – |♦| cuisinette ▤ TV ☎. AE ⓓ GB BZ **a**
☕ 50 – **63 ch** 500/830.

Victoria M sans rest, rd-pt Duboys d'Angers ✆ 93 99 36 36, Fax 93 38 03 91, – |♦| ▤ TV ☎. AE ⓓ GB JCB. CZ **x**
fermé 10 nov. au 20 déc. – ☕ 45 – **25 ch** 600/1200.

Canberra sans rest, rd-pt Duboys d'Angers ✆ 93 38 20 70, Télex 470817, Fax 92 98 03 47 – |♦| ▤ TV ☎ Ⓟ. AE ⓓ GB CZ **h**
☕ 38 – **45 ch** 423/741.

Fouquet's M sans rest, 2 rd-pt Duboys d'Angers ✆ 93 38 75 81, Fax 92 98 03 39 – ▤ TV ☎. AE ⓓ GB JCB CZ **y**
fermé 26 oct. au 26 déc. – ☕ 60 – **10 ch** 950/1300.

Paris sans rest, 34 bd Alsace ✆ 93 38 30 89, Télex 470995, Fax 93 39 04 61, – |♦| ▤ TV ☎ – 40. AE ⓓ GB JCB. CY **a**
fermé 15 nov. au 15 janv. – ☕ 60 – **45 ch** 550/980, 5 appart. 1800.

Embassy, 6 r. Bône ✆ 93 38 79 02, Télex 470081, Fax 93 99 07 98 – |♦| ▤ TV ☎. AE ⓓ GB DY **j**
R *(fermé lundi midi et mardi midi du 1er sept. au 30 avril)* 115 – **60 ch** ☕ 610/735 – ½ P 482.

Mondial M sans rest, 77 r. d'Antibes ✆ 93 68 70 00, Télex 462918, Fax 93 99 39 11 – |♦| ▤ TV ☎ ♿. AE ⓓ GB CY **e**
☕ 40 – **56 ch** 500/700.

Abrial sans rest, 24 bd Lorraine ✆ 93 38 78 82, Télex 470761, Fax 92 98 67 41 – |♦| ▤ TV ☎ – 30. AE ⓓ GB JCB CY **s**
☕ 48 – **50 ch** 569/610.

Ligure sans rest, 5 pl. Gare ✆ 93 39 03 11, Télex 970275, Fax 93 39 19 48 – |♦| ▤ TV ☎. AE ⓓ GB BY **n**
☕ 30 – **36 ch** 595/650.

Beau Séjour, 5 r. Fauvettes ✆ 93 39 63 00, Télex 470975, Fax 92 98 64 66, – |♦| ▤ ch TV ☎ – 30. AE ⓓ GB. rest AZ **d**
fermé 1er nov. au 14 déc. – **R** 140 – **46 ch** ☕ 660/750 – ½ P 495.

La Madone sans rest, 5 av. Justinia ✆ 93 43 57 87, Fax 93 43 22 79, – cuisinette TV ☎. AE ⓓ GB X **y**
☕ 40 – **25 ch** 410/640.

Château de la Tour , 10 av. Font-de-Veyre par ③ ✉ 06150 Cannes-La-Bocca ℘ 93 47 34 64, Télex 470906, Fax 93 47 86 61, – AE GB JCB. rest
R *(fermé 15 nov. au 15 déc., sam. de janv. à mars et lundi d'avril à déc.)* 80/110, enf. 50 – **42 ch** 520/680 – 1/2 P 485/550.

America M sans rest, 13 r. St-Honoré ℘ 93 68 36 36, Fax 93 68 04 58 – AE GB JCB. BZ **r**
50 – **30 ch** 500/800.

Host. de l'Olivier sans rest, 5 r. Tambourinaires ℘ 93 39 53 28, Télex 970902, Fax 93 39 55 85, – AE GB. AZ **e**
fermé 23 nov. au 28 déc. – 35 – **23 ch** 475/565.

Régina sans rest, 31 r. Pasteur ℘ 93 94 05 43, Fax 93 43 20 54 – AE GB. DZ **d**
1er mars-31 oct. – 40 – **22 ch** 480/680.

Des Congrès et Festivals sans rest, 12 r. Teisseire ℘ 93 39 13 81, Fax 93 39 56 28 – AE GB JCB CY **p**
fermé 1er nov. au 20 janv. – 35 – **20 ch** 420/650.

Corona sans rest, 55 r. Antibes ℘ 93 39 69 85, Fax 93 99 09 69 – AE GB BY **v**
fermé 10 janv. au 20 fév. – 30 – **20 ch** 350/380.

Étrangers sans rest, 10 pl. P. Sémard ℘ 93 38 82 82, Télex 970048, Fax 93 99 04 18 – AE GB BY **n**
30 – **53 ch** 350/450.

Molière sans rest, 5 r. Molière ℘ 93 38 16 16, Fax 93 68 29 57 – AE GB JCB. CYZ **t**
fermé 15 nov. au 20 déc. – **45 ch** 270/600.

France sans rest, 85 r. Antibes ℘ 93 39 23 34, Fax 93 68 53 43 – AE GB JCB CY **k**
30 – **34 ch** 370/410.

Select sans rest, 16 r. H. Vagliano ℘ 93 99 51 00, Fax 92 98 03 12 – AE GB JCB. CY **r**
27 – **30 ch** 373/416.

Albert 1er M sans rest, 68 av. Grasse ℘ 93 39 24 04, Fax 93 38 83 75 – GB
27 – **11 ch** 280/320. AY **d**

Arcade M sans rest, 8 r. Marceau ℘ 92 98 96 96, Télex 461459, Fax 92 98 05 68 – – 25. AE GB CY **v**
38 – **60 ch** 378/410.

Cheval Blanc sans rest, 3 r. Maupassant ℘ 93 39 88 60 – . GB AY **a**
27 – **16 ch** 220/300.

Modern sans rest, 11 r. Serbes ℘ 93 39 09 87 – BZ **b**
fermé 1er nov. au 23 déc. – 28 – **19 ch** 210/500.

XXXXX ✿ **La Belle Otéro,** 58 bd Croisette, au 7e étage de l'hôtel Carlton ℘ 93 68 00 33, Fax 92 98 90 92, – . AE GB
fermé 1er au 16 nov., fév. et lundi – **R** (dîner seul.) carte 490 à 670
Spéc. Poêlée de langoustines aux farcis de jeunes légumes (juil. à sept.), Rougets en filets sur une fondue provençale, Carré d'agneau rôti aux fines épices. **Vins** Muscat des coteaux varois, Côtes de Provence.

XXXXX ✿ **La Côte** - Hôtel Carlton Intercontinental, 58 bd Croisette ℘ 93 68 91 68, Télex 470720, Fax 93 68 91 68 – . AE GB JCB. CZ **e**
(fermé 18 nov. au 17 déc., mardi et merc.) – **R** carte 360 à 600
Spéc. Tagliatelles aux pieds d'agneau en daubière, Chapon de Méditerranée à la fleur de sel, Pigeon fermier rôti et ravioli de potiron au cerfeuil. **Vins** Côtes de Provence.

XXXXX ✿✿ **La Palme d'Or** - Hôtel Martinez, 73 bd Croisette ℘ 92 98 30 18, Télex 470708, Fax 93 39 67 82, ≤, – . AE GB JCB DZ **n**
fermé mi-nov. à mi-janv., mardi (sauf le soir du 12 mai au 13 sept.) et lundi – **R** 310/530 et carte
Spéc. Confit de lapin au foie gras, Rougets aux palets d'ail et fondue d'olives, Festin d'agneau en trilogie. **Vins** Côtes de Provence.

XXXX ✿✿ **Royal Gray** - Hôtel Gray d'Albion, 6 r. États-Unis ℘ 92 99 79 60, Télex 470744, Fax 93 99 26 10, , « Elégant décor contemporain » – . AE GB JCB CYZ **m**
fermé fév. – **R** 500/580 et carte
Spéc. Aïgo de homard aux langoustines et supions, Saint Pierre rôti au fumet de fenouil, Palmier de pamplemousse rôti au miel. **Vins** Côtes de Provence.

XXX ✿ **Poêle d'Or** (Leclerc), 23 r. États-Unis ℘ 93 39 77 65 – AE GB CZ **v**
fermé 22 au 30 mars, 29 juin au 6 juil., 22 nov. au 7 déc., mardi midi et lundi – **R** (week-ends prévenir) 170/290
Spéc. Salade de truffes et parmesan frais (été), Sabayon de queues d'écrevisses en gratin (saison), Sablé de fruits rouges au coulis de framboises. **Vins** Côtes de Provence, Bellet.

XXX **Gaston et Gastounette,** 7 quai St-Pierre ℘ 93 39 47 92, – AE GB AZ **v**
fermé 4 au 19 janv. – **R** carte 270 à 430.

XXX **Rescator,** 7 r. Mar. Joffre ℘ 93 39 44 57 – . AE GB BYZ **e**
fermé 20 nov. au 16 déc. et dim. en hiver – **R** 145/185.

XX **La Mirabelle,** 24 r. St Antoine ✆ 93 38 72 75 – ▤. AE ⓓ GB — AZ a
fermé 15 au 30 nov., 15 au 28 fév. et mardi – **R** (dîner seul.) 195/255.

XX **Le Mesclun,** 16 r. St Antoine ✆ 93 99 45 19 – ▤. AE GB — AZ t
fermé 1er au 20 déc., 15 fév. au 10 mars et merc. soir hors sais. – **R** (dîner seul.) 170.

XX **Relais des Semailles,** 9 r. St Antoine ✆ 93 39 22 32 – AE GB — AZ t
fermé mars, 1er au 18 déc. et dim. hors sais. – **R** (dîner seul.) 210/320.

XX **Mère Besson,** 13 r. Frères Pradignac ✆ 93 39 59 24 – AE ⓓ GB — CZ f
fermé dim. de sept. à juin sauf fériés – **R** carte 170 à 260.

XX **Maître-Pierre,** 6 r. Mar. Joffre ✆ 93 99 36 30 – ▤. AE GB — BY r
fermé juil. et dim. sauf fériés – **R** (dîner seul. en sais.) 95/195.

XX **St-Benoit,** 9 r. Bateguier ✆ 93 39 04 17 – GB — CZ n
fermé mardi midi et lundi – **R** 125/160.

XX **Caveau 30,** 45 r. F. Faure ✆ 93 39 06 33, 🏖 – ▤. AE ⓓ GB — AZ f
R 102/158.

XX **La Cigale,** 1 r. Florian ✆ 93 39 65 79 – ▤. AE ⓓ GB — CZ d
fermé 15 au 30 nov., dim. soir et lundi – **R** 98/148 🍷.

X **Côté Jardin,** 12 av. St-Louis ✆ 93 38 60 28, 🏖 – ▤. AE GB — X a
fermé fév. à mi-mars, lundi (sauf le soir du 1er mai au 15 sept.) et dim. – **R** 148.

X **Chez Astoux,** 43 r. F. Faure ✆ 93 39 06 22, Fax 93 99 45 47, 🏖, produits de la mer – AE ⓓ GB — AZ s
R 92/148.

X **L'Olivier,** 9 r. Rouguière ✆ 93 39 91 63 – AE ⓓ GB — BY e
fermé 15 déc. au 15 janv. et lundi – **R** 90/145.

X **Aux Bons Enfants,** 80 r. Meynadier – ✆̸ — AZ r
fermé août, 20 déc. au 5 janv., sam. soir hors sais. et dim. – **R** 84.

X **Le Monaco,** 15 r. 24-août ✆ 93 38 37 76 — BY b
◆ *fermé 10 nov. au 15 déc. et dim.* – **R** 75/95.

au Cannet N : 3 km - V – 41 842 h. – ✉ **06110** :

🅸 Office de Tourisme av. Campon ✆ 93 45 34 27.

🏨 **Grande Bretagne** sans rest, bd Sadi Carnot ✆ 93 45 66 00, Télex 470918, Fax 93 45 83 30, 🌳 – cuisinette ▤ TV ☎ Ⓟ. AE ⓓ GB — V a
fermé nov. et déc. – ☕ 35 – **34 ch** 450/720.

🏨 **Sunset H.** Ⓜ sans rest, av. Campon (bretelle autoroute) ✆ 93 45 35 35, Fax 93 45 60 68 – ▤ TV ☎ 🚗 Ⓟ. AE GB — V n
☕ 34 – **25 ch** 350/525.

🏨 **Relais d'Assemont** Ⓜ, 6 av. Tignes ✆ 93 69 47 70 – 🛗 TV ☎. GB — V s
R *(fermé 20 au 30 juin, 1er au 14 nov., dim. soir et sam.)* 125/185, enf. 70 – **11 ch** ☕ 380/520 – ½ P 320/370.

🏨 **Fimotel** Ⓜ, 102 bd Carnot ✆ 93 69 11 69, Télex 282833, Fax 93 69 18 36, 🏖 – 🛗 ▤ TV ☎ ♿ 🚗 – 🧑‍🏫 25 à 100. AE ⓓ GB — V d
R 90/145 🍷, enf. 38 – ☕ 38 – **80 ch** 420/480 – ½ P 350.

à Vallauris NE : 6 km - V – 24 325 h. – ✉ **06220** :

Voir Musée national "la Guerre et la Paix" (château) V **D** – Musée de l'Automobiliste★ NO : 4 km V

🏠 **Val d'Auréa** Ⓜ sans rest, 11 bis bd M. Rouvier ✆ 93 64 64 29 – 🛗 ☎. GB — V k
fermé 1er nov. au 15 déc. – ☕ 32 – **28 ch** 270/350.

XX **Gousse d'Ail,** 11 av. Grasse ✆ 93 64 10 71 – ▤. GB — V y
fermé 16 nov. au 22 déc., lundi soir d'oct. à juin et mardi – **R** 98/150.

à l'aérodrome de Cannes-Mandelieu par ③ : 6 km – ✉ **06150** :

🏠 **Campanile,** 45 av. Petit-Juas ✆ 93 48 69 41, Télex 461570, Fax 93 90 40 42, 🏖, 🏊, 🌳 – ▤ rest TV ☎ ♿ Ⓟ. AE GB
R 77 bc/99 bc, enf. 39 – ☕ 28 – **98 ch** 285 – ½ P 248/270.

CITROEN Carnot Autom., 48 bd Carnot ✆ 93 68 20 25 **N** ✆ 93 69 39 89
CITROEN Carnot Autom., 205 av. F. Tonner à La Bocca par ③ ✆ 93 47 24 00

Ⓜ Massa-Pneu, 9 bd Vallombrosa ✆ 93 39 25 22
Piot Pneu Top Way, 240 av. F.-Tonner à la Bocca ✆ 93 47 41 11
Sud-Est-Pneus, 20 r. Cdt-Vidal ✆ 93 38 58 14

Le CANNET

06 Alpes-Mar. 84 ⑨, 195 ㉟ ㊳ – rattaché à Cannes.

Le CANNET-DES-MAURES

83340 Var 84 ⑯ – 3 126 h. alt. 127.

Paris 838 – Fréjus 37 – Brignoles 25 – Cannes 68 – Draguignan 26 – St-Tropez 38 – ◆Toulon 56.

🏨 **Mas de Causserène et rest. l'Oustalet,** N 7 ✆ 94 60 74 87, Fax 94 60 95 97, 🏖, 🏊 – TV ☎ ♿ Ⓟ – 🧑‍🏫 50 à 150. AE GB
R 120/160 🍷, enf. 35 – ☕ 40 – **50 ch** 230/260.

La CANOURGUE 48500 Lozère 80 ④ ⑤ G. Gorges du Tarn – 1 817 h. alt. 563.
Voir Sabot de Malepeyre★ SE : 4 km.
Syndicat d'Initiative (15 juin-15 sept.) ✆ 66 32 83 67 et à la Mairie ✆ 66 32 81 47.
Paris 604 – Mende 40 – Espalion 60 – Florac 53 – Rodez 72 – Sévérac-le-Château 23.

Commerce M, ✆ 66 32 80 18 – 30 à 50. GB
1er mars-15 nov. et fermé vend. soir et sam. hors sais. – **R** 65/135 – 24 – **28 ch** 185/270 – ½ P 215/260.

PEUGEOT-TALBOT Condomines ✆ 66 32 80 16 N

CANY-BARVILLE 76450 S.-Mar. 52 ⑬ G. Normandie Vallée de la Seine – 3 349 h. alt. 22.
Voir Panneaux sculptés★ de l'église – Barville : site★ de l'église S : 2 km.
Paris 201 – Bolbec 30 – Dieppe 46 – Fécamp 20,5 – ◆Rouen 57 – Yvetot 23.

Manoir de Barville avec ch, S : 2 km par D 131 ✆ 35 97 79 30, Fax 35 57 03 55, « Parc ombragé et fleuri » – 25. AE GB
R *(fermé lundi)* 145/250 – 32 – **4 ch** 200/350.

CAPBRETON 40130 Landes 78 ⑰ G. Pyrénées Aquitaine – 5 089 h. alt. 6 – Casino.
Office de Tourisme av. G.-Pompidou ✆ 58 72 12 11.
Paris 756 – Biarritz 25 – Mont-de-Marsan 85 – ◆Bayonne 18 – St-Vincent-de-Tyrosse 11,5 – Soustons 24.

quartier de la plage :

Océan sans rest, av. G. Pompidou ✆ 58 72 10 22, ≤ – GB
10 avril-oct. et fermé lundi soir et mardi sauf de juin à sept. – 30 – **52 ch** 220/400.

Atlantic, av. de Lattre de Tassigny ✆ 58 72 11 14, Fax 58 72 29 01, – AE GB
15 mars-11 nov. – **R** 78/128 – 30 – **29 ch** 300/350 – ½ P 330/360.

Miramar, front de Mer ✆ 58 72 12 82, Fax 58 72 46 27, ≤ – GB.
23 mai-21 sept. – **R** (dîner seul.) 100/160 – 30 – **44 ch** 270/400 – ½ P 260/330.

Aquitaine, av. de Lattre-de-Tassigny ✆ 58 72 38 11, – GB.
R *(fermé dim. soir et lundi)* 85/150, enf. 55 – 27 – **24 ch** 230/270.

Café Bellevue avec ch, av. G. Pompidou ✆ 58 72 10 30, ≤, – AE GB
fermé 5 janv. au 15 fév. et lundi hors sais. sauf vacances scolaires – **R** 90/152, enf. 48 – 28 – **15 ch** 220/280.

quartier la Pêcherie :

Le Regalty, quai Pêcherie ✆ 58 72 22 80, – AE GB
fermé 15 au 30 nov., 15 janv. au 4 fév., dim. soir et lundi hors sais. sauf fériés – **R** 195.

CITROEN Barbe ✆ 58 72 10 15
RENAULT La Frégate ✆ 58 72 10 52

CAP COZ 29 Finistère 58 ⑮ – rattaché à Fouesnant.

CAP D'AGDE 34 Hérault 83 ⑯ – rattaché à Agde.

CAP D'AIL 06320 Alpes-Mar. 84 ⑩ 195 ㉗ G. Côte d'Azur – 4 859 h. alt. 96.
Office de Tourisme 104 av. 3-Septembre ✆ 93 78 02 33.
Paris 950 – Monaco 2,5 – Menton 16 – Monte-Carlo 4 – ◆Nice 16.

Miramar sans rest, av. 3-Septembre ✆ 93 78 06 60 – GB
fermé 4 au 25 janv. – 30 – **25 ch** 185/280.

CITROEN Gar. Costa Plana ✆ 93 78 40 88

La CAPELLE 02260 Aisne 53 ⑯ G. Flandres Artois Picardie – 2 149 h. alt. 228.
Voir Pierre d'Haudroy (monument de l'Armistice 1918) NE : 3 km par D 285.
Paris 191 – St-Quentin 50 – Avesnes-sur-Helpe 17 – Le Cateau-Cambrésis 30 – Fourmies 11,5 – Guise 23 – Laon 51 – Vervins 16.

Gd Cerf, ✆ 23 97 20 61 – GB
fermé juil., dim. soir et lundi sauf fêtes – **R** 100/280.

CAPESTANG 34310 Hérault 83 ⑭ – 2 903 h. alt. 22.
Paris 839 – ◆Montpellier 82 – Béziers 15 – Carcassonne 61 – Narbonne 18 – St-Pons 39.

à Poilhes SE par D 11 : 5 km – ✉ **34310** :

La Tour Sarrasine, ✆ 67 93 41 31, – GB
fermé 15 janv. au 1er mars, dim. soir du 15 oct. au 31 mai et lundi – **R** 165/295, enf. 75.

CAP FERRAT 06 Alpes-Mar. 84 ⑩ ⑲ – rattaché à St-Jean-Cap-Ferrat.

CAP FERRET 33970 Gironde 78 ⑫ G. Pyrénées Aquitaine – alt. 11.
Voir ✻★ du phare.
Office de Tourisme 12 av. Océan (saison) ✆ ✆ 56 60 63 26.
Paris 648 – ◆Bordeaux 66 – Arcachon 72 – Lacanau-Océan 56 – Lesparre-Médoc 84.

La Frégate, av. Océan ✆ 56 60 41 62, – ☎ Ⓟ. GB
fin mars-fin oct. – **R** *(fermé dim. soir et lundi hors sais.)* 85/250 – ☕ 30 – **26 ch** 210/380 – ½ P 265/350.

Pins sans rest, r. Fauvettes ✆ 56 60 60 11, –
1er juin-30 sept. – ☕ 40 – **14 ch** 202/295.

PEUGEOT, TALBOT Gava ✆ 56 60 64 20

CAPINGHEM 59 Nord 51 ⑮ – rattaché à Lille.

CAPPELLE-LA-GRANDE 59 Nord 51 ④ – rattaché à Dunkerque.

CAPVERN-LES-BAINS 65130 H.-Pyr. 85 ⑨ **G. Pyrénées Aquitaine** – alt. 450 – Stat. therm. (23 avril-22 oct.).

Voir Donjon du château de Mauvezin ★ O : 4,5 km.

18 de Lannemezan ✆ 62 98 01 01, E : 12 km.

Office de Tourisme r. Thermes (fermé matin 23 oct.-23 avril) ✆ 62 39 00 46.

Paris 826 – Bagnères-de-Luchon 63 – Arreau 31 – Bagnères-de-Bigorre 20 – Lannemezan 9 – Tarbes 33.

Lemoine, ✆ 62 39 02 18, ≤, parc – ☎ Ⓟ.
2 mai-22 oct. – **R** 70/90 🍷, enf. 50 – ☕ 22 – **16 ch** 90/195 – P 152/195.

St-Paul, ✆ 62 39 03 54, – ☎ Ⓟ. AE GB JCB. rest
1er mai-19 oct. – **R** 68/75 – ☕ 20 – **29 ch** 130/190 – P 180/230.

Bellevue, rte Mauvezin ✆ 62 39 00 29, ≤, – ☎ Ⓟ. GB. rest
2 mai-6 oct. – **R** 80/125 – ☕ 22 – **34 ch** 70/180 – P 170/286.

à Gourgue NO : 4 km par D 81 – ✉ **65130** :

Relais des Bandouliers avec ch, ✆ 62 39 02 21, – ☎ Ⓟ. GB. ch
hôtel : ouvert mars-nov. ; rest. : fermé janv., mardi soir et merc. d'oct. à mars – **R** 70/120 – ☕ 25 – **10 ch** 100/200 – P 180/220.

CARANTEC 29660 Finistère 58 ⑥ **G. Bretagne** – 2 609 h. alt. 45.

Voir Croix de procession★ dans l'église – "Chaise du Curé" (plate-forme) ≤★ – Pointe de Pen-al-Lann ≤★ E : 1,5 km puis 15 mn.

Office de Tourisme r. Pasteur ✆ 98 67 00 43.

Paris 557 – ♦Brest 63 – Lannion 55 – Morlaix 15 – Quimper 91 – St-Pol-de-Léon 9,5.

Falaise sans rest, ✆ 98 67 00 53, ≤ Baie de Morlaix, – ☎ Ⓟ.
12 avril-22 sept. – ☕ 30 – **24 ch** 150/250.

Pors Pol, plage Pors-Pol ✆ 98 67 00 52, ≤, – ☎ Ⓟ. GB. rest
17 avril-8 mai et 27 mai-19 sept. – **R** 78/230, enf. 46 – ☕ 27 – **30 ch** 207/226 – ½ P 224.

le Cabestan, le port ✆ 98 67 01 87, ≤ – GB
fermé 5 nov. au 15 déc., lundi soir (sauf juil.-août) et mardi – **R** 100/250.

CITROEN Gar. Jacq ✆ 98 67 01 67 RENAULT Kerrien ✆ 98 67 01 71

CARBON-BLANC 33 Gironde 171 ⑨, 75 ⑪ – rattaché à Bordeaux.

CARCASSONNE P 11000 Aude 83 ⑪ **G. Pyrénées Roussillon** – 43 470 h. alt. 111.

Voir La Cité★★★ (embrasement 14 juil.) CZ – Basilique St-Nazaire★ : vitraux★★, statues★★ CZ **L** – Musée du château Comtal : calvaire★ de Villanière CZ **M1**.

de Salvaza : ✆ 68 25 12 33, par ④ : 3 km.

Office de Tourisme et Accueil de France (Informations, change et réservations d'hôtels, pas plus de 5 jours à l'avance) 15 bd Camille-Pelletan ✆ 68 25 07 04, Télex 505234 et Porte Narbonnaise (Pâques-nov.) ✆ 68 25 68 81.

Paris 792 ④ – ♦Perpignan 114 ② – ♦Toulouse 93 ④ – Albi 105 ① – Béziers 90 ② – Narbonne 60 ②.

Plan page suivante

Terminus, 2 av. Mar. Joffre ✆ 68 25 25 00, Télex 500198, Fax 68 72 53 09 – ch TV ☎ – 30 à 200. AE GB JCB BY **t**
Relais de l'Écluse ✆ 68 25 13 77 **R** 80/150 🍷 – ☕ 30 – **110 ch** 250/420.

Montségur, 27 allée Iéna ✆ 68 25 31 41, Télex 505261, Fax 68 47 13 22, « Mobilier ancien » – TV ☎ Ⓟ. AE GB AZ **r**
R voir rest. **Languedoc** ci-après – ☕ 45 – **21 ch** 280/450 – ½ P 350/380.

Pont Vieux sans rest, 32 r. Trivalle ✆ 68 25 24 99, Fax 68 47 62 71 – TV ☎. AE GB BZ **s**
fermé janv. – ☕ 32 – **20 ch** 250/310.

Arcade M, 5 square Gambetta ✆ 68 72 37 37, Télex 505227, Fax 68 25 38 39 – TV ☎ – 30. AE GB BZ **b**
R snack (dîner seul.) carte environ 90 🍷 – ☕ 37 – **48 ch** 275/300 – ½ P 257.

Languedoc, 32 allée Iéna ✆ 68 25 22 17, – AE GB AZ **z**
fermé 20 déc. au 20 janv., dim. soir hors sais. et lundi – **Repas** 130/240 🍷, enf. 70.

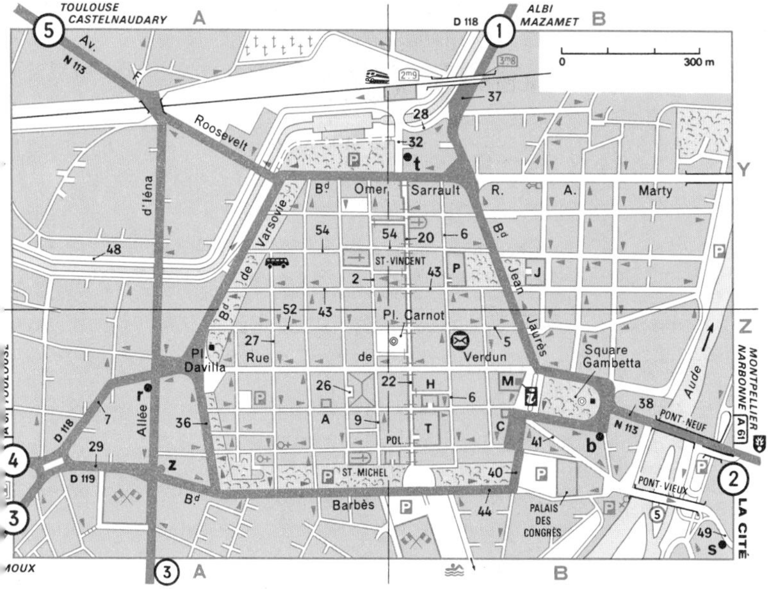

CARCASSONNE

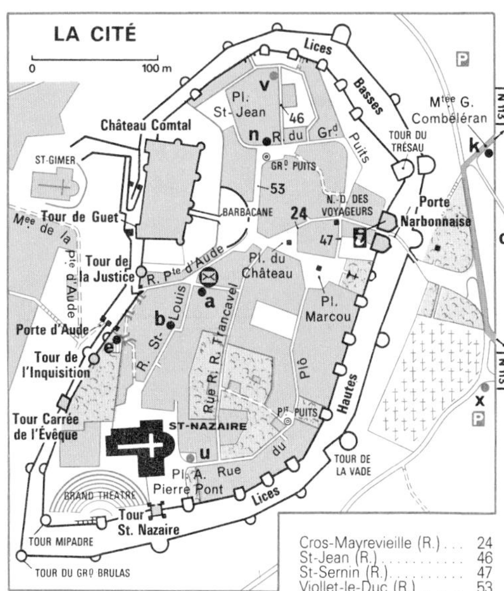

Les hôtels ou restaurants agréables
sont indiqués dans le guide par un symbole rouge.

Aidez-nous en nous signalant les maisons où,
par expérience, vous savez qu'il fait bon vivre.

Votre **guide Michelin** sera encore meilleur.

à l'entrée de la Cité, près porte Narbonnaise :

La Vicomté Ⓜ, r. C. Saint-Saens **(d)** 68 71 45 45, Télex 500303, Fax 68 71 11 45, – 50. AE GB. rest
R *(fermé dim. de nov. à avril)* 145 - **Le Farniente** *(ouvert 1er mai-15 oct.)* **R** 180 – 50 – **61 ch** 375/490.

Aragon sans rest, 15 montée Combéléran **(k)** 68 47 16 31, Télex 505076, Fax 68 47 33 53, – . AE GB
43 – **29 ch** 310/490.

Aub. Pont Levis, (x) 68 25 55 23, Fax 68 47 32 29, – . AE GB.
fermé 28 sept. au 11 oct., 3 au 23 fév., dim. soir et lundi – **R** (1er étage) 200/300.

dans la Cité - Circulation réglementée en été :

Cité et rest. La Barbacane Ⓜ, pl. Église **(e)** 68 25 03 34, Télex 505296, Fax 68 71 50 15, « Demeure gothique et jardin sur les remparts », – ch – 50. AE GB. rest
R *(fermé 8 au 21 fév., dim. soir et lundi)* 250/400 – 80 – **23 ch** 780/980, 3 appart. 1600.

Dame Carcas Ⓜ sans rest, 15 r. St-Louis **(b)** 68 71 37 37, Télex 505296, Fax 68 71 50 15, « Jardin sur les remparts » – – 25. AE GB
60 – **30 ch** 300/650.

Donjon, 2 r. Comte Roger **(a)** 68 71 08 80, Télex 505012, Fax 68 25 06 60, – – 50. AE GB JCB. rest
R *(fermé dim. soir)* (dîner seul.) 120/190 – 50 – **36 ch** 290/460.

Remparts sans rest, 3 pl. Gd Puits **(n)** 68 71 27 72, – . GB
fermé janv. – 30 – **18 ch** 280/330.

La Marquière, 13 r. St Jean **(v)** 68 71 52 00 – AE GB
fermé 15 janv. au 15 fév., jeudi midi et merc. – **R** (nombre de couverts limité, prévenir) 135/280.

La Crémade, 1 r. Plô **(u)** 68 25 16 64, Fax 68 25 93 41 – AE GB
fermé 12 au 19 nov., 5 janv. au 5 fév., dim. soir et lundi sauf juil.-août – **R** 95/210, enf. 60.

au hameau de Montredon NE : 4 km par r. A. Marly – ✉ **11090** Carcassonne :

✿ **Château St Martin "Trencavel"** (Rodriguez), 68 71 09 53, – . AE GB
fermé 4 au 8 avril et merc. – **R** 160/265
Spéc. Millefeuille Lauragais, Anguilles dans leur écrin de Fitou (saison), Saupiquet de pigeonneau et galette paysanne. **Vins** Corbières, Minervois.

à l'Est par ② et N 113 : 5 km – ✉ **11800** Trèbes :

La Gentilhommière Ⓜ, accès autoroute Carcassonne-Est 68 78 74 74, Fax 68 78 65 80, – – 30. AE GB
R 70/180 – 34 – **31 ch** 230/270 – ½ P 230.

au Sud par ③ et Est par D 104 : 3 km – ✉ **11000** Carcassonne :

✿ **Domaine d'Auriac** (Rigaudis), rte St-Hilaire 68 25 72 22, Télex 500385, Fax 68 47 35 54, « Demeure du 19e siècle dans un parc, golf », – ch – 80. AE GB
fermé 7 janv. au 7 fév., dim. soir et lundi midi de nov. à Pâques – **R** 170/350, enf. 120 – 70 – **23 ch** 600/1200 – ½ P 700/900
Spéc. Les foies de canard, Pied de cochon en crépinette truffée, Cassoulet au confit maison. **Vins** Corbières blanc et rouge.

à Pézens par ⑤ et N 113 : 10 km – ✉ **11170** :

Réverbère avec ch, carrefour Madeleine 68 24 92 53, – . GB
fermé 15 janv. au 15 fév., lundi soir (sauf juil.-août) et mardi – **R** 66 bc/185 , enf. 42 – 25 – **6 ch** 220 – ½ P 175.

ALFA-ROMEO Gar. Debien, ZI de Félines, rte de Toulouse 68 47 09 49
AUSTIN, ROVER Autos 11, ZI de Félines, rte de Toulouse 68 47 99 62
CITROEN Ménard, ZI Lot. de Salvaza par ④ 68 25 75 36 N 68 78 00 69
FIAT-LANCIA Gar. Ital, rte de Montréal 68 25 81 31
FORD Salvaza, ZI La Bouriette rte de Montréal 68 25 11 50 N
INNOCENTI-MAZDA Gar. Aubertin, 22 r. Jean Monnet 68 25 38 54
MERCEDES-BENZ Bary, RN 113 à Trèbes 68 78 61 28
OPEL Bourguignon, rd-pt G.-Pompidou 68 25 10 43
PEUGEOT-TALBOT Auto Cité, ZI St-Jean-l'Arnouze, rocade Ouest par ④ 68 47 84 36 N 68 72 91 38
RENAULT Alaux et Gestin, rte de Narbonne par ② 68 77 77 68 N 68 72 75 46
SEAT Gar. Spanauto, Zone Com. de Félines, rte de Toulouse 68 71 23 10
TOYOTA Gar. de l'Avenir, ZI Félines 68 47 04 77
V.A.G Cathala, rte de Narbonne 68 25 90 01
VOLVO Campagnaro, plateau de Grazailles 68 25 33 34

Central-Pneu, ZI Arnouzette rte de Bram 68 25 46 66
Gastou, ZI la Bouriette 68 25 35 42
Grulet, 58 av. F.-Roosevelt 68 25 09 46
Laguzou-Pneus, 20 av. F.-Roosevelt 68 25 25 88

CARDAILLAC 46 Lot 79 ⑩ – rattaché à Figeac.

CARENNAC 46110 Lot 75 ⑲ G. Périgord Quercy – 370 h. alt. 126.

Voir Portail★ de l'église – Mise au tombeau★ dans la salle capitulaire.

Syndicat d'Initiative au Château (saison) ☏ 65 39 73 75.

Paris 528 – Brive-la-Gaillarde 40 – Cahors 75 – Martel 15 – St-Céré 14 – Sarlat-la-Canéda 60 – Tulle 54.

- **Aub. Vieux Quercy** ⑤, ☏ 65 38 69 00, Fax 65 38 42 38, ≤, ⛱, – ☎ Ⓟ. GB
  15 fév.-15 nov. et fermé lundi hors sais. – **R** 85/220, enf. 50 – ☕ 30 – **24 ch** 210/300 – ½ P 260/285.
- **Host. Fénelon** ⑤, ☏ 65 38 67 67, ≤, ⛱ – TV ☎ Ⓟ. AE GB
  fermé 6 janv. au 10 mars, sam. midi et vend. d'oct. à Pâques – **R** 80/270, enf. 50 – ☕ 35 – **16 ch** 220/270 – ½ P 250/280.

CARENTAN 50500 Manche 54 ⑬ G. Normandie Cotentin – 6 300 h. alt. 6.

Office de Tourisme bd Verdun ☏ 33 42 74 01.

Paris 311 – Cherbourg 50 – St-Lô 28 – Avranches 85 – ◆Caen 73 – Coutances 35.

- **Le Vauban** sans rest, 7 r. Sébline ☏ 33 71 00 20 – TV ☎. AE GB. ※
  ☕ 28 – **14 ch** 240/300.
- XXX **Aub. Normande,** bd Verdun ☏ 33 42 02 99 – Ⓟ. AE GB
  fermé dim. soir et lundi – **R** 90/295.

à St-Hilaire-Petitville E : 2 km – ✉ **50500** Carentan :

- **Vipotel** M, N 13 ☏ 33 71 11 11, Fax 33 71 92 88, ≤ – TV ☎ ♿ Ⓟ – 🏛 60. AE ⓓ GB JCB. ※ rest
  R 80/250 🍷, enf. 35 – ☕ 35 – **36 ch** 220/260 – ½ P 220/240.

CITROEN Gar. Godefroy, Le Mesnil à St-Hilaire-Petitville ☏ 33 42 02 78
FORD Santini, ZI, bd de Verdun ☏ 33 42 02 66 N
OPEL Gar. Bourdet, rte de St-Côme ☏ 33 42 00 93
PEUGEOT-TALBOT, MECATOL, ZI Pommenauque, rte de Cherbourg ☏ 33 42 23 73

CARHAIX-PLOUGUER 29270 Finistère 58 ⑰ G. Bretagne – 8 198 h. alt. 140.

Office de Tourisme r. Brizeux ☏ 98 93 04 42.

Paris 504 – Quimper 58 – ◆Brest 83 – Concarneau 61 – Guingamp 47 – Lorient 72 – Morlaix 46 – Pontivy 57 – St-Brieuc 77.

- **Gradlon** M, 12 bd République ☏ 98 93 15 22, Fax 98 99 16 97 – |‡| ▤ rest TV ☎ Ⓟ – 🏛 80. AE ⓓ GB
  fermé 15 déc. au 15 janv. – **R** *(fermé vend. soir et sam. midi d'oct. à Pâques)* 82/160 – ☕ 33 – **36 ch** 300/345, 8 duplex 385/450 – ½ P 265/290.
- **D'Ahès** sans rest, 1 r. F. Lancien ☏ 98 93 00 09 – TV. AE ⓓ GB JCB
  ☕ 25 – **10 ch** 170/210.

à Port de Carhaix SO : 6,5 km par rte Châteaulin et D 769 – ✉ **29270** Carhaix-Plouguer :

- XX **Aub. du Poher,** ☏ 98 99 51 18 – Ⓟ. GB
  fermé 1er au 14 sept., 1er au 22 fév., dim. soir et lundi – **Repas** 78/180 🍷.

RENAULT Autom. Centre Bretagne, rte de Rennes ☏ 98 93 18 22 N
Thomas-Pneus, rte de Callac ☏ 98 93 05 41

Desserrey Pneu + Armorique, rte de Rostrenen ☏ 98 93 05 84

CARLING 57490 Moselle 57 ⑮ G. Alsace Lorraine – 3 709 h. alt. 240.

Voir Centrale Emile Huchet★.

Paris 370 – ◆Metz 42 – Sarreguemines 33 – Saarbrucken 30 – St-Avold 7,5.

- XX **Péché Mignon,** 159 r. Principale ☏ 87 82 58 21 – AE ⓓ GB
  fermé lundi soir, vend. soir et sam. midi – **R** 100/135.

CARMAUX 81400 Tarn 80 ⑪ – 10 957 h. alt. 241.

Syndicat d'Initiative à la Mairie ☏ 63 76 76 67.

Paris 694 – Rodez 62 – Albi 16 – St-Affrique 82 – Villefranche-de-Rouergue 52.

à Mirandol-Bourgnounac N : 13 km par N 88 et D 905 – ✉ **81190** :

- **Voyageurs** ⑤, ☏ 63 76 90 10 – ☎. ※ rest
  fermé 24 août au 9 sept., vacances de fév. et le soir du 10 oct. au 1er avril – **R** 62 bc/140 🍷 – ☕ 27 – **11 ch** 120/220 – ½ P 170/190.

CITROEN Gar. Ste-Cécile, 19 av. de Rodez ☏ 63 76 50 93
RENAULT Carmaux Autom., N 88 Pont de Blaye ☏ 63 36 48 67 N ☏ 63 47 84 74
RENAULT Castro, 97 av. A.-Thomas ☏ 63 76 63 55

CARNAC **56340** Morbihan 63 ⑫ **G. Bretagne** – 4 243 h. alt. 22.

Voir Musée préhistorique★★ Y **M** – Église St-Cornély★ Y **E** – Tumulus St-Michel★ : ←★ Y **F** – Alignements du Ménec★★ par D 196 Y : 1,5 km, de Kermario★ par ② : 2 km, de Kerlescan★ par ② : 4,5 km – Tumulus de Kercado★ par ② : 4,5 km – Dolmens de Mané-Kérioned★ N : 4 km.

9 18 de St-Laurent, ✆ 97 56 85 18, N : 8 km par D 196.

Office de Tourisme av. Druides ✆ 97 52 13 52 et pl. Église (Pâques-sept.).

Paris 488 ② – Vannes 33 ② – Auray 13 ② – Lorient 36 ① – Quiberon 19 ① – Quimperlé 57 ①.

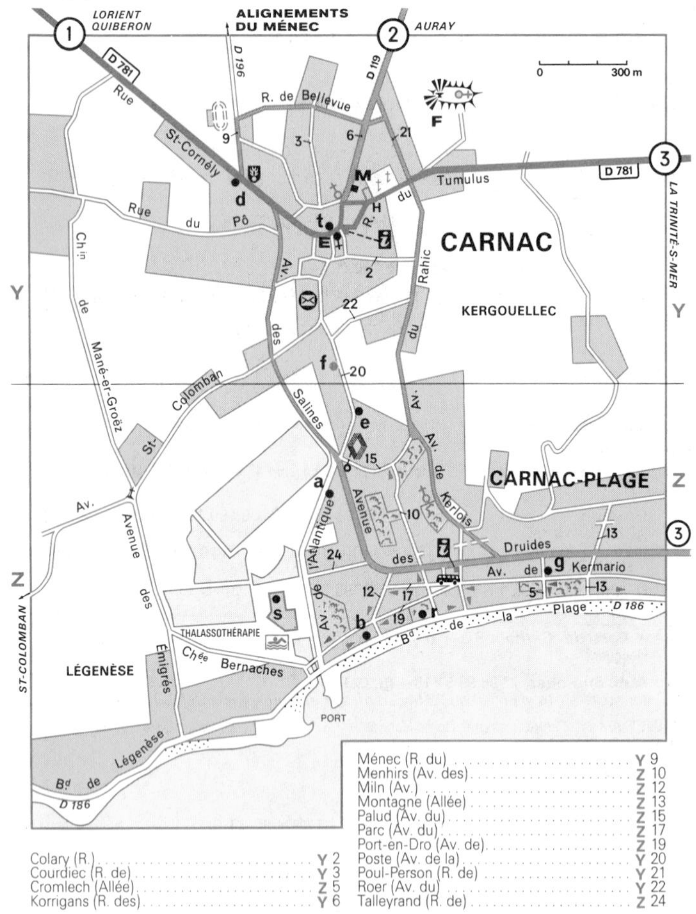

Diana M, 21 bd Plage ✆ 97 52 05 38, Télex 951035, Fax 97 52 87 91, ←, ☂, Ƒ₅, ⛱, ✂ – |♦| TV ☎ ♿ P. ◐ GB — Z **r**
18 avril-11 oct. et vacances de nov. – **R** 235/300 – ☕ 80 – **30 ch** 850/1100, 3 appart. 1500 – ½ P 660/860.

Novotel M ⛯, av. Atlantique ✆ 97 52 53 00, Télex 950324, Fax 97 52 53 55, ←, centre de thalassothérapie, ⛱ – |♦| ⚡ rest ▤ rest TV ☎ ♿ P. AE ◐ GB — Z **s**
fermé janv. – **R** carte environ 170 – ☕ 53 – **110 ch** 590/690 – ½ P 520.

Plancton, 12 bd Plage ✆ 97 52 13 65, Fax 97 52 87 63, ← – |♦| TV ☎ ♿ P – 🎤 25. GB.
⚡ rest – *hôtel : 1er mars-4 nov. ; rest. : 11 avril-30 sept.* – **R** 110/175 ♁, enf. 60 – ☕ 40 – **35 ch** 300/485 – ½ P 350/443. — Z **b**

Ibis M, av. Atlantique ✆ 97 52 53 54, Télex 951827, Fax 97 52 53 55, centre de thalasso-thérapie – |♦| TV ☎ ♿ P – 🎤 30. GB
R 75/120 ♁ – ☕ 37 – **98 ch** 440/520, 21 duplex 680 – ½ P 400.

Alignements, 45 r. St Cornély ✆ 97 52 06 30 – ascenseur ch TV ☎. GB. rest Y d
15 avril-30 sept. – **Repas** 90/220, enf. 60 – 35 – **27 ch** 250/345 – ½ P 265/315.

Bateau Ivre, 71 bd Plage par ③ ✆ 97 52 19 55, Fax 97 52 84 94, ←, « Jardin fleuri », piscine – ascenseur TV ☎ ♿. AE GB. rest
fermé 2 janv. au 15 fév. – **Le Churchill** *(fermé lundi et mardi hors sais.)* **R** 125/250, enf. 60 – 45 – **20 ch** 450/650 – ½ P 440/560.

Armoric, av. Poste ✆ 97 52 13 47, jardin, tennis – ascenseur ☎ P. GB. rest Z e
27 mai-15 sept. – **R** 145/185, enf. 70 – 37 – **25 ch** 255/330 – ½ P 350.

Marine, pl. Chapelle ✆ 97 52 07 33, Télex 951974, Fax 97 52 85 70, terrasse – TV ☎. AE GB JCB Y t
vacances de fév.-30 nov. et fermé dim. soir et lundi hors sais. – **R** 130 – 35 – **28 ch** 330 – ½ P 325.

Genêts sans rest, av. Kermario ✆ 97 52 11 01, jardin – ☎ P. AE GB Z g
vacances de printemps-31 août – 40 – **28 ch** 200/470.

La Licorne sans rest, 5 av. Atlantique ✆ 97 52 10 59, Fax 97 52 80 30, jardin – TV ☎ ♿ P. AE GB Z a
fermé déc. et janv. – 34 – **27 ch** 280/400.

Lann Roz avec ch, 12 av. Poste ✆ 97 52 10 48, Fax 97 52 03 69, « Jardin fleuri » – ☎ P. AE GB. Y f
fermé 2 au 31 janv. et merc. – **R** 123/253 – 32 – **14 ch** 300/355 – ½ P 298/313.

à Plouharnel par ① : 3 km – ✉ **56720** :

Aub. de Kérank, rte Quiberon ✆ 97 52 35 36, ←, terrasse, « Intérieur rustique » – P. GB
fermé 20 nov. au 20 déc., 5 janv. au 10 fév., dim. soir et lundi sauf vacances scolaires – **R** 130/290.

PEUGEOT-TALBOT Dréan, rte de Carnac à Plouharnel par ① ✆ 97 52 08 53 N ✆ 97 52 98 13
RENAULT Gar. Steunou ✆ 97 52 12 08
RENAULT Gar. Thomas-Le Ny, 2 r. de la Gare à Plouharnel par ① ✆ 97 52 35 01

CAROMB 84330 Vaucluse 81 ⑬ – 2 640 h. alt. 192.

Paris 679 – Avignon 33 – Carpentras 8,5 – Nyons 34 – Vaison-la-Romaine 19.

Le Beffroi, ✆ 90 62 45 63, Fax 90 62 30 15, terrasse – ☎ – 40. GB
fermé janv. et lundi hors sais. – **R** 110/250, enf. 60 – 35 – **10 ch** 160/350 – ½ P 250/300.

au Barroux N : 3 km par D 13 et D 938 G. Provence – ✉ **84330** :

Géraniums, ✆ 90 62 41 08, Fax 90 62 56 48, ←, terrasse, jardin – ☎ P. AE GB
fermé 5 janv. au 15 fév. (sauf hôtel) et merc. d'oct. à mars – **R** 70/230, enf. 40 – 30 – **22 ch** 190/230 – ½ P 200/220.

CITROEN Gar. Morard ✆ 90 62 43 82
RENAULT Gar. Morin ✆ 90 62 42 98

CARPENTRAS SP 84200 Vaucluse 81 ⑫ ⑬ G. Provence – 24 212 h. alt. 102.

Voir Ancienne cathédrale St-Siffrein★ : trésor★ Z.

Office de Tourisme 170 av. J.-Jaurès ✆ 90 63 00 78.

Paris 678 ① – Avignon 25 ③ – Aix-en-Provence 88 ② – Digne 130 ② – Gap 148 ① – ♦Marseille 101 ② – Montélimar 73 ① – Salon-de-Provence 51 ② – Valence 118 ①.

Plan page suivante

Safari M, rte Avignon par ③ ✆ 90 63 35 35, Télex 431553, Fax 90 60 49 99, terrasse, piscine, jardin, tennis – ascenseur cuisinette TV ☎ P – 25 à 40. AE GB. rest
R *(fermé dim. soir d'oct. à mars)* 90/250 – 48 – **42 ch** 350/380, 14 studios 450/550 – ½ P 370.

Forum M sans rest, 24 r. Forum ✆ 90 60 57 00, Fax 90 63 52 65 – ascenseur TV ☎ ♿ P Z d
fermé dim. du 1er nov. au 30 mars – 35 – **28 ch** 230/295.

Fiacre sans rest, 153 r. Vigne ✆ 90 63 03 15 – ☎. AE GB. Z a
32 – **20 ch** 240/350.

Vert Galant, 12 r. Clapies ✆ 90 67 15 50 – GB Y b
fermé 23 déc. au 2 janv., sam. midi et dim. – **R** 160/220.

Orangerie, 26 r. Duplessis ✆ 90 67 27 23, terrasse – AE GB Z e
fermé sam. midi – **R** 85/200.

à Mazan par D 942 : 7 km – 4 459 h. – ✉ **84380** – **Voir** Cimetière ←★.

Le Siècle sans rest, ✆ 90 69 75 70 – GB
fermé vacances de Noël, vacances de fév. et dim. hors sais. – 30 – **12 ch** 120/250.

au SE rte d'Apt par D 4, D 1 et VO : 9 km – ✉ **84380** Mazan :

Le Secret des Malauques M avec ch, ✆ 90 69 86 12, Fax 90 69 61 70, ← Mont-Ventoux, terrasse, « Ancien mas au milieu des vignes », piscine, jardin – TV ☎ P. GB
fermé nov., dim. soir et lundi d'oct. à avril – **R** 130/200, enf. 65 – 45 – **5 ch** 350/500 – ½ P 325/400.

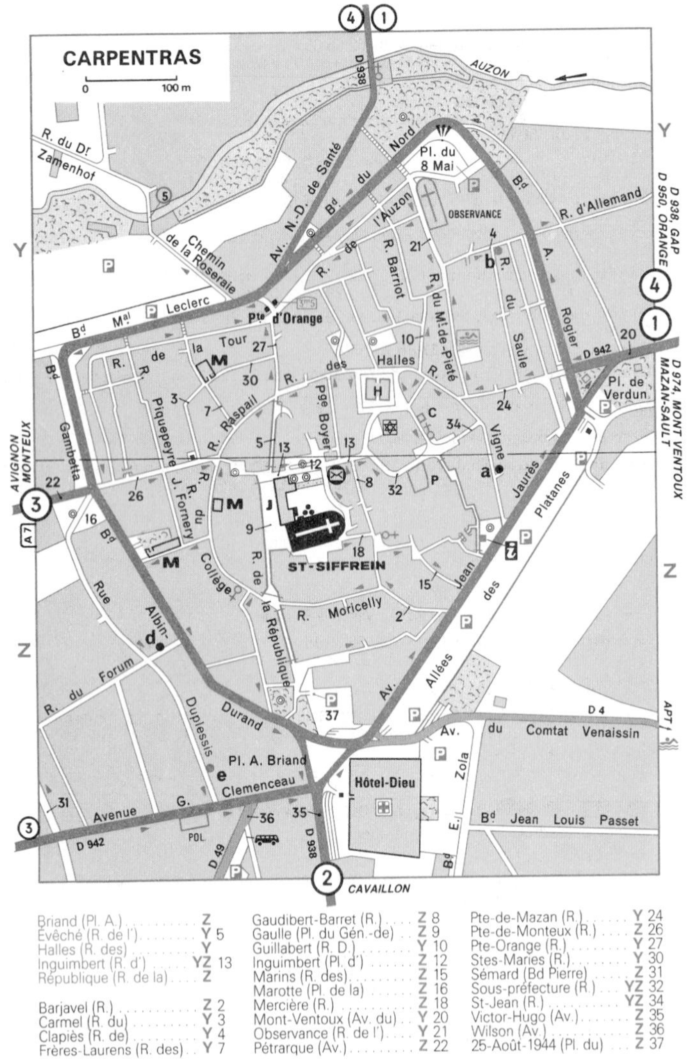

Briand (Pl. A.) . . . . Z
Évêché (R. de l') . . . . Y 5
Halles (R. des) . . . . Y
Inguimbert (R. d') . . . . . . YZ 13
République (R. de la) . . . . Z

Barjavel (R.) . . . . Z 2
Carmel (R. du) . . . . Y 3
Clapiès (R. de) . . . . Y 4
Frères-Laurens (R. des) . . Y 7
Gaudibert-Barret (R.) . . . . Z 8
Gaulle (Pl. du Gén.-de) . . Z 9
Guillabert (R. D.) . . . . Y 10
Inguimbert (Pl. d') . . . . . . Z 12
Marins (R. des) . . . . Z 15
Marotte (Pl. de la) . . . . . . Z 16
Mercière (R.) . . . . Z 18
Mont-Ventoux (Av. du) . . Y 20
Observance (R. de l') . . . . Y 21
Pétrarque (Av.) . . . . Z 22
Pte-de-Mazan (R.) . . . . . . Y 24
Pte-de-Monteux (R.) . . . . Z 26
Pte-Orange (R.) . . . . Y 27
Stes-Maries (R.) . . . . Y 30
Sémard (Bd Pierre) . . . . . Z 31
Sous-préfecture (R.) . . . YZ 32
St-Jean (R.) . . . . YZ 34
Victor-Hugo (Av.) . . . . Z 35
Wilson (Av.) . . . . Z 36
25-Août-1944 (Pl. du) . . . Z 37

à ***Monteux*** par ③ : 4,5 km – 8 157 h. – ✉ **84170** :

Blason de Provence, ✆ 90 66 31 34, Fax 90 66 83 05, ✈, ⛱, ... – TV ☎ **P**. AE ⓓ GB. ✈
fermé 1ᵉʳ janv. au 1ᵉʳ fév. – **R** *(fermé sam. midi et dim. soir hors sais.)* 130/300 ₰, enf. 49 – ☕ 40 – **20 ch** 280/360 – ½ P 310/325.

Select, ✆ 90 66 27 91, ... – TV **P**. GB.
fermé 18 déc. au 6 janv. et sam. sauf le soir du 15 mars au 15 oct. – **R** 90/170 – ☕ 35 – **8 ch** 230/320 – ½ P 290/330.

XXX ✿ **Saule Pleureur,** rte d'Avignon O : 2 km ✆ 90 62 01 35, Fax 90 62 10 90, ... – **P**. AE GB
fermé 2 au 25 mars, 26 oct. au 10 nov., mardi soir (sauf juil.-août) et merc. – **R** 195/390, enf. 50
Spéc. Terrine de tomates aux anchois (mai à sept.), Pigeon rôti au pistou, Rognon et ris de veau au miel de lavande.
Vins Gigondas, Côtes du Ventoux.

à Althen-des-Paluds par ③ et D 89 : 12 km – ✉ 84210 :

Host. du Moulin de la Roque M, rte de la Roque ✆ 90 62 14 62, Télex 431095, Fax 90 62 18 50, parc, – ✆ ⓟ. AE ⓓ GB JCB. rest
1er mai-1er nov. – **R** 230/370, enf. 100 – ☐ 80 – **25 ch** 700/1200 – ½ P 630/930.

CITROEN Gar. Bernard, rte de Pernes-les-Fontaines par ② ✆ 90 63 33 18
FIAT Meunier, rte de Pernes-les-Fontaines ✆ 90 63 23 80
FORD Ventoux-Autos, ZA Automobile, rte de Pernes ✆ 90 63 16 79
PEUGEOT-TALBOT Grimaud, rte de St-Didier par D 4 Z ✆ 90 67 16 22
RENAULT S.O.V.A., rte d'Avignon par ③ ✆ 90 63 07 72
V.A.G S.I.A.B., rte de Pernes-les-Fontaines ✆ 90 63 27 36

Ayme Pneus, 131 bd Gambetta ✆ 90 63 59 27
Ayme-Pneus, ZI Marché Gare, av. Marchés ✆ 90 63 11 73

CARQUEFOU 44 Loire-Atl. 67 ③ – rattaché à Nantes.

CARQUEIRANNE 83320 Var 84 ⑮ – 7 118 h. alt. 30.

Office de Tourisme pl. Libération ✆ 94 58 60 78.

Paris 852 – ♦Toulon 15 – Draguignan 79 – Hyères 10.

Plein Sud sans rest, av. Gén. de Gaulle ✆ 94 58 52 86 – TV ✆ ⓟ. AE GB.
fermé 5 janv. au 10 fév. – ☐ 33 – **17 ch** 215/315.

Les Pins Penchés, av. Gén. de Gaulle ✆ 94 58 60 25, – AE ⓓ GB
fermé 1er au 7 oct., lundi midi et jeudi de sept. à juin sauf fériés – **R** 105/260.

CARROS 06510 Alpes-Mar. 84 ⑨ **G. Côte d'Azur** – 10 747 h. alt. 387.

Voir Carros-Village : site★, ★★ du vieux moulin N : 3 km.

Paris 937 – ♦Nice 19 – Antibes 27 – Cannes 37 – Grasse 40 – St-Martin-Vésubie 48.

Promotel M, 1e avenue ✆ 93 08 77 80, Télex 460130, Fax 93 08 73 96, – TV ✆ ⓟ – 25 à 60. AE GB
R grill *(fermé sam. soir, dim. et fériés)* 80 – ☐ 30 – **46 ch** 295 – ½ P 240/260.

CARROUGES 61320 Orne 60 ② **G. Normandie Cotentin** – 760 h. alt. 328.

Voir Château★ SO : 1 km.

Paris 210 – Alençon 29 – Argentan 22 – Domfront 39 – La Ferté-Macé 17 – Mayenne 54 – Sées 26.

St-Pierre avec ch, ✆ 33 27 20 02 – ⓟ. GB
fermé fév., dim. soir sauf août et lundi – **R** 65/240 – ☐ 24 – **5 ch** 90/210.

CITROEN Lehec ✆ 33 27 20 13 N

Les CARROZ-D'ARÂCHES 74300 H.-Savoie 74 ⑧ **G. Alpes du Nord** – alt. 1 140 – Sports d'hiver : 1 140/2 500 m 8 71.

de Flaine ✆ 50 90 85 44, 12 km par D 106.

Office de Tourisme ✆ 50 90 00 04, Télex 385281.

Paris 585 – Chamonix-Mont-Blanc 50 – Thonon-les-Bains 62 – Annecy 67 – Bonneville 27 – Cluses 13 – Megève 30 – Morzine 32.

Arbaron , ✆ 50 90 02 67, Fax 50 90 37 60, ←, , parc, – TV ✆ ⓟ – 30. AE GB. rest
15 juin-20 sept. et 15 déc.-24 avril – **R** 160/250 – **30 ch** ☐ 325/490 – ½ P 415/425.

Bois de la Char M , ✆ 50 90 06 18, Fax 50 90 00 37, ← – ✆ ⓟ – 25. GB. rest
R (½ pens. seul.) (résidents seul.) – ☐ 30 – **30 ch** 480 – ½ P 270/360.

Croix de Savoie , 1 km rte Flaine ✆ 50 90 00 26, ← montagnes et vallée, – ⓟ. GB. ch
15 juin-15 sept. et 15 déc.-15 avril – **R** 78/120, enf. 45 – ☐ 30 – **19 ch** 210/275 – ½ P 240/315.

CARRY-LE-ROUET 13620 B.-du-R. 84 ⑫ **G. Provence** – 5 224 h. alt. 4 – Casino .

Office de Tourisme av. A.-Briand ✆ 42 45 49 72.

Paris 768 – ♦Marseille 30 – Aix-en-Provence 39 – Martigues 16 – Salon-de-Provence 46.

Modern'H., pl. C. Pelletan ✆ 42 45 00 12, – TV ✆ ⓟ. GB. ch
fermé 16 déc. au 31 janv. – **R** 95/115, enf. 50 – ☐ 30 – **19 ch** 250/280 – ½ P 260/285.

✿✿ **L'Escale** (Clor), ✆ 42 45 00 47, Fax 42 44 72 69, , « Terrasses surplombant le port, belle vue », – GB
début fév.-début nov. et fermé lundi midi en juil.-août, dim. soir et lundi hors sais. – **R** (dim. prévenir) carte 360 à 500
Spéc. Tartare de loup aux huîtres, Suprême de Saint-Pierre et ragoût de tagliatelles aux crustacés, Homard rôti au beurre de corail. **Vins** Coteaux d'Aix en Provence, Bandol.

La Brise, quai Vayssière ✆ 42 45 30 55, ← port, – AE ⓓ GB
fermé janv., et dim. soir sauf juil.-août – **R** carte 240 à 380.

CITROEN Gar. Merotte ✆ 42 45 23 43

CARSAC-AILLAC 24 Dordogne 75 ⑰ – rattaché à Sarlat-la-Canéda.

CARTERET 50 Manche 54 ① – voir à Barneville-Carteret.

CASSEL 59670 Nord 51 ④ **G. Flandres Artois Picardie** – 2 177 h. alt. 176.

Voir Site★ – Jardin public ☀★★.

Paris 254 – ◆Calais 67 – Dunkerque 29 – Hazebrouck 14 – ◆Lille 53 – St-Omer 21.

au Petit-Bruxelles SE : 3,5 km sur D 916 – ✉ 59670 Cassel :

XX **Le Petit Bruxelles,** ☎ 28 42 44 64, Fax 28 40 58 13, – P. GB
fermé 15 au 29 juil., 18 fév. au 10 mars, dim. soir, fériés le soir et merc. – **R** 168/270, enf. 70.

PEUGEOT-TALBOT Lescieux, 1 rte de St-Omer à Bavinchove ☎ 28 42 44 16 N ☎ 28 42 44 16

CASSIS 13260 B.-du-R. 84 ⑬ **G. Provence** – 7 967 h. alt. 4 – Casino .

Voir Site★ – O : les Calanques★★ : de Port-Miou, de Port-Pin★, d'En-Vau★★ (à faire de préférence en bateau : 1 h) – Mt de la Saoupe ☀★★ E : 2 km par D 41A.

Env. Cap Canaille ←★★★ E : 9 km par D 41A – Corniche des Crêtes★★ de Cassis à la Ciotat E : 16 km par D 41A.

ℹ Office Municipal du Tourisme pl. Baragnon ☎ 42 01 71 17, Télex 441287.

Paris 803 ① – ◆Marseille 23 ① – Aix-en-Provence 46 ② – La Ciotat 9 ② – ◆Toulon 42 ②.

CASSIS

Abbé-Mouton (R.)	2
Arène (R. de l')	4
Autheman (R. V.)	5
Baragnon (Pl.)	6
Barthélemy (Bd)	7
Barthélemy (Quai Jean-Jacques)	8
Baux (Quai des)	9
Ciotat (R. de la)	10
Clemenceau (Pl.)	12
Dardanelles (Av. des)	14
Jaurès (Av. J.)	16
Leriche (Av. Professeur)	17
Mirabeau (Pl.)	22
Moulins (Q. des)	23
République (Pl.)	25
Revestel (Av. du)	26
St-Michel (Pl.)	27
Thiers (R. Adolphe)	29
Victor-Hugo (Av.)	32

Le Guide change, changez de guide tous les ans.

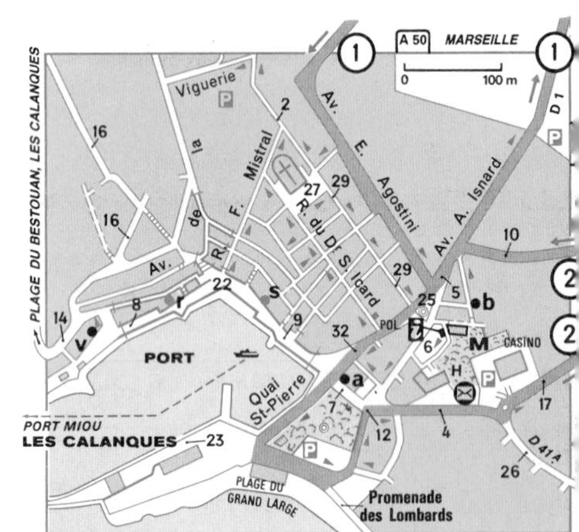

Roches Blanches ⛰, rte Port-Miou par av. Dardanelles ☎ 42 01 09 30, Fax 42 01 94 23, « Jardins en terrasses avec ← mer et Cap Canaille », – TV ☎ P – 60. AE GB JCB. rest
fermé 15 déc. au 31 janv. – **R** *(fermé mardi sauf de mai à sept.)* 165/220, enf. 70 – ☕ 60 – **30 ch** 380/680 – ½ P 421/571.

Royal Cottage M ⛰ sans rest, 6 av. 11-Novembre ☎ 42 01 33 34, Fax 42 01 06 90, ←, – TV ☎ P – 30. AE GB
☕ 40 – **21 ch** 486/662, 3 duplex 762.

Plage du Bestouan, plage Bestouan SO : 1 km ☎ 42 01 05 70, Fax 42 01 34 82, ←, – TV ☎. AE GB. ch
1er avril-fin oct. – **Le Bestouan** ☎ 42 01 24 30 **R** carte 200 à 300 – ☕ 37 – **30 ch** 355/560 – ½ P 345/430.

Jardins du Campanile, r. A. Favier par ① : 1 km ☎ 42 01 84 85, Fax 42 01 32 38, , – ☎ P – 25 à 50. AE GB.
hôtel : 15 mars-30 oct. ; rest. : 1er juillet-15 sept. – **R** (déj. seul.) (résidents seul.) 165 – ☕ 48 – **35 ch** 300/620.

Liautaud, 2 r. V. Hugo **(a)** ☎ 42 01 75 37, ← port – TV ☎. GB. ch
fermé 1er nov. au 15 déc. – **R** 150/200 – ☕ 30 – **32 ch** 245/295.

Gd Jardin sans rest, 2 r. P. Eydin **(b)** ☎ 42 01 70 10, Fax 42 01 33 75 – TV ☎. AE GB.
☕ 35 – **28 ch** 270/320.

Golfe sans rest, quai Barthélemy **(v)** ☎ 42 01 00 21, ← port – ☎. GB.
1er avril-30 oct. – ☕ 30 – **30 ch** 230/350.

XXX La Presqu'île, rte Port-Miou par av. Dardanelles ✆ 42 01 03 77, ≤,

XX **Gilbert,** quai Baux **(s)** ✆ 42 01 71 36, ≤, – AE ⓓ GB
fermé janv., fév., mardi midi en sais., mardi soir et merc. hors sais. – **R** 120/170, enf. 60.

X **Nino,** quai Barthélemy **(r)** ✆ 42 01 74 32, ≤ – AE ⓓ GB
fermé 15 déc. au 10 fév., dim. soir hors sais. et lundi – **R** carte 210 à 370.

CASTAGNÈDE **64** Pyr.-Atl. 85 ② – rattaché à Salies-de-Béarn.

CASTAGNIERS **06670** Alpes-Mar. 84 ⑨ 195 ㉖ – 1 229 h. alt. 340.

Voir Aspremont : ✳★ de la terrasse de l'ancien château SE : 4 km, **G. Côte d'Azur.**

Paris 944 – ♦ Nice 17 – Antibes 34 – Cannes 44 – Contes 23 – Levens 14 – Vence 23.

Chez Michel , ✆ 93 08 05 15, ≤, – TV ☎ P. AE GB
fermé nov. et merc. – **R** 90/170, enf. 50 – ☐ 28 – **20 ch** 240/260 – ½ P 240.

à Castagniers-les-Moulins O : 6 km – ✉ **06670** :

Servotel M, N 202 ✆ 93 08 22 00, Télex 461547, Fax 93 29 03 66, , , – rest TV ☎ & P – 40. AE GB
Les Moulins ✆ 93 08 10 62 *(fermé 9 au 24 mars et 19 oct. au 12 nov.)* **R** 90/200 – ☐ 40 – **42 ch** 250/320, 30 studios 450/550 – ½ P 240/270.

CITROEN Ciossa-Autos ✆ 93 08 13 48

Repas 100/130 Repas soignés à prix modérés.

CASTEIL **66** Pyr.-Or. 86 ⑰ – rattaché à Vernet-les-Bains.

Le CASTELET **09** Ariège 86 ⑮ – rattaché à Ax-les-Thermes.

CASTELJALOUX **47700** L.-et-G. 79 ⑬ **G. Pyrénées Aquitaine** – 5 048 h. alt. 69.

18 de Casteljaloux ✆ 53 93 51 60, S : 4 km par D 933.

Paris 677 – Agen 54 – Mont-de-Marsan 74 – Langon 44 – Marmande 23 – Nérac 30.

Cordeliers sans rest, r. Cordeliers ✆ 53 93 02 19 – TV ☎ & P. GB.
fermé 7 oct. au 7 nov. – ☐ 30 – **24 ch** 120/280.

XX **Vieille Auberge,** 11 r. Posterne ✆ 53 93 01 36 – GB
fermé 9 au 19 juin, 17 au 30 oct., vacances de fév., dim. soir sauf juil.-août et lundi sauf fêtes – **R** 80/210, enf. 50.

à Antagnac NO : 8 km par D 655 – ✉ **47700** :

X **Host. d'Antagnac,** ✆ 53 93 53 93 – P. GB
fermé 2 au 18 nov., 22 fév. au 10 mars et lundi de sept. à mai – **R** 80/175, enf. 50.

à Ruffiac NO : 10 km par D 655 et D 106 – ✉ **47700** Antagnac :

Château de Ruffiac , ✆ 53 93 18 63, ≤, , parc, « Ancien prieuré », – ☎ P – 30. GB
fermé 15 au 30 oct. – **R** *(fermé mardi soir et merc. hors sais.)* 130/220 – ☐ 40 – **10 ch** 320/480 – ½ P 390.

CITROEN S.E.G.A.D., 44 av. Lac ✆ 53 93 01 59

CASTELLANE SP **04120** Alpes-de-H.-P. 81 ⑱ **G. Alpes du Sud** – 1 349 h. alt. 724.

Voir Site★ – Lac de Chaudanne★ 4 km par ①.

18 du Château de Taulane à La Martre (83) ✆ 94 76 82 13 ; SE : 19 km par ①.

Office de Tourisme r. Nationale ✆ 92 83 61 14.

Paris 802 ③ – Digne 53 ③ – Draguignan 54 ② – Grasse 63 ① – Manosque 91 ②.

Plan page suivante

Nouvel H. Commerce, pl. Église **(e)** ✆ 92 83 61 00, Fax 92 83 72 82, , – rest TV ☎ P. AE ⓓ GB. rest
11 avril-4 nov. – **R** 100/200, enf. 45 – ☐ 38 – **44 ch** 250/330 – ½ P 315/325.

Ma Petite Auberge, (n) ✆ 92 83 62 06, – ☎. AE GB
avril-nov. et fermé merc. – **R** 75/240, enf. 45 – ☐ 30 – **18 ch** 130/230 – ½ P 190/240.

Gd H. du Levant, pl. M. Sauvaire **(s)** ✆ 92 83 60 05, Fax 92 83 72 14, – TV ☎ . AE GB
avril-15 oct. – **R** 70/180 – ☐ 30 – **30 ch** 120/280 – ½ P 200/270.

CASTELLANE

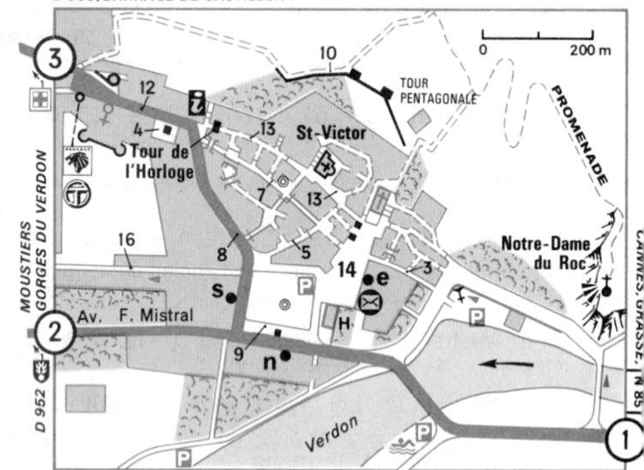

Michelin n'accroche pas de panonceau aux hôtels et restaurants qu'il signale.

à la Garde par ① : 6 km sur N 85 – ✉ **04120** :

XX **Aub. du Teillon** avec ch, ✆ 92 83 60 88 – TV ☎ P. GB
fermé 1er au 10 oct., janv., mardi soir et merc. d'oct. à Pâques – **R** 85/170, enf. 35 – ☕ 25 – **9 ch** 150/230 – ½ P 185/225.

PEUGEOT-TALBOT Castellane-Gar. ✆ 92 83 61 62

Bonne route avec 36.15 MICHELIN
Économies en temps, en argent, en sécurité.

Le CASTELLET **83330** Var **84** ⑭ **G. Côte d'Azur** – 3 084 h. alt. 283.

Circuit automobile permanent N : 11 km.

Paris 825 – ♦Toulon 20 – Brignoles 49 – La Ciotat 19 – ♦Marseille 45.

XXX ❀ **Castel Lumière** (Laffargue) ≫ avec ch, au village ✆ 94 32 62 20, Fax 94 32 70 33, ≤ montagnes et vallées, 🏖 – TV ☎. AE ⓓ GB
fermé 15 janv. au 15 fév., dim. soir et lundi de sept. à juin et lundi midi, mardi midi, merc. midi en juil.-août – **R** 200/400, enf. 100 – ☕ 55 – **6 ch** 330/380 – ½ P 400/450
Spéc. Dos de rouget aux pousses de fenouil, Noisettes d'agneau à la fleur de lavande, Croustillant de fruits de saison. **Vins** Bandol, Côtes de Provence.

CASTELNAUDARY **11400** Aude **82** ⑳ **G. Pyrénées Roussillon** – 10 970 h. alt. 165.

Office de Tourisme pl. République ✆ 68 23 05 73.

Paris 755 ④ – ♦Toulouse 55 ④ – Carcassonne 40 ④ – Foix 69 ④ – Pamiers 44 ⑤.

Plan page suivante

🏨 **du Canal** M sans rest, 2 ter av. A. Vidal ✆ 68 94 05 05, Fax 68 94 05 06 – ⇔ TV ☎ ♿ P. AE GB — AZ **b**
☕ 37 – **33 ch** 200/260.

🏨 **Clos St-Siméon** M, rte Carcassonne par ③ ✆ 68 94 01 20, Fax 68 94 05 47, 🏖, ⛱ – TV ☎ ♿ P – 🏛 30. AE GB
R *(fermé sam. midi d'oct. à mars)* 70/160, enf. 38 – ☕ 25 – **31 ch** 220/250 – ½ P 225/250.

🏨 **Centre et Lauragais,** 31 cours République ✆ 68 23 25 95, Fax 68 94 01 66 – TV ☎. GB
fermé 2 nov. au 10 déc. – **R** *(fermé dim. soir et lundi)* 80/250 ♁ – ☕ 28 – **16 ch** 200/300 – ½ P 308/328. — AY **n**

X **Belle Epoque,** 55 r. Gén. Dejean ✆ 68 23 39 72 – ▤. GB — AZ **a**
fermé 15 janv. au 5 fév., merc. soir et jeudi hors sais. sauf vacances scolaires – **R** 55/180 ♁, enf. 40.

à Peyrens par ① : 5 km – ✉ **11400** :

X **Aub. La Calèche,** ✆ 68 60 40 13 – GB
fermé 1er au 15 fév., mardi soir et merc. – **R** 70/185, enf. 40.

CITROEN Lauragais-Automobiles, rte de Toulouse par ⑥ ✆ 68 23 00 78 **N** ✆ 68 23 07 50
OPEL Général Autom. de l'Aude, rte de Carcassonne ✆ 68 23 13 36
PEUGEOT-TALBOT S.N.G.L., rte de Toulouse par ⑥ ✆ 68 23 13 08 **N** ✆ 68 72 91 62
RENAULT Franco, av. Monseigneur-de-Langle par ③ ✆ 68 23 18 82 **N** ✆ 63 72 75 73

Gar. Serres, 16 quai Port ✆ 68 23 01 52

Ⓜ Central Pneu, ZI En Tourre ✆ 68 23 11 28
Central-Pneu, av. Monseigneur de Langle ✆ 68 23 11 44

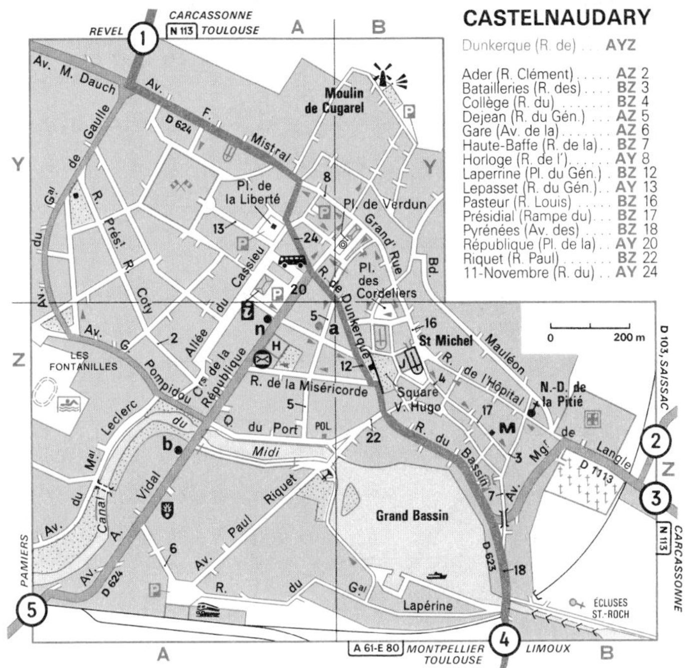

CASTELNAUDARY

Dunkerque (R. de) . . . **AYZ**

Ader (R. Clément) . . . . . **AZ** 2
Batailleries (R. des) . . . . **BZ** 3
Collège (R. du) . . . . **BZ** 4
Dejean (R. du Gén.) . . . **AZ** 5
Gare (Av. de la) . . . . **AZ** 6
Haute-Baffe (R. de la) . . **BZ** 7
Horloge (R. de l') . . . . . . **AY** 8
Laperrine (Pl. du Gén.) . **BZ** 12
Lepasset (R. du Gén.) . . **AY** 13
Pasteur (R. Louis) . . . . . **BZ** 16
Présidial (Rampe du) . . . **BZ** 17
Pyrénées (Av. des) . . . . **BZ** 18
République (Pl. de la) . . **AY** 20
Riquet (R. Paul) . . . . **BZ** 22
11-Novembre (R. du) . . **AY** 24

L'EUROPE en une seule feuille
Carte Michelin n° 970.

CASTELNAUD-DE-GRATECAMBE 47 L.-et-G. 79 ⑤ – rattaché à Villeneuve-sur-Lot.

CASTELNAU-MAGNOAC 65230 H.-Pyr. 85 ⑩ – 797 h. alt. 350.

Paris 828 – Auch 43 – Lannemezan 26 – Mirande 30 – St-Gaudens 40 – Tarbes 45 – ♦Toulouse 93.

- **Dupont** (annexe à 1,5 km - 9 ch,), ✆ 62 39 80 02, ≤ – – 40. GB
  Repas 55/100 ꕤ, enf. 45 – ☐ 25 – **29 ch** 160/180 – ½ P 180/190.

CASTELNOU 66300 Pyr.-Or. 86 ⑲ **G. Pyrénées Roussillon** – 277 h. alt. 350.

Paris 927 – ♦Perpignan 20 – Argelès-sur-Mer 32 – Céret 28 – Prades 31.

- **L'Hostal**, ✆ 68 53 45 42, ≤, , spécialités catalanes
  mars-15 nov. – **R** 100 bc/220 bc.

CASTELPERS 12 Aveyron 80 ⑫ – rattaché à Naucelle.

CASTELSARRASIN 82100 T.-et-G. 79 ⑰ – 11 317 h. alt. 85.

Office de Tourisme pl. Liberté ✆ 63 32 14 88.

Paris 658 – Agen 52 – Auch 71 – Cahors 70 – ♦Toulouse 65.

- **Félix** , rte Moissac : 2 km ✆ 63 32 14 97, ≤, , parc, décor Far-West – TV ☎ P. AE GB. ch
  hôtel : fermé 1er au 15 janv. ; rest. : fermé 29 juin au 13 juil., 1er au 15 janv. et lundi – **R** 143 ꕤ – ☐ 26 – **10 ch** 210/360 – ½ P 205/230.

à Labourgade S : 14 km par D 45, D 14 et VO – ✉ **82100** :

- **Château de Terrides** M , ✆ 63 95 61 07, Fax 63 95 64 97, ≤, , « Ancienne forteresse du 14e siècle », – TV ☎ ♿ P – 50. AE GB.
  R 115/200, enf. 60 – ☐ 40 – **52 ch** 390/490 – ½ P 370/390.

CITROEN Gar. Martin, 46 av. Mar.-Leclerc ✆ 63 32 34 18
PEUGEOT-TALBOT Dujay, RN 113 lieu-dit Fleury ✆ 63 95 16 16

RENAULT Gar. Dupart, av. de Toulouse ✆ 63 32 33 31 N ✆ 63 68 95 85

Castel Pneus, rte de St-Aignan, ✆ 63 32 33 25

CASTÉRA-VERDUZAN 32410 Gers 82 ④ – 794 h. alt. 180 – Stat. therm. (mai-oct.).
Paris 750 – Auch 25 – Agen 59 – Condom 19.

- **Thermes,** ℘ 62 68 13 07, Télex 532915, Fax 62 68 10 49, 🍴 – ☎. AE ⓓ GB
  fermé 3 janv. au 4 fév. sam. soir et dim. – **R** 68/200 ♂, enf. 42 – ☐ 27 – **47 ch** 188/235 – ½ P 186/202.
- **Ténarèze** sans rest, ℘ 62 68 10 22, Fax 62 68 14 69 – ☎ – 🏃 30. GB
  fermé fév., dim. et lundi hors sais. – ☐ 28 – **24 ch** 155/180.
- **Florida,** ℘ 62 68 13 22, Fax 62 68 14 69, 🍴 – AE ⓓ GB
  fermé fév., dim. soir et lundi hors sais. – **Repas** 125/210.

CASTILLON-DU-GARD 30 Gard 80 ⑲, 81 ⑪ – rattaché à Pont-du-Gard.

CASTILLON-EN-COUSERANS 09800 Ariège 86 ② **G. Pyrénées Aquitaine** – 403 h. alt. 563.
Paris 809 – Bagnères-de-Luchon 71 – Foix 57 – St-Girons 13.

- **Aub. d'Audressein** avec ch, rte Luchon ℘ 61 96 11 80, 🍴 – ☎. AE GB
  1er mars-1er déc., et fermé dim. soir et lundi sauf de juil. à sept. – **R** 75/200, enf. 40 – ☐ 25 – **9 ch** 130/180 – ½ P 170/195.

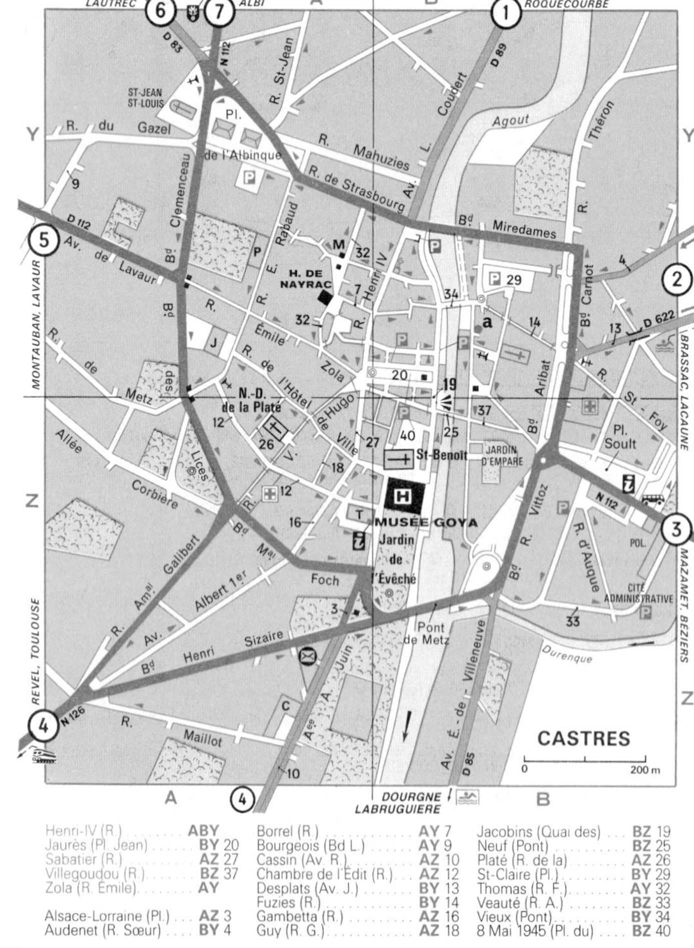

Henri-IV (R.) . . . . ABY
Jaurès (Pl. Jean) . . . . . . BY 20
Sabatier (R.) . . . . AZ 27
Villegoudou (R.) . . . . . . BZ 37
Zola (R. Émile) . . . . AY

Alsace-Lorraine (Pl.) . . . AZ 3
Audenet (R. Sœur) . . . . BY 4
Borrel (R.) . . . . AY 7
Bourgeois (Bd L.) . . . . . AY 9
Cassin (Av. R.) . . . . AZ 10
Chambre de l'Édit (R.) . . AZ 12
Desplats (Av. J.) . . . . . . BY 13
Fuzies (R.) . . . . BY 14
Gambetta (R.) . . . . AZ 16
Guy (R. G.) . . . . AZ 18
Jacobins (Quai des) . . . . BZ 19
Neuf (Pont) . . . . BZ 25
Platé (R. de la) . . . . AZ 26
St-Claire (Pl.) . . . . BY 29
Thomas (R. F.) . . . . AY 32
Veauté (R. A.) . . . . BZ 33
Vieux (Pont) . . . . BY 34
8 Mai 1945 (Pl. du) . . . . BZ 40

CASTRES ⟨SP⟩ 81100 Tarn 83 ① G. Gorges du Tarn – 44 812 h. alt. 172.

Voir Musée★ : œuvres de Goya★★ BZ – Hôtel de Nayrac★ AY.

Env. Le Sidobre★ 9 km par ①.

Service du Tourisme Théâtre Municipal, pl. République ✆ 63 71 56 58 et Gare Routière pl. Soult (juil.-août).

Paris 754 ⑧ – ◆ Toulouse 71 ④ – Albi 41 ⑦ – Béziers 103 ③ – Carcassonne 64 ③.

Plan page précédente

Occitan M sans rest, 201 av. Ch. de Gaulle par ③ ✆ 63 35 34 20, Fax 63 35 70 32 – TV ☎ P. GB
30 – **44 ch** 240/380.

Rive Gauche, 7 r. Empare ✆ 63 35 68 49 – GB BY **a**
fermé sam. midi et dim. sauf fériés – **R** 70 bc/200, enf. 45.

Les Salvages par ② : 5 km – ✉ **81100** Castres :

Café du Pont avec ch, ✆ 63 35 08 21, – AE GB.
fermé 5 au 12 oct., fév., dim. soir et lundi – **R** 90/250 – 30 – **5 ch** 150/240 – ½ P 230.

à Saïx par ④ : 5 km sur N 126 – ✉ **81710** :

Bel Roc M, ✆ 63 74 81 81, Télex 533417, Fax 63 74 73 18, – rest TV ☎ P – 100. AE GB JCB. rest
R *(fermé 3 au 16 août, 20 au 30 déc., dim. soir et fêtes)* 72/150, enf. 40 – 45 – **50 ch** 297/330 – ½ P 340.

par ④ rte de Toulouse : 4,5 km – ✉ **81100** Castres :

Fimotel M, ZI La Chartreuse ✆ 63 59 82 99, Fax 63 59 63 06 – rest TV ☎ P – 25. AE GB
R 75/120, enf. 35 – 30 – **40 ch** 245/265.

CITROEN Sud Auto, ZAC de la Chartreuse, rte de Toulouse par ⑥ ✆ 63 59 92 10
FIAT S.A.T.A., 111 av. Albert-1er ✆ 63 59 26 22
MERCEDES Autom. Téoulet, ZI de la Chartreuse ✆ 63 59 99 99
OPEL Gd Gar. de Mélou, rte de Toulouse ✆ 63 59 11 12
PEUGEOT-TALBOT Gar. Maurel, r. Crabié ✆ 63 35 74 64 N ✆ 63 72 77 94
RENAULT Gds Gges de Castres, rte de Toulouse, Mélou par ⑥ ✆ 63 59 41 17
V.A.G Gar. Négrier, rte de Toulouse, ZI de la Chartreuse ✆ 63 59 30 55

Bellet-Pneus, Le Verdier, rte de Toulouse ✆ 63 72 25 25
Bernard, 52 bd P.-Mendès-France ✆ 63 59 07 26
Deldossi-Pneus, 88 rte de Toulouse, ZI Mélou ✆ 63 59 33 83
Escoffier-Pneus, 215 av. Albert-1er ✆ 63 59 27 00

CASTRIES 34160 Hérault 83 ⑦ G. Gorges du Tarn – 3 992 h. alt. 50.

Voir Château★.

Paris 752 – ◆ Montpellier 15 – Lunel 13 – Nîmes 43.

L'Art du Feu, ✆ 67 70 05 97 – AE GB.
fermé août, vacances de fév., mardi soir et merc. – **R** 80/120, enf. 45.

Le CATEAU-CAMBRÉSIS 59360 Nord 53 ⑭ ⑮ G. Flandres Artois Picardie – 7 703 h. alt. 123.

Office de Tourisme Palais Fénelon, pl. Cdt E. Richez (transfert prévu) ✆ 27 84 10 94.

Paris 203 – St-Quentin 36 – Avesnes-sur-Helpe 31 – Cambrai 24 – Hirson 45 – ◆ Lille 80 – Valenciennes 31.

Le Relais Fénelon avec ch, 21 r. Mar. Mortier ✆ 27 84 25 80, parc – ☎. GB
fermé 3 au 24 août – **R** *(fermé dim. soir et lundi sauf fériés)* 93/163, enf. 63 – 25 – **3 ch** 130/200 – ½ P 190.

CITROEN Ribeiro, 13 r. Mar.-Mortier ✆ 27 84 07 76
PEUGEOT-TALBOT Gar. Cheneaux, 17 fg de Cambrai ✆ 27 84 05 41
RENAULT Legrand, ZI av. Mar.-Leclerc ✆ 27 77 89 33

Le Cateau Pneus, 61/63 r. Louise-Michel ✆ 27 84 07 71

Le CATELET 02420 Aisne 53 ⑬ ⑭ – 223 h. alt. 92.

Paris 167 – St-Quentin 19 – Cambrai 21 – Le Cateau 28 – Laon 69 – Péronne 27.

Aub. Croix d'Or, ✆ 23 66 21 71, – P.

CATUS 46150 Lot 79 ⑦ G. Périgord Quercy – 807 h. alt. 168.

Paris 573 – Cahors 15 – Gourdon 25 – Villeneuve-sur-Lot 63.

à St-Médard SO : 5 km – ✉ **46150** :

✿ **Gindreau** (Pelissou), ✆ 65 36 22 27, Fax 65 36 24 54, ←, – AE GB
fermé 16 nov. au 16 déc., 18 fév. au 7 mars, dim. soir hors sais. et lundi sauf fériés – **R** (dim. et fêtes prévenir) 135/300, enf. 65
Spéc. Escalopes de foie gras de canard au vinaigre de Xérès, Rosette d'agneau fermier du Quercy au jus d'ail, Potée Quercynoise (nov. à mars). **Vins** Cahors.

Repas 100/130 A good moderately priced meal.

CAUDEBEC-EN-CAUX 76490 S.-Mar. 55 ⑤ G. Normandie Vallée de la Seine (plan) – 2 265 h. alt. 7.

Voir Église★ – Vallon de Rançon★ NE : 2 km – Pont de Brotonne★ : péage : véhicule jusqu'à 3,5 t. : 10 F, plus de 3,5 t. : 14 à 22 F. Gratuit pour les résidents de Seine-Maritime. E : 1,5 km.

Office de Tourisme à la Mairie ✆ 35 96 11 12 et pl. Ch.-de-Gaulle ✆ 35 96 20 65.

Paris 167 – ♦Rouen 35 – Lillebonne 16 – Yvetot 11,5.

Normotel, quai Guilbaud ✆ 35 96 20 11, Télex 770404, Fax 35 56 54 40, ← – |‡| TV ☎ P – 50. AE GB
fermé 2 au 31 janv. et dim. soir du 15 nov. au 15 mars – **R** 88/195 – 35 – **29 ch** 250/420 – ½ P 235/325.

Normandie, quai Guilbaud ✆ 35 96 25 11, Télex 771684, ← – TV ☎ P. AE GB
fermé fév. – **R** *(fermé dim. soir sauf fêtes)* 59/169 – 30 – **16 ch** 184/315.

Cheval Blanc, 4 pl. R. Coty ✆ 35 96 21 66, Fax 35 95 35 40 – TV ☎. AE GB
fermé 25 janv. au 7 fév. – **R** *(fermé dim. soir et lundi sauf fériés)* 59/175 , enf. 42 – 25 – **10 ch** 150/220 – ½ P 150/200.

XXX ✿ **Manoir de Rétival** (Tartarin) avec ch, rte St Clair ✆ 35 96 11 22, Fax 35 96 29 22, ← vallée de la Seine – ☎ P – 30. AE GB.
fermé 15 au 30 nov., vacances de fév., dim. soir (sauf rest.), mardi midi et lundi – **R** 245/285 – 50 – **5 ch** 300/600 – ½ P 350/500
Spéc. Galette de porc grillée et homard en gelée (mars à sept.), Brochette de pigeonneau à la rouennaise, Millefeuille à la baie de houx.

RENAULT Gar. Lopéra ✆ 35 96 23 88 N — V.A.G Caudebec Autom. ✆ 35 96 13 44

CAUDON-DE-VITRAC 24 Dordogne 75 ⑰ – rattaché à Vitrac.

CAULIÈRES 80 Somme 52 ⑰ – rattaché à Poix-de-Picardie.

CAUREL 22530 C.-d'Armor 59 ⑫ – 384 h. alt. 188.

Paris 461 – St-Brieuc 48 – Carhaix-Plouguer 43 – Guingamp 47 – Loudéac 25 – Pontivy 20.

XX **Beau Rivage** M avec ch, S : 2 km par D 111 ✆ 96 28 52 15, Fax 96 26 01 16, ←, « Au bord du lac » – TV ☎ – 30. GB.
fermé 15 nov. au 2 déc., 20 janv. au 13 fév., lundi soir et mardi sauf juil.-août – **R** 85/300 – 30 – **8 ch** 220/320 – ½ P 250/350.

CAUSSADE 82300 T.-et-G. 79 ⑱ G. Périgord Quercy – 6 009 h. alt. 109.

Env. Montpezat-de-Quercy : tapisseries★★, gisants★ et trésor★ de la collégiale, NO : 12 km.

Paris 623 – Cahors 36 – Albi 69 – Montauban 25 – Villefranche-de-Rouergue 51.

Dupont, r. Recollets ✆ 63 65 05 00, Fax 63 65 12 62 – TV ☎ P. GB
fermé 1 au 15/3, 1 au 15/11, sam. et dim. (sauf soir du 15/6 au 15/9 et fêtes) et vend. soir du 15/9 à Pâques – **Repas** 80/250 – 28 – **29 ch** 180/250 – ½ P 200/225.

Caussade Pneu, pl. Douches ✆ 63 93 18 30 — Taquipneu, à Monteils ✆ 63 93 10 91

CAUSSE-DE-LA-SELLE 34380 Hérault 83 ⑥ – 194 h. alt. 244.

Paris 757 – ♦Montpellier 37 – Le Vigan 37.

XX **Vieux Chêne** avec ch, ✆ 67 73 11 00, – TV ☎ P. AE GB
15 mars-1er nov., week-ends en hiver et fermé dim. soir et lundi sauf juil.-août – **R** 198/245, enf. 75 – 45 – **3 ch** 310/400 – ½ P 398.

CAUTERETS 65110 H.-Pyr. 85 ⑰ G. Pyrénées Aquitaine – 1 201 h. alt. 930 – Stat. therm. – Sports d'hiver : 930/2 400 m 2 18 – Casino .

Voir Cascade★★ et vallée★ de Lutour S : 2,5 km par D 920 – Route et site du pont d'Espagne★★ (chutes du Gave) au Sud par D 920.

Env. SO : Site★★ du lac de Gaube accès du pont d'Espagne par télésiège puis 1h.

Office de Tourisme pl. Hôtel de Ville ✆ 62 92 50 27, Télex 530337.

Paris 844 ① – Pau 72 ① – Argelès-Gazost 17 ① – Lourdes 29 ① – Tarbes 49 ①.

Plan page suivante

Aladin M, av. Gén. Leclerc **(z)** ✆ 62 92 60 00, Télex 532951, Fax 62 92 63 30, – |‡| TV ☎ ♿ – 30 à 100. GB. rest
fermé 10 mai au 1er juin et 30 sept. au 15 déc. – **R** 140, enf. 48 – 49 – **111 ch** 405/705, 15 duplex 810 – ½ P 350/450.

Bordeaux, r. Richelieu **(f)** ✆ 62 92 52 50, Télex 521425, Fax 62 92 63 29, – |‡| TV ☎ P. AE GB. rest
fermé 15 oct. au 15 déc. – **R** 120 – 40 – **16 ch** 300/400, 8 appart. 400/520 – ½ P 320.

Le Sacca, bd Latapie-Flurin **(a)** ✆ 62 92 50 02, Fax 62 92 64 63 – |‡| TV ☎ ♿ P – 40. AE GB. rest
fermé 20 oct. au 20 déc. – **R** 70/180, enf. 42 – 30 – **45 ch** 190/275 – ½ P 200/250.

Etche Ona, r. Richelieu **(d)** ✆ 62 92 51 43, Fax 62 92 54 99 – |‡| ☎. AE GB
1er juin-10 oct. et 20 déc.-4 mai – **R** 65/170, enf. 40 – 30 – **33 ch** 140/290 – ½ P 190/260.

Ste Cécile, bd Latapie-Flurin **(b)** ✆ 62 92 50 47 – |‡| rest ☎. AE GB. rest
fermé 30 oct. au 20 déc. – **R** 70/100 – 25 – **36 ch** 200/260 – ½ P 190/220.

Paris sans rest, pl. Mar. Foch **(k)** ✆ 62 92 53 85 – cuisinette TV ☎. 4 mai-3 nov. et 15 déc.-15 avril – ☕ 22 – **12 ch** 180/230.

Centre et Poste, r. Belfort **(m)** ✆ 62 92 52 69 – ☎. rest *8 mai-21 sept. et 23 déc.-7 avril* – **R** 68/100 – ☕ 25 – **38 ch** 95/185 – ½ P 140/175.

Welcome, r. Église **(t)** ✆ 62 92 50 22 – TV ☎. GB *15 mars-15 déc.* – **R** 90/190 – ☕ 25 – **29 ch** 220/280 – ½ P 230/260.

Le Grand Tétras, bd Gén. Leclerc **(e)** ✆ 62 92 59 18 – GB *fermé 3 au 10 mai, 20 oct. au 6 nov., lundi soir et mardi sauf vacances scolaires* – **R** 65/215, enf. 39.

à La Fruitière S : 6 km par D 920 et RF – alt. 1 400 – ✉ **65110** Cauterets :

Host. La Fruitière avec ch, ✆ 62 92 52 04, ←, – P **R** (dim. prévenir) – **8 ch.**

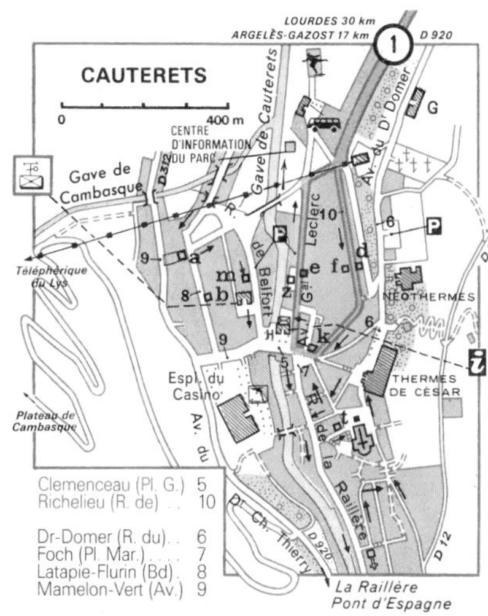

Le Guide change, changez de guide tous les ans.

CAVAILLON 84300 Vaucluse 81 ⑫ G. Provence – 23 102 h. alt. 75.

Voir Musée : collection archéologique★ **M.**

9 18 Académie SA ✆ 90 33 39 08, par ① : 15 km par D 973 et D 171.

Office de Tourisme 79 r. Saunerie ✆ 90 71 32 01, Télex 431311.

Paris 704 ④ – Avignon 23 ① – Aix-en-Provence 59 ④ – Arles 42 ④ – Manosque 72 ②.

CAVAILLON

Bournissac (Cours)	3
Castil-Blaze (Pl.)	5
Clos (Pl. du)	7
République (R. de la)	37
Victor-Hugo (Cours)	43
Berthelot (Av.)	2
Clemenceau (Av. G.)	6
Coty (Av. R.)	9
Crillon (Bd)	10
Diderot (R.)	12
Donné (Chemin)	13
Doumer (Av. P.)	14
Dublé (Av. Véran)	15
Durance (R. de la)	17
Gambetta (Cours L.)	18
Gambetta (Pl. L.)	19
Gaulle (Av. Gén.-de)	22
Grand-Rue	23
Jaurès (Av. Jean)	24
Joffre (Av. Mar.)	26
Kennedy (Av. J.F.)	27
Lattre-de-T. (R.P.J. de)	29
Pasteur (R.)	30
Péri (Av. Gabriel)	31
Pertuis (Rte de)	32
Raspail (R.)	34
Renan (Cours E.)	35
Sarnette (Av. Abel)	38
Saunerie (R.)	40
Sémard (Av. P.)	41
Tourel (Pl. F.)	42

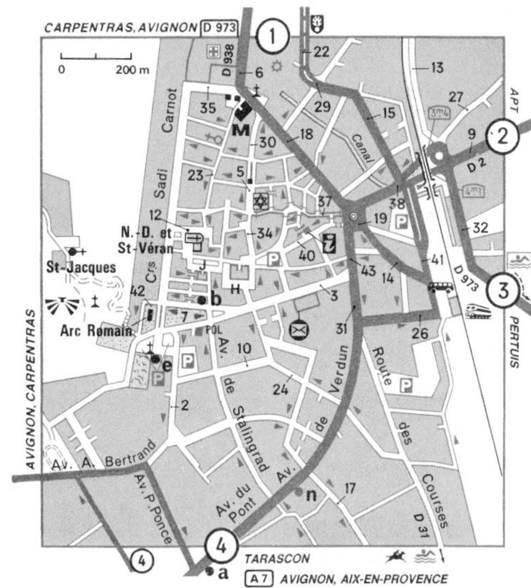

Christel, par ④ : 2 km ✆ 90 71 07 79, Télex 431547, Fax 90 78 27 94, – TV ☎ P – 150. AE GB **R** *(fermé sam. midi et dim. midi du 1er nov. au 31 mars)* 140/180 – ☕ 40 – **105 ch** 310/420 – ½ P 320/340.

Parc sans rest, pl. Clos **(e)** ✆ 90 71 57 78, Fax 90 76 10 35 – TV ☎. GB ☕ 29 – **40 ch** 140/240.

Ibis M, 175 av. Pont **(a)** ℘ 90 76 11 11, Télex 431618, Fax 90 71 77 07, – ▤ TV ☎ ♿ P – 30. AE ⓓ GB
R *(fermé dim. soir)* 80/120 ₰, enf. 45 – ☕ 30 – **35 ch** 250/290 – ½ P 240.

XXX ✿ **Prévot,** 353 av. Verdun **(n)** ℘ 90 71 32 43, Fax 90 71 97 05 – ▤. AE ⓓ GB
fermé 29 juin au 20 juil., dim. soir et lundi – **R** 195/350, enf. 80
Spéc. Nage de St-Jacques et langoustines aux algues (oct.-avril), Rouget farci sur canapé de melon (mai-sept.), Bûche de colvert au foie gras (oct.-janv.). Vins Côtes du Ventoux, Côtes du Lubéron.

XX **Fin de Siècle,** 46 pl. Clos (1er étage) **(b)** ℘ 90 71 12 27 – ▤. AE ⓓ GB
fermé 20 août au 15 sept., mardi soir et merc. – **R** 80/250, enf. 50.

à Cheval-Blanc par ③ : 5 km – 3 032 h. – ✉ **84460** :

XXX **Nicolet,** NE : 4 km par D 31 et VO ℘ 90 78 01 56, Fax 90 71 91 28, – P. AE ⓓ GB
fermé dim. soir et lundi sauf juil.-août – **R** 195/330.

CITROEN Chabas, rte d'Avignon par ①, quartier Grand-Grès ℘ 90 71 27 40 N ℘ 90 71 14 11
FORD Gar. Reding, 86 av. P.-Doumer ℘ 90 71 14 80
PEUGEOT-TALBOT Gar. Berbiguier, rte de l'Isle-sur-la-Sorgue par ① ℘ 90 71 39 23 N ℘ 91 97 40 58
RENAULT Autom. Cavaillonnaise, 287 av. G.-Clemenceau par ① ℘ 90 71 34 96 N ℘ 05 05 15 15

Anrès, 154 av. Stalingrad ℘ 90 78 03 91
Ayme Pneus, 305 allée des Temps Perdus ℘ 90 71 36 18
Gay Pneus, av. du Pont ℘ 90 71 78 88
Omnica, 225 av. Ch.-Delaye ℘ 90 71 41 00

CAVALAIRE-SUR-MER 83240 Var 84 ⑰ G. Côte d'Azur – 4 188 h. alt. 5.

Office de Tourisme square de Lattre-de-Tassigny ℘ 94 64 08 28.

Paris 884 – Fréjus 42 – Draguignan 56 – Le Lavandou 20 – St-Tropez 18 – Ste-Maxime 22 – ♦Toulon 63.

Calanque M, r. Calanque ℘ 94 64 04 27, Télex 400293, Fax 94 64 66 20, ≤ mer, – TV ☎ P. AE ⓓ GB
15 mars-15 oct. – **R** 120/180 – ☕ 50 – **33 ch** 530/1100 – ½ P 550/630.

Pergola, av. Port ℘ 94 64 06 86, Fax 94 64 60 08, – TV ☎. AE ⓓ GB. rest
fermé 3 nov. au 20 déc. et 4 janv. au 4 fév. – **R** *(fermé lundi sauf vacances scolaires)* 145/245, enf. 110 – ☕ 38 – **23 ch** 295/385 – ½ P 410/490.

Eucalyptus sans rest, au NE : 1 km ℘ 94 64 01 90 – P. AE ⓓ GB
☕ 27 – **17 ch** 325.

Golfe Bleu, av. St Raphaël, NE : 1 km ℘ 94 64 07 56, – TV ☎ P. GB.
Pâques-30 sept. – **R** 70/105 – ☕ 25 – **11 ch** 270/320 – ½ P 260/290.

CAVALIÈRE 83 Var 84 ⑰ G. Côte d'Azur – alt. 4 – ✉ 83980 Le Lavandou.

Paris 887 – Fréjus 54 – Draguignan 68 – Le Lavandou 7,5 – St-Tropez 30 – Ste-Maxime 34 – ♦Toulon 50.

Le Club M, ℘ 94 05 80 14, Télex 420317, Fax 94 05 73 16, ≤, , « Élégant ensemble au bord de la mer, », – ▤ ch TV ☎ P. AE ⓓ GB
1er mai-30 sept. – **R** 280, enf. 130 – ☕ 70 – **26 ch** 1150/1650, 6 bungalows 1650/2050 – ½ P 775/1375.

Gd Hôtel Moriaz, ℘ 94 05 80 01, Fax 94 05 70 88, ≤, , – ▤ ☎. GB. rest
hôtel : Pâques-7 oct. ; rest. : 1er juin-30 sept. – **R** 150/200 – ☕ 36 – **27 ch** 320/500 – ½ P 350/480.

à Pramousquier E : 2 km sur D 559 – ✉ **83980** Le Lavandou :

Beau Site, ℘ 94 05 80 08 – ☎ P. GB. rest
15 mars-15 oct. – **R** 88/98, enf. 45 – ☕ 32 – **25 ch** 280/320 – ½ P 265/290.

CAVALIERS (Falaises des) 83 Var 84 ⑥ G. Alpes du Sud – ✉ 83630 Aups.

Voir ≤★★ – Tunnels de Fayet ≤★★★ E : 2 km – Falaise de Baucher ≤★ O : 2 km.

Paris 820 – Digne-les-Bains 76 – Castellane 39 – Draguignan 52 – Manosque 77.

Grand Canyon M, D 71 ℘ 94 76 91 31, Télex 462390, ≤ canyon du Verdon, – TV ☎ ♿ P. AE ⓓ GB
1er mai-15 oct. et fermé merc. du 15 sept. au 15 oct. – **R** 130/210, enf. 65 – ☕ 40 – **16 ch** 400/460 – ½ P 280/360.

CAZAUBON 32 Gers 79 ⑫ – rattaché à Barbotan-les-Thermes.

La CAZE (Château de) 48 Lozère 80 ⑤ – rattaché à La Malène.

CAZÈS-MONDENARD 82110 T.-et-G. 79 ⑰ – 1 307 h. alt. 140.

des Roucous à Sauveterre ℘ 63 95 83 70, NE : 9 km par D 57.

Paris 632 – Cahors 44 – Agen 57 – Montauban 34.

L'Atre, ℘ 63 95 81 61 – ▤ rest. GB
fermé vacances de printemps, de nov., mardi soir et lundi hors sais. – **R** 95 bc/180 ₰, enf. 35 – ☕ 22 – **10 ch** 130/200 – ½ P 150.

CÉAUX 50 Manche 59 ⑧ – rattaché à Pontaubault.

CEILLAC 05600 H.-Alpes 77 ⑱ ⑲ G. Alpes du Sud – 289 h. alt. 1 643 – Sports d'hiver : 1 700/2 450 m ⛷8 ⛷.

Voir Vallon du Mélezet★.

Syndicat d'Initiative à la Mairie (saison) ℘ 92 45 05 74.

Paris 736 – Briançon 50 – Gap 74 – Guillestre 14.

Cascade ⛰, au pied du Mélezet SE : 2 km ℘ 92 45 05 92, ≤, 🌳 – ☎ Ⓟ. GB. ⛔
6 juin-13 sept. et 19 déc.-25 avril – **R** 68/157 – ☕ 40 – **23 ch** 200/312 – ½ P 198/280.

La CELLE-ST-CLOUD 78 Yvelines 55 ⑳, 101 ⑬ – voir à Paris, Environs.

CELONY 13 B.-du-R. 84 ③ – rattaché à Aix-en-Provence.

CERBÈRE 66290 Pyr.-Or. 86 ⑳ G. Pyrénées Roussillon – 1 461 h. alt. 3.

Syndicat d'Initiative Front de Mer (15 juin-15 sept.) ℘ 68 88 42 36.

Paris 960 – ◆ Perpignan 47 – Port-Vendres 16.

Vigie, rte Espagne ℘ 68 88 41 84, ≤ mer et côte, 🌳 – ☎. AE GB
1er mars-1er nov. – **R** 90/120 ♁, enf. 40 – ☕ 27 – **20 ch** 230/270 – ½ P 225/245.

Dorade, ℘ 68 88 41 93, 🌳 – ☎. AE ⓓ GB
1er avril-2 nov. – **R** *(fermé mardi sauf du 9 juin au 22 sept.)* 75/140 ♁ – ☕ 31 – **21 ch** 170/280 – ½ P 230/275.

CERCY-LA-TOUR 58340 Nièvre 69 ⑤ – 2 258 h. alt. 219.

Paris 281 – Moulins 52 – Châtillon-en-Bazois 23 – Luzy 31 – Nevers 44 – St-Honoré-les-Bains 18.

Val d'Aron, r. Écoles ℘ 86 25 60 66, Fax 86 25 64 24, 🌳, ⛱, 🌳 – TV ☎ Ⓟ. GB
fermé 24 au 31 déc. – **R** 95/250, enf. 55 – ☕ 35 – **13 ch** 220/300 – ½ P 220/270.

CITROEN Gar. Guérin ℘ 86 50 53 11 N ℘ 86 50 57 42

FIAT Gar. Aurousseau ℘ 86 50 01 45
PEUGEOT Gar. Baudot ℘ 86 50 51 77

CERDON 01450 Ain 74 ④ – 672 h. alt. 299.

Paris 458 – Belley 55 – Bourg-en-Bresse 28 – Lyon 73 – Nantua 22 – La Tour-du-Pin 75.

à Labalme N : 6 km N 84 – ✉ 01450 Poncin :

Carrier, ℘ 74 39 97 22 – TV ☎ Ⓟ. AE ⓓ GB
fermé vacances de nov., 2 au 31 janv., mardi soir et merc. – **R** 63/200 ♁, enf. 46 – ☕ 22 – **16 ch** 150/220 – ½ P 190/230.

CERDON 45620 Loiret 65 ① G. Châteaux de la Loire – 929 h. alt. 145.

Voir Etang du Puits★ SE : 5 km.

Paris 154 – ◆ Orléans 48 – Aubigny sur Nère 21 – Gien 25 – Sully sur Loire 16.

XX **Relais de Cerdon,** ℘ 38 36 02 15 – GB
fermé 1er au 15 juil., vacances de Noël, de fév., mardi soir et merc. – **R** 95/160 ♁, enf. 65

CÉRESTE 04110 Alpes-de-H.-P. 81 ⑭ G. Alpes du Sud – 950 h. alt. 388.

Paris 749 – Digne 71 – Aix-en-Provence 50 – Apt 18 – Forcalquier 23.

XX **Aiguebelle** avec ch, ℘ 92 79 00 91, 🌳 – ☎. GB
fermé janv., dim. soir et lundi hors sais. sauf fêtes – **R** 80/200 ♁, enf. 45 – ☕ 24 – **14 ch** 120/210 – ½ P 190/220.

CÉRET ⟨SP⟩ 66400 Pyr.-Or. 86 ⑲ G. Pyrénées Roussillon (plan) – 7 285 h. alt. 171.

Voir Vieux pont★ – Musée d'Art Moderne★.

Comité Municipal de Tourisme 1 av. G.-Clemenceau ℘ 68 87 00 53.

Paris 937 – ◆ Perpignan 32 – Gerona 75 – Port-Vendres 37 – Prades 55.

La Terrasse au Soleil ⛰, rte Fontfrède O : 1,5 km par D 13F ℘ 68 87 01 94, Fax 68 87 39 24, ≤ le Canigou et plaine, 🌳, ⛱, 🌳, 🎾 – ⇔ ▤ ch TV ☎ Ⓟ – 🅰 30. GB
fermé 2 janv. au 7 mars – **R** 200, enf. 70 – ☕ 60 – **26 ch** 460/640 – ½ P 460/680.

Les Arcades Ⓜ sans rest, 1 pl. Picasso ℘ 68 87 12 30 – |♦| cuisinette TV ☎ 🚗. AE ⓓ GB. ⛔
fermé 15 nov. au 14 déc. – ☕ 24 – **26 ch** 200/300.

Sors Ⓜ, 18 r. St Ferréol ℘ 68 87 01 40, 🌳 – |♦| ☎ ♿ Ⓟ. GB. ⛔ ch
fermé fév. – **R** 72/100 ♁ – ☕ 23 – **24 ch** 190/230 – ½ P 185/200.

XXX ✿ **Les Feuillants** (Banyols) avec ch, 1 bd La Fayette ℘ 68 87 37 88, Fax 68 87 44 68, 🌳 – |♦| ▤ TV ☎ 🚗. AE GB
fermé fév., lundi (sauf le soir en juil.-août) et dim. soir – **R** 230/350, enf. 80 – ☕ 60 – **3 ch** 950
Spéc. Poivrons rouges rôtis et anchois de Collioure, Ravioli de petits gris, Bullinade de supions.

CITROEN Gar. Coll, 8 pl. Pont ℘ 68 87 00 75
FORD Gar. Mach, av. Aspres ℘ 68 87 05 30 N
PEUGEOT-TALBOT Gar. la Bergerie, 3 av. Gare ℘ 68 87 18 59

RENAULT Guillamet, 104 r. St-Ferreol ℘ 68 87 02 26 N ℘ 05 05 15 15

Le CERGNE **42460** Loire 73 ⑧ – 650 h. alt. 673.

Paris 412 – Mâcon 71 – Roanne 24 – Charlieu 16 – Chauffailles 15 – ♦Lyon 82 – ♦St-Étienne 103.

XX **Bel'Vue** avec ch, ✆ 74 89 87 73, ≤, 🍽. AE ⓓ GB
fermé dim. soir – **R** 75 bc/260 🍷 – ☕ 25 – **8 ch** 190/240.

CERGY-PONTOISE P 95 Val-d'Oise 55 ⑳ 106 ⑤ 101 ② **G. Ile de France.**

Cergy – 48 226 h. – ✉ **95000** – Paris 38 – Pontoise 5,5.

Astrée M sans rest, 3 r. Chênes Émeraude par bd Oise ✆ (1) 34 24 94 94, Télex 688356 Fax (1) 34 24 95 15 – |¢| ♿ 🚗 – 🏛 25 à 80. AE ⓓ GB
☕ 40 – **55 ch** 350/480.

Novotel M 🐎, près préfecture ✆ (1) 30 30 39 47, Télex 607264, Fax (1) 30 30 90 46 🍽, 🏊, 🌳 – |¢| ⇔ ch ▤ TV ☎ ♿ P – 🏛 25 à 200. AE ⓓ GB
R carte environ 150 🍷, enf. 52 – ☕ 49 – **191 ch** 450/470.

Confortel Louisiane M, bd Oise, quartier Linandes Pourpres ✆ (1) 30 30 32 24 Fax (1) 30 73 08 40 – |¢| TV ☎ ♿ P – 🏛 30. GB
R *(fermé 25 juil. au 24 août, 24 déc. au 2 janv., sam. et dim.)* 64/80 🍷 – ☕ 32 – **60 ch** 265/295.

XXX **Les Coupoles,** 1 r. Chênes Emeraude par bd Oise ✆ (1) 30 73 13 30, Fax (1) 30 73 46 90 – AE GB
fermé 8 au 22 août, sam. midi et dim. – **R** 152/350.

quartier St-Christophe secteur Nord – ✉ **95800** Cergy Pontoise :

Otelinn M, Sortie échangeur n° 12 (N 14) ✆ (1) 34 22 16 88, Télex 688155 Fax (1) 30 30 09 56, 🍽 – TV ☎ ♿ P – 🏛 35. AE GB. ✂
R *(fermé sam. midi et dim.)* 130 bc – ☕ 38 – **58 ch** 275/310.

Campanile, sortie échangeur n° 11 ✆ (1) 34 24 02 44, Télex 688153, Fax (1) 30 73 99 96 🍽 – TV ☎ ♿ P – 🏛 25. AE GB
R 77 bc/99 bc, enf. 39 – ☕ 28 – **50 ch** 258 – ½ P 234/256.

Osny – 12 195 h. alt. 27 – ✉ **95520**.

Paris 40 – Pontoise 3,5.

XXX **Moulin de la Renardière,** r. Gd Moulin ✆ (1) 30 30 21 13, « Parc, rivière » – P. AE ⓓ GB
fermé 10 au 30 août, 15 au 22 fév. dim. soir et lundi – **R** 180/270.

CITROEN Rousseau, 2 ch. J.-César par ⑥ ✆ (1) 30 31 00 00
PEUGEOT-TALBOT Cergy-Pontoise-Autom., 8 ch. J.-César par ⑥ ✆ (1) 30 30 12 12

Ⓜ Vaysse, 15 rte de Gisors RD 915 ✆ 34 24 85 88

Pontoise ⟨SP⟩ – 27 150 h. alt. 27 – ✉ **95300**.

ℹ Office de Tourisme 6 pl. Petit-Martroy ✆ (1) 30 38 24 45.

Paris 36 ③ – Beauvais 50 ① – Dieppe 135 ⑦ – Mantes 39 ⑤ – ♦Rouen 91 ⑥.

Campanile, r. P. de Coubertin par ⑥ ✆ (1) 30 38 55 44, Télex 608515, Fax (1) 30 30 48 87, 🍽 – TV ☎ ♿ P – 🏛 25. AE GB
R 77 bc/99 bc, enf. 39 – ☕ 28 – **80 ch** 258 – ½ P 234/256.

à la Bonneville par ③ : 5,5 km N 322 – ✉ **95540** Méry-sur-Oise :

XXX ✿ **Le Chiquito** (Mihura), ✆ (1) 30 36 40 23 – ▤. AE ⓓ GB. ✂
fermé 1er au 9 mars, août, sam. midi et dim. – **R** carte 275 à 410
Spéc. Cuisses de grenouilles et paupiettes de canard confit, Jarret de veau de lait, Pamplemousse en gelée sur chocolat.

à Cormeilles-en-Vexin par ⑦ : 9,5 km – ✉ **95830** :

XXX ✿✿ **Relais Ste-Jeanne** (Cagna), sur D 915 ✆ (1) 34 66 61 56, Fax (1) 34 66 40 31, 🍽, « Jardin » – P. AE ⓓ GB
fermé 1er au 25 août, 23 au 28 déc., vacances de fév., dim. soir, mardi soir et lundi – **R** 260 (déj.)/480 et carte, enf. 130
Spéc. Salade de pigeon aux navets et griottes, Filets de sole au foie gras, Rêve au chocolat.

AUSTIN, ROVER, VOLVO SOGEL, 10 r. Séré-Depoin ✆ (1) 30 32 55 55
FORD Gar. Marzet, 92-96 r. P.-Butin ✆ (1) 30 32 56 04

V.A.G Pontoise Cergy Autos, 21 ch. J.-César ✆ (1) 30 30 28 29

St-Ouen-l'Aumône – 18 673 h. – ✉ **95310**.

⛳9 Public de Maubuisson (1) ✆ 34 64 45 55, par ③ : 0,5 km.

Paris 35 – Pontoise 1.

XX **Villa du Parc,** 1 av. Gén. Leclerc ✆ (1) 30 37 43 82 – P. AE GB
fermé août, lundi soir, mardi soir, merc. soir, sam. midi et dim. – **R** 79 bc/125 bc.

XX **Gd Cerf** avec ch, 59 r. Gén. Leclerc ✆ (1) 34 64 03 13 – ☎. AE GB B e
fermé 9 au 23 août, dim. soir et lundi – **R** 150 – ☕ 20 – **10 ch** 160/210.

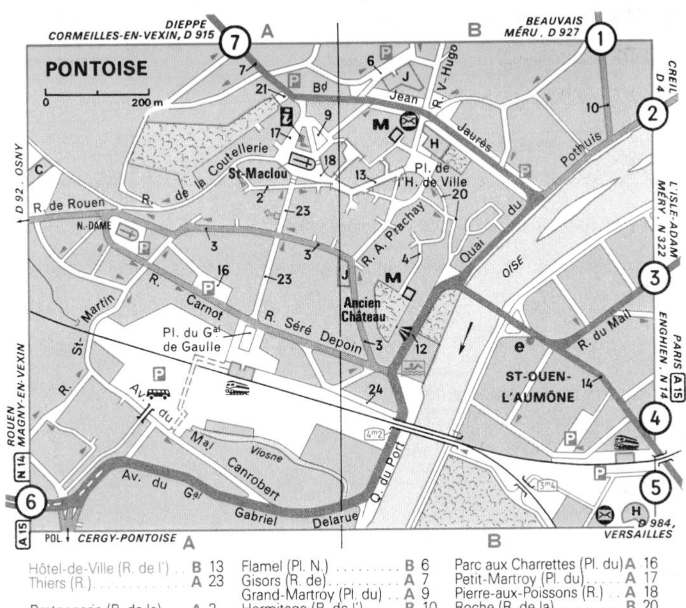

Hôtel-de-Ville (R. de l') . . B 13
Thiers (R.) . . . . A 23

Bretonnerie (R. de la) . . . A 2
Butin (R. Pierre) . . . . A 3
Château (R. du) . . . . B 4
Flamel (Pl. N.) . . . . B 6
Gisors (R. de) . . . . A 7
Grand-Martroy (Pl. du) . . A 9
Hermitage (R. de l') . . . . . B 10
Hôtel-Dieu (R. de l') . . . . . B 12
Leclerc (Av. du Gén.) . . . . B 14
Parc aux Charrettes (Pl. du) A 16
Petit-Martroy (Pl. du) . . . . . A 17
Pierre-aux-Poissons (R.) . . A 18
Roche (R. de la) . . . . B 20
Souvenir (Pl. du) . . . . A 21
Vert-Buisson (R. du) . . . . . B 24

OPEL Valdoise Motors, 31 r. de Paris ☎ (1) 30 37 20 78
RENAULT Hinaux, 57 et 76 r. Gén.-Leclerc ☎ (1) 30 37 14 14

La Centrale du Pneu, 121 av. du Gal-Leclerc à Pierrelaye ☎ (1) 34 64 07 50

CERIZAY 79140 Deux-Sèvres 67 ⑯ – 4 787 h. alt. 173.

Paris 377 – Bressuire 14 – Cholet 38 – Niort 65 – La Roche-sur-Yon 69.

Cheval Blanc, av. 25-Août ☎ 49 80 05 77, – TV ☎ ♿ P – 30. AE GB
fermé 28 au 31 mai, 18 déc. au 11 janv., dim. soir et sam. hors sais. – **R** 60/110 – 25 – **24 ch** 95/275 – ½ P 155/265.

CITROEN Gar. Coulais-Gaboriau ☎ 49 80 51 51 N ☎ 49 80 01 55

PEUGEOT-TALBOT Gar. Cocandeau Daniel ☎ 49 80 50 19

CERNAY 68700 H.-Rhin 166 ⑨ G. Alsace Lorraine – 10 313 h. alt. 275.

Env. Monument national du Vieil Armand près D431, ✻★★ (1 h) N : 12 km.

Office de Tourisme 1 r. Latouche (fermé matin hors saison) ☎ 89 75 50 35.

Paris 451 – Altkirch 25 – Belfort 36 – Colmar 35 – Guebwiller 14 – ♦Mulhouse 17 – Thann 7.

Belle-Vue, 10 r. Mar. Foch ☎ 89 75 40 15, Fax 89 75 74 81 – TV ☎ ♿ P. GB
fermé 20 déc. au 25 janv., vend. soir (sauf hôtel) de sept. à juin, sam. midi en juil.-août et dim. – **R** 80/220 – 38 – **25 ch** 150/390 – ½ P 230/280.

Host. d'Alsace M avec ch, 61 r. Poincaré ☎ 89 75 59 81, Fax 89 75 70 22 – ch TV ☎ P. AE GB
fermé 13 au 31 juil., 28 déc. au 4 janv., dim. soir et lundi – **R** 95/290 – 36 – **11 ch** 200/275 – ½ P 245.

PEUGEOT-TALBOT Soriano, 84 r. de Wittelsheim ☎ 89 75 44 85 N

RENAULT Courtois, fg de Belfort ☎ 89 75 48 27 N ☎ 89 26 71 23

CERNAY-LA-VILLE 78720 Yvelines 60 ⑨ 106 ㉙ – 1 757 h.

Voir Site★ des Vaux de Cernay O : 2 km.

Env. Château de Dampierre★★ N : 6 km, **G. Ile de France.**

Paris 45 – Chartres 45 – Longjumeau 26 – Rambouillet 11 – Versailles 23.

Abbaye des Vaux de Cernay , O : 2,5 km par D 24 ☎ (1) 34 85 23 00, Télex 689596, Fax (1) 34 85 11 60, ≤, , parc, « Ancienne abbaye cistercienne du 12e siècle », – ☎ P – 500. AE GB. rest
R 205/395 – 75 – **55 ch** 690/1750, 3 appart. – ½ P 625/1155.

CITROEN Vallée ☎ (1) 34 85 21 27

CESSIEU 38 Isère 74 ⑬ – rattaché à la Tour-du-Pin.

CESSON 22 C.-d'Armor 59 ③ – rattaché à St-Brieuc.

CESSON-SÉVIGNÉ 35 I.-et-V. 59 ⑰ – rattaché à Rennes.

CEYRAT 63122 P.-de-D. 73 ⑭ – 5 283 h. alt. 560.

Syndicat d'Initiative à la Mairie ✆ 73 61 42 55.

Paris 431 – ♦ Clermont-Ferrand 6 – Issoire 33 – Le Mont-Dore 42 – Royat 3,5.

Voir plan de Clermont-Ferrand agglomération

- **La Châtaigneraie** sans rest, av. Châtaigneraie ✆ 73 61 34 66, ← – ☎ Ⓟ. GB AZ p
  fermé 30 avril au 11 mai, 27 juil. au 10 août, sam. et dim. – ☕ 25 – **16 ch** 190/335.
- **L'Artière** Ⓜ, S : 1 km, rte Mont-Dore ✆ 73 61 43 02, ←, , , – TV ☎ ♿. GB
  R (grill) *(fermé lundi sauf du 1er juin au 30 sept.)* carte environ 110 – ☕ 25 – **24 ch** 250 – ½ P 290/300.
- XX **Promenade** avec ch, av. Wilson ✆ 73 61 40 46, – ☎ – 40. AE GB AZ r
  fermé 1er au 9 janv. – **Repas** 72/250 – ☕ 22 – **12 ch** 100/210.

à Saulzet-le-Chaud S : 2 km par N 89 – ✉ **63540** Romagnat :

- XX **Aub. de Montrognon,** ✆ 73 61 30 51, – Ⓟ. GB
  fermé 24 août au 11 sept., 4 au 16 janv., mardi soir et merc. – **R** 95/250.

CEYSSAT (Col de) 63 P.-de-D. 73 ⑬ – rattaché à Clermont-Ferrand.

Si vous cherchez un hôtel tranquille,
consultez d'abord les cartes de l'introduction
ou repérez dans le texte les établissements indiqués avec le signe .

CEYZÉRIAT 01250 Ain 74 ③ – 2 058 h. alt. 320.

Paris 434 – Mâcon 44 – Bourg-en-Bresse 8 – Nantua 33.

- **Relais de la Tour** Ⓜ, ✆ 74 30 01 87, Fax 74 25 03 36 – TV ☎. GB
  fermé 14 oct. au 9 nov., dim. soir et lundi hors sais. – **R** 80/270 – ☕ 27 – **10 ch** 220/280 – ½ P 255.

RENAULT Gar. Froment ✆ 74 30 03 97 N ✆ 05 05 15 15

CHABLIS 89800 Yonne 65 ⑥ **G. Bourgogne** – 2 569 h. alt. 140.

Paris 182 – Auxerre 19 – Avallon 39 – Tonnerre 16 – Troyes 75.

- **Les Lys** Ⓜ sans rest, rte Auxerre ✆ 86 42 49 20 – TV ☎ ♿ Ⓟ – 50. GB
  ☕ 28 – **38 ch** 180/250.
- XXX ✿ **Host. des Clos** (Vignaud) Ⓜ avec ch, ✆ 86 42 10 63, Télex 351752, Fax 86 42 17 11, – rest TV ☎ Ⓟ – 25. GB
  fermé 9 déc. au 10 janv., jeudi midi et merc. du 1er oct. au 31 mai – **R** 155/380 – ☕ 50 – **26 ch** 230/560 – ½ P 470/670
  Spéc. Oeufs en meurette à l'Irancy, Dos de sandre au Chablis, Filet de charolais aux champignons sauvages. **Vins** Chablis, Irancy.
- X **Vieux Moulin,** ✆ 86 42 47 30, Fax 86 42 17 11 – AE GB
  fermé lundi soir et mardi de nov à mars – **R** 59/155.

à Beine NO : 6 km sur D 965 – ✉ **89800** :

- XX **Le Vaulignot,** ✆ 86 42 48 48 – GB
  fermé 15 au 30 oct., 20 janv. au 20 fév., dim. soir et lundi – **Repas** 90/220.

CITROEN Chablis Autos ✆ 86 42 14 20 Chablisienne Expl. Ind. ✆ 86 42 40 86

CHAGNY 71150 S.-et-L. 69 ⑨ **G. Bourgogne** – 5 346 h. alt. 216.

Env. Mont de Sène ✻★★ O : 10 km.

Syndicat d'Initiative 2 r. Halles ✆ 85 87 25 95.

Paris 329 ① – Chalon-s-Saône 17 ② – Autun 43 ① – Beaune 16 ① – Mâcon 76 ② – Montceau 44 ④.

Plan page suivante

- ✿✿✿ **Lameloise** Ⓜ, pl. d'Armes ✆ 85 87 08 85, Télex 801086, Fax 85 87 03 57, « Ancienne maison bourguignonne aménagée avec élégance » – TV ☎ . AE GB Z e
  fermé 23 déc. au 27 janv., jeudi midi et merc. – **R** (prévenir) carte 310 à 480 – ☕ 80 – **19 ch** 500/1300
  Spéc. Ravioli d'escargots de Bourgogne dans leur bouillon d'ail doux, Pigeon de Bresse en vessie et pâtes fraîches au foie gras, Assiette du chocolatier. **Vins** Chassagne-Montrachet rouge, Rully blanc.
- **La Ferté** sans rest, bd Liberté ✆ 85 87 07 47, – ☎ Ⓟ. GB Z u
  fermé 1 janv. au 8 fév. – ☕ 25 – **14 ch** 130/230.
- **Poste** sans rest, r. Poste ✆ 85 87 08 27, – ☎ Ⓟ. GB. Z s
  15 mars-20 nov. – ☕ 28 – **11 ch** 213/260.

CHAGNY

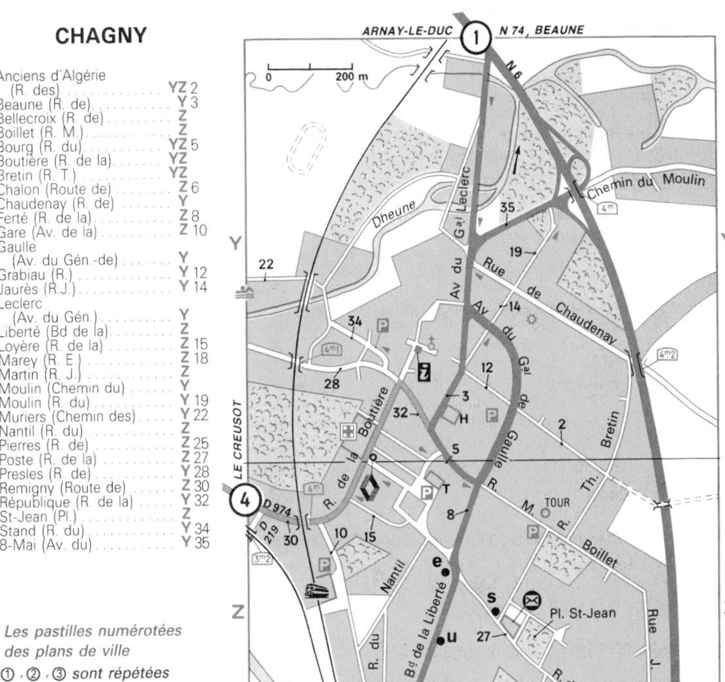

Les pastilles numérotées des plans de ville ①, ②, ③ sont répétées sur les cartes Michelin à 1/200 000. Elles facilitent ainsi le passage entre les cartes et les guides Michelin.

rte de Chalon par ② – ✉ **71150** Chagny :

Host. Château de Bellecroix, à 2 km par N 6 et VO ✆ 85 87 13 86, Fax 85 91 28 62, parc, – ☎ – 40. AE GB
fermé 20 déc. au 1er fév. et merc. sauf hôtel en juil.-août – **R** 210/310 – ☐ 48 – **21 ch** 500/900 – ½ P 490/650.

Bonnard, à 2 km sur N 6 ✆ 85 87 21 49 – ☎. GB
fermé 1er janv. au 1er mars et merc. d'oct. à juin – **R** 80/180, enf. 45 – ☐ 25 – **20 ch** 200/265 – ½ P 230/250.

à Chassey-le-Camp par ④ et D 109 : 6 km – ✉ **71150** :

Aub. du Camp Romain, ✆ 85 87 09 91, Télex 801583, Fax 85 87 11 51, ≤, – ☎. GB
fermé 1er janv. au 8 fév. – **R** 108/156, enf. 45 – ☐ 30 – **38 ch** 132/295, 5 duplex 374 – ½ P 199/275.

RENAULT Chagny Auto, N 6 par ① ✆ 85 87 22 28

CHAILLES 41 L.-et-Ch. 64 ⑰ – rattaché à Blois.

CHAILLES 73 Savoie 74 ⑮ – rattaché aux Échelles.

CHAILLOL 05 H.-Alpes 77 ⑯ – alt. 1 450 – ✉ **05260** Chabottes.

Paris 670 – Gap 24 – Orcières 20 – St-Bonnet-en-Champsaur 9,5.

L'Étable, ✆ 92 50 48 35, ≤ – ☎
25 juin-15 sept. et 20 déc.-15 avril – **R** 80/120 – ☐ 27 – **14 ch** 140/200 – ½ P 170/200.

CHAILLY-EN-BIÈRE 77960 S.-et-M. 61 ② 106 ㊺ G. Ile de France – 2 029 h. alt. 64.

Paris 54 – Fontainebleau 9,5 – Étampes 43 – Melun 9,5.

XXX **Chalet du Moulin,** S : 1,5 km par N 7 et VO ☎ (1) 60 66 43 42, ←, ☂, parc, « Chalet dans un cadre de verdure » – Ⓟ. AE ⓓ GB
fermé lundi soir et mardi sauf fériés – **R** carte 320 à 450.

XX **Aub. de l'Empereur,** N 7 ☎ (1) 60 66 43 38, ☂ – GB
fermé fév., dim. soir et lundi – **R** 95/150.

CHAILLY-SUR-ARMANÇON 21 Côte-d'or 65 ⑱ – rattaché à Pouilly-en-Auxois.

La CHAISE-DIEU 43160 H.-Loire 76 ⑥ G. Auvergne (plan) – 778 h. alt. 1 082.

Voir Église abbatiale** : tapisseries***.

Office de Tourisme pl. Mairie ☎ 71 00 01 16.

Paris 510 – Le Puy-en-Velay 41 – Ambert 29 – Brioude 35 – Issoire 57 – ♦St-Étienne 80 – Yssingeaux 52.

L'Écho et de l'Abbaye ⊗, pl. Écho ☎ 71 00 00 45, Fax 71 00 00 22, ☂ – TV ☎. AE ⓓ GB. ✱
17 avril-2 nov. et fermé lundi midi hors sais. – **R** 85/250 – ☕ 35 – **11 ch** 270/320 – ½ P 280/320.

Au Tremblant, D 906 ☎ 71 00 01 85, ☂ – TV ☎ ⇔ Ⓟ. GB
22 avril-12 nov. – **Repas** (dim. prévenir) 85/210 – ☕ 28 – **27 ch** 180/320 – ½ P 210/280.

de La Casa Deï sans rest, pl. Abbaye ☎ 71 00 00 58, Fax 71 00 01 67 – ☎. AE ⓓ GB
13 juin-27 sept. – ☕ 34 – **11 ch** 210/290.

au plan d'eau de la Tour N : 2 km par D 906 – ✉ 43160 La Chaise-Dieu :

Le Vénéré, ☎ 71 00 01 08, ←, ☂ – cuisinette ☎ ⇔ Ⓟ. GB
1er mai-30 sept. – **R** (dîner seul.) 65/140 ♂ – ☕ 25 – **14 ch** 150/280 – ½ P 170/200.

à Sembadel Gare S : 6 km par D 906 – ✉ 43160 La Chaise-Dieu :

Moderne, ☎ 71 00 90 15, ☂ – ⇔ Ⓟ. GB. ✱ rest
Pâques-1er nov. – **R** 75/130 ♂ – ☕ 21 – **23 ch** 160/200 – ½ P 170/190.

PEUGEOT-TALBOT Gar. Rodier-Pumin ☎ 71 00 00 62

RENAULT Fayet ☎ 71 00 00 88 N

Les CHAISES 78 Yvelines 60 ⑧, 106 ㉗ – rattaché à Rambouillet.

CHALABRE 11230 Aude 86 ⑥ – 1 262 h. alt. 372.

Paris 804 – Foix 47 – Carcassonne 49 – Castelnaudary 54 – Lavelanet 20 – Pamiers 43 – Quillan 24.

X **France,** ☎ 68 69 20 15 – GB
fermé 1er nov. au 10 déc. – **R** 60/240 ♂, enf. 50.

CITROEN Pierron ☎ 68 69 20 37

CHALAIS 16210 Charente 75 ③ G. Poitou Vendée Charentes – 2 172 h. alt. 100.

Paris 493 – Angoulême 46 – ♦Bordeaux 82 – Périgueux 66.

XX **Relais du Château,** au château ☎ 45 98 23 58, ☂ – Ⓟ. GB
fermé vacances de nov., de fév., mardi soir et merc. – **R** 80/200, enf. 40.

PEUGEOT Gadrat-Blancheton ☎ 45 98 21 16

CHALAMONT 01320 Ain 74 ② ③ G. Vallée du Rhône – 1 476 h. alt. 293.

Paris 440 – ♦Lyon 47 – Belley 63 – Bourg-en-Bresse 24 – Nantua 45 – Villefranche-sur-Saône 40.

XX **Clerc,** ☎ 74 61 70 30 – Ⓟ. GB
fermé 6 au 24 juil., 30 nov. au 18 déc., 17 fév. au 12 mars, lundi sauf le midi en été et mardi – **R** 100/280 ♂.

RENAULT Berlie ☎ 74 61 70 27

CHALEZEULE 25 Doubs 166 ⑮ – rattaché à Besançon.

CHALLANS 85300 Vendée 67 ⑫ G. Poitou Vendée Charentes – 14 203 h. alt. 11.

Office de Tourisme r. de Lattre-de-Tassigny ☎ 51 93 19 75.

Paris 437 ② – Cholet 83 ② – ♦Nantes 56 ① – La Roche-sur-Yon 40 ③ – Les Sables-d'Olonne 43 ④.

Plan page suivante

Antiquité sans rest, 14 r. Gallieni ☎ 51 68 02 84, Fax 51 35 55 74, ⛱, ☂ – TV ☎ Ⓟ. AE ⓓ GB. ✱ B a
fermé 1er au 15 sept., 19 déc. au 3 janv. et week-ends de sept. à mars – ☕ 28 – **16 ch** 200/380.

Commerce sans rest, 17 pl. A. Briand ☎ 51 68 06 24, Fax 51 49 44 97 – TV ☎ – 🏛 40. GB A r
☕ 25 – **21 ch** 170/250.

Champ de Foire, 10 pl. Champ de Foire ☎ 51 68 17 54, Fax 51 35 06 53 – TV ☎. AE GB
fermé janv., vend. soir et sam. sauf juil.-août – **R** 67/250 ♂, enf. 48 – ☕ 28 – **10 ch** 170/250 – ½ P 200/220. B s

CHALLANS

Dodin (Bd L.) . . . . B
Gambetta (R.) . . . . B
Gaulle (Pl. de) . . . . A 7

Baudry (R. P.) . . . . A
Bazin (Bd R.) . . . . A
Biochaud (Av.) . . . . B
Bois-de-Céné (R. de) . . . . A 2
Bonne-Fontaine (R.) . . . . . B
Briand (Pl. A.) . . . . A 3
Carnot (Rue) . . . . A
Cholet (R. de) . . . . B 4
Clemenceau (Bd) . . . . A
F.F.I. (Bd des) . . . . A 6
Gare (Bd de la) . . . . B
Guérin (Bd) . . . . B
Leclerc (R. du Gén.) . . . . . A 8
Lézardière (R. P. de) . . . . A 10
Lorraine (R. de) . . . . A 12
Marzelles (R. des) . . . . B 13
Monnier (R. P.) . . . . A 15
Nantes (R. de) . . . . AB
Roche-sur-Yon
  (R. de la) . . . . B 16
Sables (R. des) . . . . B 17
Strasbourg (Bd de) . . . . . . A
Viaud
  Grand-Marais (Bd) . . . . . B
Yole (Bd J.) . . . . AB

Pas de publicité payée dans ce guide.

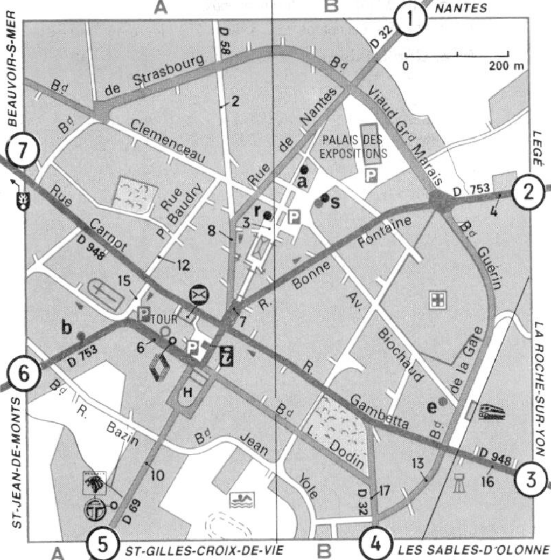

XX **Le Dauphin,** av. Biochaud ℘ 51 93 11 52 – Ⓟ. AE ⓓ GB — B **e**
fermé dim. soir – **R** 90/240.

XX **Le Pavillon Gourmand,** 4 r. St-Jean-de-Mont ℘ 51 49 04 52 – AE GB — A **b**
fermé 28 juin au 11 juil., 19 déc. au 4 janv., dim. soir et lundi – **R** 160/220.

X **Chez Charles,** 8 pl. Champ de Foire ℘ 51 93 36 65, Fax 51 49 31 88 – AE GB — B **s**
fermé 20 déc. au 5 janv., dim. soir et lundi sauf juil.-août – **R** 65/155 ♂, enf. 45.

à la Garnache par ① : 6,5 km – 3 379 h. – ✉ **85710** :

XX **Petit St-Thomas,** ℘ 51 49 05 99 – ✂. GB
fermé 15 au 30 juin et lundi – **R** 65/180, enf. 40.

rte de St-Gilles-Croix-de-Vie par ⑤ – ✉ **85300** Challans :

Château de la Vérie ⛰, 2 km sur D 69 ℘ 51 35 33 44, Fax 51 35 14 84, « Demeure du 16e siècle dans un parc », 🏊, 🎾 – TV ☎ Ⓟ. ⓓ GB
R *(fermé dim. soir hors sais.)* 100/280, enf. 60 – ☕ 48 – **15 ch** 500/850.

XX **La Gite du Tourne-Pierre,** 3 km sur D 69 ℘ 51 68 14 78, 🏖, 🏊 – Ⓟ. AE ⓓ GB
fermé 27 mars au 11 avril, 25 sept. au 10 oct., vend. soir, sam. midi et dim. soir sauf juil.-août – **R** (prévenir) 140/315.

par ⑦ : 6 km sur D 948 – ✉ **85300** Challans :

Relais des Quatre Moulins, ℘ 51 68 11 85 – TV ☎ Ⓟ. AE GB. ✂
fermé 25 sept. au 19 oct., 24 déc. au 6 janv. et dim. hors sais. – **R** 62/210 – ☕ 27 – **12 ch** 180/270 – 1/2 P 230.

CITROEN Atlantic-Autom., 52 rte de St-Jean-de-Monts par ⑥ ℘ 51 93 15 99
PEUGEOT-TALBOT Gar. Retail, rte de Soullans ℘ 51 93 16 52
RENAULT S.N.V.A., 29 r. de St-Jean-de-Monts par ⑥ ℘ 51 49 52 22 N
RENAULT Pontoizeau, 3 bd des F.F.I. ℘ 51 68 11 55

Ⓜ Challans Pneus, ZA allée Jariettes ℘ 51 35 16 43

CHALLES-LES-EAUX **73190** Savoie 74 ⑮ **G. Alpes du Nord** – 2 801 h. alt. 310 – Stat. therm. (30 mars-29 oct.) – Casino.

ℹ Office de Tourisme av. Chambéry (saison) ℘ 79 72 86 19.

Paris 551 – ◆Grenoble 50 – Albertville 45 – Chambéry 7 – St-Jean-de-Maurienne 68.

Château de Challes ⛰, ℘ 79 72 86 71, Fax 79 72 83 83, 🏖, « Terrasse fleurie, parc », 🏊, 🎾 – TV ☎ ♿ Ⓟ – 🏛 100. AE ⓓ GB
R 140/330 – ☕ 45 – **63 ch** 290/650 – 1/2 P 330/450.

Nieder H. sans rest, av. Chambéry ℘ 79 72 86 52 – ⇕ TV ☎ Ⓟ. GB
☕ 30 – **25 ch** 200/260.

Repas 100/130 Pasti accurati a prezzi contenuti.

CHALLEX 01630 Ain 74 ⑤ – 967 h. alt. 509.

Paris 519 – Annecy 45 – Bellegarde-sur-Valserine 22 – Bourg-en-Bresse 91 – ◆Genève 19.

XX **Aub. Challaisienne,** ✆ 50 56 35 71, ≤, 余 – GB
fermé lundi – **R** 190/305.

CHALONNES-SUR-LOIRE 49290 M.-et-L. 63 ⑲ G. Châteaux de la Loire – 5 354 h. alt. 20.

Voir Corniche angevine★ E.

Paris 319 – Angers 25 – Ancenis 36 – Châteaubriant 61 – Château Gontier 62 – Cholet 39,5.

X **Boule d'Or,** 4 r. Las-Cases (près poste) ✆ 41 78 02 46 – GB
fermé dim. soir et lundi – **R** 99/230, enf. 52.

PEUGEOT-TALBOT Gar. Thuleau ✆ 41 78 00 28

Write us...
If you have any comments on the contents of this Guide.
Your praise as well as your criticisms will receive careful consideration and, with your assistance, we will be able to add to our stock of information and, where necessary, amend our judgments.

Thank you in advance!

CHÂLONS-SUR-MARNE P 51000 Marne 56 ⑰ G. Champagne – 48 423 h. alt. 83.

Voir Cathédrale★★ AZ – Église N.-D.-en-Vaux★ : intérieur★★ AY F – Musée du cloître de N.-D.-en-Vaux★★ AY **M1**.

Office de Tourisme 3 quai des Arts ✆ 26 65 17 89.

Paris 163 ⑥ – ◆Reims 48 ① – Charleville-Mézières 104 ② – ◆Dijon 255 ④ – ◆Metz 158 ② – ◆Nancy 159 ④ – ◆Orléans 244 ⑤ – Troyes 83 ⑤.

Plan page suivante

Angleterre et rest. Jacky Michel, 19 pl. Mgr Tissier ✆ 26 68 21 51, Fax 26 70 51 67 – rest TV ☎ P. AE O GB. ✻ ch — BY **g**
fermé 19 juil. au 9 août, vacances de Noël, sam. midi et dim. – **R** 170/420, enf. 70 – ☕ 50 – **18 ch** 400/550
Spéc. Filets de sole à la crème d'oursin, Rognon de veau au Bouzy, Plaisir au chocolat et à la poire. Vins Champagne, Cumières rouge.

Bristol sans rest, 77 av. P. Sémard ✉ 51510 Fagnières ✆ 26 68 24 63 – TV ☎ 🚗 P. GB. ✻ — X **a**
fermé vacances de Noël – ☕ 26 – **24 ch** 185/225.

Ibis M, rte de Sedan par ② : 3 km ✆ 26 65 16 65, Télex 830595, Fax 26 68 31 88 – TV ☎ P – 🏛 25. GB — X **b**
R 79 🍷, enf. 39 – ☕ 32 – **40 ch** 265/300.

Campanile, rte Reims ✉ 51520 St-Martin-sur-le-Pré ✆ 26 70 41 02, Télex 842137, Fax 26 66 87 85, 余 – TV ☎ ♿ P – 🏛 25. AE GB — X **n**
R 77 bc/99 bc, enf. 39 – ☕ 28 – **50 ch** 258 – ½ P 234/256.

XX **Les Ardennes,** 34 pl. République ✆ 26 68 21 42 – AE GB — AZ **s**
fermé dim. soir et lundi – **R** 120/290.

X **Carillon Gourmand,** 15 bis r. Mgr Tissier ✆ 26 64 45 07 – GB — BY **e**
fermé 14 janv. au 3 fév., dim. soir et lundi – **R** 85/120 🍷.

à l'Épine par ③ : 8,5 km – ✉ **51460**.

Voir Basilique N.-Dame★★.

Aux Armes de Champagne, ✆ 26 66 96 79, Fax 26 66 92 31, 🌳 – TV ☎ P – 🏛 100. GB. ✻ ch
fermé 3 janv. au 8 fév., dim. soir et lundi de nov. à mars – **R** 100/450, enf. 80 – ☕ 55 – **37 ch** 450/750
Spéc. Poêlée de sole et langoustines aux artichauts, Potée de saumon et navets confits (sept. à avril), Melon soufflé à la fleur de lavande (juin à sept.). Vins Bouzy rouge, Champagne.

CITROEN Ardon, 19 av. W.-Churchill par ④ ✆ 26 64 42 42 N ✆ 26 21 01 58
CITROEN Gar. Chauffert, 34 RN à Courtisols par ③ ✆ 26 66 60 23 N ✆ 26 66 90 95
LADA-SKODA Gar. Auto Pro, 17 r. Camp-d'Attila ✆ 26 68 36 08
MAZDA Gar. Grandjean, 57 fg St-Antoine ✆ 26 64 60 35
OPEL Gar. de l'Avenue, 1 r. Oradour ✆ 26 68 11 63
PEUGEOT Guyot, 170 av. Gén.-Sarrail ✆ 26 68 38 86

RENAULT S.D.A.C., av. 106ᵉ-R.-I., ZI ✆ 26 21 12 12 N ✆ 26 70 75 86
VOLVO-TOYOTA Poiret, av. Plateau Glières St-Memmie ✆ 26 70 41 13

Auto-Pneu-Marché, 14 r. Martyrs-de-la-Résistance ✆ 26 68 26 57
Chalons-Pneus, 44-46 pl. République ✆ 26 68 07 17

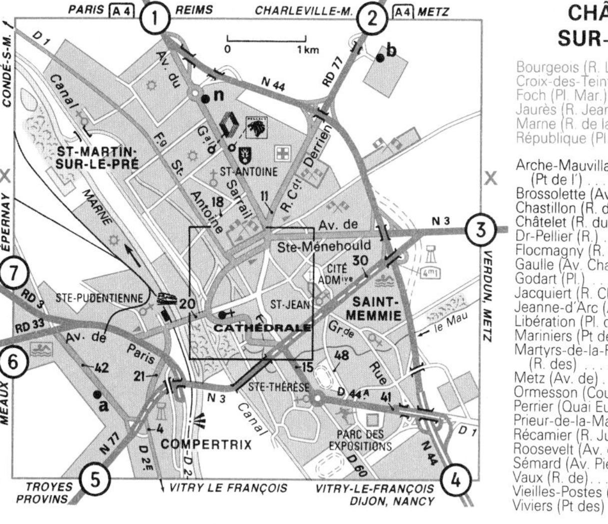

CHÂLONS-SUR-MARNE

Bourgeois (R. Léon) . . . . . BY
Croix-des-Teinturiers (R.) . AZ 9
Foch (Pl. Mar.) . . . . AY 14
Jaurès (R. Jean) . . . . . X, AZ 20
Marne (R. de la) . . . . AY 27
République (Pl. de la) . . . . AZ 39

Arche-Mauvillan (Pt de l') . . . . BZ 2
Brossolette (Av. Pierre) . . . . X 4
Chastillon (R. de) . . . . . . ABZ 6
Châtelet (R. du) . . . . BY 8
Dr-Pellier (R.) . . . . X 11
Flocmagny (R. du) . . . . BY 12
Gaulle (Av. Charles-de) X, BZ 15
Godart (Pl.) . . . . AY 17
Jacquiert (R. Clovis) . . . . . . X 18
Jeanne-d'Arc (Av.) . . . . X 21
Libération (Pl. de la) . . . . . AZ 24
Mariniers (Pt des) . . . . AY 26
Martyrs-de-la-Résistance (R. des) . . . . BY 29
Metz (Av. de) . . . . X 30
Ormesson (Cours d') . . . . . AZ 32
Perrier (Quai Eugène) . . . . AY 33
Prieur-de-la-Marne (R.) . . . BY 36
Récamier (R. Juliette) . . . . AZ 38
Roosevelt (Av. du Prés.) . . . X 41
Sémard (Av. Pierre) . . . . X 42
Vaux (R. de) . . . . AY 47
Vieilles-Postes (R. des) . . . . X 48
Viviers (Pt des) . . . . AY 50

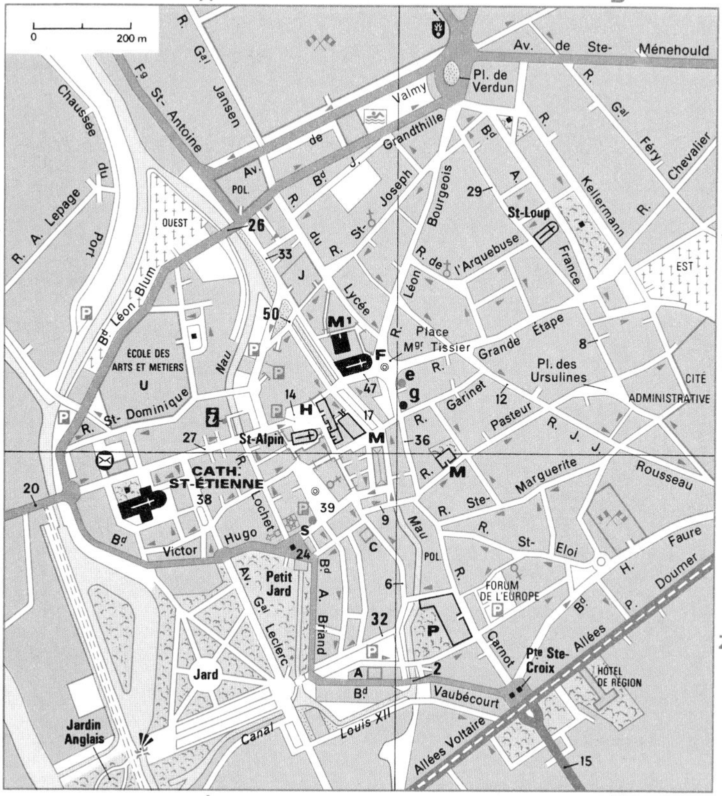

CHALON-SUR-SAÔNE <SP> **71100** S.-et-L. 69 ⑨ **G. Bourgogne** – 54 575 h. alt. 179.

Voir Réfectoire★ de l'hôpital CZ **B** – Musées : Denon★ BZ **M**[1], Nicéphore Niepce★ BZ **M**[2] – Roseraie St-Nicolas★ SE : 4 km X.

18 ✆ 85 93 49 65, NE : 3 km X.

Office de Tourisme square Chabas, bd République ✆ 85 48 37 97 – A.C. 95 av. Boucicaut ✆ 85 46 48 89 – Maison des Vins de la Côte Chalonnaise (unique en Bourgogne dégustations commentées à la carte) promenade Sainte-Marie ✆ 85 41 64 00.

Paris 337 ⑦ – ◆Besançon 109 ① – Bourg-en-Bresse 91 ② – ◆Clermont-Fd 211 ⑤ – ◆Dijon 68 ⑦ – ◆Genève 189 ① – ◆Lyon 127 ④ – Mâcon 58 ④ – Montluçon 213 ⑤ – Roanne 136 ⑤.

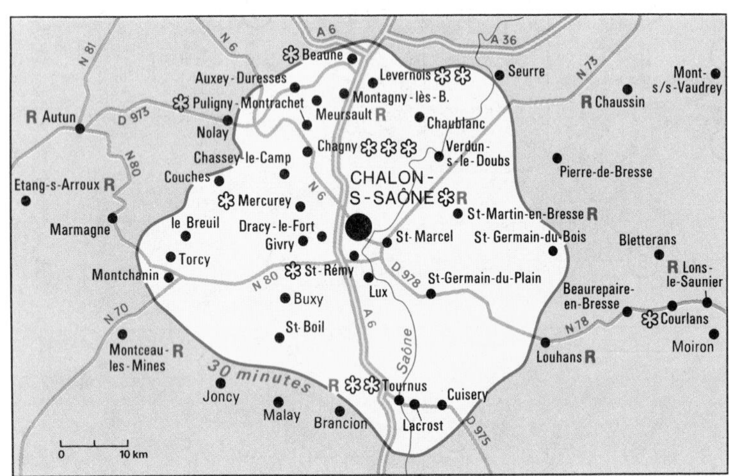

St-Georges (Choux) M, 32 av. J. Jaurès ✆ 85 48 27 05, Télex 800330, Fax 85 93 23 88 – ch – 40. AE GB AZ **s**
R *(fermé sam. midi)* 140/390, enf. 70 – 48 – **48 ch** 345/435 – ½ P 330
Spéc. Croustillant de crêtes et rognons de coq, Pot-au-feu de saumon, Pigeon de Bresse rôti en bécasse. Vins Montagny, Mercurey.

St-Régis M, 22 bd République ✆ 85 48 07 28, Télex 801624, Fax 85 48 90 88 – . AE GB JCB BZ **v**
R *(fermé dim.)* 95/285, enf. 45 – 42 – **38 ch** 260/460 – ½ P 295/380.

St-Hubert sans rest, 35 pl. Beaune ✆ 85 46 22 81, Télex 801177, Fax 85 46 47 80 – . AE GB BY **r**
37 – **52 ch** 220/315.

St-Jean sans rest, 24 quai Gambetta ✆ 85 48 45 65 – . GB BZ **s**
25 – **25 ch** 185/230.

Nouvel H. sans rest, 7 av. Boucicaut ✆ 85 48 07 31, Fax 85 93 31 62 – . GB
fermé 26 déc. au 1er janv. – 22 – **27 ch** 95/200. AZ **a**

XXX **Didier Denis,** 1 r. Pont ✆ 85 48 81 01, Fax 85 48 15 71 – GB CZ **b**
fermé 1er au 15 août, dim. soir et lundi – **R** 145/335, enf. 70.

XXX **Le Bourgogne,** 28 r. Strasbourg ✆ 85 48 89 18, « Maison du 17e siècle, caveau » – AE GB CZ **r**
fermé 16 nov. au 7 déc., sam. midi et dim. soir sauf juil.-août – **R** 90/223.

XX **Le Provençal,** 22 pl. Beaune ✆ 85 48 03 65 – GB BY **n**
fermé 27 mars au 10 avril, sam. midi et vend. sauf fériés – **R** 108/260.

XX **La Réale,** 8 pl. Gén. de Gaulle ✆ 85 48 07 21 – . GB BZ **m**
fermé août, dim. (sauf le midi de sept. à juin) et lundi sauf juil. – **Repas** 105/210.

XX **L'Ile Bleue,** 3 r. Strasbourg ✆ 85 48 39 83, produits de la mer – GB CZ **a**
fermé 1er au 22 août, sam. midi et merc. – **R** 75/128.

XX **Marché,** 7 pl. St Vincent ✆ 85 48 62 00 – GB CZ **d**
fermé 15 au 31 août, 1er au 7 fév., dim. soir et lundi – **R** 78/160.

X **Ripert,** 31 r. St Georges ✆ 85 48 89 20 – GB BZ **k**
fermé 1er au 8 mai, 1er au 21 août, 1er au 8 janv., dim. et lundi – **R** 83/125.

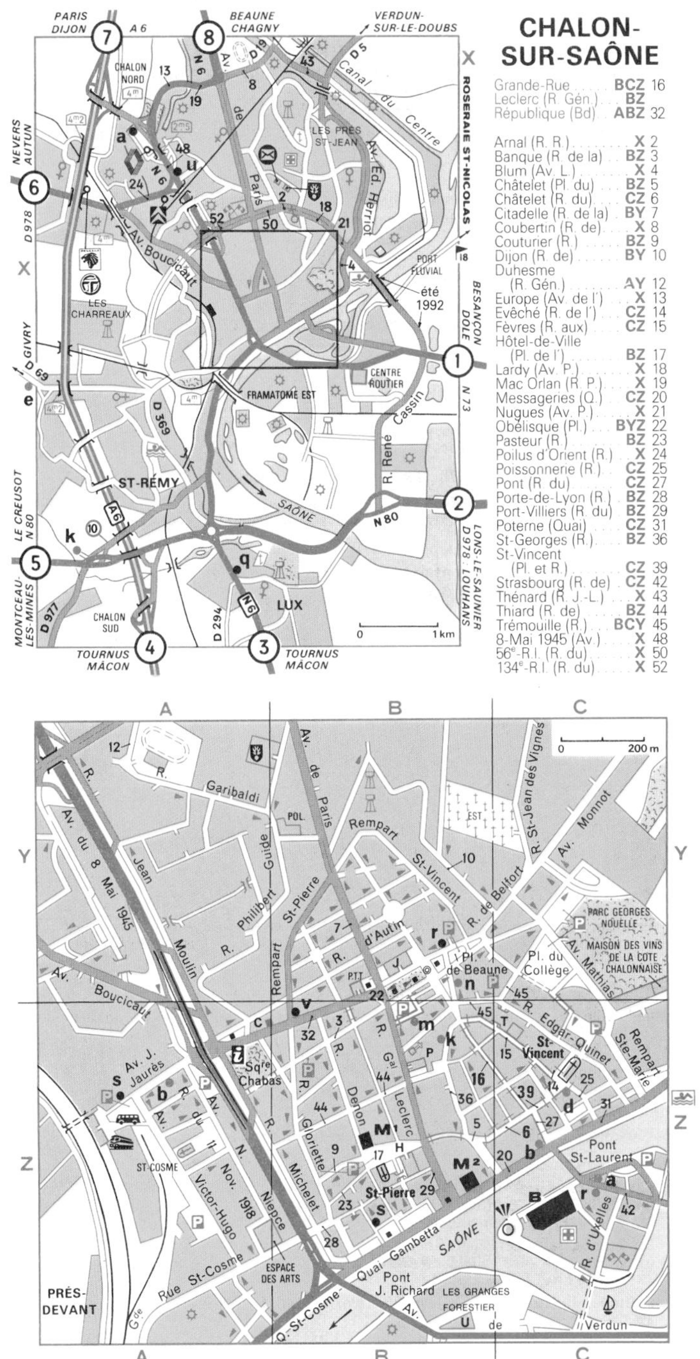
CHALON-
SUR-SAÔNE
Grande-Rue BCZ 16
Leclerc (R. Gén.) BZ
République (Bd) ABZ 32
Arnal (R. R.) X 2
Banque (R. de la) BZ 3
Blum (Av. L.) X 4
Châtelet (Pl. du) BZ 5
Châtelet (R. du) CZ 6
Citadelle (R. de la) BY 7
Coubertin (R. de) X 8
Couturier (R.) BZ 9
Dijon (R. de) BY 10
Duhesme (R. Gén.) AY 12
Europe (Av. de l') X 13
Evêché (R. de l') CZ 14
Fèvres (R. aux) CZ 15
Hôtel-de-Ville (Pl. de l') BZ 17
Lardy (Av. P.) X 18
Mac Orlan (R. P.) X 19
Messageries (Q.) CZ 20
Nugues (Av. P.) X 21
Obélisque (Pl.) BYZ 22
Pasteur (R.) BZ 23
Poilus d'Orient (R.) X 24
Poissonnerie (R.) CZ 25
Pont (R. du) CZ 27
Porte-de-Lyon (R.) BZ 28
Port-Villiers (R. du) BZ 29
Poterne (Quai) CZ 31
St-Georges (R.) BZ 36
St-Vincent (Pl. et R.) CZ 39
Strasbourg (R. de) CZ 42
Thénard (R. J.-L.) X 43
Thiard (R. de) BZ 44
Trémouille (R.) BCY 45
8-Mai 1945 (Av.) X 48
56e-R.I. (R. du) X 50
134e-R.I. (R. du) X 52
PARIS DIJON A 6
BEAUNE CHAGNY
VERDUN-SUR-LE-DOUBS
NEVERS AUTUN
ROSERAIE ST-NICOLAS
BESANÇON DOLE N 73
LONS-LE-SAUNIER D 978 : LOUHANS
MONTCEAU-LES-MINES
LE CREUSOT N 80
TOURNUS MÂCON
CHALON NORD
CHALON SUD
LES PRÉS ST-JEAN
LES CHARREAUX
ST-RÉMY
LUX
FRAMATOME EST
CENTRE ROUTIER
PORT FLUVIAL
été 1992
Canal du Centre
SAÔNE
0 1 km
0 200 m
PARC GEORGES NOUELLE
MAISON DES VINS DE LA COTE CHALONNAISE
Pl. de Beaune
Pl. du Collège
St-Vincent
St-Pierre
Sq re Chabas
ST-COSME
ESPACE DES ARTS
PRÈS-DEVANT
Pont St-Laurent
Pont J. Richard
LES GRANGES FORESTIER

près Échangeur A6 Chalon-Nord – ✉ **71100** Chalon-sur-Saône :

Mercure Ⓜ, av. Europe ✆ 85 46 51 89, Télex 800132, Fax 85 46 08 96, ≘, ⛱, ≈ – 🛗 ⇄ ch ▤ 📺 ☎ ♿ 🅟 – 🏛 180. AE ⓞ GB — X a
R 130/180 ♀, enf. 48 – ☕ 50 – **85 ch** 390/550.

Ibis Ⓜ sans rest, carrefour des Noirots ✆ 85 46 64 62, Télex 800381, Fax 85 46 39 17 – 📺 ☎ 🅟. GB — X u
☕ 31 – **61 ch** 265/315.

à Lux S : 5 km par N 6 - X – ✉ **71100** :

Charmilles, ✆ 85 48 58 08, Fax 85 93 04 49, ≘ – 📺 ☎ 🚗 🅟. GB. ✂ rest — X q
fermé dim. soir du 15 oct. au 15 mars et lundi midi – **R** 80/200 ♀ – ☕ 26 – **30 ch** 185/250 – ½ P 210/230.

à St-Rémy SO – 5 627 h. – ✉ **71100** :

XXX ✿ **Moulin de Martorey** (Gillot), 4 km par N 6, N 80 et VO ✆ 85 48 12 98, Fax 85 48 73 67, ≘, « Bel aménagement intérieur » – 🅟. GB — X k
fermé 10 au 24 août, vacances de fév., dim. soir et lundi – **R** 170/370
Spéc. Escargots au vin rouge et pleurotes, Saucisson de lapereau au basilic, Fondant au chocolat et pralin feuilleté. **Vins** Givry, Rully.

rte Givry O : 4 km sur D 69 - X – ✉ **71880** Châtenoy-le-Royal :

X **Aub. des Alouettes,** ✆ 85 48 32 15, ≘ – 🅟. GB — X e
fermé 15 juil. au 15 août, vacances de fév., dim. et merc. – **R** (dim. prévenir) 75/168.

à St-Marcel par ① et D 978 : 3 km – 4 118 h. – ✉ **71380** :

XX **Jean Bouthenet,** ✆ 85 96 56 16 – 🅟. ⓞ GB
fermé 10 au 25 août, vacances de fév., dim. soir et lundi – **R** 90 (sauf fêtes)/290 ♀, enf. 55.

à Dracy-le-Fort par ⑥ : 6 km sur D 978 – ✉ **71640** :

Le Dracy Ⓜ ≫, ✆ 85 87 81 81, Télex 801102, Fax 85 87 77 49, ≘, parc, ⛱, ✂ – 📺 ☎ ♿ 🅟 – 🏛 30 à 100. AE ⓞ GB JCB
fermé 20 au 31 déc. – **R** 91/180 ♀, enf. 55 – ☕ 37 – **40 ch** 310/400 – ½ P 280.

BMW Gar. République, 8 pl. République ✆ 85 48 16 90
CITROEN Gar. Moderne de Chalon-sur-Saône, r. Poilus-d'Orient ✆ 85 46 52 12
FORD Soreva, 4 av. Kennedy ✆ 85 46 49 45
PEUGEOT-TALBOT Nedey, rte d'Autun à Châtenoy-le-Royal ✆ 85 87 88 00 🅽 ✆ 85 92 79 08
RENAULT SODIRAC, av. Europe, centre commercial de la Thalie ✆ 85 47 85 47 🅽 ✆ 05 05 15 15

Ⓜ Chalon-Pneus ZI Verte à Châtenoy-le-Royal ✆ 85 46 45 77
Perret-Pneus, 40 rte de Lyon, N 6 à St-Rémy ✆ 85 48 22 03
Piot-Pneu, r. P.-de-Coubertin, ZI ✆ 85 46 50 12

CHAMALIÈRES **63** P.-de-D. 73 ⑭ – rattaché à Clermont-Ferrand.

CHAMBERET **19370** Corrèze 72 ⑲ – 1 376 h.

Env. Mont Gargan ✵** NO : 9 km, P67G. Berry Limousin.

🅸 Syndicat d'Initiative pl. Mairie ✆ 55 98 34 92.

Paris 449 – ♦Limoges 52 – Guéret 87 – Tulle 47 – Ussel 72.

France, ✆ 55 98 30 14, Fax 55 73 47 15 – ▤ rest ☎ 🅟. GB. ✂ rest
fermé 9 janv. au 8 fév., vend soir et dim. soir d'oct. à Pâques – **R** 65/160 ♀, enf. 50 – ☕ 25 – **16 ch** 180/230 – ½ P 200/250.

CHAMBÉRY Ⓟ **73000** Savoie 74 ⑮ **G. Alpes du Nord** – 54 120 h. alt. 272.

Voir Vieille ville★ AB : Ste-Chapelle★ A **B** du château★ A, place St-Léger★ B, grilles★ de l'hôtel de Châteauneuf (rue de la Croix-d'Or) B – Diptyque★ dans la Cathédrale métropolitaine B – Crypte★ de l'église St-Pierre de Lémenc B – Musée savoisien★ B **M**[1].

✈ de Chambéry-Aix-les-Bains : ✆ 79 54 46 00, au Bourget-du-Lac par ④ : 8 km.

🅸 Office de Tourisme 24 bd de la Colonne ✆ 79 33 42 47 – A.C. "Le Comte-Rouge" 222 av. Comte-Vert ✆ 79 69 14 72.

Paris 544 ④ – ♦Grenoble 55 ② – Annecy 49 ④ – ♦Lyon 100 ④ – Torino 202 ② – Valence 127 ③.

Plan page suivante

Au Prince Eugène de Savoie Ⓜ, esplanade Curial ✆ 79 85 06 07, Télex 319104, Fax 79 85 61 01 – 🛗 📺 ☎ ♿ 🚗 – 🏛 100. AE ⓞ GB — B b
R voir rest. **Roubatcheff** ci-après – ☕ 46 – **44 ch** 395/495, 6 appart..

Le France sans rest, 22 fg Reclus ✆ 79 33 51 18, Télex 309689, Fax 79 85 06 30 – 🛗 ⇄ 📺 ☎ 🚗 – 🏛 40 à 150. AE ⓞ GB — B z
☕ 40 – **48 ch** 310/420.

Princes, 4 r. Boigne ✆ 79 33 45 36, Télex 319148, Fax 79 70 31 47 – 🛗 ▤ rest 📺 ☎. AE ⓞ GB — B r
R *(fermé 11 juil. au 5 août et dim. soir)* 160/320, enf. 70 – ☕ 35 – **45 ch** 250/390 – ½ P 340/360.

CHAMBÉRY

Boigne (R. de) . . . . B
Colonne (Bd de la) . . . . . B 12
Juiverie (R.) . . . . A
St-Léger (Pl.) . . . . B

Allobroges (Q. des) . . . . A 2
Banque (R. de la) . . . . . . B 3
Basse-du-Château (R.) . . A 4
Bernardines (Av. des) . . . A 6
Borrel (Q. A.) . . . . B 7
Charvet (R. F.) . . . . B 9
Château (Pl. du) . . . . A 10
Ducis (R.) . . . . B 13
Ducs-de-Savoie (Av. des) B 14
Freizier (R.) . . . . AB 15
Gaulle (Av. Gén.-de) . . . . B 16
Italie (R. d') . . . . B 17
Jaurès (Av. J.) . . . . A 18
Jeu-de-Paume (Q. du) . . A 19
Lans (R. de) . . . . A 20
Libération (Pl. de la) . . . . B 22
Maché (Pl.) . . . . A 23
Martin (R. Cl.) . . . . B 24
Métropole (Pl.) . . . . B 25
Musée (Bd du) . . . . AB 26
Ravet (Q. Ch.) . . . . B 27
St-Antoine (R.) . . . . A 28
St-François (R.) . . . . B 30
Théâtre (Bd du) . . . . B 31
Vert (Av. du Comte) . . . . . A 32

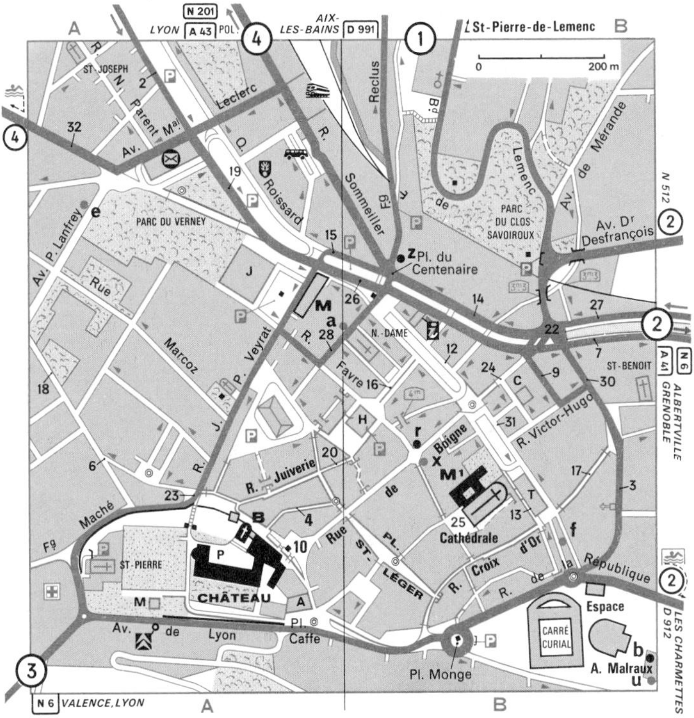

XXX ✿ **Roubatcheff,** esplanade Curial ✆ 79 33 24 91, Fax 79 85 02 09, – AE ⓓ GB
fermé 5 au 19 juil. – **R** (nombre de couverts limité - prévenir) 180/450 B **u**
Spéc. Terrine de foie gras et pigeon, Pot-au-feu de légumes confits, Braisé de ris de veau au beurre mousseux. Vins Vin du Bugey, Chignin.

XXX **St-Réal,** 10 r. St Réal ✆ 79 70 09 33 – AE ⓓ GB B **x**
fermé dim. sauf fériés – **R** 170/380.

XX **Chaumière,** 14 r. Denfert-Rochereau ✆ 79 33 16 26 – GB B **f**
fermé 21 au 31 mars, 19 au 26 août, merc. soir de sept. à mai, sam. soir de juin à sept. et dim. – **Repas** 84/150 🍷.

XX **La Vanoise,** 44 av. P. Lanfrey ✆ 79 69 02 78 – GB A **e**
fermé 26 avril au 10 mai et dim. sauf fêtes – **R** (nombre de couverts limité, prévenir) 80/300 🍷.

X **Le Tonneau,** 2 r. St Antoine ✆ 79 33 78 26 – AE ⓓ GB AB **a**
fermé août, 24 déc. au 2 janv., dim. soir et lundi – **R** 100/150 🍷.

à Sonnaz par ① : 8 km sur D 991 – ⊠ **73000** :

XX **Le Régent,** ✆ 79 72 27 70, – **P**. GB
fermé 15 août au 15 sept. et merc. – **R** 120/300, enf. 50.

SE : 2 km par D 4 - B – ⊠ **73000** Chambéry :

Aux Pervenches, aux Charmettes ✆ 79 33 34 26, ←, – ☎ **P**. GB.
fermé 9 au 31 août, 15 au 31 janv. – **R** *(fermé dim. soir et merc.)* 90/160 – ☕ 22 – **13 ch** 100/160.

XXX **Mont Carmel,** à Barberaz ✆ 79 85 77 17, Fax 79 85 16 65, – **P**. AE GB
fermé 15 au 31 août, dim. soir et lundi – **R** 105/210.

par ④ : 3 km sur N 201 (sortie la Motte-Servolex) – 9 349 h. – ✉ **73000** Chambéry :

Novotel M, ✆ 79 69 21 27, Télex 320446, Fax 79 69 71 13, ☂, ⛱, ⚘ – 🛗 ⇆ ch ▤ TV ☎ ♿ P – 🏛 200. AE ⓞ GB
R carte environ 160 🧒, enf. 50 – ☕ 48 – **103 ch** 420/460.

à Voglans : par ④ : 9 km – ✉ **73420** :

Cerf Volant M 🐦, ✆ 79 54 40 44, Fax 79 54 46 73, ☂, ⛱, ⚘, 🎾 – TV ☎ P – 🏛 40 à 80. AE ⓞ GB. ✻ rest
R 130/290 – ☕ 45 – **30 ch** 400/500 – ½ P 410.

ALFA ROMEO-INNOCENTI-MAZDA Chambéry Nord Auto, 83 r. E.-Ducretet par ⑤ ✆ 79 62 36 37
CITROEN S.A.D., ZI des Landiers voie rapide urbaine nord par ④ ✆ 79 62 25 90 N ✆ 79 54 41 77
CITROEN Gar. du Château, 11 av. de Lyon ✆ 79 69 39 08
LADA Gar. Alessandria, 1 183 clos de la Trousse à la Ravoire ✆ 79 72 92 44
MERCEDES Etoile Service 73, Z.I. des Landiers ✆ 79 69 72 16
PEUGEOT-TALBOT Maurel, ZI des Landiers par ④ ✆ 79 96 15 32
ROVER Falletti, 35 pl. Caffe ✆ 79 33 63 45
V.A.G Jean Lain Automobiles, ZI des Landiers, voie rapide urbaine nord ✆ 79 62 37 91

Ⓜ Equip'Auto, r. E.-Ducretet ✆ 79 96 34 40

Périphérie et environs

BMW Europe, 780 r. P. et M. Curie, La Ravoire ✆ 79 85 09 00
CITROEN Gar. Schiavon, av. de Turin, Bassens par N 512 B ✆ 79 33 03 53
FIAT Max Dubois, RN 6 rte de Challes, La Ravoire ✆ 79 72 73 73
FORD Madelon, 70 rte de Lyon, Cognin ✆ 79 69 09 27
HONDA Gar. Bonomi, N 6 à La Ravoire ✆ 79 72 95 06
LANCIA Coudurier-Curioz, r. P. et M. Curie, La Ravoire ✆ 79 85 18 98
NISSAN Ipon, r. de la Francon à Voglans ✆ 79 54 47 51
OPEL Savauto, av. de Chambéry à St-Alban-Leysse ✆ 79 33 30 63
RENAULT SOGARAL, 282 av. de Chambéry à St-Alban-Leysse par N 512 B ✆ 79 33 21 45 N ✆ 79 65 56 39
SAAB, TOYOTA Espace Automobiles r. P.-et-M.-Curie, La Ravoire ✆ 79 72 95 20
V.A.G Jean Lain Automobiles, Z.I. la Trousse, La Ravoire ✆ 79 85 20 19

Ⓜ Comptoir du Pneu, 340 chemin des Carrières à St-Alban-Leysse ✆ 79 75 21 03
Piot-Pneu, ZI de la Trousse, N 6, La Ravoire ✆ 79 72 96 02
Savoy-Pneus, av. Houille-Blanche, ZI Bissy ✆ 79 69 30 72
Tessaro-Cavasin, N 6 à St-Alban-Leysse ✆ 79 33 20 09

CHAMBON (Lac)

★★ **63** P.-de-D. 73 ⑬ **G. Auvergne** – alt. 877 – Sports d'hiver : 1 200/1 800 m ⛷9 – ✉ **63790** Murol – Paris 466 – ◆Clermont-Ferrand 37 – Condat 40 – Issoire 31 – Le Mont-Dore 18.

Grillon, ✆ 73 88 60 66, ⚘ – ☎ P. GB
1er fév.-10 nov. – **R** 55/160 – ☕ 28 – **22 ch** 170/200 – ½ P 180/210.

Beau Site, ✆ 73 88 61 29, ←, ☂ – ☎ P. AE ⓞ GB
hôtel : vacances de fév.-20 oct. ; rest. : vacances de fév.-30 sept. – **R** 60/170 – ☕ 28 – **17 ch** 220/250 – ½ P 200/220.

Bellevue sans rest, ✆ 73 88 61 06, ← – ☎ P
Pâques-fin sept. et vacances de fév. – ☕ 26 – **21 ch** 196/210, 4 appart. 300.

Le CHAMBON-SUR-LIGNON

43400 H.-Loire 76 ⑧ **G. Vallée du Rhône** – 2 854 h. alt. 960.

⛳9 ✆ 71 59 28 10, SE par D 103, D 155 : 5 km.

ℹ Office de Tourisme 1 la Place ✆ 71 59 71 56.

Paris 577 – Le Puy-en-Velay 46 – Annonay 47 – Lamastre 32 – Privas 83 – ◆St-Étienne 59 – Yssingeaux 24.

Bel Horizon 🐦, chemin de Molle ✆ 71 59 74 39, ←, ⛱, ⚘, 🎾 – TV ☎ P. GB. ✻ rest
fermé 10 au 30 oct. et 10 au 30 janv. – **R** 100/170 🧒, enf. 65 – ☕ 35 – **19 ch** 200/300 – ½ P 280/320.

Central, ✆ 71 59 70 67 – ☎
fermé oct., lundi soir et mardi du 1er nov. au 15 juin – **R** 70/220 🧒 – ☕ 30 – **25 ch** 120/250 – ½ P 180/250.

au Sud 3 km par D 151, rte de la Suchère et VO – ✉ **43400** Chambon-sur-Lignon :

Bois Vialotte 🐦, ✆ 71 59 74 03, ←, parc – ☎ P. GB. ✻ rest
12 avril-10 mai et 6 juin-30 sept. – **R** 75/115 – ☕ 35 – **17 ch** 160/280 – ½ P 195/265.

à l'Est : 3,5 km par D 157 et D 185 – ✉ **43400** Chambon-sur-Lignon :

Clair Matin 🐦, ✆ 71 59 73 03, Fax 71 65 87 66, ←, parc, ☂, 🏋, ⛱, 🎾 – TV ☎ ♿ P – 🏛 30. AE ⓞ GB JCB. ✻ rest
fermé mi-nov. à mi-déc. et 5 au 25 janv. – **R** *(fermé merc. du 1er oct. au 1er mai)* 110/160, enf. 60 – ☕ 45 – **30 ch** 320/400 – ½ P 310/360.

CITROEN Grand, 27/29 rte de St-Agrève ✆ 71 59 76 18
RENAULT Perrier, à le Sarzier ✆ 71 59 74 31 N ✆ 71 59 73 99

CHAMBORD

41250 L.-et-Ch. 64 ⑦ ⑧ – 200 h. alt. 71.

Voir Château★★★ (spectacle son et lumière★), **G. Châteaux de la Loire.**

Paris 175 – ◆Orléans 52 – Blois 16 – Châteauroux 100 – Romorantin-Lanthenay 37 – Salbris 54.

Gd St-Michel 🐦, ✆ 54 20 31 31, ←, ☂, « Face au château », 🎾 – ☎ P. GB. ✻ ch
fermé 12 nov. au 20 déc. – **R** (dim. et fêtes prévenir) 115/210 – ☕ 35 – **38 ch** 280/390.

CHAMBORIGAUD 30530 Gard 80 ⑦ – 716 h. alt. 300.

Paris 659 – Alès 29 – Florac 52 – La Grand-Combe 20 – Nîmes 76 – Villefort 23.

- **Les Camisards** avec ch, ✆ 66 61 47 93 – rest. GB.
  fermé vacances de fév., mardi soir et merc. sauf juil.-août – **R** (prévenir) 78/210, enf. 50 – 25 – **3 ch** 170 – ½ P 180.

CHAMBOULIVE 19450 Corrèze 75 ⑨ **G. Berry Limousin** – 1 190 h. alt. 435.

Paris 465 – Brive-la-Gaillarde 41 – Aubusson 92 – Bourganeuf 78 – Seilhac 8,5 – Tulle 22 – Uzerche 16.

- **Deshors Foujanet,** ✆ 55 21 62 05, Fax 55 21 68 80, GB
  fermé oct. et vacances de fév. – **R** *(fermé dim. soir de nov. à mai)* 70/180, enf. 50 – 23 – **29 ch** 130/250 – ½ P 170/240.

CHAMBRAY 27120 Eure 55 ⑰ – 372 h. alt. 49.

Paris 93 – ♦Rouen 50 – Évreux 13 – Louviers 20 – Mantes-la-Jolie 35 – Vernon 17.

- XXX ✿ **Le Vol au Vent** (Lognon), ✆ 32 36 70 05 – GB
  fermé 3 au 31 août, 24 déc. au 4 janv., dim. soir, mardi midi et lundi – **R** 160/190
  Spéc. Homard et langoustines tièdes en salade, Ris de veau aux morilles, Millefeuille aux fruits de saison.

CHAMBRAY-LÈS-TOURS 37 I.-et-L. 64 ⑮ – rattaché à Tours.

CHAMBRETAUD 85 Vendée 67 ⑤ – rattaché aux Herbiers.

During the season, particularly in resorts, it is wise to book in advance.

CHAMONIX-MONT-BLANC 74400 H.-Savoie 74 ⑧ ⑨ **G. Alpes du Nord** – 9 701 h. alt. 1 037 – Sports d'hiver : 1 035/3 842 m 12 33 – Casino AY.

Env. E : Mer de glace★★★ et le Montenvers★★★ par chemin de fer électr. AY – SE : Aiguille du midi ✻★★★ par téléphérique AY (station intermédiaire : plan de l'Aiguille★★ BZ) – NO : Le Brévent★★★ par téléphérique (station intermédiaire : Planpraz★★) AZ.

18 ✆ 50 53 06 28, N : 3 km BZ.

Tunnel du Mont-Blanc : **Péage en 1991** aller simple : autos 80 à 155 F, camions 390 à 780 F - Tarifs spéciaux AR pour autos et camions.

Office de Tourisme pl. Triangle de l'Amitié ✆ 50 53 00 24 et réservation hôtelière ✆ 50 53 23 33, Télex 385022.

Paris 612 ② – Albertville 67 ② – Annecy 94 ② – Aosta 62 ② – Bern 172 ① – Bourg-en-Bresse 183 ② – ♦Genève 83 ② – Lausanne 114 ① – Mont-Blanc (Tunnel du) 7 ② – Torino 175 ②.

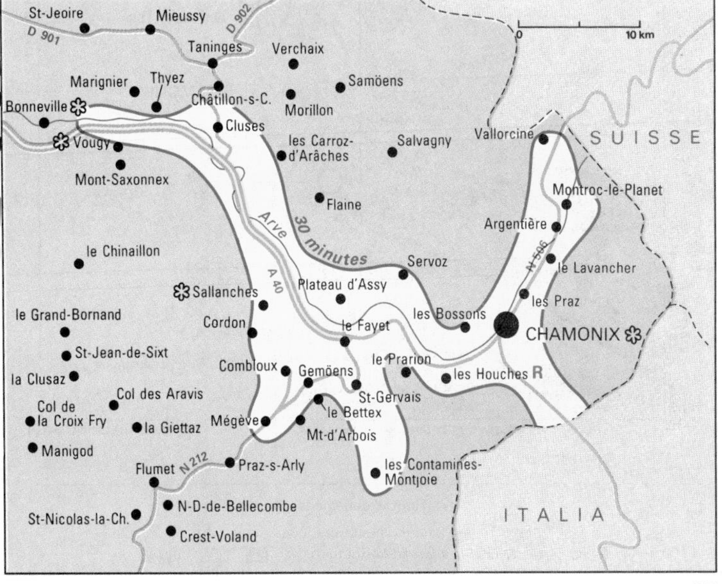

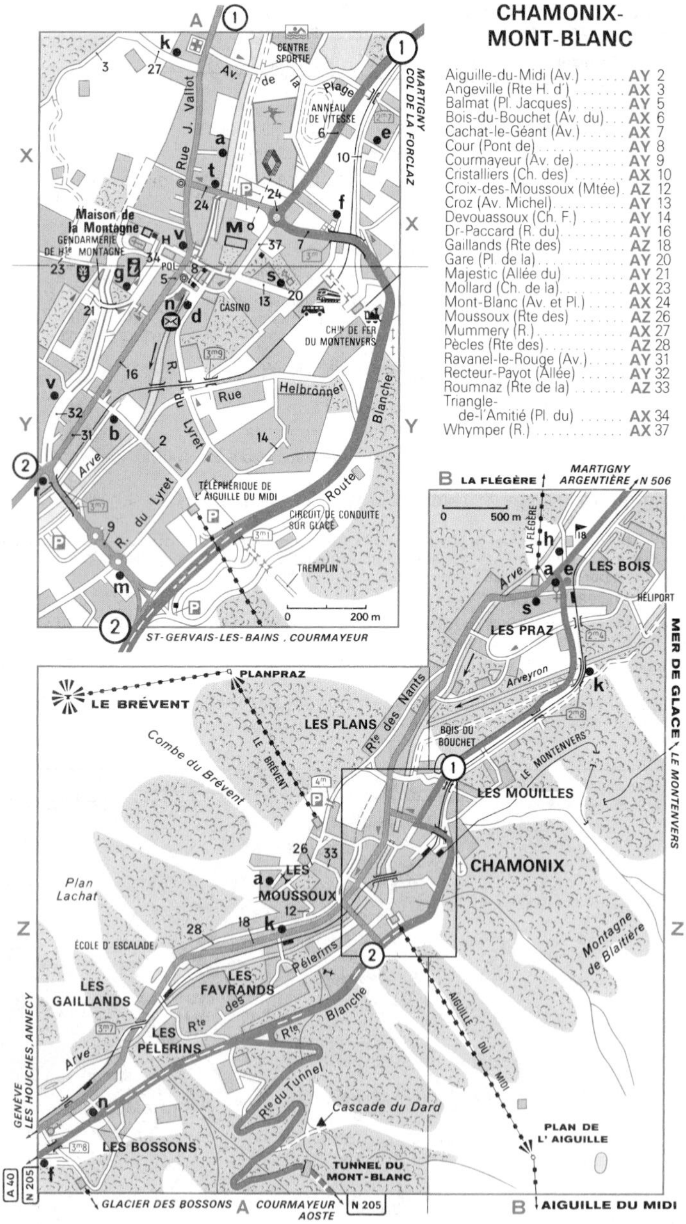

Routes enneigées

Pour tous renseignements pratiques, consultez les cartes Michelin « Grandes Routes » 916, 918, 919 ou 989.

Mont-Blanc et rest. Le Matafan, pl. Église 50 53 05 64, Télex 385614, Fax 50 53 41 39, ≤, « Jardin », – rest AE GB JCB *fermé 15 oct. au 18 déc.* – **R** 160/350, enf. 75 – 60 – **29 ch** 434/874, 15 appart. 1028/1274 – ½ P 504/627. AY **g**

Aub. du Bois Prin M, aux **Moussoux** 50 53 33 51, Fax 50 53 48 75, ≤ massif du Mont-Blanc, « Chalet fleuri », – AE GB AZ **a** *fermé 11 au 27 mai et 26 oct. au 11 déc.* – **R** *(fermé merc. midi)* 170/380, enf. 80 – 65 – **11 ch** 585/945 – ½ P 560/680.

Albert Ier (Carrier) M, 119 impasse du Montenvers 50 53 05 09, Fax 50 55 95 48, ≤, « Jardin fleuri », – AE GB JCB AX **f** *fermé 11 au 26 mai, 19 oct. au 3 déc. et merc. midi* – **R** 180/420, enf. 120 – 60 – **17 ch** 570/780, 12 appart. 840/1200 – ½ P 530/730
Spéc. Foie gras poché tiède au Macvin et purée de pomme de terre. Attriaux de ris de veau aux écrevisses pattes rouges (mai à déc.). Omble chevalier du Léman. Vins Marin, Mondeuse.

Alpina M, 79 av. Mt-Blanc 50 53 47 77, Télex 385090, Fax 50 55 98 99, ≤, – 150. AE GB JCB AX **t** *fermé 3 mai au 13 juin et 10 oct. au 15 déc.* – **R** 135/220, enf. 70 – 45 – **125 ch** 376/710, 9 appart. 852/1010 – ½ P 431/510.

Les Aiglons M, av. Courmayeur 50 55 90 93, Fax 50 53 51 08, ≤, – – 50. AE GB JCB. rest AY **m** *fermé 1er oct. au 20 déc.* – **R** 120/350 – **56 ch** 400/1200, 3 appart. 1700 – ½ P 480/828.

Hermitage et Paccard, r. Cristalliers 50 53 13 87, Fax 50 55 98 14, ≤, – AE GB JCB AX **e** *1er juin-30 sept. et 17 déc.-15 mai* – **R** 120/270, enf. 65 – 40 – **33 ch** 320/520, 3 appart. 800 – ½ P 350/420.

Le Prieuré M, allée Recteur Payot 50 53 20 72, Fax 50 55 87 41, ≤, – cuisinette – 100. AE GB JCB AY **v** *fermé 11 au 27 mai et 4 oct. au 19 déc.* – **R** 110, enf. 70 – 40 – **89 ch** 321/520 – ½ P 331/390.

Croix Blanche, 87 r. Vallot 50 53 00 11, Fax 50 53 48 83, ≤, – AE GB JCB AX **v** *fermé 20 mai au 4 juil.* – **R** brasserie carte 120 à 190, enf. 37 – 32 – **35 ch** 250/414.

La Sapinière-Montana, 102 r. Mummery 50 53 07 63, Fax 50 53 10 14, – AE GB JCB. rest AX **k** *13 juin-27 sept. et 19 déc.-17 avril* – **R** 130/140 – 40 – **30 ch** 420/530 – ½ P 350/380.

Le Chantel sans rest, 391 rte Pècles 50 53 02 54, ≤, – GB. AZ **k** *fermé 23 oct. au 3 nov.* – **7 ch** 356/506.

Vallée Blanche sans rest, 36 r. Lyret 50 53 04 50, Fax 50 55 97 85, ≤ – cuisinette AE GB AY **d** *fermé du 1er sept. au 15 déc.* – 30 – **18 ch** 305/450.

International M sans rest, 255 av. M. Croz 50 53 00 60, Télex 319238, Fax 50 53 56 34 – AE GB AY **s** *fermé 15 mai au 1er juin et 15 nov. au 1 déc.* – 30 – **32 ch** 353/426.

Arveyron, av. du Bouchet par ① : 2 km 50 53 18 29, Fax 50 53 06 43, ≤, – GB. rest BZ **k** *6 juin-26 sept. et 19 déc.-24 avril* – **R** 75/100 – 35 – **28 ch** 150/300 – ½ P 177/260.

Roma sans rest, 289 r. Ravanel-le-Rouge 50 53 00 62, Fax 50 53 50 31, ≤, – AE GB. AY **r** *fermé 4 au 25 juin et 15 au 23 déc.* – 35 – **30 ch** 273/340.

Arve, 60 impasse Anémones 50 53 02 31, Fax 50 53 56 92, ≤, – AE GB JCB. rest AX **a** *hôtel : fermé 2 nov. au 19 déc. ; rest. : fermé 10 mai au 6 juin, 28 sept. au 18 déc.* – **R** *(dîner seul. du 18 avril au 13 juin et du 12 au 28 sept.)* 85, enf. 48 – 30 – **39 ch** 222/456 – ½ P 218/335.

Au Bon Coin sans rest, 80 av. Aiguille-du-Midi 50 53 15 67, Fax 50 53 51 51, ≤, – GB. – *1er juil.-30 sept. et 20 déc.-20 avril* – 30 – **20 ch** 180/300. AY **b**

Atmosphère, 123 pl. Balmat 50 55 97 97 – AE GB JCB – **R** 95/129. AY **n**

aux Praz-de-Chamonix N : 2,5 km – alt. 1 060 – 74400 Chamonix.
Voir La Flégère ≤★★ par téléphérique BZ.

Le Labrador et rest. La Cabane M, au golf 50 55 90 09, Télex 319222, Fax 50 53 15 85, ≤, – – 30. AE GB JCB BZ **h** **R** *(fermé jeudi midi et merc. sauf fériés du 20 déc. au 30 avril)* 160/360, enf. 70 – **32 ch** 670/720 – ½ P 350/510.

Cairn M, 50 53 18 03, Fax 50 53 56 90, ≤, – AE GB *fermé 16 au 30 nov. et lundi sauf vacances scolaires* – **R** 95/210, enf. 60 – 40 – **14 ch** 550/650 – ½ P 475. BZ **s**

Rhododendrons, 50 53 06 39, ≤, – GB. rest BZ **a** *fermé 12 mai au 10 juin et 25 sept. au 20 déc.* – **R** 70/110 – 30 – **18 ch** 160/320 – ½ P 200/270.

Eden M avec ch, 50 53 06 40, Fax 50 53 51 50, ≤ – AE GB. ch *fermé 1er au 15 juin, 5 nov. au 12 déc.* – **R** *(fermé mardi hors sais.)* 120/350 – 45 – **10 ch** 405/485 – ½ P 360/390. BZ **e**

au Lavancher par ①, N 506 et VO : 6 km – alt. 1 100 – Sports d'hiver : voir à Chamonix – ✉ **74400** Chamonix.

Voir ≤★★.

Jeu de Paume M ⑤, ✆ 50 54 03 76, Fax 50 54 10 75, ≤, « Elégant décor de chalet », ⑤, ⑤, ⑤ – ⑤ ⑤ ☎ ⑤ ⑤ – ⑤ 30. AE ⓓ GB. ⑤ rest
fermé 10 nov. au 10 déc. – **R** 250 – **24 ch** ⑤ 900/1350 – ½ P 650/875.

Beausoleil ⑤, ✆ 50 54 00 78, Fax 50 54 17 34, ≤, ⑤, « Jardin fleuri », ⑤ – ⑤ ☎ ⑤ ⑤. GB. ⑤ rest
fermé 20 sept. au 18 déc. et le midi du 21 avril au 13 juin – **R** 90/180, enf. 55 – ⑤ 35 – **15 ch** 330/430 – ½ P 280/330.

aux Bossons par ② S : 3,5 km – alt. 1 005 – ✉ **74400** :

Novotel M, ✆ 50 53 26 22, Télex 385372, Fax 50 53 31 31, ≤, ⑤, ⑤, ⑤ – ⑤ ⑤ ch ⑤ ☎ ⑤ ⑤ ⑤ – ⑤ 60. AE ⓓ GB AZ **f**
R carte environ 150 ⑤, enf. 58 – ⑤ 47 – **89 ch** 380/460 – ½ P 405/415.

Aiguille du Midi, ✆ 50 53 00 65, Fax 50 55 93 69, ≤, ⑤, « Parc ombragé et fleuri », ⑤, ⑤ – ⑤ ⑤ ☎ ⑤. GB. ⑤ rest AZ **n**
11 avril-20 sept., 21 déc.-4 janv. et 13 fév.-15 mars – **R** 120/180, enf. 65 – ⑤ 45 – **47 ch** 165/430 – ½ P 254/370.

CITROEN Gar. du Glacier, 220 rte des Rives les Bossons ✆ 50 55 95 55

RENAULT Gar. du Bouchet, pl. du Mont-Blanc ✆ 50 53 01 75

CHAMPAGNAC **15350** Cantal 76 ② – 1 339 h. alt. 620.

Paris 493 – Aurillac 74 – ◆Clermont-Ferrand 93 – Mauriac 22 – Ussel 41.

Le Lavendès ⑤, Château de Lavendès ✆ 71 69 62 79, ⑤, ⑤ – ⑤ ☎ ⑤. AE GB. ⑤
1er mars-15 nov. et fermé dim. soir du 15 sept. au 15 mai et lundi midi – **R** 145/250, enf. 64 – ⑤ 45 – **8 ch** 360/500 – ½ P 357/430.

CHAMPAGNAC-DE-BELAIR **24** Dordogne 75 ⑤ – rattaché à Brantôme.

CHAMPAGNE-AU-MONT-D'OR **69** Rhône 74 ⑪ – rattaché à Lyon.

CHAMPAGNEY **70** H.-Saône 166 ⑦ – rattaché à Ronchamp.

CHAMPAGNOLE **39300** Jura 170 ⑤ **G. Jura** – 9 250 h. alt. 538.

Voir Musée archéologique : plaques-boucles★ **M.**

ℹ Office de Tourisme Annexe Hôtel-de-Ville ✆ 84 52 43 67.

Paris 424 ④ – ◆Besançon 68 ④ – Dole 60 ④ – ◆Genève 89 ② – Lons-le-Saunier 34 ③ – Pontarlier 41 ① – St-Claude 51 ②.

La Vouivre M ⑤, NO : 2 km par D 5 et VO ✆ 84 52 10 44, ⑤, « Parc », ⑤, ⑤ – ⑤ ☎ ⑤. GB. ⑤ rest
1er mai-30 nov. et fermé merc. midi – **R** 103/164 – ⑤ 32 – **20 ch** 269/330 – ½ P 250/276.

Ripotot, 54 r. Mar. Foch **(e)** ✆ 84 52 15 45, Fax 84 52 09 11, ⑤, ⑤ – ⑤ ☎ ⑤. AE ⓓ GB
avril-fin oct. – **R** *(fermé merc.)* 80/190 ⑤ – ⑤ 28 – **50 ch** 130/280 – ½ P 185/250.

Parc, 13 r. P. Cretin **(v)** ✆ 84 52 13 20, Fax 84 52 27 62 – ⑤ ☎ ⑤ ⑤. AE ⓓ GB
fermé nov. et dim. hors sais. – **R** (dîner seul.) 70/170 ⑤, enf. 40 – ⑤ 27 – **20 ch** 200/270 – ½ P 200/240.

Pont de Gratteroche, par ④ : 5 km sur N 5 ✆ 84 51 70 46, Fax 84 51 75 41, ⑤, ⑤ – ⑤ ☎ ⑤. GB
fermé 27 sept. au 13 oct., 20 déc. au 5 janv., dim. soir et lundi d'oct. à juin – **R** 75/150 ⑤, enf. 45 – ⑤ 30 – **18 ch** 220/300 – ½ P 190.

Taverne de l'Epée, 2 r. Pont de l'Epée **(a)** ✆ 84 52 03 85 – GB
fermé lundi – **R** 60/158 ⑤, enf. 35.

rte de Genève par ② : 7,5 km – ✉ **39300** Champagnole :

Aub. des Gourmets avec ch, ✆ 84 51 60 60, Fax 84 51 62 83, ≤, ⑤ – ⑤ ☎ ⑤. AE GB
fermé 1er au 15 déc., 4 au 20 janv., dim. soir et lundi d'oct. à juin sauf vacances scolaires – **R** 80/235, enf. 50 – ⑤ 32 – **7 ch** 260/360 – ½ P 300.

ALFA-ROMEO Gar. Cuynet, r. Baronne-Delort ☎ 84 52 09 78
PEUGEOT-TALBOT Ganeval, av. de Lattre-de-Tassigny ☎ 84 52 07 78

RENAULT Gar. Poix-Daude, à Pont-du-Navoy par ③ ☎ 84 51 21 80

Girardot Pneus, r. Égalité Z.I. ☎ 84 52 21 52
Pneus-Maréchal, 44 r. Liberté ☎ 84 52 07 96

CHAMPAGNY-EN-VANOISE **73350** Savoie 74 ⑱ **G. Alpes du Nord** – 502 h. alt. 1 250.

Voir Retable★ dans l'église.

Paris 625 – Albertville 43 – Chambéry 90 – Moûtiers 17.

Bellevue M, ☎ 79 55 05 00, Télex 309770, Fax 79 55 04 42, ≤ Vanoise, – 40. GB
1er juil.-7 sept. et 19 déc.-2 mai – **R** 75/195, enf. 50 – 30 – **32 ch** 300/700 – ½ P 330/500.

Les Glières, ☎ 79 55 05 52, Fax 79 55 04 84, ≤ – ☎ P. GB
hôtel : 15 juin-15 sept. et 15 déc.-15 avril ; rest. : 1er juil.-31 août et 15 déc.-15 avril – **R** 95/160 – 32 – **20 ch** 254/399 – ½ P 339/384.

CHAMPDIEU **42** Loire 73 ⑰ – rattaché à Montbrison.

CHAMPEAUX **50530** Manche 59 ⑦ – 330 h. alt. 78.

Paris 349 – St-Lô 61 – St-Malo 81 – Avranches 17 – Granville 15.

XX **Marquis de Tombelaine et H. les Hermelles** M avec ch, sur D 911 ☎ 33 61 85 94, ≤, – ☎ P. GB
fermé janv., mardi soir et merc. hors sais. – **R** 95/250, enf. 45 – 25 – **6 ch** 280 – ½ P 265.

CHAMPEIX **63320** P.-de-D. 73 ⑭ **G. Auvergne** – 1 087 h. alt. 456.

Paris 448 – ◆Clermont-Ferrand 30 – Condat 49 – Issoire 12 – Le Mont-Dore 36 – Thiers 65.

X **Promenade,** ☎ 73 96 70 24 – GB
fermé merc. du 15 sept. au 30 juin – **R** 70/200, enf. 45.

PEUGEOT Gar. Thiers ☎ 73 96 73 18

CHAMPIGNY **89370** Yonne 61 ⑬ – 1 782 h. alt. 59.

Paris 100 – Fontainebleau 35 – Auxerre 80 – Montereau-faut-Yonne 16 – Nemours 37 – Sens 19.

au Petit-Chaumont O : 2,5 km sur N 6 – ✉ **89370** Champigny :

XX **Vieille France,** ☎ 86 96 62 08, – P. GB
fermé 17 au 26 août, 18 janv. au 4 fév., dim. soir, mardi soir merc. – **R** 100/200.

CHAMPIGNY **91** Essonne 60 ⑩ – rattaché à Étampes.

CHAMPILLON **51** Marne 56 ⑯ – rattaché à Épernay.

CHAMPROSAY **91** Essonne 61 ①, 101 ㊲ – voir à Paris, Environs (Draveil).

CHAMPS-SUR-MARNE **77** S.-et-M. 56 ⑫, 101 ⑲ – Voir à Paris, Environs (Marne-la-Vallée).

CHAMPS-SUR-TARENTAINE **15270** Cantal 76 ② – 1 088 h. alt. 495.

Env. Gorges de la Rhue★★ SE : 9 km, **G. Auvergne.**

Paris 507 – Aurillac 89 – ◆Clermont-Ferrand 80 – Condat 24 – Mauriac 37 – Ussel 36.

Aub. du Vieux Chêne , ☎ 71 78 71 64, Fax 71 78 70 88, – ☎ P. GB
fermé 1er janv. au 20 mars, dim. soir et lundi sauf juil.-août – **Repas** 75/200 – 35 – **20 ch** 200/270 – ½ P 220/240.

CHAMPS-SUR-YONNE **89** Yonne 65 ⑤ – rattaché à Auxerre.

CHAMPTOCEAUX **49270** M.-et-L. 63 ⑱ **G. Châteaux de la Loire** – 1 524 h. alt. 70 – (Loire-Atlantique).

Voir Site★ – Promenade de Champalud ≤★★.

Syndicat d'Initiative (saison) ☎ 40 83 57 49 et à la Mairie (hors saison) ☎ 40 83 52 31.

Paris 359 – ◆Nantes 32 – Ancenis 11,5 – Angers 64 – Beaupréau 31 – Cholet 50 – Clisson 35.

Chez Claudie, Le Cul du Moulin NO : 1 km sur D 751 ☎ 40 83 50 43 – ☎ P. GB
fermé oct., fév., dim. soir et lundi – **R** 80/190 – 30 – **10 ch** 180/210.

Voyageurs, ☎ 40 83 50 09, Fax 40 83 53 81 – ☎. GB
fermé 22 déc. au 25 janv. – **R** *(fermé merc. hors sais.)* 51/200, enf. 45 – 24 – **17 ch** 145/200 – ½ P 130/150.

XXX ✿ **Les Jardins de la Forge** (Pauvert), pl. Piliers ☎ 40 83 56 23 – AE GB
fermé 6 au 21 oct., 5 au 27 fév., dim. soir, mardi soir et merc. – **R** 145/365
Spéc. Poêlée de civelles et Saint-Jacques (janv. à mars). Pavé de turbot au Bonnezaux. Pigeonneau rôti aux morilles.
Vins Muscadet, Anjou Villages.

CHAMROUSSE 38 Isère 77 ⑤ G. Alpes du Nord – 544 h. alt. 1 650 – Sports d'hiver : 1 400/2 250 m 1 25 – ✉ 38410 Uriage.

Env. E : Croix de Chamrousse ※★★★ par téléphérique.

Office de Tourisme Le Recoin ☎ 76 89 92 65.

Paris 608 – ◆Grenoble 30 – Allevard 59 – Chambéry 80 – Uriage-les-Bains 19 – Vizille 28.

Hermitage, le Recoin ☎ 76 89 93 21, ← – ☎ – 30. AE GB
20 déc.-8 avril – **R** 120/160 – ☐ 33 – **48 ch** 380/470 – ½ P 340/410.

CHANAC 48230 Lozère 80 ⑤ – 1 035 h. alt. 650.

Paris 605 – Mende 22 – Espalion 82 – Florac 36 – Rodez 87 – Sévérac-le-Château 37.

Voyageurs, ☎ 66 48 20 16, – ☎ P. GB
fermé 18 déc. au 4 janv. – **R** *(fermé sam. du 11 nov. au 11 mars)* 56/120 – ☐ 25 – **17 ch** 120/200 – ½ P 155/195.

aux Salelles O : 6 km par N 88 – ✉ 48230 Chanac :

XX **La Lauze** avec ch, ☎ 66 48 21 80, ←, – P
11 avril-30 sept. et fermé mardi, merc. et jeudi du 11 avril au 27 mai sauf fériés – **R** 150 – ☐ 45 – **4 ch** 240/340.

Daudé ☎ 66 48 20 99 N

CHANAS 38150 Isère 76 ⑩ 77 ① – 1 727 h. alt. 150.

Paris 516 – ◆Grenoble 84 – ◆Lyon 56 – ◆St-Etienne 73 – Valence 47.

Halte OK M, à l'échangeur A 7 ☎ 74 84 27 50, Télex 308975, Fax 74 84 36 61, – TV ☎ & P – 25 à 100. GB
R *(fermé sam. midi et dim.)* 80/140 – ☐ 37 – **41 ch** 240/290.

RENAULT Rolland ☎ 75 31 00 37 — Dorcier ☎ 74 84 28 73

CHANCELADE 24 Dordogne 75 ⑤ – rattaché à Périgueux.

CHANDAI 61 Orne 60 ⑤ – rattaché à L'Aigle.

CHANGÉ 72 Sarthe 65 ⑬ – rattaché au Mans.

CHANTELLE 03140 Allier 73 ④ G. Auvergne – 1 043 h. alt. 324.

Syndicat d'Initiative pl. Oscambre (saison) ☎ 70 56 62 37.

Paris 373 – Moulins 44 – Aubusson 104 – Gannat 17 – Montluçon 56 – St-Pourçain-sur-Sioule 13.

Poste, ☎ 70 56 62 12, – ☎ P. AE GB
fermé 27 sept. au 16 oct., 10 au 26 fév. et merc. hors sais. – **R** 60/140 – ☐ 20 – **12 ch** 100/170 – ½ P 180/200.

RENAULT Touzain ☎ 70 56 61 55

CHANTEMERLE 05 H.-Alpes 77 ⑱ – rattaché à Serre-Chevalier.

CHANTEPIE 35 I.-et-V. 59 ⑰ – rattaché à Rennes.

CHANTILLY 60500 Oise 56 ⑪ 106 ⑧ G. Ile de France – 11 341 h. alt. 57.

Voir Château★★★ B : musée★★, parc★★, jardin anglais★ – Grandes Écuries★★ B : musée vivant du Cheval★.

Env. Site★ du château de la Reine-Blanche S : 5,5 km.

18 ☎ 44 57 04 43, N : 1,5 km par D 44 B ; 18 18 du Lys (privé) ☎ 44 21 26 00, à Lys-Chantilly par ③.

Office de Tourisme 23 av. Mar.-Joffre ☎ 44 57 08 58.

Paris 41 ② – Compiègne 44 ① – Beauvais 43 ⑤ – Clermont 23 ⑤ – Meaux 50 ② – Pontoise 38 ④.

Plan page suivante

Parc M sans rest, 36 av. Mar. Joffre ☎ 44 58 20 00, Télex 155007, Fax 44 57 31 10, – TV ☎ & – 30 à 80. AE GB — A a
☐ 55 – **58 ch** 380/500.

Campanile, rte Creil par ⑤ ☎ 44 57 39 24, Télex 140065, Fax 44 58 10 05 – TV ☎ & P – 30. AE GB
R 77 bc/99 bc, enf. 39 – ☐ 28 – **50 ch** 258 – ½ P 234/256.

XXX **Relais du Coq Chantant,** 21 rte Creil ☎ 44 57 01 28 – AE GB JCB — A b
R 109/338, enf. 63.

XX **Tipperary,** 6 av. Mar. Joffre ☎ 44 57 00 48, Fax 44 58 15 38, – . AE GB — A e
fermé 10 au 31 août, 1er au 15 janv., dim. soir et lundi sauf juin – **R** 150/280.

rte d'Apremont par ① et D 606 : 2,5 km – ✉ 60500 Vineuil-St-Firmin :

Allibird Domaine de Chantilly M, ☎ 44 57 00 93, Fax 44 58 50 11, ←, « Golf en lisière de forêt » – ch TV ☎ & P – 25 à 150. AE GB
Carmontelle R 175/280 enf. 80 – ☐ 68 – **119 ch** 710/830 – ½ P 535/575.

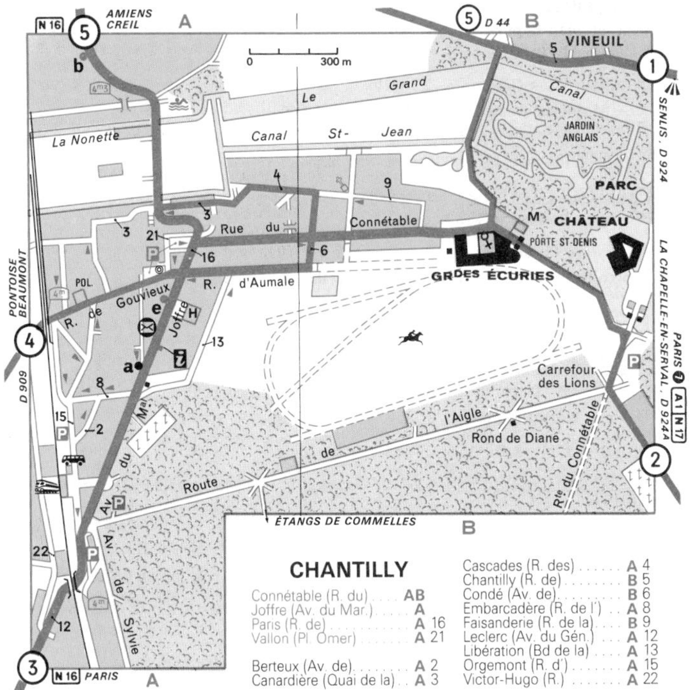

à Montgrésin par ② : 5 km – ✉ **60560** Orry-la-Ville :

Relais d'Aumale Ⓜ 🐎, ✆ 44 54 61 31, Télex 155103, Fax 44 54 69 15, 🏞, 🌳, 🎾 – ⬍ 📺 ☎ ♿ 🅟 – 🏛 50. AE ⓓ GB JCB
R *(fermé 22 au 31 déc.)* 190/205 – ☕ 44 – **22 ch** 460/490 – ½ P 440/465.

XX **Forêt,** ✆ 44 60 61 26, Télex 155582, Fax 44 54 95 32, 🏞, parc – 🅟. AE GB
fermé lundi et mardi sauf fériés – **R** 165 bc, enf. 88.

à Coye-la-Forêt par ③ et D 118 : 8,5 km – 3 199 h. – ✉ **60580** :

XXX **Les Étangs,** ✆ 44 58 60 15, 🏞, 🌳 – AE ⓓ GB
fermé 4 au 11 août, 13 janv. au 3 fév., lundi soir et mardi – **R** 150/210.

à Gouvieux par ④ : 3,5 km – 9 756 h. – ✉ **60270** :

Château de la Tour 🐎, ✆ 44 57 07 39, Télex 155014, Fax 44 57 31 97, ←, 🏞, « Parc boisé », 🏊, 🎾 – 📺 ☎ ♿ 🅟 – 🏛 150. AE GB
R 150/280 – ☕ 60 – **41 ch** 490/730 – ½ P 415.

rte de Creil par ⑤ : 3,5 km – ✉ **60740** St-Maximin :

XXX **Le Verbois,** N 16 ✆ 44 24 06 22, 🏞, 🌳 – 🅟. ⓓ GB
fermé 15 fév. au 1er mars, dim. soir et lundi – **R** 190, enf. 125.

BMW-HONDA Saint-Merri Chantilly, ZA du Coq Chantant RN 16 ✆ 44 57 49 45
CITROEN Terrasse Autom. Creil, N 16 ZA du Coq Chantant à Gouvieux par Chantilly ✆ 44 57 02 98
CITROEN Gar. Desbois, 39 r. du Havre à Précy-sur-Oise par ④ ✆ 44 27 71 28
OPEL Gar. Sadell, 33 av. Mar.-Joffre ✆ 44 57 05 09

CHANTONNAY 85110 Vendée 67 ⑮ – 7 458 h. alt. 65.

ℹ Office de Tourisme pl. Liberté ✆ 51 94 46 51.

Paris 402 – La Roche-sur-Yon 33 – Cholet 51 – ♦Nantes 74 – Niort 70 – Poitiers 118.

Le Mouton, 31 r. Nationale ✆ 51 94 30 22 – 📺 ☎ 🅟. AE GB
fermé 12 au 30 nov. dim. soir et lundi d'oct. à mi-juil. sauf fériés – **R** 62/185 🍷, enf. 50 – ☕ 31 – **11 ch** 175/295 – ½ P 181/216.

CITROEN Auto Sce-Chantonnaysien, 55 av. Mar.-de-Lattre-de-Tassigny ✆ 51 94 80 83
PEUGEOT-TALBOT Gar. Réau, 42 av. Batiot ✆ 51 94 30 23 Ⓝ
RENAULT Gar. Paquiet, r. Mar.-de-Lattre-de-Tassigny ✆ 51 94 31 03

CHAOURCE 10210 Aube 61 ⑰ G. Champagne – 1 031 h. alt. 149.

Voir Église St-Jean-Baptiste : sépulcre★★.

Paris 185 – Auxerre 67 – Bar-sur-Aube 56 – Châtillon-sur-Seine 46 – Saint-Florentin 36 – Tonnerre 29.

à Maisons-lès-Chaource – ✉ 10210 :

Aux Maisons avec ch, ☎ 25 70 07 19, Fax 25 40 01 23 – ☎ P. GB
R *(fermé dim. soir du 1er juin au 30 sept.)* 69/155 – ☕ 30 – **16 ch** 130/215 – ½ P 165/210.

La CHAPELLE 19 Corrèze 73 ⑪ – rattaché à Meymac.

La CHAPELLE-BASSE-MER 44450 Loire-Atl. 63 ⑱ 67 ④ – 4 012 h. alt. 50.

Paris 368 – ◆ Nantes 21 – Ancenis 21 – Clisson 24.

à la Pierre Percée NO : 4 km par D 53 – ✉ 44450 La Chapelle-Basse-Mer :

Pierre Percée avec ch, D 751 ☎ 40 06 33 09, ←, – GB. ch
fermé 12 au 26 oct., dim. soir et lundi – **R** 119/246, enf. 64 – ☕ 22 – **5 ch** 95/180 – ½ P 184.

RENAULT Gar. Terrien ☎ 40 06 31 52 N

RENAULT Gar. Central ☎ 40 06 33 79 N ☎ 40 38 97 00

La CHAPELLE-CARO 56460 Morbihan 63 ④ – 1 143 h. alt. 73.

Paris 418 – Vannes 39,5 – Dinan 76,5 – Lorient 94 – ◆Rennes 69 – Saint Brieuc 92,5.

Le Petit Kériquel avec ch, ☎ 97 74 82 44 – TV ☎. GB. ch
fermé 1er au 21 oct., 15 au 30 janv., lundi sauf le soir en juil.-août et dim. soir – **R** 56/185, enf. 40 – ☕ 24 – **8 ch** 115/200 – ½ P 133/155.

La CHAPELLE-D'ABONDANCE 74360 H.-Savoie 170 ⑱ G. Alpes du Nord – 727 h. alt. 1 020 – Sports d'hiver : 1 000/1 800 m 1 11 .

Office de Tourisme ☎ 50 73 51 41.

Paris 603 – Thonon-les-Bains 33 – Annecy 102 – Châtel 5,5 – Évian-les-Bains 34 – Morzine 31.

Cornettes M, ☎ 50 73 50 24, Fax 50 73 54 16, – cuisinette TV ☎ P – 40. GB
15 mai-20 oct. et 15 déc.-20 avril – **R** 100/350, enf. 65 – ☕ 40 – **40 ch** 260/320 – ½ P 250/340.

L'Ensoleillé, ☎ 50 73 50 42, – TV ☎ P. GB
1er juin-30 sept. et Noël-Pâques – **R** 85/260 – ☕ 30 – **34 ch** 230/270 – ½ P 220/280.

Le Chabi , ☎ 50 73 50 14, ←, – TV ☎ P. GB
20 juin-15 sept. et 19 déc.-25 avril – **R** 100/140, enf. 60 – ☕ 35 – **21 ch** 310 – ½ P 320.

L'Alpage M, ☎ 50 73 50 25, Fax 50 73 52 43, – TV ☎ P – 40. GB. rest
début mai-fin sept. et début déc. 20 avril – **R** 90/210, enf. 55 – ☕ 30 – **32 ch** 230/300 – ½ P 250/310.

Vieux Moulin , rte Chevenne ☎ 50 73 52 52 – TV ☎ P. GB
fermé 15 avril au 15 mai, 15 oct. au 22 déc., dim. soir et lundi hors sais. – **R** 95/250, enf. 60 – ☕ 35 – **16 ch** 180/250 – ½ P 200/230.

Le Rucher , à la Pantiaz E : 1,5 km ☎ 50 73 50 23, ←, – ☎ P. GB. rest
15 juin-15 sept. et 20 déc.-20 avril – **R** 75/85, enf. 40 – ☕ 24 – **22 ch** 150/310.

CHAPELLE-DES-BOIS 25240 Doubs 170 ⑯ – 202 h. alt. 1 080 – Sports d'hiver : .

9 des Mélèzes ☎ 81 69 21 82, sortie de ville.

Paris 465 – Genève 70 – Lons-le-Saunier 67 – Pontarlier 47.

Les Mélèzes, ☎ 81 69 21 82, Fax 81 69 12 75, ← – ☎. GB
fermé 1er au 10 avril, 11 au 27 mai, 16 nov. au 19 déc., lundi, mardi et merc. hors sais. – **R** 75/180, enf. 42 – ☕ 35 – **10 ch** 190/250 – ½ P 230/280.

La CHAPELLE-DU-GENÊT 49 M.-et-L. 67 ⑤ – rattaché à Beaupréau.

La CHAPELLE-EN-SERVAL 60520 Oise 56 ⑪ – 2 185 h. alt. 66.

Paris 40 – Compiègne 42 – Beauvais 54 – Chantilly 10 – Lagny 72 – Meaux 34 – Senlis 9,5.

Mont-Royal M , E : 2 km par D 118 ☎ 44 60 61 62, Télex 155696, Fax 44 60 63 63, ←, , parc, , – ch TV ☎ P – 300. AE GB JCB.
R carte 260 à 360 – ☕ 90 – **102 ch** 1250/1350.

La CHAPELLE-EN-VALGAUDEMAR 05800 H.-Alpes 77 ⑯ G. Alpes du Nord – 135 h. alt. 1 100.

Voir Les Portes ←★ sur le pic d'Olan – Les Oulles du Diables★ – Cascade du Casset★ NE : 3,5 km.

Env. Chalet-hôtel du Gioberney : cirque★★, cascade "voile de la mariée"★ E : 9 km.

Syndicat d'Initiative (15 juin-15 sept., fermé matin sauf juil.-août) ☎ 92 55 23 21.

Paris 662 – Gap 47 – ◆Grenoble 91 – La Mure 53.

Mont-Olan, ☎ 92 55 23 03, ←, – P. GB
1er avril-15 sept. – **R** 65/110, enf. 45 – ☕ 22 – **36 ch** 105/225 – ½ P 170/218.

La CHAPELLE-EN-VERCORS 26420 Drôme 77 ⑭ G. Alpes du Nord – 628 h. alt. 945 – Sports d'hiver au Col de Rousset : 1 255/1 700 m 9.

Office de Tourisme à la Mairie 75 48 22 54.

Paris 607 – ♦Grenoble 62 – Valence 61 – Die 40 – Romans-sur-Isère 45 – St-Marcellin 32.

- **Bellier**, 75 48 20 03, Fax 75 48 25 31, – GB
  18 juin-25 sept. – **R** 88/210, enf. 69 – 38 – **12 ch** 300/420 – ½ P 280/370.
- **Sports**, 75 48 20 39 – GB. ch
  fermé 12 nov. à fin janv. et dim. soir hors sais. sauf vacances scolaires – **R** 60/100 – 25 – **14 ch** 110/220 – ½ P 145/200.
- **Nouvel H.**, 75 48 20 09 –
  1er fév.-20 oct. – **R** 76/138 – 24 – **35 ch** 120/276 – ½ P 155/237.

CITROEN Gar. Duclot 75 48 21 26 N — RENAULT Gar. Dherbassy 75 48 21 59

La CHAPELLE-ST-MESMIN 45 Loiret 64 ⑨ – rattaché à Orléans.

La CHAPELLE-VENDOMOISE 41330 L.-et-Ch. 64 ⑦ – 708 h. alt. 116.

Paris 194 – ♦Orléans 72 – Blois 13 – ♦Tours 57 – Vendôme 20.

- **La Flambée**, 54 20 16 04 – GB
  fermé 1er au 15 juil., vacances de fév., mardi soir, dim. soir et merc. – **R** 80/180.

CHARAVINES 38850 Isère 74 ⑭ G. Vallée du Rhône – 1 251 h. alt. 510.

Voir Lac de Paladru★ N : 1 km.

Syndicat d'Initiative (juin-sept.) 76 06 60 31.

Paris 541 – ♦Grenoble 38 – Belley 49 – Chambéry 54 – La Tour-du-Pin 20 – Voiron 12.

- **Poste**, 76 06 60 41, Fax 76 55 62 42, – GB
  fermé dim. soir hors sais. – **R** 100 bc/240, enf. 50 – 30 – **20 ch** 183/275 – ½ P 236/310.

au Nord : 1,5 km par D 50 – 38850 Charavines :

- **Beau Rivage**, 76 06 61 08, ←, – GB.
  fermé vacances de nov., 15 déc. au 15 fév., lundi (sauf le midi en juil.-août) et dim. soir hors sais. – **R** 75/260, enf. 60 – 38 – **27 ch** 160/250 – ½ P 190/210.

PEUGEOT, TALBOT Gar. Lambert 76 06 60 43

CHARBONNIÈRES-LES-BAINS 69 Rhône 74 ⑪ – rattaché à Lyon.

CHARBONNIÈRES-LES-VIEILLES 63410 P.-de-D. 73 ④ – 880 h. alt. 618.

Voir Gour (lac) de Tazenat★ S : 2 km, P67G. Auvergne.

Paris 376 – ♦Clermont-Ferrand 36 – Aubusson 84 – Montluçon 72 – Riom 21 – Vichy 48.

- **Parc**, 73 86 63 20, – GB.
  fermé jeudi soir du 1er oct. au 31 mai – **R** 55/145 – 22 – **8 ch** 115/165 – ½ P 180.

MAZDA Gar. Marchand 73 86 63 05

CHARENTON 58 Nièvre 65 ⑬ – rattaché à Pouilly-sur-Loire.

La CHARITÉ-SUR-LOIRE 58400 Nièvre 65 ⑬ G. Bourgogne – 5 686 h. alt. 175.

Voir Église N.-Dame★★ : ←★★ sur le chevet.

Office de Tourisme pl. Ste-Croix (juin-15 sept.) 86 70 15 06 et à l'Hôtel de Ville (hors saison) 86 70 16 12.

Paris 214 ① – Bourges 52 ④ – Autun 119 ③ – Auxerre 91 ② – Montargis 100 ① – Nevers 24 ③.

- **Terminus**, 23 av. Gambetta **(s)** 86 70 09 61 – GB.
  fermé 15 au 22 juin, 22 déc. au 22 janv. et lundi – **R** 62/160 – 28 – **10 ch** 145/230.
- **Gd Monarque** avec ch, 33 quai Clémenceau **(e)** 86 70 21 73, ←, – GB
  fermé vacances de fév. et vend. du 12 nov. au 30 mars – **R** 125/210 – 35 – **9 ch** 200/300 – ½ P 291/311.

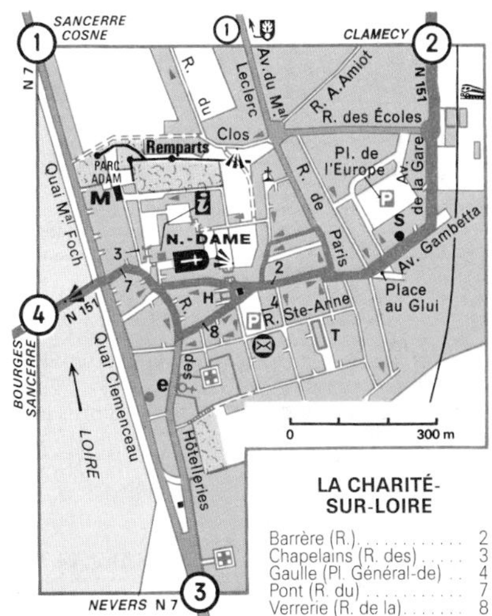

LA CHARITÉ-SUR-LOIRE

Barrère (R.)	2
Chapelains (R. des)	3
Gaulle (Pl. Général-de)	4
Pont (R. du)	7
Verrerie (R. de la)	8

rte de Paris par ① : 5 km sur N 7 – ✉ **58400** La Charité-sur-Loire :

Castor Motel sans rest, ✆ 86 70 10 80 – TV ☎ P. AE ⓓ GB
☕ 38 – **12 ch** 185/220.

PEUGEOT-TALBOT Merlin, N 7, rte de Nevers par ③ ✆ 86 70 13 03
PEUGEOT-TALBOT Gar. St-Lazare, 53 av. Gambetta par ② ✆ 86 70 05 07 N ✆ 86 70 23 71

RENAULT Gar. de Figueiredo, 26 av. Gambetta par ② ✆ 86 70 04 78

Pasquette, 21 r. Gén.-Auger ✆ 86 70 15 93

CHARLEVILLE-MÉZIÈRES P **08000** Ardennes 53 ⑱ **G. Champagne** – 57 008 h. alt. 150.

Voir Place Ducale★★ à Charleville ABX.

l'Abbaye de Sept Fontaines à Fagnon ✆ 24 37 77 27, par ⑦ : 10 km.

Bureau Municipal du Tourisme 4 pl. Ducale ✆ 24 33 00 17 – A.C. 17 cours A.-Briand ✆ 24 33 35 89.

Paris 225 ⑦ – Charleroi 89 ⑥ – Liège 153 ① – Luxembourg 128 ⑦ – ♦Metz 173 ⑦ – Namur 109 ⑥ – ♦Nancy 202 ⑦ – ♦Reims 81 ⑦ – St-Quentin 118 ⑥ – Sedan 24 ⑦.

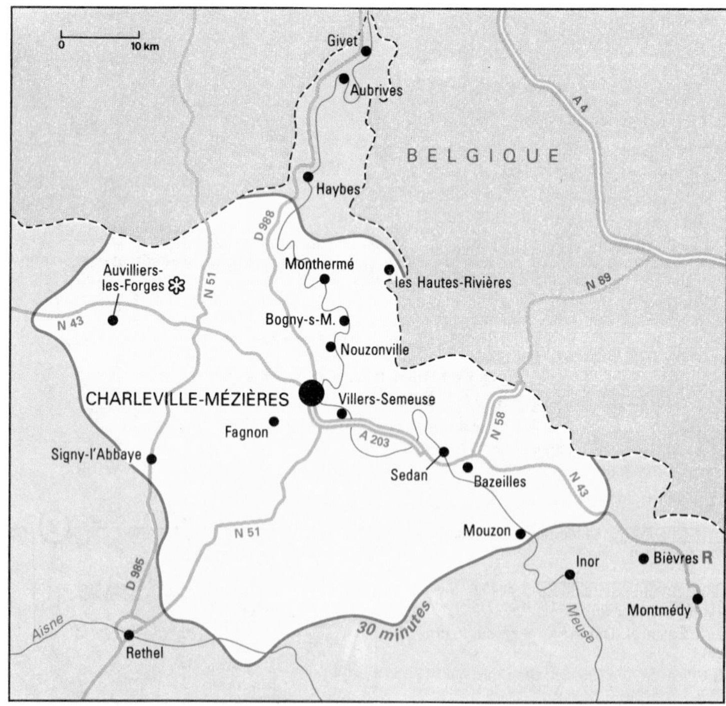

Le Clèves, 43 r. Arquebuse ✆ 24 33 10 75, Télex 841164, Fax 24 59 01 25 – |♦| TV ☎ 🚗 – 🧑‍🏫 25 à 80. AE ⓓ GB — BY **s**
R *(fermé 8 au 23 août et dim. soir)* 88/150 🍷, enf. 60 – ☕ 35 – **48 ch** 225/360 – ½ P 250.

Le Relais du Square sans rest, 3 pl. Gare ✆ 24 33 38 76, Télex 841196, Fax 24 33 56 66 – |♦| TV ☎. AE ⓓ GB — BY **d**
☕ 27 – **49 ch** 210/270.

Paris sans rest, 24 av. G. Corneau ✆ 24 33 34 38, Fax 24 59 11 21 – TV ☎. AE GB. ✕
☕ 30 – **28 ch** 190/340. — BY **n**

Campanile, par ⑤ : 2 km sur N 51 ✆ 24 37 54 55, Télex 842821, Fax 24 37 76 40, 🌳 – TV ☎ ♿ P – 🧑‍🏫 25. AE GB
R 77 bc/99 bc, enf. 39 – ☕ 28 – **51 ch** 258 – ½ P 234/256.

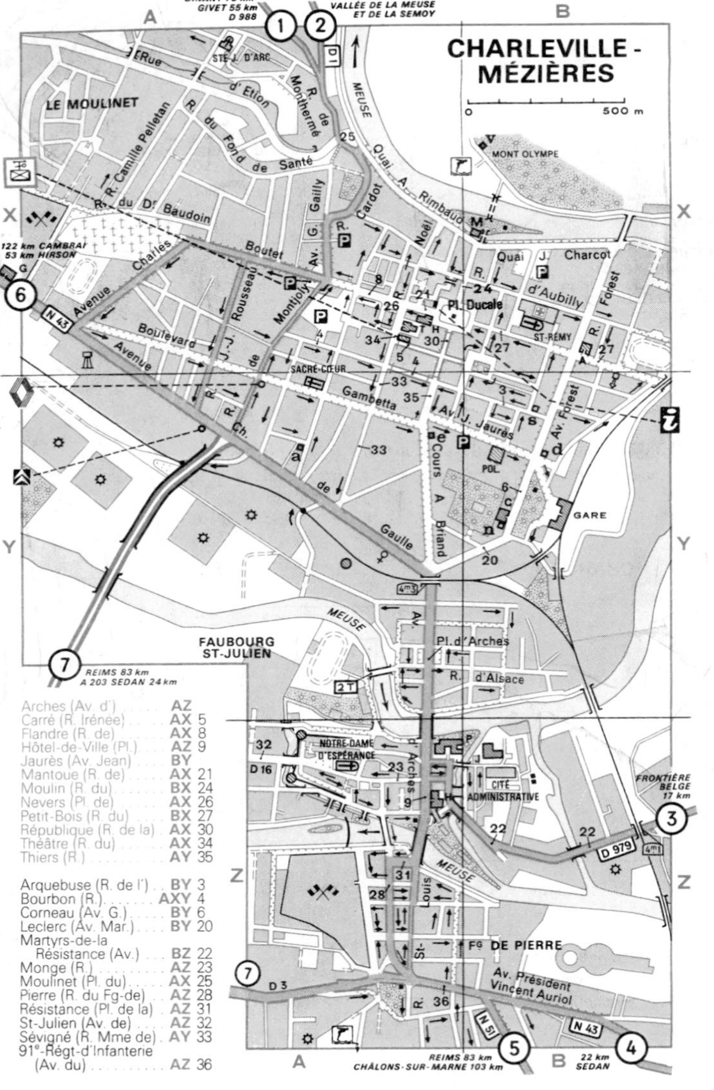

Arches (Av. d')	AZ	
Carré (R. Irénée)	AX	5
Flandre (R. de)	AX	8
Hôtel-de-Ville (Pl.)	AZ	9
Jaurès (Av. Jean)	BY	
Mantoue (R. de)	AX	21
Moulin (R. du)	BX	24
Nevers (Pl. de)	AX	26
Petit-Bois (R. du)	BX	27
République (R. de la)	AX	30
Théâtre (R. du)	AX	34
Thiers (R.)	AY	35
Arquebuse (R. de l')	BY	3
Bourbon (R.)	AXY	4
Corneau (Av. G.)	BY	6
Leclerc (Av. Mar.)	BY	20
Martyrs-de-la Résistance (Av.)	BZ	22
Monge (R.)	AZ	23
Moulinet (Pl. du)	AX	25
Pierre (R. du Fg-de)	AZ	28
Résistance (Pl. de la)	AZ	31
St-Julien (Av. de)	AZ	32
Sévigné (R. Mme de)	AY	33
91e-Régt-d'Infanterie (Av. du)	AZ	36

XX **Mont Olympe,** r. Pâquis ✆ 24 33 43 20, – GB — BX **v**
fermé 15 sept. au 15 oct., dim. soir et lundi sauf fériés – **R** 140, enf. 50.

XX **La Cigogne,** 40 r. Dubois-Crancé ✆ 24 33 25 39 – GB — AY **a**
fermé 1er au 8 août, dim. soir et lundi – **R** 80/180, enf. 60.

XX Côte à l'Os, ✆ 24 59 20 16, Fax 24 59 48 30 — AY **e**

par ② : 4 km sur D 1 rte Nouzonville – ✉ 08090 Montcy-Notre-Dame :

XX **Aub. de la Forest,** ✉ 08090 Montcy-Notre-Dame ✆ 24 33 37 55 – **P**. GB.
fermé lundi sauf le midi de sept. à juin et dim. soir – **R** 70/165.

à Villers-Semeuse par ④ : 5 km – 3 595 h. – ✉ **08340** :

Mercure M, ☎ 24 37 55 29, Télex 840076, Fax 24 57 39 43, ⛱, ⛱, ⛱ – ⛱ ch ▤ rest
TV ☎ ♿ P – 🏛 25 à 120. AE ⓓ GB
R carte 110 à 215 ⛱, enf. 45 – ☐ 45 – **68 ch** 395/510.

à Fagnon par ⑦ et D 139 : 6 km – ✉ **08090** :

Abbaye de Sept Fontaines ⛱, ☎ 24 37 38 24, Fax 24 37 58 75, ≤, ⛱, « Ancienne demeure dans un parc, golf » – TV ☎ P – 🏛 40. AE ⓓ GB. ⛱ rest
fermé fév. – **R** 100/220 – ☐ 48 – **22 ch** 420/650 – ½ P 350/550.

ALFA-ROMEO Gar. Tamburrino, 148 av. Ch.-Boutet ☎ 24 56 00 44
BMW Ardennes Motors, centre commercial Ayvelles à Villers-Semeuse ☎ 24 58 22 73
CITROEN Gar. Froussart, 129 av. Ch.-de-Gaulle ☎ 24 59 22 33 N
FORD Cailloux, Centre Commercial La Croisette ☎ 24 57 01 01
MERCEDES Covema, r. C.-Didier ZI de Mohon ☎ 24 37 84 84
PEUGEOT-TALBOT S.I.G.A., rte de Warnecourt à Prix-lès-Mézières par D 3 AZ ☎ 24 37 37 45 N ☎ 24 33 40 35

RENAULT Amerand, 63 bd Gambetta ☎ 24 33 37 59
V.A.G Gar. Petit, 60 bd Pierquin rte d'Hirson à Warcq ☎ 24 56 40 07

Ⓜ Fischbach Pneu, 13 r. M.-Sembat ☎ 24 57 02 44
Legros, 87 r. Bourbon ☎ 24 33 31 13
New-Gom, rte de Paris ☎ 24 37 23 45
Palais-du-Pneu, 7 av. Ch.-de-Gaulle ☎ 24 33 28 32

Ask your bookseller for the catalogue of Michelin publications.

CHARLIEU

CHARLIEU 42190 Loire 73 ⑧ **G. Vallée du Rhône** – 3 727 h. alt. 265.

Voir Ancienne abbaye★ : grand portail★★ – Cloître★ du couvent des Cordeliers.

ℹ Office de Tourisme pl. St-Philibert (fermé janv.) ☎ 77 60 12 42.

Paris 415 ④ – Roanne 20 ④ – Digoin 46 ④ – Lapalisse 57 ④ – Mâcon 77 ② – ◆St-Étienne 102 ④.

CHARLIEU

Rue	N°
Abbaye (Pl. de l')	2
Chanteloup (R.)	4
Écoles (R. des)	5
Farinet (R. A.)	7
Gaulle (R. Ch.-de)	9
Grenette (R.)	10
Jacquard (Bd)	12
Merle (R. du)	13
Michon (R.)	15
Morel (R. J.)	16
Moulins (R. des)	17
République (Bd de la)	18
Rouillier (R. Ch.-H.)	19
St-Philibert (Pl.)	20
Valorge (Bd)	22

Entrez à l'hôtel
ou au restaurant
le Guide à la main
vous montrerez ainsi
qu'il vous conduit là
en confiance.

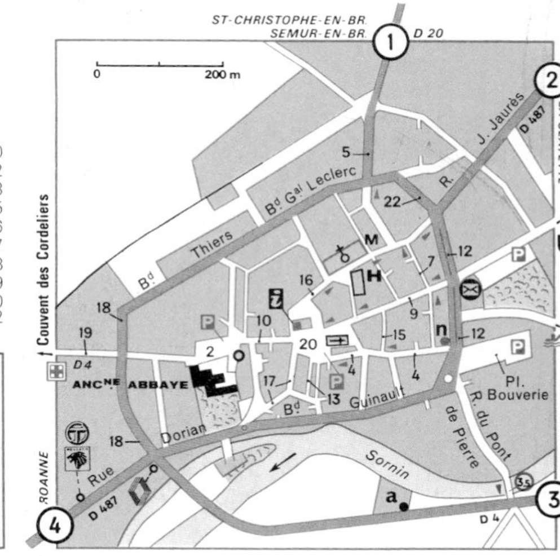

Relais de l'Abbaye, La Montalay **(a)** ☎ 77 60 00 88, Télex 307599, Fax 77 69 04 90, ⛱, ⛱ – TV ☎ P – 🏛 100. AE GB
fermé janv., dim. soir et lundi midi hors sais. – **R** 80/155 ⛱, enf. 50 – ☐ 29 – **27 ch** 210/265 – ½ P 260.

Aub. du Moulin de Rongefer, rte Pouilly O : 2 km par D 487 et VO ☎ 77 60 01 57, ⛱, ⛱ – ⛱ P. GB
fermé fin juil. à mi-août, vacances de fév., dim. soir, lundi soir et mardi – **R** 95/260, enf. 60.

Le Sornin, 6 pl. Bouverie **(n)** ☎ 77 60 03 74, ⛱ – ▤. GB
fermé 15 fév. au 7 mars, dim. soir et lundi – **R** 75/240 ⛱.

PEUGEOT-TALBOT Automobiles du Sornin ☎ 77 69 07 07

RENAULT Saunier ☎ 77 60 07 55

CHARMES **88130** Vosges 62 ⑤ **G. Alsace Lorraine** – 4 721 h. alt. 283.

Paris 346 – Épinal 29 – ◆Nancy 42 – Lunéville 35 – Neufchâteau 55 – St-Dié 59 – Toul 62 – Vittel 39.

XX **Dancourt** avec ch, 6 pl. h. Breton ☎ 29 38 80 80, Fax 29 38 09 15 – TV ☎. GB
fermé 31 déc. au 15 janv., sam. midi et vend. – **R** 95/275 – ☕ 28 – **15 ch** 175/250 – ½ P 195/220.

XX **Vaudois** avec ch, r. Capucins ☎ 29 38 02 40, 🌳, 🏖 – ☎. ⓓ GB
fermé 24 août au 7 sept., dim. soir et lundi – **Repas** 95/310 🍷 – ☕ 33 – **7 ch** 185/235 – ½ P 190/215.

à Vincey SE : 4 km par N 57 – ✉ **88450** :

🏨 **Relais de Vincey** M, ☎ 29 67 40 11, Fax 29 67 36 66, 🏊, 🏖, 🎾 – TV ☎ P – 🏛 25. GB
fermé 17 au 31 août – **R** *(fermé dim. soir et sam.)* 95/235 🍷, enf. 55 – ☕ 30 – **28 ch** 200/280 – ½ P 250/330.

CHARMES-SUR-RHÔNE **07800** Ardèche 77 ⑪ ⑫ – 1 826 h. alt. 111.

Paris 572 – Valence 11 – Crest 24 – Montélimar 41 – Privas 28 – St-Péray 10,5.

XX **La Vieille Auberge** avec ch, ☎ 75 60 80 10, Fax 75 60 87 47, 🌳 – ▤ TV ☎ 🚗 – 🏛 25. AE ⓓ GB
fermé dim. soir et merc. – **R** 100/290 – ☕ 35 – **16 ch** 250/350 – ½ P 350/450.

CHARMOIS **54360** M.-et-M. 62 ⑤ – 196 h. alt. 255.

Paris 334 – ◆Nancy 30 – Épinal 55 – Lunéville 12 – St-Dié 62 – Sarrebourg 64.

X **La Petite Auberge,** ☎ 83 75 79 65 – GB
fermé 9 au 23 mars, 17 août au 7 sept., lundi (sauf fériés le midi) et dim. soir – **R** 90/310 🍷.

CHARNY **89120** Yonne 65 ③ – 1 634 h. alt. 139.

Paris 140 – Auxerre 48 – Cosne-sur-Loire 62 – Gien 47 – Joigny 28 – Montargis 36 – Sens 46.

🏨 **Cheval Blanc,** ☎ 86 63 60 66 – ☎. GB
fermé 5 janv. au 8 fév. et lundi sauf juil.-août – **R** 105/250 – **8 ch** ☕ 290/400 – ½ P 240.

🏠 **Gare** 🌿, ☎ 86 63 61 59 – ☎ 🚗. GB. 🐕
fermé 31 août au 7 sept., 14 déc. au 11 janv., dim. soir et lundi sauf fériés – **R** 60/160 🍷 – ☕ 31 – **12 ch** 162/273 – ½ P 170/179.

PEUGEOT-TALBOT Guérin ☎ 86 63 61 81 N
PEUGEOT-TALBOT Gar. Carpentier ☎ 86 63 65 99 N
RENAULT Hivon ☎ 86 63 65 12

CHAROLLES ‹SP› **71120** S.-et-L. 69 ⑰ ⑱ **G. Bourgogne** – 3 048 h. alt. 282.

ℹ Office de Tourisme Ancien Couvent des Clarisses, r. Baudinot ☎ 85 24 05 95.

Paris 368 – Mâcon 54 – Autun 77 – Chalon-sur-Saône 68 – Moulins 84 – Roanne 60.

🏨 **Moderne,** av. Gare ☎ 85 24 07 02, 🏊, 🏖 – TV ☎ 🚗. AE GB
fermé 26 déc. au 1er fév., dim. soir de sept. à juin et lundi sauf le soir du 1er juil. au 30 sept. – **R** 110/280, enf. 70 – ☕ 35 – **18 ch** 240/430 – ½ P 300/370.

🏨 **France** sans rest, av. J. Furtin ☎ 85 24 06 66 – ☎. GB
fermé janv. – ☕ 30 – **12 ch** 165/315.

🏨 **Lion d'Or,** 6 r. Champagny ☎ 85 24 08 28, Fax 85 24 08 28, 🏊, 🏖 – TV ☎ P. AE ⓓ GB
fermé 2 au 15 nov., 15 au 28 fév., dim. soir et lundi de sept. à juin – **R** 85/255 🍷, enf. 45 – ☕ 30 – **17 ch** 135/270 – ½ P 235/295.

XXX **Poste** avec ch, av. Libération ☎ 85 24 11 32, Fax 85 24 05 74 – TV ☎. AE GB
fermé 15 nov. au 15 déc., dim. soir et lundi – **R** 120/350, enf. 80 – ☕ 35 – **9 ch** 200/260.

à Viry NE : 7 km – ✉ **71120** :

X **Le Monastère,** ☎ 85 24 14 24 – GB
fermé 15 au 30 nov., mardi soir et merc. d'oct. à mai – **R** 55/135, enf. 32.

CITROEN Moulin ☎ 85 24 01 10 N

CHARQUEMONT **25140** Doubs 66 ⑱ – 2 205 h. alt. 900.

Paris 483 – ◆Besançon 74 – Basel 102 – Belfort 65 – Montbéliard 47 – Pontarlier 60.

🏨 **Haut Doubs H.,** ☎ 81 44 00 20, Fax 81 44 09 18, 🏊 – ☎ P. GB
fermé lundi sauf vacances scolaires – **R** 60/180 🍷 – ☕ 28 – **32 ch** 220/260 – ½ P 230.

X **Bois de la Biche** 🌿 avec ch, SE : 4,5 km par D 10E ☎ 81 44 01 82, ←, 🌳 – TV ☎ P. GB
fermé 12 nov. au 12 déc. et lundi sauf juil.-août – **R** 85/250 – ☕ 25 – **3 ch** 180 – ½ P 180.

PEUGEOT-TALBOT Gar. Central ☎ 81 44 00 27 N
RENAULT Gar. Binetruy ☎ 81 44 01 29 N

CHARROUX 86250 Vienne 72 ④ **G. Poitou Vendée Charentes** – 1 428 h. alt. 165.

Voir Abbaye St-Sauveur★ : tour★★, sculptures★★ du cloître, trésor★.

Paris 395 – Confolens 27 – Niort 75 – ◆Poitiers 53.

PEUGEOT-TALBOT Gar. Meunier ✆ 49 87 50 05

CHARTRES P 28000 E.-et-L. 60 ⑦ ⑧ 106 ㊲ **G. Ile de France** – 39 595 h. alt. 142 Grand pèlerinage des étudiants (fin avril-début mai).

Voir Cathédrale★★★ Y – Vieux Chartres★ YZ – Église St-Pierre★ Z – ≤★ sur l'église St-André, des bords de l'Eure Y – ≤★ du Monument des Aviateurs militaires YZ – Musée des Beaux-Arts : émaux★ YM – C.O.M.P.A.★ (Conservatoire du Machinisme agricole et des Pratiques Agricoles) 2 km par D24.

9 18 de Maintenon ✆ 37 27 18 09, par ① : 19 km.

Office de Tourisme pl. Cathédrale ✆ 37 21 50 00 – A.C.O. 10 av. Jehan-de-Beauce ✆ 37 21 03 79.

Paris 88 ② – Évreux 77 ① – ◆Le Mans 118 ④ – ◆Orléans 76 ③ – Tours 140 ④.

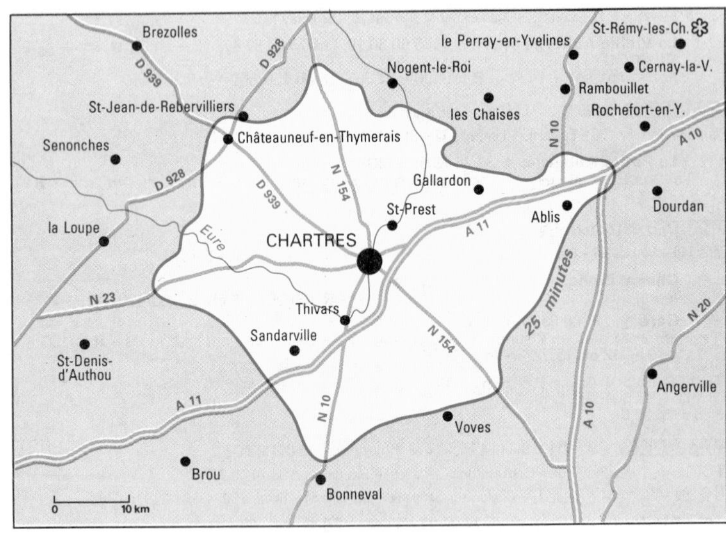

Grand Monarque, 22 pl. Épars ✆ 37 21 00 72, Télex 760777, Fax 37 36 34 18, – ☎ – 25 à 100. AE GB JCB — Z e
R 198/289, enf. 70 – **49 ch** 445/675, 5 appart. 988.

Mercure M sans rest, 8 av. Jehan de Beauce ✆ 37 21 78 00, Télex 780728, Fax 37 36 23 01 – TV ☎ – 120. AE GB — Y b
45 – **48 ch** 465/495.

Poste, 3 r. Gén. Koenig ✆ 37 21 04 27, Télex 760533, Fax 37 36 42 17 – rest TV ☎ – 30. AE GB — Y v
R 71/150, enf. 42 – 35 – **60 ch** 215/270 – ½ P 236/261.

Ibis M, 14 pl. Drouaise ✆ 37 36 06 36, Télex 783533, Fax 37 36 17 20, – TV ☎ – 60. GB — X b
R 91, enf. 39 – 30 – **79 ch** 290/330.

La Vieille Maison, 5 r. au Lait ✆ 37 34 10 67 – AE GB — Y s
fermé 28 juil. au 9 août, dim. soir et lundi – **R** 170.

Moulin de Ponceau, 21 r. Tannerie ✆ 37 35 87 87, ≤, , « Ancien moulin du 16e siècle au bord de l'Eure » – GB — Y n
fermé 15 au 31 août, vacances de fév., dim. soir et lundi – **R** 145/300.

Buisson Ardent, 10 r. au Lait ✆ 37 34 04 66 – AE GB — Y s
fermé dim. soir – **R** 95/225.

Le Minou, 4 r. Mar. de Lattre de Tassigny ✆ 37 21 10 68 – GB. — YZ u
fermé 11 juil. au 11 août, 11 au 24 fév., dim. soir et lundi – **R** 95/180.

à St-Prest par ① et D 6 : 8 km – ✉ 28300 :

Manoir du Palomino M, ✆ 37 22 27 27, Fax 37 22 24 92, ≤, « Dans un parc au bord de l'Eure, golf », – TV ☎ – 25. GB
fermé 15 janv. au 15 fév. – **R** *(fermé dim. soir et lundi)* 135/250, enf. 60 – 40 – **20 ch** 250/550 – ½ P 310/480.

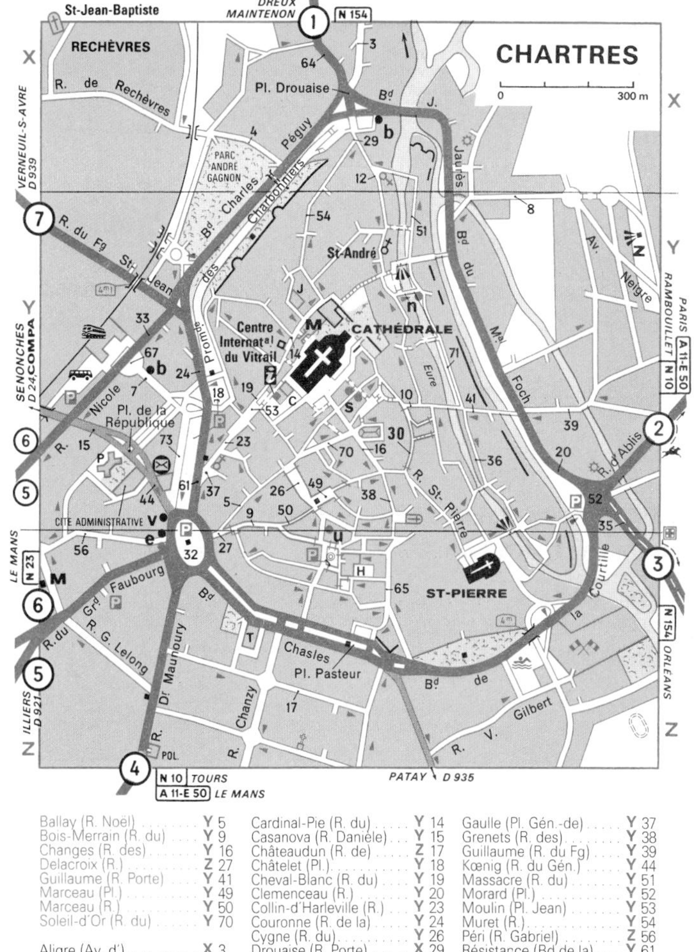

Ballay (R. Noël) . . . . Y 5
Bois-Merrain (R. du) . . . . Y 9
Changes (R. des) . . . . Y 16
Delacroix (R.) . . . . Z 27
Guillaume (R. Porte) . . . . Y 41
Marceau (Pl.) . . . . Y 49
Marceau (R.) . . . . Y 50
Soleil-d'Or (R. du) . . . . . Y 70

Aligre (Av. d') . . . . X 3
Alsace-Lorraine (R. d') . . . X 4
Beauce (Av. Jehan-de) . . . Y 7
Bethouart (Av.) . . . . Y 8
Bourg (R. du) . . . . Y 10
Brêche (R. de la) . . . . X 12

Cardinal-Pie (R. du) . . . . . Y 14
Casanova (R. Danièle) . . . Y 15
Châteaudun (R. de) . . . . . Z 17
Châtelet (Pl.) . . . . Y 18
Cheval-Blanc (R. du) . . . . Y 19
Clemenceau (R.) . . . . Y 20
Collin-d'Harleville (R.) . . . Y 23
Couronne (R. de la) . . . . . Y 24
Cygne (R. du) . . . . Y 26
Drouaise (R. Porte) . . . . . X 29
Écuyers (R. des) . . . . Y 30
Épars (Pl. des) . . . . Z 32
Félibien (R.) . . . . Y 33
Ferrière (R. de) . . . . Y 35
Foulerie (R. de la) . . . . . . Y 36

Gaulle (Pl. Gén.-de) . . . . . Y 37
Grenets (R. des) . . . . Y 38
Guillaume (R. du Fg) . . . . Y 39
Kœnig (R. du Gén.) . . . . . Y 44
Massacre (R. du) . . . . Y 51
Morard (Pl.) . . . . Y 52
Moulin (Pl. Jean) . . . . Y 53
Muret (R.) . . . . Y 54
Péri (R. Gabriel) . . . . Z 56
Résistance (Bd de la) . . . . Y 61
St-Maurice (R.) . . . . X 64
St-Michel (R.) . . . . Z 65
Sémard (Pl. Pierre) . . . . . Y 67
Tannerie (R. de la) . . . . . . Y 71
Violette (Bd Maurice) . . . . Y 73

par ② et N 10 : 4 km – ✉ **28630** Chartres :

Novotel, av. Marcel Proust ☎ 37 34 80 30, Télex 781298, Fax 37 30 29 56, [terrace], [pool], [garden] – [lift] [no smoking] ch [air-conditioned] rest [TV] ☎ ♿ [parking] – [seminar] 30 à 200. AE ⓓ GB
R carte environ 160 [child], enf. 50 – ☕ 45 – **78 ch** 380/460.

par ③ : 4 km, près rocade – ✉ **28630** Le Coudray :

Primevère, ☎ 37 91 03 03, Fax 37 91 05 39, [terrace] – [TV] ☎ ♿ [parking] – [seminar] 30. GB
R 71/95 [child], enf. 39 – ☕ 30 – **41 ch** 230/250.

Z.A. de Barjouville par ④ : 4 km – ✉ **28630** Barjouville :

Climat de France [M], ☎ 37 35 35 55, Télex 760459, Fax 37 34 72 12, [terrace] – [TV] ☎ ♿ [parking] – [seminar] 40 à 80. AE GB
R 82/110 [child], enf. 35 – ☕ 30 – **52 ch** 265/295.

Aster, près rocade ☎ 37 34 47 47, Fax 37 30 82 66 – [TV] ☎ ♿ [parking] – [seminar] 25. GB
fermé 20 déc. au 3 janv. – **R** *(fermé dim. soir)* 68/102 [child] – ☕ 28 – **40 ch** 179/214.

à Thivars par ④ : 7,5 km par N 10 – ✉ **28630** :

XXX **La Sellerie,** ✆ 37 26 41 59 – Ⓟ. GB
fermé 3 au 24 août, 13 au 28 janv., dim. soir de nov. à mars, lundi soir et mardi – **R** 130/280.

BMW Thireau, Parc des Propylées RN 10 ✆ 37 34 34 40
CITROEN S.E.R.A.C., 49 bis av. d'Orléans par ③ ✆ 37 34 57 80 N
FIAT Gar. Saussereau, 84 r. Grand-Faubourg ✆ 37 34 01 33
RENAULT Gar. Chartrains, ZUP Madeleine av. M.-Proust par ② ✆ 37 30 20 20 N
RENAULT Ruelle, 104 r. Fg-la-Grappe par ③ ✆ 37 28 51 19
V.A.G Gar. Electric-Auto, 46 av. d'Orléans, N 154 ✆ 37 28 07 35

Breton, 26 r. G.-Fessard ✆ 37 21 18 98

Périphérie et environs

AUSTIN, ROVER Chartres-Auto-Sport, rte d'Illiers à Lucé ✆ 37 35 24 79
FORD Gar. Paris-Brest, r. Mar.-Leclerc à Lucé ✆ 37 28 13 88
MERCEDES-BENZ-SEAT B.S.A., 20 bis bd Foch ✆ 37 35 88 80
OPEL Gar. Ouest, 43 r. Château-d'Eau à Mainvilliers ✆ 37 36 37 87
PEUGEOT-TALBOT Gar. St-Thomas, rte d'Illiers à Lucé par ⑤ ✆ 37 34 26 41
RENAULT Gd Gar. de Lucé, 23 r. Kennedy à Lucé par ⑤ ✆ 37 34 00 99 N
TOYOTA Socalu, 5 r. de Fontenay à Lucé ✆ 37 28 02 40

Breton, 13 r. de Fontenay ZI à Lucé ✆ 37 28 28 80
Marsat-Pneus Chartres-Pneus, 14 r. République à Lucé ✆ 37 35 86 94

☛ *Pour aller loin rapidement,*
utilisez les **cartes Michelin** *des pays d'Europe à 1/1 000 000.*

CHARTRES-DE-BRETAGNE **35** I.-et-V. 63 ⑥ – rattaché à Rennes.

La CHARTRE-SUR-LE-LOIR **72340** Sarthe 64 ④ **G. Châteaux de la Loire** – 1 669 h. alt. 57.

Syndicat d'Initiative (15 juin-15 sept.) ✆ 43 44 40 04.

Paris 210 – ♦Le Mans 46 – La Flèche 57 – St-Calais 30 – ♦Tours 42 – Vendôme 42.

France, ✆ 43 44 40 16, Fax 43 79 62 20, – TV ☎ Ⓟ – 30. GB
fermé 15 nov. au 15 déc. – **R** (dim. prévenir) 68/260 – 30 – **28 ch** 130/270 – ½ P 165/235.

Cheval Blanc, ✆ 43 44 42 81 – TV ☎. GB
fermé 1er au 15 nov. et dim. soir d'oct. à mai – **R** 58/210 – 28 – **12 ch** 110/220 – ½ P 160/195.

PEUGEOT-TALBOT Gar. Vallée du Loir ✆ 43 44 41 12

CHASSELAY **69380** Rhône 73 ⑩ – 2 002 h. alt. 211.

Paris 445 – ♦Lyon 21 – L'Arbresle 14 – Villefranche-sur-Saône 14.

XX **Guy Lassausaie,** ✆ 78 47 62 59, Fax 78 47 06 19 – Ⓟ. AE ⓓ GB
fermé 1er au 30 août, 15 au 25 fév., mardi soir et merc. – **R** 140/320.

CITROEN Gar. du Mont-Verdun ✆ 78 47 62 23

CHASSENEUIL-DU-POITOU **86** Vienne 68 ⑭ – rattaché à Poitiers.

CHASSENEUIL-SUR-BONNIEURE **16260** Charente 72 ⑭ ⑮ **G. Poitou Vendée Charentes** – 2 791 h. alt. 120.

Voir Mémorial de la Résistance.

Paris 436 – Angoulême 33 – Confolens 30 – ♦Limoges 70 – Nontron 52 – Ruffec 40.

XX **Gare** avec ch, ✆ 45 39 50 36, Fax 45 39 64 03 – ☎. GB
fermé 2 au 15 janv., 1er au 21 juil. dim. soir et lundi – **R** 65/260, enf. 50 – 20 – **11 ch** 120/230 – ½ P 150/200.

CITROEN Grugeau ✆ 45 39 50 17
RENAULT Gar. Livertoux ✆ 45 39 50 19
RENAULT Linlaud ✆ 45 39 57 09 N ✆ 45 63 98 47

CHASSERADES **48250** Lozère 80 ⑦ – 151 h. alt. 1 174.

Paris 612 – Mende 40 – Langogne 29 – Villefort 25.

Sources, rte La Bastide ✆ 66 46 01 14, ← – ☎ Ⓟ. GB
R *(fermé dim. soir du 15 oct. au 15 mai)* 65/90, enf. 38 – 24 – **11 ch** 125/240 – ½ P 170/180.

CHASSE-SUR-RHôNE **38** Isère 74 ⑪ – rattaché à Vienne.

CHASSEY-LE-CAMP **71** S.-et-L. 69 ⑨ – rattaché à Chagny.

CHASSIEU **69** Rhône 74 ⑫ – rattaché à Lyon.

La CHATAIGNERAIE 85120 Vendée 67 ⑯ – 2 904 h. alt. 171.

Paris 387 – Bressuire 31 – Fontenay-le-Comte 22 – Parthenay 42 – La-Roche-sur-Yon 58.

Aub. de la Terrasse, r. Beauregard ✆ 51 69 68 68, Fax 51 52 67 96 – TV ☎ – 40. AE GB. rest
fermé vacances de Noël et sam. hors sais. sauf fériés – **R** 68/186, enf. 46 – 28 – **14 ch** 175/325.

PEUGEOT Gar. Arnaud à la Tardière ✆ 51 69 66 69
RENAULT Gar. Boinot ✆ 51 52 66 66 N ✆ 51 69 60 10

CHÂTEAU-ARNOUX 04160 Alpes-de-H.-P. 81 ⑯ G. Alpes du Sud – 5 109 h. alt. 440.

Voir ✳★ de la chapelle St-Jean S : 2 km puis 15 mn.

Office de Tourisme r. V.-Maurel ✆ 92 64 02 64.

Paris 724 – Digne 25 – Forcalquier 30 – Manosque 40 – Sault 70 – Sisteron 14.

La Bonne Étape (Gleize), Chemin du lac ✆ 92 64 00 09, Fax 92 64 37 36, « Bel aménagement intérieur », – TV ☎ P. AE GB
fermé 1er au 9 déc., 5 janv. au 16 fév., dim. soir et lundi du 15 sept. au 15 juin – **R** 190/490 – 85 – **11 ch** 450/800, 7 appart. 1000
Spéc. Ravioli aux blettes, Loup poêlé à la tapenade, Agneau. Vins Palette, Vacqueyras.

à St-Auban SO : 3,5 km par N 96 – ✉ **04600**.

Voir Site★ de Montfort S : 2 km.

Villiard sans rest, ✆ 92 64 17 42, Fax 92 64 23 29, – TV ☎ P. GB
fermé 20 déc. au 6 janv. et sam. d'oct. à mars – 38 – **20 ch** 230/450.

PEUGEOT-TALBOT Plantevin, 70 av. Gén.-de-Gaulle ✆ 92 64 06 15 N
VOLVO Gar. de la Durance, N 96 à St-Auban ✆ 92 64 17 37

CHÂTEAU-BERNARD 38650 Isère 77 ⑭ – 134 h. alt. 855.

Paris 606 – ♦Grenoble 36 – Monestier-de-Clermont 12.

au col de l'Arzelier N : 4 km – ✉ **38650** Monestier-de-Clermont.

Voir Site★ de Prélenfrey N : 4 km, G. Alpes du Nord.

Deux Soeurs, ✆ 76 72 37 68, Fax 76 72 20 25, ←, – P. GB
fermé 14 sept. au 3 oct. – **R** 80/180, enf. 50 – 26 – **24 ch** 155/195 – ½ P 205/230.

CHÂTEAUBERNARD 16 Charente 171 ⑤ – rattaché à Cognac.

CHÂTEAUBOURG 35220 I.-et-V. 59 ⑰ ⑱ – 4 056 h. alt. 125.

Paris 325 – ♦Rennes 23 – Angers 107 – Châteaubriant 49 – Fougères 43 – Laval 52.

Ar Milin', ✆ 99 00 30 91, Fax 99 00 37 56, « Ancien moulin dans un parc au bord de la Vilaine », – TV ☎ P – 60. AE GB JCB
fermé 22 déc. au 5 janv. – **R** *(fermé dim. soir en mars, avril et oct. et dim. du 1er nov. au 28 fév.)* 92/220, enf. 65 – 45 – **30 ch** 310/485 – ½ P 360.

à La Peinière E : 6 km par D 857 et D 105 – ✉ **35220** Châteaubourg :

Pen'Roc M, ✆ 99 00 33 02, Télex 741457, Fax 99 62 30 89, – TV ☎ P – 30. AE GB JCB
fermé vacances de nov. et de fév. – Repas *(fermé dim. soir de mi-sept. à mi-mai)* 142/248, enf. 62 – 38 – **33 ch** 281/395 – ½ P 356.

CITROEN Gar. Brunet ✆ 99 00 31 16
PEUGEOT TALBOT Gar. Chevrel ✆ 99 00 31 12

CHÂTEAUBRIANT <SP> 44110 Loire-Atl. 63 ⑦ ⑧ G. Bretagne – 12 783 h. alt. 56 – Voir Château★.

Office de Tourisme 22 r. de Couéré ✆ 40 28 20 90.

Paris 354 ① – Ancenis 43 ③ – Angers 71 ③ – La Baule 95 ④ – Cholet 91 ③ – Fougères 83 ① – Laval 68 ② – ♦Nantes 62 ④ – ♦Rennes 56 ⑤ – St-Nazaire 86 ④.

Plan page suivante

Châteaubriant M sans rest, 30 r. 11-Novembre **(a)** ✆ 40 28 14 14, Fax 40 28 26 49 – TV ☎ P – 80. AE GB
28 – **34 ch** 250/310.

Host. La Ferrière, rte Nantes par ④ : 1,5 km ✆ 40 28 00 28, Télex 701353, Fax 40 28 29 21, « Parc fleuri » – TV ☎ P – 50 à 150. AE GB
fermé 21 déc. au 4 janv. et dim. soir du 1er nov. au 31 mars – **R** 110/200, enf. 60 – 35 – **25 ch** 310/360 – ½ P 255/280.

Aub. Bretonne M avec ch, 23 pl. Motte **(b)** ✆ 40 81 03 05 – TV ☎. AE GB
R 88/250, enf. 65 – 42 – **8 ch** 280/420 – ½ P 180/280.

Le Poêlon d'Or, 30 bis r. 11-Novembre **(s)** ✆ 40 81 43 33 – AE GB
fermé dim. sauf fériés – **R** 90/300.

CITROEN Gar. Pinel Charles, rte de St-Nazaire, ZI par ④ ✆ 40 81 00 07
FORD Mérel, ZI, 65 rte d'Ancenis ✆ 40 81 15 29
PEUGEOT-TALBOT Gar. Bareteau, 42 r. M.-Grimaud par ③ ✆ 40 81 01 05
RENAULT SADAC, rte de St-Nazaire, ZI par ④ ✆ 40 81 26 84 N ✆ 40 81 23 32

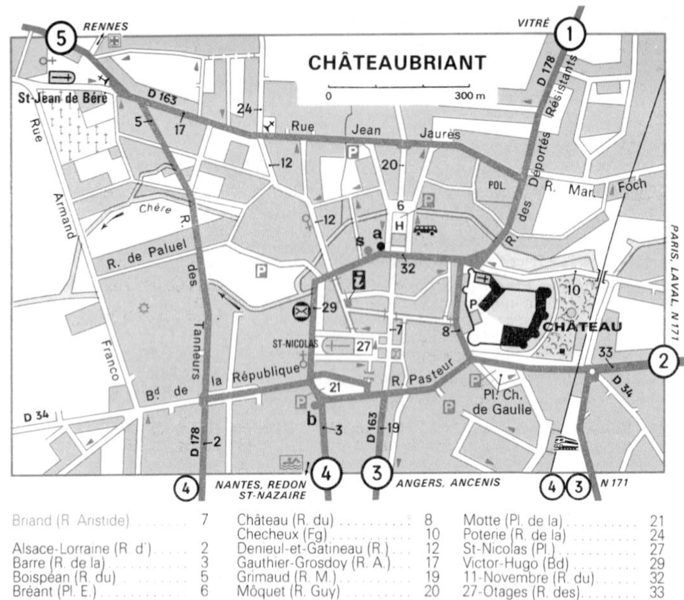

Briand (R. Aristide)	7	Château (R. du)	8	Motte (Pl. de la)	21
		Checheux (Fg)	10	Poterie (R. de la)	24
Alsace-Lorraine (R. d')	2	Denieul-et-Gatineau (R.)	12	St-Nicolas (Pl.)	27
Barre (R. de la)	3	Gauthier-Grosdoy (R. A.)	17	Victor-Hugo (Bd)	29
Boispéan (R. du)	5	Grimaud (R. M.)	19	11-Novembre (R. du)	32
Bréant (Pl. E.)	6	Môquet (R. Guy)	20	27-Otages (R. des)	33

CHÂTEAU-CHINON

SP 58120 Nièvre 69 ⑥ **G. Bourgogne** – 2 502 h. alt. 534.

Voir Site★ – Calvaire ☼★★ – Promenade du château★ – Vallée du Touron★ E.

Office de Tourisme r. Champlain (transfert prévu) (vacances scolaires) ℘ 86 85 06 58.

Paris 281 – Autun 36 – Avallon 61 – Clamecy 65 – Moulins 88 – Nevers 66 – Saulieu 43.

Le Folin M, rte Nevers ℘ 86 85 00 80, Fax 86 85 21 29, – rest TV – 30. GB
R 78/180 – 35 – **33 ch** 260/290.

Lion d'Or, 10 r. Fossés ℘ 86 85 13 56 – TV. GB
fermé dim. soir et lundi – **R** 60/130, enf. 40 – 22 – **8 ch** 130/240 – ½ P 170/220.

PEUGEOT-TALBOT Jeannot-Roblin, 6 r. de Nevers ℘ 86 85 02 76

RENAULT Gar. Cottet, rte de Lormes ℘ 86 85 06 01 N ℘ 86 79 40 41

CHÂTEAU-D'OLÉRON

17 Char.-Mar. 71 ⑭ – voir à Oléron (Ile d').

CHÂTEAU-DU-LOIR

72500 Sarthe 64 ④ **G. Châteaux de la Loire** – 5 473 h. alt. 50.

Syndicat d'Initiative 2 av. J.-Jaurès (juin-15 sept.) ℘ 43 44 56 68 et à la Mairie (hors saison) ℘ 43 44 00 38.

Paris 238 – ♦Le Mans 40 – Château-la-Vallière 20 – La Flèche 41 – ♦Tours 40 – Vendôme 58.

Grand Hôtel, 59 av. A. Briand ℘ 43 44 00 17 – GB. rest
R 85/180, enf. 65 – 35 – **23 ch** 180/260 – ½ P 250.

PEUGEOT-TALBOT Boutellier, rte du Mans à Luceau ℘ 43 44 00 67

RENAULT Gar. Cosnier, rte du Mans à Luceau ℘ 43 44 00 92 N

Super-Pneus, 7 av. du Mans ℘ 43 44 36 16

CHÂTEAUDUN

SP 28200 E.-et-L. 60 ⑰ **G. Châteaux de la Loire** – 14 511 h. alt. 140.

Voir Château★★ A – Vieille ville★ A: église de la Madeleine★ – Promenade du Mail ≤★ A – Musée : Collection d'oiseaux★ A **M.**

Office de Tourisme 1 r. de Luynes ℘ 37 45 22 46.

Paris 130 ① – ♦Orléans 51 ② – Alençon 120 ⑤ – Argentan 145 ⑤ – Blois 57 ③ – Chartres 43 ① – Fontainebleau 120 ② – ♦Le Mans 108 ⑤ – Nogent-le-Rotrou 53 ⑤ – ♦Tours 96 ③.

Plan page suivante

Beauce sans rest, 50 r. Jallans ℘ 37 45 14 75 – TV. GB — B **s**
fermé dim. du 15 oct. au 15 mai – 30 – **24 ch** 130/270.

St-Michel sans rest, 5 r. Péan ℘ 37 45 15 70, Fax 37 45 83 39 – TV. AE GB. — A **a**
fermé 23 déc. au 4 janv. – 25 – **19 ch** 150/290.

CHÂTEAUDUN

Gambetta (R.) . . . . AB
République (R.) . . . . AB
18-Octobre (Pl. du) . . . . A 21
Cap-de-la-Madeleine (Pl.) . . . . A 3
Château (R. du) . . . . A 4
Cuirasserie (Rue de la) . . . A 5
Dunois (Pl. J.-de) . . . . A 6
Guichet (R.du) . . . . A 7
Huileries (R. des) . . . . A 8
Luynes (R. de) . . . . A 10
Lyautey (R. Mar.) . . . . A 12
Porte d'Abas (R. de la) . . A 14
St-Lubin (R.) . . . . A 18
St-Médard (R.) . . . . A 19

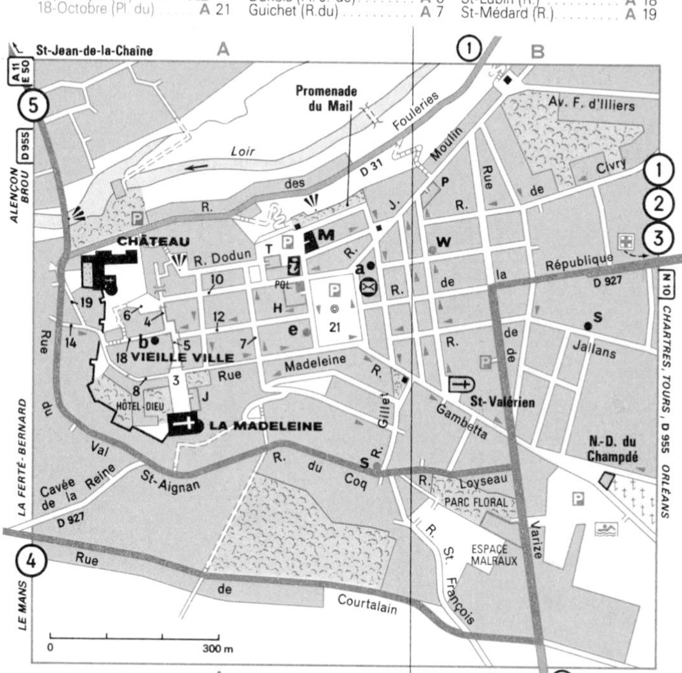

XX **La Rose** avec ch, 12 r. Lambert-Licors ✆ 37 45 21 83, Fax 37 45 21 83 – rest ☎ – GB. ch — B **w**
fermé 8 au 30 nov., dim. soir et lundi – **Repas** 78/220 – 32 – **7 ch** 215/255 – ½ P 235/300.

XX **L'Arnaudière,** 4 r. St-Lubin ✆ 37 45 98 98, Fax 37 45 96 48, – GB — A **b**
fermé dim. soir et lundi – **R** 125/280.

XX **Trois Pastoureaux,** 31 r. A Gillet ✆ 37 45 74 40 – GB — A **s**
fermé 20 déc. au 6 janv., dim. soir et lundi – **R** 96/140.

XX **La Licorne,** 6 pl. 18-Octobre ✆ 37 45 32 32 – GB — A **e**
fermé 16 au 25 juin, 22 déc. au 15 janv., mardi soir et merc. – **R** 68/180, enf. 48.

à Marboué par ① sur N 10 : 5 km – ✉ **28200** :

XX **Toque Blanche,** ✆ 37 45 12 14 – AE GB
fermé 8 juil. au 1er août, 22 déc. au 3 janv., mardi soir et merc. – **R** 80/240, enf. 40.

CITROEN Gar. Mourice-Rebours, 91 bd Kellermann par ② ✆ 37 45 10 87
PEUGEOT-TALBOT Gar. Lemasson, rte de Chartres par ① ✆ 37 45 20 98 N ✆ 37 96 52 22
RENAULT Giraud, rte de Tours à la Chapelle-du-Noyer par ③ ✆ 37 45 10 74 N ✆ 37 96 52 31
Central Pneu, N 10 ✆ 37 45 11 17
La Centrale du Pneu, 98 r. Varize ✆ 37 45 68 54

CHÂTEAUFORT 78 Yvelines 60 ⑩, 101 ㉒ – voir à Paris, Environs.

CHÂTEAUGIRON 35410 I.-et-V. 63 ⑦ G. Bretagne – 4 166 h. alt. 60.
Paris 337 – Angers 106 – Châteaubriant 42 – Fougères 47 – Nozay 66 – ♦Rennes 18 – Vitré 28.

Cheval Blanc et Château, ✆ 99 37 40 27 – ☎ GB
fermé dim. soir et soirs fériés – **R** 59/165, enf. 50 – 25 – **20 ch** 120/230 – ½ P 150/200.

XXX **L'Aubergade,** ✆ 99 37 41 35 – GB
fermé 31 août au 26 sept., vacances de fév., dim soir et lundi soir – **R** 115/242.

CHÂTEAU-GONTIER <SP> **53200** Mayenne 63 ⑩ **G. Châteaux de la Loire** – 11 085 h. alt. 43.

Voir Intérieur★ de l'église St-Jean A.

Syndicat d'Initiative à l'Hôtel de Ville (hors saison) ℘ 43 07 07 10 et Péniche l'Élan quai Alsace (mai-sept.) ℘ 43 70 42 74.

Paris 289 ② – Angers 43 ③ – Châteaubriant 56 ⑤ – Laval 32 ① – ◆Le Mans 90 ② – ◆Rennes 92 ⑤.

CHÂTEAU-GONTIER

Alsace-Lorraine (Quai et R. d') . . . B 2
Bourg-Roussel (R. du) . . . A 5
Coubertin (Q. P. de) . . . B 7
Foch (Av. Mar.) . . . B 9
Fouassier (R.) . . . A 10
Français-Libres (Pl. des) . . . A 12
Gambetta (R.) . . . A 14
Gaulle (Quai Ch. de) . . . B 15
Homo (R. René) . . . A 18
Joffre (Av. Mar.) . . . A 20
Leclerc (R. de la Division) . . . A 22
Lemonnier (R. Gén.) . . . B 24
Lierry (R.) . . . B 25
Olivet (R. d') . . . A 29
Pasteur (Quai) . . . B 31
Pilori (Pl. du) . . . A 33
République (Pl. de la) . . . A 36
St-Jean (Pl.) . . . A 39
St-Just (Pl.) . . . B 40
Thionville (R. de) . . . B 45

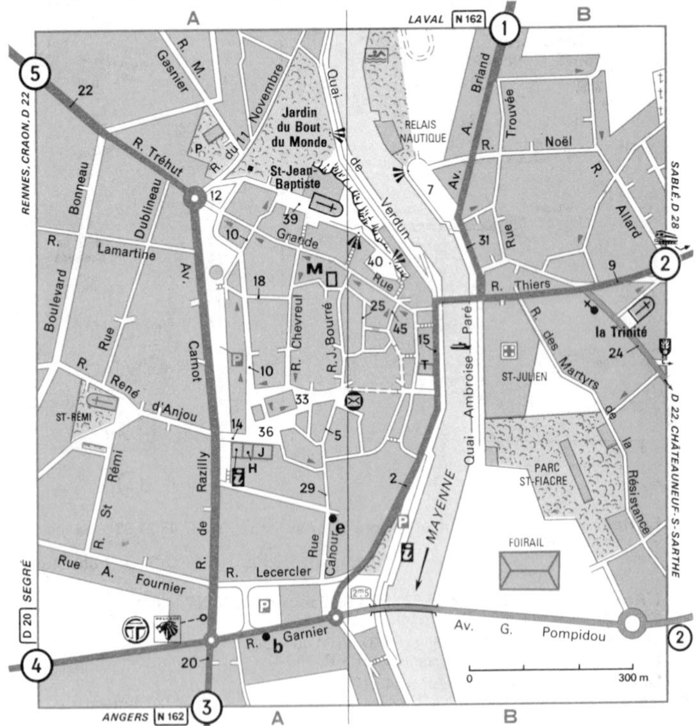

Jardin des Arts M, 5 r. A. Cahour ℘ 43 70 12 12, Fax 43 70 12 07, ≤, « Jardin » – TV ☎ P – 60. GB — A e
R *(fermé dim. soir du 1er déc. au 1er mars)* 75/225 , enf. 65 – ☐ 42 – **20 ch** 275/505 – ½ P 230/325.

Host. Mirwault, N : 2 km par r. Basse-du-Rocher ℘ 43 07 13 17, Fax 43 07 82 96, « Au bord de la Mayenne », – TV ☎ P. AE GB. rest
fermé 10 fév. au 10 mars – **R** *(fermé dim. soir et lundi)* 95/250 , enf. 60 – ☐ 35 – **14 ch** 230/300 – ½ P 220/300.

Cerf sans rest, 31 r. Garnier ℘ 43 07 25 13, Fax 43 07 02 90 – TV ☎ P. GB — A b
☐ 22 – **22 ch** 140/180.

Prieuré, à Azé, SE : 2 km par D 22, près Église ℘ 43 70 31 16, ≤, – GB
fermé 15 au 28 fév. et lundi soir hors sais. – **R** 68/185, enf. 45.

L'Aquarelle, rte de Ménil S : 0,5 km par r. Pont d'Olivet ℘ 43 70 15 44, ≤, – GB JCB
fermé 1er au 15 oct., dim. soir et lundi du 16 oct. au 30 avril – **R** 68/185, enf. 40.

PEUGEOT-TALBOT Gar. Fourmond, 8 av. Mar.-Joffre ℘ 43 70 16 00

Cailleau, rte d'Angers à St-Fort ℘ 43 70 31 09

CHÂTEAULIN <SP> **29150** Finistère 58 ⑮ G. Bretagne – 4 965 h. alt. 8.

Env. Enclos paroissial** de Pleyben E : 10 km.

Office de Tourisme quai Cosmao ☎ 98 86 02 11.

Paris 547 – Quimper 28 – •Brest 48 – Carhaix-Plouguer 42 – Concarneau 49 – Douarnenez 27 – Landerneau 40 – Lorient 90 – Morlaix 56.

Au Bon Accueil, à Port Launay NE : 2 km par D 770 ☎ 98 86 15 77, Fax 98 86 36 25, – ☎ ♿ P – 100. GB. ch
fermé 1er janv. au 1er fév. et dim. soir du 1er oct. au 30 avril – **R** 65/195, enf. 39 – ☐ 30 – **53 ch** 145/310 – ½ P 177/274.

CITROEN Gar. de Cornouaille, rte de Pleyben ☎ 98 86 04 40
PEUGEOT-TALBOT Ind. Autos Chateaulinoises, rte de Pleyben ☎ 98 86 06 50

RENAULT Gar. de l'Aulne, 22-28 av. de Quimper ☎ 98 86 12 08 N ☎ 98 76 65 32

Simon-Pneus 33 r. Graveran rte de Crozon ☎ 98 86 16 09

CHATEAUNEUF **21320** Côte-d'Or 65 ⑲ G. Bourgogne – 63 h. alt. 475.

Voir Site* du village* – Château*.

Paris 279 – •Dijon 41 – Avallon 72 – Beaune 35 – Montbard 64.

Host. du Château , ☎ 80 49 22 00, Fax 80 49 21 27, ←, , – ☎. AE GB
fermé 17 nov. au 10 fév., lundi soir et mardi du 15 sept. au 15 juin – **R** carte 200 à 280 – ☐ 38 – **16 ch** 170/500 – ½ P 350/450.

CHÂTEAUNEUF **71** S.-et-L. 73 ⑧ – rattaché à Chauffailles.

CHÂTEAUNEUF-DE-GALAURE **26330** Drôme 77 ② – 1 246 h. alt. 340.

Paris 538 – Valence 37 – Beaurepaire 17 – Romans-sur-Isère 26 – St-Marcellin 41 – Tournon-sur-Rhône 29.

XX **Yves Leydier,** ☎ 75 68 68 02, , – GB
fermé vacances de fév. mardi soir et merc. – **R** 90/250, enf. 50.

RENAULT Gar. Léorat ☎ 75 68 61 81 N

CHÂTEAUNEUF-DU-FAOU **29520** Finistère 58 ⑯ G. Bretagne – 3 777 h. alt. 130.

Office de Tourisme r. de la Mairie (fermé après-midi sept.-juin) ☎ 98 81 83 90.

Paris 526 – Quimper 37 – •Brest 64 – Carhaix-Plouguer 21 – Châteaulin 23 – Morlaix 50.

Relais de Cornouaille, rte Carhaix ☎ 98 81 75 36 – TV ☎ ♿ – 25. GB
fermé oct., dim. soir et sam. – **R** 55/170 – ☐ 25 – **29 ch** 120/240 – ½ P 165/200.

CHÂTEAUNEUF-DU-PAPE **84230** Vaucluse 81 ⑫ G. Provence – 2 062 h. alt. 117.

Voir ←** du château des Papes.

Office de Tourisme pl. Portail ☎ 90 83 71 08.

Paris 669 – Avignon 18 – Alès 77 – Carpentras 23 – Orange 10 – Roquemaure 10.

XXX ✪ **Host. Château des Fines Roches** (Estevenin) M avec ch, S : 3 km par D 17 et voie privée ☎ 90 83 70 23, Fax 90 83 78 42, « Dans un domaine viticole, belle vue », – rest TV ☎ P – 50 à 80. GB
fermé 20 déc. à fin fév., dim. soir et lundi d'oct. à juin – **R** (nombre de couverts limité - prévenir) 270/320 – ☐ 65 – **7 ch** 640/850
Spéc. Marbré de foie gras aux truffes. Aiguillettes et cuisse de col-vert au vin rouge. Tarte au vin rouge et aux raisins.
Vins Châteauneuf-du-Pape blanc et rouge.

CHÂTEAUNEUF-EN-THYMERAIS **28170** E.-et-L. 60 ⑦ – 2 459 h. alt. 212.

Paris 103 – Chartres 25 – Châteaudun 64 – Dreux 21 – •Le Mans 115 – Verneuil-sur-Avre 31.

XX **Écritoire** avec ch, ☎ 37 51 60 57, – AE GB
fermé 24 août au 9 sept., 11 au 27 janv., mardi soir et merc. – **R** 105/250, enf. 60 – ☐ 35 – **5 ch** 200/240 – ½ P 200.

à St-Jean-de-Rebervilliers N : 4 km par D 928 – ✉ **28170** :

XXX **Aub. St-Jean,** ☎ 37 51 62 83, Télex 760189, , – P. AE GB
fermé 17 sept. au 8 oct., 16 fév. au 9 mars, jeudi soir et vend. – **R** (nombre de couverts limité - prévenir) 210.

CHÂTEAUNEUF-LE-ROUGE **13790** B.-du-R. 84 ③ – 1 283 h. alt. 230.

Paris 768 – •Marseille 34 – Aix-en-Provence 12 – Aubagne 31 – Brignoles 45 – Rians 30.

La Galinière, N 7 ☎ 42 53 32 55, Télex 403553, Fax 42 53 33 80, , – TV ☎ P – 30. AE GB
R 110/420, enf. 85 – ☐ 50 – **17 ch** 220/450 – ½ P 305/400.

CHÂTEAUNEUF-LES-BAINS **63390** P.-de-D. 73 ③ G. Auvergne – 330 h. alt. 390 – Stat. therm. (2 mai-sept.) – Syndicat d'Initiative (2 mai-sept., après-midi seul. sauf juil.-août) ☎ 73 86 67 86.

Paris 387 – •Clermont-Ferrand 47 – Aubusson 81 – Montluçon 54 – Riom 32 – Ussel 91.

Château, ☎ 73 86 67 01, – GB. rest
30 avril-27 sept. – **R** 75/150, enf. 35 – ☐ 25 – **36 ch** 175/200 – P 210/230.

CHÂTEAUNEUF-SUR-LOIRE 45110 Loiret 64 ⑩ **G. Châteaux de la Loire** – 6 558 h. alt. 135.

Voir Mausolée★ dans l'église St-Martial – Germigny-des-Prés : mosaïque★★ de l'église★ SE : 4,5 km.

Office de Tourisme 1 pl. A.-Briand ✆ 38 58 44 79.

Paris 120 – ♦ Orléans 25 – Bourges 97 – Gien 39 – Montargis 44 – Pithiviers 38 – Vierzon 82.

Parc et rest. La Capitainerie, Gde Rue ✆ 38 58 42 16, Télex 760712, Fax 38 58 46 81, – TV ☎ P. GB JCB
fermé fév., dim. soir et lundi sauf fériés – **R** 115/260, enf. 78 – ☕ 32 – **14 ch** 189/362 – ½ P 351/394.

Nouvel H. du Loiret, pl. A. Briand ✆ 38 58 42 28, Fax 38 58 43 99 – TV ☎. AE GB
fermé 22 déc. au 10 janv. et dim. soir du 1er sept. au 30 juin (sauf hôtel en sept., mai et juin) – **R** 72/180 – ☕ 27 – **20 ch** 196/248 – ½ P 197/223.

Aub. des Fontaines, 1 r. Fontaines (rte Orléans) ✆ 38 58 44 10, – GB
fermé 21 au 30 avril, 7 au 27 sept., le soir d'oct. à mars et dim. soir – **R** (nombre de couverts limité - prévenir) carte 170 à 360.

CHÂTEAUNEUF-SUR-SARTHE 49330 M.-et-L. 64 ① – 2 370 h. alt. 23.

Syndicat d'Initiative quai de la Sarthe (fermé matin hors saison) ✆ 41 69 82 89.

Paris 276 – Angers 30 – Château-Gontier 24 – La Flèche 32.

Les Ondines, ✆ 41 69 84 38, Fax 41 69 83 59, – TV ☎ P – 50. AE GB
fermé dim. soir du 15 nov. au 15 mars – **R** 66/188, enf. 42 – ☕ 28 – **30 ch** 132/312 – ½ P 173/226.

Sarthe avec ch, ✆ 41 69 85 29, ←, – GB. ch
fermé 5 au 27 oct., vacances de fév., dim. soir et lundi sauf juil.-août – **R** 70/195, enf. 56 – ☕ 30 – **7 ch** 220/240 – ½ P 200/240.

RENAULT Gar. Grosbois, 53 r. Dr-Chailloux à Champigné ✆ 41 42 00 25 N

Repas 100/130 Repas soignés à prix modérés.

CHÂTEAURENARD 13160 B.-du-R. 81 ⑫ **G. Provence** – 11 790 h. alt. 43.

Voir Château féodal : ※★ de la tour du Griffon.

Office de Tourisme 1 r. R.-Salengro ✆ 90 94 23 27.

Paris 697 – Avignon 10 – Carpentras 34 – Cavaillon 20 – ♦Marseille 91 – Nîmes 43 – Orange 40.

Provence, 10 av. G. Perrier ✆ 90 94 01 20, Fax 90 94 63 38 – . GB
fermé 16 au 29 nov., 21 déc. au 4 janv., sam. midi et vend. soir – **R** 85/210, enf. 40 – ☕ 25 – **16 ch** 175/220 – ½ P 190/210.

Les Glycines avec ch, 14 av. V. Hugo ✆ 90 94 10 66 – rest ☎. GB. ch
fermé 15 fév. au 1er mars et lundi – **R** 82/160, enf. 38 – ☕ 28 – **10 ch** 180/200 – ½ P 210/250.

PEUGEOT-TALBOT Barde, 10 av. F.-Mistral ✆ 90 94 04 80
PEUGEOT-TALBOT Lafon, 10 r. H.-Brisson ✆ 90 94 12 04
RENAULT Châteaurenard-Autom., bd Genevet ✆ 90 94 24 98

Ayme Pneus, Bd Ernest Genevet ✆ 90 94 54 81
Chato-Pneus, 37 av. J.-Jaurès ✆ 90 94 71 87

CHÂTEAURENARD 45220 Loiret 65 ③ **G. Bourgogne** – 2 302 h. alt. 113.

Syndicat d'Initiative à la Mairie ✆ 38 95 21 84.

Paris 127 – Auxerre 71 – Gien 40 – Montargis 18 – Sens 42.

Le Sauvage avec ch, ✆ 38 95 23 55 – . GB
fermé 20 août au 8 sept., vacances de fév., dim. soir et lundi – **R** 130/215, enf. 75 – ☕ 35 – **7 ch** 180/230.

CHÂTEAU-RENAULT 37110 I.-et-L. 64 ⑤ ⑥ **G. Châteaux de la Loire** (plan) – 5 787 h. alt. 88.

Voir ←★ des terrasses du château.

Syndicat d'Initiative Parc de Vauchevrier (saison) ✆ 47 29 54 43.

Paris 215 – ♦ Tours 32 – Angers 123 – Blois 42 – Loches 57 – ♦Le Mans 86 – Vendôme 27.

Lurton sans rest, 37 pl. J. Jaurès ✆ 47 56 80 26 – ☎ P. GB
fermé 15 au 30 nov. et 15 au 28 fév. – ☕ 35 – **10 ch** 200/300.

Lion d'Or avec ch, 166 r. République ✆ 47 29 66 50 – . GB
fermé 10 au 25 nov., dim. soir et lundi d'oct. à juin – **R** 95/265, enf. 62 – ☕ 26 – **10 ch** 130/210 – ½ P 186/226.

au NE : 7 km sur N 10 – ✉ 41310 St Amand Longpré (L.-et-Ch.) :

Le Gastinais, ✆ 54 80 33 30, – P. GB
fermé merc. soir – **R** (dim. et fêtes prévenir) 58/159, enf. 40.

RENAULT Tortay, 19 r. Gambetta ✆ 47 29 50 97
RENAULT Gar. Thorin, 20 r. Michelet ✆ 47 56 90 90 N ✆ 47 56 88 99

CHÂTEAUROUX

Pas de publicité payée dans ce guide.

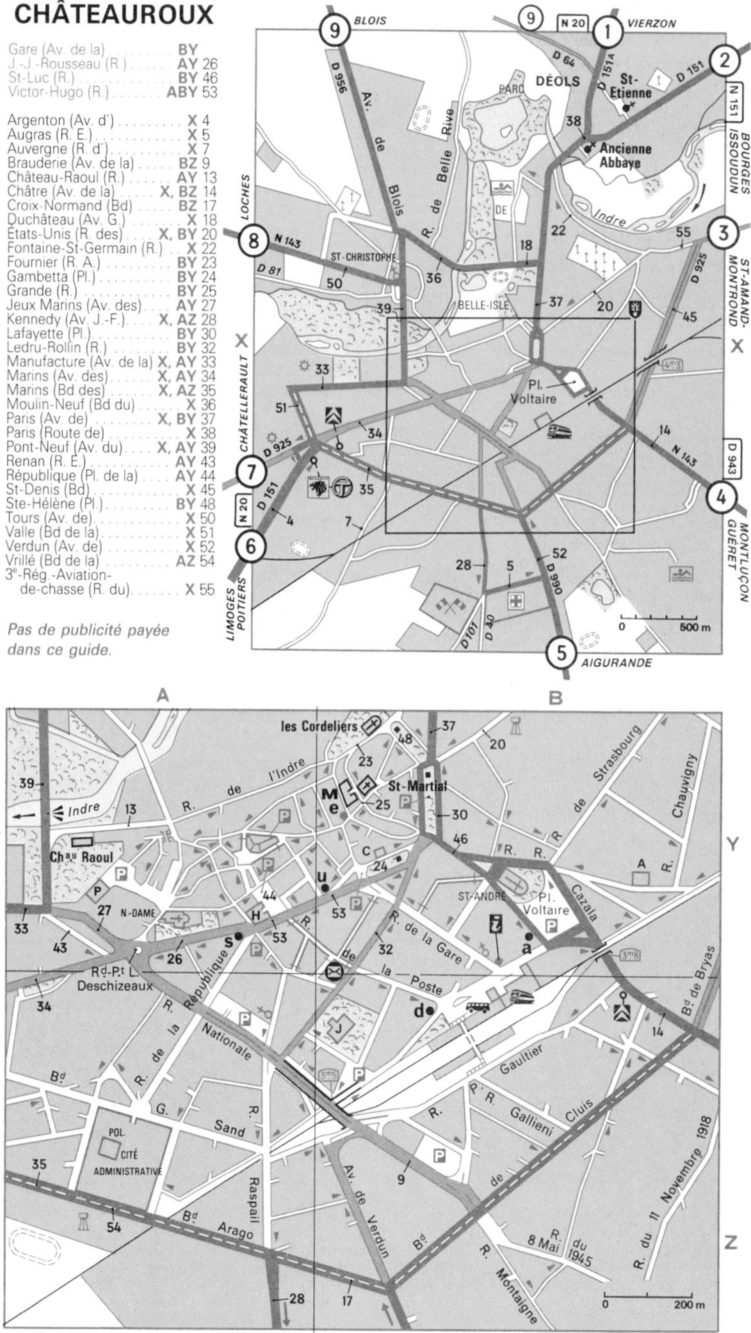

CHÂTEAUROUX P 36000 Indre 68 ⑧ G. Berry Limousin – 50 969 h. alt. 154.

Voir Déols : clocher* de l'ancienne abbaye X, sarcophage* dans l'église St-Etienne X.

18 du Val de l'Indre ✆ 54 26 59 44, O : 13 km par ⑧ N 143.

Office de Tourisme pl. de la Gare ✆ 54 34 10 74 – A.C. 76 av. Blois ✆ 54 34 81 60.

Paris 269 ① – Bourges 65 ② – Blois 99 ⑨ – Châtellerault 98 ⑦ – Guéret 89 ⑤ – ♦Limoges 128 ⑥ – Montluçon 99 ④ – ♦Orléans 145 ① – Poitiers 124 ⑥ – ♦Tours 118 ⑧.

Plan page précédente

- **Elysée H.** M sans rest, 2 r. République ✆ 54 22 33 66, Fax 54 07 34 34 – TV ☎. AE GB JCB. AY **s**
  45 – **18 ch** 250/350.
- **Mercure** M, 16 r. V. Hugo ✆ 54 34 61 61, Télex 752543, Fax 54 27 69 51 – ch TV ☎ – 25 à 100. AE GB BY **u**
  R 115/130 , enf. 40 – 45 – **60 ch** 380/480.
- **Boischaut** sans rest, 135 av. La Châtre par ④ ✆ 54 22 22 34, Fax 54 22 64 89 – TV ☎ P. GB JCB
  23 – **27 ch** 175/250.
- **Voltaire,** 42 pl. Voltaire ✆ 54 34 17 44, Télex 750091 – TV ☎ . AE GB
  R *(fermé dim. soir)* (dîner seul.) 72/102 – **37 ch** 175/295. BY **a**
- **Christina** sans rest, 250 av. La Châtre par ④ ✆ 54 34 01 77 – TV ☎ P. AE GB
  20 – **33 ch** 163/220.
- **Boule d'Or** sans rest, 18 r. Bourdillon ✆ 54 34 29 41 – TV ☎. GB BZ **d**
  25 – **20 ch** 150/230.
- **La Ciboulette,** 42 r. Grande ✆ 54 27 66 28 – GB BY **e**
  fermé 2 au 18 août, 10 janv. au 2 fév., dim., lundi et fériés – **R** 65/165 , enf. 35.

rte de Paris près Céré par ① : 6 km – ✉ 36130 Déols :

- **Relais St-Jacques** M, ✆ 54 22 87 10, Télex 751176, Fax 54 22 59 28, – TV ☎ P – 60 à 120. AE GB JCB
  fermé Noël au Jour de l'An – **R** *(fermé dim.)* 100/180, enf. 75 – 40 – **46 ch** 300/330.

rte de Bourges par ② : 7,5 km – ✉ 36130 Moutierchaume :

- **Boréal** M, ✆ 54 26 93 93, Fax 54 26 93 85 – TV ☎ – 30. AE GB
  R 77/122 , enf. 48 – 32 – **53 ch** 240/270 – ½ P 180/200.

à la Forge de l'Ile par ④ : 6 km – ✉ 36330 Le Poinçonnet :

- **Aub. Arc en Ciel** sans rest, ✆ 54 34 09 83 – TV ☎ P – 25 à 120. GB
  20 – **24 ch** 140/210.

rte de Limoges par ⑥ : 6 km – ✉ 36250 St-Maur :

- **Campanile** M, ✆ 54 34 28 40, Télex 752522, Fax 54 07 17 09 – TV ☎ P – 30. AE GB – **R** 77 bc/99 bc, enf. 39 – 28 – **45 ch** 258 – ½ P 234/256.

rte de Châtellerault par ⑦ : 3 km – ✉ 36000 Châteauroux :

- **Manoir du Colombier** , D 925 ✆ 54 29 30 01, Fax 54 27 70 90, « Ancienne demeure bourgeoise dans un parc au bord de l'Indre » – TV ☎ P – 25. AE GB
  R *(fermé vacances de fév., dim. soir et lundi)* 210/295 – 50 – **11 ch** 300/500.

CITROEN Maublanc, 28 av. Châtre ✆ 54 22 29 68 N ✆ 54 34 30 28
CITROEN Gar. Bisson, 76 bd Marins ✆ 54 34 12 66
MERCEDES SAVIB, Rocade Sud ✆ 54 27 63 63
PEUGEOT-TALBOT Gd Gar. du Berry, 9 av. d'Argenton ✆ 54 22 35 88 N ✆ 54 26 35 73
RENAULT Brocard, RN 20 les Aubrys à St-Maur par ⑤ ✆ 54 22 22 22 N
RENAULT Gar. Tourisme Poids Lourds, 38 av. de Tours ✆ 54 34 15 06

Central Pneu, 86 bd Cluis ✆ 54 34 12 22
Chirault, ZI allée Maisons-Rouges ✆ 54 27 99 04 et r. Folie-Comtois ✆ 54 34 40 78
Fredon, Les Écharbeaux RN 20 à St-Maur ✆ 54 34 23 30
Leseche, 1 bis av. Ambulance ✆ 54 22 36 03
Récup-Auto, rte d'Issoudun à Déols ✆ 54 34 91 90

CHÂTEAU-THIERRY SP 02400 Aisne 56 ⑭ G. Champagne – 15 312 h. alt. 63.

Voir Église St-Ferréol* d'Essômes 2,5 km par ⑤.

Office de Tourisme 12 pl. Hôtel de Ville ✆ 23 83 10 14.

Paris 96 ① – ♦Reims 58 ① – Épernay 49 ③ – Meaux 49 ⑥ – Soissons 40 ① – Troyes 111 ④.

Plan page suivante

- Ile de France, rte de Soissons par ① : 2 km ✆ 23 69 10 12, Télex 150666, Fax 23 83 49 70 – TV ☎ P – 40 – **50 ch.**
- **Ibis** M, av. Gén. de Gaulle à Essômes par ⑤ ✆ 23 83 10 10, Télex 140616, Fax 23 83 45 23, , – TV ☎ P – 40 à 80. AE GB JCB
  R 79 , enf. 39 – 32 – **55 ch** 250/280 – ½ P 230.
- **Hexagone,** 50 av. Essomes par ⑤ ✆ 23 83 69 69, Fax 23 83 64 17 – TV ☎ P – 30. GB
  fermé dim. – **R** 70/170 – 25 – **44 ch** 200/270 – ½ P 195/215.

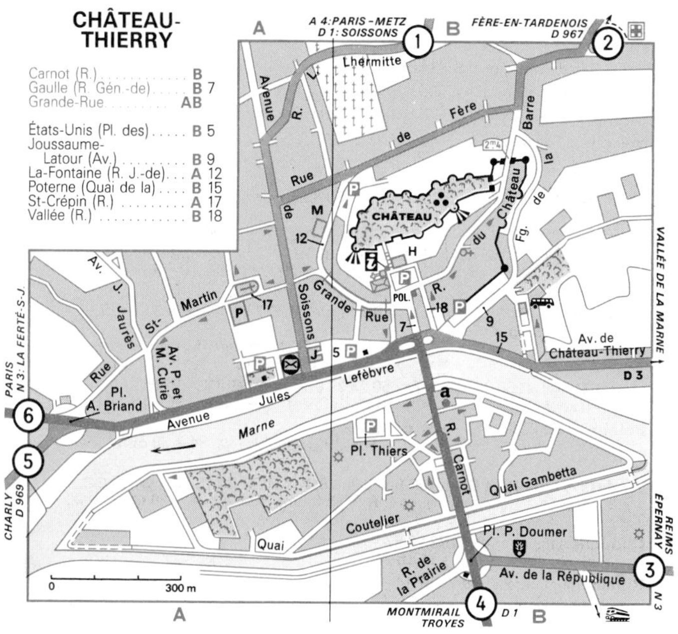

XXX **Aub. Jean de la Fontaine,** 10 r. Filoirs ✆ 23 83 63 89 – AE ① GB — B **a**
fermé 3 au 24 août, 4 au 25 janv., dim. soir et lundi – **R** 120/350 bc.

à ***Reuilly-Sauvigny*** par ③ et N 3 : 15 km – ✉ **02850** :

XXXX ✿ **Aub. Le Relais** (Berthuit) avec ch, ✆ 23 70 35 36, Fax 23 70 27 76, ⊂ – TV ☎ P. AE ① GB. ✻ ch
fermé 26 août au 13 sept., 18 fév. au 14 mars, mardi soir et merc. – **R** 142/225 – ☐ 40 – **7 ch** 250/370
Spéc. Tartare de saumon, Langoustines rôties aux pâtes fraîches, Crème brûlée aux noix.

BMW-OPEL Gar. Bachelet, av. Gén.-de-Gaulle à Essômes ✆ 23 83 21 78
CITROEN Aisne-Auto, 8 av. Montmirail par ④ ✆ 23 83 23 80
FIAT Royal Auto Service, av. Gustave Eiffel ✆ 23 83 03 32
FORD Gar. Desaubeau, N 3 à Chierry ✆ 23 83 00 86
MERCEDES-BENZ Compagnie de l'Est, 8 r. Plaine, ZI ✆ 23 83 45 88
PEUGEOT-TALBOT Verdel, 18 av. Essômes par ⑤ ✆ 23 83 20 25
RENAULT Gds Gar. de l'Avenue, 51-58 av. Essômes par ⑤ ✆ 23 83 14 48 N ✆ 23 83 14 48
V.A.G Gar. de la Prairie, ZI av. de l'Europe ✆ 23 83 24 42

Ⓜ Centrale du Pneu, ZI rte de Châlons à Montmirail ✆ 26 81 22 14
La Centrale du Pneu, 38 av. de Paris par ⑥ ✆ 23 83 02 79

CHÂTEAU-VILLE-VIEILLE (Commune de) **05350** H.-Alpes 77 ⑲ – 271 h. alt. 1 400.

Voir Site★ de Château-Queyras, O : 2,5 km.

Env. Sommet-Bucher ✻★★ S : 13,5 km, P67G. Alpes du Sud.

Paris 724 – Briançon 38 – Gap 79 – Guillestre 19 – Col d'Izoard 16.

⌂ **Guilazur,** à Ville-Vieille ✆ 92 46 74 09, ⩽, ⊂ – ☎ P. GB
10 mai-25 sept. et 15 déc.-30 avril – **R** 80/160 ♂, enf. 40 – **18 ch** ☐ 240 – 1/2 P 226.

RENAULT Gar. Berge ✆ 92 46 73 63 — Gar. Bonnici ✆ 92 46 72 39

CHÂTEL 74390 H.-Savoie 89 ⑱ G. Alpes du Nord – 1 255 h. alt. 1 235 – Sports d'hiver : 1 200/2 100 m 2 44 .

Voir Site★ – Pas de Morgins★ S : 3 km.

Office de Tourisme 50 73 22 44, Télex 385856.

Paris 608 – Thonon-les-Bains 39 – Annecy 107 – Évian-les-Bains 40 – Morzine 37.

Macchi M, 50 73 24 12, Fax 50 73 27 25, ≤, – ☎ P. GB
15 juin-31 août et 20 déc.-15 avril – **R** 110/120, enf. 40 – 40 – **32 ch** 300/780 – ½ P 360/480.

Fleur de Neige, 50 73 20 10, Télex 309029, Fax 50 73 24 55, ≤, , – ☎ P. GB
31 mai-20 sept. et 19 déc.- 15 avril – **R** 180/420 – 40 – **38 ch** 260/550 – ½ P 300/560.

Panoramic M, 50 73 22 15, Fax 50 73 36 79, ≤, – cuisinette ☎ P. GB. rest
hôtel : 11 juil.-29 août et 19 déc.-Pâques ; rest. : 19 déc.-Pâques – **R** 87/152 – 38 – **28 ch** 420/480, 8 studios – ½ P 445/475.

Kandahar , SO : 1,5 km par rte Béchigne 50 73 30 60, Fax 50 73 25 17, ≤, , – cuisinette ☎ P. GB. ch
fermé 15 avril au 7 mai et 5 nov. au 15 déc. – **R** *(fermé dim. soir du 1er mai au 30 juin et du 1er sept. au 31 oct.)* 80/170, enf. 48 – 33 – **18 ch** 130/270 – ½ P 290/320.

Lion d'Or M, 50 73 22 27, Fax 50 73 29 07 – ☎. AE GB. ch
13 juin-5 sept. et 19 déc.-20 avril – **R** 92/160, enf. 35 – 37 – **35 ch** 230/436 – ½ P 344.

Belalp, 50 73 24 39, ≤ – ☎ P. GB
1er juil.-30 août et 19 déc.-3 avril – **R** 80/190, enf. 52 – 34 – **30 ch** 250/420 – ½ P 245/300.

Triolets , rte Petit Chatel 50 73 20 28, Fax 50 73 24 10, ≤ – ☎ P. GB
4 juil.-31 août et 19 déc.-Pâques – **R** 91/160, enf. 50 – 34 – **20 ch** 352/422 – ½ P 305/336.

Choucas sans rest, 50 73 22 57 – ☎ P. GB
fermé mai et nov. – 32 – **14 ch** 210/250.

Ripaille, au Linga 50 73 32 14 – GB
15 juin-15 sept., 1er déc.-20 avril et fermé lundi sauf vacances scolaires d'hiver – **R** 80/230 , enf. 50.

PEUGEOT-TALBOT Gar. Premat 50 73 24 87 N

CHÂTELAILLON-PLAGE 17340 Char.-Mar. 71 ⑬ G. Poitou Vendée Charentes – 4 993 h. alt. 4 – Casino.

Office de Tourisme 1 allée du Stade 46 56 26 97.

Paris 469 – La Rochelle 15 – Niort 61 – Rochefort 20 – Surgères 27.

Altéa les Trois Iles M , à la Falaise 46 56 14 14, Télex 791813, Fax 46 56 23 70, ≤, , parc, , – cuisinette ☎ P – 60. AE GB
R 110 – 50 – **61 ch** 405/510, 17 duplex 600.

Ibis M , à la Falaise 46 56 35 35, Télex 790363, Fax 46 56 33 44, ≤, , centre de thalassothérapie – rest ☎ – 30. GB
R 75/105 , enf. 39 – 35 – **70 ch** 360/400.

Majestic H., bd Libération 46 56 20 53, Fax 46 56 29 24, – ☎ . AE GB. rest
fermé 7 au 16 nov., 18 déc. au 4 janv., sam. et dim. d'oct. à mars – **R** 95/130, enf. 45 – 30 – **29 ch** 190/280 – ½ P 230/260.

St-Victor, 35 bd Mer 46 56 25 13, Fax 46 30 01 92 – ☎. AE GB
fermé 20 au 25 avril, vacances de nov., de fév., dim. soir et lundi hors sais. – **R** 82/185, enf. 48 – 27 – **12 ch** 210/270 – ½ P 240/260.

Le Rivage sans rest, 36 Front de la Mer 46 56 25 79, Fax 46 30 01 92 – ☎ . GB
1er mars-30 sept. – 27 – **40 ch** 210/300.

Plage sans rest, bd Mer 46 56 26 02, ≤ – ☎ P. GB
15 mars-15 oct. et fermé dim. soir et lundi du 15 mars au 1er avril et du 1er au 15 oct. – 25 – **10 ch** 210/240.

Centre sans rest, 45 r. Marché 46 56 23 57 – ☎ P. GB
fermé dim. et lundi d'oct. à mars – 28 – **19 ch** 120/260.

Relais de la Mer, bd Mer, près Casino 46 56 34 98, ≤, – GB
fermé fév., jeudi midi et merc. hors sais. – **R** 85/260.

Armor, au port de Plaisance 46 56 27 91, – P
15 mars-15 oct. et fermé mardi – **R** 195/250 .

Océan avec ch, 121 bd République 46 56 25 91 – ☎. GB
fermé mi-déc. à mi-janv., dim. soir et lundi hors sais. – **R** 70/325 – 24 – **24 ch** 125/285 – ½ P 200/245.

Pergola avec ch, 2 r. Chassiron 46 56 27 86, ≤, – ☎ P. GB. ch
17 mars-11 oct. – **R** 80/150 – 30 – **14 ch** 180/280 – ½ P 240/280.

CHÂTELARD 38 Isère 77 ⑥ – rattaché à Bourg d'Oisans.

Le CHÂTELET-EN-BRIE **77820** S.-et-M. **61** ② – 3 980 h. alt. 89.

Paris 69 – Fontainebleau 15 – Melun 11,5 – Montereau-Faut-Yonne 18 – Provins 40.

XX ✿ **Aub. Briarde** (Guichard), aux Ecrennes par D 213 : 6 km ☎ (1) 60 69 47 32, Fax (1) 60 66 60 11 – AE ① GB
fermé 1er au 21 août, 2 au 15 janv., dim. soir, merc. soir et lundi – **R** 195 (sauf sam. soir)/430
Spéc. Soupière de ris de veau et langouste, Filet de boeuf à la ficelle, Menu de la chasse (saison).

CHÂTELGUYON **63140** P.-de-D. **73** ④ **G. Auvergne** – 4 743 h. alt. 409 – Stat. therm. (27 avril-10 oct.) – Casino B.

Voir Gorges d'Enval ★ 3 km par ③ puis 30 mn.

ℹ Office de Tourisme parc E.-Clementel (fermé nov.) ☎ 73 86 01 17.

Paris 417 ① – ◆ Clermont-Fd 20 ② – Aubusson 90 ③ – Gannat 29 ① – Vichy 42 ① – Volvic 9,5 ③.

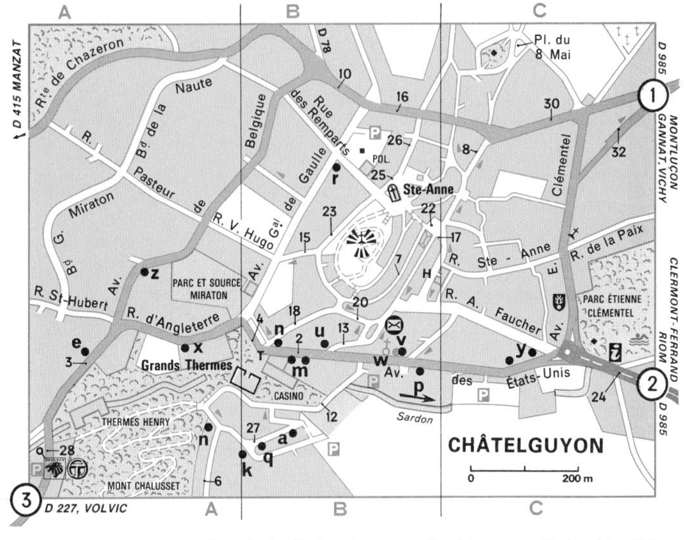

Baraduc (Av.) . . . . B 2
Commerce (R. du) . . . . . . C 8
Hôtel-de-Ville (R. de l') . . C 17

Brocqueville (Av. de) . . . . A 3
Brosson (Pl.) . . . . B 4
Chalusset (R. du) . . . . A 6
Château (R. du) . . . . B 7
Coulon (R. Roger) . . . . . . B 10
Dr-Gübler (R.) . . . . B 12
Dr-Levadoux (R.) . . . . B 13
Fénelon (R.) . . . . B 15
Groslier (R. J.) . . . . B 16
Lacroix (R.) . . . . B 18
Levadoux-Braga (R.) . . . . B 20
Marché (Pl. du) . . . . B 22
Maupassant (R. Guy-de) . B 23
Mouniaude (Av. de la) . . . C 24
Orme (Pl. de l') . . . . B 25
Ormeau (R. de l') . . . . B 26
Punett (R. A.) . . . . B 27
Russie (Av. de) . . . . A 28
Thermal (Bd) . . . . C 30
Vichy (R. de) . . . . C 32

🏨 **Pullman Splendid,** r. Angleterre ☎ 73 86 04 80, Télex 990585, Fax 73 86 17 56, ≤, « Jardin ombragé en terrasses, thermes », ⛹, 🏊 – 🛗 ⇔ rest 📺 ☎ 🅿 – 🏛 80. AE ① GB JCB. ✂ rest — A **x**
1er avril-31 oct. – **R** 147/350 – ☕ 54 – **80 ch** 490/850.

🏨 **International** 🐚, r. Punett ☎ 73 86 06 72, ≤, 🌳 – 🛗 📺 ☎. AE ① GB. ✂ rest — AB **k**
27 avril-3 oct. – **R** 160/180 – ☕ 38 – **64 ch** 240/350 – P 345/415.

🏨 **Printania,** av. Belgique ☎ 73 86 15 09, 🌳 – 🛗 📺 ☎ 🅿. GB. ✂ rest — A **z**
24 avril-6 oct. – **R** 99/130, enf. 41 – ☕ 28 – **40 ch** 156/296 – P 211/330.

🏨 **Mont Chalusset** 🐚, r. Punett ☎ 73 86 00 17, Fax 73 86 22 94, ≤, ⛹, 🌳 – 🛗 📺 ☎. AE ① GB. ✂ rest — B **q**
2 mai-5 oct. – **R** 90/198, enf. 50 – ☕ 35 – **68 ch** 210/300 – P 315/376.

🏨 **Paris,** r. Dr Levadoux ☎ 73 86 00 12, 🌳 – 🛗 📺 ☎. GB. ✂ rest — B **u**
fermé 30 mars au 10 avril, 13 oct. au 13 nov., fériés le soir et dim. soir – **Repas** (prévenir) 105/210 – ☕ 35 – **62 ch** 195/302 – P 290/340.

🏨 **Thermalia,** av. Baraduc ☎ 73 86 00 11, Fax 73 86 21 97, 🌳 – 🛗 📺 ☎. GB — B **m**
2 mai-4 oct. – **R** 100/150 – ☕ 33 – **46 ch** 214/295 – P 279/342.

🏨 **Hirondelles,** av. États-Unis ☎ 73 86 09 11, 🍽, 🌳 – ☎ 🅿. AE GB. ✂ rest — B **p**
20 avril-15 oct. – **R** 80/160 🍷 – ☕ 32 – **43 ch** 170/280 – P 250/360.

🏨 **Excelsior,** av. Brocqueville ☎ 73 86 06 63, Fax 73 86 23 70, 🌳 – 🛗 📺 ☎ 🅿. GB — A **e**
20 avril-13 oct. – **R** 95/135 – ☕ 30 – **54 ch** 165/299 – P 245/290.

Bains, av. Baraduc ℘ 73 86 07 97, – TV ☎. GB. rest — B m
24 avril-6 oct. – **R** 89/130 – 31 – **37 ch** 180/260 – P 280/390.

Bellevue, r. Punett ℘ 73 86 07 62, ←, – TV ☎. GB. rest — B a
20 avril-15 oct. – **R** 90/110, enf. 45 – 25 – **38 ch** 160/220 – P 213/297.

Beau Site, r. Chalusset ℘ 73 86 00 49, ←, – ☎ P. GB. rest — A n
22 avril-2 oct. – **R** 75/160 – 30 – **31 ch** 130/235 – P 240/310.

Régence, av. États-Unis ℘ 73 86 02 60 – ☎. GB. rest — C y
10 avril-30 oct. – **R** 75/125 – 33 – **27 ch** 169/235 – ½ P 190/250.

Bérénice, av. Baraduc ℘ 73 86 09 86 – TV ☎. AE GB — B n
15 mars-15 oct. – **R** 70/110, enf. 39 – 29 – **11 ch** 180/260 – ½ P 210/215.

Chante-Grelet, av. Gén. de Gaulle ℘ 73 86 02 05, – rest ☎. AE GB. rest — B r
20 avril-6 oct. – **R** 75/110, enf. 45 – 28 – **35 ch** 160/270 – P 250/280.

Paix, av. États-Unis ℘ 73 86 06 90, – ☎. GB — C y
24 avril-10 oct. – **R** 78/150 – 24 – **44 ch** 85/195 – ½ P 165/195.

Univers, av. Baraduc ℘ 73 86 02 71, Fax 73 86 18 80 – TV ☎. GB — B v
fermé 20 déc. au 7 janv. – **R** *(fermé dim. soir)* 110/230 – 38 – **39 ch** 180/330 – P 265/355.

La Grilloute, av. Baraduc ℘ 73 86 04 17 – GB — B v
15 avril-5 oct. et fermé mardi – **R** 100/120.

à St-Hippolyte par ② et bd Desaix : 2 km – ✉ **63140** Châtelguyon :

Le Cantalou, ℘ 73 86 04 67, ←, – ☎ P. GB. rest
hôtel : 1er mars-2 nov. ; rest. : 1er avril-15 oct. et fermé lundi midi – **R** 57/110 – 20 – **33 ch** 140/190 – P 185/225.

PEUGEOT-TALBOT Gar. Thermal ℘ 73 86 08 77

CHÂTELLERAULT

SP **86100** Vienne 68 ④ **G. Poitou Vendée Charentes** – 34 678 h. alt. 60.

Voir Musée de l'automobile et de la technique★ AZ **M1**.

9 18 du Haut-Poitou ℘ 49 62 53 62, par ④ N 10 : 16 km.

Office de Tourisme Angle bd Blossac et av. Treuille ℘ 49 21 05 47.

Paris 305 ① – Poitiers 35 ③ – Châteauroux 100 ② – Cholet 129 ④ – ♦Tours 72 ①.

Plan page suivante

✿ **Gd H. Moderne et rest. La Charmille** (Proust), 74 Bd Blossac ℘ 49 21 30 11, Télex 791801, Fax 49 93 25 19 – rest TV ☎. AE GB — BY n
R *(fermé 19 nov. au 27 nov., 28 janv. au 25 fév. et merc.)* 170/250 - **Grill** *(fermé dim. et fériés)* **R** 72/115 – 45 – **24 ch** 350/600
Spéc. Salade "La Charmille", Duo de langoustines et de saumon à la vanille, Eventail de fruits rôtis et glace au miel.
Vins Bourgueil, Reuilly.

Ibis M, av. C. Page, carrefour D 1-N 10 par ④ : 3 km ℘ 49 21 75 77, Télex 791488, Fax 49 02 01 79 – TV ☎ P – 30 à 80. GB
R 120, enf. 37 – 32 – **72 ch** 256/296.

Campanile, par ① : 2 km sur N 10 ℘ 49 21 03 57, Télex 793038, Fax 49 21 88 31 – TV ☎ P. AE GB
R 77 bc/99 bc, enf. 39 – 28 – **50 ch** 258 – ½ P 234/256.

Croissant avec ch, 15 av. J.-F. Kennedy ℘ 49 21 01 77 – TV ☎. GB — BZ a
fermé lundi (sauf hôtel) et dim. soir sauf juil.-août – **R** 75/180, enf. 46 – 27 – **19 ch** 130/280.

à Naintré par ③ : 9 km sur N 10 – 4 718 h. – ✉ **86530** :

La Grillade, ℘ 49 90 03 42, – P. GB
fermé dim. soir – **R** 80/190.

CITROEN Raison, 3 av. H.-de-Balzac ℘ 49 21 32 22
FIAT, TOYOTA Touzalin, 107 r. d'Antran ℘ 49 21 14 29
FORD Tardy, 40 bd d'Estrées ℘ 49 21 48 44
PEUGEOT-TALBOT Georget, 17 av. H.-de-Balzac, N 10, sortie Sud par bd d'Estrées AZ ℘ 49 21 08 32 N ℘ 05 44 24 24
RENAULT SODAC-Chatellerault, l'Orée du Bois, N 10 zone Sud par bd d'Estrées AZ ℘ 49 21 30 90 N
 49 93 41 60

V.A.G Prestige Autos, 3 bis av. H.-de-Balzac ℘ 49 21 69 15

Comptoir du Pneu, 31 av. d'Argenson ℘ 49 23 36 07
Leroux, 44 bd V.-Hugo ℘ 49 21 11 42
Tours Pneus Interpneus, 15 r. Paix ℘ 49 21 56 66
Tours Pneus Interpneus, 124 av. C.-Page ℘ 49 21 58 22

CHÂTELLERAULT

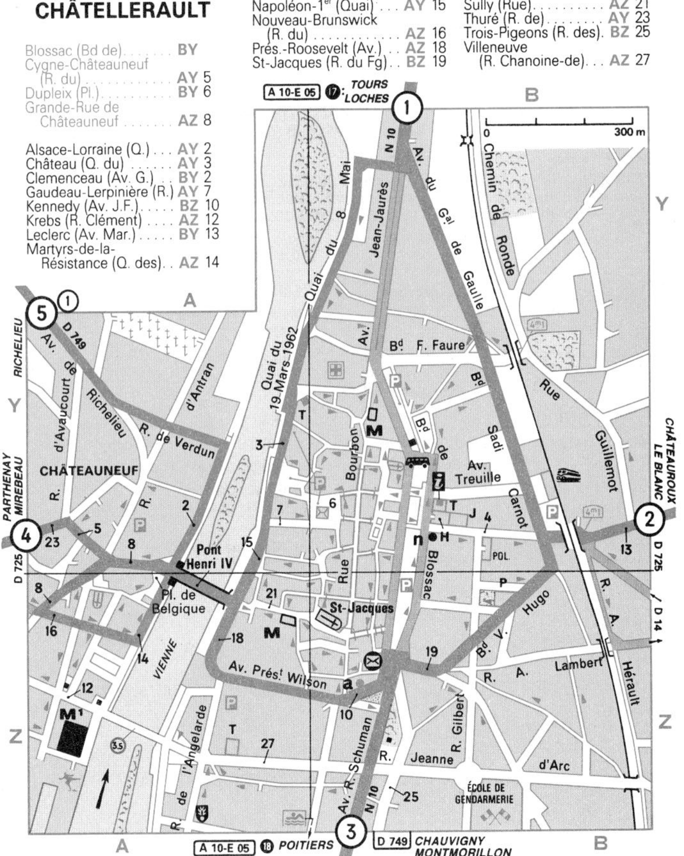

CHÂTILLON **92** Hauts-de-Seine 60 ⑩, 101 ㉕ – voir à Paris, Environs.

CHATILLON-EN-BAZOIS **58110** Nièvre 69 ⑤ G. Bourgogne – 1 161 h. alt. 235.

Syndicat d'Initiative à la Mairie ☎ 86 84 14 76.

Paris 260 – Autun 61 – Clamecy 54 – Moulins 68 – Nevers 41.

France, r. Dr Duret ☎ 86 84 13 10 – Ⓟ. GB
fermé dim. soir du 15 nov. au 1er avril – **R** 85/200 ꞉, enf. 55 – ☕ 28 – **14 ch** 140/245 – ½ P 180/230.

RENAULT Gar. Liger ☎ 86 84 10 77

CHÂTILLON-EN-DIOIS **26410** Drôme 77 ⑭ G. Alpes du Sud – 545 h. alt. 570.

Env. Cirque d'Archiane★★ N : 11 km.

Syndicat d'Initiative square J.-Giono ☎ 75 21 10 07.

Paris 641 – Valence 79 – Die 14 – Gap 97 – ♦Grenoble 99.

XX **Le Moulin,** ☎ 75 21 10 73, 🏞 – AE GB
fermé 23 déc. au 10 janv. et mardi du 15 sept. au 1er juin – **R** 98/180.

CHÂTILLON-SUR-CHALARONNE **01400** Ain 74 ② G. Vallée du Rhône – 3 786 h. alt. 230.

Voir Triptyque★ dans l'Hôtel de Ville.

⛳18 de la Bresse ☎ 74 51 42 09, NE : 12 km par D 936 et D 64.

Office de Tourisme pl. Champ-de-Foire ☎ 74 55 02 27.

Paris 417 – Mâcon 25 – Bourg-en-Bresse 24 – ♦Lyon 54 – Meximieux 34 – Villefranche-sur-Saône 27.

XX **de la Tour** avec ch, pl. République ✆ 74 55 05 12 – TV ☎. GB
fermé 1er au 15 mars, 1er au 15 déc., dim. soir hors sais. et merc. – **R** 95/280 – ⊒ 30 – **12 ch** 160/300.

route de Marlieux SE : 2 km sur D 7 – ✉ **01400** Châtillon-sur-Chalaronne :

XX **Aub. de Montessuy,** ✆ 74 55 05 14, ≤, – **P**. GB
fermé 26 déc. au 31 janv., lundi soir et mardi – **R** 85/220, enf. 60.

à Relevant S : 4 km par D 82 – ✉ **01990** :

Chez Noëlle, ✆ 74 55 32 90, Fax 74 00 63 50, – ☎ **P**. GB JCB
fermé 20 déc. au 15 fév., dim. soir et merc. d'oct. à avril, lundi midi et merc. midi de mai à oct. – **R** 88/240 – ⊒ 30 – **7 ch** 190/230 – ½ P 200/270.

CITROEN Gar. de l'Hippodrome ✆ 74 55 26 27
PEUGEOT Mousset ✆ 74 55 26 21
RENAULT Galland ✆ 74 55 03 23 **N** ✆ 05 05 15 15
V.A.G Gar. Central ✆ 74 55 00 73 **N**

CHATILLON-SUR-CLUSES 74300 H.-Savoie 74 ⑦ – 1 014 h. alt. 730.

Paris 574 – Chamonix-Mont-Blanc 47 – Thonon-les-Bains 51 – Annecy 56 – Cluses 6,5 – ◆Genève 51 – Morzine 21 – St-Gervais-les-Bains 33.

Bois du Seigneur, au col de Châtillon ✆ 50 34 27 40, ≤ – TV ☎ **P**. GB
fermé 9 au 30 juin et 23 nov. au 15 déc. – **R** *(fermé dim. soir et lundi sauf août)* 85/265, enf. 49 – ⊒ 35 – **10 ch** 240/260 – ½ P 250/270.

CHÂTILLON-SUR-INDRE 36700 Indre 68 ⑥ G. Berry Limousin (plan) – 3 262 h. alt. 88.

Syndicat d'Initiative pl. Champfoire ✆ 54 38 74 19 et rte de Tours (oct.-mai) ✆ 54 38 81 16.

Paris 257 – ◆Tours 68 – Le Blanc 43 – Blois 76 – Châteauroux 49 – Châtellerault 64 – Loches 23.

X **Auberge de la Tour** avec ch, ✆ 54 38 72 17 – TV ☎. GB
fermé 16 au 23 nov., 10 au 17 fév. et lundi d'oct. à juin – **R** 68/180, enf. 50 – ⊒ 28 – **10 ch** 170/290 – ½ P 174/229.

CITROEN Cholet ✆ 54 38 75 04
Gar. Foussier, 20 bd Gén.-Leclerc ✆ 54 38 70 60
Gar. Moderne ✆ 54 38 75 27

CHATILLON-SUR-LOIRE 45360 Loiret 65 ② – 2 822 h. alt. 135.

Paris 162 – Auxerre 73 – Cosne-sur-Loire 29 – ◆Orléans 83 – Montargis 48.

Le Marois M sans rest, ✆ 38 31 11 40 – ☎. GB.
fermé 15 fév. au 1er mars – ⊒ 23 – **9 ch** 160/180.

CHÂTILLON-SUR-SEINE 21400 Côte-d'Or 65 ⑧ G. Bourgogne (plan) – 6 862 h. alt. 224.

Voir Source de la Douix★ – Musée★ : trésor de Vix★★.

Office de Tourisme avec A.C. pl. Marmont ✆ 80 91 13 19.

Paris 246 – Chaumont 58 – Auxerre 83 – Avallon 72 – ◆Dijon 85 – Langres 72 – Saulieu 80 – Troyes 67.

Sylvia H. sans rest, 9 av. Gare par rte Troyes ✆ 80 91 02 44, Fax 80 91 40 98, – TV ☎ **P**. GB – ⊒ 26 – **21 ch** 86/260.

Jura sans rest, 19 r. Dr Robert **(s)** ✆ 80 91 26 96 – TV ☎. GB
fermé dim. hors sais. – ⊒ 20 – **10 ch** 120/210.

CITROEN Folléa Auto., av. E.-Hériot ✆ 80 91 19 63
FIAT Gar. Châtillonnais, 20 av. Gare ✆ 80 91 11 13
FORD Gar. Centre, 3 r. Marmont ✆ 80 91 15 41
PEUGEOT-TALBOT Gar. Couasse, rte de Troyes ✆ 80 91 05 60
RENAULT SOCA, 14 bis av. E.-Herriot ✆ 80 91 14 04 **N**
V.A.G Gar. des Quatre Vallées, ZI, rte de Troyes ✆ 80 91 12 82
Pneus-Service, 17 r. Courcelles-Prévoir ✆ 80 91 05 34

La CHÂTRE <SP> 36400 Indre 68 ⑲ G. Berry Limousin – 4 623 h. alt. 222.

9 18 des Dryades ✆ 54 30 28 00, par ④ D 940 : 12 km.

Office de Tourisme square G.-Sand ✆ 54 48 22 64.

Paris 301 ① – Bourges 69 ② – Châteauroux 35 ① – Guéret 54 ④ – Montluçon 64 ③ – Poitiers 141 ⑤ – St-Amand-Montrond 50 ②.

Plan page suivante

Les Tanneries M sans rest, pont Lion d'Argent **(b)** ✆ 54 48 21 00, Fax 54 06 02 24, – ☎ **P**. AE GB
1er mars-15 nov. – ⊒ 27 – **34 ch** 240/300.

Notre Dame sans rest, 4 pl. N.-Dame **(a)** ✆ 54 48 01 14, Fax 54 06 04 43 – TV ☎ **P**. AE GB JCB.
⊒ 30 – **17 ch** 180/280.

XX **A l'Escargot,** pl. Marché **(s)** ✆ 54 48 03 85 – AE GB
fermé 3 au 26 fév., lundi soir et mardi – **R** 98/240.

X **Jardin de la Poste,** 10 r. Basse-du-Mouhet **(n)** ✆ 54 48 05 62 – AE GB
fermé 22 au 28 juin, 28 sept. au 11 oct., 24 déc. au 9 janv., dim. soir et lundi sauf fêtes – **R** 100/230.

X **Aub. du Moulin Bureau,** S : 1 km par pl. Abbaye ✆ 54 48 04 20, – GB
fermé 15 déc. au 31 janv., mardi soir et merc. – **R** 93/178, enf. 45.

LA CHÂTRE

Abbaye (Pl. de) 2
Beaufort (R. de) 3
Belgique (R. de) 4
Carmes (Pl. des) 5
Fleury (R. A.) 6
Gallieni (R.) 7
Gambetta (Av.) 8
George-Sand (Av.) 9
Lion d'Argent (R. du) 12
Maget (Pl.) 13
Maquis (R. du) 14
Marché (Pl. du) 15
Nationale (Rue) 17
Pacton (R. J.) 18
Périgois (R. E.) 19
Prés-Burat (R. des) 22
République (Pl. de la) 23
Rollinat (R. M.) 25
14 Juillet (R. du) 26

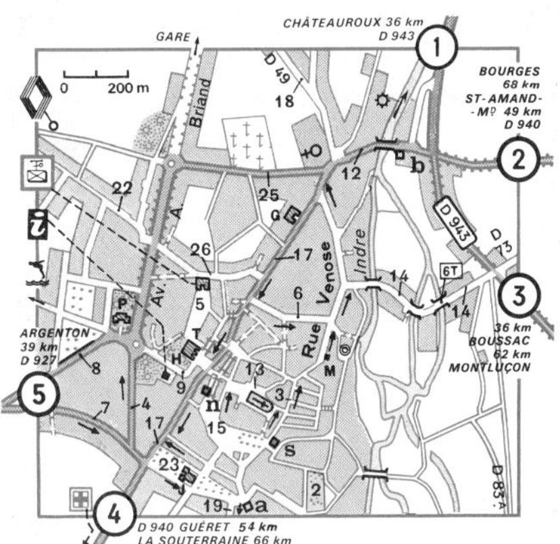

Le guide change, changez de guide tous les ans.

à St-Chartier par ① et D 918 : 9 km – ✉ **36400**.

Voir Vic : fresques★ de l'église SO : 2 km.

Château Vallée Bleue 🐦, rte Verneuil ☎ 54 31 01 91, Fax 54 31 04 48, parc, – TV ☎ P. GB. ✗
fermé fév., dim. soir et lundi d'oct. à mars – **R** 170/350, enf. 65 – ☕ 50 – **14 ch** 295/495 – ½ P 375/495.

à Pouligny-Notre-Dame par ④ et D 940 : 12 km – ✉ **36160** :

Les Dryades M 🐦, ☎ 54 30 28 00, Télex 750945, Fax 54 30 10 24, « Complexe de loisirs et de remise en forme, golf, ← Vallée Noire », – TV ☎ P – 25 à 150. AE ⓓ GB
R 180/295, enf. 100 – ☕ 50 – **85 ch** 600/700 – ½ P 550.

CITROEN Gar. Patry, par ④ ☎ 54 48 04 83 N
FORD Gar. Butte, 2 av. d'Auvergne ☎ 54 48 04 61
PEUGEOT-TALBOT Gar. de la Vallée Noire, rte de Châteauroux par ① ☎ 54 48 09 09 N
RENAULT Gar. des Huchettes, Chemin des Huchettes ☎ 54 48 38 38 N ☎ 54 48 38 38

Gar. Fournier, Fontarabie à Pouligny-Notre-Dame ☎ 54 30 21 50

Chirault ☎ 54 48 04 10
Récup-Auto ☎ 54 48 04 62

CHAUBLANC 71 S.-et-L. 70 ② – rattaché à Verdun-sur-le-Doubs.

CHAUDES-AIGUES 15110 Cantal 76 ⑭ G. Auvergne (plan) – 1 110 h. alt. 750 – Stat. therm. (26 avril-17 oct.).

Office de Tourisme av. G.-Pompidou (saison) ☎ 71 23 52 75.

Paris 546 – Aurillac 92 – Entraygues-sur-T. 61 – Espalion 54 – St-Chély-d'Apcher 29 – St-Flour 29.

Beauséjour M, ☎ 71 23 52 37, Fax 71 23 56 89, – TV ☎ P – 60. GB
20 mars-30 nov. et fermé vend. soir et sam. sauf vacances scolaires – **R** 63/180, enf. 40 – ☕ 32 – **40 ch** 210/320 – P 260/380.

Thermes, ☎ 71 23 51 18 – ☎. GB
25 avril-20 oct. – **R** 63/170 – ☕ 28 – **35 ch** 140/260 – P 180/260.

Aux Bouillons d'Or M avec ch, ☎ 71 23 51 42 – TV ☎. GB. ✗ ch
vacances de printemps-30 oct. – **R** 80/185 – ☕ 26 – **12 ch** 220/260 – P 290/340.

à Lanau N : 4,5 km par D 921 – ✉ **15260** Neuvéglise :

Aub. Pont de Lanau avec ch, ☎ 71 23 57 76, Fax 71 23 53 84, – TV ☎ P. GB. ✗ rest
20 mars-20 nov. et fermé mardi soir et merc. – **R** 190/250 – ☕ 35 – **8 ch** 250/330 – ½ P 315/345.

CITROEN Gar. Moderne ☎ 71 23 52 52
RENAULT Gascuel ☎ 71 23 52 82

CHAUFFAILLES 71170 S.-et-L. 73 ⑧ – 4 485 h. alt. 405.

Office de Tourisme r. Gambetta (15 mai-15 sept.) ☎ 85 26 07 06.

Paris 401 – Mâcon 68 – Roanne 35 – Charolles 32 – ♦Lyon 78.

à Châteauneuf O : 7 km par D 8 G. Bourgogne – ✉ **71740** :

La Fontaine, ☎ 85 26 26 87 – P. GB
fermé 9 au 18 juin, 25 janv. au 20 fév., mardi soir et merc. – **R** 100/330, enf. 60.

CHAUFFRY 77 S.-et-M. 61 ③ – rattaché à Coulommiers.

CHAUFOUR-LÈS-BONNIÈRES 78270 Yvelines 55 ⑱ 106 ① – 376 h. alt. 158.

Paris 76 – ♦Rouen 63 – Bonnières-sur-Seine 7,5 – Évreux 26 – Mantes-la-Jolie 19 – Vernon 9 – Versailles 61.

✗ **Au Bon Accueil** avec ch, N 13 ✆ (1) 34 76 11 29 – ▤ rest ⓟ. GB
✦ *fermé 14 juil. au 14 août et sam.* – **R** 65/170 ♁ – ☕ 22 – **15 ch** 110/180.

✗ **Le Relais,** N 13 ✆ (1) 34 76 11 33 – ⓟ. GB
✦ *fermé fév.* – **R** 65/130 ♁.

CHAUMES-EN-BRIE 77390 S.-et-M. 61 ② – 2 500 h. alt. 101.

Paris 58 – Coulommiers 25 – Meaux 36 – Melun 20 – Provins 40.

✗✗ **La Chaum'Yerres** avec ch, 1 av. Libération (rte Melun) ✆ (1) 64 06 03 42, Fax (1) 64 06 36 15, ☂ – TV ☎ – 🏛 25. AE ⓓ GB JCB
fermé vacances de fév. – **R** *(fermé dim. soir)* 180/300 ♁ – ☕ 40 – **10 ch** 280/480 – ½ P 290/390.

CITROEN Sirier ✆ 64 09 03 50

CHAUMONT P 52000 H.-Marne 62 ⑪ G. Champagne – 27 041 h. alt. 314.

Voir Viaduc★ Z – Basilique St-Jean-Baptiste★ Y E.

ℹ Office de Tourisme pl. Gén-de-Gaulle ✆ 25 03 80 80 – A.C. 7 av. Debernardi ✆ 25 03 12 68.

Paris 256 ⑤ – Auxerre 141 ④ – Épinal 124 ② – Langres 35 ③ – St-Dizier 75 ① – Troyes 100 ⑤.

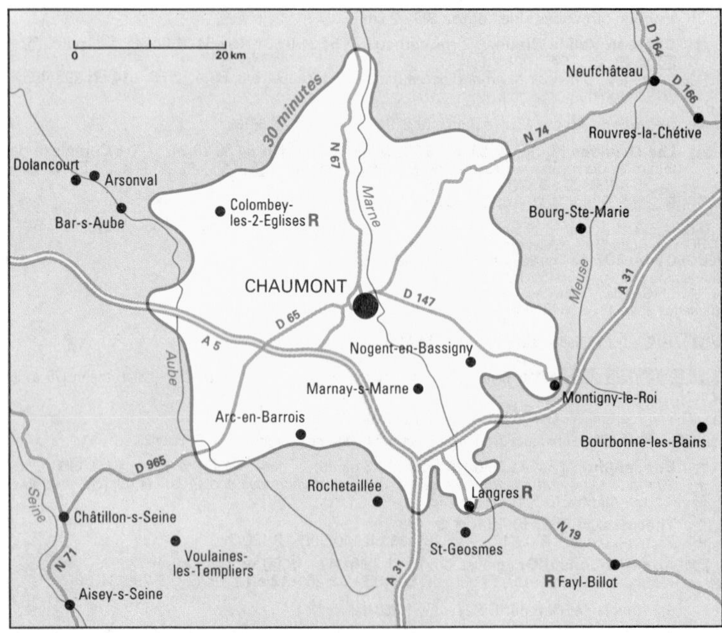

🏨 **Terminus-Reine,** pl. Gén. de Gaulle ✆ 25 03 66 66, Télex 840920, Fax 25 03 28 95 – 🛗 TV ☎ 🚗 – 🏛 80. AE ⓓ GB Z a
R *(fermé dim. soir du 1er nov. à Pâques)* 85/320 ♁ – ☕ 29 – **62 ch** 250/420 – ½ P 280.

🏨 **Le Grand Val,** rte Langres par ③ : 2,5 km ✆ 25 03 90 35, Fax 25 32 11 80 – 🛗 TV ☎ 🚗
✦ ⓟ. AE ⓓ GB
fermé 23 au 31 déc. – **R** 55/150 – ☕ 24 – **56 ch** 230/310.

🏨 **Étoile d'Or,** rte Langres par ③ : 2 km ✆ 25 03 02 23, Fax 25 32 52 33 – TV ☎ ♿ ⓟ – 🏛 60. GB
fermé oct., dim. soir et lundi midi – **R** 98/200 ♁ – ☕ 30 – **15 ch** 155/390.

🏨 **Remparts,** 72 r. Verdun ✆ 25 32 64 40, Fax 25 32 51 70 – ▤ rest TV ☎. AE GB Z e
R 79/230 ♁, enf. 45 – ☕ 38 – **17 ch** 210/280.

🏨 **Royal** sans rest, 31 r. Mareschal ✆ 25 03 01 08 – ⓟ. GB Z b
fermé août et dim. – ☕ 18 – **19 ch** 110/160.

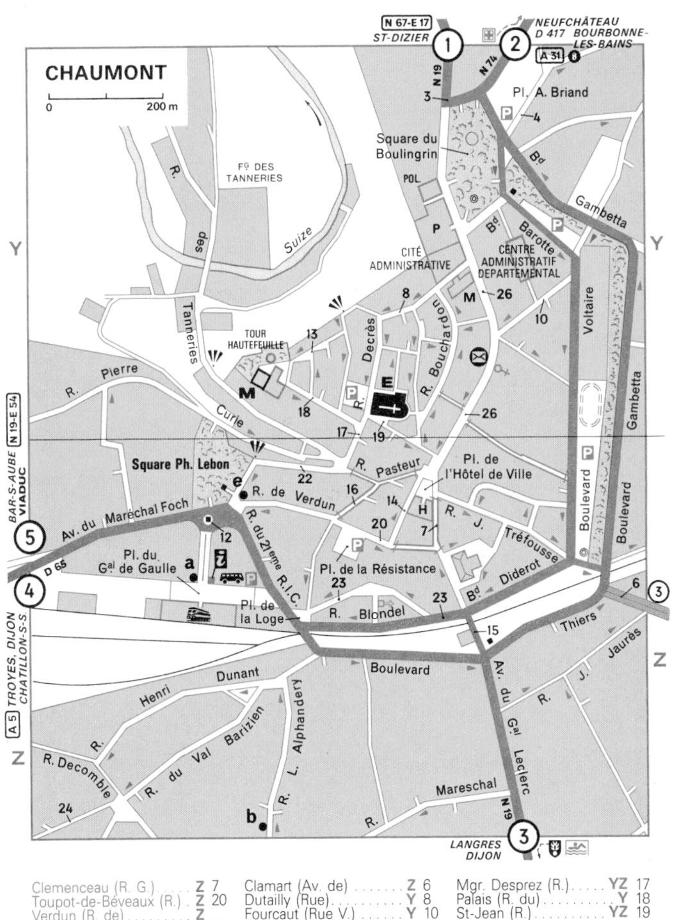

Clemenceau (R. G.) . . . . Z 7	Clamart (Av. de) . . . . Z 6	Mgr. Desprez (R.) . . . . . YZ 17
Toupot-de-Béveaux (R.) . Z 20	Dutailly (Rue) . . . . Y 8	Palais (R. du) . . . . Y 18
Verdun (R. de) . . . . Z	Fourcaut (Rue V.) . . . . . Y 10	St-Jean (R.) . . . . YZ 19
Victoire-de-la-Marne (R.) Y 26	Goguenheim (Pl. E.) . . . . Z 12	Tour Charton
	Hautefeuille (Rue) . . . . . Y 13	(R. de la) . . . . Z 22
Carnot (Av.) . . . . Y 3	Laloy (Rue) . . . . Z 14	Tour Mongeard
Champ-de-Mars	Langres (Pt. de) . . . . Z 15	(Bd de la) . . . . Z 23
(Rue du) . . . . Y 4	Mariotte (Rue V.) . . . . . . Z 16	Val Anne-Marie (R. du) . . Z 24

BMW, TOYOTA SODECO, 9 rte de Neuilly ✆ 25 03 49 04
PEUGEOT-TALBOT Gar. Lorinet, rte de Neuilly par ③ ✆ 25 32 67 00
RENAULT Relais Paris-Bâle, rte de Langres par ③, km 3 ✆ 25 03 72 22

V.A.G Petitprêtre, 5 rte de Choignes ✆ 25 32 19 86

D. G. Pneus, 60 av. République ✆ 25 32 21 54
Garcia, 9 fg de la Maladière ✆ 25 03 12 52 N

CHAUMONT-SUR-THARONNE **41600** L.-et-Ch. 64 ⑨ **G. Châteaux de la Loire** – 901 h. alt. 126.

Paris 167 – ◆Orléans 34 – Blois 52 – Romorantin-Lanthenay 33 – Salbris 26.

Croix Blanche, ✆ 54 88 55 12, Fax 54 88 60 40, – rest TV ☎ – 25. AE GB
fermé 25 janv. au 20 fév. – **R** 145/350, enf. 70 – 45 – **12 ch** 250/500 – ½ P 450/600.

CHAUMOUSEY **88** Vosges 62 ⑮ – rattaché à Épinal.

Découvrez la France avec les guides Verts Michelin :
24 titres illustrés en couleurs.

CHAUNAY **86510** Vienne 72 ③ – 1 174 h. alt. 131.

Paris 382 – Poitiers 46 – Angoulème 63 – Confolens 52 – Niort 56.

Central, ✆ 49 59 25 04, – 📺 ☎ 🅟. GB
fermé fév. et dim. soir du 1er oct. au 31 mars – **R** 62/140 – 28 – **14 ch** 95/230 – ½P 180/225.

CHAUNY **02300** Aisne 56 ③ ④ – 12 926 h. alt. 47.

Paris 120 – Compiègne 39 – St-Quentin 29 – Laon 35 – Noyon 16 – Soissons 31.

XXX ✿ **La Toque Blanche** (Lequeux) M avec ch, 24 av. V. Hugo ✆ 23 39 98 98, parc, – 📺 ☎ 🅟. GB. ch
fermé 26 juil. au 24 août, 1er au 11 janv., sam. midi, dim. soir et lundi – **R** 165/265, enf. 80 – 40 – **5 ch** 290/450.
Spéc. Terrine de foie gras d'oie et de canard, Escalopes de ris de veau poêlées au persil, Tarte des demoiselles Tatin à la poêle.

au Rond d'Orléans SE : 8 km par D 937 et D 1750 – ✉ **02300** Sinceny :

Aub. du Rond d'Orléans M , ✆ 23 52 26 51, Fax 23 52 36 80 – 📺 ☎ 🅟 – 25 à 50. GB.
fermé 22 déc. au 3 janv. et dim. soir – **R** 110/300 – 40 – **21 ch** 280/550.

à Ognes O : 2 km par D 338 – ✉ **02300** :

XX **Relais Saint-Sébastien**, ✆ 23 52 15 77 – GB
fermé 20 juil. au 20 août, dim. soir et lundi soir – **R** 79 bc/210 .

RENAULT Charbonnier, 137 r. Pasteur ✆ 23 38 32 10 **N** ✆ 23 08 05 68

Dupont-Pneus, 43 rte de Chauny à Condren ✆ 23 57 00 58

CHAUSEY (Iles) **50** Manche 59 ⑦ **G. Normandie Cotentin** – alt. 19 – **Voir** Grande Ile★.

Accès par transports maritimes.

depuis **Granville.** juin-août, 2 services quotidiens ; avril-mai, sept., 1 service quotidien - Traversée 50 mn – Tarifs se renseigner : Emeraude Lines 1 r. Le Campion ✆ 33 50 16 36 (Granville).

- de mai au 1er oct., 1 service quotidien ; hors saison, 2 à 3 services hebdomadaires - Traversée 1 h - 74 F (AR) par Vedette Jolie France Gare Maritime ✆ 33 50 31 81 (Granville).

depuis **St-Malo.** En 1991 : avril-sept., 3 à 7 services hebdomadaires - Traversée 1 h 30 mn – 110 F (AR) par Emeraude Lines, Boîte Postale 16 ✆ 99 40 48 40 (Saint-Malo).

Fort et des Iles , ✆ 33 50 25 02, ≤ archipel,
18 avril-28 sept. – **R** (fermé lundi) (en saison, prévenir) 90/135 – **8 ch** (½ pens. seul.) – ½P 236.

La CHAUSSÉE-ST-VICTOR **41** L.-et-Ch. 64 ⑦ – rattaché à Blois.

CHAUSSIN **39120** Jura 170 ③ – 1 587 h. alt. 191.

Paris 355 – Chalon-sur-S. 54 – Beaune 50 – ◆Besançon 66 – ◆Dijon 53 – Dole 20 – Lons-le-Saunier 43.

Voyageurs "Chez Bach" , pl. Ancienne Gare ✆ 84 81 80 38, Fax 84 81 83 80, – 📺 ☎ 🅟. AE GB
fermé 2 au 10 janv., vend. soir et dim. soir sauf du 15 juin au 15 sept. – **Repas** 75/220, enf. 58 – 30 – **22 ch** 200/280 – ½P 220/250.

CITROEN Gar. Pernin, ✆ 84 81 85 82 **N** ✆ 84 81 83 90

CHAUVIGNY **86300** Vienne 68 ⑭ ⑮ **G. Poitou Vendée Charentes** (plan) – 6 665 h. alt. 67.

Voir Ville haute★ – Église St-Pierre★ : chapiteaux du chœur★★.

Syndicat d'Initiative à la Mairie ✆ 49 46 30 21 et 5 r. St-Pierre (juin-15 sept.) ✆ 49 46 39 01.

Paris 337 – Poitiers 26 – Bellac 63 – Le Blanc 37 – Châtellerault 29 – Montmorillon 26 – Ruffec 74.

Lion d'Or, 8 r. Marché ✆ 49 46 30 28 – 📺 ☎ ♿ 🅟. GB JCB
fermé 15 déc. au 15 janv. et sam. de nov. à mars – **R** 78/200, enf. 46 – 28 – **26 ch** 200/250.

Beauséjour, 18 r. Vassalour ✆ 49 46 31 30, Fax 49 56 00 34, – 🅟. GB
fermé 23 déc. au 5 janv. – **R** (fermé vend. soir du 15 déc. au 15 fév.) 60/120 , enf. 35 – 25 – **21 ch** 120/250.

CITROEN Gar. Menu, 48 rte de St-Savin ✆ 49 46 37 88

RENAULT Chauvigny Automobiles, 49 rte de Poitiers ✆ 49 46 32 25

CHAVAGNES **49380** M.-et-L. 64 ⑪ – 695 h. alt. 86 – Paris 316 – Angers 25 – Cholet 45 – Saumur 34.

Faisan, ✆ 41 54 31 23, Fax 41 54 13 33 – ☎. GB
fermé 15 nov. au 15 janv., dim. soir, lundi et le midi en juil.-août – **R** 77/160 , enf. 39 – 25 – **10 ch** 190/260 – ½P 180/220.

CHAVANAY **42410** Loire 77 ① – 2 071 h. alt. 154.

Paris 508 – Annonay 28 – ◆St-Étienne 51 – Serrières 12 – Tournon-sur-Rhône 44 – Vienne 18.

XX **Alain Charles** avec ch, rte Nationale ✆ 74 87 23 02, , – 📺 ☎. GB
fermé 15 août au 5 sept., 2 au 9 janv., dim. soir et lundi sauf fériés – **R** 84/270 – 30 – **4 ch** 200/250 – ½P 250.

CHAVILLE 92 Hauts-de-Seine 101 ㉓ – voir à Paris, Environs.

CHAVOIRE 74 H.-Savoie 74 ⑥ – rattaché à Annecy.

CHEFFES 49125 M.-et-L. 64 ① – 857 h. alt. 20.

Voir Plafond★★★ de la salle des Gardes du château★ de Plessis-Bourré O : 4,5 km, **G. Châteaux de la Loire.**

Paris 280 – Angers 24 – Château-Gontier 32 – La Flèche 36.

Château de Teildras ⑤, ☎ 41 42 61 08, Télex 722268, Fax 41 42 17 01, ←, « Demeure du 16e siècle dans un parc » – TV ☎ P. AE ⓓ GB. ✻ rest
hôtel : fermé janv. et fév. ; rest. : fermé 1er au 28 déc., janv., fév., et mardi midi – **R** 220/400 – ☕ 68 – **11 ch** 380/985 – ½ P 620/770.

Le CHEIX 63 P.-de-D. 73 ⑭ – 601 h. alt. 682 – ✉ **63320** St-Diéry.

Voir Gorges de Courgoul★ SE : 5 km, **G. Auvergne.**

Paris 461 – ♦Clermont-Ferrand 43 – Besse-en-Chandesse 8,5 – Issoire 22 – Le Mont-Dore 29.

Relais des Grottes avec ch, ☎ 73 96 30 30, 🏕 – ☎ P. GB
fermé 30 mars au 6 avril, 7 au 14 sept., 29 nov. au 28 déc., dim. soir et merc. sauf vacances scolaires – **Repas** 98/225, enf. 55 – ☕ 22 – **10 ch** 120/165 – ½ P 150/180.

CHELLES 77 S.-et-M. 56 ⑫, 101 ⑲ – voir à Paris, Environs.

CHELLES 60350 Oise 56 ③ – 334 h.

Paris 93 – Compiègne 19 – Beauvais 79 – Crépy-en-Valois 22 – Soissons 26 – Villers-Cotterêts 16.

Relais Brunehaut ⑤, ☎ 44 42 85 05, 🏕, « Auberge rustique », 🌳 – TV ☎ P. GB. ✻ ch
fermé 1er janv. au 30 avril (sauf vend., sam. et dim.) et 3 au 14 août – **R** *(fermé lundi et mardi)* 130/240 – ☕ 35 – **5 ch** 200/290 – ½ P 230/250.

En juin et en septembre,
les hôtels sont moins chers qu'en pleine saison, le service est plus soigné.

CHÉNAS 69840 Rhône 74 ① **G. Vallée du Rhône** – 372 h. alt. 250.

Paris 409 – Mâcon 17 – Chauffailles 46 – Juliénas 5,5 – ♦Lyon 59 – Villefranche-sur-Saône 26.

Daniel Robin, aux **Deschamps** ☎ 85 36 72 67, Télex 351004, Fax 85 33 83 57, ←, 🏕, « Terrasse et jardin face au vignoble » – AE ⓓ GB
fermé début fév. à début mars, merc. et le soir sauf vend. et sam. – **R** 190/350, enf. 100.

CHÊNEHUTTE-LES-TUFFEAUX 49 M.-et-L. 64 ⑫ – rattaché à Saumur.

CHÉNÉRAILLES 23130 Creuse 73 ① **G. Berry Limousin** – 794 h. alt. 558.

Voir Haut-relief★ dans l'église.

Paris 375 – Aubusson 19 – La Châtre 62 – Guéret 31 – Montluçon 44.

Coq d'Or avec ch, ☎ 55 62 30 83 – 🚗. GB
R 60/140 – ☕ 22 – **7 ch** 95/210 – ½ P 140/160.

CHENNEVIÈRES-SUR-MARNE 94 Val-de-Marne 61 ①, 101 ㉘ – voir à Paris, Environs.

CHENONCEAUX 37150 I.-et-L. 64 ⑯ – 313 h. alt. 62.

Voir Château de Chenonceau★★★, **G. Châteaux de la Loire.**

ℹ Syndicat d'Initiative r. Château (mai-sept.) ☎ 47 23 94 45.

Paris 234 – ♦Tours 33 – Amboise 11,5 – Château-Renault 34 – Loches 27 – Montrichard 9,5.

Bon Laboureur et Château, ☎ 47 23 90 02, Fax 47 23 82 01, 🏕, 🏊, 🌳 – ☎ P. AE ⓓ GB
fermé 15 déc. au 15 fév. – **R** 180/300, enf. 75 – ☕ 40 – **36 ch** 260/500 – ½ P 370/460.

Ottoni, ☎ 47 23 90 09, Fax 47 23 91 59, 🏕, 🌳 – TV ☎ 🚗 P. AE ⓓ GB JCB. ✻ rest
10 avril-2 nov. – **R** 95/250 – ☕ 38 – **18 ch** 245/450 – ½ P 230/380.

Renaudière ⑤, ☎ 47 23 90 04, Fax 47 23 90 51, parc – ☎ P. GB. ✻ rest
fermé 15 déc. au 15 janv. et merc. du 15 sept. au 15 mars – **R** 80/160, enf. 50 – ☕ 31 – **15 ch** 210/350 – ½ P 280/320.

Gar. Bodin, à Civray ☎ 47 23 92 03 N ☎ 47 23 93 32

CHENÔVE 21 Côte-d'Or 166 ⑫ – rattaché à Dijon.

CHÉPY 80210 Somme 52 ⑥ – 1 246 h.

Paris 160 – ♦Amiens 56 – Abbeville 16 – Le Tréport 25.

Aub. Picarde M ⑤, à la Gare ☎ 22 26 20 78, Télex 155907 – TV ☎ ♿ P – 🏛 30. AE GB
fermé 25 au 31 déc. – **R** *(fermé dim.)* 80/220, enf. 50 – ☕ 25 – **25 ch** 220/350 – ½ P 285.

CITROEN Gar. Picardie, rte de Feuquières à Tours-en-Vimeu ☎ 22 26 20 36

CHERBOURG ⟨SP⟩ **50100** Manche 54 ② **G. Normandie Cotentin** – 27 121 h. Communauté urbaine 91 894 h alt. 7 – Casino BY.

Voir Fort du Roule ☼★ BZ – Château de Tourlaville : parc★ 5 km par ①.

⛳9 ✆ 33 44 45 48, par ② et D 122 : 7 km.

✈ de Cherbourg-Maupertus : ✆ 33 22 91 32, par ① : 13 km.

ℹ Maison du Tourisme 2 quai Alexandre-III ✆ 33 93 52 02 avec A.C. ✆ 33 93 97 95 et à la Gare Maritime (15 mai-15 sept. après-midi seul.) ✆ 33 44 39 92.

Paris 362 ② – ◆Brest 396 ② – ◆Caen 124 ② – Laval 218 ② – ◆Le Mans 278 ② – ◆Rennes 200 ②.

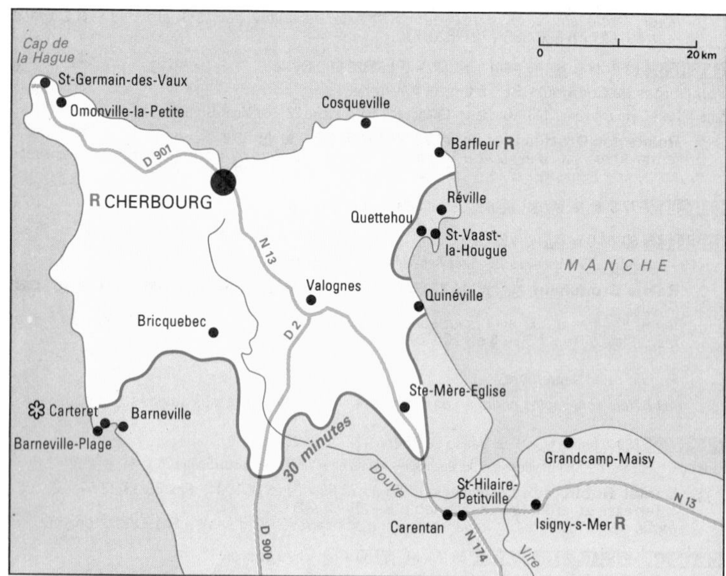

🏨 **Mercure** Ⓜ, gare maritime ✆ 33 44 01 11, Télex 170613, Fax 33 44 51 00 – 🛗 ⇆ ch 📺 ☎ ♿ – 🎤 100. AE ⓓ GB BX **s**
R 98/270 🍷, enf. 45 – ☕ 47 – **84 ch** 470/580 – ½ P 320/420.

🏨 **Liberté** Ⓜ, r. G. Sorel par av. E. Lecarpentier - BZ ✆ 33 20 18 00, Fax 33 20 01 32 – 🛗 📺 ☎ ♿ Ⓟ – 🎤 40 à 150. AE GB
R 120/150 🍷, enf. 60 – ☕ 38 – **80 ch** 300/450.

🏨 **Chantereyne** Ⓜ sans rest, port de plaisance ✆ 33 93 02 20, Télex 171137, Fax 33 93 45 29 – 📺 ☎ ♿ Ⓟ. AE ⓓ GB. 🐕 AX **b**
fermé 18 déc. au 3 janv. – ☕ 32 – **50 ch** 295/332.

🏨 **Louvre** sans rest, 2 r. H. Dunant ✆ 33 53 02 28, Télex 171132, Fax 33 53 43 88 – 🛗 📺 ☎ ♿ 🚗. AE GB – *fermé 24 déc. au 1er janv.* – ☕ 29 – **42 ch** 135/310. AX **e**

🏨 **Le Vauban,** 22 quai Caligny ✆ 33 44 28 45, Télex 772472, Fax 33 44 65 49 – 🛗 📺 ☎ ♿ Ⓟ. GB BX **f**
R *(fermé vend. d'oct. à avril)* 80/245, enf. 45 – ☕ 30 – **43 ch** 240/330 – ½ P 218.

🏨 **Moderna** sans rest, 28 r. Marine ✆ 33 43 05 30, Télex 772201, Fax 33 43 97 37 – 📺 ☎. AE GB. 🐕 – ☕ 25 – **25 ch** 160/245. BX **a**

XX **Le Grandgousier,** 21 r. Abbaye ✆ 33 53 19 43, 🌂 – ▤. AE ⓓ GB AX **t**
fermé 16 août au 6 sept., sam. midi et dim. – **Repas** 120/300.

XX **Café de Paris,** 40 quai Caligny ✆ 33 43 12 36, Fax 33 43 98 49 – GB BXY **d**
R 95/140.

XX **L'Ancre Dorée,** 27 r. Abbaye ✆ 33 93 98 38, Fax 33 93 22 36 – AE ⓓ GB AX **n**
fermé sam. midi et lundi – **R** 92/174, enf. 52.

XX **Briqueville,** 16 quai Caligny ✆ 33 20 11 66 – GB BX **g**
fermé 22 déc. au 12 janv., sam. midi et dim. – **R** 92/290.

XX **Chez Pain "Le Plouc",** 59 r. au Blé ✆ 33 53 67 64, Fax 33 94 41 43 – AE GB
fermé sam. midi et dim. – **R** 100/250, enf. 50. AX **z**

XX **La Cendrée,** 18 passage Digard ✆ 33 93 67 04 – GB AX **v**
fermé 16 août au 7 sept., dim. soir et lundi – **R** (nombre de couverts limité, prévenir) 95/200, enf. 70.

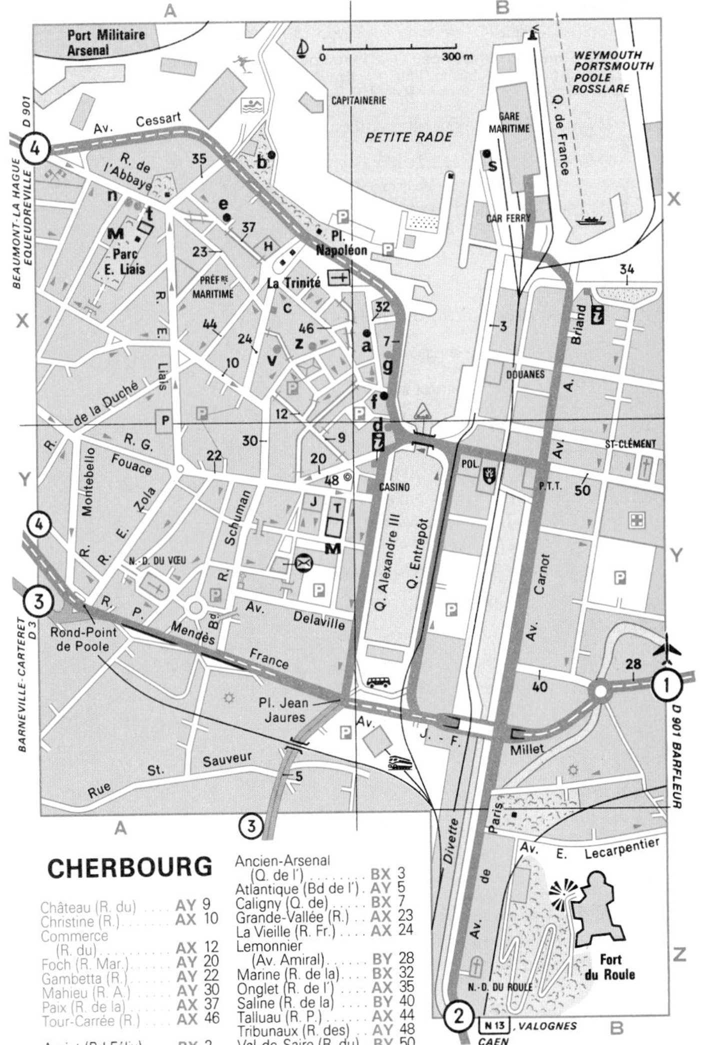

CHERBOURG

Château (R. du) .... AY 9
Christine (R.) .... AX 10
Commerce (R. du) .... AX 12
Foch (R. Mar.) .... AY 20
Gambetta (R.) .... AY 22
Mahieu (R. A.) .... AY 30
Paix (R. de la) .... AX 37
Tour-Carrée (R.) .... AX 46

Amiot (Bd Félix) .... BX 2

Ancien-Arsenal (Q. de l') .... BX 3
Atlantique (Bd de l') . AY 5
Caligny (Q. de) .... BX 7
Grande-Vallée (R.) .. AX 23
La Vieille (R. Fr.) .... AX 24
Lemonnier (Av. Amiral) .... BY 28
Marine (R. de la) .... BX 32
Onglet (R. de l') .... AX 35
Saline (R. de la) .... BY 40
Talluau (R. P.) .... AX 44
Tribunaux (R. des) .. AY 48
Val-de-Saire (R. du) . BY 50

au Pont par ③ : 5 km – ✉ **50690** Martinvast :

XX **La Mare Aubert,** ✆ 33 52 11 14, Fax 33 52 01 25, ⛱, 🏊, 🌳 – Ⓟ. AE ⓓ GB
fermé 3 au 23 août, dim. soir et lundi – **R** 125/280, enf. 80.

ALFA-ROMEO-SEAT Manche Alfa, 7 r. de la Saline ✆ 33 43 45 30
BMW-LANCIA Gar. Renouf, bd de l'Est à Tourlaville ✆ 33 20 44 78
CITROEN Gar. Ozenne, r. M.-Sambat à Équeurdreville-Hainneville par ④ ✆ 33 03 49 70
CITROEN Chanel Auto, ZI, bd de l'Est à Tourlaville par ① ✆ 33 23 01 01 N ✆ 33 23 22 48
RENAULT Coipel, 427 r. 8-Mai Les Flamands à Tourlaville par ① ✆ 33 22 00 27
RENAULT Gar. Ecourtemer, 76 r. Sadi-Carnot, Octeville par ③ ✆ 33 53 27 35
RENAULT Gar. Marie, 95 r. Gén.-de-Gaulle, Équeurdreville-Hainneville par ④ ✆ 33 03 58 97
RENAULT Gar. Dessoude Teyssier, bd de l'Est à Tourlaville par ① ✆ 33 44 00 01 N
V.A.G Gar. du Stade, r. Industries ZI à Tourlaville ✆ 33 20 36 23

Ⓜ Cherbourg-Pneus, 12 r. Loysel ✆ 33 53 06 49
Cotentin Pneumatiques, 74 bd Mendès France ✆ 33 04 26 04
Francis-Pneus, bd de l'Est ZI à Tourlaville ✆ 33 20 45 60
Schmitt-Pneus, 13 r. Maupas ✆ 33 44 05 42

Les CHÈRES 69380 Rhône 74 ① – 1 027 h. alt. 210.

Paris 442 – ♦Lyon 21 – L'Arbresle 14 – Meximieux 42 – Trévoux 7,5 – Villefranche-sur-Saône 12.

XX **Aub. du Pont de Morancé,** O : 1 km par D 100 ✉ 69480 Anse ✆ 78 47 65 14, Fax 78 47 05 83, ☂, « Jardin fleuri » – Ⓟ. GB
fermé fév., mardi soir et merc. – **R** 80/240 ♁.

CHERISY 28 E.-et-L. 60 ⑦, 106 ㉕ – rattaché à Dreux.

CHÉROY 89690 Yonne 61 ⑬ – 1 326 h. alt. 127.

Paris 103 – Fontainebleau 40 – Auxerre 68 – Montargis 34 – Nemours 24 – Sens 24.

XX **Tour de Chéroy,** ✆ 86 97 53 43, ☂ – GB
fermé 1er fév. au 1er mars, 22 au 28 juin, lundi (sauf le midi en juil.-août) et mardi – **R** 85/170 ♁.

CHEVAIGNÉ 35 I.-et-V. 59 ⑰ – rattaché à Rennes.

CHEVAL-BLANC 84 Vaucluse 81 ⑫ – rattaché à Cavaillon.

Le CHEVALON 38 Isère 77 ④ – rattaché à Grenoble.

CHEVANNES 89 Yonne 65 ⑤ – rattaché à Auxerre.

CHEVIGNEY-LÈS-VERCEL 25 Doubs 166 ⑱ – rattaché à Valdahon.

CHEVRY 01 Ain 170 ⑮ – rattaché à Gex.

CHEYLADE 15400 Cantal 76 ③ **G. Auvergne** – 360 h. alt. 950.

Voir Voûte★ de l'église – Cascade du Sartre★ S : 2,5 km.

Paris 517 – Aurillac 56 – Mauriac 47 – Murat 31 – St-Flour 56.

Gd H. de la Vallée, ✆ 71 78 90 04, ← – Ⓟ. GB. ✂
fermé 30 mars au 15 avril, 5 au 30 nov. et sam. d'oct. à mars sauf vacances scolaires – **R** 60/110 ♁ – ☕ 20 – **15 ch** 95/145 – ½ P 150.

Le CHEYLARD 07160 Ardèche 76 ⑲ – 3 833 h. alt. 449.

Paris 598 – Le Puy-en-Velay 68 – Valence 62 – Aubenas 50 – Lamastre 21 – Privas 48 – St-Agrève 16.

Provençal, av. Gare ✆ 75 29 02 08 – TV ☎ 🚗. GB
fermé 20 au 28 avril, 21 août au 8 sept., 18 déc. au 5 janv., vend. soir, dim. soir et lundi – **R** 70/175 ♁ – ☕ 35 – **8 ch** 170/250 – ½ P 210.

CITROEN Gar. des Cévennes ✆ 75 29 05 10 N

Gar. Chambert et Noyer, à Mariac ✆ 75 29 14 26 N ✆ 75 29 00 37

CHÉZERY-FORENS 01410 Ain 74 ⑤ – 357 h. alt. 582.

Paris 506 – Bellegarde-sur-Valserine 17 – Bourg-en-Bresse 77 – Gex 40 – Nantua 31 – St-Claude 44.

Commerce ⛰, ✆ 50 56 90 67 – GB
fermé 15 au 21 juin, 14 sept. au 11 oct., dim. soir et merc. sauf vacances scolaires – **R** 65/200 ♁ – ☕ 26 – **10 ch** 130/200 – ½ P 150/180.

La CHIGNOLLE 16 Charente 72 ⑭ – alt. 71 – ✉ **16430** Champniers.

Paris 434 – Angoulême 10,5 – Cognac 51 – ♦Limoges 96 – Niort 97 – Saint-Jean-d'Angély 65.

XX **Logis d'Argence,** N 10 ✆ 45 69 99 93, ☂, 🚗 – Ⓟ. GB
fermé 15 août au 15 sept., dim. soir et lundi – **R** 110/245, enf. 45.

CHILLE 39 Jura 170 ④ – rattaché à Lons-le-Saunier.

CHINAILLON 74 H.-Savoie 74 ⑦ – rattaché au Grand-Bornand.

CHINDRIEUX 73310 Savoie 74 ⑮ – 1 059 h. alt. 282.

Env. Abbaye de Hautecombe** (chant grégorien) SO : 10 km, **G. Alpes du Nord.**

Paris 521 – Annecy 35 – Aix-les-Bains 15 – Bellegarde-sur-Valserine 39 – Bourg-en-Bresse 90 – Chambéry 33.

- **Relais de Chautagne,** ✆ 79 54 20 27 – ☎ Ⓟ. GB
  fermé janv. et lundi sauf juil.-août – **R** 90/200 ♿, enf. 60 – ☕ 30 – **32 ch** 200/280.
- XX **Aub. du Colombier,** ✆ 79 54 20 13, ☂ – Ⓟ. GB
  fermé 1er au 15 déc., dim. soir et lundi – **R** (week-ends prévenir) 80/190 ♿.

CHINON <SP> 37500 I.-et-L. 67 ⑨ **G. Châteaux de la Loire** – 8 627 h. alt. 37.

Voir Vieux Chinon** : Grand Carroi** A B – Château** : ≤** A – Quai Danton ≤** A.

Env. Château d'Ussé** 14 km par ①.

Office de Tourisme 12 r. Voltaire ✆ 47 93 17 85 et route de Tours (15 juil.-15 août) ✆ 47 93 39 66.

Paris 284 ① – ♦Tours 47 ① – Châtellerault 51 ③ – Poitiers 82 ③ – Saumur 29 ③ – Thouars 44 ③.

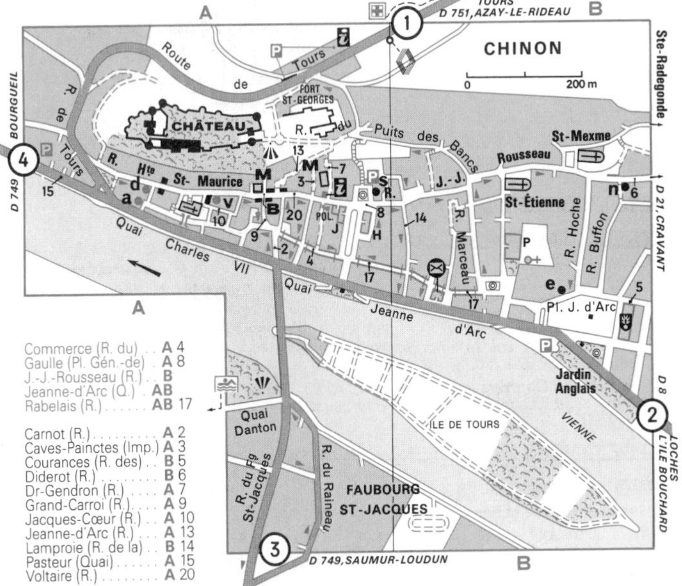

- **Le Chinon** M ⛰, centre St-Jacques (près piscine), par quai Danton - A ✆ 47 98 46 46, Télex 752547, Fax 47 98 35 44, ☂ – 🛗 TV ☎ ♿ Ⓟ – 🏛 30 à 80. AE ⓓ GB
  R 80/200 – ☕ 50 – **55 ch** 350/460 – ½ P 340.
- **France** sans rest, 47 pl. Gén. de Gaulle ✆ 47 93 33 91, Fax 47 98 37 03 – ☎ 🚗. AE ⓓ GB. ✗ — A **s**
  fermé 1er déc. au 1er mars et dim. soir d'oct. à mars – ☕ 40 – **27 ch** 280/360.
- **Chris'Hôtel** sans rest, 12 pl. Jeanne d'Arc ✆ 47 93 36 92, Fax 47 98 48 92, ☂ – ☎. AE ⓓ GB — B **e**
  ☕ 35 – **40 ch** 240/350.
- **Diderot** ⛰ sans rest, 4 r. Buffon ✆ 47 93 18 87, Fax 47 93 37 10 – ☎ ♿ Ⓟ. AE ⓓ GB. ✗
  fermé 20 déc. au 10 janv. – ☕ 30 – **24 ch** 200/335. — B **n**
- XXX ✿ **Au Plaisir Gourmand** (Rigollet), quai Charles VII ✆ 47 93 20 48, Fax 47 93 05 66 – ▤. GB — A **a**
  fermé 16 au 30 nov., 3 au 28 fév., dim. soir et lundi – **R** (nombre de couverts limité, prévenir) 170/310
  Spéc. Lapereau en gelée, Sandre au beurre blanc, Gratin de fruits de saison. **Vins** Chinon, Vouvray.
- XX **Host. Gargantua** avec ch, 73 r. Haute St-Maurice ✆ 47 93 04 71, ≤, ☂, « Ancien Palais du Baillage 15e siècle » – ☎. AE ⓓ GB JCB. ✗ — A **v**
  1er mars-15 nov. et fermé jeudi midi et merc. sauf du 1er juin au 30 sept. – **R** 150/180 – ☕ 50 – **9 ch** 160/600 – ½ P 280/500.
- X **Orangerie,** 79 bis r. Haute-St-Maurice ✆ 47 98 42 00 – GB — A **d**
  fermé 15 déc. au 1er fév. et dim. soir en hiver – **R** 80/115, enf. 40.

à Marçay par ③ et D 116 : 7 km – ✉ **37500** :

Château de Marçay 🐘, ✆ 47 93 03 47, Télex 751475, Fax 47 93 45 33, ≤, ☂, « Château du 15ᵉ siècle, parc », 🏊, 🎾 – 🛗 📺 ☎ 🅟 – 🏛 40 à 150. GB
fermé mi-janv. à mi-mars – **R** *(fermé dim. soir de nov. à mars et lundi)* 230/375 – ☕ 75 – **32 ch** 495/1295, 6 appart. 1350/1600 – ½ P 730/1205
Spéc. Croustillant de langoustines au Noilly (saison), Jambonnette de pigeonneau rôti au jus de truffe, Chariot de pâtisseries. **Vins** Chinon blanc et rouge.

à Beaumont-en-Véron par ④ : 5 km – ✉ **37420** :

Château de Danzay 🐘, ✆ 47 58 46 86, Fax 47 58 84 35, ≤, parc, « Château du 15ᵉ siècle », 🏊 – ☎ 🅟. AE GB. ❋ rest
hôtel : mi-mars-mi-nov. ; rest. : fin mars-début nov. – **R** (dîner seul.) 260/320 – ☕ 65 – **10 ch** 800/1200 – ½ P 645/1030.

La Giraudière 🐘, ✆ 47 58 40 36, Fax 47 58 46 06, ☂, parc – cuisinette 📺 ☎ 🅟 – 🏛 30. AE ⓓ GB JCB
fermé janv., mardi et merc. du 15 sept. au 15 mai – **R** 95 – ☕ 30 – **21 ch** 200/480, 4 appart. 480 – ½ P 200/480.

CITROEN S.A.R.V.A., 10 r. A.-Correch par r. Courances ✆ 47 93 06 58 🅽 ✆ 47 95 90 15
FIAT Hallie, rte de Tours ✆ 47 93 27 36 🅽
PEUGEOT-TALBOT Gd Gar. du Chinonais, à St-Louans par ④ ✆ 47 93 28 29
RENAULT SIVA, rte de Tours ✆ 47 93 05 27 🅽 ✆ 47 40 92 86
RENAULT Gar. de la Gare, 8 pl. Gare ✆ 47 93 03 67
V.A.G Gar. du Château, rte de Tours ✆ 47 93 04 65

Ⓜ Super Pneus, 6 pl. Denfert-Rochereau ✆ 47 93 32 08

CHISSAY-EN-TOURAINE 41 L.-et-Ch. 64 ⑯ – rattaché à Montrichard.

CHITENAY 41120 L.-et-Ch. 64 ⑰ – 888 h. alt. 88.
Voir Galerie des Illustres★★ du château de Beauregard★ N : 5 km, **G. Châteaux de la Loire.**
Paris 192 – Orléans 70 – ♦Tours 74 – Blois 11,5 – Châteauroux 86 – Contres 10 – Montrichard 24 – Romorantin-Lanthenay 37.

Aub. du Centre, ✆ 54 70 42 11, Fax 54 70 35 03, ☂, 🌳 – ⟷ 📺 ☎ ♿ 🅟. GB
fermé fév., dim. soir et lundi du 1ᵉʳ oct. au 30 avril – **R** 80/265, enf. 50 – ☕ 28 – **23 ch** 250/350 – ½ P 220/250.

La Clé des Champs avec ch, ✆ 54 70 42 03, ☂, 🌳 – 🅟. GB
fermé 12 au 23 nov., 2 au 31 janv., lundi soir et mardi – **R** 130/170 🍷, enf. 40 – ☕ 25 – **10 ch** 110/200.

CHOISY-AU-BAC 60 Oise 56 ②, 106 ⑩ – rattaché à Compiègne.

CHOLET ⟨SP⟩ 49300 M.-et-L. 67 ⑤ ⑥ **G. Châteaux de la Loire** – 55 132 h. alt. 125.
Voir Musée d'Histoire et des guerres de Vendée★ Z **M¹** – Musée des Arts★ BX **M².**
⛳18 ✆ 41 71 05 01, AX.
🅸 Office de Tourisme avec A.C. pl. Rougé ✆ 41 62 22 35, Télex 306022 et aire d'accueil, rte d'Angers (juin-août) ✆ 41 58 66 66.
Paris 350 ① – Angers 58 ① – La Roche-sur-Yon 64 ④ – Ancenis 47 ⑥ – ♦Nantes 58 ⑤ – Niort 109 ②.

Plan page suivante

Fimotel Ⓜ, av. Sables-d'Olonne par ④ ✆ 41 62 45 45, Fax 41 58 23 45 – 🛗 ▤ rest 📺 ☎ ♿ 🅟 – 🏛 40 à 80. AE ⓓ GB
R 75/95 🍷, enf. 36 – ☕ 35 – **42 ch** 220/280 – ½ P 200.

Gd H. Poste, 26 bd G.-Richard ✆ 41 62 07 20, Télex 722707, Fax 41 58 54 10 – 🛗 ▤ rest 📺 ☎ 🚗 – 🏛 50. AE ⓓ GB — Z **e**
R *(fermé 25 juil. au 14 août, sam. soir hors sais. et dim.)* 95/280 🍷 – ☕ 40 – **56 ch** 270/390.

Europe sans rest, 15 pl. Gare ✆ 41 62 00 97 – 📺 ☎ 🚗. AE GB — BX **n**
fermé Noël au Jour de l'An – ☕ 25 – **21 ch** 200/260.

Parc sans rest, 4 av. A. Manceau ✆ 41 62 65 45, Fax 41 58 64 08 – 🛗 📺 ☎ 🚗 – 🏛 40. AE ⓓ GB — AY **x**
☕ 34 – **51 ch** 190/250.

Campanile, square Nouvelle France - Z.A.C. du Carteron ✆ 41 62 86 79, Télex 720318, Fax 41 71 29 23 – 📺 ☎ ♿ 🅟 – 🏛 25. AE GB — BY **u**
R 77 bc/99 bc, enf. 39 – ☕ 28 – **43 ch** 258 – ½ P 234/256.

Commerce, 194 r. Nationale ✆ 41 62 08 97 – 📺 ☎. AE ⓓ GB. ❋ rest — Z **a**
fermé 1ᵉʳ au 23 août – **R** *(fermé sam. et dim.)* 58/70 🍷 – ☕ 24 – **14 ch** 110/233.

La Touchetière, rd-pt St-Léger ✆ 41 62 55 03 – 🅟. GB — AX **b**
fermé 7 au 31 août, vacances de fév., dim. soir et lundi – **R** (dim. prévenir) 110/180.

Le Thermidor, 40 r. St-Bonaventure ✆ 41 58 55 18 – GB. ❋ — Z **b**
fermé 1ᵉʳ au 20 août, 1ᵉʳ au 8 janv., dim. soir et lundi – **R** 88/250, enf. 50.

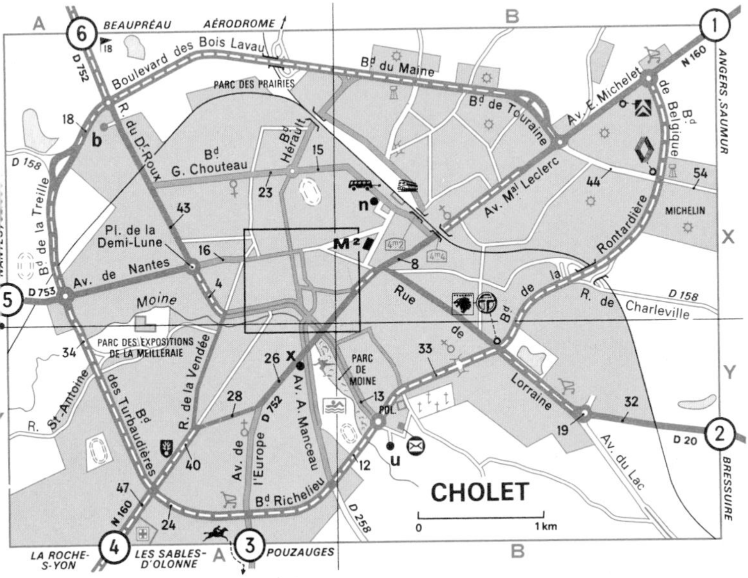

CHOLET

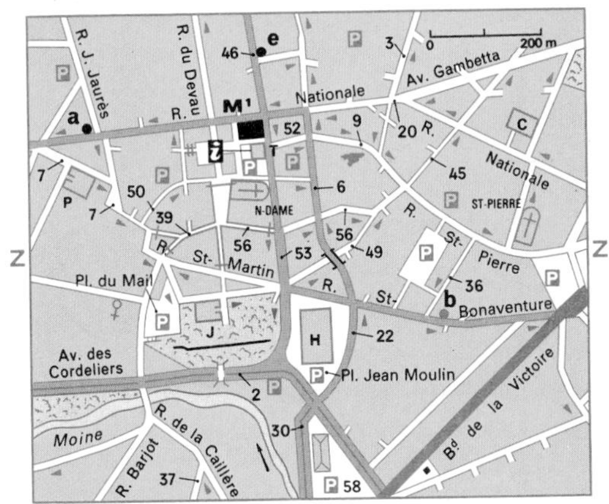

rte d'Angers par ① : 3,5 km – ✉ **49300** Cholet :

Atlantel Ⓜ, ✆ 41 71 08 08, Fax 41 71 96 96, 🍽, 🌳 – TV ☎ ♿ Ⓟ – 🏛 40. AE ⓓ GB. ✻ ch
R 75/180 ♁, enf. 45 – ☕ 35 – **34 ch** 270/320 – ½ P 275/295.

à Nuaillé par ① et D 960 : 7,5 km – ✉ **49340** :

Relais des Biches avec ch, pl. Église ✆ 41 62 38 99, Télex 720547, Fax 41 62 96 24, 🍽, 🏊, 🌳 – TV ☎ 🚗 Ⓟ. AE ⓓ GB
fermé dim. – **R** 90/160 ♁, enf. 55 – ☕ 40 – **13 ch** 255/320 – ½ P 260/275.

à l'aérodrome N : 2,5 km par bd Hérault – ✉ **49300** Cholet :

Arnaud Vallée, ✆ 41 62 03 14, ≤, 🍽 – Ⓟ. GB
fermé sam. – **R** 98/250, enf. 70.

au lac de Ribou SE : 5 km par av. du Lac -BY – ✉ **49300** Cholet :

XXX ✿ **Le Belvédère** (Inagaki) avec ch, ☎ 41 62 14 02, Fax 41 62 16 54, ≤, – TV ☎ P – 25. AE GB. rest
fermé 20 juil. au 19 août, vacances de fév., dim. soir et lundi midi – **R** (prévenir) 115/235, enf. 85 – ☕ 31 – **8 ch** 290/340
Spéc. Sauté de queues de langoustines et ris de veau au Sauternes, Fricassée de homard breton, Gratin de fruits rouges au sabayon de Champagne (juin à oct.).

à La Tessouale S : 6,5 km par D 258 – ✉ **49280** :

Garden H., près Église ☎ 41 56 38 95, Fax 41 56 46 71 – cuisinette ch TV ☎ & P – 30. GB. ch
fermé 1er au 20 août, sam. et dim. – **R** 59/160, enf. 40 – ☕ 25 – **27 ch** 195/250 – ½ P 225/250.

par ④ rte de la Roche-sur-Yon – ✉ **49300** Cholet :

Cormier sans rest, à 4,5 km sur N 160 ☎ 41 62 46 24, – TV ☎ P. GB.
fermé 15 déc. au 10 janv. et dim. – ☕ 25 – **14 ch** 140/220.

XXX **Château de la Tremblaye,** à 5,5 km par N 160 et rte du Puy-St-Bonnet ☎ 41 58 40 17, parc, « Château du 19e siècle » – P. GB
fermé 27 juil. au 17 août, dim. soir et lundi sauf fériés – **R** 95/270, enf. 70.

ALFA-ROMEO Hall des Sports, 2 r. de la Flèche ☎ 41 62 85 21
CITROEN Cholet Automobiles, 14 av. E.-Michelet par ① ☎ 41 65 42 77 N ☎ 41 58 15 44
HONDA Hall des Sports, 1 pl. République ☎ 41 62 02 48
MERCEDES-MAZDA Gar. Crochet Cholet, ZI, 13 bd du Poitou ☎ 41 65 92 66
PEUGEOT-TALBOT Gar. Bussereau, 169 r. de Lorraine ☎ 41 62 41 42
RENAULT Autom. Choletaise, 17 bd du Poitou par ① ☎ 41 62 25 91 N ☎ 41 64 02 11

Bossard Pneus, Z.I. Nord 41 bis r. Jominière ☎ 41 62 29 53
Cailleau, 13 bd de Belgique ☎ 41 58 58 74
Cholet-Pneus, 49 bd Rontardière ☎ 41 58 22 75
Perry-Pneus, 17 r. Jominière ☎ 41 58 33 14

CHOMELIX 43500 H.-Loire 76 ⑦ – 376 h. alt. 894.
Paris 524 – Le Puy-en-Velay 30 – Ambert 42 – Brioude 52 – La Chaise-Dieu 17 – ♦St-Étienne 69.

XX **Aub. de l'Arzon** avec ch, ☎ 71 03 62 35, – TV ☎ &. GB
Pâques-15 nov. – **R** 95/225 – ☕ 32 – **8 ch** 230/250 – ½ P 235/260.

CHONAS-L'AMBALLAN 38 Isère 74 ⑪ – rattaché à Vienne.

CHOUVIGNY (Gorges de) 03 Allier 73 ④ – rattaché à Pont-de-Menat.

CIBOURE 64 Pyr.-Atl. 85 ② – voir à St-Jean-de-Luz.

CIERP-GAUD 31440 H.-Gar. 86 ① – 990 h. alt. 500.
Paris 815 – Bagnères-de-Luchon 16 – Lannemezan 40 – St-Gaudens 29 – ♦Toulouse 119.

X **La Bonne Auberge** avec ch, ☎ 61 79 54 47 – AE GB
fermé 10 mai au 5 juin – **R** 95/180, enf. 50 – ☕ 25 – **5 ch** 110/150 – ½ P 150/180.

Gar. Fernandez, à Gaud ☎ 61 79 50 26

CIERZAC 17 Char.-Mar. 72 ⑫ – rattaché à Cognac.

CINQ CHEMINS 74 H.-Savoie 170 ⑰ – rattaché à Thonon-les-Bains.

La CIOTAT 13600 B.-du-R. 84 ⑭ **G. Provence** – 30 620 h. alt. 3 – Casino .
Voir Calanque de Figuerolles★ SO : 1,5 km puis 15 mn AZ – Chapelle N.-D. de la Garde ≤★★ O : 2,5 km puis 15 mn AZ.
Env. Sémaphore ≤★★★ O : 5,5 km AZ.
Excurs. à l'Ile Verte ≤★ en bateau 30 mn BZ.
Office Municipal de Tourisme bd A.-France ☎ 42 08 61 32, Télex 420656.
Paris 804 ⑤ – ♦Marseille 31 ⑤ – ♦Toulon 39 ③ – Aix-en-Provence 47 ⑤ – Brignoles 58 ⑤.

Plan page suivante

La Rotonde sans rest, 44 bd République ☎ 42 08 67 50 – ☎. AE GB — BZ **a**
☕ 28 – **32 ch** 175/250.

X **Golfe,** 14 bd A. France ☎ 42 08 42 59, — BZ **b**
fermé 2 nov. au 8 déc. et mardi sauf juil.-août – **R** 98/145.

à La Ciotat-Plage NE : 1,5 km par D 559 - ABY – ✉ **13600** La Ciotat :

Miramar M, 3 bd Beaurivage ☎ 42 83 09 54, Fax 42 83 33 79, ≤ – TV ☎ P – 60. AE GB — BY **f**
L'Orchidée R 120/260 – ☕ 50 – **25 ch** 550/750 – ½ P 425/525.

Provence Plage M, 3 av. Provence ☎ 42 83 09 61, Fax 42 08 16 28, – TV ☎ P. GB. ch — BY **d**
fermé janv. – **R** 100/300, enf. 70 – ☕ 35 – **20 ch** 290/400 – ½ P 295/380.

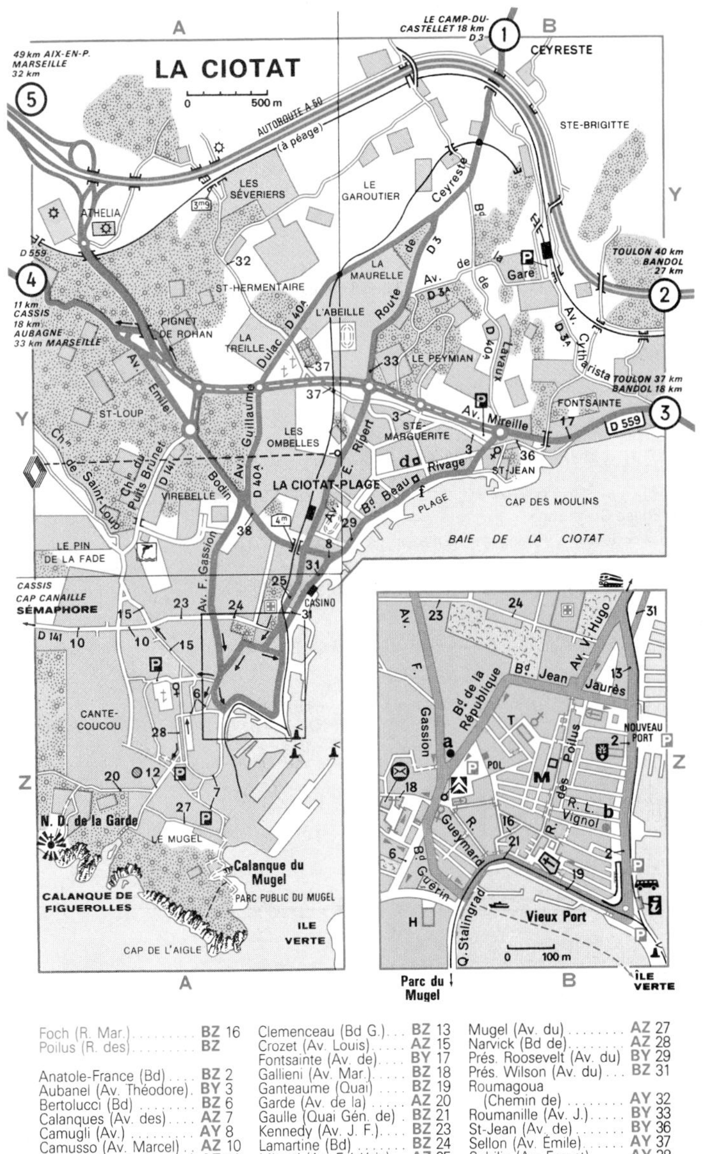

Foch (R. Mar.) . . . . BZ 16
Poilus (R. des) . . . . BZ

Anatole-France (Bd) . . . . BZ 2
Aubanel (Av. Théodore) . BY 3
Bertolucci (Bd) . . . . BZ 6
Calanques (Av. des) . . . . AZ 7
Camugli (Av.) . . . . AY 8
Camusso (Av. Marcel) . . AZ 10
Cardinal Maurin (Av. du) AZ 12

Clemenceau (Bd G.) . . . BZ 13
Crozet (Av. Louis) . . . . . AZ 15
Fontsainte (Av. de) . . . . BY 17
Gallieni (Av. Mar.) . . . . . BZ 18
Ganteaume (Quai) . . . . BZ 19
Garde (Av. de la) . . . . . . AZ 20
Gaulle (Quai Gén. de) . . BZ 21
Kennedy (Av. J. F.) . . . . BZ 23
Lamartine (Bd) . . . . BZ 24
Mistral (Av. Frédéric) . . AZ 25

Mugel (Av. du) . . . . AZ 27
Narvick (Bd de) . . . . AZ 28
Prés. Roosevelt (Av. du) BY 29
Prés. Wilson (Av. du) . . . BZ 31
Roumagoua (Chemin de) . . . . AY 32
Roumanille (Av. J.) . . . . . BY 33
St-Jean (Av. de) . . . . BY 36
Sellon (Av. Émile) . . . . . . AY 37
Subilia (Av. Ernest) . . . . . AY 38

Besonders angenehme Hotels oder Restaurants sind im Führer rot gekennzeichnet.

Sie können uns helfen, wenn Sie uns die Häuser angeben, in denen Sie sich besonders wohl gefühlt haben.

Jährlich erscheint eine komplett überarbeitete Ausgabe aller Roten Michelin-Führer.

...

au Liouquet par ③ : 6 km – ✉ **13600** La Ciotat :

Ciotel Ⓜ, ✆ 42 83 90 30, Télex 441390, Fax 42 83 04 17, ←, « Jardin fleuri, », – rest ☎ – 50. AE GB. rest
fermé 15 déc. au 1er fév. – **R** *(fermé dim. soir)* 145/295 – 50 – **43 ch** 695/740.

Aub. Le Revestel avec ch, ✆ **42 83 11 06,** ←, – GB. ch
fermé 4 fév. au 4 mars, merc. midi du 1er juin au 30 sept., dim. soir et merc. du 1er oct. au 30 mai – **R** 130/170, enf. 85 – 35 – **7 ch** 240/280 – ½ P 260.

CITROEN Gar. Léger, 53 bd République ✆ 42 08 41 69

RENAULT Gimenes, 87 av. E.-Ripert ✆ 42 83 90 10

CIPIÈRES **06620** Alpes-Mar. 84 ⑧ – 222 h. alt. 750.

Paris 858 – Castellane 56 – Grasse 25 – ♦Nice 42 – Vence 27.

Château de Cipières, ✆ 93 59 98 00, Fax 93 59 98 02, ←, parc, – ☎ AE GB.
mars-oct. – **R** (résidents seul.) 200, 6 appart. 2200/4600 – ½ P 1300/2450.

CIRQUE Voir au nom propre du Cirque.

CIVAUX **86** Vienne 68 ⑭ ⑮ – rattaché à Lussac-les-Châteaux.

CLAIX **38** Isère 77 ④ – rattaché à Grenoble.

CLAMART **92** Hauts-de-Seine 60 ⑩ 101 ㉔ – voir à Paris, Environs.

CLAMECY **58500** Nièvre 65 ⑮ **G. Bourgogne** (plan) – 5 284 h. alt. 160.

Voir Église St-Martin★.

Office de Tourisme r. Grand Marché (Pâques-fin sept.) ✆ 86 27 02 51.

Paris 203 – Auxerre 44 – Avallon 38 – Bourges 104 – Cosne-sur-Loire 51 – ♦Dijon 143 – Nevers 67.

Host. de la Poste, 9 pl. É. Zola ✆ 86 27 01 55, Télex 809000, Fax 86 27 05 99 – ☎. GB
R 95/180, enf. 45 – 35 – **17 ch** 240/310.

Anval sans rest, O : 1 km sur rte Brinon ✆ 86 24 42 40, Fax 86 27 06 87, – ☎. AE GB
25 – **9 ch** 250/350.

L'Opaline, 9 bd Misset ✆ 86 27 06 21, – AE GB
fermé 2 au 9 nov., 2 au 23 fév., dim. soir de sept. à juin et lundi – **R** 68/198, enf. 38.

Grenouillère, 6 r. J. Jaurès ✆ 86 27 31 78 – GB
fermé 1er au 15 sept., vacances de fév., dim. soir et lundi – **R** 85/150.

CITROEN Rougeaux, av. H.-Barbusse ✆ 86 27 11 87 N
RENAULT S.A.M.A.S., 22 rte de Pressures ✆ 86 27 02 78 N

RENAULT Gar. Duque, rte de Pressures ✆ 86 27 13 54

Coignet, Le Foulon, ✆ 86 27 19 38

Le CLAUX **15400** Cantal 76 ③ – 293 h. alt. 1 060 – Paris 523 – Aurillac 50 – Mauriac 53 – Murat 24.

Peyre-Arse Ⓜ, ✆ 71 78 93 32, ←, – ☎. GB
R 85/185, enf. 45 – 28 – **30 ch** 170/185 – ½ P 200/220.

Les CLAUX **05** H.-Alpes 77 ⑱ – rattaché à Vars.

CLAYE-SOUILLY **77410** S.-et-M. 56 ⑫ 106 ㉑ – 9 740 h. alt. 50.

Paris 31 – Meaux 15 – Melun 54 – Senlis 38.

I. D. F. Ⓜ, à Souilly par D 212 ✆ (1) 60 26 18 00, Télex 690212, Fax (1) 60 26 44 48 – ☎ – 200. AE GB
R grill 80/105 – 46 – **80 ch** 420.

La CLAYETTE **71800** S.-et-L. 69 ⑰ ⑱ **G. Bourgogne** – 2 307 h. alt. 369.

Voir Château de Drée★ N : 4 km.

Syndicat d'Initiative pl. Fossés (mai-15 sept., fermé matin sauf juil.-août) ✆ 85 28 16 35.

Paris 387 – Mâcon 56 – Charolles 19 – Lapalisse 62 – ♦Lyon 86 – Roanne 40.

Poste et Dauphin, ✆ 85 28 02 45 – ☎. AE GB
fermé 7 au 14 juin, 3 au 11 janv., vend. soir et sam. midi du 1/3 au 1/6 et dim. soir sauf d'oct. à mars – **R** 70/200, enf. 50 – 26 – **15 ch** 115/210 – ½ P 160/250.

Gare avec ch, ✆ 85 28 01 65, Fax 85 28 03 13, – ☎. GB
fermé 15 au 28 fév., lundi (sauf le soir en juil.-août) et dim. soir – **R** 90/270, enf. 60 – 30 – **8 ch** 230/350 – ½ P 260/270.

PEUGEOT-TALBOT Gar. Jugnet, à Varennes-sous-Dun ✆ 85 28 03 60
RENAULT Éts Hermey ✆ 85 28 04 81
N ✆ 85 77 32 60

Matequip ✆ 85 28 11 46

CLÉCY 14570 Calvados 55 ⑪ G. Normandie Cotentin – 1 182 h. alt. 81.

18 de Clécy-Cantelou ✆ 31 69 72 72, SO par D 133^A : 4 km.

Paris 273 – ◆Caen 38 – Condé-sur-Noireau 10 – Falaise 30 – Flers 21 – Vire 35.

Moulin du Vey ⛰ Annexes Manoir du Placy à 400 m et Relais de Surosne à 3 km E : 2 km par D 133 ✆ 31 69 71 08, Fax 31 69 14 14, ←, 🌳, « Parc au bord de l'Orne » – ☎ P – 🏛 100. AE ⓓ GB. ✻ rest
fermé 30 nov. au 29 déc. – **R** 135/370 – ☕ 45 – **25 ch** 400/470 – ½ P 410/470.

XX **Chalet de Cantepie,** ✆ 31 69 71 10, Fax 31 69 71 10, 🌳 – AE ⓓ GB
fermé 15 déc. au 15 janv. – **R** 89/240.

CLÉDEN-CAP-SIZUN 29113 Finistère 58 ⑬ – 1 181 h. alt. 45.

Voir Pointe de Brézellec ←* N : 2 km, G. Bretagne.

Paris 603 – Quimper 46 – Audierne 10 – Douarnenez 29.

X **L'Étrave,** pl. Église ✆ 98 70 66 87 – GB. ✻
5 avril-29 sept. et fermé merc. – **R** (prévenir) 80/195.

CLÉDER 29233 Finistère 58 ⑤ – 3 801 h. alt. 46.

Voir Château de Kérouzéré* NE : 3 km, G. **Bretagne.**

Paris 567 – ◆Brest 47 – Brignogan-Plage 21 – Morlaix 28 – St-Pol-de-Léon 9,5.

XX **Le Baladin,** 9 r. Armorique ✆ 98 69 42 48 – GB
fermé mardi soir et lundi sauf juil.-août – **R** 62/268.

CLELLES 38930 Isère 77 ⑭ – 345 h. alt. 766.

Paris 619 – Gap 76 – Die 50 – ◆Grenoble 49 – La Mure 32 – Serres 60.

Ferrat ⛰, ✆ 76 34 42 70, ←, 🌳, 🏊, 🌲 – ☎ 🚗 P. GB. ✻
1er mars-15 nov. et fermé mardi hors sais. – **R** 120/160 – ☕ 30 – **16 ch** 250/290 – ½ P 260/280.

RENAULT Gar. du Trièves ✆ 76 34 40 35 N

GRÜNE REISEFÜHRER
Landschaften, Baudenkmäler
Sehenswürdigkeiten
Fremdenverkehrsstraßen
Streckenvorschläge
Stadtpläne und Übersichtskarten

CLERGOUX 19320 Corrèze 75 ⑩ – 367 h. alt. 540.

Paris 486 – Brive-la-Gaillarde 46 – Mauriac 44 – St-Céré 71 – Tulle 21 – Ussel 46.

Lac ⛰, NE : 2 km par D 10 ✆ 55 27 77 60, ←, étang – P. GB. ✻ ch
hôtel : 1er avril-31 oct. ; rest. : fermé fév. et merc. d'oct. à avril – **R** 95/195, enf. 65 – ☕ 25 – **18 ch** 160/220 – ½ P 200/225.

Chammard, ✆ 55 27 76 04, 🌲 – P. ✻
15 juin-1er oct. – **R** (nombre de couverts limité, prévenir) 90/130 🍷 – ☕ 22 – **18 ch** 150/160 – ½ P 190/200.

CLERMONT ⟨SP⟩ 60600 Oise 56 ① G. Flandres Artois Picardie – 8 934 h. alt. 119.

Voir Église* d'Agnetz O : 2 km par N 31.

🛈 Office de Tourisme Hôtel-de-Ville ✆ 44 50 40 25.

Paris 74 – Compiègne 34 – ◆Amiens 65 – Beauvais 26 – Mantes-la-Jolie 91 – Pontoise 48.

Clermotel, NO : 1 km par rte Beauvais ✆ 44 50 09 90, Fax 44 50 13 00, 🌲, 🎾 – ⇔ ch TV ☎ ♿ P – 🏛 30. ⓓ GB
R *(fermé 24 déc. au 4 janv.)* 78/142 🍷, enf. 45 – ☕ 35 – **37 ch** 250/300 – ½ P 250.

à Étouy NO : 7 km par D 151 – ✉ **60600** :

XX **Forêt** ⛰ avec ch, ✆ 44 51 65 18, parc – P. GB. ✻ ch
fermé 16 août au 16 sept., dim. soir et vend. – **R** 95/280 – ☕ 22 – **9 ch** 100/185.

FORD Cler'Auto Services, 75 r. du Gén.-de-Gaulle ✆ 44 50 28 17
PEUGEOT-TALBOT Carlier, av. Déportés, rte de Compiègne ✆ 44 50 00 94
RENAULT SOCLA, imp. H.-Barbusse ✆ 44 50 01 71

Ⓜ Fischbach Pneu, 64 r. de Paris à St-Just-en-Chaussée ✆ 44 78 51 36

CLERMONT-EN-ARGONNE 55120 Meuse 56 ⑳ G. Champagne – 1 794 h. alt. 240.

Paris 235 – Bar-le-Duc 49 – Dun-sur-Meuse 40 – Sainte-Menehould 15 – Verdun 30.

XX **Bellevue** avec ch, r. Liberation ✆ 29 87 41 02, 🌳, 🌲 – TV ☎ P. AE ⓓ GB. ✻ ch
fermé 23 déc. au 5 janv. et merc. – **R** 70/200 🍷 – ☕ 28 – **7 ch** 220/270 – ½ P 230/250.

CLERMONT-FERRAND P 63000 P.-de-D. 73 ⑭ **G. Auvergne** – 136 181 h. alt. 401.

Voir Le Vieux Clermont★★ EFVX : Basilique de N.-D.-du-Port★★ (choeur★★★) FV, Cathédrale★★ (vitraux★★) EV, Fontaine d'Amboise★ EV **E**, cour★ de la maison de Savaron EV **B** – Musée du Ranquet★ EV **M**[1] – Section d'archéologie★ au musée Bargoin FX **M**[2] – Escalier★ dans la rue des Petits-Gras (n° 6) EV 53 – Le Vieux Montferrand★★ BCY : Hôtel de Fontfreyde★, Hôtel de Lignat★, Hôtel de Fontenilhes★, cour★ de l'Hôtel Regin, Porte★ de l'Hôtel d'Albiat, Bas-relief★ de la Maison d'Adam et d'Ève – Belvédère de la D 941^A ⩽★★ AY – Av. Thermale ⩽★ AY.

Env. Puy de Dôme ✳★★★ 15 km par ⑥.

9 18 des Volcans à Orcines ℘ 73 62 15 51, par ⑥ : 9 km ; 9 de Charade à Royat ℘ 73 35 73 09, 9 km par ⑤ D 941^C, D 5 et D 5^F.

Circuit automobile de Clermont-Charade AZ.

✈ de Clermont-Ferrand-Aulnat : ℘ 73 62 71 00 par ② et D 54 : 6 km.

🚗 ℘ 73 92 50 50.

i Office Municipal de Tourisme 69 bd Gergovia ℘ 73 93 30 20, à la Gare SNCF ℘ 73 91 87 89 et pl. de Jaude (saison) – A.C. Résidence Arverne, 62 r. Bonnabaud ℘ 73 93 47 67.

Paris 425 ① – ♦Bordeaux 358 ⑥ – ♦Grenoble 297 ② – ♦Lyon 172 ② – ♦Marseille 410 ② – ♦Montpellier 349 ③ – Moulins 104 ① – ♦Nantes 460 ⑥ – ♦St-Étienne 147 ② – ♦Toulouse 371 ③.

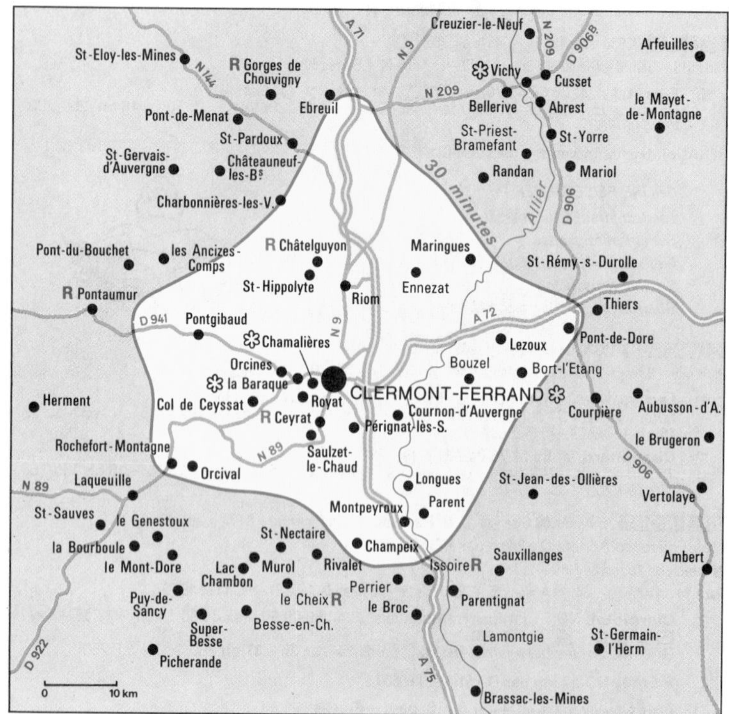

🏨 **Novotel** M, Z.I. Brézet, r. G. Besse ℘ 73 41 14 14, Télex 392019, Fax 73 41 14 00, ☂, Ⅎ, ⛱, 🚗 – 🛗 ✕ ch ▤ TV ☎ ♿ P – 🏛 80. AE ⓓ GB CY **a**
R carte environ 160 🧒, enf. 50 – ☕ 46 – **96 ch** 405/460.

🏨 **Altéa Gergovie** M, 82 bd Gergovia ℘ 73 93 05 75, Télex 392658, Fax 73 35 25 48 – 🛗 ▤ rest TV ☎ 🚗 – 🏛 100. AE ⓓ GB EX **v**
La Retirade R 110/220, enf. 50 – ☕ 47 – **124 ch** 390/570 – ½ P 320/350.

🏨 **Mercure Arverne** M, pl. Delille ℘ 73 91 92 06, Télex 392741, Fax 73 91 60 25 – 🛗 ▤ rest TV ☎ 🚗 – 🏛 50. AE ⓓ GB FV **m**
R 150, enf. 45 – ☕ 42 – **57 ch** 380/480.

Coubertin M, 25 av. Libération ☎ 73 93 22 22, Télex 990096, Fax 73 34 88 66, – ch – 25 à 300. AE GB EX **m**
R 58/130 – 30 – **81 ch** 270/300 – ½ P 225/255.

Gallieni, 51 r. Bonnabaud ☎ 73 93 59 69, Télex 392779, Fax 73 34 89 29 – – 100. AE GB EX **t**
Le Charade *(fermé 15 juil. au 15 août, sam. et dim.)* **R** 105bc/145 – 30 – **80 ch** 220/346 – ½ P 266/308.

Lafayette sans rest, 53 av. Union Soviétique ☎ 73 91 82 27, Télex 393706, Fax 73 91 17 26 – AE GB GV **a**
34 – **50 ch** 260/310.

Fimotel M, 59 bd Gergovia ☎ 73 93 58 58, Fax 73 35 58 47 – – 80. AE GB EX **a**
R 80, enf. 38 – 36 – **95 ch** 300/320.

Marmotel M, Plateau St Jacques près du CHRU, bd W. Churchill ☎ 73 26 24 55, Télex 392204, Fax 73 27 99 57, – – 160. AE GB JCB BZ **h**
Margaridou *(fermé sam. et dim.)* **R** 110/125, enf. 36 – **Assiette Saint-Jacques** (grill) *(fermé dim. soir)* **R** 62/79 – 29 – **86 ch** 250/325 – ½ P 226/282.

Dav'Hôtel Jaude M sans rest, 10 r. Minimes ☎ 73 93 31 49, Fax 73 34 38 16 – AE GB EV **f**
35 – **28 ch** 250/270.

République M, 97, av. République ☎ 73 91 92 92, Fax 73 90 21 88, – – 50. AE GB BY **n**
R *(fermé dim. du 1er mai au 1er oct.)* 80/160 – 35 – **55 ch** 250/290 – ½ P 210/240.

Lyon, 16 pl. Jaude ☎ 73 93 32 55, Fax 73 93 54 33 – rest . GB EX **b**
R *(fermé lundi sauf fériés)* carte 130 à 240 – 40 – **32 ch** 300/370.

Le Parc M sans rest, rd-pt Pardieu ☎ 73 27 47 47, Fax 73 28 01 24 – – 35. AE GB CZ **r**
27 – **38 ch** 210/230.

St-André, 27 av. Union Soviétique ☎ 73 91 40 40, Télex 392479, Fax 73 92 29 41 – rest . GB GV **d**
L'Auvergnat *(fermé dim.)* **R** 77/135 bc, enf. 37 – 27 – **25 ch** 230/270 – ½ P 215/250.

Bordeaux M sans rest, 39 av. F. Roosevelt ☎ 73 37 32 32 – . AE GB. DX **w**
25 – **32 ch** 175/270.

Primevère M, Z.I. Brezet r. G. Besse ☎ 73 92 34 24, Fax 73 90 95 90, – . GB CY **x**
R 71/95, enf. 39 – 30 – **44 ch** 230/250.

Floride II M sans rest, cours R. Poincaré ☎ 73 35 00 20 – . GB FX **e**
25 – **29 ch** 180/220.

Albert-Élisabeth sans rest, 37 av. A. Élisabeth ☎ 73 92 47 41 – . AE GB GV **v**
25 – **40 ch** 135/280.

Régina sans rest, 14 r. Bonnabaud ☎ 73 93 44 76, Fax 73 35 04 63 – – 30. GB DEX **x**
32 – **27 ch** 130/250.

XXX ✿ **Jean-Yves Bath,** pl. Marché St Pierre (1er étage) ☎ 73 31 23 23, – . GB EV **a**
fermé 27 fév. au 16 mars, 15 au 20 août, 25 oct. au 9 nov., lundi midi et dim. – **R** 260/300
Spéc. Ravioli de Cantal au jus de viande, Omble chevalier du lac Pavin (nov. et déc.), Bougnette de pied de porc lustrée au foie gras. **Vins** Chanturgue.

XXX **Clavé,** 10 r. St Adjutor ☎ 73 36 46 30 – . GB EV **k**
fermé sam. midi et dim. sauf fêtes – **R** 150/300, enf. 70.

XXX **Vacher,** 69 bd Gergovia (1er étage) ☎ 73 93 13 32, Fax 73 34 07 13 – AE GB EX
fermé vend. soir et sam. de juil. à sept. – **R** 160/250.

XXX **Gérard Anglard,** 17 r. Lamartine ☎ 73 93 52 25, – GB EX **r**
fermé 3 au 23 août, 25 déc. au 4 janv., lundi midi et dim. – **R** 160/280.

XX **Gérard Truchetet,** rd-pt Pardieu ☎ 73 27 74 17 – . GB. CZ **r**
fermé août, 4 au 10 janv., sam. midi et dim. – **R** 165/230.

X **Clos St-Pierre,** pl. Marché St-Pierre (rez-de-chaussée) ☎ 73 31 23 22, bistrot – GB EV **e**
fermé 27 fév. au 16 mars, 15 au 20 août, 25 oct. au 9 nov., lundi soir, dim. et fériés – **R** carte 140 à 180.

X **Le Green,** 10 r. St-Adjutor ☎ 73 36 47 78, – GB EV **k**
R 99/150.

X **Brasserie Gare Routière,** 69 bd Gergovia (rez-de-chaussée) ☎ 73 93 13 32, Fax 73 34 07 13 – AE GB EX
R 70/100.

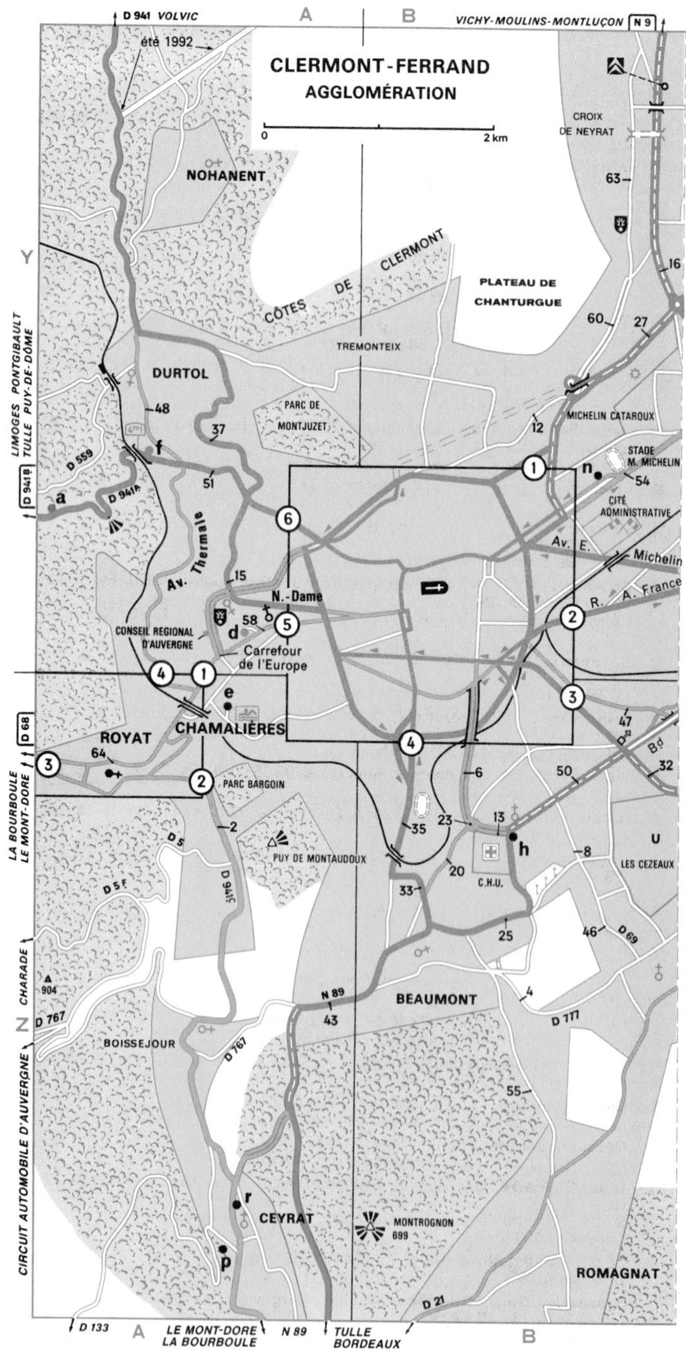
CLERMONT-FERRAND
AGGLOMÉRATION
0
2 km
A
B
D 941 VOLVIC
VICHY-MOULINS-MONTLUÇON
N 9
été 1992
NOHANENT
CROIX DE NEYRAT
63
CÔTES DE CLERMONT
PLATEAU DE CHANTURGUE
16
60
27
TREMONTEIX
DURTOL
PARC DE MONTJUZET
48
37
12
MICHELIN CATAROUX
STADE M. MICHELIN
54
CITÉ ADMINISTRATIVE
D 559
D 941A
51
Av. Thermale
Av. E. Michelin
R. A. France
15
N.-Dame
58
CONSEIL REGIONAL D'AUVERGNE
Carrefour de l'Europe
CHAMALIÈRES
ROYAT
64
PARC BARGOIN
47
Bd
32
50
6
13
35
23
PUY DE MONTAUDOUX
D 5
D 5 F
D 941C
2
20
8
C.H.U.
LES CEZEAUX
33
25
46
D 69
904
N 89
43
BEAUMONT
4
D 777
D 767
BOISSEJOUR
55
CEYRAT
MONTROGNON
699
ROMAGNAT
D 21
D 133
LE MONT-DORE
LA BOURBOULE
TULLE
BORDEAUX
LIMOGES PONTGIBAULT
TULLE PUY-DE-DÔME
D 941B
D 68
LA BOURBOULE
LE MONT-DORE
CHARADE
CIRCUIT AUTOMOBILE D'AUVERGNE
Y
Z

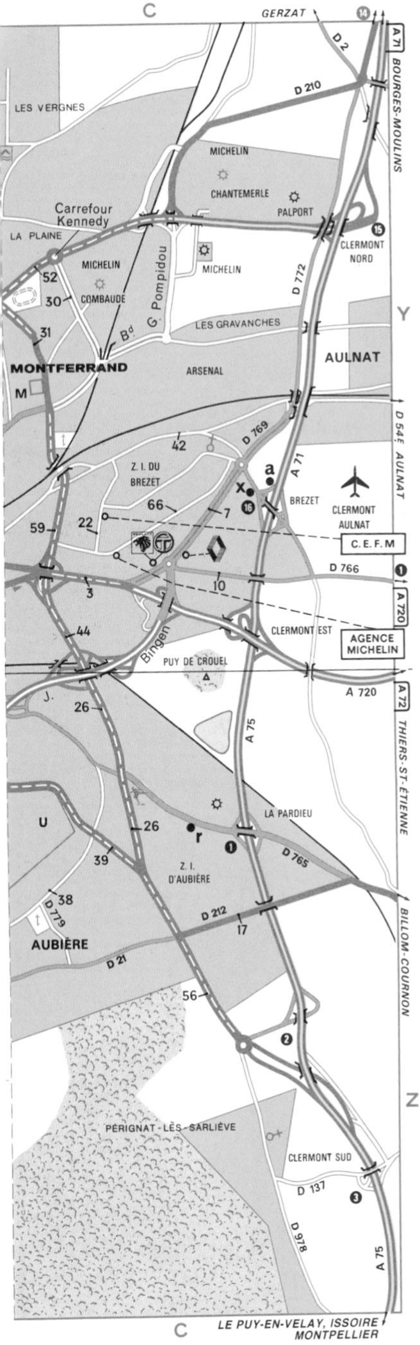

GERZAT
BOURGES-MOULINS
A 71
D 2
D 210
LES VERGNES
MICHELIN
CHANTEMERLE
PALPORT
Carrefour Kennedy
LA PLAINE
MICHELIN
COMBAUDE
Bd G. Pompidou
MICHELIN
CLERMONT NORD
D 772
LES GRAVANCHES
Y
AULNAT
MONTFERRAND
ARSENAL
M
D 54E AULNAT
D 769
Z. I. DU BREZET
BREZET
CLERMONT AULNAT
C. E. F. M
D 766
A 720
CLERMONT EST
AGENCE MICHELIN
Bingen
PUY DE CROUEL
A 720
A 72
THIERS-ST-ÉTIENNE
A 75
LA PARDIEU
D 765
U
Z. I. D'AUBIÈRE
D 212
AUBIÈRE
D 779
D 21
BILLOM-COURNON
Z
PÉRIGNAT-LÈS-SARLIÈVE
CLERMONT SUD
D 137
D 978
A 75
LE PUY-EN-VELAY, ISSOIRE MONTPELLIER
C

Agid (Av.) . . . . **AZ** 2
Agriculture (Av. de l') . . . . . . **CY** 3
Anatole-France (R.) . . . . . . **BY**
Aubière (Route d') . . . . . . **BZ** 4
Bernard (Bd Claude) . . . . . . **BZ** 6
Bingen (Bd G.) . . . . . . **BCYZ**
Blériot (R. L.) . . . . . . **CY** 7
Blum (Av. L.) . . . . . . **BZ** 8
Brezet (Av. du) . . . . . . **CY** 10
Champfleury (R. de) . . . . . . **BY** 12
Churchill (Bd Winston) . . . . . . **BZ** 13
Claussat (A. J.) . . . . . . **AY** 15
Clémentel (Bd E.) . . . . . . **BY** 16
Cournon (Av. de) . . . . . . **CZ** 17
Croix des Liondards (R.) . . . . . . **BZ** 20
Cugnot (R. N. J.) . . . . . . **CY** 22
Dunant (Pl. Henri) . . . . . . **BZ** 23
Europe (Av. de l') . . . . . . **BZ** 25
Europe (Car. de l') . . . . . . **AY**
Flaubert (Bd Gustave) . . . . . . **CZ** 26
Forest (Av. F.) . . . . . . **BY** 27
Kennedy (Bd J.) . . . . . . **CY** 30
Kennedy (Carrefour) . . . . . . **CY**
Jouhaux (Bd L.) . . . . . . **CY** 31
Landais (Av. des) . . . . . . **BZ** 32
Leclerc (Av. du Gén.) . . . . . . **BZ** 33
Libération (Av. de la) . . . . . . **BZ** 35
Limousin (Av. du) . . . . . . **AY** 37
Maerte (Av. R.) . . . . . . **CZ** 38
Margeride (Av. de la) . . . . . . **CZ** 39
Mermoz (Av. Jean) . . . . . . **CY** 42
Michelin (Av. E.) . . . . . . **BY**
Mont-Dore (Av. du) . . . . . . **AZ** 43
Moulin (Bd Jean) . . . . . . **CYZ** 44
Noellet (Av. J.) . . . . . . **BZ** 46
Oradou (R. de l') . . . . . . **BZ** 47
Paix (Av. de la) . . . . . . **AY** 48
Pochet-Lagaye (Bd) . . . . . . **BZ** 50
Puy-de-Dôme (Av. du) . . . . . . **AY** 51
Quinet (Bd E.) . . . . . . **CY** 52
République (Av. de la) . . . . . . **BY** 54
Romagnat (Route de) . . . . . . **BZ** 55
Roussillon (Av. du) . . . . . . **CZ** 56
Royat (Av. de) . . . . . . **AY** 58
St-Jean (Bd) . . . . . . **CY** 59
Sous-les-Vignes (R.) . . . . . . **BY** 60
Thermale (Av.) . . . . . . **AY** 62
Torpilleur Sirocco (R. du) . . . . . . **BY** 63
Vallée (Av. de la) . . . . . . **AZ** 64
Verne (R. J.) . . . . . . **CY** 66

Au moment de chercher un hôtel ou un restaurant, soyez efficace. Sachez utiliser les noms soulignés en rouge sur les cartes Michelin à 1/200 000. Mais ayez une carte à jour.

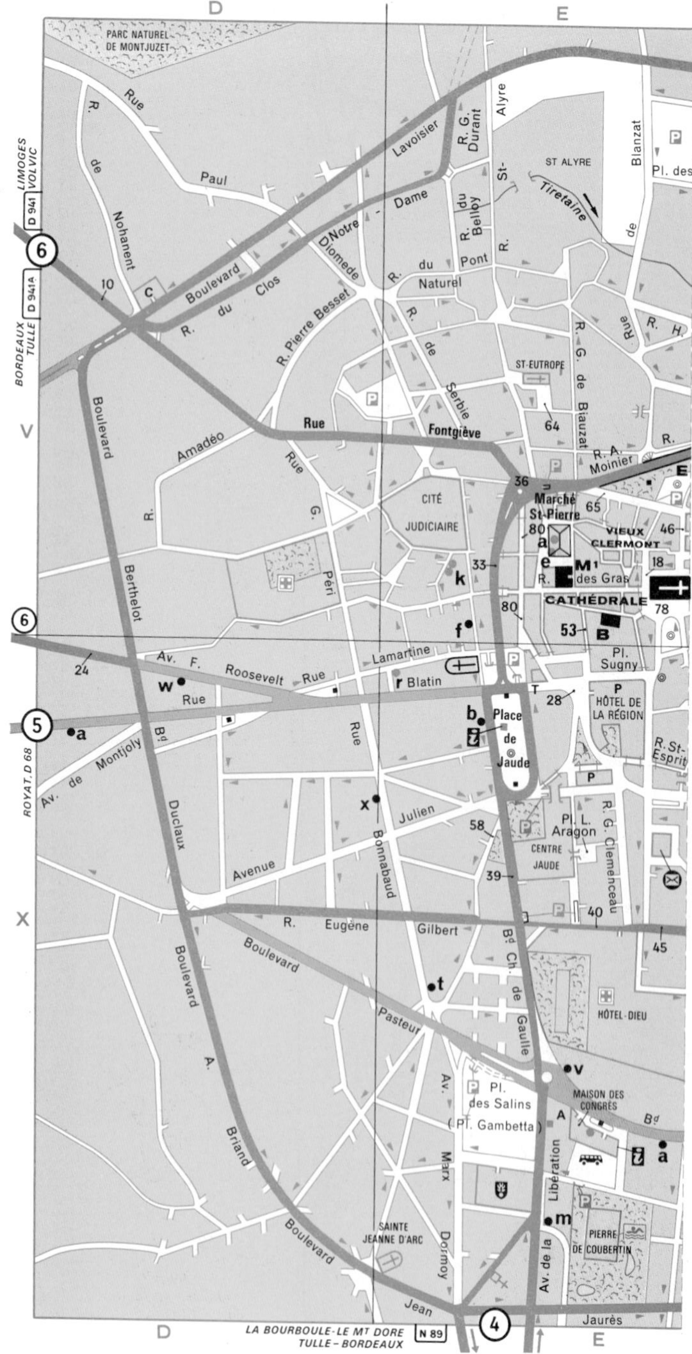
PARC NATUREL DE MONTJUZET
LIMOGES VOLVIC
D 941
BORDEAUX TULLE
D 941A
ROYAT, D 68
Rue Paul
R. de Nohanent
Boulevard
R. du Clos
Lavoisier
R. G. Durant
Notre Dame
Diomede
R. du Belloy
St-Alyre
ST ALYRE
Tiretaine
Blanzat
Pl. des
R. Pierre Besset
R. du Pont Naturel
R. de Serbie
ST-EUROPE
R. G. de Biauzat
Rue Fontgiève
Boulevard Berthelot
R. Amadéo
Rue G. Péri
CITÉ JUDICIAIRE
R. A. Moinier
Marché St-Pierre
VIEUX CLERMONT
R. des Gras
CATHÉDRALE
Av. F. Roosevelt
Rue Lamartine
Rue Blatin
Pl. Sugny
HÔTEL DE LA RÉGION
Place de Jaude
R. St-Esprit
Rue Bonnabaud
Bd Duclaux
Av. de Montjoly
Avenue Julien
Pl. L. Aragon
CENTRE JAUDE
R. G. Clemenceau
R. Eugène Gilbert
Bd Ch. de Gaulle
Boulevard Pasteur
Boulevard A. Briand
HÔTEL-DIEU
Pl. des Salins (Pl. Gambetta)
MAISON DES CONGRÈS
Av. Marx Dormoy
Av. de la Libération
SAINTE JEANNE D'ARC
PIERRE DE COUBERTIN
Boulevard Jean Jaurès
LA BOURBOULE-LE MT DORE TULLE-BORDEAUX
N 89

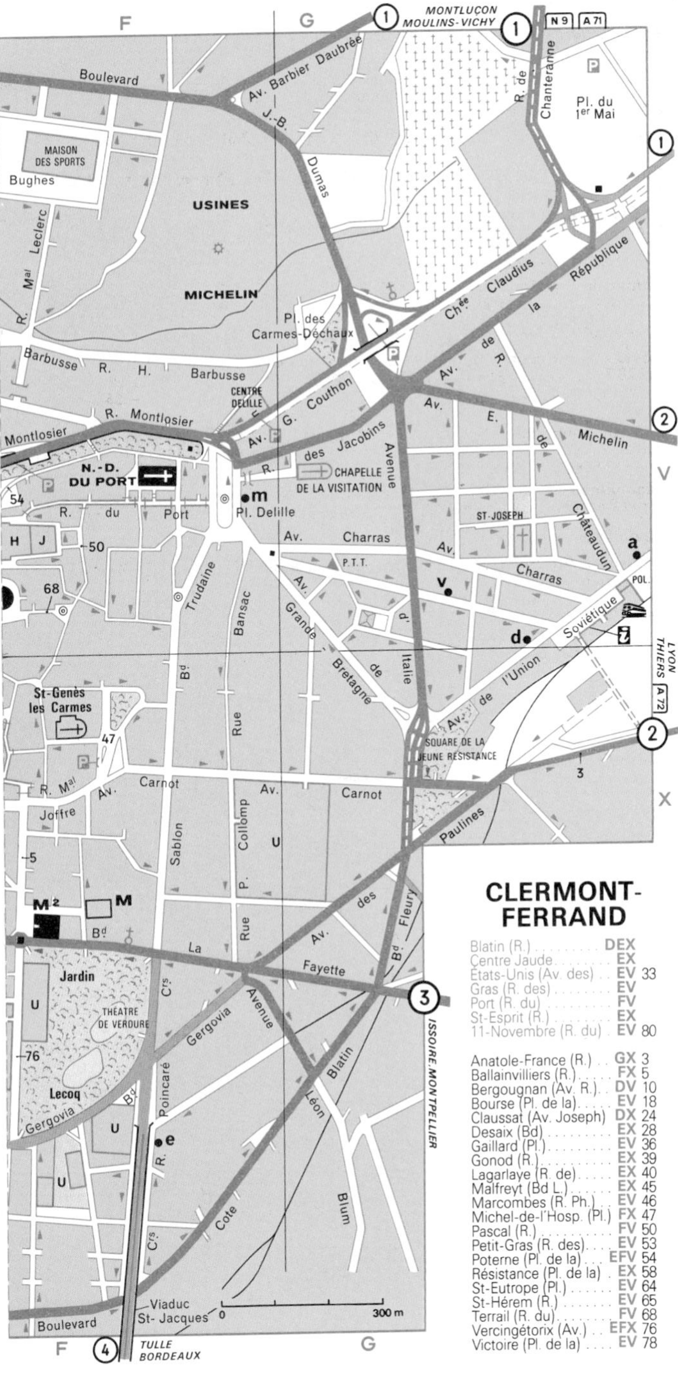

CLERMONT-FERRAND

Blatin (R.) DEX
Centre Jaude EX
États-Unis (Av. des) EV 33
Gras (R. des) EV
Port (R. du) FV
St-Esprit (R.) EX
11-Novembre (R. du) EV 80

Anatole-France (R.) GX 3
Ballainvilliers (R.) FX 5
Bergougnan (Av. R.) DV 10
Bourse (Pl. de la) EV 18
Claussat (Av. Joseph) DX 24
Desaix (Bd) EX 28
Gaillard (Pl.) EV 36
Gonod (R.) EX 39
Lagarlaye (R. de) EX 40
Malfreyt (Bd L.) EX 45
Marcombes (R. Ph.) EV 46
Michel-de-l'Hosp. (Pl.) FX 47
Pascal (R.) FV 50
Petit-Gras (R. des) EV 53
Poterne (Pl. de la) EFV 54
Résistance (Pl. de la) EX 58
St-Eutrope (Pl.) EV 64
St-Hérem (R.) EV 65
Terrail (R. du) FV 68
Vercingétorix (Av.) EFX 76
Victoire (Pl. de la) EV 78

à Chamalières – 17 301 h. – ✉ **63400** :

Radio (Mioche) M, 43 av. P.-Curie ✆ 73 30 87 83, Fax 73 36 42 44, ≤, « Cadre "Art Déco" », – rest. AE GB Plan de Royat B **w**
1er mars-15 nov. – **R** *(fermé dim. soir et lundi)* 300/550 – 65 – **27 ch** 400/800
Spéc. Rose de saumon, Ravioles de volaille "Chanteclair", Pudding auvergnat.

Europe H. sans rest, 29 av. Royat ✆ 73 37 61 35, Fax 73 31 16 59 – . GB
34 – **34 ch** 225/340. DX **a**

Chalet Fleuri, 37 av. Massenet ✆ 73 35 09 60, – . AE GB. rest AZ **e**
R 92/250 – 30 – **39 ch** 170/280 – ½ P 240/300.

La Gravière, 22 r. pont Gravière ✆ 73 36 99 35 – GB AY **d**
fermé août, dim. soir et lundi – **R** 110/210.

à l'aéroport d'Aulnat par ② et D 54E – ✉ **63510** Aulnat :

Climat de France M, ✆ 73 92 72 02, Fax 73 90 12 33 – – 25. AE GB JCB – **R** 78/110, enf. 45 – 30 – **42 ch** 250.

à Pérignat-lès-Sarliève par ③ : 8 km – ✉ **63170** :

Host. St Martin, Château de Bonneval ✆ 73 79 12 41, Télex 990915, Fax 73 79 16 53, ≤, « Parc », – – 25 à 150. AE GB
R *(fermé 26 au 30 déc. et dim. soir de nov. à avril)* 130/290 – 45 – **35 ch** 260/670 – ½ P 305/500.

Le Petit Bonneval avec ch, D 978 ✆ 73 79 11 11, ≤, – . GB
fermé 26 avril au 2 mai, 19 juil. au 10 août et 25 déc. au 3 janv. – **R** *(fermé dim. et lundi)* 98/250, enf. 70 – 28 – **6 ch** 180/280.

Pescalune avec ch, r. J. Jaurès ✆ 73 79 11 22 – . AE GB
fermé 2 au 19 août, vacances de fév., dim. soir et lundi – **R** 93/195 – 26 – **3 ch** 190.

rte de La Baraque par ⑥ – ✉ **63830** Durtol :

Bernard Andrieux, ✆ 73 37 00 26, Fax 73 36 95 25 – . AE GB JCB.
fermé 15 au 31 juil., vacances de fév., sam. midi et dim. de juil. à sept., dim. soir et lundi d'oct. à juin – **R** 180/450 AY **f**
Spéc. Lasagne de Saint-Jacques à l'encre (oct. à mars), Assiette de boeuf gaulois, Soufflé chaud à la poire Marie. **Vins** Chanturgue.

L'Aubergade, ✆ 73 37 84 64, Fax 73 30 95 57, – . GB AY **a**
fermé 1er au 16 mars, 6 au 20 sept., dim. soir et lundi – **R** 120/235.

à La Baraque par ⑥ : 7 km – ✉ **63870** Orcines :

Relais des Puys, ✆ 73 62 10 51, Fax 73 62 22 09, – . AE GB. rest
fermé 10 déc. au 31 janv., dim. soir du 20 sept. au 1er juin et lundi midi – **R** 78/155 – 24 – **28 ch** 168/296 – ½ P 195/250.

à Orcines par ⑥ et D 941B : 8 km – ✉ **63870** :

Chez Pichon avec ch, ✆ 73 62 10 05, Fax 73 62 13 69, – . AE GB. rest
fermé 2 au 30 janv. et dim. soir – **R** *(fermé dim. soir et lundi)* 160/290 – 30 – **12 ch** 200/260 – ½ P 245/280.

par ⑥ sur D 941A : 10 km – ✉ **63870** Orcines :

La Clef des Champs, ✆ 73 62 10 69, – . AE GB
fermé 28 oct. au 3 nov., 2 au 10 janv., 19 fév. au 4 mars, dim. soir et merc. – **R** 90/220.

au Col de Ceyssat par ⑥, D 941A et D 68 : 14 km – ✉ **63870** Orcines :

Aub. des Gros Manaux, ✆ 73 62 15 11, – GB
fermé 5 au 30 nov., mardi soir et merc. – **R** 110/175.

MICHELIN, Agence régionale, r. J.-Verne, ZI du Brézet CY plan agglomération ✆ 73 91 29 31
MICHELIN, Centre d'Échanges et de Formation r. Cugnot, ZI du Brézet CY plan d'agglomération ✆ 73 23 53 00
MICHELIN, Compétition, r. Jules Verne, ZI du Brézet ✆ 73 90 77 34
MICHELIN, Division Commerciale France, r. Cugnot, ZI du Brézet ✆ 73 32 00 20

AUSTIN-ROVER Kennings, 11-13 bd G.-Flaubert ✆ 73 92 43 39
BMW Gar. Gergovie, N 9, rte d'Issoire ✆ 73 79 11 41 N ✆ 73 23 23 23
FIAT Gar. de la Source, bd J.-Moulin ✆ 73 91 02 02
FORD Dugat, 23 av. Agriculture ✆ 73 91 17 67
LADA, TOYOTA Bonaldi, 36 av. de Cournon, ZI à Aubière ✆ 73 26 34 48
LANCIA Gar. Buire, 157 bd. G.-Flaubert ✆ 73 26 44 25
MERCEDES Centre Étoile Autom., 33 av. Roussillon ✆ 73 26 34 50 N ✆ 88 72 00 94
OPEL Auvergne-Auto, 3 r. B.-Palissy, ZI du Brézet ✆ 73 91 76 56
PEUGEOT-TALBOT SCA Clermontoise Automobile, 27 av. du Brézet CY ✆ 73 92 14 12 N ✆ 05 44 24 24
RENAULT RNUR Succ. de Clermont-Fd, ZI du Brézet, r. Blériot CY ✆ 73 42 75 75
V.A.G Gar. Carnot, 10 r. Bien-Assis ✆ 73 91 70 46
V.A.G Carnot-Sud, 86 av. de Cournon à Aubière ✆ 73 60 74 80

Estager-Pneu, 238 bd Clémentel ✆ 73 23 15 15 et 11 av. J.-Claussat, Chamalières ✆ 73 37 36 05
Piot-Pneu, 80 av. du Brézet ✆ 73 92 13 50
Piot-Pneu, r. Gutenberg, ZI du Brézet ✆ 73 91 10 20
Poughon Pneu Plus, 65 av. du Brézet ✆ 73 91 39 30
Poughon-Pneu Plus, 15 r. Dr-Nivet ✆ 73 92 12 48

CLERMONT-L'HÉRAULT 34800 Hérault 83 ⑤ G. Gorges du Tarn – 6 041 h. alt. 90.

Voir Église St-Paul★.

Office de Tourisme 9 r. R.-Gosse ✆ 67 96 23 86.

Paris 733 – ◆Montpellier 40 – Béziers 45 – Lodève 24 – Pézenas 22 – St-Pons 74 – Sète 44.

Sarac, rte Béziers ✆ 67 96 06 81 – TV ☎ P. GB
R *(fermé 1er au 30 déc., sam. soir et dim. du 1er oct. au 15 avril)* 69/119 ♫, enf. 50 – ☕ 28 – **22 ch** 198/245 – ½ P 200/225.

à St-Guiraud N : 7,5 km par N 9, N 109 et D 103E – ✉ 34150 :

XX **Mimosa,** ✆ 67 96 67 96, – GB.
fermé 2 janv. au 28 fév., dim. soir (sauf juil.-août) et lundi sauf fériés – **R** *(dîner seul. sauf dim. et fériés)* (nombre de couverts limité, prévenir) 250.

PEUGEOT-TALBOT Ryckwaert, rte de Montpellier N 9 ✆ 67 96 07 31 N
RENAULT Diffusion-Auto-Clermontaise, rte de Montpellier ✆ 67 96 03 42
Luchaire-Pneum., av. de Montpellier ✆ 67 96 00 62

CLICHY 92 Hauts-de-Seine 55 ⑳, 101 ⑮ – voir à Paris, Environs.

CLIMBACH 67510 B.-Rhin 57 ⑲ – 480 h. alt. 354.

Paris 477 – ◆Strasbourg 58 – Bitche 39 – Haguenau 29 – Wissembourg 9.

A L'Ange, ✆ 88 94 43 72 – ☎ P. ch
fermé 5 au 20 août, 18 nov. au 10 déc., merc. soir et jeudi – **R** carte 120 à 200 ♫ – ☕ 25 – **15 ch** 140/180 – ½ P 170.

XX **Cheval Blanc** avec ch, ✆ 88 94 41 95, Fax 88 94 21 96, – ☎ P. GB. ch
fermé 1er au 7 juil., 15 janv. au 15 fév., mardi soir et merc. – **R** 95/170 ♫ – ☕ 30 – **12 ch** 190/240 – ½ P 215/240.

CLISSON 44190 Loire-Atl. 67 ④ G. Poitou Vendée Charentes – 5 495 h. alt. 42.

Office de Tourisme 6 pl. Trinité ✆ 40 54 02 95 et r. Halles (mi juin-mi sept.).

Paris 384 ⑤ – ◆Nantes 29 ⑤ – Niort 126 ② – Poitiers 151 ① – La Roche-sur-Yon 55 ②.

CLISSON

Bertin (R.) 2
Cacault (R.) 3
Clisson (R. O. de) 4
Dr-Boutin (R.) 6
Dimerie (R. de la) 7
Grand-Logis (R. du) 8
Halles (R. des) 12
Leclerc (Av. Gén.) 13
Nid-d'Oie (Pont de) 14
Nid-d'Oie (Rte de) 16
St-Jacques (R.) 18
Trinité (Gde-R. de la) 22
Vallée (R. de la) 23

Ne cherchez pas au hasard un hôtel agréable et tranquille mais consultez les cartes de l'introduction.

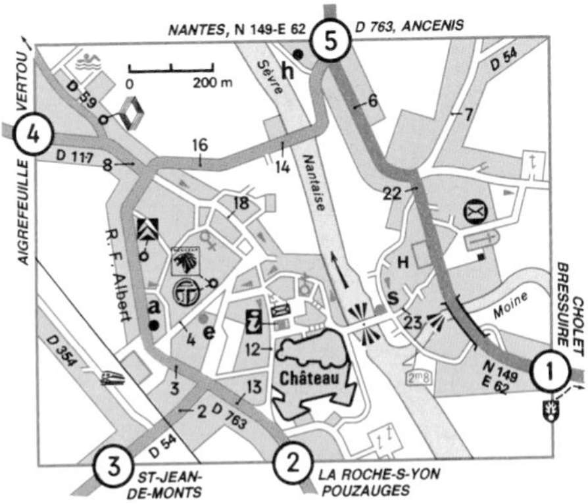

Gare, pl. Gare **(a)** ✆ 40 36 16 55 – ☎. GB
R 62/143 ♫, enf. 46 – ☕ 22 – **36 ch** 106/283 – ½ P 180/285.

Aub. de la Cascade , 28 rte Gervaux **(h)** ✆ 40 54 02 41, ≤, – P. GB.
fermé vacances de nov. – **R** *(fermé dim. soir et lundi)* 65/165 – ☕ 27 – **10 ch** 95/180.

XXX ✿ **Bonne Auberge** (Poiron), 1 r. O. de Clisson **(e)** ✆ 40 54 01 90, Fax 40 54 08 48, – AE GB
fermé 9 août au 2 sept., 15 fév. au 4 mars, dim. soir, lundi et fériés – **R** 160/380, enf. 95
Spéc. Chausson de homard et langoustines. Dos de sandre poché au jus de crème d'huîtres. Jambonnettes de pigeonneau au foie gras. **Vins** Muscadet, Chinon.

XX **La Vallée,** 1 r. La Vallée **(s)** ✆ 40 54 36 23, Fax 40 54 41 22, ≤ – AE GB
fermé 5 au 20 oct., 4 au 26 janv., lundi soir et mardi – **R** 71/166, enf. 52.

CITROEN Méchinaud ✆ 40 54 41 10
PEUGEOT-TALBOT Baudu ✆ 40 54 00 67 N ✆ 40 54 36 99
RENAULT Clisson-Autos, à Gorges ✆ 40 54 30 55 N ✆ 40 38 96 83
Perry Pneus, à Gétigné ✆ 40 36 12 82

CLOHARS-FOUESNANT 29 Finistère 58 ⑮ – rattaché à Bénodet.

CLOYES-SUR-LE-LOIR 28220 E.-et-L. 60 ⑯ ⑰ **G. Châteaux de la Loire** – 2 593 h. alt. 105.

Paris 142 – ◆Orléans 63 – Blois 49 – Chartres 55 – Châteaudun 12 – ◆Le Mans 92.

Host. St-Jacques, pl. Marché aux Oeufs ✆ 37 98 40 08, Fax 37 98 32 63, « Jardin au bord du Loir » – 30. GB
fermé 16 déc. au 31 janv., dim. soir et lundi d'oct. à avril sauf fériés – **R** 230/390 – ☐ 50 – **21 ch** 360/480 – ½ P 400/500
Spéc. Cassolettes de tomates aux huîtres chaudes (oct. à mars). Gratinée de lotte au velouté de corail de homard. Poitrail de canard à la liqueur de gentiane. **Vins** Chinon, Vouvray.

FIAT Gar. Val de Loir ✆ 37 98 54 42 N
PEUGEOT-TALBOT Cassonnet ✆ 37 98 51 90 N
✆ 37 98 62 71

RENAULT Gar. Chopard ✆ 37 98 53 32

CLUNY 71250 S.-et-L. 69 ⑲ **G. Bourgogne** – 4 430 h. alt. 248.

Voir Anc. abbaye★ : clocher de l'Eau Bénite★★ – Clocher★ de l'église St-Marcel **B** – Musée Ochier★ **M**.

Env. Château de Cormatin★★ 13 km par ① – Mt St-Romain ✻★★15 km par ② – Prieuré★ de Blanot 10 km par ②.

Office de Tourisme r. Mercière (fermé matin sauf avril-oct.) ✆ 85 59 05 34.

Paris 388 ① – Mâcon 26 ③ – Chalon-sur-Saône 50 ① – Charolles 41 ③ – Montceau-les-Mines 43 ④ – Roanne 84 ③ – Tournus 33 ②.

Bourgogne, pl. Abbaye **(n)** ✆ 85 59 00 58, Fax 85 59 03 73, « Face à l'abbaye » – AE GB. rest
26 fév.-15 nov. et fermé mardi midi et lundi du 13 juil. au 13 oct. sauf fériés – **R** 210/420, enf. 110 – ☐ 50 – **12 ch** 380/470, 3 appart. – ½ P 450/495
Spéc. Foie gras de canard. Ravioles d'escargots au beurre vigneron. Chariot de desserts. **Vins** Givry, Mercurey.

Moderne, par ③ : 1 km au pont de l'Etang ✆ 85 59 05 65, Fax 85 59 19 43 – 60. AE GB
Repas *(fermé 15 au 30 nov., fév., jeudi midi et merc. sauf le soir du 15 juin au 15 sept.)* 120/230, enf. 60 – ☐ 32 – **14 ch** 230/280 – ½ P 225/360.

St Odilon M sans rest, rte Azé **(y)** ✆ 85 59 25 00, Fax 85 59 06 18 – AE GB
fermé 20 déc. au 4 janv. – ☐ 32 – **36 ch** 250.

Cheval Blanc, 1 r. Porte de Mâcon **(a)** ✆ 85 59 01 13 – GB
fermé 2 au 23 nov., 23 déc. au 4 janv., vend. soir et sam. – **R** 75/180, enf. 52.

Potin Gourmand, pl. Champ de Foire **(b)** ✆ 85 59 02 06, Fax 85 59 01 45 – AE GB
fermé 4 janv. au 5 fév., dim. soir et lundi – **R** 78/140, enf. 50.

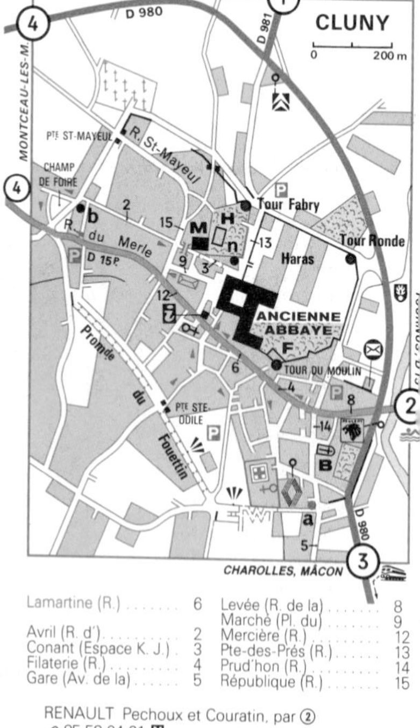

Lamartine (R.)	6	Levée (R. de la)	8
		Marché (Pl. du)	9
Avril (R. d')	2	Mercière (R.)	12
Conant (Espace K. J.)	3	Pte-des-Prés (R.)	13
Filaterie (R.)	4	Prud'hon (R.)	14
Gare (Av. de la)	5	République (R.)	15

CITROEN Bay ✆ 85 59 08 85
PEUGEOT Ponceblanc ✆ 85 59 09 72
PEUGEOT Forest et Simon, à Salornay-sur-Guye par ④ ✆ 85 59 43 11

RENAULT Pechoux et Couratin, par ② ✆ 85 59 04 61 N
RENAULT Beaufort ✆ 85 59 11 76

La CLUSAZ 74220 H.-Savoie 74 ⑦ **G. Alpes du Nord** – 1 845 h. alt. 1 100 – Sports d'hiver : 1 100/2 600 m 5 48.

Voir E : Vallon des Confins★.

Env. Col des Aravis ←★★ par ② : 7,5 km.

Office de Tourisme ✆ 50 02 60 92, Télex 385125.

Paris 580 ① – Annecy 32 ① – Chamonix-Mont-Blanc 64 ② – Albertville 40 ① – Bonneville 25 ① – Megève 29 ② – Morzine 62 ①.

Le Panorama ⛰ sans rest, **(a)** ✆ 50 02 42 12, Fax 50 02 52 44, ≤ montagnes – 🛗 cuisinette TV ☎ 🚗 Ⓟ. AE GB. ✻
juil.-août et Noël-Pâques – ☕ 35 – **14 ch** 210/410, 13 studios.

Alpen Roc H. M, **(b)** ✆ 50 02 58 96, Fax 50 02 57 49, ≤, 🍽, 🏊 – 🛗 TV ☎ ♿ 🚗 Ⓟ – 🏛 25 à 40. AE ⓓ GB. ✻ rest
fermé 1er oct. au 14 déc. – **R** 110 – ☕ 60 – **106 ch** 320/360 – ½ P 285.

Alp'H. M, **(e)** ✆ 50 02 40 06, Fax 50 02 60 16, 🏊 – 🛗 TV ☎ Ⓟ. GB
15 juin-1er nov., 15 déc.-10 mai et fermé dim. soir et lundi hors sais. – **R** 98/175, enf. 55 – ☕ 45 – **15 ch** (½ pens. seul.) – ½ P 290/520.

Christiania, (f) ✆ 50 02 60 60, 🌳 – 🛗 TV ☎. GB. ✻
30 juin-20 sept. et 20 déc.-25 avril – **R** 89/170 – ☕ 34 – **30 ch** 260/390 – ½ P 240/375.

Sapins ⛰, **(h)** ✆ 50 02 40 12, Fax 50 02 43 24, ≤, ⛷ – 🛗 TV ☎ Ⓟ. GB
15 juin-12 sept. et 20 déc.-20 avril – **R** 85/120, enf. 60 – ☕ 40 – **24 ch** 250/400 – ½ P 260/380.

Nouvel H., **(k)** ✆ 50 02 40 08 – 🛗 ☎
saisonnier – **27 ch.**

Floralp, (n) ✆ 50 02 41 46, Fax 50 02 63 94 – 🛗 ☎. GB. ✻ rest
27 juin-15 sept. et 20 déc.-Pâques – **R** 95/115 – ☕ 37 – **20 ch** 200/300.

Aravis, (r) ✆ 50 02 60 31, ≤, 🌳, 🎾 – 🛗 ☎. GB. ✻ rest
20 juin-6 sept. et 19 déc.-15 avril – **R** 75/180 🍷 – ☕ 38 – **40 ch** 185/360 – ½ P 235/345.

Vieux Chalet ⛰ avec ch, rte Crêt du Merle **(t)** ✆ 50 02 41 53, ≤, 🍽, 🌳 – TV ☎. GB. ✻ ch
fermé 14 juin au 2 juil., 12 au 30 oct., merc. et jeudi hors sais. – **R** 180/250, enf. 45 – ☕ 35 – **7 ch** 265/310 – ½ P 320.

aux Étages par ② : 3 km par D 909 – ✉ **74220** La Clusaz :

Les Chalets de la Serraz M ⛰, rte Col des Aravis : 1 km ✆ 50 02 48 29, Fax 50 02 64 12, ≤, ⛷, 🌳 – cuisinette TV ☎ Ⓟ. AE ⓓ GB. ✻ rest
15 juin-10 sept. et 10 déc.-15 mai – **R** (résidents seul.) – ☕ 50 – **10 ch** 470/580, 3 appart. 950 – ½ P 420/470.

RENAULT Gar. du Rocher ✆ 50 02 40 38

Les CLUSES 66 Pyr.-Or. 86 ⑲ – rattaché au Boulou.

CLUSES 74300 H.-Savoie 74 ⑦ **G. Alpes du Nord** – 16 358 h. alt. 485.

Syndicat d'Initiative 16 pl. Allobroges ✆ 50 98 31 79.

Paris 571 – Chamonix-Mont-Blanc 40,5 – Thonon-les-Bains 59 – Annecy 54 – ♦Genève 38 – Morzine 28.

Le 4 C M, 301 bd Chevran par rte de Morzine ✆ 50 98 01 00, Télex 319262, Fax 50 98 32 20, 🍽 – 🛗 TV ☎ ♿ Ⓟ – 🏛 70. AE GB. ✻ rest
R 98/260 🍷 – ☕ 39 – **39 ch** 390/450.

Le Bargy et rest. le Cercle des Songes M, 28 av. Sardagne ✆ 50 98 01 96, Fax 50 98 23 24, 🍽 – 🛗 TV ☎ ♿ Ⓟ. GB
R *(fermé 1er au 8 mai, 1er au 23 août et 24 déc. au 1er janv.)* 90/160 🍷 – ☕ 40 – **30 ch** 290/390.

COCHEREL 27 Eure 55 ⑰ – rattaché à Pacy-sur-Eure.

COCURÈS 48 Lozère 80 ⑥ – rattaché à Florac.

COGNAC <SP> 16100 Charente 72 ⑫ **G. Poitou Vendée Charentes** – 19 528 h. alt. 27.

🏌18 du Cognac ✆ 45 32 18 17, par ① : 8 km – Office de Tourisme 19 pl. J.-Monnet ✆ 45 82 10 71.

Paris 463 ⑥ – Angoulême 44 ① – ♦Bordeaux 119 ④ – Libourne 118 ③ – Niort 82 ⑥ – Poitiers 127 ⑥ – La Roche-sur-Yon 157 ⑥ – Saintes 27 ⑤.

COGNAC

Angoulême (R. d')	Y	3
Armes (Place d')	Y	4
Briand (R. A.)	Y	
Victor-Hugo (Av.)	Z	
14-Juillet (R. du)	Z	26
Allées (R. des)	Z	2
Bayard (R.)	Z	5
Bazouin (R. Abel)	Y	6
Boucher (R. Cl.)	Y	8
Chalais (R. de)	Z	9
Cordeliers (R. des)	Y	10
Crouin (R. de)	Y	12
François-1er (R.)	Y	14
Grande-Rue	Y	15
Isle-d'Or (R. de l')	Y	16
Lattre-de-T. (R. de)	Y	18
Lusignan (R. de)	Y	20
Magdeleine (R.)	Y	21
Martell (Pl. Ed.)	Z	22
Monnet (Pl.)	Z	23
Saulnier (R.)	Y	25

Relais Bleus M, carrefour Trache par ① et N 141 ✆ 45 35 42 00, Télex 790615, Fax 45 35 45 02, , , – TV – 80. AE GB
R 75/150, enf. 45 – 32 – **55 ch** 305 – ½ P 255/295.

Le Valois M sans rest, 35 r. 14-Juillet ✆ 45 82 76 00, Télex 790987, Fax 45 82 76 00 – TV – 25. AE GB JCB
fermé 20 déc. au 2 janv. – 35 – **45 ch** 350/380. Z **a**

Domaine du Breuil , 104 av. R. Daugas par r. République Y ✆ 45 35 32 06, Fax 45 35 48 06, , « Demeure du 19e siècle dans un parc » – TV . GB
R *(fermé dim. soir et lundi midi)* 80/180 , enf. 40 – 45 – **24 ch** 250/410 – ½ P 420/580.

Urbis sans rest, 24 r. E. Mousnier ✆ 45 82 19 53, Télex 793105, Fax 46 93 33 39 – GB – 30 – **39 ch** 260/290. Z **b**

François 1er sans rest, 3 pl. François 1er ✆ 45 32 07 18 – GB JCB 35 – **31 ch** 200/300. Z **s**

L'Étape, 2 av. Angoulême par ① et N 141 ✆ 45 32 16 15, Fax 45 32 18 38 – GB
fermé 15 déc. au 15 janv. – **R** *(fermé dim.)* 65/135, enf. 35 – 27 – **22 ch** 130/230 – ½ P 165/255.

Pigeons Blancs avec ch, 110 r. J.-Brisson ✆ 45 82 16 36, Fax 45 82 29 29, – GB. ch Y **d**
fermé 1er au 15 janv. – **R** *(fermé dim. soir)* 120/280, enf. 80 – 38 – **7 ch** 280/420 – ½ P 320/370.

à Châteaubernard par ① et D 15 : 3 km – 3 769 h. – ✉ **16100** :

L'Échassier (Lambert) , ✆ 45 35 01 09, Télex 790798, Fax 45 32 22 43, – 25. GB JCB
hôtel : fermé dim. soir du 15 nov. au 15 fév. – **R** *(fermé dim.)* (nombre de couverts limité, prévenir) 170/250, enf. 60 – 55 – **19 ch** 360/495 – ½ P 450/495
Spéc. Saumon mariné au coulis d'huîtres de Marennes, Ragoût de homard au Pineau des Charentes.

à Cierzac (17 Char.-Mar.) par ③ : 13 km D 731 – ✉ **17520** :

Moulin de Cierzac avec ch, ✆ 45 83 01 32, Fax 45 83 03 59, « Au bord de l'eau, parc » – – 40. GB
fermé 25 janv. au 28 fév., dim. soir de nov. à mars et lundi sauf hôtel en sais. – **R** 180/320 – 60 – **10 ch** 380/540.

BMW Gar. Grammatico, rte d'Angoulême ✆ 45 32 50 93
CITROEN Socodia, rte d'Angoulême à Châteaubernard par ① ✆ 45 32 27 50 N ✆ 45 32 30 88
MERCEDES-BENZ Savia, 21 av. d'Angoulême à Châteaubernard ✆ 45 32 27 77
PEUGEOT-TALBOT Coga, Le Buisson Moreau à Châteaubernard par ① ✆ 45 32 25 29
RENAULT G.A.M.C., 242 av. V.-Hugo par ① ✆ 45 35 36 36 N ✆ 45 24 74 03

Cognac-Pneus Pneu +, ZA Fief du Roy à Châteaubernard ✆ 45 35 08 96
Moyet-Pneus, rte de Barbezieux ✆ 45 82 24 66
Rogeon-Pneus, rte d'Angoulême à Châteaubernard ✆ 45 35 32 50

COGOLIN 83310 Var 84 ⑰ G. Côte d'Azur – 7 976 h. alt. 14.

Office de Tourisme pl. République ✆ 94 54 63 18.

Paris 869 – Fréjus 33 – Hyères 42 – Le Lavandou 31 – St-Tropez 9 – Ste-Maxime 13 – ♦Toulon 62.

Coq H., pl. Gén. de Gaulle ✆ 94 54 63 14, Fax 94 54 03 06, – GB
Coq Assis *(fermé 15 déc. au 31 janv. et merc. du 1er oct. au 31 mai)* **R** 85/125 – 37 – **25 ch** 300/420.

Lou Capoun, r. Marceau ✆ 94 54 44 57 – GB
fermé 22/12 au 20/1, merc. (sauf le soir en juil.-août), dim. soir de sept. à juin et lundi midi en juil.-août – **R** 90/180.

Aude, N 98, Valensole ✆ 94 54 54 21

COIGNIÈRES 78 Yvelines 60 ⑨ – voir à St-Quentin-en-Yvelines.

COL voir au nom propre du col.

COLIGNY 01270 Ain 170 ⑬ – 1 117 h. alt. 291.

Paris 410 – Mâcon 44 – Bourg-en-Bresse 23 – Lons-le-Saunier 39 – Tournus 52.

à Moulin-des-Ponts S : 5,5 km sur N 83 – ✉ **01270** Coligny :

Solnan (Marguin) M, ✆ 74 51 50 78, Fax 74 51 56 22, – – 30. GB
fermé 16 nov. au 1er déc., 12 au 27 janv., lundi (sauf le soir en sais.) et dim. soir hors sais. – **R** 120/360, enf. 75 – 40 – **16 ch** 290/380 – ½ P 305
Spéc. Grenouilles aux fines herbes, Soufflé de turbot sauce Noilly, Volaille de Bresse au vin du Jura. **Vins** Côtes du Jura, Saint-Amour.

COLLÉGIEN 77 S.-et-M. 56 ⑫, 101 ⑳ – voir à Paris, Environs (Marne-la-Vallée).

La COLLE-SUR-LOUP 06480 Alpes-Mar. 84 ⑨ 195 ㉟ G. Côte d'Azur – 6 025 h. alt. 96.

Paris 924 – ♦Nice 16 – Antibes 14 – Cagnes-sur-Mer 5 – Cannes 24 – Grasse 18 – Vence 7.

Marc Hély sans rest, SE : 0,8 km par D 6 ✆ 93 22 64 10, Fax 93 22 93 84, « Jardin » – GB
fermé 10 nov. au 20 déc. et 10 janv. au 10 fév. – 35 – **13 ch** 290/420.

Le Diamant Rose, N : 1 km par D 7 (rte St-Paul) ✆ 93 32 82 20, Fax 93 32 69 98, St-Paul, – GB JCB – **R** 350/700
Spéc. Courgettes à la fleur et aux truffes, Tian d'agneau à la "Niçoise", Millefeuille de "Madame Beaudoin".

Host. de l'Abbaye, av. Libération ✆ 93 32 66 77, Fax 93 32 61 28, – GB
fermé janv., mardi soir en hiver, jeudi midi en été et merc. – **R** 200/320, enf. 100
Spéc. Saint-Pierre rôti à l'huile d'olive (mars à sept.), Pistou de homard, Lapereau sauté aux olives. **Vins** Côtes de Provence.

XX **La Belle Époque,** SE : 2 km par D 6 ✆ 93 20 10 92, ⛱, 🚗 – Ⓟ. AE ⓓ GB
fermé 6 au 31 janv., mardi midi et merc. midi en juil.-août, lundi soir et mardi de sept. à juin – **R** 105/200, enf. 65.

X **La Stréga,** SE : 1,5 km par D 6 ✆ 93 22 62 37, ⛱ – Ⓟ. GB
fermé 2 janv. au 1er mars, dim. soir sauf juil.-août et lundi – **R** 170.

X **Clos du Loup,** O : 1,5 km par D 6 ✆ 93 32 88 76, ⛱ – Ⓟ. AE GB. ✗
fermé janv., dim. soir et lundi hors sais. – **R** 153.

COLLEVILLE-MONTGOMERY 14 Calvados 54 ⑯ – rattaché à Ouistreham.

COLLIAS 30 Gard 80 ⑲ – rattaché à Pont-du-Gard.

COLLIOURE 66190 Pyr.-Or. 86 ⑳ G. Pyrénées Roussillon (plan) – 2 726 h. alt. 3.

Voir Site★★ – Retables★ dans l'église.

Office de Tourisme pl. 18-Juin ✆ 68 82 15 47.

Paris 940 – ◆Perpignan 27 – Argelès-sur-Mer 6,5 – Céret 33 – Port-Vendres 4 – Prades 69.

Relais des Trois Mas et rest. La Balette M ⛰, rte Port-Vendres ✆ 68 82 05 07, Fax 68 82 38 08, ⛱, « Terrasses et ≤ vieux port », 🏊 – ▤ TV ☎ Ⓟ. GB
R 175/345 – ☕ 58 – **19 ch** 545/875, 4 appart. 1550 – ½ P 558/723.

Casa Païral ⛰ sans rest, impasse Palmiers ✆ 68 82 05 81, Fax 68 82 52 10, « Bel aménagement intérieur et jardin fleuri », 🏊 – TV ☎ ♿ Ⓟ. AE GB
30 mars-30 oct. – ☕ 40 – **27 ch** 350/780.

Mas des Citronniers M sans rest, 22 av. République ✆ 68 82 04 82 – ☎ Ⓟ. AE GB
1er avril-5 nov. – ☕ 35 – **30 ch** 280/395.

Madeloc ⛰ sans rest, r. R.-Rolland ✆ 68 82 07 56, Fax 68 82 55 09, ≤, 🚗 – ☎ Ⓟ. AE ⓓ GB
12 avril-18 oct. – ☕ 35 – **21 ch** 260/370.

Méditerranée sans rest, av. A. Maillol ✆ 68 82 08 60 – TV ☎ 🚗 Ⓟ. GB
11 avril-nov. – ☕ 35 – **23 ch** 270/350.

Ambeille sans rest, rte Port-d'Avail ✆ 68 82 08 74, ≤ – ☎ Ⓟ. GB. ✗
avril-oct. – ☕ 28 – **21 ch** 250/330.

Les Caranques ⛰, rte Port-Vendres ✆ 68 82 06 68, « Terrasses et ≤ vieux port » – ☎. GB. ✗
hôtel : 1er avril-10 oct. ; rest. : 1er juin-30 sept. – **R** (résidents seul.) – ☕ 30 – **16 ch** 170/300 – ½ P 295.

Triton sans rest, r. Jean Bart ✆ 68 82 06 52, ≤ – TV ☎. GB
☕ 28 – **20 ch** 160/270.

Boramar sans rest, r. Jean Bart ✆ 68 82 07 06, ≤ – ☎. AE ⓓ GB. ✗
28 mars-5 nov. – ☕ 27 – **14 ch** 180/300.

X **Chiberta,** av. Gén. de Gaulle ✆ 68 82 06 60 – GB
◆ *fermé 15 déc. au 15 fév. et merc. sauf juil.-août* – **R** 70/105.

X **Le Puits,** r. Arago ✆ 68 82 06 24 – AE ⓓ GB
fermé 12 nov. au 15 fév., dim. soir et lundi sauf du 15 juin au 15 sept. – **R** 108.

RENAULT Gar. Daider ✆ 68 82 08 34

COLLONGES-AU-MONT-D'OR 69 Rhône 74 ⑪ – rattaché à Lyon.

COLLONGES-LA-ROUGE 19500 Corrèze 75 ⑨ G. Périgord Quercy (plan) – 381 h. alt. 230.

Voir Village★★ – Saillac : tympan★ de l'église S : 4 km.

Paris 509 – Brive-la-Gaillarde 21 – Aurillac 90 – Martel 18 – St-Céré 38 – Tulle 50.

Relais St-Jacques de Compostelle ⛰, ✆ 55 25 41 02, ⛱, 🚗 – ☎ Ⓟ. AE ⓓ GB
fermé 1er janv. au 28 fév., mardi soir et merc. du 1er mars au 1er mai et du 1er oct. au 31 déc. – Repas 100/240, enf. 50 – ☕ 35 – **10 ch** 210/270 – ½ P 180/270.

COLMAR P 68000 H.-Rhin 62 ⑲ G. Alsace Lorraine – 63 498 h. alt. 193.

Voir Retable d'Issenheim★★★ (musée d'Unterlinden★★) BY – Ville ancienne★★ BY : Maison Pfister★★ BY **K**, Église St-Martin★ BY **F**, Maison des Arcades★ BY **E**, Maison des Têtes★ BY **Y**, Ancienne Douane★ BY **N**, Ancien Corps de Garde★ BY **L** – Vierge au buisson de roses★★ et vitraux★ de l'église des Dominicains BY **B** – Quartier de la Krutenau★ BZ : Tribunal civil★ BY **J** – ≤★ du pont St-Pierre BZ **V** sur "la petite Venise" – Vitrail de la crucifixion★ de l'église St-Matthieu CY **D**.

9 18 d'Ammerschwihr ✆ 89 47 17 30, par ⑥ : 9 km, N 415 puis D 11[1].

Office de Tourisme et Accueil de France (Informations, change et réservations d'hôtels, pas plus de 5 jours à l'avance) 4 r. Unterlinden ✆ 89 41 02 29, Télex 880242 – A.C. 58 av. République ✆ 89 41 31 56.

Paris 447 ⑥ – ◆Basel 68 ③ – Freiburg 52 ② – ◆Nancy 139 ⑥ – ◆Strasbourg 70 ①.

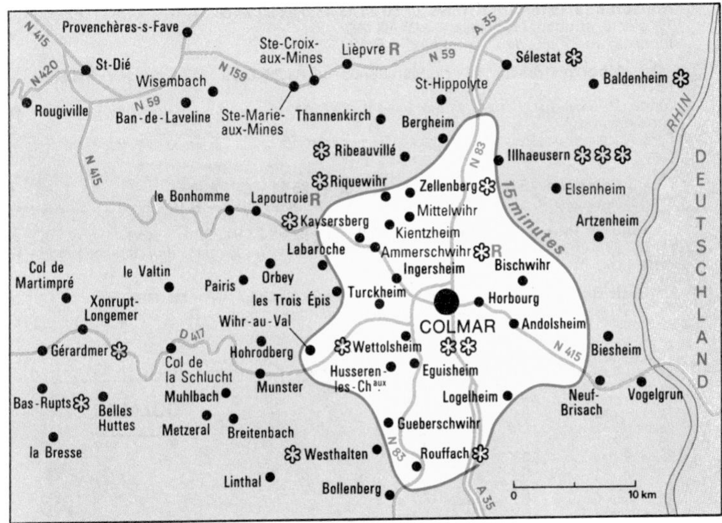

Terminus-Bristol, 7 pl. Gare ✆ 89 23 59 59, Télex 880248, Fax 89 23 92 26 – ⧈ TV ☎ – 25. AE ⓓ GB — AZ g
Rendez-vous de Chasse R 180/400 ₰ - **L'Auberge R** 85/150 ₰, enf. 45 – ☕ 48 – **70 ch** 380/850 – ½ P 450/480.

Altea Champ de Mars sans rest, 2 av. Marne ✆ 89 41 54 54, Télex 880928, Fax 89 23 93 76 – ⧈ TV ☎ 🚗 – 50 à 200. AE ⓓ GB — AY r
☕ 52 – **75 ch** 430/550.

Amiral M sans rest, 11ª bd Champ de Mars ✆ 89 23 26 25, Télex 880852, Fax 89 23 83 64 – ⧈ TV ☎ 🚗 – 40. AE ⓓ GB — BY d
☕ 49 – **44 ch** 350/630.

Mercure M, r. Golbery ✆ 89 41 71 71, Télex 870398, Fax 89 23 82 71, 🏞 – ⧈ ⊁ ch ▤ rest TV ☎ ♿ 🚗 – 90. AE ⓓ GB — BX v
R 120 ₰, enf. 45 – ☕ 52 – **76 ch** 440/560.

St Martin sans rest, 38 Gd'rue ✆ 89 24 11 51, Fax 89 23 47 78 – ⧈ TV ☎. AE GB JCB — BY e
1er mars-30 nov., week-ends et fériés sauf janv. – ☕ 52 – **24 ch** 330/750.

Turenne sans rest, 10 rte Bâle ✆ 89 41 12 26, Télex 880959, Fax 89 41 27 64 – ⧈ TV ☎ 🚗. AE ⓓ GB — BZ x
☕ 33 – **83 ch** 265/525.

Rapp, 1 r. Weinemer ✆ 89 41 62 10, Fax 89 24 13 58 – ⧈ ▤ rest TV ☎ ♿. AE ⓓ GB — BY f
R *(fermé 20 déc. au 5 janv.)* 95/260 ₰, enf. 45 – ☕ 35 – **44 ch** 260/300 – ½ P 290.

Majestic, 1 r. Gare ✆ 89 41 45 19, Fax 89 24 08 62 – ⧈ ☎. AE ⓓ GB JCB — AY k
R *(fermé dim. soir et lundi)* 80/200 ₰, enf. 40 – ☕ 35 – **40 ch** 225/260 – ½ P 245.

de la Fecht, 1 r. Fecht ✆ 89 41 34 08, Télex 880650, Fax 89 23 80 28 – ⊁ ch TV ☎ ♿ Ⓟ. AE ⓓ GB. ✻ rest — BX u
fermé 15 nov. au 15 déc. – **R** *(fermé dim. soir et sam. de nov. à avril)* 88/230 ₰, enf. 45 – ☕ 35 – **39 ch** 290/380 – ½ P 270/335.

Arcade M sans rest, 10 r. St Eloi ✆ 89 41 30 14, Télex 870553, Fax 89 24 51 49 – ⧈ TV ☎ ♿ – 60. AE GB — CY a
☕ 38 – **63 ch** 300/500.

XXXX ✿✿ **Schillinger**, 16 r. Stanislas ✆ 89 41 43 17, Fax 89 24 28 87, « Décor élégant » – ⊁ ▤. AE ⓓ GB — AY n
fermé 5 juil. au 3 août, dim. soir et lundi sauf fériés – **R** 270/480 et carte ₰
Spéc. Foie gras truffé, Filet de Saint-Pierre et brochette de langoustines, Caneton au citron. **Vins** Pinot blanc, Riesling.

XXX ✿ **Fer Rouge** (Fulgraff), 52 Gd' Rue ✆ 89 41 37 24, Fax 89 23 82 24, « Maison alsacienne du 17e siècle » – AE ⓓ GB. ✻ — BY s
fermé 26 juil. au 7 août, 3 au 8 mai, 3 janv. au 1er fév., dim. soir et lundi – **R** carte 390 à 480
Spéc. Oignons nouveaux et foie d'oie cru au gros sel (avril à sept.), Sandre poêlé à la choucroute, Bourse fourrée aux fruits de berraweckas (sept. à mai). **Vins** Tokay-Pinot gris, Riesling.

XXX **Maison des Têtes,** 19 r. Têtes ✆ 89 24 43 43, Fax 89 24 58 34, 🏞, « Belle maison du 17ᵉ siècle, atmosphère locale » – AE ⓓ GB BY **y**
fermé 15 au 31 juil., dim. soir et lundi – **R** 120/300 ♁.

XX ✿ **Da Alberto** (Bradi), 24 r. Marchands ✆ 89 23 37 89, 🏞, cuisine italienne – GB
fermé 25 avril au 10 mai, 1ᵉʳ au 9 août, 24 déc. au 10 janv., sam. midi et dim. – **R** carte environ 260 BY **a**
Spéc. Assortiment de pâtes fraîches, Carpaccio de thon aux arômes de l'été (15 juin-30 août), Risotto aux cèpes et truffe d'Alba (15 oct.-15 fév.).

XX **Aux 3 Poissons,** 15 quai Poissonnerie ✆ 89 41 25 21 – AE ⓓ GB BZ **t**
fermé 24 juin au 16 juil., 21 déc. au 4 janv., mardi soir et merc. – **R** 160/250 ♁.

X **Caveau St-Pierre,** 24 r. Herse ✆ 89 41 99 33, Fax 89 23 94 33, 🏞 – GB BZ **e**
fermé 29 juin au 13 juil., 20 déc. au 4 janv., 21 fév. au 9 mars, dim. soir et lundi – **R** carte 115 à 210 ♁, enf. 45.

X **Le Petit Bouchon,** 11 r. Alspach ✉ 68000 ✆ 89 23 45 57, 🏞 – ▤. GB CY **b**
fermé 21 juil. au 13 août, 23 fév. au 8 mars, jeudi midi et merc. – **R** 78/265 ♁.

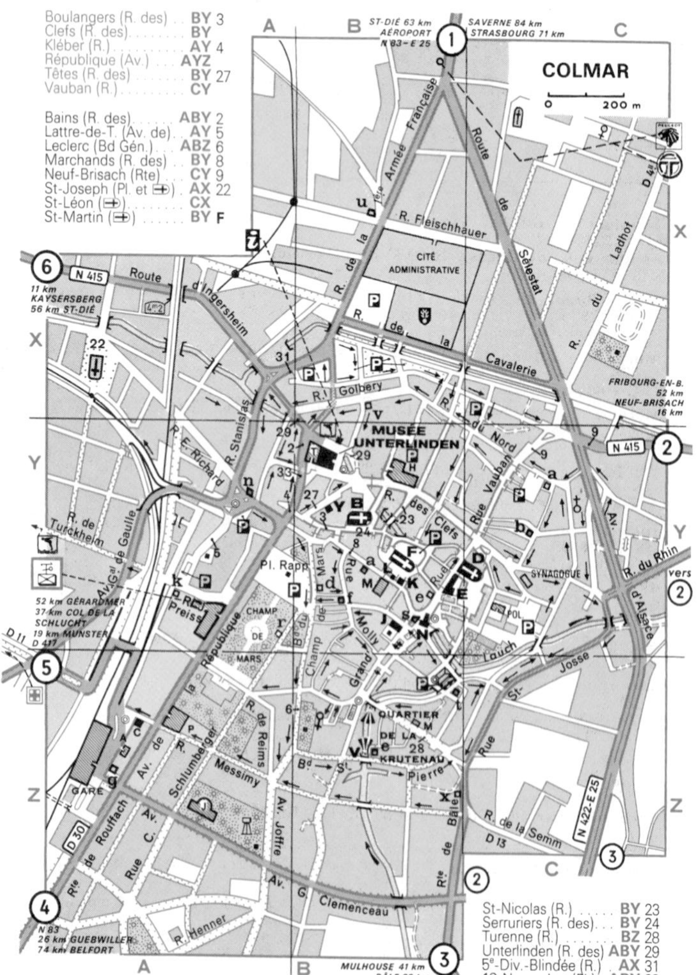

au Nord par ① : 2 km – ✉ **68000** Colmar :

Novotel, à l'Aérodrome ✆ 89 41 49 14, Télex 880915, Fax 89 41 22 56, ←, ≈, ⛱, 🌳 – ▤ rest 📺 ☎ 🅟 – 🎪 30 à 60. AE ⓓ GB
R carte environ 150 🍷, enf. 50 – ☕ 47 – **66 ch** 380/415.

Campanile, direction Centre Commercial ✆ 89 24 18 18, Télex 880867, Fax 89 24 26 73 – 📺 ☎ ♿ 🅟 – 🎪 25. AE GB
R 77 bc/99 bc, enf. 39 – ☕ 28 – **50 ch** 258 – ½ P 234/256.

Motel Azur sans rest, 50 rte Strasbourg ✆ 89 41 32 15, 🌳 – cuisinette 📺 ☎ 🅟. GB. ✗
☕ 20 – **21 ch** 140/210.

à Horbourg par ② – 4 518 h. – ✉ **68000** Horbourg Wihr :

Europe Ⓜ, 15 rte Neuf-Brisach ✆ 89 20 54 00, Télex 870242, Fax 89 41 27 50, ≈, 🏋, 🏊, ✗ – 🛗 ⊬ ch 📺 ☎ ♿ 🅟 – 🎪 400. AE GB
R carte 120 à 315 🍷 – ☕ 40 – **140 ch** 330/550 – ½ P 350.

Cerf, ✆ 89 41 20 35, Fax 89 24 24 98, 🌳 – ☎ 🅟. AE GB. ✗
fermé 10 janv. au 10 mars, merc. (sauf le soir du 1er avril au 4 nov.) et mardi soir – **R** 95/280 🍷 – ☕ 35 – **27 ch** 280/330 – ½ P 240/300.

Ibis Ⓜ, 13 rte Neuf-Brisach ✆ 89 23 46 46, Télex 880294, Fax 89 24 35 45 – 🛗 📺 ☎ ♿ 🅟 – 🎪 70. AE GB
R 85 🍷, enf. 45 – ☕ 35 – **86 ch** 280/310.

à Andolsheim par ② : 6 km – ✉ **68280** :

Soleil 🐎, ✆ 89 71 40 53, 🌳 – ☎ 🚗 🅟. AE ⓓ GB
fermé 25 janv. au 1er mars – **R** *(fermé mardi soir en déc., janv. et merc.)* 115/350 🍷, enf. 80 – ☕ 28 – **18 ch** 100/200 – ½ P 200/250.

à Bischwihr par ② et D 111 : 8 km – ✉ **68320** :

Relais du Ried 🐎, ✆ 89 47 47 06, Télex 870592, Fax 89 47 72 58, 🌳 – 📺 ☎ 🅟. AE ⓓ GB. ✗ rest
fermé 15 nov. au 15 janv. – **R** *(fermé dim. soir du 1er nov. au 1er avril)* 90/190 🍷, enf. 45 – ☕ 32 – **60 ch** 250/270 – ½ P 250.

à Wettolsheim par ⑤ et D 1bis II : 4,5 km – ✉ **68000** :

XXX ✿ **Aub. du Père Floranc** avec ch, ✆ 89 80 79 14, Fax 89 79 77 00 – 📺 ☎ 🚗 🅟. AE ⓓ GB. ✗ ch
fermé 6 au 20 juil., 9 nov. au 14 déc., dim. soir hors sais. et lundi – **R** 160 bc (sauf week-ends)/360, enf. 70 – ☕ 45 – **13 ch** 130/280 – ½ P 330/490
Spéc. Assiette des quatre foies gras, Le filet de sandre "Jules Woelffle", Venaison (juin à mars). **Vins** Vins Riesling, Tokay-Pinot gris.

Annexe : Le Pavillon 🏨 🐎 sans rest,, « Collection de coquillages », 🌳 – 📺 ☎ ♿ 🅟. ✗
☕ 45 – **18 ch** 300/475.

à Ingersheim par ⑥, rte St-Dié : 4 km – 4 063 h. – ✉ **68000** :

Kuehn Ⓜ 🐎, quai Fecht ✆ 89 27 38 38, Fax 89 27 00 77, ←, 🌳 – 🛗 ☎ ♿ 🅟 – 🎪 40. GB. ✗ rest
fermé fév., mardi midi de juil. au 30 oct., dim. soir et lundi du 1er nov. au 1er juil. – **R** 150/400 – ☕ 38 – **28 ch** 280/420 – ½ P 350/380.

XX **Taverne Alsacienne,** 99 r. République ✆ 89 27 08 41 – 🅟. GB
fermé 15 au 31 juil. et lundi – **R** 90/280 🍷.

à Logelheim SE par D 13 et D 45 - CZ - 9 km – ✉ **68280** :

X **Stoffel "A la Vigne"** 🐎 avec ch, ✆ 89 22 08 40 – AE ⓓ GB. ✗
fermé 18 juin au 8 juil., mardi soir et merc. – **R** 130/180 dîner à la carte – ☕ 27 – **7 ch** 110/220 – ½ P 200.

au Sud, rte d'Herrlisheim : 10 km par N 422 et D 1 – ✉ **68420** Herrlisheim-près-Colmar :

Au Moulin Ⓜ 🐎 sans rest, ✆ 89 49 31 20, Fax 89 49 23 11, 🌳 – 🛗 ☎ ♿ 🅟
saisonnier – **17 ch.**

ALFA ROMEO Auto 2 000, 1 r. St-Josse ✆ 89 41 42 13
BMW J.M.S. Auto, 124 rte de Neuf-Brisach ✆ 89 24 25 53
CITROEN Alsauto, 4 r. Timken, ZI Nord par ① ✆ 89 24 29 24 🅽
FIAT Auto-Market-Colmar, 124 rte de Neuf-Brisach ✆ 89 41 57 80
FORD Bolchert, 77 r. Morat ✆ 89 79 11 25
HONDA-LADA-SKODA Europe-Autos-Colmar, 101 rte de Rouffach par ④ ✆ 89 41 10 13
MERCEDES Gar. Dietrich, à Ingersheim ✆ 89 27 04 77
OPEL Sama-Colmar, 15 r. Stanislas ✆ 89 41 19 50
PEUGEOT-TALBOT Gar. Colmar Autom., 2A rue Timken ✆ 89 24 66 66
RENAULT Gar. du Stade, 122 r. du Ladhof CX ✆ 89 23 99 43 🅽 ✆ 05 44 03 09
RENAULT Gar. Reech, 1 Grande-Rue, Horbourg-Wihr par ② ✆ 89 41 26 40 🅽 ✆ 89 24 44 41
SEAT Sem' Autos, r. Gay Lussac ✆ 89 24 11 42
TOYOTA H et M Automobiles, 138 rte de Neuf-Brisach ✆ 89 24 12 22
V.A.G Gar. Dittel, r. J.-M. Hausmann, ZI Nord ✆ 89 24 76 00
VOLVO Auto-Hall Distribution, 84 rte de Neuf-Brisach ✆ 89 41 81 10

⊛ Kautzmann, 64 r. Papeteries ✆ 89 41 06 24
Pneus et Services D.K., 5 r. J.-Preiss ✆ 89 41 26 01
Pneus et Services D.K., 11 r. des Frères Lumière, Z.I. Nord ✆ 89 41 94 72

à Wintzenheim :

RENAULT Gar. Lauber, 6 r. Clemenceau par ⑤ 89 27 02 02

Gar. Schaffhauser, 25 rte de Rouffach par ⑤ 89 80 60 18

COLMARS **04370** Alpes-de-H.-P. 81 ⑧ **G. Alpes du Sud** (plan) – 367 h. alt. 1 235.

Office Municipal du Tourisme 92 83 41 92.

Paris 781 – Digne-les-Bains 71 – Barcelonnette 43 – Cannes 128 – Draguignan 109 – ♦Nice 121.

Le Chamois, 92 83 43 29, ←, – ☎ P. GB. rest
Noël-Pâques et 7 juin-début oct. – **R** 90/111 – 30 – **26 ch** 234/259 – ½ P 210/264.

COLOMARS **06670** Alpes-Mar. 84 ⑨ 195 ㉖ – 2 307 h. alt. 334.

Paris 940 – ♦ Nice 15 – Antibes 30 – Cannes 41 – Grasse 44 – Levens 20 – Vence 21.

Rédier M, 93 37 94 37, Télex 470330, ←, « Jardin fleuri, » – TV ☎ P – 150
28 ch.

COLOMBEY-LES-DEUX-ÉGLISES **52330** H.-Marne 61 ⑲ **G. Champagne** – 660 h. alt. 352.

Voir Mémorial du Général-de-Gaulle et la Boisserie (musée).

Paris 229 – Chaumont 27 – Bar-sur-Aube 15 – Châtillon-sur-Seine 62 – Neufchâteau 70.

Dhuits, N 19 25 01 50 10, Fax 25 01 56 22 – TV ☎ P – 50. AE GB
R 80/200, enf. 65 – 35 – **42 ch** 220/330 – ½ P 300/360.

Aub. Montagne avec ch, 25 01 51 69, Fax 25 01 53 20, – TV ☎ P. AE GB. ch
fermé mi-janv. à mi-fév., lundi soir et mardi – **Repas** 120 (sauf sam.)/300, enf. 80 – 30 – **9 ch** 130/320.

COLOMIERS **31** H.-Gar. 82 ⑦ – rattaché à Toulouse.

COLROY-LA-ROCHE **67420** B.-Rhin 62 ⑧ – 435 h. alt. 424.

Paris 405 – ♦ Strasbourg 62 – Lunéville 67 – St-Dié 32 – Sélestat 31.

Host. La Cheneaudière M, 88 97 61 64, Télex 870438, Fax 88 47 21 73, ←, « Élégante hostellerie dans un jardin », – rest TV ☎ P. AE GB JCB
fermé janv. et fév. – **R** 360/510 et carte – 100 – **25 ch** 520/990, 7 appart. 1250/1850 – ½ P 710/1020
Spéc. Foie gras fumé maison, Ravioles de Munster frais au persil frit, Filet de chevreuil en strudel de chou vert (mai-déc.). **Vins** Pinot noir, Riesling.

RENAULT Gar. Wetta, St-Blaise-la-Roche 88 97 60 84 N

COLY **24** Dordogne 75 ⑦ – rattaché au Lardin-St-Lazare.

La COMBE **73** Savoie 74 ⑮ – rattaché à Aiguebelette-le-Lac.

La COMBE **38** Isère 74 ⑬ – rattaché à Bourgoin-Jallieu.

COMBEAUFONTAINE **70120** H.-Saône 66 ⑤ – 446 h. alt. 252.

Paris 327 – ♦ Besançon 61 – Bourbonne-les-Bains 37 – Épinal 81 – Gray 41 – Langres 50 – Luxeuil-les-Bains 54 – Vesoul 25.

Balcon, 84 92 11 13, Fax 84 92 15 89 – ☎. AE GB. ch
fermé 29 juin au 6 juil., 28 déc. au 12 janv., dim. soir et lundi – **R** 110/320 – 35 – **20 ch** 130/360 – ½ P 220/250.

COMBLOUX **74920** H.-Savoie 74 ⑧ **G. Alpes du Nord** – 1 716 h. alt. 1 000 – Sports d'hiver : 1 250/1 853 m 1 24.

Voir La Cry ** O : 3 km.

Office de Tourisme 50 58 60 49, Télex 385550.

Paris 591 – Chamonix-Mont-Blanc 30 – Annecy 65 – Bonneville 34 – Megève 5 – Morzine 48 – St-Gervais-les-B. 10.

Ducs de Savoie, au Bouchet 50 58 61 43, Télex 319244, ← Mt-Blanc, – TV ☎ P – 30. AE GB. rest
6 juin-30 sept. et 15 déc.-20 avril – **R** 140/210 – 42 – **50 ch** 410/520 – ½ P 360/470.

Coeur des Prés, 50 93 36 55, ← Aravis et Mt-Blanc, – ☎ P. GB. rest
1er juin-21 sept. et 20 déc.-20 avril – **R** 135/200 – 37 – **34 ch** 400 – ½ P 300/350.

Ideal-Mont-Blanc, 50 58 60 54, Fax 50 58 64 50, ← Mt-Blanc, – TV ☎ P. AE GB
19 juin-25 sept. et 20 déc.-31 mars – **R** 165/225, enf. 94 – 45 – **27 ch** 270/470 – ½ P 384/444.

Feug M, 50 93 00 50, Fax 50 21 21 44, ←, – TV ☎ P. AE GB. rest
fermé 15 nov. au 7 déc. – **R** 95/190 – 45 – **28 ch** 290/480 – ½ P 285/415.

Plein Soleil ⚘, ✆ 50 58 60 81, Fax 50 93 38 54, ≤ Mt-Blanc, ⛱, 🚗 – |♦| TV ☎ P. GB. ✂
15 juin-25 sept. et Noël-Pâques – **R** 132/190 – ☕ 45 – **27 ch** 360/430 – ½ P 315/386.

Aiguilles de Warens, ✆ 50 93 36 18 – |♦| ☎. AE ⓓ GB. ✂ rest
1er juil.-8 sept. et 21 déc.-10 avril – **R** 125/170 – ☕ 42 – **34 ch** 375/420 – ½ P 305/360.

L'Fredi, ✆ 50 93 30 19 – ☎ P. GB. ✂ rest
20 juin-20 sept. et 20 déc.-Pâques – **R** 105/120 – ☕ 34 – **20 ch** 160/280 – ½ P 225/260.

à Gemoëns SE : 2 km – alt. 1 050 – ✉ **74920** Combloux :

Caprice des Neiges ⚘, D 909 ✆ 50 58 63 22, ≤ Aravis, 🚗 – TV ☎ 🚘 P. GB. ✂ rest
10 juin-20 sept. et 20 déc-15 avril – **R** 85/150 – ☕ 30 – **20 ch** 220/310 – ½ P 230/300.

au Haut-Combloux O : 3,5 km – ✉ **74920** Combloux :

Rond-Point des Pistes ⚘, ✆ 50 58 68 55, Fax 50 93 30 54, ≤ Mt-Blanc, ⛱ – |♦| TV ☎ P. AE GB
21 juin-13 sept. et 20 déc.-20 avril – **R** 135/250 – ☕ 40 – **29 ch** 275/500 – ½ P 264/480.

PEUGEOT-TALBOT Gar. des Cimes ✆ 50 93 00 60

COMBOURG 35270 I.-et-V. 59 ⑯ G. Bretagne – 4 843 h. alt. 66.

Voir Château★.

⛳ de St-Malo ✆ 99 58 96 69, au N par D 73 : 14 km ; ⛳ Château des Ormes ✆ 99 48 40 27, N par D 795 : 13 km.

ℹ Syndicat d'Initiative pl. A.-Parent (juin-15 sept.) ✆ 99 73 13 93 et à la Mairie (hors saison) ✆ 99 73 00 18.

Paris 368 – St-Malo 36 – Avranches 51 – Dinan 24 – Fougères 48 – ♦Rennes 39 – Vitré 56.

Château et Voyageurs, pl. Châteaubriand ✆ 99 73 00 38, Télex 740901, Fax 99 73 25 79, 🚗 – TV ☎ P – 🎪 35. AE ⓓ GB
hôtel : fermé 15 déc. au 15 janv., et dim du 1er déc. au 1er avril – **R** *(fermé 15 déc. au 20 janv., dim. soir et lundi soir du 30/9 au 15/5)* 85/300, enf. 42 – ☕ 37 – **32 ch** 250/450 – ½ P 260/340.

Lac, pl. Châteaubriand ✆ 99 73 05 65, Fax 99 73 23 34, ≤ – TV ☎ P. AE ⓓ GB
♦ *fermé nov., vend. (sauf le soir en sais.) et dim. soir hors sais.* – **R** 70/220 🍷, enf. 60 – ☕ 33 – **30 ch** 95/275 – ½ P 150/225.

☛ *Un automobiliste averti utilise le* guide Michelin *de l'année.*

COMBREUX 45530 Loiret 64 ⑩ G. Châteaux de la Loire – 142 h. alt. 127.

Voir Étang de la Vallée★ NO : 2 km.

Paris 110 – ♦Orléans 37 – Châteauneuf-sur-Loire 13 – Gien 45 – Montargis 34 – Pithiviers 28.

✗ **Croix Blanche** ⚘ avec ch, ✆ 38 59 47 62, ⛱, 🚗 – ☎ P. GB
fermé lundi soir et mardi – **R** 98/210 – ☕ 32 – **7 ch** 195/240 – ½ P 245.

COMMENTRY 03600 Allier 73 ③ G. Auvergne – 8 021 h. alt. 385.

Paris 341 – Moulins 65 – Aubusson 78 – Gannat 49 – Montluçon 15 – Riom 66.

St-Christophe sans rest, 30 bis r. Lavoisier ✆ 70 64 31 27 – ☎ P. GB
fermé 23 déc. au 3 janv. et sam. du 3 nov. à Pâques – ☕ 25 – **22 ch** 150/195.

✗✗ ✿ **Michel Rubod**, 47 r. J.-J. Rousseau ✆ 70 64 45 31 – GB
fermé 1er au 21 déc., dim. soir et lundi sauf juil.-août – **R** 120/380, enf. 60
Spéc. Salade tiède de langoustines et betteraves. Vite-cuit de Charolais et foie gras en salade au jus de truffe. Tarte chaude aux pêches et beurre de vanille. **Vins** Saint-Pourçain.

CITROEN Gauvin, 16 r. Danton ✆ 70 64 33 32

Almeida-Pneus Service, 7 r. Dr Paul Fabre ✆ 70 64 48 33

COMPIÈGNE ⟨SP⟩ 60200 Oise 56 ② 106 ⑩ G. Flandres Artois Picardie – 41 896 h. alt. 41.

Voir Palais★★★ : musée de la voiture★★ – Hôtel de ville★ **H** – Musée de la Figurine historique★ **M** – Musée Vivenel : vases grecs★★ **M**¹.

Env. Forêt★★ – Clairière de l'Armistice★★ : statue du Maréchal Foch, dalle commémorative, wagon historique (reconstitution) – Château de Pierrefonds★★ 14 km par ③.

⛳ ✆ 44 40 15 73.

ℹ Office de Tourisme et Accueil de France (Informations, change et réservations d'hôtels, pas plus de 5 jours à l'avance) pl. Hôtel de Ville ✆ 44 40 01 00, Télex 145923.

Paris 80 ⑥ – ♦Amiens 69 ⑦ – Arras 108 ⑦ – Beauvais 59 ⑥ – Douai 123 ⑦ – St-Quentin 60 ① – Soissons 38 ②.

Plan page suivante

Université M sans rest, 24 r. N.-D. Bonsecours **(s)** ✆ 44 23 27 27, Télex 155074, Fax 44 86 06 53 – |♦| TV ☎ ♿ P – 🎪 30 à 100. AE ⓓ GB JCB
☕ 46 – **50 ch** 280/370.

de Harlay sans rest, 3 r. Harlay **(a)** ✆ 44 23 01 50, Fax 44 20 19 46 – |♦| TV ☎. AE ⓓ GB
fermé 13 déc. au 4 janv. – ☕ 40 – **20 ch** 270/350.

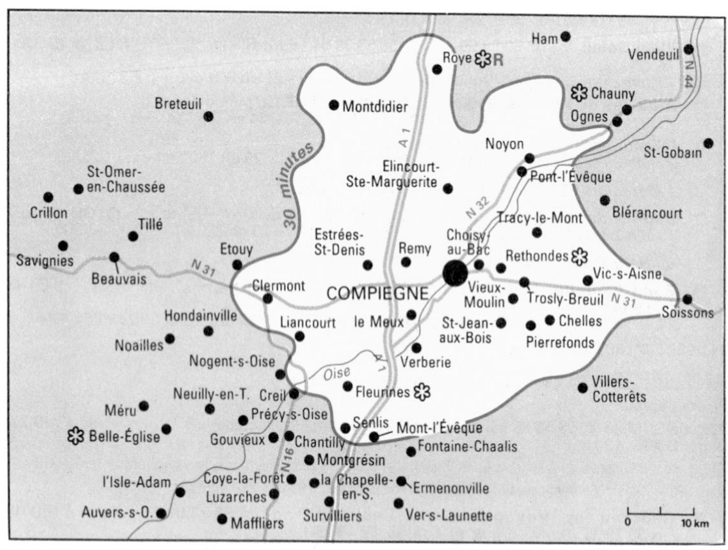

XXX **Le Badinguet,** 13 cours Guynemer **(h)** ✆ 44 40 22 85, Fax 44 40 01 93 – AE ⓓ GB
fermé 10 au 23 août, vacances de fév., sam. midi et dim. – **R** 130 (sauf sam.)/320.

XXX **R. Laudigeois-H. du Nord** avec ch, pl. Gare **(b)** ✆ 44 83 22 30 – |♦| TV ☎ – 30. GB
fermé 1er au 30 août et dim. soir – **R** 200/250 – **20 ch** 260/305.

XX **Chat qui Tourne-H. de France** avec ch, 17 r. E. Floquet **(n)** ✆ 44 40 02 74, Télex 150211, Fax 44 40 48 37 – TV ☎. GB
R 98/205 – 40 – **21 ch** 156/322 – ½ P 285/318.

à Élincourt-Ste-Marguerite par ① et D 142 : 15 km – ✉ **60157** :

Château de Bellinglise M, N : 1 km ✆ 44 76 04 76, Télex 155048, Fax 44 76 54 75, ≤, « Demeure du 16e siècle dans un parc », – |♦| TV ☎ Ⓟ – 100. AE ⓓ GB.
R *(fermé dim. de nov. à mars)* 185/420, enf. 100 – – **50 ch** 470/1350 – ½ P 505/705.

à Mélicocq par ① et D 142 : 14 km – ✉ **60150** :

XX **Chiens Rouges,** ✆ 44 76 05 50 – AE GB
fermé 28 juil. au 18 août, sam. midi, dim. soir et lundi – **R** 130, enf. 50.

à Choisy-au-Bac par ② : 5 km – 3 786 h. – ✉ **60750** :

XX **Aub. des Étangs du Buissonnet,** ✆ 44 40 17 41, ≤, , parc – GB
fermé 15 déc. au 6 janv., lundi (sauf fériés le midi) et dim. soir – **R** carte 250 à 340.

à Tracy-le-Mont par ②, D 66 et D 130 : 15 km – ✉ **60170** :

XX **Aub. de Quennevières,** ✆ 44 75 28 57, , – AE GB
fermé 1er au 30 août, lundi soir et mardi – **R** 135.

à Rethondes par ② : 10 km – ✉ **60153**.

Voir St-Crépin-aux-Bois : mobilier★ de l'église NE : 4 km.

XXX ✿ **Aub. du Pont** (Blot), ✆ 44 85 60 24 – ⓓ GB.
fermé 7 au 23 sept., 4 au 20 janv., sam. midi, dim. soir et lundi – **R** (nombre de couverts limité, prévenir) 210/500
Spéc. Galettes de pommes de terre et saumon fumé, Parmentier de ris de veau aux champignons, Saint-Jaques grillées à la confiture d'échalote grise (oct.-avril).

à Trosly-Breuil par ② : 11 km – ✉ **60350** :

XX **Aub. de la Forêt,** pl. Fêtes ✆ 44 85 62 30, – GB
fermé mardi soir et merc. – **R** carte 230 à 360.

à Vieux-Moulin par ③ et D 14 : 9,5 km – ✉ **60350**.

Voir Mont St-Marc★ N : 2 km – Les Beaux-Monts★★ : ≤★ NO : 7 km.

XXX **Aub. du Daguet,** face Église ✆ 44 85 60 72, Fax 44 85 61 28 – GB
fermé 1er au 6 mars, 15 au 24 juil. et merc. – **R** 170/300.

XX **Aub. Mont St Pierre,** ✆ 44 85 60 70 – Ⓟ. AE GB
fermé 16 août au 1er sept., 1er au 15 janv., lundi soir et mardi – **R** 80/198.

COMPIÈGNE

Hôtel-de-Ville (Pl. de l') . . . 12
Paris (R. de) 17
St-Corneille (R.) 20
Solferino (R.) 25

Austerlitz (R. d') 2
Boucheries (R. des) 3
Capucins (R. des) 4
Change (Pl. du) 5
Clemenceau (Av. G.) 6
Harlay (R. du) 10
Lombards (R. des) 13
Magenta (R.) 14
Notre-Dame-de-Bon-Secours (R.) 15
Noyon (R. de) 16
Pierrefonds (R. de) 18
St-Antoine (R.) 19
St-Jacques (Pl.) 22
Sauvage (R. P.) 23
Soissons (R. de) 24
Sorel (R. du Prés.) 26
Sous-Préfecture (R. de la) . . 27
5e Dragons (Pl. du) 28
54e Rgt. d'Infanterie (Pl.) . . 30

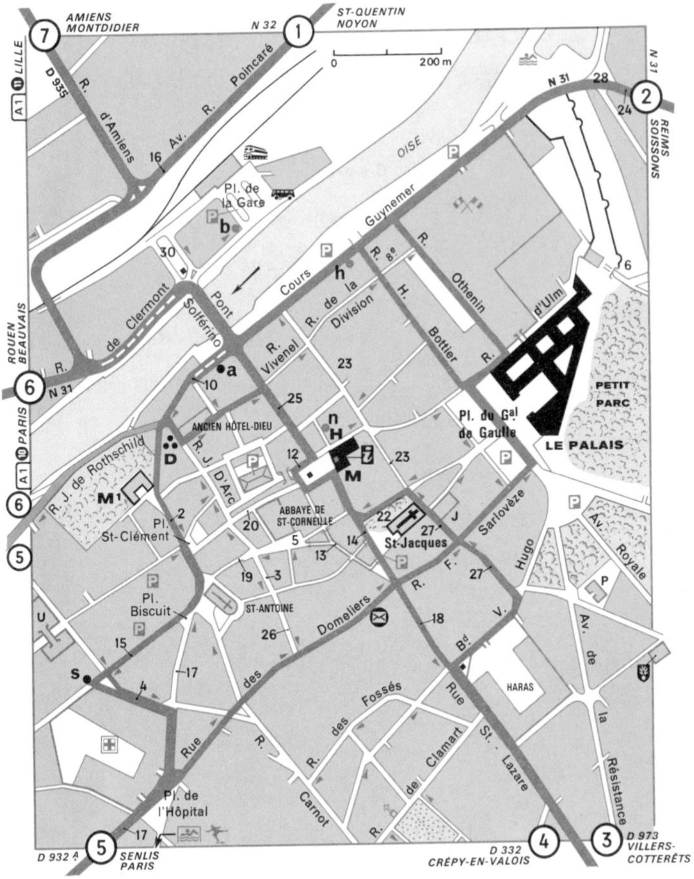

à St-Jean-aux-Bois par ④ et D 85 : 11 km – ✉ **60350** – **Voir** Église★.

XXX **A la Bonne Idée** avec ch, ☎ 44 42 84 09, Télex 155026, – rest – 30. GB
fermé mi-janv. à fin fév. – **R** 290/400 – 50 – **24 ch** 360/420.

Z.A.C. de Mercières par ⑤ et D 200 : 6 km – ✉ **60200** :

Relais Impérial M, av. Berthelot ☎ 44 20 11 11, Télex 155122, Fax 44 20 41 60 – – 50 à 100. AE GB
R *(fermé 25 juil. au 25 août et dim. soir)* 95/130 – 40 – **48 ch** 270/320 – ½ P 250.

Ibis M, 18 r. É. Branly ☎ 44 23 16 27, Télex 145991, Fax 44 86 48 21 – – 30 à 100. GB – **R** 95, enf. 40 – 34 – **78 ch** 290/325.

au Meux par ⑤, D 200 et D 98 : 11 km – ✉ **60880** :

La Vieille Ferme, ☎ 44 41 58 54, Fax 44 41 23 50 – GB
fermé 17 au 31 août – **R** *(fermé dim. soir et lundi)* 90 bc/140 bc – 30 – **14 ch** 210/230 – ½ P 270.

à Remy par ⑥ et D 36 : 10 km – ✉ 60190 :

XXX **Manoir St Charles,** pl. Église ✆ 44 42 45 28, «Parc» – AE GB
fermé 2 au 10 janv., dim. soir et lundi – **R** 135 bc/285, enf. 80.

ALFA-ROMEO St Germain Auto, 2 bis r. Chevreuil ✆ 44 20 29 94
BMW-HONDA Saint Merri Auto, ZAC de Mercières av. H.-Adenot ✆ 44 86 50 00
CITROEN S.A.D.A.C., r. Fonds-Pernant ZAC de Mercières par r. Abattoir ⑥ ✆ 44 20 26 00 N ✆ 44 41 17 09
FIAT SOVA, ZAC de Jaux Venette ✆ 44 90 06 06
MERCEDES-BENZ SAFI 60, ZAC de Mercières ✆ 44 23 08 22 N ✆ 44 72 03 79
PEUGEOT-TALBOT Safari-Compiègne, r. Clément Bayard par r. J.-de-Rothschild ✆ 44 20 19 63
RENAULT Guinard, av. Gén.-Weigand par r. Abattoir ✆ 44 20 32 57 N ✆ 22 37 71 37
V.A.G. Éts Thiry, centre commercial de Venette ✆ 44 83 29 92

Bouvet Pneu, 18 r. d'Austerlitz ✆ 44 23 22 17
Charlier Pneu, 177 r. V.-Hugo à Margny-lès-Compiègne ✆ 44 83 38 69
Distripneus, ZI Choisy au Bac ✆ 44 85 26 26
Fischbach-Pneu, r. J.-de Vaucanson, ZAC de Mercières ✆ 44 20 20 22

COMPS-SUR-ARTUBY 83840 Var 84 ⑦ G. Alpes du Sud – 272 h. alt. 898.

Env. Balcons de la Mescla★★★ NO : 14,5 km.

Paris 825 – Digne-les-Bains 75 – Castellane 28 – Draguignan 31 – Grasse 60 – Manosque 95.

Gd H. Bain, ✆ 94 76 90 06, Fax 94 76 92 24, ← – ☎ P. GB. ch
fermé 12 nov. au 24 déc., merc. soir et jeudi d'oct. à mars – **Repas** 68/165, enf. 48 – ☐ 28 – **17 ch** 155/295 – ½ P 195/230.

CONCARNEAU 29900 Finistère 58 ⑪ ⑮ G. Bretagne – 18 630 h. alt. 6.

Voir Ville Close★★ C – Musée de la Pêche★ C **M1** – Pont du Moros ←★ B – Fête des Filets bleus★ (fin août).

9 de Quimper et de Cornouaille ✆ 98 56 97 09, par ① : 8 km ; 9 18 de l'Odet ✆ 98 54 87 88, par ② D 783 puis D 44 et D 134 : 20 km.

Office de Tourisme quai d'Aiguillon ✆ 98 97 01 44.

Paris 541 ① – Quimper 27 ① – ✦Brest 93 ① – Lorient 51 ① – St-Brieuc 132 ① – Vannes 103 ①.

Plan page suivante

Ty Chupen Gwenn sans rest, plage Sables Blancs ✆ 98 97 01 43, ← – TV ☎. GB — A d
fermé 11 au 17 mai, 1er déc. au 3 janv., sam. et dim. de nov. à mars. – ☐ 41 – **15 ch** 245/400.

Océan M, plage Sables Blancs ✆ 98 50 53 50, Fax 98 50 84 16, ←, – TV ☎ P – 40. AE GB JCB. rest — A r
R 100/280, enf. 55 – ☐ 39 – **71 ch** 350/500, 17 duplex : 490/600 – ½ P 320/380.

Gd Hôtel sans rest, 1 av. P. Guéguin ✆ 98 97 00 28, ← – ☎ P. GB — C a
10 avril-10 oct. – ☐ 28 – **33 ch** 147/295.

Les Halles sans rest, pl. Hôtel de Ville ✆ 98 97 11 41, Fax 98 50 58 54 – TV ☎. GB — C s
fermé dim. soir hors sais. – ☐ 26 – **23 ch** 230/300.

Jockey sans rest, 11 av. P. Guéguin ✆ 98 97 31 52 – ☎. GB — C t
☐ 25 – **14 ch** 165/215.

De France et d'Europe sans rest, 9 av. Gare ✆ 98 97 00 64, Fax 98 50 76 66 – TV ☎ P. AE GB — C b
☐ 28 – **26 ch** 240/320.

XXX ✿ **Le Galion** (Gaonac'h) avec ch, 15 r. St-Guénolé "Ville Close" ✆ 98 97 30 16, Fax 98 50 67 88 – cuisinette TV ☎. AE GB — C e
fermé 16 au 30 nov., 20 janv. à début mars, dim. soir du 16 sept. au 19 juin et lundi sauf le soir du 16/7 au 31/8 – **R** (nombre de couverts limité, prévenir) 148/350 – ☐ 38 – **5 ch** 410
Spéc. Blanquette de langoustines aux asperges (avril-juin). Cotriade de la mer. Soufflés.

XX **La Coquille,** quai Moros ✆ 98 97 08 52, – AE GB — B k
fermé 11 au 25 mai, 2 au 15 janv., dim. soir sauf juil.-août et lundi – **R** 150/280.

XX **Aub. de Kérandon,** rte de Quimper par ② : 1 km ✆ 98 97 08 79, – P. AE GB
fermé 13 au 25 oct., 15 janv. au 15 fév., dim. soir du 15 sept. au 15 juin et lundi – **R** 80/185.

XX **La Gallandière,** 3 pl. Gén. de Gaulle ✆ 98 97 16 34 – GB — C n
fermé dim. soir et jeudi – **R** 90/250.

X **Chez Armande,** 15 bis av. Dr Nicolas ✆ 98 97 00 76 – AE GB — C d
fermé 10 au 24 juin, 12 nov. au 12 déc., mardi soir (sauf juil.-août) et merc. – **R** 77/170 ♁.

CITROEN Gar. Duquesne, 4 r. Moros ✆ 98 97 48 00
FORD Tilly, 106 av. Gare ✆ 98 97 35 00 N
PEUGEOT-TALBOT Gar. Nedelec, ZI du Moros ✆ 98 97 46 33
RENAULT Gar. de Penanguer, rte de Quimper par ① ✆ 98 97 36 06 N ✆ 05 05 15 15

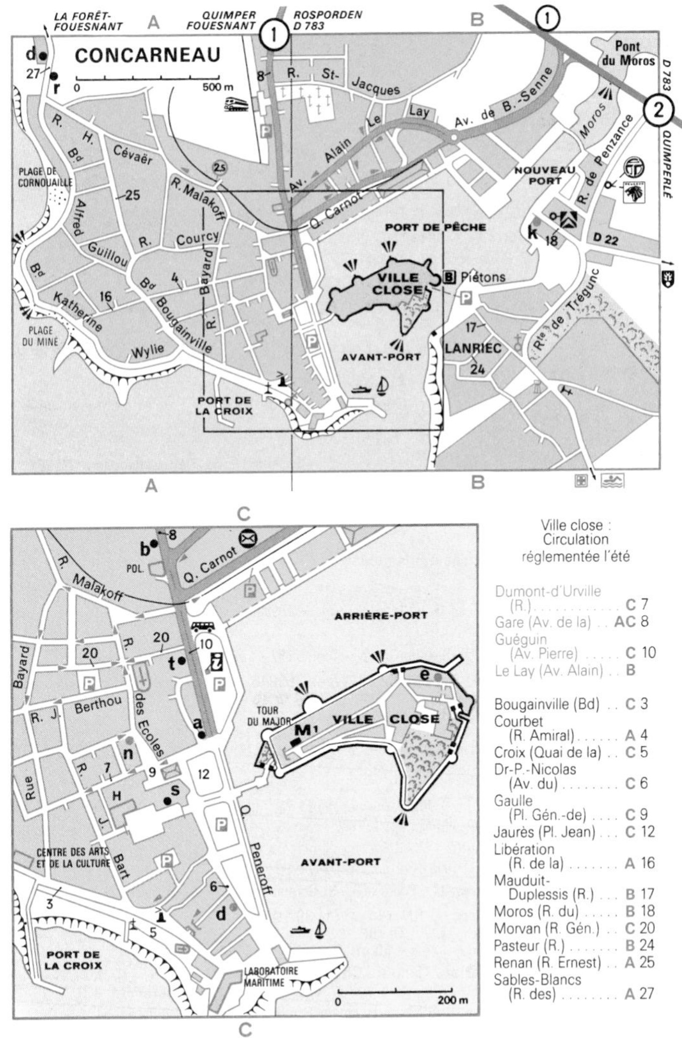

CONCHES-EN-OUCHE **27190** Eure 55 ⑯ **G. Normandie Vallée de la Seine** (plan) – 4 009 h. alt. 144.

Voir Église Ste-Foy★ – Paris 121 – L'Aigle 37 – Bernay 33 – Dreux 45 – Évreux 18 – ◆Rouen 57.

XX **La Grand'Mare** avec ch, 13 av. Croix de Fer ✆ 32 30 23 30, – GB
fermé dim. soir et lundi d'oct. à mars – **R** 145/270 – ☕ 28 – **8 ch** 85/195.

XX **Toque Blanche,** 18 pl. Carnot ✆ 32 30 01 54 – AE GB
fermé mardi soir et lundi – **R** 98/190, enf. 45.

PEUGEOT-TALBOT Peuret ✆ 32 30 23 09 N — RENAULT Marie ✆ 32 30 23 50 N

CONCORET **56430** Morbihan 59 ⑮ – 626 h. alt. 98.

Paris 396 – ◆Rennes 47,5 – Dinan 51,5 – Loudéac 45,5 – Ploërmel 24,5 – Vannes 71,5.

X **Chez Maxime** avec ch, ✆ 97 22 63 04 – P – 60. GB
fermé 28 sept. au 10 oct., 2 au 26 fév., merc. hors sais. et mardi soir – **R** 78/172 – ☕ 25 – **9 ch** 90/151 – ½P 130/147.

CONDÉ-STE-LIBIAIRE 77 S.-et-M. 56 ⑫, 106 ㉒ – rattaché à Esbly.

CONDÉ-SUR-NOIREAU 14110 Calvados 55 ⑪ **G. Normandie Cotentin** – 6 309 h. alt. 84.

18 de Clécy-Cantelou ℘ 31 69 72 72, NO par D 36 : 9 km.

Paris 281 – ◆Caen 46 – Argentan 54 – Falaise 31 – Flers 11,5 – Vire 25.

à St-Germain-du-Crioult O : 4,5 km sur rte Vire – ✉ **14110** :

X **Aub. St-Germain** avec ch, ℘ 31 69 08 10 – ☎. GB. ✻
fermé 1er au 8 août, 2 au 16 janv., vend. soir du 1er oct. au 15/4 et dim. soir (sauf hôtel du 15/4 au 1/10) – **R** 67/130 – ☕ 18 – **9 ch** 145/200 – ½ P 150/170.

CONDOM ⟨SP⟩ 32100 Gers 79 ⑭ **G. Pyrénées Aquitaine** (plan) – 7 717 h. alt. 81.

Voir Cathédrale St-Pierre★ : Cloître★.

Syndicat d'Initiative pl. Bossuet ℘ 62 28 00 80.

Paris 730 – Agen 39 – Auch 44 – Mont-de-Marsan 81 – ◆Toulouse 147.

Trois Lys sans rest, 38 r. Gambetta ℘ 62 28 33 33, Fax 62 28 41 85, – TV ☎ P. AE GB
☕ 38 – **10 ch** 350/500.

Logis des Cordeliers sans rest, r. des Cordeliers ℘ 62 28 03 68, Fax 62 68 29 03, – TV ☎ P. GB
fermé 1er au 15 janv. – ☕ 35 – **21 ch** 230/360.

XXX **Table des Cordeliers,** 1 r. Cordeliers ℘ 62 68 28 36, , « Ancienne abbaye du 14e siècle » – P. GB
fermé janv., dim. soir et lundi – **R** 170/300.

PEUGEOT-TALBOT Durrieu, bd St-Jacques ℘ 62 28 00 53
RENAULT Rottier, allées de Gaulle ℘ 62 28 22 55
N ℘ 62 67 33 55

Central Pneu, 7 av. Armagnac ℘ 62 28 01 91
Rivière, 21 av. Pyrénées ℘ 62 28 01 20

Repas 100/130 Repas soignés à prix modérés.

CONDRIEU 69420 Rhône 74 ⑪ **G. Vallée du Rhône** – 3 093 h. alt. 150.

Voir Calvaire ≤★.

Paris 501 – ◆Lyon 41 – Annonay 35 – Rive-de-Gier 21 – Tournon 52 – Vienne 11,5.

✿ **Hôt. Beau Rivage,** ℘ 74 59 52 24, Télex 308946, Fax 74 59 59 36, , « Terrasse avec vue agréable sur le Rhône », – ▤ rest TV ☎ P. AE ⓓ GB
R 275/400 – ☕ 59 – **24 ch** 500/820
Spéc. Quenelle de brochet au salpicon de homard, Fleurs de courgettes à la mousse de brochet (15 mai au 15 oct.), Côte de boeuf casserole aux échalotes confites. **Vins** Saint-Joseph blanc, Crozes-Hermitage.

Gar. Baronnier ℘ 74 59 50 16

CONFLANS-STE-HONORINE 78700 Yvelines 55 ⑳ 101 ② **G. Ile de France** (plan) – 31 467 h. alt. 28 - Pardon national de la Batellerie (fin juin).

Voir ≤★ de la terrasse du parc.

Office de Tourisme 23 r. M.-Berteaux (fermé août) ℘ (1) 39 72 66 91.

Paris 31 – Mantes-la-Jolie 40 – Poissy 11 – Pontoise 8 – St-Germain-en-Laye 13 – Versailles 28.

Campanile, 91 r. Cergy - RN 184 ℘ (1) 39 19 21 00, Télex 699149, Fax (1) 39 19 36 57, , – TV ☎ ♿ P – 25. AE GB
R 77 bc/99 bc, enf. 39 – ☕ 28 – **50 ch** 258 – ½ P 234/256.

XX **Au Confluent de l'Oise,** 15 cours Chimay ℘ (1) 39 72 60 31, ≤ – P. AE GB
fermé août, vacances de fév., dim. soir et lundi sauf fériés – **R** carte 180 à 280.

X **Au Bord de l'Eau,** 15 quai Martyrs-de-la-Résistance ℘ (1) 39 72 86 51,
fermé 16 au 23 mars, 10 au 31 août, lundi et le soir sauf sam. – **R** 150.

CONFOLENS ⟨SP⟩ 16500 Charente 72 ⑤ **G. Berry Limousin** (plan) – 2 904 h. alt. 152.

Voir Le vieux Confolens★ : Pont Vieux★, maison du duc d'Epernon★.

Office de Tourisme pl. Marronniers ℘ 45 84 00 77.

Paris 406 – Angoulême 63 – Bellac 37 – ◆Limoges 58 – Niort 102 – Périgueux 116 – Poitiers 72.

Émeraude, r. E.-Roux ℘ 45 84 12 77 – ☎ – 30. GB
fermé vacances de fév., sam. soir et dim. soir du 1er nov. au 1er mars – **R** 60/220 , enf. 38 – ☕ 30 – **18 ch** 120/190.

XX **Aub. Tour de Nesle,** r. Côte ℘ 45 84 03 70 – ⓓ GB
fermé 15 fév. au 15 mars, lundi soir et mardi – **R** 120/220, enf. 40.

CITROEN David ℘ 45 84 12 42
CITROEN Gar. Soulat ℘ 45 84 00 27 N

PEUGEOT Gar. Roulon ℘ 45 84 10 86
RENAULT Confolens Autos, ℘ 45 84 07 00

CONLEAU 56 Morbihan 63 ③ – rattaché à Vannes.

CONNAUX 30 Gard 80 ⑲ ⑳ – rattaché à Bagnols-sur-Cèze.

CONNELLES **27430** Eure 55 ⑦ – 154 h.

Paris 114 – ♦Rouen 31 – Les Andelys 13 – Evreux 32 – Vernon 34.

Moulin de Connelles M, D 19 ☎ 32 59 53 33, Fax 32 59 21 83, ←, « Belle demeure normande dans un parc au bord de la Seine », – TV ☎ P. AE ① GB
fermé 15 au 30 nov. – **R** 170/270, enf. 70 – ☕ 50 – **6 ch** 500/600, 7 appart. 600/800 – ½ P 470/570.

CONNERRÉ **72160** Sarthe 60 ⑭ **G. Châteaux de la Loire** – 2 545 h. alt. 76.

Paris 180 – ♦Le Mans 24 – Châteaudun 74 – Mamers 43 – Nogent-le-Rotrou 41 – St-Calais 27.

Aub. Tante Léonie, ☎ 43 89 06 54 – GB
fermé 10 au 20 fév., mardi soir et merc. – **R** 75/180, enf. 50.

à Thorigné-sur-Dué SE : 4 km par D 302 – ✉ **72160** :

St-Jacques avec ch, ☎ 43 89 95 50, Fax 43 76 58 42, – TV ☎ ♿ P. ① GB
fermé 5 janv. au 5 fév., dim. soir d'oct. à juin et lundi – **R** 88/260 ꝭ, enf. 65 – ☕ 38 – **16 ch** 170/350 – ½ P 190/290.

CITROEN Gar. Guérin ☎ 43 89 00 51

CONQUES **12320** Aveyron 80 ① ② **G. Gorges du Tarn** (plan) – 362 h. alt. 250.

Voir Site★★ – Église Ste-Foy★★ : tympan du portail Ouest★★★ et trésor★★★ – Le Cendié ←★ O : 2 km par D 232 – Site du Bancarel ←★ S : 3 km par D 901.

Paris 629 – Rodez 39 – Aurillac 56 – Espalion 66 – Figeac 54.

Ste-Foy, ☎ 65 69 84 03, Fax 65 72 81 04, – TV ☎. AE GB
12 avril-1er nov. – **R** (nombre de couverts limité - prévenir) 140/230, enf. 63 – ☕ 42 – **17 ch** 350/650 – ½ P 357/507.

Host. de l'Abbaye M, ☎ 65 72 80 30, – TV ☎. AE GB.
fermé 15 au 31 janv. et sam. du 1er nov. au 1er mars – **R** 130/180, enf. 80 – ☕ 38 – **8 ch** 310/440.

Aub. St-Jacques, ☎ 65 72 86 36 – ☎. AE GB. rest
fermé janv. et lundi du 15 nov. au 1er mars – **R** 70/140 ꝭ – ☕ 24 – **14 ch** 135/250 – ½ P 230.

Le CONQUET **29217** Finistère 58 ③ **G. Bretagne** – 2 149 h. alt. 30.

Voir Site★.

Syndicat d'Initiative Beauséjour (saison) ☎ 98 89 11 31 et à la Mairie (15 sept.-15 juin) ☎ 98 89 00 07.

Paris 620 – ♦Brest 24 – Brignogan-Plage 58 – St-Pol-de-Léon 85.

Pointe Ste-Barbe, ☎ 98 89 00 26, Fax 98 89 14 81, ← mer et les îles – TV ☎ ♿ P – 40. AE ① GB. rest
fermé 12 nov. au 17 déc. – **R** *(fermé lundi sauf de juil. à mi-sept.)* 84/396 – ☕ 30 – **49 ch** 156/572 – ½ P 270/475.

à la Pointe de St-Mathieu S : 4 km – ✉ **29217** Le Conquet.

Voir Phare ★★ – Ruines de l'église abbatiale★.

Pointe St-Mathieu, ☎ 98 89 00 19 – AE GB
fermé 1er au 11 oct., 20 janv. au 20 fév., mardi (sauf juil.-août) et dim. soir – **R** 60/290, enf. 45.

RENAULT Gar. Taniou-le Goff ☎ 98 89 00 29

CONSOLATION (Cirque de) ★★ **25** Doubs 66 ⑰ **G. Jura** – alt. 793.

Voir La Roche du Prêtre ←★★★ de la D 41, 15 mn – Vallée du Dessoubre★ N.

Paris 463 – Baume-les-Dames 46 – ♦Besançon 54 – Montbéliard 58 – Morteau 16.

Les CONTAMINES-MONTJOIE **74170** H.-Savoie 74 ⑧ **G. Alpes du Nord** – 994 h. alt. 1 164 – Sports d'hiver : 1 164/2 500 m 3 23 .

Voir ←★ sur gorges de la Gruvaz NE : 5 km.

Office de Tourisme pl. Mairie ☎ 50 47 01 58, Télex 385730.

Paris 606 – Chamonix 32 – Annecy 89 – Bonneville 49 – Megève 19 – St-Gervais-les-B. 8,5.

La Chemenaz et rest. la Trabla, ☎ 50 47 02 44, Fax 50 47 12 73, ←, – TV ☎ P. GB
20 mai-20 sept. et 20 déc.-20 avril – **R** 100/125, enf. 60 – ☕ 48 – **38 ch** 500 – ½ P 360/415.

Gai Soleil, ☎ 50 47 02 94, ←, – ☎ P. GB. rest
15 juin-19 sept. et 19 déc.-30 avril – **R** 95/160 – ☕ 26 – **19 ch** 240/335 – ½ P 250/300.

Le Miage, ☎ 50 47 01 63, ←, – cuisinette TV ☎ P. GB
20 juin-10 sept. et 20 déc.-20 avril – **R** 100/300 ꝭ, enf. 50 – ☕ 30 – **9 ch** 300/400, 9 appart. 400/600 – ½ P 300/400.

Le Chamois, ☎ 50 47 03 43, ←, – cuisinette TV ☎ P. GB
fin juin-fin août et vacances de Noël-25 avril – **R** (en été dîner seul.) 110/180 – ☕ 39 – **18 ch** 390 – ½ P 340.

Le Christiania, ☎ 50 47 02 72, ←, – ☎ P. GB. ch
20 juin-10 sept. et 21 déc.-10 avril – **R** 103 ꝭ, enf. 41 – ☕ 32 – **16 ch** 190/350 – ½ P 248/290.

CONTAMINE-SUR-ARVE 74130 H.-Savoie 74 ⑦ – 1 125 h. alt. 449.

Paris 550 – Annecy 44 – Thonon-les-Bains 36 – Bonneville 8 – Chamonix-Mont-Blanc 62 – ✦Genève 19 – Megève 47 – Morzine 47.

XX **Tourne Bride** avec ch, ✆ 50 03 62 18 – Ⓟ. GB
fermé 29 juin au 12 juil., 16 au 30 nov., dim. soir et lundi – **R** 92/165 – ☕ 23 – **8 ch** 160/220 – ½ P 180/240.

CONTEVILLE 27120 Eure 55 ④ – 701 h. alt. 30.

Paris 185 – Évreux 79 – ✦Le Havre 41 – Honfleur 13 – Pont-Audemer 12 – Pont-l'Évêque 28.

XXX ✿ **Aub. Vieux Logis** (Louet), ✆ 32 57 60 16 – AE ⓓ GB
fermé 20 sept. au 3 oct., fév., merc. soir et jeudi – **R** (nombre de couverts limité - prévenir) carte 220 à 330
Spéc. Andouille de Vire au cidre, Ravioles de langoustines, Persillade d'ailes de pigeon et cuisses en croûte.

CONTIS-PLAGE 40 Landes 78 ⑮ – ✉ 40170 St-Julien-en-Born.

Paris 716 – Mont-de-Marsan 76 – ✦Bayonne 89 – Castets 32 – Mimizan 23.

Neptune sans rest, ✆ 58 42 85 28 – ☎ Ⓟ. GB
1er mai-30 sept. – ☕ 25 – **16 ch** 150/260.

CONTRES 41700 L.-et-Ch. 64 ⑰ – 2 979 h. alt. 100.

Paris 202 – ✦Tours 61 – Blois 21 – Châteauroux 76 – Montrichard 21 – Romorantin-Lanthenay 26.

France, ✆ 54 79 50 14, Télex 750826, Fax 54 79 02 95, ⛱, ⛱ – ⇆ ▤ rest TV ☎ ♿ 🚗 Ⓟ – 🏛 30. GB. ✂ rest
fermé fév. (sauf hôtel), vend. du 15 oct. au 12 avril, dim. soir et lundi en fév. – **R** 110 (sauf sam. soir)/255 – ☕ 40 – **58 ch** 265/500 – ½ P 290/380.

X **La Botte d'Asperges** avec ch, ✆ 54 79 50 49 – TV. GB
R 77/195, enf. 50 – ☕ 35 – **3 ch** 180/200 – ½ P 170/180.

NE : 6 km par D 122, D 99 et VO – ✉ 41700 Contres :

Château de la Gondelaine ⛰, ✆ 54 79 09 14, Fax 54 79 64 92, « Dans un parc » – TV ☎ Ⓟ. ⓓ GB
fermé 15 janv. au 15 fév. – **R** *(fermé merc.)* 145/240 – ☕ 45 – **19 ch** 450/790 – ½ P 450/540.

RENAULT Dubreuil Autom., RN à Chémery ✆ 54 71 80 06

CONTREVOZ 01 Ain 74 ⑭ – rattaché à Belley.

CONTREXÉVILLE 88140 Vosges 62 ⑭ **G. Alsace Lorraine** – 3 945 h. alt. 337 – Stat. therm. (5 avril-30 oct.) – Casino Y.

ℹ Office de Tourisme et de Thermalisme r. du Shah de Perse ✆ 29 08 08 68.

Paris 329 ③ – Épinal 46 ① – Langres 67 ② – Luxeuil 69 ② – ✦Nancy 79 ① – Neufchâteau 28 ③.

Cosmos, r. Metz ✆ 29 08 15 90, Télex 850583, Fax 29 08 68 67, parc, 🏋, ⛱ – 🛗 TV ☎ Ⓟ – 🏛 25 à 50. AE ⓓ GB. ✂ rest Y **u**
avril-oct. – **R** 150 (sauf sam. soir)/195 – ☕ 44 – **75 ch** 335/397, 6 appart. 636/754 – ½ P 419/433.

Gd H. Établissement, ✆ 29 08 17 30 – 🛗 TV ☎ Ⓟ. AE ⓓ GB. ✂ rest Z **e**
avril-30 sept. – **R** 150/195 - **Rest. du Casino** *(10 mai-30 sept. et fermé lundi)* **R** 110 (sauf sam. soir)/135 🍷 enf. 88 – ☕ 40 – **39 ch** 151/392 – ½ P 389/402.

Souveraine, dans le parc ✆ 29 08 09 59 – TV ☎. AE ⓓ GB. ✂ rest Y **r**
avril-30 sept. – **R** voir **Gd H. Etablissement** – ☕ 40 – **31 ch** 151/382 – ½ P 389/402.

Paris et Thermes, av. Gde Duchesse Wladimir ✆ 29 08 13 46, Télex 850206, Fax 29 08 60 96, 🏋 – 🛗 cuisinette TV ☎. GB. ✂ rest Z **s**
fermé janv. et fév. – **R** 88/350 🍷 – ☕ 30 – **78 ch** 150/340 – P 260/375.

Sources, r. Ziwer-Pacha ✆ 29 08 04 48 – ☎. AE GB. ✂ rest Z **x**
avril-oct. – **R** 110/190, enf. 55 – ☕ 35 – **40 ch** 130/290 – ½ P 260/349.

CONTREXÉVILLE

Daudet (R.)	Y 2
Division-Leclerc (R.)	Y 3
Hirschauer (R. du Gén.)	Y 4
Shah-de-Perse (R. du)	Y 5
Stanislas (R. du Roi)	Z 6
Thomson (R. Gaston)	Z 7
Victoire (R. de la)	Y 8
Wladimir (R. Grande-Duchesse)	Z 9
Ziwer-Pacha (R.)	Z 10

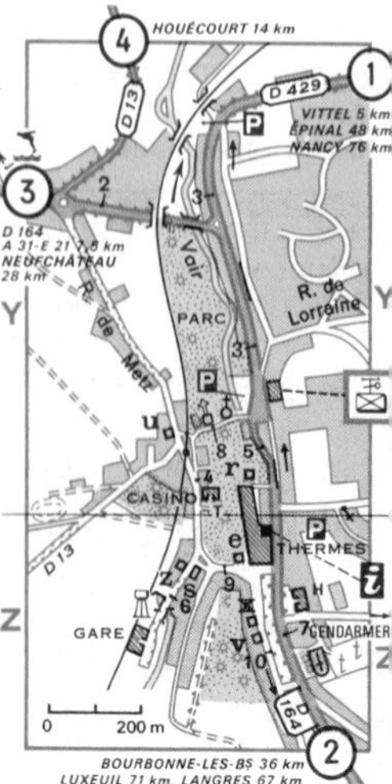

Beauséjour, r. Ziwer-Pacha ☏ 29 08 04 89, – ☎. AE GB Z v
2 avril-30 sept. – **R** 80/180 ⅓, enf. 50 – ☕ 28 – **32 ch** 130/210.

France, av Roi Stanislas ☏ 29 08 04 13 – ☎ Ⓟ. GB Z z
fermé 15 déc. au 15 janv. – **R** 75/160 ⅓ – ☕ 28 – **32 ch** 170/295 – ½ P 190/255.

par ③ et rte du Lac de la Folie : 1,2 km – ✉ **88140** Contrexéville :

Campanile ⛰, ☏ 29 08 03 72, Télex 960333, Fax 29 08 46 98, ←, – TV ☎ ♿ Ⓟ – 25. AE GB
R 77 bc/99 bc, enf. 39 – ☕ 28 – **31 ch** 258 – ½ P 234/256.

La COQUILLE **24450** Dordogne 72 ⑯ – 1 515 h. alt. 340.
Paris 443 – ♦Limoges 48 – Brive-la-Gaillarde 82 – Nontron 30 – Périgueux 50 – St-Yrieix-la-Perche 24.

Voyageurs, N 21 ☏ 53 52 80 13, Fax 53 62 18 29, – TV ☎ Ⓟ. AE ◑ GB
15 avril-15 oct. – **Repas** 85/240 ⅓, enf. 60 – ☕ 30 – **10 ch** 160/280 – ½ P 210/250.

PEUGEOT-TALBOT Fauriat ☏ 53 52 80 60 — RENAULT Gar. Fayol ☏ 53 52 81 35

CORBEHEM **62** P.-de-C. 53 ③ – rattaché à Douai.

CORBEIL-ESSONNES **91** Essonne 61 ①, 106 ㉜ – voir à Évry.

CORBIGNY **58800** Nièvre 65 ⑮ **G. Bourgogne** – 1 802 h. alt. 197.
Paris 239 – Autun 75 – Avallon 45 – Clamecy 30 – Nevers 61.

La Buissonière, pl. St-Jean ☏ 86 20 02 13 – TV ☎ ♿ Ⓟ. GB
fermé fév. – **R** *(fermé lundi d'oct. à mars et dim. soir)* 75/220 ⅓, enf. 50 – ☕ 30 – **23 ch** 210/250 – ½ P 210/240.

La Grange aux Loups, ☏ 86 20 01 86, – GB
fermé dim. soir et lundi sauf juil.-août et fériés – **R** 85/200 ⅓.

CITROEN Gar. Philizot ☏ 86 20 00 34 — PEUGEOT Gar. Poinsard ☏ 86 20 10 88 **N**

CORDES **81170** Tarn 79 ⑳ **G. Pyrénées Roussillon** (plan) – 932 h. alt. 274.
Voir Site** – Maisons gothiques** – Musée de l'Outil* à Vindrac-Alayrac O : 5 km.
Syndicat d'Initiative à la Mairie (saison) ☏ 63 56 00 52 et pl. Bouteillerie (juil.-sept.) ☏ 63 56 14 11.
Paris 668 – ♦Toulouse 77 – Albi 25 – Montauban 59 – Rodez 82 – Villefranche-de-Rouergue 46.

✿ **Grand Écuyer** (Thuriès) M ⛰, ☏ 63 56 01 03, Fax 63 56 16 99, ← vallée, « Demeure gothique, bel intérieur » – TV ☎ – 30. AE ◑ GB
mars-oct. – **R** *(fermé lundi sauf de juin à sept. et fériés)* 180/380 – ☕ 50 – **12 ch** 560/790 – ½ P 590/670
Spéc. Foie gras de canard et compotée de pigeonneau, Méli-mélo d'agneau au pistou, Pigeonneau du Lauragais à l'étouffée. **Vins** Gaillac.

Host. du Vieux Cordes M ⛰, ☏ 63 56 00 12, – TV ☎. AE ◑ GB
fermé 2 janv. au 1er fév. – **R** 75/260, enf. 50 – ☕ 35 – **21 ch** 265/400 – ½ P 285.

PEUGEOT-TALBOT Barrié ☏ 63 56 02 61

CORDON **74** H.-Savoie 74 ⑦ ⑧ – rattaché à Sallanches.

CORENC **38** Isère 77 ⑤ – rattaché à Grenoble.

CORMEILLES-EN-PARISIS **95** Val-d'Oise 55 ⑳, 101 ③ ④ – voir à Paris, Environs.

CORMEILLES-EN-VEXIN **95** Val-d'Oise 55 ⑲, 106 ⑤ – rattaché à Cergy-Pontoise.

CORMONTREUIL **51** Marne 56 ⑯ – rattaché à Reims.

CORMERY **37320** I.-et-L. 64 ⑮ **G. Châteaux de la Loire** – 1 323 h. alt. 88.
Paris 246 – ♦Tours 22 – Blois 57 – Château-Renault 46 – Loches 21 – Montrichard 31.

Aub. du Mail, pl. Mail ☏ 47 43 40 32, – AE GB
fermé 19 juin au 3 juil., 13 au 27 nov., jeudi soir et vend. – **R** 90/230, enf. 60.

CORNAS **07** Ardèche 76 ⑳ – rattaché à St-Péray.

CORNILLON **30630** Gard 80 ⑨ – 609 h.
Paris 667 – Alès 52 – Avignon 50 – Bagnols-sur-Cèze 16 – Pont-St-Esprit 24.

Vieille Fontaine M ⛰, ☏ 66 82 20 56, ←, « Piscine et jardin en terrasses dominant la vallée » – TV ☎. AE GB
fermé janv., fév., dim. soir et merc. sauf juil.-août – **R** 195 – ☕ 55 – **8 ch** 550/850.

CORNY-SUR-MOSELLE **57680** Moselle 57 ⑬ – 1 490 h. alt. 176.
Paris 319 – ♦Metz 13 – ♦Nancy 41 – Pont-à-Mousson 14 – Verdun 59.

Au Gourmet Lorrain, r. Moselle ☏ 87 52 81 56 – ◑ GB
fermé juil. et jeudi – **R** 140/200 ⅓.

CORPS 38970 Isère 77 ⑮ ⑯ G. Alpes du Nord – 512 h. alt. 937.

Voir Barrage★★, pont★ et lac★ du Sautet O : 4 km.

Office de Tourisme (15 juin-15 sept.) 76 30 03 85.

Paris 634 – Gap 40 – ◆Grenoble 64 – La Mure 25.

Le Tilleul, 76 30 00 43, – . AE GB
fermé 1er nov. au 15 déc. – **R** 70/145 – 25 – **10 ch** 180/260 – ½ P 200/220.

Nouvel H., rte Mens 76 30 00 35, Fax 76 30 03 00, ≤, – ch . AE GB. rest
fermé janv. – **R** 85/185, enf. 40 – 26 – **20 ch** 220 – ½ P 220/240.

Napoléon sans rest, 76 30 00 42 – . GB.
15 fév.-31 oct. – 30 – **22 ch** 195/300.

XXX **Poste** avec ch, 76 30 00 03, Fax 76 30 02 73, – . GB
fermé 30 nov. au 30 janv. – **Repas** 90/270 – 30 – **20 ch** 190/420 – ½ P 220/350.

au NE : 4 km par rte La Salette et D 212c – alt. 1 260 – ✉ **38970** Corps :

Boustigue H. , 76 30 01 03, ≤, , , – . GB
20 avril-début nov. – **R** 90/150, enf. 55 – 37 – **31 ch** 250/325 – ½ P 295/313.

CITROEN Gar. du Dauphiné 76 30 01 10 N 76 30 00 28
RENAULT Rivière 76 30 01 13 N

CORRENÇON-EN-VERCORS 38 Isère 77 ④ – rattaché à Villard-de-Lans.

CORRÈZE 19800 Corrèze 75 ⑨ G. Berry Limousin – 1 145 h. alt. 450.

Paris 486 – Brive-la-Gaillarde 45 – ◆Limoges 89 – Tulle 18 – Ussel 50.

Seniorie M , 55 21 22 88, Fax 55 21 24 00, , , , – cuisinette – 30. AE GB
fermé fév. – **R** *(fermé sam. du 1er oct. au 31 mai)* 135/300, enf. 50 – 50 – **29 ch** 385/495 – ½ P 400.

Les principales voies commerçantes figurent en rouge au début de la liste des rues des plans de villes.

CORSE 90 G. Corse – 249 729 h.

Relations avec le continent : 50 mn env. par avion, 5 à 10 h par bateau (voir à Marseille, Nice et Toulon).

Ajaccio P 2A Corse-du-Sud 90 ⑰ – 58 315 h. alt. 18 – Casino Z – ✉ **20000** Ajaccio.

Voir Musée Fesch★★ Z M1 – Maison Bonaparte★ Z – Place d'Austerlitz Y3 : monument de Napoléon Ier★ Y N – Jetée de la Citadelle ≤★ YZ – Place Gén.-de-Gaulle ≤★ Z.

Env. S : golfe d'Ajaccio★★ – Pointe de la Parata ≤★★ 12 km par ② puis 30 mn.

Excurs. aux Iles Sanguinaires★★.

d'Ajaccio-Campo dell'Oro : 95 21 03 64, par ① : 7 km.

Office de Tourisme 1 pl. Foch 95 21 40 87 – A.C. 65 cours Napoléon 95 23 15 01.

Bastia 151 ① – Bonifacio 137 ① – Calvi 175 ① – Corte 81 ① – L'Ile-Rousse 151 ①.

Plan pages suivantes

Campo dell'Oro M, rte aéroport par ① : 5 km 95 22 32 41, Télex 460087, Fax 95 20 60 21, ≤, , « Jardin fleuri », , , – – 250. AE GB JCB. rest
R *(fermé 5 nov. au 5 janv.)* 230, enf. 115 – **132 ch** 610/1390 – ½ P 610/910.

Albion M sans rest, 15 av. Gén. Leclerc 95 21 66 70, Télex 460846, Fax 95 21 17 55 – . AE GB — Y **k**
fermé janv. et fév. – 38 – **63 ch** 491.

Costa sans rest, 2 bd Colomba 95 21 43 02, Télex 468080, Fax 95 21 59 82 – . AE GB. — Y **x**
38 – **53 ch** 348/533.

Napoléon M sans rest, 4 r. Lorenzo Vero 95 21 30 01, Télex 460625, Fax 95 21 80 40 – – 60. AE GB — Z **s**
47 – **62 ch** 300/483.

Impérial, 6 bd Albert 1er 95 21 50 62, Télex 460269, Fax 95 21 15 20, , – . AE GB. rest — Y **e**
29 mars-15 nov. – **R** 120, enf. 45 – 32 – **57 ch** 326/488 – ½ P 352/406.

San Carlu sans rest, 8 bd Casanova 95 21 13 84, Télex 460158 – . AE GB. — Z **f**
fermé 23 déc. au 31 janv. – 35 – **44 ch** 302/450.

Fesch sans rest, 7 r. Fesch 95 21 50 52, Télex 460640, Fax 95 21 83 36 – . AE GB — Z **y**
fermé 15 déc. au 15 janv. – 32 – **78 ch** 285/440.

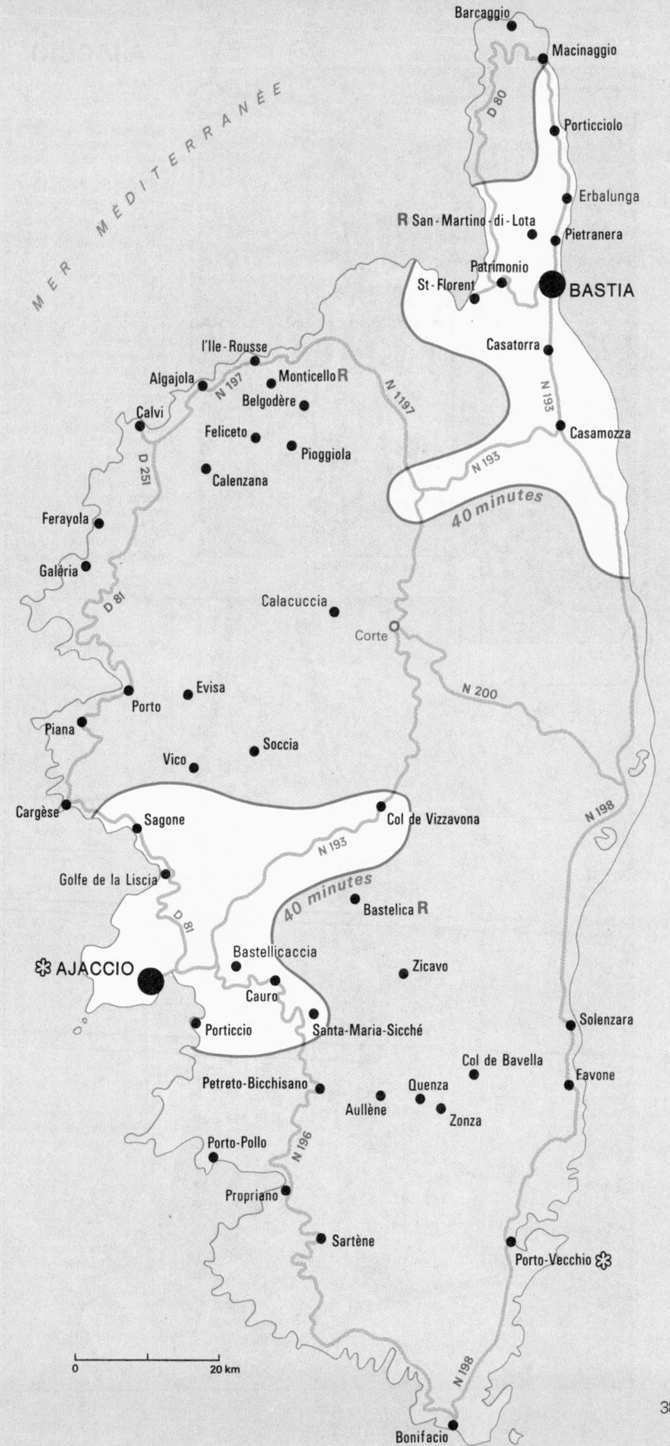
MER MÉDITERRANÉE
Barcaggio
Macinaggio
D 80
Porticciolo
Erbalunga
R San-Martino-di-Lota
Pietranera
Patrimonio
St-Florent
BASTIA
Casatorra
N 193
Casamozza
l'Ile-Rousse
Algajola
N 197
Monticello R
Belgodère
N 1197
Calvi
Feliceto
Pioggiola
Calenzana
D 251
N 193
40 minutes
Ferayola
Galéria
D 81
Calacuccia
Corte
Porto
Evisa
N 200
Piana
Soccia
Vico
Cargèse
Sagone
Col de Vizzavona
N 198
N 193
Golfe de la Liscia
40 minutes
Bastelica R
D 81
Bastellicaccia
AJACCIO
Zicavo
Cauro
Porticcio
Santa-Maria-Sicché
Solenzara
Col de Bavella
Favone
Petreto-Bicchisano
Quenza
Aullène
Zonza
Porto-Pollo
N 196
Propriano
Sartène
Porto-Vecchio
0
20 km
N 198
Bonifacio

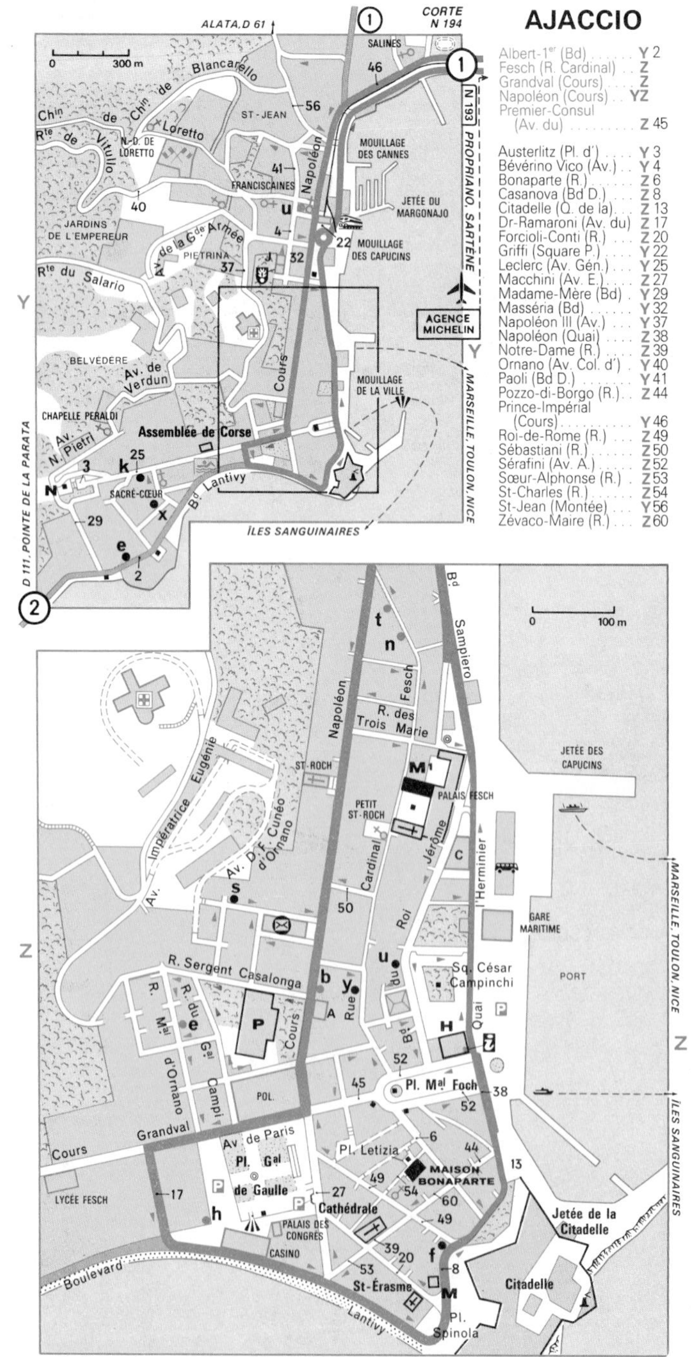
AJACCIO
Albert-1er (Bd) . . . . . Y 2
Fesch (R. Cardinal) . . Z
Grandval (Cours) . . . . Z
Napoléon (Cours) . . YZ
Premier-Consul (Av. du) . . . . Z 45
Austerlitz (Pl. d') . . . . Y 3
Bévérino Vico (Av.) . . Y 4
Bonaparte (R.) . . . . . Z 6
Casanova (Bd D.) . . . . Z 8
Citadelle (Q. de la). . . Z 13
Dr-Ramaroni (Av. du) Z 17
Forcioli-Conti (R.) . . . Z 20
Griffi (Square P.) . . . . Y 22
Leclerc (Av. Gén.) . . . . Y 25
Macchini (Av. E.) . . . . . Z 27
Madame-Mère (Bd) . Y 29
Masséria (Bd) . . . . . . Y 32
Napoléon III (Av.) . . . . Y 37
Napoléon (Quai) . . . . Z 38
Notre-Dame (R.) . . . . . Z 39
Ornano (Av. Col. d') . Y 40
Paoli (Bd D.) . . . . Y 41
Pozzo-di-Borgo (R.) . . Z 44
Prince-Impérial (Cours) . . . . Y 46
Roi-de-Rome (R.) . . . Z 49
Sébastiani (R.) . . . . . . Z 50
Sérafini (Av. A.) . . . . . Z 52
Sœur-Alphonse (R.) . Z 53
St-Charles (R.) . . . . . . Z 54
St-Jean (Montée) . . . Y 56
Zévaco-Maire (R.) . . . Z 60
ALATA, D 61
CORTE N 194
N 193 PROPRIANO, SARTÈNE
MARSEILLE, TOULON, NICE
D 111, POINTE DE LA PARATA
ÎLES SANGUINAIRES
AGENCE MICHELIN
SALINES
ST-JEAN
N.-D. DE LORETTO
FRANCISCAINES
MOUILLAGE DES CANNES
JETÉE DU MARGONAJO
MOUILLAGE DES CAPUCINS
JARDINS DE L'EMPEREUR
PIETRINA
BELVÉDÈRE
CHAPELLE PERALDI
MOUILLAGE DE LA VILLE
Assemblée de Corse
SACRÉ-CŒUR
Bd Lantivy
JETÉE DES CAPUCINS
PALAIS FESCH
ST-ROCH
PETIT ST-ROCH
GARE MARITIME
PORT
Sq. César Campinchi
Pl. Mal Foch
LYCÉE FESCH
Pl. Gal de Gaulle
Cathédrale
PALAIS DES CONGRÈS
CASINO
St-Érasme
MAISON BONAPARTE
Pl. Letizia
Jetée de la Citadelle
Citadelle
Pl. Spinola
Cours Grandval
Boulevard Lantivy

Golfe sans rest, 5 Bd Roi Jérôme ☎ 95 21 47 64, Télex 460371, Fax 95 21 71 05 – AE GB Z u
fermé fév. – 40 – **50 ch** 360/650.

Spunta Di Mare, rte aéroport par ① ☎ 95 22 41 42, Fax 95 20 80 02 – 30. AE GB. rest
fermé 25 déc. au 31 janv. – **R** 75 – 31 – **61 ch** 284/355 – ½ P 257/285.

Point "U", 59 bis r. Fesch ☎ 95 21 59 92 – AE GB Z t
fermé dim. – **R** 100/150.

Côte d'Azur, 12 cours Napoléon (1er étage) ☎ 95 21 50 24 – Z b

France, 59 r. Fesch ☎ 95 21 11 00 – AE GB Z n
fermé nov. et dim. – **R** 90, enf. 65.

rte des Iles Sanguinaires par ② – 20000 Ajaccio :

Eden Roc M, à 8 km ☎ 95 52 01 47, Télex 460486, Fax 95 52 05 03, golfe, centre de thalassothérapie, – 100. AE GB. rest
La Toque Impériale R 220/420 – 60 – **40 ch** 810/1720, 6 appart. 1180/2840 – ½ P 850/1070.

Dolce Vita et rest. La Mer M, à 8 km ☎ 95 52 00 93, Télex 460854, Fax 95 52 07 15, « Terrasse en bord de mer, Iles Sanguinaires et le golfe », – rest ch AE GB. rest
20 mars-15 nov. – **R** carte 250 à 390, enf. 95 – 50 – **32 ch** 450/880 – ½ P 625/825
Spéc. Roulade de langouste aux pétales de pommes de terre, Ravioli de tourteau aux feuilles de céleri, Paupiette de loup au basilic. **Vins** Coteaux du Cap Corse, Calvi.

Cala di Sole, à 6 km ☎ 95 52 01 36, Fax 95 52 00 20, – ch AE GB. rest
1er avril-15 oct. – **R** carte 132 à 365 – **31 ch** (½ pens. seul.) – ½ P 463/550.

Nausicaa, à 7 km ☎ 95 52 01 42, – AE GB
fermé lundi – **R** 180/250.

à Bastelicaccia par ①, N 196 et D 3 : 11 km – 20129 Bastelicaccia :

Aub. Seta, ☎ 95 20 00 16 – AE GB
fermé 1er au 15 janv. et merc. sauf le soir en juil.-août – **R** carte 180 à 270.

MICHELIN, Agence, D 503, Parc Ind. Vazzio par ① Y ☎ 95 20 30 55

ALFA-ROMEO, DATSUN-NISSAN Ajaccio-Technic-Autom., Résidence 1er Consul, r. Mar.-Lyautey ☎ 95 22 15 83
CITROEN Ajaccio-Nord-Autos, N 194, rte de Mezzavia par ① ☎ 95 20 97 61
LADA Gar. Lombardi, 7 r. Bonardi ☎ 95 22 43 85
PEUGEOT S.D.A.C., ZI de Baléone à Sarrola-Carcopino par ① ☎ 95 20 25 40
RENAULT Ajaccio Autom., N 196, Vignetta, Campo del Oro ☎ 95 22 38 00 N ☎ 95 22 40 17
TOYOTA Gar. Emmanuelli, av. Prince-Impérial ☎ 95 22 09 76

Autos-Pneus-Sce, rte de Mezzavia, km 3 ☎ 95 22 64 40
Corse Échappement Sce, rond-point de la Rocade ☎ 95 20 36 04
Maison du Pneu, 6 r. M.-Bozzi ☎ 95 23 38 88

Algajola 2B H.-Corse 90 ⑬ – 211 h. – 20220 L'Ile-Rousse.

Voir Citadelle★ – Descente de Croix★ dans l'église.

Ajaccio 160 – Calvi 15 – L'Ile-Rousse 9.

Beau Rivage M, ☎ 95 60 73 99, Fax 95 60 79 51, – AE GB.
15 avril-15 oct. – **R** 95/160 – 30 – **36 ch** (½ pens. seul.) – ½ P 255/305.

Plage, ☎ 95 60 72 12, – GB.
hôtel : 1er mai-30 sept. ; rest. : 1er juin-30 sept. – **R** 85 – **36 ch** 250/340 – ½ P 250.

Asco 2B H.-Corse 90 ⑭ – 96 h. alt. 620 – 20276 Asco.

Voir E : Gorges★★.

Ajaccio 125 – Bastia 64 – Corte 42.

Aullène 2A Corse-du-Sud 90 ⑦ – 149 h. alt. 850 – 20116 Aullène.

Ajaccio 69 – Bonifacio 88 – Corte 105 – Porto-Vecchio 59 – Propriano 36 – Sartène 35.

Poste, ☎ 95 78 61 21, – GB. rest
mai-sept. – **R** 75/120 – 25 – **20 ch** 130/220.

Barcaggio 2B H.-Corse 90 ① – 20275 Ersa.

Ajaccio 208 – Bastia 56 – St-Florent 67.

La Giraglia sans rest, ☎ 95 35 60 54, La Giraglia –.
25 avril-20 sept. – **20 ch** 330/380.

Bastelica 2A Corse-du-Sud 90 ⑥ – 436 h. alt. 770 – 20119 Bastelica.

Voir Route panoramique★★ du plateau d'Ese.

Env. A 400 m du col de Mercujo : belvédère★★ et cirque★★ SO : 13,5 km.

Ajaccio 39 – Corte 70 – Propriano 70 – Sartène 83.

U Castagnetu ⑤, ☎ 95 28 70 71, Fax 95 28 74 02, ←, 🍽 – ☎ Ⓟ. AE ⓓ GB
fermé 1er nov. au 28 déc. et merc. hors sais. sauf vacances scolaires – **Repas** 80/135 – ☕ 30 – **15 ch** 240/320 – ½ P 300.

Chez Paul, ☎ 95 28 71 59, ← – GB
R 70/100.

Bastelicaccia 2A Corse-du-Sud 90 ⑰ – rattaché à Ajaccio.

Bastia P 2B H.-Corse 90 ③ – 37 845 h. – ✉ **20200** Bastia.

Voir Terra-Vecchia★ Y : le vieux port★★ Z, chapelle de l'Immaculée Conception★ Y – Terra-Nova★ Z : chapelle Ste-Croix★ Z – Assomption de la Vierge★★ dans l'église Ste-Marie Z.

Env. Église Ste-Lucie ←★★ 6 km NO par D 31 X – ✳★★★ de la Serra di Pigno 14 km par ③ – ←★★ du col de Teghime10 km par ③.

✈ de Bastia-Poretta : ☎ 95 54 54 54, par ② : 20 km.

ℹ Office Municipal de Tourisme pl. St-Nicolas ☎ 95 31 00 89 – A.C. pl. Vincetti ☎ 95 33 25 80.

Ajaccio 151 ② – Bonifacio 168 ② – Calvi 95 ③ – Corte 70 ② – Porto 134 ②.

Plan page suivante

Ostella M, 4 km rte Ajaccio par ② ✉ 20600 ☎ 95 33 51 05, Télex 468762, 🍽 – 🛗 TV ☎ Ⓟ. AE GB
R *(juin-sept.)* 90/200, enf. 40 – ☕ 35 – **30 ch** 250/600 – ½ P 375/465.

Posta Vecchia sans rest, r. Posta Vecchia ☎ 95 32 32 38, Télex 460737, Fax 95 32 35 73 – 🛗 TV ☎. AE ⓓ GB — Y **s**
☕ 30 – **49 ch** 220/420.

Bonaparte sans rest, 45 bd Gén. Graziani ☎ 95 34 07 10, Télex 460445, Fax 95 32 35 62 – TV ☎. AE ⓓ GB JCB — X **u**
☕ 30 – **33 ch** 250/450.

La Citadelle, 6 r. Dragon ☎ 95 31 44 70 – ▤. AE GB — Z **a**
fermé lundi – **R** 200/300, enf. 50.

Bistrot du Port, r. Posta Vecchia ☎ 95 32 19 83 – ▤ — Y **u**
fermé vacances de fév., le midi du 1er juil. au 15 sept., dim.et fériés – **R** carte 175 à 250.

à Palagaccio par ① : 2,5 km – ✉ **20200** Bastia :

L'Alivi M ⑤ sans rest, ☎ 95 31 61 85, Télex 468349, ← mer et jardin, 🌳 – 🛗 TV ☎ Ⓟ – 🎪 60. GB
☕ 35 – **35 ch** 400/700.

à Pietranera par ① : 3 km – ✉ **20200** Bastia :

Pietracap M ⑤ sans rest, sur D 131 ☎ 95 31 64 63, Télex 460254, Fax 95 31 39 00, ←, 🏊, parc – ▤ TV ☎ ♿ Ⓟ – 🎪 30. AE ⓓ GB
fermé 1er déc. au 20 fév. – ☕ 38 – **40 ch** 300/820.

Cyrnea sans rest, ☎ 95 31 41 71, ←, 🌳 – ▤ TV ☎ 🚗 Ⓟ. GB. ✗
fermé 15 déc. au 1er fév. – ☕ 25 – **20 ch** 200/350.

à San Martino di Lota par ① et D 31 : 13 km – ✉ **20200** Bastia :

La Corniche ⑤, ☎ 95 31 40 98, ← mer et vallée, 🍽 – ☎ Ⓟ. AE ⓓ GB. ✗ ch
fermé 1er janv. au 10 fév., dim. soir et lundi sauf d'avril à sept. – **Repas** 90/120, enf. 65 – ☕ 30 – **16 ch** 240/340 – ½ P 290.

à Casatorra par ② : 9 km – ✉ **20600** Biguglia.

Voir Défilé de Lancone★ SO – Col de San Stefano ✳★★ SO : 9 km.

Ibis M ⑤, N 193 ☎ 95 30 27 27, Télex 468744, ←, 🍽, 🏊, 🌳, 🎾 – 🛗 ▤ TV ☎ ♿ Ⓟ – 🎪 80
60 ch.

à l'aéroport de Bastia-Poretta par ② : 20 km par N 193 et D 507 – ✉ **20290** Lucciana :

Poretta M ⑤ sans rest, ☎ 95 36 09 54, Fax 95 36 15 32 – ▤ TV ☎ Ⓟ. AE GB. ✗
☕ 35 – **31 ch** 330.

à Casamozza par ② : 20 km – ✉ **20290** Borgo.

Voir La Canonica : Église Cathédrale★★, église San Parteo★ E : 6 km.

Chez Walter M, ☎ 95 36 00 09, Télex 468141, Fax 95 36 18 92, 🍽, 🏊, 🌳, 🎾 – ▤ ch TV ☎ Ⓟ – 🎪 30. AE ⓓ GB
R *(fermé dim. d'oct. à avril)* 100/200, enf 65 – ☕ 35 – **32 ch** 280/450 – ½ P 350/400.

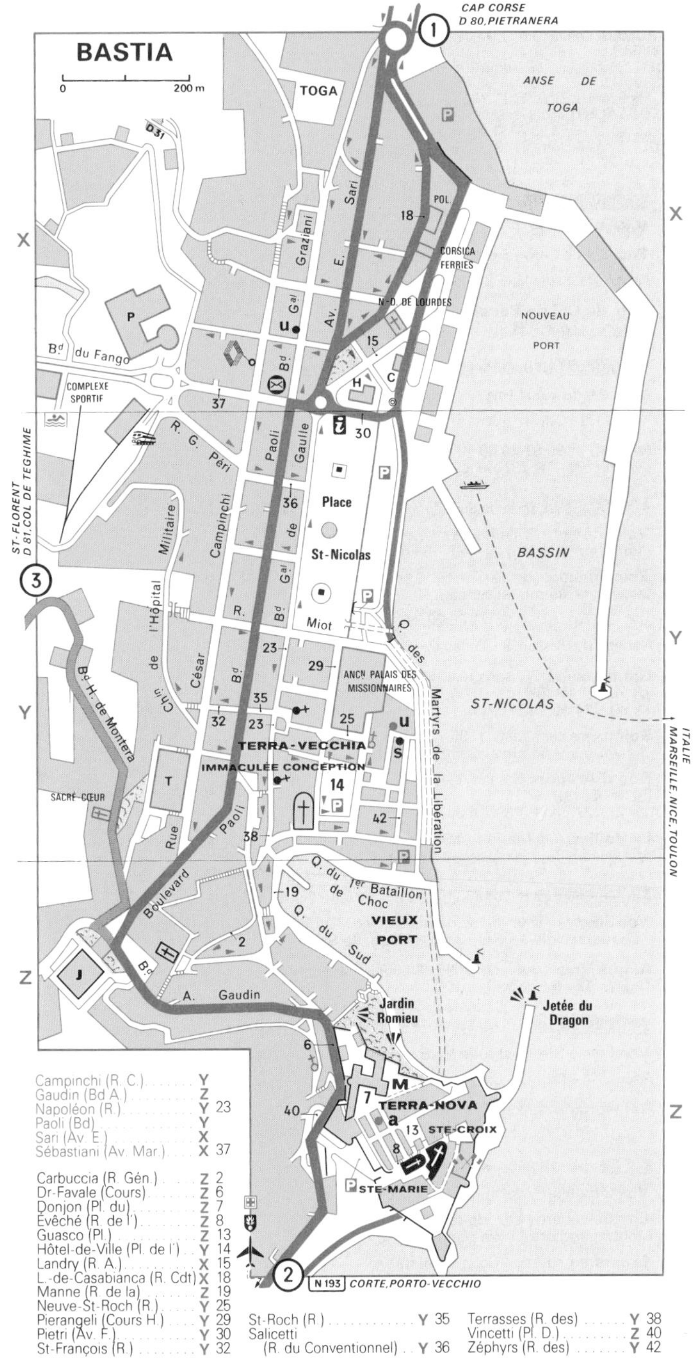
BASTIA
0
200 m
CAP CORSE
D 80, PIETRANERA
ANSE DE
TOGA
TOGA
D 31
Sari
Graziani
E.
Av.
Gal
POL.
18
CORSICA
FERRIES
N.-D. DE LOURDES
NOUVEAU
PORT
P
Bd du Fango
15
H
C
COMPLEXE
SPORTIF
37
Bd
R. G. Péri
Paoli
Gaulle
de
30
Place
St-Nicolas
36
Militaire
Campinchi
BASSIN
ST-FLORENT
D 81, COL DE TEGHIME
R.
Bd Gal
Miot
Q. des Martyrs de la Libération
Chin de l'Hôpital
César
23
29
ANCN PALAIS DES
MISSIONNAIRES
ST-NICOLAS
Bd H. de Montera
35
32
23
25
u
S
TERRA-VECCHIA
IMMACULÉE CONCEPTION
ITALIE
MARSEILLE, NICE, TOULON
T
14
SACRÉ-CŒUR
42
Rue
Paoli
38
Q. du 1er Bataillon de Choc
Boulevard
19
Q. du Sud
VIEUX
PORT
2
J
Bd A. Gaudin
Jardin
Romieu
Jetée du
Dragon
6
M
7
TERRA-NOVA
40
a
13
STE-CROIX
8
STE-MARIE
N 193 CORTE, PORTO-VECCHIO
X
Y
Z
1
2
3
Campinchi (R. C.) . . . . Y
Gaudin (Bd A.) . . . . Z
Napoléon (R.) . . . . Y 23
Paoli (Bd) . . . . Y
Sari (Av. E.) X
Sébastiani (Av. Mar.) . . . . X 37
Carbuccia (R. Gén.) . . . . . Z 2
Dr-Favale (Cours) . . . . . . Z 6
Donjon (Pl. du) . . . . Z 7
Évêché (R. de l') . . . . Z 8
Guasco (Pl.) . . . . Z 13
Hôtel-de-Ville (Pl. de l') . . Y 14
Landry (R. A.) . . . . X 15
L.-de-Casabianca (R. Cdt) X 18
Manne (R. de la) . . . . . . Z 19
Neuve-St-Roch (R.) . . . . . Y 25
Pierangeli (Cours H.) . . . . Y 29
Pietri (Av. F.) . . . . Y 30
St-François (R.) . . . . Y 32
St-Roch (R.) . . . . Y 35
Salicetti
(R. du Conventionnel) . . Y 36
Terrasses (R. des) . . . . . . Y 38
Vincetti (Pl. D.) . . . . Z 40
Zéphyrs (R. des) . . . . Y 42

ALFA-ROMEO Central Gar., 2 rte de l'Annonciade ☎ 95 31 53 80
CITROEN Socodia, N 193, sortie Sud par ②
☎ 95 33 36 09
FORD Éts Schmitt, ZI ☎ 95 33 50 41
PEUGEOT-TALBOT Insulaire-Auto, N 193 Lupino à Furiani par ② ☎ 95 54 20 20 🅽 ☎ 95 31 53 89
RENAULT Doria-Autom., N 193 Lupino par ②
☎ 95 33 09 28

RENAULT Ginanni, 35 r. C.-Campinchi
☎ 95 31 09 02 🅽 ☎ 95 31 46 86

Ferrari, N 193 Précojo à Furiani ☎ 95 33 51 29
Ferrari, 7 av. E.-Sari ☎ 95 31 06 46
Marcelli, N 193 à Casamozza-Lucciana
☎ 95 36 00 28 🅽 ☎ 95 36 27 75
Seddas-Pneus, N 193 à Furiani ☎ 95 33 50 49

Bavella (Col de) **2A** Corse-du-Sud 90 ⑦ – alt. 1 243 – ✉ **20124** Zonza.

Voir ✱★★★ – E : Forêt de Bavella★★.

Env. Col de Larone ≤★★ NE : 13 km.

Ajaccio 97 – Bastia 130 – Bonifacio 75 – Porto-Vecchio 49 – Propriano 48 – Sartène 46.

Aub. du Col de Bavella, ☎ 95 57 43 87, – AE GB
15 avril-30 oct. – **R** 70/100 ♂, enf. 49.

Belgodère **2B** H.-Corse 90 ⑬ – 331 h. alt. 390 – ✉ **20226** Belgodère.

Voir ≤★ du vieux fort.

Ajaccio 139 – Calvi 41 – Corte 57 – L'Ile-Rousse 17.

Niobel, ☎ 95 61 34 00, ≤ vallée, – ☎ P
avril-fin oct. – **R** 73/100 ♂ – ☐ 26 – **11 ch** 220/310 – ½ P 265/280.

Bonifacio **2A** Corse-du-Sud 90 ⑨ **G. Corse** (plan) – 2 683 h. alt. 70 – ✉ **20169** Bonifacio.

Voir Site★★★ – Ville haute★★ : église St-Dominique★ – La Marine★ : Col St-Roch ≤★★ – Phare de Pertusato ✱★ SE : 5 km.

Env. Ermitage de la Trinité ≤★★ NO : 6,5 km – Grotte du Sdragonato★ et tour des falaises★★ 45 mn en bateau.

✈ de Figari : ☎ 95 71 00 22, N : 21 km.

Ajaccio 137 – Bastia 168 – Corte 147 – Sartène 53.

Genovese M 🐎 sans rest, ville haute ☎ 95 73 12 34, Fax 95 73 09 03, ≤ – ▤ TV ☎ P – 25. AE ⓓ GB
☐ 80 – **14 ch** 1300/1700.

Solemare sans rest, ☎ 95 73 01 06, Fax 95 73 12 57, ≤, – |♦| ☎ P. GB. ✻
1er avril-oct. – **55 ch** ☐ 396/609.

Roy d'Aragon M sans rest, 13 quai Comparetti ☎ 95 73 03 99, Fax 95 73 07 94 – ▤ TV ☎. AE GB. ✻
☐ 45 – **27 ch** 560/890, 4 appart. 1490.

Le Voilier, à la Marine ☎ 95 73 07 06, Fax 95 73 05 39, – AE ⓓ GB
fermé janv., fév., dim. soir et lundi d'oct. à déc. – **R** 95/250.

Calacuccia **2B** H.-Corse 90 ⑮ – 331 h. alt. 830 – ✉ **20224** Calacuccia.

Voir Site★★ – Tour du lac de barrage★★ – Défilé de la Scala di Santa Régina★★ NE : 5 km – Casamaccioli ≤★ SO : 3 km – Chapelle St-Pancrace ≤★ NE : 4 km puis 15 mn.

Acqua Viva sans rest, ☎ 95 48 06 90 – ☎ P. GB
☐ 35 – **12 ch** 350/380.

Calenzana **2B** H.-Corse 90 ⑭ – 1 535 h. alt. 300 – ✉ **20214** Calenzana.

Voir Église Ste-Restitude★ NE : 1 km.

Ajaccio 178 – Calvi 12 – L'Ile Rousse 27 – Porto 72.

Bel Horizon sans rest, ☎ 95 62 71 72, ≤ – cuisinette. ✻
1er avril-30 sept. – ☐ 25 – **15 ch** 200/240.

Calvi <SP> **2B** H.-Corse 90 ⑬ – 4 815 h. alt. 29 – ✉ **20260** Calvi.

Voir Citadelle★ : fortifications★ – La Marine★.

Env. Belvédère N.-D. de-la-Serra ≤★★★ 6 km par ② – ✱★★ de la terrasse de l'église de Montemaggiore 11 km par ①.

Excurs. en bateau : Calvi-Girolata★★★.

✈ de Calvi-Ste-Catherine : Air Inter ☎ 95 65 08 09, par ① : 7 km.

ℹ Office Municipal du Tourisme Port de Plaisance ☎ 95 65 16 67, Télex 460314

Ajaccio 175 ① – Bastia 95 ① – Corte 93 ① – L'Ile-Rousse 24 ① – Porto 75 ①.

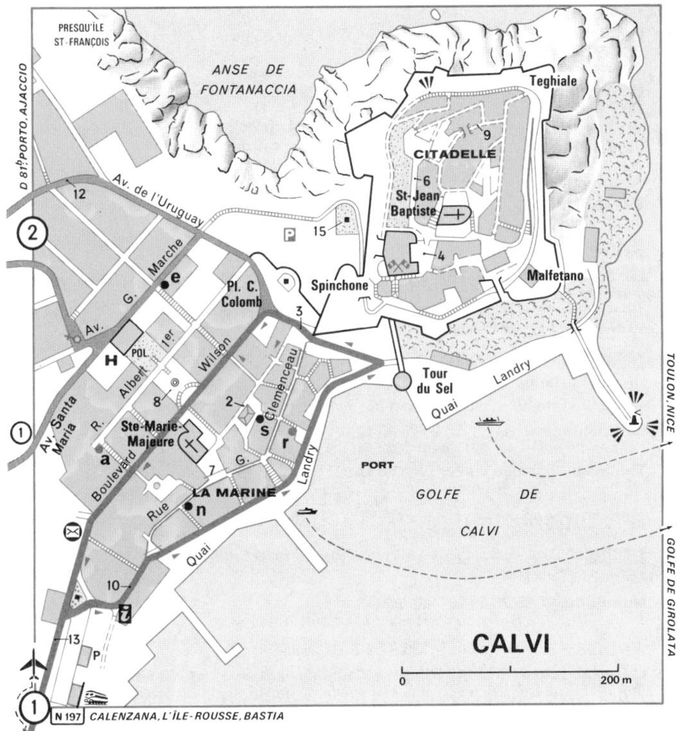

Clemenceau (R. G.)
Joffre (R.) 10
Wilson (Bd)

Alsace-Lorraine (R.) 2

Anges (R. des) 3
Armes (Pl. d') 4
Colombo (R.) 6
Crudelli (Pl.) 7
Dr-Marchal (Pl. du) 8

Fil (R. du) 9
Napoléon (Av.) 12
République (Av. de la) 13
1er Bataillon de Choc (Espl. du) . . . 15

Le Magnolia M, pl. Marché **(s)** 95 65 19 16, Fax 95 65 34 52, – ch . AE GB. ch
fermé janv. – **R** voir rest. **Ile de Beauté** ci-après – 50 – **14 ch** 320/750.

Meridiana M sans rest, av. Santa Maria 95 65 31 38, Fax 95 65 32 72, ← – . AE GB.
40 – **38 ch** 380/1000.

Balanea M sans rest, 6 r. Clemenceau **(n)** 95 65 00 45, Télex 460540, Fax 95 65 29 71, ← – . AE GB
50 – **37 ch** 500/1100.

L'Onda M sans rest, 1 km par ① av. Christophe Colomb 95 65 35 00, Fax 95 65 16 26, ← – . AE GB
25 mars-15 oct. – 30 – **24 ch** 350/700.

Corsica M sans rest, par ①, N 197 et rte Pietra Major : 2,5 km 95 65 03 64, ←, – . GB.
1er mai-30 sept. – 20 – **48 ch** 290/330.

Kallisté, av. Cdt Marche **(e)** 95 65 09 81, Fax 95 65 35 65, ←, , – . AE GB
mai-fin sept. – **R** 110/150 – 40 – **28 ch** 265/410 – ½ P 330/410.

Revellata sans rest, av. Napoléon, rte d'Ajaccio par ② : 0,5 km 95 65 01 89, Télex 460739, Fax 95 65 29 82, ← – . AE GB JCB.
15 avril-15 oct. – 30 – **45 ch** 250/550.

St-Érasme sans rest, rte Ajaccio par ② : 0,8 km 95 65 04 50, ←, – . AE
1er avril-15 oct. – 35 – **31 ch** 300/490.

Résidence des Aloës sans rest, quartier Donatéo SO : 1,5 km par av. Santa Maria 95 65 01 46, ← golfe, – . AE GB
fin avril-30 sept. – 32 – **26 ch** 315/530.

Les Arbousiers sans rest, par ① : 0,5 km ☎ 95 65 04 47, Fax 95 65 26 14, ← – ☎ Ⓟ. AE ⓓ GB. ✻
mai-début oct. – ☕ 25 – **40 ch** 255/300.

Caravelle, à la plage par ① : 0,5 km ☎ 95 65 01 21, Fax 95 65 00 03, – TV ☎. AE GB. ✻
25 avril-15 oct. – **R** 110/150, enf. 65 – ☕ 32 – **34 ch** 280/380 – ½ P 290/370.

Ile de Beauté, quai Landry **(r)** ☎ 95 65 00 46, Fax 95 65 34 52, ←, – ▤. AE ⓓ GB. ✻
12 avril-30 sept. et fermé merc. midi sauf juil.-août – **R** carte 270 à 380.

Cesario, Maison Bertoni **(a)** ☎ 95 65 29 46, – AE GB
fermé nov., dim. et lundi hors sais. – **R** (dîner seul. en été) carte 200 à 280.

par ① rte de l'aéroport et chemin privé – ✉ **20260** Calvi :

La Signoria avec ch, ☎ 95 65 23 73, Télex 460551, Fax 95 65 33 20, « Ancienne demeure du 17e siècle dans un parc », ✻ – TV ☎ Ⓟ AE GB
10 avril-15 oct. – **R** *(dîner seul. en juil.-août sauf week-ends)* 280/390, enf. 130 – ☕ 70 – **10 ch** 850/1100 – ½ P 775/900.

Cargèse 2A Corse-du-Sud 90 ⑯ – 915 h. alt. 82 – ✉ **20130** Cargèse.

Voir Église latine ←*.

Ajaccio 50 – Calvi 107 – Corte 120 – Piana 20 – Porto 32.

La Spelunca sans rest, ☎ 95 26 40 12, ← – ✻
Pâques-fin oct. – ☕ 35 – **20 ch** 200/350.

Thalassa, plage du Pero N : 1,5 km ☎ 95 26 40 08, ←, – Ⓟ. ✻ rest
15 mai-déb. oct. – **R** (½ pens. seul.) – ☕ 30 – **25 ch** 250/300 – ½ P 280.

Casamozza 2B H.-Corse 90 ③ – rattaché à Bastia.

Cauro 2A Corse-du-Sud 90 ⑰ – 849 h. alt. 356 – ✉ **20117** Cauro.

Ajaccio 20 – Sartène 64.

Napoléon, ☎ 95 28 40 78 – AE GB
1er mai-15 oct. – **R** *(fermé merc. sauf juil.-août)* 108/223.

à Barracone O : 3 km sur N 196 – ✉ **20117** Cauro :

U Barracone, ☎ 95 28 40 55, « Cadre de verdure » – Ⓟ. AE ⓓ GB
fermé 6 janv. au 26 fév., dim. soir et lundi du 16 sept. au 20 mars – **R** carte 175 à 285.

Centuri-Port 2B H.-Corse 90 ① – 201 h. – ✉ **20238** Centuri.

Voir La Marine*.

Ajaccio 204 – Bastia 52 – St-Florent 59.

Corte SP 2B H.-Corse 90 ⑤ **G. Corse** (plan) – 5 693 h. alt. 396 – ✉ **20250** Corte.

Voir Ville haute* : chapelle Ste-Croix*, citadelle ←*, belvédère ✻* – Mosaïques* dans l'hôtel de ville.

Env. ✻** du Monte Cecu N : 7 km – SO : Vallée** et forêt* de la Restonica – SE : Vallée du Tavignano* – Col de Bellagranajo ✻** S : 9,5 km.

Ajaccio 81 – Bastia 70 – Bonifacio 147 – Calvi 93 – L'Ile-Rousse 69 – Porto 87 – Sartène 152.

Erbalunga 2B H.-Corse 90 ② – ✉ **20222**.

Voir Village*.

Castel Brando sans rest, ☎ 95 33 98 05, Fax 95 32 08 01 – cuisinette TV Ⓟ
11 avril-4 oct. – ☕ 25 – **13 ch** 300/450.

Évisa 2A Corse-du-Sud 90 ⑮ – 257 h. alt. 830 – ✉ **20126** Évisa.

Voir Forêt d'Aïtone** – Cascades d'Aïtone** NE : 3 km puis 30 mn.

Env. Col de Vergio ←** NE : 10 km.

Ajaccio 70 – Calvi 98 – Corte 64 – Piana 33 – Porto 23.

Aïtone, ☎ 95 26 20 04, Fax 95 26 24 18, ← vallée, – ☎ Ⓟ. AE GB. ✻ rest
fermé 15 nov. à fin déc. – **R** 85/180, enf. 40 – ☕ 38 – **32 ch** 240/800 – ½ P 250/400.

Scopa Rossa, ☎ 95 26 20 22, Fax 95 26 24 17, ←, – ☎ Ⓟ. GB
1er mars-30 oct. – **R** 95/150 – ☕ 30 – **25 ch** 150/320 – ½ P 240/300.

Favone 2A Corse-du-Sud 90 ⑦ – ✉ **20144** Ste Lucie-de-Porto-Vecchio.

Ajaccio 131 – Bastia 113 – Bonifacio 55.

U Dragulinu, ☎ 95 73 20 30, Fax 95 73 22 06, ←, – ☎ Ⓟ. AE ⓓ GB JCB. ✻
hôtel : 12 mai-12 oct. ; rest. : 12 mai-30 sept. – **R** 140/150, enf. 60 – ☕ 40 – **32 ch** 500 – ½ P 440/500.

Feliceto **2B** H.-Corse 90 ⑭ – 145 h. alt. 370 – ✉ **20225** Muro.

Ajaccio 155 – Calvi 25 – Corte 74 – L'Ile-Rousse 16.

Gd H. "Mare E Monti", ✆ 95 61 73 06, Fax 95 61 78 79, ←, parc – ☎ P. AE GB
1er mai-30 sept. – **R** 100/160, enf. 80 – ☐ 30 – **18 ch** 210/315 – ½ P 242/284.

Ferayola **2B** H.-Corse 90 ⑭ – rattaché à Galéria.

Galéria **2B** H.-Corse 90 ⑭ – 305 h. alt. 35 – ✉ **20245** Galéria.

Voir Golfe★.

Ajaccio 133 – Calvi 33 – Porto 50.

à Ferayola N : 14 km par D 351 et D 81 – ✉ **20260** Calvi :

Aub.de Ferayola, ✆ 95 65 25 25, Fax 95 65 20 78, ←, – ☎ P. GB.
1er juin-30 sept. – **R** 80/110, enf. 60 – ☐ 35 – **10 ch** 180/285 – ½ P 275/290.

L'Ile-Rousse **2B** H.-Corse 90 ⑬ – 2 288 h. alt. 6 – ✉ **20220** L'Ile-Rousse.

Voir Ile de la Pietra : phare ←★ N : 2 km.

Syndicat d'Initiative pl. Paoli (avril-oct.) ✆ 95 60 04 35.

Ajaccio 151 – Bastia 71 – Calvi 24 – Corte 69.

La Pietra, rte Port ✆ 95 60 01 45, Fax 95 60 15 92, ← mer et montagne – ch ☎ P. AE GB
hôtel : 1er avril-31 oct. ; rest. : 1er mai-30 sept. – **R** 85/160 – ☐ 40 – **40 ch** 250/600 – ½ P 400.

Funtana Marina M sans rest, 1 km par rte Monticello ✆ 95 60 16 12, Fax 95 60 35 44, ← les îles, – ☎ P. AE GB.
fermé janv. et fév. – ☐ 35 – **29 ch** 270/450.

Cala di l'Oru sans rest, bd Fogata ✆ 95 60 14 75, ← – ☎ P. GB
☐ 30 – **24 ch** 290/500.

Amiral M sans rest, bd Ch.-Marie Savelli ✆ 95 60 28 05, ← – ☎ P. GB.
10 avril-20 oct. – ☐ 40 – **26 ch** 250/450.

Le Grillon, av. P. Doumer ✆ 95 60 00 49 – P. AE
fermé 31 nov. au 15 fév. – **R** 80/100 – ☐ 30 – **16 ch** 270/290 – ½ P 275.

Le Laetitia, sur le Port ✆ 95 60 01 90, ←,
saisonnier.

à Monticello SE : 3 km – ✉ **20220** L'Ile-Rousse :

A Pastorella, ✆ 95 60 05 65, ←, – rest ☎. rest
fermé 5 nov. au 5 déc. – **Repas** *(fermé dim. soir du 5 déc. au 1er avril)* 110/180 – ☐ 37 – **14 ch** 240/300 – ½ P 300.

Liscia (Golfe de La) **2A** Corse-du-Sud 90 ⑯ – ✉ **20111**.

Voir Calcatoggio ←★ SE : 5 km.

Ajaccio 26 – Calvi 131 – Corte 96 – Vico 24.

Castel d'Orcino, à la pointe de Palmentojo ✆ 95 52 20 63, ← golfe, – TV ☎ P. rest
R grill *(fermé mars et nov.)* 120, enf. 50 – ☐ 35 – **38 ch** 545/730 – ½ P 355/500.

Macinaggio **2B** H.-Corse 90 ① – ✉ **20248** Macinaggio.

Bastia 39.

U Libecciu, ✆ 95 35 43 22, Fax 95 35 46 08, – ☎ P. AE GB.
1er avril-30 oct. – **R** 85/185 – ☐ 33 – **33 ch** 250/330 – ½ P 350.

U Ricordu sans rest, ✆ 95 35 40 20, Fax 95 35 46 95 – ☎ P. AE GB
fermé 1er au 26 fev. – ☐ 25 – **37 ch** 200/320.

Monticello **2B** H.-Corse 90 ⑬ – rattaché à l'Ile-Rousse.

Patrimonio **2B** H.-Corse 90 ③ – 546 h. – ✉ **20253**.

Bastia 17 – Saint-Florent 6 – San-Michele-de-Murato 22.

Osteria di San Martino, ✆ 95 30 11 93, – P. AE GB.
fermé 12 nov. au 20 déc. et merc. – **R** carte environ 130, enf. 40.

Petreto-Bicchisano **2A** Corse-du-Sud 90 ⑰ – 585 h. alt. 412 – ✉ **20140** Petreto-Bicchisano.

Ajaccio 48 – Sartène 35.

France avec ch, à **Bicchisano** ✆ 95 24 30 55, – rest ☎ P. AE GB.
1er avril-30 oct. – **R** 170/250 – ☐ 30 – **8 ch** (½ pens. seul.) – ½ P 350/400.

Piana 2A Corse-du-Sud 90 ⑮ – 500 h. alt. 435 – ✉ **20115** Piana.

Voir Col de Lava ≤** S : 1 km – Route de Ficajola ≤** NO.

Env. Capo Rosso ≤** O : 9 km.

Ajaccio 71 – Calvi 87 – Évisa 33 – Porto 12.

Capo Rosso ♨, ☎ 95 27 82 40, Télex 460178, Fax 95 27 80 00, ≤ mer et calanche, ⛱, – TV ☎ P. AE ① GB. ✂ ch
1er avril-15 oct. – **R** 110/290, enf. 50 – ☐ 45 – **57 ch** 450/500 – ½ P 410/500.

L'Horizon, rte Cargèse ☎ 95 27 80 07, ≤, – P. GB. ✂ rest
1er mars-fin nov. – **R** *(juin-sept.)* (dîner seul.) 95 – ☐ 35 – **18 ch** 180/260 – ½ P 240.

Continental sans rest, ☎ 95 27 82 02, – P
1er avril-30 sept. – ☐ 30 – **17 ch** 150/265.

Pietranera 2B H.-Corse 90 ② ③ – rattaché à Bastia.

Pioggiola 2B H.-Corse 90 ⑬ – 49 h. alt. 880 – ✉ **20259** Pioggiola.

Calvi 48.

Aub. Aghjola ♨, ☎ 95 61 90 48, Fax 95 61 92 99, ⛱ – AE ① GB. ✂ rest
Pâques-30 oct. – **R** *(fermé lundi midi hors sais.)* carte environ 160, enf. 45 – ☐ 35 – **12 ch** (½ pens. seul.) – ½ P 320.

Porticcio 2A Corse-du-Sud 90 ⑰ – alt. 5 – ✉ **20166** Porticcio.

Ajaccio 17 – Sartène 69.

Sofitel M ♨, ☎ 95 29 40 40, Télex 460708, Fax 95 25 00 63, ≤ golfe, centre de thalassothérapie, ⛱, – ch ch TV ☎ P – 150. AE ① GB. ✂ rest
Le Caroubier R *(fermé déc. et janv.)* **R** 250/400 – ☐ 70 – **96 ch** 1140/1870 – ½ P 960/1135.

Le Maquis ♨, ☎ 95 25 05 55, Télex 460597, Fax 95 25 11 70, ≤ Ajaccio et mer, « Élégantes installations en bord de mer », ⛱, – ch TV ☎ P – 60. AE ① GB. ✂ rest
R carte 310 à 450, enf. 130 – **24 ch** (½ pens. seul.), 6 appart. – ½ P 1590/2650.

Isolella, à Agnarello S : 4,5 km ☎ 95 25 41 36, Fax 95 20 93 00, ≤, – ch TV ☎ P. GB
R *(1er avril-15 oct.)* 99/100 – ☐ 28 – **32 ch** 330/363 – ½ P 355/373.

Porticciolo 2B H.-Corse 90 ② – ✉ **20228** Luri.

Ajaccio 177 – Bastia 26.

Caribou ♨, à la Marine de Porticciolo ☎ 95 35 02 33, Fax 95 35 01 13, ≤, ⛱, – TV ☎ P. AE ① GB JCB
20 juin-22 sept. – **R** 260/550, enf. 80 – ☐ 50 – **20 ch** (½ pens. seul.) – ½ P 750/800.

Porto 2A Corse-du-Sud 90 ⑮ – ✉ **20150** Ota.

Voir La Marine* – Tour génoise*.

Env. Golfe de Porto*** : les Calanche*** – en vedette : SO : les Calanche**, NO : réserve de Scandola***, site* de Girolata.

Syndicat d'Initiative Golfe de Porto (avril-oct.) ☎ 95 26 10 55

Ajaccio 83 – Bastia 134 – Calvi 75 – Corte 87 – Évisa 23.

Capo d'Orto, ☎ 95 26 11 14, Fax 95 26 13 49, ≤, ⛱ – ☎ P. GB. ✂ rest
1er avril-15 oct. – **R** 90/100 – ☐ 28 – **30 ch** 250/340 – ½ P 250/295.

Porto, ☎ 95 26 11 20, Fax 95 26 13 92, ≤, – ☎ P. AE ① GB
mai-sept. – **R** 90/150 – ☐ 30 – **28 ch** 150/350 – ½ P 240/350.

Bella Vista sans rest, ☎ 95 26 11 08, ≤, – cuisinette P. GB
30 avril-10 oct. – ☐ 25 – **20 ch** 160/300.

Cyrnée, à la Marine ☎ 95 26 12 40, ≤, – ☎. GB
15 avril-30 sept. – **R** 85/95 – ☐ 30 – **8 ch** 250/400 – ½ P 250/320.

Le Romantique M ♨ avec ch, à la Marine ☎ 95 26 10 85, ≤ plage, – ☎. GB. ✂ ch
15 avril-30 sept. – **R** 85/125 – ☐ 30 – **8 ch** 240/450 – ½ P 220/440.

vers la plage de Bussaglia N : 6 km par D 81 et VO – ✉ **20147** Partinello :

L'Aiglon ♨, ☎ 95 26 10 65, « Dans le maquis », – ☎ P. GB
1er mai-30 sept. – **R** 80/120, enf. 45 – ☐ 30 – **18 ch** 190/310.

Porto-Pollo 2A Corse-du-Sud 90 ⑱ – alt. 140 – ✉ **20140** Petreto-Bicchisano.

Ajaccio 50 – Sartène 32.

Les Eucalyptus ♨, ☎ 95 74 01 52, ≤, – ☎ P. AE ① GB. ✂
15 mai-1er oct. – **R** 90/140, enf. 42 – ☐ 32 – **27 ch** 300 – ½ P 280.

Kallisté, ☎ 95 74 02 38, ≤, – P
11 ch.

Porto-Vecchio **2A** Corse-du-Sud 90 ⑧ – 9 307 h. alt. 70 – ✉ **20137** Porto-Vecchio.

Env. Golfe de Porto-Vecchio★★ – Castello★ d'Arraggio ≤★★ N : 7,5 km.

de Figari : ✆ 95 71 00 22, SO : 23 km.

Office de Tourisme pl. Hôtel de Ville (saison) ✆ 95 70 09 58.

Ajaccio 146 – Bastia 141 – Bonifacio 27 – Corte 120 – Sartène 62.

✿ **du Roi Théodore** M, rte Bastia : 2 km ✆ 95 70 14 94, Télex 460253, Fax 95 70 41 34, ≤, ⛱, 🏊, 🎾 – cuisinette TV ☎ P – 60. AE ① GB. rest
1er mars-30 oct. – **Régina R** *(10 avril-18 oct.) (dîner seul.)* 230/380, enf. 90 – ☕ 60 – **37 ch** 420/980, 11 studios 1060 – ½ P 550/750
Spéc. Filets de rouget de roche aux jeunes poireaux, Filet de chapon en écailles de pommes de terre, Soufflé chaud au chocolat amer et farine de châtaigne. **Vins** Coteaux du Cap Corse, Porto-Vecchio

La Rivière, rte Muratello O : 6 km par D 368, VO et D 159 ✆ 95 70 10 21, Fax 95 70 56 13, ⛱, parc, 🏊, 🎾 – ☎ P. AE ① GB. rest
1er avril-15 oct. – **R** (dîner seul.) 85/120 – **29 ch** ☕ 340/575 – ½ P 350/435.

San Giovanni, rte Arca SO : 3 km par D 659 ✆ 95 70 22 25, Fax 95 70 20 11, ≤, ⛱, « Parc fleuri », 🏊, 🎾 – ☎ P. AE ① GB.
1er avril-31 oct. – **R** 130, enf. 90 – **30 ch** ☕ 385/760 – ½ P 333/380.

Holzer sans rest, r. J. Jaurès ✆ 95 70 05 93, Fax 95 70 47 82 – ☎. AE ① GB
☕ 45 – **27 ch** 250/450.

Le Goëland sans rest, à la Marine ✆ 95 70 14 15, ≤, – ☎ P.
☕ 30 – **22 ch** 200/450.

XXX **Le Baladin,** 13 r. Gén. Leclerc ✆ 95 70 08 62 – ▤. AE ① GB
fermé 15 nov. au 1er janv., sam. midi et dim. hors sais. – **R** (dîner seul. du 15 juin au 15 sept.) 150.

XX **Orée du Maquis,** à la Trinité N : 5 km et chemin de la Lézardière ✆ 95 70 22 21, ≤, ⛱, 🏊 – P. AE ① GB
fermé fév. et dim. sauf juil.-août – **R** (dîner seul) 300/370.

XX **Roches Blanches** avec ch, à la Marine ✆ 95 70 06 96, ≤, ⛱ – ☎ P.
15 avril-fin nov. – **R** 110 – ☕ 28 – **15 ch** 144/474 – ½ P 282/415.

XX **Lucullus,** r. Gén. de Gaulle ✆ 95 70 10 17 – ▤. AE ① GB
fermé 15 janv. au 1er mars, lundi midi et dim. du 1er oct. au 1er juin – **R** (diner seul. de juin à sept.) carte 170 à 350.

à Cala Rossa NE : 10 km par N 198, D 568 et D 464 – ✉ **20137** Porto-Vecchio :

✿ **Gd H. Cala Rossa** M, ✆ 95 71 61 51, Télex 460394, Fax 95 71 60 11, ≤, ⛱, « Dans les pins, jardin, plage aménagée », 🎾 – ▤ rest TV ☎ P. AE ① GB.
20 avril-2 janv. – **R** 180/470, enf. 150 – **50 ch** ☕ 430/1900, 3 appart. 2900 – ½ P 1200/1950
Spéc. Pistú de rouget aux légumes marinés, Blanc de Saint-Pierre à l'huile parfumée, Pigeon au vin de myrte. **Vins** Coteaux du Cap Corse, Porto-Vecchio.

au golfe de Santa Giulia S : 8 km par N 198 et VO – ✉ **20137** Porto-Vecchio :

Moby Dick M, ✆ 95 70 43 23, Fax 95 70 01 54, ≤, ⛱, – TV ☎ & P. AE ① GB.
1er mai-15 oct. – **R** 160 (déj.) /220 – **44 ch** ☕ 1200/1420 – ½ P 800/900.

Castell'Verde M, ✆ 95 70 44 79, Télex 462293, Fax 95 70 21 18, ≤ golfe, ⛱, 🏊, 🎾 – TV ☎ P. AE ① GB.
1er avril-30 sept. – **R** 170 – **30 ch** ☕ 970/1020 – ½ P 680.

PEUGEOT Piétri-Auto, rte de Bonifacio ✆ 95 70 07 32 N ✆ 95 71 21 21

RENAULT Balesi-Auto, N 198, La Poretta ✆ 95 70 15 55 N ✆ 95 70 21 43

Propriano **2A** Corse-du-Sud 90 ⑱ – 3 217 h. – Stat. therm. (fermé déc.) aux Bains de Baracci – ✉ **20110** Propriano.

Voir Port★.

Syndicat d'Initiative 17 r. Gén.-de-Gaulle ✆ 95 76 01 49.

Ajaccio 70 – Bonifacio 67 – Corte 139 – Sartène 13.

Miramar M, ✆ 95 76 06 13, Télex 460907, Fax 95 76 13 14, ≤ golfe, 🏊, – ▤ ch TV ☎ P. AE ① GB.
2 mai-30 oct. – **R** 260/460, enf. 55 – **27 ch** ☕ 650/2300 – ½ P 675/1150.

Roc é Mare sans rest, ✆ 95 76 04 85, Télex 460962, Fax 95 76 17 55, ≤ golfe, – ☎ P. AE ① GB.
15 avril-15 oct. – ☕ 60 – **58 ch** 320/580, 4 appart. 920.

Lido Beach M sans rest, av. Napoléon ✆ 95 76 17 74, Fax 95 76 06 54, ≤ – TV ☎. AE ① GB.
☕ 34 – **15 ch** 450.

Arcu di Sole, rte Barraci NE : 2 km ✆ 95 76 05 10, Télex 460918, Fax 95 76 13 36, ⛱, 🏊, 🎾 – ☎ P. AE GB. rest
1er avril-30 oct. – **R** 90/130 – ☕ 35 – **51 ch** 305/660 – ½ P 370/385.

Loft H. M sans rest, 3 r. Pandolfi ✆ 95 76 17 48, Fax 95 76 22 04 – TV ☎ & P. GB.
☕ 28 – **25 ch** 340/360.

XX **Lido** avec ch, 95 76 06 37, ≤, « Au bord de l'eau » – AE GB
mai-fin sept. – **R** carte 240 à 390 – 34 – **17 ch** 332 – ½ P 304/320.

X **Le Cabanon,** av. Napoléon 95 76 07 76, ≤, – AE GB
Pâques-fin oct. – **R** 85/120, enf. 45.

X **La Rascasse,** r. Pêcheurs 95 76 13 84, – AE GB
fermé 22 déc. au 31 janv., dim. soir et lundi du 1er nov. au 15 avril – **R** 80/230.

PEUGEOT Casabianca, rte Corniche 95 76 00 91

RENAULT Vesperini, N 196 Arconcello 95 76 04 08

Quenza 2A Corse-du-Sud 90 ⑦ – 214 h. alt. 800 – ✉ **20122** Quenza.
Ajaccio 81 – Bonifacio 74 – Porto-Vecchio 47 – Sartène 38.

Sole e Monti, 95 78 62 53, Fax 95 78 63 88, ≤, – TV AE GB. rest
15 mars-5 nov. et vacances de fév. – **R** 150/200 – 40 – **20 ch** 400/600 – ½ P 275/450.

Sagone 2A Corse-du-Sud 90 ⑯ – ✉ **20118** Sagone.
Voir Golfe de Sagone★.
Ajaccio 38 – Piana 33 – Porto 45.

U Libbiu M, 95 28 06 06, Fax 95 28 06 23, ≤, – cuisinette TV P. GB
4 avril-31 oct. – **R** (dîner seul.) 130/150, enf. 60 – **22 ch** 300/520 – ½ P 315/460.

St-Florent 2B H.-Corse 90 ③ – 1 350 h. alt. 10 – ✉ **20217** St-Florent.
Voir Église Santa Maria Assunta★★ – Vieille Ville★.
Ajaccio 162 – Bastia 23 – Calvi 72 – Corte 80 – L'Ile-Rousse 48.

Tettola M sans rest, N : 1 km sur D 81 95 37 08 53, ≤, – cuisinette P. GB
27 – **31 ch** 260/520.

Dolce Notte M sans rest, 95 37 06 65, Fax 95 30 10 70, ≤, – P. GB
mars-nov. – 35 – **20 ch** 310/560.

Bellevue, 95 37 00 06, Fax 95 30 14 83, – TV P. AE GB. rest
hôtel : 15 avril-1er nov. ; rest. : 1er juin-début oct. – **R** *(fermé lundi midi et mardi midi en juin et sept.)* 180/250 – 50 – **25 ch** 700/1000 – ½ P 650/950.

XX **La Rascasse,** promenade des Quais 95 37 06 99, ≤, « Terrasse panoramique sur le port » – AE GB
mi-mars-mi-oct. et fermé lundi hors sais. – **R** carte 160 à 250.

XX **A Lumaga,** au Port 95 37 00 35, ≤, rest. de plein air – AE GB
1er mai-30 sept. – **R** 170/380.

au Nord : 2 km par D 81 et voie privée – ✉ **20217** St-Florent :

Motel Treperi sans rest, 95 37 02 75, ≤, – P. AE
15 avril-30 oct. – 25 – **14 ch** 285/380.

Santa-Maria-Sicché 2A Corse-du-Sud 90 ⑰ – 355 h. alt. 500 – ✉ **20190** Santa-Maria-Sicché.
Ajaccio 34 – Sartène 53.

Santa Maria, 95 25 70 29, Fax 95 25 72 65, ≤ – TV AE GB.
R 85/135, enf. 50 – 31 – **20 ch** 260/330 – ½ P 270/288.

San-Martino-di-Lota 2B H.-Corse 90 ② – rattaché à Bastia.

Sant'Antonino 2B H.-Corse 90 ⑬ – 60 h. alt. 497 – ✉ **20269** Aregno.
Voir ≤★★ – Village★ – Aregno : église de la Trinité★ S : 5 km – Lavatoggio : ≤★ de la terrasse de l'église SO : 5 km.
Env. Col de Salvi ≤★★ SO : 6 km.

Sartène SP 2A Corse-du-Sud 90 ⑱ **G. Corse** (plan) – 3 525 h. alt. 305 – ✉ **20100** Sartène.
Voir Vieille ville★★ – Procession de Catenacciu★★ (vend. Saint).
Ajaccio 86 – Bastia 178 – Bonifacio 54 – Corte 141.

Villa Piana M sans rest, rte Propriano 95 77 07 04, ≤, parc, – P. AE GB.
15 avril-27 sept. – 29 – **32 ch** 315/390.

XX **Aub. Santa Barbara,** rte de Propriano 95 77 09 06, ≤, – P. AE GB
Pâques-fin oct. – **R** 150/280.

X **La Chaumière,** 39 r. Capit. Benedetti 95 77 07 13 – AE GB
fermé janv. à mi-mars et lundi sauf de juin à sept. – **R** carte 100 à 200.

RENAULT Gar. Le Rond-Point, r. J.-Nicoli 95 77 02 14

Soccia 2A Corse-du-Sud 90 ⑮ – 143 h. alt. 700 – ✉ **20125** Soccia.
Ajaccio 67 – Calvi 131 – Corte 99 – Vico 17.

U Paese, 95 28 31 92, ≤, – P.
fermé 20 nov. au 20 déc. – **R** 85/135 – 24 – **33 ch** 220.

Solenzara **2A** Corse-du-Sud 90 ⑦ – ✉ **20145** Solenzara.
Ajaccio 119 – Bastia 101 – Bonifacio 67 – Sartène 75.

Maquis et Mer sans rest, ✆ 95 57 42 37, Télex 460467, Fax 95 57 46 85 – |‡| ☎ Ⓟ – 🏛 25. AE ⓓ GB
1er avril-31 oct. – ☕ 50 – **48 ch** 400/700.

Solenzara sans rest, ✆ 95 57 42 18, Fax 95 57 46 84, 🌳 – ☎ Ⓟ. AE GB. ✻
1er avril-15 nov. – ☕ 25 – **33 ch** 200/400.

Vico **2A** Corse-du-Sud 90 ⑮ – 921 h. alt. 385 – ✉ **20160** Vico.
Voir Couvent St-François : christ en bois★ dans l'église conventuelle.
Ajaccio 52 – Calvi 121 – Corte 81.

U Paradisu ⛰, ✆ 95 26 61 62, Fax 95 26 67 01 – ☎ 🚗. AE ⓓ GB
avril-déc. – **R** 95/160 ⚱, enf. 55 – ☕ 30 – **21 ch** 270 – ½ P 286.

Vizzavona (Col de) **2B** H.-Corse 90 ⑥ – alt. 1 161 – ✉ **20219** Vivario.
Voir Forêt★★.
Ajaccio 50 – Bastia 101 – Bonifacio 136 – Corte 31.

Monte d'Oro, ✆ 95 47 21 06, ≤, ⛰ en forêt, 🌳, 🎾 – ▤ rest Ⓟ – 🏛 40 à 60. GB.
✻ rest
1er mai-30 sept. – **R** 110/230 ⚱, enf. 55 – ☕ 28 – **56 ch** 160/315 – ½ P 240/300.

Zicavo **2A** Corse-du-Sud 90 ⑦ – 245 h. alt. 730 – ✉ **20132** Zicavo.
Ajaccio 61 – Bonifacio 114 – Corte 79 – Porto-Vecchio 85 – Sartène 61.

Tourisme, ✆ 95 24 40 06, ≤
15 ch.

Zonza **2A** Corse-du-Sud 90 ⑦ – 1 600 h. alt. 784 – ✉ **20124** Zonza.
Ajaccio 88 – Aleria 69 – Bonifacio 66 – Corte 118 – Porto-Vecchio 40 – Sartène 37.

Incudine, ✆ 95 78 67 71, 🍽 – ☎ Ⓟ. AE GB
Pâques-15 oct. – **R** 90, enf. 50 – ☕ 32 – **18 ch** 230/300 – ½ P 250/280.

Demandez chez le libraire le catalogue des publications Michelin.

COSNES-ET-ROMAIN **54** M.-et-M. 57 ② – rattaché à Longwy.

COSNE-SUR-LOIRE ⟨SP⟩ **58200** Nièvre 65 ⑬ **G. Bourgogne** – 12 123 h. alt. 148.
⛳18 du Sancerrois ✆ 48 54 11 22 par ④ puis D 955 : 10 km.
🛈 Office de Tourisme pl. Hôtel de Ville (15 juin-15 sept.) ✆ 86 28 11 85.
Paris 186 ① – Bourges 61 ④ – Auxerre 76 ① – Montargis 72 ① – Nevers 53 ③ – ◆Orléans 109 ①.

COSNE-SUR-LOIRE

St-Jacques (R. et ⊞) 22

Baudin (R. Alphonse) 2
Buchet-Desforges (R.) 4
Clemenceau (Pl. G.) 5
Donzy (R. de) 7
Frères-Gambon (R. des) 8
Gambetta (R.) 9
Gaulle (R. du Général-de) 12
Leclerc (R. du Général) 13
Moineau (Pl. J.) 14
Pêcherie (Pl. de la) 15
Pelletan (R. Eugène) 16
République (Bd de la) 17
Rousseau (R. W.) 18
St-Agnan (R.) 21
Victor-Hugo (R.) 24
Vieille-Route (R.) 25
14-Juillet (R. du) 26

Pour un bon usage des plans de villes, voir les signes conventionnels dans l'introduction.

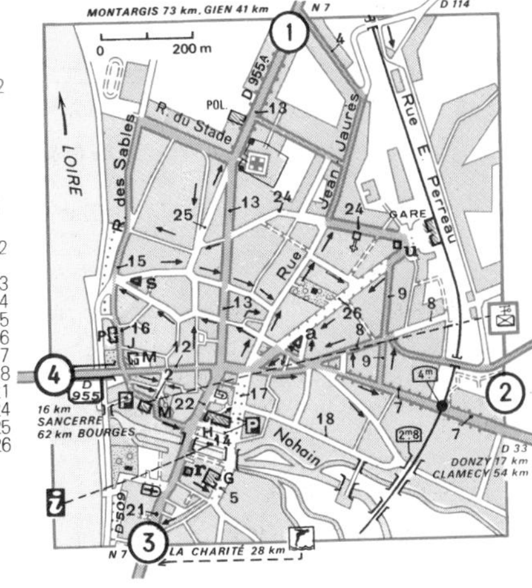

Saint-Christophe, pl. Gare **(u)** ✆ 86 28 02 01 – 📺 ☎. GB. ✻ ch
fermé 1er au 23 août, sam. (sauf hôtel) et dim. soir – **R** 70/140 ⚱, enf. 45 – ☕ 25 – **8 ch** 190/240 – ½ P 230.

XX **Sévigné,** 16 r. 14 Juillet **(a)** ✆ 86 28 27 50 – GB
fermé 1er au 21 oct., 2 au 8 janv., dim. soir et lundi – **R** 150/280, enf. 80.

XX **Vieux Relais** avec ch, 11 r. St Agnan **(r)** ✆ 86 28 20 21, – TV ☎ . AE ⊙ GB
fermé vacances de Noël, de fév., vend. soir et sam. midi d'oct. à avril – **R** 95/300, enf. 55 – 35 – **10 ch** 240/290 – ½ P 260/280.

XX **La Panetière,** 18 pl. Pêcherie **(s)** ✆ 86 28 01 04 – AE ⊙ GB JCB
fermé dim. soir et lundi – **R** 95/190, enf. 48.

rte de Cours NE : 2 km par D114 :

Aub. à la Ferme , ✆ 86 28 15 85, – ♿ P – 30. AE ⊙ GB
fermé 15 déc. au 15 fév. – **R** 110/165, enf. 45 – 30 – **15 ch** 220/275.

ALFA-ROMEO AUSTIN-ROVER Lacroix, 20 r. 14-Juillet ✆ 86 28 19 09
CITROEN Gar. GR.V., chemin rural du Grand Champ N 7 par ③ ✆ 86 28 53 66
PEUGEOT TALBOT Grands Garages du Cher, N 7 ✆ 86 26 60 18
RENAULT Éts Simonneau, 80 av. 85ème par ③ ✆ 86 26 81 81
Doubre, 235 r. Frères-Gambon ✆ 86 28 27 31

Cosne-Pneus, av. 85ème-de-Ligne ✆ 86 28 23 70

COSQUEVILLE 50330 Manche 54 ② – 501 h. alt. 15.
Paris 360 – Cherbourg 20 – ♦Caen 122 – Carentan 48 – St-Lô 76 – Valognes 25.

XX **Au Bouquet de Cosqueville,** ✆ 33 54 32 81 – AE GB
fermé 12 au 28 nov. et 15 au 28 fév., mardi soir et merc. sauf juil.-août – **R** 80/300.

Le COTEAU 42 Loire 73 ⑦ – rattaché à Roanne.

La CÔTE-ST-ANDRÉ 38260 Isère 77 ③ **G. Vallée du Rhône** (plan) – 3 966 h. alt. 374.
Paris 533 – ♦Grenoble 49 – ♦Lyon 65 – La Tour-du-Pin 34 – Valence 78 – Vienne 38 – Voiron 30.

XX ✿ **France** avec ch, pl. Église ✆ 74 20 25 99, Fax 74 20 35 30 – ▤ rest TV ☎ . GB JCB
R *(fermé 3 au 10 août, 16 au 23 nov., 4 au 25 janv., dim. soir et lundi sauf fériés)* 100/380 ♂, enf. 80 – 45 – **15 ch** 250/330 – ½ P 280/330
Spéc. Pâté en croûte maison, Lotte aux ravioles de chèvre, Rognon de veau aux deux moutardes.

CITROEN Mary ✆ 74 20 50 99
PEUGEOT-TALBOT Marazzi ✆ 74 20 32 33

COTIGNAC 83570 Var 84 ⑤ ⑥ **G. Côte d'Azur** – 1 792 h. alt. 260.
Syndicat d'Initiative cours Gambetta (15 juin-15 sept.) ✆ 94 04 61 87.
Paris 833 – Brignoles 20 – Draguignan 35 – St-Raphaël 66 – Ste-Maxime 68 – ♦Toulon 66.

Lou Calen , 1 cours Gambetta ✆ 94 04 60 40, <, , , – TV ☎ . AE ⊙ GB
Pâques-1er janv. – **R** *(fermé merc. sauf juil.-août)* 120/240, enf. 70 – 45 – **16 ch** 315/560 – ½ P 304/450

COTINIÈRE 17 Char.-Mar. 71 ⑬ ⑭ – rattaché à Oléron (Ile d').

COUCHES 71490 S.-et-L. 69 ⑧ **G. Bourgogne** – 1 457 h. alt. 350.
Paris 315 – Chalon-sur-Saône 28 – Autun 24 – Beaune 32 – Le Creusot 16.

XX **Tour Bajole,** ✆ 85 45 54 54, Fax 85 45 57 82 – GB
fermé dim. soir et lundi – **R** 75/270, enf. 40.

COUCHEY 21 Côte d'Or 66 ⑫ – rattaché à Dijon.

COU (Col de) 74 H.-Savoie 70 ⑰ – rattaché à Habère-Poche.

COUCOURON 07470 Ardèche 76 ⑰ **G. Vallée du Rhône** – 705 h. alt. 1 139.
Paris 582 – Le Puy-en-Velay 48 – Langogne 20 – Privas 82.

Carrefour des Lacs, ✆ 66 46 12 70 – TV ☎ P. GB
fermé 1er janv. au 15 fév. – **R** 75/170 – 28 – **20 ch** 125/275 – ½ P 175/195.

COUDEKERQUE BRANCHE 59 Nord 51 ④ – rattaché à Dunkerque.

Le COUDRAY-MONTCEAUX 91 Essonne 61 ① – rattaché à Évry Corbeil-Essonnes (Corbeil-Essonnes).

COUHÉ 86700 Vienne 68 ⑬ – 1 706 h. alt. 130.
Paris 371 – Poitiers 36 – Confolens 56 – Montmorillon 61 – Niort 57 – Ruffec 30.

Chêne Vert, r. Bons Enfants ✆ 49 59 20 42 – . GB
R 72/100, enf. 40 – **7 ch** 120/180 – ½ P 170/190.

CITROEN Senelier ✆ 49 59 22 30

COULANDON 03 Allier 69 ⑭ – rattaché à Moulins.

COULOMMIERS 77120 S.-et-M. 61 ③ 106 ㉔ **G. Ile de France** – 13 087 h. alt. 73.
Office de Tourisme 11 r. Gén.-de-Gaulle ✆ (1) 64 03 88 09.
Paris 62 – Châlons-sur-Marne 104 – Château-Thierry 42 – Créteil 57 – Meaux 28 – Melun 46 – Provins 37 – Sens 76.

X **Le Clos du Theil,** quartier du Theil NE : 2 km - r. Theil ✆ (1) 64 65 11 63 – GB
fermé 16 au 31 août, 15 au 30 janv., lundi soir et mardi – **R** 140/190, enf. 60.

à Chauffry E : 8 km par D 222 et D 66 – ✉ 77169 :

XX Taverne du Pot d'Étain, ☎ (1) 64 20 42 08, Fax (1) 64 04 42 39, 🏖.

au SO par D 402 et D 25 : 9 km – ✉ 77515 St-Augustin :

La Louveterie Ⓜ 🐎, rte Faremoutiers ☎ (1) 64 03 37 59, Fax (1) 64 03 89 00, 🏖, parc, 🏊 – 📺 ☎ 🅟. AE GB
R *(fermé dim. soir et lundi)* 190/390 – ☕ 50 – **8 ch** 450/700.

PEUGEOT-TALBOT Riester, bd de la Marne, ZI ☎ (1) 64 03 01 92
PEUGEOT-TALBOT Gar. Dehus, 2 av. de la Marne à Rebais ☎ (1) 64 04 50 28 **N**
RENAULT Metz, av. L.-Blum ☎ (1) 64 03 32 33 **N** ☎ (1) 64 03 03 81
V.A.G Coulommiers Auto, ZI bd de la Marne ☎ (1) 64 20 74 33
Ⓜ La Centrale du Pneu, 22 av. V.-Hugo ☎ (1) 64 03 01 95

COULON 79510 Deux-Sèvres 71 ② G. Poitou Vendée Charentes – 1 870 h. alt. 15.

Voir Marais poitevin★ (promenade en barque★★, 1 h à 1 h 30).

ℹ Syndicat d'Initiative pl. Église (juin-sept.) ☎ 49 35 99 29.

Paris 416 – La Rochelle 56 – Fontenay-le-Comte 26 – Niort 10 – St-Jean-d'Angély 55.

XX **Au Marais** avec ch, ☎ 49 35 90 43, Fax 49 35 81 98, ← – 📺 ☎. GB
mi-mars-début nov. – **R** *(fermé lundi sauf le soir en juil.-août et dim. soir)* 160 – ☕ 50 – **11 ch** 350/425 – ½ P 375.

XX **Central** avec ch, ☎ 49 35 90 20, Fax 49 35 81 07, 🏖 – GB. ✗ ch
fermé 13 sept. au 15 oct., 10 janv. au 4 fév., dim. soir et lundi – **Repas** 83/176, enf. 49 – ☕ 25 – **5 ch** 195/220 – ½ P 180/193.

à la Garette S : 3 km par D 1 – ✉ 79270 Frontenay-Rohan-Rohan :

XX **Mangeux de Lumas,** ☎ 49 35 93 42, 🏖 – GB
fermé 2 au 17 janv., 20 fév. au 9 mars, lundi soir et mardi sauf juil.-août – **R** 95/250.

COULONGES-SUR-L'AUTIZE 79160 Deux-Sèvres 71 ① – 2 021 h. alt. 1.

Paris 418 – La Rochelle 63 – Bressuire 47 – Fontenay-le-Comte 18 – Niort 22 – Parthenay 35.

X **Citronnelle,** ☎ 49 06 17 67, 🏖 – ⓓ GB
◆ *fermé dim. soir et lundi* – **R** 50 bc/159 bc.

RENAULT Gar. Bouteiller ☎ 49 06 11 09 **N**

COURBEVOIE 92 Hauts-de-Seine 55 ⑳, 101 ⑭ – voir à Paris, Environs.

COURCELLES-SUR-VESLE 02220 Aisne 56 ⑤ – 270 h.

Paris 121 – ◆Reims 36 – Fère-en-Tardenois 19 – Laon 35 – Soissons 20.

Château de Courcelles Ⓜ 🐎, ☎ 23 74 13 53, Fax 23 74 06 41, 🏖, « Parc », 🏊, 🎾 – 📺 ☎ 🅟 – 🏛 40. GB
fermé 15 janv. au 15 fév. – **R** *(fermé dim. soir et lundi)* 260/380 – ☕ 65 – **12 ch** 550/1450 – ½ P 550/1000.

COURCHEVEL 73120 Savoie 74 ⑱ G. Alpes du Nord – Sports d'hiver : 1 300/2 700 m 🚡10 ⛷54 ⛷.

Altiport International ☎ 79 03 31 14, S : 4 km.

Paris 631 ① – Albertville 49 ① – Chambéry 96 ① – Moûtiers 23 ①.

Plan page suivante

à Courchevel 1850.

Voir ❄★.

ℹ Office de Tourisme La Croisette (saison hiver) ☎ 79 08 00 29, Télex 980083.

Byblos des Neiges Ⓜ 🐎, au jardin Alpin **(y)** ☎ 79 08 12 12, Télex 980580, Fax 79 08 19 38, ←, 🏖, 🏊 – 🛗 📺 ☎ 🚗 🅟 – 🏛 40. AE ⓓ GB. ✗ rest
18 déc.-15 avril – **La Clairière R** carte 315 à 440 – **L'Écailler** produits de la mer *(20 déc.-15 mai)* **R** carte 330 à 460 – ☕ 100 – **66 ch** 1570/3500, 11 appart. – ½ P 1400/2100.

Airelles Ⓜ 🐎, au Jardin Alpin **(h)** ☎ 79 09 38 38, Télex 980190, Fax 79 08 38 69, ←, 🏖, 🏋, 🏊 – 🛗 📺 ☎ ♿ 🚗 – 🏛 80. AE ⓓ GB. ✗ rest
Noël-Pâques – **R** 280 (déj.)/350, enf. 150 – **52 ch** (½ pens. seul.), 4 appart. – ½ P 1200/2850.

Annapurna Ⓜ 🐎, rte Altiport ☎ 79 08 04 60, Télex 980324, Fax 79 08 15 31, ← la Saulire, 🏖, 🏋, 🏊 – 🛗 📺 ☎ 🚗 🅟 – 🏛 70. AE ⓓ GB. ✗ rest
15 déc.- 15 avril – **R** 350 – **56 ch** ☕ 2610, 5 appart. – ½ P 1600.

H. Pralong 2000 Ⓜ 🐎, rte Altiport ☎ 79 08 24 82, Télex 980231, Fax 79 08 36 41, ← cirque de montagnes, 🏖, 🏊 – 🛗 📺 ☎ 🚗 🅟 – 🏛 40. AE ⓓ GB
19 déc.-mi-avril – **R** 280/350 – **68 ch** (½ pens. seul.), 4 appart. – ½ P 740/1480.

Lana Ⓜ 🐎, **(p)** ☎ 79 08 01 10, Télex 980014, Fax 79 08 36 70, ←, 🏖, 🏋, 🏊 – 🛗 📺 ☎ 🚗. AE ⓓ GB. ✗ rest
12 déc.-15 avril – **R** 320/380, enf. 150 – **58 ch** (½ pens. seul.), 16 appart. – ½ P 1100/1415.

Bellecôte 🐎, **(d)** ☏ 79 08 10 19, Télex 980421, Fax 79 08 17 16, ≤ vallée, ☂, 🏊 – |‡| ▤ ch TV ☎ Ⓟ. AE ⓓ GB JCB. ✗
déc.-avril – **R** 300 (déj.)/330 – ☕ 90 – **56 ch** (1/2 pens. seul.) – 1/2 P 1175/1725.

Neiges 🐎, **(e)** ☏ 79 08 03 77, Télex 980463, Fax 79 08 18 70, ≤, ☂ – |‡| TV ☎ 🚗 Ⓟ. AE ⓓ GB. ✗
15 déc.-18 avril – **R** (résidents seul.) 295 – **37 ch** (1/2 pens. seul.) – 1/2 P 1300/1610.

Carlina 🐎, **(a)** ☏ 79 08 00 30, Télex 980248, Fax 79 08 04 03, ≤, ☂, 🏋, 🏊 – TV ☎ 🚗 Ⓟ. AE ⓓ GB
20 déc.-20 avril – **R** 320, enf. 140 – ☕ – **55 ch** (1/2 pens. seul.) – 1/2 P 910/2200.

Les Grandes Alpes M 🐎, **(s)** ☏ 79 08 03 35, Fax 79 08 12 52, ≤, ☂, 🏊 – |‡| TV ☎ ♿. AE GB
1er juil.-31 août et 1er déc.-1er mai – **La Pira R** 120/140, enf. 70 – **31 ch** ☕ 1040/1730 – 1/2 P 900/1200.

✿✿ Le Chabichou (Rochedy) M 🐎, **(z)** ☏ 79 08 00 55, Télex 980416, Fax 79 08 33 58, ≤, ☂ – |‡| TV ☎. AE ⓓ GB JCB
déc.-avril – **R** 340/570 et carte – **39 ch** ☕ 1060/3360 – 1/2 P 1100/1980
Spéc. Saucisson de homard et pied de porc. Pigeonneau en trois cuissons. Feuillantine de pruneaux à l'orange. **Vins** Chignin Bergeron, Gamay de Chautagne.

La Sivolière M 🐎, NO : 1 km ☏ 79 08 08 33, Télex 309169, Fax 79 08 15 73, ≤ – TV ☎ 🚗. GB. ✗
15 nov.-12 mai – **R** 150/280 – ☕ 70 – **30 ch** 690/1595.

Trois Vallées M 🐎, **(q)** ☏ 79 08 00 12, Télex 309194, Fax 79 08 17 98 – |‡| TV ☎ ♿ 🚗. AE GB. ✗
1er déc.-1er mai – **R** 300/350 – **30 ch** ☕ 1500 – 1/2 P 1100/1300.

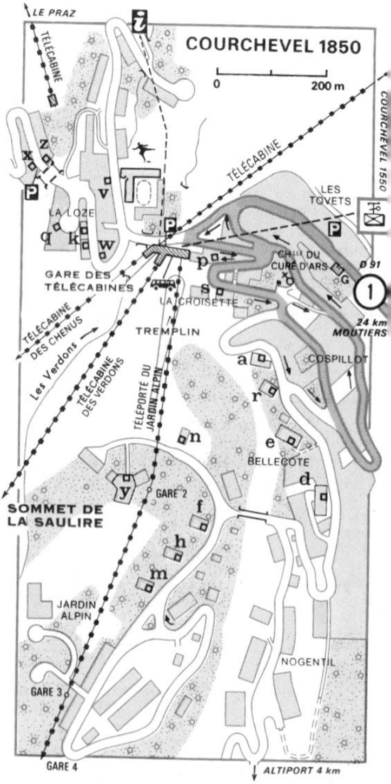

Pomme de Pin M 🐎, **(x)** ☏ 79 08 02 46, Télex 309162, Fax 79 08 38 72, ≤ vallée et montagnes, ☂ – |‡| TV ☎ ♿ 🚗 – 🎓 50. AE ⓓ GB. ✗ rest
10 déc.-20 avril – **R** (voir rest. **Le Bateau Ivre** ci-après) 200/250 – **49 ch** (1/2 pens. seul.) – 1/2 P 995/1090.

Le Mélézin 🐎, **(r)** ☏ 79 08 01 33, Télex 309187, Fax 79 08 08 96, ≤, ☂ – |‡| ☎ Ⓟ. AE GB. ✗
20 déc.-20 avril – **R** (dîner seul.) 230/300, enf. 130 – **32 ch** ☕ 1250/2500 – 1/2 P 905/1530.

La Loze sans rest, **(w)** ☏ 79 08 28 25, Télex 309695, Fax 79 08 36 62 – |‡| TV ☎. AE ⓓ GB
Noël-Pâques – **25 ch** ☕ 715/1600.

Ducs de Savoie M 🐎, au Jardin Alpin **(f)** ☏ 79 08 03 00, Télex 980360, Fax 79 08 16 30, ≤, ☂, 🏊 – |‡| ☎ 🚗 Ⓟ – 🎓 50. AE ⓓ GB. ✗
20 déc.-20 avril – **R** 170/240 – ☕ 65 – **70 ch** (1/2 pens. seul.) – 1/2 P 705/1155.

Crystal 2000 M 🐎, rte Altiport ☏ 79 08 28 22, Télex 309170, Fax 79 08 28 39, ≤ montagnes, ☂ – |‡| TV ☎ 🚗 Ⓟ. AE ⓓ GB JCB
20 déc.-mi avril – **R** 200 (déj.)/300 – ☕ 65 – **44 ch** (1/2 pens. seul.), 7 appart. – 1/2 P 665/855.

Caravelle M 🐎, au Jardin Alpin **(m)** ☏ 79 08 02 42, Télex 980821, Fax 79 08 33 55, ≤, ☂, 🏊 – TV ☎ 🚗 Ⓟ – 🎓 50. GB. ✗
20 déc.-10 mai – **R** 115/275, enf. 65 – **60 ch** (1/2 pens. seul.), 5 appart. – 1/2 P 560/1020.

Le Dahu, (v) ☏ 79 08 01 18, Télex 309189, Fax 79 08 11 98, ≤ – |‡| TV ☎. GB. ✗
14 déc.-fin avril – **R** 220/500 – ☕ 70 – **38 ch** 540/650 – 1/2 P 680/745.

New Solarium 🐎, au Jardin Alpin **(n)** ☏ 79 08 02 01, Télex 309167, Fax 79 08 38 52, ≤, ☂, 🏊 – |‡| TV ☎ 🚗. AE ⓓ GB. ✗
18 déc.-25 avril – **R** 230 – ☕ 65 – **68 ch** 700/800, 5 appart. 1300 – 1/2 P 650/1200.

Courcheneige M 🐎, r. Nogentil **(g)** ☏ 79 08 02 59, Télex 980432, Fax 79 08 11 79, ≤ montagnes, ☂ – |‡| ☎ Ⓟ. AE GB. ✗ rest
20 déc.-3 mai – **R** 155 🍷 – ☕ 60 – **86 ch** (1/2 pens. seul.) – 1/2 P 550/650.

Tournier sans rest, **(k)** ☏ 79 08 03 19, Télex 309702 – TV ☎. AE ⓓ GB
15 déc.-15 avril – **23 ch** ☕ 800/1000.

Le Chamois sans rest, **(k)** ☏ 79 08 01 56, Télex 309962, ≤ – |‡| cuisinette TV ☎. GB
20 déc.-20 avril – **30 ch** ☕ 550/1050, 8 studios 1100/1330.

Les Anémones M, **(p)** ☏ 79 08 03 05, Fax 79 08 08 85 – TV ☎. AE ⓓ GB. ✗ rest
15 déc.-20 avril – **R** (dîner seul.) (résidents seul.) – **30 ch** (1/2 pens. seul.) – 1/2 P 850.

XXX ✿✿ **Le Bateau Ivre** - hôtel Pomme de Pin - (Jacob), **(x)** ✆ 79 08 02 46, Télex 309162, Fax 79 08 38 72, « Restaurant panoramique, ≤ massif de la Vanoise » – AE ① GB
20 déc.-20 avril – **R** 350/500 et carte
Spéc. Queues de langoustines rôties aux épices. Parmentier de ris de veau. Mousse au chocolat soufflée et glace à l'orange. **Vins** Chignin, Mondeuse.

à Courchevel 1650 (Moriond) par ① : 3,5 km – ✉ **73120** Courchevel :

ℹ Office de Tourisme (saison) ✆ 79 08 03 29.

du Golf de Courchevel M, ✆ 79 08 22 26, Fax 79 08 19 93, ≤, 🏞, ƒ₆ – |‡| TV ☎ ♿ 🚗 – 🏛 30 à 50. AE GB. ✂ rest
19 déc.-24 avril – **R** 170/220 🍷, enf. 90 – **41 ch** ☕ 550/1350, 6 duplex, 10 appart. – ½ P 495/850.

Portetta 🐦, ✆ 79 08 01 47, ≤, 🏞 – |‡| ☎. GB. ✂ rest
15 déc.-15 avril – **R** 160 – **48 ch** (½ pens. seul.) – ½ P 545/630.

Le Signal, ✆ 79 08 26 36, Fax 79 08 38 83, ≤ – ☎. GB. ✂
fermé 11 mai au 15 juin, sam. et dim. du 15 sept. au 15 déc. – **R** 130/185 – **28 ch** ☕ 300/380 – ½ P 310/430.

XX **La Poule au Pot**, ✆ 79 08 33 97 – GB JCB
fermé sam. et dim. sauf en hiver et en été – **R** 90/160.

à Courchevel 1550 par ① : 5,5 km – ✉ **73120** Courchevel :

ℹ Office de Tourisme (saison) ✆ 79 08 04 10.

L'Adret d'Ariondaz 🐦, ✆ 79 08 00 01, Télex 309168, Fax 79 08 37 95, ≤ – |‡| TV ☎ P. ① GB. ✂
déc.-avril – **R** 140 – ☕ 45 – **33 ch** (½ pens. seul.) – ½ P 460/560.

Les Flocons 🐦, ✆ 79 08 02 70, Télex 309631, Fax 79 08 11 29, ≤, 🏞 – TV ☎ P. GB. ✂
15 déc.-20 avril – **R** (dîner seul.) 135 – ☕ 40 – **29 ch** (½ pens. seul.) – ½ P 460/560.

au Praz par ① : 8 km – alt. 1300 – ✉ **73120** Courchevel :

Peupliers, ✆ 79 08 41 47, Fax 79 08 45 05, ≤, 🏞 – |‡| TV ☎ P. AE GB. ✂ rest
fermé oct. et nov. – **R** 90/220, enf. 60 – ☕ 40 – **29 ch** 370/740 – ½ P 420/590.

COUR-CHEVERNY

41700 L.-et-Ch. 64 ⑰ ⑱ – 2 347 h. alt. 89.

Voir Château de Cheverny*** S : 1 km – Porte* de la chapelle du Château de Troussay SO : 3,5 km, **G. Châteaux de la Loire.**

Paris 194 – ♦Orléans 71 – Blois 13 – Bracieux 9 – Châteauroux 86 – Montrichard 28 – Romorantin-Lanthenay 27.

✿ **Château du Breuil** 🐦, SO : 4 km par D 52 et voie privée ✆ 54 44 20 20, Fax 54 44 30 40, 🏞, « Dans un parc » – TV ☎ P. AE ① GB. ✂ rest
fermé 1 déc. au 28 fév., dim. soir et lundi midi d'oct. à mai – **R** 180/350 – ☕ 55 – **16 ch** 640/830 – ½ P 560
Spéc. Tourte d'escargots au coulis de persil. Filets de sole "demi-deuil". Pigeonneau rôti sur son jus.

Trois Marchands, ✆ 54 79 96 44, Fax 54 79 25 60 – TV ☎ P – 🏛 30. AE ① GB
fermé 28 janv. au 11 mars, lundi midi de Pâques à fin juin et lundi d'oct. à Pâques – **R** 100/280, enf. 50 – ☕ 37 – **38 ch** 160/300 – ½ P 200/270.

St-Hubert, ✆ 54 79 96 60, 🏞 – ☎ P – 🏛 50. GB. ✂
fermé 20 déc. au 1er fév. et merc. – **R** 95/280, enf. 55 – ☕ 35 – **19 ch** 250/300 – ½ P 290/330

X **Pousse Rapière**, à Cheverny S : 1 km ✆ 54 79 94 23 – GB. ✂
fermé déc., dim. soir de nov. à mars et lundi – **R** 80/220.

à la Gaucherie SE : 7 km sur D 765 – ✉ **41250** Bracieux :

XX **Aub. Fontaine aux Muses**, ✆ 54 79 98 80, 🏞 – GB
fermé vacances de fév., mardi soir et merc. sauf juil.-août – **R** 150/290, enf. 60.

CITROEN Beaugrand ✆ 54 79 96 41 — PEUGEOT-TALBOT Duceau ✆ 54 79 98 67

COURLANS

39 Jura 70 ⑭ – rattaché à Lons-le-Saunier.

COURLON-SUR-YONNE

89140 Yonne 61 ⑬ – 876 h. alt. 69.

Paris 103 – Montereau-Faut-Yonne 20 – Auxerre 79 – Fontainebleau 37 – Nemours 40 – Sens 23.

X **Aub. Bord de l'Yonne**, ✆ 86 66 84 82, 🏞 – AE GB
fermé 15 oct. au 15 nov., dim. soir, lundi soir et mardi – **R** 150/220.

Paris « Welcome » Office

127 Champs-Élysées (8th) (Syndicat d'Initiative and Accueil de France)
Open daily 9 AM to 10 PM (8 PM Sundays and holidays)
Open Nov. 1 to March 15 9 AM to 8 PM (6 PM Sundays and holidays)
✆ *47.23.61.72 - Telex 611 984*

COURNON-D'AUVERGNE 63800 P.-de-D. 73 ⑭ – 19 156 h. alt. 400.
Paris 428 – ◆ Clermont-Ferrand 11 – Issoire 33 – Le Mont-Dore 53 – Thiers 40 – Vichy 52.

Cep d'Or, au pont SE : 1,5 km rte Billom ✆ 73 84 80 02, – TV ☎ P. GB.
fermé vend. soir et dim. soir du 20 sept. au 30 avril – **R** 70/160 – ☕ 30 – **25 ch** 140/250 – ½ P 175/230.

PEUGEOT Gar. du Lac, 58 av. Libération ✆ 73 84 47 41
RENAULT Gar. Bony, 23 av. Liberté ✆ 73 84 80 31

COURPIÈRE 63120 P.-de-D. 73 ⑯ **G. Auvergne** – 4 674 h. alt. 331.
Voir Église★.
Paris 470 – ◆ Clermont-Ferrand 54 – Ambert 39 – Issoire 54 – Lezoux 19 – Thiers 16.

Clef des Champs, S : 3,5 km sur D 906 ✆ 73 53 01 83 – P GB JCB
fermé 29 juin au 6 juil., fév., le soir du 10 sept. au 30 juin (sauf vend. et sam.) et lundi sauf fériés – **R** 75/270.

CITROEN Gar. Brouillet, à Néronde-sur-Dore ✆ 73 53 17 28
PEUGEOT-TALBOT Fédide, 11 rte d'Ambert ✆ 73 53 10 88 N

COURRUERO 83 Var 84 ⑰ – rattaché à Plan-de-la-Tour.

COURS 69470 Rhône 73 ⑧ – 4 637 h. alt. 553.
Paris 415 – Mâcon 67 – Roanne 27 – L'Arbresle 52 – Chauffailles 17 – ◆Lyon 79 – Villefranche-sur-Saône 60.

Le Pavillon , au Col du Pavillon E : 4 km par D 64 ✆ 74 89 83 55, Télex 301715, Fax 74 64 70 26, ←, – TV ☎ ♿ P – 30. GB
fermé sam. d'oct. à juin – **Repas** *(fermé 2 au 20 janv.)* 69/260 – ☕ 30 – **23 ch** 90/340 – ½ P 176/257.

Nouvel Hôtel, 5 r. G. Clemenceau ✆ 74 89 70 21 – TV ☎. AE GB
fermé 26 déc. au 5 janv. et dim. soir – **R** 68/168 – ☕ 32 – **16 ch** 140/230 – ½ P 225/235.

Chalets des Tilleuls, à Thel NE : 8 km par D 64 ✉ 69470 ✆ 74 64 81 53, ←, – P. GB
R 69 bc/180.

CITROEN Cours Auto ✆ 74 89 75 91
FORD Lachize Collonge ✆ 74 89 81 67 N
PEUGEOT-TALBOT Pothier ✆ 74 89 98 98 N
RENAULT Jalabert ✆ 74 89 71 10

COUR-ST-MAURICE 25380 Doubs 66 ⑰ ⑱ – 155 h. alt. 520.
Paris 483 – ◆ Besançon 66 – Baume-les-Dames 44 – Montbéliard 43 – Maiche 10,5 – Morteau 35.

Le Moulin avec ch, à Moulin du Milieu, E : 3 km sur D 39 ✆ 81 44 35 18, – ☎ P. GB
fermé 1er janv. au 15 fév. et merc. – **R** 90/135 – ☕ 40 – **7 ch** 220/330 – ½ P 195/280.

La Truite du Moulin, à Moulin Bas E : 2 km sur D 39 ✆ 81 44 30 59, ← – P. GB
fermé 20 juin au 11 juil., 17 oct. au 10 nov. et merc. – **R** 85/130.

COURSAN 11 Aude 83 ⑭ – rattaché à Narbonne.

COURSEULLES-SUR-MER 14470 Calvados 55 ① **G. Normandie Cotentin** – 3 182 h. alt. 4.
Voir Clocher★ de l'église de Bernières-sur-Mer E : 2,5 km – Tour★ de l'église de Ver-sur-Mer O : 5 km par D 514.
Env. Château★★ de Fontaine-Henry S : 6,5 km.
Office de Tourisme r. Mer ✆ 31 37 46 80.
Paris 256 – ◆ Caen 18 – Arromanches-les-Bains 13 – Bayeux 21 – Cabourg 33.

Crémaillère, ✆ 31 37 46 73, Télex 171952, Fax 31 37 19 31, ← – TV ☎. GB
R 96/286, enf. 48 – ☕ 38 – **11 ch** 145/360 – ½ P 220/360.

Annexe Gytan sans rest, ✆ 31 37 95 96, Fax 31 37 19 31, – TV ☎ ♿ P – 30. GB
☕ 38 – **34 ch** 325/360.

Paris, ✆ 31 37 45 07, Fax 31 96 72 57 – TV ☎ P. AE GB
1er avril-30 sept. – **R** 70/250, enf. 50 – **27 ch** ☕ 280/320 – ½ P 220/270.

Pêcherie, ✆ 31 37 45 84, – GB
R 84/262, enf. 48.

COURTENAY 45320 Loiret 61 ⑬ – 3 292 h. alt. 161.
18 de Clairis à Savigny-sur-Clairis (89) ✆ 86 86 33 90, N : 7,5 km.
Syndicat d'Initiative pl. du Mail (mai-sept.) ✆ 38 97 00 60 et à la Mairie (hors saison) ✆ 38 97 40 46.
Paris 120 – Auxerre 54 – Nemours 44 – ◆Orléans 100 – Sens 26.

Gd H. de l'Étoile, 1 r. Nationale ✆ 38 97 41 71 – P. GB
fermé 24 déc. au 4 janv. – **R** 90/140, enf. 55 – ☕ 28 – **16 ch** 165/275.

Le Relais avec ch, 26 r. Nationale ✆ 38 97 41 60, Fax 38 97 30 43, – TV ☎ P. AE GB
fermé 2 au 30 nov., dim. soir et lundi hors sais. – **R** 95/205, enf. 53 – ☕ 35 – **8 ch** 235/360 – ½ P 240/280.

Le Raboliot, pl. Marché ✆ 38 97 44 52 – GB
fermé 15 au 30 janv., lundi soir et jeudi – **R** 85/135.

Les Quatre Croix SE : 1,5 km par D 32 – ✉ 45320 Courtenay :

XXX ✿ **Aub. Clé des Champs** (Delion), ☏ 38 97 42 68 – Ⓟ. GB
fermé 14 au 30 sept., 4 au 27 janv., mardi soir et merc. – **R** (nombre de couverts limité - prévenir) 160/390
Spéc. Marbré de foie gras aux morilles. Pigeon rôti et désossé façon salmis. Gâteau tiède au chocolat. **Vins** Irancy.

à Ervauville NO : 9 km par N 60, D 32 et D 34 – ✉ 45320 :

XX **Le Gamin,** ☏ 38 87 22 02 – GB
fermé 15 au 30 juin, dim. soir, lundi et mardi – **R** (nombre de couverts limité - prévenir) 190/400.

COUSSAC-BONNEVAL 87500 H.-Vienne 72 ⑰ ⑱ **G. Berry Limousin** – 1 447 h. alt. 343.

Voir Château★ – Lanterne des morts★.

Paris 439 – ◆Limoges 42 – Brive-la-Gaillarde 59 – St-Yrieix 11 – Uzerche 30.

XX **Voyageurs** avec ch, ☏ 55 75 20 24, Fax 55 75 28 90, – rest TV ☎. GB
◆ *fermé janv., dim. soir (sauf hôtel) et lundi d'oct. à mai* – **R** 60/220 ♁, enf. 50 – ☕ 26 – **9 ch** 210 – ½ P 210.

COUTANCES ⟨SP⟩ 50200 Manche 54 ⑫ **G. Normandie Cotentin** – 9 715 h. alt. 92.

Voir Cathédrale★★★ Z – Jardin public★ YZ.

ℹ Office de Tourisme pl. Georges Leclerc ☏ 33 45 17 79.

Paris 334 ② – St-Lô 29 ② – Avranches 50 ③ – Cherbourg 75 ⑤ – Vire 56 ③.

COUTANCES

St-Nicolas (R.)	Y	30
Tancrède (R.)	Y	32
Tourville (R.)	Y	33
Albert-1er (Av.)	Z	2
Croûte (R. de la)	Z	3
Daniel (R.)	Y	5
Davy (Pl. G.)	Z	6
Écluse-Chette (R.)	Y	8
Encoignard (Bd)	Z	9
Foch (R. Mar.)	Z	10
Gambetta (R.)	Y	12
Herbert (R. G.)	Z	13
Leclerc (Av. Division)	Y	15
Legentil-de-la-Galaisière (Bd)	Z	17
Marest (R. Thomas du)	Y	18
Milon (R.)	Y	19
Montbray (R. G.-de)	Z	20
Normandie (R. de)	Y	21
Palais-de-Justice (R.)	Y	23
Paynel (Bd J.)	Y	24
Quesnel-Morinière (R.)	Z	26
République (Av. de la)	Y	27
St-Dominique (R.)	Y	29

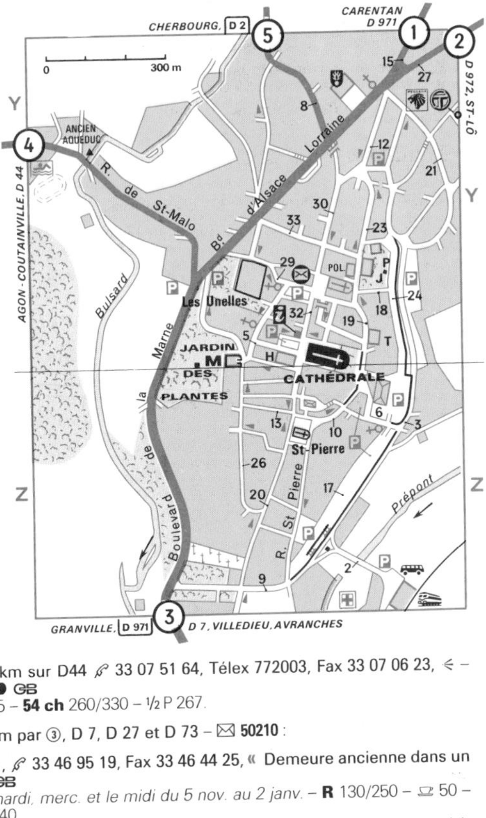

Dans la liste des rues des plans de villes, les noms en rouge indiquent les principales voies commerçantes.

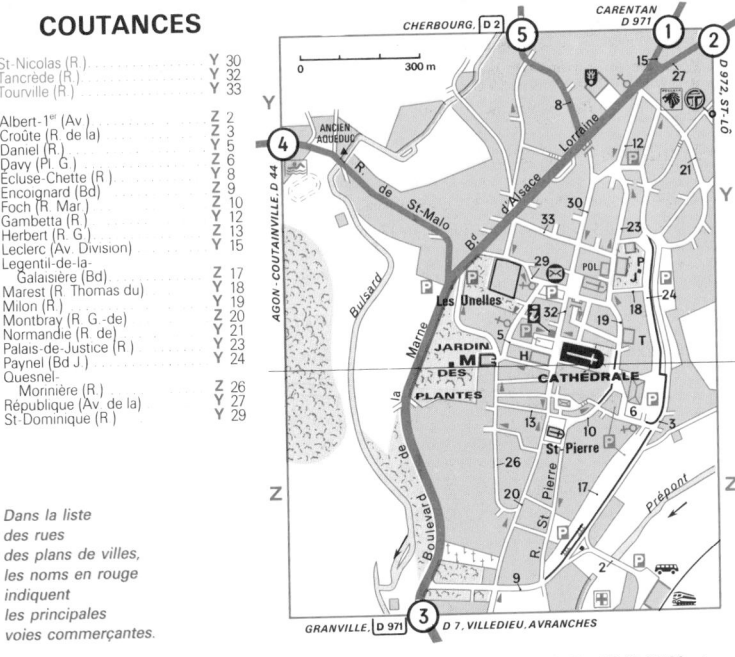

🏨 **Cositel** M ⛰, par ④ : 1 km sur D44 ☏ 33 07 51 64, Télex 772003, Fax 33 07 06 23, ≤ – TV ☎ ♿ Ⓟ – 🏛 200. AE ⓓ GB
R 92/128 ♁, enf. 50 – ☕ 35 – **54 ch** 260/330 – ½ P 267.

à Montpinchon SE : 13 km par ③, D 7, D 27 et D 73 – ✉ 50210 :

🏨 ✿ **Château de la Salle** ⛰, ☏ 33 46 95 19, Fax 33 46 44 25, « Demeure ancienne dans un parc » – TV ☎ Ⓟ. AE ⓓ GB
20 mars-2 janv. et fermé mardi, merc. et le midi du 5 nov. au 2 janv. – **R** 130/250 – ☕ 50 – **10 ch** 610/680 – ½ P 605/640
Spéc. Noix de ris de veau braisée à l'ancienne. Poulet fermier à la normande. Feuillantine de pommes au caramel de cidre.

à Gratot par ④ et D 244 : 4 km – ✉ **50200** :

X **Le Tourne-Bride,** ✆ 33 45 11 00, – **P**. GB
fermé 21 sept. au 4 oct., 15 fév. au 1er mars, dim. soir et lundi – **R** 85/235, enf. 50.

AUSTIN, ROVER Bernard, rte de Lessay ✆ 33 45 16 33 **N**
CITROEN Lebouteiller, rte de St-Lô, ZI par ② ✆ 33 45 12 70
PEUGEOT-TALBOT Lebailly-Horel, r. Acacias ✆ 33 07 34 00 **N** ✆ 33 07 24 24
RENAULT Sodiam, rte de St-Lô par ② ✆ 33 07 42 55 **N**
Chanut, av. Division-Leclerc ✆ 33 45 59 96

COUTRAS 33230 Gironde 75 ② – 6 689 h. alt. 14.
Paris 528 – ◆ Bordeaux 48 – Bergerac 67 – Blaye 49 – Jonzac 56 – Libourne 19 – Périgueux 78.

Henri IV M sans rest, pl. 8 Mai 1945 ✆ 57 49 34 34 – TV ☎ **P**. AE GB
☕ 35 – **14 ch** 220/260.

X **Tivoli,** r. Gambetta ✆ 57 49 04 97, – AE GB
fermé dim. – **R** 64/148 ♨, enf. 50.

CITROEN Debenat, rte de Montpon, ZI ✆ 57 49 19 36 **N**
PEUGEOT-TALBOT Billard, rte d'Angoulême ✆ 57 49 12 67
RENAULT Gar. Vacher, 144 r. Gambetta ✆ 57 49 04 91

COYE-LA-FORÊT 60 Oise 56 ⑪, 106 ⑧ – rattaché à Chantilly.

CRAN-GEVRIER 74 H.-Savoie 74 ⑥ – rattaché à Annecy.

CRANSAC 12110 Aveyron 80 ① **G. Gorges du Tarn** (plan) – 2 180 h. alt. 279 – Stat. therm. (15 avril-21 oct.).
Syndicat d'Initiative pl. J.-Jaurès ✆ 65 63 06 80.
Paris 608 – Aurillac 73 – Espalion 64 – Figeac 32 – Rodez 35 – Villefranche de Rouergue 37.

Parc ⑤, r. Gén. Artous ✆ 65 63 01 78, ≤, parc, – ☎ **P**. GB
15 avril-27 oct. – **R** 75/150 ♨, enf. 35 – ☕ 25 – **27 ch** 100/200 – ½ P 253/378.

Host. du Rouergue, av. J. Jaurès ✆ 65 63 02 11, – rest ☎ **P**. AE GB JCB
1er avril-3 nov. – **R** 89/190 ♨ – ☕ 30 – **16 ch** 130/300 – ½ P 178/240.

CRAON 53400 Mayenne 63 ⑨ **G. Châteaux de la Loire** – 4 767 h. alt. 48.
Syndicat d'Initiative r. A.-Gerbault (15 juin-août après-midi seul.) ✆ 43 06 10 14.
Paris 312 – Angers 55 – Châteaubriant 36 – Château-Gontier 20 – Laval 30 – ◆ Rennes 71.

XX **Ancre d'Or,** 2 av. Ch. de Gaulle ✆ 43 06 14 11 – GB
fermé 5 au 31 janv., dim. soir et lundi – **R** 60/210 ♨.

CITROEN Gar. de la Gare ✆ 43 06 17 88
PEUGEOT-TALBOT Boisseau ✆ 43 06 10 94
RENAULT Gar. Lebascle ✆ 43 06 17 29

CRÈCHES-SUR-SAÔNE 71 S.-et-L. 74 ① – rattaché à Mâcon.

CRÉCY-EN-PONTHIEU 80150 Somme 52 ⑦ **G. Flandres Artois Picardie** – 1 491 h. alt. 36.
Paris 204 – ◆ Amiens 54 – Abbeville 19 – Montreuil 29 – St-Omer 73.

de la Maye M ⑤, ✆ 22 23 54 35, Fax 22 23 53 32 – TV ☎ **P**. GB
fermé vacances de fév., dim. soir et lundi sauf juil.-août – **R** 65/160 – ☕ 28 – **11 ch** 240/305 – ½ P 220.

CRÉHEN 22130 C.-d'Armor 59 ⑤ – 1 493 h. alt. 51.
Paris 421 – St-Malo 25 – Dinan 20 – Dinard 18 – St-Brieuc 50.

Deux Moulins, D 768 ✆ 96 84 15 40, – **P**. GB
fermé vacances de Noël, vend. soir et dim. soir sauf juil.-août – **R** 70/250 – ☕ 25 – **14 ch** 165/180 – ½ P 260/280.

CREIL 60100 Oise 56 ① ⑪ **G. Ile de France** – 31 956 h. alt. 30.
Office de Tourisme pl. Gén.-de-Gaulle ✆ 44 55 16 07.
Paris 60 ③ – Compiègne 37 ② – Beauvais 42 ① – Chantilly 7 ④ – Clermont 15 ①.

Plan page suivante

XX **Petite Alsace,** 8 pl. Ch. Brobeil (près gare) **(e)** ✆ 44 55 28 89, – GB
fermé août, sam. midi, dim. soir et lundi – **R** 85/145 ♨.

à Nogent-sur-Oise par ① : 2 km – 19 537 h. – ✉ **60180** :

Sarcus, 7 r. Châteaubriand ✆ 44 74 01 31, Télex 150047, Fax 44 71 58 85 – TV ☎ **P** – 50 à 200. AE GB
fermé 27 juil. au 23 août – **R** *(fermé sam. midi et dim.)* carte 190 à 280 – ☕ 45 – **62 ch** 340/390 – ½ P 375.

X **Host. des Trois Rois,** 113 r. Gén. de Gaulle ✆ 44 71 63 23, – **P**. AE GB
fermé dim. soir et lundi – **R** 85/190, enf. 40.

CREIL

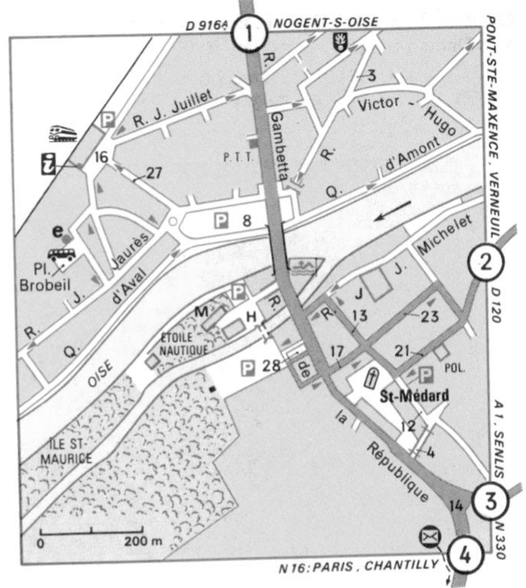

Pour un bon usage des plans de villes, voir les signes conventionnels dans l'introduction.

par ② : 2 km sur D 120 – ✉ **60100** Creil :

Ferme de Vaux, 11 et 19 rte Vaux ✆ 44 24 76 76, Fax 44 26 81 50 – TV ☎ ♿ P – 60. AE GB
R carte 280 à 350 – ☕ 40 – **30 ch** 315/390 – ½ P 350/400.

ALFA-ROMEO, VOLVO Lemaire-Napoléon, 10 r. Clos-Barrois, ZI Nogent-Villers ✆ 44 25 85 40
CITROEN Terrasse Autom. Creil, 38 av. 8-Mai, Nogent-sur-Oise par ① ✆ 44 71 72 62
FORD Gar. Brie et Picardie, r. Marais Sec, ZI Nogent-sur-Oise ✆ 44 55 39 40
PEUGEOT-TALBOT C.D.A, 83 r. R.-Schuman par ③ ✆ 44 25 54 84

RENAULT Palais Autom., ZI r. Marais-Sec à Nogent-sur-Oise par ① ✆ 44 55 02 42 N ✆ 44 24 99 47
Gar. Debuquoy, rte de Chantilly ✆ 44 25 11 50

Piot-Pneu, Z.A.E.T. St-Maximin ✆ 44 24 47 18
Sitec, 2 rte de Creil, St-Leu-d'Esserent ✆ 44 56 62 56

CRÉMIEU **38460** Isère 74 ⑬ **G. Vallée du Rhône** (plan) – 2 855 h. alt. 212.

Office de Tourisme r. du Four Banal (15 avril-15 oct.) ✆ 74 90 45 13 et à la Mairie ✆ 74 90 70 92.

Paris 489 – ♦Lyon 39 – Belley 47 – Bourg-en-Bresse 60 – ♦Grenoble 84 – La Tour-du-Pin 34 – Vienne 40.

Aub. de la Chaite, ✆ 74 90 76 63, – P. AE GB
fermé 16 au 23 mars, 2 au 31 janv., dim. soir du 1er sept. au 1er juin et lundi – **R** 59/145, enf. 34.

CRÉON **33670** Gironde 71 ⑨ **G. Pyrénées Aquitaine** – 2 508 h. alt. 103.

Paris 595 – ♦Bordeaux 23 – Bergerac 73 – Libourne 20 – La Réole 40.

Château Camiac M, NE : 3 km par D 121 ✆ 56 23 20 85, Fax 56 23 38 84, ≤, parc, – ch TV ☎ ♿ P – 40. AE GB
fermé 15 janv. au 1er mars – **R** *(fermé merc. midi et mardi hors sais.)* 180/300 – ☕ 60 – **19 ch** 370/950 – ½ P 450/765.

Le Prévot, 1 r. Ch. Dopter ✆ 56 23 08 08 – GB
fermé mardi soir et merc. – **R** 105/195.

CREPON 14 Calvados 54 ⑮ **G. Normandie Cotentin** – 209 h. – ✉ **14480** Creuilly.

Paris 261 – ♦Caen 23 – Bayeux 12 – Deauville 57.

La Rançonnière, rte Arromanches-les-Bains ✆ 31 22 21 73, Fax 31 22 98 39, « Ancienne ferme aménagée en hôtel », – ☎ ♿ P. AE GB
R 95/225, enf. 65 – ☕ 55 – **34 ch** 280/350 – ½ P 270/310.

CRESSENSAC **46600** Lot 75 ⑱ – 570 h. alt. 309.

Paris 505 – Brive-la-Gaillarde 20 – Sarlat-la-Canéda 46 – Cahors 80 – Gourdon 44 – Larche 17.

La Truffière, S : 5 km par N 20 ✆ 65 37 88 95, , parc, – TV P. GB
fin avril-fin oct. et fermé dim. soir et lundi hors sais. sauf fêtes – **R** 85/220 – ☕ 33 – **17 ch** 154/280 – ½ P 230/270.

Chez Gilles avec ch, N 20 ✆ 65 37 70 06, Fax 65 37 77 15 – AE GB
R 92/220 – ☕ 35 – **20 ch** 150/280 – ½ P 200/295.

CRESSERONS 14 Calvados 54 ⑯ – rattaché à Douvres-la-Délivrande.

CREST 26400 Drôme 77 ⑫ **G. Vallée du Rhône** – 7 583 h. alt. 192.

Voir Donjon★ : ※★

Office de Tourisme pl. Dr M.-Rozier ☎ 75 25 11 38.

Paris 592 ④ – Valence 28 ④ – Die 38 ① – Gap 132 ① – ◆Grenoble 109 ④ – Montélimar 37 ②.

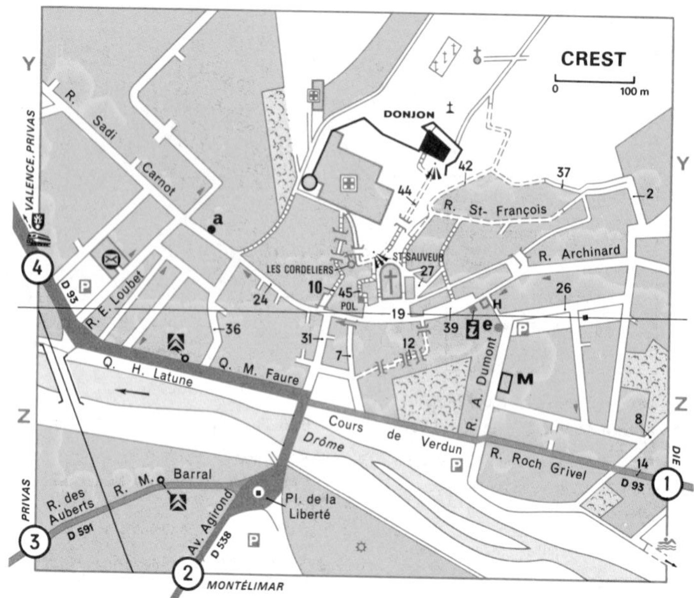

Gd Hôtel, 60 r. Hôtel de Ville ☎ 75 25 08 17 – ☎. GB — Y a
fermé 20 déc. au 18 janv., vacances de fév., dim. soir du 10 sept. au 15 juin et lundi sauf le soir d'oct. à avril – **Repas** 83/200, enf. 45 – ☐ 29 – **22 ch** 120/280 – ½ P 160/240.

XX **Porte Montségur** avec ch, par ① : 0,5 km ☎ 75 25 41 48, ⌂, ⌂ – TV ☎ P. AE ⓓ GB
fermé 28 oct. au 7 nov., 15 au 28 fév., lundi soir (sauf juil-août) et merc. – **R** 125/250, enf. 60 – ☐ 36 – **9 ch** 250/270 – ½ P 382/402.

XX **Kléber** avec ch, cours Joubernon ☎ 75 25 11 69 – ☎. GB — Z e
fermé 1er au 15 sept., 15 au 31 janv., dim. soir et lundi sauf fêtes – **R** 80/210, enf. 50 – ☐ 30 – **7 ch** 150/240.

à Aouste-sur-Sye rte de Saou, par ① : 3,5 km par D 93 – ✉ 26400 :

Gare, ☎ 75 25 14 12, ⌂, ⌂ – TV ☎ P. GB. ⌘ ch
fermé 1er au 15 sept., vend. soir hors sais. et sam. (sauf le soir en sais.) – **R** 70/200, enf. 45 – ☐ 33 – **12 ch** 140/260 – ½ P 155/230.

CITROEN Rolland, rte de Grane ☎ 75 25 01 13 N
CITROEN Gar. Bouvat, 14 quai Pied Gay ☎ 75 25 11 94 N ☎ 75 25 11 94
RENAULT Gar. Cunzi, av. A.-Fayolle ☎ 75 25 10 85

Relais du Pneu, av. F.-Rozier, rte de Valence ☎ 75 25 44 51

CREST-VOLAND 73590 Savoie 74 ⑰ **G. Alpes du Nord** – 395 h. alt. 1 230 – Sports d'hiver : 1 230/2 000 m ⛷18 ⛷.

Office de Tourisme ☎ 79 31 62 57.

Paris 588 – Albertville 22 – Chamonix-Mont-Blanc 49 – Annecy 52 – Bonneville 53 – Chambéry 73 – Megève 14.

Caprice des Neiges ⌂, rte Saisies : 1 km ☎ 79 31 62 95, ←, ⌂, ⌂ – ☎ P. GB. ⌘ rest
27 juin-13 sept. et 15 déc.-20 avril – **R** 75/120, enf. 37 – ☐ 28 – **16 ch** 300/325 – ½ P 260/295.

Mont Charvin, au Cernix S : 1,5 km par VO ✆ 79 31 61 21, ≤, – ☎ P. AE GB
fermé mai, nov., vend. soir, sam. et dim. en juin., sept. et oct. – **R** 80/100, enf. 50 – ☐ 30 – **23 ch** 140/275 – ½ P 241/264.

Aravis ⑤, Au Cernix, S : 1,5 km par VO ✆ 79 31 63 81, ≤ Aravis, – ☎ P
1er juil.-31 août, 20 déc.-5 janvier et 1er fév.-5 avril – **R** 80 ⑧ – ☐ 23 – **17 ch** 210/230 – ½ P 230/248.

CRÉTEIL **94** Val-de-Marne 61 ①, 101 ㉗ – voir à Paris, Environs.

Le CREUSOT **71200** S.-et-L. 69 ⑧ **G. Bourgogne** – 28 909 h. Communauté urbaine 100 343 h alt. 347.

Office de Tourisme Château de la Verrerie ✆ 85 55 02 46.

Paris 319 ② – Chalon-sur-Saône 37 ② – Autun 28 ③ – Beaune 46 ① – Mâcon 89 ②.

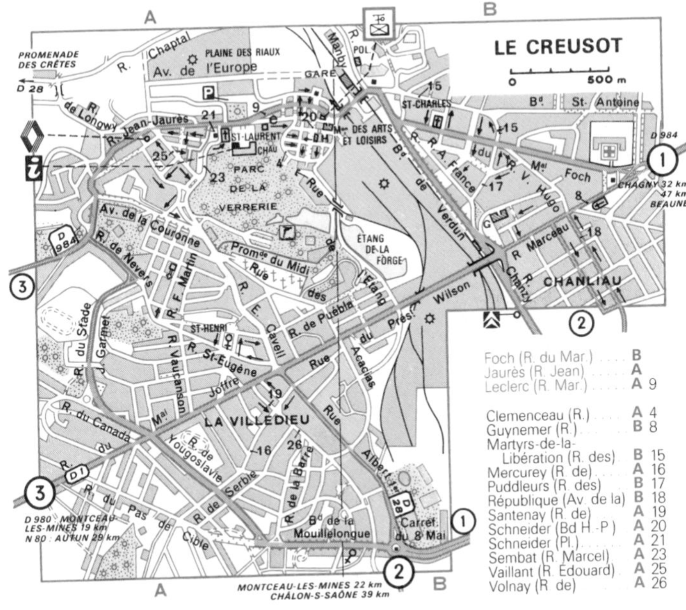

la Petite Verrerie, 4 r. J. Guesde ✆ 85 55 31 44, Télex 801347 – TV ☎ ♿ – 40. AE GB A e
R 100/195, enf. 60 – ☐ 45 – **39 ch** 300/420 – ½ P 280/310.

au Breuil par ① : 3 km – 3 741 h. – ✉ **71670** :

Moulin Rouge ⑤, ✆ 85 55 14 11, Télex 305551, Fax 85 55 53 37, – ch TV ☎ P – 40. AE ⓓ GB
fermé 19 déc. au 10 janv., vend. soir, sam. midi et dim. soir – **R** 140/200 ⑧, enf. 80 – ☐ 40 – **32 ch** 200/350 – ½ P 280/340.

à Torcy par ② : 4 km – 4 059 h. – ✉ **71210** :

Vieux Saule, ✆ 85 55 09 53, – GB
fermé dim. soir et lundi – **R** 150/340 ⑧, enf. 60.

à Montchanin par ② : 8 km – 5 960 h. – ✉ **71210** :

Novotel M, ✆ 85 78 55 55, Télex 800588, Fax 85 78 08 88, – ch rest TV ☎ ♿ P – 150. AE ⓓ GB
R carte environ 150 ⑧, enf. 50 – ☐ 46 – **87 ch** 395.

CITROEN Broin, 77 rte de Montcenis par D 984 A ✆ 85 55 20 09
CITROEN Gar. Moderne, r. de Chanzy ✆ 85 80 88 51
FORD Gar. Auto Fuchey, 13 r. Mar.-Joffre ✆ 85 55 27 06
PEUGEOT-TALBOT Nedey-Guillemier, 57 r. de Chanzy ✆ 85 55 20 63 N ✆ 85 77 33 75

RENAULT Creusot-Gar., pl. Bozu ✆ 85 56 10 44 N ✆ 85 77 32 74
V.A.G Gar. du Vieux Saule, 124 r. Coudraie à Torcy ✆ 85 57 23 81

Creusot-Pneus, 55 av. Abattoirs ✆ 85 55 60 93
Goesin, 35 av. République ✆ 85 55 44 17

CREUTZWALD 57150 Moselle 57 ⑤ – 15 169 h. alt. 219.

Paris 376 – ◆ Metz 47 – Forbach 25 – Saarbrücken 35 – Sarreguemines 38 – Saarlouis 17.

✗ **Faisan d'Or,** rte Saarlouis NE : 2 km N 33 ☏ 87 93 01 36 – Ⓟ. GB
fermé août et lundi – **R** 90/220 ₰.

✗ Aub. du Vieux Cerf, 23 r. Houve ☏ 87 93 04 17.

OPEL Gar. Esch, à Hargarten-aux-Mines ☏ 87 93 18 46

CREUZIER-LE-NEUF 03 Allier 73 ⑤ – rattaché à Cusset.

CRÈVECOEUR-EN-AUGE 14340 Calvados 54 ⑰ **G. Normandie Vallée de la Seine** – 554 h. alt. 60.

Voir Manoir★.

Paris 194 – ◆ Caen 34 – Falaise 32 – Lisieux 17.

✗ **La Galetière,** ☏ 31 63 04 28 – GB
fermé lundi soir et mardi sauf juil.-août – **R** 70/165 ₰, enf. 37.

CREVOUX 05200 H.-Alpes 77 ⑱ **G. Alpes du Sud** – 117 h. alt. 1 577 – Sports d'hiver : 1 600/2 100 m ⛷2.

Paris 727 – Briançon 59 – Gap 53 – Embrun 15 – Guillestre 31.

Parpaillon ⛰, ☏ 92 43 18 08, ← – ☎ Ⓟ. AE ⦿ GB. ✻ rest
fermé 10 au 30 nov. – **R** 80 (sauf sam.)/115 ₰, enf. 55 – ☕ 26 – **27 ch** 120/250 – ½ P 180/220.

CRILLON 60112 Oise 52 ⑰ – 440 h. alt. 82.

Paris 92 – Compiègne 75 – Aumale 32 – Beauvais 16 – Breteuil 33 – Gournay-en-Bray 18.

✗✗ **La Petite France,** 7 rte Gisors ☏ 44 81 01 13 – Ⓟ. GB
fermé 16 août au 8 sept., vacances de fév., dim. soir, lundi soir et mardi – **R** 75/140 ₰.

CRILLON-LE-BRAVE 84410 Vaucluse 81 ⑬ – 370 h. alt. 345.

Paris 686 – Avignon 38 – Carpentras 13 – Nyons 41 – Vaison-la-Romaine 26.

Host. de Crillon le Brave ⛰, pl. Église ☏ 90 65 61 61, Fax 90 65 62 86, ← plaine et Mont Ventoux, 🌳, ⛱ – ☎ ♿. AE GB
2 avril-1er janv. – **R** 225/260 – ☕ 75 – **17 ch** 750/1150, 3 appart. 1350 – ½ P 655/855.

CRISENOY 77 S.-et-M. 61 ② – rattaché à Melun.

Le CROISIC 44490 Loire-Atl. 63 ⑭ **G. Bretagne** – 4 428 h. alt. 5.

Voir Mont-Esprit ←★ – Aquarium de la Côte d'Amour★ – ←★ du Mont-Lénigo.

ℹ Office de Tourisme pl. 18 Juin 1940 ☏ 40 23 00 70.

Paris 464 – ◆ Nantes 86 – La Baule 13 – Guérande 11,5 – Le Pouliguen 9 – Redon 64 – Vannes 77.

Les Vikings Ⓜ ⛰ sans rest, à **Port Lin** ☏ 40 62 90 03, Fax 40 23 28 03, ← côte et mer – 🛗 📺 ☎ ♿ 🚗 – 🏛 80. GB
☕ 45 – **24 ch** 370/550.

Les Nids ⛰, 83 bd Gén. Leclerc à **Port-Lin** ☏ 40 23 00 63, 🏊 – 📺 ☎ Ⓟ. GB
3 avril-31 oct. – **R** 150/300, enf. 64 – ☕ 31 – **28 ch** 175/335 – ½ P 231/312.

Castel Moor, av. Castouillet, NO : 1,5 km sur D 45 ☏ 40 23 24 18, ←, 🌳 – 📺 ☎ ♿ Ⓟ. AE GB
fermé janv. – **R** *(fermé lundi soir et mardi du 15 sept. au 15 mars)* 85/220 – ☕ 30 – **11 ch** 280/340 – ½ P 260/290.

✗✗✗ **Océan** avec ch, à **Port-Lin** ☏ 40 62 90 03, Fax 40 23 28 03, ← côte et mer, produits de la mer – 📺 ☎. GB
R carte 250 à 350 – ☕ 45 – **14 ch** 420/550.

✗✗ **Bretagne,** sur le port ☏ 40 23 00 51, Fax 40 23 18 32 – AE ⦿ GB
fermé 11 nov. au 15 déc., janv. et fév. sauf week-ends, dim. soir et lundi sauf juil.-août – **R** 100/400, enf. 75.

✗✗ **L'Estacade** avec ch, 4 quai Lénigo ☏ 40 23 03 77, Fax 40 23 24 32 – 📺 ☎. AE ⦿ GB
R *(fermé 29 nov. au 17 déc., 10 fév. au 3 mars et merc. du 15 sept. au 10 avril)* 75/330, enf. 54 – ☕ 30 – **13 ch** 230/290 – ½ P 220/250.

✗ **Le Lénigo,** quai du Lénigo ☏ 40 23 00 31 – ⦿ GB
1er mars-15 nov. et fermé mardi sauf juil.-août – **R** 80/170, enf. 40.

CITROEN Gar. Rochard ☏ 40 62 90 32 RENAULT Propice, ☏ 40 23 02 09

CROISSY-BEAUBOURG 77 S.-et-M. 61 ② – voir à Paris, Environs (Marne-la-Vallée).

CROISSY-SUR-SEINE 78 Yvelines 55 ⑳, 106 ⑱ – voir à Paris, Environs.

La CROIX-BLANCHE 71 S.-et-L. 69 ⑲ – alt. 204 – ✉ 71960 Pierreclos.

Voir Berzé-la-Ville : peintures murales★ de la chapelle aux Moines E : 2 km – Château★ de Berzé-le-Châtel N : 3 km, **G. Bourgogne.**

Paris 407 – Mâcon 13 – Charolles 42 – Cluny 11 – Roanne 84.

XX **Relais du Mâconnais** avec ch, ancienne N 79 ℘ 85 36 60 72 – ☎ Ⓟ. AE ⓓ GB. ✗
fermé 3 janv. au 3 fév., dim. soir et lundi hors sais. – **Repas** 125/350, enf. 65 – ☐ 30 – **8 ch** 300/340 – ½ P 210/300.

XX **Moulin du Gastronome,** ℘ 85 37 71 61, 🏞 – Ⓟ. ⓓ GB
fermé 12 au 27 nov., 15 fév. au 7 mars, jeudi midi hors sais. et merc. soir – **R** 95/280, enf. 60.

CROIX (Col des) 88 Vosges 166 ⑦ – rattaché au Thillot.

CROIX-MARE 76 S.-Mar. 52 ⑬ – rattaché à Yvetot.

La CROIX-VALMER 83420 Var 84 ⑰ **G. Côte d'Azur** – 2 634 h. alt. 120.

Paris 878 – Fréjus 36 – Brignoles 65 – Draguignan 50 – Le Lavandou 26 – Ste-Maxime 16 – ♦Toulon 69.

Parc 🐎 sans rest, E : 1 km par D 93 ℘ 94 79 64 04, ≤, parc – |‡| ☎ Ⓟ. ⓓ GB. ✗
mai-sept. – ☐ 38 – **33 ch** 275/450.

à Gigaro SE : 5 km par D 93 et VO – ✉ 83420 La Croix-Valmer :

✿ **Souleias** Ⓜ 🐎, ℘ 94 79 61 91, Fax 94 54 36 23, ≤ mer et îles, 🏞, « Au faîte d'une colline dominant le littoral », 🏊, 🌳, 🎾 – |‡| ▤ ch 📺 ☎ Ⓟ – 🏛 25. GB. ✗ rest
15 mars-5 nov. – **R** 200/330 – ☐ 67 – **48 ch** 850/1410 – ½ P 635/1045
Spéc. Petits farcis à la provençale, Escalopes de mérou rôties, Daurade au four à l'huile d'olive et aromates. **Vins** Côtes de Provence.

Le Château de Valmer Ⓜ 🐎 sans rest, ℘ 94 79 60 10, ≤, parc, 🏊, 🎾 – |‡| ▤ 📺 ☎ ♿ Ⓟ. AE ⓓ GB
10 avril-31 oct. – **R** voir **La Pinède** ci-après – ☐ 60 – **42 ch** 650/1100.

Les Moulins de Paillas Ⓜ, ℘ 94 79 71 11, Fax 94 54 37 05, 🏞, 🏊, 🏖, 🎾 – ▤ ch 📺 ☎ Ⓟ. AE ⓓ GB
22 mai-30 sept – **R** (1/2 pens. seul.) - **La Brigantine** ℘ 94 79 67 16 **R** 110 (déj.)/240 – ☐ 60 – **30 ch** 870/920 – ½ P 590/690.

La Pinède 🐎, ℘ 94 54 31 23, Fax 94 79 71 46, ≤ mer et îles, 🏞, 🏊, 🏖, 🌳, 🎾 – 📺 ☎ Ⓟ. AE ⓓ GB
1er mai-15 oct. – **R** carte 185 à 325 – ☐ 60 – **40 ch** 650/1080 – ½ P 595/810.

Gigaro Ⓜ 🐎, ℘ 94 79 60 35, Fax 94 54 37 05, 🏊, 🏖, 🌳, 🎾 – ☎ Ⓟ. AE ⓓ GB
22 mai-30 sept. – **R** voir **Les Moulins de Paillas** – ☐ 60 – **38 ch** 820/950 – ½ P 590/715.

CROS-DE-CAGNES 06 Alpes-Mar. 84 ⑨, 195 ㉖ – rattaché à Cagnes.

CROUTELLE 86 Vienne 67 ⑲ – rattaché à Poitiers.

CROZANT 23160 Creuse 68 ⑱ **G. Berry Limousin** – 636 h. alt. 277.

Voir Site★.

Paris 334 – Argenton-sur-C. 31 – La Châtre 48 – Guéret 39 – Montmorillon 70 – La Souterraine 30.

Lac 🐎 sans rest, E : 1 km par D 72 et D 30 ℘ 55 89 81 96, ≤ – ☎ Ⓟ. ✗
1er mai-1er oct. et fermé mardi sauf juil.-août – ☐ 27 – **10 ch** 170/240.

XX **Aub. de la Vallée,** ℘ 55 89 80 03 – AE GB
fermé 2 janv. au 2 fév., lundi soir et mardi sauf juil.-août – **Repas** 69/263 🍷.

CROZON 29160 Finistère 58 ④ **G. Bretagne** – 7 705 h. alt. 81.

Voir Retable★ de l'église.

Env. Pointe de Dinan ✻★★ SO : 6 km.

ℹ Office de Tourisme Ancienne Mairie pl. Église (oct.-mai matin seul.) et bd de la Plage à Morgat (saison) ℘ 98 27 07 92.

Paris 580 – ♦Brest 57 – Châteaulin 33 – Douarnenez 43 – Morlaix 77 – Quimper 52.

XX **La Pergola,** 25 r. Poulpatré ℘ 98 27 04 01 – GB
fermé nov. et lundi sauf juil.-août – **R** 68/240, enf. 50.

au Fret N : 5,5 km par D 155 et D 55 – ✉ 29160 Crozon :

Host. de la Mer, ℘ 98 27 61 90, Fax 98 27 65 89, ≤ – ☎. AE GB
fermé 4 au 29 janv. – **R** 99/220, enf. 65 – ☐ 40 – **25 ch** 225/295 – ½ P 265/307.

Ⓜ Prat-Pneus, rte de Châteaulin ℘ 98 27 12 51

Un conseil Michelin :

pour réussir vos voyages, préparez-les à l'avance.

Les cartes et guides Michelin, vous donnent toutes indications utiles sur : itinéraires, visite des curiosités, logement, prix, etc.

CRUAS 07350 Ardèche 76 ⑳ G. Vallée du Rhône – 2 200 h. alt. 76.
Syndicat d'Initiative pl. G.-Clemenceau (15 juin-15 sept.) ✆ 75 51 43 90.
Paris 599 – Valence 39 – Montelimar 15 – Privas 24.

Le Chrystel, r. Mercoyrol ✆ 75 51 43 10 – AE GB
fermé 15 au 30 juil., sam. midi et dim. soir – **R** 125/255, enf. 50.

CRUSEILLES 74350 H.-Savoie 74 ⑥ G. Alpes du Nord – 2 716 h.
Paris 539 – Annecy 18 – Bellegarde-sur-Valserine 45 – Bonneville 36 – ♦Genève 25 – Thonon-les-Bains 58.

L'Ancolie, au parc des Dronières ✆ 50 44 28 98, – AE GB
fermé vacances de fév., merc. (sauf le midi en juil.-août) et dim. soir de sept. à juin – **R** 95/285, enf. 50.

CUBRY 25 Doubs 166 ⑯ – rattaché à Villersexel.

CUCHERON (Col du) 38 Isère 77 ⑤ – rattaché à St-Pierre-de-Chartreuse.

CUCUGNAN 11350 Aude 86 ⑧ – 128 h. alt. 320.
Voir Col Grau de Maury ✻** S : 2,5 km – Site** du château de Quéribus* SE : 3 km.
Env. Château de Peyrepertuse*** NO : 7 km, G. Pyrénées Roussillon.
Paris 909 – Perpignan 41 – Carcassonne 90 – Limoux 77 – Quillan 49.

Aub. de Cucugnan, ✆ 68 45 40 84, « Grange aménagée » – P. GB
fermé 1er au 15 sept. et merc. du 1er janv. au 31 mars – **Repas** 92 bc/235 bc, enf. 42.

CUCURON 84160 Vaucluse 84 ③ G. Provence – 1 624 h. alt. 350.
Paris 742 – Digne-les-Bains 107 – Aix-en-Provence 32 – Apt 25 – Avignon 64 – Manosque 36.

L'Étang, ✆ 90 77 21 25, – TV ☎
fermé 20 déc. au 20 janv. et merc. hors sais. – **R** 140/180 – 28 – **8 ch** 210 – ½ P 270.

CUERS 83390 Var 84 ⑮ – 7 027 h. alt. 132.
Paris 836 – ♦Toulon 22 – Brignoles 24 – Draguignan 58 – ♦Marseille 86.

✿ **Le Lingousto** (Ryon), E : 2 km par rte Pierrefeu ✆ 94 28 69 10, Fax 94 48 63 79, – P. AE GB
fermé fév., dim. soir (sauf juil.-août) et lundi – **R** 230/400, enf. 80
Spéc. Salade tiède du Lingousto, Tarte Tatin de légumes (en été), Dorade royale au jus de viande (en été). **Vins** Côtes de Provence, Bandol.

CUISEAUX 71480 S.-et-L. 170 ⑬ – 1 779 h. alt. 273.
Paris 398 – Mâcon 55 – Chalon-sur-S. 61 – Lons-le-Saunier 27 – Tournus 45.

Nord avec ch, ✆ 85 72 71 02 – ☎ P. GB rest
fermé 1er au 10 mai, 20 au 30 nov., jeudi (sauf le soir en sais.) et vend. midi – **R** 75/195 – 30 – **19 ch** 110/320.

Commerce avec ch, ✆ 85 72 71 79 – TV ☎ P. GB
fermé 27 juin au 6 juil., 23 au 29 oct., dim. soir hors sais. et lundi (sauf hôtel) – **Repas** 60/220, enf. 40 – 24 – **16 ch** 140/250 – ½ P 160/200.

PEUGEOT Gar. Berger ✆ 85 72 71 39 N

CUISERY 71290 S.-et-L. 170 ⑫ – 1 505 h. alt. 211.
Paris 370 – Chalon-sur-Saône 31 – Bourg-en-Bresse 46 – Lons-le-Saunier 48 – Mâcon 36 – St-Amour 37 – Tournus 7,5.

Host. Bressane avec ch, ✆ 85 40 11 63, – TV ☎ ♿ P. AE GB
fermé 9 au 19 juin, 10 déc. au 10 janv., mardi soir sauf juil.- août et merc. – **R** 100/340, enf. 70 – 40 – **15 ch** 180/380.

PEUGEOT-TALBOT Gar. Guyonnet ✆ 85 40 14 36 N

La CURE 39 Jura 170 ⑯ – rattaché aux Rousses.

CUREBOURSE (Col de) 15 Cantal 76 ⑫ ⑬ – rattaché à Vic-sur-Cère.

Le CURTILLARD 38 Isère 77 ⑥ – alt. 1 012 – Sports d'hiver à Sept Laux-Le Pleynet : 1 450/2 150 m 9 – ✉ 38580 Allevard.
Paris 592 – ♦Grenoble 53 – Allevard 14 – Pinsot 7,5.

Curtillard M, ✆ 76 97 50 82, Fax 76 97 56 57, ←, , , , – cuisinette ch P – 60. GB
1er juin-30 sept. et 20 déc.-vacances de printemps – **R** 83/200, enf. 53 – 36 – **30 ch** 210/310 – ½ P 240/300.

Baroz , ✆ 76 97 50 81, ←, , , , – ☎ P
20 ch.

CURTIL-VERGY 21 Côte-d'Or 166 ⑫ – rattaché à Nuits-St-Georges.

CUSSAY 37 I.-et-L. 68 ⑤ – rattaché à Ligueil.

CUSSET **03300** Allier 73 ⑤ **G. Auvergne** – 13 567 h. alt. 274.

🅘 Syndicat d'Initiative 2 r. S.-Arloing (fermé après-midi hors saison) ℘ 70 31 39 41

Paris 347 ② – ◆Clermont-Fd 57 ① – Lapalisse 21 ② – Moulins 53 ② – Vichy 2 ①.

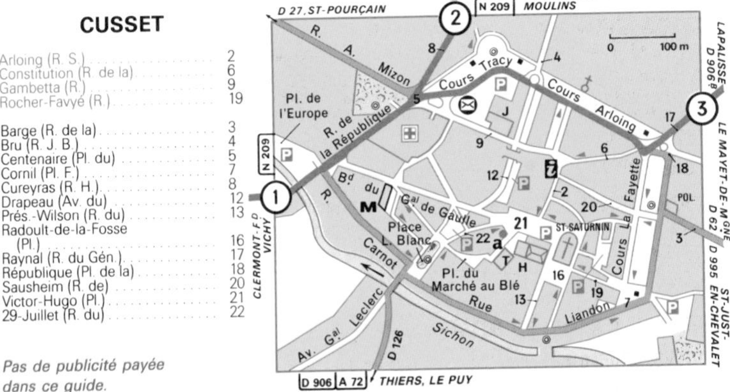

XX **Taverne Louis XI,** près église ℘ 70 98 39 39, maison du 15e siècle – GB **a**
fermé 30 juin au 12 juil., vacances de fév., dim. soir et lundi sauf fériés – **R** (nombre de couverts limité, prévenir) 145/250.

à Creuzier-le-Neuf par ② : 5,5 km – ✉ **03300** :

X **Bon Accueil** avec ch, N 209 ℘ 70 98 06 01 – **P**. GB
◆ *fermé dim. soir du 20 oct. au 20 mai et lundi* – **R** 50/160 ♂, enf. 45 – ☕ 17 – **6 ch** 110/120 – ½ P 160/180.

Gaudrypneu, 26-28 r. Bartins ℘ 70 97 63 63

CUSSEY-SUR-L'OGNON **25870** Doubs 166 ⑮ – 570 h. alt. 215.

Paris 414 – ◆Besançon 13 – Gray 37 – Vesoul 40.

XX **Vieille Auberge** avec ch, ℘ 81 57 78 35, Fax 81 57 62 30, 🏡 – TV ☎. GB
fermé vacances de nov., 6 au 20 janv., dim. soir et lundi – **R** 80/140, enf. 45 – ☕ 35 – **8 ch** 230/250 – ½ P 245/275.

DABISSE **04** Alpes-de-H.-P. 81 ⑯ – ✉ **04190** Les Mées.

Paris 740 – Digne-les-Bains 33 – Forcalquier 19 – Manosque 23 – Sisteron 29.

XX **Vieux Colombier,** La Bastide Blanche ℘ 92 34 32 32, Fax 92 34 34 26, 🏡 – **P**. AE GB
fermé 19 au 30 nov., 20 au 31 janv., dim. soir d'oct. à avril et merc. – **R** 140/270, enf. 75.

DACHSTEIN **67120** B.-Rhin 62 ⑨ – 957 h. alt. 175.

Paris 476 – ◆Strasbourg 21 – Molsheim 4 – Saverne 27 – Sélestat 40.

XX **Aub. de la Bruche,** ℘ 88 38 14 90, 🏡 – **P**. GB
fermé 30 août au 12 sept., 27 janv. au 8 fév., sam. midi et mardi – **R** 120/185 ♂.

La DAILLE **73** Savoie 74 ⑲ – rattaché à Val-d'Isère.

DAMBACH-LA-VILLE **67650** B.-Rhin 62 ⑨ **G. Alsace Lorraine** – 1 800 h. alt. 215.

🅘 Syndicat d'Initiative pl. Marché (15 juin-15 sept.) ℘ 88 92 61 00 et à la Mairie ℘ 88 92 41 05.

Paris 437 – ◆Strasbourg 45 – Obernai 19 – Saverne 58 – Sélestat 9.

🏠 **Au Raisin d'Or,** ℘ 88 92 48 66, Fax 88 92 61 42 – TV ☎ **P**. ⓓ GB. ✂
fermé 15 déc. au 1er fév., mardi midi hors sais. et lundi (sauf hôtel en sais.) – **R** 100/160 ♂, enf. 38 – ☕ 35 – **11 ch** 225/240 – ½ P 208/215.

RENAULT Gar. Elter ℘ 88 92 40 57 **N** — Gar. Mangin ℘ 88 92 40 40

DAMGAN **56750** Morbihan 63 ⑬ – 1 032 h. alt. 6.

Paris 454 – Vannes 26 – Muzillac 9,5 – Redon 46 – La Roche-Bernard 24.

🏠 **L'Albatros,** ℘ 97 41 16 85, ≤ – ☎ **P**. GB. ✂
◆ *1er avril-30 sept.* – **R** 75/160 – ☕ 25 – **24 ch** 180/320 – ½ P 180/255.

DAMMARIE-LES-LYS **77** S.-et-M. 61 ②, 106 ㊺ – rattaché à Melun.

DAMPRICHARD 25450 Doubs 166 ⑱ – 1 858 h. alt. 825.
Paris 490 – ♦ Besançon 81 – ♦ Basel 95 – Belfort 64 – Montbéliard 47 – Pontarlier 67.

Lion d'Or, ✆ 81 44 22 84, Fax 81 44 23 10 – TV ☎ P – 60. AE GB
fermé 4 nov. au 5 déc. et dim. soir – **R** 80/180, enf. 40 – 30 – **16 ch** 240/370 – ½ P 255/285.

DAMVILLERS 55150 Meuse 57 ① – 627 h. alt. 208.
Paris 286 – ♦ Metz 74 – Bar-le-Duc 80 – Longuyon 27 – Sedan 66 – Verdun 24.

Croix Blanche avec ch, ✆ 29 85 60 12 – ☎ P. AE GB
fermé 4 au 12 oct., vacances de fév., lundi sauf le soir en juil.-août et dim. soir de sept. à juin – **R** 58/160 – 25 – **9 ch** 105/210 – ½ P 140/170.

CITROEN Gar. Iori ✆ 29 85 60 25 N

DANCHARIA 64 Pyr.-Atl. 85 ② – rattaché à Aïnhoa.

DANGÉ-ST-ROMAIN 86220 Vienne 68 ④ – 3 150 h. alt. 48.
Paris 293 – Poitiers 48 – Le Blanc 55 – Châtellerault 15 – Chinon 51 – Loches 42 – ♦ Tours 59.

La Crémaillère, ✆ 49 86 40 24 – P. AE GB
fermé 1er au 15 oct. et merc. sauf fêtes – **R** 75/175, enf. 55.

CITROEN Ory ✆ 49 86 42 76
RENAULT Judes ✆ 49 86 40 39

DANJOUTIN 90 Ter.-de-Belf. 166 ⑧ – rattaché à Belfort.

DANNEMARIE 68210 H.-Rhin 166 ⑨ – 1 820 h. alt. 317.
Paris 438 – ♦ Mulhouse 23 – ♦ Basel 43 – Belfort 22 – Colmar 57 – Thann 26.

Ritter, face gare ✆ 89 25 04 30, – P. GB
fermé 15 au 31 déc., 1er au 20 mars, lundi soir et mardi – **R** 55/180.

Wach, ✆ 89 25 00 01 – GB
fermé 18 au 30 août, 24 déc. au 12 janv. et lundi – **R** 60/160, enf. 50.

FORD Gar. Central ✆ 89 25 00 33 N

DAVÉZIEUX 07 Ardèche 76 ⑩ – rattaché à Annonay.

DAX 40100 Landes 78 ⑥ ⑦ **G. Pyrénées Aquitaine** – 19 309 h. alt. 12 – Stat. therm. : Atrium.
Office de Tourisme et A.C. pl. Thiers ✆ 58 90 20 00 – A.C. Zone Artisanale du Sablar, r. des Prairies ✆ 58 74 05 04.
Paris 734 ① – Biarritz 57 ④ – Mont-de-Marsan 51 ② – ♦ Bayonne 51 ⑤ – ♦ Bordeaux 145 ① – Pau 78 ③.

Plan page suivante

Splendid, cours Verdun ✆ 58 56 70 70, Télex 573616, Fax 58 74 96 31, ←, – TV ☎ – 50 à 100. AE GB. rest
1er mars-29 nov. – **R** 120/150, enf. 45 – 35 – **160 ch** 360/500, 6 appart. 600 – ½ P 305/415. B a

du Lac M, au lac de Christus à St-Paul-lès-Dax ✉ 40990 St Paul-lès-Dax ✆ 58 91 84 84, Télex 560690, Fax 58 91 34 88, – cuisinette TV ☎ P – 30 à 300. GB.
R 100/150, enf. 49 – 30 – **252 ch** 269/320 – ½ P 291/325. A t

Gd Hôtel, r. Source ✆ 58 74 15 03, Fax 58 74 88 31 – cuisinette TV ☎ P – 50 à 120. AE GB.
R 80/179, enf. 53 – 26 – **131 ch** 252/294, 7 appart. 417/450 – ½ P 243/256. B d

Parc sans rest, 1 pl. Thiers ✆ 58 56 79 79, Télex 540481, Fax 58 74 86 87, ← – . AE GB JCB
fermé 15 déc. au 15 janv. – 38 – **40 ch** 280/430. B e

Dax-Thermal M, bd Carnot ✆ 58 90 19 40, Fax 58 74 96 31, ←, – TV ☎ P – 40
128 ch. A m

Régina et Tarbelli, bd Sports ✆ 58 74 84 58, Télex 540516, Fax 58 74 88 31 – cuisinette ☎ P – 30. GB.
1er mars-30 nov. – **R** 80/179, enf. 53 – 26 – **165 ch** 189/378 – ½ P 201/242. B d

Relais des Thermes M, av. Mar. Foch à St-Paul-lès-Dax ✉ 40990 St-Paul-lès-Dax ✆ 58 91 64 37, Fax 58 91 93 54, – rest TV ☎ P – 100. AE GB. ch
fermé 22 déc. au 1er fév., dim. soir (sauf rest.) et lundi (sauf hôtel) du 19 oct. au 31 mai – **R** 80/200, enf. 50 – 30 – **20 ch** 220/320 – ½ P 250/280. A f

Vascon sans rest, pl. Fontaine Chaude ✆ 58 56 64 60 – TV ☎
15 mars-15 déc. – 20 – **26 ch** 150/270. B u

Climat de France, au lac de Christus à St-Paul-lès-Dax ✉ 40990 St-Paul-lès-Dax ✆ 58 91 70 70, Télex 573634, Fax 58 91 90 00, – TV ☎ P – 35. AE GB
R 85/133, enf. 39 – 29 – **42 ch** 285. A t

Nord sans rest, 68 av. St-Vincent-de-Paul ✆ 58 74 19 87 – TV ☎ P. GB
fermé 20 déc. au 18 janv. – 30 – **19 ch** 140/190. B s

DAX

Carmes (R. des) .... B 6
Liberté (Av. de la) .... A 17
Verdun (Cours de) .... B 38

Augusta (Cours J.) .... B 2
Baignots (Allée des) .... B 3
Borda (Pl.) .... B 4
Bouvet (Pl. C.) .... B 5
Chanoine-Bordes (Pl.) .... B 7
Chanzy (R.) .... B 8
Clemenceau (Av. G.) .... A 10
Ducos (Pl. R.) .... B 12
Foch (Cours Mar.) .... B 13
Foch (R. Mar.) ST-PAUL-LÈS-DAX .... A 14
Fusillés (R. des) .... B 15
Gaulle (Espl. Gén.-de) .... B 16
Manoir (Bd Y. du) .... A 19
Milliés-Ladroix (Bd E.) .... B 20
Pasteur (Cours) .... B 23
Résistance (Av. de la) .... A 24
Sablar (Av. du) .... B 25
St-Pierre (Pl.) .... B 26
St-Pierre (R.) .... B 27
St-Vincent (R.) .... B 28
St-Vincent-de-Paul (Av.) .... B 30
St-Vincent-de-Paul (Av.) ST-PAUL-LÈS-DAX .... A 32
Sully (R.) .... B 35
Tuilleries (Av. des) .... B 36
Victor-Hugo (Av.) .... B 39

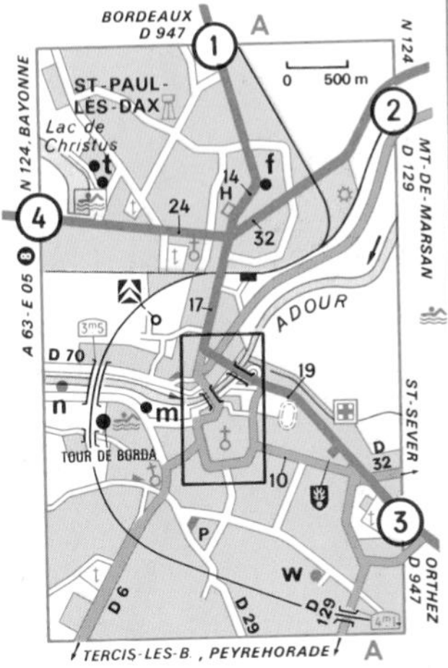

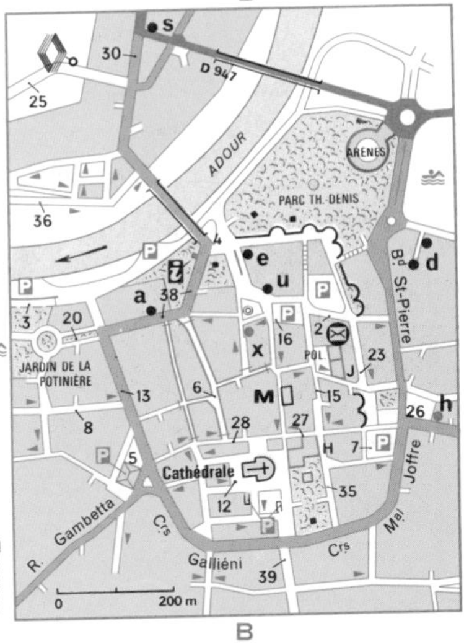

XXX **Moulin de Poustagnac,** à St-Paul-lès-Dax ✉ 40990 St-Paul-lès-Dax ✆ 58 91 31 03, – P. AE ① GB
fermé 1 au 15 mars, dim. soir et lundi – **R** 135/270.

XX **Bois de Boulogne,** O : 1 km par allée des Baignots ✆ 58 74 23 32, – P. GB — A n
fermé 15 déc. au 1er mars, dim. soir (sauf du 14 juil. au 15 août) et lundi – **R** 120/145, enf. 65

XX **Aub. des Pins** avec ch, 86 av. F. Planté ✆ 58 74 22 46, , – ☎ P. GB — A w
fermé 1er fév. au 1er mars – **R** 60/126 ₰, enf. 44 – ☕ 24 – **14 ch** 142/231 – ½ P 189/239.

XX **Fin Gourmet,** 3 r. Pénitents ✆ 58 74 04 26 – GB — B x
fermé 15 déc. au 15 fév. – **R** 68/195 ₰.

XX **Taverne Karlsbraü,** 11 av. G. Clemenceau ✆ 58 74 19 60 – ▤. AE ① GB — B h
fermé 22 juin au 2 juil., 27 janv. au 6 fév. et lundi – **R** 55/88 ₰.

rte Bayonne : par ④ – ✉ **40990** St Paul-lès-Dax :

XX **Relais des Plages** avec ch, à 3 km ✆ 58 91 78 86, – rest TV ☎ P. AE GB
fermé 1er au 15 déc., 15 au 28 fév. et lundi sauf juil.-août – **R** 95/200 ₰, enf. 50 – ☕ 30 – **10 ch** 220/280 – ½ P 220/260.

XX **La Chaumière,** à 7 km ✆ 58 91 79 81, – P. GB
fermé 1er au 15 mars, 1er au 15 nov., lundi soir et mardi hors sais. – **R** 100/150

CITROEN S.A.A.D., ZAC du Sablar, r. Prairies ✆ 58 74 62 22
FIAT Debibié, 145 av. V.-de-Paul ✆ 58 74 88 74
OPEL-GM Duprat-Desclaux, rte de Bayonne, St-Paul-lès-Dax ✆ 58 91 78 04
PEUGEOT-TALBOT Dax-Auto, rte de Bayonne, St-Paul-lès-Dax par ④ ✆ 58 91 77 42

RENAULT Autom. Landaises, av. du Sablar ✆ 58 74 83 44 N ✆ 58 91 22 90
V.A.G Gar. Ducasse, rte d'Orthez à Narrosse ✆ 58 74 44 58

Ⓜ Central Pneu, 122 av. V.-de-Paul ✆ 58 74 08 40
Morès, ZI nº 1, rte de St-Pandelon ✆ 58 74 94 66

Restaurants, die sorgfältig zubereitete, preisgünstige Mahlzeiten anbieten, sind durch das Zeichen ✦ kenntlich gemacht.

DEAUVILLE 14800 Calvados 55 ③ **G. Normandie Vallée de la Seine** – 4 261 h. alt. 6 – Casino.

Voir Mont Canisy ≤★ 5 km par ③ puis 20 mn.

New-Golf ✆ 31 88 20 53, S : 3 km par D 278 AZ ; de St-Gatien-Deauville ✆ 31 65 19 99, E:10 km par D 74 BZ ; de St-Julien ✆ 31 64 30 30, S par N 177 : 15 km.

de Deauville-St-Gatien : ✆ 31 88 31 28, S : 3 km BY.

Office de Tourisme pl. Mairie ✆ 31 88 21 43, Télex 170220.

Paris 207 ② – ◆Caen 47 ③ – Évreux 95 ② – ◆Le Havre 76 ② – Lisieux 30 ② – ◆Rouen 89 ②.

DEAUVILLE

Fracasse (R. A.) .... AZ
Gambetta (R.) .... BY 9
Le-Hoc (R. D.) .... BZ 24
Morny (Pl. de) .... BZ 28
République (Av. de la) . ABZ
Blanc (R. E.) .... AZ 4
Colas (R. E.) .... AZ 5
Fossorier (R. R.) .... AZ 8
Gaulle (Av. Gén.-de) .. AZ 10
Gontaut-Biron (R.) .. AYZ 13
Hoche (R.) .... AZ 20
Laplace (R.) .... AZ 23
Le Marois (R.) .... AZ 25
Marine (Q. de la) .... BY 26

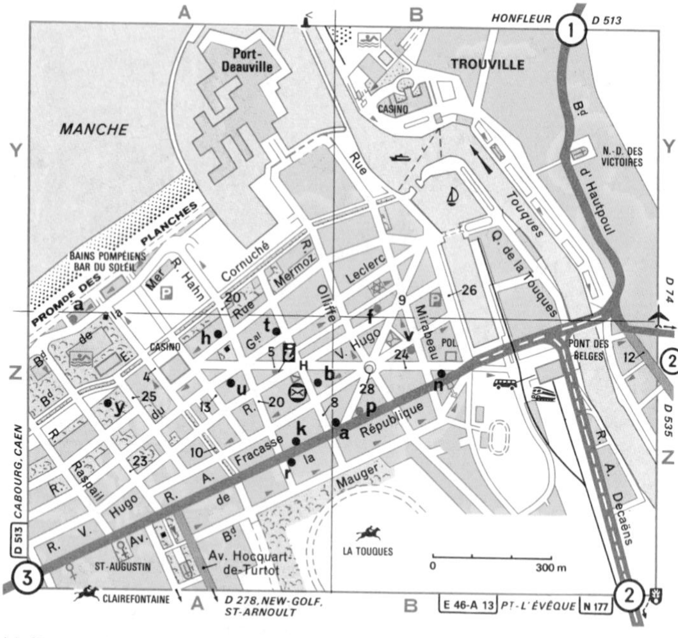

Normandy, 38 r. J. Mermoz ✆ 31 98 66 22, Télex 170617, Fax 31 98 66 23, ≤, – 160. AE GB. rest AZ **h**
La Potinière R carte 260 à 450 – **La Belle Époque** *(1er juil.-15 sept., vacances scolaires et week-ends hors sais.)* **R** carte 240 à 400 enf. 120 – 90 – **294 ch** 1700/2000, 27 appart..

Royal, bd E. Cornuché ✆ 31 98 66 33, Télex 170549, Fax 31 98 66 34, ≤, – 220. AE GB AZ **y**
1er mars-1er déc. – **R** carte 200 à 400 - **L'Etrier R** carte 280 à 500 – 90 – **297 ch** 1700/2000, 15 appart..

Le Trophée M, 81 r. Gén. Leclerc ✆ 31 88 45 86, Fax 31 88 07 94, – AE GB JCB AZ **u**
R 140/240 – 42 – **22 ch** 520/620.

Hélios sans rest, 10 r. Fossorier ✆ 31 88 28 26, Fax 31 88 53 87, – AE GB. AZ **t**
42 – **44 ch** 430.

Continental sans rest, 1 r. Désiré Le Hoc ✆ 31 88 21 06, Fax 31 98 93 67 – – 40. AE GB BZ **n**
fermé 12 nov. au 18 déc. – 32 – **48 ch** 260/360.

Marie-Anne sans rest, 142 av. République ✆ 31 88 35 32 – . AE GB AZ **k**
36 – **24 ch** 370/515.

Pavillon de la Poste sans rest, 25 r. R. Fossorier ✆ 31 88 38 29 – . AE GB AZ **b**
35 – **15 ch** 360/400.

Le Chantilly sans rest, 120 av. République ✆ 31 88 79 75 – . AE GB BZ **a**
fermé 12 nov. au 4 déc. – 32 – **17 ch** 160/400.

XXXX **Ciro's,** prom. Planches ✆ 31 88 18 10, Fax 31 98 66 71, ≤, – AE GB AZ **a**
R 175/290.

XXX ✿ **Le Spinnaker** (Angenard), 52 r. Mirabeau ✆ 31 88 24 40, Fax 31 88 43 58 – AE GB. BZ **v**
fermé 6 janv. au 15 fév., jeudi en hiver et merc. – **R** 160/300
Spéc. Turbot rôti aux échalotes et jus de veau, Homard rôti au vieux vinaigre de cidre, Feuillantine aux pommes en chaud et froid.

XX **Le Yearling,** 38 av. Hocquart-de-Turtot ✆ 31 88 33 37 – AE GB
fermé janv., fév., lundi, mardi (sauf juil.-août et fêtes) – **R** 130/250. BY **f**

X **L'Espérance** avec ch, 32 r. V. Hugo ✆ 31 88 26 88, – TV. GB. ch
fermé 15 au 25 juin – **R** *(fermé merc. et jeudi sauf juil.-août et vacances scolaires)* 115/145 – 26 – **10 ch** 205/300 – ½ P 244/321. BZ **p**

X **Le Garage,** 118 bis av. République ✆ 31 87 25 25 – AE GB
fermé dim. soir et lundi hors sais. – **R** 98/155.

à l'aéroport Deauville-St-Gatien E : 7 km par D 74 – ✉ **14130** Pont-l'Évêque :

XX **Rest. Aéroport,** 1er étage ✆ 31 88 38 75, Fax 31 88 10 04, ≤ – AE GB JCB
fermé 10 janv. au 20 fév., mardi soir et merc. sauf août – **R** 140/200, enf. 80.

à Touques par ② : 2,5 km – 3 070 h. – ✉ **14800** :

L'Amirauté M, N 177 ✆ 31 88 90 62, Télex 171665, Fax 31 88 12 89, – TV P – 80 à 400. AE GB. rest
R 150, enf. 80 – 45 – **115 ch** 650/690, 6 appart. 1040.

Le Relais du Haras, 23 r. Louvel et Brière ✆ 31 88 43 98, Fax 31 98 92 31 – ch TV. AE GB
R 138/250 – 40 – **8 ch** 590 – ½ P 408.

XX **Le Village** avec ch, 64 r. Louvel et Brière ✆ 31 88 01 77 – TV. GB
fermé janv., mardi soir et merc. hors sais. sauf vacances scolaires – **R** 105/220, enf. 48 – 28 – **8 ch** 300/350 – ½ P 320/345.

X **Les Landiers,** 90 r. Louvel-et-Briere ✆ 31 88 00 39 – GB
fermé 15 au 30 juin, vacances de fév., jeudi midi et merc. hors sais. – **R** 135/250.

à Canapville par ② : 6 km – ✉ **14800** :

XX **Jarrasse,** sur N 177 ✆ 31 65 21 80, – GB
fermé 15 juin au 10 juil., 15 au 30 déc., vacances de fév., mardi et merc. sauf août – **R** 155 bc.

au New Golf S : 3 km par D 278 - BAZ – ✉ **14800** Deauville :

Golf, ✆ 31 88 19 01, Télex 170448, Fax 31 88 75 99, alt. 100, « Au milieu du golf, ≤ campagne deauvillaise », – TV P – 30 à 150. AE GB. rest
mars-nov – **R** carte 235 à 360, enf. 95 – 90 – **175 ch** 1250/3000.

Open H. M, rte Deauville ✆ 31 98 16 16, Fax 31 98 16 01, – TV P – 100. AE GB
R 55/113 , enf. 38 – 29 – **53 ch** 245/345 – ½ P 285/320.

au Sud : 6 km par D 278 et D 27 – ✉ **14800** Deauville :

Host. de Tourgéville M, ✆ 31 88 63 40, Télex 171189, Fax 31 98 27 16, ≤, parc, – TV P. AE GB
R 230 – 85 – **6 ch** 1400, 6 appart. 1800/2250, 13 duplex – ½ P 880/1230.

ALFA-ROMEO-FORD Gar. de la Plage, 26 r. Gén.-Leclerc ✆ 31 88 28 67 N
CITROEN SDA, 40 rte de Paris par ② ✆ 31 88 85 44
PEUGEOT-TALBOT SODEVA, rte de Paris par ② ✆ 31 88 66 22
RENAULT Les Autom. Deauvillaises, rte de Paris par ② ✆ 31 88 21 34 N
Ollitrault-Pneus, ZI r. Tonneliers à Touques ✆ 31 88 46 13

DECAZEVILLE 12300 Aveyron 80 ① G. Gorges du Tarn – 7 754 h. alt. 225.

Office de Tourisme square J.-Ségalat ✆ 65 43 18 36.

Paris 604 – Rodez 37 – Aurillac 66 – Figeac 27 – Villefranche-de-Rouergue 37.

France, pl. Cabrol ✆ 65 43 00 07, – ch rest TV. AE GB
R *(fermé dim.)* (dîner seul.) 120 – 28 – **24 ch** 200/300 – ½ P 240.

PEUGEOT-TALBOT Cassan, 47 av. P.-Ramadier ✆ 65 43 06 06 N ✆ 65 43 20 94
Sigal, Z.I. des Prades ✆ 65 43 02 33

DECIZE 58300 Nièvre 69 ④ ⑤ G. Bourgogne – 6 876 h. alt. 197.

Office de Tourisme à la Mairie ✆ 86 25 03 23 et pl. St-Just (juil.-août).

Paris 273 – Moulins 34 – Autun 79 – Bourbon-Lancy 38 – Château-Chinon 54 – Clamecy 76 – Digoin 66 – Nevers 34.

XX **Le Charolais,** 33 bis rte Moulins ✆ 86 25 22 27 – . GB
fermé 22 au 28 juin, 21 sept. au 4 oct., 24 janv. au 1er fév.,dim. soir et lundi – **R** 85/195 .

CITROEN Dallois, 109 bis av. de Verdun ✆ 86 25 15 88
FORD Ronsin Autom. 50 av. de Verdun ✆ 86 25 08 91
OPEL Gar. Girault Roy, 12 bd Voltaire ✆ 86 25 01 58
PEUGEOT-TALBOT Becouse-Autom., rte de Moulins ✆ 86 25 13 32
RENAULT SAVRAL, N 81 à St-Léger-des-Vignes ✆ 86 25 09 73 **N** ✆ 86 77 11 11
V.A.G Gar. Boiteau, 8 av. 14-Juillet ✆ 86 25 06 12

Bill Pneum, Les Champs Monares rte de Moulins ✆ 86 25 14 39

DELLE **90100** Ter.-de-Belf. **66** ⑧ – **6 992 h. alt. 360.**

Office de Tourisme av. Gén.-de-Gaulle ✆ 84 36 03 06.

Paris 496 – ◆Besançon 98 – ◆Mulhouse 41 – ◆Basel 51 – Belfort 22 – Montbéliard 20.

XXX **National** avec ch, à la Gare ✆ 84 36 03 97, – TV ☎ P. GB
R *(fermé dim. soir et lundi)* 95/230 – 30 – **8 ch** 180/235 – ½ P 230/250.

DELME **57590** Moselle **57** ⑭ – **681 h. alt. 221.**

Paris 365 – ◆Metz 32 – ◆Nancy 31 – Château-Salins 12 – Pont-à-Mousson 30 – St-Avold 39.

A la Douzième Borne, ✆ 87 01 30 18, Fax 87 01 38 39 – TV ☎. AE GB
R 50/175 – 23 – **20 ch** 115/175 – ½ P 160.

Pneus Diffusion ✆ 87 01 36 83

DEMOISELLES (Grottes des) ★★★ **34** Hérault **80** ⑯ ⑰ **G. Gorges du Tarn.**

DÉSAIGNES **07** Ardèche **76** ⑲ – rattaché à Lamastre.

DESCARTES **37160** I.-et-L. **68** ⑤ **G. Poitou Vendée Charentes** – **4 120 h. alt. 51.**

Syndicat d'Initiative à la Mairie ✆ 47 59 70 50.

Paris 291 – ◆Tours 57 – Châteauroux 92 – Châtellerault 25 – Chinon 48 – Loches 31.

Moderne, 15 r. Descartes ✆ 47 59 72 11 – TV ☎ – 25. GB.
fermé 26 au 31 oct., vacances de fév., et dim. soir – **R** 60/160 – 28 – **11 ch** 220/260 – ½ P 220/250.

Aub. de l'Islette, à Lilette (86 Vienne) O : 3 km par D58 et D5 ✉ 37160 Descartes ✆ 47 59 72 22 – P – 30. GB
fermé 15 déc. au 15 janv. et sam. du 15 sept. au 15 juin – **R** 50/170 – 26 – **17 ch** 82/194 – ½ P 168/185.

RENAULT Chabauty, 12 av. Gare ✆ 47 59 70 40 **N**

Les DEUX-ALPES (Alpes de Mont-de-Lans et de Vénosc) **38860** Isère **77** ⑥ **G. Alpes du Nord** – alt. 1 644 Alpe de Vénosc, 1 660 m Alpe de Mont-de-Lans – Sports d'hiver : 1 270/3 600 m 7 **54.**

Voir Belvédère de la Croix★.

Office de Tourisme ✆ 76 79 22 00, Télex 320883.

Paris 647 ① – ◆Grenoble 77 ① – Le Bourg-d'Oisans 28 ① – La Grave 27 ① – Col du Lautaret 38 ①.

Plan page suivante

La Bérangère , **(a)** ✆ 76 79 24 11, Télex 320878, Fax 76 79 55 08, ←, , – TV ☎ P – 25. AE GB. rest
juil.-août et 13 déc.-3 mai – **R** 200/320 – 55 – **59 ch** 500/750 – ½ P 500/750.

Ariane M , ✆ 76 79 29 29, Télex 308315, Fax 76 79 25 21, ←, – TV ☎ P – 300. AE GB. rest
R *(fermé 15 sept. au 25 oct.)* 160, enf. 70 – 40 – **101 ch** 660/1150 – ½ P 630/710.

La Farandole , **(b)** ✆ 76 80 50 45, Télex 320029, Fax 76 79 56 12, ← massif de la Muzelle, , , – ch TV ☎ P – 50. AE GB JCB
20 juin-6 sept. et 5 déc.-8 mai – **R** 220/320, enf. 120 – **46 ch** 650/1000, 14 appart. 1000/1700 – ½ P 490/780.

Les Marmottes, (d) ✆ 76 79 21 91, Télex 320700, Fax 76 79 25 79, ←, , , – TV ☎ – 50. GB. rest
20 juin-10 sept. et 20 déc.-fin avril – **R** 190 – 60 – **40 ch** 380/480 – ½ P 430/620.

L'Adret , **(e)** ✆ 76 79 24 30, Fax 76 79 57 08, ←, , , , – TV ☎ P. GB. rest
20 juin-5 sept., vacances de nov., 19 déc. au 1er mai – **R** 150, enf. 70 – 35 – **27 ch** 350/520, 4 appart. 700 – ½ P 340/520.

Chalet Mounier, (n) ✆ 76 80 56 90, Télex 308411, Fax 76 79 56 51, , – TV ☎ P – 25 à 40. GB. rest
27 juin-6 sept. et 19 déc.-5 mai – **Repas** 115/160 – **48 ch** 265/660 – ½ P 260/480.

Souleil'Or M , **(t)** ✆ 76 79 24 69, Fax 76 79 20 64, ←, – TV ☎ – 25. GB. rest
22 juin-8 sept. et 20 déc.-8 mai – **R** 150/170 – 45 – **42 ch** 370/470 – ½ P 340/495.

La Mariande , **(f)** ✆ 76 80 50 60, Fax 76 79 04 99, ← massif de la Muzelle, , , – TV ☎ P. GB. rest
1er juil.-31 août et 22 déc.-20 avril – **R** 160/180 – 45 – **26 ch** 350/550 – ½ P 300/480.

Edelweiss, (k) ✆ 76 79 21 22, Fax 76 79 24 63, ≤, 🍽, 🏊 – |♿| ☎ 🚗 – 🏊 30. GB. ※ rest
20 juin-6 sept. et 19 déc.-3 mai – **R** 125/205, enf. 90 – ☕ 45 – **33 ch** 350/545 – ½ P 305/475.

Aalborg 🐎, (u) ✆ 76 80 54 11, Fax 76 79 07 02, ≤, 🍽 – |♿| TV ☎ P. ⓓ GB
20 juin-8 sept. et 20 déc.-10 mai – **R** 130, enf. 60 – ☕ 37 – **25 ch** 280/370 – ½ P 480.

Muzelle-Sylvana, (r) ✆ 76 80 50 93 – |♿| TV ☎ 🚗 P. GB. ※ rest
15 déc.-15 avril – **R** 150/160 – ☕ 50 – **30 ch** 285/400 – ½ P 390/430.

Mélèzes, (s) ✆ 76 80 50 50, Fax 76 79 20 70, ≤ – ⇆ rest ☎ P. GB. ※ rest
16 déc.-9 mai – **R** 120/200 – ☕ 42 – **32 ch** 285/399 – ½ P 285/409.

Le Provençal, (v) ✆ 76 80 52 58, Fax 76 79 24 26 – ☎ P. GB. ※ rest
26 juin-8 sept.; 20 déc.-8 mai – **R** (½ pens. seul.) – ☕ 31 – **18 ch** 240/310 – ½ P 350.

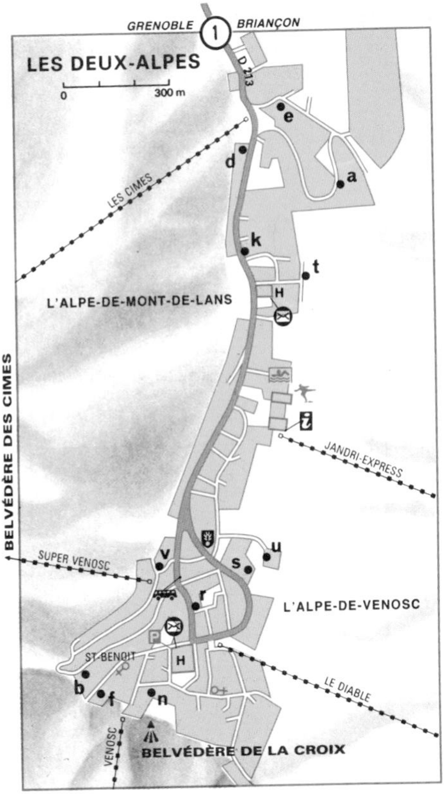

DHUIZON 41220 L.-et-Ch. 64 ⑧ – 1 100 h. alt. 130.

Paris 173 – ♦ Orléans 43 – Beaugency 22 – Blois 28 – Romorantin-Lanthenay 27.

Aub. Gd Dauphin avec ch, ✆ 54 98 31 12, 🍽 – ☎ P. ⓓ GB
fermé fév., dim. soir et lundi – **R** 85/225 🍷, enf. 50 – ☕ 28 – **9 ch** 180/240 – ½ P 170/210.

DIE <SP> 26150 Drôme 77 ⑬ ⑭ G. Alpes du Sud (plan) – 4 230 h. alt. 410.

Voir Mosaïque* dans l'hôtel de ville.

Office de Tourisme pl. St-Pierre ✆ 75 22 03 03.

Paris 629 – Valence 66 – Gap 93 – ♦ Grenoble 97 – Montélimar 75 – Nyons 77 – Sisteron 99.

La Petite Auberge, av. Sadi-Carnot (face gare) ✆ 75 22 05 91, 🍽 – TV ☎ P. GB
fermé 20 au 29 sept., 15 déc. au 15 janv., lundi (sauf hôtel) en juil.-août, dim. soir et merc. de sept. à juin – **Repas** 110/220 – ☕ 35 – **11 ch** 140/240 – ½ P 195/245.

Relais de Chamarges, rte Valence : 1 km ✆ 75 22 00 95, ≤, 🍽, 🌳 – ☎ P. GB
fermé 25 janv. au 1er mars, dim. soir et lundi sauf juil.-août – **R** 75/200 🍷 – ☕ 35 – **9 ch** 210 – ½ P 250.

FORD Gar. du Vercors ✆ 75 22 04 97 **N**
PEUGEOT-TALBOT Gar. du Viaduc ✆ 75 22 01 47
PEUGEOT-TALBOT Querol ✆ 75 22 06 47 **N**
RENAULT Favier ✆ 75 22 02 11 **N**
Gar. Bouffier ✆ 75 22 01 55

DIEFFENTHAL 67650 B.-Rhin 87 ⑯ – 246 h.

Paris 436 – ♦ Strasbourg 47 – Lunéville 98 – Saint-Dié 44 – Sélestat 7.

Les Châteaux M 🐎, ✆ 88 92 49 13, Fax 88 92 40 99, ≤, 🍽 – |♿| TV ☎ ♿ – 🏊 25. GB
R *(fermé mardi soir et merc.)* 120/180 – ☕ 35 – **33 ch** 330/420 – ½ P 280.

DIEFMATTEN 68780 H.-Rhin 166 ⑨ – 227 h. alt. 300.

Paris 436 – ♦ Mulhouse 20 – Belfort 23 – Colmar 47 – Thann 14.

Aub. du Cheval Blanc, ✆ 89 26 91 08, 🍽, 🌳 – P. AE ⓓ GB JCB
fermé 15 au 30 juil., mardi soir et lundi – **R** 140/380 🍷, enf. 60.

DIENNE 15300 Cantal 76 ③ **G. Auvergne** – 359 h. alt. 1 050.

Paris 536 – Aurillac 59 – Allanche 20 – Condat 29 – Mauriac 53 – Murat 10 – St-Flour 34.

Poste, ☎ 71 20 80 40 – P. AE ⓓ GB.
fermé 10 nov. au 20 déc. – **R** 90/110 – 25 – **10 ch** 150/220 – ½ P 175/195.

DIEPPE 76200 S.-Mar. 52 ④ **G. Normandie Vallée de la Seine** – 35 894 h. alt. 7 – Casino Municipal AY.

Voir Église St-Jacques★ BY – Boulevard de la Mer ≤★ par ⑤ – Chapelle N.-D.-de-Bon-Secours ≤★ BY – Musée du château : ivoires★ AZ.

18 ☎ 35 84 25 05, par ⑥ : 2 km.

Office de Tourisme bd Gén.-de-Gaulle ☎ 35 84 11 77 et Rotonde de la Plage (juil.-août) ☎ 35 84 28 70.

Paris 171 ③ – Abbeville 63 ① – Beauvais 107 ③ – ◆Caen 171 ③ – ◆Le Havre 106 ③ – ◆Rouen 64 ③.

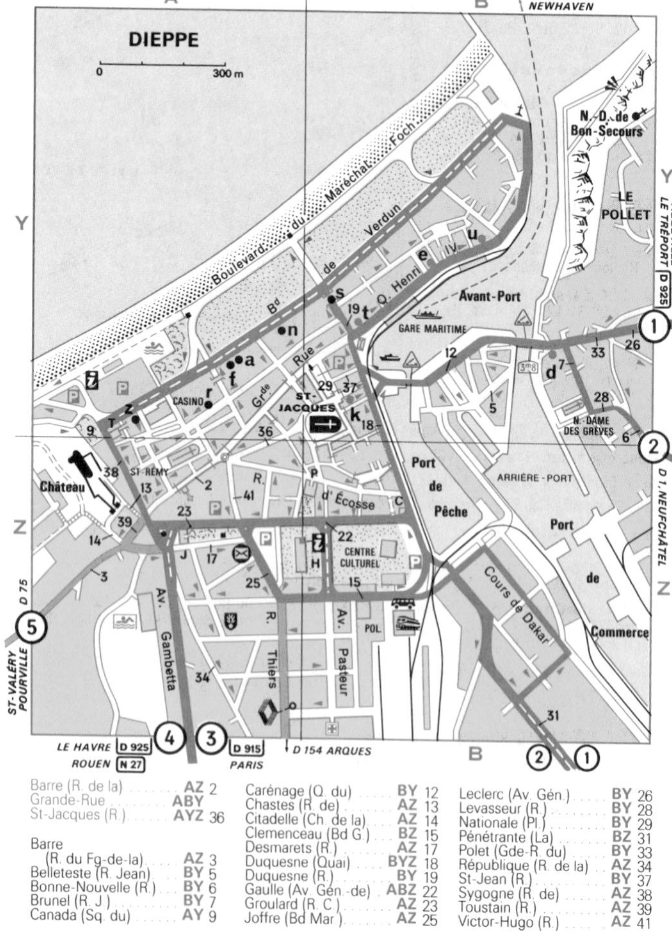

Barre (R. de la)	AZ	2
Grande-Rue	ABY	
St-Jacques (R.)	AYZ	36
Barre (R. du Fg-de-la)	AZ	3
Belleteste (R. Jean)	BY	5
Bonne-Nouvelle (R.)	BY	6
Brunel (R. J.)	BY	7
Canada (Sq. du)	AY	9
Carénage (Q. du)	BY	12
Chastes (R. de)	AZ	13
Citadelle (Ch. de la)	AZ	14
Clemenceau (Bd G.)	BZ	15
Desmarets (R.)	AZ	17
Duquesne (Quai)	BYZ	18
Duquesne (R.)	BY	19
Gaulle (Av. Gén.-de)	ABZ	22
Groulard (R. C.)	AZ	23
Joffre (Bd Mar.)	AZ	25
Leclerc (Av. Gén.)	BY	26
Levasseur (R.)	BY	28
Nationale (Pl.)	BY	29
Pénétrante (La)	BZ	31
Polet (Gde-R. du)	BY	33
République (R. de la)	AZ	34
St-Jean (R.)	BY	37
Sygogne (R. de)	AZ	38
Toustain (R.)	AZ	39
Victor-Hugo (R.)	AZ	41

La Présidence M, 2 bd Verdun ✆ 35 84 31 31, Télex 180865, Fax 35 84 86 70, ← – ▮ TV ☎ – 150. AE ⓓ GB. rest — AY z
R (4e étage) 155 – ☕ 46 – **88 ch** 330/555.

Aguado M sans rest, 30 bd Verdun ✆ 35 84 27 00, Fax 35 06 17 61, ← – ▮ TV ☎. GB. — BY s
☕ 36 – **56 ch** 320/415.

Univers, 10 bd Verdun ✆ 35 84 12 55, Télex 770741, Fax 35 40 20 40, ←, « Meubles anciens » – ▮ TV ☎ – 30. AE ⓓ GB JCB — AY f
R 130/300 – ☕ 40 – **30 ch** 280/470 – ½ P 365/420.

Plage sans rest, 20 bd Verdun ✆ 35 84 18 28, Télex 180485, Fax 35 82 36 82, ← – ▮ TV ☎. GB. — AY n
☕ 34 – **40 ch** 255/295.

Epsom sans rest, 11 bd Verdun ✆ 35 84 10 18, Fax 35 40 03 00, ← – ▮ TV ☎ – 40. AE GB — AY a
☕ 30 – **28 ch** 245/295.

Ibis, par ④ le Val Druel ✆ 35 82 65 30, Télex 180067, Fax 35 82 41 52 – TV ☎ P – 30. GB
R 79, enf. 39 – ☕ 30 – **45 ch** 275/295.

Primevère M, par ④ le Val Druel Z.A.C. La Maison Blanche ✉ 76550 St-Aubin-sur-Scie ✆ 35 06 90 80, Fax 35 84 97 63, – TV ☎ ♿ P – 40. GB
R 55/98, enf. 35 – ☕ 30 – **42 ch** 235/255 – ½ P 192.

Tourist H. sans rest, 16 r. Halle au Blé ✆ 35 06 10 10 – ☎. AE GB — AY r
☕ 24 – **29 ch** 140/230.

XX ✿ **La Mélie** (Brachais), 2 Gde rue du Pollet ✆ 35 84 21 19 – AE ⓓ GB — BY d
fermé 10 sept. au 10 oct., dim. soir et lundi – **R** (week-end prévenir) 160/220 bc
Spéc. Emincé de kippers et saumon fumé, Médaillon de lotte au vinaigre de cidre, Crépou à la normande.

XX **Marmite Dieppoise,** 8 r. St Jean ✆ 35 84 24 26 – GB — BY k
fermé 23 juin au 3 juil., 24 déc. au 6 janv., jeudi soir hors sais., dim. soir et lundi – **R** 125/200.

XX **L'Armorique,** 17 quai Henri IV ✆ 35 84 28 14 – GB — BY t
fermé 1er au 7 oct., 1er au 15 fév., dim. soir sauf juil.-août et mardi – **R** carte 180 à 380.

X **Le Sully,** 97 quai Henri IV ✆ 35 84 23 13 – GB — BY n
fermé mardi soir et merc. – **R** 58/128.

X **La Musardière,** 61 quai Henri IV ✆ 35 82 94 14 – GB — BY e
fermé mardi midi du 1er oct. au 30 juin et lundi – **R** 99/145.

à Martin-Église par ② et D 1 : 7 km – ✉ **76370** :

XX **Aub. Clos Normand** avec ch, ✆ 35 82 71 01, ←, , « Parc en bordure de rivière » – TV ☎ P. AE ⓓ GB
fermé 1er au 8 avril, 16 nov. au 16 déc., lundi soir et mardi – **R** carte 145 à 290 – ☕ 30 – **9 ch** 250/350 – ½ P 335/385.

aux Vertus par ③ et N 27 : 3,5 km – ✉ **76550** Offranville :

XXX **La Bucherie,** ✆ 35 84 83 10 – P. GB JCB
fermé 1er au 6 juil., 15 sept. au 1er oct., dim. soir et lundi – **R** 130/240.

CITROEN Éts Leprince, ZI, voie La Pénétrante BZ ✆ 35 84 16 77 N
FORD Gar. de la Plage, 4 r. Bouzard ✆ 35 84 10 36
MAZDA MERCEDES Thiers Auto, 2 r. Thiers ✆ 35 84 00 35
NISSAN-DATSUN Gar. Gosse, 1 r. J.-Flouest ✆ 35 84 21 49
PEUGEOT-TALBOT Laffillé, ZI, voie La Pénétrante BZ ✆ 35 82 24 50
RENAULT Gar. Jean Rédélé, 33 r. Thiers ✆ 35 82 23 40
V.A.G Picard, ZI à Neuville-lès-Dieppe ✆ 35 82 02 16 N ✆ 35 84 90 28

Central Pneu, ZI rte d'Envermeu à Neuville ✆ 35 82 50 76
Léveillard Pneus, 7 quai Trudaine ✆ 35 84 17 00

CONSTRUCTEUR : Alpine, av. de Bréauté ✆ 35 82 37 21

DIEULEFIT 26220 Drôme 81 ② **G. Vallée du Rhône** – 2 924 h. alt. 386.

Office de Tourisme pl. Abbé-Magnet (fermé après-midi sauf 15 juin-15 sept.) ✆ 75 46 42 49.

Paris 628 – Valence 61 – Crest 32 – Montélimar 27 – Nyons 30 – Orange 58 – Pont-St-Esprit 61.

XX **Relais du Serre** avec ch, rte Nyons : 3 km ✆ 75 46 43 45, – TV ☎ P. AE ⓓ GB JCB
fermé fév., dim. soir et lundi sauf juil.-août – **R** 65/220, enf. 50 – ☕ 35 – **7 ch** 200/310 – ½ P 200/240.

au Poët-Laval O : 5 km par D 540 – ✉ **26160** – Voir Site★.

✿ **Les Hospitaliers** M, ✆ 75 46 22 32, Fax 75 46 49 99, ← vallée, , « Au vieux village », – ☎ P – 30. AE ⓓ GB
1er mars-15 nov. – **R** 200/420 – ☕ 75 – **24 ch** 500/850
Spéc. Caillé de chèvre, Feuilleté aux pointes d'asperges (1er avril au 15 juin), Carré d'agneau à la graine de moutarde.
Vins Coteaux du Tricastin.

CITROEN Chauvin ✆ 75 46 44 47 N
PEUGEOT Henry ✆ 75 46 43 59 N ✆ 75 46 82 03
RENAULT S.E.G.B. ✆ 75 46 32 33

DIGNAC 16 Charente 72 ⑭ – rattaché à Angoulême.

DIGNE-LES-BAINS P 04000 Alpes-de-H.-P. 81 ⑰ **G. Alpes du Sud** – 16 087 h. alt. 608 – Stat. therm. (fév.-déc.).

Env. Courbons : ≤★ de l'église, 6 km par ③ – ≤★ du Relais de Télévision, 8 km par ③.

18 ✆ 92 32 38 38, par ② : 7 km par N 85 puis D 12.

Office de Tourisme et Accueil de France (Informations et réservations d'hôtels, pas plus de 5 jours à l'avance) le Rond-Point ✆ 92 31 42 73, Télex 430605.

Paris 749 ③ – Aix-en-Provence 106 ③ – Antibes 138 ② – Avignon 141 ③ – Cannes 132 ② – Carpentras 130 ③ – Gap 87 ③ – ◆Grenoble 180 ③ – ◆Nice 152 ② – Valence 209 ③.

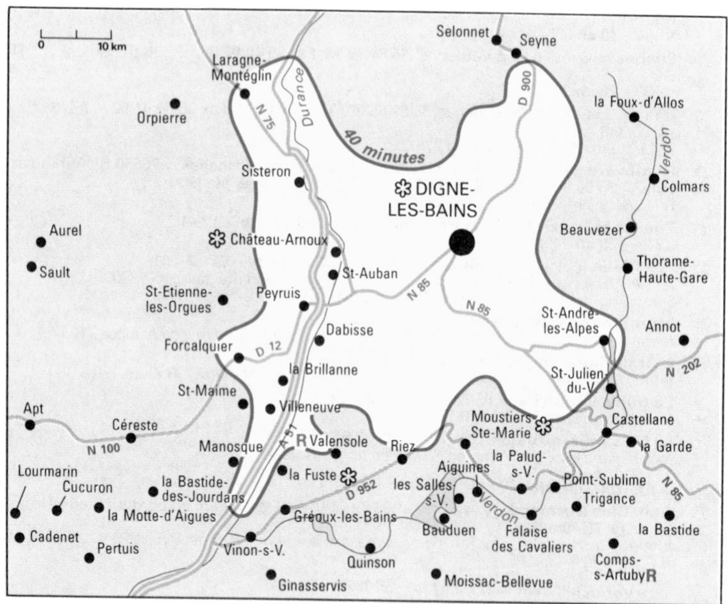

Grand Paris (Ricaud), 19 bd Thiers ✆ 92 31 11 15, Fax 92 32 32 82, – AE GB — A a
R *(fermé 21 déc. au 1er mars, dim. soir et lundi hors sais.)* 150/365, enf. 85 – ☕ 50 – **26 ch** 350/450, 5 appart. 690 – P 460/600
Spéc. Terrine de groin de porc et lentilles, Pigeon en bécasse, Dauphin sauce chocolat. **Vins** Châteauneuf-du-Pape, Lirac.

Tonic H. M, rte Thermes : 2 km par av. 8-Mai ✆ 92 32 20 31, Fax 92 32 44 54 – 90. AE GB. rest
R 85/168, enf. 50 – ☕ 35 – **60 ch** 380/480 – P 395.

Ermitage Napoléon, bd Gambetta par ② ✆ 92 31 01 09, Fax 92 32 10 24, – AE GB JCB
1er mai-1er janv. – **R** 90/290 – ☕ 35 – **55 ch** 300/600.

Mistre, 63 bd Gassendi ✆ 92 31 00 16 – – 80. AE GB — A n
fermé 10 déc. au 10 janv. – **R** *(fermé sam. sauf juil.-août)* 140/285 – ☕ 35 – **19 ch** 290/420 – ½ P 330/380.

Central sans rest, 26 bd Gassendi ✆ 92 31 31 91 – AE GB — A t
☕ 25 – **20 ch** 120/240.

Le Petit St-Jean, 14 cours Arès ✆ 92 31 30 04 – GB — B u
fermé 20 déc. au 20 janv. – **R** 55/150, enf. 50 – ☕ 25 – **18 ch** 100/160 – P 240/260.

L'Olivier, 1 r. Monges ✆ 92 32 46 06 – GB — A d
fermé dim. – **R** 145/250, enf. 50.

L'Origan avec ch, 6 r. Pied-de-Ville ✆ 92 31 62 13, – AE GB — A r
fermé dim. – **R** (nombre de couverts limité - prévenir) 98/215, enf. 45 – ☕ 23 – **9 ch** 90/150 – P 185/210.

aux Sieyes par ③ : 2 km – ✉ **04000** Digne-les-Bains :

St-Michel, ✆ 92 31 45 66 – GB
fermé fév. – **R** 75/140, enf. 50 – ☕ 26 – **21 ch** 180/260 – ½ P 280.

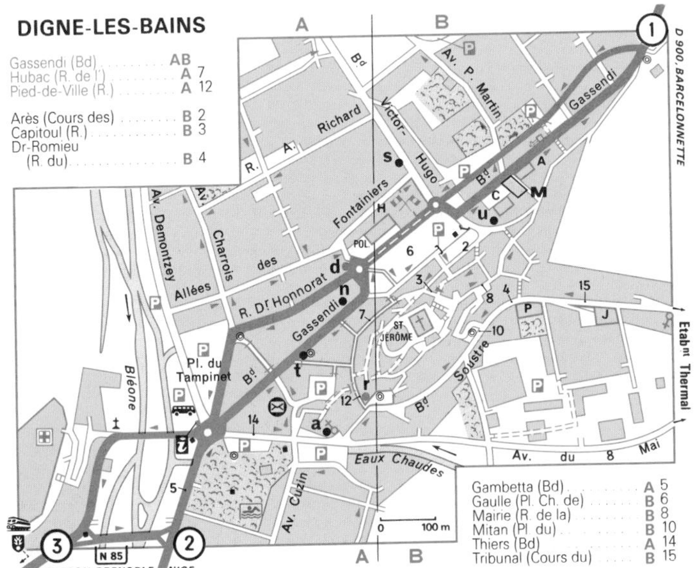

ALFA-ROMEO-FIAT-LANCIA Liotard, quartier des Sieyes, rte de Marseille ✆ 92 31 05 56 **N** ✆ 92 32 18 55
CITROEN Digne Autom. Diffusion, quartier de la Tour, rte de Marseille par ③ ✆ 92 31 31 24
FORD SOVRA, ZI St-Christophe ✆ 92 32 09 13
OPEL Meyran, 77 av. de Verdun ✆ 92 31 02 47

PEUGEOT-TALBOT S.D.A.D., quartier St-Christophe, rte de Marseille par ③ ✆ 92 31 06 11 **N**
V.A.G Digne-Autos, quartier St-Christophe, N 85 ✆ 92 31 12 48 **N** ✆ 92 31 23 30

Ayme-Pneus, ZI St-Christophe ✆ 92 31 34 67
Gilles Pneus, 29 av. des Charrois ✆ 92 32 01 45

Konsultieren Sie vor Ihrer Reise die ***Michelin-Karte*** *Nr.* **911**.
Sie gibt die geschätzte Fahrzeit von Stadt zu Stadt an und trägt zur Zeitersparnis bei.

DIGOIN 71160 S.-et-L. 69 ⑯ G. Bourgogne – 10 032 h. alt. 236.

Office de Tourisme 8 r. Guilleminot (avril-1er nov.) ✆ 85 53 00 81 et pl. de la Grève (juil.-sept.) ✆ 85 88 56 12.

Paris 339 ① – Moulins 59 ④ – Autun 67 ① – Charolles 25 ② – Roanne 56 ③ – Vichy 68 ④.

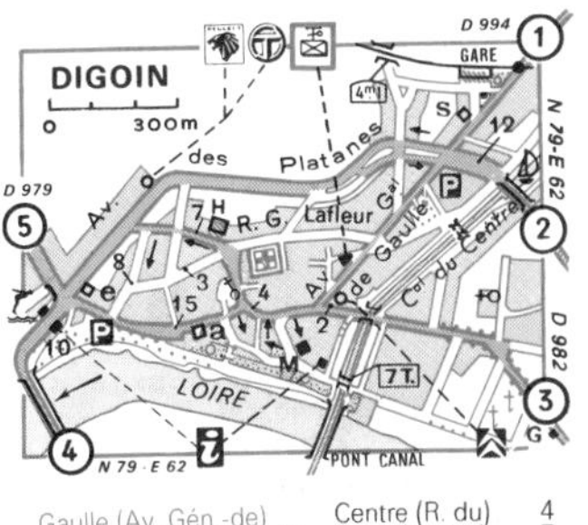

Gare, 79 av. Gén. de Gaulle **(s)** ✆ 85 53 03 04, Fax 85 53 14 70, – TV ☎ **P**. GB
fermé mi-janv. à mi-fév. et merc. sauf juil.-août – **R** 125/315, enf. 60 – ☕ 33 – **13 ch** 200/310 – ½ P 270/320.

Rond Point, 24 pl. Grève **(e)** ✆ 85 53 38 04 – ☎ **P**. GB
R 61/160 🍷, enf. 40 – ☕ 25 – **18 ch** 170/260 – ½ P 260.

Diligences avec ch, 14 r. Nationale **(a)** ✆ 85 53 06 31 – **P**. AE GB. ch
fermé 2 au 12 mai, 16 nov. au 8 déc., lundi soir et mardi sauf juil.-août – **R** (dim. et fêtes prévenir) 100/330 – ☕ 30 – **6 ch** 200/330 – ½ P 300/400.

à Neuzy par ① : 4 km – ✉ **71160** Digoin :

Merle Blanc, ✆ 85 53 17 13, Fax 85 88 91 71 – TV ☎ ♿ **P** – 40. GB. ch
fermé dim. soir et lundi midi d'oct. à avril – **R** 70/190 🍷 – ☕ 30 – **12 ch** 160/250 – ½ P 170/190.

Aub. des Sables, ✆ 85 53 07 64 – **P**. AE GB
fermé 1er au 6 sept., vacances de fév. et lundi – **R** 95/270 🍷.

CITROEN Gar. Central, 2 av. Gén.-de-Gaulle ✆ 85 53 08 37
CITROEN Martel, rte de Vichy à Molinet (Allier) par ④ ✆ 85 53 11 04
FORD Narbot, 68 r. Bartoli ✆ 85 53 04 38 N ✆ 85 88 57 39
PEUGEOT Brechat, Chavannes à Molinet (Allier) par ④ ✆ 85 53 01 10

PEUGEOT-TALBOT Jugnet et Fils, 19 av. Platanes ✆ 85 53 03 15

Gaudrypneu, La Fontaine St-Martin Molinet ✆ 85 53 12 21

DIJON P 21000 Côte-d'Or 166 ⑫ **G. Bourgogne** – 146 703 h. alt. 247.

Voir Palais des Ducs et des États de Bourgogne★ DY : Tour Philippe-le-Bon ≤★, Musée des Beaux-Arts★★ (salle des Gardes★★★) – Rue des Forges★ DY – Église N.-Dame★ DY – plafonds★ du Palais de Justice DY **J** – Chartreuse de Champmol★ : Puits de Moïse★★ A – Église St-Michel★ DY – Jardin de l'Arquebuse★ CY – Rotonde★★ de la crypte★ dans la cathédrale CY – Musée Archéologique★ CY **M2**.

de Dijon Bourgogne ✆ 80 35 71 10, par ① : 10 km ; de Quétigny ✆ 80 46 69 00, E par D 107B : 5 km.

Office de Tourisme et Accueil de France (Informations, change et réservations d'hôtels, pas plus de 5 jours à l'avance) pl. Darcy ✆ 80 43 42 12, Télex 350912 et 34 r. Forges ✆ 80 30 35 39, Télex 351444 – A.C. 4 r. Montmartre ✆ 80 41 61 35.

Paris 312 ⑦ – Auxerre 149 ⑦ – ♦Basel 244 ③ – ♦Besançon 82 ③ – ♦Clermont-Ferrand 268 ④ – ♦Genève 199 ③ – ♦Grenoble 297 ④ – ♦Lyon 193 ④ – ♦Reims 297 ① – ♦Strasbourg 331 ③.

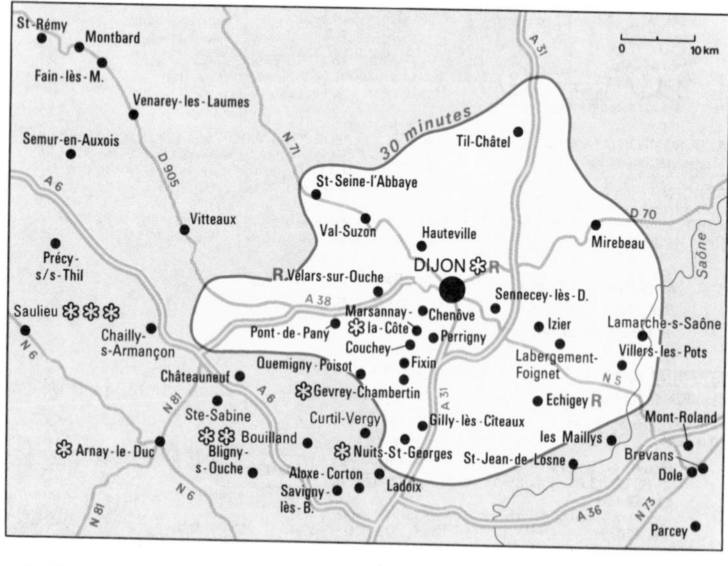

Pullman La Cloche M, 14 pl. Darcy ✆ 80 30 12 32, Télex 350498, Fax 80 30 04 15 – ch – 40. AE GB JCB CY **f**
R voir rest. **Jean-Pierre Billoux** ci-après – 60 – **76 ch** 510/600, 4 duplex 1250.

Altéa Château Bourgogne M, 22 bd Marne ✆ 80 72 31 13, Télex 350293, Fax 80 73 61 45, – ch – 250. AE GB JCB EX **z**
R 163 bc/250, enf. 50 – 48 – **116 ch** 410/495.

Chapeau Rouge, 5 r. Michelet ✆ 80 30 28 10, Télex 350535, Fax 80 30 33 89 – AE GB JCB. rest CY **a**
R 145 bc/215 bc – 55 – **30 ch** 435/830 – ½ P 495/540
Spéc. Croustades d'escargots à la crème de basilic, Fricassée de rognons de veau à la graine de moutarde, Soufflé chaud aux fruits rouges (juil. à sept.). **Vins** Saint-Romain, Fixin.

Wilson M sans rest, Place Wilson ✆ 80 66 82 50, Fax 80 36 41 54, « Ancien relais de poste du 17e siècle » – GB DZ **k**
R voir rest. **Thibert** ci-après – 45 – **27 ch** 360/420.

Jura sans rest, 14 av. Mar. Foch ✆ 80 41 61 12, Télex 350485, Fax 80 41 51 13, – – 35. AE GB JCB CY **r**
fermé 22 déc. au 15 janv. – 48 – **79 ch** 250/420.

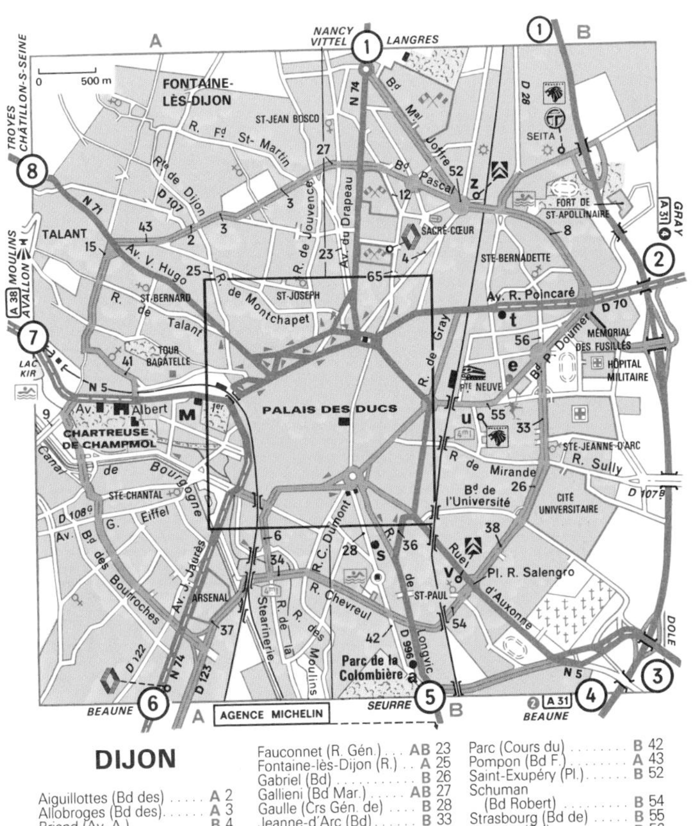

DIJON

Aiguillottes (Bd des) . . . . . A 2
Allobroges (Bd des) . . . . . A 3
Briand (Av. A.) . . . . B 4
Castel (Bd du) . . . . A 6
Champollion (R.) . . . . B 8
Chanoine-Kir (Bd) . . . . . . A 9
Châteaubriand (R. de) . . . . B 12
Clomiers (Bd des) . . . . A 15
Fauconnet (R. Gén.) . . . AB 23
Fontaine-lès-Dijon (R.) . . A 25
Gabriel (Bd) . . . . B 26
Gallieni (Bd Mar.) . . . . . AB 27
Gaulle (Crs Gén. de) . . . . B 28
Jeanne-d'Arc (Bd) . . . . . . B 33
Kennedy (Bd J.) . . . . A 34
Magenta (R.) . . . . B 36
Maillard (Bd) . . . . A 37
Mansart (Bd) . . . . B 38
Ouest (Bd de l') . . . . A 41
Parc (Cours du) . . . . B 42
Pompon (Bd F.) . . . . A 43
Saint-Exupéry (Pl.) . . . . . . B 52
Schuman (Bd Robert) . . . . B 54
Strasbourg (Bd de) . . . . . B 55
Trimolet (Bd) . . . . B 56
26e-Dragons (R. du) . . . . . B 65

Répertoire des rues, voir pages suivantes.

Central Urbis M, 3 pl. Grangier ☏ 80 30 44 00, Télex 350606, Fax 80 30 77 12 – rest TV ☎ – 40. AE GB JCB — CY **e**
R Rôtisserie *(fermé dim.)* carte 160 à 260 – 35 – **90 ch** 265/320 – ½ P 290/420.

Nord et rest. de la Porte Guillaume, pl. Darcy ☏ 80 30 58 58, Télex 351554, Fax 80 30 61 26 – TV ☎. AE GB — CY **w**
fermé 20 déc. au 7 janv. – **R** 100/250, enf. 50 – 45 – **29 ch** 290/370 – ½ P 305/330.

Relais Arcade M, 15 av. Albert 1er ☏ 80 43 01 12, Télex 350515, Fax 80 41 69 48, – rest TV ☎ P – 80. AE GB — CY **n**
R 100/130 bc, enf. 45 – 36 – **128 ch** 290/315.

Jacquemart sans rest, 32 r. Verrerie ☏ 80 73 39 74, Fax 80 73 20 99 – TV ☎. GB — DY **h**
30 – **30 ch** 150/310.

Victor Hugo sans rest, 23 r. Fleurs ☏ 80 43 63 45 – ☎. GB. — CX **b**
24 – **23 ch** 128/250.

Grésill'H., 16 av. R. Poincaré ☏ 80 71 10 56, Télex 350549, Fax 80 74 34 89 – TV ☎ P – 25. AE GB — B **t**
R 82/155, enf. 50 – 35 – **47 ch** 280/370.

Parc de la Colombière, 49 cours Parc ☏ 80 65 18 41, Télex 351482, Fax 80 36 42 56, – TV ☎ P – 90. AE GB — B **a**
R *(fermé dim. soir du 15 nov. au 15 mars)* 148/198 – 40 – **39 ch** 280/330.

Allées sans rest, 27 cours Gén. de Gaulle ☏ 80 66 57 50, Fax 80 41 84 84 – TV ☎ P. AE GB — B **s**
24 – **37 ch** 180/218.

DIJON

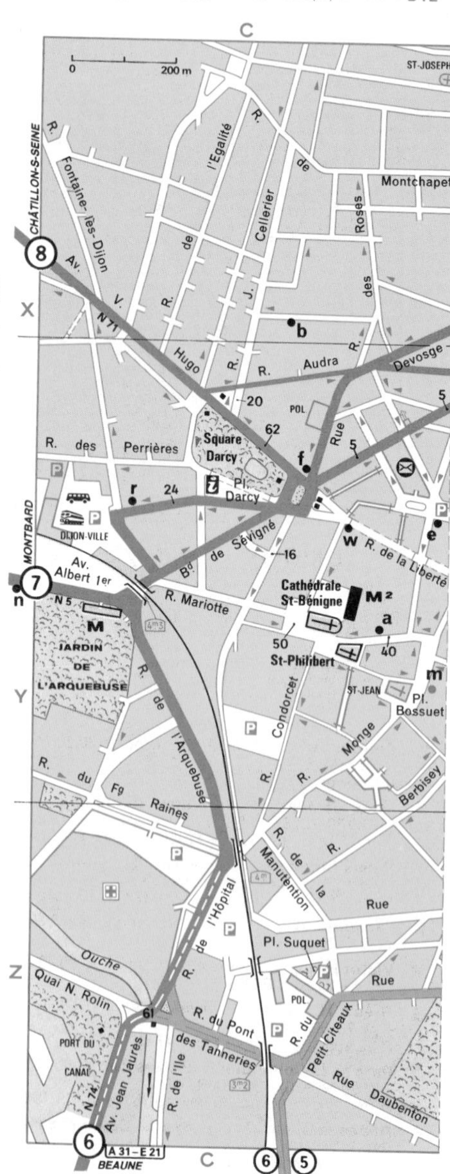

C
0
200 m
ST-JOSEPH
CHÂTILLON-S-SEINE
R. Fontaine-lès-Dijon
R. de l'Egalité
R. de
Montchapet
Cellerier
Roses
des
8
Av. V. Hugo
N 71
R. J.
X
b
R. Audra
Devosge
20
POL
5
R. des Perrières
Square Darcy
62
f
Rue
r
24
Pl. Darcy
MONTBARD
DIJON-VILLE
Bd de Sévigné
16
w
R. de la Liberté
e
7
Av. Albert 1er
n
N 5
R. Mariotte
Cathédrale St-Bénigne
M²
M
a
JARDIN DE L'ARQUEBUSE
50
St-Philibert
40
m
ST-JEAN
Pl. Bossuet
Y
R. de l'Arquebuse
Condorcet
Monge
R. du Fg Raines
Berbisey
R. de la Manutention
Rue
R. de l'Hôpital
Pl. Suquet
Ouche
Z
Quai N. Rolin
Rue
POL
61
R. du Pont des Tanneries
R. du Petit Citeaux
PORT DU CANAL
Rue Daubenton
N 74
Av. Jean Jaurès
R. de l'Ile
6
A 31 – E 21
BEAUNE
C
6
5

DU PLAN DE DIJON

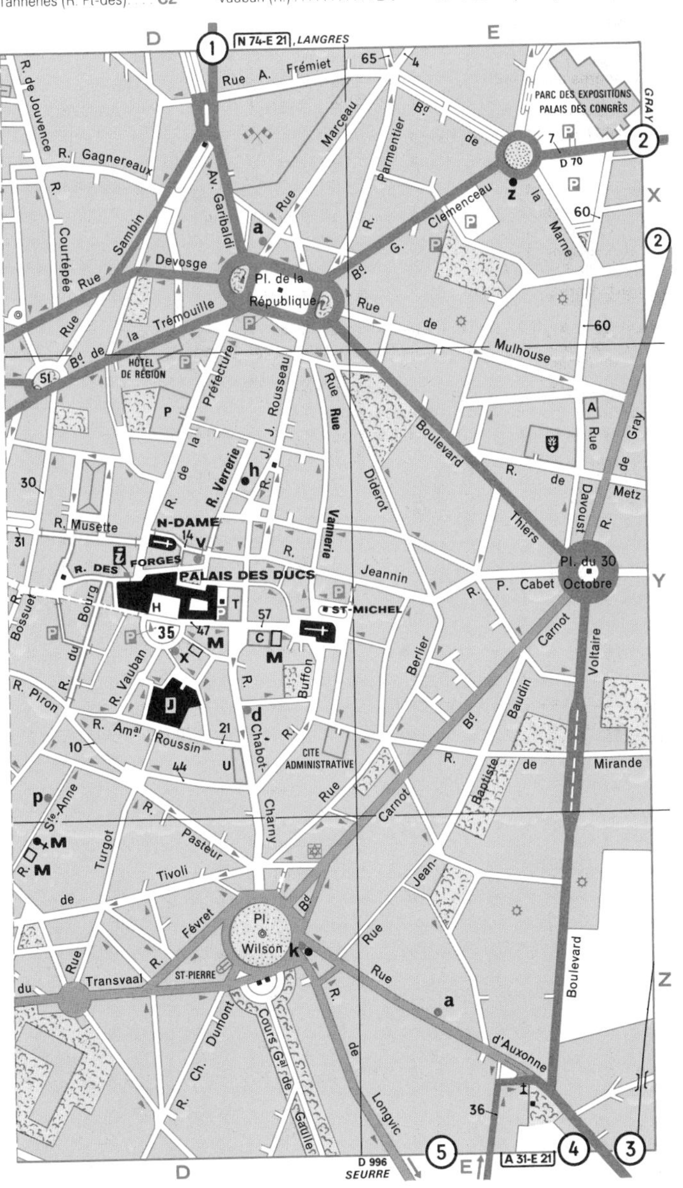

XXXX ✿ **Jean-Pierre Billoux** - Hôtel la Cloche, 14 pl. Darcy ✆ 80 30 11 00, Télex 351445, Fax 80 49 94 89, ☂ – ▤ Ⓟ. AE GB JCB CY f
fermé 3 au 18 août, vacances de fév., dim. soir et lundi – **R** carte 360 à 540
Spéc. Paupiette de homard aux aubergines confites, Pigeon rôti et gâteau de semoule aux raisins, Poire cuite au citron et glace au pain d'épices. **Vins** Saint-Romain, Pernand-Vergelesses rouge.

XXX ✿ **Thibert** - Hôtel Wilson, 10 pl. Wilson ✆ 80 67 74 64 – ▤. AE GB DZ k
fermé 2 au 23 août, lundi midi et dim. – **R** 115/400
Spéc. Petits choux verts farcis aux escargots, Galette de pied de porc aux huîtres tièdes, Assiette de lapin. **Vins** Bourgogne Aligoté, St Romain.

XXX **La Chouette,** 1 r. la Chouette ✆ 80 30 18 10, Fax 80 30 59 93 – AE ⓓ GB JCB DY v
fermé 6 au 20 juil. – **R** 150/400.

XXX **La Toison d'Or** avec ch, 18 r. Ste Anne ✆ 80 30 73 52, Télex 351681, Fax 80 30 95 51, « Demeures anciennes, caveau-musée » – Ⓟ. AE ⓓ GB DY p
R *(fermé dim. soir)* 130/240 – ☕ 50 – **27 ch** 400/500 – ½ P 405/430.

XXX **Pré aux Clercs et Trois Faisans,** 13 pl. Libération ✆ 80 67 11 33, Télex 350394, Fax 80 66 85 29 – AE ⓓ GB JCB DY x
fermé 22 fév. au 1er mars, dim. soir et lundi – **R** 98/350, enf. 70.

XX **Le Rallye,** 39 r. Chabot-Charny ✆ 80 67 11 55 – AE ⓓ GB DY d
fermé fin juil. au 20 août, fin fév. au 15 mars, dim. et fériés – **Repas** 90/220, enf. 60.

XX **Host de l'étoile,** 1 r. Marceau ✆ 80 73 20 72, Fax 80 71 24 76 – ▤. AE ⓓ GB JCB DX a
fermé dim. soir et lundi – **R** 98/220.

XX **Ma Bourgogne,** 1 bd P. Doumer ✆ 80 65 48 06, ☂ – GB B e
fermé 15 au 30 août, 15 au 28 fév., dim. soir et lundi – **R** 120/160.

XX **Le Petit Vatel,** 73 r. Auxonne ✆ 80 65 80 64 – ▤. GB. ✗ EZ a
fermé 12 juil. au 17 août, sam. midi et dim. – **R** 140/300.

XX **La Dame d'Aquitaine,** 23 pl. Bossuet ✆ 80 30 36 23, Fax 80 49 90 41, cuisine du Sud-Ouest, « Aménagé dans une crypte du 13e siècle » – AE ⓓ GB. ✗ CY m
fermé lundi midi et dim. – **R** 110/168.

au Parc de la Toison d'Or par ① : 5 km – ✉ **21000** Dijon :

🏨 **Garden Court Holiday Inn** Ⓜ, 1 pl. Marie de Bourgogne ✆ 80 72 20 72, Télex 352180, Fax 80 72 32 72 – 🛗 ⇔ ch ▤ rest 📺 ☎ ♿ Ⓟ – 🏛 50. AE ⓓ GB JCB
R carte environ 170 🍷, enf. 45 – ☕ 52 – **104 ch** 350/430.

🏨 **Campanile,** rd-pt du parc Technologique ✆ 80 74 41 00, Télex 352204, Fax 80 70 13 44, ☂ – 📺 ☎ ♿ Ⓟ – 🏛 25. AE GB
R 77 bc/99 bc, enf. 39 – ☕ 28 – **50 ch** 258 – ½ P 234/256.

à Sennecey-lès-Dijon SE : 5 km sur D 905 par rte de Neuilly-lès-Dijon – ✉ **21800** :

🏨 **La Flambée,** ✆ 80 47 35 35, Télex 350273, Fax 80 47 07 08, ☂, ⛱, 🌳 – 🛗 ▤ 📺 ☎ Ⓟ – 🏛 25. AE ⓓ GB JCB
R grill 95/100 🍷 – ☕ 45 – **22 ch** 365/475 – ½ P 270/400.

par ④ vers accès A 31 – ✉ **21600** Longvic :

🏨 **Confortel** Ⓜ, 7 r. Beauregard à Longvic ✆ 80 67 22 22, Fax 80 67 15 11, ☂ – 📺 ☎ Ⓟ – 🏛 25. AE GB
R 74/120 🍷, enf. 37 – ☕ 30 – **57 ch** 240/260.

par ⑥ : 4,5 km sur N 74 – ✉ **21300** Chenôve :

🏨 **L'Escargotière** Ⓜ, 96 rte Beaune ✆ 80 52 15 35, Fax 80 51 44 70, ☂ – 🛗 ⇔ ch 📺 ☎ Ⓟ – 🏛 35. AE ⓓ GB
R 108 🍷 – ☕ 48 – **41 ch** 290/440 – ½ P 280/320.

à Chenôve par ⑥ et D 122A : 7 km – 17 721 h. – ✉ **21300** :

🏨 **Fimotel,** vers accès autoroute Lyon ✆ 80 52 20 33, Télex 351312, Fax 80 51 25 55 – 🛗 📺 ☎ ♿ Ⓟ – 🏛 30. AE GB
R *(fermé dim.)* 95 🍷 – ☕ 34 – **40 ch** 260/280 – ½ P 224/269.

à Marsannay-la-Côte par ⑥ : 8 km – 5 216 h. – ✉ **21160** :

🏨 **Novotel** Ⓜ, rte Beaune ✆ 80 52 14 22, Télex 350728, Fax 80 51 02 28, ☂, ⛱ – 🛗 ⇔ ch ▤ rest 📺 ☎ ♿ Ⓟ – 🏛 80. AE ⓓ GB
R carte environ 150 🍷, enf. 50 – ☕ 46 – **124 ch** 384/440.

XXX ✿ **Gourmets** (Perreault), 8 r. Puits de Têt (près église) ✆ 80 52 16 32, Télex 352113, Fax 80 52 03 01, ☂ – AE ⓓ GB JCB
fermé 1er au 25 janv., 1er au 15 fév., dim. soir et lundi – **R** 160/450
Spéc. Foie gras aux poires, Vinaigrette tiède de St-Jacques aux légumes tendres (saison), Feuilleté de pruneaux et sauce bergamote. **Vins** Marsannay blanc et rouge.

à Perrigny-lès-Dijon par ⑥ – ✉ **21160** :

🏨 **Ibis** Ⓜ, à 9 km ✆ 80 52 86 45, Télex 351510, Fax 80 58 84 44, ☂ – 📺 ☎ ♿ Ⓟ – 🏛 25. GB
R 79 🍷, enf. 39 – ☕ 32 – **48 ch** 280/310.

🏨 **Cottage H.** Ⓜ, à 10 km ✆ 80 51 10 00, Télex 351352, Fax 80 58 82 97, ☂ – 📺 ☎ ♿ Ⓟ – 🏛 40. AE ⓓ GB JCB
R *(fermé sam. midi et dim. soir)* 75/98, enf. 38 – ☕ 30 – **41 ch** 217/265 – ½ P 238.

à Couchey par ⑥ et N 74 : 11 km – ✉ **21160** :

XX **L'Écuyer de Bourgogne,** ☎ 80 52 03 14 – Ⓟ. AE GB
fermé août, dim. soir et lundi – **R** 98/240, enf. 60.

au Lac Kir par ⑦ : 4 km – ✉ **21370** Plombières-lès-Dijon :

XX **Le Cygne,** ☎ 80 41 02 40, Fax 80 42 16 09, ←, – Ⓟ. GB
fermé dim. soir en hiver – **R** 80/300 , enf. 40.

à Velars-sur-Ouche O : 12 km par ⑦, N 5 et A 38 – ✉ **21370** :

XXX **Aub. Gourmande,** à l'échangeur de l'A 38 ☎ 80 33 62 51, Fax 80 33 65 83, – Ⓟ. GB
fermé 15 au 31 janv., dim. soir et lundi – **Repas** 98/220.

au NO par ⑧ :

Castel Burgond Ⓜ, à 4 km sur N 71 ✉ 21121 Fontaines-lès-Dijon ☎ 80 56 59 72, Fax 80 57 69 48, – ☎ Ⓟ – 40. AE GB
Trois Ducs ☎ 80 56 59 75 **R** *(fermé dim. soir et lundi)* **R** 85/200, enf. 65 – ☐ 30 – **38 ch** 230/270.

à Hauteville-lès-Dijon par ⑧ et D 107^F : 6 km – ✉ **21121** :

XX **La Musarde** avec ch, ☎ 80 56 22 82, Fax 80 56 64 40, – ☎ Ⓟ. AE GB
fermé 1er déc. au 5 janv., 20 au 28 fév., dim. soir et lundi – **R** 95/220 – ☐ 45 – **11 ch** 220/350 – ½ P 234/360.

MICHELIN, Agence régionale, 10 r. de Romelet à Longvic par ⑤ A ☎ 80 67 35 38

CITROEN Succursale, impasse Chanoine-Bardy B z ☎ 80 71 81 42
CITROEN Gar. Bartman, 154 r. d'Auxonne B v ☎ 80 66 46 73
FIAT Gar. Sodia, 10 r. des Ardennes ☎ 80 71 14 12
FORD Gar. Montchapet, 12 r. des Ardennes ☎ 80 72 66 66
FORD Gar. Lignier, 3 r. Grands-Champs ☎ 80 66 39 05 N
PEUGEOT Gar. Château-d'Eau, 1 bd Fontaine-des-Suisses B u ☎ 80 65 40 34 N ☎ 80 31 35 41
PEUGEOT-TALBOT Bourgogne Autom. Nord, r. de Cracovie ZI St-Apollinaire B ☎ 80 73 81 16 N ☎ 80 33 73 69
RENAULT Succursale, 139 av. J.-Jaurès A ☎ 80 51 51 51 N ☎ 83 33 53 00
RENAULT Segelle, 5 bd de l'Europe à Quetigny par D 107B B ☎ 80 46 02 54
V.A.G Gd Gar. Diderot, 4 r. Diderot ☎ 80 65 46 01
VOLVO Gar. du Transvaal, 21 r. Transvaal ☎ 80 67 71 51

Périphérie et environs

BMW Gar. Massoneri, r. Charrières à Quetigny ☎ 80 46 01 51
CITROEN Succursale, rte de Beaune à Marsannay-la-Côte par ⑥ ☎ 80 52 11 20
FIAT Sodia, 125 rte de Beaune à Chenôve ☎ 80 52 60 02
LANCIA, MERCEDES-BENZ Gar. Gremeau, 65 rte de Beaune à Chenôve ☎ 80 52 11 66
OPEL Gar. Heinzlé, r. Prof.-L.-Neel, ZI à Longvic ☎ 80 66 52 78
PEUGEOT-TALBOT Bourgogne Autom. Sud, 5 rte de Beaune à Chenôve par ⑥ ☎ 80 52 21 20 N ☎ 80 33 73 69
PORSCHE-MITSUBISHI Auto Sélection, 67 rte de Beaune à Chenôve ☎ 80 52 60 12
RENAULT Auto Leader Bourgogne, 47 RN 74 à Marsannay-la-Côte par ⑥ ☎ 80 52 12 15 N ☎ 80 52 12 16
TOYOTA Gar. Nello Cheli, 5 r. du Clos Mutant à Chenôve ☎ 80 52 51 78
V.A.G Gd Gar. Diderot, r. P.-Langevin à Chenôve ☎ 80 52 33 52
V.A.G Gd Gar. Diderot, ZAC de la Charmette, r. des Ruchottes à Ahuy ☎ 80 70 19 70

Briday Pneus, 11 r. A.-Becquerel, ZI à Chenôve ☎ 80 52 54 70
Métifiot, 1 r. de l'Escaut, ZI à St-Apollinaire ☎ 80 71 21 40
Piot-Pneu, rte de Gray, St-Apollinaire ☎ 80 71 36 66

DINAN

SP **22100** C.-d'Armor 59 ⑮ **G. Bretagne** – 11 591 h. alt. 76.

Voir Vieille ville★★ BY : Tour de l'Horloge ★★ BZ **E**, Jardin anglais ←★★ BY, Place des Merciers★ BZ 33, rue du Jerzual★ BY, Promenade de la Duchesse Anne ←★ BZ – Château★ : ★ AZ – Lanvallay ←★ 2 km par ②.

9 18 de St-Malo ☎ 99 58 96 69, par ② N 176 : 19 km.

Office de Tourisme 6 r. Horloge ☎ 96 39 75 40.

Paris 400 ② – St-Malo 29 ① – Avranches 69 ② – Fougères 71 ② – ♦Rennes 52 ② – St-Brieuc 60 ③ – Vannes 116 ③

Plan page suivante

D'Avaugour, 1 pl. Champ ☎ 96 39 07 49, Fax 96 85 43 04, – ☎. AE GB AZ **r**
R *(fermé lundi sauf juil.-août)* 150/250 , enf. 85 – ☐ 48 – **27 ch** 390/465 – ½ P 385/410.

Les Alleux Ⓜ, rte Ploubalay par ④ : 1 km ☎ 96 85 16 10, Télex 741280, Fax 96 85 11 40 – ☎ Ⓟ. GB JCB
R 65/150 – ☐ 28 – **29 ch** 240/280, 7 duplex 380 – ½ P 230.

Tour de l'Horloge sans rest, 5 r. Chaux ☎ 96 39 96 92, Fax 96 85 06 99 – cuisinette ☎. AE GB ABZ **a**
☐ 30 – **12 ch** 260/335.

France, 7 pl. 11-Novembre par ④ ☎ 96 39 22 56, Fax 96 39 08 96 – ☎. AE GB
fermé 15 déc. au 3 janv. et sam. hors sais. – **R** 72/200 – ☐ 30 – **14 ch** 120/265 – ½ P 190/265.

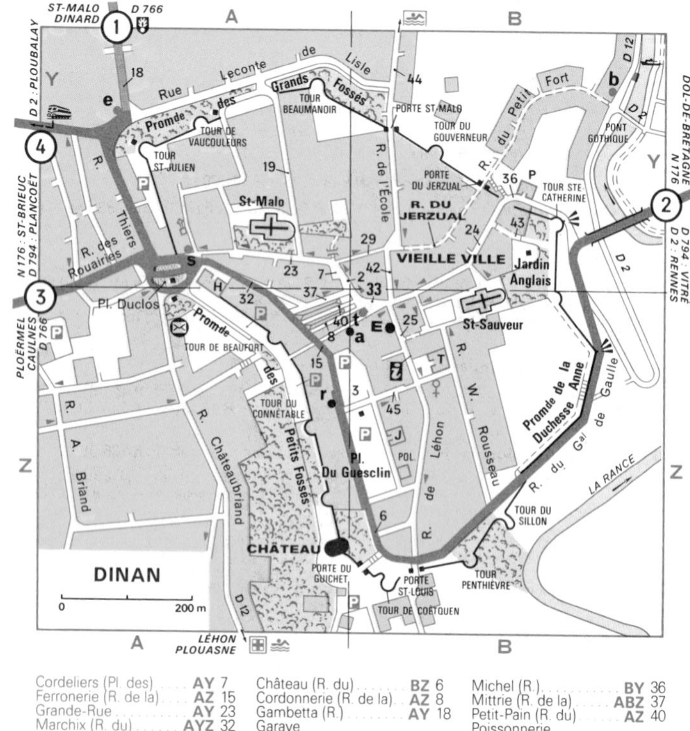

Cordeliers (Pl. des) .... **AY** 7	Château (R. du) .... **BZ** 6	Michel (R.) .... **BY** 36
Ferronerie (R. de la) .... **AZ** 15	Cordonnerie (R. de la) .. **AZ** 8	Mittrie (R. de la) ..... **ABZ** 37
Grande-Rue .... **AY** 23	Gambetta (R.) .... **AY** 18	Petit-Pain (R. du) ..... **AZ** 40
Marchix (R. du) .... **AYZ** 32	Garaye (R. Comte de la) .... **AY** 19	Poissonnerie (R. de la) .... **BY** 42
Merciers (Pl. des) .... **BYZ** 33	Haute-Voie (R.) .... **BY** 24	Rempart (R. du) .... **BY** 43
Apport (R. de l') ...... **ABY** 2	Horloge (R. de l') ...... **BZ** 25	St-Malo (R.) .... **BY** 44
Champ (Pl. du) .... **ABZ** 3	Lainerie (R. de la) ..... **BY** 29	Ste-Claire (R.) .... **BZ** 45

XXX **Mère Pourcel,** 3 pl. Merciers ✆ 96 39 03 80, « Maison bretonne du 15e siècle » – AE GB — BZ **t**
fermé dim. soir et lundi sauf juil.-août – **R** 145/380, enf. 65.

XX **Caravelle,** 14 pl. Duclos ✆ 96 39 00 11 – AE ⓓ GB — AY **s**
fermé 16 au 24 mars, 12 nov. au 3 déc., dim. soir et merc. du 12 nov. au 9 juil. – **R** 120/350.

XX **Grands Fosses,** 2 pl. gén. Leclerc ✆ 96 39 21 50 – GB — AY **e**
fermé 25 au 31 janv. et jeudi – **R** 150.

XX **Relais des Corsaires,** Le Port ✆ 96 39 40 17, 🏖 – AE ⓓ GB — BY **b**
fermé 15 janv. au 25 fév., dim. soir et lundi du 1er oct. au 14 juin – **R** 95/145, enf. 69.

CITROEN Gar. Jago, ZI de Quevert par ④ ✆ 96 39 04 91
FORD Dinannaise-Autom., rte de Ploubalay ✆ 96 39 64 95 **N** ✆ 96 39 57 48
RENAULT Lemenant J-P, rte de Ploubalay à Taden ✆ 96 39 34 83 **N** ✆ 96 01 97 66

V.A.G Meyer, rte de Ploubalay à Taden ✆ 96 39 12 72

Ⓟ Desserey-Pneu + Armorique, ZA des Alleux, rte de Ploubalay à Taden ✆ 96 39 61 18
La Station du Pneu, ZI bd de Preval ✆ 96 85 10 62

DINARD **35800** I.-et-V. 59 ⑤ **G. Bretagne** – 9 918 h. alt. 18 – Casino Municipal BY.

Voir Pointe du Moulinet ≤** BY – Grande Plage ou Plage de l'Écluse* BY – Promenade du Clair de Lune* BYZ – La Rance** en bateau – St-Lunaire : pointe du Décollé ≤** et grotte des Sirènes* 4,5 km par ② – Usine marémotrice de la Rance : digue ≤* SE : 4 km.

Env. Pointe de la Garde Guérin* : ☼** par ② : 6 km puis 15 mn – Château d'eau de Ploubalay ☼** SO : 7 km par ①.

⛳18 de St-Briac-sur-Mer ✆ 99 88 32 07, par ② : 7,5 km.

✈ de Dinard-Pleurtuit-St-Malo : T.A.T. ✆ 99 46 15 76, par ① : 5 km.

ℹ Office de Tourisme 2 bd Féart ✆ 99 46 94 12, Télex 950470.

Paris 402 – St-Malo 11 – Dinan 22 – Dol-de-Bretagne 27 – Lamballe 46 – ◆Rennes 71.

DINARD

Féart (Bd) .... BYZ
Leclerc (R. Mar.) ..... BYZ 16

Abbé Langevin (R.) .... AY 2
Albert-1er (Bd) .... BY 3
Boutin (Pl. J.) .... BY 4
Clemenceau (R. G.) ..... BY 6
Coppinger (R.) .... BY 7
Corbinais (R. de la) ..... AZ 8
Croix-Guillaume (R. de la) AZ 10
Douet-Fourchet (R. des) . AZ 12
Français-Libres (R.) ..... BZ 13
Gaulle (Pl. du Gén.-de) .. BZ 14
Giraud (Av. du Gén.) .. BZ 15
Lhotellier (Bd) .... AY 17
Malouine (R. de la) .... BY 18
Prés.-Wilson (Bd) ..... BY 20
Renan (R. E.) .... AY 21
République (Pl. de la) . BY 22
St-Lunaire (R. de) ..... AY 25
Vernet (R. Y.) .... BY 26

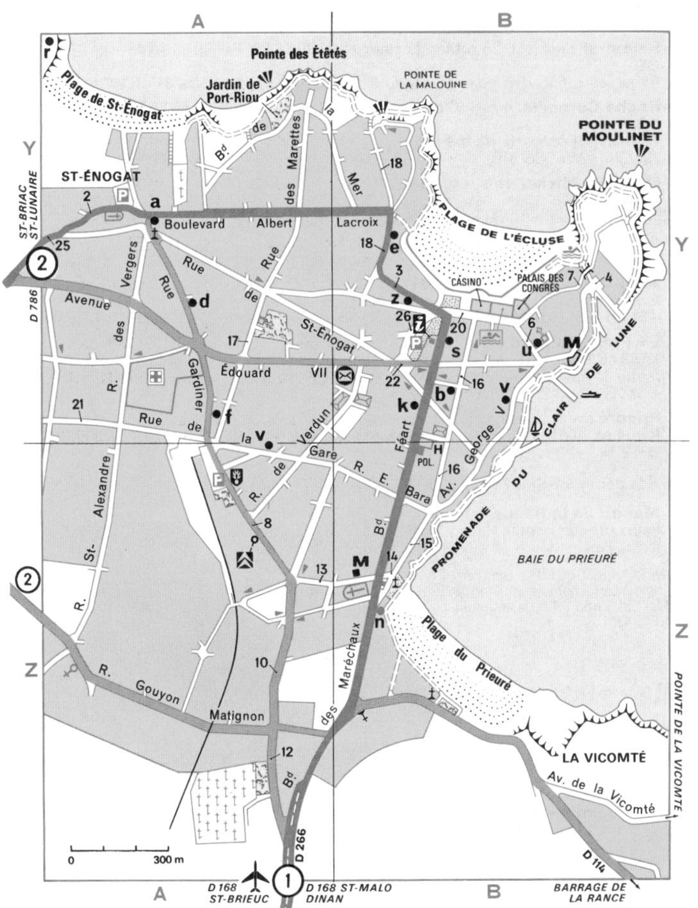

Gd Hôtel et rest. George V, 46 av. George V ☎ 99 46 10 28, Télex 740522, Fax 99 46 20 61, ≤, ⛱ – 🛗 TV ☎ P – 🏛 100. AE ① GB — BY **v**
1er avril-31 oct. – **R** carte 210 à 290, enf. 100 – ☕ 60 – **87 ch** 980/1200, 3 appart – ½ P 720/830.

Novotel Thalassa M 🐦, av. Château Hébert ☎ 99 82 78 10, Télex 741990, Fax 99 82 78 29, ≤ mer, ⛱, centre de thalassothérapie, 🏋, 🏊, 🌳, 🎾 – 🛗 ⊬ ▤ TV ☎ ♿ P – 🏛 25 à 60. AE ① GB — AY **r**
R carte environ 180 🍷, enf. 70 – ☕ 52 – **104 ch** 580/680 – ½ P 510.

Reine Hortense 🐦 sans rest, 19 r. Malouine ☎ 99 46 54 31, Fax 99 88 15 88, ≤ St-Malo, ⛱ – TV ☎ P. AE ① GB JCB – *25 mars-15 nov.* – ☕ 55 – **10 ch** 750/1300. — BY **e**

Émeraude-Plage, 1 bd Albert 1er ☎ 99 46 15 79, Fax 99 88 15 31 – 🛗 TV ☎ 🚗. 🐕
15 avril-3 oct. – **R** (dîner seul.) 98/130 – ☕ 30 – **54 ch** 190/500 – ½ P 300/380. — BY **z**

Vieux Manoir M 🐦 sans rest, 21 r. Gardiner ☎ 99 46 14 69, Fax 99 46 87 87, « Jardin » – ▤ TV ☎ P. GB. 🐕 — AY **d**
1er avril-6 nov. et vacances scolaires – ☕ 35 – **37 ch** 360/400.

Les Tilleuls, 36 r. Gare ✆ 99 82 77 00, Fax 99 82 77 55 – TV ☎ P. AE ① GB. ✻ AZ **v**
hôtel : fermé 15 déc. au 15 janv. ; rest. : fermé 15 nov. au 15 janv., dim. soir et lundi du 15 sept. au 15 avril – **R** 75/160 ♨, enf. 50 – ☐ 30 – **53 ch** 300/400 – ½ P 250/310.

Plage et rest. Le Trezen, 3 bd Féart ✆ 99 46 14 87, Fax 99 46 55 52 – |‡| TV ☎. AE ① GB BY **s**
fermé 16 au 31 mars et 6 janv. aux vacances de fév. – **R** *(fermé merc.)* 80/200, enf. 60 – ☐ 31 – **18 ch** 275/395 – ½ P 251/324.

Balmoral sans rest, 26 r. Mar. Leclerc ✆ 99 46 16 97, Fax 99 88 20 48 – |‡| TV ☎. AE ① GB BY **b**
fermé janv., fév., dim. soir et lundi du 1er nov. au 1er avril – ☐ 30 – **31 ch** 270/390.

Roche Corneille, 4 r. G. Clemenceau ✆ 99 46 14 47, Fax 99 46 55 52 – |‡| TV ☎. AE ① GB BY **u**
15 mars-15 oct. – **R** *(fermé lundi)* (en sem. dîner seul.) 80/240, enf. 60 – ☐ 31 – **27 ch** 195/380 – ½ P 236/316.

Mont-St-Michel sans rest, 54 bd Lhotelier ✆ 99 46 10 40, Fax 99 88 17 47 – TV ☎ P. GB JCB. ✻ AY **f**
15 mars-31 oct. – ☐ 30 – **26 ch** 280/350.

Améthyste sans rest, pl. Calvaire ✆ 99 46 61 81, Fax 99 46 61 81 – TV ☎. AE GB AY **a**
15 mars-15 nov. – ☐ 25 – **15 ch** 210/300.

Altaïr avec ch, 18 bd Féart ✆ 99 46 13 58, Fax 99 88 20 49, 余 – TV ☎. AE ① GB
fermé 15 nov. au 15 déc., dim. soir et lundi (sauf hôtel en sais.) – **R** 115/190, enf. 60 – ☐ 33 – **21 ch** 280/380 – ½ P 280/330. BY **k**

Le Petit Robinson avec ch, SE : 3 km sur D 114 - BZ ✉ 35780 La Richardais ✆ 99 46 14 82 – TV ☎ P. AE ① GB
fermé 16 nov. au 10 déc., 9 au 20 mars, dim. soir (sauf juil.-août) et lundi – **R** 80/160, enf. 50 – ☐ 28 – **7 ch** 250/270 – ½ P 250/260.

Prieuré avec ch, 1 pl. Gén. de Gaulle ✆ 99 46 13 74, ← – ☎. GB BZ **n**
fermé mi-déc. à fin janv., dim. de sept. à juin et lundi – **R** 82/135 – ☐ 30 – **8 ch** 200/300 – ½ P 270.

à la Jouvente SE : 7 km par D 114 - BZ et D 5 – ✉ **35730** Pleurtuit :

Manoir de la Rance ⑤ sans rest, ✆ 99 88 53 76, Fax 99 88 63 03, ←, « Dans un jardin fleuri surplombant la Rance » – TV ☎ P. GB
fermé janv. et fév. – ☐ 40 – **9 ch** 330/950.

AUSTIN, ROVER, TRIUMPH Gar. Parc, ZA l'Hermitage à La Richardais ✆ 99 46 13 38
CITROEN Gar. Kopp, 21 r. de la Corbinais, ✆ 99 46 13 43

PEUGEOT-TALBOT Gar. de la Rive Gauche, ZA l'Hermitage à La Richardais par ① ✆ 99 46 75 78 N ✆ 99 88 44 27

Emeraude Pneumatiques, La Fourberie à St-Lunaire ✆ 99 46 11 26

DIOU 36 Indre 68 ⑨ – rattaché à Issoudun.

DISSAY 86130 Vienne 68 ⑭ **G. Poitou Vendée Charentes** – 2 498 h. alt. 73.

Voir Peintures murales★ du château.

Paris 321 – Poitiers 16 – Châtellerault 18.

Le Binjamin avec ch, N 10 ✆ 49 52 42 37 – TV ☎ P. GB
fermé 10 au 16 août, 1er au 8 janv., 14 au 22 fév., sam. midi, dim. soir et lundi – **R** 105/240 – ☐ 30 – **12 ch** 165/235 – ½ P 180.

CITROEN Gar. Pinaudeau ✆ 49 52 42 31

DIVES-SUR-MER 14 Calvados 54 ⑰ – rattaché à Cabourg.

DIVONNE-LES-BAINS 01220 Ain 70 ⑯ **G. Jura** (plan) – 5 580 h. alt. 500 – Stat. therm. (fév.-nov.) – Casino.

18 ✆ 50 40 34 11, O : 2 km.

Office de Tourisme r. des Bains ✆ 50 20 01 22.

Paris 498 – Thonon-les-Bains 50 – Bourg-en-Bresse 113 – ♦Genève 19 – Gex 8 – Lausanne 50 – Nyon 13.

Le Grand Hôtel ⑤, ✆ 50 40 34 34, Télex 385716, Fax 50 40 34 24, ←, 余, « Parc ombragé », ⛱, ✂ – |‡| TV ☎ P – 🏛 120. AE ① GB. ✻ rest
La Terrasse R carte 200 à 370 – ☐ 80 – **140 ch** 800/1200, 13 appart.

✿ **Château de Divonne** ⑤, 115 r. Bains ✆ 50 20 00 32, Télex 309033, Fax 50 20 03 73, ← lac et Mt-Blanc, 余, « Dans un parc ombragé » – |‡| ▤ rest TV ☎ P – 🏛 60. GB
fermé début janv. à début mars – **R** 250/470 – ☐ 75 – **22 ch** 500/1050, 5 appart. 1550 – ½ P 785/1155
Spéc. Poissons du lac, Volaille de Bresse cloutée aux truffes, Reinette soufflée (automne -hiver). **Vins** Apremont, Mondeuse.

Beau Séjour, 1 pl. Perdtemps ✆ 50 20 06 22, Télex 309052, Fax 50 20 71 87, ☂, ⛱ – TV ☎. AE ⓓ GB JCB. ✂ ch
R *(fermé 10 au 27 déc., merc. en hiver et mardi soir)* 160/195 ♁, enf. 65 – ☕ 30 – **28 ch** 180/300 – ½ P 230/280.

Coccinelles sans rest, rte Lausanne ✆ 50 20 06 96, Fax 50 20 01 18, ≤, ⛱ – |♦| ☎ Ⓟ. GB
☕ 27 – **24 ch** 130/270.

Jura ⛰ sans rest, rte Arbère ✆ 50 20 05 95, Fax 50 20 21 21, ⛱ – ☎ ⇔ Ⓟ. AE GB
☕ 30 – **24 ch** 170/260.

XX **Champagne,** av. Genève ✆ 50 20 13 13, ≤, ☂ – Ⓟ. GB
fermé 22 juin au 2 juil., 28 sept. au 8 oct., 23 déc. au 14 janv., jeudi midi et merc. – **R** carte 190 à 260.

XX **Bellevue-rest. Marquis** ⛰ avec ch, par av. d'Arbère ✆ 50 20 02 16, ≤, ☂, ⛱ – TV ☎ Ⓟ. AE ⓓ GB
1er mars-1er déc. – **R** *(fermé mardi midi et lundi)* 160/280 – ☕ 32 – **15 ch** 210/350 – ½ P 290/330.

XX **Provençal,** r. Genève ✆ 50 20 01 87, ☂ – AE ⓓ GB
fermé 1er au 16 juil., vacances de nov., de fév., dim. soir et lundi – **R** 140/230.

X **Aub. Vieux Bois,** rte Gex : 1 km ✆ 50 20 01 43, ☂, ⛱ – Ⓟ. AE GB
fermé 22 au 29 juin, 3 au 12 oct., 1er fév. au 2 mars, dim. soir et lundi – **R** 95/260 ♁, enf. 65.

RENAULT Clatot à Grilly ✆ 50 20 07 05

Si vous cherchez un hôtel tranquille,
consultez d'abord les cartes de l'introduction
ou repérez dans le texte les établissements indiqués avec le signe ⛰.

DIZY 51 Marne 56 ⑯ – rattaché à Épernay.

DOCELLES 88460 Vosges 62 ⑯ – 1 024 h. alt. 383.
Paris 386 – Épinal 14 – Gérardmer 29 – Remiremont 17 – St-Dié 39.

X **Le Parchemin,** ✆ 29 66 30 40 – AE ⓓ GB
◆ *fermé 12 au 26 oct., dim. soir et lundi* – **R** 60/165 ♁, enf. 38.

DOLANCOURT 10 Aube 61 ⑱ – rattaché à Bar-sur-Aube.

DOL-DE-BRETAGNE 35120 I.-et-V. 59 ⑥ **G. Bretagne** (plan) – 4 629 h. alt. 16.
Voir Cathédrale★★ – Promenade des Douves★ : ≤★ – Mont-Dol ✳★ 4,5 km NO par D 155.
⛳9 ⛳18 de St-Malo ✆ 99 58 96 69, O sur N 176 : 11 km ; ⛳18 Château des Ormes ✆ 99 48 40 27, S par D 795 : 9 km.
ℹ Office de Tourisme Grande Rue des Stuarts (juin-sept.) ✆ 99 48 15 37.
Paris 375 – St-Malo 25 – Alençon 154 – Dinan 26 – Fougères 51 – ◆Rennes 56.

Bretagne, pl. Châteaubriand ✆ 99 48 02 03 – TV ☎. GB
◆ *fermé oct. et vacances de fév.* – **R** *(fermé sam. d'oct. à mars)* 58/140 ♁, enf. 30 – ☕ 25 – **29 ch** 100/240 – ½ P 125/240.

XXX **La Bresche Arthur** avec ch, 36 bd Deminiac ✆ 99 48 01 44, Fax 99 48 16 32, ⛱ – ☎ Ⓟ. GB
fermé 12 au 30 nov. et 11 au 31 janv. – **R** *(fermé dim. soir et lundi d'oct. à juin)* 130/280, enf. 45 – ☕ 35 – **24 ch** 230/250 – ½ P 265.

RENAULT Gar. Hocquart Claude ✆ 99 48 02 12

DOLE <SP> 39100 Jura 70 ③ **G. Jura** – 26 577 h. alt. 231.
Voir Le Vieux Dole★ BZ – Grille★ en fer forgé de l'église St-Jean-l'Evangéliste AZ.
⛳9 Val d'Amour ✆ 84 71 04 23, par ③ : 9 km par D 405 et N 5.
ℹ Office de Tourisme 6 pl. Grévy ✆ 84 72 11 22 et rte Paris (juil.-août) ✆ 84 72 05 41 – A.C. Zone Portuaire ✆ 84 72 30 62.
Paris 369 ① – ◆ Dijon 48 ⑤ – ◆Besançon 46 ① – Chalon-sur-Saône 62 ④ – ◆Genève 149 ③ – Lons-le-Saunier 51 ③

Plan page suivante

Gd H. Chandioux, pl. Grévy ✆ 84 79 00 66, Télex 360498, Fax 84 72 76 97 – TV ☎ ⇔ Ⓟ – 🏛 70. AE ⓓ GB JCB BY s
R 95/160, enf. 60 – **30 ch** ☕ 270/500 – ½ P 240/350.

La Chaumière ⛰, 346 av. Mar. Juin par ③ : 3 km ✆ 84 79 03 45, Fax 84 79 25 60, ⛲, ⛱ – TV ☎ ⇔ Ⓟ – 🏛 25. GB JCB
fermé 15 au 25 juin, 15 déc. au 15 janv., dim. (sauf hôtel du 25 juin au 15 sept.) et sam. du 15 sept. au 25 juin – **R** 100/350 – ☕ 35 – **18 ch** 260/370 – ½ P 290/320.

La Cloche M, 1 pl. Grévy ✆ 84 82 00 18, Fax 84 72 73 82, ☂ – |♦| TV ☎. GB BY v
Le Grévy ✆ 84 82 44 42 *(fermé 1er au 21 nov. et sam.)* **R** 75/230 – ☕ 35 – **29 ch** 200/380.

DOLE

Arènes (R. des) . . . . ABZ
Besançon (R. de) . . . . . BYZ
Grande-Rue . . . . BZ
Boyvin (R.) . . . . BZ 4
Chifflot (R. L.) . . . . AZ 5
Duhamel (Av. J.) . . . . . AZ 6
Jean-Jaurès (Av.) . . . . . BY 8
Juin (Av. du Mar.) . . . . BZ 10
Messagerie (R. des) . . . AY 12
Nationale, Charles de Gaulle (Pl.) . . . . . . BZ 13
Parlement (R. du) . . . . . BZ 14
Rockefeller (Av. J.) . . . . BY 16
Sous-Préfecture (R. de la) . . . . BY 18

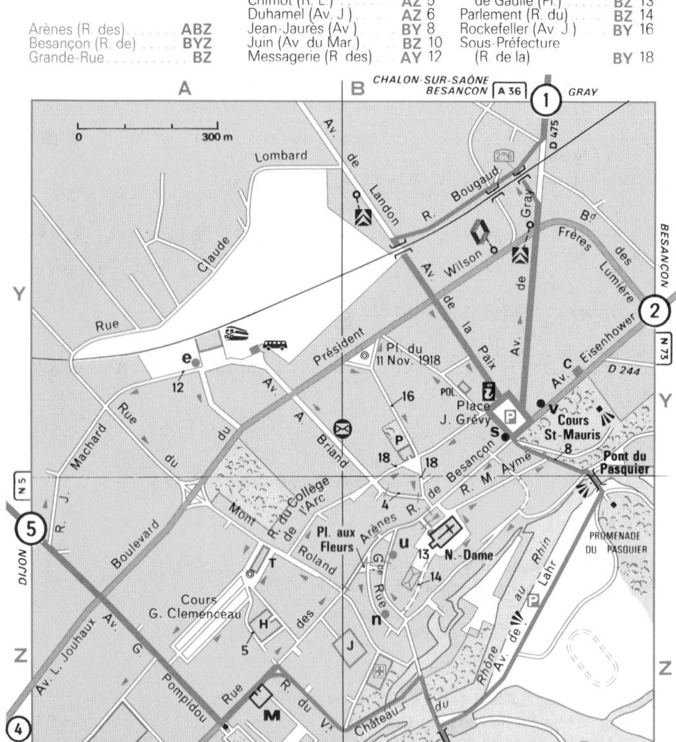

XXX **Les Templiers,** 35 Gde Rue ☎ 84 82 78 78, Fax 84 72 87 62, « Ancienne chapelle du 13e siècle » – AE GB BZ **u**
fermé lundi (sauf le soir de fin avril à nov.) et dim. soir – **R** 85 (sauf sam. soir)/200, enf. 50

XX **La Romanée,** 13 r. Vieilles Boucheries ☎ 84 79 19 05, Fax 84 79 26 97, « Salle voûtée » – AE GB BZ **n**
fermé 1er au 7 janv. et mardi – **R** 69/165, enf. 50

X **Buffet Gare,** ☎ 84 82 00 48, Fax 84 82 35 14, – GB AY **e**
R 61/180

à Rochefort-sur-Nenon par ② : 7 km par N 73 – ✉ **39700** :

Fernoux, r. Barbière ☎ 84 70 60 45, Fax 84 70 50 89, – TV ☎ P. GB
fermé 19 déc. au 5 janv. – **R** *(fermé dim. d'oct. à avril et sam. midi)* 60/160, enf. 35 – ☐ 35 – **20 ch** 200/260 – ½ P 200/250

à Brévans par ② : 2 km sur D 244 – ✉ **39100** :

Au Village, ☎ 84 72 56 40, Fax 84 82 61 94, – TV ☎ P – 25. GB. rest
fermé 22 déc. au 2 janv. et 15 fév. au 1er mars – **R** *(fermé dim. soir du 1er mai au 15 nov., sam. et dim. du 16 nov. au 30 avril)* 90/200, enf. 55 – ☐ 30 – **14 ch** 165/325 – ½ P 200/235

à Parcey par ③ : 10 km sur N 5 – ✉ 39100 :

XX **As de Pique** avec ch, S : 1,5 km ☏ 84 71 00 76, Fax 84 71 09 18, ⛱, ☕ – Ⓟ. AE ⓓ GB
fermé 3 au 10 janv., dim. soir et lundi midi hors sais. – **R** 95/230 – ☕ 35 – **7 ch** 260/295 – ½ P 300/320.

à Mont-Roland par ⑤, N 5 et VO : 5 km – ✉ 39100 :

🏠 **Chalet du Mont-Roland** ⛰, ☏ 84 72 04 55, ≤ – TV ☎ Ⓟ – 🏔 30. GB
fermé 4 au 17 janv. – **R** *(fermé dim. soir)* 60/130 🍷, enf. 40 – ☕ 25 – **16 ch** 120/250 – ½ P 145/210.

CITROEN Jeanperin, 2 av. de Gray ☏ 84 82 34 23
CITROEN Bongain, 8 av. Landon ☏ 84 72 07 97
FIAT Est-Autom., 155 av. Eisenhower ☏ 84 82 19 01
FORD Gar. Sussot, 52 av. Eisenhower ☏ 84 82 12 06
NISSAN Gar. Jacquot, 53 av. G.-Pompidou ☏ 84 72 37 55

PEUGEOT, TALBOT S.C.A.D., 32 av. de Lattre-de-Tassigny par ① ☏ 84 82 07 79 N ☏ 84 91 91 78
RENAULT Cone Autom., 8 bd Wilson ☏ 84 82 67 67 N ☏ 84 82 82 53

Ⓜ R.-Lehmann, 42 av. Mar.-Juin ☏ 84 72 61 77

DOLUS D'OLÉRON 17 Char.-Mar. 71 ⑭ – voir à Oléron (Ile d').

DOMFRONT 61700 Orne 59 ⑩ **G. Normandie Cotentin** – 4 410 h. alt. 209.

Voir Site★ – Église N.-D.-sur-l'Eau★ A – Jardin du donjon ✳★ A – Croix du Faubourg ✳★ B **E** – Centre ancien★.

ℹ Syndicat d'Initiative r. Dr Barrabé ☏ 33 38 53 97.

Paris 252 ③ – Alençon 61 ③ – Argentan 54 ② – Avranches 64 ⑤ – Fougères 56 ⑤ – Mayenne 36 ④ – Vire 39 ⑦.

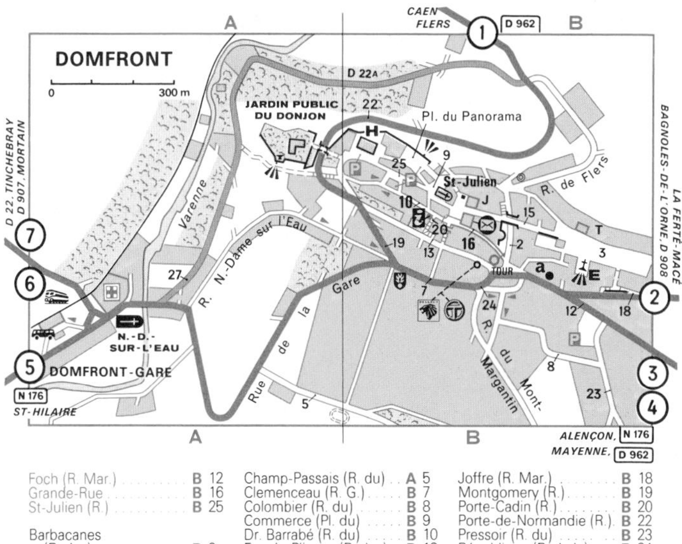

Foch (R. Mar.)	B 12	Champ-Passais (R. du)	A 5	Joffre (R. Mar.)	B 18
Grande-Rue	B 16	Clemenceau (R. G.)	B 7	Montgomery (R.)	B 19
St-Julien (R.)	B 25	Colombier (R. du)	B 8	Porte-Cadin (R.)	B 20
		Commerce (Pl. du)	B 9	Porte-de-Normandie (R.)	B 22
Barbacanes (R. des)	B 2	Dr. Barrabé (R. du)	B 10	Pressoir (R. du)	B 23
		Fossés-Plisson (R. des)	B 13	République (R. de la)	B 24
Champ-de-Foire (Pl. du)	B 3	Godras (R. de)	B 15	Tanneries (R. des)	A 27

🏠 **Poste,** r. Mar. Foch ☏ 33 38 51 00 – ☎ 🚗 Ⓟ. AE ⓓ GB — B **a**
fermé fin janv. au 5 mars, dim. soir et lundi du 1er oct. au 15 juin sauf fériés – **R** 76/158 🍷 – ☕ 25 – **26 ch** 125/265 – ½ P 210/275.

PEUGEOT-TALBOT Champ, 22 r. Fossés-Plissons ☏ 33 38 42 35

RENAULT Fossey, par ③, 86 r. Mar.-Foch ☏ 33 38 53 35 N

DOMFRONT-EN-CHAMPAGNE 72240 Sarthe 60 ⑬ – 850 h. alt. 132.

Paris 214 – ◆Le Mans 17 – Alençon 42 – Laval 74 – Mayenne 56.

XX **Midi,** D 304 ☏ 43 20 52 04, Fax 43 20 56 03 – GB
fermé fév., dim. soir, mardi soir, merc. soir et lundi – **R** 78/220 🍷, enf. 45.

DOMMARTIN-LÈS-REMIREMONT 88 Vosges 62 ⑯ – rattaché à Remiremont.

DOMME 24250 Dordogne 75 ⑰ G. Périgord Quercy (plan) – 1 030 h. alt. 212.

Voir Promenade des Falaises ✻★★★ – La bastide★.

Syndicat d'Initiative pl. Halle (fermé matin oct.- 1er avril) ✆ 53 28 37 09.

Paris 534 – Cahors 52 – Sarlat-la-Canéda 12 – Fumel 53 – Gourdon 21 – Périgueux 75.

Esplanade (Gillard) ⛰, ✆ 53 28 31 41, Fax 53 28 49 92, ← – ▤ rest ☎. AE GB
vacances de fév.-vacances de nov. et fermé dim. soir et lundi hors sais. – **R** 165/350 – ☕ 45 – **25 ch** 350/500 – ½ P 350/500
Spéc. Foie de canard poêlé aux framboises, Filet d'agneau en brioche, Chaud-froid de fraises (avril à oct.). Vins Bergerac, Pécharmant

DOMPAIRE 88270 Vosges 62 ⑮ – 907 h. alt. 303.

Paris 359 – Épinal 19 – Lunéville 63 – Luxeuil-les-Bains 60 – ♦Nancy 60 – Neufchâteau 53 – Vittel 24.

XX **Commerce** avec ch, ✆ 29 36 50 28 – ☎. GB
fermé 20 déc. au 10 janv., dim. soir et lundi sauf juil.-août – **R** 61/152 🍷 – ☕ 23 – **10 ch** 140/210 – ½ P 145/160.

DOMPIERRE-LES-ORMES 71970 S.-et-L. 69 ⑱ – 833 h. alt. 426.

Paris 409 – Mâcon 36 – Charolles 22 – Cluny 23 – Roanne 60.

Relais du Haut Clunysois, NE : 4 km par D 41 ✆ 85 50 27 67, Fax 85 50 25 11, ☂, 🌳 – TV ☎ P – 🏛 30. GB
fermé 15 déc. au 15 janv., dim. soir et lundi hors sais. – **R** 85/155 🍷, enf. 50 – ☕ 27 – **15 ch** 180/260 – ½ P 185/205.

DOMPIERRE-SUR-BESBRE 03290 Allier 69 ⑮ – 3 807 h. alt. 234.

Voir Vallée de la Besbre★, G. Auvergne.

Paris 326 – Moulins 33 – Bourbon-Lancy 17 – Decize 52 – Digoin 26 – Lapalisse 36.

XX **Aub. de l'Olive** avec ch, r. Gare ✆ 70 34 51 87 – TV ☎. GB
fermé 15 nov. au 5 déc., vacances de fév. et vend. sauf juil.-août – **R** 62/240 🍷, enf. 38 – ☕ 20 – **12 ch** 100/260 – ½ P 135/170.

CITROEN Gar. Burtin, 223 r. Nat ✆ 70 34 50 37 N
FORD Cannet 78 r. Nationale ✆ 70 34 51 61
PEUGEOT-TALBOT Bujon, 172 r. Nat ✆ 70 34 50 10
RENAULT Bailly ✆ 70 34 52 34 N
Gar. Cartier, Sept-Fons ✆ 70 34 54 84 N ✆ 70 34 58 08

DOMPIERRE-SUR-MER 17 Char.-Mar. 71 ⑫ – rattaché à La Rochelle.

DOMPIERRE-SUR-VEYLE 01240 Ain 74 ③ – 828 h. alt. 355.

Paris 437 – Mâcon 47 – Belley 71 – Bourg-en-Bresse 16 – ♦Lyon 54 – Nantua 44 – Villefranche-sur-Saône 50.

X **Aubert,** ✆ 74 30 31 19, 🌳 – GB
fermé 23 juil. au 1er août, fév., dim. soir, merc. soir et jeudi – **R** 100/210.

DOMRÉMY-LA-PUCELLE 88630 Vosges 62 ③ G. Alsace Lorraine – 182 h.

Voir Maison natale de Jeanne d'Arc★.

Paris 284 – ♦ Nancy 58 – Neufchâteau 11 – Toul 34.

Jeanne d'Arc sans rest, ✆ 29 06 96 06 – 🚗. ✂
1er avril-15 nov. – **7 ch** 140/190.

DONGES 44480 Loire-Atl. 63 ⑮ G. Bretagne – 6 377 h. alt. 12.

Voir Église★.

Paris 427 – ♦ Nantes 50 – La Baule 25 – Redon 44 – St-Nazaire 16.

XX **La Closerie des Tilleuls,** N : 1 km par D 4 et V O ✆ 40 91 07 82, « Jardin fleuri » – P. GB ✂
fermé 14 août au 1er sept., 24 déc. au 4 janv. et dim. – **R** 150/200.

rte de Pontchâteau N : 7 km par D 4, D 773 et VO – ✉ 44480 Donges :

XX **La Duchée,** ✆ 40 45 28 41, 🌳 – P. AE GB
fermé 12 au 31 mars, 20 au 26 août, dim. soir et lundi – **R** 80/185.

DONON (Col du) 67 B.-Rhin 62 ⑧ G. Alsace Lorraine – ✉ 67130 Schirmeck.

Paris 395 – ♦ Strasbourg 58 – Lunéville 57 – St-Dié 46 – Sarrebourg 37 – Sélestat 54.

Donon ⛰, ✆ 88 97 20 69, Fax 88 97 20 17, ←, ☂, 🌳, 🎾 – ☎ P. GB
fermé 23 au 27 mars, 16 nov. au 6 déc. et jeudi hors sais. – **R** 64/225 🍷, enf. 41 – ☕ 27 – **20 ch** 170/230 – ½ P 205/235.

DONZENAC 19270 Corrèze 75 ⑧ G. Périgord Quercy – 2 050 h. alt. 204.

Syndicat d'Initiative av. de Paris (juil.-sept.) et à la Mairie (hors saison) ✆ 55 85 72 33.

Paris 478 – Brive-la-Gaillarde 9,5 – ◆Limoges 81 – Tulle 29 – Uzerche 25.

rte de Limoges sur N 20 :

Soph' Motel, à 10 km ✆ 55 84 51 02, Fax 55 84 50 14, parc, – ch ☎ – 30. AE GB. rest
R 90/200, enf. 45 – 36 – **25 ch** 330/480 – ½ P 280.

Relais Bas Limousin, à 6 km ✆ 55 84 52 06, – ☎. GB
fermé dim. du 15 sept. au 15 juin – **R** 68/220 – 26 – **24 ch** 115/260 – ½ P 148/260.

La Maleyrie, à 5 km ✆ 55 84 50 67, – ☎. AE GB
1er avril-30 sept. – **R** 60/160, enf. 45 – 25 – **15 ch** 90/220 – ½ P 150/220.

PEUGEOT-TALBOT Gar. Chanourdie ✆ 55 85 78 76 N ✆ 55 85 65 56

DONZÈRE 26290 Drôme 81 ① G. Vallée du Rhône – 4 265 h. alt. 64.

Paris 621 – Aubenas 46 – Montélimar 13 – Nyons 40 – Orange 41 – Pont-St-Esprit 23 – Valence 60.

N : 2,5 km par D 144 et VO – ✉ 26780 Malataverne :

Host. Mas des Sources avec ch, ✆ 75 51 74 18, Fax 75 51 74 63, ≤, – ☎. GB
fermé 22 au 30 déc., vacances de fév., merc. du 1er sept. au 30 avril et mardi soir – **R** 195/250, enf. 75 – 60 – **4 ch** 300/650.

DONZY 58220 Nièvre 65 ⑬ G. Bourgogne – 1 719 h. alt. 188.

Paris 202 – Bourges 74 – Auxerre 65 – Château-Chinon 86 – Clamecy 37 – Cosne-sur-Loire 16 – Nevers 49.

Ermitage sans rest, ✆ 86 39 30 62 – GB.
fermé vacances de nov., de Noël, de fév. et vend. hors sais. – 35 – **20 ch** 230/300.

Gd Monarque avec ch, près église ✆ 86 39 35 44 – ☎. GB.
fermé 5 au 31 janv. – **R** *(fermé dim. soir et lundi)* 95/200, enf. 55 – 45 – **16 ch** 140/250.

La Talvanne, ✆ 86 39 30 03 – GB
fermé mardi – **R** 60/150, enf. 45.

CITROEN Gar. Petit ✆ 86 39 30 93
PEUGEOT TALBOT Gar. de la Poste, 6 r. d'Osmond ✆ 86 39 33 91
RENAULT Gar. Rouleau P., 43 r. Gén.-Leclerc ✆ 86 39 35 34

Le DORAT 87210 H.-Vienne 72 ⑦ G. Berry Limousin – 2 203 h. alt. 209.

Voir Collégiale St-Pierre★★.

Office de Tourisme pl. Collégiale (avril-oct.) ✆ 55 60 76 81.

Paris 376 – ◆Limoges 52 – Bellac 12 – Le Blanc 50 – Guéret 68 – Poitiers 76.

Bordeaux, 39 pl. Ch. de Gaulle ✆ 55 60 76 88 – ☎. GB. ch
fermé 1er au 21 janv., 21 au 27 sept. et dim. soir – **R** 60/165, enf. 45 – 25 – **9 ch** 130/180 – ½ P 180.

La Promenade avec ch, 3 av. Verdun ✆ 55 60 72 09 – ☎. GB. ch
fermé 1er au 21 sept., 1er au 15 fév., dim. soir et lundi – **R** 58/170 – 20 – **8 ch** 110/150 – ½ P 180/220.

CITROEN Laguzet ✆ 55 60 72 79

DORDIVES 45680 Loiret 61 ⑫ – 2 388 h. alt. 71.

Paris 95 – Fontainebleau 33 – Montargis 19 – Nemours 15 – ◆Orléans 85 – Sens 42.

César sans rest, 8 r. République ✆ 38 92 73 20 – cuisinette. AE GB
35 – **22 ch** 130/280.

DORRES 66760 Pyr.-Or. 86 ⑯ G. Pyrénées Roussillon – 192 h. alt. 1 450.

Voir Angoustrine : Retables★ dans l'église O : 5 km.

Paris 881 – Font-Romeu 17 – Ax-les-Thermes 58 – Bourg-Madame 8,5 – ◆Perpignan 103 – Prades 74.

Marty, ✆ 68 30 07 52, ≤ – ☎. GB
fermé 27 oct. au 15 déc. – **R** 65/150 – 25 – **34 ch** 130/220 – ½ P 159/180.

DOUAI SP 59500 Nord 53 ③ G. Flandres Artois Picardie – 42 175 h. alt. 24.

Voir Beffroi★ BY D – Musée★ dans l'ancienne Chartreuse★ AX M.

Env. Centre historique minier de Lewarde★ SE : 8 km par ②.

18 de Thumeries Moncheaux ✆ 20 86 58 98, par ① et D 8 : 15 km.

Office de Tourisme 70 pl. d'Armes ✆ 27 88 26 79 – A.C. 155 pl. Armes ✆ 27 88 90 79.

Paris 195 ④ – ◆Lille 37 ⑤ – ◆Amiens 83 ④ – Arras 25 ④ – Charleville-Mézières 148 ③ – Lens 21 ⑤ – St-Quentin 69 ③ – Tournai 38 ① – Valenciennes 39 ①.

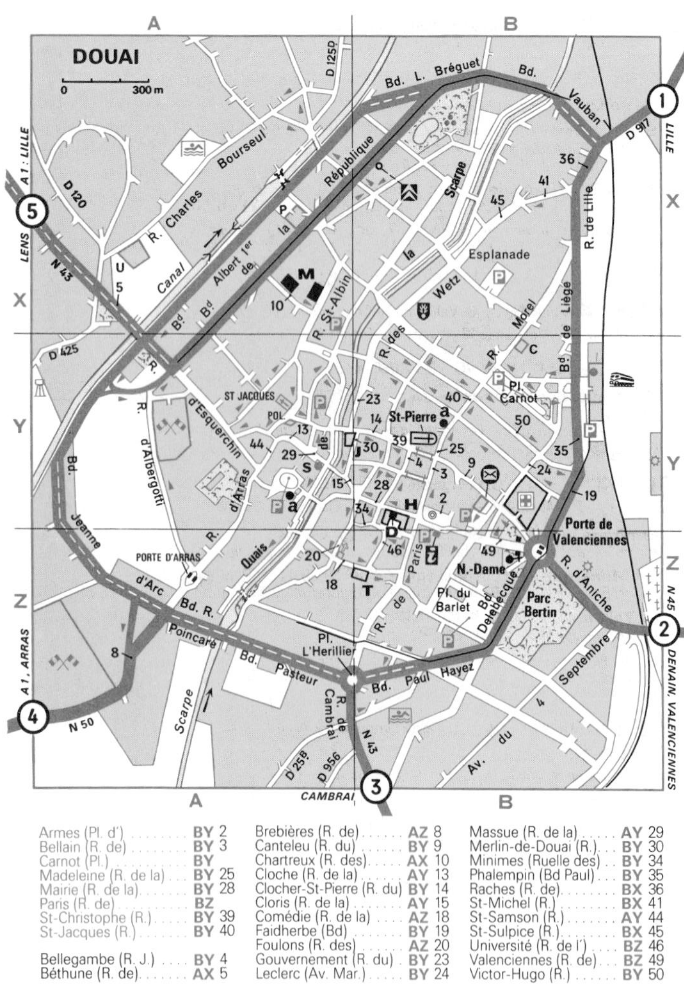

Armes (Pl. d')	BY 2	Brebières (R. de)	AZ 8	Massue (R. de la)	AY 29
Bellain (R. de)	BY 3	Canteleu (R. du)	BY 9	Merlin-de-Douai (R.)	BY 30
Carnot (Pl.)	BY	Chartreux (R. des)	AX 10	Minimes (Ruelle des)	BY 34
Madeleine (R. de la)	BY 25	Cloche (R. de la)	AY 13	Phalempin (Bd Paul)	BY 35
Mairie (R. de la)	BY 28	Clocher-St-Pierre (R. du)	BY 14	Raches (R. de)	BX 36
Paris (R. de)	BZ	Cloris (R. de la)	AY 15	St-Michel (R.)	BX 41
St-Christophe (R.)	BY 39	Comédie (R. de la)	AZ 18	St-Samson (R.)	AY 44
St-Jacques (R.)	BY 40	Faidherbe (Bd)	BY 19	St-Sulpice (R.)	BX 45
		Foulons (R. des)	AZ 20	Université (R. de l')	BZ 46
Bellegambe (R. J.)	BY 4	Gouvernement (R. du)	BY 23	Valenciennes (R. de)	BZ 49
Béthune (R. de)	AX 5	Leclerc (Av. Mar.)	BY 24	Victor-Hugo (R.)	BY 50

La Terrasse, 36 terrasses St Pierre ℰ 27 88 70 04, Fax 27 88 36 05 – ▤ rest TV ☎ – 🏊 50. GB — BY **a**
R 176/395 – ☕ 39 – **24 ch** 330/660.

Urbis M, pl. St-Amé ℰ 27 87 27 27, Télex 820220, Fax 27 98 31 64 – |♦| TV ☎ ♿ Ⓟ – 🏊 50 à 100. GB — AY **a**
R *(fermé 12 au 19 août, dim. sauf le soir de sept. à juin et sam. midi)* 70/185 🍷, enf. 45 – ☕ 30 – **42 ch** 275/295 – ½ P 240.

Au Turbotin, 9 r. Massue ℰ 27 87 04 16 – AE ⓓ GB — AY **s**
fermé août, vacances de fév., dim. soir et lundi – **R** 85/250.

Buffet Gare, ℰ 27 88 99 26 – AE GB — BY
fermé sam. soir, dim. soir et lundi soir – **R** 68 bc/160 🍷.

*à **Corbehem** par ④ et D 45 : 6 km* – ✉ **62112** :

Manoir de Fourcy 🐌, 48 r. gare ℰ 27 96 44 90, Fax 27 91 84 49, 🌳 – TV ☎ – 🏊 80 à 200. AE ⓓ GB
R *(fermé dim. soir)* 145/325 – ☕ 50 – **8 ch** 350/380.

*à **Brebières** par ④ : 7 km* – 4 324 h. – ✉ **62117** :

Air Accueil, N 50 ℰ 21 50 01 02 – Ⓟ. GB
fermé dim. soir et soirs fériés – **R** 165/230.

CITROEN Cabour, 884 à 948 r. République ☎ 27 87 36 22
FORD Paty, N 17 Le Raquet à Lambres ☎ 27 87 30 63
OPEL Car Center, 388 r. de Cambrai ☎ 27 97 74 74
PEUGEOT-TALBOT Nord Distribution Autos, 537 rte de Cambrai par ③ ☎ 27 87 22 76
RENAULT Gd Gar. Douaisien, rte de Cambrai par ③ ☎ 27 93 84 84 **N** ☎ 28 02 09 28

V.A.G Gar. Carlier, 36 N 17 à Lambres-lez-Douai ☎ 27 98 50 65

Europneus, 59 r. de Warenghien ☎ 27 87 00 63
Europneus, 174 av. R.-Salengro à Sin-le-Noble ☎ 27 88 69 70

DOUAINS 27 Eure 55 ⑰, 106 ① – rattaché à Pacy-sur-Eure.

DOUARNENEZ 29100 Finistère 58 ⑭ G. Bretagne – 16 457 h. alt. 37.

Voir Boulevard Jean-Richepin et jetée du Nouveau Port <★ Y – Port du Rosmeur★ Y – Musée du Bateau★ YZ – Ploaré : tour★ de l'église S : 1 km – Pointe de Leydé <★ NO : 5 km.

Office de Tourisme 2 r. Dr-Mével ☎ 98 92 13 35 et Port de Plaisance à Tréboul (15 juin-15 sept.) ☎ 98 74 22 08.

Paris 580 ① – Quimper 23 ② – ◆Brest 51 ① – Châteaulin 27 ① – Lorient 89 ② – Vannes 142 ②.

DOUARNENEZ

Sens unique en saison : flèche noire

Anatole-France (R.) .... Y 2
Duguay-Trouin (R.) .... Y 15
Jaurès (R. Jean) .... YZ
Jean-Bart (R.) .... Y 24
Voltaire (R.) .... Y 62

Baigneurs (R. des) .... Y 5
Barré (R. J.) .... YZ 7
Berthelot (R.) .... Z 8
Centre (R. du) .... Y 10
Croas-Talud (R.) .... Z 14
Enfer (Pl. de l') .... YZ 16
Grand-Port (Quai du) .... Y 20
Kerivel (R. E.) .... YZ 21
Laënnec (R.) .... Z 25
Lamennais (R.) .... Z 27
Marine (R. de la) .... Y 32
Michel (R. L.) .... Y 36
Monte-au-Ciel (R.) .... Z 37
Péri (Pl. Gabriel) .... Y 42
Petit-Port (Quai du) .... Y 43
Plomarc'hs (R. des) .... YZ 44
Port (R. du) .... Y 47
Stalingrad (Pl.) .... Z 56
Vaillant (Pl. E.) .... Y 59
Victor-Hugo (R.) .... Z 60

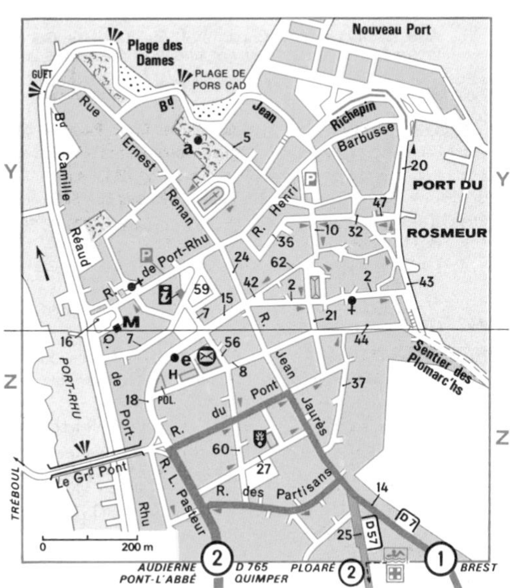

Clos de Vallombreuse M, 7 r. E. d'Orves ☎ 98 92 63 64, Fax 98 92 13 12, <, – TV ☎ & P. AE GB — Y a
fermé 15 janv. au 15 fév. (sauf hôtel) et lundi d'oct. à avril – **R** 90/280 – ☐ 45 – **20 ch** 380/490 – ½ P 420.

Bretagne sans rest, 23 r. Duguay-Trouin ☎ 98 92 30 44 – ☎. GB — Z e
☐ 23 – **27 ch** 110/200.

SE par ② rte Quimper, D 765 et VO : 5 km – ✉ 29100 Douarnenez :

Aub. de Kervéoc'h, ☎ 98 92 07 58, parc – ☎ P. GB.
vacances de printemps-début oct., vacances de nov. et de Noël – **R** 100/235 – ☐ 35 – **14 ch** 230/290 – ½ P 280/290.

à Tréboul NO : 3 km – ✉ 29100 :

Thalasstonic M, r. des Professeurs Curie ☎ 98 74 45 45, Fax 98 74 30 97 – TV ☎ & P. AE GB. rest
R 95/180, enf. 55 – ☐ 35 – **50 ch** 270/420 – ½ P 330/340.

Simon Pneus, ZA de Brehuel ☎ 98 92 15 99

Évitez de fumer au cours du repas : vous altérez votre goût et vous gênez vos voisins.

DOUCIER 39130 Jura 170 ⑭ ⑮ G. Jura – 231 h. alt. 528.

Voir Lac de Chalain★★ N : 4 km.

Paris 416 – Champagnole 19 – Lons-le-Saunier 25.

XX **Sarrazine,** ☎ 84 25 70 60, 🌳 – P. GB
fermé début nov. à début fév., merc. soir et jeudi hors sais. – **R** 90/210 🍷, enf. 58.

RENAULT Gar. Gaillard ☎ 84 25 70 94

DOUDEVILLE 76560 S.-Mar. 52 ⑬ – 2 492 h. alt. 128.

Paris 179 – ◆ Rouen 42 – Bolbec 31 – Dieppe 38 – Fécamp 35,5 – Yvetot 13.

XX **Relais du Puits Saint-Jean** avec ch, ☎ 35 96 50 99, 🌳, 🌲 – P. GB. ✻ ch
R 68/280 🍷, enf. 60 – ☕ 30 – **4 ch** 230 – ½ P 250.

DOUÉ-LA-FONTAINE 49700 M.-et-L. 67 ⑧ G. Châteaux de la Loire – 7 260 h. alt. 76.

Voir Parc zoologique des Minières★★ O : 2 km.

Office de Tourisme pl. Champ de Foire (fermé nov.-fév.) ☎ 41 59 20 49.

Paris 329 – Angers 38 – Châtellerault 85 – Cholet 49 – Saumur 17 – Thouars 30.

XX **France** avec ch, 17 pl. Champ de Foire ☎ 41 59 12 27 – ☎. GB
fermé 25 juin au 7 juil., 21 déc. au 21 janv., dim. soir et lundi – **R** 70/190 – ☕ 25 – **18 ch** 130/260 – ½ P 180/250.

XX **Aub. Bienvenue,** rte Cholet ☎ 41 59 22 44 – P. GB
fermé 4 au 25 fév., dim. soir et lundi hors sais. – **R** 65/250.

PEUGEOT, TALBOT Gar. Darteuil-lesaint, 20 r. de Cholet ☎ 41 59 11 00

RENAULT Chaillou, 49 r. de Cholet ☎ 41 59 10 55 N ☎ 41 59 12 16

DOULLENS 80600 Somme 52 ⑧ G. Flandres Artois Picardie – 6 615 h. alt. 64.

Voir Mise au tombeau★ dans l'église Notre-Dame – Vallée de l'Authie★ NO par D 925.

Office de Tourisme Beffroi, r. Bourg (juin-sept.) ☎ 22 32 54 52.

Paris 180 – ◆ Amiens 31 – Abbeville 41 – Arras 36 – Péronne 55 – St-Omer 81.

XX **Aux Bons Enfants** avec ch, 23 r. Arras ☎ 22 77 06 58 – P. AE GB. ✻ ch
R *(fermé sam.)* 75/140 🍷, enf. 35 – ☕ 25 – **8 ch** 100/180 – ½ P 200/220.

XX **Le Sully** avec ch, 45 r. Arras ☎ 22 77 10 87 – ☎. GB
fermé 17 juin au 1er juil. et lundi – **R** 59/125 🍷 – **7 ch** ☕ 165/220 – ½ P 175/195.

PEUGEOT-TALBOT Vasseur, ZI Le Marais Sec ☎ 22 77 08 04

RENAULT Gar. Moderne, 55 av. Flandres-Dunkerque ☎ 22 77 02 77

DOURDAN 91410 Essonne 60 ⑨ 106 ㊶ G. Ile de France – 9 043 h. alt. 117.

Voir Place du Marché aux grains★ – Vierge au Perroquet★ au musée.

Office de Tourisme pl. Gén.-de-Gaulle ☎ (1) 64 59 86 97.

Paris 54 – Chartres 46 – Étampes 17 – Évry 38 – ◆ Orléans 78 – Rambouillet 23 – Versailles 37.

Host. Blanche de Castille, pl. Halles ☎ (1) 64 59 68 92, Télex 604902, Fax (1) 64 59 42 54 – |‡| TV ☎ P – 🏛 40 à 100. AE ⓓ GB
R 190 (sauf sam.)/250, enf. 75 – ☕ 47 – **40 ch** 340/510.

XX **Aub. de l'Angélus,** 4 pl. Chariot ☎ 64 59 83 72, 🌳 – AE GB
fermé 4 au 18 mars, 17 août au 10 sept., mardi soir et merc. – **R** 96/230.

CITROEN Ménard, ZI de la Gaudrée ☎ (1) 64 59 64 00

LANCIA Huberty, rte d'Étampes, D 836 ☎ (1) 64 59 66 65

PEUGEOT Gar. Côte de Liphard, 10 rte Liphard ☎ (1) 64 59 71 86

RENAULT Lesage, 30 av. de Paris ☎ (1) 64 59 70 83

DOURLERS 59228 Nord 53 ⑥ – 582 h. alt. 171.

Paris 215 – St-Quentin 75 – Avesnes-sur-Helpe 7,5 – ◆ Lille 92 – Maubeuge 13 – Le Quesnoy 26 – Valenciennes 40.

XXX **Aub. du Châtelet,** Les Haies à Charmes S : 1 km sur N 2 ✉ 59440 Avesnes-sur-Helpe ☎ 27 61 06 70, 🌲 – P. AE ⓓ GB
fermé 16 août au 12 sept., 2 au 10 janv., dim. et fêtes le soir et merc. – **R** (nombre de couverts limité - prévenir) 160/300 bc, enf. 80.

DOUSSARD 74 H.-Savoie 74 ⑯ – rattaché à Bout-du-Lac.

DOUVAINE 74140 H.-Savoie 170 ⑯ – 3 354 h. alt. 429.

Paris 558 – Thonon-les-Bains 16 – Annecy 63 – Annemasse 18 – Bonneville 34 – ◆ Genève 17.

XXX **Aub. Gourmande,** à **Massongy** E : 2 km par N5 et VO ✉ 74140 Douvaine ☎ 50 94 16 97, ←, 🌳, 🏊, 🎾 – P. AE ⓓ GB
fermé vacances de nov., de fév., jeudi midi et merc. – **R** 98/260 🍷.

XX **Couronne** avec ch, ☎ 50 94 10 62, 🌳 – TV ☎ P. AE ⓓ GB
fermé 10 au 27 sept. et lundi sauf vacances scolaires et fériés – **R** 98/260, enf. 65 – ☕ 30 – **13 ch** 195/215 – ½ P 260/280.

X **Écaille d'Argent** 🐚, à **Tougues** NO : 4 km par D 20 ✉ 74140 Douvaine ☎ 50 94 04 16, Fax 50 35 46 96, ←, 🌳 – P. GB. ✻
fermé lundi et mardi hors sais. – **R** carte 165 à 245.

DOUVRES LA DÉLIVRANDE 14440 Calvados 54 ⑯ – 3 983 h. alt. 19.

Paris 250 – ♦Caen 12 – Bayeux 26 – Deauville 44.

XX **Jacques Quirié,** 1 pl. Ancienne Mairie ✆ 31 37 20 04 – Ⓟ. GB
fermé dim. soir et lundi – **R** 102/220.

à Cresserons E : 3 km par D 35 – ✉ 14440 :

XXX **La Valise Gourmande,** rte Lion sur Mer ✆ 31 37 39 10, « Elégante demeure bourgeoise », – Ⓟ. GB
fermé oct., merc. midi et mardi – **R** 110/250.

DRACY-LE-FORT 71 S.-et-L. 69 ⑨ – rattaché à Chalon-sur-Saône.

DRAGUIGNAN SP 83300 Var 84 ⑦ G. Côte d'Azur – 30 183 h. alt. 181.

Voir Musée des Arts et Traditions populaires★ Z M².

de Lou Roucas à la Motte ✆ 94 45 96 60, SE : 14 km par ② et D 47.

Office de Tourisme avec A.C. 9 bd Clemenceau ✆ 94 68 63 30.

Paris 861 ② – Fréjus 28 ② – Aix-en-Provence 104 ② – Cannes 60 ② – Digne 107 ④ – Grasse 55 ① – Manosque 88 ③ – ♦Marseille 117 ② – ♦Nice 89 ② – ♦Toulon 79 ②.

DRAGUIGNAN

Cisson (R.) YZ 3	Gay (Pl. C.) Y 6	Marché (Pl. du) Y 16
Clemenceau (Bd) Z	Grasse (Av. de) Y 8	Martyrs-de-la-R. (Bd des) Z 17
Clément (R. P.) Z 5	Joffre (Bd Mar.) Z 9	Marx-Dormoy (Bd) Z 18
	Juiverie (R. de la) Y 12	Mireur (R. F.) Y 19
	Kennedy (Bd J.) Z 13	Observance (R. de l') Y 20
	Leclerc (Bd Gén.) Z 14	République (R. de la) Z 23
	Marchands (R. des) Y 15	Rosso (Av. P.) Z 24

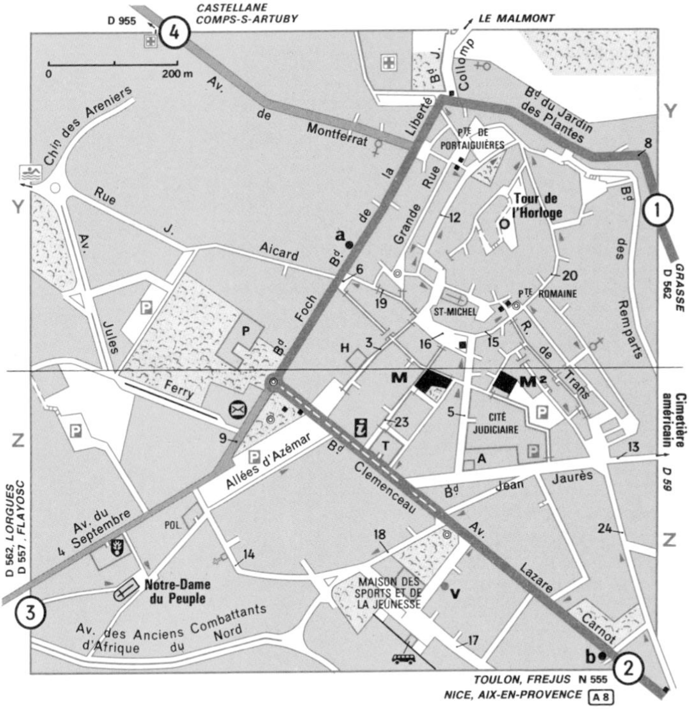

Victoria M, 54 av. Carnot ✆ 94 47 24 12, Fax 94 68 31 69 – TV ☎. AE GB — Z b
R *(fermé 6 au 26 janv.)* 65/190 – ☕ 38 – **22 ch** 280/700 – ½ P 240/370.

Host. du Moulin de la Foux , par ② : 2,4 km par N 555 et VO, quartier de la Foux ✆ 94 68 55 33, Fax 94 68 70 10, – TV ☎ Ⓟ – 30. AE GB
R 110/350, enf. 75 – ☕ 35 – **29 ch** 280 – ½ P 250.

Parc sans rest, 21 bd Liberté ✆ 94 68 53 84 – TV ☎ Ⓟ. GB — Y a
☕ 35 – **20 ch** 210/320.

XX **Les 2 Cochers,** 7 bd G. Péri ☎ 94 68 13 97, Fax 94 70 82 40,
 – AE ⓞ GB — Z **v**
fermé 26 juil. au 10 août, dim. soir et lundi – **R** 80/160 ♂.

par bd J. Jaurès - Z - et rte de La Motte : 5 km – ✉ **83300** Draguignan :

XX **Côté Jardin,** 773 av. Mar. Galliéni ☎ 94 47 05 55,
 – ▤ Ⓟ. AE GB
fermé dim. soir et merc. sauf juil.-août – **R** 85/250, enf. 36.

par ③ : 4 km sur D 557 – ✉ **83300** Draguignan :

🏠 **Les Oliviers** M sans rest, ☎ 94 68 25 74, Fax 94 68 57 54 – TV ☎ ♿ Ⓟ. GB
fermé 5 au 20 janv. – ☕ 25 – **12 ch** 240/315.

à Flayosc par ③ et D 557 : 7 km – 3 233 h. – ✉ **83780** :

X **Oustaou,** ☎ 94 70 42 69,
 – AE GB
fermé 21 au 29 juin, 25 oct. au 9 nov., 3 au 11 janv., dim. soir et lundi – **R** 90/185 ♂, enf. 55.

CITROEN Gar. Piaget, à Salernes ☎ 94 70 60 44 N
☎ 94 70 70 53
PEUGEOT-TALBOT Gar. Labrette Trans Auto +, rte de Draguignan à Trans-en-Provence
☎ 94 47 18 58 N ☎ 94 67 02 02
RENAULT S.A.M.V.A., quartier de la Foux par ②
☎ 94 68 15 64 N

RENAULT Palmerini, à Salernes ☎ 94 70 72 38

Ⓜ Aude, Quartier St-Léger ☎ 94 47 14 31
Forni Pneu, ZI Les Incapis, ☎ 94 67 13 53
Forni-Pneu, 24 bd Carnot ☎ 94 68 06 83

DRAVEIL **91** Essonne 61 ①, 101 ㊱ – voir à Paris, Environs.

Die im Michelin-Führer
verwendeten Zeichen und Symbole haben –
*dünn oder **fett** gedruckt, in einer Kontrastfarbe oder schwarz –*
jeweils eine andere Bedeutung.
Lesen Sie daher die Erklärungen aufmerksam durch.

DREUX <SP> **28100** E.-et-L. 60 ⑦ 106 ㉕ **G. Normandie Vallée de la Seine** – 35 230 h. alt. 104.
Voir Beffroi★ AY **B** – Vitraux★ de la chapelle royale AY.
🅸 Office de Tourisme 4 r. Porte-Chartraine ☎ 37 46 01 73.
Paris 80 ② – Alençon 112 ⑥ – Argentan 114 ⑥ – Chartres 34 ④ – Évreux 43 ⑥ – ♦Le Mans 153 ④ – Mantes-la-Jolie 42 ①.

Plan page suivante

🏠 **Le Beffroi** sans rest, 12 pl. Métézeau ☎ 37 50 02 03 – TV ☎. AE ⓞ GB — AZ **e**
☕ 40 – **16 ch** 283/336.

🏠 **Au Bec Fin,** 8 bd Pasteur ☎ 37 42 04 13 – TV ☎. GB — BZ **a**
R *(fermé sam. soir et dim. de nov. à Pâques)* 70/135 ♂, enf. 40 – ☕ 26 – **23 ch** 150/320.

🏠 **Campanile,** av. W. Churchill ☎ 37 42 64 84, Télex 783578, Fax 37 42 86 99,
 – TV ☎ ♿ Ⓟ – 🪑 25. AE GB — BY **n**
R 77 bc/99 bc, enf. 39 – ☕ 28 – **49 ch** 258 – ½ P 234/256.

XX **Vallée Verte** avec ch, à Vernouillet par D 311 - AZ - ✉ 28500 Vernouillet ☎ 37 46 04 04, Fax 37 42 91 17 – TV ☎ 🚗 Ⓟ. AE GB. ✻ ch
fermé août, 27 déc. au 4 janv., dim. soir et lundi – **R** 140/300 bc, enf. 50 – ☕ 30 – **10 ch** 190/220 – ½ P 200.

par rte de Montreuil ①, D 928 et D 116 : 8,5 km – ✉ **28500** Vernouillet :

XXX **Aub. Gué des Grues,** ☎ 37 43 50 25,
, « Jardin fleuri » – Ⓟ. AE ⓞ GB
fermé lundi soir et mardi – **R** 150/250.

à Cherisy par ② : 4,5 km – ✉ **28500** :

XX **Vallon de Chérisy,** ☎ 37 43 70 08,
,
 – GB
fermé 15 au 31 août, mardi soir et merc. – **R** 120/170 ♂.

à Ste-Gemme-Moronval par ② N 12 puis D 308² : 6 km – ✉ **28500** :

XX **L'Escapade,** ☎ 37 43 72 05, Télex 760189 – Ⓟ. AE GB
fermé 16 au 31 juil., 16 fév. au 9 mars, lundi soir et mardi – **R** 168.

à Écluzelles par ③ : 5,5 km – ✉ **28500** :

XX **L'Aquaparc,** ☎ 37 43 74 75, Fax 37 43 76 80, ≤,
,
 – Ⓟ. AE ⓞ GB
fermé dim. soir – **St-Louis R** 175/220 – **L'Orient-Express R** 90/160, enf. 60.

BMW, OPEL-GM Dreux Autom., 6 bd de l'Europe à Vernouillet ☎ 37 46 37 43
CITROEN C.O.D.A.C., 64 av. Fenots par ⑥
☎ 37 46 12 51 N ☎ 37 82 97 55
FORD Perrin, bd de l'Europe à Vernouillet
☎ 37 46 23 31
MERCEDES-BENZ Gar. Avenue, ZI Nord
☎ 37 46 17 98
PEUGEOT-TALBOT Touchard et Girot, 49 av. Gén.-Leclerc ☎ 37 42 12 72

RENAULT Chanoine, N 12, Les Fenots par ⑥
☎ 37 46 17 35 N

Ⓜ Boin, N 154 à Serazereux ☎ 37 65 22 22
Breton Pneus, 14 r. des Livraindières ☎ 37 42 44 22
Dubreuil Pneus, 9 pl. Vieux-Pré ☎ 37 50 03 60
Marsat-Pneus Dreux-Pneus, 27 av. Fenots
☎ 37 46 71 28

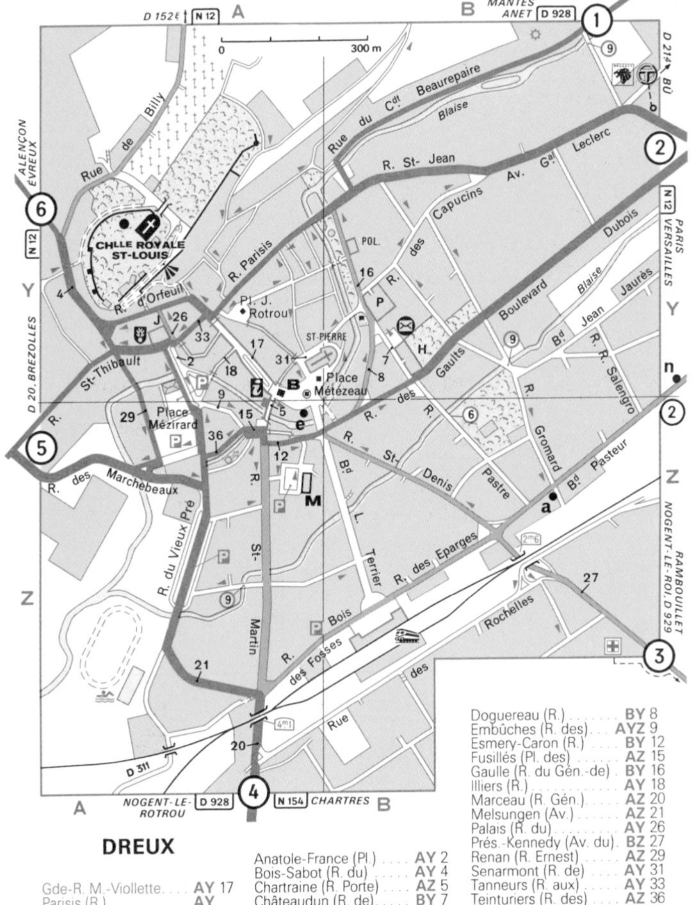

DREUX

DRUSENHEIM 67410 B.-Rhin 57 ⑳ – 4 363 h. alt. 125.

Paris 491 – ♦Strasbourg 26 – Brumath 22 – Haguenau 17 – Saverne 51.

XXX Aub. du Gourmet, rte Strasbourg SO : 1 km ☏ 88 53 30 60, – [P].

DRUYES-LES-BELLES-FONTAINES 89 Yonne 65 ⑭ **G. Bourgogne** – 302 h. alt. 148 – ✉ **89560** Druyes-Belles-Fontaines.

Paris 199 – Auxerre 33 – Clamecy 20 – Gien 74 – Montargis 86.

Aub. des Sources, ☏ 86 41 55 14, Fax 86 41 90 31 – ☎ [P]. AE GB
15 mars-15 nov. et fermé lundi sauf juil.-août – **R** 76/180, enf. 45 – 27 – **18 ch** 170/260 – 1/2 P 178/210.

DUCEY 50220 Manche 59 ⑧ **G. Normandie Cotentin** – 2 069 h. alt. 15.

Paris 307 – Avranches 9,5 – Fougères 33 – ♦Rennes 71 – St-Hilaire-du-Harcouët 16 – St-Lô 70.

Moulin de Ducey [M] sans rest, ☏ 33 60 25 25, Télex 772318, Fax 33 60 26 76, ≤, « Ancien moulin sur la Sélune » – [TV] ☎ [P]. AE GB JCB
40 – **28 ch** 310/460.

Aub. de la Sélune, ☏ 33 48 53 62, Fax 33 48 90 30, « Jardin en bordure de rivière » – ☎. GB. – *fermé mi-janv. à mi-fév. et lundi du 1er oct. au 1er mars* – **Repas** 72/170 – 30 – **19 ch** 230/250 – 1/2 P 245/255.

RENAULT Gar. Lefort ☏ 33 48 51 11

Gar. Pautret Hebert ☏ 33 48 50 74
N ☏ 33 60 42 50

DUCLAIR 76480 S.-Mar. 55 ⑥ G. Normandie Vallée de la Seine – 3 822 h. alt. 8.

Bac: renseignements ✆ 35 37 53 11.

Paris 153 – ♦ Rouen 19 – Dieppe 59 – Lillebonne 32 – Yvetot 20.

XX **Parc,** rte Caudebec ✆ 35 37 50 31, ≤, parc – P. AE ⓓ GB
fermé 3 au 10 août, janv., dim.soir et lundi – **R** 140/230.

XX **Poste** avec ch, ✆ 35 37 50 04, Fax 35 37 39 19, ≤ – cuisinette TV ☎. AE ⓓ GB.
fermé 15 au 31 juil., vacances de nov., de fév. et dim. soir du 1er oct. au 30 mars – **Repas** 80/180 – 28 – **20 ch** 190/300 – ½ P 250/270.

DUINGT 74410 H.-Savoie 74 ⑥ G. Alpes du Nord – 635 h. alt. 450.

Voir Site★.

Paris 549 – Annecy 13 – Albertville 32 – Megève 48 – St-Jorioz 3,5.

Lac M, ✆ 50 68 90 90, ≤, – TV ☎ P. GB.
hôtel : 12 fév.-2 nov. et fermé dim. soir hors sais. ; rest. : 30 avril-4 oct. et fermé dim. soir hors sais. – **R** 115/195, enf. 60 – 37 – **23 ch** 350/460 – ½ P 350/390.

Clos Marcel, ✆ 50 68 67 47, ≤, « Jardin au bord du lac », – ☎ P. GB.
Pâques-30 sept. – **R** 120/178, enf. 55 – 38 – **15 ch** 230/338 – ½ P 335/385.

DUNKERQUE SP 59140 Nord 51 ③ ④ G. Flandres Artois Picardie – 70 331 h. Communauté urbaine 208 546 h alt. 7 – Casino à Malo-les-Bains.

Voir Port★★ : ≤★★ du phare – Musées : Art Contemporain★★ CDY, Beaux-Arts★ CDZ **M**[1].

Dunkerque-Fort-Vallières ✆ 28 61 07 43, par ② : 6 km.

Office de Tourisme Beffroi ✆ 28 66 79 21, Télex 132011 et 48 Digue de Mer ✆ 28 26 28 88 – A.C. 2 r. Amiral-Ronarc'h ✆ 28 66 70 68.

Paris 293 ② – ♦ Calais 42 ③ – ♦ Amiens 148 ② – Ieper 54 ② – ♦ Lille 76 ② – Oostende 55 ①.

DUNKERQUE

Berteaux (Av. M.) AX 10
Bonpain (Pl. de l'Abbé) BX 13
Cambon (Bd P.) BX 17
Clemenceau (R.) ST-POL AX 22
Darses (Chaussées des) AX 25
Jaurès (R. Jean) BX 39
Lille (R. de) BX 45
Littoral (Av. du) BX 46
Malo (R. Célestin) BX 50
Pasteur (R.) BX 56
République (R. de la) AX 61
Waldeck-Rousseau (R.) BX 73

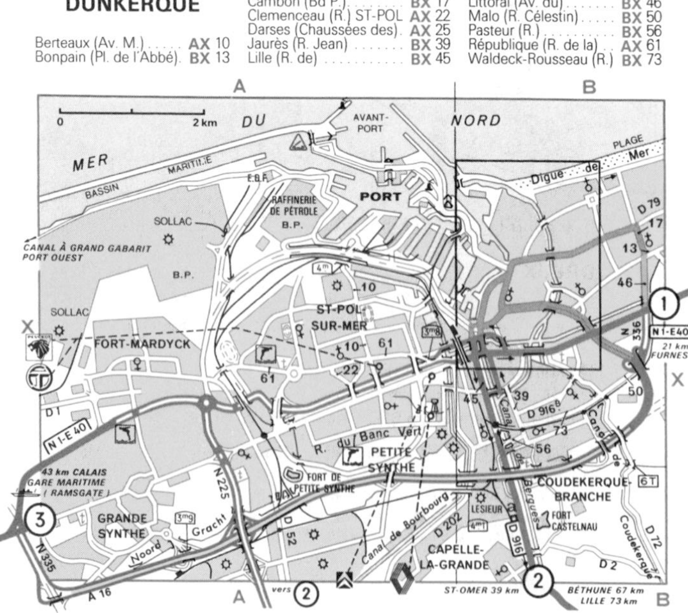

Altéa Reuze, 2 r. J. Jaurès ✆ 28 59 11 11, Télex 110587, Fax 28 63 09 69, ≤ ville et port – rest TV ☎ – 120. AE ⓓ GB CZ **r**
Les Jardins de la Tour ✆ 28 63 07 71 **R** 85/155 bc – 45 – **122 ch** 335/700 – ½ P 340/500.

Europ'H., 13 r. Leughenaer ✆ 28 66 29 07, Télex 120084, Fax 28 63 67 87 – rest TV ☎ – 25 à 300. AE ⓓ GB JCB CY **s**
Le Mareyeur *(fermé dim. soir et lundi)* **R** 80/230 enf. 45 – **Europ Grill** *(fermé dim.)* **R** 85/115 enf.45 – 44 – **120 ch** 277/361.

DUNKERQUE

Albert-1er (R.) . . . . CZ 2
Alexandre-III (Bd) . . . . . . CZ 3
Clemenceau (R.) . . . . CZ 21
Digue de Mer . . . . DY
Faidherbe (Av.) . . . . DY
Geeraert (Av. Adolphe) . DY
Jean-Bart (Pl.) . . . . CZ 41
Malo (Av. Gaspard) . . . . DY 49
Thiers (R.) . . . . CZ 65
Turenne (Pl.) . . . . DY 67

Arbres (R. des) . . . . CDY 6
Asseman (Pl. P.) . . . . DY 8
Bergues
(R. du Canal-de) . . . . CZ 9
Bollaert (Pl. Émile) . . . . . CZ 12
Calonne (Pl.) . . . . DZ 16
Carton Lurat (Av.) . . . . . DZ 18
Écluse-de-Bergues (R.) . CZ 26
Fusiliers-Marins (R.) . . . CZ 30
Gare (Pl. de la) . . . . CZ 32
Gaulle (Pl. du Gén.-de) . CZ 33
Hermitte (R. l') . . . . CY 35
Hollandais (Quai des) . . CZ 36
Hôtel de Ville (R. de l') . DY 37
Jardins (Quai des) . . . . . CZ 38
Jaurès (R. Jean) . . . . CZ 40
Jeu-de-Paume (R. du) . CZ 42
Leughenaer (R. du) . . . . CY 44
Lille (R. de) . . . . CZ 45
Magasin-Général (R.) . . CZ 48
Mar.-de-France
(Av. des) . . . . DY 52
Minck (Pl. du) . . . . CY 53
Paris (R. de) . . . . CZ 54
Prés.-Poincaré (R. du) . . CZ 57
Prés.-Wilson (R. du) . . . CZ 58
Quatre-Écluses (Quai) . CZ 59
République (Av. de la) . DY 60
Sainte-Barbe (Bd) . . . . . CZ 63
Valentin (Pl. C.) . . . . CZ 68
Verley (Bd Paul) . . . . . . DY 69
Victoire
(Pl. et R. de la) . . . . CDY 70
Victor-Hugo (Bd) . . . . . . CZ 72

Les guides Rouges, les guides Verts et les cartes Michelin
sont complémentaires.
Utilisez les ensemble.

Borel M sans rest, 6 r. L'Hermitte ✆ 28 66 51 80, Télex 820050, Fax 28 59 33 82 –
AE GB JCB
35 – **48 ch** 310/370. CY **u**

Welcome H. M, 37 r. Poincaré ✆ 28 59 20 70, Télex 132263, Fax 28 21 03 49 – rest
GB JCB CZ **e**
Relais d'Alsace R carte 140 à 200 – 44 – **40 ch** 314/362.

XXX **Richelieu** (Buffet gare), pl. Gare ✆ 28 66 52 13 – AE GB CZ
fermé dim. soir et fériés le soir – **R** 125/185.

à Malo-les-Bains – ✉ **59240** Dunkerque :

Hirondelle, 46 av. Faidherbe ✆ 28 63 17 65, Télex 132138, Fax 28 63 17 65 – –
40. GB DY **r**
R *(fermé 16 août au 6 sept., vacances de fév., dim. soir et lundi)* 60/260 – 26 – **42 ch** 220/275.

Trianon sans rest, 20 r. Colline ✆ 28 63 39 15 – . GB DY **d**
25 – **12 ch** 120/170.

Au Rivage, 7 r. Flandre ✆ 28 63 19 62, Fax 28 66 38 59 – – 40. GB
fermé 17/9 au 16/10, 2 au 8/1, vend. de sept. à juin (sauf rest.), lundi en juil.-août (sauf hôtel) et dim. soir – **R** 58/220 – 28 – **15 ch** 150/220 – ½ P 200/240. DY **n**

à Téteghem par ① et D 204 : 6 km – 5 839 h. – ✉ **59229**

XXXX ✿ **La Meunerie** (Delbé) M avec ch, au Galghouck SE : 2 km par D 4 ✆ 28 26 14 30, Télex 132253, Fax 28 26 17 32, « Décor élégant », – rest . GB
fermé 23 déc. à fin janv. – **R** *(fermé dim. soir et lundi)* 300 bc/480 – 65 – **8 ch** 500/750
Spéc. Salade de rougets aux agrumes (printemps), Escalope de foie gras de canard aux légumes de pot-au-feu (hiver), Table de desserts.

à Coudekerque-Branche S : 4 km sur D 916 – 23 644 h. – ✉ **59210** :

XXX **Le Soubise,** 49 rte Bergues ✆ 28 64 66 00 – . AE GB BX **a**
fermé sam. midi et dim. soir – **R** 95/235, enf. 45.

à Cappelle-la-Grande par ② et D 916 : 5 km – 8 908 h. – ✉ **59180** :

XX **Le Bois de Chêne,** 48 rte Bergues ✆ 28 64 21 80, Fax 28 61 22 00, – . GB
fermé 1er au 8 mars, 5 au 25 août, dim. soir et sam. – **R** 120/160.

au Lac d'Armbouts-Cappel S : 9 km par N 225 (sortie Bourbourg) – ✉ **59380** Armbouts-Cappel :

Mercure , ✆ 28 60 70 60, Télex 820916, Fax 28 61 06 39 – ch – 80. AE
GB
R 95 bc/135 bc, enf. 45 – 45 – **64 ch** 390/510.

Campanile, ✆ 28 64 64 70, Télex 132294, Fax 28 60 53 12, – – 30. AE
GB
R 77 bc/99 bc, enf. 39 – 28 – **42 ch** 258 – ½ P 234/256.

RENAULT Renault-Dunkerque, 561 av. Villette ✆ 28 62 73 00

Fischbach Pneu, 47 r. Abbé-Choquet ✆ 28 24 36 15

La Clinique du Pneu, 12 quai 4-Écluses ✆ 28 64 62 70

Périphérie et environs

CITROEN Sté Dunkerquoise-Cabour, 715 av. Petite-Synthe ✆ 28 61 64 00 N ✆ 28 68 61 44
PEUGEOT-TALBOT Gar. Dubus, av. Maurice Berteaux à St-Pol-sur-Mer ✆ 28 60 34 34

Littoral Pneus Service, r. A.-Carrel à Petite-Synthe ✆ 28 60 02 00

Pneus et Services D.K., 16 r. Samaritaine à St-Pol-sur-Mer ✆ 28 64 76 74
Réform-Pneus, r. Albeck, ZI à Petite-Synthe ✆ 28 61 43 10

DUN-LE-PALESTEL 23800 Creuse 68 ⑱ – 1 203 h. alt. 366.

Syndicat d'Initiative r. des Sabots (15 juin-15 sept.) ✆ 55 89 00 75 et à la Mairie ✆ 55 89 01 30.

Paris 338 – Aigurande 22 – Argenton-sur-Creuse 39 – La Châtre 48 – Guéret 28 – La Souterraine 19.

Joly, ✆ 55 89 00 23 – . GB. rest
fermé 1er au 20 mars, 5 au 25 oct., dim. soir et lundi midi – **Repas** 57/220, enf. 36 – 25 – **14 ch** 150/300 – ½ P 150/200.

France, ✆ 55 89 07 72 – . GB
fermé 11 au 20 nov., 1er au 8 fév., vend. soir et sam. sauf juil.-août – **R** 60/160 – 25 – **12 ch** 100/220 – ½ P 140/170.

PEUGEOT TALBOT Gar. Colas, Chabannes à St-Sulpice-le-Dunois ✆ 55 89 16 48

DUN-SUR-AURON 18130 Cher 69 ① G. Berry Limousin – 4 261 h. alt. 186.

Syndicat d'Initiative Hôtel de Ville ✆ 48 59 50 40.

Paris 268 – Bourges 28 – Issoudun 52 – Montluçon 67 – Moulins 79 – Nevers 57.

Beffroy, ✆ 48 59 50 72 – TV ☎. GB. ✗ rest
fermé 15 janv. au 15 fév., dim. soir et lundi du 15 sept. à Pâques – **R** 68/220 – ☕ 24 – **10 ch** 190/260 – ½ P 150/220.

CITROEN Gar. Migeon, pl. Libération ✆ 48 59 50 18
PEUGEOT Gar. Rousseau, bd Mar.-Foch ✆ 48 59 51 49
RENAULT Gar. Dupont, 6 r. Abreuvoir ✆ 48 59 50 06

DURAS 47120 L.-et-G. 75 ⑬ G. Pyrénées Aquitaine – 1 200 h. alt. 122.

Paris 578 – Périgueux 85 – Agen 90 – Marmande 23 – Ste-Foy-la-Grande 21.

Host. des Ducs, ✆ 53 83 74 58, Fax 53 83 75 03, ☂, ⛱, ✿ – TV ☎ P. GB
fermé dim. soir et lundi sauf juil.-août – **R** 80/350 ♈, enf. 55 – ☕ 35 – **15 ch** 170/320 – ½ P 270/350.

Aub. du Château, ✆ 53 83 70 58, ☂ – ☎. AE ① GB
fermé 15 nov. au 15 déc. et merc. du 1er sept. au 30 juin – **R** 65/185 ♈, enf. 45 – ☕ 25 – **10 ch** 145/230 – ½ P 190/220.

DURBAN-CORBIERES 11360 Aude 86 ⑨ – 673 h.

Paris 878 – ♦Perpignan 52 – Carcassonne 57 – Narbonne 31.

XXX ✿ **Le Moulin** (Moreno), S : 0,5 km par VO ✆ 68 45 81 03, Fax 68 45 83 31, ≤ Corbières et château, « Ancien moulin au milieu des vignes », ⛱ – ▤ P. AE GB. ✗
fermé fév., dim. soir et lundi sauf de juin à août – **R** 138/287
Spéc. Foie gras frais sel et poivre, Morue aux petits gris, Filet de boeuf au Fitou.

DUREIL 72 Sarthe 64 ② – rattaché à Malicorne-sur-Sarthe.

DURFORT 30 Gard 80 ⑰ – rattaché à Anduze.

DURTAL 49430 M-et-L. 64 ② G. Châteaux de la Loire – 3 195 h. alt. 28.

Syndicat d'Initiative à la Mairie (juil.-août) ✆ 41 76 30 24.

Paris 259 – Angers 39 – ♦Le Mans 60 – La Flèche 12 – Laval 67 – Saumur 54.

XX **Boule d'Or,** 19 av. d'Angers ✆ 41 76 30 20 – P. GB
fermé 6 au 31 août, 17 au 27 fév., dim. soir, mardi soir et merc. – **R** 58/175, enf. 38.

DURY 80 Somme 52 ⑱ – rattaché à Amiens.

EAUZE 32800 Gers 82 ③ G. Pyrénées Aquitaine – 4 137 h. alt. 141.

Syndicat d'Initiative pl. Armagnac ✆ 62 09 85 62.

Paris 730 – Auch 56 – Mont-de-Marsan 52 – Aire-sur-l'Adour 39 – Condom 28.

X **Aub. de Guinlet** ⚲ avec ch, NE : 7 km par D 931, D 29 et VO ✆ 62 09 85 99, golf, ⛱, ✿, ✗ – TV ☎ P – 🏛 30. GB. ✗ ch
fermé vend. soir d'oct. à juin – **R** 55/160 ♈ – ☕ 25 – **8 ch** 210/350 – ½ P 200.

à Manciet SO : 9 km par D 931 – ✉ **32370** :

XX La Bonne Auberge avec ch, ✆ 62 08 50 04, Fax 62 08 58 84 – TV ☎
13 ch.

à Bourrouillan SO : 15 km par D 931 et D 109 – ✉ **32370** :

XX **Moulin du Comte** avec ch, ✆ 62 09 06 72, ⛱, ✿ – TV ☎ P. AE GB
fermé janv. – **R** *(fermé lundi de nov. au 1er mars)* 100/200, enf. 60 – ☕ 28 – **10 ch** 250/300 – ½ P 260.

CITROEN Fitte J.P., à Manciet ✆ 62 08 50 15
CITROEN Réquena ✆ 62 09 95 90
FIAT Fourteau ✆ 62 09 80 04
PEUGEOT, TALBOT Ducos ✆ 62 09 86 21
RENAULT Junca ✆ 62 09 83 23 N ✆ 62 09 71 01
RENAULT Gourgues ✆ 62 09 93 15
N ✆ 05 05 15 15

Central Pneu, ✆ 62 09 81 52

EBERSHEIM 67600 B.-Rhin 62 ⑲ 87 ⑥ – 1 675 h. alt. 166.

Paris 439 – ♦Strasbourg 40 – Colmar 30 – Sélestat 6,5 – St Dié 47.

XX **Relais des Vosges,** ✆ 88 85 70 01, ✿ – P. AE GB
fermé 1er au 15 août, 22 au 29 déc., vacances de fév., dim. soir et lundi – **R** 190/270.

EBREUIL 03450 Allier 73 ④ G. Auvergne – 1 148 h. alt. 316.

Voir Église St-Léger★.

Syndicat d'Initiative à la Mairie ✆ 70 90 71 33.

Paris 389 – ♦Clermont-Ferrand 48 – Aigueperse 19 – Aubusson 101 – Gannat 10 – Montluçon 54 – Moulins 60 – Riom 35.

Commerce, ✆ 70 90 72 66, ✿ – ☎. GB. ✗ ch
fermé oct. et lundi – **R** 85/200 ♈ – ☕ 23 – **20 ch** 130/350 – ½ P 240.

PEUGEOT-TALBOT Pouzadoux ✆ 70 90 72 05

ÉCHALLON 01490 Ain 74 ④ ⑤ – 550 h. alt. 760.
Voir Site★ du lac Génin O : 3 km, **G. Jura.**
Paris 493 – Bellegarde-sur-V. 16 – Bourg-en-Bresse 64 – Nantua 18 – Oyonnax 13 – St-Claude 28.

Poncet ⛰, au Crêt N : 1,5 km ✆ 74 76 48 53, Fax 74 76 45 36, ≤, – ☎ P. GB. ✻ ch
fermé 16 au 28 mars, 1er nov. au 20 déc., 11 au 20 janv. et mardi sauf vacances scolaires – **R** 75/250, enf. 50 – ☕ 30 – **17 ch** 100/300 – ½ P 170/250.

Aub. de la Semine avec ch, ✆ 74 76 48 75, – P. GB
fermé 1er au 27 déc., dim. soir et merc. hors sais. – **R** 95/165 – ☕ 25 – **10 ch** 160 – ½ P 170.

Les ÉCHELLES 73360 Savoie 74 ⑮ **G. Alpes du Nord** – 1 246 h. alt. 386.
Syndicat d'Initiative à la Mairie ✆ 79 36 60 49.
Paris 540 – ◆ Grenoble 39 – Chambéry 23 – ◆Lyon 89 – Valence 103.

à Chailles N : 5 km – ✉ 73360 Les Échelles :

Aub. du Morge, N 6 ✆ 79 36 62 76, Fax 79 36 51 65, , – ☎ P. GB. ✻ ch
fermé 25 nov. au 15 janv. et merc. sauf vacances scolaires – **R** 90/200, enf. 60 – ☕ 25 – **8 ch** 160/210 – ½ P 220/250.

ECHEMIRÉ 49 M.-et-L. 64 ② – rattaché à Baugé.

Les ÉCHETS 01 Ain 74 ② – alt. 276 – ✉ 01700 Miribel.
Paris 457 – ◆ Lyon 20 – L'Arbresle 28 – Bourg-en-Bresse 45 – Meximieux 31 – Villefranche-sur-S. 28.

XXX **La Table des Dombes** avec ch, ✆ 78 91 80 05, Fax 78 91 00 69, , – TV ☎ P. AE GB
R 160/210 – ☕ 45 – **8 ch** 260/360.

XXX **Marguin** avec ch, ✆ 78 91 80 04, Fax 78 91 06 83, , – ☎ P. AE O GB. ✻ ch
fermé 1er au 10 sept., 4 au 21 janv., mardi soir et merc. – **R** 140/310, enf. 60 – ☕ 35 – **9 ch** 155/310.

ÉCHIGEY 21 Côte-d'Or 166 ⑫ – rattaché à Genlis.

ÉCHIROLLES 38 Isère 77 ⑤ – rattaché à Grenoble.

ÉCLUZELLES 28 E.-et-L. 60 ⑦, 106 ㉕ – rattaché à Dreux.

ÉCOLE VALENTIN 25 Doubs 166 ⑮ – rattaché à Besançon.

ÉCOUCHÉ 61 Orne 60 ② – rattaché à Argentan.

ÉCURIE 62 P.-de-C. 53 ② – rattaché à Arras.

ÉGLETONS 19300 Corrèze 75 ⑩ – 4 487 h. alt. 650.
Syndicat d'Initiative 9 r. B.-de-Ventadour (15 juin-15 sept.) ✆ 55 93 04 34.
Paris 469 – Aurillac 98 – Aubusson 76 – ◆Limoges 96 – Mauriac 49 – Tulle 29 – Ussel 28.

Ibis M, rte Ussel par N 89 : 1,5 km ✆ 55 93 25 16, Télex 590946, Fax 55 93 37 54, , ✻ – TV ☎ ♿ P – 🏛 30. GB
R 110 🍷, enf. 39 – ☕ 30 – **41 ch** 260/350 – ½ P 230.

XX **Au Relais d'Égletons** avec ch, 117 av. Ventadour ✆ 55 93 21 16 – ☎. GB. ✻
hôtel : fermé 24 déc. au 5 janv., dim. soir et lundi ; rest. : ouvert 1/5-10/10 et fermé dim. soir et lundi – **R** 110/250, enf. 70 – ☕ 25 – **6 ch** 150/170 – ½ P 180/200.

CITROEN Gar. Courteix, rte de Bordeaux N 89 ✆ 55 93 07 64
FORD Gar. Lachaud, rte de Tulle ✆ 55 93 14 33

ÉGUILLES 13 B.-du-R. 84 ③ – rattaché à Aix-en-Provence.

EGUISHEIM 68420 H.-Rhin 62 ⑱ ⑲ **G. Alsace Lorraine** – 1 530 h. alt. 204.
Voir Village★ – Route des Cinq Châteaux★ SO : 3 km.
Paris 448 – Colmar 5,5 – Belfort 65 – Gérardmer 50 – Guebwiller 21 – ◆Mulhouse 41 – Rouffach 10.

XX **Le Caveau d'Eguisheim,** ✆ 89 41 08 89, Fax 89 23 79 99 – AE O GB
fermé 7 au 16 juil., 22 au 29 déc., 12 fév. au 11 mars, mardi soir et merc. – **R** (nombre de couverts limité, prévenir) 144/350 🍷, enf. 70.

ÉLINCOURT-STE-MARGUERITE 60 Oise 56 ② – rattaché à Compiègne.

ELNE 66200 Pyr.-Or. 86 ⑳ **G. Pyrénées Roussillon** – 6 262 h. alt. 52.
Voir Cloître★★.
Office de Tourisme à la Mairie ✆ 68 22 05 07.
Paris 926 – ◆ Perpignan 13 – Argelès-sur-Mer 7,5 – Céret 27 – Port-Vendres 18 – Prades 55.

ALFA ROMEO SEAT Gar. Garin, 7 r. Denis Papin, Z.I. ✆ 68 22 75 93
CITROEN Gar. Falguéras, 8 bd Évadés-de-France ✆ 68 22 07 58
CITROEN Subiros, rte d'Alenya, ZI ✆ 68 22 07 02 N
RENAULT Martre, rte de Perpignan ✆ 68 22 23 00

ÉLOISE 74 H.-Savoie 74 ⑤ – rattaché à Bellegarde-sur-Valserine.

ELSENHEIM 67390 B.-Rhin 87 ⑦ – 637 h.
Paris 449 – Colmar 18 – Ribeauvillé 15 – Sélestat 14 – ◆Strasbourg 61.

XX **Cottage Fleuri,** 22 r. Principale ☎ 88 92 51 59 – AE ⓓ GB
fermé 10 au 17 août, 24 janv. au 15 fév., dim. soir (hors sais.) et lundi – **R** 98/220 ⅓, enf. 40.

CITROEN Krimm, ☎ 88 92 56 64

ELVEN 56250 Morbihan 63 ③ – 3 312 h. alt. 88.
Voir Forteresse de Largoët★ SO : 4 km, **G. Bretagne.**
Paris 440 – Vannes 17,5 – Ploërmel 29,5 – Redon 45 – ◆Rennes 91 – La Roche Bernard 39.

Host. du Lion d'Or, 5 pl. Le Franc ☎ 97 53 33 52, Fax 97 53 55 08 – ☎. GB
fermé 26 oct. au 4 nov., 21 au 27 déc., dim. soir et lundi hors sais. – **R** 55/180 – ☐ 25 – **10 ch** 190/280 – ½ P 190/210.

FIAT Gar. Tastard, 19 r. du Calvaire ☎ 97 53 31 11
PEUGEOT Gar. Tastard, 4 r. Rochefort ☎ 97 53 33 65

EMBRUN 05200 H.-Alpes 77 ⑰ ⑱ **G. Alpes du Sud** – 5 793 h. alt. 870.
Voir Cathédrale N.-Dame★ : trésor★ – Peintures murales★ dans la chapelle des Cordeliers.
Office de Tourisme pl. Gén.-Dosse ☎ 92 43 01 80.
Paris 712 – Briançon 50 – Gap 38 – Barcelonnette 56 – Digne 93 – Guillestre 22 – Sisteron 83.

Lac M, au Plan d'Eau SO : 1,5 km ☎ 92 43 11 08, Télex 405863, Fax 92 43 42 29, ⛱, 🌳 – TV ☎ ♿ P. AE GB
R *(fermé dim. soir et lundi du 10 sept. au 10 juin)* 95/110, enf. 45 – ☐ 30 – **36 ch** 240/280 – ½ P 250/290.

Mairie, pl. Barthelon ☎ 92 43 20 65, ⛱ – TV ☎. AE ⓓ GB
1er juin-30 sept., 1er déc.-10 mai et fermé lundi en hiver sauf vacances scolaires – **R** 80/83 ⅓ – ☐ 27 – **22 ch** 213/233 – ½ P 203/223.

Notre-Dame, av. Gén. Nicolas ☎ 92 43 08 36, 🌳 – TV ☎. AE ⓓ GB
fermé nov., déc. et lundi sauf vacances scolaires – **R** 85/140 ⅓, enf. 48 – ☐ 30 – **15 ch** 125/240 – ½ P 185/265.

rte de Gap SO : 3 km – ✉ 05200 Embrun :

Les Bartavelles, ☎ 92 43 20 69, Télex 401480, Fax 92 43 11 92, ←, ⛱, 🏊, 🌳, 🎾 – TV ☎ P – 🏛 35. AE ⓓ GB JCB
R 98/265, enf. 65 – ☐ 42 – **43 ch** 255/420 – ½ P 280/350.

PEUGEOT, TALBOT Gar. Esmieu rte de St-André ☎ 92 43 04 18 N
RENAULT Dusserre-Bresson, à Baratier ☎ 92 43 02 79 N
RENAULT Espitallier, rte du Lycée ☎ 92 43 02 49

ÉMERAINVILLE 77 S.-et-M. 61 ②, 101 ㉙ – voir à Paris, Environs (Marne-la-Vallée).

ÉMERINGES 69840 Rhône 74 ① – 182 h. alt. 350.
Paris 411 – Mâcon 19 – Chauffailles 44,5 – ◆Lyon 65,5.

X **Les Vignerons,** ☎ 74 04 45 72 – GB
fermé 22 sept. au 10 oct., dim. soir, lundi et mardi – **R** 165/195.

ENCAUSSE-LES-THERMES 31160 H.-Gar. 86 ① – 560 h. alt. 363.
Paris 790 – Bagnères-de-Luchon 38 – St-Gaudens 9 – St-Girons 42 – Sauveterre-de-Comminges 8,5 – ◆Toulouse 94.

XX **Marronniers** avec ch, ☎ 61 89 17 12, ⛱, 🌳 – P. GB
fermé 2 janv. au 1er fév., dim. soir et lundi hors sais. – **R** 62/150 ⅓, enf. 30 – ☐ 24 – **10 ch** 120/150 – ½ P 145.

ENGENTHAL 67 B.-Rhin 62 ⑧ – rattaché à Wangenbourg.

ENGHIEN-LES-BAINS 95 Val-d'Oise 55 ⑳, 101 ⑤ – voir à Paris, Environs.

ENGLOS 59 Nord 51 ⑮ – rattaché à Lille.

ENNEZAT 63720 P.-de-D. 73 ④ **G. Auvergne** – 1 915 h. alt. 383.
Voir Église★.
Paris 417 – ◆Clermont Ferrand 20 – Lezoux 17,5 – Riom 9 – Thiers 32,5 – Vichy 34.

Hure d'Argent, 5 r. Horloge ☎ 73 63 80 39 – TV ☎. GB
fermé août et dim. soir – **R** 70/160 ⅓ – ☐ 22 – **14 ch** 200/250 – ½ P 250/270.

ENSISHEIM 68190 H.-Rhin 166 ⑩ **G. Alsace Lorraine** – 6 164 h. alt. 217.
Paris 472 – ◆Mulhouse 17 – Colmar 26 – Guebwiller 13 – Thann 23.

XXX **La Couronne** avec ch, 47 r. 1e Armée Française ☎ 89 81 03 72, Fax 89 26 40 05, « Maison du 17e siècle » – ☎ P. AE ⓓ GB
R *(fermé 15 juil. au 1er août, sam. midi, dim. soir et lundi)* 220/370 – ☐ 45 – **12 ch** 280/400.

ENTRAIGUES-SUR-SORGUES 84 Vaucluse 81 ⑫ – rattaché à Sorgues.

ENTRAYGUES-SUR-TRUYÈRE 12140 Aveyron 76 ⑫ **G. Gorges du Tarn** (plan) – 1 495 h. alt. 230.
Voir Pont gothique★ – Rue Basse★.
Env. SE : Gorges du Lot★★ – Barrage de Couesque★ N : 8 km.
Syndicat d'Initiative Tour-de-Ville ☎ 65 44 56 10.
Paris 603 – Aurillac 46 – Rodez 47 – Figeac 71 – Mende 120 – St-Flour 85.

- **Truyère,** ☎ 65 44 51 10, Fax 65 44 57 78, ≤ – ▮ ☎ P – 30. GB. rest
  fin mars-30 nov. – **R** *(fermé lundi)* 65/190 ♁, enf. 48 – ☐ 37 – **25 ch** 160/260 – ½ P 219/244.
- **Centre,** ☎ 65 44 51 19 – ☎. GB
  fermé 22 déc. au 2 janv. et sam. (sauf hôtel de mai à sept.) – **R** 55/150 ♁ – ☐ 25 – **18 ch** 150/200 – ½ P 190/210.
- **Deux Vallées,** ☎ 65 44 52 15 – ▮ ☎ . GB
  fermé janv. – **R** 52/130 ♁ – ☐ 26 – **18 ch** 180/220 – ½ P 200.

RENAULT Marty, 21 av. Pont-de-Truyère ☎ 65 44 51 14

ENTRECHAUX 84 Vaucluse 81 ③ – rattaché à Vaison-la-Romaine.

ENTZHEIM 67 B.-Rhin 87 ⑤ – rattaché à Strasbourg.

ENVEITG 66 Pyr.-Or. 86 ⑯ – 545 h. alt. 1 200 – ✉ 66760 Bourg-Madame.
Paris 873 – Font-Romeu 18 – Andorre-la-Vieille 59 – Ax-les-Thermes 50 – ◆Perpignan 105.

- **Transpyrénéen** ⛰, ☎ 68 04 81 05, Fax 68 04 83 75, ≤, – ▮ ☎ ♿ P. AE ① GB
  8 juin-30 sept. et 15 déc.-10 mai – **R** 80/150, enf. 50 – ☐ 32 – **30 ch** 150/280 – ½ P 190/260.

ENVERMEU 76630 S.-Mar. 52 ⑤ **G. Normandie Vallée de la Seine** – 1 960 h. alt. 11.
Voir Choeur★ de l'église.
Paris 159 – ◆Amiens 87 – Blangy-sur-Bresle 32 – Dieppe 14 – Neufchâtel-en-Bray 25 – ◆Rouen 73 – Le Tréport 28.

- **Aub. Caves Normandes,** rte St-Nicolas ☎ 35 85 71 28 – P. GB
  fermé 6 au 31 janv., dim. soir et lundi – **Repas** 67/99 ♁, enf. 45.

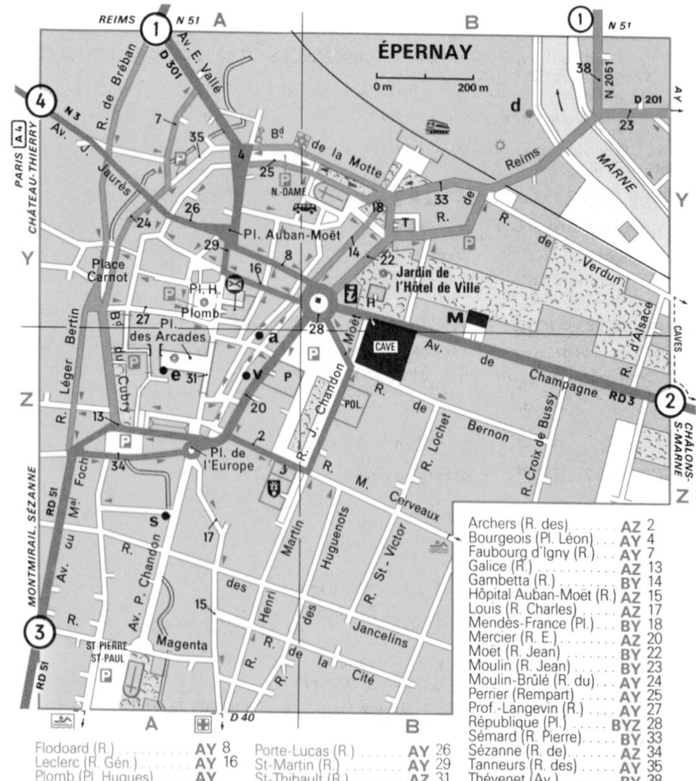

Archers (R. des) AZ 2
Bourgeois (Pl. Léon) AY 4
Faubourg d'Igny (R.) AY 7
Galice (R.) AZ 13
Gambetta (R.) BY 14
Hôpital Auban-Moët (R.) AZ 15
Louis (R. Charles) AZ 17
Mendès-France (Pl.) BY 18
Mercier (R. E.) AZ 20
Moët (R. Jean) BY 22
Moulin (R. Jean) BY 23
Moulin-Brûlé (R. du) AY 24
Perrier (Rempart) AY 25
Prof.-Langevin (R.) AY 27
République (Pl.) BYZ 28
Sémard (R. Pierre) BY 33
Sézanne (R. de) AZ 34
Tanneurs (R. des) AY 35
Thévenet (Av.) BY 38

Flodoard (R.) AY 8
Leclerc (R. Gén.) AY 16
Plomb (Pl. Hugues) AY
Porte-Lucas (R.) AY 26
St-Martin (R.) AY 29
St-Thibault (R.) AZ 31

ÉPERNAY <SP> 51200 Marne 56 ⑯ G. Champagne – 26 682 h. alt. 72.

Voir Caves de Champagne★ BYZ – Musée municipal★ BY **M** – Côte des Blancs★ par ③.

Office de Tourisme avec A.C. 7 av. Champagne ✆ 26 55 33 00.

Paris 143 ④ – ♦Reims 25 ① – Châlons-sur-Marne 34 ② – Château-Thierry 49 ④ – Meaux 96 ③ – Soissons 71 ① – Troyes 110 ③.

Plan page précédente

Berceaux, 13 r. Berceaux ✆ 26 55 28 84, Télex 842717, Fax 26 55 10 36 – AE GB — AZ a
R *(fermé dim. soir)* 150/320, enf. 60 – 35 – **29 ch** 310/400 – ½ P 375.

Ibis M, 19 r. Chocatelle ✆ 26 55 34 34, Télex 841032, Fax 26 55 41 72 – GB — AZ e
R 79, enf. 39 – 32 – **64 ch** 275/300 – ½ P 240.

Champagne sans rest, 30 r. E.-Mercier ✆ 26 55 30 22, Fax 26 51 94 63 – AE GB — AZ v
fermé 1er au 15 janv. – 37 – **32 ch** 245/410.

Climat de France, r. Lorraine par ② : 1 km ✆ 26 54 17 39, Télex 842720, Fax 26 51 88 78, – GB
R 81/115, enf. 42 – 30 – **33 ch** 250 – ½ P 200.

St Pierre sans rest, 14 av. P. Chandon ✆ 26 54 40 80 – GB — AZ s
23 – **15 ch** 93/173.

La Terrasse, 7 quai Marne ✆ 26 55 26 05, Fax 26 55 33 79 – AE GB — BY d
fermé 1er au 21 fév., dim. soir et lundi sauf fériés – **R** 72/250, enf. 55.

à Dizy zone commerciale par ① rte de Reims : 3,5 km – ✉ 51200 :

Primevère M, ✆ 26 51 00 13, – 30. GB
R 71/95, enf. 39 – 30 – **45 ch** 230/250.

à Champillon par ① : 6 km – alt. 180 – ✉ 51160 :

❀ **Royal Champagne** M, N 2051 ✆ 26 52 87 11, Télex 830111, Fax 26 52 89 69, ≤ Épernay et vallée de la Marne, – AE GB
R *(fermé 2 au 25 janv.)* 330/400 - **Les Sabretaches** *(fermé août, 1er au 25 janv., sam. et dim.)* **R** (déj. seul.) 150 – 70 – **23 ch** 700/1200
Spéc. Poêlée de foie gras aux légumes, Filet de turbot au Champagne, Savarin tiède au chocolat et glace vanille. **Vins** Cumières rouge, Champagne.

à Vinay par ③ : 6 km – ✉ 51200 :

❀ **La Briqueterie** M, rte. de Sézanne ✆ 26 59 99 99, Télex 842007, Fax 26 59 92 10, – 30. AE GB
fermé 20 au 26 déc. – **R** 230 (déj.)/410, enf. 120 – 75 – **40 ch** 760/880
Spéc. Foie gras frais au ratafia, Turbot poché au sabayon de Champagne, Filet de boeuf à la moelle sauce au Bouzy. **Vins** Bouzy blanc, Cumières rouge.

à Vauciennes par ④ : 7 km – ✉ 51200 :

Aub. de la Chaussée avec ch, sur N 3 ✉ 51480 ✆ 26 58 40 66 – GB
fermé 21 août au 11 sept., 21 au 27 fév. et lundi soir – **R** 60/125, enf. 40 – 20 – **9 ch** 90/210 – ½ P 135/170.

BMW-SEAT Guimier, 4-6 r. Placet ✆ 26 55 32 25 N ✆ 26 55 39 39
CITROEN Gar. Ardon, rte de Reims à Dizy ✆ 26 55 58 11
FIAT Magenta-Automobiles, 64 av. Thévenet à Magenta ✆ 26 51 04 56
FORD Rebeyrolle, 7 quai Villa ✆ 26 55 59 65
MERCEDES, TOYOTA Gar. Ténédor, 1 pl. Martyrs-Résistance ✆ 26 51 97 77
OPEL Gar. Quénardel, 10 av. Thévenet à Magenta ✆ 26 54 03 80
PEUGEOT-TALBOT Gar. Beuzelin, 75 av. Thévenet à Magenta ✆ 26 51 10 66
RENAULT Automotor, 100 av. Thévenet à Magenta ✆ 26 55 67 11 N ✆ 26 58 58 58

Guillemin Pneus et Services, 94 av. A.-Thévenet à Magenta ✆ 26 55 27 47

ÉPINAL P 88000 Vosges 62 ⑯ G. Alsace Lorraine – 36 732 h. alt. 340.

Voir Vieille ville★ : Basilique★ BZ **E** – Parc du château★ BZ – Musée : Vosges et Imagerie★★ AZ.

18 ✆ 29 34 65 97, par ② à 3 km du centre.

Office de Tourisme 13 r. Comédie ✆ 29 82 53 32 – A.C. 10 r. C.-Gelée ✆ 29 35 18 14.

Paris 375 ⑥ – Belfort 96 ④ – Colmar 93 ② – ♦Mulhouse 106 ④ – ♦Nancy 71 ⑥ – Vesoul 89 ④.

Plan page suivante

Mercure M, 13 pl. E. Stein ✆ 29 35 18 68, Télex 960277, Fax 29 35 12 11 – ch – 30 à 150. AE GB — AZ e
R *(fermé sam. midi)* 115, enf. 45 – 55 – **46 ch** 410/540 – ½ P 340/420.

Le Colombier sans rest, 104 fg Ambrail BZ ✆ 29 35 50 05, Fax 29 35 22 14 – AE GB
fermé 17 juil. au 10 août et 24 déc. au 4 janv. – 28 – **32 ch** 186/265.

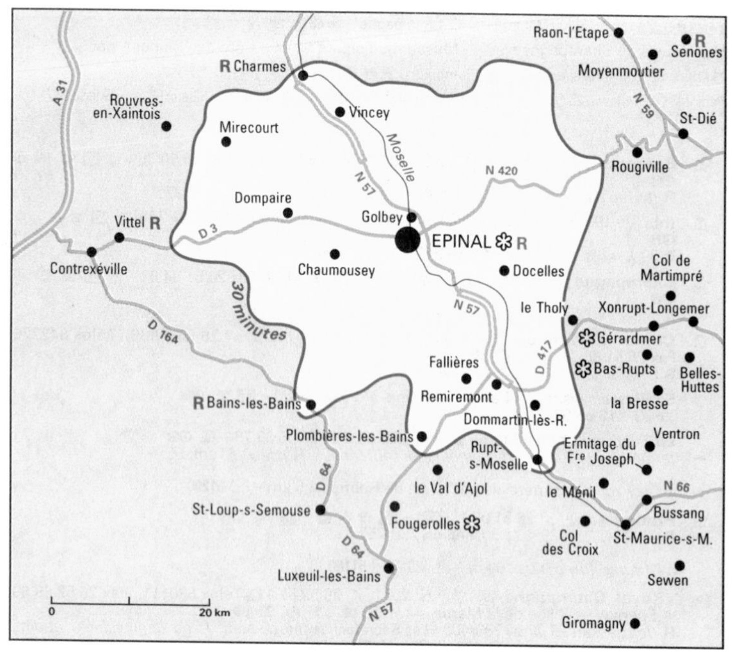

Bristol sans rest, 12 av. Gén. de Gaulle ✆ 29 82 10 74, Fax 29 35 35 14 – TV ☎ . AE ⓓ GB — AY **b**
fermé 22 déc. au 1er janv. – ☕ 35 – **46 ch** 200/290.

Ibis M, quai Mar. de Contades ✆ 29 64 28 28, Télex 850053, Fax 29 35 37 88 – |‡| TV ☎ ♿ P – 🏛 30 à 50. GB — BY **d**
R 79 ⅄, enf. 39 – ☕ 32 – **60 ch** 280/300 – ½ P 255.

Europe sans rest, 16 rue F. Blaudez ✆ 29 82 21 04, Fax 29 64 23 47 – |‡| TV ☎. AE GB — BZ **x**
fermé 23 déc. au 4 janv. – ☕ 25 – **36 ch** 120/260.

Azur sans rest, 54 quai Bons Enfants ✆ 29 64 05 25 – TV ☎. GB — AZ **r**
☕ 24 – **20 ch** 105/230.

XXX ✿ **Les Abbesses** (Aiguier), 23 r. Louvière ✆ 29 82 53 69, 🍽 – AE GB — BZ **k**
fermé 15 au 31 août – **R** 230/380
Spéc. Hachis Parmentier de homard, Millefeuille de pigeonneau, Gâteau de grenouilles aux pommes de terre. **Vins** Côtes de Toul.

XXX ✿ **Relais des Ducs de Lorraine** (Obriot), 16 quai Col. Sérot ✆ 29 34 39 87, Fax 29 34 27 61 – GB — BY **n**
fermé 2 au 8 mars, 15 août au 1er sept., dim. soir et lundi – **R** 190/365
Spéc. Marbré de homard et foie gras, Colvert en trois services (juil. à mars), Soufflé mirabelle. **Vins** Gris de Toul, Pinot noir.

X **Le Petit Robinson,** 24 r. R. Poincaré ✆ 29 34 23 51 – GB — BZ **s**
fermé 15 juil. au 15 août, sam. midi et dim. – **Repas** 100/175 ⅄.

X **Les Ptit' Bouch',** 6 r. Petites Boucheries ✆ 29 82 54 70 – ▤. AE GB — AZ **u**
fermé août, Noël au Jour de l'An, sam. midi et dim. – **R** 98/180 ⅄.

par ① : 3 km – ✉ **88000** Épinal :

La Fayette M, parc économique Le Saut Le Cerf ✆ 29 31 15 15, Télex 850590, Fax 29 31 07 08, 🍽, 🏋, 🏊 – ⇌ ch ▤ rest TV ☎ ♿ P – 🏛 50. AE ⓓ GB
R 95/230 – ☕ 40 – **48 ch** 340/480.

Campanile, Bois Voivre ✆ 29 31 38 38, Télex 961107, Fax 29 34 71 65, 🍽 – TV ☎ ♿ P – 🏛 30. AE GB
R 77 bc/99 bc, enf. 39 – ☕ 28 – **41 ch** 258 – ½ P 234/256.

à Chaumousey par ⑤ *et D 460 : 10 km* – ✉ **88390** :

XX **Le Calmosien,** ✆ 29 66 80 77 – AE ⓓ GB
fermé dim. soir et lundi – **R** 100/250, enf. 45.

ÉPINAL

Bons-Enfants (Quai des) . AZ 6
États-Unis (R. des) . . . . . AY

Léopold-Bourg (R.) . . . . AY 21
170e-Régt-d'Inf. (R. du) . . BZ 30

Abbé-Friesenhauser (R.) . BZ 2
Ambrail (Fg d') . . . . BZ 3

Ambrail (R. d') . . . . BZ 4
Boegner (R. du Pasteur) BZ 5
Boulay-de-la-Meurthe (R.) . . . . AY 7
Carnot (Pont-Sadi) . . . . . AZ 8
Entre-Deux-Portes (R.) . BYZ 12
Gaulle (Av. du Gén.-de) . AY 14
Gelée (R. Claude) . . . . . . BZ 15
Lagarde (Pl.) . . . . AZ 19
Lattre (Av. Mar.-de) . . . . AY 20
Lyautey (R. Mar.) . . . . . . AY 23
Maix (R. de la) . . . . BZ 25
Poincaré (R. Raymond) . . BY 26
Vosges (Pl. des) . . . . BZ 29

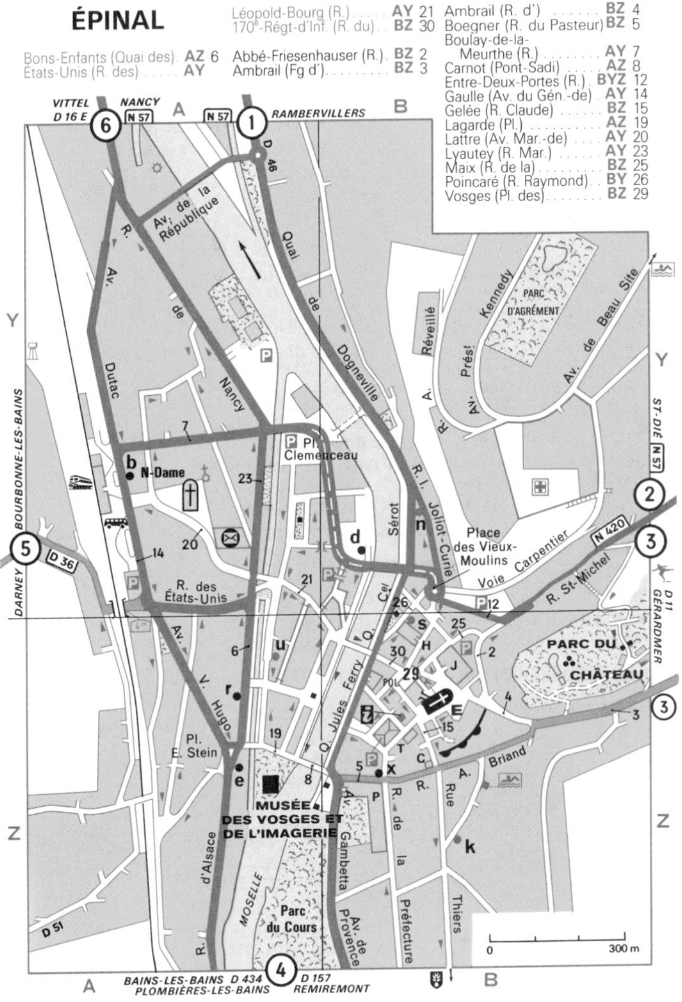

à Golbey par ⑥ : 5 km sur N 57 – 7 892 h. – ✉ **88190** :

Motel Côte Olie et rest La Mansarde, ✆ 29 34 28 28, Télex 961011, – – 🅿 – 50. AE ⓞ GB
R *(fermé sam. midi et dim. soir)* 78/170 ⚓, enf. 42 – ☕ 26 – **24 ch** 260 – ½ P 295.

ALFA ROMEO Prestige Automobile, Zone Commerciale le Pré Droué à Chavelot ✆ 29 31 92 54
BMW Pré Droué, r. Barry, pôle d'Activité du Pré Droué à Chavelot ✆ 29 31 35 34 **N** ✆ 29 34 55 54
CITROEN Anotin, av. de St-Dié par ② ✆ 29 31 93 94
PEUGEOT-TALBOT Epinal-Autom. Theiller, 91 r. d'Alsace ✆ 29 82 05 94
PEUGEOT-TALBOT Habonnel Autom., rte de Nancy à Golbey par ⑥ ✆ 29 68 40 00

RENAULT SODISEP, 50 av. de St-Dié par ② ✆ 29 68 44 44 **N** ✆ 29 64 54 51

Louis-Pneus, 15 r. Mar.-Lyautey ✆ 29 35 42 08
Louis-Pneus, Centre Commercial La Fougère à Chavelot ✆ 29 34 02 12
Malnoy Pneus, Cote Olie à Golbey ✆ 29 31 24 13
Malnoy-Pneus, 13 av. Fontenelle ✆ 29 82 22 93

ÉPINAY-SUR-SEINE **93** Seine-St-Denis 56 ⑪, 101 ⑮ – voir à Paris, Environs.

L'ÉPINE 51 Marne [56] ⑱ – rattaché à Châlons-sur-Marne.

L'ÉPINE 85 Vendée [67] ① – voir à Noirmoutier (Ile de).

ÉPINEAU-LES-VOVES 89 Yonne [65] ④ – rattaché à Joigny.

EPPE-SAUVAGE 59132 Nord [53] ⑦ **G. Flandres Artois Picardie** – 245 h. alt. 189.
Paris 218 – Saint-Quentin 77 – Avesnes-sur-Helpe 24 – Charleroi 36 – Hirson 27 – Maubeuge 31.

XX **La Goyère,** ✆ 27 61 80 11 – GB
fermé fév., mardi soir et merc. – **R** 108/280 ♁.

ERDEVEN 56410 Morbihan [63] ① – 2 352 h. alt. 18.
Paris 489 – Vannes 34 – Auray 14 – Carnac 8,5 – Lorient 27 – Quiberon 21 – Quimperlé 48.

Château de Keravéon ⑤, NE : 1,5 km par D 105 et VO ✆ 97 55 68 55, « Château du 18e siècle dans un parc », ⛱ – |‡| P. AE ① GB. ✻ rest
hôtel : début mai-15 sept. ; rest. : début juin-15 sept. et fermé lundi midi et mardi midi – **R** 190/252 – ☐ 54 – **16 ch** 690/790, 3 appart. 1510 – ½ P 570/640.

Le Narbon [M] ⑤, rte Plage ✆ 97 55 67 55, ⛱ – TV ☎ ♿ P. AE ① GB
30 mars-2 nov. – **R** 75/150, enf. 45 – ☐ 30 – **22 ch** 270/310 – ½ P 244/264.

Voyageurs, r. Océan ✆ 97 55 64 47 – ☎ P. AE GB
1er avril-15 oct. et fermé mardi hors sais. – **R** 56/137 – ☐ 27 – **20 ch** 160/263 – ½ P 241/253.

ERMENONVILLE 60950 Oise [56] ⑫ [106] ⑨ **G. Ile de France** – 782 h. alt. 92.
Voir Parc★ – Forêt d'Ermenonville★ – Abbaye de Chaalis★ N : 3 km – Clocher★ de l'église de Montagny-Ste-Félicité E : 4 km.
Paris 47 – Compiègne 42 – Beauvais 65 – Meaux 24 – Senlis 13 – Villers-Cotterêts 36.

Le Prieuré sans rest, ✆ 44 54 00 44, Fax 44 54 02 21, « Demeure du 18e siècle, jardin » – TV ☎ P. AE ① GB
fermé fév. – ☐ 50 – **11 ch** 450/500.

à Ver-sur-Launette S : 3 km par D 84 – ✉ **60950** :

XX **Rabelais,** ✆ 44 54 01 70, Fax 44 54 05 20 – GB
fermé 15 juil. au 20 août, 23 au 31 déc., dim. soir, lundi soir et merc. – **R** 175/250.

ERMITAGE DU FRÈRE JOSEPH 88 Vosges [62] ⑰ – rattaché à Ventron.

ERNÉE 53500 Mayenne [59] ⑲ **G. Normandie Cotentin** – 6 052 h. alt. 116.
Paris 303 – Domfront 46 – Fougères 20 – Laval 30 – Mayenne 25 – Vitré 29.

Relais de Poste, 1 pl. Église ✆ 43 05 20 33, Fax 43 05 18 23 – |‡| TV ☎. ① GB
fermé dim. soir sauf hôtel en juil.-août – **R** 70/220 ♁, enf. 40 – ☐ 32 – **34 ch** 168/273 – ½ P 202/235.

XX **Grand Cerf** avec ch, 19 r. A.-Briand ✆ 43 05 13 09, Télex 723412 – TV ☎. AE GB. ✻ ch
fermé 15 au 31 janv., dim. soir et lundi hors sais. – **Repas** 98/145 – ☐ 30 – **8 ch** 195/229 – ½ P 260/300.

CITROEN Gar. Lory, 14 bd Duvivier ✆ 43 05 11 89 N
PEUGEOT Garnier, 8 rte de Fougères ✆ 43 05 11 60
PEUGEOT-TALBOT Gar. Vele, rte de Laval ✆ 43 05 17 14
RENAULT Sadon, 29 av. A.-Briand ✆ 43 05 16 68 N
Roulette Pneus, rte de St-Denis à Gastines ✆ 43 05 20 56

ERQUY 22430 C.-d'Armor [59] ④ **G. Bretagne** – 3 568 h.
Voir Cap d'Erquy ★ NO : 3,5 km puis 30 mn.
Office de Tourisme bd Mer (vacances scolaires, mai-15 sept., fermé après-midi hors saison) ✆ 96 72 30 12.
Paris 455 – St-Brieuc 35 – Dinan 47 – Dinard 39 – Lamballe 23 – ◆Rennes 103.

Brigantin, square Hôtel de Ville ✆ 96 72 32 14, Fax 96 72 30 44 – ⇆ rest ☎. GB
R 75/400 – ☐ 28 – **22 ch** 200/280 – ½ P 235/255.

XX **L'Escurial,** bd Mer ✆ 96 72 31 56, ← – GB
fermé 15 nov. au 15 déc., mardi soir et merc. sauf juil.-août – **R** 120/190.

CITROEN Gar. Clerivet ✆ 96 72 14 20
RENAULT Gar. Thomas ✆ 96 72 30 37
Autoservice AD PRO ✆ 96 72 02 07

ERSTEIN ⟨SP⟩ 67150 B.-Rhin [62] ⑩ – 8 600 h. alt. 150.
Paris 502 – ◆ Strasbourg 22 – Colmar 48 – Molsheim 24 – St-Dié 67 – Sélestat 26.

Le Crystal [M] sans rest, av. Gare ✆ 88 98 89 12, Fax 88 98 11 29 – TV ☎ ♿ P – 🔬 50. AE GB. ✻
fermé 23 au 26 déc. et dim. soir – **72 ch** ☐ 275/395.

Agneau, 50 r. 28 Novembre ✆ 88 98 02 12 – ✻ ch
fermé 6 au 25 juil. – **R** *(fermé merc.)* 48/65 ♁ – ☐ 20 – **9 ch** 120/150 – ½ P 140.

XXX **Jean-Victor Kalt,** 41 av. Gare ✆ 88 98 09 54, Fax 88 98 83 01 – ▤ Ⓟ. AE ⓞ GB
fermé 27 juil. au 9 août et dim. soir – **R** 140/260.

CITROEN Gar. Fritsch, 39 av. de la Gare ✆ 88 98 89 00 N
PEUGEOT, TALBOT Busche, r. de la Dordogne ✆ 88 98 23 87
PEUGEOT-TALBOT Gar. Louis, rte de Lyon ✆ 88 98 07 13 N
RENAULT Fechter, 10 r. Gén.-de-Lattre ✆ 88 98 04 24 N ✆ 88 98 17 71

ERVAUVILLE 45 Loiret 61 ⑬ – rattaché à Courtenay.

ESBLY 77450 S.-et-M. 56 ⑫ 106 ㉒ – 4 488 h. alt. 50.
Paris 43 – Coulommiers 24 – Lagny 10,5 – Meaux 9,5 – Melun 49.

à Condé-Ste-Libiaire SE : 2,5 km – ✉ 77450 :

XX **Vallée de la Marne,** quai Marne ✆ (1) 60 04 31 01, Fax (1) 64 63 15 83, ←, 🏠, 🌳 – Ⓟ. AE GB
fermé 27 juil. au 21 août, vacances de fév., dim. soir du 15 oct. au 15 avril, lundi soir et mardi – **R** 130/220, enf. 60.

PEUGEOT, TALBOT Luce et Riester ✆ (1) 60 04 34 21

L'ESCARÈNE 06440 Alpes-Mar. 84 ⑲ 195 ⑰ **G. Côte d'Azur** – 1 751 h. alt. 357.
Voir Gorges du Paillon★ SE.
Env. Lucéram : site★, retables★★ et trésor★ dans l'église N : 7 km,.
Paris 955 – Contes 11 – ◆Nice 21 – St-Martin-Vésubie 54 – Sospel 22.

X **Host. Castellino** 🐦 avec ch, ✆ 93 79 50 11, ←, 🏠, 🏊, 🌳 – AE GB
R *(fermé merc.)* 115/140 – ☕ 28 – **9 ch** 200/260 – ½ P 280.

L'ESCRINET (Col de) 07 Ardèche 76 ⑲ – rattaché à Privas.

ESNANDES 17137 Char.-Mar. 71 ⑫ **G. Poitou Vendée Charentes** – 1 730 h. alt. 12.
Voir Église★.
Paris 468 – La Rochelle 12 – Fontenay-le-Comte 40 – Luçon 28.

XX **Paix,** ✆ 46 01 32 02, 🏠, 🌳 – Ⓟ. GB
fermé dim. soir et lundi sauf juil.-août – **R** 85/250 🍷, enf. 30.

ESPALION 12500 Aveyron 80 ③ **G. Gorges du Tarn** (plan) – 4 614 h. alt. 343.
Voir Église de Perse★ SE : 1 km – Chapelle romane★ de St-Pierre-de-Bessuéjouls O : 4 km par D 556.
ℹ Office de Tourisme à la Mairie ✆ 65 44 10 63.
Paris 601 – Aurillac 73 – Figeac 93 – Mende 93 – Millau 77 – Rodez 32 – St-Flour 83.

🏨 **Moderne et rest. l'Eau Vive,** bd Guizard ✆ 65 44 05 11 – |⇅| ▤ rest ☎ ♿. GB
fermé 5 nov. au 15 déc., lundi non fériés (sauf hôtel) et dim. soir de sept. à juin – **R** 95/300 🍷, enf. 50 – ☕ 35 – **28 ch** 190/330 – ½ P 250/320.

X **Le Méjane,** r. Méjane ✆ 65 48 22 37 – AE ⓞ GB
fermé 22 juin au 3 juil., 25 fév. au 20 mars, dim. soir et merc. sauf en août – **Repas** 95/220, enf. 57.

CITROEN Cadars, av. de St-Côme ✆ 65 44 00 73

ESPELETTE 64250 Pyr.-Atl. 85 ③ **G. Pyrénées Aquitaine** – 1 661 h. alt. 80.
Paris 793 – Biarritz 24 – ◆Bayonne 21 – Cambo-les-Bains 5,5 – Pau 120 – St-Jean-de-Luz 25.

🏠 **Euzkadi,** ✆ 59 93 91 88, Fax 59 93 90 19, 🏊, 🌳, 🎾 – ☎. GB
fermé 10 nov. au 15 déc., 15 au 25 fév., mardi hors sais. et lundi – **R** 80/170, enf. 50 – ☕ 30 – **32 ch** 180/220 – ½ P 240.

ESPIAUBE 65 H.-Pyr. 85 ⑲ – rattaché à St-Lary-Soulan.

ESQUIBIEN 29 Finistère 58 ⑬ – rattaché à Audierne.

ESQUIÈZE-SÈRE 65 H.-Pyr. 85 ⑱ – rattaché à Luz-St-Sauveur.

ESTAING 12190 Aveyron 80 ③ **G. Gorges du Tarn** – 665 h. alt. 300.
ℹ Syndicat d'Initiative à la Mairie (15 juin-15 sept.) ✆ 65 44 72 72.
Paris 603 – Rodez 37 – Aurillac 63 – Conques 40 – Espalion 10 – Figeac 78.

🏠 **Aux Armes d'Estaing,** ✆ 65 44 70 02 – ☎ 🚗. GB
fermé 3 au 15 nov., 3 au 31 janv., vend. soir et sam. midi d'oct. à mai – **R** 65/150 🍷 – ☕ 20 – **44 ch** 135/210 – ½ P 160/200.

ESTAING 65400 H.-Pyr. 85 ⑰ **G. Pyrénées Aquitaine** – 86 h. alt. 1 000.
Voir Lac d'Estaing★ S : 4 km.
Paris 838 – Pau 66 – Argelès-Gazost 11 – Arrens 6,5 – Laruns 42 – Lourdes 23 – Tarbes 43.

X **Lac d'Estaing** 🐦 avec ch, au Lac S : 4 km ✆ 62 97 06 25, ←, 🏠 – Ⓟ
1er mai-11 nov. – **R** 80/150 – ☕ 28 – **11 ch** 130/160 – ½ P 165/175.

ESTENC 06 Alpes-Mar. 81 ⑧ ⑨ 195 ② – alt. 1 800 – ✉ **06470** Guillaumes.

Env. col de la Cayolle ※ ★★ N : 7 km, **G Alpes du Sud.**

Paris 776 – Barcelonnette 37 – Castellane 83 – Digne 121 – ◆Nice 122 – St-Martin-Vésubie 97.

Relais de la Cayolle ⛰, ☎ 93 05 51 33, ≤, 🏛 – **P**
fermé d'oct. au 15 déc. et ouvert vacances scolaires et week-ends en hiver – **R** 80/100 ♁ – ☕ 30 – **16 ch** 140/180 – ½ P 180.

ESTÉRENÇUBY 64 Pyr.-Atl. 85 ③ – rattaché à St-Jean-Pied-de-Port.

ESTIVAREILLES 03 Allier 69 ⑫ – rattaché à Montluçon.

ESTRABLIN 38 Isère 74 ⑫ – rattaché à Vienne.

ESTRÉES-ST-DENIS **60190** Oise 52 ⑲ – 3 498 h. alt. 71.

Paris 75 – Compiègne 15 – Beauvais 45 – Clermont 20 – Senlis 26.

XX **Moulin Brûlé,** 70 r. Flandres ☎ 44 41 97 10 – AE GB
fermé fév., dim. soir et lundi – **R** 130/145.

ÉTAIN **55400** Meuse 57 ⑫ **G. Alsace Lorraine** – 3 577 h. alt. 205.

ℹ A.C. 7 pl. Martinique ☎ 29 87 11 12.

Paris 287 – Briey 25 – Longwy 46 – ◆Metz 47 – Stenay 52 – Verdun 20.

Sirène, r. Prud'homme-Havette ☎ 29 87 10 32, Fax 29 87 17 65, 🏛, ✂ – ☎ **P**. GB. ✂
fermé 23 déc. au 1er fév., dim. soir hors sais. (sauf hôtel) et lundi – **R** 65/200 ♁ – ☕ 25 – **26 ch** 100/200 – ½ P 180/200.

ÉTAMPES SP **91150** Essonne 60 ⑩ 106 ㊷ **G. Ile de France** – 21 457 h. alt. 90.

Voir Cathédrale N.-Dame★ A.

ℹ Service Municipal du Tourisme Hôtel Anne-de-Pisseleu ☎ (1) 64 94 84 07.

Paris 50 ① – Fontainebleau 45 ② – Chartres 57 ⑦ – Évry 35 ① – Melun 45 ② – ◆Orléans 71 ⑤ – Versailles 51 ①.

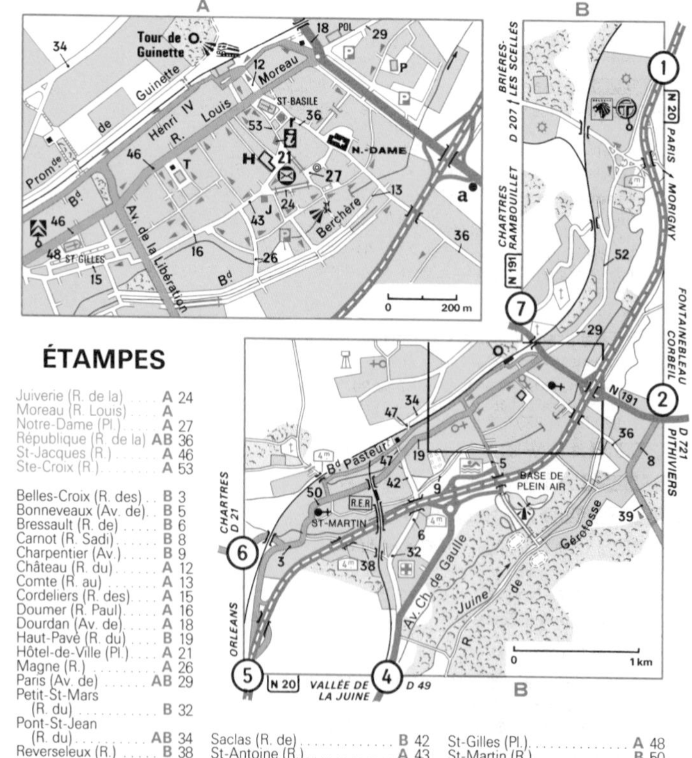

ÉTAMPES

Juiverie (R. de la) .... A 24
Moreau (R. Louis) .... A
Notre-Dame (Pl.) .... A 27
République (R. de la) AB 36
St-Jacques (R.) .... A 46
Ste-Croix (R.) .... A 53

Belles-Croix (R. des) .. B 3
Bonneveaux (Av. de) .. B 5
Bressault (R. de) .... B 6
Carnot (R. Sadi) .... B 8
Charpentier (Av.) .... B 9
Château (R. du) .... A 12
Comte (R. au) .... A 13
Cordeliers (R. des) .... A 15
Doumer (R. Paul) .... A 16
Dourdan (Av. de) .... A 18
Haut-Pavé (R. du) .... B 19
Hôtel-de-Ville (Pl.) .... A 21
Magne (R.) .... A 26
Paris (Av. de) .... AB 29
Petit-St-Mars (R. du) .... B 32
Pont-St-Jean (R. du) .... AB 34
Reverseleux (R.) .... B 38
Sablon (R. du) .... B 39
Saclas (R. de) .... B 42
St-Antoine (R.) .... A 43
St-Jean (R.) .... B 47
St-Gilles (Pl.) .... A 48
St-Martin (R.) .... B 50
St-Michel (Bd) .... B 52

Climat de France [M], av. Coquerive ☎ (1) 60 80 04 72, Télex 600400, – TV ☎ & P – 25. AE GB — A a
R 90/150 ₰, enf. 40 – ☕ 30 – **44 ch** 280 – ½ P 250.

à Champigny N : 5 km par Morigny, D 17 et VO – ✉ **91150** Morigny-Champigny :

Host. de Villemartin ⛰, ☎ (1) 64 94 63 54, Fax (1) 64 94 24 68, ≤, « Gentilhommière dans un parc », – TV ☎ P – 30. AE GB
fermé 27 juil. au 26 août, 1er au 8 janv., dim. soir et lundi sauf fériés – **R** 180/350 – ☕ 41 – **14 ch** 260/450.

à Court-Pain par ② et D 721 : 11 km – ✉ **91690** Fontaine-la-Rivière :

Aub. de Courpain, ☎ (1) 64 95 67 04, Fax (1) 60 80 99 02, – ☎ P – 25. AE GB. rest
fermé fév. – **R** *(fermé dim. soir du 1er nov. au 31 mars)* 180 – ☕ 45 – **14 ch** 250/700 – ½ P 400/500.

AUSTIN, ROVER Gar. St-Pierre, rte de Pithiviers ☎ (1) 64 94 90 00
CITROEN Sté Ind. Autom., 146 r. St-Jacques ☎ (1) 64 94 01 81
FORD G.D.S. Autom., ZI r. des Rochettes à Morigny-Champigny ☎ (1) 64 94 59 27
PEUGEOT, TALBOT Auclert, ZI 12 r. Rochettes à Morigny-Champigny ☎ (1) 64 94 16 72

Central Pneu, 9 r. Rochettes, ZI à Morigny-Champigny ☎ (1) 64 94 94 44

ÉTANG-SUR-ARROUX 71190 S.-et-L. 69 ⑦ – 1 835 h. alt. 277.

Paris 307 – Moulins 86 – Autun 17 – Chalon-sur-Saône 60 – Decize 66 – Digoin 50 – Mâcon 112.

XX **Host. du Gourmet** avec ch, rte Toulon ☎ 85 82 20 88 – ☎. GB
fermé janv., dim. soir et lundi sauf juil.-août – **Repas** 65/220 ₰, enf. 40 – **12 ch** ☕ 120/180 – ½ P 180/230.

RENAULT Gar. des Tuilleries, r. d'Autun ☎ 85 82 21 48 N

ETEL 56410 Morbihan 63 ① G. Bretagne – 2 318 h. alt. 21.

Voir Rivière d'Etel★ – Site★ de la chapelle St-Cado N : 5 km puis 15 mn.

Paris 492 – Vannes 37 – Lorient 26 – Quiberon 25.

Trianon, ☎ 97 55 32 41, – TV ☎ P. GB
fermé 15 déc. au 15 fév., dim. soir et lundi hors sais. – **R** 80/160 – ☕ 35 – **22 ch** 260/320 – ½ P 260/295.

ÉTOILE-SUR-RHÔNE 26800 Drôme 77 ⑫ – 3 504 h. alt. 107.

Paris 575 – Valence 13 – Crest 16 – Privas 33.

XX **Le Vieux Four,** ☎ 75 60 72 21, – ▤. GB.
fermé 3 au 24 août, 4 au 11 janv., dim. soir et lundi – **R** 85/250.

RENAULT Gar. Gontard ☎ 75 60 60 03 N ☎ 75 60 73 56

ÉTOUVELLES 02 Aisne 56 ⑤ – rattaché à Laon.

ÉTOUY 60 Oise 56 ① – rattaché à Clermont.

ETRÉAUPONT 02580 Aisne 53 ⑯ – 966 h. alt. 127.

Paris 182 – St-Quentin 51 – Avesnes-sur-Helpe 25 – Hirson 15 – Laon 42.

Clos du Montvinage [M], N 2 ☎ 23 97 91 10, Fax 23 97 48 92, – TV ☎ & P – 50. AE GB. ch
fermé 17 au 29 août, 21 au 27 déc., dim. soir et lundi midi – **Aub. du Val de l'Oise** ☎ 23 97 40 18 **R** 70/200, enf. 62 – ☕ 39 – **20 ch** 250/390 – ½ P 230/390.

ÉTRETAT 76790 S.-Mar. 52 ⑪ G. Normandie Vallée de la Seine – 1 565 h. – Casino A.

Voir Falaise d'Aval★★★ A – Falaise d'Amont★★ B.

18 ☎ 35 27 04 89 A.

Office de Tourisme pl. M.-Guillard (saison) ☎ 35 27 05 21.

Paris 211 ③ – Bolbec 26 ③ – Fécamp 16 ② – ◆Le Havre 28 ④ – ◆Rouen 84 ②.

Plan page suivante

Dormy House ⛰, rte Havre ☎ 35 27 07 88, Fax 35 29 86 19, ≤ falaises et la mer, parc – TV ☎ P – 30. AE GB. rest — A m
15 mars-15 nov. et week-ends – **R** 165/230 – ☕ 45 – **51 ch** 440/560 – ½ P 375/445.

Falaises sans rest, bd R. Coty ☎ 35 27 02 77 – TV ☎. — B v
☕ 28 – **24 ch** 190/350.

Normandie, pl. Foch ☎ 35 27 06 99 – rest TV ☎. AE GB — B b
fermé janv. – **R** *(fermé vend. midi et jeudi d'oct. à Pâques)* 95/210 ₰, enf. 55 – ☕ 35 – **16 ch** 220/350 – ½ P 235/300.

Welcome ⛰, av. Verdun ☎ 35 27 00 89, Fax 35 28 63 69, – ☎ P. GB. rest — B x
fermé mardi soir et merc. hors sais. – **R** 98/175 – ☕ 35 – **21 ch** 325/355 – ½ P 352/365.

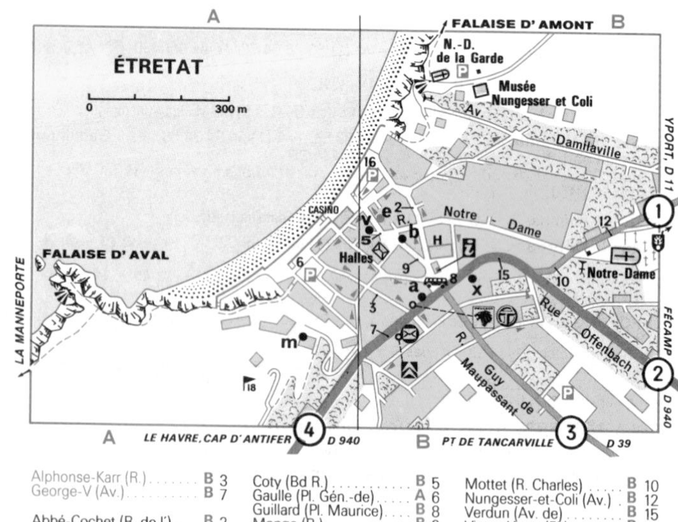

Alphonse-Karr (R.) . . . . B 3	Coty (Bd R.) . . . . B 5	Mottet (R. Charles) . . . . . B 10
George-V (Av.) . . . . B 7	Gaulle (Pl. Gén.-de) . . . . . A 6	Nungesser-et-Coli (Av.) . B 12
	Guillard (Pl. Maurice) . . . . B 8	Verdun (Av. de) . . . . B 15
Abbé-Cochet (R. de l') . . . . B 2	Monge (R.) . . . . B 9	Victor-Hugo (Pl.) . . . . B 16

Poste, av. George V ☎ 35 27 01 34, Fax 35 27 76 28 – ☎. GB — B **a**
fermé 12 au 30 nov., 6 au 20 janv., mardi soir et merc. midi – **R** 75/150 ♁ – ☕ 25 – **17 ch** 200/250 – ½ P 330.

XX **Galion,** bd R. Coty ☎ 35 29 48 74 – GB — B **e**
fermé 1er au 11 déc., 15 janv. au 15 fév., vend. midi et jeudi sauf vacances scolaires – **R** 118/220.

CITROEN Gar. Enz ☎ 35 27 04 69

PEUGEOT, TALBOT Capron ☎ 35 27 03 98

ETSAUT 64490 Pyr.-Atl. 85 ⑯ – 92 h. alt. 600.

Paris 860 – Pau 72 – Jaca 51 – Oloron-Ste-Marie 36.

Pyrénées, ☎ 59 34 88 62, Fax 59 34 86 96, 🍴 – 🚗. GB
R 68/180 ♁, enf. 40 – ☕ 30 – **16 ch** 140/220 – ½ P 180/220.

ÉTUZ 70150 H.-Saône 66 ⑮ – 467 h. alt. 210.

Paris 416 – ◆ Besançon 15 – Combeaufontaine 45 – Gray 35 – Vesoul 39.

XX **La Sablière,** rte Cussey-sur-l'Ognon ☎ 81 57 78 50, 🍴, 🌳 – Ⓟ. GB
fermé 31 août au 6 sept., 24 au 28 déc., vacances de fév., dim. soir et merc. – **R** 95 (sauf sam.)/225, enf. 60.

EU 76260 S.-Mar. 52 ⑤ G. Normandie Vallée de la Seine (plan) – 8 344 h. alt. 17.

Voir Église Notre-Dame et St-Laurent★ – Mausolées★ dans la chapelle du Collège.

Office de Tourisme 41 r. P.-Bignon ☎ 35 86 04 68.

Paris 166 – ◆ Amiens 73 – Abbeville 32 – Blangy-sur-Bresle 21 – Dieppe 31 – ◆Rouen 95 – Le Tréport 3.

Pavillon de Joinville ⑤, O : 1 km par D 1915 ✉ 76260 ☎ 35 86 24 03, Télex 172151, Fax 35 50 27 37, parc, 🏋, 🏊, 🎾 – TV ☎ Ⓟ – 🏛 30 à 120. AE ⓓ GB. ✱ rest
R *(fermé 20 nov. au 10 déc., 10 janv. au 10 fév., dim. soir et lundi)* 160/180 – ☕ 60 – **24 ch** 360/670 – ½ P 380/535.

Gare, 20 pl. Gare ☎ 35 86 16 64, Fax 35 50 86 25 – TV ☎ Ⓟ. AE GB
hôtel : fermé 16 août au 1er sept. et dim. soir ; rest. : fermé 16 août au 7 sept., 24/12 au 3/1 et dim. soir – **R** 75/160 ♁ – ☕ 25 – **22 ch** 230/270 – ½ P 240.

CITROEN Amand, 18 pl. Gén.-de-Gaulle ☎ 35 86 00 89
CITROEN Lechevin, 205 rte du Tréport ☎ 35 86 30 13
OPEL Gar. de Picardie, 141 chaussée de Picardie ☎ 35 86 11 99
PEUGEOT-TALBOT Laffille, rte de Mers ☎ 35 86 56 44
RENAULT Carrosserie Eudoise, ZI rte de Mers ☎ 35 86 11 44 N ☎ 35 86 38 50

RENAULT Hardy, 2 bis r. Ch.-de-Gaulle à Gamaches (80) ☎ 22 30 92 78
Vassard, 22 r. des Belges ☎ 35 86 34 16 N ☎ 35 86 33 04

Comptoir du Caoutchouc, 91 r. Ch.-de-Gaulle à Gamaches (80) ☎ 22 26 11 23
Morelle Reparpneu, 7 r. des Belges ☎ 35 86 29 12

EUGÉNIE-LES-BAINS 40320 Landes 82 ① – 467 h. alt. 90 – Stat. therm. (15 fév.-nov.).

Paris 731 – Mont-de-Marsan 25 – Aire-sur-l'Adour 12 – Dax 68 – Orthez 48 – Pau 54.

Les Prés d'Eugénie et le Couvent des Herbes (Guérard) M, 58 05 06 07, Télex 540470, Fax 58 51 13 59, « Demeure du XIXe s. élégamment décorée - parc », – . AE GB JCB.
fermé 1er déc. au 13 fév. – **R** (menus minceur, résidents seul.) 270/350 - **rest. Michel Guérard** (nbre de couverts limité-prévenir) **R** 360/560 et carte 400 à 540, enf. 100 – 95 – **28 ch** 1250/1450, 7 appart. 1650/1800
Spéc. Rillettes de lapereau en venaison, Cannelloni aux herbes "cueillies à la rosée", Gâteau mollet du Marquis de Béchamel. **Vins** Tursan blanc, Côtes de Gascogne.

Le Couvent des Herbes M, « Couvent du 18e s. » – AE GB. rest
fermé 1er déc. au 13 fév. – **R** voir **Les Prés d'Eugénie** et rest. **Michel Guérard** – 95 – **5 ch** 1450/1650, 3 appart. 2000.

Maison Rose, 58 05 05 05, Télex 540470, Fax 58 51 13 59, ambiance guest-house, – AE GB. rest
fermé 1er déc. au 13 fév. – **R** (résidents seul.)(sur réservation seul.) /170 – 60 – **26 ch** 420/550.

Relais des Champs M, 58 51 18 00, Fax 58 51 12 28, – AE GB. rest
1er mars-fin nov. – **R** 75/105, enf. 35 – 30 – **33 ch** 215/270 – ½ P 205/250.

EURO-DISNEY 77 S.-et-M. 56 ⑫, 101 ⑳ – voir à Paris, Environs (Marne-la-Vallée).

*Les nouveaux **Guides Verts** touristiques **Michelin**, c'est :*
- *un texte descriptif plus riche,*
- *une information pratique plus claire,*
- *des plans, des schémas et des photos en couleurs,*
- *... et, bien sûr, une actualisation détaillée et fréquente.*

Utilisez toujours la dernière édition.

ÉVIAN-LES-BAINS 74500 H.-Savoie 70 ⑰ **G. Alpes du Nord** – 6 895 h. alt. 374 – Stat. therm. (10 fév.-oct.) – Casino B.

Voir Lac Léman★★★.

Royal Club Evian 50 26 85 00, SO : 2,5 km.

50 66 50 50.

Office de Tourisme pl. d'Allinges 50 75 04 26, Télex 385661.

Paris 578 ③ – Thonon-les-Bains 9 ③ – Annecy 83 ③ – Chamonix-Mont-Blanc 108 ③ – ♦Genève 42 ③ – Montreux 38 ①.

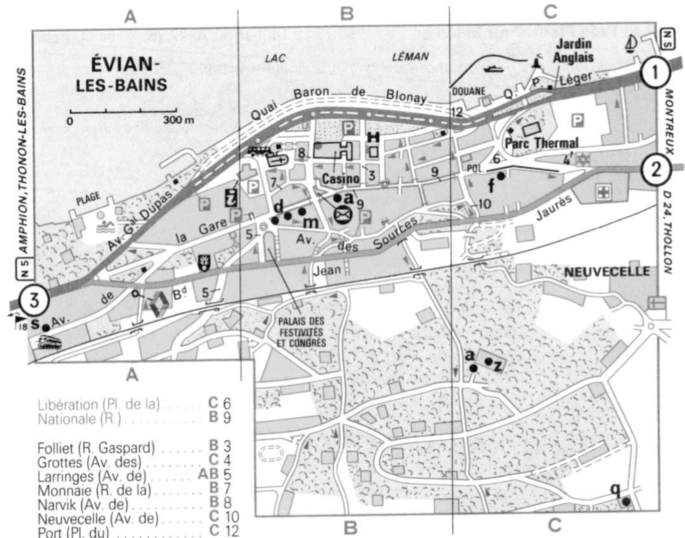

Royal ⑤, ℰ 50 26 85 00, Télex 385759, Fax 50 75 61 00, ≤ lac et montagnes, 斎, parc, ⑤, ⑤, ⑧ – 📱 ▣ ☎ ♿ ⑬ – 🔬 60. AE ⑩ GB JCB. ⌘ rest C z
fermé 10 déc. au 10 fév. – **R** 340 – ☐ 90 – **129 ch** 1500/2620, 29 appart. – ½ P 1090/1540.

Ermitage M ⑤, ℰ 50 26 85 00, Télex 385759, Fax 50 75 61 00, ≤ lac et montagnes, 斎, parc, ⑤, ⑤, ⑧ – 📱 ▣ ☎ ♿ ⑬ – 🔬 200. AE ⑩ GB JCB. ⌘ rest C a
fermé 15 déc. au 15 fév. – **Le Gourmandin R** 180/290, enf. 130 – ☐ 85 – **75 ch** 1030/2080, 16 appart. 1040/1540 – ½ P 940/1240.

La Verniaz et ses Chalets ⑤, rte Abondance ℰ 50 75 04 90, Télex 385715, Fax 50 70 78 92, 斎, parc, « Châlets isolés dans la verdure : jolie vue ⑤ », ⑧ – ▣ ☎ ⑬. AE ⑩ GB C q
fermé 29 nov. au 6 fév. – **R** 200/350 – ☐ 65 – **35 ch** 550/950, 5 chalets 800/2000 – ½ P 690/790.

✿ **Bourgogne** (Riga) M, pl. Charles Cottet ℰ 50 75 01 05, Télex 309538, Fax 50 75 04 05 – 📱 ▣ ☎ – 🔬 40. AE ⑩ GB B d
R *(fermé 1er nov. au 15 déc., dim. soir et lundi du 15 sept. au 1er juil.)* 140/320 – ☐ 39 – **30 ch** 480/520 – ½ P 400/470
Spéc. Foie gras de canard, Filets de barbue sauce Adrienne, Rognon et ris de veau en fricassée de morilles et pleurotes. **Vins** Crépy, Seyssel.

Bellevue, face au Port ℰ 50 75 01 13, Télex 319011, Fax 50 75 17 77, ≤, 斎 – 📱 ▣ ☎. AE GB. ⌘ rest C f
hôtel : 15 avril-30 sept. ; rest. : 1er mai-20 sept. – **R** 100/190 ⅓, enf. 60 – ☐ 30 – **52 ch** 370/500 – ½ P 325/480.

France M sans rest, 59 r. Nationale ℰ 50 75 00 36, Fax 50 75 32 47, 斎 – 📱 ▣ ☎ – 🔬 30. AE ⑩ GB B a
fermé 22 nov. au 18 déc. – ☐ 28 – **46 ch** 315/400.

Continental sans rest, 65 r. Nationale ℰ 50 75 37 54 – 📱 ☎. AE GB. ⌘ B m
Pâques-31 oct. – ☐ 25 – **32 ch** 195/280.

Terminus, pl. Gare ℰ 50 75 15 07, ≤ – ☎. GB A s
fermé vacances de nov. et dim. du 15 sept. au 15 juin – **R** (grill) 60/75 ⅓ – ☐ 24 – **15 ch** 160/260 – ½ P 180/250.

XXXX ✿ **Toque Royale,** au Casino ℰ 50 75 03 78, Fax 50 75 48 40, ≤ – ▤ ⑬. AE ⑩ GB JCB. ⌘ B
R 330
Spéc. Gelée claire d'écrevisses (15 avril au 15 juin), Ris de veau aux crozets (15 sept. au 15 déc.), Croustillant d'omble chevalier (15 juin au 15 sept.). **Vins** Mondeuse.

à Grande-Rive par ① : 2 km :

Panorama, ℰ 50 75 14 50, Fax 50 75 59 12, ≤, 斎 – ☎. GB. ⌘ ch
30 avril-1er oct. – **R** 70/150 – ☐ 30 – **29 ch** 260/320 – ½ P 235/270.

Cygnes, ℰ 50 75 01 01, ≤, 斎 – ☎
1er juin-10 sept. – **R** 90/150 – **40 ch** ☐ 245/300.

rte de Thollon par ② : 7 km – alt. 825 – ✉ **74500** Évian-les-Bains :

Les Prés Fleuris sur Evian M ⑤, ℰ 50 75 29 14, Fax 50 70 77 75, ≤ lac et montagnes, 斎, parc – ▣ ☎ ⑬. AE GB. ⌘ rest
mi-mai-début oct. – **R** (nombre de couverts limité - prévenir) 250/380 – ☐ 70 – **12 ch** 800/1300 – ½ P 750/1100.

FIAT Impérial-Gar., 9 av. d'Abondance ℰ 50 75 01 90 ▣ ℰ 50 26 27 99
OPEL Giroud, Petite-Rive, Maxilly-sur-Léman ℰ 50 75 13 00
RENAULT Gar. Sautenet, av. Gare ℰ 50 75 00 32
V.A.G Évian Automobiles, 18 bd Jean-Jaurès ℰ 50 75 13 99

Un conseil Michelin :

pour réussir vos voyages, préparez-les à l'avance.

Les ***cartes et guides Michelin****, vous donnent toutes indications utiles sur : itinéraires, visite des curiosités, logement, prix, etc.*

ÉVREUX Ⓟ **27000** Eure 55 ⑯ ⑰ **G. Normandie Vallée de la Seine** – 49 103 h. alt. 65.

Voir Cathédrale★ BZ – Châsse★★ dans l'église St-Taurin AZ **B** – Musée★★ BZ **M.**

ℹ Office de Tourisme 1 pl. Gén-de-Gaulle ℰ 32 24 04 43 – A.C.O. 6 r. Borville-Dupuis ℰ 32 33 03 84.

Paris 102 ② – ♦Rouen 53 ① – Alençon 116 ③ – Beauvais 99 ② – ♦Caen 130 ④ – Chartres 77 ③ – ♦Le Havre 120 ④ – Lisieux 73 ④.

Plan page suivante

L'Orme M ⑤ sans rest, 13 r. Lombards ℰ 32 39 34 12, Fax 32 33 62 48 – 📱 ▣ ☎ ♿ – 🔬 40. AE GB. ⌘ BY t
☐ 37 – **62 ch** 350/380.

Normandy, 37 r. E. Feray ℰ 32 33 14 40, Télex 770411 – ▣ ☎ ⑬ – 🔬 40. AE ⑩ GB BY n
R *(fermé août et dim.)* 85/220 – ☐ 37 – **24 ch** 320/370 – ½ P 300/330.

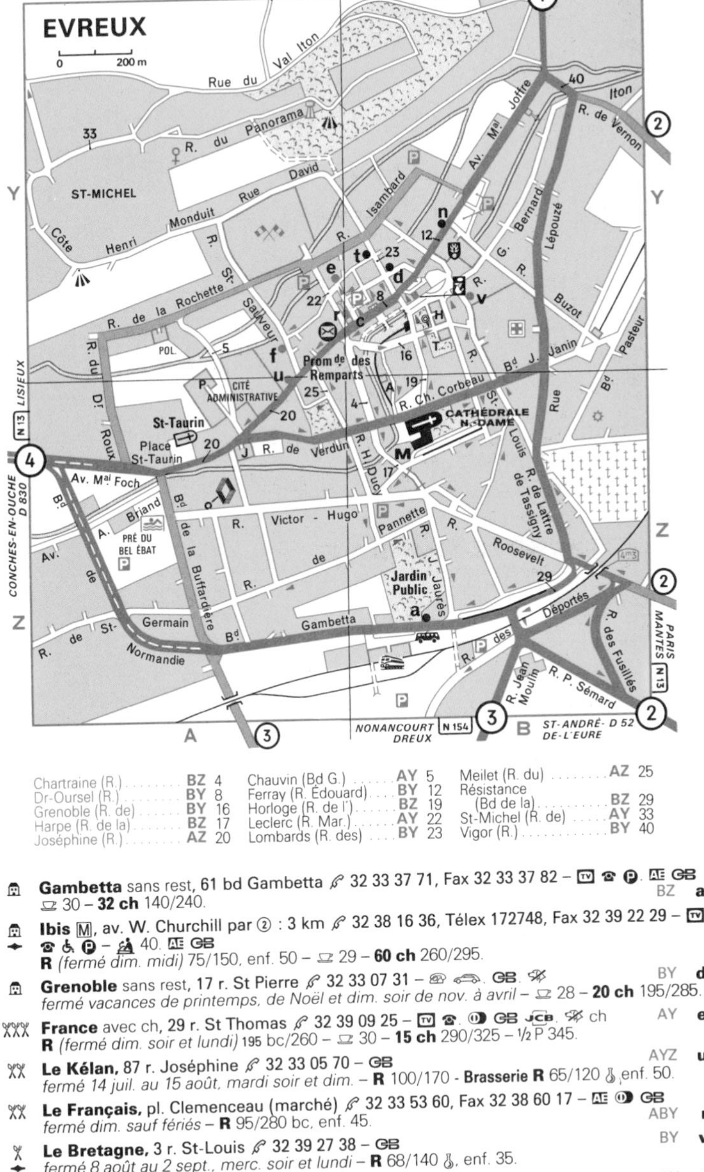

Chartraine (R.)	BZ 4	Chauvin (Bd G.)	AY 5	Meilet (R. du)	AZ 25		
Dr-Oursel (R.)	BY 8	Ferray (R. Édouard)	BY 12	Résistance (Bd de la)	BZ 29		
Grenoble (R. de)	BY 16	Horloge (R. de l')	BZ 19	St-Michel (R. de)	AY 33		
Harpe (R. de la)	BZ 17	Leclerc (R. Mar.)	AY 22	Vigor (R.)	BY 40		
Joséphine (R.)	AZ 20	Lombards (R. des)	BY 23				

Gambetta sans rest, 61 bd Gambetta ✆ 32 33 37 71, Fax 32 33 37 82 – TV ☎ P. AE GB — BZ **a**
30 – **32 ch** 140/240.

Ibis M, av. W. Churchill par ② : 3 km ✆ 32 38 16 36, Télex 172748, Fax 32 39 22 29 – TV ☎ ♿ P – 40. AE GB
R *(fermé dim. midi)* 75/150, enf. 50 – 29 – **60 ch** 260/295.

Grenoble sans rest, 17 r. St Pierre ✆ 32 33 07 31 – ☎ . GB. — BY **d**
fermé vacances de printemps, de Noël et dim. soir de nov. à avril – 28 – **20 ch** 195/285.

France avec ch, 29 r. St Thomas ✆ 32 39 09 25 – TV ☎. GB JCB. ch — AY **e**
R *(fermé dim. soir et lundi)* 195 bc/260 – 30 – **15 ch** 290/325 – ½ P 345.

Le Kélan, 87 r. Joséphine ✆ 32 33 05 70 – GB — AYZ **u**
fermé 14 juil. au 15 août, mardi soir et dim. – **R** 100/170 - **Brasserie R** 65/120 , enf. 50.

Le Français, pl. Clemenceau (marché) ✆ 32 33 53 60, Fax 32 38 60 17 – AE GB — ABY **r**
fermé dim. sauf fériés – **R** 95/280 bc, enf. 45.

Le Bretagne, 3 r. St-Louis ✆ 32 39 27 38 – GB — BY **v**
fermé 8 août au 2 sept., merc. soir et lundi – **R** 68/140 , enf. 35.

La Gazette, 7 r. St-Sauveur ✆ 32 33 43 40 – GB — AY **f**
fermé dim. (sauf le midi de sept. à juin) et lundi – **R** 95/250.

à Parville par ④ : 4 km – ✉ **27180** :

✿ **Aub. de Parville,** rte Lisieux ✆ 32 39 36 63, – P. GB
fermé dim. soir et lundi – **R** 145/260, enf. 100
Spéc. Confit de lapereau aux navets, Pintade rôtie à la crème de foie gras et aumonière d'abats, Terrine glacée aux trois chocolats.

ALFA-ROMEO MAZDA Joffre-Autom., ZI n° 1 r. Gay-Lussac ☏ 32 39 54 63 **N** ☏ 32 34 92 65
CITROEN Succursale Evreux, rte d'Orléans par ③ ☏ 32 28 32 54 **N** ☏ 32 23 10 24
FIAT Normandy-Gar., rte d'Orléans à Angerville-la-Campagne ☏ 32 28 81 31
FORD Gar. Hôtel de Ville, 4 r. G.-Bernard ☏ 32 39 58 63
MERCEDES-BENZ A.M.E., à Angerville ☏ 32 28 27 45
OPEL Gar. de Paix de Coeur, 101 av. A.-Briand à Gravigny ☏ 32 33 16 15
RENAULT Succursale, 2 r. Jacquard, ZI n° 2 par ③ ☏ 32 28 81 47 **N** ☏ 32 31 93 85
RENAULT Renault Succursale, 13 bis r. V.-Hugo ☏ 32 28 81 47 **N** ☏ 32 31 93 85
Gar. Carrère, 16 bis r. Lepouze ☏ 32 39 33 49
Sube Pneurama, 1 r. Cocherel ☏ 32 39 09 86

Dubreuil Pneus, 20 r. A.-Briand ☏ 32 33 02 13
Marsat-Pneus Comptoir du Pneu, 54 av. Foch ☏ 32 33 42 43
Royer, 23 r. G.-Bernard ☏ 32 33 06 72

ÉVRON **53600** Mayenne 60 ⑪ **G. Normandie Cotentin** – 6 904 h. alt. 114.
Voir Basilique★ : chapelle N.-D.-de l'Épine★★.
Office de Tourisme pl. Basilique ☏ 43 01 63 75.
Paris 256 – ◆Le Mans 54 – Alençon 56 – La Ferté-Bernard 103 – La Flèche 67 – Laval 34 – Mayenne 24.

Gare, pl. Gare ☏ 43 01 60 29 – TV ☎. GB
R 75/140 ₰, enf. 55 – ☕ 25 – **8 ch** 195/216.

XX **Les Coëvrons** avec ch, pl. Basilique (4 r. Prés) ☏ 43 01 62 16 – TV. GB
R *(fermé vend. soir)* 85/160 ₰ – ☕ 25 – **6 ch** 120/185 – ½ P 225/250.

à Mézangers NO : 7 km par rte Mayenne – ✉ **53600**.
Voir Château du Rocher★ 30 mn.

Relais du Gué de Selle ⟡, ☏ 43 90 64 05, Télex 722615, Fax 43 90 60 82, <, Fá, ⛱ – TV ☎ ♿ P – 🎪 70. AE ⓓ GB JCB
fermé 24 oct. au 2 nov., 23 déc. au 2 janv., 15 fév. au 1er mars, dim. soir et lundi du 15 sept. au 15 juin – **R** 83/208, enf. 39 – ☕ 36 – **25 ch** 262/417 – ½ P 224/294.

V.A.G Chauvat ☏ 43 01 60 44 **N**

ÉVRY CORBEIL-ESSONNES **91** Essonne 61 ① 106 ㉜ 101 ㊲.
Paris 33 – Chartres 81 – Créteil 22 – Étampes 40 – Melun 24 – Versailles 36.

Plan page suivante

Corbeil-Essonnes **91** – 40 345 h. alt. 38 – ✉ **91100**.
18 St-Pierre-du-Perray ☏ (1) 60 75 17 47, NE : 5 km.
Office de Tourisme 4 pl. Vaillant-Couturier ☏ (1) 64 96 23 97.

Campanile, par ⑤ et D 26 rte de Lisses : 1,5 km - av. P. Maintenant ☏ (1) 60 89 41 45, Télex 600934, Fax (1) 60 88 17 74, ⛱ – TV ☎ ♿ P – 🎪 25. AE GB
R 77 bc/99 bc, enf. 39 – ☕ 28 – **79 ch** 258 – ½ P 234/256.

XXX **Aux Armes de France** avec ch, 1 bd J. Jaurès ☏ (1) 64 96 24 04, Fax (1) 60 88 04 00 – ☎ P. AE ⓓ GB
fermé août et dim. soir – **R** 105/312 – ☕ 30 – **11 ch** 160/200 – ½ P 250. AZ **a**

au Coudray-Montceaux SE : 5 km par bord de Seine – ✉ **91830** :

Mercure M ⟡, rte Milly-la-Forêt sur D 948 : 1 km ☏ (1) 64 99 00 00, Télex 603696, Fax (1) 64 93 95 55, ⛱, « Parc avec aménagements sportifs », Fá, ⛱, 🎾 – |‡| ⇔ rest ▤ rest TV ☎ ♿ P – 🎪 200. AE ⓓ GB
R carte 160 à 220 ₰, enf. 45 – ☕ 52 – **125 ch** 575/660.

XX **Aub. du Barrage,** par bord de Seine - 40 ch. Halage ☏ (1) 64 93 81 16, Fax (1) 69 90 41 32, <, ⛱ – AE ⓓ GB JCB
fermé 2 au 17 mars, 5 au 27 oct., dim. soir et lundi – **R** 180/255.

CITROEN Corbeil-Essonnes Automobiles, 33 av. 8-Mai-1945 par ⑤ **N 446** ☏ (1) 60 89 21 10
PEUGEOT-TALBOT Desrues, 29 bd J.-Kennedy par ④ ☏ (1) 60 88 20 90
RENAULT Gd Gar. Féray, 46 av. 8-Mai-1945 par ⑤ **N 446** ☏ (1) 60 88 92 20 **N** ☏ (1) 60 88 92 20

Coursaux-Pneus, 116 bd J.-Kennedy ☏ (1) 60 88 07 09
Piot-Pneu, 80 bd de Fontainebleau ☏ (1) 60 89 15 25

Evry P **G. Ile de France** – 45 531 h. alt. 55 – ✉ **91000**.
Voir Agora★.
9 18 du Coudray ☏ (1) 64 93 81 76, par ④ : 7,5 km.
Paris 33 – Chartres 79 – Créteil 35 – Etampes 35 – Melun 22 – Versailles 39.

Novotel M, Z.I. Évry, quartier Bois Briard ☏ (1) 60 77 82 70, Télex 600685, Fax (1) 60 78 14 75, ⛱, ⛱, ⛱ – |‡| ⇔ ch ▤ TV ☎ P – 🎪 250. AE ⓓ GB
R carte environ 150 ₰, enf. 50 – ☕ 49 – **174 ch** 450/490.

Ibis M, Z.I. Évry, quartier Bois Briard ☏ (1) 60 77 74 75, Télex 601728, Fax (1) 60 78 06 03 – |‡| TV ☎ ♿ P – 🎪 100. GB JCB
R 91 ₰, enf. 39 – ☕ 32 – **132 ch** 310.

Vaysse, Centre Autoplex, Les Loges ☏ (1) 60 77 19 39

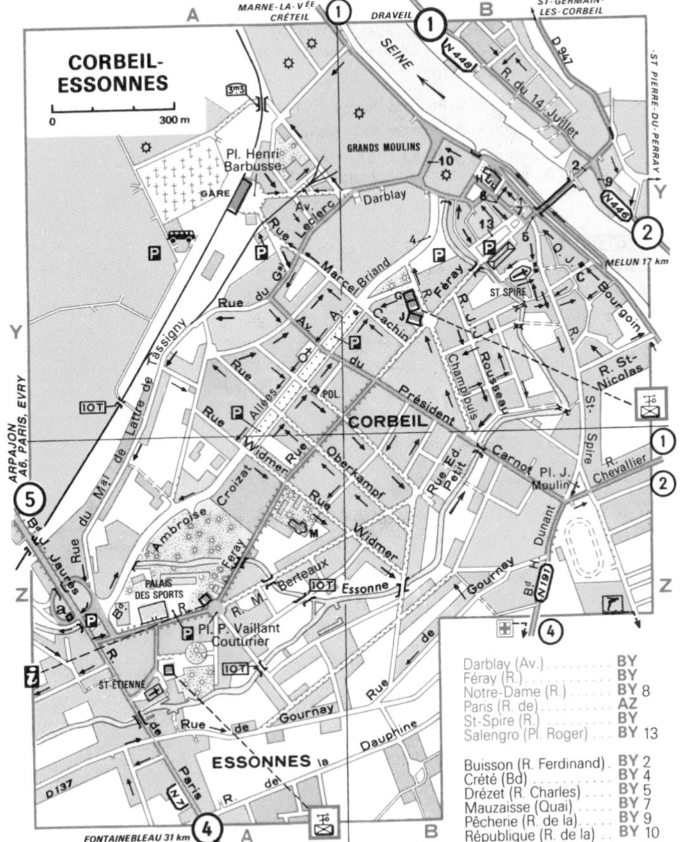

EXCENEVEX 74140 H.-Savoie 70 ⑰ G. Alpes du Nord – 657 h. alt. 375.

Syndicat d'Initiative (fermé après-midi) ☏ 50 72 89 22.

Paris 568 – Thonon-les-Bains 13 – Annecy 73 – Bonneville 44 – Douvaine 10 – ◆Genève 27.

- **Plage**, ☏ 50 72 81 12, ≤, – ℗. GB. ✻
  15 mars-15 nov. – **R** 90/140, enf. 60 – ☕ 28 – **24 ch** 165/230 – ½ P 225/245.
- XX **Léman** avec ch, ☏ 50 72 81 17, – ℗. GB. ✻
  fermé 20 déc. au 1er mars, mardi soir et merc. sauf juil.-août – **R** 80/140 – ☕ 29 – **23 ch** 190/280 – ½ P 220.

EXCIDEUIL 24160 Dordogne 75 ⑥ ⑦ G. Périgord Quercy – 1 414 h. alt. 150.

Paris 463 – Brive-la-Gaillarde 63 – ◆Limoges 66 – Périgueux 35 – Thiviers 19.

- **Fin Chapon,** ☏ 53 62 42 38, Fax 53 62 04 79, – . GB. ✻ ch
  fermé 21 déc. au 11 janv., dim. soir et lundi – **R** 80/180 – ☕ 30 – **10 ch** 155/200 – ½ P 215/240.
- X **Le Rustic,** ☏ 53 62 42 35, – GB
  fermé 15 au 31 oct., vacances de fév., dim. soir et lundi hors sais. – **R** 100/150, enf. 50.

EYBENS 38 Isère 77 ⑤ – rattaché à Grenoble.

EYGALIÈRES 13810 B.-du-R. 84 ① G. Provence – 1 594 h. alt. 105.

Paris 705 – Avignon 26 – Cavaillon 13 – ◆Marseille 76 – St-Rémy-de-Pr. 11 – Salon-de-Pr. 27.

- **Mas de la Brune**, N : 1,5 km par D 74A ☏ 90 95 90 77, Fax 90 95 99 21, « Belle demeure du 16e siècle, parc, » – rest ch ☎ ℗. GB. ✻
  2 avril-2 nov. – **R** *(fermé merc. midi et mardi)* (nombre de couverts limité, prévenir) 295/385 – **9 ch** (½ pens. seul.) – ½ P 790/960.

🏨 **Crin Blanc** M 🔇, E : 3 km sur D 24B ✆ 90 95 93 17, ≤, 🍽, 🏊, 🌳, 🎾 – ☎ 🅿. 🅾 GB
15 mars-30 oct. – **R** 135/220 – ☕ 40 – **10 ch** 350 – ½ P 330.

CITROEN Gar. Barrouyer ✆ 90 95 90 83

EYMET 24500 Dordogne 75 ⑭ G. Périgord Quercy – 2 769 h. alt. 50.

Paris 569 – Périgueux 72 – Bergerac 25 – ◆Bordeaux 95 – Marmande 33 – Villeneuve-sur-Lot 44.

✕ **Bastide,** pl. Gambetta ✆ 53 23 71 37 – GB
fermé 15 janv. au 15 fév., dim. soir et lundi – **R** 80/350, enf. 45.

CITROEN Bello ✆ 53 23 80 31
PEUGEOT-TALBOT Jauberthie ✆ 53 23 80 46
RENAULT Toffoli ✆ 53 23 82 60

EYMOUTIERS 87120 H.-Vienne 72 ⑲ G. Berry Limousin – 2 441 h. alt. 417.

Voir Croix reliquaire★ dans l'église.

Paris 419 – ◆Limoges 42 – Aubusson 55 – Guéret 64 – Tulle 71 – Ussel 70.

✕✕ **Pré l'Anneau,** Pont de Nedde ✆ 55 69 12 77, ≤, 🍽, 🌳 – 🅿. GB. 🚫
fermé 10 au 20 juin, 15 nov. au 25 déc., dim. soir et lundi – **R** 90/135 🍷.

PEUGEOT TALBOT Gar. Chemartin, bd V.-Hugo ✆ 55 69 14 79
PEUGEOT TALBOT Gar. Memery, 5 rte de Limoges ✆ 55 69 11 13
RENAULT Gar. Coignac, av. de la Paix ✆ 55 69 14 73

EYNE 66 Pyr.-Or. 86 ⑯ – rattaché à Saillagouse.

EYSINES 33 Gironde 171 ⑨ – rattaché à Bordeaux.

Les EYZIES-DE-TAYAC 24620 Dordogne 75 ⑯ G. Périgord Quercy – 853 h. alt. 74.

Voir Musée national de Préhistoire★★ – Grotte du Grand Roc★★ : ≤★ – Grotte de Font-de-Gaume★.

ℹ Syndicat d'Initiative pl. Mairie (15 mars-oct.) ✆ 53 06 97 05.

Paris 522 – Périgueux 45 – Sarlat-la-Canéda 20 – Brive-la-Gaillarde 62 – Fumel 62 – Lalinde 36.

🏨 ✿✿ **Centenaire** (Mazère) M, ✆ 53 06 97 18, Télex 541921, Fax 53 06 92 41, 🍽, 🏊, 🌳 – TV ☎ 🅿. GB
début avril-début nov. – **R** *(fermé mardi midi)* 230/480 et carte – ☕ 67 – **21 ch** 400/900, 4 appart. 1500 – ½ P 560/810
Spéc. Risotto au foie gras, truffes et langoustines, Terrine chaude de cèpes, Tournedos de pied de cochon au confit d'oie. **Vins** Cahors, Pécharmant.

🏨 ✿ **Cro-Magnon** M, ✆ 53 06 97 06, Fax 53 06 95 45, 🍽, exposition d'objets archéologiques, « Jardin fleuri, terrasse ombragée, 🏊 » – ☎ 🅿. AE 🅾 GB JCB
fin avril-11 oct. – **R** *(fermé merc. midi sauf fériés)* 130/350 – ☕ 50 – **20 ch** 350/550, 4 appart. 800 – ½ P 400/510
Spéc. Consommé de canard glacé au foie gras, Truffe en croustade, Lotte aux morilles. **Vins** Prayssac, Sigoulès.

🏨 **Les Glycines,** ✆ 53 06 97 07, Fax 53 06 92 19, ≤, 🍽, « Parc fleuri », 🏊 – ☎ 🅿. AE GB. 🚫 rest
mi-avril-début nov. – **R** *(fermé sam. midi sauf fériés)* 130/350 – ☕ 45 – **25 ch** 365 – ½ P 355/395.

🏨 **Moulin de la Beune** 🔇, ✆ 53 06 94 33, Fax 53 06 98 06, 🍽, 🌳 – ☎ 🅿. AE GB
fin mars à début nov. et fermé mardi midi – **R** 90/320 – ☕ 40 – **20 ch** 260/350 – ½ P 350.

🏨 **Centre,** ✆ 53 06 97 13, Fax 53 06 91 63, 🍽 – ☎. GB
1er avril-2 nov. – **R** 88/330 – ☕ 33 – **20 ch** 250/275 – ½ P 295/310.

🏨 **Les Roches** sans rest, rte Sarlat ✆ 53 06 96 59, Fax 53 06 95 54, 🏊, 🌳 – ☎ 🅿. GB. 🚫
11 avril-1er nov. – ☕ 30 – **28 ch** 240/290.

CITROEN Gar. de la Patte-d'Oie ✆ 53 06 97 29 N
RENAULT Dupuy ✆ 53 06 97 32 N

EZE 06360 Alpes-Mar. 84 ⑩ 195 ㉗ G. Côte d'Azur (plan) – 2 446 h. alt. 427.

Voir Site★★ (village perché) – Jardin exotique ✻★★★ – Les rues d'Eze★ – "Belvédère" d'Eze ≤★★ O : 4 km.

ℹ Office de Tourisme pl. Gén.-de-Gaulle (mars-oct.) ✆ 93 41 26 00.

Paris 944 – Monaco 7 – ◆Nice 12 – Cap-d'Ail 4,5 – Menton 19 – Monte-Carlo 8,5.

🏨 ✿ **Château Eza** 🔇, (accès piétonnier) ✆ 93 41 12 24, Télex 470382, Fax 93 41 16 64, ≤ côte et presqu'île, 🍽, « Terrasses dominant la baie » – ▤ ch TV ☎ 🅿. AE 🅾 GB
Pâques-oct. – **R** 510 – ☕ 80 – **5 ch** 1000/2500, 3 appart. 3500
Spéc. Tarte potagère au lard croustillant (15 avril au 15 juil.), Papeton de pigeon aux olives et cèpes, Homard au concassé de petits pois et macaroni truffé. **Vins** Bellet blanc et rouge.

🏨 **Eze Country Club** M 🔇, NE : direction la Turbie 1,5 km ✆ 93 41 24 64, Télex 461301, Fax 93 41 13 25, ≤ mer, 🍽, parc, 🏊, 🌳, 🎾 – 🛗 ▤ TV ☎ 🅿 – 🏛 120. AE 🅾 GB JCB. 🚫 rest
fermé 16 nov. au 21 déc. – **R** carte 250 à 400 – ☕ 85 – **75 ch** 1100/1300, 5 appart. 2500 – ½ P 975.

Hermitage du Col d'Èze ⚘, NO : 2,5 km par D 46 et Gde Corniche ✆ 93 41 00 68, ←, – ☎ Ⓟ. AE ⓓ GB. ⚔ rest
hôtel : fermé 20/12 au 10/1 et 20 fév. au 1er mars ; rest. : fermé 11 nov. au 1er mars, merc. midi et lundi – **R** 95/185 – ☕ 25 – **14 ch** 180/260 – ½ P 200/240.

✿ **Château de la Chèvre d'Or** ⚘ avec ch, r. Barri (accès piétonnier) ✆ 93 41 12 12, Télex 970839, Fax 93 41 06 72, ← côte et presqu'île, « Site pittoresque dominant la mer », – ▤ TV ☎ Ⓟ. AE ⓓ GB
fermé 15 janv. au 1er mars – **R** *(fermé merc. du 1er nov. au 8 avril)* (prévenir) 350 (déj.) et carte 400 à 600 - **Café du Jardin** *(15 mars-15 oct. et fermé mardi)* **R** carte 170 à 260 – ☕ 85 – **15 ch** 1200/3500, 3 appart. 5000
Spéc. Tortelloni de homard, Saint-Pierre farci aux cèpes, Carré d'agneau au gratin dauphinois. **Vins** Bandol, Cassis.

✿ **Richard Borfiga,** pl. Gén. de Gaulle ✆ 93 41 05 23, Fax 93 41 26 79 – AE ⓓ GB
fermé 10 janv. à début fév. et lundi – **R** 180/350
Spéc. Rouille de poissons safranée, Langoustines en feuilles de blettes, Lasagne de pigeon aux champignons des bois.

Le Grill du Château, r. Barri (accès piétonnier) ✆ 93 41 00 17, – AE GB
fermé 10 nov. au 16 déc. et lundi sauf fêtes – **R** carte 190 à 270, enf. 70.

Troubadour, (accès piétonnier) ✆ 93 41 19 03 – GB
fermé vacances de nov., 20 nov. au 24 déc., vacances de fév., lundi midi et dim. – **R** 160.

ÈZE-BORD-DE-MER 06360 Alpes-Mar. 84 ⑩ 195 ㉗ **G. Côte d'Azur.**

Paris 954 – Monaco 6,5 – ♦ Nice 14 – Beaulieu 3 – Cap d'Ail 4 – Menton 20.

Cap Estel ⚘, ✆ 93 01 50 44, Télex 470305, Fax 93 01 55 20, ←, « En bordure de mer, parc, », – ▤ ch TV ☎ ♿ Ⓟ. AE GB. ⚔ rest
1er avril-31 oct. – **R** 370/420 – **37 ch** (½ pens. seul.), 9 appart. – ½ P 1200/1650.

Aub. Éric Rivot avec ch, ✆ 93 01 51 46, – ☎. AE GB
fermé 5 nov. au 5 déc. – **R** *(fermé mardi d'oct. à avril, lundi midi et mardi midi de mai à sept.)* 145/250 – ☕ 30 – **10 ch** 230/350 – ½ P 250/280.

Europe — Si le nom d'un hôtel figure en petits caractères demandez, à l'arrivée, les conditions à l'hôtelier.

ÉZY-SUR-EURE 27 Eure 55 ⑰, 106 ⑬ – rattaché à Anet.

FAGNON 08 Ardennes 53 ⑱ – rattaché à Charleville-Mézières.

FAIN-LÈS-MONTBARD 21 Côte-d'Or 65 ⑦ – rattaché à Montbard.

FALAISE 14700 Calvados 55 ⑫ **G. Normandie Cotentin** – 8 119 h. alt. 132.

Voir Château★ A – Église de la Trinité★ A.

Office de Tourisme 32 r. G.-Clemenceau ✆ 31 90 17 26.

Paris 217 ③ – ♦ Caen 35 ① – Argentan 23 ③ – Flers 38 ⑤ – Lisieux 45 ① – St-Lô 81 ①.

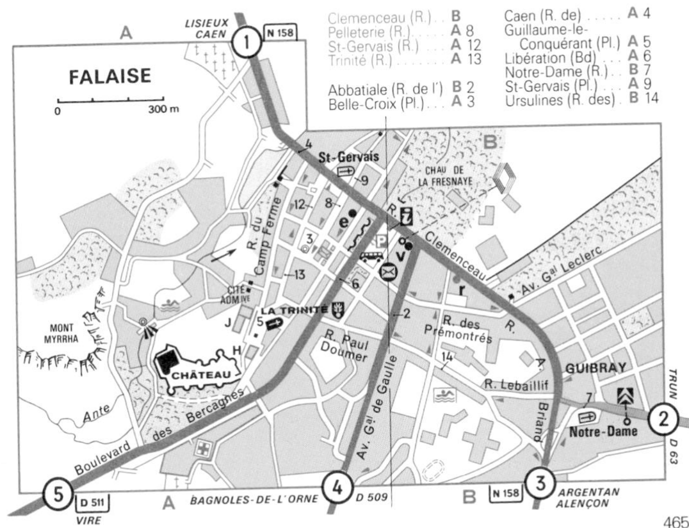

Poste, 38 r. G. Clemenceau ✆ 31 90 13 14, Fax 31 90 01 81 – ☎ P. AE GB — B v
fermé 11 au 21 oct., 17 déc. au 15 janv., lundi (sauf hôtel) et dim. soir – **Repas** 72/205, enf. 60 – ☕ 28 – **21 ch** 115/330 – ½ P 175/265.

Normandie, 4 r. Amiral Courbet ✆ 31 90 18 26, Fax 31 90 02 17 – ☎. GB — A e
fermé 16 au 31 déc. (sauf hôtel), dim. soir et vend. soir du 1er oct. au 30 avril – **R** 58/135, enf. 48 – ☕ 26 – **27 ch** 140/220 – ½ P 180/250.

La Fine Fourchette, 52 r. G. Clemenceau ✆ 31 90 08 59 – GB — B r
fermé 1er au 10 oct., 5 au 27 fév., mardi soir et merc. hors sais. – **R** 69/275, enf. 40.

L'Attache, rte Caen par ① : 1,5 km ✆ 31 90 05 38 – GB.
fermé 15 au 31 juil. et merc. sauf août – **R** (nombre de couverts limité, prévenir) 85/260.

SO par ⑤ et D 44, rte de Fourneaux-le-Val : 5 km – ✉ **14700** St-Martin-de-Mieux :

Château du Tertre (ch. prévues), ✆ 31 90 01 04, Fax 31 90 33 16, ≤, « Château du 18e siècle dans un grand parc » – P. AE GB.
fermé 15 janv. au 1er mars – **R** *(fermé dim. soir et lundi)* 190/420.

CITROEN Gar. Lepy, rte de Trun ✆ 31 90 16 25
PEUGEOT-TALBOT Falaise-Autos., rte d'Argentan Nle 158 par ③ ✆ 31 90 04 89
RENAULT Gar. Lanos, 34 r. G.-Clemenceau ✆ 31 90 01 00 N
V.A.G Lacoudrée, 51 av. Hastings ✆ 31 90 19 69
Laguerre-Pneus, rte de Putanges ✆ 31 90 10 60
Marsat-Pneus rte de Bretagne ✆ 31 40 06 40

Le FALGOUX 15380 Cantal 76 ② – 226 h. alt. 930 – Sports d'hiver : 1 050/1 350 m 2.

Voir N Vallée du Falgoux★.

Env. Cirque du Falgoux★★ SE : 6 km – Puy Mary ✻★★★ : 1 h AR du Pas de Peyrol★★ SE : 12 km, **G. Auvergne.**

Paris 561 – Aurillac 54 – Mauriac 28 – Murat 34 – Salers 12.

Voyageurs et Touristes, ✆ 71 69 51 59, ≤ – GB
fermé 5 nov. au 12 déc. – **R** 70/125 – ☕ 21 – **16 ch** 95/135 – ½ P 160.

FALICON 06950 Alpes-Mar. 84 ⑩ 195 ㉖ **G. Côte d'Azur** – 1 498 h. alt. 307.

Voir Terrasse ≤★.

Env. Mont Chauve d'Aspremont ✻★★ N : 8,5 km puis 30 mn.

Paris 942 – ♦Nice 10,5 – Aspremont 9,5 – Colomars 13 – Levens 16 – Sospel 39.

Bellevue, ✆ 93 84 94 57, ≤, – GB
fermé oct., dim. soir et lundi – **R** (déj. seul. du 1er nov. au 30 mai) 118/158, enf. 70.

FALLIÈRES 88 Vosges 62 ⑯ – rattaché à Remiremont.

Le FAOU 29580 Finistère 58 ⑤ **G. Bretagne** – 1 522 h. alt. 10.

Voir Site★ – Retables★ dans l'église de Rumengol E : 2,5 km – Quimerc'h ≤★ SE : 4,5 km.

Syndicat d'Initiative r. Gén.-de-Gaulle (15 juin-15 sept.) ✆ 98 81 06 85.

Paris 558 – ♦Brest 31 – Carhaix-P. 53 – Châteaulin 18 – Landerneau 23 – Morlaix 50 – Quimper 42.

Aqualys M, à l'échangeur E : 1,5 km ✆ 98 81 05 01, Télex 941732, Fax 98 81 02 94, – TV ☎ P – 80. AE GB
R *(fermé dim. soir hors sais.)* 80/170, enf. 40 – ☕ 35 – **34 ch** 240/320.

Vieille Renommée, pl. Mairie ✆ 98 81 90 31, Fax 98 81 92 93 – TV ☎ – 40 à 150. GB
fermé 22 au 29 juin, nov., lundi sauf juil.-août et fériés – **R** 85/220 – ☕ 27 – **39 ch** 140/300 – ½ P 195/210.

Relais de la Place, pl. Mairie ✆ 98 81 91 19 – TV ☎ – 40. GB
fermé 25 sept. au 19 oct. et sam. de nov. à juin – **Repas** 85/240, enf. 60 – ☕ 28 – **35 ch** 130/240.

RENAULT Kervella ✆ 98 81 90 69 N

FARROU 12 Aveyron 79 ⑩ – rattaché à Villefranche-de-Rouergue.

La FAUCILLE (Col de) ★★ 01 Ain 170 ⑮ **G. Jura** – alt. 1 323 – Sports d'hiver : 1 000/1 550 m 1 10 – ✉ 01170 Gex.

Voir Descente sur Gex (N 5) ≤★★ SE : 2 km – Mont-Rond ✻★★★ (accès par télécabine - gare à 500 m au SO du col).

Paris 484 – Bourg-en-Bresse 106 – ♦Genève 28 – Gex 11,5 – Morez 26 – Nantua 60 – Les Rousses 18.

La Mainaz, S : 1 km par N5 ✆ 50 41 31 10, Télex 309501, Fax 50 41 31 77, ≤ lac Léman et les Alpes, – TV ☎ P. AE GB
fermé 1er au 10 avril, 1er nov. au 20 déc. – **R** *(fermé merc. midi hors sais.)* 130/310, enf. 90 – ☕ 50 – **24 ch** 350/450 – ½ P 415.

Couronne, ✆ 50 41 32 65, Fax 50 41 32 47, ≤, – TV ☎ P. AE GB
fermé 15 oct. au 15 déc. – **R** 105/280 – ☕ 38 – **21 ch** 250/310 – ½ P 310.

La Petite Chaumière, ✆ 50 41 30 22, Télex 309081, Fax 50 41 33 22, ≤ – TV ☎ P. GB
10 mai-4 oct. et 20 déc.-15 avril – **R** 85/175 – ☕ 30 – **34 ch** 200/250 – ½ P 250.

à Mijoux O : 8,5 km par D 936 – ✉ **01410** :

Gabelou, ✆ 50 41 32 50, ⩽ – ☎ **P**. GB
début juin-15 oct. et 20 déc.-25 avril – **R** 65/150 – ☕ 28 – **21 ch** 240/260 – ½ P 208/270.

Vallée ⛰, ✆ 50 41 32 13, Fax 50 41 32 18 – ☎ **P**. GB
fermé 15 mai au 1ᵉʳ juin et 1ᵉʳ nov. au 20 déc. – **R** 62/160 ♨ – ☕ 30 – **13 ch** 252/260 – ½ P 251/278.

La FAUTE-SUR-MER 85 Vendée **171** ⑪ – rattaché à Aiguillon-sur-Mer.

FAUVILLE-EN-CAUX **76640** S.-Mar. **52** ⑫ – 1 871 h. alt. 141.
Paris 185 – ♦ Rouen 51 – Bolbec 13 – Fécamp 21 – St Valéry-en-Caux 28 – Yvetot 14.

Normandie, ✆ 35 96 72 33 – **P**. GB
fermé 11 août au 1ᵉʳ sept., 5 au 26 janv. et mardi – **R** (déj. seul.) (dim. prévenir) 68/155 ♨.

La FAVÈDE 30 Gard **80** ⑦ – rattaché à La Grand-Combe.

FAVERGES **74210** H.-Savoie **74** ⑯ ⑰ **G. Alpes du Nord** – 6 334 h. alt. 516.
Env. Col de la Forclaz ⩽★★ NO : 15 km.
i Office de Tourisme pl. M.-Piquand ✆ 50 44 60 24.
Paris 563 – Albertville 19 – Annecy 26 – Megève 34.

Florimont Ⓜ, NE : 2,5 km sur N 508 ✆ 50 44 50 05, Télex 309369, Fax 50 44 43 20, ⩽, 🌳, 🌲 – 🛗 TV ☎ ♿ **P** – 🏔 80. AE ⓓ GB. ⛔ rest
Repas 110/350 ♨, enf. 55 – ☕ 45 – **27 ch** 300/400 – ½ P 330/400.

Genève Ⓜ, 34 r. République ✆ 50 32 46 90, Fax 50 44 48 09 – 🛗 TV ☎ ♿ **P**. AE ⓓ GB. ⛔ rest
fermé 3 au 31 mai – **R** *(fermé dim. midi sauf fév.-mars et juil.-août)* carte environ 90 ♨, enf. 25 – ☕ 35 – **30 ch** 220/310 – ½ P 220/280.

Parc, rte Albertville ✆ 50 44 50 25, Fax 50 44 59 74, 🌳, 🌲 – TV ☎ **P**. GB. ⛔
R *(fermé 24 déc. au 20 janv. et sam. midi)* 120/230, enf. 50 – ☕ 45 – **12 ch** 280/600 – ½ P 260/400.

Carte d'autrefois, 25 r. Gambetta ✆ 50 32 49 98 – GB
fermé 31 août au 7 sept., 24 déc. au 3 janv., dim. soir et merc. – **R** 72/160 ♨.

au Tertenoz SE : 4 km par D 12 et VO – ✉ **74210** Faverges :

Gay Séjour ⛰, ✆ 50 44 52 52, Fax 50 44 49 52, ⩽, 🌳 – ☎ **P**. AE ⓓ GB. ⛔
fermé 27 déc. au 1ᵉʳ fév., dim. soir et lundi sauf vacances scoloaires – **R** 150/300 – ☕ 50 – **12 ch** 300/400 – ½ P 360/380.

CITROEN Gar. de la Sambuy ✆ 50 44 53 04
PEUGEOT-TALBOT Gar. de l'Étoile ✆ 50 27 43 27
RENAULT Gar. Fontaine ✆ 50 44 51 09

FAVERGES-DE-LA-TOUR 38 Isère **74** ⑭ – rattaché à La Tour-du-Pin.

La FAVIÈRE 83 Var **84** ⑯ – rattaché au Lavandou.

FAVIÈRES **80120** Somme **52** ⑥ – 406 h.
Voir Le Crotoy : Butte du Moulin ⩽★ SO : 5 km, **G. Flandres Artois Picardie.**
Paris 186 – ♦ Amiens 65 – Abbeville 21 – Berck-Plage 29 – Le Crotoy 5.

La Clé des Champs, ✆ 22 27 88 00 – **P**. ⓓ GB
fermé 31 août au 11 sept., 4 janv. au 13 fév., dim. soir et lundi – **Repas** (prévenir) 70/152.

FAYENCE **83440** Var **84** ⑦ **195** ㉒ **G. Côte d'Azur** – 3 502 h. alt. 325.
Voir ⩽★ de la terrasse de l'église.
Env. Mons : site★, ⩽★★ de la place St-Sébastien N : 14 km par D 563.
i Syndicat d'Initiative pl. L.-Roux ✆ 94 76 20 08.
Paris 901 – Castellane 55 – Draguignan 33 – Fréjus 34 – Grasse 26 – St-Raphaël 37.

Moulin de la Camandoule ⛰, O : 3 km par D 19 et chemin N.-D.-des-Cyprès ✆ 94 76 00 84, Fax 94 76 10 40, ⩽, 🌳, parc, « Ancien moulin à huile », 🏊 – TV ☎ **P**. GB
R *(fermé 2 janv. au 15 mars et mardi midi)* 185/255, enf. 95 – ☕ 45 – **9 ch** 282/570, (en sais. ½ pens. seul.) – ½ P 435/525.

Les Oliviers sans rest, quartier Ferrage ✆ 94 76 13 12 – TV ☎ **P**. GB
fermé 15 au 25 mai, 5 nov. au 15 déc. et 10 au 30 janv. – ☕ 40 – **23 ch** 260/370.

Le Castellaras, O : 4 km par D 19 et VO ✆ 94 76 13 80, ⩽, 🌳, 🏊, 🌲 – **P**. AE GB
fermé 1ᵉʳ au 8 juil., 18 nov. au 2 déc., vacances de fév. et merc. – **R** 165/260.

Les prix Pour toutes précisions sur les prix indiqués dans ce guide, reportez-vous aux pages explicatives.

Le FAYET **74** H.-Savoie **74** ⑧ – voir à St-Gervais-les-Bains.

FAYL-BILLOT **52500** H.-Marne **166** ④ **G. Jura** – 1 511 h. alt. 333.

Voir École nationale d'Osiériculture et de Vannerie.

Paris 302 – Chaumont 60 – Bourbonne-les-Bains 29 – ◆Dijon 83 – Gray 46 – Langres 25 – Vesoul 50.

X **Cheval Blanc** avec ch, pl. Barre ☎ 25 88 61 44 – GB
fermé 15 au 31 oct., 15 au 31 janv., dim. soir de nov. à fév. et lundi – **Repas** 65/155 ₰, enf. 45 – ☕ 23 – **10 ch** 100/210 – ½ P 150/190.

FÉAS **64** Pyr.-Atl. **85** ⑤ – rattaché à Oloron-Ste-Marie.

Les principales voies commerçantes figurent en rouge au début de la liste des rues des plans de villes.

FÉCAMP **76400** S.-Mar. **52** ⑫ **G. Normandie Vallée de la Seine** – 20 808 h. alt. 14 – Casino AZ.

Voir Église de la Trinité★★ BZ – Palais Bénédictine★ AY – Musée Centre-des-Arts★ BZ **M²** – Musée des Terre-Neuvas★ AY **M¹** – Chapelle N.-D.-du-Salut ✳★★ N : 2 km AY.

Maison du Tourisme 113 r. Alexandre Le Grand ☎ 35 28 51 01 et quai Vicomté (saison) ☎ 35 29 16 34.

Paris 205 ③ – ◆Amiens 161 ② – ◆Caen 117 ③ – Dieppe 66 ① – ◆Le Havre 40 ③ – ◆Rouen 71 ②.

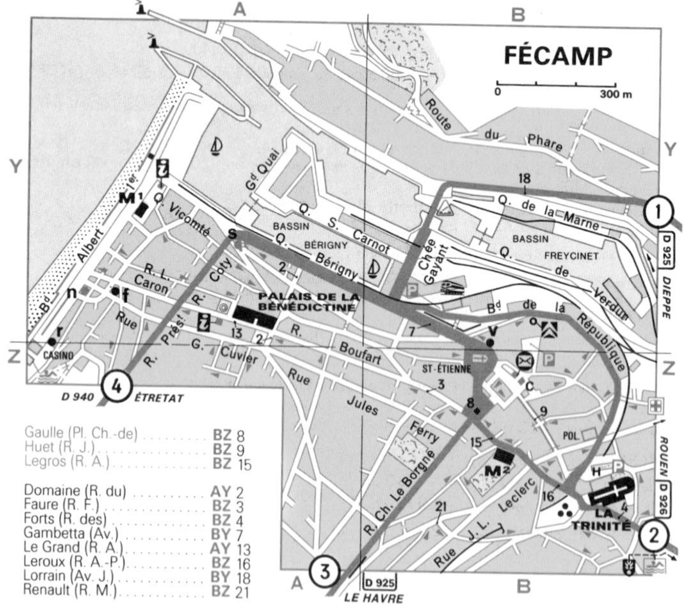

Plage sans rest, 87 r. Plage ☎ 35 29 76 51, Fax 35 28 68 30 – 🛗 TV ☎. GB — AY **f**
☕ 28 – **22 ch** 210/330.

Poste, 4 av. Gambetta ☎ 35 29 55 11, Télex 190900, Fax 35 27 48 74 – TV ☎ 🚗 🅟 – 🏛 40. GB — BY **v**
R *(fermé janv., le midi (sauf dim. et fêtes), dim. soir et vend. de nov. à Pâques)* 85/225 – ☕ 30 – **36 ch** 190/335 – ½ P 250/285.

Mer sans rest, 89 bd Albert 1er ☎ 35 28 24 64, ← – TV ☎. ✻ — AYZ **r**
☕ 27 – **8 ch** 215/315.

XXX **Aub. de la Rouge** Ⓜ avec ch, par ③ : 2 km ☎ 35 28 07 59, Fax 35 28 70 55, 🌳 – TV ☎ 🅟. AE ⓓ GB
fermé vacances de fév. – **R** *(fermé dim. soir et lundi)* 95/250 ₰, enf. 50 – ☕ 30 – **8 ch** 280/350.

XXX **Le Viking,** 63 bd Albert 1er ☎ 35 29 22 92, Fax 35 29 45 24, ← – GB — AY **n**
fermé dim. soir d'oct. à avril et lundi – **R** 105/220, enf. 65.

XX **Le Maritime,** 2 pl. N. Selles ☎ 35 28 21 71 – GB — AY **s**
fermé mardi d'oct. à mars – **Repas** 88/210, enf. 60.

CITROEN Fécamp Autom., 45 bd République ☎ 35 29 25 72
FORD Lefebvre, 15 r. Prés.-Coty ☎ 35 28 05 75
PEUGEOT, TALBOT Lachèvre, rte du Havre à St-Léonard par ③ ☎ 35 28 20 30
RENAULT S.E.L.C.O., 209 r. G.-Couturier par ② ☎ 35 28 24 02 N ☎ 35 27 50 65

V.A.G Ledoult, D 925 à St-Léonard ☎ 35 28 00 22

Brument, 6 rte de Valmont ☎ 35 28 28 81
Comptoir du Pneu, 8 et 10 r. Ch.-Le-Borgne ☎ 35 28 14 99

La FÉCLAZ 73 Savoie 74 ⑮ **G. Alpes du Nord** : – alt. 1 350 – Sports d'hiver : 1 350/1 550 m 8 – ✉ **73230** Les Déserts.

Syndicat d'Initiative Les Déserts ☎ 79 25 80 49.

Paris 562 – Annecy 38 – Aix-les-Bains 27 – Chambéry 19 – Lescheraines 12.

Bon Gîte ☎ 79 25 82 11, ←, – cuisinette – 30. GB
18 juin-13 sept. et 19 déc.-18 avril – **R** 85/260, enf. 55 – 32 – **29 ch** 200/336 – ½ P 195/276.

Central et Terrasses Fleuries avec ch, ☎ 79 25 81 68, ← – rest. AE GB. rest
15 déc.-15 avril – **R** 80/130 – 27 – **25 ch** 140/250 – ½ P 180/270.

au col de Plainpalais E : 4 km par D 913 et D 912 – Sports d'hiver 1 200/1 450 m 2 – ✉ **73230** St-Alban-Leysse :

Plainpalais ☎ 79 25 81 79, ←, – GB JCB. rest
début juin-fin sept. et 20 déc.-15 avril – **R** 90/240, enf. 50 – 35 – **20 ch** 220/320 – ½ P 194/277.

FEGERSHEIM 67 B.-Rhin 62 ⑩ – rattaché à Strasbourg.

FENESTRELAY 18 Cher 69 ① – rattaché à Bourges.

FÈRE-CHAMPENOISE 51230 Marne 61 ⑥ – 2 362 h. alt. 110.

Paris 133 – Troyes 58 – Châlons-sur-Marne 36 – Épernay 38 – Sézanne 21 – Vitry-le-François 45.

France, ☎ 26 42 40 24 –
10 ch.

FÈRE-EN-TARDENOIS 02130 Aisne 56 ⑭ ⑮ **G. Champagne** – 3 168 h. alt. 125.

Voir Château de Fère★ : Pont monumental★★ N : 3 km.

Syndicat d'Initiative r. E.-Moreau-Nélaton (saison) ☎ 23 82 31 57.

Paris 110 – Château-Thierry 22 – Laon 53 – ♦Reims 48 – Soissons 26.

au Nord : 3 km par D 967 – ✉ **02130** Fère-en-Tardenois :

Host. du Château par rte forestière, ☎ 23 82 21 13, Télex 145526, Fax 23 82 37 81, ←, « Belle demeure du 16e siècle, parc », – 30. AE GB
R (nombre de couverts limité, prévenir) 290/470 – 80 – **17 ch** 800/1050, 6 appart. 1200/1730 – ½ P 950/1075
Spéc. Tourte de colvert à la chicorée (saison), Homard rôti à la citronnelle, Côte de veau poêlée aux chicons. **Vins** Coteaux champenois.

Aub. du Connétable, sur D 967 ☎ 23 82 24 25, – AE GB
fermé 15 janv. au 28 fév., dim. soir et lundi – **R** 115/250, enf. 45.

RENAULT Huguenin, av. Courvoisier ☎ 23 82 21 85 N

Fischbach Pneu, 47 r. J.-Lefèbvre ☎ 23 82 36 06

FERNEY-VOLTAIRE 01210 Ain 170 ⑯ **G. Jura** – 6 408 h. alt. 436.

de Genève-Cointrin : ☎ 50 31 33 30 S : 4 km.

Paris 532 – Thonon-les-Bains 51 – Bellegarde-sur-Valserine 35 – Bourg-en-Bresse 104 – ♦Genève 7 – Gex 10,5.

Voir plan agglomération de Genève.

Pullman Ferney Genève M, av. Jura ☎ 50 40 77 90, Télex 309071, Fax 50 40 83 00, – rest – 25 à 80. AE GB JCB. rest — BU **k**
R carte 250 à 360 – 60 – **118 ch** 550/700 – ½ P 490.

Novotel M, par D 35 ☎ 50 40 85 23, Télex 385046, Fax 50 40 76 33, – – 120. AE GB JCB — AU **x**
R carte environ 150, enf. 48 – 48 – **80 ch** 415/430.

France, 1 r. Genève ☎ 50 40 63 87, Fax 50 40 47 27, – GB JCB — BU **n**
fermé 25 déc. au 5 janv., lundi midi et dim. – **R** 150/225, enf. 60 – 35 – **14 ch** 260/310 – ½ P 290.

Campanile M, chemin Planche Brûlée ☎ 50 40 74 79, Télex 380957, Fax 50 42 97 29, – – 40. AE GB — AU **e**
R 77 bc/99 bc, enf. 39 – 28 – **61 ch** 258 – ½ P 234/256.

XXX ✿ **Le Pirate** (Bechis), av. Genève ✆ 50 40 63 52, Fax 50 40 64 50, 🏖, produits de la mer – AE ⓓ GB BU **r**
fermé 12 juil. au 2 août, 20 déc. au 3 janv., lundi midi et dim. – **R** (nombre de couverts limité - prévenir) 260/320
Spéc. Marbré de saumon et fond d'artichaut, Ile flottante au caviar, Turbot aux truffes et homard.

X **Chanteclair,** 13 r. Versoix ✆ 50 40 79 55, 🏖 – GB
fermé 5 au 28 juil., 6 au 14 janv., dim. et lundi – **R** 230.

PEUGEOT-TALBOT Gar. Chevalley, à Ornex ✆ 50 40 58 12
RENAULT Auto Service ✆ 50 40 59 52
V.A.G Gar. Dunand ✆ 50 40 61 94
Ⓜ Piot-Pneu, ✆ 50 40 58 02

FERRETTE 68480 H.-Rhin 166 ⑨ ⑩ **G. Alsace Lorraine** – 863 h. alt. 470.
Voir Site★ – Ruines du Château ←★.
🅸 Syndicat d'Initiative r. Château ✆ 89 40 40 01.
Paris 523 – ◆Mulhouse 38 – Altkirch 19 – ◆Basel 27 – Belfort 46 – Colmar 83 – Montbéliard 47.

à Moernach O : 5 km par D 473 – ✉ 68480 :

XX **Aux Deux Clefs** avec ch, ✆ 89 40 80 56, 🏖 – ☎ Ⓟ. GB
fermé 28 oct. au 10 nov., 15 fév. au 4 mars – **R** *(fermé vend. midi et jeudi)* 85/260 🍷 – ☕ 28 – **7 ch** 190/260 – ½ P 245/255.

XX **Au Raisin** avec ch, ✆ 89 40 80 73, 🏖 – Ⓟ. GB. ✗
fermé 2 au 18 mars, 5 au 21 oct., lundi soir et mardi – **R** 85/210 🍷, enf. 40 – ☕ 30 – **4 ch** 100/160.

à Lutter SE : 8 km par D 23 – ✉ 68480 :

XX **Aub. Paysanne** avec ch, r. Principale ✆ 89 40 71 67 – ☎ Ⓟ. GB
fermé 22 juin au 7 juil. et 21 janv. au 11 fév. – **R** *(fermé lundi)* 110/280 🍷, enf. 48 – ☕ 30 – **7 ch** 180/260 – ½ P 275/375.

Annexe Host. Paysanne 🏠 Ⓜ 🌿, 🏖 – ☎ Ⓟ. GB
fermé 22 juin au 7 juil. et 21 janv. au 11 fév. – **R** voir **Aub. Paysanne** – ☕ 30 – **9 ch** 210/375 – ½ P 275/375.

RENAULT Fritsch ✆ 89 40 41 41 🅽 ✆ 05 05 15 15

La FERRIÈRE-AUX-ÉTANGS 61 Orne 60 ① – rattaché à Flers.

La FERTÉ-BERNARD 72400 Sarthe 60 ⑮ **G. Châteaux de la Loire** (plan) – 9 355 h. alt. 91.
Voir Église N.-D.-des Marais★★.
⛳18 du Perche à Souancé-au-Perche (28) ✆ 37 29 17 33 ; NE : 21 km par N 23 et D 137[11].
🅸 Syndicat d'Initiative Cour du Sauvage, r. Carnot (15 juin-15 sept.) ✆ 43 93 25 85 et à la Mairie ✆ 43 93 04 42.
Paris 163 – ◆Le Mans 52 – Alençon 58 – Chartres 76 – Châteaudun 66 – Mortagne-au-Perche 43.

🏠 **Climat de France,** 43 bd. Gén. de Gaulle ✆ 43 93 84 70, Télex 723846, 🏖 – TV ☎ ♿ Ⓟ. AE GB
R 79/120 🍷, enf. 39 – ☕ 29 – **50 ch** 250 – ½ P 225/270.

XXX **Perdrix** avec ch, 2 r. Paris ✆ 43 93 00 44, Fax 43 93 74 95 – TV ☎ 🚗. GB
fermé lundi soir hors sais. et mardi – **R** 105/220, enf. 67 – ☕ 25 – **10 ch** 190/280.

XX **Dauphin,** 3 r. Huisne ✆ 43 93 00 39 – GB
fermé 15 août au 15 sept., dim. soir et merc. – **R** 90, enf. 60.

CITROEN Brion, 2 r. Virette ✆ 43 93 00 37
RENAULT Gd Gar. Fertois, av. Verdun ✆ 43 93 05 10 🅽 ✆ 43 77 98 27
Ⓜ Perry Pneus, La Chapelle-du-Bois-La Petite Cibole ✆ 43 93 90 44

La FERTÉ-IMBAULT 41300 L.-et-Ch. 64 ⑲ – 1 047 h. alt. 99.
Paris 193 – Bourges 58 – ◆Orléans 68 – Romorantin-Lanthenay 17 – Vierzon 23.

🏠 **Aub. A La Tête de Lard** Ⓜ, ✆ 54 96 22 32, Fax 54 96 06 22 – ▤ rest TV ☎ Ⓟ. GB. ✗ ch
fermé 23 août au 7 sept., 16 fév. au 9 mars, dim. soir et lundi – **R** 85/220 🍷 – ☕ 38 – **11 ch** 250/260 – ½ P 250.

Write us...
If you have any comments on the contents of this Guide.
Your praise as well as your criticisms will receive careful consideration and, with your assistance, we will be able to add to our stock of information and, where necessary, amend our judgments.

Thank you in advance!

La FERTÉ-MACÉ 61600 Orne 60 ① ② G. Normandie Cotentin – 6 913 h. alt. 111.

Office de Tourisme 13 r. Victoire ✆ 33 37 10 97.

Paris 227 ② – Alençon 46 ④ – Argentan 32 ② – Domfront 22 ⑤ – Falaise 39 ① – Flers 25 ⑥ – Mayenne 41 ④.

Le Céleste avec ch, 6 r. Victoire **(n)** ✆ 33 37 22 33 – ☎. GB
fermé dim. soir et lundi – **R** 60/258, enf. 45 – ☕ 25 – **15 ch** 85/260.

Aub. de Clouet avec ch, Le Clouet **(a)** ✆ 33 37 18 22, ≤, « Terrasse fleurie » – TV ☎ P – 30 à 40. GB. ch
fermé 1er au 15 janv., dim. soir et lundi du 1er oct. au 31 mars – **R** 70/300 – ☕ 35 – **6 ch** 230/300 – ½ P 300.

par ④ : 2 km sur D 916 : – ✉ **61600** La Ferté-Macé :

Aub. d'Andaines, ✆ 33 37 20 28, – ☎ P – 25 à 100. GB
fermé vacances de Noël et dim. soir du 1er nov. au 1er avril – **R** 65/250 – ☕ 30 – **15 ch** 165/260 – ½ P 220/260.

à St-Michel-des-Andaines par ⑤ : 4,5 km – ✉ **61600** :

La Bruyère, ✆ 33 37 22 26, – ☎ P. AE GB
fermé 25 nov. au 7 déc., 13 au 25 janv., vend. soir et dim. soir hors sais. – **R** 60/160, enf. 49 – ☕ 25 – **21 ch** 190/260 – ½ P 210.

Hautvie (R. d')	8	Barre (R. de la)	5
Leclerc (Pl. du Gén.)	9	Hamonic (Bd A.)	6
République (Pl.)	13	Prés.-Coty (Av. du)	12
		Sorbiers (Av. des)	14
Amand-Macé (R.)	3	Teinture (R. de la)	16

CITROEN Gar. Central, 74 r. Dr-Poulain ✆ 33 37 09 11 N
PEUGEOT-TALBOT Derouet, 76 r. Dr-Poulain ✆ 33 37 16 33

RENAULT Dubourg, 9 r Dr-Poulain ✆ 33 37 20 97
RENAULT Guillochin, rte de Paris par ② ✆ 33 37 07 11 N

La FERTÉ-ST-AUBIN 45240 Loiret 64 ⑨ G. Châteaux de la Loire – 6 414 h. alt. 92.

9 18 de Sologne ✆ 38 76 57 33, sur D 18 à l'Ouest : 3,5 km.

Office de Tourisme r. Jardins ✆ 38 64 67 93.

Paris 154 – ◆ Orléans 21 – Blois 55 – Romorantin-Lanthenay 46 – Salbris 33.

Perron, 9 r. Gén. Leclerc ✆ 38 76 53 36, Fax 38 64 80 11 – TV ☎ P. AE GB
fermé dim. soir et lundi du 1er janv. au 12 avril – **R** 140/230, enf. 58 – ☕ 38 – **24 ch** 260/320 – ½ P 280/310.

Ferme de la Lande, NE : 2,5 km par rte Marcilly ✆ 38 76 64 37, , « Ancienne ferme aménagée » – P. GB
fermé 17 au 31 août, vacances de fév., dim. soir et lundi – **R** 130/220, enf. 70.

Les Brémailles en Sologne, N : 3 km sur N 20 ✆ 38 76 56 60, , parc – P. GB
fermé lundi soir et mardi – **R** 95/300.

FIAT, LANCIA, AUTOBIANCHI Gar. Gidoin, N 20 ✆ 38 76 51 17

PEUGEOT Gar. Tremillon, 73 bd Mar.-Foch ✆ 38 76 64 09

La FERTÉ-ST-CYR 41220 L.-et-Ch. 64 ⑧ – 809 h. alt. 83.

Paris 165 – ◆ Orléans 35 – Beaugency 14 – Blois 31 – Romorantin 35.

St Cyr, ✆ 54 87 90 51, – TV ☎ P. GB. rest
fermé 15 janv. au 15 mars, lundi (sauf le soir du 15 juin au 15 oct.) et dim. soir hors sais. – **R** 70/190, enf. 38 – ☕ 28 – **20 ch** 170/240 – ½ P 182/217.

Jabotière, ✆ 54 87 90 40, , parc – GB
fermé 1er au 15 sept., 1er au 15 janv. et mardi – **R** 75/145, enf. 45.

La FERTÉ-SOUS-JOUARRE 77260 S.-et-M. 56 ⑬ 106 ㉔ – 8 236 h. alt. 62.

Syndicat d'Initiative 26 pl. Hôtel de Ville ☎ (1) 60 22 63 43.

Paris 66 ⑥ – Melun 67 ⑤ – ♦Reims 84 ① – Troyes 111 ③.

LA FERTÉ-SOUS-JOUARRE

Faubourg (R. du)	5
Pelletiers (R. des)	17
Anglais (Q. des)	2
Chanzy (R.)	3
Clemenceau (Bd)	4
Fauvet (R. M.)	6
Gare (R. de la)	7
Jaurès (R. Jean)	8
Jouarre (R. de)	9
Leclerc (Av. du Gén.)	12
Marx (R. P.)	13
Montmirail (Av. de)	14
Pasteur (Bd)	16
Petit-Morin (R. du)	18
Planson (Q. André)	19
Reuil (R. de)	20
St-Nicolas (R.)	21
Ste-Beuve (Pl.)	22
Turenne (Bd)	24

Ne cherchez pas au hasard un hôtel agréable et tranquille mais consultez les cartes de l'introduction.

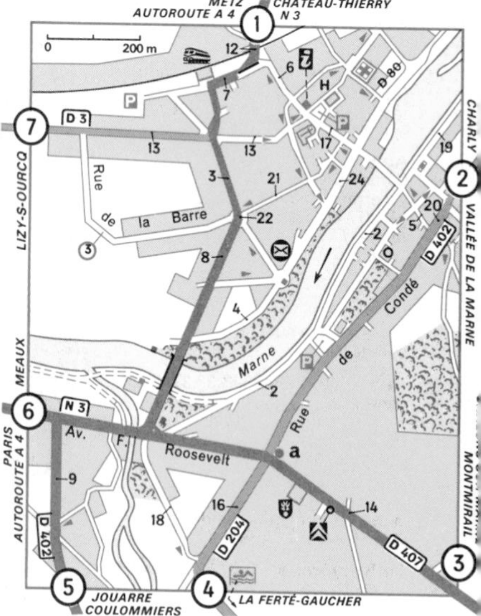

XXXX ✿ **Aub. de Condé** (Tingaud), 1 av. Montmirail **(a)** ☎ (1) 60 22 00 07, Fax (1) 60 22 30 60, – P. AE GB
fermé lundi soir et mardi – **R** 200/450, enf. 100
Spéc. Salade de langoustines et Saint-Jacques (oct.-avril), Rossini d'agneau. **Vins** Champagne.

XX **Aub. du Petit Morin,** à Mourette par ④ : 2 km ☎ (1) 60 22 02 39, , – GB
fermé 31 août au 22 sept., 11 au 25 janv., dim. soir et lundi – **R** 98/210, enf. 60.

à Jouarre par ⑤ : 3 km – 3 274 h. – ✉ 77640 :.

Voir Crypte★ de l'abbaye, **G. Ile de France.**

Le Plat d'Étain, ☎ 60 22 06 07, Fax 60 22 35 63 – TV ☎ P. AE GB
fermé 10 au 30 août, 20 au 30 déc., dim. soir et vend. – **R** 89/178 – 30 – **24 ch** 130/315 – ½ P 220/300.

CITROEN Gar. du Parc, 10 av. Montmirail ☎ (1) 60 22 90 00 N

Pezzetta Dememe, 42 av. F.-Roosevelt ☎ (1) 60 22 02 06

FEURS 42110 Loire 73 ⑱ **G. Vallée du Rhône** – 7 803 h. alt. 345.

Syndicat d'Initiative 3 r. V.-de-Laprade (fermé matin) ☎ 77 26 05 27.

Paris 430 – Roanne 38 – ♦St-Étienne 39 – ♦Lyon 63 – Montbrison 23 – Thiers 68 – Vienne 88.

Motel Etésia M sans rest, rte Roanne ☎ 77 27 07 77, Fax 77 27 03 33 – TV ☎ P. AE GB
fermé 30 avril au 3 mai, 14 au 23 août et 24 déc. au 3 janv. – 25 – **15 ch** 230/280.

L'Astrée sans rest, 2 chemin du Bout du Monde ☎ 77 26 54 66 – TV ☎ P. AE GB
30 – **17 ch** 120/220.

XX La Boule d'Or, rte Lyon ☎ 77 26 20 68, – P.

XX **Commerce,** 2 r. Loire ☎ 77 27 04 67, Fax 77 26 18 92 – AE GB
fermé 16 nov. au 6 déc., mardi soir et merc. – **R** 72/220.

ALFA-ROMEO, SEAT Gar. Cheminal, 15 r. de la Loire ☎ 77 26 08 14 N ☎ 77 26 24 63
FIAT Boichon, 9 r. Minette ☎ 77 26 15 96 N
FORD Gar. du Forez, 6 r. V.-Hugo ☎ 77 26 15 14
PEUGEOT TALBOT Gar. Faure, 16 rte de Lyon ☎ 77 26 03 65

RENAULT Rhône Loire Distribution Auto, rte de St-Étienne ☎ 77 26 45 12 N ☎ 77 26 42 47

Feurs-Pneus, ZA les Planchettes, r. St-Exupéry ☎ 77 26 39 98

FEYTIAT 87 H.-Vienne 72 ⑱ – rattaché à Limoges.

FEYZIN **69** Rhône **74** ⑪ – rattaché à Lyon.

FIGEAC <SP> **46100** Lot **79** ⑩ **G. Périgord Quercy** – 9 549 h. alt. 214.

Voir Le vieux Figeac★ : hôtel de la Monnaie★ **M1** – Vallée du Célé★ par ⑤.

Office de Tourisme pl. Vival (fermé matin hors saison) ✆ 65 34 06 25.

Paris 576 ⑥ – Rodez 64 ② – Aurillac 65 ① – Brive-la-Gaillarde 91 ⑥ – Cahors 68 ⑤ – Villefranche-de-Rouergue 36 ③.

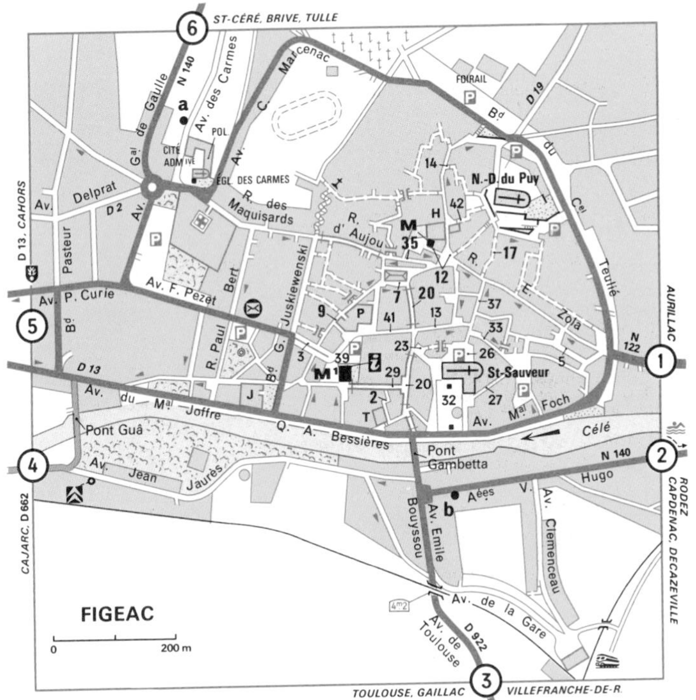

Anjou (R. d')		Champollion (Pl. et R. des Frères)	12	Orthabadial (R.)	29
Carnot (Pl.)	7	Clermont (R.)	13	Raison (Pl. de la)	32
Gambetta (R.)	20	Colomb (R. de)	14	Roquefort (R.)	33
Balène (R.)	2	Delzhens (R.)	17	Seguer (R.)	35
Barthal (R.)	3	Herbes (Pl. aux)	23	Tomfort (R.)	37
Canal (R. du)	5	Michelet (Pl. E.)	26	Vival (Pl.)	39
Caviale (R.)	9	Monastère (R. du)	27	11-Novembre (R. du)	41
				16-Mai (R. du)	42

des Carmes M, Enclos des Carmes **(a)** ✆ 65 34 20 78, Télex 520794, Fax 65 34 22 39, ⛱, ⛱, ✕ – ▮ ▭ ☎ ℗ – ⛱ 35. AE ⓞ GB
fermé 21 déc. au 6 janv., dim. soir et sam. du 1er oct. au 1er mai – **R** 110/275 ✉, enf. 50 – ☕ 42 – **40 ch** 280/380.

Host. Champollion, 51 allées V. Hugo **(b)** ✆ 65 34 10 16, ⛱ – ☎ ⛱ ℗. AE ⓞ GB JCB
fermé 15 janv. au 5 fév. et dim. soir du 20 oct. au 30 avril sauf fériés – **R** 75/250 ✉ – ☕ 30 – **30 ch** 185/280 – ½ P 260.

Pont du Pin sans rest, 3 allées V. Hugo par ② ✆ 65 34 12 60 – ☎. GB. ✕
☕ 30 – **23 ch** 190/320.

à St-Julien-d'Empare par ② : 10 km – ✉ **12700** Capdenac-Gare (Aveyron).

Voir Capdenac : site★ et ≼★ d'une terrasse proche de l'église N : 4 km.

Aub. la Diège ⛱, ✆ 65 64 70 54, Fax 65 80 81 58, ⛱, ⛱, ⛱, ⛱, ✕ – ☎ ♿ ℗ – ⛱ 30. GB
fermé 23 déc. au 2 janv. – **R** *(fermé vend. soir et sam. d'oct. à avril)* 70/210 ✉, enf. 58 – ☕ 30 – **24 ch** 220/280 – ½ P 204/215.

à Cardaillac par ⑥ et D 15 : 9,5 km – ✉ **46100** :

Chez Marcel, ☎ 65 40 11 16
fermé 15 au 31 oct. et lundi sauf du 14 juil. au 24 août – **R** 70/220 ♁.

CITROEN Gar. Jean-Jaurès, 31 av. J.-Jaurès ☎ 65 34 06 67
RENAULT S.A.F.D.A., rte de Cahors, ZI par ⑤ ☎ 65 34 00 23 🅽 ☎ 65 50 01 50
RENAULT Central Gar., 16 av. Ch.-de-Gaulle à Capdenac-Gare par ② ☎ 65 64 74 78
V.A.G Reveillac, 38 av. J.-Loubet ☎ 65 34 18 78

Ⓜ Comptoir du Pneu, rte d'Aurillac ☎ 65 34 20 74
Figeac Pneus, 41 faubourg du Pin ☎ 65 34 64 64
Gar. Pont du Pin, 12 av. d'Aurillac ☎ 65 34 11 44
Quercy-Auvergne-Pneus, 21 av. G.-Pompidou ☎ 65 34 20 30

FILLÉ **72** Sarthe 64 ③ – rattaché à Guécélard.

FIRMINY **42700** Loire 76 ⑧ **G. Vallée du Rhône** – 23 123 h. alt. 473.
Paris 531 – ♦St-Étienne 14 – Ambert 79 – Montbrison 39 – Yssingeaux 37.

Pavillon sans rest, 4 av. Gare ☎ 77 56 91 11, Fax 77 61 80 60 – 🛗 📺 ☎ Ⓟ. AE ⓓ GB
fermé 13 juil. au 2 août – **22 ch** ☕ 220/260.

Table du Pavillon, 4 av. Gare ☎ 77 56 00 45 – GB
fermé dim. – **R** 89/250.

au Pertuiset NO : 5 km par D 3 – ✉ **42240** Unieux :

Verdier Riffat, ☎ 77 35 71 11, ← Loire, 🏞 – Ⓟ. ⓓ GB
fermé 15 au 28 fév., mardi soir et merc. – **R** 85/235, enf. 52.

RENAULT Durand, 16 r. Tour-de-Varan ☎ 77 56 35 66

Ⓜ Technique Pneus, ZAC des Bruneaux, 78 r. V.-Hugo ☎ 77 56 30 12

FITOU **11510** Aude 86 ⑨ ⑩ – 579 h. alt. 41.
Paris 883 – ♦Perpignan 29 – Carcassonne 88 – Narbonne 38.

Cave d'Agnès, ☎ 68 45 75 91 – Ⓟ. GB
4 avril-4 oct. et fermé merc. (sauf le soir en juil.-août) et mardi midi en juil.-août – **Repas** (nombre de couverts limité, prévenir) 87/110 ♁, enf. 45.

FIXIN **21220** Côte-d'Or 166 ⑫ **G. Bourgogne** – 826 h. alt. 292.
Paris 314 – ♦Dijon 11 – Beaune 34 – Dole 58.

Chez Jeannette avec ch, ☎ 80 52 45 49, 🏞 – AE ⓓ GB JCB
fermé 24 nov. au 7 janv. et jeudi – **R** 75/295 ♁, enf. 45 – ☕ 24 – **11 ch** 90/189.

FLAGY **77** S.-et-M. 61 ⑬ – rattaché à Montereau.

FLAINE **74** H.-Savoie 74 ⑧ **G. Alpes du Nord** – alt. 1 600 – Sports d'hiver : 1 500/2 500 m 🚡3 ⛷26 – ✉ **74300** Cluses.

⛳18 ☎ 50 90 85 44, 4 km par D 106.
🅸 Office de Tourisme ☎ 50 90 80 01, Télex 385662.
Paris 595 – Chamonix-Mont-Blanc 60 – Annecy 77 – Bonneville 37 – Cluses 23 – Megève 40 – Morzine 42 – Thonon-les-Bains 72.

Totem 🐦, ☎ 50 90 80 64, Fax 50 90 88 47, ← – 🛗 ☎. AE ⓓ GB JCB. 🚫 rest
27 juin-6 sept. (sauf rest.) et 19 déc.- 25 avril – **R** 180 – **91 ch** ☕ 500/1060, 4 appart. – ½ P 590/710.

FLAVIGNY-SUR-MOSELLE **54** M.-et-M. 62 ⑤ – rattaché à Nancy.

FLAYOSC **83** Var 84 ⑦ – rattaché à Draguignan.

La FLÈCHE SP **72200** Sarthe 64 ② **G. Châteaux de la Loire** – 14 953 h. alt. 30.
Voir Prytanée militaire★ Y – Boiseries★ de la chapelle N.-D.-des-Vertus Y – Parc zoologique du Tertre Rouge★ 5 km par ② puis D 104.

🅸 Syndicat d'Initiative à l'Hôtel de Ville ☎ 43 94 02 53 et Chalet du Tourisme prom. Foch (saison) ☎ 43 94 49 82.
Paris 242 ① – Angers 52 ④ – ♦Le Mans 43 ① – Châteaubriant 106 ④ – Laval 69 ⑤ – ♦Tours 70 ②.

Plan page suivante

Relais Cicero 🐦 sans rest, 18 bd Alger ☎ 43 94 14 14, Fax 43 45 98 96, « Demeure du 17e siècle, belle décoration intérieure », 🌳 – 📺 ☎. AE GB. 🚫 — Y **a**
fermé 20 déc. au 4 janv. – ☕ 44 – **21 ch** 370/650.

Image, 50 r. Grollier ☎ 43 94 00 50, Fax 43 94 47 19, 🌳 – 📺 ☎ Ⓟ. ⓓ GB — Z **u**
fermé 23 au 30 déc. et vacances de fév. – **R** 70/220 ♁, enf. 45 – ☕ 28 – **20 ch** 130/350 – ½ P 270/310.

La Fesse d'Ange, pl. 8 Mai 1945 ☎ 43 94 73 60 – GB — Y **b**
fermé 1er au 22 août, vacances de fév., dim. soir et lundi – **Repas** 100/140.

Vert Galant avec ch, 70 Gde Rue ☎ 43 94 00 51, Fax 43 45 11 24, 🌳 – 📺 ☎ Ⓟ. GB. 🚫 — Y **r**
fermé 20 déc. au 15 janv. – **Repas** *(fermé jeudi)* 70/160 – ☕ 20 – **9 ch** 196/237 – ½ P 185/210.

AUSTIN, ROVER Gar. Gambetta, 51 bd Gambetta ✆ 43 94 06 20
CITROEN Bastard, bd de Montréal ✆ 43 94 01 41
FORD Bouttier, av. de Verdun ✆ 43 94 04 08
PEUGEOT-TALBOT Gar. Vadeble, av. Rhin-et-Danube par ⑤ ✆ 43 94 01 73 **N** ✆ 43 45 57 46

V.A.G Gar. Clerfond, la Jalêtre, av. Rhin-et-Danube ✆ 43 94 10 48

Gar. Robles, bd Rhin-et-Danube ✆ 43 45 20 38

FLERS **61100** Orne **60** ① **G. Normandie Cotentin** – 17 888 h. alt. 188.

Office de Tourisme pl. Gén.-de-Gaulle ✆ 33 65 06 75.

Paris 239 ② – Alençon 71 ③ – Argentan 43 ② – ◆Caen 58 ① – Fougères 77 ④ – Laval 88 ④ – Lisieux 84 ① – St-Lô 64 ① – St-Malo 131 ④ – Vire 29 ⑥.

Plan page suivante

Galion M sans rest, 22 r. Gare ✆ **33 64 47 47**, Fax **33 65 10 10**, – TV ☎ ♿ P. AE GB — AZ **b**
fermé dim. soir – 25 – **36 ch** 160/240.

Aub. du Cèdre, 64 r. 11e D. B. ✆ **33 64 06 00**, – TV ☎ P. GB — AY **u**
fermé 28 juil. au 11 août, Noël au Jour de l'An, lundi (sauf hôtel) et dim. soir – **R** 80/150 – 18 – **8 ch** 250/300.

Ouest, 14 r. Boule ✆ **33 64 32 43** – TV ☎. GB — AY **a**
fermé 1er au 15 août et dim. – **R** 62/170, enf. 40 – 22 – **13 ch** 160/240 – ½ P 170.

Normandie, 44 pl. P. Duhalde ✆ **33 65 23 38** – ☎. GB. — AZ **e**
fermé juil., dim. soir et vend. – **R** 60/150 – 18,50 – **12 ch** 85/182.

Au Bout de la Rue, 60 r. Gare ✆ **33 65 31 53** – AE GB — AZ **n**
fermé 2 au 23 août, 3 au 10 janv., dim. et fériés – **R** 108/158, enf. 52.

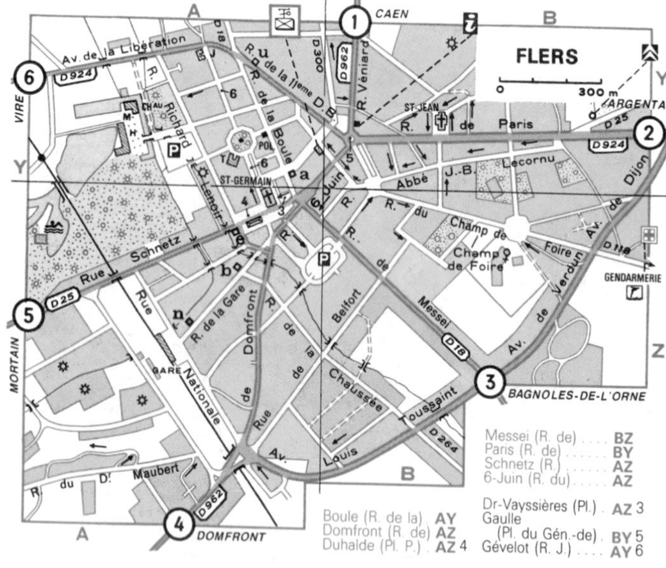

à La Ferrière-aux-Étangs par ③ : 10 km – ✉ **61450** :

XX **Aub. de la Mine,** le Gué-Plat S : 2 km par rte Domfront ☎ 33 66 91 10 – AE GB
fermé mardi soir et merc. – **Repas** 90/155, enf. 50.

CITROEN S.A.C.O.A., 17 r. d'Athis ☎ 33 64 46 46
FORD Granger, ZA de la Minière, rte de Domfront ☎ 33 65 08 55
OPEL Bedouelle, 29 r. Abbé-Lecornu ☎ 33 65 22 21
RENAULT Manson, rte de Domfront, ZI par ④ ☎ 33 65 77 55 N

V.A.G Masseron, 184 r. H.-Véniard à St-Georges-des-Groseilliers ☎ 33 65 24 88

Alexandre, 58 bis r. Messei ☎ 33 65 02 15
Clabeaut-Pneu, 91 r. de la Chaussée ☎ 33 65 26 18
Grosos, Le Tremblay ☎ 33 65 29 60

FLÊTRE 59270 Nord 51 ④ – 709 h. alt. 47.

Paris 244 – ♦ Lille 39 – Dunkerque 39 – St-Omer 29.

XX **Vieille Poutre,** ☎ 28 40 19 52 – P. AE GB
fermé 3 au 24 août, 2 au 17 fév., dim. soir et lundi – **R** 195/260.

FLEURANCE 32500 Gers 82 ⑤ G. Pyrénées Aquitaine – 6 368 h. alt. 98.

☎ 62 06 26 26, S par N 21 : 4 km.

Syndicat d'Initiative à la Mairie (saison) ☎ 62 06 27 80.

Paris 760 – Auch 24 – Agen 47 – Castelsarrasin 57 – Condom 30 – Montauban 66 – ♦Toulouse 83.

Fleurance sans rest, rte Agen : 2 km ☎ 62 06 14 85, ←, – TV ☎ P. AE GB
fermé 20 déc. au 10 janv. – **Jacques Palisse** ☎ 62 06 07 70 **R** 69/200 – ☐ 32 – **23 ch** 210/380.

PEUGEOT-TALBOT Carol, av. Gén.-de-Gaulle ☎ 62 06 11 81 N ☎ 62 06 00 90

RENAULT Gar. Palacin, ☎ 62 06 11 69 N

FLEURIE 69820 Rhône 74 ① G. Vallée du Rhône – 1 105 h. alt. 295.

Env. La Terrasse ✱★★ près du col du Fût d'Avenas O : 10 km.

Paris 413 – Mâcon 21 – Bourg-en-Bresse 43 – Chauffailles 42 – ♦Lyon 59 – Villefranche-sur-Saône 26.

Grands Vins sans rest, S : 1 km par D 119E ☎ 74 69 81 43, Fax 74 69 86 10, ←, ☐, – ☎ ♿ P. GB.
fermé 1er au 6 août et 13 déc. au 8 janv. – ☐ 42 – **20 ch** 300/370.

XXX ✿ **Aub. du Cep,** pl. Église ☎ 74 04 10 77, Fax 74 04 10 28 – ☐. AE GB
fermé 15 déc. au 5 janv., dim. soir et lundi – **R** (prévenir) 290/550
Spéc. Cuisses de grenouilles rôties, Queues d'écrevisses en petit ragoût, Volaille fermière au Fleurie. **Vins** Fleurie, Beaujolais blanc.

Prices — For notes on the prices quoted in this Guide, see the explanatory pages.

FLEURINES **60700** Oise 56 ① – 1 494 h. alt. 116.
Paris 56 – Compiègne 31 – Beauvais 50 – Clermont 23 – Roye 53 – Senlis 8.

XXX ✿ **Vieux Logis** (Nivet), ✆ 44 54 10 13, Fax 44 54 12 47, 😊, 🍴 – AE ⓓ GB JCB. ✂
fermé sam. midi, dim. soir et lundi – **R** 200/380
Spéc. Foie gras frais, Cul de lapin à la bière picarde, Homard grillé à la Bigoudène.

FLEURVILLE **71260** S.-et-L. 69 ⑲ ⑳ – 485 h. alt. 177.
Paris 376 – Mâcon 17 – Cluny 26 – Pont-de-Vaux 6 – St-Amour 39 – Tournus 14.

Château de Fleurville 🌿, ✆ 85 33 12 17, 😊, parc, 🏊, 🎾 – ☎ P. GB. ✂ rest
fermé 15 nov. au 26 déc. – **R** *(fermé lundi midi)* 150/250, enf. 70 – ☕ 45 – **14 ch** 420.

XX **Le Fleurvil** avec ch, ✆ 85 33 10 65, Fax 85 33 10 37 – ☎ P. GB
fermé 9 au 16 juin, 15 nov. au 15 déc., lundi soir et mardi – **R** 90/200 🍷 – ☕ 28 – **10 ch** 150/220.

à St-Oyen-Montbellet N : 3 km par N6 – ✉ **71260** Lugny :

XX **La Chaumière** avec ch, ✆ 85 33 10 41, 😊, 🍴 – ☎ P. GB
fermé jeudi midi et merc. – **R** 125/195 🍷, enf. 50 – ☕ 28 – **10 ch** 155/200.

FLEURY-SUR-ORNE **14** Calvados 55 ⑪ – rattaché à Caen.

FLÉVIEU **01** Ain 74 ⑭ – alt. 205 – ✉ **01470** Serrières-de-Briord.
Paris 486 – Belley 30 – Bourg-en-B. 57 – ♦Lyon 67 – Meximieux 35 – Nantua 68 – La Tour-du-Pin 32.

X Mille, ✆ 74 36 71 20, 😊 – P.

FLORAC ⟨SP⟩ **48400** Lozère 80 ⑥ **G. Gorges du Tarn** (plan) – 2 065 h. alt. 545.
Voir S : Corniche des Cévennes*** – O : Gorges du Tarn***.
ℹ Office de Tourisme av. J.-Monestier (fermé après-midi oct.-mai) ✆ 66 45 01 14.
Paris 635 – Mende 38 – Alès 68 – Millau 83 – Rodez 124 – Le Vigan 67.

Gd H. Parc, ✆ 66 45 03 05, Fax 66 45 11 81, ≤, « Parc », 🏊 – 🛗 ☎ P. AE ⓓ GB. ✂ ch
15 mars-1er déc. et fermé lundi hors sais. – **Repas** 75/175, enf. 50 – ☕ 24 – **66 ch** 130/270 – ½ P 235/315.

Central et Poste, ✆ 66 45 00 01, 😊 – 🛗 ☎. GB. ✂
fermé 8 janv. au 1er mars et vend. d'oct. à juin – **R** 62/87 🍷, enf. 38 – ☕ 23 – **27 ch** 145/210 – ½ P 168/188.

Pont Neuf, ✆ 66 45 01 67, 😊 – TV ☎ P. AE GB. ✂ ch
fermé 10 au 30 nov. – **R** 65/130 🍷 – ☕ 23 – **20 ch** 210/275 – ½ P 180/190.

Gorges du Tarn sans rest, ✆ 66 45 00 63 – ☎ P. GB. ✂
1er mai-30 sept. – ☕ 22 – **32 ch** 140/220.

à Cocurès NE : 5,5 km – alt. 600 – ✉ **48400** :

La Lozerette 🌿, par N 106 et D 998 ✆ 66 45 06 04, Fax 66 45 12 93 – ☎ P. AE GB. ✂ rest
1er mai-1er nov. – **R** *(fermé mardi sauf du 1er juil. au 15 sept.)* 90/105 – ☕ 25 – **21 ch** 230/290 – ½ P 200/260.

CITROEN Gar. chez Momo, ZA St-Julien, rte de Mende ✆ 66 45 00 27
FIAT Gar. Baubrier ✆ 66 45 01 52
PEUGEOT-TALBOT Pascal ✆ 66 45 00 65
Ⓜ Covinhes, ZA ✆ 66 45 08 84

FLORENSAC **34510** Hérault 83 ⑮ – 3 583 h. alt. 8.
Paris 803 – ♦Montpellier 44 – Agde 8,5 – Béziers 25 – Lodève 55 – Mèze 14 – Pezenas 10.

XXX ✿ **Léonce** (Fabre) avec ch, pl. République ✆ 67 77 03 05 – ▤ rest ☎ – 🏛 25. AE ⓓ GB. ✂ rest
fermé 28 sept. au 12 oct., mi-fév.-mi-mars, dim. soir hors sais. et lundi sauf hôtel en sais. – **R** (en saison prévenir) 120/330, enf. 70 – ☕ 33 – **12 ch** 230/250
Spéc. Foie gras de canard en petite salade, Supions en ragoût de haricots blancs, Sublime "Léonce" au chocolat. **Vins** Minervois, Coteaux du Languedoc.

FLORENT-EN-ARGONNE **51** Marne 56 ⑲ – rattaché à Ste-Menehould.

La FLOTTE **17** Char.-Mar. 71 ⑫ – voir à Ré (Ile de).

FLUMET **73590** Savoie 74 ⑦ **G. Alpes du Nord** – 760 h. alt. 1 000 – Sports d'hiver : 1 000/2 030 m ⛷13 ⛷.
ℹ Office de Tourisme "Le Dodécagone" ✆ 79 31 61 08.
Paris 606 – Chamonix-Mont-Blanc 45 – Albertville 21 – Annecy 51 – Chambéry 72 – Megève 10.

Host. Parc des Cèdres, ✆ 79 31 72 37, ≤, 😊, « Parc » – cuisinette TV ☎ 🚗 P. AE ⓓ GB
7 juin-5 oct. et 19 déc.-Pâques – **R** 95/200, enf. 48 – ☕ 35 – **20 ch** 180/300 – ½ P 220/300.

à St-Nicolas-la-Chapelle SO : 1,2 km par N 212 – ✉ **73590** :

Vivier Ⓜ, sur N212 ✆ 79 31 73 79, Fax 79 31 60 70, ≤, 😊, 🍴 – TV ☎ 🚗 P. GB
fermé 15 nov. au 18 déc. et lundi hors sais. – **R** 55/120 🍷, enf. 45 – ☕ 28 – **20 ch** 190/230 – ½ P 200/270.

Gar. Joly ✆ 79 31 71 86

FOIX P 09000 Ariège 86 ④ ⑤ **G. Pyrénées Roussillon** – 9 964 h. alt. 380.

Voir Site★ – ※★ de la tour du château A – Route Verte★★ O par D17 A.

Env. Rivière souterraine de Labouiche★ NO : 6,5 km par D1.

Office de Tourisme avec A.C. 45 cours G.-Fauré ☏ 61 65 12 12.

Paris 780 ① – Andorre-la-Vieille 105 ② – Auch 155 ① – Barcelona 264 ② – Carcassonne 84 ① – Castres 117 ① – ◆Perpignan 136 ② – St-Gaudens 87 ③ – Tarbes 150 ③ – ◆Toulouse 84 ①.

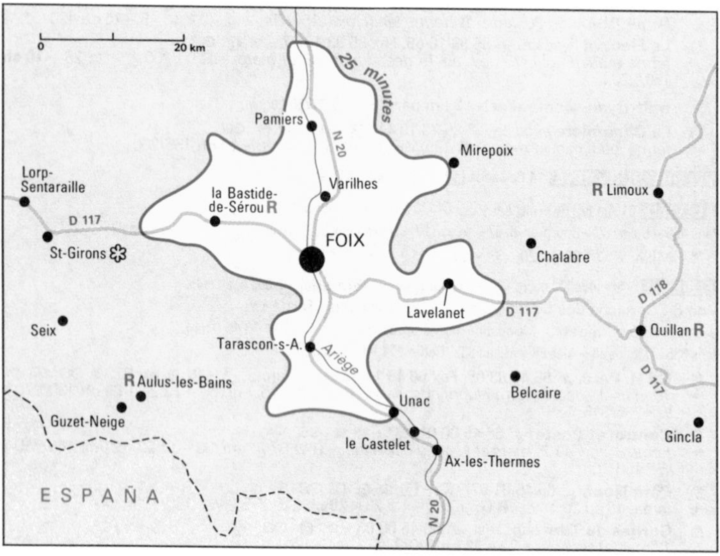

⌂ **Pyrène** M sans rest, par ② : 2 km sur N 20 ☏ 61 65 48 66, Fax 61 65 46 69, – ☏ P. GB
fermé 20 déc. au 20 janv. – 28 – **20 ch** 270/330.

⌂ **Audoye-Lons,** 6 pl. G. Duthil ☏ 61 65 52 44, Fax 61 02 68 18, ⟨, – ☏ – 40. AE GB B **d**
fermé 15 déc. au 15 janv. et sam. en hiver – **R** 65/115 – 29 – **39 ch** 230/350 – ½P 210/250.

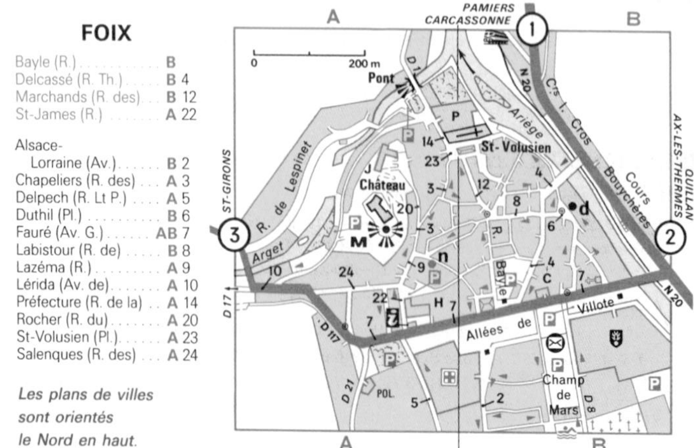

FOIX

Bayle (R.)	B	
Delcassé (R. Th.)	B	4
Marchands (R. des)	B	12
St-James (R.)	A	22
Alsace-Lorraine (Av.)	B	2
Chapeliers (R. des)	A	3
Delpech (R. Lt P.)	A	5
Duthil (Pl.)	B	6
Fauré (Av. G.)	AB	7
Labistour (R. de)	B	8
Lazéma (R.)	A	9
Lérida (Av. de)	A	10
Préfecture (R. de la)	A	14
Rocher (R. du)	A	20
St-Volusien (Pl.)	A	23
Salenques (R. des)	A	24

Les plans de villes sont orientés le Nord en haut.

XX Camp du Drap d'Or, 21 r. N. Peyrevidal ✆ 61 02 87 87 – GB — A n
fermé 5 au 11 oct., dim. soir et lundi – **R** 75/105.

au Sud par ② : 7 km bifurcation N 20 et D 117 – ✉ **09000** St-Paul-de-Jarrat :

XX **La Charmille** avec ch, ✆ **61 64 17 03**, – ☎ **P**. GB. ch
fermé 1er au 15 oct., 23 déc. au 1er fév., dim. soir (sauf juil.-août) et lundi – **R** 60/220 – ☕ 25 – **10 ch** 150/250 – ½ P 230/320.

CITROEN Grau, N 20, Peyssales par ② ✆ 61 65 50 66
PEUGEOT, TALBOT Stival-Auto, N 20, ZI de Labarre par ① ✆ 61 65 42 22 **N** ✆ 61 02 92 98
RENAULT Autorama, rte d'Espagne par ② ✆ 61 65 32 22 **N** ✆ 61 02 51 54

V.A.G Marhuenda, 16 bis av. Mar.-Leclerc ✆ 61 02 74 44

Central Pneu, 33 av. Mar.-Leclerc ✆ 61 65 01 68
Lautier Pneus, 16 av. de Barcelone ✆ 61 65 01 41

FOLLAINVILLE-DENNEMONT 78 Yvelines 55 ⑱, 106 ③ – rattaché à Mantes-la-Jolie.

FONSEGRIVES 31 H.-Gar. 82 ⑧ – rattaché à Toulouse.

When looking for a hotel or restaurant use the most efficient method.
Look for the names of towns underlined in red
on the **Michelin maps** *scale: 1:200 000.*
But make sure you have an up-to-date map!

FONTAINEBLEAU SP 77300 S.-et-M. 61 ② ⑫ 106 ㊺ ㊻ G. Ile de France – 15 714 h. alt. 77.

Voir Palais★★★ ABZ – Jardins★ ABZ – Musée napoléonien d'Art et d'Histoire militaire : collection de sabres et d'épées★ AY **M1** – Forêt★★★ – Gorges de Franchard★★ par ⑥ : 5 km.

18 ✆ (1) 64 22 22 95, par ⑤ : 1,5 km.

Office de Tourisme 31 pl. N.-Bonaparte ✆ (1) 64 22 25 68.

Paris 65 ⑦ – Auxerre 104 ④ – Châlons-sur-Marne 158 ③ – Chartres 111 ⑦ – Meaux 73 ① – Melun 16 ① – Montargis 52 ④ – ♦Orléans 89 ⑤ – Sens 54 ③ – Troyes 117 ③.

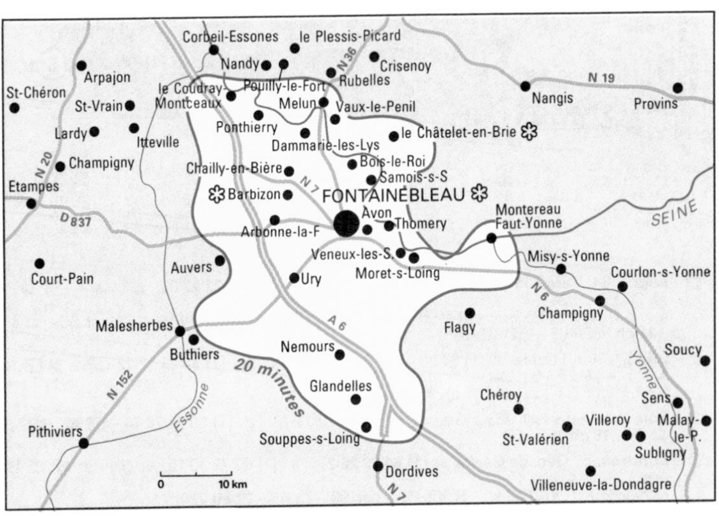

Aigle Noir M, 27 pl. Napoléon ✆ (1) 64 22 32 65, Télex 694080, Fax (1) 64 22 17 33, « Bel aménagement intérieur », – ch TV ☎ – 50. AE GB JCB — AZ a
Le Beauharnais *(fermé 14 juil. au 10 août et 23 au 30 déc.)* **R** 220/300 – ☕ 80 – **51 ch** 950, 6 appart.
Spéc. Chaud et froid de langoustines, Duo de ris et rognons de veau au coulis d'écrevisses, Entremet à l'arabica et noix du Périgord.

Napoléon M, 9 r. Grande ✆ (1) 64 22 20 39, Télex 691652, Fax (1) 64 22 20 87, – TV ☎ – 80. AE GB JCB — BZ n
La Table des Maréchaux R 160/290 enf. 75 – ☕ 60 – **56 ch** 650/810 – ½ P 450/495.

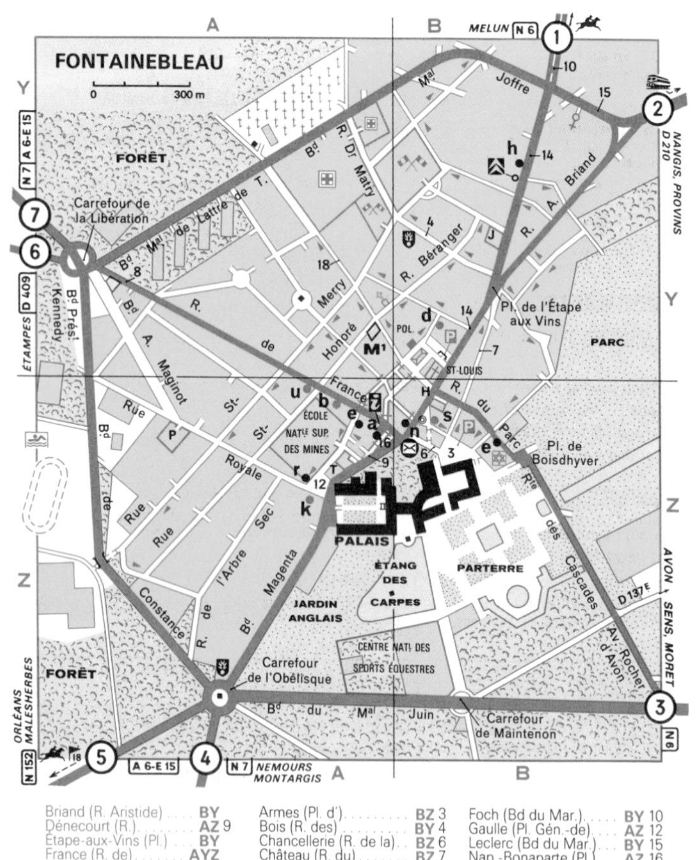

Briand (R. Aristide) .... **BY**	Armes (Pl. d') .... **BZ** 3	Foch (Bd du Mar.) ..... **BY** 10
Dénecourt (R.) .... **AZ** 9	Bois (R. des) .... **BY** 4	Gaulle (Pl. Gén.-de) .... **AZ** 12
Étape-aux-Vins (Pl.) .... **BY**	Chancellerie (R. de la) .. **BZ** 6	Leclerc (Bd du Mar.) .... **BY** 15
France (R. de) .... **AYZ**	Château (R. du) .... **BZ** 7	Nap.-Bonaparte (Pl.) ... **AZ** 16
Grande (R.) .... **BY** 14	Churchill (Bd W.) ...... **AY** 8	Paroisse (R. de la) ..... **AY** 18

🏨 **Legris et Parc,** 36 r. Parc ✆ (1) 64 22 24 24, Fax (1) 64 22 22 05, 🌳, 🌲 – 📺 ☎ – 🏢 25 à 70. GB — BZ **e**
fermé 18 déc. au 25 janv. – **R** *(fermé dim. soir et lundi d'oct. à avril)* 100/165, enf. 55 – ☕ 40 – **31 ch** 380/465 – ½ P 320/345.

🏨 **Ibis** Ⓜ, 18 r. Ferrare ✆ (1) 64 23 45 25, Télex 692240, Fax (1) 64 23 42 22, 🌳 – 🛗 📺 ☎ ♿ 🚗 – 🏢 25 à 60. GB — AZ **e**
R 91 🍷, enf. 39 – ☕ 32 – **81 ch** 300/325.

🏨 **Toulouse** sans rest, 183 r. Grande ✆ (1) 64 22 22 73, Fax (1) 60 72 76 74 – 📺 ☎. GB — BY **h**
☕ 25 – **18 ch** 150/300.

🏨 **Londres,** pl. Gén. de Gaulle ✆ (1) 64 22 20 21, Fax (1) 60 72 39 16, ≤, 🌳 – ☎ 🅟. AE ⓓ GB — AZ **r**
fermé 22 déc. au 20 janv. – **R** 135/300, enf. 90 – ☕ 45 – **22 ch** 220/530.

XXX **François 1er,** 3 r. Royale ✆ (1) 64 22 24 68, 🌳 – ⓓ GB — AZ **k**
fermé dim. soir – **R** 150/250.

XX **Croquembouche,** 43 r. France ✆ (1) 64 22 01 57 – GB. 🚫 — AZ **b**
fermé août, vacances de fév., jeudi midi et merc. – **R** 110/190.

XX **Chez Arrighi,** 53 r. France ✆ (1) 64 22 29 43 – AE ⓓ GB — AZ **u**
fermé 1er au 14 août et lundi – **R** 110/168.

XX **Le Dauphin,** 24 r. Grande ✆ (1) 64 22 27 04 – GB — BZ **s**
fermé 2 au 9 sept., fév., mardi soir et merc. – **R** 78/145.

X **Le Grillardin,** 12 r. Pins ✆ (1) 64 22 36 83 – GB — BY **d**
fermé dim. soir et lundi – **R** 85 (sauf sam. soir)/140.

à Avon par ② – 13 873 h. – ✉ **77210** :

Fimotel Ⓜ, 46 av. F. Roosevelt ✆ (1) 64 22 30 21, Télex 693072, Fax (1) 64 22 43 76, – ⇕ TV ☎ ♿ P – 25 à 80. AE ⓓ GB
R 78/105 ♁, enf. 32 – ☕ 39 – **67 ch** 320/340.

à Thomery E : 9 km par ③, N 6 et D 901 – 3 025 h. – ✉ **77810** :

XXX **Le Vieux Logis** ⛰, avec ch, 5 r. Sadi Carnot ✆ (1) 60 96 44 77, – ⇕ TV ☎ P. AE GB
R 120/220 – ☕ 45 – **14 ch** 380 – ½ P 345/355.

à Ury par ⑤ : 10 km – ✉ **77116** :

Novotel Ⓜ ⛰, NE par N 152 et VO ✆ (1) 64 24 48 25, Télex 694153, Fax (1) 64 24 46 92, ←, , « En lisière de forêt », ⛱, , ✂ – ▤ rest TV ☎ ♿ P – 80. AE ⓓ GB
R carte environ 160 ♁, enf. 52 – ☕ 48 – **127 ch** 450/525.

ALFA-ROMEO, TOYOTA, VOLVO Ile-de-France-Auto, 86 r. de France ✆ (1) 64 22 31 59
BMW D.A.B., 72 av. de Valvins à Avon ✆ (1) 60 72 28 28
CITROEN Sud-Auto, 177 r. Grande ✆ (1) 64 22 10 60 **N**
FIAT Rucheton, 27 av. F.-Roosevelt à Avon ✆ (1) 64 22 24 19
FORD Gar. François 1er, 9 r. Chancellerie ✆ (1) 64 22 20 34
FORD Gar. François 1er, 9 r. Gambetta à Avon ✆ (1) 60 72 10 13
HONDA Gar. Europe, 2 av. F.-Roosevelt à Avon ✆ (1) 64 22 38 71
PEUGEOT, TALBOT SGCC, 66 av. de Valvins à Avon par ② ✆ (1) 60 72 21 79
RENAULT Gar. Centre, 56 av. de Valvins à Avon par ② ✆ (1) 60 72 25 75
RENAULT Gar. du Viaduc, 40 r. du Viaduc à Avon par ② ✆ (1) 64 22 37 78
ROVER, JAGUAR Gar. St-Antoine 111 r. de France ✆ (1) 64 22 31 88

Forum Pneus, 65-67 r. de France ✆ (1) 64 22 25 85

FONTAINE-CHAALIS

60300 Oise 56 ⑫ 106 ⑨ – 366 h. alt. 120.

Voir Boiseries★ de l'église de Baron E : 4 km, **G. Ile de France.**

Paris 48 – Compiègne 38 – Beauvais 61 – Meaux 30 – Senlis 9 – Villers-Cotterets 37.

XX **Aub. de Fontaine** ⛰ avec ch, ✆ 44 54 20 22, , – ☎. ⓓ GB
fermé 5 fév. au 3 mars, mardi soir et merc. – **R** 110/180, enf. 50 – ☕ 30 – **8 ch** 240/320 – ½ P 280/350.

FONTAINE-DE-VAUCLUSE

84800 Vaucluse 81 ⑬ **G. Provence** (plan) – 580 h. alt. 80.

Voir La Fontaine de Vaucluse★★★ 30 mn – Collection Casteret★ au Monde souterrain de Norbert Casteret.

ℹ Syndicat d'Initiative chemin de la Fontaine ✆ 90 20 32 22.

Paris 705 – Avignon 29 – Apt 31 – Carpentras 21 – Cavaillon 13 – Orange 49.

XX **Parc,** ✆ 90 20 31 57, ←, , « Terrasse au bord de l'eau », – ☎ P. AE ⓓ GB
fermé 2 janv. au 15 fév. et merc. – **R** 120/202, enf. 45.

XX **Host. du Château,** ✆ 90 20 31 54, ←, , « Au bord de l'eau » – AE ⓓ GB
fermé lundi soir et mardi – **R** (déj. seul. en janv. et fév.) 105/205, enf. 60.

X **Philip,** ✆ 90 20 31 81, ←, , « Au pied des cascades » – GB
1er avril-30 sept. – **R** 105/240.

FONTENAI-SUR-ORNE

61 Orne 60 ② – rattaché à Argentan.

FONTENAY-AUX-ROSES

92 Hauts-de-Seine 60 ⑩, 106 ⑲ – voir à Paris, Environs.

FONTENAY-LE-COMTE

85200 Vendée 71 ① **G. Poitou Vendée Charentes** – 14 456 h. alt. 23.

Voir Clocher★ de l'église N.-Dame AY **B.**

ℹ Office de Tourisme quai Poey-d'Avant ✆ 51 69 44 99 et rte de Niort (15 juin-15 sept.) ✆ 51 53 00 09.

Paris 436 ① – La Rochelle 49 ④ – La Roche-sur-Yon 56 ⑤ – Cholet 75 ①.

Plan page suivante

Rabelais, rte Parthenay ✆ 51 69 86 20, Télex 701737, Fax 51 69 80 45, , ⛱, – TV ☎ P – 100. AE ⓓ GB BZ **a**
R grill 66/135 ♁, enf. 39 – ☕ 35 – **54 ch** 260/310 – ½ P 220/240.

XX **Chouans Gourmets,** 6 r. Halles ✆ 51 69 55 92 – AE ⓓ GB AY **e**
fermé 30 juin au 10 juil., 2 janv. au 14 fév., dim. soir et lundi sauf fêtes – **Repas** 89/210 ♁, enf. 40.

à St-Martin-de-Fraigneau par ③ et N 148 : 5 km – ✉ **85200** :

Eleis, ✆ 51 53 03 30, , – TV ☎ ♿ P. GB
R *(fermé dim.)* 70/150 ♁, enf. 40 – ☕ 25 – **30 ch** 170/240 – ½ P 200/250.

à Velluire par ④, D 938 ter et D 68 : 11 km – ✉ **85770** :

XX **Aub. de la Rivière** Ⓜ ⛰ avec ch, ✆ 51 52 32 15, ←, « En bordure de la Vendée » – TV ☎. GB
fermé vacances de nov., 20 déc. au 30 janv., dim. soir (sauf hôtel) et mardi sauf juil.-août – **R** 80/200 – ☕ 45 – **11 ch** 300/360 – ½ P 290/325.

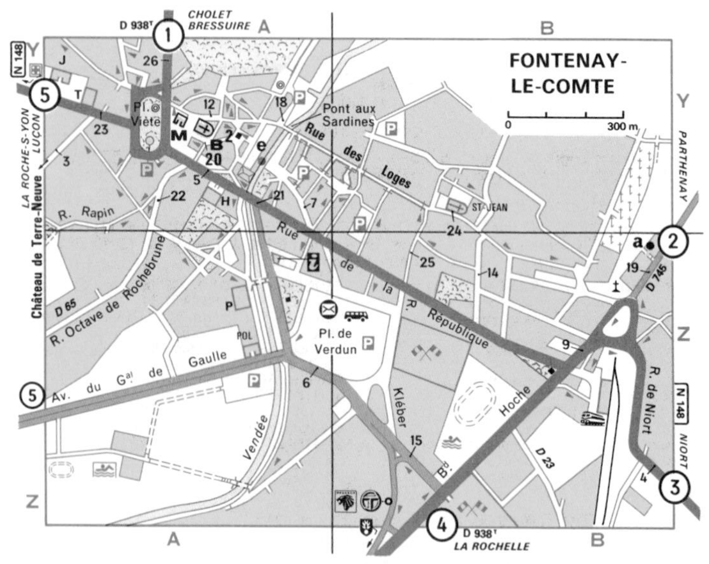

République (R. de la) . . ABZ	Dr. Audé (R. du) . . . . . . AY 7	Pont-aux-Chèvres (R.) . AY 20
	Duguesclin (Bd) . . . . . . BZ 9	Pont-Neuf . . . . AY 21
Belliard (Pl.) . . . . AY 2	Guillemet (R.) . . . . AY 12	Pts St-Martin (R.) . . . . . AY 22
Brisson (R. B.) . . . . AY 3	Jacobins (R. des) . . . . . BZ 14	Rabelais (R.) . . . . AY 23
Capitale (Bd de la) . . . . . . BZ 4	Marceau (Av.) . . . . BZ 15	St-Jean (R.) . . . . BY 24
Clemenceau (R. G.) . . . . . AY 5	Orfèvres (R. des) . . . . . . AY 18	St-Nicolas (R.) . . . . BZ 25
Chail (Bd du) . . . . AZ 6	Ouillette (R. de l') . . . . . BZ 19	Tiraqueau (R.) . . . . AY 26

CITROEN Les Gar. Murs, ZI, 67 r. Ancienne Capitale du Bas Poitou par ③ ✆ 51 69 06 76
FIAT Gar. Lamy, 86 r. République ✆ 51 69 30 98
PEUGEOT-TALBOT Fontenay-Automobiles, 24 r. Kléber ✆ 51 69 85 15 N ✆ 51 69 05 77
RENAULT Fontenaysienne Diffusion Auto, rte de la Rochelle ✆ 51 69 49 74

V.A.G Gar. Couturier, av. Gén.-de-Gaulle ✆ 51 69 92 67 N ✆ 51 69 05 77

Aubert, rte de Niort ✆ 51 69 30 79

FONTENAY-SOUS-BOIS 94 Val-de-Marne 56 ⑪, 101 ⑰ – voir à Paris, Environs.

FONTENAY-TRÉSIGNY 77610 S.-et-M. 61 ② 106 ㉞ ㉟ – 4 518 h. alt. 130.

Paris 53 – Coulommiers 22 – Meaux 31 – Melun 25 – Provins 38 – Sézanne 64.

Le Manoir 🐍, près aérodrome E : 4 km par N 4 et D 402 ✆ (1) 64 25 91 17, Télex 690635, Fax (1) 64 25 95 49, ←, 🍽, « Ancien pavillon de chasse dans un parc avec étang, décoration élégante, », – TV ☎ ♿ P – 30 à 150. AE ⓓ GB
21 mars-15 nov. – **R** *(fermé mardi)* carte 230 à 415 – ☕ 60 – **16 ch** 750/900, 4 appart. 1350 – ½ P 750/850.

FONTEVRAUD-L'ABBAYE 49590 M.-et-L. 67 ⑨ G. Châteaux de la Loire – 1 108 h. alt. 80.

Voir Abbaye★★ – Église St-Michel★.

18 de Loudun (86) ✆ 49 98 78 06, par D 947 : 3 km.

Syndicat d'Initiative Chapelle Ste-Catherine (juin-sept.) ✆ 41 51 79 45.

Paris 304 – Angers 64 – Chinon 20 – Loudun 19 – Poitiers 76 – Saumur 15 – Thouars 36.

Hôtellerie Prieuré St-Lazare 🐍, ✆ 41 51 73 16, Télex 722341, Fax 41 51 75 50, « Dans l'ancien prieuré de l'abbaye », – ch TV ☎ P – 450. AE GB.
R 96/230 – ☕ 45 – **50 ch** 335/400.

Croix Blanche, ✆ 41 51 71 11, Fax 41 38 15 38, 🍽 – TV ☎ P. AE GB
fermé 12 au 27 nov. et 11 janv. au 6 fév. – **R** 85/180 ♂, enf. 50 – ☕ 31 – **24 ch** 178/400 – ½ P 217/287.

XXX ✿ **La Licorne,** ✆ 41 51 72 49, Fax 41 51 70 40, 🍽, – AE ⓓ GB
fermé 1er au 7 sept., mi-janv. aux vacances de fév., dim. soir et lundi sauf fériés – **R** (nombre de couverts limité, prévenir) carte 200 à 330
Spéc. Ravioli de langoustines, Saumon de Loire rôti à la vanille (fév. à mai), Poire pochée au cassis.

X **Abbaye,** ✆ 41 51 71 04 – P. GB
fermé mardi soir et merc. – **R** 65/150.

FONT-ROMEU 66120 Pyr.-Or. 86 ⑯ **G. Pyrénées Roussillon** – 1 857 h. alt. 1 800 – Sports d'hiver : 1 720/2 200 m 1 21 – Casino.

Voir Ermitage★ (camaril★★) et calvaire ★★ de Font-Romeu NE : 2 km puis 15 mn.

de Font-Romeu 68 30 10 78, N : 1 km.

Office Municipal de Tourisme av. E.-Brousse 68 30 02 74, Télex 500802.

Paris 891 – Andorre-la-Vielle 78 – Ax-les-Thermes 69 – Bourg-Madame 19 – ♦Perpignan 89.

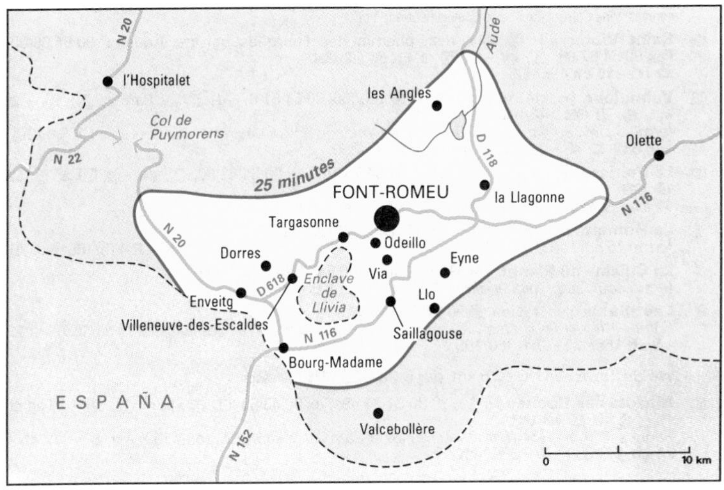

Gd Tétras sans rest, 68 30 01 20, – – AE GB
30 – **36 ch** 195/295.

Clair Soleil, rte Odeillo : 1 km 68 30 13 65, Fax 68 30 08 27, montagnes et four solaire, – AE GB
1er juin-15 oct. et 20 déc.-10 mai – **R** 100/170, enf. 42 – 30 – **31 ch** 150/280 – ½ P 220/290.

Sun Valley, 68 30 21 21, Fax 68 30 30 38 – AE GB
fermé 11 au 31 mai, 16 oct. au 30 nov. – **R** 100, enf. 60 – 35 – **41 ch** 280/450 – ½ P 260/290.

L'Orée du Bois sans rest, 68 30 01 40, – AE GB
25 – **37 ch** 220/255.

Pyrénées, 68 30 01 49, Fax 68 30 35 98, Cerdagne, – AE GB. rest
29 mai-4 nov. et 10 déc.-20 avril – **R** 75/98, enf. 48 – 40 – **37 ch** 220/300 – ½ P 260/310.

Y Sem Bé, 68 30 00 54, Cerdagne, – GB
fermé 10 mai au 6 juin, 27 sept. au 23 oct. et 2 nov. au 12 déc. – **R** 95, enf. 60 – 35 – **24 ch** 140/380 – ½ P 250/320.

La Chaumière, 68 30 04 40, – AE GB
fermé 21 au 31 mai, 6 au 20 oct., vend. du 1er mai au 1er juil. et du 15 sept. au 15 déc. – **R** 72/150.

à Odeillo SO : 3 km par D 29 – alt. 1 596 – **66120** Font-Romeu-Odeillo Via :

Le Romarin, 68 30 09 66, Cerdagne, – AE GB
fermé 20 oct. au 1er déc. – **R** 85/170, enf. 40 – 35 – **16 ch** 220/250 – ½ P 195/230.

à Targasonne O : 4 km par D 10F et D 618 – **66120** :

La Tourane, 68 30 15 03, – GB
fermé 15 nov. au 15 déc., sam. et dim. du 10 oct. au 15 nov. – **R** 65/150 – 30 – **25 ch** 140/180 – ½ P 155/190.

à Via S : 5 km par D 29 – **66120** Font-Romeu :

L'Oustalet, 68 30 11 32, – AE GB. rest
fermé 27 mai au 10 juin et 15 oct. au 15 déc. – **R** 80/160, enf. 45 – 35 – **28 ch** 220/300 – ½ P 230/280.

FONTVIEILLE **13990** B.-du-R. 83 ⑩ **G. Provence** – 3 642 h. alt. 20.

Voir Moulin de Daudet ←* – Chapelle St-Gabriel* N : 5 km.

Office de Tourisme pl. Honorat (fin mars-oct.) ℘ 90 54 70 01.

Paris 722 – Avignon 30 – Arles 10 – ♦Marseille 86 – St-Rémy-de-Pr. 17 – Salon-de-Pr. 36.

La Regalido (Michel) ℘ 90 54 60 22, Télex 441150, Fax 90 54 64 29, « Jardin fleuri » – ch TV ☎ P. AE ① GB
fermé 1er déc. au 31 janv. – **R** *(fermé mardi midi et lundi sauf le soir de juil. à sept.)* (nombre de couverts limité - prévenir) 250/395, enf. 115 – ☐ 72 – **14 ch** 800/1300 – ½ P 800/1050
Spéc. Gratin de moules de Bouzigues, Nage de loup à l'huile d'olive et gros sel, Tranche de gigot aux gousses d'ail confites. **Vins** Coteaux-des-Baux, Châteauneuf-du-Pape.

Saint Victor M sans rest, chemin des Fourques par rte Arles ℘ 90 54 66 00, Fax 90 54 67 88, – TV ☎ P. AE ① GB
☐ 50 – **10 ch** 495/695.

Valmajour, rte Arles ℘ 90 54 62 33, Fax 90 54 61 67, ←, « Parc », – ☎ P. AE GB. rest
fermé 5 janv. au 4 mars – **R** *(fermé jeudi midi de nov. à déc. et merc. hors sais.)* 100/170, enf. 68 – ☐ 48 – **32 ch** 360/410 – ½ P 315/390.

La Peiriero sans rest, av. Baux ℘ 90 54 76 10, Fax 90 54 62 60, – TV ☎ P. AE ① GB
1er avril-30 oct. et 20 déc.-5 janv. – ☐ 50 – **40 ch** 400/650.

Le Homard, r. Nord ℘ 90 54 75 34, – AE ① GB.
fermé 15 nov. au 26 déc, 5 janv. au 5 fév., vend. midi et jeudi hors sais. – **R** 115/165, enf. 70.

La Cuisine au Planet, 144 Grand'rue ℘ 90 54 63 97, – GB
fermé août, sam. midi et dim. – **R** 130/200, enf. 60.

Laetitia avec ch, r. Lion ℘ 90 54 72 14, – ☎
hôtel : 1er fév.-15 nov.; rest.: 1er mars-30 oct. – **R** *(fermé le midi de juin à oct.)* 80/155 – ☐ 22 – **9 ch** 155/115 – ½ P 160/195.

rte de Tarascon NO : 5,5 km, par D 33 – ✉ **13150** Tarascon :

Mazets des Roches M ℘ 90 91 34 89, Fax 90 43 53 29, parc, – ch ☎ P – 40. AE ① GB
Pâques-1er nov. – **R** *(fermé jeudi midi et sam. midi sauf juil.-août)* 130, enf. 80 – ☐ 45 – **24 ch** 430/650 – ½ P 385/475.

Au moment de chercher un hôtel ou un restaurant, soyez efficace.
Sachez utiliser les noms soulignés en rouge sur les **cartes Michelin** *à 1/200 000.*
Mais ayez une carte à jour!

FORBACH SP **57600** Moselle 57 ⑥ **G. Alsace Lorraine** – 27 076 h. alt. 210.

Office de Tourisme à l'Hôtel de Ville ℘ 87 85 02 43.

Paris 383 ② – ♦Metz 54 ② – St-Avold 20 ② – Sarreguemines 20 ② – Saarbrücken 9 ①.

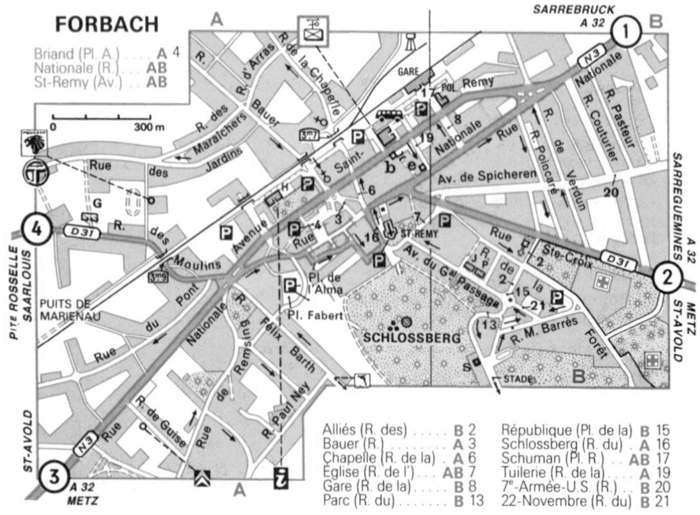

Poste sans rest, 57 r. Nationale ✆ 87 85 08 80, Fax 87 85 91 91 – TV ☎ P. GB. ✻ A e
☐ 25 – **29 ch** 230/270.

Berg sans rest, 50 av. St-Rémy ✆ 87 85 09 12, Fax 87 85 27 38 – TV ☎ P – 50. GB A b
☐ 33 – **21 ch** 209/238.

XX **du Schlossberg,** 13 r. Parc ✆ 87 87 88 26, parc – P. AE GB. ✻ B s
fermé 18 août au 2 sept., vacances de fév., mardi soir et merc. – **R** 160/300.

à Stiring-Wendel par ① : 3 km – 13 743 h. – ✉ **57350** :

XX ✿ **Bonne Auberge** (Mlle Egloff), 15 r. Nationale ✆ 87 87 52 78 – ▤ P. GB
fermé août, 26 déc. au 3 janv., dim. soir et lundi – **R** 290/360
Spéc. Salade moulée de saumon d'Ecosse, Potée lorraine à la bourgeoise, Crapiau aux fruits de saison.

à Rosbruck par ③ : 6 km – ✉ **57800** :

XXX **Aub. Albert Marie,** 1 r. Nationale ✆ 87 04 70 76 – P. GB
fermé dim. soir et lundi sauf fériés – **R** 200/300 – dîner à la carte.

ALFA-ROMEO Knepper Automobiles, 208 r. Nationale ✆ 87 85 62 52
CITROEN Gar. Herber, r. de Guise ✆ 87 85 11 89 N
FORD Lehmann Autom., 143 r. Nationale à Stiring-Wendel ✆ 87 87 42 10
OPEL S.A.M.A., carrefour de l'Europe ✆ 87 87 87 14
PEUGEOT Derr Forbach Auto, r. Schoeser ✆ 87 85 11 23
RENAULT Moselle Automobile, r. St-Guy ✆ 87 84 45 00 N
ROVER, TRIUMPH Gar. du Centre, 105 r. Nationale à Morsbach ✆ 87 85 06 70
V.A.G Jacob, r. St-Guy ✆ 87 87 35 50

Leclerc-Pneus, carrefour du Schoeneck ✆ 87 85 78 40
Leclerc-Pneus, carrefour de l'Europe, ZI ✆ 87 85 46 26

FORCALQUIER SP 04300 Alpes-de-H.-P. 81 ⑮ **G. Alpes du Sud** (plan) – 3 993 h. alt. 550.

Voir Site★ – Cimetière★ – ☼★ de la terrasse N.-D. de Provence – Prieuré de Salagon★ S : 4 km.

Office de Tourisme pl. Bourguet ✆ 92 75 10 02.

Paris 752 – Digne 48 – Aix-en-Provence 77 – Apt 42 – Manosque 22 – Sisteron 41.

Host. des Deux Lions, 11 pl. Bourguet ✆ 92 75 25 30, Fax 92 75 23 74 – TV ☎ ⇔. GB
fermé janv., fév., dim. soir et lundi hors sais. – **R** 125/200, enf. 70 – ☐ 38 – **16 ch** 260/380 – ½ P 300/340.

Aub. Charembeau ⑤ sans rest, E : 3,5 km par N 100 ✆ 92 75 05 69, ←, ⛆, ⚘, ✻ – cuisinette ☎ P. GB
1er mars-15 nov. – ☐ 35 – **12 ch** 222/288.

Colombier ⑤, S : 3 km par D 16 et VO ✆ 92 75 03 71, ←, ⛱, ⛆, ⚘ – ☎ P. GB
15 mars-15 nov. – **R** *(fermé merc. midi et mardi sauf juil.-août)* 120/168 – ☐ 38 – **18 ch** 240/380 – ½ P 258/348.

La FORÊT 33 Gironde 71 ⑨ – rattaché à Bordeaux.

FORÊT voir au nom propre de la forêt.

La FORÊT-FOUESNANT 29940 Finistère 58 ⑮ **G. Bretagne** – 2 369 h. alt. 20.

⛳9 de Quimper et de Cornouaille ✆ 98 56 97 09 ; ⛳9 ⛳18 de l'Odet ✆ 98 54 87 88, O par D 44 puis D 134 : 11 km.

Office de Tourisme pl. de l'Église (fermé après-midi hors saison) ✆ 98 56 94 09.

Paris 546 – Quimper 18 – Carhaix-Plouguer 62 – Concarneau 10,5 – Pont-l'Abbé 22 – Quimperlé 35.

Manoir du Stang ⑤, N : 1,5 km accès par D 783 et chemin privé ✆ 98 56 97 37, « Beau manoir dans un parc fleuri, étangs », ✻ – |♦| ☎ P – 50. ✻
hôtel : 2 mai-20 sept. ; rest. : 20 juin-10 sept. – **R** (dîner seul.) (résidents seul.) 170 – **26 ch** ☐ 350/830 – ½ P 425/580.

Espérance, pl. Église ✆ 98 56 96 58, ⚘ – ☎ P. GB. ✻ rest
10 avril-10 oct. – **R** *(fermé merc. midi)* 75/235 ♁, enf. 55 – ☐ 30 – **30 ch** 135/298 – ½ P 193/273.

Beauséjour, pl. Baie ✆ 98 56 97 18 – TV ☎ ♿ P. GB
21 mars-15 oct. – **R** 70/250, enf. 50 – ☐ 30 – **25 ch** 135/290 – ½ P 185/265.

FORÊT-SUR-SÈVRE 79380 Deux-Sèvres 67 ⑯ – 2 395 h. alt. 157.

Paris 372 – Bressuire 16 – ♦Nantes 96 – Niort 61 – La Roche-sur-Yon 71.

X **Aub. du Cheval Blanc,** ✆ 49 80 86 35 – GB
fermé 17 au 31 août, 1er au 8 mars et lundi – **R** 65/140 ♁.

La FORGE-DE-L'ILE 36 Indre 68 ⑧ – rattaché à Châteauroux.

FORGES-LES-EAUX 76440 S.-Mar. 55 ⑧ **G. Normandie Vallée de la Seine** – 3 376 h. alt. 161 – Stat. therm. – Casino .

Office de Tourisme parc Hôtel de Ville ✆ 35 90 52 10.

Paris 116 – ♦Amiens 70 – ♦Rouen 42 – Abbeville 68 – Beauvais 52 – ♦Le Havre 118.

Relais du Bois des Fontaines, rte de Dieppe ✆ 35 09 85 09, parc – P. GB
fermé 1er au 15 fév. – **R** *(fermé lundi du 15 sept. au 31 mai)* 150 bc/180 – 32 – **10 ch** 270/450 – ½ P 390.

Continental sans rest, 110 av. Sources ✆ 35 09 80 12, Fax 35 09 61 15 – P. AE GB. rest
30 – **47 ch** 200/260.

Aub. du Beau Lieu M avec ch, SE : 2 km sur D 915 ✆ 35 90 50 36, Fax 35 90 35 98, – rest P. AE GB JCB
fermé 9 au 16 déc., 1er au 15 fév., dim. soir d'oct. à juin et merc. de juil. à sept. – **R** 140/330 – 38 – **3 ch** 250/335.

Paix avec ch, 17 r. Neufchatel ✆ 35 90 51 22, – P. AE GB JCB
fermé 20 déc. au 15 janv., lundi (sauf le soir en sais.) et dim. soir hors sais. – **Repas** 66/145, enf. 52 – 22 – **5 ch** 116/158 – ½ P 125/151.

RENAULT Gar. du Parc ✆ 35 90 52 83
N ✆ 35 90 58 94
Parin Pneus ✆ 35 90 51 17

FORT-MAHON-PLAGE 80790 Somme 51 ⑪ **G. Flandres Artois Picardie** – 1 042 h. alt. 5 – Casino.

Env. Parc ornithologique du Marquenterre** S : 15 km.

Paris 202 – ♦Calais 85 – Abbeville 36 – ♦Amiens 80 – Berck-sur-Mer 18 – Étaples 28 – Montreuil 24.

Terrasse, ✆ 22 23 37 77, ≤ – P. AE GB.
fermé 5 janv. au 1er mars – **R** 80/150 – 35 – **32 ch** 200/300 – ½ P 200/250.

Victoria, ✆ 22 27 71 05 – GB
R *(fermé dim. soir et jeudi hors sais.)* 70/180, enf. 45 – 20 – **15 ch** 140/250 – ½ P 160/200.

Aub. du Fiacre, à Routhiauville SE : 2 km par rte de Rue ✉ 80120 Rue ✆ 22 23 47 30, « Ancienne ferme aménagée, jardin » – P. GB
fermé vacances de fév., lundi soir et mardi – **R** 90/195.

FOS-SUR-MER 13270 B.-du-R. 84 ⑪ **G. Provence** – 11 605 h. alt. 157.

Voir Bassins de Fos*.

Office de Tourisme pl. Hôtel de Ville ✆ 42 47 71 96 et av. du Sable d'Or (juil.-août) ✆ 42 05 34 38.

Paris 753 – ♦Marseille 47 – Aix-en-Provence 56 – Arles 41 – Martigues 11,5 – Salon-de-Provence 29.

Altéa Provence M, rte Istres ✆ 42 05 00 57, Télex 410812, Fax 42 05 51 00, ≤, – P – 150. AE GB JCB
R *(fermé dim. midi et sam.)* 140, enf. 90 – 50 – **64 ch** 390/630 – ½ P 355/480.

Mas de Cantegrillet sans rest, N : 2,5 km par N 568 ✆ 42 05 03 27, « Jardin fleuri » – P. GB
fermé août et 22 déc. au 3 janv. – 32 – **10 ch** 160/300.

Azur sans rest, 20 av. J. Moulin ✆ 42 05 20 50, Fax 42 05 55 25 – P. GB.
fermé 20 déc. au 3 janv. – 35 – **16 ch** 245/355.

Au Loup d'Argent M avec ch, gde plage ✆ 42 05 46 80, Fax 42 05 03 28, ≤ – rest AE GB
R *(fermé août, vacances de Noël, sam., dim. et fériés)* 145 – 45 – **10 ch** 270/315.

FOUDAY 67 B.-Rhin 62 ⑧ **G. Alsace Lorraine** – alt. 447 – ✉ **67130** Le Ban-de-la-Roche.

Paris 405 – ♦Strasbourg 57 – St-Dié 33 – Saverne 53 – Sélestat 36.

Chez Julien, N 420 ✆ 88 97 30 09, Fax 88 97 36 73, – P. GB
fermé 1er au 7 mars, 1er au 7 juil., vacances de nov., merc. soir et mardi sauf juil.-août – **R** 110/190, enf. 40 – 30 – **14 ch** 172/202 – ½ P 205.

FOUESNANT 29170 Finistère 58 ⑮ **G. Bretagne** – 6 524 h. alt. 30.

Office de Tourisme 5 r. Armor ✆ 98 56 00 93.

Paris 549 – Quimper 15 – Carhaix-Plouguer 65 – Concarneau 14 – Quimperlé 39 – Rosporden 18.

Armorique (annexe - 12 ch), 33 r. de Cornouaille ✆ 98 56 00 19, – P. GB.
mi fév.-fin sept. – **R** *(fermé lundi midi sauf juil.-août)* 75/160, enf. 55 – 35 – **20 ch** 140/280 – ½ P 235/300.

Le Roudou (annexe -8 ch), rte St-Evarzec ✆ 98 56 01 26, Fax 98 56 62 69, – P. GB. rest
vacances de printemps-30 sept. – **R** *(fermé lundi en avril et mai)* 65/150 – 25 – **28 ch** 200/300 – ½ P 205/255.

Orée du Bois sans rest, 4 r. Kergoadic ✆ 98 56 00 06 – GB
fermé 15 déc. au 15 fév., sam. et dim. en hiver – 28 – **13 ch** 115/240.

au Cap Coz SE : 2,5 km par VO – ✉ **29170** Fouesnant :

Bellevue, ✆ 98 56 00 33, ≤, – P. GB.
hôtel : 20 mars-30 sept. ; rest. : vacances de printemps, 1er juin-20 sept. et fermé mardi sauf juil.-août – **R** 80/115, enf. 62 – 33 – **20 ch** 125/280 – ½ P 198/276.

Pointe Cap Coz, ✆ 98 56 01 63, ≤ – . GB. rest
fermé 2 janv. au 14 fév. et merc. – **R** 95/240, enf. 55 – 30 – **19 ch** 200/350 – ½ P 255/275.

à la Pointe de Mousterlin SO : 6 km par D 145 et D 134 – ✉ **29170** Fouesnant :

Pointe Mousterlin ⓢ, ☎ 98 56 04 12, Fax 98 56 61 02, ≤, ⅎ, , ※ – ☎ **P** – 🏕 30. AE GB. ✻
18 avril-30 sept. – **R** 125/385, enf. 58 – ☕ 33 – **59 ch** 175/395 – ½ P 195/395.

PEUGEOT-TALBOT Gar. Merrien rte de Quimper ☎ 98 56 00 17

RENAULT Bourhis rte de Quimper - Le Roudou ☎ 98 56 02 65 **N** ☎ 98 56 81 81

FOUGÈRES ⓢ **35300** I.-et-V. **59** ⑱ **G. Bretagne** – 22 239 h. alt. 134.

Voir Château★★ AY – Église St-Sulpice★ AY – Jardin public★ : ≤★ AY – Vitraux★ de l'église St-Léonard AY.

i Office de Tourisme pl. A.-Briand ☎ 99 94 12 20 et au Château pl. P.-Simon (saison) ☎ 99 99 79 59.

Paris 323 ③ – Avranches 41 ⑤ – Laval 50 ② – ◆Le Mans 128 ② – ◆Rennes 48 ④ – St-Malo 76 ⑤.

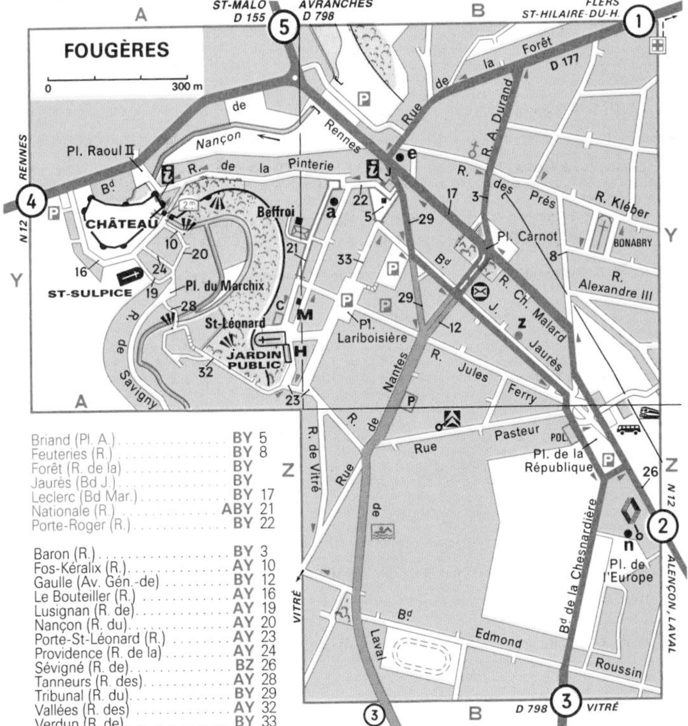

Mainotel, par ② : 1,5 km sur N 12 ✉ 35133 ☎ 99 99 81 55, Télex 730956, Fax 99 99 98 45, , ※ – TV ☎ ♿ **P** – 🏕 25 à 300. GB
R *(fermé dim. soir hors sais.)* 65/180, enf. 45 – ☕ 35 – **50 ch** 245/385 – ½ P 250/295.

Balzac sans rest, 15 r. Nationale ☎ 99 99 42 46 – 🛗 TV ☎. ⓓ GB — BY **a**
☕ 25 – **20 ch** 149/249.

Campanile, par ② : 1 km sur N 12 ☎ 99 94 54 00, Télex 741995, Fax 99 99 04 01, – TV ☎ ♿ **P**. AE GB
R 77 bc/99 bc, enf. 39 – ☕ 28 – **50 ch** 258 – ½ P 234/256.

H. Voyageurs sans rest, 10 pl. Gambetta ☎ 99 99 08 20, Fax 99 99 99 04 – 🛗 TV ☎. AE ⓓ GB — BY **e**
☕ 28 – **37 ch** 155/250.

Taverne du Commerce, pl. Europe ☎ 99 94 40 40 – ☎. AE GB. ✻ ch — BZ **n**
fermé 24 déc. au 3 janv – **R** (brasserie) *(fermé dim. midi du 2 juil. au 14 sept. et dim. soir du 15 sept. au 1er juil.)* 65/260 ♁, enf. 39 – ☕ 25 – **25 ch** 150/280 – ½ P 170/230.

XX **Rest. Voyageurs,** 10 pl. Gambetta ✆ 99 99 14 17 – ▤. AE GB BY e
fermé 17 au 31 août, dim. soir et sam. – **Repas** (nombre de couverts limité -prévenir) **90**/180, enf. 40.

XX **Haute Sève,** 37 bd J. Jaurès ✆ 99 94 23 39 – ⓓ GB BY z
fermé 1er au 15 janv., dim. soir et lundi – **R** **105**/260, enf. 60.

à Landéan par ① : 8 km – ✉ **35133** :

XX **Au Cellier,** D 177 ✆ 99 97 20 50 – ⓓ GB
fermé 17 juil. au 5 août, dim. soir et merc. – **R** 78/170 ♨, enf. 40.

à la Templerie par ② : 11 km – ✉ **35133** Fougères :

XX **Chez Galloyer "La Petite Auberge",** sur N 12 ✆ 99 95 27 03 – Ⓟ. GB
fermé août, dim. et lundi – **R** 100/230.

CITROEN Gar. S.A.D.R.A.F., 17 bis r. Pasteur ✆ 99 99 11 92 N ✆ 99 99 40 88
FIAT Gar. Gillemot, ZA le Parc, rte de Rennes à Lécousse ✆ 99 94 42 00 N ✆ 99 98 89 24
FORD Gilbert Automobiles, ZAC La Guénaudière II ✆ 99 99 66 95
RENAULT Gar. Guilmault, pl. de l'Europe ✆ 99 94 40 20 N ✆ 99 74 91 55
V.A.G Gar. Mouton, rocade de Groslay ✆ 99 94 31 31
VOLVO Gar. Gaillard, 26 r. Dr-Bertin ✆ 99 99 07 60

SOS Pneus Pneu + Nord Ouest, ZAC la Guénaudière rte de Paris ✆ 99 99 44 92
Vallée Pneus, bd Groslay ✆ 99 94 55 01

FOUGEROLLES 70220 H.-Saône 66 ⑥ – 4 167 h. alt. 301.

Paris 366 – Épinal 46 – Luxeuil-les-Bains 10 – Plombières-les-Bains 12 – Remiremont 24 – Vesoul 43.

XXX ✿ **Au Père Rota** (Kuentz), ✆ 84 49 12 11 – Ⓟ. AE ⓓ GB
fermé 29 juin au 6 juil., 21 déc. au 15 janv., dim. soir et lundi sauf fériés – **R** **145** (sauf sam. soir)/290
Spéc. Nage de turbot au vin jaune et gingembre. Médaillons de ris de veau au jambon cru et ravioles de légumes. Crêpes fourrées aux griottines. **Vins** Champlitte.

FOURAS 17450 Char.-Mar. 71 ⑬ **G. Poitou Vendée Charentes** – 3 238 h. alt. 40 – Casino.

Voir Donjon ✲★.

Office de Tourisme Fort Vauban ✆ 46 84 60 69.

Paris 478 – La Rochelle 29 – Châtelaillon-Plage 15 – Rochefort 13.

Gd H. des Bains, r. Gén.-Bruncher ✆ 46 84 03 44, – ☎ . GB. rest
hôtel : Pâques-20 oct. ; rest. : Pâques-10 oct. – **R** 88/180 ♨, enf. 50 – ☕ 30 – **35 ch** 230/310 – ½ P 235/265.

Commerce, r. Gén. Bruncher ✆ 46 84 22 62 – ☎. GB
1er mars-15 nov. – **R** 65/130 ♨, enf. 35 – ☕ 27 – **12 ch** 160/300 – ½ P 170/240.

FOURMIES 59610 Nord 53 ⑯ **G. Flandres Artois Picardie** – 14 505 h. alt. 202.

Office de Tourisme pl. Verte (fermé matin hors saison) ✆ 27 60 40 97.

Paris 201 – St-Quentin 62 – Avesnes-sur-Helpe 17 – Charleroi 61 – Guise 34 – Hirson 13 – ♦Lille 113 – Vervins 26.

aux Étangs des Moines E : 2 km par D 964 et VO – ✉ **59610** Fourmies :

Ibis M sans rest, ✆ 27 60 21 54, Télex 810172, Fax 27 57 40 44 – TV ☎ – 40. GB
☕ 33 – **29 ch** 272/302.

X **Aub. des Étangs des Moines,** ✆ 27 60 02 62, ≤ – GB
fermé 15 août au 7 sept., 15 déc. au 7 janv., dim. soir et vend. – **R** **60**/180 ♨, enf. 50.

CITROEN Losson, 13 r. A.-Renaud ✆ 27 59 90 27
CITROEN La Centrale Automobile, chemin des Blés ✆ 27 60 22 21
RENAULT Gar. Cohidon, 51 r. Étangs ✆ 27 60 43 27

FOURQUES 30 Gard 83 ⑩ – rattaché à Arles.

FOURQUEUX 78 Yvelines 55 ⑲, 106 ⑰ – voir à Paris, Environs.

Avant de prendre la route, consultez la carte Michelin nº 911 "FRANCE – Grands Itinéraires".
Vous y trouverez :
– votre kilométrage,
– votre temps de parcours,
– les zones à "bouchons" et les itinéraires de dégagement,
– les stations-service ouvertes 24 h/24...
Votre route sera plus économique et plus sûre.

Le FOUSSERET 31430 H.-Gar. 82 ⑯ – 1 370 h. alt. 319.

Paris 751 – Auch 67 – ♦Toulouse 55 – Foix 67 – Pamiers 71 – St-Gaudens 41 – St-Girons 51.

Voyageurs, ℘ 61 98 53 06, – GB.
fermé 7 août au 7 sept., dim. soir et sam. – **R** 85/200 – 25 – **8 ch** 90/160 – ½ P 160/180.

La FOUX D'ALLOS 04 Alpes-de H.-P. 81 ⑧ – rattaché à Allos.

FRANCESCAS 47600 L.-et-G. 79 ⑭ – 625 h. alt. 127.

Paris 720 – Agen 31 – Condom 15 – Nérac 12 – ♦Toulouse 138.

Relais de la Hire, ℘ 53 65 41 59, – AE GB
fermé lundi (sauf le soir en juil.-août) et dim. soir – **Repas** (prévenir) 95/135.

FRANQUEVILLE-ST-PIERRE 76 S.-Mar. 55 ⑦ – rattaché à Rouen.

La FRANQUI 11 Aude 86 ⑩ **G. Pyrénées Roussillon** – ✉ **11370** Leucate.

Paris 881 – ♦Perpignan 35 – Carcassonne 86 – Leucate 5 – Narbonne 36 – Port-la-Nouvelle 17.

Plage, face plage ℘ 68 45 70 23, ←, – . GB
1er mai-30 sept. – **R** 59/120 – 28 – **32 ch** 240 – ½ P 235.

FRÉHEL 22290 C.-d'Armor 59 ④ – 1 995 h. alt. 74.

Paris 429 – St-Malo 38 – Dinan 38 – Dol-de-Bretagne 54 – Lamballe 29 – St-Brieuc 41 – St-Cast-le-Guildo 22.

Le Victorine, pl. Mairie ℘ 96 41 55 55, – GB
fermé 15 au 30 nov., 30 janv. au 28 fév., dim. soir et merc. sauf juil.-août et fériés – **R** 120/380.

FRÉHEL (Cap) 22 C.-d'Armor 59 ⑤ **G. Bretagne** – alt. 57 – ✉ **22240** Fréhel.

Voir Site★★★ – ★★★ – Fort La Latte : site★★, ★★ SE : 5 km.

Paris 451 – St-Malo 46 – Dinan 45 – Dinard 38 – Lamballe 36 – ♦Rennes 97 – St-Brieuc 49.

Le Fanal sans rest, S : 2,5 km par D 16 ℘ 96 41 43 19, – ☎ P. GB.
1er avril-30 sept. – 30 – **9 ch** 220/290.

Relais de Fréhel, S : 2,5 km par D 16 et VO ℘ 96 41 43 02, , – P. GB.
25 mars-5 nov. – **R** 85/165, enf. 30 – 30 – **13 ch** 250/270 – ½ P 255/290.

La FREISSINOUSE 05 H.-Alpes 81 ⑥ – rattaché à Gap.

Le località sottolineate in rosso sulle carte stradali Michelin
in scala 1/200 000 figurano in questa guida.
Approfittate di questa informazione,
utilizzando una carta di edizione recente.

FRÉJUS 83600 Var 84 ⑧ 195 ㉝ **G. Côte d'Azur** – 41 486 h. alt. 21.

Voir Quartier épiscopal★★ C : baptistère★★, cloître★★, cathédrale★ – Ville romaine★ A : arènes★ – Parc zoologique★ N : 5 km par ③.

18 de Valescure ℘ 94 82 40 46, NE : 8 km ; 18 de Roquebrune ℘ 94 82 92 91, O : 7 km par D 8 et D 7.

℘ 93 99 50 50.

Office Municipal de Tourisme r. J.-Jaurès ℘ 94 51 54 14, Télex 460834 et pl. Calvini (juin-sept.) ℘ 94 51 53 87.

Paris 872 ③ – Brignoles 63 ③ – Cannes 36 ④ – Draguignan 28 ③ – Hyères 90 ②.

Plan page suivante

Le Vieux Four avec ch, 57 r. Grisolle ℘ 94 51 56 38, « Intérieur rustique » – TV ☎. AE GB — C a
fermé 15 nov. au 10 déc., dim. midi de juil. à mi-sept. et lundi de mi-sept. à juin – **R** (prévenir) 132/260 – 28 – **8 ch** 280.

Lou Calen, 9 r. Desaugiers ℘ 94 52 36 87 – . AE GB — C n
fermé 15 déc. au 15 janv. et merc. – **R** 190, enf. 95.

Les Potiers, 135 r. Potiers ℘ 94 51 33 74 – . AE GB — C s
R (dîner seul. en saison) 160.

à Fréjus-plage AB – ✉ **83600** Fréjus :.

Syndicat d'Initiative bd Libération (saison) ℘ 94 51 48 52.

Palmiers sans rest, bd Libération ℘ 94 51 18 72, ← – TV . AE GB — B k
mars-15 nov. – **55 ch** 260/450, 6 appart. 600/700.

Sable et Soleil M sans rest, 158 r. P. Arène ℘ 94 51 08 70, Fax 94 51 05 10 – TV ☎ P. GB. — A u
30 – **20 ch** 240/300.

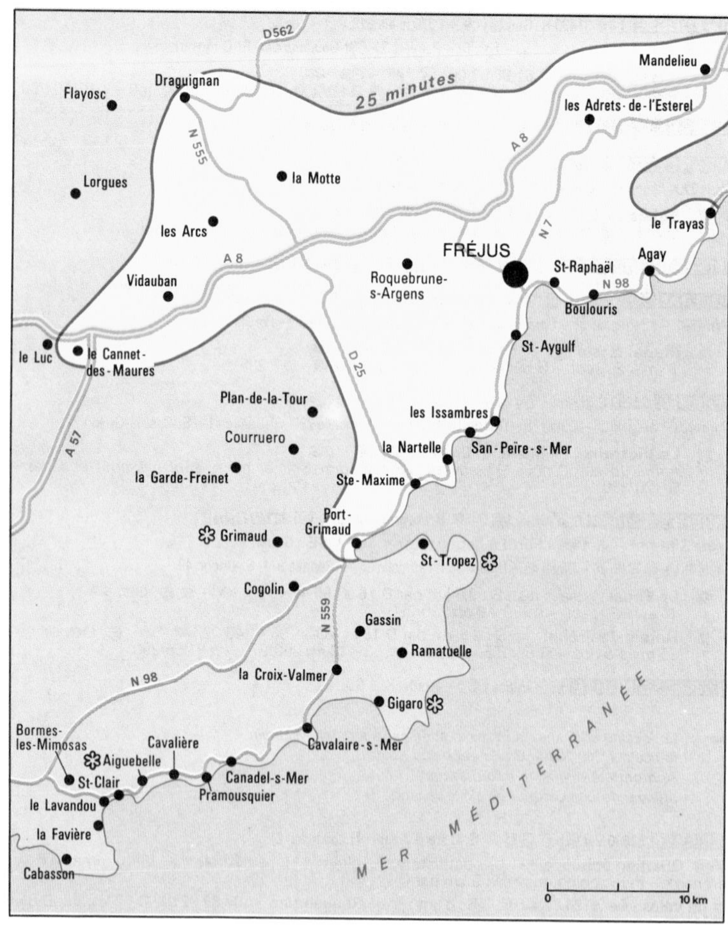

🏨 **H. Oasis** 🐎 sans rest, imp. Charcot ✆ 94 51 50 44 – 📺 ☎ Ⓟ. GB. ✗ — B **h**
1er fév.-31 oct. – ☕ 27 – **27 ch** 270/360.

🏨 **Lion d'Or** sans rest, 164 r. Priol et Laporte ✆ 94 52 17 31 – 📺 ☎. GB. ✗ — B **t**
☕ 25 – **11 ch** 280.

✗✗ **Toque Blanche,** 394 av. V. Hugo ✆ 94 52 06 14 – ▤. AE ⓓ GB — B **v**
fermé 25 juin au 7 juil., dim. soir du 15 oct. au 15 mars et lundi – **R** 160/300.

CITROEN Gar. Bacchi, av. A.-Léotard Y ✆ 94 51 52 65
FORD Gar. Vagneur, 449 bd Mer ✆ 94 51 38 39
PEUGEOT-TALBOT Ortelli, RN 7 par ③ ✆ 94 44 20 40

Ⓜ Omnica, 238 av. de Verdun ✆ 94 51 01 54
Piot-Pneu, Lotissement Ind. La Palud ✆ 94 51 29 20

Some useful weights and measures

1 kilogram (1,000 grams) = 2.2 lb.

1 kilometer (1,000 meters) = 0.621 mile

10° C = 50° F   21° C = 70° F

1 liter = 1 ¾ pints   10 liters = 2.62 U.S. gals.

FRÉJUS

ST-RAPHAËL

Le FRENEY-D'OISANS **38142** Isère 77 ⑥ – 177 h. alt. 900.

Voir Barrage du Chambon★★ SE : 2 km – Gorges de l'Infernet★ SO : 2 km, **G. Alpes du Nord.**

Paris 630 – Bourg-d'Oisans 11,5 – La Grave 17 – ◆Grenoble 61.

- **Cassini,** ✆ 76 80 04 10, Fax 76 80 23 06, ≤, 🏞, 🪑 – ☎ 🚗. GB
  24 mai-4 oct. et 19 déc.-10 avril – **R** 83/188, enf. 55 – ☕ 28 – **12 ch** 220/310 – ½ P 225/265.

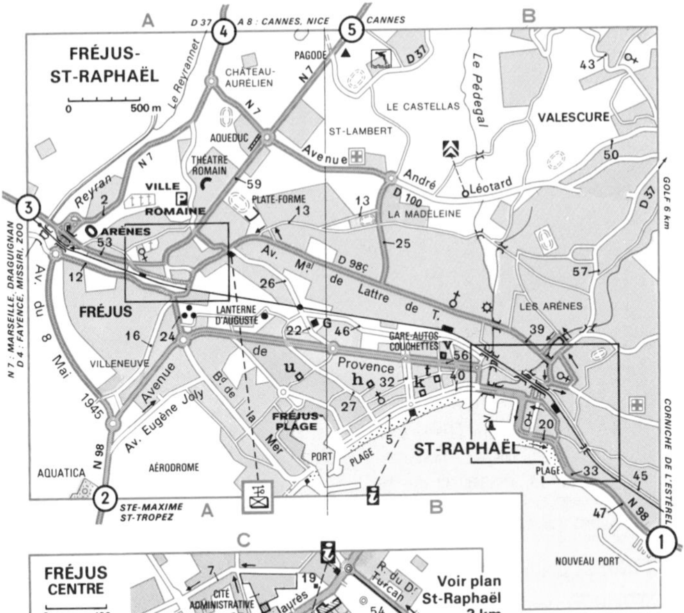

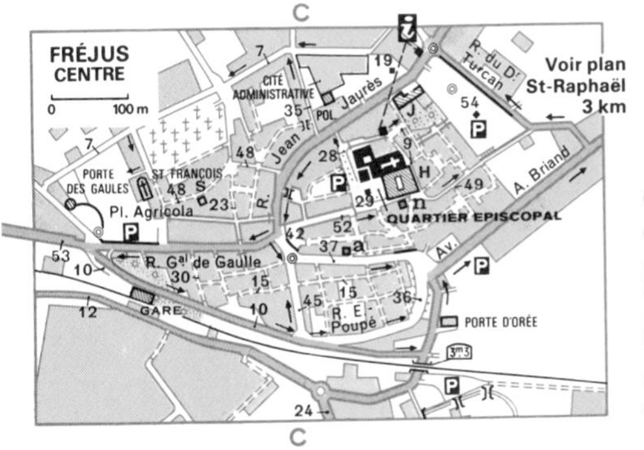

à Mizoën NE : 3 km – ✉ **38142** :

- **Panoramique** M 🐎, ✆ 76 80 06 25, ≤ montagne et vallée, 🏞, 🪑 – TV ☎ P. GB. 🚫 rest
  1er juin-30 sept. et 26 déc.-1er mai – **R** 87/155, enf. 60 – ☕ 30 – **10 ch** 226/257 – ½ P 221/247.

FRESNAY-EN-RETZ 44580 Loire-Atl. 67 ② – 848 h. alt. 5.

Paris 426 – ◆ Nantes 38 – La Roche-sur-Yon 59 – Challans 25 – St-Nazaire 49.

XX **Le Colvert,** ✆ 40 21 46 79 – AE ⓓ GB
fermé 1er au 7 sept., vacances de Noël, vacances de fév., dim. soir, mardi soir et merc. – **R** 105/225, enf. 65.

FRESNAY-SUR-SARTHE 72130 Sarthe 60 ⑫ ⑬ **G. Normandie Cotentin** – 2 452 h. alt. 81.

ℹ Syndicat d'Initiative pl. de Bassum (juin-sept.) ✆ 43 33 28 04.

Paris 234 – Alençon 20 – ◆ Le Mans 37 – Laval 72 – Mamers 31 – Mayenne 53.

Ronsin, 5 av. Ch. de Gaulle ✆ 43 97 20 10, Fax 43 33 50 47 – TV ☎ . AE ⓓ GB
fermé 20 déc. au 6 janv., lundi (sauf hôtel) et dim. soir du 10 sept. au 15 juin sauf fériés – **R** 69/250 , enf. 45 – 26 – **12 ch** 190/285 – ½ P 210/260.

CITROEN Goupil ✆ 43 97 20 08
RENAULT Gar. Lechat, Fresnay-sur-Sarthe ✆ 43 97 24 45
Baloche ✆ 43 97 20 85 N

Le FRET 29 Finistère 58 ④ – rattaché à Crozon.

FRÉVENT 62270 P.-de-C. 51 ⑬ **G. Flandres Artois Picardie** – 4 121 h.

Paris 196 – ◆ Amiens 47 – Abbeville 42 – Arras 38 – St Pol-sur-Ternoise 12.

Amiens, r. Doullens ✆ 21 03 65 43 – TV ☎. AE GB
R 60/180, enf. 40 – 23 – **10 ch** 120/190 – ½ P 140/170.

à Monchel-sur-Canche NO : 7 km par D 340 – ✉ **62270** :

Vert Bocage , ✆ 21 47 96 75, , parc – TV ☎ P – 30. GB
fermé janv., dim. soir et lundi (sauf hôtel de Pâques au 1er nov.) – **R** 90/200, enf. 50 – 35 – **10 ch** 250/320 – ½ P 250.

RENAULT Frevent Gar. ✆ 21 03 61 97 N

Pour les grands voyages d'affaires ou de tourisme,
Guide Rouge Michelin : Main Cities EUROPE.

FRICHEMESNIL 76690 S.-Mar. 52 ⑭ – 406 h.

Paris 140 – ◆ Rouen 32,5 – Dieppe 40,5 – Yerville 20 – Yvetot 32,5.

XX **Au Souper Fin,** ✆ 35 33 33 88 – GB
fermé 3 sept. au 2 oct., 23 au 30 déc., merc. soir et jeudi – **R** 160/210.

PEUGEOT TALBOT Gar. Derr, 1 r. de Metz à Merlebach ✆ 87 81 40 10
APS, 50 r. N.-Colson ✆ 87 81 49 32

FROENINGEN 68 H.-Rhin 166 ⑨ – rattaché à Mulhouse.

FROMENTINE 85 Vendée 67 ① – alt. 3 – ✉ **85550** La Barre-de-Monts.

Paris 454 – ◆ Nantes 68 – Challans 24 – Noirmoutier-en-l'Ile 19 – Pornic 41 – La Roche-sur-Yon 64.

Plage, ✆ 51 68 52 05 – ☎. GB
1er mars-30 nov. – **R** 80/160 – 30 – **17 ch** 130/280 – ½ P 160/280.

FRONTIGNAN 34110 Hérault 83 ⑯ ⑰ **G. Gorges du Tarn** – 16 245 h. alt. 4.

ℹ Office de Tourisme rond-point de l'Esplanade ✆ 67 48 33 94.

Paris 783 – ◆ Montpellier 22 – Lodève 65 – Sète 7,5.

à La Peyrade SO : 3 km sur N 112 – ✉ **34110** Frontignan :

Vila sans rest, ✆ 67 48 77 42 – TV ☎ P. AE GB
22 – **30 ch** 125/220.

au Nord-Est : 4 km sur N 112 – ✉ **34110** Frontignan :

Host. de Balajan, ✆ 67 48 13 99, Fax 67 43 06 62, , – rest TV ☎ P. AE GB. rest
fermé 24 déc. au 3 janv., 3 fév. au 3 mars et sam. midi – **R** 75/220 – 35 – **20 ch** 145/400 – ½ P 200/304.

à l'Est : 7,5 km par rte littorale D 60 – ✉ **34110** Frontignan :

X **L'Escale,** Les Aresquiers ✆ 67 78 14 86, ≤, – GB
fermé 3 janv. au 31 mars – **R** (déj. seul. en avril, nov. et déc.) 130/220.

CITROEN Vernhet, ZA La Peyrade ✆ 67 48 87 63

FROTEY-LÈS-VESOUL 70 H.-Saône 166 ⑥ – rattaché à Vesoul.

La FRUITIÈRE 65 H.-Pyr. 85 ⑰ – rattaché à Cauterets.

FUANS 25 Doubs 166 ⑰ – rattaché à Orchamps-Vennes.

FUISSÉ 71960 S.-et-L. 69 ⑲ G. Bourgogne – 321 h. alt. 250.

Voir Roche de Solutré★ NO : 4 km.

Paris 407 – Mâcon 9,5 – Charolles 53 – Chauffailles 53 – Villefranche-sur-Saône 37.

XX **Pouilly Fuissé,** ✆ 85 35 60 68, – GB
fermé 3 au 9 août, mi-janv. à mi-fév., dim. soir, mardi soir et merc. sauf de juil. à sept. – Repas (sam. et dim. prévenir) 70/185, enf. 40.

FUMEL 47500 L.-et-G. 79 ⑥ – 5 882 h. alt. 72.

Voir Église★ de Monsempron O : 2 km, G. Pyrénées Aquitaine.

Env. Château de Bonaguil★★ NE : 8 km, G. Périgord Quercy.

Syndicat d'Initiative pl. G.-Escande ✆ 53 71 13 70.

Paris 601 – Agen 57 – Bergerac 69 – Cahors 48 – Montauban 76 – Villeneuve-sur-Lot 28.

Climat de France M, pl. Église ✆ 53 40 93 93, Télex 571197, Fax 53 71 27 94, – TV – 50. AE GB
R 88/130, enf. 42 – 30 – **32 ch** 270 – ½ P 230.

Vistorte (annexe - 8 ch.), 77 av. E. Zola ✆ 53 71 01 21,
19 ch.

XX **72 Avenue** avec ch, av. Usine ✆ 53 71 80 22, – TV – 35. GB
R *(fermé lundi)* 72/220, enf. 50 – 30 – **8 ch** 180/220 – ½ P 200.

CITROEN Calassou, rte de Périgueux, ZI ✆ 53 71 01 80
PEUGEOT-TALBOT Cousset, Montayral ✆ 53 71 03 58
Central Pneu, ZI Clos Bardy, rte de Périgueux ✆ 53 71 01 50

La FUSTE 04 Alpes-de-H.-P. 81 ⑮ – rattaché à Manosque.

GABARRET 40310 Landes 79 ⑬ – 1 335 h. alt. 153.

Syndicat d'Initiative pl. Mairie ✆ 58 44 34 95.

Paris 718 – Agen 66 – Mont-de-Marsan 47 – Auch 76 – ♦Bordeaux 138 – Pau 94.

Château de Buros, NE : 4 km par D 656 et VO ✆ 58 44 34 30, Fax 58 44 35 35, parc, – TV – 30. AE GB. rest
R 85/290 – 40 – **20 ch** 430/450 – ½ P 310/375.

Glycines sans rest, ✆ 58 44 92 90 – TV. GB
30 – **10 ch** 200/250.

RENAULT Lescure ✆ 58 44 90 27 N

GABRIAC 12340 Aveyron 80 ③ – 403 h. alt. 575.

Paris 614 – Rodez 28 – Espalion 13 – Mende 89 – St-Geniez-d'Olt 19 – Sévérac-le-Château 33.

Bouloc, ✆ 65 44 92 89, – TV. AE GB
fermé 1er au 28 oct. et merc. sauf juil.-août – **R** 70/170, enf. 44 – 26 – **12 ch** 220/240 – ½ P 220.

GACÉ 61230 Orne 60 ④ – 2 247 h. alt. 198.

Office de Tourisme à la Mairie ✆ 33 35 50 24.

Paris 167 – ♦Alençon 47 – L'Aigle 27 – Argentan 28 – Bernay 41 – Falaise 42 – Lisieux 44.

Le Morphée sans rest, r. Lisieux ✆ 33 35 51 01, Fax 33 35 20 62, – TV. GB
fermé 4 janv. au 15 mars – 29 – **10 ch** 230/360.

PEUGEOT-TALBOT Gar. Anjou ✆ 33 35 53 35
RENAULT Gar. Duchesne ✆ 33 35 60 84

La GACILLY 56200 Morbihan 63 ⑤ – 2 268 h. alt. 20.

Paris 404 – Châteaubriant 66 – Dinan 89 – Ploërmel 30 – Redon 14 – ♦Rennes 58 – Vannes 53.

France (Annexe Square), ✆ 99 08 11 15, Fax 99 08 25 88 – TV. GB
fermé 24 déc. au 2 janv. – **R** 60/180 – 24 – **38 ch** 150/250 – ½ P 135/200.

RENAULT Gar. Roblin ✆ 99 08 10 17 N ✆ 99 08 84 72

GAILLAC 81600 Tarn 82 ⑨ ⑩ G. Pyrénées Roussillon (plan) – 10 378 h. alt. 143.

Env. Plafond★ du château de Mauriac N : 8 km par D3.

Office de Tourisme pl. Libération ✆ 63 57 14 65.

Paris 670 – ♦Toulouse 52 – Albi 22 – Cahors 83 – Castres 47 – Montauban 50.

Occitan sans rest, pl. Gare ✆ 63 57 11 52 – AE GB
30 – **13 ch** 130/250.

XX **Le Vigneron,** rte Toulouse : 1,5 km ✆ 63 57 07 20, – GB
fermé dim. soir et lundi sauf juil.-août – **R** 80/220, enf. 40.

CITROEN Joulié, 40 av. St-Exupéry ✆ 63 57 11 88
PEUGEOT-TALBOT Capmartin, 83 av. Ch.-de-Gaulle ✆ 63 57 08 48
RENAULT Gaillac-Auto, av. St-Exupéry ✆ 63 57 17 50 N ✆ 63 42 70 18
Deldossi, 92 r. J.-Rigal ✆ 63 57 03 29
François, 24 bd Gambetta ✆ 63 57 13 96

GAILLAN-EN-MÉDOC 33 Gironde 171 ⑰ – rattaché à Lesparre-Médoc.

GAILLON 27600 Eure 55 ⑰ G. Normandie Vallée de la Seine – 6 303 h. alt. 22.
Paris 97 – ◆ Rouen 43 – Les Andelys 12 – Évreux 24 – Vernon 14.

à Vieux-Villez O : 4 km par N 15 – ✉ **27600** :

Host. Clos Corneille M, ☎ 32 53 88 00, Télex 770887, Fax 32 52 45 14, – TV ☎ ♿ P. GB. ch
R *(fermé 1er au 15 août et dim. soir)* 74/130 – ☕ 35 – **25 ch** 260/295 – ½ P 235/265.

RENAULT Gar. Gaillonnais 44 av. du Mar.-Leclerc ☎ 32 53 14 35

GALIMAS 47 L.-et-G. 79 ⑮ – rattaché à Agen.

GALLARDON 28320 E.-et-L. 60 ⑧ 106 ㊴ G. Ile de France – 2 576 h. alt. 140.
Voir "Silhouette" (église et tour)★ – Choeur★ de l'église.
Paris 75 – Chartres 18 – Ablis 13 – Dreux 37 – Épernon 11,5 – Maintenon 12 – Rambouillet 18.

XX **Commerce,** pl. Église ☎ 37 31 00 07 – GB
fermé 18 août au 4 sept., 5 au 18 janv., dim. soir (sauf juil.-août), mardi soir et merc. –
R 120/220, enf. 55.

GAP P 05000 H.-Alpes 77 ⑯ G. Alpes du Sud – 33 444 h. alt. 733.
☎ 92 51 50 50.
Office de Tourisme 12 r. Faure du Serre ☎ 92 51 57 03 – A.C. ZI des Fauvins, 25 rte de la Justice ☎ 92 51 22 12.
Paris 674 ① – Alès 211 ④ – Avignon 168 ④ – ◆Grenoble 104 ① – Montélimar 151 ④.

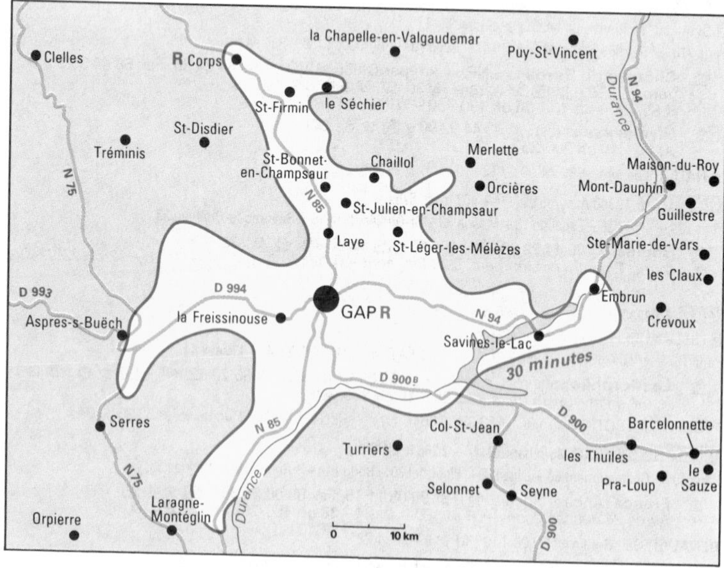

Gapotel M, av. Embrun par ② ☎ 92 52 37 37, Fax 92 52 06 46, – TV ☎ ♿ P – 40. AE GB
R 80/230, enf. 45 – ☕ 42 – **60 ch** 300/450 – ½ P 285.

Porte Colombe M, 4 pl. F. Euzières ☎ 92 51 04 13, Télex 405834, Fax 92 52 42 50 – TV ☎. GB Z **n**
Repas *(fermé 4 au 24 janv., vend. soir et sam. sauf vacances scolaires d'été)* 90/190, enf. 55 – ☕ 35 – **26 ch** 200/350 – ½ P 230/245.

La Grille, 2 Pl. F. Euzière ☎ 92 53 84 84, Fax 92 52 42 38 – TV ☎. AE GB JCB
R *(fermé vacances de Noël, dim. soir et lundi)* 75/95, enf. 40 – ☕ 35 – **27 ch** 200/325 – ½ P 250/280. Z **r**

Mokotel M sans rest, par ③ : 2,5 km (près piscine), rte Marseille ☎ 92 51 57 82, Fax 92 51 56 52 – TV ☎ ♿ P. AE GB
☕ 24 – **27 ch** 200/270.

GAP

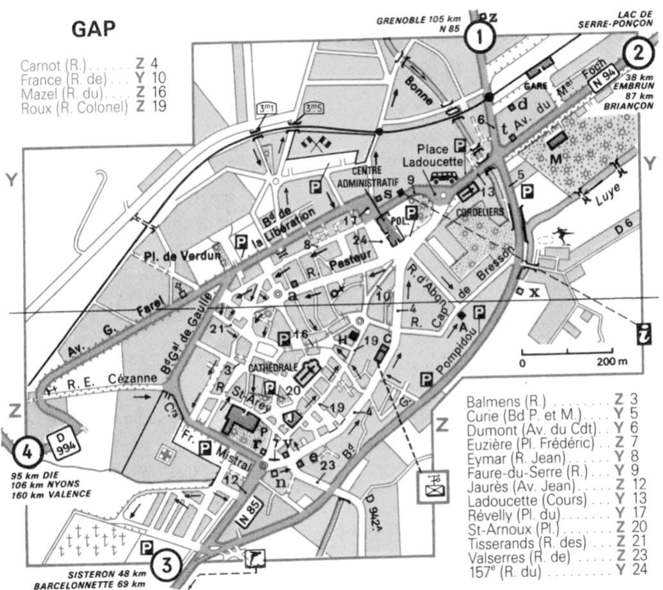

Ibis M, bd G. Pompidou ℘ 92 53 57 57, Télex 405906, Fax 92 53 38 15 – |♦| TV ☎ & – 70. GB — Y **x**
R 91 ♂, enf. 39 – ☐ 32 – **63 ch** 260/285 – ½ P 240.

Forum M, par ③ : 2 km rte Marseille ℘ 92 53 53 52, Fax 92 53 56 23, – |♦| TV ☎ & P – 25. AE GB JCB
R 89/130 ♂, enf. 49 – ☐ 30 – **40 ch** 220/280 – ½ P 220/250.

Ferme Blanche sans rest, par ① et D 92 : 2 km ℘ 92 51 03 41, Fax 92 51 35 39, ←, – ☎ P. AE GB
R voir rest. **La Roseraie** ci-après – ☐ 30 – **28 ch** 150/280.

Le Clos, 20 av. Cdt Dumont ℘ 92 51 37 04, Télex 405943, Fax 92 52 41 06, – ☎ P. GB. rest — Y **z**
R *(fermé 26 oct. au 26 nov. et dim. soir de nov. à fin juin)* 80/155, enf. 45 – ☐ 30 – **39 ch** 155/235 – ½ P 170/205.

Paix sans rest, 1 pl. F. Euzière ℘ 92 51 03 29 – |♦| TV ☎. GB — Z **v**
☐ 26 – **23 ch** 140/250.

La Roseraie, par ① et D 92 : 2 km ℘ 92 51 43 08, ←, – P. AE ⓓ GB
fermé 21 au 27 sept., dim. soir et lundi – **R** 120/330, enf. 60.

Le Patalain, 7 av. Alpes ℘ 92 52 30 83 – ☰. AE ⓓ GB — Y **d**
fermé 1er au 19 juil., sam. midi et dim. sauf fériés – **R** 100/250.

Carré Long, 32 r. Pasteur ℘ 92 51 13 10 – ☰. AE ⓓ GB — Y **a**
fermé 1er au 19 mai, 22 au 27 nov., dim. et lundi – **R** 130/260, enf. 60.

La Musardière, 3 pl. Révelly ℘ 92 51 56 15 – ☰. AE ⓓ GB — Y **s**
fermé 15 au 30 juin, 2 au 17 janv., sam. midi sauf vacances scolaires et lundi – **R** 95/150, enf. 60.

La Grangette, 1 av. Foch ℘ 92 52 39 82 – GB — Y **t**
fermé 2 au 15 janv., mardi midi et lundi sauf juil.-août et fériés – **Repas** 95/150.

Pique Feu, par ③ : 2,5 km, (près piscine) rte Marseille ℘ 92 52 16 06, – P. ⓓ GB
fermé 1er au 8 mai, 1er au 15 oct., dim. sauf le midi de Pâques à fin sept. et lundi midi – **R** 82/120, enf. 45.

La Petite Marmite, 79 r. Carnot ℘ 92 51 14 20, – GB — Z **e**
R 80/400, enf. 50.

à la Freissinouse par ④ : 9 km – ✉ **05000** :

Azur, D 994 ℘ 92 57 81 30, Fax 92 57 92 37, ←, – TV ☎ P. GB
fermé 4 au 8 janv. – **R** 75/150 ♂, enf. 50 – ☐ 30 – **45 ch** 140/260 – ½ P 180/270.

ALFA-ROMEO, NISSAN Alpes-Sport-Autos, Zone de Tokoro ✆ 92 51 18 65
AUSTIN, ROVER Gar. de Verdun, 25 av. J.-Jaurès ✆ 92 51 26 18
BMW, FIAT Transalp-Auto, 85/86 av. d'Embrun ✆ 92 52 02 57
CITROEN Autom. Gap et Alpes, Tokoro Leplan de Gap par ② ✆ 92 53 88 11
FORD Gar. Europ-Auto, rte de Briançon ✆ 92 52 05 46
LANCIA Gar. Rouit, 52 av. de Provence Fontreyne ✆ 92 51 18 26
OPEL T.A.G., Zone Tokoro ✆ 92 52 09 99

PEUGEOT-TALBOT France-Alpes, rte de Marseille par ③ ✆ 92 52 15 17
RENAULT Gap-Automobiles, 90 av. d'Embrun par ② ✆ 92 53 96 96 N
V.A.G Gar. Alpes-Service, rte de Briançon ✆ 92 52 25 56

Barneaud Pneus, 15 rte de St-Jean ✆ 92 51 00 59
Meizenq-Pneus, 74 av. d'Embrun, zone Tokoro ✆ 92 52 22 33
Piot-Pneu, av. d'Embrun ✆ 92 52 20 28

GARABIT (Viaduc de) ★★ **15** Cantal 76 ⑭ **G. Auvergne** – alt. 835 – ✉ **15390** Loubaresse.

Env. Maison du paysan★ à Loubaresse S : 7 km – Belvédère de Mallet ≤★★ SO : 13 km puis 10 mn.

Paris 528 – Aurillac 85 – Mende 70 – Le Puy 95 – St-Flour 12.

Panoramic, N 9 rte de Clermont ✉ 15100 St-Flour ✆ 71 23 40 24, Fax 71 23 48 93, ≤ lac, 🍴, 🏊, 🌳, 🎾 – 🛗 📺 ☎ 🅿 – 🏛 35. AE GB
Pâques-2 nov. – **R** 68/180, enf. 48 – ☕ 27 – **34 ch** 190/280 – ½ P 210/250.

Garabit H., ✆ 71 23 42 75, Fax 71 23 49 60, ≤, « Terrasse panoramique », 🏊 – 🛗 ☎ 🅿 – 🏛 35. GB
10 avril-15 oct. – **R** 65/150, enf. 48 – ☕ 30 – **47 ch** 180/330 – ½ P 200/290.

Beau Site, N 9 ✆ 71 23 41 46, Fax 71 23 46 34, ≤ viaduc et lac, 🏊, 🌳, 🎾 – 📺 ☎ 🚗 🅿. GB
1er avril-vacances de nov. – **R** 63/160 🍷, enf. 40 – ☕ 26 – **16 ch** 120/230 – ½ P 200/210.

Viaduc, ✆ 71 23 43 20, ≤, 🏊 – ☎ 🅿. GB
1er avril-3 nov. – **R** 62/165, enf. 35 – ☕ 27 – **25 ch** 175/250 – ½ P 190/245.

GARCHES **92** Hauts-de-Seine 55 ⑳, 101 ⑬ – voir à Paris, Environs.

La GARDE **04** Alpes-de-H.-P. 81 ⑱ – rattaché à Castellane.

La GARDE **48** Lozère 76 ⑮ – rattaché à St-Chély-d'Apcher.

La GARDE-FREINET **83310** Var 84 ⑰ **G. Côte d'Azur** – 1 465 h. alt. 405.

Paris 856 – Fréjus 42 – Brignoles 43 – Hyères 55 – ◆Toulon 74 – St-Tropez 20 – Ste-Maxime 22.

La Faücado, ✆ 94 43 60 41, 🍴 – AE GB
fermé 15 janv. au 10 mars et mardi sauf le soir en juil.-août – **R** carte 170 à 280.

GARDE-GUÉRIN **48** Lozère 80 ⑦ – rattaché à Villefort.

La GARENNE-COLOMBES **92** Hauts-de-Seine 55 ⑳, 101 ⑭ – voir à Paris, Environs.

GARETTE **79** Deux-Sèvres 171 ② – rattaché à Coulon.

GARNACHE **85** Vendée 67 ⑫ – rattaché à Challans.

GARONS **30** Gard 80 ⑲ – rattaché à Nîmes.

GASSIN **83580** Var 84 ⑰ **G. Côte d'Azur** – 2 622 h. alt. 201.

Voir Boulevard circulaire ≤★ – Moulins de Paillas ✻★★ SE : 3,5 km.

Paris 876 – Fréjus 34 – Brignoles 63 – Le Lavandou 32 – St-Tropez 10,5 – Ste-Maxime 14 – Toulon 71.

Villa de Belieu M 🐚, N : 2 km par rte St-Tropez ✆ 94 56 40 56, Télex 461694, Fax 94 43 43 34, ≤, 🍴, parc, « Dans un domaine viticole demeure provençale décorée avec raffinement », 🏋, 🏊, 🏊, 🎾 – ▤ ch 📺 ☎ 🅿. AE GB
R *(fermé merc.)* 380 bc/600 – ☕ 90 – **13 ch** 1700/4000, 5 appart..

Aub. la Verdoyante, N : 2 km ✆ 94 56 16 23, ≤, 🍴 – GB
15 mars-4 nov. et fermé merc. sauf le soir en juil.-août – **R** 150.

GATTIÈRES **06510** Alpes-Mar. 84 ⑨ 195 ㉖ **G. Côte d'Azur** – 2 997 h. alt. 295.

Env. Carros : vieux village : site★, ✻★★ du vieux moulin N : 6 km.

Syndicat d'Initiative r. Torrin-et-Grassi ✆ 93 08 60 09.

Paris 936 – ◆ Nice 20 – Antibes 26 – Cannes 36 – La Gaude 7 – St-Martin-Vésubie 52 – Vence 10.

Aub. de Gattières, ✆ 93 08 60 05 – GB
fermé 15 janv. au 28 fév. et merc. – **R** 95/200.

Panoramic, au N : 1,5 km par D 2209 ✆ 93 08 60 56, ≤, 🍴, 🏊, 🌳 – 🅿

La GAUCHERIE **41** L.-et-Ch. 64 ⑱ – rattaché à Cour-Cheverny.

GAUCHIN-LEGAL 62 P.-de-C. 53 ① – rattaché à Bruay-la-Bussière.

La GAUDE 06610 Alpes-Mar. 84 ⑨ **G. Côte d'Azur** – 4 951 h.

Syndicat d'Initiative pl. Victoires (mai-sept.) ✆ 93 24 47 26.

Paris 929 – ◆Nice 21 – Antibes 19 – Vence 9.

rte St-Jeannet : 2 km – ✉ **06610** La Gaude :

Le César M, (face IBM) ✆ 93 24 47 77, Télex 461243, Fax 93 24 85 84, – 40
50 ch.

GAVARNIE 65120 H.-Pyr. 85 ⑱ **G. Pyrénées Aquitaine** – 177 h. alt. 1 357.

Voir Cirque de Gavarnie★★★ S : 3 h 30.

Env. Pic de Tantes ✱★★ SO : 11 km.

Office de Tourisme (juil.-sept., 15 déc.-avril) ✆ 62 92 49 10, Télex 533765.

Paris 873 – Pau 93 – Lourdes 50 – Luz-St-Sauveur 20 – Tarbes 70.

Vignemale M, ✆ 62 92 40 00, Télex 533733, Fax 62 92 40 08, ←, – ch – 25. AE.
R *(fermé lundi sauf vacances scolaires)* (dîner seul.) 120/350 – ☐ 48 – **24 ch** 310/670 – ½ P 368.

Le Marboré, ✆ 62 92 40 40, Télex 532877, ←, – – 30. AE GB
fermé 12 au 31 nov. – **R** 76/166, enf. 38 – ☐ 30 – **24 ch** 230/250 – ½ P 230.

La Ruade, ✆ 62 92 48 49, « Décor montagnard » – GB
1er juin-7 oct. – **Repas** 70/130, enf. 40.

à Gèdre N par D 921 : 8,5 km – ✉ **65120** :

Brèche de Roland, ✆ 62 92 48 54, Fax 62 92 46 05, ← – GB. rest
1er mai-1er oct. et 25 déc.-vacances de printemps – **R** 80, enf. 40 – ☐ 27 – **28 ch** 230/250 – ½ P 210.

Die im Michelin-Führer
verwendeten Zeichen und Symbole haben –
*dünn oder **fett** gedruckt, in einer Kontrastfarbe oder schwarz –*
jeweils eine andere Bedeutung.
Lesen Sie daher die Erklärungen aufmerksam durch.

GAVRINIS (Ile) 56 Morbihan 63 ⑫ **G. Bretagne.**

Voir Cairn★★ 15 mn en bateau de Larmor-Baden.

GÈDRE 65 H.-Pyr. 85 ⑱ – rattaché à Gavarnie.

GÉMENOS 13420 B.-du-R. 84 ⑭ **G. Provence** – 5 025 h. alt. 150.

Voir Parc de St-Pons★ E : 3 km – Aubagne : musée de la Légion Etrangère★ O : 5 km – Forêt de la Ste-Baume★★ NE.

Paris 792 – ◆Marseille 25 – ◆Toulon 50 – Aix-en-Provence 36 – Brignoles 47.

Relais de la Magdeleine, ✆ 42 32 20 16, Fax 43 32 02 26, « Elégante demeure avec mobilier ancien, parc », – – 45. GB
fermé 15 janv. au 15 mars, dim. soir et lundi sauf du 1er oct. au 30 avril sauf fériés – **R** 240/320 – ☐ 65 – **20 ch** 420/700 – ½ P 500/655.

GEMOËNS 74 H.-Savoie 74 ⑧ – rattaché à Combloux.

GENAS 69 Rhône 74 ⑫ – rattaché à Lyon.

GENÇAY 86160 Vienne 68 ⑭ **G. Poitou Vendée Charentes** – 1 580 h. alt. 128.

Paris 361 – Poitiers 27 – Confolens 45 – Montmorillon 40 – Niort 77.

Du Guesclin, r. Carnot ✆ 49 59 33 53 – GB. ch
fermé 15 au 21 juin, 20 déc. au 5 janv. et dim. – **R** 60/120 – ☐ 22 – **10 ch** 110/180.

CITROEN Maillet, ✆ 49 59 31 11

GÉNÉRARGUES 30 Gard 80 ⑰ – rattaché à Anduze.

GENESTON 44140 Loire-Atl. 67 ③ – 1 958 h. alt. 30.

Paris 400 – ◆Nantes 19 – Cholet 54 – La Roche-sur-Yon 46.

Le Pélican, ✆ 40 04 77 88 – AE GB
fermé 24 août au 6 sept., 4 au 10 janv., vacances de fév., dim. soir et merc. – **R** 90/175, enf. 42.

Le GENESTOUX 63 P.-de-D. 73 ⑬ – rattaché au Mont-Dore.

GENÈVE Suisse 74 ⑥ 217 ⑪ **G. Suisse** – 167 167 h. Communauté urbaine 395 238 h alt. 375 – Casino – Genève et les environs : de France 19-41-22 ; de Suisse 022.

Voir Bords du Lac ←★★★ – Parcs★★ BU **B** : Mon Repos, la Perle du Lac et Villa Barton – Jardin botanique★ : jardin de rocaille★★ BV **E** – Cathédrale★ : ☀★★ FY **F** – Monument de la Réformation★ FYZ **D** – Palais des Nations★ ←★★ BU – Parc de la Grange★ GY – Parc des Eaux-Vives★ CV – Vaisseau★ de l'église du Christ-Roi BV **N** – Boiseries★ au musée des Suisses au service étranger BU **M12** – Musées : Art et Histoire★★★ GZ, Ariana★★ BU **M9**, Histoire naturelle★★ GZ, Petit Palais-musée d'Art Moderne★ GZ **M1**, collections Baur★ (dans hôtel particulier) GZ **M2**, Instruments de musique★ GZ **M3**.

Excurs. en bateau sur le lac. Rens. Cie Gén. de Nav., Jardin Anglais ℘ 21 25 21 – Mouettes genevoises, 8 quai du Mt-Blanc ℘ 732 29 44 – Swiss Boat, 4 quai du Mont-Blanc ℘ 736 79 35.

18 à Cologny ℘ 735 75 40 - CU ; 18 Country Club de Bossey ℘ 50 43 75 25, par rte de Troinex - BV.

de Genève-Cointrin ℘ 799 31 11 AU.

Office de Tourisme gare Cornavin ℘ 738 52 00, Télex 412679 – A.C. Suisse, 21 r. de la Fontenette ℘ 42 22 33 – T.C. Suisse, 9 r. P.-Fatio ℘ 737 12 12.

Paris 538 ⑦ – Thonon-les-Bains 33 ④ – Bern 154 ② – Bourg-en-Bresse 101 ⑦ – Lausanne 63 ② – ♦Lyon 151 ⑦ – Torino 252 ⑥.

Plans : Genève p. 2 à 5.

Les prix sont donnés en francs suisses

Rive droite (Gare Cornavin - Les Quais) :

Richemond, jardin Brunswick, ✉ 1211 ℘ 731 14 00, Télex 412560, Fax 731 67 09, ←, – 🛗 ▤ ch TV ☎ – 🏛 250. AE ⓓ GB JCB FY **u**
R voir rest. **Le Gentilhomme** ci-après - **Le Jardin R** carte 60 à 90 – ☐ 28 – **67 ch** 320/600, 31 appart. 800.

Rhône, quai Turrettini, ✉ 1201 ℘ 731 98 31, Télex 412559, Fax 732 45 58, ←, – 🛗 ch ▤ TV ☎ ♿ – 🏛 40 à 150. AE ⓓ GB JCB. ✻ rest EY **r**
R voir rest. **Le Neptune** ci-après - **Café Rafael R** 65/80 – ☐ 23 – **212 ch** 268/680, 8 appart..

Les Bergues, 33 quai Bergues, ✉ 1201 ℘ 731 50 50, Télex 412540, Fax 732 19 89, ←, – 🛗 ▤ ch TV ☎ ♿ – 🏛 40 à 350. AE ⓓ GB JCB FY **k**
R voir rest **Amphitryon** ci-après- **Le Pavillon R** 50 – ☐ 25 – **123 ch** 280/530, 10 appart..

Noga Hilton M, 19 quai Mt-Blanc ✉ 1201 ℘ 731 98 11, Télex 412337, Fax 738 64 32, ←, , – 🛗 ▤ ch TV ☎ ♿ – 🏛 850. AE ⓓ GB JCB GY **y**
R voir rest. **Le Cygne** ci-après- **La Grignotière R** carte 45 à 80 – **Le Bistroquai R** carte environ 30 – ☐ 26 – **377 ch** 345/550, 36 appart..

Beau Rivage, 13 quai Mt-Blanc ✉ 1201 ℘ 731 02 21, Télex 412539, Fax 738 98 47, ←, – 🛗 ch TV ☎ – 🏛 30 à 350. AE ⓓ GB JCB FY **d**
R voir rest. **Le Chat Botté** ci-après - **Le Quai 13** ℘ 731 31 82 **R** carte 45 à 85 – ☐ 22 – **98 ch** 300/600, 6 appart..

Président M, 17 quai Wilson ✉ 1211 ℘ 731 10 00, Télex 412328, Fax 731 22 06, ← lac – 🛗 ch ▤ ch TV ☎ ♿ – 🏛 25 à 80. AE ⓓ GB JCB. ✻ rest GX **d**
R carte 75 à 120 – ☐ 22 – **152 ch** 280/400, 28 appart..

Paix, 11 quai Mt-Blanc ✉ 1201 ℘ 732 61 50, Télex 412554, Fax 738 87 94, ← – 🛗 ▤ TV ☎ – 🏛 70. AE ⓓ GB JCB FY **s**
R carte 60 à 110 – ☐ 24 – **86 ch** 250/500, 14 appart. 500/800.

Ramada Renaissance M, 19 r. Zurich, ✉ 1201 ℘ 731 02 41, Télex 412557, Fax 738 75 14 – 🛗 ch ▤ TV ☎ ♿ – 🏛 150. AE ⓓ GB JCB FX **s**
La Cortille R 50/95 – **Café Ragueneau R** 50/95 – ☐ 23 – **212 ch** 240/335, 7 appart. – ½ P 208/241.

Bristol M, 10 r. Mt-Blanc ✉ 1201 ℘ 732 38 00, Télex 412544, Fax 738 90 39, – 🛗 ▤ rest TV ☎ ♿ – 🏛 30 à 100. AE ⓓ GB FY **w**
R 18/95 – ☐ 18 – **95 ch** 240/380, 4 appart. 700.

Pullman Rotary M, 18 r. Cendrier ✉ 1201 ℘ 731 52 00, Télex 412704, Fax 731 91 69, – 🛗 ▤ TV ☎. AE ⓓ GB. ✻ rest FY **t**
R *(fermé sam. et dim.)* carte environ 50 – ☐ 24 – **84 ch** 240/270, 10 duplex 380.

Warwick M, 14 r. Lausanne ✉ 1201 ℘ 731 62 50, Télex 412731, Fax 738 99 35 – 🛗 ch ▤ TV ☎ – 🏛 25 à 300. AE ⓓ GB JCB. ✻ rest FY **n**
Les 4 Saisons *(fermé sam. et dim.)* **R** 60/65 – ☐ 19 – **169 ch** 260/330 – ½ P 160/195.

Rex, 44 av. Wendt ✉ 1203 ℘ 45 71 50, Télex 415890, Fax 44 04 20, – 🛗 ▤ rest TV ☎ – 🏛 40 DX **e**
Le Régent *(fermé août, sam. et dim.)* – **74 ch.**

Berne, 26 r. Berne ✉ 1201 ℘ 731 60 00, Télex 412542, Fax 731 11 73 – 🛗 ▤ TV ☎ – 🏛 30 à 100. AE ⓓ GB JCB. ✻ rest FY **x**
R 35 – **84 ch** ☐ 190/260, 4 appart. 340.

Cornavin sans rest, 33 bd James Fazy ✉ 1211 ℘ 732 21 00, Télex 412548, Fax 732 88 43 – 🛗 ▤ TV ☎. AE ⓓ GB JCB EY **t**
115 ch ☐ 185/260.

Ambassador, 21 quai Bergues ✉ 1201 ☎ 731 72 00, Télex 412533, Fax 738 90 80, – ch – 40. AE GB FY p
R 46/55 – 12 – **86 ch** 145/313.

Carlton, 22 r. Amat ✉ 1202 ☎ 731 68 50, Télex 412546, Fax 732 82 47 – cuisinette FX a
AE GB JCB
R *(fermé dim. midi et sam.)* 42 – **123 ch** 160/285.

Grand Pré sans rest, 35 r. Gd Pré ✉ 1202 ☎ 733 91 50, Télex 414210, Fax 734 76 91 – EX s
– 30. AE GB
80 ch 175/260.

Cristal sans rest, 4 r. Pradier ✉ 1201 ☎ 731 34 00, Télex 412549, Fax 731 70 78 – FY e
– 30. AE GB JCB
79 ch 135/230.

Suisse, 10 pl. Cornavin ✉ 1201 ☎ 732 66 30, Télex 412564, Fax 732 62 39 – AE EY y
GB
R 18 – **60 ch** 125/150 – ½ P 195/210.

Midi M, pl. Chevelu ✉ 1201 ☎ 731 78 00, Télex 412552, Fax 731 00 20, – rest FY r
AE GB
R *(fermé dim.)* 27 – **85 ch** 160/240.

Astoria sans rest, 6 pl. Cornavin ✉ 1211 ☎ 732 10 25, Télex 412536, Fax 731 76 90 – EY y
AE GB
62 ch 100/155.

Moderne sans rest, 1 r. Berne ✉ 1201 ☎ 732 81 00, Télex 412553, Fax 738 26 58 – FY v
AE GB JCB
54 ch 55/140.

XXXX **Le Gentilhomme** -Hôtel Richemond, jardin Brunswick ✉ 1211 ☎ 731 14 00, Télex 412560, FY u
Fax 731 67 09 – AE GB JCB
R (dîner seul.) 95/135.

XXXX ✿ **Le Chat Botté** - Hôtel Beau Rivage, 13 quai Mt-Blanc ✉ 1201 ☎ 731 65 32, Télex 412539, FY d
Fax 738 98 47 – AE GB JCB
fermé 11 au 26 avril, 19 déc. au 3 janv., sam., dim. et jours fériés – **R** 105/135
Spéc. Filets de perche du lac poêlés au beurre d'épice (été), Filets de rouget en soupe de roche, Rouelles de rognon de veau et galettes de pommes de terre. **Vins** Satigny, Dardagny.

XXXX ✿ **Le Cygne** -Hôtel Noga Hilton, 19 quai Mt-Blanc ✉ 1201 ☎ 731 98 11, Télex 412337, GY y
Fax 738 64 32, ← – AE GB JCB.
R 130/150
Spéc. Bar à la fumée de bois et vinaigrette de truffe, Gratinée de poularde de Bresse au chou truffé, Croustillants de langoustines. **Vins** Lully, Dardagny.

XXXX **Amphitryon** -Hôtel Les Bergues, 33 quai Bergues ✉ 1201 ☎ 731 50 50, Fax 732 19 89 – AE FY k
GB JCB
fermé sam. et dim. – **R** carte 75 à 95.

XXX **Tsé Yang,** 19 quai Mt-Blanc ✉ 1201 ☎ 732 50 81, ←, cuisine chinoise – AE GB GY y
JCB.
R 65/125.

XXX **Le Neptune** - Hôtel du Rhône, quai Turrettini ✉ 1201 ☎ 731 98 31, Télex 412559, EY r
Fax 732 45 58, – AE GB JCB.
fermé sam., dim. et fériés. – **R** carte 75 à 120.

XXX **Aub. Mère Royaume,** 9 r. Corps Saints ✉ 1201 ☎ 732 70 08, « Style vieux genevois » EY k
– AE GB
fermé 25 juil. au 18 août, sam. (sauf le soir hors sais.) et dim. – **R** carte 70 à 100 .

XX **Mövenpick-Cendrier,** 17 r. Cendrier (1er étage) ✉ 1201 ☎ 732 50 30, Fax 731 93 41 – FY f
AE GB.
R carte 40 à 80 .

XX **Buffet Cornavin,** 3 pl. Cornavin ✉ 1201 ☎ 732 43 06, Fax 731 61 82 – AE GB EY m
Rest. Français R carte 50 à 95 – **Buffet (1ère classe) R** 24/32 .

X **Boeuf Rouge,** 17 r. A. Vincent ✉ 1201 ☎ 732 75 37, cuisine lyonnaise – GB FY z
fermé sam. et dim. – **R** carte 55 à 85 .

Rive gauche (Centre des affaires) :

Métropole, 34 quai Gén. Guisan ✉ 1204 ☎ 21 13 44, Télex 421550, Fax 21 13 50, – GY a
– 50 à 200. AE GB JCB. rest
R voir rest. **L'Arlequin** ci-après- **Le Grand Quai R** carte 60 à 100 – **121 ch** 230/550, 6 appart. 800/900.

La Cigogne, 17 pl. Longemalle ✉ 1204 ☎ 311 42 42, Télex 421748, Fax 311 40 65, « Bel aménagement intérieur » – – 25. AE GB. rest FGY j
R 96, enf. 45 – **45 ch** 240/425, 5 appart. 720.

Armures M, 1 r. Puits St Pierre ✉ 1204 ☎ 310 91 72, Télex 421129, Fax 310 98 46 – FY g
AE GB JCB
R 40 – **24 ch** 220/340, 4 appart. 440.

Century sans rest, 24 av. Frontenex ✉ 1207 ☎ 736 80 95, Télex 413246, Fax 786 52 74 – GY p
cuisinette – 35. AE GB JCB
125 ch 195/340, 14 appart. 340/385.

RÉPERTOIRE DES RUES

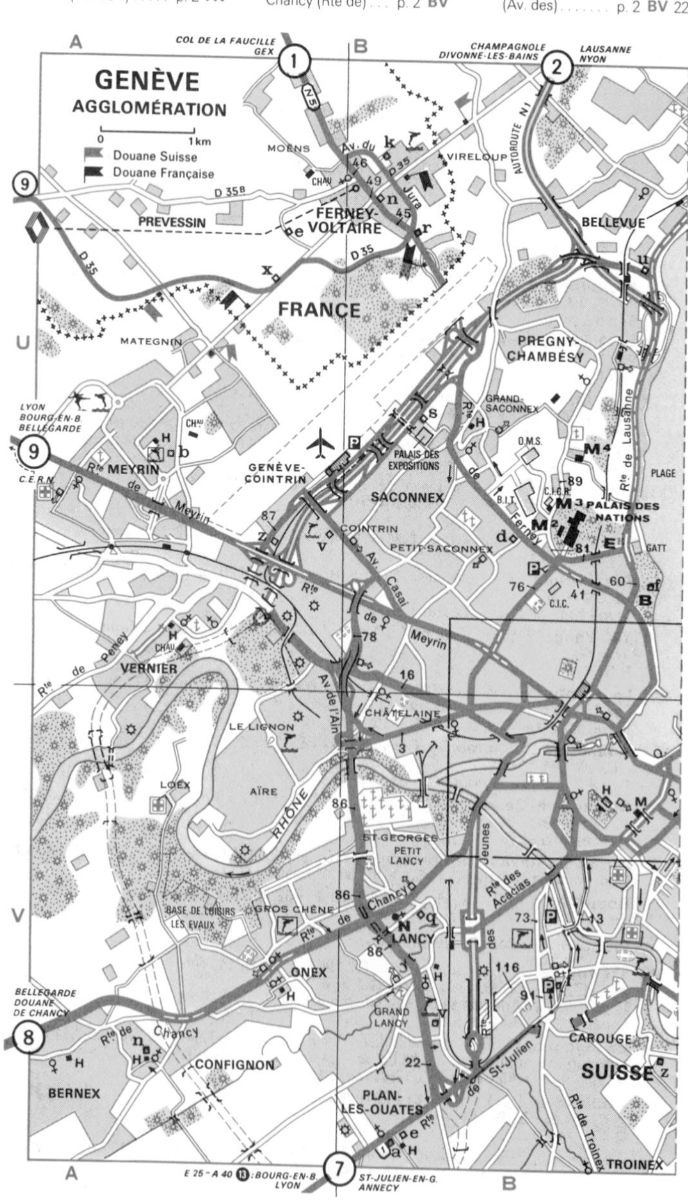

DU PLAN DE GENÈVE

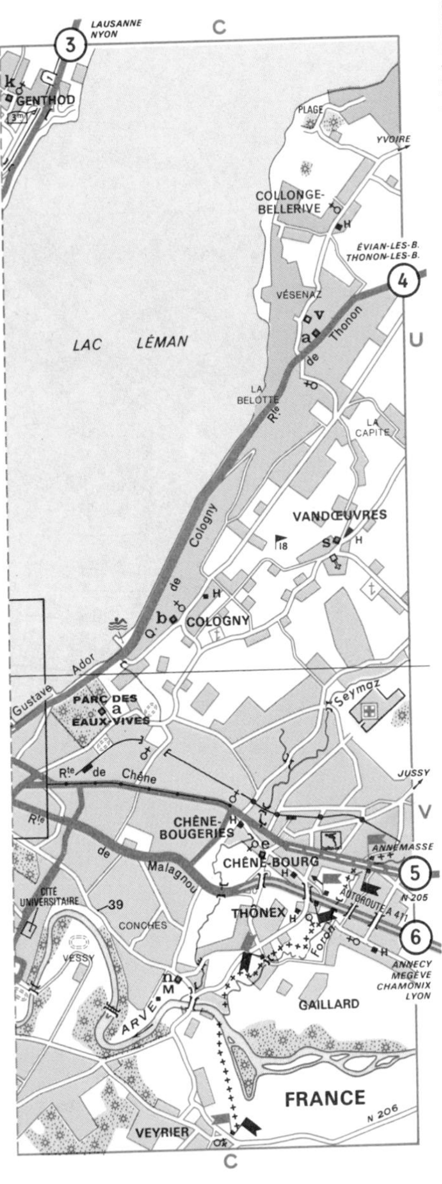

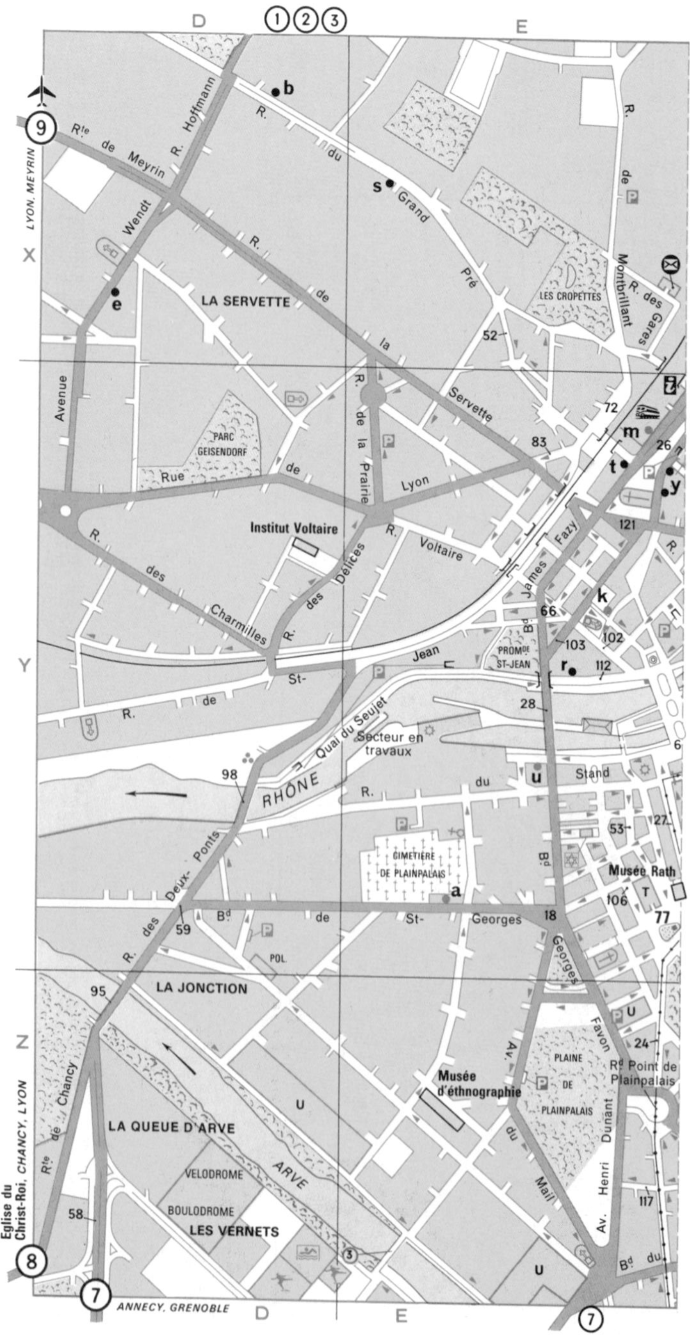
D
E
X
Y
Z
LYON, MEYRIN
Rte de Meyrin
R. Hoffmann
R. du Grand Pré
Wendt
Avenue
LA SERVETTE
R. de la Servette
LES CROPETTES
R. de Montbrillant
R. des Gares
PARC GEISENDORF
Rue de Lyon
R. de la Prairie
Institut Voltaire
R. Voltaire
R. des Charmilles
R. des Délices
Bd James Fazy
PROMDE ST-JEAN
R. de St-Jean
Quai du Seujet
Secteur en travaux
RHÔNE
R. du Stand
CIMETIÈRE DE PLAINPALAIS
Musée Rath
R. des Deux-Ponts
Bd de St-Georges
Bd Georges Favon
POL.
LA JONCTION
PLAINE DE PLAINPALAIS
Rd Point de Plainpalais
Musée d'éthnographie
Av. du Mail
Av. Henri Dunant
Rte de Chancy
LA QUEUE D'ARVE
ARVE
VELODROME
BOULODROME
LES VERNETS
Bd du
Eglise du Christ-Roi, CHANCY, LYON
ANNECY, GRENOBLE

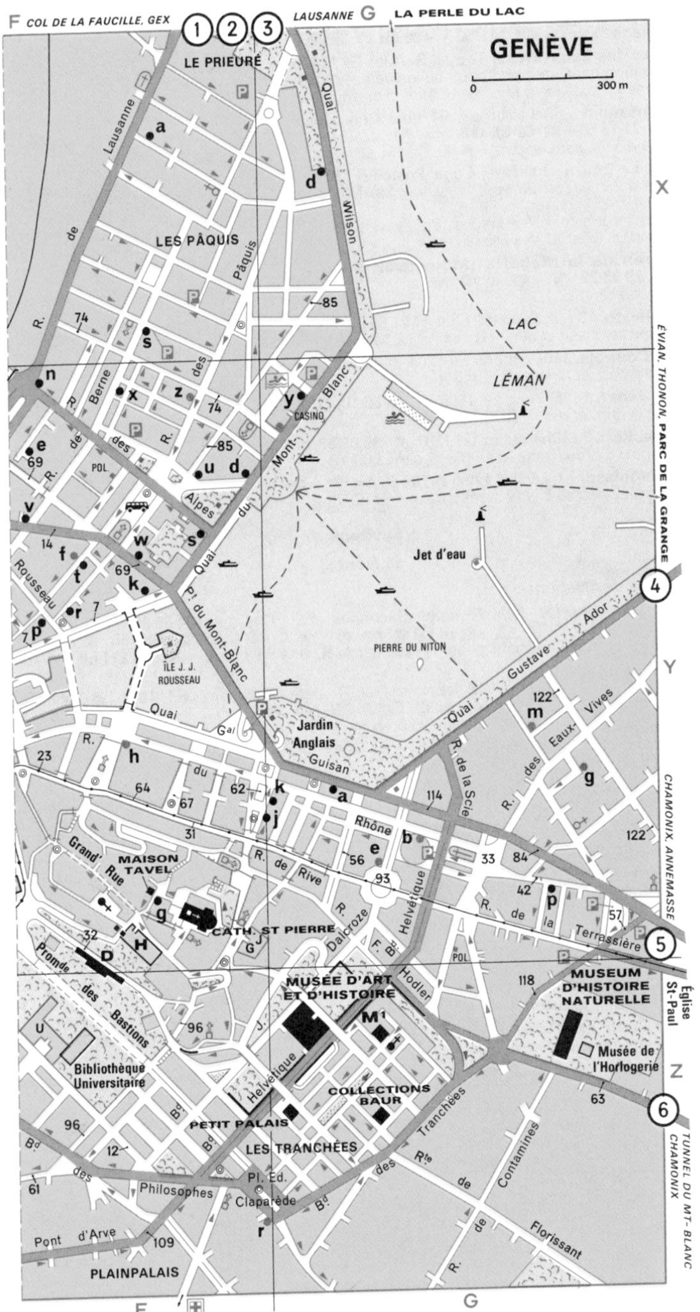
GENÈVE
0
300 m
F COL DE LA FAUCILLE, GEX
LAUSANNE G
LA PERLE DU LAC
LE PRIEURÉ
LES PÂQUIS
Quai Wilson
LAC
LÉMAN
CASINO
Jet d'eau
PIERRE DU NITON
ÎLE J. J. ROUSSEAU
Jardin Anglais
MAISON TAVEL
CATH. ST PIERRE
MUSÉE D'ART ET D'HISTOIRE
MUSEUM D'HISTOIRE NATURELLE
Musée de l'Horlogerie
COLLECTIONS BAUR
PETIT PALAIS
LES TRANCHÉES
Bibliothèque Universitaire
Promde des Bastions
PLAINPALAIS
Pl. Éd. Claparède
Église St-Paul
ÉVIAN, THONON, PARC DE LA GRANGE
CHAMONIX, ANNEMASSE
TUNNEL DU MT-BLANC CHAMONIX
Quai Gustave Ador
R. de la Terrassière
R. du Rhône
R. de Rive
R. des Eaux-Vives
R. de la Scie
Bd Helvétique
R. Dalcroze
Bd des Philosophes
Bd des Tranchées
Rte de Florissant
R. de Contamines
Pont d'Arve
Grand' Rue
Quai du Mont-Blanc
Pt du Mont-Blanc
R. de Lausanne
R. de Berne
R. des Alpes
R. des Pâquis
Rousseau
Quai Gal Guisan
Hodler
POL.
X
Y
Z
F
G

Touring Balance, 13 pl. Longemalle ✉ 1204 ☎ 310 40 45, Télex 427634, Fax 310 40 39 – ⎮ TV ☎ – 40. AE ⓓ GB JCB GY **k**
R *(fermé sam. et dim.)* 41/50 – **60 ch** 150/350.

XXXX **Parc des Eaux-Vives,** 82 quai G. Ador ✉ 1207 ☎ 735 41 40, Fax 786 87 65, « Agréable situation dans un grand parc, belle vue » – Ⓟ. AE ⓓ GB CV **a**
fermé 26 déc. au 15 fév., mardi midi, dim. soir et lundi – **R** 80/130.

XXXX **L'Arlequin** - Hôtel Métropole, 34 quai Gén. Guisan ✉ 1204 ☎ 21 13 44, Télex 421550, Fax 21 13 50 – ▤. AE ⓓ GB JCB. GY **a**
fermé août, sam. et dim. – **R** 90/110.

XXX ✿✿ **Le Béarn** (Goddard), 4 quai Poste ✉ 1204 ☎ 321 00 28 – ▤. ⓓ GB EY **u**
fermé 19 juil. au 23 août, vacances de fév., sam. (sauf le soir d'oct. à avril) et dim. – **R** 110/140 et carte
Spéc. Croustillant de truffe et foie gras (15 déc. au 15 fév.), Oursins fourrés aux coquilles Saint-Jacques, Petite marmite de homard "Célestine". **Vins** Pinot gris et noir.

XXX **Baron de la Mouette (Mövenpick Fusterie),** 40 r. Rhône ✉ 1204 ☎ 21 88 55, Fax 28 93 22, – ▤. AE ⓓ GB FY **h**
R carte 55 à 95.

XXX **Roberto,** 10 r. P. Fatio ✉ 1204 ☎ 21 80 33, cuisine italienne – ▤. AE GB GY **e**
fermé sam. soir et dim. – **R** carte 60 à 100.

XX **La Coupole,** 116 r. Rhône ✉ 1204 ☎ 735 65 44, Fax 736 75 46 – ▤. AE ⓓ GB GY **b**
fermé dim. et fériés – **R** 30/56.

XX **Le Sénat,** 1 r. E. Yung ✉ 1205 ☎ 346 58 10, – AE ⓓ GB FZ **r**
fermé sam. et dim. – **R** 38/70, enf. 16.

XX **Cavalieri,** 7 r. Cherbuliez ✉ 1207 ☎ 735 09 56, cuisine italienne – ▤. AE ⓓ GB GY **g**
fermé 3 juil. au 3 août et lundi – **R** carte 50 à 85.

X **L'Esquisse,** 7 r. Lac ✉ 1207 ☎ 786 50 44, – GB GY **m**
fermé 22 déc au 3 janv., sam. et dim. – **R** 50/70.

Environs

au Nord :

Palais des Nations :

Intercontinental Ⓜ, 7 petit Saconnex ✉ 1211 ☎ 734 60 91, Télex 412921, Fax 734 28 64, ←, – ⎮ ▤ TV ☎ Ⓟ – 25 à 600. AE ⓓ GB JCB. rest
R voir rest. **Les Continents** ci-après - **La Pergola R** carte 60 à 85 – 23 – **271 ch** 300/450, 60 appart. BU **d**

XXXX ✿ **Les Continents** - Hôtel Intercontinental, 7 petit Saconnex ✉ 1211 ☎ 734 60 91, Télex 412921, Fax 734 28 64 – ▤ Ⓟ. AE ⓓ GB JCB. BU **d**
fermé dim. midi et sam. – **R** carte 90 à 130
Spéc. Cannelloni de langoustines aux artichauts, Filets de rougets aux agrumes, Lapereau sauté au coulis d'oignons et mijoté de lentilles. **Vins** Dardagny, Peissy.

XXX **Perle du Lac,** 128 r. Lausanne ✉ 1202 ☎ 731 79 35, Fax 731 49 79, ←, – AE ⓓ GB. BU **f**
fermé22 déc. au 22 janv. et lundi – **R** 95/135.

Palais des Expositions : 5 km – ✉ **1218** Grand Saconnex :

Holiday Inn Crowne Plaza Ⓜ, 26 voie Moëns ☎ 791 00 11, Télex 415695, Fax 798 92 73, – ⎮ ▤ TV ☎ – 40 à 160. AE ⓓ GB JCB BU **s**
R carte 55 à 90, enf. 11 – 22 – **288 ch** 250/330.

à Bellevue par ③ et rte de Lausanne : 6 km - BU – ✉ **1293** Bellevue :

La Réserve Ⓜ, 301 rte Lausanne ☎ 774 17 41, Télex 419117, Fax 774 25 71, ←, « Dans un parc près du lac, port aménagé », – ⎮ ▤ TV ☎ Ⓟ – 80. AE ⓓ GB BU **u**
R voir rest. **Tsé Fung** ci-après - **La Closerie R** 80/100 – 25 – **114 ch** 270/450, 15 appart.

XXX **Tsé Fung** - Hôtel La Réserve, 301 rte Lausanne ☎ 774 17 41, Télex 419117, Fax 774 25 71, cuisine chinoise – ▤ Ⓟ. AE ⓓ GB BU **u**
R 75/125.

à Genthod par ③ et rte de Lausanne : 7 km - CU – ✉ **1294** Genthod :

XX ✿ **Rest. du Château de Genthod** (Leisibach), 1 rte Rennex ☎ 774 19 72, – GB CU **k**
fermé 16 au 24 août, 20 déc. au 10 janv., dim. et lundi – **R** 42/85
Spéc. Papet vaudois (oct. à mars), Truite saumonée à l'aneth, Fricassée de porc. **Vins** Pinot noir, Russin.

à l'Est par route d'Évian :

à Cologny : 3,5 km - CU – ✉ **1223** Cologny :

XXXX ✿✿ **Aub. du Lion d'Or** (Large), au village ☎ 736 44 32, ←, « Situation dominant le lac et Genève » – Ⓟ. AE ⓓ GB CU **b**
fermé 18 au 26 avril, 20 déc. au 20 janv., sam. et dim. – **R** 130/165 et carte
Spéc. Filets de rougets poêlés au caramel de légumes, Turbot rôti à la marjolaine, Chariot de pâtisseries. **Vins** Lully, Pinot noir du Valais.

à Vandoeuvres : 5,5 km - CU – ✉ **1253** Vandoeuvres :

XXX **Cheval Blanc,** ✆ 750 14 01, 🏞, cuisine italienne – AE GB JCB — CU s
fermé 10 au 31 juil., 24 déc. au 3 janv., dim. et lundi – **R** carte 60 à 115 🍷.

à Vésenaz : 6 km - CU – ✉ **1222** Vésenaz :

La Tourelle sans rest, 26 rte Hermance ✆ 752 16 28, Fax 752 54 93, parc – ☎ P. GB — CU v
fermé 26 déc. au 1er fév. – **22 ch** 100/160.

à l'Est par route d'Annemasse :

à Conches : 5 km - CV – ✉ **1234** Conches :

X **Le Vallon,** 182 rte Florissant ✆ 47 11 04, 🏞 — CV n
fermé 16 au 27 avril, 6 au 20 juil., 25 déc. au 2 janv., sam. et dim. – **R** carte 60 à 85 🍷.

à Jussy : par ⑤ : 11 km - CV – ✉ **1254** Jussy :

X **Aub. Vieux Jussy,** ✆ 759 11 10, 🏞, 🌳 – AE ⦿ GB
fermé mardi soir d'oct. à fév. et merc. – **R** 54 🍷.

au Sud :

à Vessy par rte de Veyrier : 6 km - BV – ✉ **1234** Vessy :

XX **La Guinguette,** 130 rte de Veyrier ✆ 784 26 26, Fax 784 13 34, 🏞 – P. GB — BV z
fermé 18 juil. au 10 août, 19 déc. au 4 janv, sam. et dim. – **R** 70/85.

à Carouge : 3 km - BV – ✉ **1227** Carouge :

XX **La Cassolette,** 31 r. J. Dalphin ✆ 342 03 18 – GB — BV f
fermé mi-juil. à mi-août, sam. et dim. – **R** 68/90.

au Petit Lancy : 3 km - BV – ✉ **1213** Petit Lancy :

✿ **Host. de la Vendée,** 28 chemin Vendée ✆ 792 04 11, Télex 421304, Fax 792 05 46, 🏞 – 🛗 ▤ TV ☎ P – 🎪 80. AE ⦿ GB — BV q
fermé 21 déc. au 4 janv. – **R** *(fermé sam. midi et dim.)* 72/105 🍷 – **33 ch** 145/245 – ½ P 145/165
Spéc. Filet de Saint-Pierre en pétales dorées et jus de viande, Spirale de filet de sole au beurre de Sauternes, Coquelet en pie aux truffes et Champagne. **Vins** Aligoté, Dôle.

au Grand-Lancy : 3 km - BV – ✉ **1212** Lancy :

XXX ✿ **Marignac** (Pelletier), 32av. E. Lance ✆ 794 04 24, Fax 794 34 83, parc – ▤ P. GB — BV v
fermé 2 au 17 août, sam. midi et dim. – **R** 45/115
Spéc. Fines tranches de saumon et son tartare sur mesclin, Escalopes de foie gras frais de canard sur pommes-en-l'air. **Vins** Pinot gris, Gamay.

au Plan-les-Ouates : 5 km - BV – ✉ **1228** Plan-les-Ouates :

Plan-les-Ouates sans rest, 135 rte St-Julien ✆ 794 92 44 – 🛗 ☏. AE ⦿ GB — BV e
fermé 24 déc. au 5 janv. – ☕ 8 – **22 ch** 50/172.

XX **Café de la Place,** 143 rte St Julien ✆ 794 96 98 – GB — BV a
fermé 9 au 26 août, 21 déc. au 6 janv., sam. et dim. – **R** (prévenir) 60/75.

à l'Ouest :

à Confignon : par ⑧ : 6 km - AV – ✉ **1232** Confignon :

X **Aub. de Confignon** avec ch, 6 pl. Église ✆ 757 19 44, 🏞 – GB — AV n
R *(fermé dim. soir et lundi)* carte 60 à 90 – ☕ 8 – **6 ch** 90/140.

à Cartigny par ⑧ : 12 km – ✉ **1236** Cartigny :

XX **L'Escapade,** 31 r. Trabli ✆ 756 12 07, 🏞, 🌳 – P. AE ⦿ GB
fermé 1er au 15 sept., 20 déc. au 15 janv., dim. et lundi – **R** 65/105.

à Peney-Dessus : 10 km par rte de Peney - AUV – ✉ **1242** Staigny :

XXX ✿ **Domaine de Châteauvieux** (Chevrier) 🐇 avec ch, ✆ 753 15 11, Fax 753 19 24, ←, 🏞, « Ancienne ferme seigneuriale », 🌳 – TV ☎ P – 🎪 30. ⦿ GB
fermé 2 au 17 août et 20 déc. au 7 janv. – **R** *(fermé dim. et lundi)* 95/110 – **18 ch** 120/190
Spéc. Suprêmes de grouse rôtis au chou et foie gras (oct. à nov.), St-Jacques poêlées aux lentilles vertes (déc. à mars), Canette rôtie (sept. à avril). **Vins** Satigny.

à Cointrin par rte de Lyon : 4 km - ABU – ✉ **1216** Cointrin :

Mövenpick Radisson Ⓜ, 20 rte Pré Bois ✆ 798 75 75, Télex 415701, Fax 791 02 84 – 🛗 ⇔ ch ▤ TV ♿ 🚗 – 🎪 270. AE ⦿ GB JCB — AU z
R carte 35 à 55 - **La Belle Époque** *(fermé sam. midi et dim.)* **R** carte 55 à 95, enf. 18 – **Kikkoman** *(fermé dim.)* **R** 79/98, enf. 18 – ☕ 18 – **336 ch** 210/330, 14 appart..

Penta Ⓜ, 75 av. L. Casaï ✆ 798 47 00, Télex 415571, Fax 798 77 58, 🏞 – 🛗 ⇔ ▤ TV ☎ ♿ 🚗 P – 🎪 700. AE ⦿ GB JCB. ✻ rest — AU v
La Récolte R carte environ 70 🍷, enf. 20 – ☕ 22 – **308 ch** 180/260.

XX **Rôt. Plein Ciel,** à l'aéroport ✆ 717 76 76, Télex 415775, Fax 798 77 68, ← – ▤. AE ⦿ GB — AU
R 39/43.

à Meyrin par rte de Lyon : 5 km – ✉ **1217** Meyrin :

🏨 **Cadettt Mövenpick** Ⓜ, ✆ 785 02 03, Télex 418935, Fax 785 02 55 – 🛗 cuisinette 🚭 📺 ☎ 🚗 Ⓟ – 🧍 120. AE ⓪ GB JCB AU **b**
R carte 35 à 60, enf. 11 – ☕ 16 – **190 ch** 125/200.

MICHELIN, (S.A.P.M.) rte du Vieux Canal 2 ✆ **037/83 71 11** case postale 65-CH 1762 Givisiez, Télex 942892 MIFCH, Fax 037/26 16 74

GENILLÉ 37460 I.-et-L. 64 ⑯ **G. Châteaux de la Loire** – 1 428 h. alt. 88.
Paris 240 – ◆ Tours 47 – Ambroise 32 – Blois 56 – Loches 10,5 – Montrichard 21.

XX **Agnès Sorel** avec ch, ✆ 47 59 50 17, 🌳 – ☎. GB
fermé fév., dim. soir et lundi sauf juil.- août et fériés – **R** 100/235 – ☕ 30 – **4 ch** 160/210 – ½ P 270.

GÉNIN (Lac de) 01 Ain 74 ④ – rattaché à Oyonnax.

GÉNISSIEUX 26750 Drôme 77 ② – 1 584 h. alt. 186.
Paris 567 – Valence 26 – ◆Grenoble 80 – Romans-sur-Isère 6.

🏠 **La Chaumière,** pl. Champ de Mars ✆ 75 02 77 97 – 🛗 ☎. GB
◆ *fermé 24 déc. au 25 janv., dim. soir et mardi* – **R** 50/120 🍷, enf. 35 – ☕ 20 – **14 ch** 150/220.

GENLIS 21110 Côte-d'Or 166 ⑫ ⑬ – 5 241 h. alt. 199.
Paris 329 – ◆ Dijon 17 – Auxonne 15 – Dole 31 – Gray 45.

à Izier NO : 5 km par D 109[j] – ✉ **21110** :

XX **Aub. d'Izier,** ✆ 80 31 26 39, Fax 80 31 36 99, 🌳 – Ⓟ. GB
fermé dim. soir et lundi – **R** 135/260.

à Labergement Foigney NE : 3 km par D 25 – ✉ **21110** Genlis :

X **Aub. des Mésanges,** ✆ 80 31 22 33 – GB
◆ *fermé nov., dim. soir et lundi* – **R** 74/260, enf. 48.

à Échigey S : 8 km par D 25 et D 34 – ✉ **21110** :

XX **Place** avec ch, ✆ 80 29 74 00, 🌳 – ☎ Ⓟ. ⓪ GB
◆ *fermé 3 au 11 août, 4 janv. au 2 fév., dim. soir et lundi* – **Repas** 65 (sauf sam.)/165 – ☕ 22 – **14 ch** 110/190 – ½ P 190/210.

PEUGEOT-TALBOT Gar. Bourbon ✆ 80 31 35 41 **N** ✆ 80 31 57 44
RENAULT Côte-d'Or Auto. ✆ 80 37 81 04

GENNES 49350 M.-et-L. 64 ⑫ **G. Châteaux de la Loire** – 1 867 h. alt. 29.
Voir Église★★ de Cunault SE : 2,5 km – Église★ de Trèves-Cunault SE : 3 km.
ℹ Syndicat d'Initiative square Europe (mai-sept.) ✆ 41 51 84 14.
Paris 301 – Angers 32 – Bressuire 64 – Cholet 61 – La Flèche 47 – Saumur 16.

🏨 **Aux Naulets d'Anjou** 🔇, ✆ 41 51 81 88, ≤, 🌳, 🌲 – ☎ Ⓟ. GB. 🚫 rest
30 mars-31 oct. – **R** *(fermé lundi hors sais.)* 95/155, enf. 65 – ☕ 32 – **20 ch** 200/270 – ½ P 260/290.

XX **Host. Loire** avec ch, ✆ 41 51 81 03, Fax 41 38 05 22, 🌲 – Ⓟ. GB
fermé 28 déc. au 8 fév., lundi soir et mardi sauf fêtes – **R** 100/150, enf. 50 – ☕ 30 – **11 ch** 180/350 – ½ P 255/305.

XX **L'Aubergade,** ✆ 41 51 81 07 – GB
fermé fév., mardi soir hors sais. et merc. – **R** 100/250.

GENNEVILLIERS 92 Hauts-de-Seine 55 ⑳, 101 ⑮ – voir à Paris, Environs.

GÉNOLHAC 30450 Gard 80 ⑦ **G. Gorges du Tarn** – 827 h. alt. 470.
ℹ Syndicat d'Initiative ✆ 66 61 18 32.
Paris 643 – Alès 36 – Florac 50 – La Grand-Combe 27 – Nîmes 83 – Villefort 16.

🏠 **Mont Lozère,** D 906 ✆ 66 61 10 72, 🌳 – ☎ Ⓟ. ⓪ GB. 🚫
◆ *fermé 1er déc. au 10 fév. et mardi du 15 sept. au 15 juin* – **R** 68/170 🍷, enf. 45 – ☕ 27 – **15 ch** 150/220 – ½ P 215/250.

GENOUILLAC 23350 Creuse 68 ⑲ – 775 h. alt. 305.
Paris 329 – La Châtre 28 – Guéret 26 – Montluçon 57.

X **Relais d'Oc** avec ch, ✆ 55 80 72 45 – 🚭 ch ☎. GB. 🚫 ch
ouvert 25 mars-15 nov. (sauf hôtel du 25 mars au 14 avril) et fermé dim. soir et lundi sauf fériés – **R** 100/200 🍷, enf. 45 – ☕ 32 – **6 ch** 180/230 – ½ P 200/330.

GENSAC 33890 Gironde 75 ⑬ – 752 h. alt. 71.
Paris 564 – Bergerac 39,5 – ◆Bordeaux 57,5 – Libourne 31 – La Réole 38.

XX **Remparts,** 16 r. Château ✆ 57 47 43 46 – GB
fermé 15 au 31 oct., 1er au 23 fév., lundi soir et mardi – **R** 140/210.

GENTILLY 94 Val-de-Marne 60 101 ㉕ – voir à Paris, Environs.

GÉRARDMER 88400 Vosges 62 ⑰ **G. Alsace Lorraine** – 8 951 h. alt. 665 – Sports d'hiver : 750/1 150 m ⛷20 – Casino AZ.

Voir Lac★ – Saut des Cuves★ E : 3 km par ①.

Office de Tourisme pl. Déportés ☎ 29 63 08 74, Télex 961408.

Paris 415 ③ – Colmar 51 ① – Épinal 43 ③ – Belfort 77 ② – St-Dié 27 ① – Thann 48 ②.

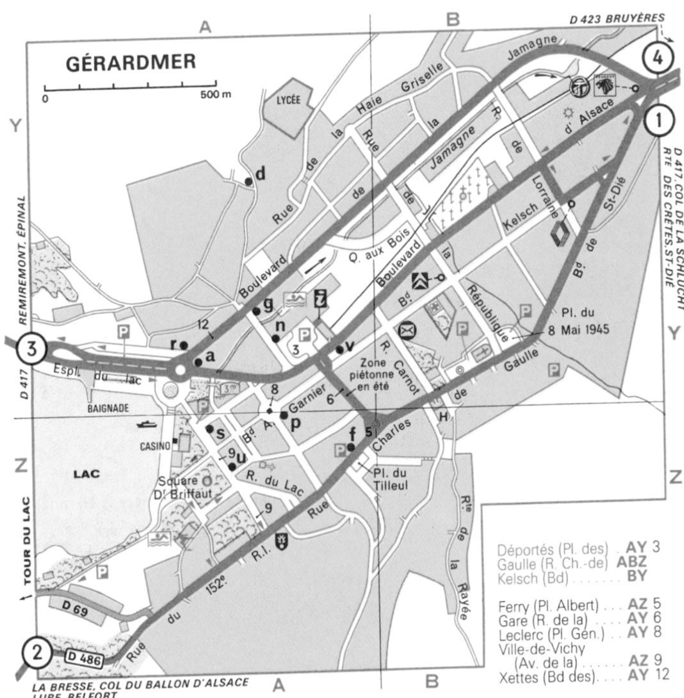

Gd Hôtel Bragard, pl. Tilleul ☎ 29 63 06 31, Télex 960964, Fax 29 63 46 81, ⛱, « ⛱, parc » – 🛗 📺 ☎ 🅟 – 🏛 25 à 60. AE ⓓ GB — AZ **f**
R 105/320, enf. 65 – ☐ 55 – **45 ch** 295/580, 17 appart. 900/1065 – ½ P 310/420.

✿ **La Réserve** (Marchal), esplanade du Lac ☎ 29 63 21 60, Fax 29 60 81 60, ≤, ⛱ – 🛗 📺 ☎ 🅟 – 🏛 35. AE ⓓ GB JCB — AY **a**
12 avril-mi-nov. – **R** *(fermé mardi midi hors sais. sauf vacances scolaires)* 139/249 – ☐ 38 – **24 ch** 385/528 – ½ P 306/462
Spéc. Foie gras frais de canard, Escalope de saumon à la vapeur aux aromates, Glace au miel au coulis de fruits rouges. **Vins** Pinot noir, Tokay-Pinot gris.

Jamagne, 2 bd Jamagne ☎ 29 63 36 86, Fax 29 60 05 87, ⛱, ⛱ – 🛗 📺 ☎ 🅟 – 🏛 60. GB. ✻ rest — AY **g**
hôtel : 11 avril-25 oct. et 24 déc.-2 mars ; rest : 11 avril-25 oct. et fév. – **R** 105/120 🍷, enf. 48 – ☐ 36 – **50 ch** 320/420 – ½ P 300/340.

Paix, 6 av. Ville de Vichy ☎ 29 63 38 78, Fax 29 63 18 53, ⛱ – 📺 ☎ 🅟. GB. ✻ rest **R** *(fermé 20 oct. au 20 déc., dim. soir et lundi)* 89/240 🍷 – ☐ 30 – **25 ch** 240/495 – ½ P 228/280. — AZ **s**

Viry et rest. l'Aubergade, pl. Déportés ☎ 29 63 02 41, Télex 961408, Fax 29 63 14 03, ⛱ – 📺 ☎. AE ⓓ GB — AY **n**
R *(fermé vend. hors sais.)* 82/220 🍷, enf. 52 – ☐ 35 – **18 ch** 200/300 – ½ P 235/275.

Bains sans rest, 16 bd Garnier ☎ 29 63 08 19, Fax 29 63 23 31, ⛱ – ☎ 🅟. GB — AZ **p**
fermé 1er nov. au 21 déc. – ☐ 30 – **56 ch** 180/390.

Lac' Hôtel et rest. Bleu Marine Ⓜ, Esplanade du Lac ☎ 29 63 38 23, ≤, ⛱ – 🛗 📺 ☎. GB — AY **r**
fermé 12 nov. au 15 déc. – **R** 70/160 🍷 – ☐ 32 – **14 ch** 285/335 – ½ P 243/270.

Parc, 12 av. Ville de Vichy ☎ 29 63 32 43, Fax 29 63 17 03, – TV ☎ P. GB. AZ u
11 avril-30 sept., 19 déc.-4 janv. et 13 fév.-15 mars – **R** 85/240 – 32 – **36 ch** 150/320 – ½ P 200/295.

Relais de la Mauselaine, au pied des pistes SE : 2,5 km rte de la Rayée - BZ
☎ 29 60 06 60, ← – ☎ P. GB.
fermé 30 sept. au 15 déc. – **R** 70/200, enf. 40 – 27 – **16 ch** 260/280 – ½ P 260/270.

Liserons, 5 bd Kelsch ☎ 29 63 02 61, – TV ☎. AE GB. rest AY v
fermé 22 mars au 6 avril, 12 oct. au 12 déc. et merc. hors sais. – **R** 90/150 – 35 – **13 ch** 220/260 – ½ P 235/250.

L'Abri sans rest, rte Miselle ☎ 29 63 02 94, ←, – ☎ P. GB. AY d
fermé20 oct. au 10 nov. et merc. sauf vacances scolaires – 26 – **14 ch** 150/230.

Chalet du Lac, par ③ : 1 km rte Épinal ☎ 29 63 38 76, ← lac, – TV ☎ P. GB
fermé oct. – **R** *(fermé vend. sauf vacances scolaires)* 65/250 – 27 – **11 ch** 170/300 – ½ P 200/230.

au Col de Martimpré par ① et D 8 : 5 km – ✉ 88400 Gérardmer :

Bonne Auberge de Martimprey avec ch, ☎ 29 63 19 08, , – ☎ P. AE GB
fermé 12 nov. au 13 déc., merc. soir et jeudi hors sais. – **R** 107/250 – 28 – **11 ch** 145/260 – ½ P 185/230.

aux Bas Rupts par ② : 4 km – alt. 800 – ✉ 88400 Gérardmer :

Chalet .Fleuri M, ☎ 29 63 09 25, Télex 960992, Fax 29 63 00 40, ←, – TV ☎ P. AE GB JCB
R voir rest. **Host. Bas-Rupts** ci-après – 55 – **14 ch** 450/640 – ½ P 480/560.

Host. des Bas-Rupts (Philippe) avec ch, ☎ 29 63 09 25, Fax 29 63 00 40, ←, , , – TV ☎ P. AE GB JCB
R (dim. et fêtes prévenir) 140/420, enf. 80 – 55 – **18 ch** 300/550 – ½ P 400/440
Spéc. Parfait de saumon fumé, Hachis Parmentier de tourteau au coulis d'étrilles, Civet de joues de porcelet en chevreuil. **Vins** Riesling, Tokay-Pinot gris.

La Belle Marée, ☎ 29 63 06 83, ←, produits de la mer – P. AE GB
fermé 22 juin au 3 juil., dim. soir hors sais. et lundi – **R** 80/250, enf. 50.

à Xonrupt-Longemer E par ① et D 417 : 6 km – ✉ 88400.
Voir Lac de Longemer★ SE : 2 km – Roche du Diable ←★★ SE : 6 km puis 15 mn.

Lac de Longemer avec ch, ☎ 29 63 37 21, ←, , – ☎ P. GB. rest
fermé 5 nov. au 20 déc. – **R** *(fermé merc. hors sais.)* 100/350, enf. 60 – 30 – **21 ch** 230/250 – ½ P 200/260.

CITROEN Gar. Géromois, 31 bd Kelsch ☎ 29 63 35 77
PEUGEOT-TALBOT Gar. Thiébaut, La Croisette ☎ 29 63 14 50
RENAULT Gar. Defranoux, 60 bd Kelsch ☎ 29 63 01 95

GERMIGNY-L'ÉVÊQUE

77 S.-et-M. 56 ⑬, 106 ⑳ – rattaché à Meaux.

Les GETS

74260 H.-Savoie 74 ⑧ **G. Alpes du Nord** – 1 287 h. alt. 1 170 – Sports d'hiver : 1 172/2 002 m 5 51.

Office de Tourisme ☎ 50 79 75 55, Télex 385026.

Paris 585 – Thonon-les-B. 36 – Annecy 72 – Bonneville 31 – Chamonix-Mont-Blanc 62 – Cluses 22 – ♦Genève 52 – Morzine 6.

La Marmotte, ☎ 50 75 80 33, Fax 50 79 85 00, ←, – TV ☎ – 40. AE GB JCB. rest
4 août-5 sept. et 19 déc.-13 avril – **R** (résidents seul.) 125/150 – **45 ch** (½ pens. seul.) – ½ P 520/770.

Le Labrador M, rte Turche ☎ 50 75 80 00, Fax 50 79 87 03, ←, , , – TV ☎ P. AE GB JCB. rest
20 juin-10 sept. et 15 déc.-20 avril – **R** 140/250, enf. 75 – **22 ch** 610/650 – ½ P 570/600.

Le Crychar sans rest, ☎ 50 75 80 50, Fax 50 79 83 12, ←, (été), – TV ☎ P. AE GB.
1er juil.-13 sept. et 20 déc.-15 avril – 40 – **12 ch** 380/500.

Ours Blanc M, ☎ 50 79 14 66, ← – TV ☎ P
saisonnier – **R** (résidents seul.) – **15 ch.**

Mont Chéry, ☎ 50 75 80 75, Fax 50 79 70 13, ←, , (été), – rest TV P. GB.
1er juil.-5 sept. et 20 déc.-15 avril – **R** 95/315, enf. 50 – **26 ch** 450/630 – ½ P 420/580.

Alpages, rte Turche ☎ 50 79 82 79, Fax 50 79 76 98, ←, – TV ☎ P – 30. AE GB
fermé 10 mai au 5 juin, 10 nov. au 5 déc., dim. soir et lundi hors sais. – **R** 120/230, enf. 60 – 50 – **22 ch** 400/660 – ½ P 500/700.

Alissandre M sans rest, ✆ 50 79 80 65, ≤, – TV ☎ P. AE GB
fermé 15 sept. au 15 oct. – **14 ch** ☐ 415/530.

Alpina, ✆ 50 75 80 22, ≤ – ☎ P. GB. ✻
25 juin-15 sept. et 20 déc.-20 avril – **R** 86/116, enf. 70 – ☐ 28 – **26 ch** 250/275 – ½ P 210/355.

Maroussia, à La Turche ✆ 50 75 80 85, ≤ – ☎ P. GB. ✻ rest
21 juin-20 sept. et 19 déc.-24 avril – **R** 80/130 – ☐ 34 – **22 ch** 270/320 – ½ P 260/380.

Régina, ✆ 50 79 74 76, Fax 50 79 87 29, ≤ – TV ☎. AE O GB. ✻ rest
1er juil.-31 août et 20 déc.-20 avril – **R** 95/145, enf. 45 – ☐ 30 – **22 ch** 300/350 – ½ P 280/370.

GEVREY-CHAMBERTIN 21220 Côte-d'Or 66 ⑫ G. Bourgogne – 2 825 h. alt. 287.

Office de Tourisme pl. Mairie (mai-oct.) ✆ 80 34 38 40.

Paris 318 – ♦Dijon 13 – Beaune 32 – Dole 60.

Les Terroirs sans rest, rte Dijon ✆ 80 34 30 76, Fax 80 34 11 79, « Belle décoration intérieure », – TV ☎ P. AE O GB
fermé 20 déc. au 20 janv. – ☐ 40 – **20 ch** 360/480.

Les Grands Crus sans rest, ✆ 80 34 34 15, Fax 80 51 89 07, « Jardin fleuri » – ☎ P. GB
fermé 1er déc. au 25 fév. – ☐ 38 – **24 ch** 310/390.

XXX ✿ **Les Millésimes** (Sangoy), 25 r. Église ✆ 80 51 84 24, Fax 80 34 12 73, « Cave aménagée, décor élégant » – ▤ P. AE O GB JCB
fermé Noël au Jour de l'An, merc. midi et mardi – **R** 195/475
Spéc. Langoustines rôties au beurre léger. Filets de rouget sauce fenouil. Canette de Barbarie au miel et épices. **Vins** Gevrey-Chambertin, Meursault.

XXX **La Rôtisserie du Chambertin**, ✆ 80 34 33 20, Fax 80 34 12 30, « Caves anciennes aménagées, petit musée » – ▤ P. GB JCB
fermé 2 au 11 août, fév., dim. soir et lundi sauf fêtes – **R** 260/330, enf. 80.

XX **La Sommellerie**, ✆ 80 34 31 48 – ▤. GB
fermé 20 au 31 déc., fév. et dim. – **R** 140/350, enf. 65.

PEUGEOT TALBOT Ragot, ✆ 80 34 30 62

GEX <SP> 01170 Ain 70 ⑮ ⑯ G. Jura (plan) – 6 615 h. alt. 628.

Office de Tourisme ✆ 50 41 53 85.

Paris 495 – ♦Genève 17 – Lons-le-Saunier 96 – Pontarlier 93 – St-Claude 44.

Parc, av. Alpes ✆ 50 41 50 18, – TV ☎ P. GB JCB. ✻ ch
fermé 15 sept. au 1er oct., 20 déc. au 1er fév., dim. soir et lundi – **R** 180/330 – ☐ 38 – **17 ch** 110/320 – ½ P 270/320.

XXX **Aub. des Chasseurs** avec ch, à **Echenevex** S : 4 km - alt. 650 ✉ 01170 Gex ✆ 50 41 54 07, Fax 50 41 90 61, ≤, « Terrasse fleurie, jardin », – ☎ P. AE GB
6 mars-15 déc. – **R** *(fermé dim. soir sauf juil.-août et lundi)* (prévenir) 175/300, enf. 80 – ☐ 50 – **15 ch** 350/500 – ½ P 480/550.

XX **La Cravache**, 60 r. Genève ✆ 50 41 69 61 – GB
fermé 14 juil. au 11 août, sam. midi et mardi – **R** 158/253.

à Chevry S : 7 km par D 984c – ✉ **01170** :

XX **Aub. Gessienne**, ✆ 50 41 01 67, – P. GB
fermé 2 au 25 août, 4 au 21 fév., dim. et lundi – **R** 94/300.

AUSTIN-ROVER-TOYOTA-VOLVO Jordan-Meille, à Sauverny ✆ 50 41 18 14
CITROEN D.A.P.G., ZA La Plaine à Cessy ✆ 50 41 66 50
FORD Piron, Le Martinet Cessy ✆ 50 41 50 94
MAZDA Gar. Dago, Le Martinet Cessy ✆ 50 41 55 52
RENAULT GMG Automobiles, N 5 à Cessy ✆ 50 41 55 17 N
Gar. Modernes, Les Vertes Campagnes ✆ 50 41 54 24 N

GIAT 63620 P.-de-D. 73 ⑫ – 1 049 h. alt. 779.

Paris 406 – Aubusson 36 – ♦Clermont-Ferrand 63 – Le Mont-Dore 46 – Montluçon 72 – Ussel 42.

Commerce, ✆ 73 21 72 38, – P. GB
hôtel : fermé 3 au 23 oct. – **R** *(fermé lundi)* (prévenir) 80/160 ♂ – ☐ 30 – **13 ch** 110/180 – ½ P 160/180.

CITROEN Gar. Simonnet ✆ 73 21 72 86 N ✆ 73 21 74 96
RENAULT Gar. Richin ✆ 73 21 72 16 N

GIEN 45500 Loiret 65 ② G. Châteaux de la Loire – 16 477 h. alt. 161.

Voir Château★ : musée de la Chasse★★ M – Pont ≤★.

Office de Tourisme pl. Jean-Jaurès ✆ 38 67 25 28.

Paris 153 ① – ♦Orléans 68 ④ – Auxerre 85 ② – Bourges 78 ③ – Cosne-sur-L. 41 ② – Vierzon 74 ③.

GIEN

Pour un bon usage des plans de villes, voir les signes conventionnels dans l'introduction.

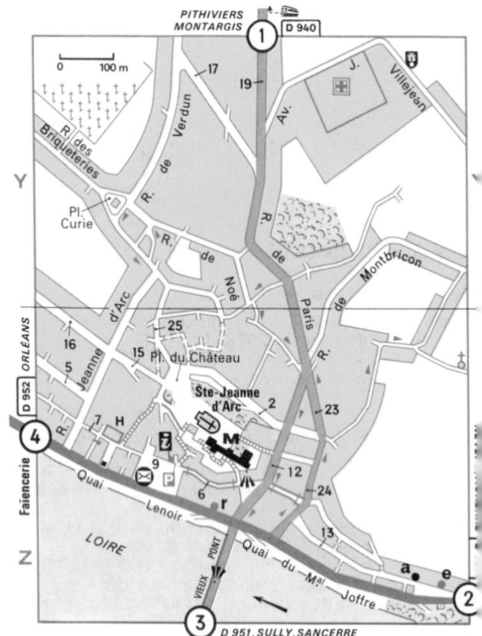

Rivage, 1 quai Nice (a) ☎ 38 67 20 53, Fax 38 38 10 21, ← – ▤ rest TV ☎ P. AE ⓓ GB JCB
fermé début fév. à début mars – **R** 150/310 – ☐ 40 – **19 ch** 340/480, 3 appart. 650
Spéc. Croustillant de sandre et foie gras chaud au Pouilly (saison), Râble de lapereau au chèvre frais, Fondant aux deux chocolats sauce pistache. **Vins** Pouilly-Fumé, Sancerre.

Sanotel M, 21 quai Sully par ③ ☎ 38 67 61 46, Télex 783683, Fax 38 67 13 01, ←, – TV ☎ ♿ P – 60. GB. rest
R *(fermé lundi midi et dim.)* 75 – ☐ 42 – **60 ch** 270/370.

Anne de Beaujeu M sans rest, 10 rte Bourges par ③ ☎ 38 67 12 42, Télex 780103, Fax 38 38 27 29 – TV ☎ ♿ P – 40. AE GB
☐ 37 – **30 ch** 245/290.

La Poularde avec ch, 13 quai Nice (e) ☎ 38 67 36 05, Fax 38 38 18 78 – TV ☎. AE ⓓ GB
fermé 1er au 15 janv. et dim. soir sauf juil.-août – **R** 76 (sauf week-ends)/255, enf. 52 – ☐ 40 – **9 ch** 230/290 – ½ P 225/325.

Côté Jardin, 14 rte Bourges par ③ ☎ 38 38 24 67 – AE GB
fermé 21 au 28 oct., 22 déc. au 2 janv., lundi midi et dim. – **R** (prévenir) 95/205.

Loire, 18 quai Lenoir (r) ☎ 38 67 00 75 – GB
fermé 1er au 15 sept., 1er au 21 fév., mardi soir et merc. – **R** 75/175.

CITROEN S.A.G.V.R.A., rte de Bourges, Poilly-lez-Gien, par ③ ☎ 38 67 30 82
PEUGEOT, TALBOT S.A.G., rte de Bourges, Poilly-lez-Gien, par ③ ☎ 38 67 35 43
RENAULT Reverdy, rte de Bourges, Poilly-lez-Gien, par ③ ☎ 38 67 28 98
RENAULT Prieur, 102 r. G.-Clemenceau, par ④ ☎ 38 67 15 32

Pneus-Service, r. J.-César ☎ 38 67 42 08

GIENS 83 Var 84 ⑯ **G. Côte d'Azur** – alt. 54 – ✉ **83400** Hyères.

Voir Ruines du château ✻★★ X.

Paris 863 – ♦Toulon 26 – Carqueiranne 11 – Draguignan 88 – Hyères 11 – La Londe-des-Maures 18.

Voir plan de Giens à Hyères.

Le Provençal, ☎ 94 58 20 09, Télex 430088, Fax 94 58 95 44, ←, « Parc ombragé en terrasses », , , – TV ☎ P – 40. AE ⓓ GB. rest
4 avril-4 nov. – **R** 120/190, enf. 55 – ☐ 55 – **41 ch** 240/570 – ½ P 418/540.

Le Tire Bouchon, ☎ 94 58 24 61, ←, – ▤. AE GB X a
fermé 16 déc. au 31 janv., mardi soir de sept. à juin, jeudi midi en juil.-août et merc. – **R** 120/200, enf. 60.

La GIETTAZ 73590 Savoie 74 ⑦ – 506 h. alt. 1 100.

Paris 592 – Chamonix-Mont-Blanc 52 – Albertville 28 – Annecy 44 – Bonneville 37 – Chambéry 79 – Flumet 7 – Megève 17.

Flor'Alpes, ☎ 79 32 90 88, ←, – P. GB
1er juin-30 sept. et 20 déc.-30 avril – **R** 80/130, enf. 45 – ☐ 20 – **11 ch** 150/185 – ½ P 155/175.

GIGARO 83 Var 84 ⑰ – rattaché à La Croix-Valmer.

GIGNAC 34150 Hérault 83 ⑥ G. Gorges du Tarn – 3 652 h. alt. 53.

Office de Tourisme pl. Gén.-Claparède ☎ 67 57 58 83.

Paris 738 – ♦ Montpellier 29 – Béziers 49 – Clermont-l'Hérault 11,5 – Lodève 30 – Sète 45.

Motel du Vieux Moulin sans rest, à 1 km par rte Lodève et VO ☎ 67 57 57 95 – P. GB
fermé 15 au 25 oct. et 10 au 20 janv. – ☐ 27 – **10 ch** 180/230.

à Aniane NE : 5 km sur D 32 – ✉ 34150.

Voir Grotte de Clamouse** et gorges de l'Hérault* NO : 4 km, G. Gorges du Tarn.

Host. St Benoit M, rte St-Guilhem ☎ 67 57 71 63, Fax 67 57 47 10, – ☎ P – 30. GB
fermé 1er janv. au 1er mars – **R** *(fermé merc. midi de sept. à mai)* 82/206, enf. 38 – ☐ 35 – **30 ch** 220/290 – ½ P 229/259.

GIGONDAS 84190 Vaucluse 81 ② – 612 h. alt. 400.

Paris 666 – Avignon 36 – Nyons 30 – Orange 20 – Vaison-la-Romaine 14.

Les Florets avec ch, 1,5 km par VO ☎ 90 65 85 01, Fax 90 65 83 80, – ☎ P. AE GB
fermé janv., fév., mardi soir hors sais. et merc. – **R** 140/190, enf. 57 – ☐ 37 – **13 ch** 355 – ½ P 325/340.

à Montmirail S : 6 km par D 7 et rte Vacqueyras – ✉ 84190 Beaumes-de-Venise :

Montmirail ☎ 90 65 84 01, Fax 90 65 81 50, – TV ☎ P. AE GB
20 mars-15 nov. et fermé dim. soir et lundi sauf du 15 juin au 15 sept. – **R** 130/280, enf. 80 – ☐ 40 – **46 ch** 360/450 – ½ P 370/420.

GILLY-LÈS-CÎTEAUX 21 Côte-d'Or 65 ⑳ – rattaché à Vougeot.

GILLY-SUR-LOIRE 71160 S.-et-L. 69 ⑯ – 546 h. alt. 235.

Paris 321 – Moulins 41 – Bourbon-Lancy 13 – Digoin 18 – Mâcon 97.

aux Carrières O : 1 km par D 979 :

L'Os à Moelle, ☎ 85 53 92 83, – P. GB JCB.
fermé 31 août au 10 sept., dim. soir et lundi – **R** 95/260.

GIMBELHOF 67 B.-Rhin 57 ⑲ – rattaché à Lembach.

GIMEL-LES-CASCADES 19 Corrèze 75 ⑨ G. Berry Limousin – 655 h. alt. 465.

Voir Site* – Cascades** dans le parc Vuillier – Trésor* de l'église : châsse de St-Etienne**.

GIMONT 32200 Gers 82 ⑥ G. Pyrénées Aquitaine – 2 819 h. alt. 154.

Las Martines ☎ 62 07 27 12, E par N 124 : 23 km.

Syndicat d'Initiative (juil.-août) ☎ 62 67 77 87.

Paris 717 – Auch 24 – Agen 84 – Castelsarrasin 57 – Montauban 68 – St-Gaudens 73 – ♦Toulouse 55.

Château Larroque, rte Toulouse ☎ 62 67 77 44, Fax 62 67 88 90, ←, « Parc », – TV ☎ P – 200. AE GB. rest
fermé 1er janv. au 2 fév., dim. soir et lundi du 1er oct. au 1er mars – **R** 160/270, enf. 120 – ☐ 50 – **14 ch** 390/900 – ½ P 480/665.

Coin du Feu M, bd Nord ☎ 62 67 71 56, Fax 62 67 88 28, – TV ☎ P – 120. GB. ch
R 65 bc/230, enf. 60 – ☐ 36 – **25 ch** 185/300 – ½ P 200.

GINASSERVIS 83560 Var 84 ④ – 911 h. alt. 450.

Paris 787 – Digne-les-Bains 75 – Aix-en-Provence 52 – Brignoles 49 – Draguignan 65 – Manosque 22.

Le Bastier, O : 2 km par rte St-Paul ☎ 94 80 11 78, Fax 94 80 13 12, ←, parc, – TV ☎ P – 500. GB
R 220/380 – ☐ 45 – **25 ch** 400/450 – ½ P 500.

GINCLA 11140 Aude 86 ⑰ – 49 h. alt. 595.

Paris 846 – Foix 85 – ♦ Perpignan 65 – Carcassonne 75 – Quillan 23.

Gd Duc, ☎ 68 20 55 02, Fax 68 20 61 22, – ☎ P. GB
25 mars-15 nov. – **R** *(fermé merc. midi hors sais.)* 75/240, enf. 42 – ☐ 34 – **10 ch** 190/300 – ½ P 217/273.

GIROMAGNY 90200 Ter.-de-Belf. 66 ⑧ G. Alsace Lorraine – 3 226 h. alt. 476.

Syndicat d'Initiative Parc du Paradis des Loups (saison) ✆ 84 29 09 00.

Paris 412 – Épinal 81 – ◆Mulhouse 45 – Belfort 12 – Lure 30 – Masevaux 21 – Thann 33 – Le Thillot 32.

XX **Le Vieux Relais,** à Auxelles-Bas O : 4 km par D 12 ✆ 84 29 31 80 – GB
fermé 1er au 15 sept., 1er au 15 janv., dim. soir et lundi – **R** 110/240.

XX **Saut de la Truite** avec ch, N : 7 km D 465 - alt. 701 ✆ 84 29 32 64, ←, « Jardin » – ☎ P. AE ① GB
fermé déc., janv. et vend. hors sais. – **R** 78/180 – ☕ 33 – **7 ch** 150/220 – ½ P 240.

GIROUSSENS 81 Tarn 82 ⑨ – rattaché à Lavaur.

GISORS 27140 Eure 55 ⑧ ⑨ G. Normandie Vallée de la Seine – 9 481 h. alt. 58.

Voir Château fort** – Église St-Gervais et St-Protais*.

Office de Tourisme pl. Carmélites ✆ 32 27 30 14.

Paris 72 – ◆Rouen 57 – Beauvais 33 – Évreux 64 – Mantes-la-J. 40 – Pontoise 36.

Moderne, pl. Gare ✆ 32 55 23 51, Fax 32 55 08 75 – TV ☎ P
33 ch.

XXX **La Halte Henri II,** 25 rte Dieppe ✆ 32 27 37 37, Fax 32 55 79 19 – GB
fermé 20 juil. au 12 août,, dim. soir et lundi – **R** carte 200 à 340.

XX **Le Cappeville,** 17 r. Cappeville ✆ 32 55 11 08 – AE GB
fermé 20 août au 5 sept., 5 au 25 janv., mardi soir et merc. – **R** 100/240.

XX **Host. des 3 Poissons,** 13 r. Cappeville ✆ 32 55 01 09 – GB
fermé juin, lundi soir et mardi – **R** 80/160.

à Bazincourt-sur-Epte N : 6 km par D 14 – ✉ 27140 :

Château de la Rapée, O : 2 km par VO ✆ 32 55 11 61, Télex 771097, ←, « Parc » – ☎ P – 30. AE ① GB.
fermé 15 janv. au 1er mars – **R** *(fermé merc.)* 140/195 – ☕ 45 – **13 ch** 350/450 – ½ P 480/570.

CITROEN SAGA, r. de la Libération ✆ 32 27 38 48
N ✆ 32 27 04 00
PEUGEOT-TALBOT SCAG, Trie-Château (Oise) ✆ 44 49 75 11
RENAULT Gar. Dumorlet, 38 rte de Dieppe ✆ 32 55 22 56
Berry-Pneus, 34 fg Cappeville ✆ 32 55 27 64
Réparpneu Éts Bertault, 4 r. Pré-Nattier ✆ 32 55 17 51

GIVERNY 27620 Eure 55 ⑱ G. Normandie Vallée de la Seine – 548 h. alt. 18.

Voir Maison de Claude Monet*.

Paris 76 – Beauvais 67 – Évreux 35 – Mantes-la-Jolie 19 – ◆Rouen 66.

XXX **Les Jardins de Giverny,** D 5 ✆ 32 21 60 80, Fax 32 51 93 77, parc – P. AE GB
fermé fév., dim. soir et lundi – **R** 130/250.

GIVET 08600 Ardennes 53 ⑨ G. Champagne – 7 775 h. alt. 103.

Voir ←* du fort de Charlemont.

Paris 261 – Charleville-Mézières 56 – Fumay 23 – Rocroi 41.

Val St-Hilaire M sans rest, 7 quai des Fours ✆ 24 42 38 50 – TV ☎ ♿ P. GB.
fermé 20 déc. au 5 janv. et dim. du 5 janv. au 15 mars – ☕ 32 – **20 ch** 270/320.

Roosevelt M, 78 av. Roosevelt ✆ 24 42 14 14 – TV ☎ ♿ P. GB
R 84/110 – ☕ 30 – **14 ch** 210/295.

CITROEN Gar. de la Gare ✆ 24 42 03 81
RENAULT Gar. Franco Belge, 23 av. Roosevelt ✆ 24 42 01 85
V.A.G Gar. Henocq, 19 quai Fort de Rome ✆ 24 42 04 53

GIVORS 69700 Rhône 74 ⑪ G. Vallée du Rhône – 19 777 h. alt. 161.

Paris 483 – ◆Lyon 23 – Rive-de-Gier 15 – Vienne 12.

à Loire-sur-Rhône SE : 5 km par N 86 – ✉ 69700 :

XX **Camerano,** ✆ 78 07 96 36 – GB
fermé août, dim. soir et lundi – **R** 115/330.

PEUGEOT-TALBOT Gar. Moret, 31 r. de Dobëln, les Vernes ✆ 78 73 01 69
Comptoir du Pneu, 16 r. M.-Cachin ✆ 78 73 15 13

GIVRY 71640 S.-et-L. 69 ⑨ G. Bourgogne – 3 340 h. alt. 220.

Bureau de Tourisme Halle Ronde (20 juin-6 sept.) ✆ 85 44 43 36.

Paris 343 – Chalon-sur-Saône 9 – Autun 47 – Chagny 13 – Mâcon 65 – Montceau-les-Mines 37.

Halle, pl. Halle ✆ 85 44 32 45 – ☎. AE ① GB
fermé 15 au 30 nov., dim. soir et lundi – **R** 50/195 – ☕ 25 – **10 ch** 195/230.

GLANDELLES 77 S.-et-M. 61 ⑫ – rattaché à Nemours.

GLUGES 46 Lot 75 ⑱ ⑲ – rattaché à Martel.

GLUIRAS 07190 Ardèche 76 ⑲ – 378 h. alt. 803.

Paris 611 – Valence 50 – Le Cheylard 21 – Lamastre 42 – Privas 34.

XX **Relais de Sully** avec ch, pl. Centrale ℘ 75 66 63 41 – GB
fermé 6 janv. au 1er mars – **R** *(fermé lundi sauf juil.-août et dim. soir)* 90/200 – ☐ 25 – **4 ch** 150/200 – ½ P 200/225.

GOLBEY 88 Vosges 62 ⑯ – rattaché à Épinal.

GOLDBACH 68 H.-Rhin 166 ⑨ – 210 h. alt. 650 – ✉ 68760 Willer-sur-Thur.

Env. Grand Ballon ※*** N : 8,5 km, G. Alsace Lorraine.

Paris 460 – Colmar 42 – Gerardmer 47 – Thann 10,5 – Le Thillot 38.

Goldenmatt ⛰, par Col Amic N : 4 km ℘ 89 82 32 86, ← – ☎ Ⓟ. GB. ✱ rest
Pâques-15 nov. – **R** 110/250 ♂ – ☐ 45 – **12 ch** 160/320 – ½ P 260/360.

Le GOLFE-JUAN 06 Alpes-Mar. 84 ⑨ 195 ㊴ ㊴ G. Côte d'Azur – ✉ 06220 Vallauris.

Office de Tourisme 84 av. Liberté ℘ 93 63 73 12.

Paris 911 – Cannes 5 – Antibes 4,5 – Grasse 20 – ♦Nice 28.

BeauSoleil ⛰, impasse Beausoleil par N 7 ℘ 93 63 63 63, Fax 93 63 02 89, ☂, ⛱ – ⇅ ▤ TV ☎ 🚗. GB. ✱
27 mars-15 oct. – **R** *(fermé merc. midi)* 95 – ☐ 32 – **30 ch** 250/370 – ½ P 310.

Lauvert M ⛰ sans rest, impasse des Hameaux de Beausoleil par N 7 ℘ 93 63 46 06, ⛱, ✂ – ⇅ cuisinette TV ☎ Ⓟ. GB
26 janv.-15 oct. – ☐ 25 – **28 ch** 380.

De Crijansy, av. J. Adam ℘ 93 63 84 44, ⛲ – TV ☎ Ⓟ. GB JCB. ✱
fermé 15 oct. au 22 déc. – **R** 130/340 – ☐ 32 – **20 ch** 300/320 – ½ P 290/330.

Palm H., 17 av. Palmeraie ℘ 93 63 72 24, Fax 93 63 18 45, ☂, ⛲ – TV ☎ Ⓟ. AE GB
R *(fermé merc. midi d'oct. à mai)* 120 – ☐ 30 – **24 ch** 330/400 – ½ P 285/380.

XX ✿ **Tétou,** à la plage ℘ 93 63 71 16, ←, ⛵ – ▤ Ⓟ
fermé 15 oct. au 20 déc., le soir du 20 déc. au 28 fév. et merc. – **R** carte environ 550
Spéc. Bouillabaisse, Langouste grillée, Poissons au four. **Vins** Bellet.

XX **Nounou,** à la plage ℘ 93 63 71 73, ←, ☂, ⛵ – Ⓟ. AE ⓓ
fermé 12 nov. au 26 déc., dim. soir et lundi – **R** 165/220.

XX **Bistrot du Port,** au port ℘ 93 63 70 64 – ▤. GB. ✱
fermé déc., janv., le midi du 15 juin au 15 sept., dim. soir et lundi du 15 sept. au 15 juin – **R** 230/260.

XX **Chez Christiane,** au port ℘ 93 63 72 44, ☂ – AE ⓓ GB
fermé 12 nov. au 20 déc., lundi soir et mardi hors sais. sauf fêtes – **R** 220/400.

X **Bruno,** au port ℘ 93 63 72 12, ☂ – GB
fermé 12 nov. au 15 déc., dim. soir et lundi du 15 sept. au 15 juin – **R** 78/185, enf. 55.

GOMETZ-LE-CHATEL 91940 Essonne 60 ⑩ 106 ㉚ 101 ㉝ – 1 763 h. alt. 86.

Paris 32 – Chartres 58 – Evry 30 – Rambouillet 24.

XX **La Mancelière,** 83 rte Chartres ℘ (1) 60 12 30 10, Fax 60 12 53 10 – GB. ✱
fermé 1er au 11 mai, 9 au 25 août, sam. midi et dim. – **R** 140/195.

GONFREVILLE L'ORCHER 76 S.-Mar. 52 ⑪ – rattaché au Havre.

GORDES 84220 Vaucluse 81 ⑬ G. Provence – 2 031 h. alt. 373.

Voir Site* – Château : cheminée*, musée Vasarely* – Village des Bories* SO : 2 km par D 15 puis 15 mn – Abbaye de Sénanque** NO : 4 km – Pressoir* dans le musée des Moulins à huile S : 5 km.

Office de Tourisme pl. Château ℘ 90 72 02 75.

Paris 715 – Apt 21 – Avignon 35 – Carpentras 25 – Cavaillon 16 – Sault 35.

Domaine de l'Enclos M ⛰, rte Senanque ℘ 90 72 08 22, Télex 432119, Fax 90 72 03 03, ← le Luberon, ☂, parc, ⛱, ✂ – ▤ ch TV ☎ Ⓟ. AE ⓓ GB. ✱ rest
R 280/480, enf. 80 – ☐ 70 – **10 ch** 400/1200, 4 appart. 1400 – ½ P 480/880.

✿ **Bastide de Gordes** M ⛰, ℘ 90 72 12 12, Télex 432025, Fax 90 72 05 20, ← le Luberon, ☂, ⛱, ⛲ – ⇅ ▤ TV ☎ ♿ Ⓟ. AE GB
4 mars-2 nov. – **R** *(fermé mardi midi et lundi du 8 sept. au 26 juin sauf fériés)* 195 (déj.)/345 – ☐ 75 – **18 ch** 750/1250
Spéc. Légumes du Luberon en vinaigrette au jus de truffe, Risotto de sot-l'y-laisse aux crêtes et rognons de coq, Calisson au lait d'amande et glace nougatine. **Vins** Coteaux d'Aix, Châteauneuf-du-Pape.

Le Gordos M ⛰ sans rest, ℘ 90 72 00 75, ⛱ – TV ☎ Ⓟ. AE GB
4 mars-2 nov. – ☐ 50 – **18 ch** 490/590.

Les Romarins M ⛰ sans rest, rte de Sénanque ℘ 90 72 12 13, Fax 90 72 13 13 – TV ☎ ♿ Ⓟ. AE GB
fermé 15 janv. au 10 fév. – ☐ 40 – **10 ch** 450/650.

Ferme de la Huppe ⊗, ✆ 90 72 12 25, Fax 90 72 01 83, ☂, ⛱ – TV ☎ P. AE GB. ✻
3 avril-3 nov. – **R** *(fermé jeudi)* (dîner seul. en semaine) (prévenir) 140/190 – **6 ch** ☐ 400/500.

Gacholle ⊗, N : 1,5 km par D15 ✆ 90 72 01 36, Fax 90 72 01 81, ≤, ☂, ⛱, ✂ – TV ☎ P. GB. ✻
11 mars-15 nov. – **R** 140/220 – ☐ 48 – **11 ch** 450/580 – ½ P 483/495.

Aub. de Carcarille ⊗, E : 2,5 km sur D 2 ✆ 90 72 02 63, ☂, ⛱, ⌂ – ☎ P. GB. ✻
fermé 20 nov. au 28 déc. et vend. sauf le soir de fin mars à mi-sept. – **R** 95/160, enf. 48 – ☐ 30 – **11 ch** 280/320 – ½ P 290/310.

XX **La Mayanelle** ⊗ avec ch, ✆ 90 72 00 28, ≤ le Luberon – ☎. AE ⓓ GB
fermé 3 janv. au 3 mars et mardi – **R** carte 115 à 255 ♁ – ☐ 46 – **10 ch** 280/380 – ½ P 310/360.

au NO : 2 km par rte abbaye de Senanque – ✉ **84220** Gordes :

Les Bories M ⊗, ✆ 90 72 00 51, Fax 90 72 01 22, ≤, ☂, parc, ⛱, ⛱, ✂ – |‡| ▤ ch TV ☎ P. AE ⓓ GB. ✻ rest
fermé 1er déc. au 15 janv. – **R** (nombre de couverts limité - prévenir) 250 – ☐ 65 – **18 ch** 600/1500 – ½ P 550/1000.

Les Imberts S : 3,5 km par D 2 et D 103 – ✉ **84220** Gordes :

XXX **Mas Tourteron,** ✆ 90 72 00 16, ☂, ⌂ – P. AE GB
fermé 16 nov. au 14 déc., 6 janv. au 10 fév., dim. soir et lundi sauf juil.-août – **R** (nombre de couverts limité, prévenir) 235/345, enf. 100.

GORGES voir au nom propre des gorges.

Restaurants, die sorgfältig zubereitete, preisgünstige Mahlzeiten anbieten, sind durch das Zeichen ✦ kenntlich gemacht.

GORRON 53120 Mayenne 59 ⑲ ⑳ – 2 837 h. alt. 172.
Paris 265 – Alençon 74 – Domfront 29 – Fougères 32 – Laval 47 – Mayenne 22.

XX **Bretagne** avec ch, ✆ 43 08 63 67, ⌂ – TV ☎ P. GB
✦ *fermé 26 déc. au 6 janv.* – **R** *(fermé dim. soir du 1er oct. au 30 avril et lundi midi)* 72/140 ♁, enf. 40 – ☐ 27 – **12 ch** 100/240 – ½ P 130/190.

GORZE 57680 Moselle 57 ⑬ **G. Alsace Lorraine** – 1 389 h. alt. 240.
Paris 312 – ✦ Metz 18 – Jarny 21 – Pont-à-Mousson 21 – St-Mihiel 41 – Verdun 51.

XX **Host. du Lion d'Or** avec ch, ✆ 87 52 00 90, ☂, ⌂ – TV ☎ – 🏛 25. GB
fermé vacances de fév., dim. soir de fin sept. à début avril et lundi – **R** 130/320, enf. 60 – ☐ 30 – **18 ch** 155/250 – ½ P 280/320.

GOSNAY 62 P.-de-C. 51 ⑭ – rattaché à Béthune.

GOUAREC 22570 C.-d'Armor 58 ⑱ – 1 026 h. alt. 130.
Paris 474 – St-Brieuc 52 – Carhaix-Plouguer 30 – Guingamp 46 – Loudéac 36 – Pontivy 29.

XX **Blavet** avec ch, ✆ 96 24 90 03, ⌂ – ☎ P. GB
fermé 21 au 28 déc., 15 fév. au 15 mars, dim. soir et lundi sauf juil.-août – **R** 80/310 ♁ enf. 50 – ☐ 30 – **15 ch** 150/350 – ½ P 187/285.

CITROEN Darcel ✆ 96 24 91 49 N — RENAULT Martin B. ✆ 96 24 90 28 N

GOUESNACH 29118 Finistère 58 ⑮ – 1 769 h. alt. 33.
Paris 558 – Quimper 13 – Bénodet 6 – Concarneau 23 – Pont-l'Abbé 16 – Rosporden 27.

Aux Rives de l'Odet, ✆ 98 54 61 09, ⌂ – TV ☎ P. GB
fermé 25 sept. au 3 nov. et lundi de nov. à fin mai – **R** 85/120, enf. 48 – ☐ 25 – **35 ch** 130/240 – ½ P 160/225.

La GOUESNIÈRE 35350 I.-et-V. 59 ⑥ – 942 h. alt. 22.
Paris 387 – St-Malo 13 – Dinan 24 – Dol-de-Bretagne 12 – Lamballe 61 – ✦ Rennes 61 – St-Cast 37.

✿ **H. Tirel-Guérin,** à la Gare N : 1,5 km D 76 ✆ 99 89 10 46, Télex 740896, Fax 99 89 12 62, ⛹, ⛱, ⌂, ✂ – ▤ rest TV ☎ ♿ P – 🏛 100. AE ⓓ GB JCB
fermé mi-déc. à mi-janv. – **R** *(fermé dim. soir hors sais.)* (dim. et fêtes prévenir) 120/260, enf 70 – ☐ 36 – **60 ch** 210/350, 3 studio 540 – ½ P 270/325
Spéc. Homard braisé, Surprise de lotte en fillo aux senteurs périgourdines, Pigeonneau aux poivres vanillés.

GOUJOUNAC 46250 Lot 79 ⑦ **G. Périgord Quercy** – 174 h. alt. 231.
Paris 580 – Cahors 27 – Gourdon 30 – Villeneuve-sur-Lot 51.

X **Host. de Goujounac** avec ch, ✆ 65 36 68 67 – GB. ✻ ch
fermé oct., 1er au 7 fév., dim. soir et lundi de nov. à juin – **R** 85/110 ♁, enf. 50 – ☐ 25 – **7 ch** 90/150 – ½ P 180.

GOUMOIS 25470 Doubs 66 ⑱ – 136 h. alt. 490.

Voir Corniche de Goumois★★, **G. Jura.**

Paris 512 – ♦ Besançon 92 – Bienne 44 – Montbéliard 53 – Morteau 47.

- **Taillard** ⑤, alt. 605 ☎ 81 44 20 75, Fax 81 44 26 15, alt. 605, ←, ☂, ⛱, ⛱ – TV ☎ Ⓟ. AE ① GB
  1er mars-10 nov., et fermé merc. en mars, oct. et nov. – **R** 130/310, enf. 65 – ☕ 40 – **17 ch** 260/400 – ½ P 320/360
  Spéc. Escalope de foie gras poêlée au miel et griottes, Caquelon de morilles à la crème double, Poularde de Bresse au vin Jaune. **Vins** Arbois, Côtes du Jura.
- **Moulin du Plain** ⑤, N : 5 km par VO ☎ 81 44 41 99, ← – ☎ Ⓟ. GB
  1er mars-11 nov. et fermé dim. soir et lundi du 1er oct. au 11 nov. – **R** 90/156 ₰, enf. 48 – ☕ 26 – **22 ch** 155/225 – ½ P 194/220.

GOUPILLIÈRES 14 Calvados 55 ⑪ – rattaché à Thury-Harcourt.

GOURBERA 40990 Landes 78 ⑥ – 243 h.

Paris 726 – Biarritz 65 – Mont-de-Marsan 50 – ♦Bayonne 60 – ♦Bordeaux 137 – Dax 11,5.

- **La Gasconnette,** ☎ 58 91 52 43, ☂ – GB
  fermé fév. et merc. hors sais. – **R** carte 110 à 220 ₰, enf. 42.

GOURDON ⟨SP⟩ 46300 Lot 75 ⑱ **G. Périgord Quercy** (plan) – 4 851 h. alt. 256.

Voir Rue du Majou★ – Cuve baptismale★ dans l'église des Cordeliers – Esplanade ✳★ – Grottes de Cougnac★ NO : 3 km.

ℹ Office de Tourisme r. du Majou (fermé après-midi hors saison) ☎ 65 41 06 40.

Paris 549 – Cahors 40 – Sarlat-la-Canéda 26 – Bergerac 90 – Brive-la-Gaillarde 64 – Figeac 64 – Périgueux 92.

- **Host. de la Bouriane** ⑤, pl. Foirail ☎ 65 41 16 37, ⛱ – 🛗 ▤ rest ☎ Ⓟ. GB. ⚘ ch
  fermé 15 janv. au 8 mars – **Repas** *(fermé lundi sauf le soir de juin à nov.)* 75/270 – ☕ 32 – **20 ch** 230/390 – ½ P 290/300.
- **Domaine du Berthiol** Ⓜ ⑤, E : 1 km par D 704 ☎ 65 41 33 33, Fax 65 41 14 52, ←, parc, ⛱, ⚘ – 🛗 TV ☎ ♿ Ⓟ – 🏛 25. AE GB. ⚘
  15 mars-15 nov. – **R** 80/250, enf. 60 – ☕ 35 – **27 ch** 260/330 – ½ P 270/300.
- **Bissonnier et Bonne Auberge,** bd Martyrs ☎ 65 41 02 48 – 🛗 ⛔ ch ▤ rest ☎. GB. ⚘ ch
  fermé 28 nov. au 4 janv. et vend. soir du 1er janv. au 15 avril – **R** 70/215 – ☕ 30 – **26 ch** 200/350 – ½ P 230/300.
- **Terminus** avec ch, av. Gare ☎ 65 41 03 29, ☂, ⛱, ⛱ – ☎. AE ① GB JCB
  28 mars-12 nov. – **R** 125/280, enf. 60 – ☕ 28 – **14 ch** 195/330 – ½ P 260/300.

CITROEN Espace Autos, rte de Cahors ☎ 65 41 12 03
RENAULT S.A.B.A.G., rte du Vigan ☎ 65 41 10 24
N ☎ 65 41 09 09

Ⓟ Garrigue, rte de Salviac ☎ 65 41 00 71

GOURETTE 64 Pyr.-Atl. 85 ⑰ **G. Pyrénées Aquitaine** – alt. 1 400 – Sports d'hiver : 1 340/2 380 m 3 24 – ✉ 64440 Eaux Bonnes.

Voir Site★ – Col d'Aubisque ✳★★ N : 4 km.

ℹ Office de Tourisme pl. Sarrière (juil.-août et déc.-avril) ☎ 59 05 12 17, Télex 570317.

Paris 825 – Pau 51 – Argelès-Gazost 34 – Eaux-Bonnes 8 – Laruns 14 – Lourdes 46.

- **Boule de Neige** Ⓜ ⑤, ☎ 59 05 10 05, Fax 59 05 11 81, ← – TV ☎ ♿. GB. ⚘
  10 juil.-31 août (sauf rest.) et 20 déc.-Pâques – **R** 85/180, enf. 60 – ☕ 30 – **20 ch** 298/314 – ½ P 263/270.
- **Pene Blanque,** ☎ 59 05 11 29, Fax 59 05 10 85, ←, ☂ – TV ☎ Ⓟ. AE GB. ⚘ rest
  1er juil.-31 août et 20 déc.-Pâques – **R** 76/175, enf. 50 – ☕ 30 – **24 ch** 280/320 – ½ P 190/290.

GOURGUE 65 H.-Pyr. 85 ⑨ – rattaché à Capvern-les-Bains.

GOURNAY-EN-BRAY 76220 S.-Mar. 55 ⑧ **G. Normandie Vallée de la Seine** – 6 147 h. alt. 94.

Paris 96 ③ – ♦ Rouen 50 ⑤ – Amiens 72 ① – Les Andelys 37 ④ – Beauvais 32 ② – Dieppe 75 ⑦ – Gisors 25 ③.

Plan page suivante

- **Le Cygne** Ⓜ sans rest, 20 r. Notre Dame **(e)** ☎ 35 90 27 80, Fax 35 90 59 00 – 🛗 TV ☎ Ⓟ. AE ① GB JCB. ⚘
  ☕ 30 – **30 ch** 240/310.
- **Trou des Halles,** 10 r. Halle **(a)** ☎ 35 90 62 32 – GB
  fermé 16 au 24 août, 1er au 15 fév., dim. soir et lundi – **R** 98/145.

BMW MAZDA SEAT Gar. Guinard, 52 av. Gén.-Leclerc ☎ 35 90 01 46
CITROEN Central Gar., 30 r. F.-Faure ☎ 35 90 00 75
PEUGEOT-TALBOT Normandie Autom., 39 rte Neuve à Ferrières-en-Bray ☎ 35 90 04 53

RENAULT Gournay-Autos, av. Gén.-Leclerc ☎ 35 90 04 77 N ☎ 05 05 15 15

Ⓟ Mouquet Pneus, r. Bouchers ☎ 35 90 01 50

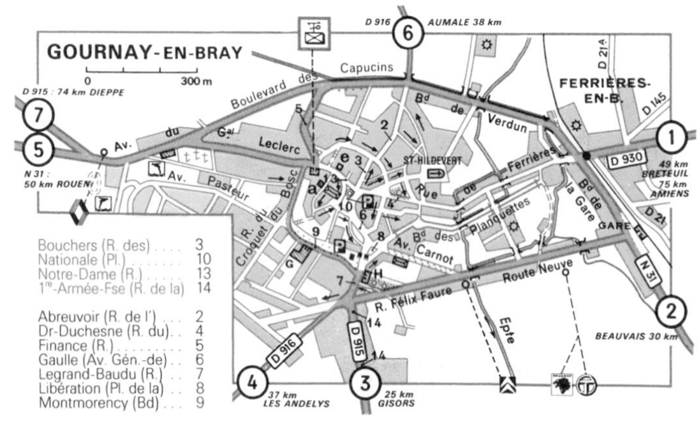

GOUVIEUX 60 Oise 56 ⑪, 106 ⑦ ⑧ – rattaché à Chantilly.

GOUZON 23230 Creuse 73 ① – 1 370 h. alt. 378.
Paris 365 – Aubusson 29 – La Châtre 56 – Guéret 31 – Montluçon 34.

- **Lion d'Or,** ✆ 55 62 28 54 – ch TV ☎. AE GB. ch
  fermé dim. soir – **R** 75/210 – 38 – **11 ch** 170/260.

GRADIGNAN 33 Gironde 71 ⑨ – rattaché à Bordeaux.

GRAMAT 46500 Lot 75 ⑲ **G. Périgord Quercy** – 3 526 h. alt. 305.
Maison du Tourisme pl. République (mai-oct.) ✆ 65 38 73 60.
Paris 541 – Cahors 53 – Brive-la-Gaillarde 56 – Figeac 35 – Gourdon 36 – St-Céré 21.

- **Lion d'Or,** pl. République ✆ 65 38 73 18, Télex 533347, Fax 65 38 84 50, – TV ☎. AE GB
  fermé 15 déc. au 15 janv. – **R** *(fermé lundi midi de nov. à mars)* 100/350 – 42 – **15 ch** 260/420 – ½ P 360/500.
- **Le Relais des Gourmands** M, av. Gare ✆ 65 38 83 92, Fax 65 38 70 99, , , – TV ☎. GB
  Repas *(fermé lundi midi hors sais.)* 75/250 , enf. 45 – 32 – **16 ch** 270/400.
- **Centre,** pl. République ✆ 65 38 73 37, Fax 65 38 73 66 – rest TV ☎ . GB
  fermé 15 au 25 nov., vacances de fév. et sam. sauf vacances scolaires – **R** 75/280 , enf. 40 – 32 – **14 ch** 220/300 – ½ P 250/290.
- **Aub. du Causse,** SO : 1 km par D 677 ✆ 65 38 78 08, , – TV ☎ P. GB
  fermé vend. du 15 nov. au 10 avril – **R** 81/175 , enf. 45 – 28 – **9 ch** 200/300 – ½ P 230/260.

à Lavergne NE : 4 km par D 677 – ✉ 46500 :

- **Le Limargue,** ✆ 65 38 76 02 – P. GB
  fermé 15 au 31 oct., mardi soir et merc. de fin sept. à juin – **R** 67/157 , enf. 40.

NO : 4,5 km par N 140 et VO – ✉ 46500 Gramat :

- **Château de Roumégouse** , ✆ 65 33 63 81, Télex 532592, Fax 65 33 71 18, ≤, , parc, – TV ☎ P. AE GB
  13 avril-2 nov. – **R** *(fermé mardi midi)* 150/300 bc, enf. 90 – 60 – **14 ch** 490/820 – ½ P 650/810.

RENAULT Barat ✆ 65 38 72 15 | Garrigue ✆ 65 38 77 61

Le GRAND-BORNAND 74450 H.-Savoie 74 ⑦ **G. Alpes du Nord** – 1 925 h. alt. 950 – Sports d'hiver : 1 000/2 100 m 2 38 .
Office de Tourisme pl. Église ✆ 50 02 20 33.
Paris 578 – Annecy 32 – Chamonix-Mont-Blanc 79 – Albertville 46 – Bonneville 23 – Megève 35.

- **Les Glaïeuls,** au télécabine la Joyère ✆ 50 02 20 23 – ☎ P. GB. rest
  13 juin-20 sept. et 20 déc.-20 avril – **R** 75/220, enf. 50 – 28 – **22 ch** 280/320 – ½ P 220/295.
- **Croix St-Maurice,** ✆ 50 02 20 05 – ☎. GB
  25 juin-10 sept. (sauf rest.) et 20 déc.-20 avril – **R** 80/180 , enf. 45 – 28 – **21 ch** 185/280 – ½ P 235/310.
- **Les Écureuils,** au télécabine La Joyère ✆ 50 02 20 11, – ☎. AE GB
  20 juin-25 sept. et 20 déc.-28 avril – **R** 69/105 – **20 ch** 170/295 – ½ P 226/282.

Everest H., rte Chinaillon : 1 km ✆ 50 02 20 35, ≤ – Ⓟ. ✻ rest
20 juin-10 sept. et vacances de Noël-vacances de printemps – **R** 80/95 – ☕ 26 – **17 ch** 170/190 – ½ P 190.

au Chinaillon N : 5,5 km par D 4 – alt. 1 280 – ✉ **74450** Le Grand-Bornand :

Le Cortina, ✆ 50 27 00 22, Fax 50 27 06 31, ≤ montagnes et pistes – 🛗 📺 ☎ Ⓟ. GB
15 juin-15 sept. et 20 déc.-vacances de printemps – **R** 125/257, enf. 45 – ☕ 34 – **30 ch** 290/320 – ½ P 265/350.

L'Alpage avec ch, ✆ 50 27 00 49, Fax 50 27 00 42, ≤ – ☎. GB
15 déc.-15 avril – **R** 120/180 – ☕ 35 – **15 ch** 250/320 – ½ P 350/400.

GRANDCAMP-MAISY 14450 Calvados 54 ③ – 1 881 h.

Paris 298 – Cherbourg 71 – St-Lô 40 – ◆Caen 60.

Duguesclin, ✆ 31 22 64 22, Fax 31 22 34 79, ≤, 🌳 – 📺 ☎ Ⓟ. GB
fermé 17 au 25 oct. et 15 janv. au 10 fév. – **R** *(fermé merc. midi de nov. à avril)* 85/200 – ☕ 25 – **25 ch** 120/250 – ½ P 200/250.

La Marée, ✆ 31 22 60 55, Fax 31 92 66 77, ≤, 🌳 – GB
fermé 6 au 31 janv. et lundi du 15 sept. au 15 juin – **R** 92/175.

GRAND COLOMBIER 01 Ain 74 ⑤ **G. Jura** – alt. 1 531.

Voir ✻★★★ – Point de vue du Grand Fenestrez★★ S : 5 km.

La GRAND-COMBE 30110 Gard 80 ⑦ ⑧ – 7 107 h. alt. 188.

Paris 692 – Alès 13 – Aubenas 79 – Florac 57 – Nîmes 57 – Vallon-Pont-d'Arc 51 – Villefort 43.

à La Favède SO : 2,5 km par D 283 – ✉ **30110** La Grand-Combe :

Aub. Cévenole 🐦, ✆ 66 34 12 13, Télex 490925, Fax 66 34 50 50, ≤, parc, 🌳, 🏊 – ☎ ♿ Ⓟ. GB. ✻ ch
1er avril-31 déc. – **R** 165/265, enf. 60 – ☕ 45 – **20 ch** 300/600 – ½ P 335/485.

au NO : 6 km par rte de Florac – ✉ **30110** La Grand-Combe :

Lac des Camboux, ✆ 66 34 12 85, 🌳 – ☎ Ⓟ. GB. ✻ ch
1er mars-31 oct. et fermé vend. sauf juil.-août – **R** 58/140 🍷, enf. 38 – ☕ 27 – **12 ch** 95/155 – ½ P 130/155.

Escoffier-Pneus, quartier des Beaumes, Les Salles-du-Gardon ✆ 66 34 17 21

La GRANDE-MOTTE 34280 Hérault 83 ⑧ **G. Gorges du Tarn** (plan) – 5 016 h. alt. 3 – Casino.

⛳18 ⛳18 ✆ 67 56 05 00.

Office de Tourisme pl. 1er-Octobre-1974 ✆ 67 56 62 62.

Paris 753 – ◆Montpellier 19 – Aigues-Mortes 10 – Lunel 17 – Nîmes 41 – Palavas-les-F. 13 – Sète 44.

Grand M'Hôtel Ⓜ 🐦, quartier Point Zéro ✆ 67 29 13 13, Télex 485294, Fax 67 29 14 74, ≤ le littoral, 🌳, institut de thalassothérapie, 🏋, 🏊 – 🛗 ▤ 📺 ☎ ♿ 🚗 – 🎤 25. GB. ✻
fermé 6 au 27 déc. – **Les Corallines R** 100/185, enf. 85 – ☕ 50 – **36 ch** 600/860, 3 appart. 1615 – ½ P 600/650.

Altéa Ⓜ, r. du Port ✆ 67 56 90 81, Télex 480241, Fax 67 56 92 29, ≤ littoral, 🌳, 🏊 – 🛗 📺 ☎ Ⓟ – 🎤 30 à 90. AE ⓓ GB
1er mars-30 nov. – **R** 155, enf. 65 – ☕ 53 – **135 ch** 375/760 – ½ P 510/550.

Golf H. Ⓜ 🐦 sans rest, au Golf ✆ 67 29 72 00, Fax 67 56 12 44 – 🛗 📺 ☎ ♿ 🚗 Ⓟ. AE GB
fermé 20 déc. au 22 janv. – ☕ 45 – **46 ch** 285/450.

Azur Ⓜ 🐦 sans rest, esplanade de la Capitainerie ✆ 67 56 56 00, Fax 67 29 81 26, ≤, 🏊 – ▤ 📺 ☎ Ⓟ. AE ⓓ GB. ✻
fermé 1er déc. au 6 janv. – ☕ 45 – **20 ch** 495/860.

Europe Ⓜ sans rest, près de la poste ✆ 67 56 62 60, Fax 67 56 93 07, 🏊 – 📺 ☎ Ⓟ. AE GB. ✻
10 avril-10 oct. – ☕ 35 – **34 ch** 290/390.

Acropolis Ⓜ 🐦 sans rest, quartier du Couchant ✆ 67 56 76 22 – ☎ 🚗 Ⓟ. GB. ✻
Pâques-fin sept. – ☕ 36 – **24 ch** 310/420.

Alexandre, esplanade de la Capitainerie ✆ 67 56 63 63, Fax 67 29 74 69, ≤ – ▤ Ⓟ. AE GB. ✻
fermé 6 janv. au 15 fév., dim soir et lundi sauf juil.-août – **R** 190/350, enf. 75.

The new Michelin Green Tourist Guides offer:
- *more detailed descriptive texts,*
- *practical information,*
- *town plans, local maps and colour photographs,*
- *frequent fully revised editions.*

Always make sure you have the latest edition.

Le GRAND-PRESSIGNY **37350** I.-et-L. 68 ⑤ **G. Poitou Vendée Charentes** – 1 120 h. alt. 61.

Voir Musée de Préhistoire★ dans le château.

Paris 286 – Poitiers 65 – Le Blanc 44 – Châteauroux 78 – Châtellerault 28 – Loches 33 – ◆Tours 60.

XX **Espérance** avec ch, rte Descartes ☎ 47 94 90 12 – P. AE ⓓ GB JCB. ✻ ch
fermé 6 janv. au 6 fév. et lundi sauf fériés – **Repas** 90/185 ♪ – ☐ 35 – **10 ch** 150/180 – ½ P 180/200.

X **Aub. Savoie-Villars** avec ch, ☎ 47 94 96 86 – GB
fermé 5 au 20 oct., vacances de fév., lundi soir et mardi – **R** 95/230, enf. 50 – ☐ 35 – **7 ch** 120/180 – ½ P 160/190.

CITROEN Viet ☎ 47 94 90 25 N — RENAULT Jouzeau ☎ 47 94 90 65

Le GRAND-QUEVILLY **76** S.-Mar. 55 ⑥ – rattaché à Rouen.

GRAND-VABRE **12320** Aveyron 76 ⑪ – 489 h. alt. 213.

Paris 623 – Aurillac 50 – Rodez 43 – Entraygues-sur-Truyère 23 – Figeac 37 – Villefranche-de-R. 61.

Gorges du Dourdou, ☎ 65 69 83 03, ⛱ – ☎. AE GB
1er mars-26 oct. – **R** 55/160 – ☐ 26 – **17 ch** 170/215 – ½ P 170/200.

GRANDVILLARS **90600** Ter.-de-Belf. 166 ⑧ – 2 874 h. alt. 350.

Paris 494 – ◆Besançon 103 – Mulhouse 53 – ◆Basel 60 – Belfort 16 – Montbéliard 18.

X **Le Choix de Sophie,** ☎ 84 27 76 03 – P. GB
fermé 21 avril au 4 mai, 3 au 24 août, 24 au 28 déc., jeudi soir, dim. soir et lundi – **R** 95/175 ♪.

V.A.G Gar. Dangel ☎ 84 27 81 77

GRANE **26400** Drôme 77 ⑫ – 1 384 h. alt. 177.

Paris 594 – Valence 27 – Crest 9 – Montélimar 31 – Privas 28.

XXX **Giffon** ⛰ avec ch, ☎ 75 62 60 64, Fax 75 62 70 11, ⛱ – ▤ rest TV ☎ P. AE ⓓ GB
fermé fév., dim. soir de sept. à mai et lundi sauf fériés le soir – **R** 120/320, enf. 70 – ☐ 40 – **9 ch** 180/320 – ½ P 300/380.

GRANGES-LES-BEAUMONT **26** Drôme 77 ② – rattaché à Romans-sur-Isère.

GRANGES-LES-VALENCE **07** Ardèche 77 ⑫ – rattaché à Valence.

GRANGES-STE-MARIE **25** Doubs 170 ⑥ – rattaché à Malbuisson.

Les GRANGETTES **25160** Doubs 170 ⑥ – 169 h. alt. 900.

Paris 451 – ◆Besançon 71 – Champagnole 38 – Morez 50 – Pontarlier 11,5.

Bon Repos ⛰, ☎ 81 69 62 95, ≤, ⛱ – ☎ P. AE GB. ✻
11 avril-25 oct., 22 déc.-25 mars et fermé mardi soir et merc. hors sais. – **R** 60/150 ♪, enf. 38 – ☐ 26 – **16 ch** 140/208 – ½ P 184/228.

GRANS **13450** B.-du-R. 84 ② – 3 436 h.

Paris 729 – ◆Marseille 47 – Aix-en-Provence 36 – Arles 39 – Salon-de-Provence 5,5.

XX **Aub. les Eyssauts,** rte St-Chamas ☎ 90 55 93 24, Fax 90 55 84 25, ⛱ – ▤ P. GB
fermé dim. soir et lundi soir – **R** 95/250, enf. 65.

GRANVILLE **50400** Manche 59 ⑦ **G. Normandie Cotentin** – 12 413 h. alt. 8 – Casino Z.

Voir Site★ – Le tour des remparts★ : place de l'Isthme ≤★ Z – Pointe du Roc : site★ Y.

⛳9 ⛳18 ☎ 33 50 23 06, à Bréville par ① : 5,5 km ; ⛳ de Bréhal ☎ 33 51 58 88, par ① : 15 km.

ℹ Maison du Tourisme 4 cours Jonville ☎ 33 50 02 67.

Paris 346 ② – St-Lô 58 ① – St-Malo 89 ③ – Avranches 25 ③ – ◆Caen 105 ② – Cherbourg 104 ① – Coutances 28 ① – Vire 55 ②.

Plan page suivante

Bains, 19 r. G. Clemenceau ☎ 33 50 17 31, Télex 170600, Fax 33 50 89 22 – |♿| ⚡ ch TV ☎ ♿. AE GB. ✻ — Z **v**
R 80/190 – ☐ 40 – **50 ch** 400/1200, 6 appart. 700/1200 – ½ P 370/770.

Hérel M ⛰ sans rest, Port de Plaisance ☎ 33 90 48 08, Télex 772319, Fax 33 90 75 95, ≤ – TV ☎ ♿ P – 🏠 50. AE ⓓ GB — Y **e**
☐ 32 – **43 ch** 240/300.

Michelet ⛰ sans rest, 5 r. J. Michelet ☎ 33 50 06 55 – TV ☎ P. GB. ✻ — Z **u**
☐ 26 – **19 ch** 100/250.

XXX ✿ **La Gentilhommière** (Poude), 152 r. Couraye ☎ 33 50 17 99 – GB — Y **a**
fermé 28 sept. au 12 oct., dim. soir et lundi – **R** (nombre de couverts limité - prévenir) 134/287
Spéc. Fantaisie en chaud et froid de foie gras de canard, Homard de Chausey en navarin, Fondant aux pommes et beurre de cidre.

XX **Le Phare,** 11 r. Port ☎ 33 50 12 94, ≤ – ⓓ GB — Y **s**
fermé 15 au 30 sept., 20 déc. au 25 janv., mardi soir et merc. sauf juil.-août – **R** 78/188 ♪.

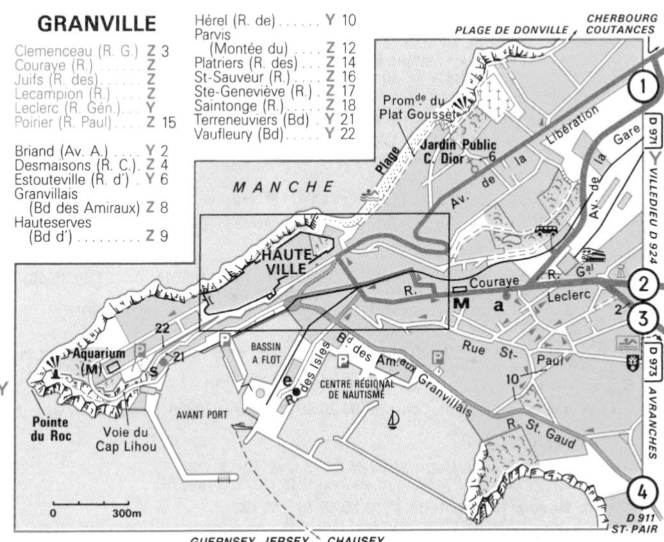

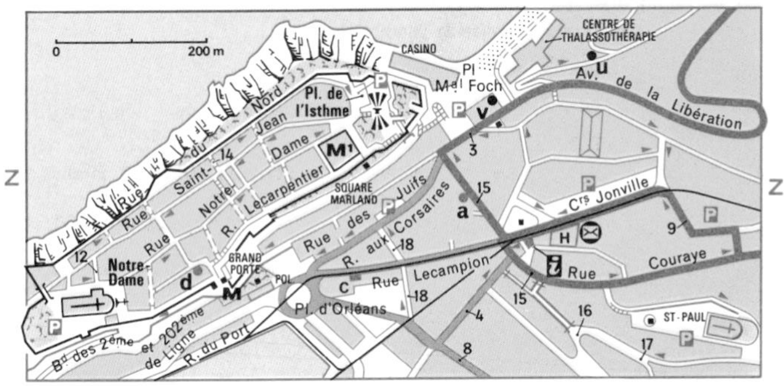

XXX **Normandy-Chaumière** avec ch, 20 r. Dr P. Poirier ℘ 33 50 01 71, Fax 33 50 15 34, – TV ☎. GB. ✻ ch Z **a**
fermé 16 au 29 oct., mardi soir et merc. sauf juil.-août – **R** 85/195, enf. 60 – ☕ 27 – **7 ch** 240/320 – ½ P 280/295.

XXX **La Citadelle,** 10 r. Cambernon ℘ 33 50 34 10 – GB Z **d**
fermé 16 au 31 mars, 16 au 24 nov. et 19 janv. au 12 fév. – **R** *(fermé lundi sauf le soir de fin juin au 7 sept. et mardi sauf le soir d'avril à oct. sauf vacances scolaires)* 100/215, enf. 60.

à ***Bréville-sur-Mer*** par ① : 5 km – ✉ **50290** :

La Mougine des Moulins à Vent sans rest, sur D 971 ℘ 33 50 22 41, ←, « Jardin fleuri » – TV ☎ P. GB
☕ 33 – **7 ch** 325/395.

Aub. des Quatre Routes, ℘ 33 50 20 10 – ☎. GB. ✻ ch
28 mars-30 sept. et fermé merc. sauf juil.-août – **R** 70/140 , enf. 41 – ☕ 22 – **7 ch** 170/215 – ½ P 190/213.

CITROEN Manche Auto, ZI par ② ℘ 33 50 69 76 N ℘ 33 70 84 24
FORD Gar. Gosselin, ZI, r. du Mesnil ℘ 33 50 43 42
MERCEDES Durey, RN 24 bis à St-Planchers ℘ 33 51 65 54
PEUGEOT-TALBOT Gar. Pavie, rte de Villedieu par ② ℘ 33 50 11 92 N ℘ 33 68 52 89
RENAULT S.O.R.E.V.A., av. des Vendéens par ③ ℘ 33 90 64 99 N ℘ 33 90 18 28
V.A.G Bardinet, 25 av. Libération ℘ 33 50 34 27

GRASSE ⟨SP⟩ **06130** Alpes-Mar. 84 ⑧ 195 ㉔ **G. Côte d'Azur** – 41 388 h. alt. 333.

Voir Vieille ville★ : Place du Cours★ Z, musée d'Art et d'Histoire de Provence★ Z **M**[1] : ≤★ – Toiles★ de Rubens dans l'anc. cathédrale Z **B** – Salle Fragonard★ dans la Villa-Musée Fragonard Z **M**[2] – Parc de la Corniche ≤★★ 30 mn Z – Jardin de la Princesse Pauline ≤★ Z **K** – Musée de la Parfumerie★ Z **M**[3].

Env. Montée au col du Pilon ≤★★ 9 km par ④.

18 Opio-Valbonne ✆ 93 42 00 08, par D 4 : 11 km X ; 9 du Val Martin ✆ 93 42 07 98, E : 13 km par D 4, D 3 et D 103 ; 18 de la Grande Bastide à Opio ✆ 93 09 71 22, E : 6 km par D 7 ; 9 18 de St-Donat ✆ 93 99 57 60, par ② : 5,5 km.

Office de Tourisme 3 pl. Foux ✆ 93 36 03 56, Télex 470871 et cours H.-Cresp (juil.-août) ✆ 93 36 72 28.

Paris 909 ② – Cannes 16 ② – Digne 116 ④ – Draguignan 55 ③ – ♦Nice 35 ②.

Plans page suivante

des Parfums M, bd E. Charabot ✆ 93 36 10 10, Télex 460815, Fax 93 36 35 48, ≤, 🏖, 🏊 – 🛗 cuisinette ▤ TV ☎ ♿ Ⓟ – 🏛 70. AE ⓓ GB. ✖ rest — Y **b**
R *(fermé dim. soir de nov. à fév.)* 110/160 🍷, enf. 40 – ☕ 45 – **60 ch** 430/705, 11 duplex 685/890 – ½ P 460/528.

du Patti M, pl. Patti ✆ 93 36 01 00, Télex 460126, Fax 93 36 36 40 – 🛗 ▤ TV ☎ ♿. AE ⓓ GB — Y **a**
R *(fermé dim.)* 100/220 – ☕ 32 – **49 ch** 310/390 – ½ P 310.

Panorama sans rest, 2 pl. Cours ✆ 93 36 80 80, Télex 970908, Fax 93 36 92 04 – 🛗 ▤ TV ☎. AE GB — Z **u**
☕ 37 – **36 ch** 290/420.

XX **Amphitryon,** 16 bd V. Hugo ✆ 93 36 58 73 – ▤. AE ⓓ GB — Z **s**
fermé août, 21 déc. au 2 janv., dim. et fêtes – **R** 113/235, enf. 78.

X **Maître Boscq,** 13 r. Fontette ✆ 93 36 45 76 – AE GB — Y **k**
fermé 1er au 15 nov., lundi hors sais. et dim. – **R** 108.

à Magagnosc par ① : 5 km – ✉ **06520**.

Voir ≤★ du cimetière de l'église St-Laurent.

X Chantecler, ✆ 93 36 20 64, 🏖.

X **La Petite Auberge** avec ch, ✆ 93 42 75 32 – Ⓟ. GB
fermé juil., 22 au 29 fév. et merc. – **R** 78/115 🍷, enf. 45 – **5 ch** (½ pens. seul.) – ½ P 175/185.

à Opio par ① et D 3 : 8 km – ✉ **06650**.

Voir Gourdon : site★★, place ≤★★, château : musée de peinture naïve★, jardins ≤★★ N : 10 km.

Mas des Géraniums 🔇, à San Peyre E : 1 km sur D 7 ✆ 93 77 23 23, ≤, 🏖, 🌳 – Ⓟ. GB
R 140/160 – ☕ 30 – **8 ch** 280.

à Plascassier SE : 6 km par D 4 – ✉ **06130** :

Les Mouliniers, ✆ 93 60 10 37, 🏖 – Ⓟ. GB
fermé 15 nov. au 1er déc. – **R** *(fermé sam. de sept. à juin)* 60/150 🍷, enf. 40 – ☕ 25 – **10 ch** (½ pens. seul.) – ½ P 180/210.

XX **Relais de Sartoux** avec ch, rte Valbonne ✉ 06370 Mouans-Sartoux ✆ 93 60 10 57, 🏖, 🏊, 🌳 – TV ☎ Ⓟ. AE GB
fermé 20 nov. au 20 déc. et merc. sauf du 15 juin au 15 sept. – **R** 130/160, enf. 70 – ☕ 30 – **12 ch** 260/320 – ½ P 270/290.

rte de Cannes par ② – ✉ **06130** Grasse :

Ibis M, à 3 km ✆ 93 70 70 70, Télex 462682, Fax 93 70 46 31, 🏖, 🏊, 🎾 – 🛗 ▤ TV ☎ ♿ Ⓟ – 🏛 25 à 80. AE GB
R 88/110 🍷, enf. 39 – **65 ch** 330/395.

XX **Les Arômes** avec ch, à 5 km ✆ 93 70 42 01, 🏖 – TV ☎ Ⓟ. AE GB
R *(fermé sam. sauf le soir du 1er juin au 30 sept.)* 80/180, enf. 50 – ☕ 25 – **7 ch** 260 – ½ P 210/230.

à St Jacques par ③ : 3 km – ✉ **06130** Grasse :

X **La Serre,** 20 av. F. Raybaud ✆ 93 70 80 89
fermé 15 au 30 nov. et lundi – **R** 85/140, enf. 55.

à Cabris : 5 km par D 4 X – alt. 545 – ✉ **06530**.

Voir Site★ – ≤★★ des ruines du château.

Horizon 🔇 sans rest, ✆ 93 60 51 69, Fax 93 60 56 29, ≤, 🏊 – 🛗 ☎ Ⓟ. AE ⓓ GB. ✖
20 mars-15 oct. – ☕ 38 – **22 ch** 280/450.

XX **Vieux Château,** ✆ 93 60 50 12, 🏖 – GB
fermé 30 nov. au 11 déc. et 8 fév. au 5 mars – **R** 109/210, enf. 75.

X **Aub. Le Petit Prince,** ✆ 93 60 51 40, 🏖 – AE ⓓ GB
fermé 23 mars au 7 avril, vacances de nov., jeudi soir et vend. – **R** 98/240, enf. 60.

GRASSE

Jeu-de-Ballon (Bd) YZ
Ossola (R. Jean) . . . Z 38
Thiers (Av.) . . . . Y

Barri (Pl. du). . . . . . Z 4
Bellevue (Bd). . . . . X 5
Charabot (Bd) . . . . . Y 6
Conte (R. D.) . . . . . . Y 7
Cresp (Cours H.) . . . Z 8
Croisset (Av. de) . . . X 9
Crouët (Bd J.) . . . . . X 10
Droite (R.) . . . . Y 12
Duval (Av. M.). . . . . X 14
Fontette (R. de). . . . Y 15
Foux (Pl. de la) . . . . Y 17
Fragonard (Bd) . . . . Z 18
Gaulle (Av. Gén.-de) X 20
Gazan (R.) . . . . Z 22
Jaurès (Pl. Jean) . . . Y 23
Journet (R. M.) . . . YZ 26
Juin (Av. Mar.) . . . . Y 27
Lattre-de-Tassigny (Av. Mar.-de). . . . X 28
Leclerc (Bd Mar.) . . X 30
Libération (Av.) . . . . X 32
Mougins-Roquefort (R.). . . . . Z 33
Onze-Novembre (R. du) . . . . X 34
Oratoire (R. de l') . . . Y 35
Petit-Puy (Pl. du) . . . Z 42
Prés.-Kennedy (Bd). X 45
Reine-Jeanne (Bd) . X 48
Rothschild (Bd de) . X 49
St-Martin (Traverse) Z 50
Sémard (Av. P.). . . . X 53
Tracastel (R.) . . . . . Z 57
Touts-Petits (Trav.) . Z 58
Victor-Hugo (Bd) . XZ 59
Victoria (Av.) . . . . . X 60

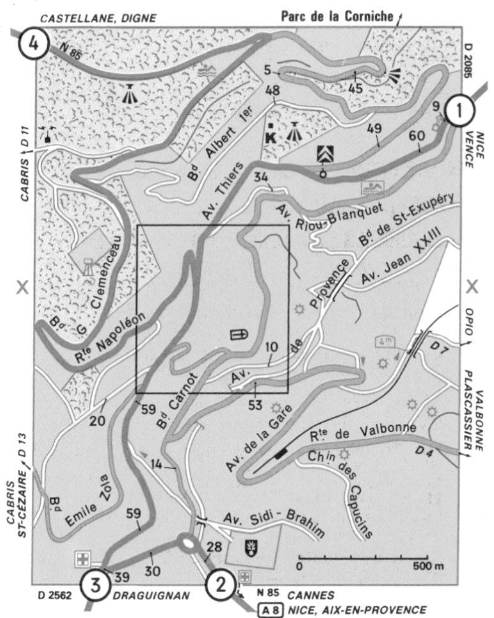

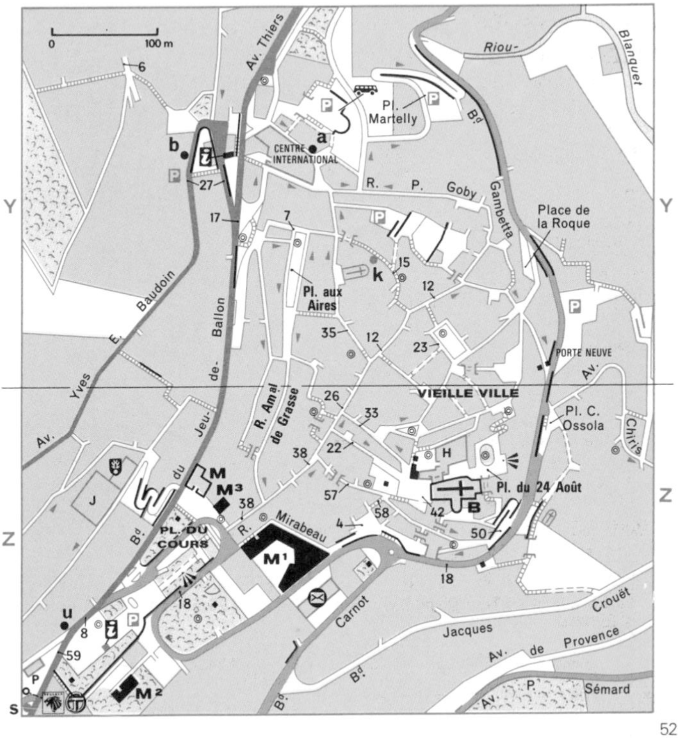

0 100 m
Av. Thiers
Riou-Blanquet
Pl. Martelly
CENTRE INTERNATIONAL
R. P. Goby
Bd Gambetta
Place de la Roque
Pl. aux Aires
Av. Yves E. Baudoin
Bd du Jeu-de-Ballon
R. Amal de Grasse
PORTE NEUVE
VIEILLE VILLE
Pl. C. Ossola
Av. Chiris
Pl. du 24 Août
PL. DU COURS
R. Mirabeau
Bd Carnot
Bd Jacques Crouët
Av. de Provence
Av. P. Sémard
Y
Z

CITROEN Victoria Gar., 19 av. Victoria, rte de Nice ℘ 93 36 64 64
HONDA Gar. Licastro, av. Ste-Lorette ℘ 93 09 02 56
HONDA Gar. Licastro, rte de Draguignan à Peymeinade ℘ 93 66 14 34

PEUGEOT-TALBOT Grasse-Autom., 6 bd E.-Zola ℘ 93 36 36 50

Europneu, 17 bd Gambetta ℘ 93 36 33 70
Piot Pneu, 249 rte de Pégomas ℘ 93 70 66 65
Tosello, 132 rte Marigarde Le Moulin de Brun ℘ 93 70 16 48

GRATENTOUR 31 H.-Gar. 82 ⑧ – rattaché à Toulouse.

GRATOT 50 Manche 54 ⑫ – rattaché à Coutances.

Le GRAU-DU-ROI 30240 Gard 83 ⑧ **G. Provence** – 5 253 h. alt. 2.

Office de Tourisme bd Front-de-Mer ℘ 66 51 67 70, Télex 485024.

Paris 756 – ♦Montpellier 25 – Aigues-Mortes 6 – Arles 53 – Lunel 22 – Nîmes 43 – Sète 50.

Nouvel H. sans rest, quai Colbert ℘ 66 51 41 77, ← – TV ☎. ℅
Pâques-30 sept. – ☐ 32 – **21 ch** 210/260.

Le Palangre, quai Ch.-de-Gaulle ℘ 66 51 76 30, – GB
15 fév.-15 nov. et fermé mardi sauf du 1er mai au 10 sept. – **R** 80/220.

à Port Camargue S : 3 km par D 62B – ✉ 30240 Le Grau-du-Roi.

Office de Tourisme Carrefour 2000 (Pâques-sept.) ℘ 66 51 71 68.

✿ **Le Spinaker** (Cazals) M, pointe Môle ℘ 66 53 36 37, Fax 66 53 17 47, ←, – rest TV ☎ P – 40. GB
fermé 4 janv. au 14 fév. – **R** *(fermé dim. soir et lundi hors sais.)* 255/365, enf. 95 – ☐ 50 – **21 ch** 440/680 – ½ P 398/498
Spéc. Carpaccio de boeuf et julienne de truffes, Filet de rougets à l'huile d'olive, Râble de lapin farci en crépinette. Vins Costières de Nîmes.

Relais de l'Oustau Camarguen M, 3 rte Marines ℘ 66 51 51 65, Fax 66 53 06 65, , – TV ☎ & P. AE GB
15 mars-fin oct. – **R** 150/190, enf. 80 – ☐ 40 – **38 ch** 365/550 – ½ P 350/440.

L'Amarette, centre commercial Camargue 2000 ℘ 66 51 47 63, ← – GB
8 fév.-29 nov. et fermé merc. sauf juil.-août – **R** 175/240.

GRAUFTHAL 67 B.-Rhin 57 ⑰ – rattaché à La Petite-Pierre.

GRAULHET 81300 Tarn 82 ⑩ **G. Pyrénées Roussillon** – 13 523 h. alt. 166.

18 des Étangs de Fiac ℘ 65 70 64 70, S : D 84 et D 49, O : 18 km.

Syndicat d'Initiative square Foch ℘ 63 34 75 09.

Paris 690 – ♦Toulouse 56 – Albi 32 – Castelnaudary 61 – Castres 30 – Gaillac 19.

La Rigaudié, E : 1,5 km par D 26 ℘ 63 34 50 07, , parc – P. AE GB. ℅
fermé août, 22 déc. au 2 janv., dim. soir et sam. – **Repas** 120/250.

ALFA-ROMEO, OPEL Gar. Joffre, 3 r. Mégisserie ℘ 63 34 50 22
CITROEN Graulhet Autom., 47 ter av. Ch.-de-Gaulle ℘ 63 34 51 44
FORD Gar. Arquier, 15 bis av. de l'Europe ℘ 63 34 70 41

PEUGEOT-TALBOT S.I.V.A., rte de Réalmont ℘ 63 34 70 22
RENAULT Grigolato, Au Rhin et Danube ℘ 63 34 66 43

Central Pneu, 47 av. Ch.-de-Gaulle ℘ 63 34 54 24

La GRAVE 05320 H.-Alpes 77 ⑦ **G. Alpes du Nord** – 455 h. alt. 1 450 – Sports d'hiver : 1 450/3 550 m 2 6.

Voir Situation★★ – Téléphérique ←★★★.

Env. Oratoire du Chazelet ←★★★ NO : 6 km – Combe de Malaval★ O : 6 km.

Syndicat d'Initiative ℘ 76 79 90 05.

Paris 647 – Briançon 39 – Gap 127 – ♦Grenoble 78 – Col du Lautaret 11 – St-Jean-de-Maurienne 66.

La Meijette, ℘ 76 79 90 34, ←, – ☎ P. GB. ℅ rest
1er juin-30 sept., 15 Fév.-10 mai, week-ends de mai et fermé mardi hors sais. – **R** 90/150 – ☐ 35 – **18 ch** 250/480 – ½ P 280/380.

RENAULT Gar. Pic ℘ 76 79 91 38 N

GRAVELINES 59820 Nord 51 ③ **G. Flandres Artois Picardie** – 12 336 h.

Maison du Tourisme 11 r. République ℘ 28 65 21 28.

Paris 291 – ♦Calais 23 – Cassel 36 – Dunkerque 17 – ♦Lille 90 – St-Omer 33.

Beffroi et rest. La Tour M, pl. Ch. Valentin ℘ 28 23 24 25, Télex 132366, Fax 28 65 59 71 – TV ☎ &
40 ch.

CITROEN M. Hérant Christian, 11 r. de Dunkerque ℘ 28 23 06 56
PEUGEOT-TALBOT Gar. Vauban, r. des Islandais ℘ 28 23 11 51

RENAULT Mme Rabat, r. des Islandais ℘ 28 23 13 50

GRAVESON 13690 B.-du-R. 80 ⑳ G. Provence – 2 752 h. alt. 13.

Paris 704 – Avignon 14 – Carpentras 41 – Cavaillon 27 – ♦Marseille 98 – Nîmes 36.

- **Moulin d'Aure** Ⓜ sans rest, ✆ 90 95 84 05, ⛱, 🌳 – ☎ Ⓟ. GB JCB. ✻
  1er avril-30 oct. – ☕ 29 – **14 ch** 240/300.
- **Mas des Amandiers** sans rest (rest. prévu), rte d'Avignon : 1,5 km ✆ 90 95 81 76, Fax 90 95 84 18, ⛱, 🌳 – ☎ ♿ Ⓟ – 🏛 30. AE ⓓ GB
  1er mars-30 oct. – ☕ 30 – **25 ch** 225/290.
- **Cadran Solaire** ♘ sans rest, ✆ 90 95 71 79, 🌳 – ☎ Ⓟ. AE ⓓ GB
  fermé 15 au 30 nov. et 1er au 15 fév. – ☕ 26 – **12 ch** 140/210.

RENAULT Gar. Eletti et Massacèse ✆ 90 95 74 27

GRAY 70100 H.-Saône 66 ⑭ G. Jura – 6 916 h. alt. 221.

Voir Collection de dessins★ de Prud'hon au musée Baron-Martin Y **M.**

ℹ Syndicat d'Initiative Ile Sauzay (saison) ✆ 84 65 14 24 et pl. Ch.-de-Gaulle (fermé matin hors saison).

Paris 361 ⑤ – ♦Besançon 44 ③ – ♦Dijon 49 ⑤ – Dole 44 ④ – Langres 56 ① – Vesoul 56 ②.

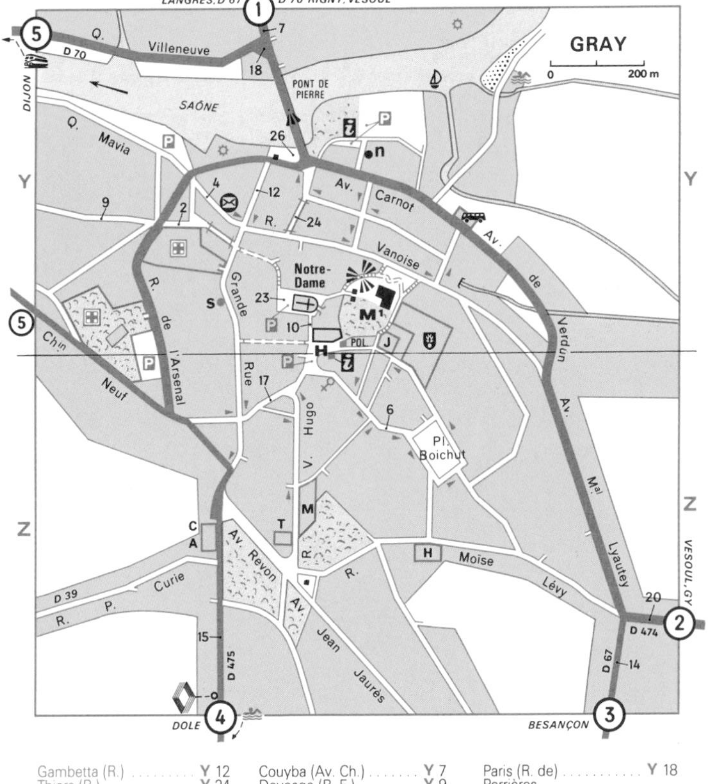

Gambetta (R.)	Y 12	Couyba (Av. Ch.)	Y 7	Paris (R. de)	Y 18
Thiers (R.)	Y 24	Devosge (R. F.)	Y 9	Perrières (R. du Fg-des)	Z 20
		Eglise (R. de l')	Y 10	Sous-Préfecture (Pl. de la)	Z 23
Abreuvoir (R. de l')	Y 2	Gaulle (Av. Gén.-de)	Z 14	4-Septembre (Pl. du)	Y 26
Bour (Pl. E.)	Y 4	Libération (Av. de la)	Z 15		
Casernes (R. des)	Z 6	Marché (R. du)	Z 17		

- **Le Fer à Cheval** Ⓜ sans rest, 9 av. Carnot ✆ 84 65 32 55, Fax 84 65 42 63 – TV ☎ Ⓟ. AE ⓓ GB JCB — Y **n**
  fermé 24 déc. au 4 janv. – ☕ 26 – **46 ch** 170/235.
- **Cratô,** 65 Gde Rue ✆ 84 65 11 75 – GB — Y **s**
  fermé 23 déc. au 5 janv., le midi en août et merc. – **R** 80/140.

à Rigny par ① D 70 et D 2 : 5 km – ✉ **70100** :

🏨 **Château de Rigny** 🐦, ✆ 84 65 25 01, Fax 84 65 44 45, « Parc aménagé en bordure de la Saône », 🏊, 🎾 – 📺 ☎ 🅿 – 🧑‍🤝‍🧑 25. AE ⓓ GB. 🚫 rest
fermé 6 au 30 janv. – **R** 180/300 – ☕ 48 – **24 ch** 300/480.

à Nantilly par ① et D 2 : 6 km – ✉ **70100** :

🏨 **Relais de Nantilly** 🐦, ✆ 84 65 20 12, Fax 84 65 35 31, ←, parc, 🏊, 🎾 – 📺 ☎ 🅿 – 🧑‍🤝‍🧑 25 à 100. AE ⓓ GB
avril-30 oct. et fermé lundi en avril-mai et oct. – **R** (dîner seul.) 200/300 – ☕ 60 – **19 ch** 450/900 – ½ P 490/915.

PEUGEOT-TALBOT Gar. Boffy, à Arc-lès-Gray par ① ✆ 84 64 80 79
RENAULT Autom. de la Saône, rte de Dôle ✆ 84 65 48 77 **N** ✆ 84 76 93 38

Ⓟ Bailly, chaussée d'Arc ✆ 84 65 07 06

GRENADE-SUR-L'ADOUR **40270** Landes 82 ① – 2 187 h. alt. 55.

Paris 719 – Mont-de-Marsan 14 – Aire-sur-l'Adour 18 – Orthez 50 – St-Sever 13 – Tartas 32.

XXX ✿✿ **Pain Adour et Fantaisie** (Oudill) M avec ch, 7 pl. Tilleuls ✆ 58 45 18 80, Fax 58 45 16 57, 🍽, « Terrasse au bord de l'eau » – ▤ ch 📺 ☎ ♿ 🅿 – 🧑‍🤝‍🧑 25. AE ⓓ GB. 🚫 ch
fermé 4 au 8 janv., lundi (sauf hôtel) et dim. soir sauf juil.-août et fêtes – **R** 170/390 et carte, enf. 80 – ☕ 80 – **11 ch** 480/780
Spéc. Cruchade de foie gras à la poêlée de champignons, Cannelon d'oie fondante au bouillon de légumes confits, Tourte chaude au chocolat amer. **Vins** Tursan, Madiran.

X **France** avec ch, 3 pl. Tilleuls ✆ 58 45 19 02 – ☎. GB
◆ *fermé 2 au 18 janv., 21 au 27 fév., dim. soir et lundi sauf juil.-août* – **R** 65/220 – ☕ 25 – **7 ch** 100/255 – ½ P 185/215.

RENAULT Gar. Dargelos ✆ 58 45 92 62 **N** ✆ 58 45 94 68

GRENDELBRUCH **67190** B.-Rhin 62 ⑧ ⑨ – 918 h. alt. 555.

Voir Signal de Grendelbruch ※★ SO : 2 km puis 15 mn, **G. Alsace Lorraine.**

Paris 415 – ◆Strasbourg 41 – Erstein 32 – Molsheim 17 – Obernai 16 – Sélestat 37.

🏠 **La Couronne,** rte Schirmeck ✆ 88 97 40 94 – ☎ 🅿
◆ *fermé 26 oct. au 30 nov.* – **R** 55/140 🍷 – ☕ 28 – **11 ch** 160/230 – ½ P 180/210.

GRENOBLE P **38000** Isère 77 ⑤ **G. Alpes du Nord** – 150 758 h. alt. 214.

Voir Site★★★ – Fort de la Bastille ※★★ par téléphérique EY – Vieille ville★ EY : Palais de Justice★ EY **J** – Patio★ de l'hôtel de ville FZ – Crypte★ de l'église St-Laurent FY – Musées : Peinture et sculpture★★ FZ **M**[1], Dauphinois★ EY.

⛳9 ✆ 76 89 03 47, par ⑤ : 11 km par D 524.

✈ de Grenoble-St-Geoirs : Air Inter ✆ 76 65 40 55, par ⑩ : 45 km.

🚗 ✆ 76 47 50 50.

ℹ Maison du Tourisme et Accueil de France (Informations, change et réservations d'hôtels, pas plus de 5 jours à l'avance) 14 r. République ✆ 76 54 34 36, Télex 980718 et à la gare SNCF ✆ 76 56 90 94 – A.C. 4 pl. Grenette ✆ 76 44 41 54.

Paris 573 ⑩ – Bourg-en-Bresse 136 ⑩ – Chambéry 56 ③ – ◆Genève 144 ③ – ◆Lyon 105 ⑩ – ◆Marseille 272 ⑩ – ◆Nice 332 ⑦ – ◆St-Étienne 149 ⑩ – Torino 235 ③ – Valence 92 ⑩.

Plans pages suivantes

🏨 **Park H.** M, 10 pl. Paul Mistral ✆ 76 87 29 11, Télex 320767, Fax 76 46 49 88, « Beaux aménagements intérieurs » – 🛗 🚭 ch ▤ 📺 ☎ ♿ 🚗 – 🧑‍🤝‍🧑 60. AE ⓓ GB FZ **w**
fermé 1er au 23 août et 24 déc. au 3 janv. – **La Taverne de Ripaille** *(fermé dim. midi)* **R** carte 165 à 280 – ☕ 50 – **50 ch** 625/1250, 10 appart. 1150/1675.

🏨 **Président** M, r. Gén. Mangin ✆ 76 56 26 56, Télex 308393, Fax 76 56 26 82 – 🛗 🚭 ch ▤ 📺 ☎ ♿ 🚗 🅿 – 🧑‍🤝‍🧑 200. AE ⓓ GB AX **y**
R 95/160, enf. 50 – ☕ 50 – **102 ch** 430/580.

🏨 **Mercure Alpotel** M, 12 bd Mar. Joffre ✆ 76 87 88 41, Télex 320884, Fax 76 47 58 52 – 🛗 🚭 ch ▤ 📺 ☎ ♿ – 🧑‍🤝‍🧑 300. AE ⓓ GB JCB EZ **d**
R 115 🍷, enf. 45 – ☕ 50 – **88 ch** 440/510.

🏨 **Lesdiguières** (École Hôtelière), 122 cours Libération ✉ 38100 ✆ 76 96 55 36, Télex 320306, Fax 76 48 10 13, parc – 🛗 📺 ☎ 🅿 – 🧑‍🤝‍🧑 50. AE ⓓ GB JCB. 🚫 rest
fermé août – **R** 130/175 – ☕ 38 – **36 ch** 305/490. AX **m**

🏨 **Europole** M, 29 r. P. Sémard ✆ 76 49 51 52, Télex 308341, Fax 76 21 99 00 – 🛗 ▤ ch 📺 ☎ ♿ 🚗 – 🧑‍🤝‍🧑 100. AE ⓓ GB DZ **d**
L'Orangeraie R 120/180 – **brasserie Midi Minuit R** carte 140 à 270 🍷 – ☕ 46 – **72 ch** 415/650.

🏨 **Angleterre** sans rest, 5 pl. V.-Hugo ✆ 76 87 37 21, Télex 320297, Fax 76 50 94 10 – 🛗 ▤ 📺 ☎. AE ⓓ GB EZ **z**
☕ 45 – **70 ch** 420/630.

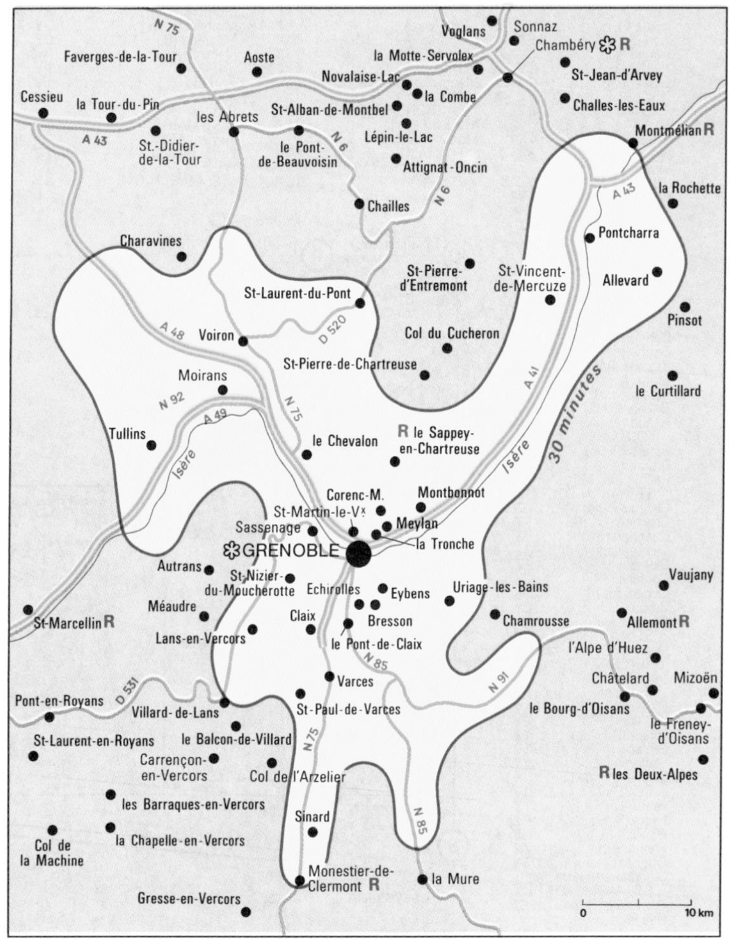

Patrick H. M sans rest, 116 cours Libération ✉ 38100 ℰ 76 21 26 63, Télex 320320, Fax 76 48 01 07 – |♦| cuisinette TV ☎ P – 🏛 30. AE ⊙ GB — AX **a**
☕ 35 – **59 ch** 325/620.

Porte de France M sans rest, 27 quai C. Bernard ℰ 76 47 39 73, Fax 76 50 95 03 – |♦| TV ☎. AE ⊙ GB — DY **k**
☕ 35 – **40 ch** 235/300.

Rive Droite, 20 quai France ℰ 76 87 61 11, Fax 76 87 04 04 – |♦| TV ☎ P – 🏛 25. AE ⊙ GB — EY **u**
hôtel : fermé 18 déc. au 4 janv. ; rest. : fermé 25 au 31 déc., sam. midi et dim. – **R** carte 100 à 160, enf. 50 – ☕ 35 – **56 ch** 295/330 – ½ P 355/365.

Belalp sans rest, 8 av. V. Hugo ✉ 38170 Seyssinet ℰ 76 96 10 27, Fax 76 48 34 95 – |♦| TV ☎ P. GB JCB — AVX **h**
☕ 24 – **30 ch** 190/285.

Alpes sans rest, 45 av. F. Viallet ℰ 76 87 00 71, Fax 76 56 95 45 – |♦| TV ☎ 🚗. GB — DY **z**
☕ 22 – **67 ch** 200/260.

Bastille sans rest, 25 av. F. Viallet ℰ 76 43 10 27, Fax 76 87 52 69 – |♦| TV ☎. GB — DY **b**
☕ 22 – **54 ch** 180/265.

Patinoires sans rest, 12 r. Marie Chamoux ✉ 38100 ℰ 76 44 43 65, Télex 308703, Fax 76 44 44 77 – |♦| TV ☎ P. AE ⊙ GB — GZ **b**
☕ 24 – **35 ch** 207/276.

Blanchard (R. P.) . . . EYZ
Bonne (R. de) . . . . . . EY 10
Foch (Bd Mar.) . . . . DEZ
Grande-Rue . . . . EY 36
Grenette (Pl.) . . . . EY
Lafayette (R.) . . . . EY 37
Poulat (R. F.) . . . . EZ 48
Victor-Hugo (Pl.) . . . . EZ

Alliés (R. des) . . . . AX
Alma (R. de l') . . . . . . FY 2
Alsace-Lorraine (Av.) . . . . DYZ 3
Ampère (R.) . . . . AV
Antoine (R.) ST-MARTIN D'H. . CX 4
Augereau (R.) . . . . DZ
Bastille (Pl. de la) . . . DY 5
Bayard (R.) . . . . FY 6
Belgique (Av. Albert-Ier de) EFZ 7
Belgrade (R. de) . . . . EY 9
Berriat (Cours) . . AV-DZ
Bernard (Q. Cl.) . . . . DY
Berthelot (Av. M.)BX-FZ
Bizanet (R.) . . . . FGY
Blum (Av. L.) . . . . AX
Boissieux (R. B.-de) . EZ
Brenier (R. C.) . . . . . . DY 12
Briand (Av. A.) FONTAINE . . . . . . AV
Briand (Pl. A.) . . . . . . DY 13
Brocherie (R.) . . . . EY 15
Cachin (Av. M.) ST-MARTIN-D'H. . BX
Casimir-Périer (R.) . . . EZ 16
Champollion (R.) . . . . FZ 18
Chanrion (R. J.) . . . . . FZ 19
Clemenceau (Bd) . . FGZ
Clot-Bey (R.) . . . . EZ 21
Condillac (R.) . . . . EZ
Condorcet (R.) . . . . . DZ
Créqui (Q.) . . . . DEY
Croizat (Av. A.) ST-MARTIN-D'H.BCV
Desaire (Bd des Frères) SEYSSINET . . . . . . AV 22
Diables-Bleus (Bd des) . . . . FZ 23
Diderot (R.) . . . . AV 25
Dr-Girard (Pl.) . . . . . . FY 26
Driant (Bd Col.) . . . . . FZ 27
Esclangon (R. F.) . . . AV 28
Esmonin (Av. E.) . . . . AX
Eygala (Av. de l') CORENC . . . . BV
Fantin-Latour (R.) . . . FZ 29
Faure (R. E.) . . . . FZ
Flandrin (R. J.) . . . . . GZ 30
Fourier (R.) . . . . FZ 32
France (Q. de) . . . . DEY
Galochère (Av. de la) ST-MARTIN-D'H. . CX
Gambetta (Bd) . . . . DEZ
Gaulle (Av. Gén.-de) . . . . BX 33
Gaulle (Av. Gén.-de) SEYSSINS . . . . AX 35
Graille (Q. de la) . . . . DY
Grande-Rue LA TRONCHE . . . . BV
Grésivaudan (Av. de) CORENC. . . . . . . BCV
Gueymard (R. E.) . . . DY
Haxo (R.) . . . . FZ
Hébert (R.) . . . . FY
Hoche (R.) . . . . EZ
Jaurès (Av. J.) EYBENS . . . . BX
Jaurès (Cours J.) . . . . DZ
Jay (Q. S.) . . . . EY
Jeanne-d'Arc (Av.) . . GZ
Joffre (Bd Mar.) . . . . . EZ
Jongking (Q.) . . . . FY
Jouhaux (R. L.) . . . . . BX
Jouvin (Q. X.) . . . . . . FY
Lafontaine (Cours) . . . EZ
Lakanal (R.) . . . . EZ
Lavalette (Pl.) . . . . . . FY 38
Leclerc (Av. Gén.) ST-MARTIN-LE-V. AV 40
Leclerc (Av. Mar.) . . . FY
Lesdiguières (R.) . . . . EZ
L'Herminier (R. Cdt) . FY 41
Libération (Crs de la) AX

Lyautey (Bd Mar.) . . . . EZ 42
Lyon (Rte de) . . . . DY
Malakoff (R.) . . . . FGZ
Mallifaud (R.) . . . . EFZ
Mâquis-de-Grésivaudan (Av. des) LA TRONCHE . . . . BV 43
Marceau (R.) . . . . DEZ
Martyrs (R. des) FONTAINE . . . . AV
Mendès-France (Av. P.) POISAT . . . . BCX

Montorge (R.) . . . . EY 44
Mortillet (R. de) . . . . FGY
Moyrand (R.) . . . . FGZ
Notre-Dame (Pl.) . . . . FY
Pain (Bd J.) . . . . FZ
Pasteur (Pl.) . . . . FZ 45
Péri (Av. G.) ST-MARTIN-D'H. . . . . . . BCV
Perrière (Q.) . . . . EY 46
Perrot (Av. J.) . . . . BX-FZ
Poitié (Av.) St-MARTIN-D'H. . . . . BX

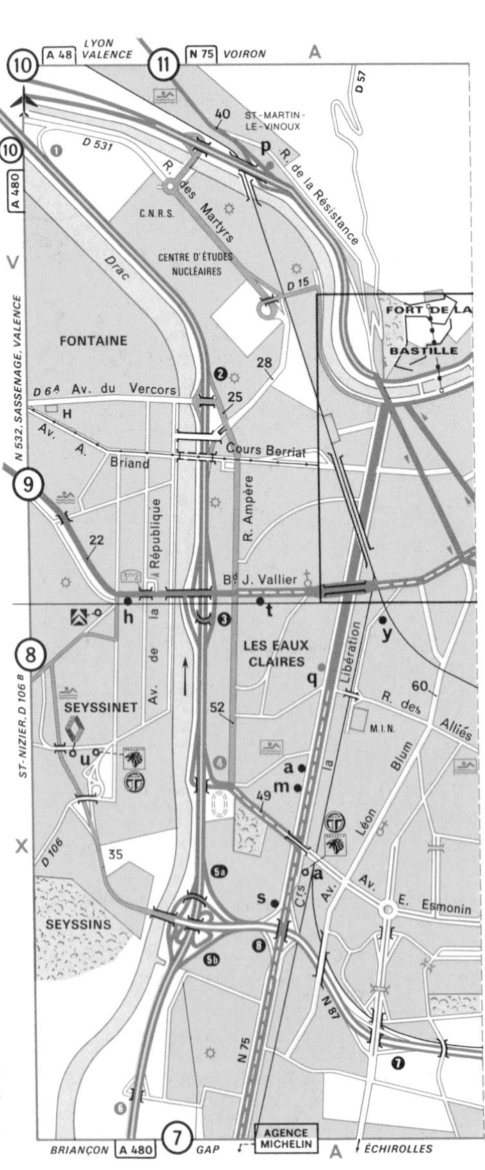

Prévert (Av. J.)
ST-MARTIN D'H. . . . . . . **CX**
Prévost (R. J.) . . . . **DZ**
Randon (Av. Mar.) . . . . **FY**
République (Av. de la)
SEYSSINET . . . . **AVX**
Résistance (R. de la)
FONTAINE . . . . **AV**
Rey (Bd Ed.) . . . . **EY**
Reynier (R. A.) . . . . **AX** 49
Reynoard (Av. M.) . . . . **BX** 50
Rhin-et-Danube
(Av.) . . . . **AX** 52

Rivet (Pl. G.) . . . . **EZ** 53
Romain-Rolland (Av.)
ST-MARTIN-D'H. . . . . **CX** 54
Rousseau (R. J.-J.) . . . . . **EY** 55
Sablon (Pont du) . . . . **GY**
St-André (Pl.) . . . . **EY** 56
Ste-Claire (Pl.) . . . . **EY** 57
Sembat (Bd A.) . . . . **EZ**
Servan (R.) . . . . **FY** 59
Stalingrad (R. de) . . . . . . **AX** 60
Strasbourg (R. de) . . . . . . **FZ** 62
Thiers (R.) . . . . **DZ**
Très-Cloîtres (R.) . . . . **FY** 63

Turenne (R.) . . . . **DZ**
Vallès (Av. J.) . . . . **BV** 65
Vallier (Bd J.) . . . . **AVX**
Valmy (Av. de) . . . . **GZ**
Vercors (Av. du)
FONTAINE . . . . **AV**
Verdun (Av. de)
MEYLAN . . . . **CV**
Verdun (Pl.) . . . . **FZ**
Viallet (Av. F.) . . . . **DEY**
Vicat (R.) . . . . **EZ** 66
Villars (R. D.) . . . . **FZ**
Voltaire (R.) . . . . **FY** 68

GRENOBLE

GRENOBLE

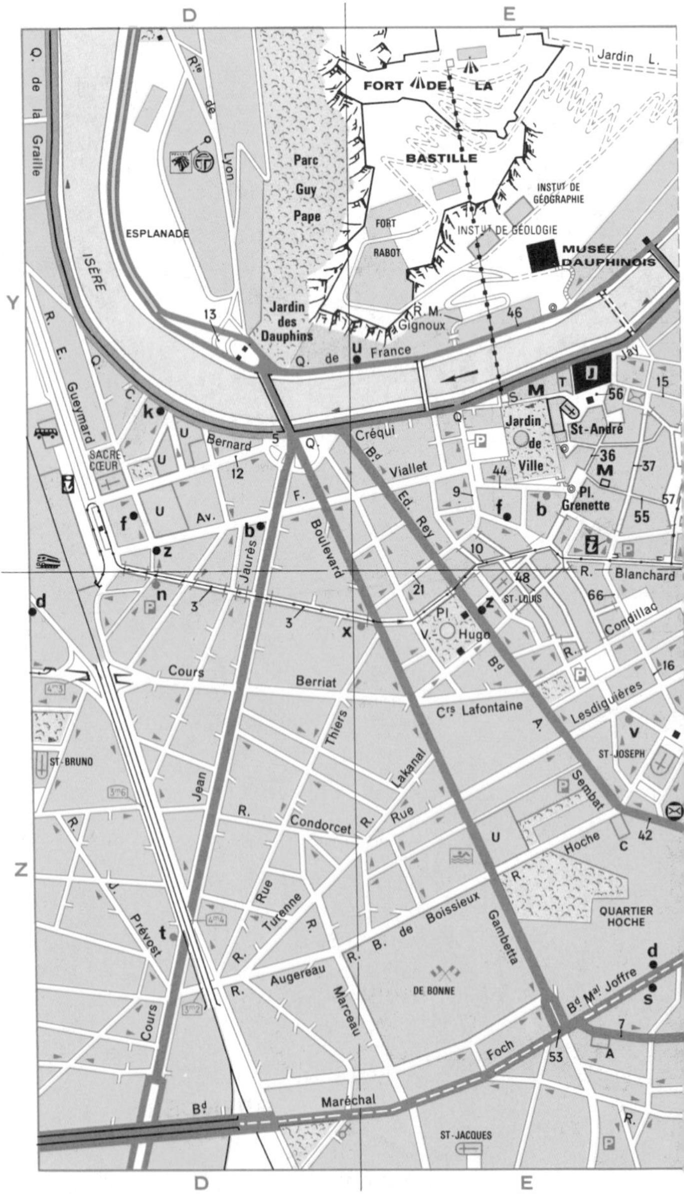

Champollion (R.)	FZ 18	Fourier (R.)	FZ 32	Rousseau (R. J.-J.)	EY 55
Chanrion (R. J.)	FZ 19	Lavalette (Pl.)	FY 38	St-André (Pl.)	EY 56
Clot-Bey (R.)	EZ 21	L'Herminier (R. Cdt)	FY 41	Ste-Claire (Pl.)	EY 57
Diables-Bleus (Bd des)	FZ 23	Lyautey (Bd Mar.)	EZ 42	Servan (R.)	FY 59
Dr Girard (Pl.)	FY 26	Montorge (R.)	EY 44	Strasbourg (R. de)	FZ 62
Driant (Bd Col.)	FZ 27	Pasteur (Pl.)	FZ 45	Très-Cloîtres (R.)	FY 63
Fantin-Latour (R.)	FZ 29	Perrière (Q.)	EY 46	Vicat (R.)	EZ 66
Flandrin (R. J.)	GZ 30	Rivet (Pl. G.)	EZ 53	Voltaire (R.)	FY 68

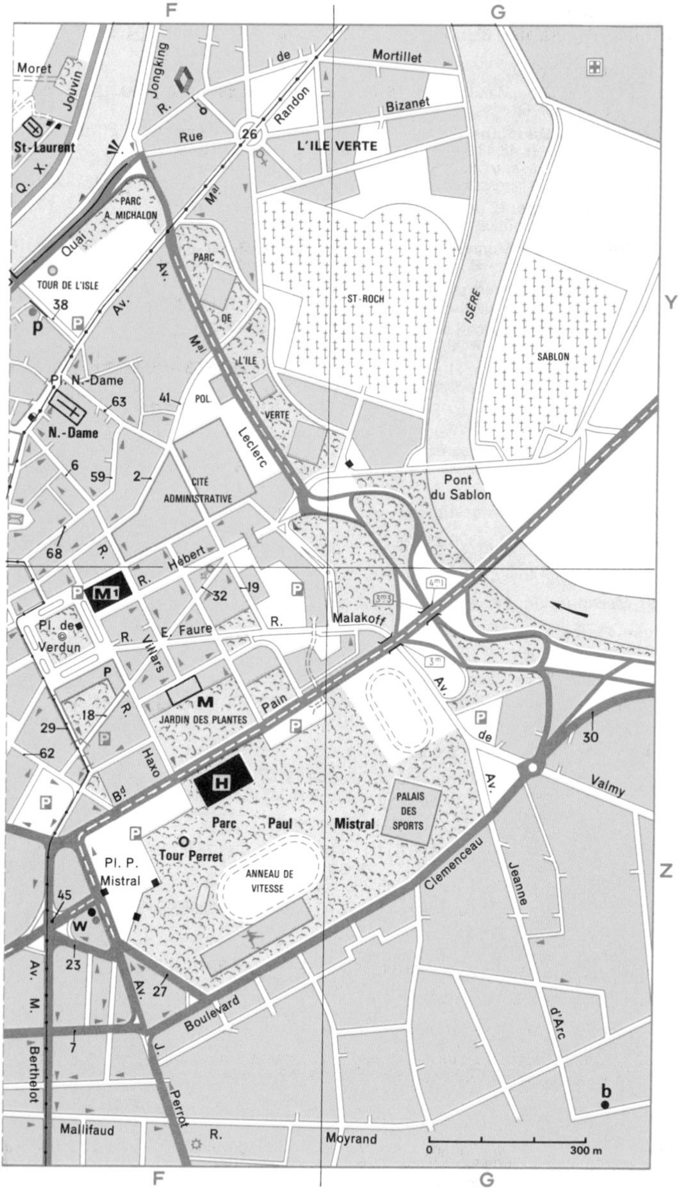

Paris-Nice sans rest, 61 bd J. Vallier ✉ 38100 ✆ 76 96 36 18, Fax 76 48 07 79 – TV ☎ . AE ⓓ GB AVX t
22 – **29 ch** 150/245.

Ibis M, 5 r. Miribel - centre commercial les Trois Dauphins ✆ 76 47 48 49, Télex 320890, Fax 76 47 78 22, – TV ☎ – 60. GB EY f
R 79 , enf. 39 – 32 – **71 ch** 310/360.

Tilleuls sans rest, 236 cours Libération ✉ 38100 ✆ 76 09 17 34 – ☎ ♿ P. GB. AX s
21 – **39 ch** 195/225.

Institut sans rest, 10 r. Barbillon ✆ 76 46 36 44, Fax 76 47 73 09 – TV ☎ . AE ⓓ GB DY f
25 – **51 ch** 170/250.

Gallia sans rest, 7 bd Mar Joffre ✆ 76 87 39 21, Fax 76 87 65 76 – TV ☎. AE ⓓ GB EZ s
23 – **35 ch** 150/250.

✿ **Manoir des Dauphins** (Salomon) M avec ch, 48 cours Libération ✆ 76 48 00 06, Télex 308692, Fax 76 48 43 04, , – TV ☎ P – 25. AE ⓓ GB AX q
fermé août, dim. soir et mardi – **R** 170/420, enf. 80 – 55 – **10 ch** 500/550
Spéc. Terrine de foie gras frais de canard, Pavé de bar grillé sur sa peau, Noisettes de dos de chevreuil de Sologne.

Poularde Bressane, 12 pl. P.-Mistral ✆ 76 87 08 90 – . AE ⓓ GB FZ w
fermé 14 juil. au 15 août, sam. midi et dim. sauf fériés – **R** 135/178.

Aub. Napoléon, 7 r. Montorge ✆ 76 87 53 64 – . AE ⓓ GB JCB EY b
fermé lundi midi et dim. – **R** (nombre de couverts limité-prévenir) 135/350.

Le Berlioz, 4 r. Strasbourg ✆ 76 56 22 39 – AE GB EZ v
fermé 1er au 10 mai, 22 juil. au 16 août, sam. midi et dim. – **R** 115/290.

La Madelon, 55 av. Alsace-Lorraine ✆ 76 46 36 90 – AE ⓓ GB DZ n
fermé sam. midi et dim. – **R** 98/156 , enf. 72.

Brasserie le Strasbourg, 11 av. Alsace-Lorraine ✆ 76 46 18 03 – . AE GB DEZ x
fermé 15 juil. au 15 août, lundi soir et dim. – **R** 80/168 .

L'Escalier, 6 pl. Lavalette ✆ 76 54 66 16, Fax 76 51 00 46 – AE ⓓ GB FY p
fermé sam. midi et dim. – **R** (déj. seul.) 140.

A Ma Table, 92 cours J. Jaurès ✆ 76 96 77 04 – GB DZ t
fermé 31 juil. au 1er sept., sam. midi, dim. et lundi – **R** (nombre de couverts limité - prévenir) carte 170 à 260.

au Centre des Congrès et Alpexpo - BX – ✉ **38100** Grenoble :

Mercure Alpexpo M, ✆ 76 33 02 02, Télex 980470, Fax 76 33 34 44, , – TV ☎ ♿ P – 180. AE ⓓ GB BX v
R 115/145 , enf. 45 – 50 – **98 ch** 445/555.

à St-Martin-le-Vinoux : 2 km par A 48 et N 75 - AV – 5 139 h. – ✉ **38950** :

Pique-Pierre, ✆ 76 46 12 88, Fax 76 46 43 90, – P. AE GB AV p
fermé mi-juil. à mi-août, dim. soir et lundi – **R** 150/360, enf. 65.

au Nord par D 57 rte Clémencière - AV : 4 km – ✉ **38950** St-Martin-le-Vinoux :

Bellevue sans rest, ✆ 76 87 68 17, Fax 76 46 18 37, ← – TV ☎ P. ⓓ GB.
fermé 22 déc. au 4 janvier – 24 – **20 ch** 185/250.

à la Tronche - BV – 6 454 h. – ✉ **38700** :

Trois Dauphins, 24 bd Chantourne ✆ 76 54 49 73, – . GB BV u
fermé sam. (sauf le midi de sept. à juin) et dim. – **R** 135/220 - **Snack R** carte 130 à 200 .

à Meylan : 3 km par N 90 - CV – 17 863 h. – ✉ **38240** :

Alpha M, 34 av. Verdun ✆ 76 90 63 09, Télex 980444, Fax 76 90 28 27, , – rest TV ☎ P – 25 à 150. AE ⓓ GB JCB BV e
R 90 bc/130 bc, enf. 42 – 48 – **75 ch** 395/465.

Belle Vallée sans rest, 2 av. Verdun ✆ 76 90 42 65, Télex 308873, Fax 76 90 65 98 – TV ☎ P. AE ⓓ GB CV a
35 – **30 ch** 250/330.

Les Relais de Meylan, 6 av. Granier ✆ 76 90 44 22, Fax 76 41 04 60, – TV ☎ ♿ P – 35. AE GB
R *(fermé dim.)* 80/140 , enf. 45 – 30 – **50 ch** 250 – 1/2 P 235.

à Corenc : 3 km par av. Mar.-Randon - BV – 3 356 h. – ✉ **38700** :

Trois Roses M sans rest, 32 av. Grésivaudan ✆ 76 90 35 09, Télex 980593, Fax 76 90 71 72 – TV ☎ P – 70. AE ⓓ GB JCB CV s
47 – **50 ch** 400/475.

E : 5 km par av. G. Péri et rocade-sud :

Ibis M, r. Condamine, quartier de Mayencin ✉ 38610 Gières ✆ 76 44 00 44, Télex 308855, Fax 76 51 03 58, – TV ☎ ♿ P – 70. GB CV k
R 79 , enf. 39 – 32 – **81 ch** 280/310.

à Eybens : par D 5 - BX – 8 013 h. – ✉ 38320 :

Château de la Commanderie, 17 av. Échirolles à 5 km ☎ 76 25 34 58, Fax 76 24 07 31, – TV ☎ P – 25. AE GB. rest BX d
R *(fermé sam. et dim.)* (dîner seul.) 160/180 – 40 – **25 ch** 350/550 – ½ P 355/405.

Fimotel M, à 2 km ☎ 76 24 23 12, Télex 980371, Fax 76 62 26 19, – TV ☎ P – 30. AE GB – **R** 70/95, enf. 36 – 35 – **42 ch** 270/285 – ½ P 208. BX f

Rustique Auberge, 134 av. J. Jaurès à 5 km ☎ 76 25 24 70 – AE GB JCB
fermé août, sam. midi et dim. – **R** 100/250. BX b

à Échirolles 4 km - AX – 34 435 h. – ✉ 38130 :

Dauphitel M, av. Grugliasco ☎ 76 23 24 72, Télex 980612, Fax 76 40 42 64, – rest TV ☎ P – 30. AE GB. rest BX e
R *(fermé 9 au 24 août, 23 déc. au 5 janv., sam. midi et dim.)* 115 – 40 – **68 ch** 250/330 – ½ P 280/305.

par la sortie ② :

à Montbonnot-St-Martin 7 km N 90 – ✉ 38330.

Voir Bec de Margain ≤** NE : 13 km puis 30 mn.

Les Mésanges, ☎ 76 90 21 57, « Jardin et terrasse ombragés » – AE GB
fermé 3 au 25 août,, vacances de fév., dim. soir et lundi – **R** 100/340.

par la sortie ⑥ :

à Bresson par D 269^c : 8 km – ✉ 38320 :

Chavant avec ch, ☎ 76 25 15 14, Fax 76 62 06 55, « Jardin ombragé », – TV ☎ P. AE GB. rest – *fermé 26 au 31 déc.* – **R** *(fermé lundi d'oct. à mai et sam. midi)* carte 280 à 390 – 55 – **6 ch** 750.

par la sortie ⑦ :

à Pont-de-Claix : 8 km – 11 871 h. alt. 251 – ✉ 38800 :

Globe avec ch, 1 cours St-André ☎ 76 98 05 25, Fax 76 98 82 52 – ☎. GB
fermé dim. soir et lundi – **R** 75/185 – 35 – **10 ch** 170/210 – ½ P 270.

à Claix par A 480, sortie 9 – 6 960 h. – ✉ 38640 :

Primevère M, 2 r. Europe ☎ 76 98 84 54, ≤, – TV ☎ P – 35. GB
R 74/160, enf. 40 – 32 – **45 ch** 260.

à Varces : 13 km – 4 592 h. – ✉ 38760 :

Relais de l'Escale avec ch, ☎ 76 72 80 19, Fax 76 72 92 58, « Chalets dans un jardin ombragé » – ch TV ☎ P. AE GB
fermé 1er janv. au 5 fév., dim. soir et lundi du 1er oct. au 15 mai et mardi du 15 mai au 30 sept. – **R** 180/360 – 60 – **7 ch** 420/490, (chalets) – ½ P 525.

à St-Paul-de-Varces par N 75 et D 107 : 17 km – ✉ 38760 :

Aub. Messidor, ☎ 76 72 80 64, – GB JCB
fermé fév., mardi soir et merc. – **R** 110/240.

par la sortie ⑩ :

à Sassenage : 5 km – 9 788 h. – ✉ 38360 :

Syndicat d'Initiative pl. Libération ☎ 76 53 17 17.

Le Relais de Sassenage M, Z.I. l'Argentière ☎ 76 27 20 21, Fax 76 53 56 04, – TV ☎ P – 50. AE GB
R *(fermé dim. soir)* 115/195, enf. 72 – 38 – **47 ch** 275/305.

A 48 - échangeur Voreppe : 12 km – ✉ 38340 Voreppe :

Novotel M, ☎ 76 50 81 44, Télex 320273, Fax 76 56 76 26, ≤, – ch TV ☎ P – 25 à 180. AE GB
R carte environ 150, enf. 52 – 46 – **114 ch** 405.

par la sortie ⑪ :

au Chevalon : 11,5 km – ✉ 38340 Voreppe :

La Petite Auberge, ☎ 76 50 08 03, produits de la mer, – P. GB
fermé 5 août au 1er sept, 11 au 17 janv., dim. soir et lundi – **R** 195/250.

MICHELIN, Agence régionale, r. A.-Bergès, ZI des Iles, Le Pont de Claix par ⑦ ☎ 76 98 51 54

OPEL Éts Raymond, 56 bd Foch ☎ 76 87 21 34
PEUGEOT-TALBOT Bernard, 237 cours Libération AX a ☎ 76 09 43 54 N ☎ 76 60 22 07
PEUGEOT-TALBOT Bastille, 51-53 rte de Lyon DY ☎ 76 46 71 67
RENAULT Splendid-Gar., 4 r. E.-Delacroix FY ☎ 76 42 74 72
SAAB Villeneuve-Auto, 8 av. M.-Reynoard ☎ 76 40 57 56

Piot-Pneu, 27 bd Mar.-Foch ☎ 76 46 69 83
Tessaro-Pneus, 86 cours J.-Jaurès ☎ 76 46 00 91

Périphérie et environs

CITROEN Garnier Automobiles, 28 bd Chantourne à La Tronche BV ℘ 76 42 46 36 N
CITROEN S.A.D.A., 38 av. J-Jaurès à Eybens par ⑥ ℘ 76 24 20 63
CITROEN Gar. Jourdan, 30 av. Houille Blanche à Seyssinet-Pariset AX ℘ 76 21 07 45
FIAT Gar. de Savoie, 43/45 bd Paul Langevin à Fontaine ℘ 76 27 38 17
MAZDA Sudautos, 78 cours J.-Jaurès à Échirolles ℘ 76 23 30 63
MERCEDES-BENZ G.S.M., 117 av. G.-Péri à St-Martin-d'Hères ℘ 76 54 42 18
NISSAN Autostyl, Rocade Sud ZI à St-Martin-d'Hères ℘ 76 62 81 81
PEUGEOT-TALBOT Pulicari, 18 av. de Grenoble à Seyssinet-Pariset AX u ℘ 76 96 63 67
PEUGEOT-TALBOT Gar. Guzzo, ZA des Tuileries 2 à Seyssinet-Pariset AX ℘ 76 48 63 02
RENAULT Esso-Service du Moucherotte, 117 cours J.-Jaurès à Échirolles par ⑦ ℘ 76 09 16 24
RENAULT Lambert, 24 av. de Romans à Sassenage par ⑨ ℘ 76 27 40 62
RENAULT Percevalière Automobiles, 11 r. Tuilerie à Seyssinet-Pariset AX u ℘ 76 48 57 99
V.A.G Guillaumin, 13 av. V.-Hugo à Échirolles ℘ 76 23 20 81

Briday-Pneus, 1 r. 19-Mars-1962 à Échirolles ℘ 76 22 25 27
Gonthier Frères, 1 r. de Chamechaude à Sassenage ℘ 76 27 11 11
Gonthier-Frères, 131 av. G.-Péri à St-Martin-d'Hères ℘ 76 54 36 83
Piot Pneu, 39 bd Paul Langevin à Fontaine ℘ 76 26 32 45
Piot Top Way, 91 av. G.-Péri à St-Martin-d'Hères ℘ 76 42 10 59
Piot-Pneu, 96 cours J.-Jaurès à Échirolles ℘ 76 09 11 95
Piot-Pneu, ZI av. de l'Ile Brune à St-Égrève ℘ 76 75 86 69

GRÉOLIÈRES-LES-NEIGES 06620 Alpes-Mar. 81 ⑲ 195 ㉔ – alt. 1 450 – Sports d'hiver : 1 400/1 800 m ≴10.

Paris 851 – Castellane 51 – Grasse 47 – ♦Nice 67 – Vence 45.

Alpina ⛰, ℘ 93 59 70 19, ← – cuisinette ☎ 🅟. AE GB
fermé 15 avril au 31 mai et 15 nov. au 20 déc. – **R** *(fermé jeudi)* carte 120 à 180 – ⊡ 28 – **8 ch** 230/315 – ½ P 275.

GRÉOUX-LES-BAINS 04800 Alpes-de-H.-P. 84 ④ ⑤ **G. Alpes du Sud** – 1 718 h. alt. 360 – Stat. therm. (17 fév.-19 déc.).

Office Municipal du Tourisme av. Marronniers ℘ 92 78 01 08.

Paris 769 – Digne 66 – Aix-en-Provence 52 – Brignoles 58 – Manosque 13 – Salernes 52.

Villa Borghèse ⛰, ℘ 92 78 00 91, Télex 401513, Fax 92 78 09 55, ⛱, 🌳, 🎾 – 🛗 ▤ TV ☎ 🚗 🅟 – 🏛 80. AE ⓓ GB. ✻ rest
8 mars-24 nov. – **R** 150/260 – ⊡ 50 – **70 ch** 330/560 – P 470/530.

La Crémaillère M, rte Riez ℘ 92 74 22 29, Télex 420347, Fax 92 74 27 38, ⛱, 🌳, 🎾 – 🛗 TV ☎ 🅟. AE ⓓ GB. ✻ rest
fermé 20 déc. au 15 fév. – **R** 160/330 – ⊡ 40 – **54 ch** 320/360 – ½ P 293.

Lou San Peyre, rte Riez ℘ 92 78 01 14, Fax 92 78 03 85, 🏖, ⛱, 🌳, 🎾 – 🛗 TV ☎ 🅟. AE ⓓ GB. ✻ rest
mars-nov. – **R** 93/127, enf. 50 – ⊡ 31 – **46 ch** 295/340 – ½ P 271/294.

Gd Jardin, ℘ 92 74 24 74, Fax 92 74 24 79, 🏖, parc, ⛱, 🎾 – 🛗 TV ☎ 🅟 – 🏛 25. GB ✻ ch
20 mars-20 nov. – **R** 80/160, enf. 45 – ⊡ 26 – **90 ch** 120/260 – P 270/320.

RENAULT Gallégo ℘ 92 78 00 50

GRESSE-EN-VERCORS 38650 Isère 77 ⑭ **G. Alpes du Nord** – 265 h. alt. 1 250 – Sports d'hiver : 1 205-1 800 m ≴16 ⛷.

Voir Col de l'Allimas ←★ S : 2 km.

Syndicat d'Initiative à la Mairie (saison) ℘ 76 34 33 40.

Paris 616 – ♦Grenoble 47 – Clelles 20 – Monestier-de-Clermont 13 – Vizille 43.

Le Chalet M ⛰, ℘ 76 34 32 08, Fax 76 34 31 06, ←, 🏖, ⛱, 🎾 – TV ☎ 🚗 🅟. GB. ✻
fermé 18 avril au 23 mai et 25 oct. au 20 déc. – **R** 80/260, enf. 48 – ⊡ 32 – **25 ch** 260/350 – ½ P 290/320.

Rochas, ℘ 76 34 31 20 – ☎. AE GB. ✻
fermé 1er nov. au 20 déc. – **R** 92/200 🍷, enf. 48 – ⊡ 33 – **8 ch** 185/240 – ½ P 190.

GRESSWILLER 67190 B.-Rhin 87 ⑮ – 1 181 h. alt. 197.

Paris 481 – ♦Strasbourg 29 – Obernai 13 – Saverne 32 – Sélestat 38.

A l'Écu d'Or, r. Gutenberg ℘ 88 50 16 00, Fax 88 50 15 11 – ⇔ ch TV ☎ ♿ 🅟. AE ⓓ GB
R *(fermé sam. midi)* 79/345 🍷, enf. 59 – ⊡ 37 – **25 ch** 240/270 – ½ P 230.

CITROEN Gar. Fritsch ℘ 88 50 04 10

MICHELIN'S WINNING FORMULA

THE INTRODUCTION OF A SINGLE EUROPEAN MARKET HERALDS NOT ONLY SOCIAL AND ECONOMIC CHANGE BUT ALSO A NEED FOR PEOPLE TO BE INCREASINGLY MOBILE. MEANWHILE, BRITISH DRIVERS WILL CONTINUE TO ENCOUNTER WEATHER AND CONSEQUENTLY MOTORING CONDITIONS THAT ARE AS VARIED AS EVER.

FACED WITH THESE CHALLENGES, MOTORISTS HAVE BEEN DEMANDING A TYRE THEY CAN RELY ON, WHATEVER THE ROAD AND WEATHER CONDITIONS.

MILES MORE GRIP

AFTER YEARS OF RESEARCH AND MILES OF CALCULATIONS MICHELIN HAS CREATED A RADIAL TYRE TO MEET THE CHALLENGES AND PERFORMANCE REQUIREMENTS OF THE NINETIES. A REMARKABLY VERSATILE TYRE WHICH IS EQUALLY AT HOME ON WET, DRY AND GREASY ROADS.

IT'S CALLED THE MXT - A WINNING FORMULA FOR THE EVERYDAY DRIVER.

COMPARED WITH PREVIOUS TYRES IN ITS CLASS THE SURE-FOOTED MXT OFFERS MORE GRIP, LASTS LONGER AND ACHIEVES SHORTER BRAKING DISTANCES IN THE WET.

=MXT

WITH ITS WIDER, DEEPER GROOVES AND INTRICATE TREAD PATTERN, THE MXT IMPROVES BRAKING IN THE RAIN AND CUTS THE RISK OF AQUAPLANING.

WHAT'S MORE, THE MXT NOT ONLY PERFORMS SUPERBLY BUT OFFERS A SIGNIFICANT REDUCTION IN ROAD NOISE AND GREATER LEVELS OF DRIVER AND PASSENGER COMFORT.

IN THE FAST LANE

MICHELIN CONTINUES TO DEVELOP NEW AND ORIGINAL IDEAS TO MEET THE HIGHER PERFORMANCE LEVELS OF PRESENT-DAY VEHICLES.

TAKE THE COMPANY'S MXV AND MXX RANGE OF TYRES. CAPABLE OF SPEEDS UP TO AND OVER 240 KM/H (150 MPH), THESE TYRES ARE HIGHLY RESPONSIVE, BLENDING SUPERIOR LEVELS OF ROADHOLDING WITH IMPECCABLE RIDE COMFORT. PRODUCED IN A RANGE OF DISTINCTIVE LOW AND ULTRA-LOW PROFILES, MICHELIN'S MXV AND MXX RADIAL TYRES CAN PROVE AS VITAL TO YOUR CAR'S PERFORMANCE AS A FINELY-TUNED ENGINE.

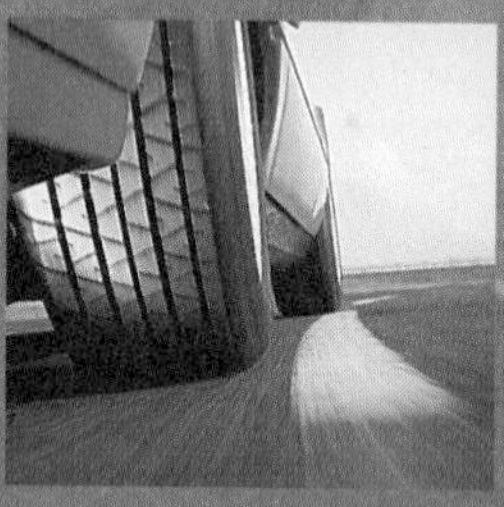

AFTER ALL, WHAT ELSE WOULD YOU EXPECT FROM THE WORLD'S LEADING TYRE MANUFACTURER? MICHELIN MAKES TYRES FOR PRACTICALLY EVERY TYPE OF WHEELED VEHICLE AND TASK IMAGINABLE. FROM FAMILY CARS, TRUCKS AND BUSES TO EARTHMOVING MACHINES, FORKLIFT TRUCKS AND RACING BIKES. AND BELIEVE IT OR NOT, UNDERGROUND TRAINS.

FOR MORE INFORMATION ABOUT MICHELIN'S RANGE OF TYRES, ASK YOUR LOCAL TYRE DEALER OR CONTACT OUR LONDON OFFICE: MICHELIN TYRE PLC, MARKETING DEPARTMENT, DAVY HOUSE, LYON ROAD, HARROW, MIDDLESEX, HA1 2DQ. TELEPHONE: 081- 861 2121

TYRES & TOURISM

MICHELIN'S REPUTATION FOR TYRES IS MATCHED BY THE QUALITY OF ITS MOTORING PUBLICATIONS. THE FIRST RED GUIDE WAS PUBLISHED IN 1900. TODAY THE COMPANY PUBLISHES MORE THAN 270 SEPARATE MAPS, GUIDES AND ATLASES.

ATTENTION TO DETAIL, ACCURACY AND EASE OF USE REMAIN PRIME FEATURES OF MICHELIN'S TITLES WHICH CURRENTLY COVER VIRTUALLY ALL OF EUROPE, AS WELL AS PARTS OF AFRICA, MEXICO AND NORTH AMERICA.

IN RESPONSE TO CUSTOMER DEMAND, MICHELIN RECENTLY LAUNCHED A NEW GREEN GUIDE TO GREAT BRITAIN. FOR THE FIRST TIME IT COVERS THE WHOLE OF THE COUNTRY IN A SINGLE VOLUME AND IS FILLED WITH USEFUL INFORMATION ABOUT THE BRITISH CULTURE, PEOPLE, ECONOMY, HISTORY, AND ARCHITECTURE. PLACES OF INTEREST ARE HIGHLIGHTED AND GRADED BY A STAR RATING SYSTEM. AN ABUNDANCE OF MAPS, STREET PLANS AND COLOUR PHOTOGRAPHS SUPPORT THE TEXT.

THIS YEAR WILL ALSO SEE A NEW EDITION OF MICHELIN'S ROAD ATLAS TO GREAT BRITAIN AND IRELAND AND A GREEN GUIDE TO THE U.S. CAPITAL WASHINGTON DC.

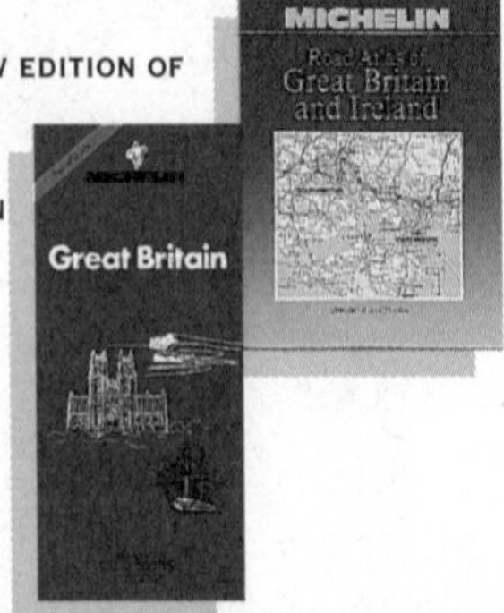

THEY'RE BACK !

REMEMBER I-SPY BOOKS? POCKET-SIZED PUBLICATIONS THAT KEPT CHILDREN AMUSED ON LONG JOURNEYS AND HOLIDAYS IN THE 1950S AND 60S.

MICHELIN, IN CONJUNCTION WITH I-SPY BOOKS, HAS RELAUNCHED THE FAMOUS SERIES GIVING IT A FRESH NEW LOOK. MORE THAN TWENTY TITLES SPECIALLY CREATED TO APPEAL TO CHILDREN OF THE NINETIES CAN NOW BE FOUND IN BOOKSHOPS EVERYWHERE.

PACKED WITH MASSES OF THINGS TO SPOT AND QUESTIONS TO ANSWER, THE COLOURFUL ACTIVITY BOOKS ENCOURAGE

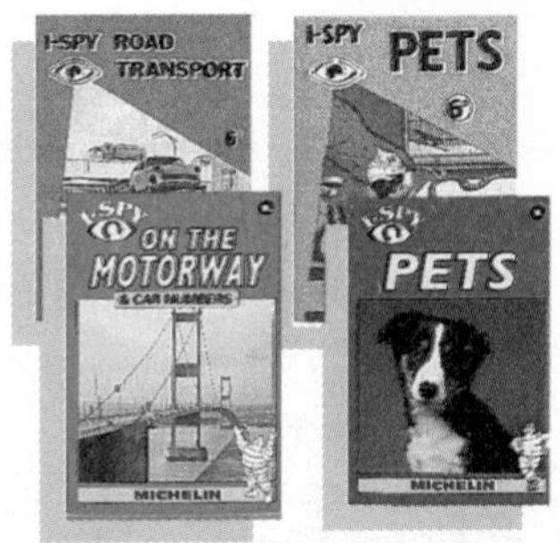

CHILDREN TO LEARN BY KEEPING THEIR EYES OPEN.

TITLES CURRENTLY AVAILABLE COVER ALL EVENTS - IN THE NIGHT SKY, CREEPY CRAWLIES, HORSES AND PONIES, LONDON, AT THE SEASIDE, ON A CAR JOURNEY AND MUCH MORE.

TRAVELLERS WILL ALSO BENEFIT FROM SAME-SCALE REPRODUCTIONS OF MICHELIN MAPS FOUND IN THE I-SPY MINI-ATLASES OF BRITAIN, FRANCE, AND THE WORLD.

WATCH OUT TOO FOR THE BIG I-SPY BOOK - A BUMPER EDITION BURSTING WITH NEW INFORMATION, EDUCATIONAL FEATURES, PUZZLES AND GAMES.

GRÉSY-SUR-AIX **73** Savoie 74 ⑮ – rattaché à Aix-les-Bains.

GRÉSY-SUR-ISÈRE **73740** Savoie 74 ⑯ – 890 h. alt. 357.

Env. Site** et ≤** du château de Miolans* SO : 7 km, **G. Alpes du Nord.**

Paris 581 – Albertville 19 – Aiguebelle 12 – Chambéry 37 – St-Jean-de-Maurienne 47.

La Tour de Pacoret ⛰, NE : 1,5 km par D 201 ✉ 73460 Frontenex ☎ 79 37 91 59, Fax 79 37 93 84, ≤ vallée et montagnes, parc – ☎ P. AE GB ✻
mars-oct. – **R** *(fermé mardi midi)* (nombre de couverts limité - prévenir) 120/200 – ☕ 35 – **10 ch** 250/380 – ½ P 270/330.

La GRIÈRE **85** Vendée 171 ⑪ – rattaché à La Tranche-sur-Mer.

GRIGNAN **26230** Drôme 81 ② **G. Provence** (plan) – 1 300 h. alt. 197.

Voir Château** : ✻*.

Paris 633 – Crest 47 – Montélimar 25 – Nyons 23 – Orange 36 – Pont-St-Esprit 37 – Valence 73.

La Roseraie, rte Valréas ☎ 75 46 58 15, Fax 75 46 91 55, 🏞, « Élégant manoir dans un parc, 🏊, 🎾 » – ⇆ ch TV ☎ P – 🏫 50. AE GB
fermé 7 au 31 janv. et lundi hors sais. – **R** (nombre de couverts limité - prévenir) 180/220, enf. 90 – ☕ 70 – **14 ch** 650/950 – ½ P 510/680.

Relais de Grignan, rte Montélimar ☎ 75 46 57 22, 🏞, 🌳 – P. GB
fermé 15 au 30 sept., dim. soir et lundi sauf juil.-août – **R** 130/250, enf. 48.

CITROEN Ferretti ☎ 75 46 51 78 — RENAULT Monier ☎ 75 46 51 24 N ☎ 75 46 53 28

GRIMAUD **83310** Var 84 ⑰ **G. Côte d'Azur** – 3 322 h. alt. 100.

Office de Tourisme bd des Aliziers ☎ 94 43 26 98

Paris 867 – Fréjus 31 – Brignoles 54 – Le Lavandou 33 – St-Tropez 9 – Ste-Maxime 11,5 – ♦Toulon 64.

La Boulangerie M ⛰, O : 2 km par D 14 et VO ☎ 94 43 23 16, ≤, parc, 🏞, 🏊, 🎾 – ☎ P. GB
hôtel : Pâques-10 oct. ; rest. : 15 mai-15 sept. et fermé lundi – **R** (déj. seul.)(résidents seul.) carte environ 200 – ☕ 50 – **10 ch** 660/780.

Coteau Fleuri ⛰, ☎ 94 43 20 17, Fax 94 43 33 42, ≤, 🏞, 🌳 – ☎. AE ⓓ GB. ✻ rest
fermé 8 au 18 déc., 2 au 31 janv. et mardi sauf juil.-août – **R** 190/295 – ☕ 45 – **14 ch** 350/450.

Athénopolis M ⛰ sans rest, O : 3,5 km par rte La Garde Freinet ☎ 94 43 24 24, Fax 94 43 37 05, ≤, 🏊, 🌳 – TV ☎ P. AE ⓓ GB
Pâques-31 oct. – ☕ 45 – **11 ch** 475/600.

✿ **Les Santons** (Girard), ☎ 94 43 21 02, « Cadre provençal » – ▤. ⓓ GB JCB
début avril-fin oct., 24 déc.-1er janv. et fermé le midi en juil.-août et merc. d'avril à juin – **R** 250/400, enf. 120
Spéc. Poissons de pays. Agneau de Sisteron rôti à la fleur de thym. Gibier (saison). **Vins** Bandol.

Café de France, ☎ 94 43 20 05, 🏞 – GB
fermé 15 oct. au 1er fév. et mardi – **R** 120/160

Sécurité-Pneus, N 98, St-Pons-les-Mures ☎ 94 56 36 02

GRIS-NEZ (Cap) ** **62** P.-de-C. 51 ① **G. Flandres Artois Picardie** – alt. 50 – ✉ **62179** Audinghen.

Paris 308 – ♦Calais 28 – Arras 128 – Boulogne-sur-Mer 20 – Marquise 13 – St-Omer 60.

Mauves ⛰, ☎ 21 32 96 06, 🌳 – ☎ P. GB. ✻
1er avril-15 nov. – **R** 96/215 – ☕ 31 – **16 ch** 230/390 – ½ P 265/390.

La Sirène, ☎ 21 32 95 97, ≤ mer – P. GB
fermé 14 déc. au 29 janv., le soir de sept. à avril (sauf sam.) lundi (sauf juil.-août) et dim. soir – **R** 97/247.

GROIX (Ile de) * **56590** Morbihan 58 ⑫ **G. Bretagne** – 2 472 h. alt. 39.

Voir Site* de Port-Lay – Trou de l'Enfer*.

Accès par transports maritimes pour **Port-Tudy** (en été **réservation indispensable** pour le passage des véhicules).

⛴ depuis **Lorient.** Saison, 8 services quotidiens ; hors saison, 4 à 6 services quotidiens - Traversée 45 mn – Tarifs : se renseigner par Cie Morbihannaise et Nantaise de Navigation, bd A.-Pierre ☎ 97 21 03 97 (Lorient).

Office de Tourisme Mairie ☎ 97 86 53 08 et Port Tudy (saison) ☎ 97 86 54 86.

La Marine, au Bourg ☎ 97 86 80 05, 🏞 – ☎. GB
fermé 4 janv. au 4 fév., dim. soir et lundi hors sais. sauf vacances scolaires – **R** 68/140, enf. 43 – ☕ 33 – **22 ch** 184/366 – ½ P 199/283.

Ty Mad avec ch, au port ☎ 97 86 80 19, ≤ – ⇆ ☎ P. AE GB. ✻
Pâques-oct. – **R** 80/160, enf. 40 – ☕ 28 – **30 ch** 190/300 – ½ P 250/300.

Demandez chez le libraire le catalogue des publications Michelin.

GROLÉJAC **24250** Dordogne 75 ⑰ – 545 h. alt. 80.

Paris 544 – Sarlat la Caneda 12 – Gourdon 13 – Périgueux 78.

Le Grillardin, ☎ 53 28 11 02, – . GB.
1er mars-7 oct. et fermé merc. hors sais. – **R** 65/170 – 26 – **14 ch** 130/220 – ½ P 150/200.

GROSLÉE **01680** Ain 74 ⑭ – 286 h. alt. 237.

Paris 496 – Belley 19 – Bourg-en-B. 68 – ♦Lyon 71 – La Tour-du-Pin 24 – Vienne 70 – Voiron 43.

Penelle, à Port de Groslée SO : 1 km sur D 19 ☎ 74 39 71 01, ≤, – . GB
fermé 1er janv. au 15 fév., lundi et mardi – **R** 80/200.

GROTTE voir au nom propre de la grotte.

GROUIN (Pointe du) **35** I.-et-V. 59 ⑥ – rattaché à Cancale.

GRUISSAN **11430** Aude 86 ⑩ **G. Pyrénées Roussillon** – 2 170 h. alt. 2 – Casino.

Syndicat d'Initiative bd du Pech Maynaud ☎ 68 49 03 25.

Paris 856 – ♦Perpignan 75 – Carcassonne 71 – Narbonne 17.

Corail M, au port ☎ 68 49 04 43, Fax 68 49 62 89, ≤ – . AE GB
1er fév.-5 nov. – **R** 80/160, enf. 40 – 35 – **32 ch** 230/340 – ½ P 265/280.

Plage sans rest, à la Plage ☎ 68 49 00 75 – .
Pâques-mi-sept. – **17 ch** 210/260.

Le GUA **17** Char.-Mar. 71 ⑭ – rattaché à Saujon.

GUEBERSCHWIHR **68420** H.-Rhin 62 ⑱ ⑲ **G. Alsace Lorraine** – 703 h.

Paris 455 – Colmar 12 – Guebwiller 17 – ♦Mulhouse 34 – ♦Strasbourg 85.

Relais du Vignoble et rest. Belle vue M , ☎ 89 49 22 22, Fax 89 49 27 82, ≤, – – 40. GB
fermé 1er fév. au 8 mars – **R** *(fermé merc. soir du 15 nov. au 15 avril et jeudi)* 75/230 – 45 – **30 ch** 220/450 – ½ P 240/280.

GUEBWILLER **68500** H.-Rhin 62 ⑱ **G. Alsace Lorraine** (plan) – 10 942 h. alt. 288.

Voir Église St-Léger★ : façade Ouest★★ – Intérieur★★ de l'église N.-Dame★ : Assomption★★ – Hôtel de Ville★ – Musée du Florival : décor★ d'une salle de bains, vase★ – Vallée de Guebwiller★★ NO – Buhl : retable de Buhl★★ dans l'église N : 3 km par D 430.

Office de Tourisme 5 pl. St-Léger ☎ 89 76 10 63.

Paris 464 – ♦Mulhouse 22 – Belfort 49 – Colmar 26 – Épinal 95 – ♦Strasbourg 99.

L'Ange, 4 r. Gare ☎ 89 76 22 11, Fax 89 76 50 08 – – 40. GB. rest
R *(fermé lundi hors sais. et dim. soir)* 60/400 – 35 – **36 ch** 210/340 – ½ P 270.

à Murbach NO par D 40II – ✉ **68530**.

Voir Église★★.

Host. St Barnabé , à 6,5 km ☎ 89 76 92 15, Télex 881036, Fax 89 76 67 80, ≤, « Maison fleurie dans le vallon, jardin », – – 40. AE GB
fermé vacances de fév. et dim. soir hors sais. – **R** 125/380 – 50 – **17 ch** 365/685 – ½ P 430/480.

Aub. Langmatt M , à 8,5 km ☎ 89 76 21 12, Fax 89 74 88 77, ≤, , parc, , – – 40. AE GB.
fermé 1er au 7 mars – **R** *(fermé merc.)* 160/326 – 46 – **22 ch** 440/720, 4 appart. 960 – ½ P 465/585.

à Jungholtz SE par D 51 : 6 km – ✉ **68500** :

Résidence Les Violettes , à Thierenbach ☎ 89 76 91 19, Fax 89 74 29 12, ≤, « Collection de voitures anciennes », , – . AE GB
R *(fermé lundi soir et mardi)* 170/370 – 50 – **24 ch** 520/710.

Host. de Thierenbach , à Thierenbach ☎ 89 76 93 01, , – . AE GB
fermé janv. et lundi hors sais. – **R** 170/330 , enf. 60 – 48 – **16 ch** 400/650 – ½ P 390/500.

Biebler avec ch, ☎ 89 76 85 75, , – – 60. AE GB. ch
fermé jeudi soir et vend. – **R** 100/280 – 35 – **15 ch** 120/280 – ½ P 220.

à Hartmannswiller SE par D 5 : 7 km – ✉ **68500** :

Meyer, sur D 5 ☎ 89 76 73 14, Fax 89 76 79 57, , – ch . AE GB.
fermé vend. – **R** *(fermé 1er au 15 juin, 15 au 31 janv., sam. midi et vend.)* 98/300 , enf. 45 – 35 – **16 ch** 165/270 – ½ P 225/280.

PEUGEOT-TALBOT Gar. du Parc, 11 rte de Soultz ☎ 89 76 83 15

RENAULT Gar. Valdan, Pénétrante N 83 ☎ 89 76 27 27

GUÉCÉLARD **72230** Sarthe 64 ③ – 2 261 h. alt. 45.

Paris 219 – ♦Le Mans 17 – Château-Gontier 74 – La Flèche 25 – Malicorne-sur-Sarthe 22.

à Fillé N : 4 km par D 156 **G. Châteaux de la Loire** – ✉ **72210** :

XX **Aub. du Rallye,** ✆ 43 87 14 08, , – Ⓟ GB
fermé 19 au 31 oct., 1er au 15 fév., dim. soir et lundi – **R** 115 (sauf week-ends)/180.

GUÉMENE-SUR-SCORFF **56160** Morbihan 59 ⑪ – 1 332 h. alt. 139.

Paris 479 – Vannes 66 – Concarneau 71 – Lorient 44 – Pontivy 21 – ♦Rennes 127 – St-Brieuc 72.

Bretagne, r. J. Peres ✆ 97 51 20 08, Fax 97 39 30 49, – TV ☎ Ⓟ – 30. GB
fermé 1er au 12 sept., 20 déc. au 10 janv. et sam. hors sais. – **R** 51/180 – ☕ 32 – **19 ch** 145/225 – ½ P 158/195

GUENROUËT **44530** Loire-Atl. 63 ⑮ – 2 383 h. alt. 43.

Paris 403 – ♦Nantes 54 – Redon 22 – St-Nazaire 39 – Vannes 69.

XX **Relais St-Clair,** rte Nozay ✆ 40 87 66 11 – GB
fermé vacances de fév., mardi soir et merc. sauf juil.-août – **R** 99/300, enf. 70.

RENAULT Gar. Richard ✆ 40 87 60 79

GUÉRANDE **44350** Loire-Atl. 63 ⑭ **G. Bretagne** (plan) – 11 665 h. alt. 52.

Voir Le tour des remparts★ – Collégiale St-Aubin★.

Office de Tourisme 1 pl. Marché aux Bois ✆ 40 24 96 71.

Paris 454 – ♦Nantes 77 – La Baule 7 – St-Nazaire 19 – Vannes 65.

Voyageurs M, pl. du 8 Mai 1945 ✆ 40 24 90 13, Fax 40 62 06 64, – TV ☎. GB
fermé 15 déc. au 30 janv. – **R** *(fermé le soir du 20 sept. au 1er avril)* 52/195, enf. 35 – ☕ 25 – **12 ch** 210/290 – ½ P 255/270

Les Remparts M, bd Nord ✆ 40 24 90 69 – . GB
fermé 22 déc. au 2 janv. – **Repas** *(fermé le soir du 5 nov. au 25 mars et dim. soir et lundi hors sais.)* 95/205, enf. 60 – ☕ 28 – **8 ch** 225/265 – ½ P 265/275

Eurocéan M sans rest, parc d'activités Villejames ✆ 40 42 90 42 – ☎ ♿ Ⓟ GB
☕ 28 – **33 ch** 280

Roc Maria sans rest, 1 r. Halles ✆ 40 24 90 51, « Maison du 15e siècle » – ☎. GB
fermé 15 nov. au 15 déc., merc. soir et jeudi hors sais. sauf vacances scolaires – ☕ 30 – **10 ch** 230/270

XXX **La Collégiale,** 63 fg Bizienne ✆ 40 24 97 29, , « Jardin fleuri » – AE GB
fermé 22 au 26 déc., fév., le midi en juil.-août, merc. midi de sept. à juin et mardi – **R** 150/350

CITROEN Gar. Mercier, 2 r. Letilly ✆ 40 24 90 35
PEUGEOT-TALBOT Cottais, rte de la Turballe ✆ 40 24 90 39 N ✆ 40 24 94 28
RENAULT Gar. de la Promenade, 3 bd Midi ✆ 40 24 91 39

La GUERCHE-DE-BRETAGNE **35130** I.-et-V. 63 ⑧ **G. Bretagne** – 4 123 h. alt. 77.

Paris 325 – Laval 39 – Châteaubriant 29,5 – Redon 85 – ♦Rennes 43 – Vitré 22.

La Calèche M , 16 av. Gén. Leclerc ✆ 99 96 21 63, Fax 99 96 49 52, – TV ☎ Ⓟ GB rest
fermé 15 au 31 août, dim. soir et lundi – **R** 65/155 – ☕ 40 – **12 ch** 180/250

Billon-Pneus, rte de Vitré ✆ 99 96 22 51

GUÉRET P **23000** Creuse 72 ⑨ **G. Berry Limousin** – 14 706 h. alt. 436.

Voir Salle du Trésor d'orfèvrerie★ du musée Z **M**.

Office de Tourisme 1 av. Ch.-de-Gaulle ✆ 55 52 14 29.

Paris 355 ① – ♦Limoges 81 ④ – Bourges 123 ① – Châteauroux 89 ① – Châtellerault 151 ⑥ – ♦Clermont-Ferrand 132 ③ – Montluçon 65 ② – Poitiers 144 ⑥ – Tulle 135 ④ – Vierzon 144 ①.

Plan page suivante

Auclair, 19 av. Sénatorerie ✆ 55 52 01 26, Fax 55 52 86 89, – TV ☎ Ⓟ – 30. GB — Z s
fermé 22 déc. au 2 janv. – **R** 80/140 – ☕ 30 – **31 ch** 200/295 – ½ P 280/310

Campanile, av. R. Cassin vers ① par av. Ch. de Gaulle ✆ 55 52 65 73, Télex 580415, Fax 55 52 56 16, – TV ☎ ♿ Ⓟ – 25. AE GB
R 77 bc/99 bc, enf. 39 – ☕ 28 – **48 ch** 258 – ½ P 234

X **Le Bouëradour,** 6 r. J. Ducouret ✆ 55 52 05 33 – GB — Z a
fermé 17 août au 12 sept., 23 déc. au 4 janv., dim. soir et lundi – **R** (prévenir) 115, enf. 50.

GUÉRET

Ancienne-Mairie (R. de l') . Z 4
Grande-Rue . . . . Z 15
Piquerelle (Pl.) . . . . Y 22

Allende (R. Salvador) . . . . . Y 2
Bonnyaud (Pl.) . . . . Z 5
Corneille (R. Pierre) . . . . . Y 7
Ducouret (R.) . . . . Z 9
Gane (Rond-Point de la) . . . . Y 12
Grand (R. Alfred) . . . . Y 13
Jaurès (R. Jean) . . . . Z 16
Londres (R. de) . . . . Y 17
Musset (R. Alfred-de) . . . . Y 19
Pasteur (Av.) . . . . YZ 20
Poitou (Av. du) . . . . Y 23
Rollinat (R. Maurice) . . . . . Y 25
Roosevelt (R. Franklin) . . . Y 26
St-Pardoux (Bd) . . . . Y 28
Verdun (R. de) . . . . Z 29
Zola (Bd Émile) . . . . Y 30

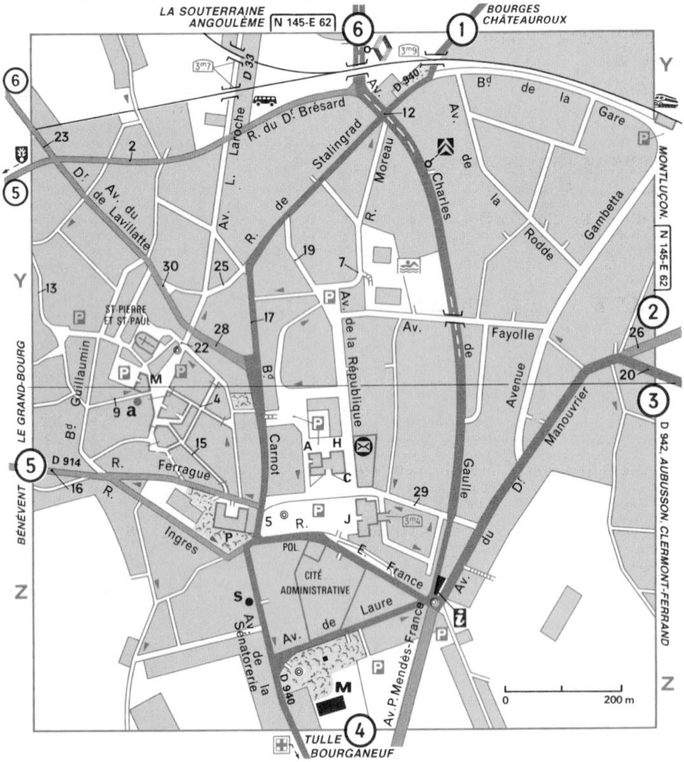

à Laschamps-de-Chavanat par ① : 5 km sur D 940 – ✉ **23000** Guéret :

Chez Peltier, ✆ 55 52 02 40 – Ⓟ. GB
fermé 12 juil. au 12 août et sam. – **R** (déj. seul.) 60/140 ♁.

à Ste-Feyre par ③ : 7 km – ✉ **23000**.

Voir Château du Théret★ SE : 3 km.

Touristes, ✆ 55 80 00 07 – GB.
fermé mardi soir et merc. hors sais. sauf fêtes – **R** 68/255 ♁.

CITROEN ASC, 21 av. Ch.-de-Gaulle ✆ 55 52 48 52
FIAT-LANCIA Gar. Bellevue, Le Verger N 145 à Ste-Feyre ✆ 55 52 43 65
FORD Gar. Martin Maurice, 15 r. E.-France ✆ 55 52 14 44
PEUGEOT-TALBOT Daraud, RN 145 à Ste-Feyre par ② ✆ 55 52 52 00 N ✆ 55 61 31 42
RENAULT Gén. Autom. Creusoise, av. Gén.-de-Gaulle Y ✆ 55 52 06 60 N ✆ 55 76 40 79

V.A.G Gar. St-Christophe, rte de Paris à Cherdemont par ① ✆ 55 52 15 78 N

Gaudon-Pneus, 25 av. Gambetta ✆ 55 52 00 36 N
Godignon Pneu +, av. Gén.-de-Gaulle ✆ 55 52 01 65

GUERLESQUIN 29650 Finistère 58 ⑦ **G. Bretagne** – 1 627 h. alt. 250.

Paris 523 – ♦ Brest 83 – Carhaix-Plouguer 34 – Guingamp 38 – Lannion 31 – Morlaix 23 – Plouaret 17 – Quimper 81.

Monts d'Arrée, ✆ 98 72 80 44 – ☎. GB
fermé 20 déc. au 13 janv. – **R** *(fermé dim. soir et fériés le soir)* 68/155 ♁ – ☕ 23 – **20 ch** 120/250 – ½ P 200/220.

GUÉTHARY 64210 Pyr.-Atl. 78 ⑪ ⑱ **G. Pyrénées Aquitaine** – 1 105 h. alt. 27.

Syndicat d'Initiative à la Mairie ✆ 59 26 56 60.

Paris 788 – Biarritz 9 – ♦Bayonne 16 – Pau 122 – St-Jean-de-Luz 6.

- **Pereria** ⑤, ✆ 59 26 51 68, ≤, 🏞, « Beau jardin ombragé » – ☎ 🅟. GB. ✗ rest
  1er mars-1er nov. – **R** 72/165 – **32 ch** ☐ 140/260.
- **Brikétenia,** ✆ 59 26 51 34, ≤, 🌳 – TV ☎ 🅟. ⓓ GB
  hôtel : 1er mars-31 oct. ; rest. : 1er juin-30 sept. – **R** (résidents seul.) – ☐ 39 – **21 ch** 380/420 – ½ P 360/380.
- **Madrid** avec ch, ✆ 59 26 52 12, 🏞 – GB. ✗ ch
  vacances de printemps-fin sept. – **R** 80/190 – ☐ 28 – **7 ch** 140/250 – ½ P 220/270.

RENAULT Gar. Labourd ✆ 59 26 50 52

Le GUÉTIN 18 Cher 69 ③ – alt. 175 – ✉ **18150** La Guerche-sur-l'Aubois.

Paris 244 – Bourges 58 – La Guerche-sur-l'Aubois 10,5 – Nevers 11 – St-Pierre-le-Moutier 27.

- **Aub. du Pont-Canal,** D 976 ✆ 48 80 40 76 – GB
  fermé janv. et mardi soir – **R** 72/200.

GUEUGNON 71130 S.-et-L. 69 ⑰ – 9 697 h. alt. 243.

Paris 342 – Moulins 62 – Autun 51 – Bourbon-Lancy 26 – Digoin 16 – Mâcon 86 – Montceau-les-Mines 27.

- Commerce, 1 r. La Fontaine ✆ 85 85 23 23 – 🛗 ☎
  28 ch.
- **Centre,** 34 r. Liberté ✆ 85 85 21 01, Fax 85 85 02 67 – TV ☎ 🅟. GB
  fermé 22 juil. au 18 août et dim. soir – **R** 72/215 🍼, enf. 45 – ☐ 28 – **20 ch** 128/258.
- **Relais Bourguignon** avec ch, 47 r. Convention ✆ 85 85 25 23 – ☎ 🅟. AE ⓓ GB. ✗ ch
  fermé 1er au 25 août, vacances de fév., dim. soir et lundi – **R** 98/240 – ☐ 30 – **8 ch** 150/190.

CITROEN Milli, rte de Digoin ✆ 85 85 06 02 N
PEUGEOT-TALBOT Vadrot, 31 r. 8-Mai ✆ 85 85 24 31
RENAULT Hermey, 48 r. Liberté ✆ 85 85 20 42 N ✆ 85 77 32 59
Goesin, ZA rte de Rigny-sur-Arroux ✆ 85 85 25 40

GUEYNARD 33 Gironde 71 ⑧ – rattaché à St-André-de-Cubzac.

GUIDEL 56520 Morbihan 58 ⑫ – 8 241 h. alt. 40.

Voir St-Maurice : Site★ et ≤★ du pont NO : 5 km, **G. Bretagne.**

Paris 503 – Vannes 65 – Concarneau 41 – Lorient 13 – Moëlan-sur-Mer 13 – Quimperlé 11,5.

- **La Châtaigneraie** M ⑤ sans rest, O : 1 km par D 162 ✆ 97 65 99 93, « Manoir dans un parc » – TV ☎ 🅟. ⓓ GB
  ☐ 44 – **11 ch** 415/510.

GUIGNIÈRE 37 I.-et-L. 64 ⑭ ⑮ – rattaché à Tours.

GUILLAUMES 06470 Alpes-Mar. 81 ⑨ ⑲ 195 ③ **G. Alpes du Sud** – 533 h. alt. 819.

Voir Gorges de Daluis★★ : ≤★★ au S à hauteur des tunnels.

Syndicat d'Initiative à la Mairie ✆ 93 05 50 13.

Paris 801 – Barcelonnette 63 – Castellane 57 – Digne 95 – Manosque 134 – ♦Nice 96.

GUILLESTRE 05600 H.-Alpes 77 ⑱ **G. Alpes du Sud** – 2 000 h. alt. 1 000.

Voir Porche★ de l'église – Pied-la-Viste ≤★ E : 2 km – Peyre-Haute ≤★ S : 4 km puis 15 mn.

Env. Combe du Queyras★★ NE : 5,5 km.

Syndicat d'Initiative pl. Salva ✆ 92 45 04 37.

Paris 722 – Briançon 36 – Gap 60 – Barcelonnette 52 – Digne 119.

- **Barnières II** ⑤, ✆ 92 45 04 87, ≤ vallée et montagnes, 🏊, 🌳, 🎾 – 🛗 ☎ 🅟. GB. ✗ rest
  fermé 15 oct. au 20 déc. – **R** 110/210, enf. 70 – ☐ 40 – **46 ch** 300/350 – ½ P 320/350.
- **Barnières I** ⑤, ✆ 92 45 05 07, ≤ vallée et montagnes, 🏊, 🌳, 🎾 – ☎ 🅟. GB. ✗ rest
  1er juin-30 sept. – **R** 110/210, enf. 70 – ☐ 38 – **36 ch** 300/320 – ½ P 300/330.
- **Catinat Fleuri,** ✆ 92 45 07 62, 🏊, 🌳, 🎾 – TV ☎ 🅟. GB
  R 76/142 – ☐ 35 – **19 ch** 280/320, 11 bungalows – ½ P 250/270.
- **Epicurien,** ✆ 92 45 20 02 – GB
  fermé 1er au 14 juin, 15 nov. au 15 déc., lundi soir et mardi sauf juil.-août – **R** 95/120 dîner à la carte.

à Mont-Dauphin gare NO : 4 km par D 902^A et N 94 – alt. 900 – ✉ **05600**.

Voir Charpente★ de la caserne Rochambeau.

- **Gare** avec ch, ✆ 92 45 03 08 – ☎ 🅟. GB
  fermé sam. du 1er mai au 30 juin et du 1er sept. au 20 déc. – **R** 70/160 🍼 – ☐ 30 – **24 ch** 115/200 – ½ P 160/198.

à La Maison du Roy NE : 5,5 km par D 902 – ✉ **05600** Guillestre :

Maison du Roy, ✆ 92 45 08 34, Fax 92 45 27 19, ≤, 🚗, 🎾 – ☎ 🅟 GB. ✂
fermé 10 au 17 mai, 26 oct. au 20 déc. et sam. du 1er sept. au 15 juin – **R** 70/180 ♿, enf. 53 – ☕ 38 – **30 ch** 186/346 – ½ P 284/300

PEUGEOT-TALBOT Gar. du Tourisme, à Mont-Dauphin ✆ 92 45 07 09

Gar. du Guil, Le Villard ✆ 92 45 03 05

GUILLIERS **56490** Morbihan 63 ④ – 1 207 h. alt. 86.

Paris 413 – Dinan 60 – Lorient 90 – Ploërmel 13 – ♦Rennes 64 – Vannes 60.

Relais du Porhoët, ✆ 97 74 40 17, Fax 97 74 45 65 – TV ☎ 🅟 – 🏛 30. AE ◑ GB
Repas 62/180 ♿, enf. 45 – ☕ 28 – **15 ch** 170/220 – ½ P 180/230

GUILVINEC **29730** Finistère 58 ⑭ **G. Bretagne** – 3 365 h.

Paris 580 – Quimper 30 – Douarnenez 39 – Pont-l'Abbé 11,5.

Centre, r. Gén. de Gaulle ✆ 98 58 10 44, 🚗 – TV ☎ 🅟. GB
fermé dim. soir de nov. à fév. – **R** 70/220, enf. 45 – ☕ 32 – **17 ch** 209/300 – ½ P 260/290.

Port, à Léchiagat ✆ 98 58 10 10, Télex 941200, Fax 98 58 29 89 – TV ☎ – 🏛 40. AE ◑ GB – *fermé 31 déc. au 5 janv.* – **R** 80/380 – ☕ 42 – **40 ch** 240/320 – ½ P 310/320.

au NE : 3 km par D 153 – ✉ **29115** Treffiagat :

La Gentilhommière 🐦 sans rest, ✆ 98 58 13 29, 🏊, 🚗 – ☎ 🅟. GB
1er mars-15 oct. – ☕ 34 – **6 ch** 240/340.

GUINGAMP **22200** C.-d'Armor 59 ② **G. Bretagne** – 7 905 h. alt. 74.

Voir Basilique★ B.

ℹ Office de Tourisme 2 pl. Vally (transfert prévu pl. Champ au Roy) (avril-oct.) ✆ 96 43 73 89

Paris 486 ③ – St-Brieuc 33 ③ – Carhaix-Plouguer 47 ⑥ – Lannion 32 ⑦ – Morlaix 52 ⑦ – Pontivy 60 ④.

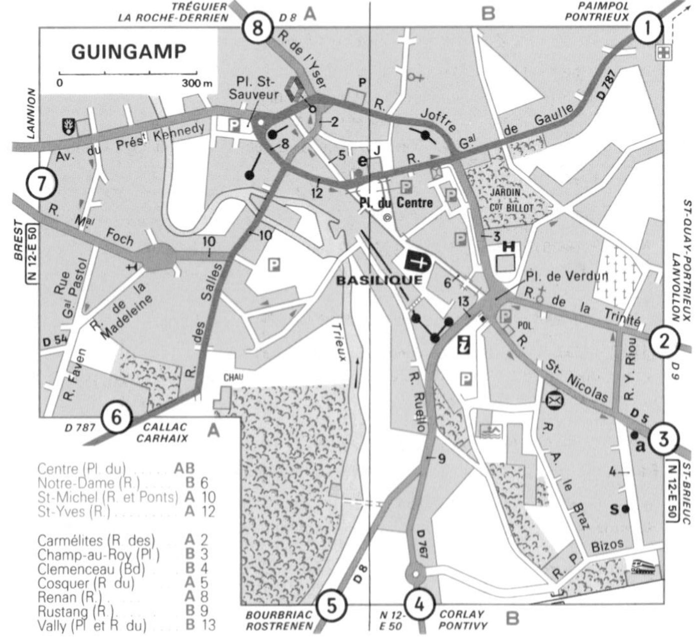

D'Armor M sans rest, 44 bd Clemenceau ✆ 96 43 76 16, Fax 96 43 89 62 – TV ☎. AE GB ✂ — B s
☕ 27 – **23 ch** 220/250

L'Hermine, 1 bd Clemenceau ✆ 96 21 02 56, Fax 96 44 08 81 – TV ☎. GB — B a
R grill *(fermé 1er au 21 mai, 20 déc. au 5 janv., dim. et fériés)* carte environ 180 ♿, enf. 50 – ☕ 30 – **12 ch** 140/200.

XXX **Relais du Roy** avec ch, pl. Centre ☎ 96 43 76 62, Fax 96 44 08 01 – TV ☎ – 30. AE ⓓ GB JCB. rest — A e
fermé vacances de Noël et dim. (sauf fêtes) de sept. à juin – **R** 110/300, enf. 75 – ☐ 55 – **7 ch** 350/800 – ½ P 450/550.

CITROEN Kerambrun, ZAC de Bellevue à Ploumagoar par ③ ☎ 96 43 79 07 N ☎ 96 43 74 71
PEUGEOT, TALBOT Landrau Autom., ZI r. de Porsmin à Grâces par ⑥ ☎ 96 43 85 59 N ☎ 96 43 74 71
RENAULT Menguy, 9 r. Carmélites ☎ 96 43 70 40 N ☎ 96 44 80 88
Desserrey-Pneu + Armorique, ZI de Grâces-Guingamp ☎ 96 43 96 82

GUISE 02120 Aisne 53 ⑮ G. Flandres Artois Picardie – 5 976 h. alt. 97.
Voir Château★.
Paris 174 – St-Quentin 27 – Avesnes-sur-Helpe 40 – Cambrai 49 – Hirson 38 – Laon 38.

Champagne Picardie, 41 r. A. Godin ☎ 23 60 43 44, – TV ☎ P – 30. GB.
fermé 16 août au 1er sept., 22 déc. au 2 janv. et dim. – **R** (grill) 55/110 – ☐ 22 – **12 ch** 210/260 – ½ P 160/180.

XX **Guise** avec ch, 103 pl. Lesur ☎ 23 61 17 58 – TV ☎. GB
fermé 24 au 31 juil. et 15 au 31 déc. – **R** *(fermé sam. en hiver, vend. soir et dim. soir)* 75/150 – ☐ 24 – **8 ch** 190/240.

PEUGEOT-TALBOT Donnay Autom, 35 r. de Flavigny ☎ 23 61 09 43

GUÎTRES 33230 Gironde 75 ② G. Pyrénées Aquitaine – 1 403 h. alt. 12.
Syndicat d'Initiative av. Gare (15 juin-15 sept.) ☎ 57 69 11 48.
Paris 529 – ✦Bordeaux 47 – Angoulême 82 – Blaye 44 – Libourne 16 – St-André-de-Cubzac 24.

Bellevue sans rest, ☎ 57 69 12 81 – ☎ P. GB.
fermé 10 au 28 sept. et 15 au 28 fév. – ☐ 20 – **10 ch** 115/145.

Richiedete nelle librerie il catalogo delle pubblicazioni Michelin.

GUJAN-MESTRAS 33470 Gironde 78 ② G. Pyrénées Aquitaine – 11 433 h. alt. 4.
Voir Parc ornithologique du Teich★ E : 5 km.
9 18 ☎ 56 66 86 36, S par N 250 puis D 652 : 5 km.
Office de Tourisme 41 av. de Lattre-de-Tassigny (fermé après-midi hors saison) ☎ 56 66 12 65.
Paris 643 – ✦Bordeaux 54 – Andernos-les-Bains 26 – Arcachon 15.

La Guérinière M, à Gujan ☎ 56 66 08 78, Télex 541270, Fax 56 66 13 39, – TV ☎ P – 50. AE ⓓ GB
R 165/295 – ☐ 40 – **27 ch** 410/450 – ½ P 400.

X **La Coquille** avec ch (annexe 12 ch M), à Gujan ☎ 56 66 08 60, Fax 56 66 09 09, – ☎ P. AE ⓓ GB
fermé 15 janv. au 15 fév., dim. soir et lundi du 30 oct. au 30 mars – **R** 85/180 – ☐ 30 – **23 ch** 160/260 – ½ P 200/230.

GUNDERSHOFFEN 67110 B.-Rhin 57 ⑲ – 3 377 h. alt. 173.
Paris 466 – ✦Strasbourg 44 – Haguenau 15 – Sarreguemines 62 – Wissembourg 34.

XX **Au Cygne,** 35 Gd Rue ☎ 88 72 96 43, Fax 88 72 86 47 – GB
fermé 2 au 16 mars, 10 au 31 août, dim. soir et lundi – **R** 150/195.

XX **Chez Gérard** avec ch, à la Gare ☎ 88 72 91 20, – AE ⓓ GB
fermé 29 juil. au 12 août, 24 fév. au 10 mars, mardi soir et merc. – **R** 85/240 – ☐ 20 – **5 ch** 100/150 – ½ P 140.

Gar. Lotz ☎ 88 72 91 45

GUZET-NEIGE 09140 Ariège 86 ③ – alt. 1 350.
Paris 836 – Foix 72 – Oust 24 – St-Girons 40.

Le Papallau M, ☎ 61 96 00 33, Fax 61 96 02 66, ←, – ☎
saisonnier – **61 ch.**

GYÉ-SUR-SEINE 10250 Aube 61 ⑱ – 485 h. alt. 173.
Paris 200 – Troyes 43 – Bar-sur-Aube 41 – Châtillon-sur-Seine 24 – Tonnerre 47.

X **Voyageurs** avec ch, ☎ 25 38 20 09, – GB
fermé 1er au 15 fév. et merc. sauf du 1er mai au 1er nov. – **R** (dim. et fêtes prévenir) 66/165 – ☐ 22 – **5 ch** 100/155.

HABÈRE-LULLIN 74420 H.-Savoie 170 ⑰ – 514 h. alt. 850.
Paris 564 – Thonon-les-Bains 24 – Annecy 58 – Boëge 5 – Bonneville 29 – ✦Genève 31 – Lullin 11.

Aux Touristes, ☎ 50 39 50 42, ←, – P. GB. rest
hôtel : fermé 1er oct. au 15 déc. mardi soir et merc. hors sais. – **R** *(fermé merc.)* (déj. seul. sauf sam. : déj. et dîner) 70/138, enf. 40 – ☐ 25 – **20 ch** 160/250 – ½ P 180/240.

HABÈRE-POCHE 74420 H.-Savoie 170 ⑰ – 662 h. alt. 945 – Sports d'hiver : 950/1 600 m 11.

Office de Tourisme 50 39 54 46.

Paris 567 – Annecy 61 – Bonneville 32 – Genève 33 – Thonon-les-Bains 21.

Chardet, à Ramble 50 39 51 46, Fax 50 39 57 18, ← – GB
fermé 15 avril au 15 juin et 1er oct. au 15 déc. – **R** 98/180, enf. 50 – 33 – **32 ch** 230/300 – ½ P 230/280.

Le Tiennolet, 50 39 51 01, – GB
fermé 1er juin au 3 juil., 31 août au 9 sept., 19 oct. au 13 nov., mardi soir et merc. sauf vacances scolaires – **R** 100/200, enf. 60.

au Col de Cou NO : 4 km – ✉ 74420 Boëge.

Voir ←★, G. Alpes du Nord.

Le Gai Logis, 50 39 52 35, ←, – GB
6 juin-30 sept. et 26 déc.-27 avril – **R** 95/170 – 26 – **11 ch** 120/220 – ½ P 195/230.

L'HABITARELLE 48 Lozère 76 ⑯ – ✉ 48170 Châteauneuf-de-Randon.

Paris 582 – Mende 28 – Le Puy-en-Velay 61 – Langogne 19.

Poste et Voyageurs, 66 47 90 05, – GB
fermé 20 déc. au 31 janv., vend. soir et sam. midi sauf juil.-août – **R** 65/145 ꝉ, enf. 28 – 25 – **23 ch** 97/160 – ½ P 135/160.

HAGENTHAL-LE-BAS 68220 H.-Rhin 166 ⑩ – 896 h. alt. 360.

privé de Bâle 89 68 50 91, N : 2 km.

Paris 539 – Mulhouse 34 – Altkirch 25 – Basel 12 – Colmar 72.

Jenny Ⓜ, NE : 2,5 km par D 12B près golf 89 68 50 09, Fax 89 68 58 64, ←, – 40. GB JCB
R *(fermé dim. soir et lundi)* 160/260, enf. 48 – 40 – **26 ch** 440/510 – ½ P 380/420.

Repas 100/130 Repas soignés à prix modérés.

HAGENTHAL-LE-HAUT 68220 H.-Rhin 87 ⑩ – 428 h. alt. 375.

Paris 540 – Mulhouse 35 – Altkirch 26 – Basel 12 – Colmar 73.

A l'Ancienne Forge, 89 68 56 10 – GB
fermé 29 juin au 13 juil., dim. et lundi – **R** 190/340.

HAGETMAU 40700 Landes 78 ⑦ G. Pyrénées Aquitaine – 4 449 h. alt. 25.

Syndicat d'Initiative pl. République (fermé matin hors saison) 58 79 38 26.

Paris 738 – Mont-de-Marsan 28 – Aire-sur-l'Adour 33 – Dax 45 – Orthez 25 – Pau 56 – Tartas 29.

Le Jambon avec ch, r. Carnot 58 79 32 02, – GB
fermé dim. soir et lundi – **R** 95/180 ꝉ – 25 – **8 ch** 120/200.

Relais Basque avec ch, r. P. Duprat 58 79 30 64 – GB
fermé 9 au 23 août, dim. soir et vend. – **R** 55 bc/125 ꝉ – 20 – **6 ch** 110/135 – ½ P 130.

CITROEN Gar. Lacourrège 58 79 31 80
PEUGEOT, TALBOT Maurin 58 79 58 58 N
RENAULT Labadie 58 79 38 11

HAGUENAU SP 67500 B.-Rhin 57 ⑲ G. Alsace Lorraine – 27 675 h. alt. 130.

Voir Église St-Nicolas★ BY – Église St-Georges★ AZ.

Office de Tourisme pl. de la Gare 88 93 70 00 et Musée Alsacien 88 73 30 41.

Paris 479 ④ – Strasbourg 29 ④ – Baden-Baden 43 ② – Épinal 147 ④ – Karlsruhe 64 ② – Lunéville 116 ④ – Nancy 135 ④ – St-Dié 104 ④ – Sarreguemines 77 ⑥.

Plan page suivante

Europe, 15 av. Prof. R. Leriche par ④ 88 93 58 11, Télex 880566, Fax 88 93 21 33, – rest – 25 à 50. AE GB JCB
R 62/250, enf. 55 – 34 – **81 ch** 240/390.

Kaiserhof Ⓜ, 119 gd Rue 88 73 43 43, Fax 88 73 28 91, – AE GB ch BY **a**
R *(fermé 15 au 31 juil., 15 au 28 fév., mardi soir et merc.)* 110/220 ꝉ – 38 – **15 ch** 272/330 – ½ P 260/300.

Les Pins sans rest, 112 rte Strasbourg par ④ 88 93 68 40 – AE GB JCB
34 – **17 ch** 235/290.

Barberousse, 8 pl. Barberousse 88 73 31 09, – GB JCB AY **k**
fermé 28 juil. au 17 août, vacances de fév., dim. soir et lundi – **Repas** 60/220 ꝉ, enf. 40.

à l'aérodrome SE par D 329 : 3,5 km – ✉ 67500 Haguenau :

Lindbergh Ⓜ sans rest, Z.I. r. St-Exupéry 88 93 30 13, Fax 88 73 90 04 – 60. AE GB
30 – **40 ch** 265/295.

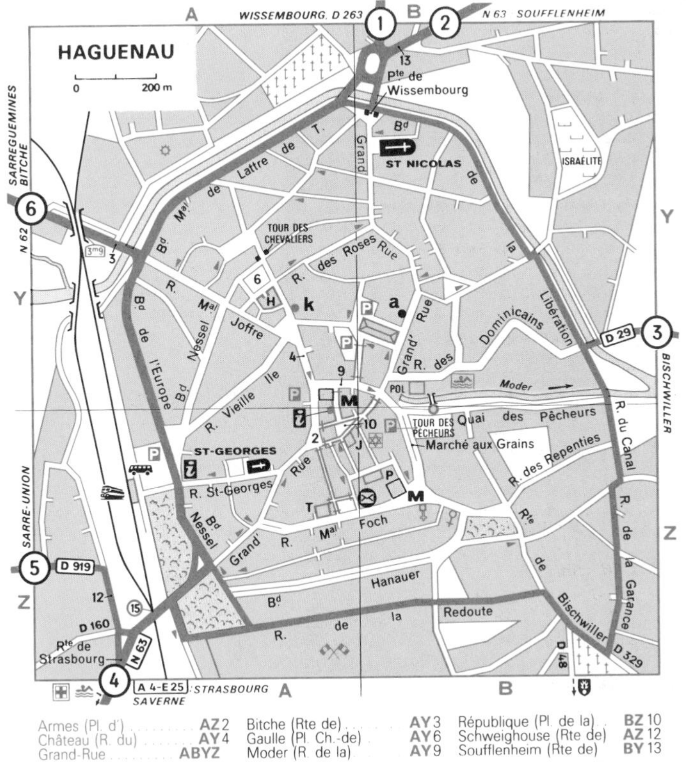

Armes (Pl. d')	AZ 2	Bitche (Rte de)	AY 3	République (Pl. de la)	BZ 10
Château (R. du)	AY 4	Gaulle (Pl. Ch.-de)	AY 6	Schweighouse (Rte de)	AZ 12
Grand-Rue	ABYZ	Moder (R. de la)	AY 9	Soufflenheim (Rte de)	BY 13

à Marienthal SE par D 48 : 5 km – ✉ **67500** Marienthal :

Ermitage, 4 pl. Basilique ☎ 88 93 87 46, Fax 88 73 96 48, – TV ☎ P – 40 GB. ch
fermé 16 août au 3 sept., vend. soir, dim. soir et sam. – **R** 90/220 ⅓ – 35 – **15 ch** 180/250 – ½ P 205

XXX **Relais Princesse Maria Leczinska,** 1 r. Rothbach ☎ 88 93 70 39, , – P. AE ⓓ GB JCB
fermé dim. soir et lundi – **R** 165/295 ⅓, enf. 65

à Schweighouse-sur-Moder par ⑤ : 4 km – 4 354 h. – ✉ **67590** :

Relais de la Tour Romaine M, Z.I. Ried ☎ 88 72 06 06, Fax 88 72 05 36, , – TV ☎ & P – 60. AE ⓓ GB. ch
R 65/300 – 35 – **60 ch** 285/315 – ½ P 230

XX **Aub. Cheval Blanc** avec ch, **46 r. Gén. de Gaulle** ☎ 88 72 76 96 – TV ☎ P. GB. ch
fermé 1er au 24 août, 26 déc. au 10 janv., dim. soir (sauf hôtel) et sam. – **R** 70/190 ⅓ – 30 – **9 ch** 120/200

BMW L'Espace, 81 rte de Bischwiller ☎ 88 93 49 49 N
CITROEN Sodifa, 101 rte de Marienthal par D 48 ☎ 88 90 60 60 N ☎ 88 93 14 17
FIAT Gloeckler, 1 bd de l'Europe ☎ 88 73 41 00
FORD Gar. Wolff, 91 rte de Bischwiller ☎ 88 93 12 13
PEUGEOT-TALBOT Nord-Alsace-Autom., 121a rte de Strasbourg par ④ ☎ 88 93 90 90 N
RENAULT Grasser, 134 rte de Weitbruch par D 48 BZ ☎ 88 93 02 29 N ☎ 88 53 72 12

Ⓜ Alsace-Pneus, 4 chemin des Prairies ☎ 88 73 30 79
Kautzmann, 105 rte de Strasbourg ☎ 88 93 11 38
Pneus et Services D.K., 2 rte de Strasbourg ☎ 88 93 93 59

La HAIE FOUASSIÈRE 44 Loire-Atl. 67 ④ – rattaché à Nantes.

Pas de publicité payée dans ce guide.

Les HALLES **69610** Rhône 73 ⑲ – 259 h. alt. 630.

Paris 481 – ♦Saint Étienne 50 – ♦Lyon 46 – Montbrison 37,5.

XX **Charreton** avec ch, ☏ 74 26 63 05 – P. GB. ✻ ch
fermé dim. soir et merc. – **R** 120/300 – ☕ 30 – **5 ch** 250.

HALLINES **62** P.-de-C. 52 ① – rattaché à St-Omer.

HAM **80400** Somme 53 ⑬ **G. Flandres Artois Picardie** – 5 532 h. alt. 62.

Paris 123 – Compiègne 44 – St-Quentin 19 – ♦Amiens 68 – Noyon 19 – Péronne 24 – Roye 26 – Soissons 56.

Valet, 58 r. Noyon ☏ 23 81 10 87 – TV ☎. GB
fermé 8 au 16 août, 24 déc. au 3 janv., sam. et dim. – **R** 65/90 ♨, enf. 40 – ☕ 22 – **24 ch** 145/195 – ½ P 200/260.

XX **France** avec ch, 5 pl. H. de Ville ☏ 23 81 00 22 – TV ☎. GB. ✻ ch
fermé 1er au 15 août et dim. soir – **R** 65/235, enf. 60 – ☕ 30 – **6 ch** 200/250.

CITROEN Gar. de Picardie, 7 r. de Noyon ☏ 23 81 01 86

OPEL MAZDA M. Secret Didier, 53 bd du Gén.-de-Gaulle ☏ 23 36 45 97

HAMBYE **50450** Manche 54 ⑬ **G. Normandie Cotentin** – 1 218 h. alt. 92.

Voir Ruines de l'abbaye** S : 5 km.

Paris 323 – St-Lô 25 – Coutances 21 – Granville 29 – Tessy-sur-Vire 16 – Villedieu-les-Poêles 17.

X **Les Chevaliers** avec ch, au bourg D 13 ☏ 33 90 42 09 – ⓓ GB
fermé fév., dim. soir et lundi du 15 sept. au 15 juin – **R** (nombre de couverts limité - prévenir) 60/140 ♨ – ☕ 20 – **6 ch** 95/100 – ½ P 130.

à l'Abbaye S : 3,5 km par D 51 – ✉ **50650** Hambye :

XX **Auberge de l'Abbaye,** ☏ 33 61 42 19 – P. GB. ✻
fermé 28 sept. au 15 oct., 8 au 20 fév., lundi (sauf fériés) et dim. soir – **R** (week-ends prévenir) 83/290, enf. 50.

à La Baleine SO : 5 km par D 13 et VO – ✉ **50650** :

X **Aub. de la Baleine,** ☏ 33 61 76 77 – P. AE GB
fermé 15 au 31 mars, 1er au 15 déc., dim. soir et lundi – **R** 80/140, enf. 55.

HANAU (Étang-de) **57** Moselle 57 ⑱ – rattaché à Philippsbourg.

HARCOURT **27800** Eure 55 ⑮ **G. Normandie Vallée de la Seine** – 957 h. alt. 139.

Voir Château*.

Paris 139 – ♦Rouen 43,5 – Bernay 22,5 – Évreux 33 – Lisieux 45,5 – Pont Audemer 33.

X **Aub. du Château,** ☏ 32 45 02 29, 🏡 – GB
fermé vacances de fév., merc. du 1er oct. au 15 juin et mardi soir – **R** 99/129.

HARDELOT-PLAGE **62** P.-de-C. 51 ⑪ **G. Flandres Artois Picardie** – alt. 12 – ✉ **62152** Neufchâtel-Hardelot.

⛳18 ⛳18 ☏ 21 83 73 10, E : 1 km.

Paris 238 – ♦Calais 47 – Arras 111 – Boulogne-sur-Mer 15 – Montreuil 31 – Le Touquet-Paris-Plage 25.

Régina M, av. François 1er ☏ 21 83 81 88, Fax 21 87 44 01 – |‡| TV ☎ ♿ P – 🏛 70. ⓓ GB. ✻ rest
fermé déc. et janv. – **R** *(fermé dim. soir et lundi sauf juil.-août)* 87/116 – ☕ 32 – **40 ch** 299 – ½ P 262.

XX **du Golf,** 3 av. Golf ☏ 21 83 71 04, Fax 21 83 24 33, ≤ – P. AE GB
fermé mardi soir et merc. du 1er oct. au 1er mars – **R** 130/300.

HARFLEUR **76** S.-Mar. 55 ③ – rattaché au Havre.

HARTMANNSWILLER **68** H.-Rhin 166 ⑨ – rattaché à Guebwiller.

HASPARREN **64240** Pyr.-Atl. 85 ③ **G. Pyrénées Aquitaine** – 5 399 h. alt. 90.

Env. Grottes d'Oxocelhaya et d'Isturits** SE : 11 km.

Paris 792 – Biarritz 28 – ♦Bayonne 22 – Cambo-les-Bains 10 – Pau 105 – Peyrehorade 31 – St-Jean-Pied-de-Port 33.

Tilleuls, pl. Verdun ☏ 59 29 62 20, Fax 59 29 13 58 – TV ☎. GB. ✻
fermé mi-oct. au 1er nov., vend. soir et dim. soir sauf vacances scolaires – **R** 70/150 – ☕ 25 – **25 ch** 200/300 – ½ P 180/230.

HASPRES **59198** Nord 53 ④ – 2 715 h. alt. 52.

Paris 198 – ♦Lille 62 – Avesnes-sur-Helpe 45 – Cambrai 17 – Valenciennes 15.

XX **Aub. St Hubert,** ☏ 27 25 70 97 – P. AE ⓓ GB
fermé août, vacances de fév. dim. soir et lundi sauf fériés – **R** 138, enf. 50.

HAULCHIN **59** Nord 53 ④ – rattaché à Valenciennes.

HAUTERIVES 26390 Drôme 77 ② G. Vallée du Rhône – 1 202 h. alt. 299.

Voir Le Palais Idéal★.

Paris 532 – Valence 46 – ◆Grenoble 72 – ◆Lyon 72 – Vienne 41.

Le Relais, ✆ 75 68 81 12, – GB. rest
fermé mi-janv. à mi-fév., dim. soir et lundi sauf juil.-août – **R** 67/200 – ☕ 24 – **17 ch** 130/230

Les HAUTES-RIVIÈRES 08800 Ardennes 53 ⑲ G. Champagne – 2 077 h. alt. 163.

Voir Croix d'Enfer ≤★ S : 1,5 km par D 13 puis 30 mn – Vallon de Linchamps★ N : 4 km.

Paris 246 – Charleville-Mézières 21 – Dinant 639 – Sedan 36.

Les Saisons, ✆ 24 53 40 94 – AE GB
fermé fév., dim. soir et lundi sauf fériés – **R** 65/210 ♂.

HAUTEVILLE-LÈS-DIJON 21 Côte-d'Or 65 ⑳ – rattaché à Dijon.

HAUTEVILLE-LOMPNES 01110 Ain 74 ④ – 3 895 h. alt. 815 – Sports d'hiver : 900/1 200 m 4.

Voir Chute et gorges de l'Albarine★, **G. Jura.**

Syndicat d'Initiative à l'Ancienne Mairie ✆ 74 35 39 73.

Paris 485 – Aix-les-Bains 53 – Belley 33 – Bourg-en-Bresse 50 – ◆Lyon 89 – Nantua 33.

La Chapelle , r. Chapelle ✆ 74 35 20 11, – TV ☎ P. GB
fermé dim. soir et lundi sauf vacances scolaires – **R** 80/150 ♂, enf. 50 – ☕ 22 – **19 ch** 130/230 – ½ P 180/230

Villa Corbet, r. Fontanettes ✆ 74 35 30 04 – TV ☎ P. GB.
fermé 1er au 15 avril et 1er au 15 nov. – **R** (dîner pour résidents seul.) 60/85 ♂ – ☕ 22 – **8 ch** 200/220 – ½ P 170/220

au col de la Lèbe rte de Belley : 9 km – alt. 905 m – ✉ 01260 Champagne-en-Valromey :

Aub. du Col de la Lèbe avec ch, ✆ 79 87 64 54, ≤, , – P. GB. ch
fermé 29 juin au 10 juil., 14 au 25 sept., 12 nov. au 19 déc., lundi et mardi – **R** 82/222, enf. 65 – ☕ 32 – **7 ch** 195/225

CITROEN Gar. Deschombeck ✆ 74 35 30 45
PEUGEOT-TALBOT Gar. Jean Miguet ✆ 74 35 35 74
RENAULT Gar. Depierre ✆ 74 35 31 15 N
RENAULT Gar. de l'Albarine ✆ 74 35 35 63
Gar. Lay ✆ 74 35 37 80

HAUVILLE 27350 Eure 55 ⑤ – 1 051 h. alt. 144.

Paris 149 – ◆Rouen 31 – Caudebec en Caux 21,5.

Brotonne, ✆ 32 57 34 11 – P. GB
fermé 6 au 31 janv., mardi soir et merc. – **R** 85/190, enf. 42

Le HAVRE SP 76600 S.-Mar. 55 ③ G. Normandie Vallée de la Seine – 195 854 h. alt. 5.

Voir Port★★ EZ – Quartier moderne★ EFYZ : intérieur★★ de l'église St-Joseph★ EZ, pl. de l'Hôtel-de-Ville★ FY 47, Av. Foch★ EFY – Fort de Ste-Adresse ★★ EY **E** – Bd Président-Félix-Faure : table d'Orientation ★ à Ste-Adresse A **F** – Musée des Beaux-Arts★ EZ **M1**.

18 ✆ 35 46 36 50, N par ① : 10 km.

du Havre-Octeville : ✆ 35 46 09 81 A.

Office de Tourisme et Accueil de France (Informations et réservations d'hôtels, pas plus de 5 jours à l'avance) Forum Hôtel de Ville ✆ 35 21 22 88, Télex 190369 – A.C. 49 r. Racine ✆ 35 42 39 32.

Paris 204 ④ – ◆Amiens 178 ③ – ◆Caen 109 ④ – ◆Lille 294 ③ – ◆Nantes 403 ④ – ◆Rouen 86 ③.

Plans pages suivantes

Mercure M, chaussée d'Angoulême ✆ 35 21 23 45, Télex 190749, Fax 35 41 32 45 – TV ☎ P – 25 à 200. AE GB GZ **b**
R 125/250 ♂, enf. 50 – ☕ 47 – **96 ch** 550/680

Bordeaux M sans rest, 147 r. L. Brindeau ✆ 35 22 69 44, Télex 190428 – TV ☎. AE GB JCB. FZ **v**
☕ 40 – **31 ch** 350/480

Le Marly sans rest, 121 r. Paris ✆ 35 41 72 48, Télex 190811, Fax 35 21 50 45 – TV ☎. AE GB JCB FZ **n**
☕ 38 – **37 ch** 310/400

Foch sans rest, 4 r. Caligny ✆ 35 42 50 69, Fax 35 43 40 17 – TV ☎. AE GB EZ **b**
☕ 33 – **33 ch** 220/270

Ibis M, r. 129e Régt Inf. ✆ 35 22 29 29, Télex 190060, Fax 35 21 00 00 – TV ☎ P – 80. GB GZ **a**
R 79 ♂, enf. 39 – ☕ 32 – **91 ch** 310/335

Parisien sans rest, 1 cours République ✆ 35 25 23 83, Fax 35 25 05 06 – TV ☎. AE GB HZ **e**
☕ 28 – **22 ch** 200/290

Celtic sans rest, 106 r. Voltaire ✆ 35 42 39 77 – TV ☎. AE GB FZ **k**
☕ 27 – **14 ch** 166/225

Angleterre sans rest, 1 r. Louis-Philippe ✆ 35 42 48 42 – TV ☎. GB EY **s**
☕ 25 – **27 ch** 180/280

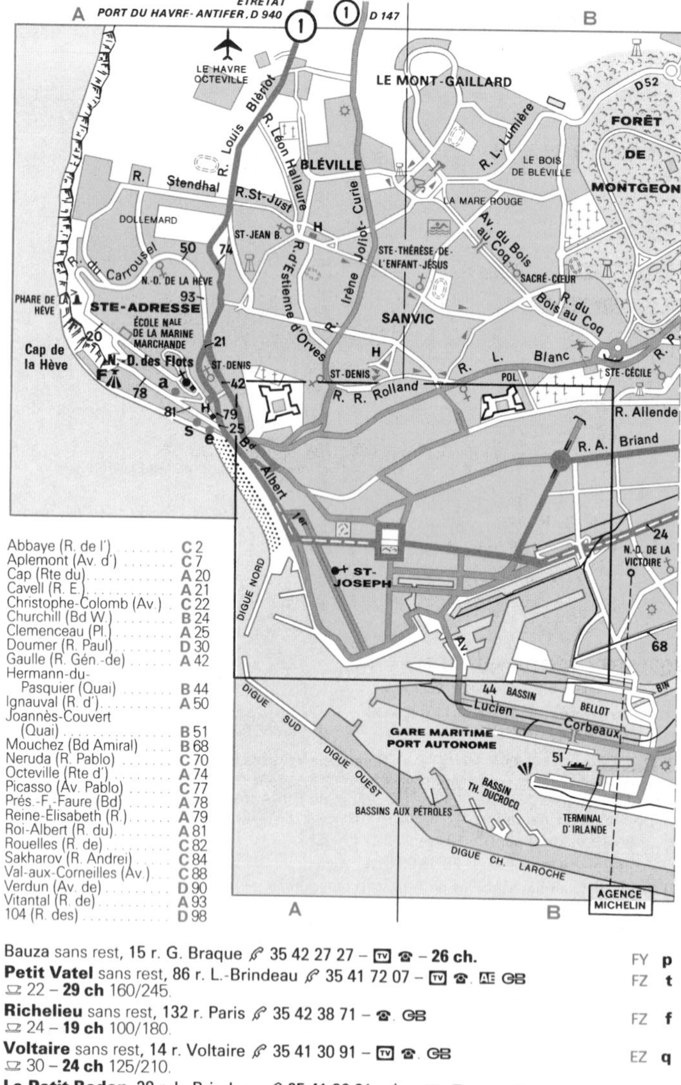

🏨 Bauza sans rest, 15 r. G. Braque ✆ 35 42 27 27 – TV ☎ – **26 ch.** FY **p**

🏨 **Petit Vatel** sans rest, 86 r. L.-Brindeau ✆ 35 41 72 07 – TV ☎. AE GB FZ **t**
☕ 22 – **29 ch** 160/245.

🏨 **Richelieu** sans rest, 132 r. Paris ✆ 35 42 38 71 – ☎. GB FZ **f**
☕ 24 – **19 ch** 100/180.

🏨 **Voltaire** sans rest, 14 r. Voltaire ✆ 35 41 30 91 – TV ☎. GB EZ **q**
☕ 30 – **24 ch** 125/210.

XXX **Le Petit Bedon,** 39 r. L. Brindeau ✆ 35 41 36 81 – ⅍. AE ◐ GB JCB EZ **d**
fermé 1er au 15 août, sam. midi et dim. – **R** 145/295.

XX **La Petite Auberge,** 32 r. Ste-Adresse ✆ 35 46 27 32 – ▤. AE GB EY **r**
fermé 2 au 9 mars, 3 au 24 août, dim. soir et lundi sauf fériés – **Repas** 108/185.

XX **Le Montagné,** 50 quai M. Féré ✆ 35 42 77 44 – GB FZ **u**
fermé juil., sam. midi et merc. – **R** 135.

XX **Cambridge,** 90 r. Voltaire ✆ 35 42 50 24, produits de la mer – AE GB FZ **h**
fermé 17 au 31 août, lundi midi et dim. – **R** 140/175 ♨.

XX **Lescalle,** 39 pl. H. de Ville ✆ 35 43 07 93 – AE GB FZ **a**
fermé août, dim. soir et lundi – **R** 92/138, enf. 42.

XX **Thalassa,** 58 r. Sauveteurs ✆ 35 42 63 73 – ▤. AE GB EZ **a**
R 110/170.

X **Bonne Hôtesse,** 98 r. Prés. Wilson ✆ 35 21 31 73 – AE GB EY **k**
✦ *fermé 3 au 31 août, dim. soir et lundi* – **R** 65/115 ♨.

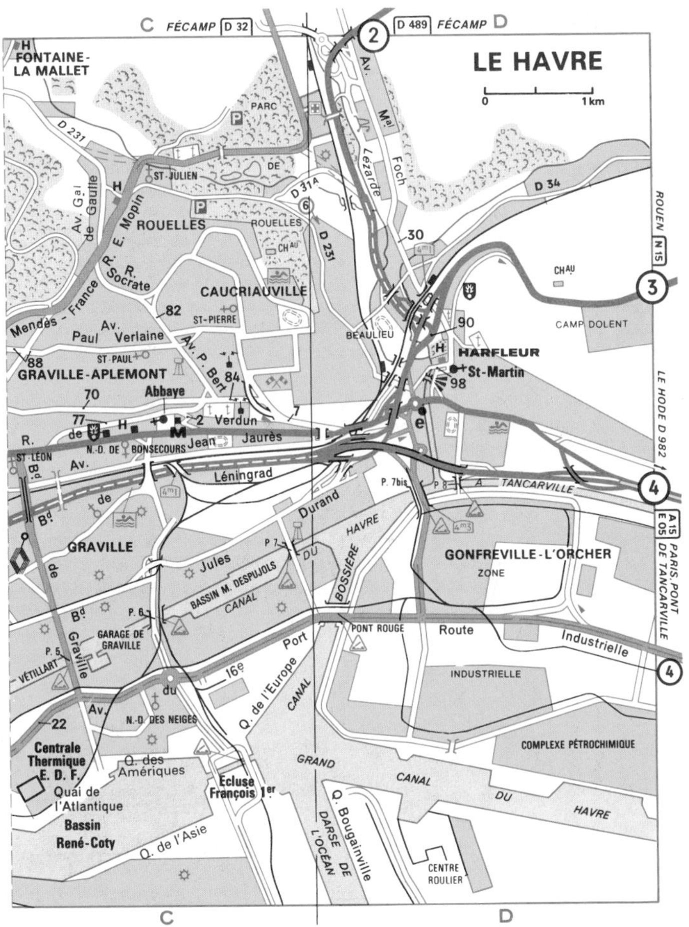

à Ste-Adresse - A – 8 047 h. – ✉ **76310** :

✗✗✗ **Nice-Havrais,** 6 pl. F. Sauvage ☏ 35 46 14 59, ≤ – AE GB — A **a**
fermé dim. soir, lundi soir et fériés le soir – **R** 160/300, enf. 75.

✗✗✗ **Yves Page,** 7 pl. Clemenceau ☏ 35 46 06 09, ≤ – ⟷. GB — A **s**
fermé dim. soir et lundi – **R** 148/286.

✗✗ **Beau Séjour,** 3 pl. Clemenceau ☏ 35 46 19 69, Fax 35 44 84 24, ≤ – ▤. AE ⓓ GB — A **e**
R 119/189.

à Gonfreville l'Orcher par ③ : 8 km – 10 202 h. – ✉ **76700** :

⌂ **Campanile** Ⓜ, Z.A.C. Camp Dolent ☏ 35 51 43 00, Télex 771609, Fax 35 47 94 58 – TV ☎ ♿ Ⓟ – 🏛 25. AE GB
R 77 bc/99 bc, enf. 39 – ☕ 28 – **49 ch** 258 – 1/2 P 234/256.

à Harfleur D – 9 180 h. – ✉ **76700** :

⌂ **Ibis** Ⓜ, ☏ 35 45 54 00, Télex 771898, Fax 35 45 25 58 – |≑| TV ☎ ♿ Ⓟ – 🏛 30 à 60. GB
R 91/140 ♁, enf. 41 – ☕ 32 – **72 ch** 295/315.

au Hode E : 18 km par D 982 – ✉ **76430** St-Romain-de-Colbosc :

✗✗✗ **Dubuc,** ☏ 35 20 06 97 – Ⓟ. AE ⓓ GB
fermé 9 au 16 mars, 10 au 24 août, dim. soir et lundi – **R** 145/325.

LE HAVRE

Briand (R. A.) . . . . HY
Delavigne (R. C.) . . . . . . GHY
Étretat (R. d') . . . . EY
Joffre (R. Maréchal) . . . . GHY
Paris (R. de) . . . . FZ
République
(Cours de la) . . . . HY

Albert-1er (Bd) . . . . EY
Alma (R. de l') . . . . EY 3
Anatole-France (R.) . . . . . GY
Anfray (R.) . . . . GZ 5
Angoulême
(Chaussée d') . . . . GZ 6
Archinard
(Av. Général) . . . . GZ 9

Aviateur-Guérin (R.) . . . . . HZ
Bellanger (R. F.) . . . . EY
Bellot (R.) . . . . HZ
Bernardin-
de-St-Pierre (R.) . . . . FZ 13
Bougainville (R.) . . . . HY
Braque (R. G.) . . . . EFY
Bretagne (R. de) . . . . FGZ 14
Brindeau (R. L.) . . . . EFZ 15
Cavée-Verte (R. de la) . . . EFY
Chevalier-de-la
Barre (Cours) . . . . HZ 18
Churchill (Bd W.) . . . . HZ 24
Clemenceau (Bd) . . . . EZ
Cochet (R.) . . . . EY
Colbert (Quai) . . . . HZ
Commerce
(Passerelle du) . . . . FZ 26
Corbeaux (Av. L.) . . . . GZ

Coty (Av. René) . . . . FGY
Courbet (R. Amiral) . . . . . . HZ
Cronstadt (R. de) . . . . GY
Delaroche (R. M.) . . . . FY 28
Delavigne (Quai C.) . . . . . . GZ 29
Demidoff (R.) . . . . HY
Docteur-Boissière (R.) . . . EFY
Doumer (R. P.) . . . . EFZ 33
Drapiers (R. des) . . . . FZ 32
Faidherbe
(R. Général) . . . . FGH 36
Faure (R. Félix) . . . . FGY
Faure (R. P.) . . . . FY
Féré (Quai Michel) . . . . FZ 37
Fort (R. du) . . . . EY
Flaubert (R. G.) . . . . FGY
Foubert (R.) . . . . EY 39
François-1er (Bd) . . . . EFZ
Gallieni (R. Mar.) . . . . GY 40

Gaulle
(R. Général-de) EY 42
Genestal (R. H.) FY 43
George-V (Quai) FGZ
Gobelins (R. des) EFY
Guillemard (R.) EY
Hélène (R.) HY
Honegger (R. A.) FZ 46
Hôtel-de-Ville
(Pl. de l') FYZ 47
Huet (R. A.-A.) FY 49
Hugo (R. V.) FZ 50
Ingouville (R. d') FY
Kennedy (Chaussée J.) EFZ 53
La Bourdonnais (R.) EY 54
Lafaurie (R. G.) FGY
Laffitte (R. Ch.) HZ 56
Lamblardie (Quai) FGZ 57
Lang (R. Ed.) FZ
Leclerc (Av. Gén.) FY 58
Lebon (R. Ph.) HY 60
Lecesne (R. Jules) GYZ
Lesueur (R.) GHY
Le Testu (Quai G.) FZ 61
Louer (R. J.) FY 63
Mac Orlan (R.) HY
Mailleraye (R. de la) EZ 64
Marceau (R.) HZ
Marical (R. Cl.) EY
Massillon (R.) HY 65
Maupassant (R. G.-de) EY 67
Mouchez
(Bd Amiral) HZ
Neustrie (R. de) HY 71
No'tre-Dame (Quai) FZ 72
Pasteur (R.) HY 75
Perret (Pl. Auguste) FZ 76
Renan (R. Ernest) GY
Richelieu (R.) EFZ
Risson (R. F.) GY 80
Rousseau (R. J.-J.) HY
Saône (Quai de la) HZ
Ste-Adresse (R. de) EY
Sarrail
(R. Général) GYZ
Séry (R.) EZ 86
Southampton (Quai de) FZ 87
Strasbourg (Bd de) FGZ
Tellier (R. J.) HY
Tourneville (R. de) GHY
Videcoq (Quai) FZ 92
Voltaire (R.) EFZ 94
Wilson
(R. Président) EY 96
24e-Territorial
(Chaussée du) EZ 97
329e (R. du) GHY

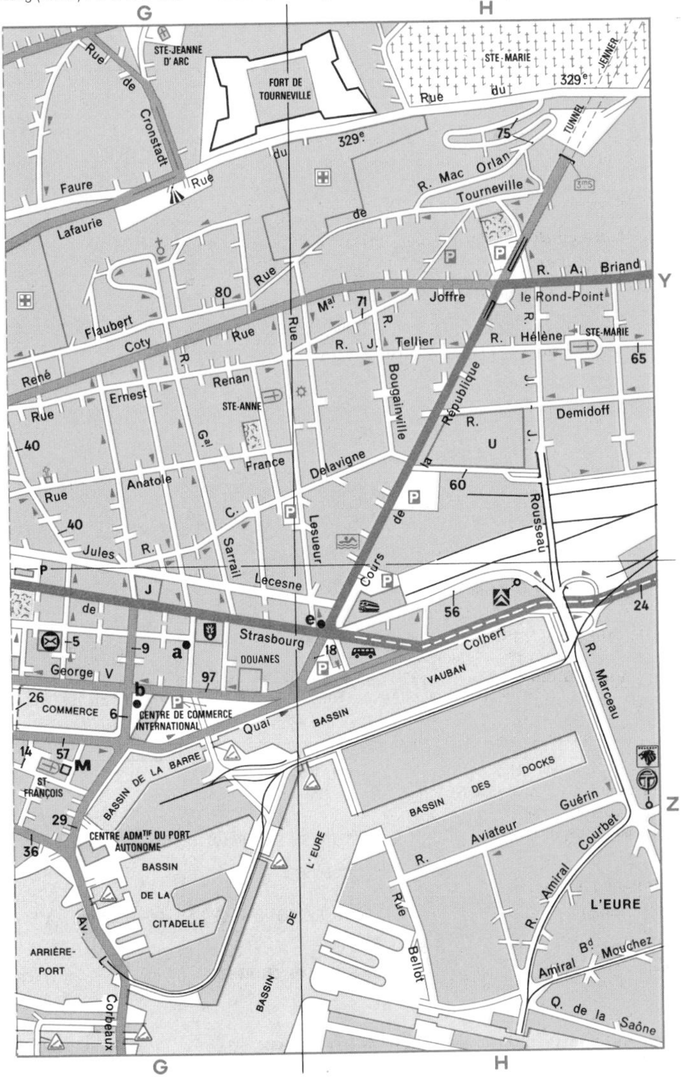

MICHELIN, Agence, 41 r. de Fleurus B ✆ 35 25 22 20

ALFA-ROMEO-SEAT Gar. des Halles, 14 bis r. Berthelot ✆ 35 24 08 64
BMW Auto 76, 19 r. G.-Braque ✆ 35 22 69 69
CITROEN Alteam 3, 86 r. Ch.-Laffitte HZ ✆ 35 21 21 21
FIAT S.N.D.A., 220 bd de Graville ✆ 35 53 27 27
FORD Cazaux Autom., 32 r. Lamartine ✆ 35 53 13 60
LANCIA J.F.R. Autos, 58 r. Dicquemare ✆ 35 41 21 91
MERCEDES Lamartine Autom., 10/12 r. Lamartine ✆ 35 24 46 06
PEUGEOT, TALBOT S.I.A. du Havre, 94 r. Denfert-Rochereau HZ ✆ 35 25 25 05
RENAULT Succursale, 239 à 273 bd de Graville C ✆ 35 53 42 42 N ✆ 35 54 86 23
V.A.G Le Troadec, 447 r. Curie Zone Emploi Montgaillard ✆ 35 48 00 55
V.A.G Le Troadec, 93 r. Lesueur ✆ 35 22 45 05

Central-Pneu, 26 r. Lesueur ✆ 35 22 40 14
Legay-Pneus, 34 r. Fleurus ✆ 35 25 07 89
Nicol Pneus, 23 quai Georges V ✆ 35 41 75 89
Nicol-Pneus, 12 r. Dumé-d'Aplemont ✆ 35 53 11 20
Norais-Pneus, 203 bd de Graville ✆ 35 26 50 68
Renov Pneus, 141 bd Amiral-Mouchez ✆ 35 26 64 64
Réparpneu, 161 bd de Graville ✆ 35 25 32 85

HAYBES 08170 Ardennes 53 ⑱ **G. Champagne**– 2 071 h. alt. 117.
Paris 247 – Charleville-Mézières 35 – Fumay 2,5 – Givet 20 – Rocroi 20.

Ermitage Moulin Labotte, E : 2 km par D 7 et VO ✆ 24 41 13 44, – ☎ P. GB
fermé dim. soir et lundi du 1er sept. au 31 mai – **R** carte 170 à 270 – 25 – **8 ch** 150/220 – ½ P 270.

HAZEBROUCK 59190 Nord 51 ④ **G. Flandres Artois Picardie**– 20 567 h. alt. 28.
Env. Cassel : site★ et jardin public ✻★★ NO : 14 km.
A.C. 31 pl. Gén.-de-Gaulle ✆ 28 41 92 66.
Paris 241 – ◆ Calais 68 – Armentières 28 – Arras 60 – Dunkerque 41 – Ieper 34 – ◆ Lille 45.

à la Motte-au-Bois SE : 5,5 km par D 946 – ✉ 59190 :

XXX **Aub. de la Forêt** avec ch, ✆ 28 48 08 78 – ☎ P. GB
fermé 26 déc. au 31 janv., dim. soir et lundi sauf fériés le midi – **R** 125/260 – 36 – **13 ch** 160/320 – ½ P 240/330.

à Longue Croix NO : 8 km par N 42 et D 238 – ✉ 59190 Hazebrouck :

XX **Aub. de la Longue Croix,** ✆ 28 40 03 30 – P. GB
fermé 16 juil. au 5 août, vacances de fév., mardi soir et merc. – **R** 98/195, enf. 35.

CITROEN Autocit, 88 rte de Borre ✆ 28 41 83 73
PEUGEOT-TALBOT Gar. Delaire-Dubus, 28 rte de Borre ✆ 28 48 03 17
RENAULT Gar. de la Lys, 223 r. Notre-Dame ✆ 28 41 87 85 N ✆ 28 02 07 69
V.A.G Auto-Expo, av. de St-Omer ✆ 28 41 55 46

François-Pneus, 199 r. de Merville ✆ 28 41 59 46

If you are held up on the road - from 6pm onwards - confirm your hotel booking by telephone. It is safer and quite an accepted practice.

HÉDÉ 35630 I.-et-V. 59 ⑯ **G. Bretagne**– 1 500 h. alt. 100.
Paris 370 – ◆ Rennes 25 – Avranches 64 – Dinan 30 – Dol-de-Bretagne 31 – Fougères 49.

XX **Vieille Auberge,** N 137 ✆ 99 45 46 25, « Cadre rustique, jardin » – P. AE GB
fermé 24 août au 2 sept., mi-janv. au mi-fév., dim. soir et lundi sauf fériés – **R** 125/168.

XX **Host. Vieux Moulin** avec ch, N 137 ✆ 99 45 45 70, – ☎ P. GB. ✻ ch
fermé 20 déc. au 28 fév., dim. soir et lundi – **R** 100/220, enf. 45 – 28 – **12 ch** 195/280 – ½ P 265/285.

RENAULT Delacroix, rte de St-Malo ✆ 99 45 46 23

HENDAYE 64700 Pyr.-Atl. 85 ① **G. Pyrénées Aquitaine**– 11 578 h. alt. 31.
Voir Grand crucifix★ dans l'église St-Vincent BY **B** – Corniche basque★★ par ①.
Office de Tourisme 12 r. Aubépines ✆ 59 20 00 34.
Paris 806 ② – Biarritz 29 ② – Pau 141 ② – St-Jean-de-Luz 13 ② – San Sebastián 23 ③.

Plan page suivante

à Hendaye Plage :

Pohoténia, rte Corniche par ① ✆ 59 20 04 76, Fax 59 20 81 25, – ☎ P – 50. GB. ✻ ch
fermé janv. – **R** 100/150 – 32 – **52 ch** 320/350 – ½ P 300/330.

Paris sans rest, Rond-Point ✆ 59 20 05 06 – ☎ P. AE GB — BX **a**
mai-1er oct. – 33 – **39 ch** 200/390.

à Hendaye Ville :

Chez Antoinette, pl. Pellot ✆ 59 20 08 47, – ☎. GB. ✻ ch — BY **h**
Pâques-oct. – **Repas** 125/140, enf. 50 – 30 – **20 ch** 180/250 – ½ P 240/255.

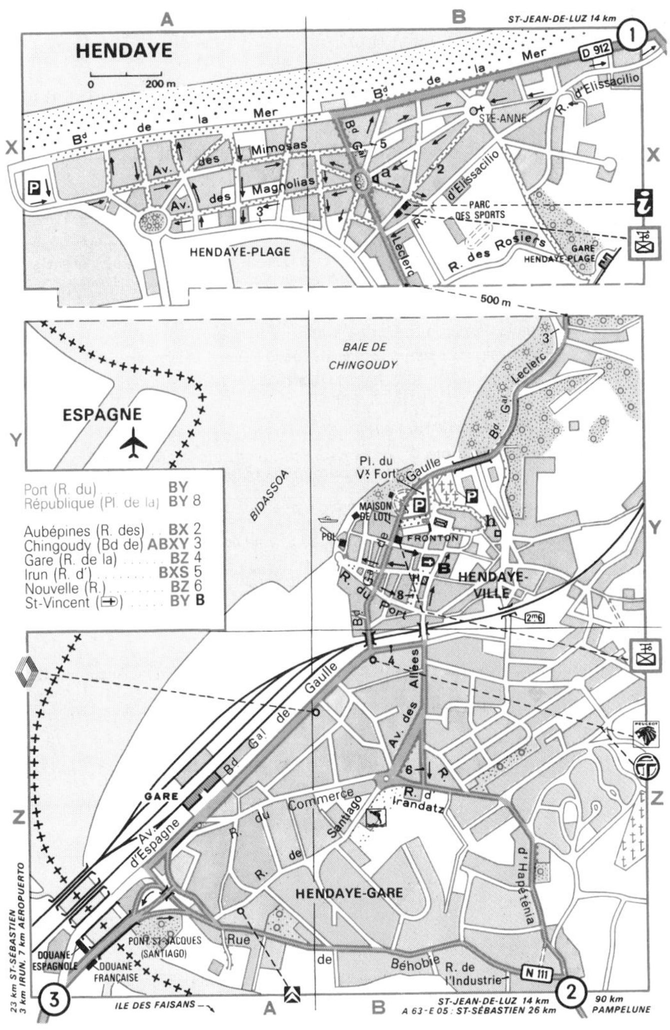

à Biriatou par ② et D 258 : 4 km – ✉ **64700** :

XXX **Bakéa** avec ch, ☎ 59 20 76 36, ≤, « Terrasse ombragée sur la vallée » – ☎. AE ① GB. ch
1er mai-30 sept. – **R** 140/200 – ☐ 40 – **15 ch** 300/400 – 1/2 P 255/380.

ALFA-ROMEO Gar. Bidassoan, 23 bd Gén.-Leclerc ☎ 59 20 00 23
CITROEN Gar. de la Place, 41 r. de Santiago ☎ 59 20 00 86
OPEL Pivot, 16 rte de Behobie ☎ 59 20 03 93

PEUGEOT, TALBOT Laguillon, ZI Joncaux, r. Industrie ☎ 59 20 18 63
RENAULT Hendaye-Autos, 49 bd de-Gaulle ☎ 59 20 78 61 **N** ☎ 59 20 59 31

HÉNIN-BEAUMONT 62110 P.-de-C. 51 ⑮ – 26 257 h. alt. 31.

Syndicat d'Initiative 188 r. Pasteur ✆ 21 75 08 07.

Paris 195 – Arras 21 – Béthune 30 – Douai 11 – Lens 11 – ◆Lille 31.

Novotel M, échangeur Autoroute A1 ✉ 62950 Noyelles-Godault ✆ 21 75 16 01, Télex 110352, Fax 21 75 88 59, ⛱, ♨, ⚘ – ⇆ ch ▤ rest TV ☎ ♿ P – 🏛 120. AE ⦿ GB
R carte environ 140, enf. 50 – ☕ 52 – **81 ch** 425/475.

Campanile, à Noyelles-Godault, N 43 ✉ 62950 Noyelles-Godault ✆ 21 76 26 26, Télex 134109, Fax 21 75 22 21, ⚘ – TV ☎ ♿ P – 🏛 40. AE GB
R 77 bc/99 bc, enf. 39 – ☕ 28 – **55 ch** 258 – ½ P 234/256.

FIAT Hanot-Mariani, ZI Sud, bd Darchicourt ✆ 21 20 44 40
PEUGEOT-TALBOT Beaumont-Automobiles, ZI, la Peupleraie ✆ 21 75 16 50

RENAULT Sandrah, 1230 bd A.-Schweitzer ✆ 21 75 03 78 N ✆ 21 20 29 15

François-Pneus, 83 rte Nle à Montigny-en-Gohelle ✆ 21 20 29 51

HENNEBONT 56700 Morbihan 63 ① **G. Bretagne** – 13 624 h. alt. 22.

Voir Tour-clocher★ de la basilique N.-D.-de-Paradis.

Paris 483 – Vannes 48 – Concarneau 57 – Lorient 12 – Pontivy 43 – Quiberon 43 – Quimperlé 23.

France, 17 av. Libération ✆ 97 36 21 82 – ⦿ GB
fermé dim. soir et sam. – **R** 60/150 ⅌, enf. 40.

au Sud par D 781 – ✉ 56700 Hennebont :

✿ **Château de Locguénolé** ⚘, 4 km sur rte Port-Louis ✆ 97 76 29 04, Télex 950636, Fax 97 76 39 47, ≤, « Dans un parc en bordure de rivière », ♨ » – TV ☎ P – 🏛 50. AE ⦿ GB. ✗ ch
fermé 3 janv. au 15 fév. – **R** *(fermé lundi d'oct. à avril sauf fêtes)* 190/480 – ☕ 68 – **20 ch** 780/1250, 4 appart. 1960 – ½ P 818/1053
Spéc. Tarte d'araignée à la crème de coriandre (juin à sept.). Rouget de petit bateau en civet. Noisettes de râble de lapereau farcies aux truffes.

Captain H. M, 2 km sur N 165 échangeur Hennebont Port-Louis ✆ 97 85 05 00, Télex 951162, Fax 97 85 04 85 – |≡| TV ☎ ♿ P – 🏛 60
60 ch.

au Sud par D 9 et D 170 : 7 km – ✉ 56700 Hennebont :

Les Chaumières de Kerniaven ⚘ sans rest, ✆ 97 81 14 14, « Ancienne ferme du 15e siècle, bel aménagement intérieur », ⚘ – TV ☎ P. AE GB
1er mai-30 sept. – **R** voir **Château de Locguénolé** – ☕ 68 – **11 ch** 460/690.

à Brandérion E : 7 km sur D 765 – ✉ 56700 :

L'Hermine ⚘ sans rest, ✆ 97 32 92 93 – ☎ P. GB
☕ 32 – **9 ch** 330/350.

RENAULT Gar. Jean-Hello, 66-68 av. République ✆ 97 36 21 17 N

Jubin-Pneus, ZI Ker André, r. D.-Papin ✆ 97 36 16 88

HERBAULT 41190 L.-et-Ch. 64 ⑥ – 926 h. alt. 138.

Paris 197 – ◆ Tours 45 – Blois 15 – Château-Renault 18 – Montrichard 36 – Vendôme 23.

Trois Marchands, ✆ 54 46 12 18 – ⦿ GB
fermé déc., lundi soir et mardi – **R** 75/170, enf. 50.

RENAULT Beauclair ✆ 54 46 12 16

Les HERBIERS 85500 Vendée 67 ⑮ **G. Poitou Vendée Charentes** – 13 413 h. alt. 109.

Voir Mont des Alouettes ≤★★ N : 2 km.

Office de Tourisme 4 Grande Rue (fermé matin) ✆ 51 92 92 92 et Mont des Alouettes (juil.-août) ✆ 51 67 18 39.

Paris 374 – La Roche-sur-Yon 40 – Bressuire 45 – Chantonnay 24 – Cholet 24 – Clisson 34.

Chez Camille, rte de Mouchamps S : 1,5 km ✆ 51 91 07 57, Fax 51 67 19 28, ⛱ – ▤ rest TV ☎ ♿ P. AE ⦿ GB
fermé 1er au 15 août, 25 déc. au 2 janv. et vend. soir de sept. à mai – **R** 65/160 ⅌ – ☕ 25 – **13 ch** 195/250 – ½ P 250/280.

Relais, 18 r. Saumur ✆ 51 91 01 64 – TV ☎ P – 🏛 80. GB. ✗
fermé 26 juil. au 13 août et sam. hors sais. – **R** 60/140 ⅌, enf. 38 – ☕ 28 – **32 ch** 160/300 – ½ P 280/300.

Mont des Alouettes, N : 3 km sur N 160 ✆ 51 67 02 18, ≤ – P. GB
fermé 5 au 21 oct., 17 fév. au 15 mars et lundi sauf le midi de mars à nov. – **R** 65/170, enf. 48.

à Chambretaud NE : 7,5 km par N 160 et VO – ✉ 85500 :

Château Joseph M ⚘, rte La Verrie ✆ 51 67 50 38, Fax 51 67 50 69, ⛱, « Demeure du 19e siècle dans un parc » – TV ☎ ♿ P. AE GB. ✗
fermé 3 fév. au 3 mars – **R** *(fermé dim. soir et lundi)* 120/230 – ☕ 45 – **9 ch** 550/750.

CITROEN Martineau, 40 av. G.-Clemenceau ☏ 51 91 07 50
PEUGEOT-TALBOT Gar. du Bocage, rte de Cholet ☏ 51 91 04 12 N

RENAULT Herbretaise Autos, 2 r. Industrie ☏ 51 91 01 71 N ☏ 51 65 50 63

Metayer Pneus, ZA de la Buzenière ☏ 51 91 19 08

HÉRICOURT-EN-CAUX 76560 S.-Mar. 52 ⑬ – 730 h.

Paris 187 – ♦Rouen 45 – Bolbec 23,5 – Dieppe 45,5 – Fécamp 30 – Yvetot 10.

XX **Saint-Denis,** ☏ 35 96 55 23, – P. GB
fermé 15 sept. au 15 oct., mardi soir et merc. – **R** 70/220, enf. 50.

HERM 40990 Landes 78 ⑯ – 694 h. alt. 67.

Paris 728 – Biarritz 57 – Mont-de-Marsan 58 – ♦Bayonne 52 – Castets 14 – Dax 16.

Paix , rte Magescq ☏ 58 91 52 17, Fax 58 91 34 25, , – ☎ P. GB. rest
fermé janv. et lundi de nov. à avril – **R** 70/200 – ☐ 26 – **11 ch** 170/210 – ½ P 220/240.

HERMENT 63470 P.-de-D. 73 ⑫ – 350 h. alt. 823.

Paris 413 – ♦Clermont-Ferrand 54 – Aubusson 49 – Le Mont-Dore 35 – Montluçon 79 – Ussel 39.

Souchal, ☏ 73 22 10 55, Fax 73 22 13 63 – ☎ P. AE GB
R 55/180 – ☐ 25 – **26 ch** 170/230 – ½ P 180/190.

HÉROUVILLE-ST-CLAIR 14 Calvados 55 ⑫ – rattaché à Caen.

HESDIN 62140 P.-de-C. 51 ⑫ ⑬ G. Flandres Artois Picardie – 2 713 h. alt. 26.

Paris 216 – ♦Calais 86 – Abbeville 37 – Arras 58 – Boulogne-sur-Mer 59 – ♦Lille 88.

Trois Fontaines , 16 rte Abbeville à Marconne ☏ 21 86 81 65, – TV ☎ & P. AE GB
R *(fermé 25 déc. au 4 janv.)* 85/190 , enf. 75 – ☐ 40 – **10 ch** 250/300 – ½ P 210/260.

Flandres, r. Arras ☏ 21 86 80 21 – rest ☎ P. AE GB
fermé 20 déc. au 10 janv. – **R** 70/180 , enf. 48 – ☐ 32 – **14 ch** 165/330 – ½ P 180/250.

CITROEN Ficheux, 33 av. Mar.-Leclerc ☏ 21 86 91 74
RENAULT Gar. Hesdinois, 5 av. d'Arras, Marconne ☏ 21 86 96 44 N

Au Pneu Hesdinois, rte de St-Pol ☏ 21 86 83 97
La Maison du Pneu, 3 pl. Garbé ☏ 21 86 86 19

HESDIN L'ABBÉ 62 P.-de-C. 51 ⑪ – rattaché à Boulogne-sur-Mer.

HÉSINGUE 68 H.-Rhin 166 ⑩ – rattaché à St-Louis.

HEUDICOURT-SOUS-LES-CÔTES 55 Meuse 57 ⑫ – rattaché à St-Mihiel.

HEYRIEUX 38540 Isère 74 ⑫ – 3 872 h. alt. 263.

Paris 493 – ♦Lyon 25 – Pont-de-Chéruy 20 – La Tour-du-Pin 34 – Vienne 24.

XX **L'Alouette,** rte St-Jean-de-Bournay : 2 km ☏ 78 40 06 08 – P. GB
fermé 15 août au 10 sept., dim. soir et lundi – **R** 155/270, enf. 75.

HINSINGEN 67260 B.-Rhin 57 ⑯ – 82 h. alt. 230.

Paris 406 – St-Avold 35 – Sarrebourg 36 – Sarreguemines 21 – ♦Strasbourg 91.

XX **La Grange du Paysan,** ☏ 88 00 91 83 – P. GB
fermé lundi – **Repas** 61/245 .

HIRMENTAZ 74 H.-Savoie 170 ⑰ – rattaché à Bellevaux.

HIRTZBACH 68 H.-Rhin 166 ⑨ – rattaché à Altkirch.

Le HODE 76 S.-Mar. 55 ④ – rattaché au Havre.

HOHRODBERG 68 H.-Rhin 62 ⑱ G. Alsace Lorraine – alt. 750 – ✉ 68140 Munster.

Voir ≤★★.

Paris 439 – Colmar 26 – Gérardmer 36 – Guebwiller 35 – Munster 7,5 – Le Thillot 57.

Panorama , ☏ 89 77 36 53, Fax 89 77 03 93, ≤ vallée et montagnes – TV ☎ & P. AE GB
fermé 11 au 26 janv. – **R** 85/200 , enf. 38 – ☐ 30 – **34 ch** 200/320 – ½ P 180/270.

Roess , ☏ 89 77 36 00, ≤ vallée et montagnes, – & P. GB. ch
fermé 6 nov. au 19 déc. – **R** 92/185 – ☐ 28 – **31 ch** 165/260 – ½ P 210/260.

Le HOHWALD 67140 B.-Rhin 62 ⑨ G. Alsace Lorraine – 360 h. alt. 575 – Sports d'hiver : 900/1 050 m 3 .

Env. Le Neuntelstein ≤★★ N : 6 km puis 30 mn – Champ du Feu ★★ SO : 14 km.

Paris 423 – ♦Strasbourg 47 – Lunéville 85 – Molsheim 30 – St-Dié 47 – Sélestat 25.

Marchal ⑤, ☎ 88 08 31 04, Fax 88 08 34 05, ≤, ⛫ – ☎ ⓟ. GB
fermé 3 au 10 mars et 5 nov. au 10 déc. – **R** *(fermé mardi sauf juil-août)* 100/165 ♁ – ☕ 30 – **16 ch** 170/240 – ½ P 240/250.

Aub. de l'Ilsbach ⑤, SE : 2 km par D 425 ☎ 88 08 31 47, ⛱, ⛫ – ⓟ. GB
15 fév.-15 nov. et fermé mardi – **R** 120/160 ♁ – ☕ 27 – **8 ch** 150/250 – ½ P 230/250.

Petite Auberge, ☎ 88 08 33 05 – ⓟ. GB
fermé 15 au 27 juin, janv., merc. soir et jeudi – **R** 65/175 et carte le dim. ♁

au col du Kreuzweg SO : 5 km par D 425 – ✉ **67140** Barr :

Zundelkopf ⑤, ☎ 88 08 30 41, ≤, ⛫ – ⓟ
fermé 17 au 31 mars, 3 nov. au 18 déc. et merc. sauf vacances scolaires – **R** (résidents seul.) – ☕ 26 – **22 ch** 125/223 – ½ P 170/200.

HOLNON **02** Aisne 53 ⑬ – rattaché à St-Quentin.

HOMPS **11200** Aude 83 ⑬ – 611 h. alt. 47.

Paris 867 – Carcassonne 33 – Lézignan-Corbières 10 – Narbonne 25 – ◆Perpignan 88.

Aub. de l'Arbousier Ⓜ ⑤, av. Carcassonne ☎ 68 91 11 24, ≤, ⛱ – ☎ ⓟ. GB
fermé 9 fév. au 10 mars, lundi en sais., dim. soir et merc. hors sais. – **R** 70/170 ♁, enf. 35 – ☕ 30 – **7 ch** 210/230 – ½ P 220/240.

HONDAINVILLE **60250** Oise 55 ⑩ – 553 h. alt. 43.

Paris 80 – Compiègne 44 – Beauvais 21 – Chantilly 29 – Clermont 10 – Creil 21 – L'Isle-Adam 32.

Vert Pommier, ☎ 44 56 53 60, Fax 44 26 23 07, ✻ – ⓟ. AE GB
fermé août, Noël au Jour de l'An, dim. soir et sam. – **R** carte 180 à 270.

HONFLEUR **14600** Calvados 55 ③ ④ **G. Normandie Vallée de la Seine** – 8 272 h. alt. 6.

Voir le vieux Honfleur** : Vieux bassin** AZ, église Ste-Catherine* AY et clocher* AY **B** – Côte de Grâce** AY : calvaire ✻**.

9 18 de St-Gatien-Deauville ☎ 31 65 19 99, par ② : 8 km ; 9 18 de St-Julien ☎ 31 64 30 30, S par D 579 : 18 km.

ℹ Office de Tourisme pl. A.-Boudin ☎ 31 89 23 30.

Paris 192 ① – ◆Caen 62 ② – ◆Le Havre 55 ① – Lisieux 33 ② – ◆Rouen 74 ①.

Plan page suivante

Ferme St-Siméon ⑤, r. A. Marais par ③ ☎ 31 89 23 61, Télex 171031, Fax 31 89 48 48, ≤, ⛱, « Parc ombragé dominant l'estuaire », Ⓛ, ⛆, ✻ – 🛗 TV ☎ ♿ ⓟ – 🏛 30. GB. ✻ ch
R carte 350 à 600 – ☕ 90 – **29 ch** 990/1920, 10 appart.

Au Manoir XXX, ☎ 31 89 42 22, ≤, ⛱, ⛫ – ⓟ. AE GB
fermé merc. soir et jeudi hors sais. – **R** 120/270.

L'Ecrin ⑤ sans rest, 19 r. E. Boudin ☎ 31 89 32 39, Fax 31 89 24 41, ⛫ – ⛔ TV ☎ ⓟ. AE ⓞ GB JCB AZ **k**
☕ 45 – **20 ch** 350/590.

Mercure Ⓜ sans rest, r. Vases ☎ 31 89 50 50, Fax 31 89 58 77 – 🛗 TV ☎ ♿ – 🏛 30. AE ⓞ GB BZ **q**
☕ 42 – **56 ch** 385/510.

La Tour Ⓜ sans rest, 3 quai Tour ☎ 31 89 21 22, Télex 772289 – 🛗 TV ☎. GB. ✻ BZ **r**
fermé 16 nov. au 26 déc. – ☕ 27 – **48 ch** 280/310.

Castel Albertine sans rest, 19 cours Albert-Manuel ☎ 31 98 85 56, Fax 31 98 83 18, « Jardin ombragé » – TV ☎ ⛟ ⓟ. AE ⓞ GB AZ **e**
☕ 45 – **12 ch** 330/550.

Host. Lechat, pl. Ste-Catherine ☎ 31 89 23 85, Télex 772153, Fax 31 89 28 61 – TV ☎. AE ⓞ GB. ✻ ch AY **a**
R *(fermé janv., jeudi midi et merc. hors sais.)* 135/350 – ☕ 40 – **23 ch** 325/450 – ½ P 300/375.

H. Cheval Blanc sans rest, 2 quai Passagers ☎ 31 89 13 49, Télex 306022, Fax 31 89 52 80, ≤ – 🛗 ☎ – 🏛 30. GB JCB AY **d**
fermé janv. – **33 ch** ☕ 360/600.

Otelinn Ⓜ, 62 cours A. Manuel ☎ 31 89 41 77, Télex 772265 – TV ☎ ♿ ⓟ. AE ⓞ GB. ✻ rest
R *(1er mars-31 oct. et fermé dim.)* (dîner seul) 80/140 ♁, enf. 45 – ☕ 37 – **50 ch** 280/365.

✿ **L'Assiette Gourmande** (Bonnefoy), 8 pl. Ste Catherine ☎ 31 89 24 88, ⛱ – AE ⓞ GB JCB AY **u**
fermé 15 nov. au 15 déc., lundi soir et mardi sauf juil.-août – **R** 140/295
Spéc. Petit pâté de rouget en escabèche, Turbot rôti en crépine, Camembert au caramel poivré.

L'Absinthe, 10 quai Quarantaine ☎ 31 89 39 00, Fax 31 89 53 60, ⛱ – AE ⓞ GB BZ **v**
fermé 12 nov. au 20 déc., lundi soir et mardi hors sais. – **R** 139/335.

Rest. Cheval Blanc, quai Passagers ☎ 31 89 39 87 – GB AY **d**
15 fév.-12 nov. et fermé merc. soir et jeudi – **R** 130/250.

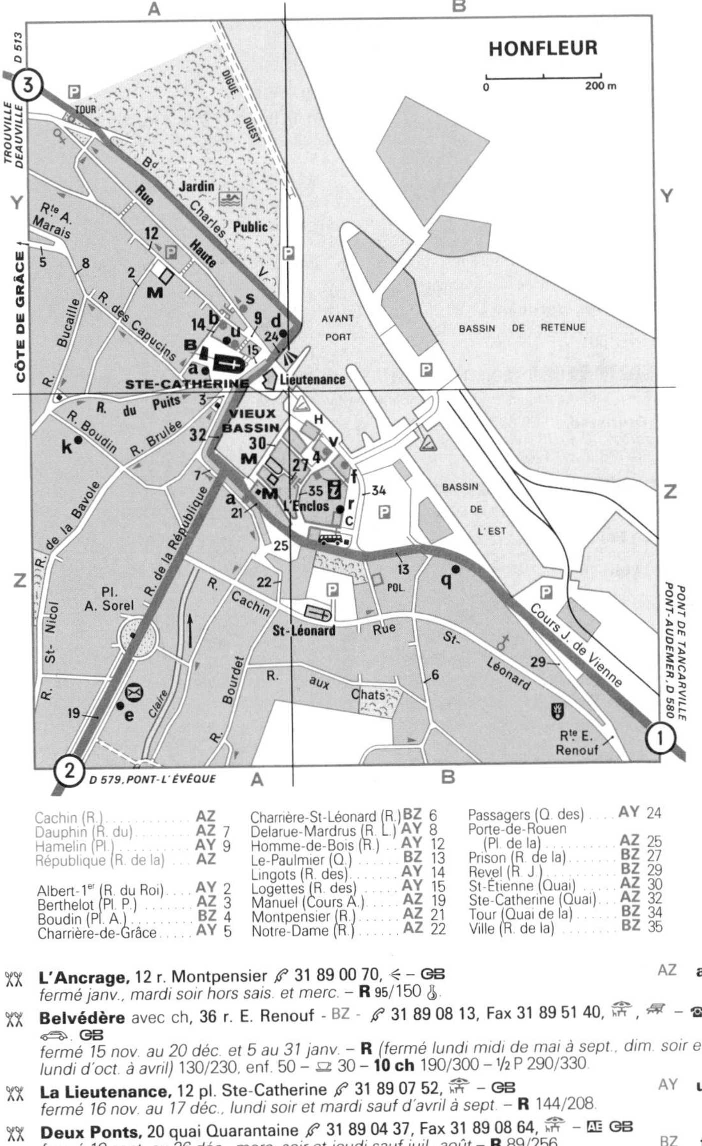

Cachin (R.) . . . . AZ
Dauphin (R. du) . . . . AZ 7
Hamelin (Pl.) . . . . AY 9
République (R. de la) . . . . AZ

Albert-1er (R. du Roi) . . . . AY 2
Berthelot (Pl. P.) . . . . AZ 3
Boudin (Pl. A.) . . . . BZ 4
Charrière-de-Grâce . . . . . AY 5
Charrière-St-Léonard (R.) BZ 6
Delarue-Mardrus (R. L.) AY 8
Homme-de-Bois (R.) . . AY 12
Le-Paulmier (Q.) . . . . . . BZ 13
Lingots (R. des) . . . . . . AY 14
Logettes (R. des) . . . . . AY 15
Manuel (Cours A.) . . . . AZ 19
Montpensier (R.) . . . . . AZ 21
Notre-Dame (R.) . . . . . . AZ 22
Passagers (Q. des) . . . . AY 24
Porte-de-Rouen (Pl. de la) . . . . AZ 25
Prison (R. de la) . . . . BZ 27
Revel (R. J.) . . . . BZ 29
St-Étienne (Quai) . . . . . . AZ 30
Ste-Catherine (Quai) . . . AZ 32
Tour (Quai de la) . . . . . . BZ 34
Ville (R. de la) . . . . BZ 35

XX **L'Ancrage,** 12 r. Montpensier ℘ 31 89 00 70, ≤ – GB — AZ **a**
fermé janv., mardi soir hors sais. et merc. – **R** 95/150 ₰.

XX **Belvédère** avec ch, 36 r. E. Renouf - BZ - ℘ 31 89 08 13, Fax 31 89 51 40, ☂, ☂ – ☎ ⇔. GB
fermé 15 nov. au 20 déc. et 5 au 31 janv. – **R** *(fermé lundi midi de mai à sept., dim. soir et lundi d'oct. à avril)* 130/230, enf. 50 – ☕ 30 – **10 ch** 190/300 – ½ P 290/330.

XX **La Lieutenance,** 12 pl. Ste-Catherine ℘ 31 89 07 52, ☂ – GB — AY **u**
fermé 16 nov. au 17 déc., lundi soir et mardi sauf d'avril à sept. – **R** 144/208.

XX **Deux Ponts,** 20 quai Quarantaine ℘ 31 89 04 37, Fax 31 89 08 64, ☂ – AE GB — BZ **f**
fermé 19 sept. au 26 déc., merc. soir et jeudi sauf juil.-août – **R** 89/256.

X **Au P'tit Mareyeur,** 4 r. Haute ℘ 31 98 84 23 – GB — AY **s**
fermé 16 au 29 nov., 11 au 24 janv., vend. midi et jeudi – **Repas** 119 ₰.

X **Au Vieux Clocher,** 9 r. de l'Homme de Bois ℘ 31 89 12 06 – ⋟. AE ⓓ GB
fermé 25/11 au 13/12, 6 au 17/1, lundi midi et jeudi midi du 1/7 au 15/9, dim. soir et lundi du 15/9 au 30/6 – **Repas** 105/195. — AY **b**

*à **Barneville*** par ②, D 62 et D 279 : 5 km – ✉ **14600** :

⌂ **Aub. de la Source** ⑤, ℘ 31 89 25 02, ☂, ☂ – TV ☎ P. GB. ⋟
hôtel : 1er mars-4 nov. ; rest. : juil.-août, week-ends de sept. à juin et fermé merc. – **R** 155 – ☕ 30 – **14 ch** 300/440 – ½ P 250/320.

à Pennedepie par ③ : 5 km – ✉ **14600** :

Moulin St-Georges, ✆ 31 89 12 00,
fermé fév., mardi soir et merc. – **R** 72/152, enf. 35.

par ③ rte de Trouville et VO : 8 km – ✉ **14600** Honfleur :

Romantica, Chemin Petit Palais ✆ 31 81 14 00, ← – TV ☎ ♿ P. AE GB. rest
fermé 12 nov. au 20 déc. et merc. sauf vacances scolaires – **R** 110/180 – ☕ 32 – **13 ch** 310/360 – ½ P 257/352.

CITROEN Gar. Thiers, r. J.-de-Vienne par ① ✆ 31 89 08 01
Gar. du Cours, 16 cours Manuel ✆ 31 89 02 02

Escolar Pneu + Paris Normandie, ZI ✆ 31 89 20 37

L'HÔPITAL-CAMFROUT **29224** Finistère 58 ⑤ – 1 505 h. alt. 8.

Voir Daoulas : enclos paroissial★ et cloître★ de l'abbaye N : 4,5 km, **G. Bretagne.**

Paris 564 – ♦ Brest 25 – Morlaix 53 – Quimper 48.

Diverres-Bernicot, ✆ 98 20 01 01 – TV ☎. GB
fermé 1er au 15 oct., vend. soir et dim. soir d'oct. à mai – **R** 62/180, enf. 35 – ☕ 30 – **17 ch** 100/190 – ½ P 142/187.

L'HÔPITAL-ST-BLAISE **64130** Pyr.-Atl. 85 ⑤ **G. Pyrénées Aquitaine** – 76 h. alt. 159.

Paris 816 – Pau 50 – Cambo-les-B. 73 – Oloron-Ste-Marie 16 – Orthez 35 – St-Jean-Pied-de-Port 53.

Touristes, ✆ 59 66 53 04, – P. GB
fermé 1er au 15 mars, 14 fév. au 1er mars et lundi sauf juil.-août – **R** 47/130 – ☕ 15 – **9 ch** 80/135 – ½ P 120/150.

L'HÔPITAL-SUR-RHINS **42** Loire 73 ⑧ – alt. 430 – ✉ **42132** St-Cyr-de-Favières.

Paris 402 – Roanne 10,5 – ♦ Lyon 76 – Montbrison 54 – ♦ St-Étienne 74 – Thizy 27.

Le Favières avec ch, ✆ 77 64 80 30, – TV ☎. GB
fermé 5 au 20 janv., dim. soir et lundi du 1er oct. au 30 avril – **R** 65/250, enf. 38 – ☕ 25 – **14 ch** 110/185 – ½ P 150/170.

Les HÔPITAUX-NEUFS **25370** Doubs 70 ⑦ **G. Jura** – 369 h. alt. 1 000 – Sports d'hiver : 980/1 440 m 30.

Voir Le Morond ✳★ SO : 3 km puis télésiège.

Env. Mont d'Or ✳★★ S : 11 km puis 30 mn.

Office de Tourisme, Métabief pl. de la Mairie ✆ 81 49 13 81.

Paris 458 – ♦ Besançon 77 – Champagnole 44 – Morez 50 – Mouthe 17 – Pontarlier 18.

Robbe, ✆ 81 49 11 05, – ☎ P. GB. rest
25 juin-5 sept. et 20 déc.-10 avril – **R** 63/95 – ☕ 22 – **20 ch** 130/171 – ½ P 162/210.

à Métabief O : 3 km par D 49 – alt. 965 – ✉ **25370** :

Étoile des Neiges, ✆ 81 49 11 21 – rest ☎ P. GB.
fermé 21 mai au 15 juin et 15 nov. au 15 déc. – **Le Bief Rouge** ✆ 81 49 03 43 **R** 75/120 – ☕ 30 – **14 ch** 170/210 – ½ P 190/220.

CITROEN Drezet ✆ 81 49 10 56 N

HORBOURG **68** H.-Rhin 62 ⑲ – rattaché à Colmar.

L'HORME **42** Loire 73 ⑲ – rattaché à St-Chamond.

L'HOSPITALET-PRÈS-L'ANDORRE **09390** Ariège 86 ⑮ – 146 h. alt. 1 436.

Paris 847 – Font-Romeu 50 – Andorre-la-Vieille 43 – Ax-les-Thermes 18 – Bourg-Madame 37 – Foix 60.

Puymorens, ✆ 61 05 20 03 – ☎. GB
R 79/99 – ☕ 21 – **14 ch** 100/170.

HOSSEGOR **40150** Landes 78 ⑰ **G. Pyrénées Aquitaine** – alt. 4 – Casino.

Voir Le lac★ – 18 ✆ 58 43 56 99, SE : 0,5 km.

Office de Tourisme pl. Pasteur ✆ 58 43 72 35.

Paris 759 – Biarritz 28 – Mont-de-Marsan 88 – ♦ Bayonne 21 – ♦ Bordeaux 170 – Dax 37.

Beauséjour, ✆ 58 43 51 07, Fax 58 43 70 13, – TV ☎ P – 25. AE GB. rest
30 avril-31 oct. – **R** 190/260, enf. 85 – ☕ 55 – **45 ch** 435/750 – ½ P 470/580.

Les Hortensias du Lac M sans rest, av. Tour du Lac ✆ 58 43 99 00, ← – TV ☎ ♿ P. GB
1er avril-30 oct. – ☕ 32 – **31 ch** 310/370.

Lacotel, av. Touring Club ✆ 58 43 93 50, Fax 58 43 59 69, ←, – ☎ ♿ P – 40. GB. rest
fermé 15 déc. au 15 fév. – **R** *(fermé mardi du 15 fév. au 30 mars)* 170, enf. 60 – ☕ 35 – **42 ch** 390/410 – ½ P 365/395.

à Soorts-Hossegor bourg E : 2 km par D 33 – ✉ **40150** :

La Forêt et rest. La Hulotte, rte Lacs ✆ 58 43 88 23, Fax 58 43 80 01, ☎ P. GB
15 fév.-5 nov. et fermé dim. soir et lundi hors sais. sauf vacances scolaires – **R** 95/130 ♁, enf. 45 – ☕ 30 – **17 ch** 250/270 – ½ P 290/300.

PEUGEOT-TALBOT Gar. de l'Avenue ✆ 58 43 50 38

Les HOUCHES 74310 H.-Savoie 74 ⑧ **G. Alpes du Nord** – 1 947 h. alt. 1 008 – Sports d'hiver : 1 008/1 860 m 2 13 .

Office de Tourisme pl. Église ✆ 50 55 50 62, Télex 385000.

Paris 605 – Chamonix 10 – Annecy 87 – Bonneville 47 – Megève 28.

Mont Alba M, La Griaz ✆ 50 54 50 35, Fax 50 55 50 87, ←, – ☎ P – 30. AE GB
fermé 15 nov. au 15 déc. – **R** 98/240, enf. 60 – ☕ 45 – **43 ch** 470 – ½ P 420.

Aub. Beau Site et rest. Le Pèle M, ✆ 50 55 51 16, Fax 50 54 53 11, ←, – ☎ P. AE GB
fermé 15 au 30 avril, 25 sept. au 19 déc. et merc. en mai-juin – **Repas** 98/135, enf. 42 – ☕ 45 – **18 ch** 417/437 – ½ P 300/343.

Chris-Tal, ✆ 50 54 50 55, Fax 50 54 45 77, ←, – ☎ P. GB
25 mai-30 sept. et 20 déc.-20 avril – **R** *(fermé merc. en juin et sept.)* 98/138, enf. 50 – ☕ 38 – **25 ch** 295/385 – ½ P 255/320.

Bellevarde, ✆ 50 55 51 85, Fax 50 55 53 55, ←, – ☎ P. GB
R 80/120 – ☕ 40 – **31 ch** 340 – ½ P 300.

au Prarion par télécabine – alt. 1 890 – Sports d'hiver : 1 000/1 900 m 2 11 – ✉ **74170** St-Gervais-les-Bains.

Voir ✻★★ 30 mn.

Le Prarion , alt.1 860 ✆ 50 93 47 01, Fax 50 93 46 76, ✻ sur sommets, glaciers et vallées, – ☎. GB
15 juin-15 sept. et vacances de Noël-vacances de Printemps – **R** 120/195 – ☕ 45 – **19 ch** 170/550 – ½ P 330/440.

Ask your bookseller for the catalogue of Michelin publications.

HOUDAN 78550 Yvelines 60 ⑧ 106 ⑭ **G. Ile de France** (plan) – 2 912 h. alt. 104.

9 18 des Yvelines ✆ (1) 34 86 48 89, Est par N 12 : 12 km ; 18 18 de la Vaucouleurs à Civry-la-Forêt ✆ (1) 34 87 62 29 ; sortie Est N 12, N 183 et D 166 : 10 km.

Syndicat d'Initiative à la Mairie ✆ (1) 30 59 60 19.

Paris 60 – Chartres 46 – Dreux 20 – Évreux 46 – Mantes-la-Jolie 27 – Rambouillet 28 – Versailles 40.

XXX ✿ **La Poularde** (Vandenameele), N 12 ✆ (1) 30 59 60 50, – P. GB
fermé 9 au 25 fév., mardi soir et merc. – **R** 200/400
Spéc. Tourte houdanaise, Poularde de Houdan en pot au feu, "Autour d'une pomme".

XX **Plat d'Étain** avec ch, r. Paris ✆ (1) 30 59 60 28 – ☎. GB. ch
fermé 1er au 13 août, lundi soir et mardi – **R** 120/195 – ☕ 30 – **10 ch** 210/320.

XX **Welcome Auberge,** O : 0,7 km sur N 12 ✆ (1) 30 59 60 34 – P. GB
fermé août, fév., merc. soir et jeudi – **R** 97/125.

à Maulette E : 2 km sur N 12 – ✉ **78550** :

X **La Bonne Auberge,** rte Paris ✆ (1) 30 59 60 84 – P. AE GB
fermé 14 juil. au 10 août, 22 au 30 déc., dim. soir, lundi et merc. – **R** 68/160 ♁, enf. 45.

HOUDEMONT 54 M.-et-M. 62 ⑤ – rattaché à Nancy.

HOUILLES 78 Yvelines 55 ⑳, 106 ⑱ – voir à Paris, Environs.

HOULGATE 14510 Calvados 55 ② **G. Normandie Vallée de la Seine** – 1 654 h. – Casino .

Voir Falaise des Vaches Noires★ au NE.

18 de Beuzeval ✆ 31 24 80 49.

Office de Tourisme bd Belges ✆ 31 24 34 79 et r. d'Axbridge (saison) ✆ 31 24 62 31.

Paris 218 – ♦ Caen 33 – Deauville-Trouville 14 – Lisieux 32 – Pont-l'Évêque 24.

Santa Cecilia sans rest, ✆ 31 91 20 95, – ☎. GB.
☕ 28 – **13 ch** 290/370.

Le HOURDEL 80 Somme 52 ⑥ **G. Flandres Artois Picardie** – ✉ **80410** Cayeux-sur-Mer.

Paris 189 – ♦ Amiens 67 – Abbeville 27 – Dieppe 56 – Le Tréport 28.

X **Le Parc aux Huîtres** avec ch, ✆ 22 26 61 20 – rest ☎. GB
fermé 1er au 8 sept., 15 déc. au 15 janv., mardi soir et merc. de sept. à juin – **R** 90/190 ♁ – ☕ 30 – **7 ch** 190/280 – ½ P 200/240.

HOURTIN 33990 Gironde 71 ⑰ G. Pyrénées Aquitaine – 2 072 h. alt. 19.

Paris 557 – ◆Bordeaux 62 – Andernos-les-Bains 53 – Lesparre-Médoc 17 – Pauillac 26.

Le Dauphin, pl. Église ☎ 56 09 11 15, – ☎. AE GB
fermé 15 au 30 oct., 15 au 31 déc., dim. soir et lundi du 1er nov. au 30 avril – **R** 70/160, enf. 45 – ☕ 35 – **20 ch** 310/330 – ½ P 275/285.

CITROEN Galharret ☎ 56 09 11 18

RENAULT Gar. du Lac ☎ 56 09 18 09 N

HUELGOAT 29690 Finistère 58 ⑥ G. Bretagne (plan) – 1 742 h. alt. 175.

Voir Site★★ – Rochers★★ – Forêt★ – Gouffre★ E : 2 km puis 15 mn.

Env. St-Herbot : clôture★★ de l'église★ SO : 7 km.

Office de Tourisme pl. Mairie (saison) ☎ 98 99 72 32.

Paris 521 – ◆Brest 67 – Carhaix-Plouguer 17 – Châteaulin 36 – Landerneau 45 – Morlaix 29 – Quimper 56.

An Triskell sans rest, rte Pleyben ☎ 98 99 71 85, – P. GB
fermé 15 nov. au 15 déc. – ☕ 25 – **10 ch** 140/160.

à Locmaria-Berrien-Gare SE : 7 km par D 764 – ✉ 29690 :

Aub. de la Truite avec ch, ☎ 98 99 73 05, ←, meubles bretons, – P. GB
18 avril-2 janv. dim. soir et lundi sauf juil.-août – **R** (dim. prévenir) 120/320 dîner à la carte – ☕ 25 – **6 ch** 105/170 – ½ P 205/245.

HUNINGUE 68 H.-Rhin 66 ⑩ – rattaché à St-Louis.

HUSSEREN-LES-CHÂTEAUX 68420 H.-Rhin 62 ⑲ G. Alsace Lorraine – 377 h. alt. 380.

Paris 451 – Colmar 8,5 – Belfort 66 – Gérardmer 53 – Guebwiller 22 – ◆Mulhouse 38.

Husseren-les-Châteaux M, r. Schlossberg ☎ 89 49 22 93, Fax 89 49 24 84, ←, parc, – cuisinette rest ☎ P – 120. AE GB
R 95/320 – ☕ 48 – **37 ch** 440/975 – ½ P 463/497.

Découvrez la France avec les guides Verts Michelin : 24 titres illustrés en couleurs.

HYÈRES 83400 Var 84 ⑮ ⑯ G. Côte d'Azur – 48 043 h. alt. 40 – Casino Municipal Z.

Voir ←★ de la place St-Paul Y **49** – Jardins Olbius Riquier★ V – ←★ du parc St-Bernard Y – Chapelle N.-D. de Consolation★ V **N** : verrières★, ←★ de l'esplanade S : 3 km – Sommet du Fenouillet ★ NO : 4 km puis 30 mn.

18 de Valcros ☎ 94 66 81 02, par ① : 16 km.

de Toulon-Hyères : ☎ 94 38 57 57, SE : 4 km V.

Office de Tourisme Rotonde J.-Salusse, av. Belgique ☎ 94 65 18 55, Télex 400280 et Chalet, rte de Toulon (15 juin-15 sept.) ☎ 94 65 33 40.

Paris 857 ③ – ◆Toulon 20 ③ – Aix-en-Provence 100 ③ – Cannes 121 ③ – Draguignan 79 ③.

Plans page suivante

Mercure M, 19 av. A. Thomas ☎ 94 65 03 04, Télex 404508, Fax 94 35 58 20, ←, – ch ☎ P – 60. AE GB — V x
R grill 90/130, enf. 38 – ☕ 48 – **84 ch** 395/495.

Urbis M sans rest, av. J. Moulin ☎ 94 38 83 38, Télex 404679, Fax 94 38 57 24, – ☎ P – 25. AE GB — V a
☕ 32 – **46 ch** 340/390.

Soleil, r. Rempart ☎ 94 65 16 26 – ☎. AE GB — Y r
R (dîner seul.) 80/120, enf. 50 – ☕ 38 – **22 ch** 180/380 – ½ P 250/315.

Jardins de Bacchus, 32 av. Gambetta ☎ 94 65 77 63 – AE GB — Z v
fermé 22 juin au 20 juil., sam. midi (en sais.), dim. soir (en hiver) et lundi – **R** 130/300.

Hyères-Plage SE : 5 km - X – ✉ 83400 Hyères :

Pins d'Argent M, ☎ 94 57 63 60, Télex 430230, Fax 94 35 66 81, parc, – ☎ P. AE GB — X f
R *(fermé fév., dim. soir et lundi de sept. à juin)* 130, enf. 50 – ☕ 42 – **16 ch** 295/490.

Thalassa sans rest, ☎ 94 57 24 85, Fax 94 57 31 18 – ☎ P. AE GB — X e
☕ 33 – **22 ch** 350/400.

Rose des Mers sans rest, ☎ 94 58 02 73, ←, – ☎ P. GB — X k
Pâques-oct. – ☕ 39 – **18 ch** 310/380.

à La Bayorre O : 2,5 km par rte de Toulon N 98 – ✉ 83400 Hyères :

La Colombe, ☎ 94 65 02 15 – GB
fermé lundi en juil.-août, dim. soir de sept. à juin et sam. midi – **R** 130.

ALFA-ROMEO Gar. Rivarel, 10 av. Nocart ☎ 94 65 16 96
RENAULT SERMA, 18 av. Gén.-Brosset ☎ 94 65 33 05 N ☎ 94 71 92 58

Pasero, Pont de la Vilette ☎ 94 57 69 44

HYÈRES GIENS

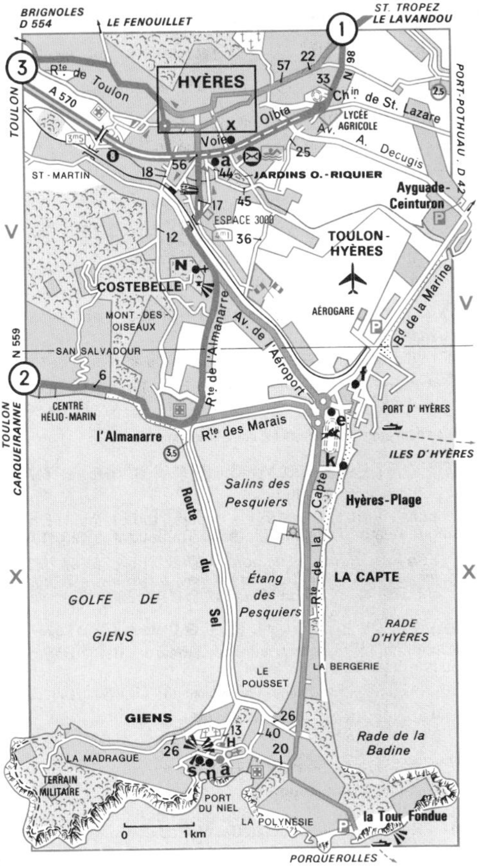

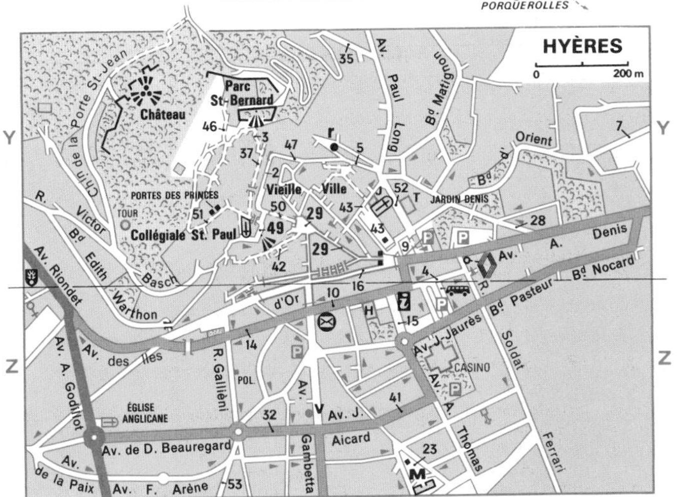

HYÈRES (Iles d') 83 Var 84 ⑯ ⑰ – voir à Porquerolles et Port-Cros.

HYÈVRE-PAROISSE 25 Doubs 166 ⑰ – rattaché à Baume-les-Dames.

IBARRON 64 Pyr.-Atl. 85 ② – rattaché à St-Pée-sur-Nivelle.

IF (Ile du Château d') 13 B.-du-R. 84 ⑬ **G. Provence.**

au départ de **Marseille** pour le château d'If★★ (✳★★★) 1 h 30.

IGÉ **71960** S.-et-L. 170 ⑪ – 729 h. alt. 264.

Paris 391 – Mâcon 14 – Cluny 12 – Tournus 28.

Château d'Igé ⛰, ✆ 85 33 33 99, Télex 351915, Fax 85 33 41 41, – TV ☎ P. AE ① GB. rest
hôtel : fermé 1er déc. au 1er mars ; rest. : fermé 20 déc. au 20 janv. – **R** 190/365 – ☕ 60 – **6 ch** 680, 6 appart. 850/1100.

ILAY 39 Jura 170 ⑮ **G. Jura** – alt. 777 – ✉ **39150** St-Laurent-en-Grandvaux.

Voir Cascades du Hérisson★★★.

Paris 434 – Champagnole 18 – Lons-le-Saunier 37 – Morez 23 – St-Claude 39.

Aub. du Hérisson, carrefour D 75-D 39 ✆ 84 25 58 18, – P. GB
1er avril-15 oct. – **R** 70/230 ♿, enf. 40 – ☕ 30 – **16 ch** 185/260 – ½ P 210/250.

ILE voir nom propre de l'île (sauf si nom de commune).

ILE AUX MOINES ★ **56780** Morbihan 63 ⑫ ⑬ **G. Bretagne** – 617 h.

Accès par transports maritimes.

depuis **Port-Blanc.** En 1991 : départs toutes les 1/2 h - Traversée 5 mn - 10 F (AR). Renseignements : Transport Maritime Thébaud ✆ 97 26 31 45.

San Francisco ⛰, au port ✆ 97 26 31 52, Fax 97 26 35 59, ≤, – TV ☎. GB
fermé 15 nov. au 20 déc. et 6 janv. au 15 fév. – **R** *(fermé lundi soir et mardi)* 110/260 ♿, enf. 55 – ☕ 30 – **8 ch** 285/460 – ½ P 260/360.

L'ILE BOUCHARD **37220** I.-et-L. 68 ④ **G. Châteaux de la Loire** – 1 800 h. alt. 40.

Voir Chapiteaux★ dans le prieuré St-Léonard – Cathèdre★ dans l'église St-Maurice – Tavant : fresques★ dans l'église O : 3 km.

Paris 284 – ♦ Tours 51 – Châteauroux 120 – Chinon 16 – Chatellerault 49 – Saumur 42.

Aub. de l'Ile, ✆ 47 58 51 07, – AE GB
fermé 5 au 18 oct., 1er au 21 fév., dim. soir et lundi – **R** 145/195.

ÎLE-D'ARZ **56840** Morbihan 63 ⑬ **G. Bretagne** – 256 h.

Accès par transports maritimes.

depuis **Vannes.** Vacances de printemps-fin sept., 2 à 4 services quotidiens - Traversée 30 mn. – Renseignements : Vedettes Vertes du Golfe, Gare Maritime ✆ 97 63 79 99.

depuis **Conleau.** En 1991 : saison, 14 services quotidiens ; hors saison, 11 services quotidiens - Traversée 15 mn - 16,40 F (AR). Renseignements ✆ 97 66 92 06 ou ✆ 97 66 94 98.

ILE-DE-BRÉHAT ★ **22870** C.-d'Armor 59 ② **G. Bretagne** – 461 h. alt. 52.

Voir Tour de l'île★★ en vedette 1 h – Phare du Paon★ – Croix de Maudez ≤★ – Chapelle St-Michel ≤★ – Bois de la citadelle ≤★.

Accès par transports maritimes, pour **Port-Clos.**

depuis **St-Quay-Portrieux.** En 1991 : saison, 1 à 2 services hebdomadaires suivant marées - Traversée 1 h 45 mn – 112 F (AR). Renseignements : Sté Maritime Colin Frères (Ile de Bréhat) ✆ 96 20 00 11 et ✆ 96 55 86 99.

depuis la **Pointe de l'Arcouest.** En 1991 : en saison, 13 services quotidiens ; hors saison, 5 services quotidiens - Traversée 15 mn – 30 F (AR). Renseignements : Sté Maritime Colin Frères (Ile de Bréhat) ✆ 96 20 00 11.

Vieille Auberge ⛰, au bourg ✆ 96 20 00 24, – ☎. GB. ch
vacances de printemps-vacances de nov. – **R** 90/300 – ☕ 40 – **15 ch** (½ pens. seul.) – ½ P 300/350.

Bellevue ⛰, Port-Clos ✆ 96 20 00 05, ≤, , – ☎. GB
fermé 4 janv. au 15 fév. – **R** 100/330 ♿, enf. 60 – ☕ 35 – **18 ch** 240/410 – ½ P 325/375.

ILE D'HOUAT 56 Morbihan 63 ⑫ **G. Bretagne** – 390 h. – ✉ **56170** Quiberon.

Accès par transports maritimes.

depuis **Quiberon.** En 1991 : en saison, 2 à 5 services quotidiens ; hors saison, 1 à 2 services quotidiens - Traversée 1 h – 74 F (AR). Renseignements : Cie Morbihannaise et Nantaise de Navigation, ✆ 97 50 06 90 (Quiberon).

Iles ⛰ avec ch, ✆ 97 30 68 02, ≤ – ☎. ① GB. rest
15 mars-15 nov. – **R** 100/180, enf. 38 – ☕ 26 – **7 ch** 180/280 – ½ P 245/265.

ILLHAEUSERN 68150 H.-Rhin 62 ⑲ – 578 h. alt. 176.

Paris 445 – Colmar 16 – Artzenheim 14 – St-Dié 53 – Sélestat 12 – ◆Strasbourg 60.

La Clairière M ⛰ sans rest, rte Guémar ✆ 89 71 80 80, Fax 89 71 86 22, ✂ – 🛗 TV ☎ P. GB
fermé janv. et fév. – ☕ 55 – **27 ch** 420/1100.

XXXXX ✿✿✿ **Aub. de l'Ill** (Haeberlin), ✆ 89 71 83 23, Télex 871289, Fax 89 71 82 83, « Élégante installation au bord de l'Ill, ⩽ jardins fleuris » – ▤. AE ⓓ GB
fermé 3 fév. au 6 mars, 1er au 10 juil., lundi (sauf le midi en été) et mardi – **R** (prévenir) 450 (déj.)/620 et carte 450 à 600
Spéc. Salade de tripes panées au foie gras et fèves, Esturgeon poêlé sur lit de chou et choucroute, Colvert laqué aux épices (1er août-fin janv.). **Vins** Riesling, Pinot blanc.

ILLIERS-L'ÉVÊQUE 27770 Eure 60 ⑦ – 734 h. alt. 133.

Paris 87 – Dreux 14 – Évreux 27 – Nonancourt 9,5 – Verneuil-sur-Avre 30 – Vernon 40.

Aub. de la Lisière Normande, ✆ 37 48 11 05, ☂
R *(fermé dim. soir et lundi)* 85/158, enf. 50 – ☕ 26 – **10 ch** 195/220 – ½ P 210/240.

ILLKIRCH-GRAFFENSTADEN 67 B.-Rhin 62 ⑩ – rattaché à Strasbourg.

IMSTHAL (Étang d') 67 B.-Rhin 57 ⑰ ⑱ – rattaché à La Petite-Pierre.

INGERSHEIM 68 H.-Rhin 87 ⑰ – rattaché à Colmar.

INGRANDES 49123 M.-et-L. 63 ⑲ **G. Châteaux de la Loire** – 1 410 h. alt. 19.

Voir S : Route★ de Montjean-sur-Loire à St-Florent-le-Vieil (D 210).

Paris 326 – Angers 32 – Ancenis 21 – Châteaubriant 56 – Château-Gontier 57 – Cholet 48.

Lion d'Or, r. Pont ✆ 41 39 20 08 – TV ☎ P. AE GB
fermé 16 fév. au 2 mars, dim. soir et lundi d'oct. à Pâques – **R** 65/180 🍷, enf. 48 – ☕ 30 – **16 ch** 160/260 – ½ P 181/227.

INNENHEIM 67880 B.-Rhin 62 ⑨ – 840 h. alt. 150.

Paris 488 – ◆Strasbourg 20 – Molsheim 11 – Obernai 9,5 – Sélestat 31.

Au Cep de Vigne, N 422 ✆ 88 95 75 45, ☂ – 🛗 TV ☎ ♿ P – 🏛 100. GB
fermé 15 au 28 fév. – **R** *(fermé lundi)* 95/210 🍷 – ☕ 35 – **40 ch** 180/450 – ½ P 280/350.

INOR 55700 Meuse 56 ⑩ – 183 h. alt. 175.

Paris 249 – Charleville-Mézières 50 – Carignan 13 – Longwy 61 – Sedan 27 – Verdun 52.

Faisan Doré ⛰, ✆ 29 80 35 45, 🌳, 🏊, ☂ – ☎ P. AE GB
fermé 23 déc. au 3 janv. – **R** *(fermé vend. du 1er nov. au 28 fév.)* 65/200 🍷 – ☕ 25 – **13 ch** 200/250 – ½ P 200/250.

L'ISERAN (Col de) 73 Savoie 74 ⑲ **G. Alpes du Nord** – alt. 2 770 – ✉ **73150** Val d'Isère.

Voir ⩽★ – Belvédère de la Tarentaise ✲★★ NO : 3,5 km puis 15 mn – Belvédère de la Maurienne ⩽★ S : 3,5 km.

ISIGNY-SUR-MER 14230 Calvados 54 ⑬ **G. Normandie Cotentin** – 3 018 h. alt. 5.

Paris 300 – Cherbourg 61 – St-Lô 29 – Bayeux 32 – ◆Caen 62 – Carentan 11.

France, 17 r. E. Demagny ✆ 31 22 00 33, Fax 31 22 79 19 – TV ☎ P – 🏛 25. GB
fermé 15 déc. au 15 janv., vend. soir et sam. hors sais. sauf fériés – **Repas** 58/145, enf. 40 – ☕ 28 – **19 ch** 120/250 – ½ P 185/245.

PEUGEOT Etasse ✆ 31 22 02 52 N
RENAULT Isigny Gar. ✆ 31 22 02 33 N

L'ISLE-ADAM 95290 Val-d'Oise 55 ⑳ **G. Ile de France** – 9 979 h. alt. 27.

Voir Chaire★ de l'église St-Martin.

ℹ Office de Tourisme Le Castel Rose, 1, av. de Paris (fermé matin) ✆ (1) 34 69 41 99.

Paris 36 – Beauvais 43 – Chantilly 24 – Compiègne 66 – Pontoise 14 – Taverny 14.

XX **Gai Rivage,** 11 r. Conti ✆ (1) 34 69 01 09, 🌳 – GB
fermé 5 au 22 oct., 1er au 18 fév., dim. soir et lundi – **R** 170.

CITROEN Crocqfer, 6 Grande-Rue ✆ (1) 34 69 00 01
PEUGEOT-TALBOT Ets Petillon, 12 r. de Beaumont ✆ (1) 34 69 01 13
RENAULT Gar. de l'Ile de France, 60 av. de Paris ✆ (1) 34 69 05 66

L'ISLE-D'ABEAU 38 Isère 74 ⑬ – rattaché à Bourgoin-Jallieu.

L'ISLE-DE-NOÉ 32300 Gers 82 ④ – 490 h. alt. 137.

Paris 775 – Auch 21 – Condom 44 – Tarbes 59.

X **Aub. de Gascogne** avec ch, ✆ 62 64 17 05 – GB. ✂
fermé 3 au 12 juil., 4 au 15 nov., 23 au 28 déc., mardi soir et merc. – **R** 100/250 🍷 – ☕ 30 – **7 ch** 160/220.

L'ISLE-JOURDAIN 32600 Gers 82 ⑥ ⑦ – 5 029 h. alt. 150.

Las Martines ✆ 62 07 27 12, N : 4,5 km.

Paris 703 – Auch 43 – ♦Toulouse 36 – Montauban 57.

Host. du Lac, O : 1 km sur N 124 ✆ 62 07 03 91, ←, , – TV ☎ P – 30. GB
fermé vacances de Printemps – **R** 54 bc (sauf vend. soir et sam.)/220 – 30 – **28 ch** 185/225 – ½ P 270/310.

à Pujaudran E : 8 km par N 124 – ✉ 32600 :

XXX **Frachengues,** Les Graves, E : 3 km par N 124 et VO ✆ 62 07 40 63, Fax 62 07 42 16 – P. GB JCB – *fermé 16 au 31 août, 1er au 15 fév., dim. soir et lundi* – **R** 100/240, enf. 60.

XX **Puits St-Jacques,** au village ✆ 62 07 41 11 – AE GB
fermé 15 au 28 fév. et lundi – **Repas** 95/220, enf. 65.

CITROEN Gar. de l'Esplanade ✆ 62 07 02 57
PEUGEOT-TALBOT Rigal ✆ 62 07 03 16 N ✆ 62 07 05 58
RENAULT Gar. Gascogne-Sce ✆ 62 07 13 07 N
Rivière, ✆ 62 07 08 46

L'ISLE-JOURDAIN 86150 Vienne 72 ⑤ **G. Poitou Vendée Charentes** – 1 269 h. alt. 142.

Syndicat d'Initiative (juil.-août après-midi seul.) ✆ 49 48 80 36 et à la Mairie ✆ 49 48 70 54.

Paris 386 – Poitiers 52 – Confolens 28 – Niort 100.

au Port de Salles S : 5 km par D 8 et VO :

XX **Aub. La Grimolée,** ✆ 49 48 75 22, , « Jardin au bord de la Vienne » – GB
fermé 24 juin au 1er juil., 19 au 28 oct., 15 au 28 fév., lundi soir hors sais., mardi soir et merc. – **R** 100/220, enf. 40.

CITROEN Gar. Foussier, ✆ 49 48 88 24
PEUGEOT-TALBOT Rigaud, ✆ 49 48 70 37 N
RENAULT Perrin, ✆ 49 48 70 22 N

L'ISLE-SUR-LA-SORGUE 84800 Vaucluse 81 ⑫ ⑬ **G. Provence** (plan) – 15 564 h. alt. 59.

Voir Décoration intérieure★ de l'église – Église★ du Thor O : 5 km.

Office de Tourisme pl. Église ✆ 90 38 04 78.

Paris 698 – Avignon 22 – Apt 32 – Carpentras 17 – Cavaillon 9,5 – Orange 41.

Araxe H. M sans rest, E : 1,5 km sur N 100 (rte d'Apt) ✆ 90 38 40 00, Fax 90 20 84 74, , – TV ☎ & P – 25. AE GB
35 – **47 ch** 260/500, 3 duplex 650.

Les Névons sans rest, ✆ 90 20 72 00, Fax 90 38 21 20, – ☎ P – 25. GB. – *fermé mi-déc. à mi-janv.* – 35 – **26 ch** 230/350.

à l'Est : 4 km sur D 25 (rte Fontaine-de-Vaucluse) – ✉ 84800 L'Isle-sur-la-Sorgue :

XX **Rascasse d'Argent,** ✆ 90 20 33 52, poissons – P. GB
fermé 15 janv. au 15 fév. et lundi – **R** 70/180.

au SE : 6 km par N 100 – ✉ 84800 L'Isle-sur-la-Sorgue :

Mas des Grès, ✆ 90 20 32 85, , , – TV ☎ P. GB.
1er mars-31 oct. – **R** (résidents seul.) – 45 – **12 ch** 300/480 – ½ P 340/450.

au SO : 2 km par rte Caumont – ✉ 84800 L'Isle-sur-la-Sorgue :

XX **Mas de Cure Bourse** avec ch, ✆ 90 38 16 58, , « Dans un parc au milieu des vergers », – rest TV ☎ P – 50. GB
R 174/264, enf. 98 – 45 – **13 ch** 340/500 – ½ P 370/470.

au Nord : 6 km sur D 938 – ✉ 84740 Velleron :

Host. La Grangette , ✆ 90 20 00 77, Fax 90 20 07 06, ←, , parc, , – TV ☎ P – 30. AE GB JCB – *fermé 11 nov. au 10 janv.* – **R** 160/420 – 60 – **15 ch** 495/780.

CITROEN Roquebrune, rte d'Apt ✆ 90 38 18 48 N
FORD Germain, rte d'Avignon ZI ✆ 90 38 46 46 N ✆ 90 74 15 02
PEUGEOT-TALBOT Gar. Manni, 7 quai Charité ✆ 90 38 00 97
RENAULT Automobile Cavaillonnaise, rte de Carpentras ✆ 90 38 00 41 N ✆ 05 05 15 15
Magnan-Pneus, ZI, rte du Thor ✆ 90 38 00 89

L'ISLE-SUR-SEREIN 89440 Yonne 65 ⑥ – 533 h. alt. 196.

Paris 212 – Auxerre 49 – Avallon 15 – Montbard 30 – Tonnerre 38.

X **Pot d'Étain** avec ch, ✆ 86 33 88 10 – rest. GB. ch
fermé 19 au 25 oct., 27 janv. au 23 fév., dim. soir et lundi sauf juil.août – **R** 89/265, enf. 60 – 32 – **4 ch** 200/300 – ½ P 260/300.

PEUGEOT-TALBOT Gar. Gentil ✆ 86 33 84 14
RENAULT Gar. Cervo ✆ 86 33 84 87

ISOLA 2000 06420 Alpes-Mar. 81 ⑩ 195 ⑤ **G. Alpes du Sud** – 576 h. alt. 2 000 – Sports d'hiver : 1 800/2 610 m 1 22.

Voir Vallon de Chastillon★ O.

Office de Tourisme (saison) ✆ 93 23 15 15, Télex 461644.

Paris 816 – Barcelonnette 74 – ♦Nice 75 – St-Martin-Vésubie 42.

Diva M, 93 23 17 71, Télex 460322, Fax 93 23 12 14, ← montagnes, – TV ☎ P. AE GB.
21 déc.-2 mai – **R** 175/195 – **23 ch** (1/2 pens. seul.), 5 appart. – 1/2 P 2590.

Le Chastillon M, 93 23 10 60, Télex 970507, Fax 93 23 17 66, ←, – TV ☎
P – 40 à 150. AE GB JCB. rest
déc.-mai – **R** 150 – **51 ch** 675/1380 – 1/2 P 810.

Pas du Loup M, galerie marchande 93 23 11 71, ←, – ☎ – 70. AE GB
JCB. rest – *déc.-mai* – **R** 120, enf. 60 – **97 ch** 540/1100 – 1/2 P 525/655.

ISPAGNAC 48320 Lozère 80 ⑥ G. Gorges du Tarn – 630 h. alt. 518.
Paris 624 – Mende 27 – Florac 9,5 – Millau 73.

à Molines O : 1,5 km sur D 907B – ✉ **48320** Ispagnac :

XX **Le Lys,** 66 44 23 56
11 avril-30 sept. – **R** (nombre de couverts limité, prévenir) 65/150.

ISPE 40 Landes 78 ⑬ – rattaché à Biscarrosse.

Les ISSAMBRES 83380 Var 84 ⑱ G. Côte d'Azur.
Paris 882 – Fréjus 10 – Draguignan 37 – St-Raphaël 12 – Ste-Maxime 10 – Toulon 100.

à San-Peire-sur-Mer – ✉ **83380** Les Issambres :

Provençal, N 98 94 96 90 49, Fax 94 49 62 48, ←, – TV ☎ P. AE GB
1er avril-15 oct. – **R** *(fermé jeudi midi)* 160/220 – 35 – **28 ch** 290/400 – 1/2 P 330/414.

au parc des Issambres – ✉ **83380** Les Issambres :

La Quiétude, N 98 94 96 94 34, ←, , , – TV ☎ P. GB
22 fév.-13 oct. – **R** 120/160, enf. 50 – 31 – **20 ch** 250/296 – 1/2 P 273/294.

XXXX **Villa-St-Elme** avec ch, N 98 94 49 52 52, Fax 94 49 63 18, ←, , , , – ch
TV ☎ P. AE GB. ch
fermé 1er janv. à fin mars – **R** 250/480 – 80 – **12 ch** 375/1300.

à la calanque des Issambres – ✉ **83380** Les Issambres :

X **Chante-Mer,** au village 94 96 93 23, – GB
fermé lundi (sauf le soir en juil.-août) et dim. soir – **R** 100/200.

à la pointe de la Calle – ✉ **83380** Les Issambres :

XXX **Le St-Pierre,** N 98, Fax 94 96 89 67, ←, , produits de la mer – P. AE GB
fermé janv., mardi (sauf le soir en juil.-août) et dim. soir de sept. à juin – **R** 200/280.

ISSIGEAC 24560 Dordogne 75 ⑮ G. Périgord Quercy – 638 h. alt. 100.
Syndicat d'Initiative pl. 8 Mai (15 juin-15 sept.) 53 58 79 62 et à la Mairie (hors saison) 53 58 70 32.
Paris 563 – Périgueux 66 – Bergerac 19 – ◆Bordeaux 104 – Cahors 88 – Villeneuve-sur-Lot 44.

La Brucelière, 53 58 72 28, , – TV ☎. GB JCB
fermé nov., fév., dim. soir et lundi sauf juil.-août – **R** 100/200 – 30 – **7 ch** 200/500 – 1/2 P 190/250.

ISSOIRE 63500 P.-de-D. 73 ⑭ ⑮ G. Auvergne – 13 559 h. alt. 386.
Voir Anc. abbatiale St-Austremoine** : chevet** Z.
Env. Puy d'Yssou* SO : 10 km par D32.
Office de Tourisme à l'Hôtel de Ville 73 89 03 54 et pl. Gén.-de-Gaulle (15 juin-15 sept.) 73 89 15 90.
Paris 456 ① – ◆Clermont-Ferrand 38 ① – Aurillac 122 ③ – ◆Lyon 187 ① – Millau 201 ③ – Le Puy 95 ③ – Rodez 180 ③ – ◆St-Étienne 162 ① – Thiers 57 ① – Tulle 172 ①.

Plan page suivante

Le Pariou M, 18 av. Kennedy 73 89 22 11, Télex 393523, Fax 73 89 65 67 – TV ☎ P – 60. GB Y **e**
fermé déc., vend. soir (sauf hôtel) du 1er janv. au 15 avril et sam. (sauf le soir du 16 avril au 30 nov.) – **R** 94/238 – 40 – **33 ch** 285/368.

Grilotel M, Z.A.C. des Prés (ctre comm. Continent) NE : 1,5 km par D 716 ou D 9 73 89 60 76, Fax 73 89 41 83, – TV ☎ P. AE GB
R 80/160, enf. 45 – 32 – **35 ch** 235/275 – 1/2 P 240/327.

Floride sans rest, rte Solignat S : 1 km par D 32 73 89 04 25, Fax 73 89 65 39 – TV ☎ P. GB – *fermé 15 déc. au 15 janv.* – 25 – **19 ch** 165/180.

Tourisme sans rest, 13 av. Gare 73 89 23 68 – ☎. GB YZ **n**
fermé 1er au 15 oct. – 23 – **13 ch** 130/250.

X **Le Relais** avec ch, 1 av. Gare 73 89 16 61, Fax 73 89 55 62 – GB. rest YZ **a**
fermé 15 au 31 oct., 15 au 28 fév., dim. soir et lundi hors sais. – **R** 55/150 – 20 – **6 ch** 125/180 – 1/2 P 140/165.

X **Le Parc** avec ch, 2 av. Gare 73 89 23 85, – TV ☎. GB Z **u**
R *(fermé sam. midi)* 95/215 – 36 – **7 ch** 140/245.

ISSOIRE

Berbiziale (R.) ... Y
Châteaudun (R. de) ... Z 4
Gambetta (R.) ... Z 6
Pont (R. du) ... Z 14
Ponteil (R. du) ... Y 16
République (Pl. de la) ... Z

Altaroche (Pl.) ... Z 2
Ambert (R. d') ... Y
Ancienne-Caserne (R. de l') ... Z 3
Buisson (Bd A.) ... Y
Cibrand (Bd J.) ... Y
Dr Sauvat (R.) ... Z
Duprat (Pl. Ch.) ... Y
Espagnon (R. d') ... Z
Foirail (Pl. du) ... Y
Fours (R. des) ... Z
Gare (Av. de la) ... Z 10
Gaulle (Pl. du Gén.) ... Y
Gaultier (R. E.) ... Y
Haïnl (Bd) ... Z
Hauterive (R. E. d') ... Z
Manlière (Bd de la) ... Z
Mas (R. du) ... Y
Montagne (Pl. de la) ... Y
Notre-Dame-des-Filles (R.) ... Z 12
Palais (R. du) ... Y
Pomel (Pl. N.) ... Z 13
St-Avit (Pl.) ... Y 22
Sous-Préfecture (Bd de la) ... Z
Terraille (R. de la) ... Z 24
Triozon-Bayle (Bd) ... YZ 25
Verdun (Pl. de) ... Z 26

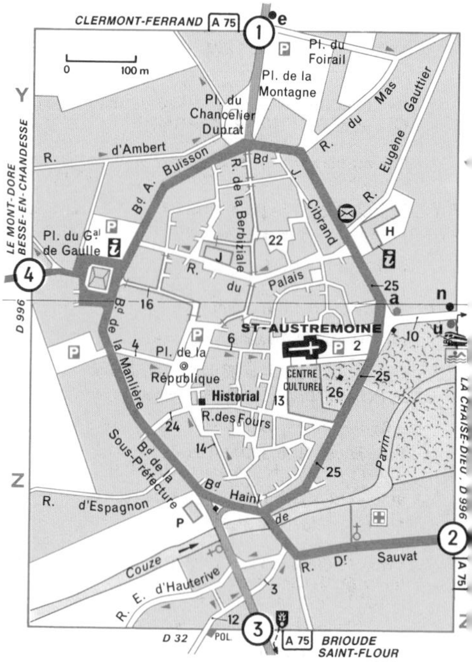

Une réservation confirmée par écrit est toujours plus sûre.

à Parentignat par ② : 4 km – ✉ **63500** :

Tourette ⛰, ✆ 73 55 01 78, Fax 73 89 65 62, – ascenseur TV ☎ **P**. GB. ch
fermé vacances de nov., de Noël, de fév., vend. soir et sam. sauf du 1er juil. au 15 sept. – **R** 71/186 – 28 – **36 ch** 160/260 – ½ P 205/230.

à Sarpoil par ② et D 999 : 10 km – ✉ **63490** St-Jean-en-Val :

XX **La Bergerie,** ✆ 73 71 02 54 – **P**. GB
fermé janv., dim. soir et lundi – **Repas** (nombre de couverts limite, prévenir) 110/300.

au Broc par ③ : 5 km – ✉ **63500** :

X **Host. les Vigneaux** avec ch, N 9 ✆ 73 89 10 90, ← – ☎ **P**. GB
R 72/185, enf. 40 – 20 – **8 ch** 140/150 – ½ P 180.

à Perrier par ④ : 5 km – ✉ **63500** :

XX **La Cour Carrée,** ✆ 73 55 15 55, – **P**. GB
fermé 19 sept. au 10 oct., 19 au 26 déc. et sam. – **R** (déj. seul.) 70/200, enf. 50.

PEUGEOT-TALBOT Gar. Morette, 66 av. Kennedy par ① ✆ 73 55 02 44
RENAULT Granval, rte de Clermont par ① ✆ 73 89 22 56 **N** ✆ 73 89 54 17

V.A.G Issoire-Autos, rte de St-Germain-Lembron ✆ 73 89 23 08

Estager Pneu, 63 bd Kennedy ✆ 73 89 18 83

North is at the top on all town plans.

ISSONCOURT 55 Meuse 56 ⑳ – 119 h. alt. 276 – ✉ **55220** Souilly.
Paris 264 – Bar-le-Duc 28 – St-Mihiel 29 – Verdun 28.

XX **Relais de la Voie Sacrée** avec ch, N 35 ✆ 29 70 70 46, Fax 29 70 75 75, , – ☎ **P**. GB
fermé 17 déc. au 31 janv., dim. soir du 1er nov. à Pâques et lundi – **R** 80/230, enf. 50 – 30 – **7 ch** 180/220 – ½ P 260/300.

ISSOUDUN SP **36100** Indre 68 ⑨ **G. Berry Limousin** – 13 859 h. alt. 129.
Voir Musée St-Roch : arbre de Jessé★ dans la chapelle et apothicairerie★ AB **M.**
Office de Tourisme pl. St-Cyr ✆ 54 21 74 57.
Paris 245 ① – Bourges 35 ② – Châteauroux 29 ⑤ – ♦Tours 127 ① – Vierzon 33 ①.

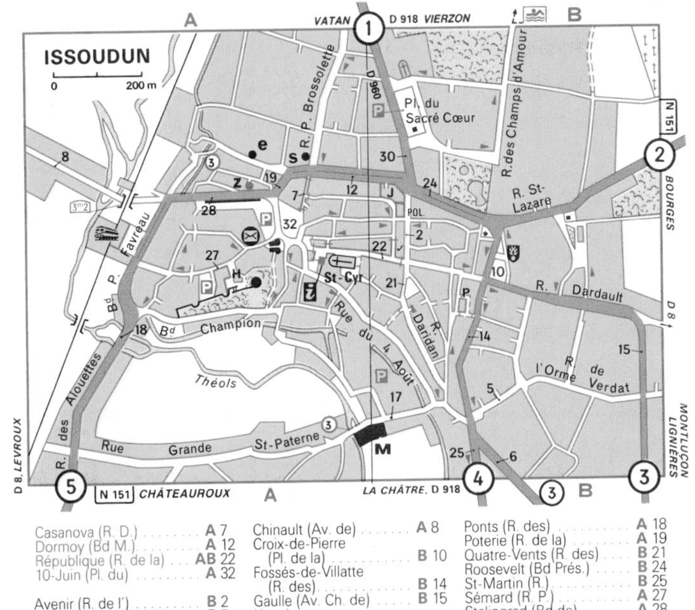

H. La Cognette Ⓜ, r. Minimes ✆ 54 21 21 83, Fax 54 03 13 03, – TV ☎ ♿ – AE ⓓ GB — A e
fermé 4 au 22 janv. – **R** voir rest. **La Cognette** ci-après – ☐ 50 – **11 ch** 320/600, 3 appart. 1000 – ½ P 400/620.

France et rest. Les Trois Rois, 3 r. P. Brossolette ✆ 54 21 00 65, Télex 751422 – TV ☎ – Ⓟ. AE ⓓ GB — A s
R *(fermé 24 au 31 déc.)* 60/250, enf. 55 – ☐ 34 – **24 ch** 230/290 – ½ P 280/350.

✿ **Rest. La Cognette** -Hôtel La Cognette- (Nonnet), bd Stalingrad ✆ 54 21 21 83, Fax 54 03 13 03 – ▤. AE ⓓ GB — A z
fermé 4 au 22 janv., dim. soir et lundi – **R** (prévenir) 210 bc (sauf sam. soir)/500
Spéc. Crème de lentilles aux truffes, Croquants de langoustines aux mousserons. **Vins** Reuilly, Quincy.

à Diou par ① : 12 km sur D 918 – ✉ **36260** :

L'Aubergeade, rte Issoudun ✆ 54 49 22 28, – Ⓟ. GB
fermé 1er au 15 fév., dim. soir et lundi – **R** 95/195.

PEUGEOT-TALBOT Gar. Lamy, rte de Châteauroux à St-Aoustrille par ⑤ ✆ 54 21 03 24

Central-Pneu, rte de Bourges N 151 ✆ 54 21 02 68
Giraud, 38 av. Chinault ✆ 54 21 27 33

ISSY-LES-MOULINEAUX

ISSY-LES-MOULINEAUX 92 Hauts-de-Seine 60 ⑩, 101 ㉔ – voir à Paris, Environs.

ISTRES

ISTRES **13800** B.-du-R. 84 ① **G. Provence** – 35 163 h. alt. 8.

Office de Tourisme 30 allées J.-Jaurès ✆ 42 55 51 15.

Paris 746 – ♦ Marseille 53 – Arles 40 – Martigues 15 – St-Rémy-de-P. 38 – Salon-de-Provence 23.

Le Castellan Ⓜ sans rest, pl. Ste-Catherine ✆ 42 55 13 09 – TV ☎ Ⓟ. GB
☐ 24 – **17 ch** 205/225.

Peyreguet sans rest, bd J.J. Prat ✆ 42 55 04 52, Fax 42 55 66 41 – ☎ Ⓟ. AE GB
☐ 22 – **25 ch** 140/180.

Aystria-Tartugues sans rest, chemin de Tartugues ✆ 42 56 44 55 – ☎ Ⓟ. GB
☐ 25 – **10 ch** 200/220.

Escale sans rest, bd Ed. Guizonnier ✆ 42 55 01 88, – ☎ Ⓟ. GB
☐ 24 – **20 ch** 115/177.

St-Martin, Port des Heures Claires, SE : 3 km ✆ 42 56 07 12, ←, – ▤. GB
fermé 3 au 25 nov., vacances de fév., mardi soir et merc. – **R** 160/210, enf. 85.

CITROEN Gar. Clavel, bd J.-J.-Prat ✆ 42 55 00 65

Morcel, 12 chemin de Tivoli ✆ 42 56 34 46

ITTENHEIM 67 B.-Rhin 62 ⑨ – rattaché à Strasbourg.

ITTERSWILLER 67140 B.-Rhin 62 ⑨ – 248 h. alt. 250.

Paris 434 – ◆Strasbourg 41 – Erstein 23 – Mittelbergheim 4,5 – Molsheim 27 – Sélestat 14 – Villé 13.

Arnold M, ✆ 88 85 50 58, Télex 870550, Fax 88 85 55 54, ≤, – TV ☎ P – 40. GB. ch
Winstub Arnold *(fermé dim. soir et lundi)* **R** 135/400 – 48 – **27 ch** 380/595 – ½ P 455/580.

ITTEVILLE 91760 Essonne 61 ① 106 ㊸ – 4 685 h. alt. 60.

Paris 44 – Fontainebleau 36 – Arpajon 13 – Corbeil-Essonnes 20 – Étampes 19 – Melun 28.

XX **Aub. de l'Épine,** N : 3 km, au domaine de l'Épine (29 r. Gén.-Leclerc) ✆ (1) 64 93 10 75, – P. GB
fermé août, vacances de Noël, lundi soir, mardi soir et merc. – **R** 150/195.

ITXASSOU 64250 Pyr.-Atl. 85 ③ **G. Pyrénées Aquitaine** – 1 563 h. alt. 39.

Voir Église★.

Paris 795 – Biarritz 26 – Bayonne 23 – Cambo-les-Bains 6,5 – Pau 121 – St-Jean-de-Luz 33 – St-Jean-Pied-de-Port 32.

Chêne, ✆ 59 29 75 01, ≤, , – ☎ P. GB. rest
fermé 1er janv. au 1er mars, lundi et mardi sauf juil.-août – **R** 60/190 – 24 – **16 ch** 145/200 – ½ P 215.

Fronton, ✆ 59 29 75 10, Fax 59 29 23 50, ≤, , – TV ☎ P. GB. ch
fermé 1er janv. au 15 fév. et merc. hors sais. – **R** 103/198, enf. 45 – 23 – **14 ch** 202/282 – ½ P 238/258.

IVRY-LA-BATAILLE 27540 Eure 55 ⑰ 106 ⑬ **G. Normandie Vallée de la Seine** – 2 563 h. alt. 64.

Paris 76 – Anet 5,5 – Dreux 21 – Évreux 30 – Mantes-la-Jolie 24 – Pacy-sur-Eure 17.

XXX **Moulin d'Ivry,** ✆ 32 36 40 51, ≤, , « Jardin et terrasse au bord de l'Eure » – P. AE GB
fermé 5 au 11 oct., fév., dim. soir et lundi – **R** 155/300.

XX **Gd St-Martin,** ✆ 32 36 41 39 – GB
fermé 25 au 31 août, 2 au 30 janv., dim. soir et lundi – **R** 130/250, enf. 75.

IVRY-SUR-SEINE 94 Val-de-Marne 61 ①, 101 ㉖ – voir à Paris, Environs.

IZERNORE 01580 Ain 74 ④ – 1 170 h. alt. 470.

Paris 480 – Bourg-en-Bresse 41 – ◆Lyon 93 – Nantua 9 – Oyonnax 11,5.

Michaillard, ✆ 74 76 96 46 – ☎ P. GB. ch
fermé 1er au 22 sept. et lundi soir – **R** 58/150, enf. 40 – 26 – **13 ch** 100/220 – ½ P 135/185.

IZIER 21 Côte-d'Or 166 ⑫ – rattaché à Genlis.

IZOARD (Col d') 05 H.-Alpes 77 ⑱ **G. Alpes du Sud** – alt. 2 360.

Voir Belvédères ★★ 15 mn – Casse Déserte★★ S : 2 km.

Paris 707 – Briançon 21.

JALLAIS 49510 M.-et-L. 67 ⑥ – 3 207 h. alt. 84.

Paris 339 – Angers 47 – Ancenis 36 – Cholet 17 – ◆Nantes 59 – Saumur 68.

Vert Galant, r. J. de Saymond ✆ 41 64 20 22, Fax 41 64 15 17 – ☎ – 25. AE GB
R *(fermé vend. soir d'oct. à Pâques)* 70/170, enf. 45 – 26 – **20 ch** 170/280 – ½ P 230/300.

La JALOUSIE 14 Calvados 55 ⑫ – rattaché à Caen.

JANZÉ 35150 I.-et-V. 63 ⑦ – 4 500 h. alt. 85.

Paris 336 – ◆Rennes 25 – Châteaubriant 32 – Laval 63 – Redon 64 – Vitré 31.

X **Lion d'Or** avec ch, r. A. Briand ✆ 99 47 03 21 – TV ☎. GB
fermé 29 août au 15 sept., vacances de fév., dim. soir et lundi – **R** 60/145, enf. 42 – 19 – **8 ch** 95/250.

V.A.G Gar. Brunet ✆ 99 47 03 05 N ✆ 99 47 29 62

JARGEAU 45150 Loiret 64 ⑩ – 3 561 h. alt. 108.

18 d'Orléans Val de Loire ✆ 38 59 25 15, NO : 3 km.

Syndicat d'Initiative bd Carnot ✆ 38 59 83 42.

Paris 119 – ◆Orléans 19 – Châteauneuf-sur-Loire 8 – Pithiviers 37 – Romorantin-Lanthenay 70.

Cygne, à St-Denis-de-l'Hôtel N : 1 km ✉ 45550 St Denis-de-l'Hôtel ✆ 38 59 02 43 – ☎ P. GB. ch
fermé fév., vend. soir et dim. soir du 1er nov. au 10 avril – **R** 60/160 – 30 – **12 ch** 130/230 – ½ P 160/200.

PEUGEOT-TALBOT Mousset ✆ 38 59 70 06

JARNAC **16200** Charente 72 ⑫ **G. Poitou Vendée Charentes** – 4 786 h. alt. 27.

Office de Tourisme pl. Château (fermé matin sauf 15 mai-sept.) ☏ 45 81 09 30

Paris 455 – Angoulême 29 – Barbezieux 28 – ◆Bordeaux 110 – Cognac 15 – Jonzac 38 – Ruffec 53.

XX **Château,** pl. Château ☏ 45 81 07 17 – GB
fermé août, vacances de fév., sam. midi, dim. soir et lundi – **R** 140/190.

à Vibrac SE : 11 km par N 141 et D 22 – ✉ **16120** :

Voir Abbaye de Bassac : église★ NO : 4 km.

Ombrages, rte Angeac ☏ 45 97 32 33, – ☎ **P**. GB
fermé vacances de nov., de Noël, de fév., dim. soir et lundi d'oct. à avril – **R** 65/190 – ☕ 28 – **10 ch** 234/286 – ½ P 202/223.

à Bourg-Charente O : 6 km par N 141 et VO – ✉ **16200** :

XX **La Ribaudière,** ☏ 45 81 30 54, Fax 45 81 28 05, – **P** AE GB
fermé janv., dim. soir hors sais. et lundi – **R** 110/250

PEUGEOT Gar. Forgeau ☏ 45 81 18 35

JAVRON **53** Mayenne 60 ① – 1 400 h. alt. 201 – ✉ **53250** Javron-les-Chapelles.

Paris 227 – Alençon 36 – Bagnoles-de-l'Orne 20 – ◆Le Mans 66 – Mayenne 25.

XXX **La Terrasse,** ☏ 43 03 41 91 – AE GB.
fermé 29 juin au 7 juil., 4 au 19 janv., dim. soir et lundi – **R** 89/170, enf. 70

JERSEY (Ile de) ★★ Ile 54 ⑤ **G. Normandie Cotentin.**

Accès par transports maritimes pour **St-Hélier (réservation indispensable)** - **voir aussi à St-Quay-Portrieux.**

depuis **St-Malo.** En 1991 : par cargo pour les autos (1 service hebdomadaire) - Tarifs Aller se renseigner - par hydroglisseur pour les voyageurs en saison : 5 services quotidiens ; hors saison : 2 services quotidiens - Traversée 1 h - 264 F (AR dans la journée). Renseignements : Morvan Fils, 4 r. Cordiers ☏ 99 56 42 29 (St-Malo) - par car-ferry en saison : 1 à 2 services quotidiens ; hors saison : 4 à 6 services hebdomadaires - Traversée 2 h 30 mn – 238 F (Aller). Renseignements : Emeraude Lines, Gare Maritime du Naye ☏ 99 40 48 40 (St-Malo). Plusieurs de ces services assurent une liaison avec **Guernesey.**

depuis **St-Malo.** Avril-sept., 1 service quotidien - Traversée 1 h 30 mn - Tarifs : se renseigner par Vedettes Armoricaines, gare maritime de la Bourse ☏ 99 56 48 88 et de mars-nov., 1 à 4 départs quotidiens - Traversée 1 h 10 mn - 238 F (Aller), par Emeraude Lines, Gare Maritime de la Bourse ☏ 99 40 48 40 (St-Malo).

depuis **Granville.** 15 mars-11 nov., 1 à 2 services quotidiens - Traversée 1 h 10 mn - Tarifs : se renseigner par Anglo-Normande de Navigation, 12 r. G.-Clemenceau ☏ 33 50 77 45 (Saint-Malo) et d'avril-sept., 1 à 2 services quotidiens - Traversée 1 h 10 mn - Tarifs : se renseigner par Emeraude Lines 1 r. Le Campion ☏ 33 50 16 36 (Granville).

Pour **Gorey.** En 1991 depuis **Carteret** : de mars à nov. 1 à 3 services quotidiens suivant marées - Traversée 30 mn - 245 F (AR dans la journée) par Iltour Voyages, 22 place Église ☏ 33 53 87 21 - de mars à nov., 1 à 2 services quotidiens par jour suivant marées - Traversée 30 mn - Tarifs se renseigner : Emeraude Lines Gare Maritime ☏ 33 53 81 17 (Carteret).

depuis **Portbail.** En 1991 : de mars à nov., 1 à 3 services quotidiens - Traversée 30 mn - 245 F (AR dans la journée) par Iltour Voyages, 22 place Église ☏ 33 53 87 21 (Barneville-Carteret).

Service aérien avec Paris Roissy I ☏ (1) 42 96 02 44 et Dinard ☏ 99 46 22 81 par Jersey European Airways, avec Cherbourg ☏ 33 22 91 32 et Dinard ☏ 99 46 70 28 par Aurigny Air Services – avec Paris Roissy II par Air France ☏ (1) 45 35 61 61.

Ressources hôtelières :

Voir Guide Rouge Michelin : **Great Britain and Ireland.**

JOIGNY **89300** Yonne 65 ④ **G. Bourgogne** – 9 697 h. alt. 101.

Voir Vierge au sourire★ dans l'égl. St-Thibault A **E** – Côte St-Jacques ≤★ 1,5 km par D 20 A.

Office de Tourisme quai H.-Ragobert ☏ 86 62 11 05

Paris 147 ⑤ – Auxerre 27 ③ – Gien 75 ⑤ – Montargis 62 ⑤ – Sens 31 ⑥ – Troyes 77 ②.

Plan page suivante

✿✿✿ **A la Côte St-Jacques** (Lorain) M, 14 fg Paris ☏ 86 62 09 70, Télex 801458, Fax 86 91 49 70, ≤, « Belle décoration intérieure », – ch ☎ **P** – 30. AE GB A **r**
fermé 4 janv. au 4 fév. – **R** (dim. prévenir) 300 (déj.) /620 et carte 480 à 660, enf. 160 – ☕ 90 – **25 ch** 690/1650, 4 appart. 2500
Spéc. Huîtres arcachonnaises en petite terrine océane, Bar légèrement fumé à la sauce au caviar, Filet de canard rôti et endives braisées. **Vins** Chablis, Irancy.

✿ **Modern'H Frères Godard,** av. R. Petit ☏ 86 62 16 28, Fax 86 62 44 33, – ☎ **P** – 30. AE GB JCB A **e**
fermé 1er au 23 fév. – **R** 190/350, enf. 100 – ☕ 45 – **21 ch** 450/520
Spéc. Rôti de lotte au lard, Canard "Gaston Godard" et son gratin morvandiau, Farandole des desserts. **Vins** Bourgogne Aligoté, Coulanges la Vineuse.

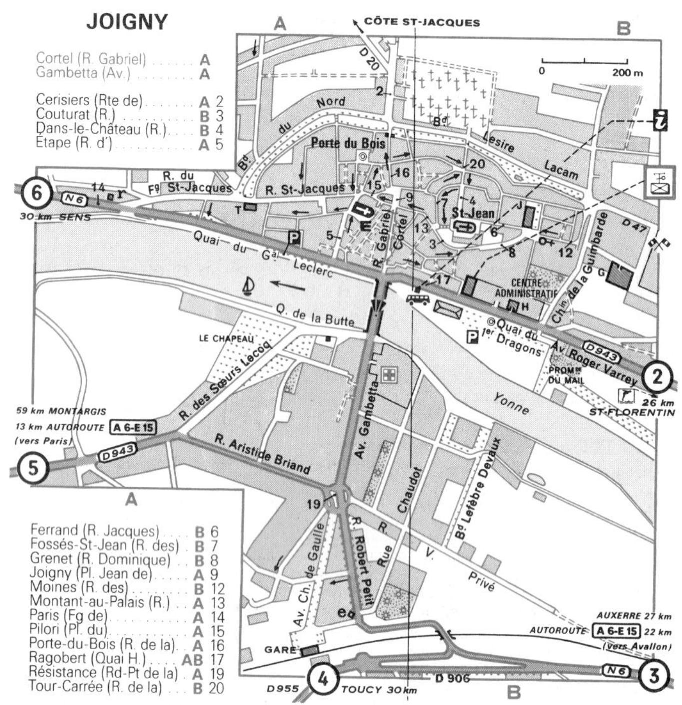

à Épineau-les-Voves par ③ : 7,5 km – ✉ **89400** :

X ◆ **L'Orée des Champs,** N 6 ℘ 86 91 20 39, – GB
fermé 31 août au 9 sept., vacances de fév., mardi soir du 15 oct. au 15 mai et merc. – **R** 66/160 ♂, enf. 40.

à Villecien par ⑥ : 8 km sur N 6 – ✉ **89300** :

La Grillade, ℘ 86 63 11 74, Fax 86 63 11 64, , – TV ☎ P. AE GB
R 95/190 – ☕ 30 – **11 ch** 170/300.

CITROEN Joigny Automobiles, N 6 à Champlay par ③ ℘ 86 62 06 45
PEUGEOT-TALBOT Gd Gar. de Paris, 24 fg de Paris par ⑥ ℘ 86 62 12 25
RENAULT S.A.J.A., rte de Migennes par ② ℘ 86 62 22 00 N ℘ 86 48 75 64
RENAULT Gar. Busset, rte d'Aillant-sur-Tholon à Senan par ④ ℘ 86 63 41 66 N

RENAULT Gar. Moutardier, à Sépeaux par ⑤ ℘ 86 73 13 25
V.A.G Autom. Fournet, 29 r. A.-Briand ℘ 86 62 09 21

Jeandot, 9 av. R.-Petit ℘ 86 62 18 84

JOINVILLE **52300** H.-Marne 62 ① G. Champagne – 4 755 h. alt. 188.

Syndicat d'Initiative r. A.-Briand (juil.-août) ℘ 25 94 17 90.

Paris 239 – Bar-le-Duc 49 – Bar-sur-Aube 47 – Chaumont 43 – Neufchâteau 51 – St-Dizier 32 – Toul 72 – Troyes 94.

✿ **Soleil d'Or** (Boudvin) M, 9 r. Capucins ℘ 25 94 15 66, Fax 25 94 39 02 – TV ☎ ♿. AE GB
fermé mi-fév à début mars et dim. soir sauf hôtel en sais. – **R** 95/290 – ☕ 40 – **20 ch** 200/420
Spéc. Terrine de magret de canard au foie gras. Pithiviers de turbot. Tourte de pommes de terre au suprême de pintadeau.

◆ **Nord,** r. C. Gillet ℘ 25 94 10 97 – TV ☎ – 25. GB
fermé 1er au 8 oct., vacances de fév., dim. soir d'oct. à juin (sauf hôtel) et lundi – **R** 60/180 ♂ – ☕ 28 – **15 ch** 100/240 – ½ P 160/220.

XX ◆ **Midi** avec ch, 12 r. A. Briand ℘ 25 94 10 95 – TV ☎ – 100. AE GB JCB
R 52/450 ♂ – ☕ 25 – **5 ch** 180/210 – ½ P 170/190.

XX **Poste** avec ch, pl. Grève ℘ 25 94 12 63, Fax 25 94 36 23 – ☎. AE GB
fermé 10 janv. au 10 fév. et jeudi du 15 oct. au 1er avril – **R** 80/220 – ☕ 25 – **10 ch** 150/280.

à Autigny-le-Grand N : 6 km sur N 67 – ✉ **52300** :

XX **Host. Moulin de la Planchotte** avec ch, ☎ 25 94 84 39, ←, parc, – TV ☎ P AE ⓓ GB
fermé 7 sept. au 1er oct. et 4 au 18 fév. – **R** *(fermé dim soir et lundi)* 84/215, enf. 45 – ☕ 30 – **8 ch** 190/250

RENAULT Roux, 25 av. de Lorraine ☎ 25 94 01 93 N

JOINVILLE-LE-PONT **94** Val-de-Marne 61 ①, 101 ㉗ – voir à Paris, Environs.

JONCY **71460** S.-et-L. 69 ⑱ – 424 h. alt. 235.

Env. Mont St-Vincent ✱★★ O : 12 km, **G. Bourgogne.**

Paris 372 – Chalon-sur-Saône 34 – Mâcon 51 – Montceau-les-Mines 21 – Paray-le-Monial 45.

X **Commerce** avec ch, ☎ 85 96 27 20, Fax 85 96 21 76, – TV ☎ P. GB
fermé 30 sept. au 5 nov. et vend. – **R** 68/240 ♨, enf. 52 – ☕ 30 – **9 ch** 125/230 – 1/2 P 170/250

JONS **69330** Rhône 74 ⑫ – 1 001 h. alt. 211.

Paris 480 – ♦Lyon 22 – Meyzieu 9 – Montluel 8 – Pont de Chéruy 12,5.

Aub. de Jons M, rte de Montluel : 1 km ☎ 78 31 29 85, Télex 301384, Fax 72 02 48 24, ←, , , , – ▤ rest TV ☎ ♿ P – 30. AE ⓓ GB
fermé vacances de fév. – **R** *(fermé dim. soir)* 125/285 – ☕ 40 – **26 ch** 330/370.

JONZAC ⟨SP⟩ **17500** Char.-Mar. 71 ⑥ **G. Poitou Vendée Charentes** – 3 998 h. alt. 40 – Stat. therm. (24 fév.-28 nov.).

Office de Tourisme pl. Château ☎ 46 48 49 29

Paris 513 – Angoulême 55 – ♦Bordeaux 84 – Cognac 35 – Libourne 83 – Royan 59 – Saintes 40.

L'Ecu M, 3 pl. Fillaudeau ☎ 46 48 50 56, – |‡| TV ☎ ♿ P – 30. AE ⓓ GB
fermé 15 janv. au 15 fév. – **R** 60/250 ♨ – ☕ 25 – **26 ch** 195/225 – 1/2 P 170/190.

Le Club sans rest, pl. Église ☎ 46 48 02 27 – TV ☎. GB.
fermé nov. – ☕ 25 – **10 ch** 175/250

CITROEN Mallet ☎ 46 48 00 04
PEUGEOT-TALBOT Belot ☎ 46 48 08 77 N ☎ 46 97 36 32
RENAULT Gar. Martin et Fils ☎ 46 48 06 11 N ☎ 46 48 16 62

Central Pneu ☎ 46 48 35 05

JOSSELIN **56120** Morbihan 63 ④ **G. Bretagne** (plan) – 2 338 h. alt. 59.

Voir Château★★ – Basilique N.-D.-du-Roncier★.

Syndicat d'Initiative pl. Congrégation (juin-sept., fermé matin sauf juil.-août) ☎ 97 22 36 43.

Paris 422 – Vannes 40 – Dinan 81 – Lorient 76 – ♦Rennes 73 – St-Brieuc 77.

Château, ☎ 97 22 20 11, Fax 97 22 34 09, ← – TV ☎ P. AE ⓓ GB
fermé 20 au 27 déc. et fév. – **R** 70/190 ♨ – ☕ 28 – **36 ch** 185/280 – 1/2 P 190/265.

France, 6 pl. Notre-Dame ☎ 97 22 23 06, Fax 97 22 35 78 – ☎ P. AE GB
fermé dim. soir et lundi hors sais. – **R** 75/265, enf. 57 – ☕ 31 – **21 ch** 230/320 – 1/2 P 245/280

XX **Commerce** avec ch, ☎ 97 22 22 08, ← – AE GB
R 100/185, enf. 40 – ☕ 29 – **5 ch** 180/240

CITROEN Gar. Joubard ☎ 97 22 23 04

PEUGEOT-TALBOT Gar. Chouffeur, ZI de la Rochette ☎ 97 22 22 80

JOUARRE **77** S.-et-M. 56 ⑬ – rattaché à La Ferté-sous-Jouarre.

JOUCAS **84220** Vaucluse 81 ⑬ – 258 h. alt. 248.

Paris 719 – Apt 14 – Avignon 39 – Carpentras 31 – Cavaillon 20.

✿ **Mas des Herbes Blanches** M , N : 2,5 km sur D 102A (rte de Murs) ☎ 90 05 79 79, Télex 432045, Fax 90 05 71 96, ← le Luberon, , , , – ▤ ch TV ☎ P – 25 AE GB
fermé 3 janv. au 10 mars – **R** 255 (déj.) et carte 310 à 440 – ☕ 70 – **15 ch** 790/1385, 3 appart. 1710 – 1/2 P 760/1058
Spéc. Fondant d'artichaut et foie gras, Goujonnettes de loup rôti à la peau, Egréné de rognon et ris de veau. **Vins** Côtes du Luberon, Côtes de Provence.

Host. le Phébus M , rte Murs ☎ 90 05 78 83, Télex 432849, Fax 90 05 73 61, ← le Luberon, , « Dans la garrigue », , – TV ☎ P. AE GB JCB
mars-nov. – **R** 120/530, enf. 60 – ☕ 70 – **17 ch** 680/880 – 1/2 P 600/695

Host. des Commandeurs , ☎ 90 05 78 01, ← – ☎ P. GB
fermé janv. – **R** 90/150 ♨, enf. 50 – ☕ 32 – **14 ch** 270 – 1/2 P 240.

JOUÉ-LÈS-TOURS **37** I.-et-L. 64 ⑮ – rattaché à Tours.

JOUGNE 25370 Doubs 170 ⑦ G. Jura – 1 162 h. alt. 1 010 – Sports d'hiver : voir les Hôpitaux Neufs.
Paris 460 – ♦Besançon 79 – Champagnola 46 – Lausanne 47 – Morez 53 – Pontarlier 20.

Couronne, ✆ 81 49 10 50, – GB.
1er juin-30 sept. et 20 déc.-15 avril – **R** 75/135 – 26 – **14 ch** 160/195 – ½ P 210/230.

Suchet, N 57 ✆ 81 49 10 38 – ☎ 🅟. AE ⓓ GB
fermé 1er au 20 juin, 12 sept. au 25 oct. et vend. du 25 oct. au 20 déc. – **R** 65/120 – 30 – **16 ch** 105/270 – ½ P 195/250.

à Entre-les-Fourgs SE : 4,5 km par D 423 – ✉ 25370 Les Hôpitaux-Neufs :

Les Petits Gris , ✆ 81 49 12 93, ←, – ☎. GB.
fermé 20 sept. au 11 oct. – **R** *(fermé merc.)* 62/155 , enf. 44 – 30 – **16 ch** 210/260 – ½ P 230/250.

JOUY-EN-JOSAS 78 Yvelines 60 ⑩, 101 ㉓ – voir à Paris, Environs.

JOUY-SUR-EURE 27 Eure 55 ⑰ – rattaché à Pacy-sur-Eure.

JOYEUSE 07260 Ardèche 80 ⑧ G. Vallée du Rhône – 1 411 h. alt. 180.
Voir Corniche du Vivarais Cévenol ★★ O.
Office de Tourisme D 104 ✆ 75 39 56 76.
Paris 653 – Alès 52 – Mende 96 – Privas 52.

Les Cèdres, ✆ 75 39 40 60, Fax 75 39 90 16, , , – ch ☎ 🅟 – 50. AE ⓓ GB
15 avril-15 oct. – **R** 68/165, enf. 42 – 33 – **40 ch** 236/290 – ½ P 270.

à Lablachère SO : 3 km par D 104 – ✉ 07230 :

Le Commerce, ✆ 75 36 61 80, – GB
15 avril-15 nov. – **R** 85/140 , enf. 45 – 25 – **16 ch** 160/190 – ½ P 160/190.

au Gua NO : 12 km par D 203 et VO – ✉ 07110 Joyeuse :

XX **La Guaribote** avec ch, ✆ 75 39 44 09, Fax 75 39 55 89, ←, « En bordure de la Beaume » – ☎ 🅟. AE ⓓ GB
11 avril-11 oct. – **R** *(fermé lundi sauf le soir du 15 juin au 15 sept.)* 98/190 – 38 – **8 ch** 250/270 – ½ P 275.

RENAULT Gar. Duplan ✆ 75 39 43 91 N — Thomas Frères ✆ 75 39 40 00

JUAN-LES-PINS 06160 Alpes-Mar. 84 ⑨ 195 ㊱ ㊴ G. Côte d'Azur – alt. 2.
Maison du Tourisme 51 bd Ch.-Guillaumont ✆ 93 61 04 98.
Paris 914 ② – Cannes 8,5 ③ – Aix-en-Provence 158 ② – ♦Nice 23 ①.

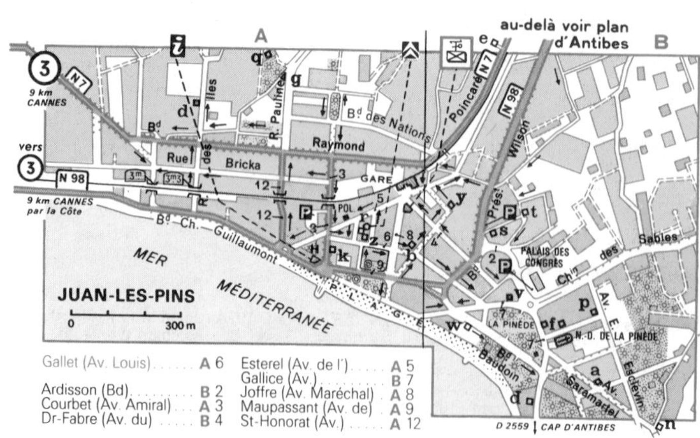

Gallet (Av. Louis) A 6
Ardisson (Bd) B 2
Courbet (Av. Amiral) A 3
Dr-Fabre (Av. du) B 4
Esterel (Av. de l') A 5
Gallice (Av.) B 7
Joffre (Av. Maréchal) A 8
Maupassant (Av. de) A 9
St-Honorat (Av.) A 12

Juana et rest. La Terrasse , la Pinède, av. G. Gallice ✆ 93 61 08 70, Télex 470778, Fax 93 61 76 60, , , – ch ☎ 🅟 B **f**
avril-oct. – **R** *(fermé merc. sauf du 7 au 18 mai, du 22 au 27 juin, en juil.-août et du 26 au 30 oct.)* (dîner seul. en juil.-août) 460/580 et carte – 85 – **45 ch** 650/2300, 5 appart. 4000
Spéc. Poêlée de supions aux poivrades, Selle d'agneau de Pauillac cuite en terre d'argile, Millefeuille aux fraises des bois à la crème de mascarpone. **Vins** Côtes de Provence.

Belles Rives, bd Baudoin ✆ 93 61 02 79, Télex 470984, Fax 93 67 43 51, ≤ mer et massif de l'Estérel, – AE GB. rest B **d**
Pâques-oct. – **R** carte 390 à 500 – ☐ 95 – **40 ch** 1700/2500, 4 appart. 4600 – ½ P 1350/1750.

Garden Beach H. M, 15-17 bd Baudoin ✆ 93 67 25 25, Télex 470888, Fax 93 61 16 65, ≤, – ch – 30. AE GB JCB. rest B **w**
R 240 – ☐ 90 – **158 ch** 700/2350, 17 appart. 4000 – ½ P 690/1515.

Hélios et rest. Le Relais M, av. Dr Dautheville ✆ 93 61 55 25, Télex 970906, Fax 93 61 58 78, – – 60. AE GB A **b**
12 avril-31 oct. – **R** 200/450, enf. 130 – ☐ 60 – **70 ch** 800/1900, 5 appart. 3600 – ½ P 750/1250.

Mimosas sans rest, r. Pauline ✆ 93 61 04 16, « Parc, » – . A **q**
avril-oct. – ☐ 50 – **34 ch** 460/650.

Beauséjour sans rest, av. Saramartel ✆ 93 61 07 82, Fax 93 61 86 78, – . AE GB B **n**
15 avril-10 oct. – ☐ 48 – **28 ch** 780/1170.

Ste-Valérie , r. Oratoire ✆ 93 61 07 15, Télex 460564, Fax 93 61 47 52, – . AE GB. rest B **p**
18 avril-4 oct. – **R** 110, enf. 70 – ☐ 30 – **30 ch** 440/830 – ½ P 400/530.

Astor, 30 bd R. Poincaré ✆ 93 61 07 38, Télex 470049, Fax 93 61 36 76, – cuisinette ch – 50 à 80. AE GB JCB B **e**
R 80/240 – ☐ 35 – **22 ch** 345/540, 20 studios 435/785.

Welcome sans rest, 7 av. Dr Hochet ✆ 93 61 26 12, Fax 93 61 38 04, – . AE GB. B **y**
avril-oct. – ☐ 40 – **29 ch** 400/680.

Courbet sans rest, 33 av. Amiral Courbet ✆ 93 61 15 94, Fax 93 67 68 42 – . AE GB A **k**
10 avril-10 oct. – ☐ 40 – **26 ch** 420/600.

Alexandra, r. Pauline ✆ 93 61 01 36 – ch . AE GB. rest A **g**
28 mars-15 oct. – **R** (dîner seul.) 90/115, enf. 35 – ☐ 35 – **20 ch** 150/465 – ½ P 245/370.

Palais des Congrès sans rest, 4 av. Palmiers ✆ 93 61 04 29, Fax 93 67 22 92 – . GB. B **s**
fermé 15 nov. au 15 janv. – ☐ 37 – **16 ch** 280/470.

Juan Beach , 5 r. Oratoire ✆ 93 61 02 89, – rest . B **f**
1er avril-31 oct. – **R** (résidents seul.) 135 – ☐ 30 – **28 ch** 250/360.

Pré Catelan , 22 av. Lauriers ✆ 93 61 05 11, Fax 93 67 83 11, – . AE GB. B **t**
R *(fermé 1er mars au 18 avril)* 125, enf. 50 – ☐ 35 – **18 ch** 300/450 – ½ P 350/410.

Eden H. sans rest, 16 av. L. Gallet ✆ 93 61 05 20 – A **z**
fermé 5 nov. au 15 fév. – ☐ 23 – **17 ch** 180/350.

Cécil, r. Jonnard ✆ 93 61 05 12 – ch . GB. rest A **r**
fermé 15 oct. au 15 janv. – **R** (résidents seul.) 85 – ☐ 28 – **21 ch** 220/310 – ½ P 260.

XX **Aub. de l'Esterel** avec ch, 21 chemin des Iles ✆ 93 61 86 55, Fax 93 61 08 67, – . AE GB A **d**
fermé 10 nov. au 10 déc. – **R** *(fermé dim. soir et lundi)* 150/195 – ☐ 35 – **14 ch** 195/355 – ½ P 243/298.

XX **Le Perroquet,** av. G. Gallice ✆ 93 61 02 20, – AE GB B **v**
fermé 5 janv. au 15 fév. et merc. de nov. à avril – **R** 120/150, enf. 60.

CITROEN Gar. St-Charles, 8 r. St-Charles ✆ 93 61 08 16

JUILLAC 33890 Gironde 75 ⑬ – 200 h. alt. 70.

Paris 560 – Bergerac 42 – ◆Bordeaux 55 – Libourne 28 – La Réole 35.

XX **Belvédère,** E par D 130 : 4 km ✆ 57 47 40 33, ≤, – AE GB
fermé oct., mardi soir et merc. sauf juil.-août – **R** 120/280 , enf. 35.

JULIÉNAS 69840 Rhône 74 ① G. Vallée du Rhône – 703 h. alt. 256.

Paris 406 – Mâcon 13 – Bourg-en-Bresse 49 – ◆Lyon 64 – Villefranche-sur-Saône 31.

des Vignes sans rest, rte St-Amour : 0,5 km ✆ 74 04 43 70, ≤, – . GB
fermé dim. en hiver – ☐ 27 – **20 ch** 195/260.

JULLOUVILLE 50610 Manche 59 ⑦ G. Normandie Cotentin – 2 046 h. alt. 80.

Syndicat d'Initiative av. Mar.-Leclerc (15 juin-15 sept.) ✆ 33 61 82 48.

Paris 351 – St-Lô 64 – St-Malo 86 – Avranches 22 – Granville 8,5.

XX **Casino,** ✆ 33 61 82 82, ≤ – GB
fermé 15/1 au 1/3, lundi soir en mai, juin et sept., lundi et merc. d'oct. à avril et mardi sauf juil.-août – **R** 89/198, enf. 48.

MERCEDES Drey, à St-Pair-sur-Mer ✆ 33 50 21 65

JUMIÈGES 76118 S.-Mar 55 ⑤ **G. Normandie Vallée de la Seine** – 1 641 h. alt. 10.

Voir Ruines de l'abbaye★★★.

Bacs: de Jumièges : renseignements ℘ 35 37 24 23 ; de Mesnil-sous-Jumièges ℘ 35 37 06 06 ; de Yainville ℘ 35 37 21 06.

Paris 155 – Caudebec-en-Caux 14 – ♦Rouen 27.

JUNGHOLTZ 68 H.-Rhin 166 ⑨ – rattaché à Guebwiller.

Les JUNIES 46150 Lot 79 ⑦ **G. Périgord Quercy** – 255 h. alt. 205.

Paris 584 – Cahors 23 – Gourdon 34 – Villeneuve-sur-Lot 55.

XX **La Ribote,** "La Mouline" sur D 660 : 2 km ℘ 65 36 25 55, , – **P** AE GB
fermé 16 au 22 nov., 5 janv au 15 fév. et merc. du 15 sept. au 30 juin – **R** 90/240.

JURANÇON 64 Pyr.-Atl. 85 ⑥ – rattaché à Pau.

JUVIGNY-SOUS-ANDAINE 61140 Orne 60 ① – 1 105 h. alt. 200.

Paris 241 – Alençon 50 – Argentan 48 – Bagnoles-de-l'Orne 10,5 – Domfront 11 – Mayenne 32.

Forêt, ℘ 33 38 11 77 – **P** GB
fermé 22 déc. au 15 janv. – **R** 56/100 – 26 – **23 ch** 130/240.

XX **Au Bon Accueil** avec ch, ℘ 33 38 10 04 – TV ☎ GB
fermé fév., mardi soir et merc. – **Repas** 110/260 – 35 – **8 ch** 240/310 – ½ P 270.

JUVISY-SUR-ORGE 91 Essonne 61 ① – voir à Paris, Environs.

JUZIERS 78820 Yvelines 55 ⑲ – 3 164 h. alt. 57.

Paris 55 – Beauvais 64 – Mantes-la-Jolie 11 – Pontoise 26 – Rambouillet 49 – Versailles 41.

XXX **Patrick Perfendie,** ℘ (1) 34 75 22 03, Fax (1) 34 75 21 01 – AE GB
fermé dim. soir – **R** 140.

KAYSERSBERG 68240 H.-Rhin 62 ⑱ **G. Alsace Lorraine** (plan) – 2 755 h. alt. 242.

Voir Église★ : retable★★ – Hôtel de ville★ – Pont fortifié★ – Maison Brief★.

Office du Tourisme à la Mairie ℘ 89 78 22 78.

Paris 435 – Colmar 12 – Gérardmer 50 – Guebwiller 34 – Munster 22 – St-Dié 45 – Sélestat 25.

Résidence Chambard, ℘ 89 47 10 17, Télex 880272, Fax 89 47 35 03 – TV ☎ **P** AE GB
fermé 1er au 23 mars et 22 déc. au 4 janv. – **R** voir rest. **Chambard** ci-après – 60 – **20 ch** 550/800.

Remparts sans rest, ℘ 89 47 12 12, Fax 89 47 37 24, ← – TV ☎ **P** – 25. AE GB
36 – **31 ch** 300/360.

Arbre Vert (annexe Belle Promenade M 14 ch), ℘ 89 47 11 51 – ☎. GB. ch
fermé janv. – **R** *(fermé lundi)* 118/225 , enf. 50 – 35 – **36 ch** 250/350 – ½ P 300/325.

XXX ✿ **Chambard** - Hôtel Résidence Chambard - (Irrmann), ℘ 89 47 10 17, Télex 880272, Fax 89 47 35 03 – **P** AE GB
fermé 1er au 23 mars, 22 déc. au 4 janv., mardi midi et lundi sauf fériés – **R** 300/380, enf. 100
Spéc. Langoustines tièdes à la crème de persil et d'ail. Sandre rôti à l'ancienne. Mousses au chocolat "Chambard".
Vins Riesling, Tokay-Pinot gris.

XX **Lion d'Or,** ℘ 89 47 11 16, Fax 89 47 19 02, – GB
fermé 1er janv. au 15 fév., mardi soir hors sais. et merc. – **R** 98/280 , enf. 65.

XX **La Vieille Forge,** ℘ 89 47 17 51 – GB
fermé 9 au 17 mars, 22 juin au 7 juil., 1er au 15 janv., mardi (sauf le soir d'avril à oct.) et lundi – **R** 130/250 , enf. 42.

X **Château** avec ch, ℘ 89 78 24 33 – GB
fermé 2 au 11 juil., 12 au 21 nov., 5 fév. au 7 mars, merc. soir (sauf hôtel du 1er nov. au 1er juin) et jeudi – **R** 65/180 – 28 – **10 ch** 110/250 – ½ P 210/240.

à Kientzheim E : 3 km par D 28 – ✉ **68240**.

Voir Pierres tombales★ dans l'église.

Host. Abbaye d'Alspach, ℘ 89 47 16 00, « Ancien couvent du 13e siècle » – TV ☎ **P**. AE GB
fermé 4 janv. au 1er mars – **R** *(fermé merc. et jeudi)* (dîner seul.) carte 125 à 185 – 38 – **30 ch** 210/380.

Schwendi, ℘ 89 47 30 50, Fax 89 49 04 49 – ☎. AE GB
Pâques-1er nov. – **R** *(fermé merc. midi et mardi)* 83/160 , enf. 40 – 27 – **11 ch** 240/260 – ½ P 247/257.

PEUGEOT-TALBOT Hiltenfinck ℘ 89 78 23 08 **N** ℘ 89 47 13 00

KERSAINT 29 Finistère 58 ③ – rattaché à Ploudalmézeau.

KIENTZHEIM 68 H.-Rhin 62 ⑱ ⑲ – rattaché à Kaysersberg.

KLINGENTHAL 67 B.-Rhin 62 ⑨ – rattaché à Obernai.

Le KREMLIN-BICÊTRE **94** Val-de-Marne 101 ㉖ – voir à Paris, Environs.

KREUZWEG (Col du) **67** B.-Rhin 62 ⑧ ⑨ – rattaché au Hohwald.

KRUTH **68820** H.-Rhin 62 ⑱ – 976 h. alt. 492.
Voir Cascade St-Nicolas★ SO : 3 km par D 13b1, P67G. Alsace Lorraine.
Paris 439 – ♦Mulhouse 38 – Colmar 59 – Gérardmer 30 – Thann 18 – Le Thillot 25.

Aub. de France, rte Oderen ✆ 89 82 28 02, Fax 89 82 24 05, – TV ☎ P. AE ⓓ GB
fermé 22 au 28 juin, 1er nov. au 10 déc. et jeudi – **R** 65/200 – ☕ 30 – **16 ch** 150/200 – ½ P 180.

RENAULT Gar. Rothra ✆ 89 82 26 90 N

LABALME **01** Ain 74 ④ – rattaché à Cerdon.

LABAROCHE **68910** H.-Rhin 62 ⑱ – 1 676 h. alt. 750.
Paris 439 – Colmar 19 – Gérardmer 49 – Munster 23 – St-Dié 49.

Tilleul ✆ 89 49 84 46 – ☎ P. GB
fermé 5 janv. au 5 fév. – **R** 65/100 – ☕ 26 – **32 ch** 180/250 – ½ P 198.

Aub. La Rochette avec ch, rte Trois-Épis ✆ 89 49 80 40, ←, – ☎ P. AE GB.
fermé janv., dim. soir et merc. – **R** 95/185 – ☕ 45 – **8 ch** 245/400 – ½ P 260/290.

PEUGEOT Gar. Girard, Les Correaux ✆ 89 49 82 68

LABARTHE-INARD **31800** H.-Gar. 86 ② – 762 h. alt. 326.
Paris 777 – Bagnères-de-Luchon 57 – Boussens 16 – St-Gaudens 9,5 – St-Girons 33 – ♦Toulouse 81.

Host. du Parc, N 117 ✆ 61 89 08 21, – ☎ P. GB
fermé 15 janv. à fin fév. et lundi d'oct. à juin sauf fêtes – **R** 70/250 – ☕ 26 – **14 ch** 170/260.

LABARTHE-SUR-LEZE **31** H.-Gar. 82 ⑱ – rattaché à Muret.

LABASTIDE-BEAUVOIR **31450** H.-Gar. 82 ⑲ – 599 h. alt. 262.
Paris 722 – ♦Toulouse 24 – Carcassonne 76 – Castres 55 – Pamiers 51.

Aub. du Courdil, ✆ 61 81 82 55, – GB
fermé 3 au 31 janv., dim. soir et lundi – **R** 53/150

LABASTIDE-MURAT **46240** Lot 75 ⑱ **G. Périgord Quercy** – 610 h. alt. 447.
Paris 559 – Cahors 31 – Sarlat-la-Canéda 53 – Brive-la-Gaillarde 74 – Figeac 44 – Gourdon 22.

Climat de France M, ✆ 65 21 18 80, Fax 65 21 10 97, – TV ☎ ♿. AE ⓓ GB
fermé 23 déc. au 23 janv. – **R** 85/120, enf. 40 – ☕ 35 – **20 ch** 269 – ½ P 240.

Courdesses ✆ 65 31 10 03

LABATUT **40300** Landes 78 ⑦ – 952 h. alt. 46.
Paris 758 – Biarritz 56 – ♦Bayonne 44 – Dax 23 – Mont-de-Marsan 62 – Orthez 17 – Sauveterre-de-Béarn 23.

Aub. du Bousquet, N 117 ✆ 58 98 18 24, – P.

LABÈGE **31** H.-Gar. 82 ⑱ – rattaché à Toulouse.

LABERGEMENT-FOIGNEY **21** Côte-d'Or 166 ⑬ – rattaché à Genlis.

LABLACHERE **07** Ardèche 80 ⑧ – rattaché à Joyeuse.

LABOUHEYRE **40210** Landes 78 ④ – 2 816 h. alt. 70.
Paris 673 – Mont-de-Marsan 54 – Biscarrosse 31 – ♦Bordeaux 84 – Castets 42 – Mimizan 28.

Unic M, rte Bordeaux ✆ 58 07 00 55 – ☎ P. AE ⓓ GB
mi-avril-mi-nov. et fermé le midi en semaine et dim. soir – **R** 85 bc/135 bc – ☕ 30 – **7 ch** 170/350 – ½ P 205/245.

PEUGEOT-TALBOT Gar. Sentaurens ✆ 58 07 01 12

LABOURGADE **82** T.-et-G. 82 ⑦ – rattaché à Castelsarrasin.

LAC voir au nom propre du lac.

LACANAU-OCÉAN **33680** Gironde 71 ⑱ **G. Pyrénées Aquitaine** – alt. 12.

Voir Lac de Lacanau★ E : 5 km.

9 18 de Lacanau ℘ 56 03 25 60, E : 2 km.

Paris 594 – ◆Bordeaux 60 – Andernos-les-Bains 42 – Arcachon 86 – Lesparre-Médoc 51.

Golf M, au golf: 2,5 km par VO ℘ 56 03 23 15, Télex 572032, Fax 56 26 30 57, ←, – TV ☎ ♿ P – 50. AE GB
fermé 29 nov. au 27 fév. – **R** 100/150, enf. 70 – ☕ 45 – **50 ch** 300/590 – ½ P 340/460.

Étoile d'Argent, ℘ 56 03 21 07, – ☎ P. GB
fermé déc. et janv. – **R** 65/250, enf. 50 – ☕ 30 – **14 ch** 145/200 – ½ P 190/250.

PEUGEOT-TALBOT Barre ℘ 56 03 53 07

LACAPELLE-MARIVAL **46120** Lot 75 ⑲ ⑳ **G. Périgord Quercy** – 1 201 h. alt. 400.

Syndicat d'Initiative pl. Halle (15 juin-15 sept.) ℘ 65 40 81 11

Paris 561 – Cahors 64 – Aurillac 66 – Figeac 21 – Gramat 20 – Rocamadour 30 – Tulle 82.

Terrasse, ℘ 65 40 80 07, – ☎. AE ① GB. rest
1er avril-1er déc. – **Repas** 95/230, enf. 50 – ☕ 30 – **16 ch** 160/300 – ½ P 250/300.

LACAUNE **81230** Tarn 83 ③ **G. Gorges du Tarn** – 3 117 h. alt. 800 – Casino.

Syndicat d'Initiative pl. Gén.-de-Gaulle (15 juin-15 sept.) ℘ 63 37 04 98 et à la Mairie (hors saison) ℘ 63 37 00 18.

Paris 730 – Albi 68 – Béziers 85 – Castres 46 – Lodève 72 – Millau 72 – ◆Montpellier 131.

H. Fusiès, r. République ℘ 63 37 02 03, Fax 63 37 10 98 – ☎ – 30. AE ① GB JCB
fermé 20 déc. au 20 janv., vend. soir et dim. soir de nov. au 15 mars – **R** 72/380, enf. 60 – ☕ 35 – **52 ch** 210/300 – ½ P 250/270.

Calas "Le Glacier", pl. Vierge ℘ 63 37 03 28, – ☎. AE ① GB
fermé 23 déc. au 12 janv. – **R** *(fermé vend. soir et sam. midi du 1er oct. au 1er mars)* 68/250, enf. 50 – ☕ 22 – **23 ch** 135/250 – ½ P 190/280.

CITROEN Milhau ℘ 63 37 06 08

PEUGEOT-TALBOT Gar. Moderne ℘ 63 37 00 16 N

LACAVE **46200** Lot 75 ⑱ – 241 h. alt. 103.

Voir Grottes★ – Site★ du château de Belcastel O : 2,5 km, **G. Périgord Quercy.**

Paris 532 – Brive-La-Gaillarde 47 – Sarlat-La-Canéda 39 – Cahors 57 – Gourdon 25 – Rocamadour 11,5.

Château de la Treyne, O : 3 km par D 43 et voie privée ℘ 65 32 66 66, Fax 65 37 06 57, ←, « Dans un parc dominant la Dordogne », – TV ☎ P. AE ① GB
hôtel : 20 mars-15 nov. ; rest. : 17 avril-15 nov. – **R** 260/300 – ☕ 65 – **13 ch** 1200/1600 – ½ P 750/1100

XXX ✿ **Pont de l'Ouysse** (Chambon) avec ch, ℘ 65 37 87 04, Fax 65 32 77 41, ←, – TV ☎ P. AE ① GB
début mars-11 nov. et fermé lundi hors sais. – **R** 150/500 – ☕ 55 – **13 ch** 350/600 – ½ P 500/600
Spéc. Foie de canard "Bonne Maman", Salade de queues d'écrevisses et de sot-l'y-laisse (juil. à nov.), Poulette rôtie en cocotte aux truffes. **Vins** Bergerac, Cahors.

En juin et en septembre,
les hôtels sont moins chers qu'en pleine saison, le service est plus soigné.

LACHASSAGNE **69** Rhône 74 ① – rattaché à Anse.

LACQ **64170** Pyr.-Atl. 85 ⑥ **G. Pyrénées Aquitaine** – 657 h. alt. 117.

Voir Exploitation de gisements de gaz naturel.

Paris 773 – Aire-sur-L'Adour 59 – Oloron-Ste-M. 33 – Orthez 16 – Pau 25 – St-Jean-Pied-de-Port 78.

LACROST **71** S.-et-L. 69 ⑳ – rattaché à Tournus.

LADOIX-SERRIGNY **21** Côte-d'Or 69 ⑨ – rattaché à Beaune.

LADON **45270** Loiret 61 ⑪ – 1 212 h. alt. 91.

Paris 110 – Châteauneuf-sur-Loire 29 – Gien 43 – Montargis 15 – ◆Orléans 56 – Pithiviers 29.

X **Cheval Blanc** avec ch, ℘ 38 95 51 79, – P. GB
fermé 15 au 30 sept. – **R** *(fermé dim. soir et lundi)* 58/125 – ☕ 28 – **9 ch** 100/160.

LAGARRIGUE **47** L.-et-G. 79 ⑭ – rattaché à Aiguillon.

LAGNY-SUR-MARNE **77** S.-et-M. 56 ⑫ 101 ⑳ – voir à Paris, Environs (Marne-la-Vallée).

LAGUIAN-MAZOUS 32170 Gers 85 ⑨ – 237 h. alt. 320.

Voir Puntous de Laguian ※** O : 2 km, G. Pyrénées Aquitaine.

Paris 786 – Auch 43 – Aire-sur-l'A. 62 – Lannemezan 44 – Mirande 18 – St-Gaudens 73 – Tarbes 31.

- **Relais des Puntous,** O : 1,5 km ✆ 62 67 52 51, – P. GB
  fermé 11 fév. au 11 mars, lundi soir et mardi – **R** 95/135, enf. 50

LAGUIOLE 12210 Aveyron 76 ⑬ G. Gorges du Tarn – 1 264 h. alt. 1 004 – Sports d'hiver : 1 200/1 407 ≴11 ⛷.

Voir Église ※*.

Syndicat d'Initiative (saison) ✆ 65 44 35 94

Paris 578 – Aurillac 76 – Rodez 55 – Espalion 23 – Mende 84 – St-Flour 60.

- **Gd Hôtel Auguy,** ✆ 65 44 31 11 – TV ☎. GB. rest
  fermé 9 au 17 juin, 8 nov. au 25 déc., dim. soir et merc. sauf vacances scolaires – **R** 105/240 – 30 – **25 ch** 190/275 – ½ P 200/245
- **Régis,** ✆ 65 44 30 05 – TV ☎ P. GB
  fermé 10 au 20 déc., 10 au 20 janv. et vend. du 1er oct. au 30 juin sauf vacances scolaires – **R** 71/120 – 22 – **15 ch** 120/295 – ½ P 180/205.

à l'Est : 6 km par rte d'Aubrac (D 15) – ✉ 12210 Laguiole :

- ✿✿ **Michel Bras** M, ✆ 65 44 32 24, Fax 65 48 47 02, « Au sommet d'une colline, vue panoramique sur les paysages de l'Aubrac » – rest TV ☎ P. AE GB.
  début avril-début nov. et fermé dim. soir et lundi sauf juil.-août – **R** (nombre de couverts limité, prévenir) 200/600 et carte – 80 – **15 ch** 900/1400
  Spéc. Gargouillou de légumes. Viandes et volailles de pays. Biscuit de chocolat coulant. Vins Marcillac, Gaillac.

à Soulages-Bonneval O : 5 km par D 541 – ✉ 12210 :

- **Aub. du Moulin,** ✆ 65 44 32 36, – P. GB
  R 55 bc/120 – 22 – **12 ch** 120/150 – ½ P 140/160.

CITROEN Gar. Charles ✆ 65 44 34 40 RENAULT Gar. Troussillie ✆ 65 44 32 21

La LAIGNE 17170 Char.-Mar. 71 ② – 243 h. alt. 15.

Paris 437 – La Rochelle 33 – Fontenay-le-Comte 37 – Niort 30 – Rochefort 40.

- **Aub. Aunisienne,** ✆ 46 01 64 70, – AE GB
  fermé mardi soir du 1er oct. au 30 juin – **R** 98/250

à Benon O : 4 km par N 11 – ✉ 17170 :

- **Relais de Benon** M, carrefour N 11 et D 116 ✆ 46 01 61 63, Télex 791172, Fax 46 01 70 89, parc, – TV ☎ P – 150. AE GB JCB
  R 80/185, enf. 55 – 38 – **30 ch** 320/380 – ½ P 310/335.

LAILLY-EN-VAL 45 Loiret 64 ⑧ – rattaché à Beaugency.

LALACELLE 61320 Orne 60 ② – 251 h. alt. 272.

Paris 211 – Alençon 19 – Argentan 34 – Carrouges 12 – Domfront 41 – Falaise 58 – Mayenne 41.

- **La Lentillère** avec ch, E : 1,5 km sur N 12 ✆ 33 27 38 48, – TV ☎ P. GB
  fermé 6 janv. au 10 fév., dim. soir et lundi – **R** 70/195, enf. 45 – 30 – **7 ch** 150/240 – ½ P 205/250.

LALINDE 24150 Dordogne 75 ⑮ – 3 029 h. alt. 46.

Paris 548 – Périgueux 52 – Bergerac 22 – Brive-La-Gaillarde 98 – Cahors 88 – Villeneuve-sur-Lot 58.

- **La Forge,** ✆ 53 24 92 24, Fax 53 58 68 51, – cuisinette TV ☎. AE GB JCB
  fermé 20 déc. au 31 janv., dim. soir d'oct. à mars, lundi (sauf hôtel) d'oct. à mai et lundi midi en juin et sept. – **R** 75/300, enf. 60 – 35 – **21 ch** 250/270 – ½ P 280/290
- **Château** avec ch, ✆ 53 61 01 82, ←, – ☎. GB
  15 mars-1er déc. et fermé vend. sauf le soir en juil.-août – **R** 140/270 – 40 – **8 ch** 170/270 – ½ P 210/260.

à St-Capraise-de-Lalinde O : 4 km – ✉ 24150 :

- **Relais St-Jacques** avec ch, ✆ 53 63 47 54 – ☎ – 25. GB
  fermé 22 mars au 5 avril, 22 nov. au 6 déc. et merc. sauf le soir du 15 juil. au 31 août – **R** 78/205 – 32 – **6 ch** 215/270 – ½ P 220/260.

CITROEN Groupierre ✆ 53 61 03 67 PEUGEOT-TALBOT Arbaudie ✆ 53 61 00 22 N

LALLEYRIAT 01130 Ain 74 ④ – 191 h. alt. 843.

Paris 486 – Bourg-en-Bresse 57 – Genève 57 – Nantua 11,5 – Oyonnax 18.

XX **Aub. Gentianes,** ✆ 74 75 31 80 – GB
fermé lundi soir et mardi – **R** 85 (sauf sam. soir)/170 ₰.

LALOUVESC 07520 Ardèche 76 ⑨ **G. Vallée du Rhône** – 514 h. alt. 1 050.

Voir ☼★.

Paris 559 – Valence 56 – Annonay 24 – Lamastre 27 – Privas 97 – St-Agrève 31 – Tournon-sur-Rhône 40 – Yssingeaux 42.

Beau Site, ✆ 75 67 82 14, ≤ montagnes – ☎. AE ⓓ GB
mi mai-mi-sept. – **R** 68/120 ₰, enf. 39 – ☕ 23 – **33 ch** 130/265 – ½ P 160/220.

Relais du Monarque, ✆ 75 67 80 44, ≤ montagnes, 🌳, 🌲 – ☎. AE ⓓ GB
Pâques-1er oct. – **R** 85/160 – ☕ 28 – **20 ch** 130/260 – ½ P 200/250.

Poste, ✆ 75 67 82 84 – ☎. GB. ✻ rest
fermé déc. et merc. soir de nov. à fin mars – **R** 62/150 ₰ – ☕ 24 – **13 ch** 140/210 – ½ P 190.

LAMAGDELAINE 46 Lot 79 ⑧ – rattaché à Cahors.

LAMALOU-LES-BAINS 34240 Hérault 83 ④ **G. Gorges du Tarn** – 2 194 h. alt. 200 – Stat. therm. – Casino .

Voir Église de St-Pierre-de-Rhèdes★ SO : 1,5 km.

ℹ Office Municipal de Tourisme av. Dr-Ménard ✆ 67 95 70 91.

Paris 752 – ◆Montpellier 81 – Béziers 40 – Lacaune 53 – Lodève 39 – St-Affrique 78 – St-Pons 35.

Paix ⛰, ✆ 67 95 63 11, 🌳 – |‡| ☎ Ⓟ. GB
mi-mars-fin oct. – **R** 72/140, enf. 40 – ☕ 22 – **32 ch** 120/220 – ½ P 173/195.

Belleville, ✆ 67 95 61 09, Fax 67 95 64 18, 🌳, 🌲 – |‡| ☎ ♿ Ⓟ. AE GB
R 74/172 ₰, enf. 42 – ☕ 24 – **60 ch** 148/278 – ½ P 140/230.

Mas, ✆ 67 95 62 22, 🌳 – |‡| cuisinette ☎ ♿ Ⓟ. AE ⓓ GB
R 75/210, enf. 40 – ☕ 22 – **40 ch** 105/220 – ½ P 168/198.

CITROEN Marsal ✆ 67 95 60 38
CITROEN Gar. Pascal, 5 av. Auguste Cot à Bédarieux ✆ 67 95 03 57
PEUGEOT-TALBOT Gar. Gayout ✆ 67 95 64 22 N
PEUGEOT-TALBOT Bédarieux Autom., rte de St-Pons à Bédarieux ✆ 67 95 07 05
RENAULT Gar. Sandoval, 42 av. J.-Jaurès à Bédarieux ✆ 67 95 00 30
RENAULT Gar. Forestier, 10 rte de Lodève à Bédarieux ✆ 67 32 01 21

LAMARCHE-SUR-SAÔNE 21 Côte-d'Or 66 ⑬ – rattaché à Auxonne.

LAMASTRE 07270 Ardèche 76 ⑲ **G. Vallée du Rhône** – 2 717 h. alt. 373.

Env. Ruines du château de Rochebloine ≤★★ 12 km par D236 puis 15 mn.

ℹ Office de Tourisme av. Boissy d'Anglas (fermé après-midi hors saison) ✆ 75 06 48 99.

Paris 575 – Valence 41 – Privas 57 – Le Puy 73 – ◆St-Étienne 89 – Vienne 85.

Château d'Urbilhac ⛰, SE : 2 km par rte Vernoux-en-Vivarais ✆ 75 06 42 11, Fax 75 06 52 75, ≤ montagnes, 🌳, parc, « Élégante installation, mobilier ancien », 🏊, 🎾 - ⇔ rest ☎ 🚗. AE ⓓ GB. ✻ rest
1er mai-5 oct. – **R** *(fermé mardi midi et jeudi midi)* 200/280 – ☕ 65 – **13 ch** 450/650 – ½ P 550/575.

✿ **Midi** (Perrier), pl. Seignobos ✆ 75 06 41 50, Fax 75 06 49 75, 🌲 – TV ☎ 🚗 – 🎤 25. AE ⓓ GB
fermé 15 déc. au 1er mars, lundi (sauf juil.-août et fêtes) et dim. soir – **R** 185/380 – ☕ 55 – **13 ch** 285/380 – ½ P 350/380
Spéc. Salade tiède aux foies de canard, Pain d'écrevisses sauce Cardinal (fin mai à déc.), Soufflé glacé aux marrons de l'Ardèche. **Vins** Saint-Péray, Saint-Joseph.

à Désaignes NO : 7 km par rte St Etienne – ✉ **07570** :

Voyageurs, ✆ 75 06 61 48, 🏊, 🌲, 🎾 – 🚗. GB
1er avril-30 sept. – **R** 52/170, enf. 40 – ☕ 23 – **20 ch** 130/285 – ½ P 228.

FORD Ferraton ✆ 75 06 41 56
PEUGEOT-TALBOT Rugani ✆ 75 06 42 20 N
RENAULT Gar. des Stades ✆ 75 06 49 91 N ✆ 75 06 43 58
Gar. Maneval ✆ 75 06 51 42

LAMBALLE 22400 C.-d'Armor 59 ④ ⑭ **G. Bretagne** – 9 894 h. alt. 55.

Voir Haras★.

ℹ Office de Tourisme Maison du Bourreau pl. Martray (vacances de printemps, juin-sept.) ✆ 96 31 05 38.

Paris 432 ② – St-Brieuc 23 ④ – Dinan 38 ② – Pontivy 63 ③ – ◆Rennes 80 ② – St-Malo 53 ① – Vannes 107 ③.

LAMBALLE

Bario (R.) 3
Cartel (R. Ch.) 8
Dr-A.-Calmette (R. du) 15
Martray (Pl. du)
Val (R. du)

Augustins (R. des) 2
Beloir (Pl. du) 4
Boucouets (R. des) 7
Caunelaye (R. de la) 9
Champ-de-Foire (Pl. du) 12
Charpentier (R. Y.) 14
Dr-Lavergne (R. du) 16
Foch (R. Mar.) 19
Gesle (Ch. de la) 23
Grand Boulevard (R. du) 24
Hurel (R. du Bg) 25
Jeu de Paume (R. du) 26
Leclerc (R. Gén.) 29
Marché (Pl. du) 30
N.-Dame (R.) 33
Poincaré (R.) 34
St-Jean (R.) 37
St-Lazare (R.) 38
Villedeneu (R.) 45

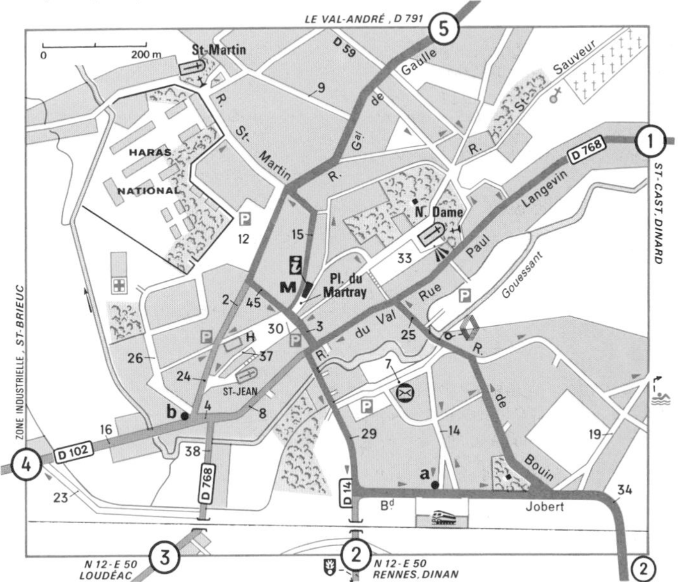

Les Alizés M, Z.I., par ④ : 2 km ℘ 96 31 16 37, Fax 96 31 23 89, – – 25 à 120 AE GB rest
fermé 25 au 31 déc. et dim. soir – **R** 80/220 – 35 – **32 ch** 240/270 – ½ P 225/250.

Angleterre, 29 bd Jobert **(a)** ℘ 96 31 00 16, Télex 740994, Fax 96 31 91 54 –
21 ch.

Tour d'Argent (annexe 17 ch), 2 r. Dr Lavergne **(b)** ℘ 96 31 01 37, Fax 96 31 37 59, – – 50. AE GB JCB
R *(fermé 15 au 21 juin, 7 au 22 nov. et sam. sauf juil.-août)* 78/190, enf. 50 – 30 – **31 ch** 160/300 – ½ P 220/250.

à la Poterie E : 3,5 km par ① et D 28 – ✉ **22400** Lamballe :

Aub. Manoir des Portes, ℘ 96 31 13 62, Fax 96 31 20 53, – – 25. AE GB rest
fermé 15 janv. au 1er mars – **R** *(fermé lundi hors sais.)* 110/330, enf. 55 – 40 – **16 ch** 330/535 – ½ P 385/478.

CITROEN Armor-Auto, ZI, 40 r. d'Armor par ④ ℘ 96 31 04 32
PEUGEOT-TALBOT Gar. Léna, 26 r. Dr-Lavergne par ④ ℘ 96 31 01 40
RENAULT Gar. Le Moal et Poirier, 1 r. Bouin ℘ 96 31 02 83 N

Andrieux Pneu + Armorique, rte de St-Brieuc ℘ 96 31 05 33
Desserrey-Pneus + Armorique, rte de Plancoët ℘ 96 31 03 11

LAMONTGIE 63570 P.-de-D. 73 ⑮ – 394 h. alt. 481.

Paris 465 – ♦Clermont Ferrand 47 – Ambert 51,5 – Issoire 12 – Thiers 55,5.

Clos St-Roch, ℘ 73 71 06 29 – GB
fermé 15 déc. au 15 janv. et lundi sauf juil.-août et fériés – **R** 110/180.

LAMOTTE-BEUVRON 41600 L.-et-Ch. 64 ⑨ – 4 247 h. alt. 114.

Syndicat d'Initiative à la Mairie ℘ 54 88 00 28.

Paris 171 – ♦Orléans 35 – Blois 59 – Gien 58 – Romorantin-Lanthenay 40 – Salbris 20.

Tatin M, face gare ℘ 54 88 00 03, Fax 54 88 96 73, – GB
R *(fermé dim. soir et lundi)* 130/170, enf. 50 – 40 – **13 ch** 280/450

au Rabot NO : 8 km par N 20 – ✉ **41600** Lamotte-Beuvron :

Motel des Bruyères, ✆ 54 88 05 70, Fax 54 88 98 21, – 60. GB
fermé 24 déc. au 2 janv. – **R** 83/179, enf. 46 – 35 – **46 ch** 129/305 – ½ P 172/263.

CITROEN Germain, 59 av. Hôtel-de-Ville ✆ 54 88 04 49

PEUGEOT-TALBOT Labé, 29 av. de Vierzon ✆ 54 88 07 70
V.A.G Gar. Gorin, 26 av. République ✆ 54 88 00 21

LAMOURA **39310** Jura 170 ⑮ – 388 h. alt. 1 156 – Sports d'hiver : 1 160/1 500 m 9.

Paris 479 – ♦Genève 48 – Gex 29 – Lons-le-Saunier 73 – St-Claude 16.

La Spatule, ✆ 84 41 20 23, ← – GB.
28 mai-début oct., 20 déc.-Pâques et fermé merc. sauf juil.-août – **R** 90/140, enf. 33 – 30 – **25 ch** 200/280 – ½ P 195/245.

Dalloz, ✆ 84 41 21 45, ← – ch
6 juin-1er oct. et 10 déc.-20 avril – **R** 60/140 – 22 – **27 ch** 90/200 – ½ P 147/185.

LAMPAUL-GUIMILIAU **29** Finistère 58 ⑤ – rattaché à Landivisiau.

LAMURE-SUR-AZERGUES **69870** Rhône 73 ⑨ – 782 h. alt. 385.

Paris 442 – Mâcon 49 – Roanne 51 – Chauffailles 26 – ♦Lyon 52 – Tarare 28 – Villefranche-sur-Saône 30.

Ravel, ✆ 74 03 04 72, – AE GB
fermé nov. et vend. d'oct. à mai – **R** 70/195 – 25 – **10 ch** 120/220 – ½ P 240/260.

Un automobiliste averti utilise le ***guide Michelin*** *de l'année.*

LANARCE **07660** Ardèche 76 ⑰ – 248 h. alt. 1 180.

Paris 588 – Le Puy-en-Velay 47 – Aubenas 42 – Langogne 18 – Privas 70.

Sapins, ✆ 66 69 46 08, – AE GB
fermé 4 nov. au 8 déc. et dim. soir du 1er oct. au 30 mars sauf vacances scolaires – **R** 64/180, enf. 29 – 20 – **14 ch** 95/210 – ½ P 150/190.

LANCIEUX **22** C.-d'Armor 59 ⑤ – rattaché à St-Briac-sur-mer.

LANCRANS **01** Ain 74 ⑤ – rattaché à Bellegarde-sur-Valserine.

LANDÉAN **35** I.-et-V. 59 ⑱ – rattaché à Fougères.

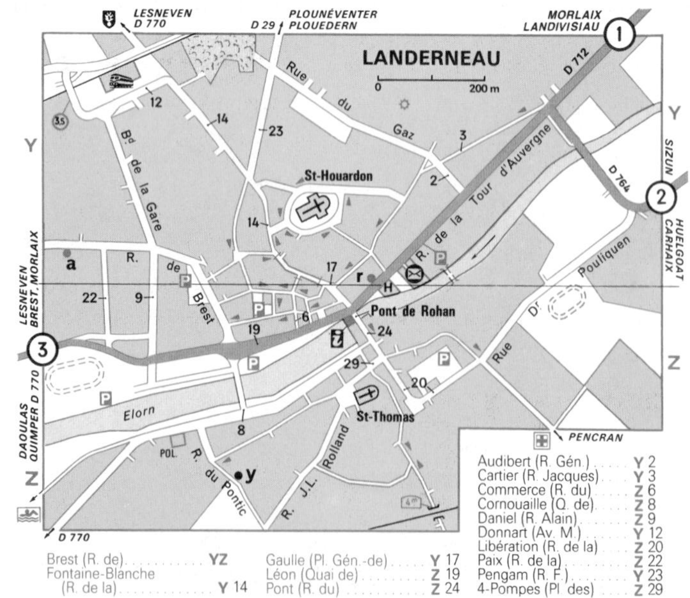

LANDERNEAU 29800 Finistère 58 ⑤ G. Bretagne – 14 269 h. alt. 21.

Voir Enclos paroissial* de Pencran S : 3,5 km Z.

Brest-Iroise ✆ 98 85 16 17, SE : 5 km par r. J.-L.-Rolland Z.

Office de Tourisme Pont de Rohan ✆ 98 85 13 09.

Paris 577 ⑤ – ◆Brest 22 ④ – Carhaix-Plouguer 59 ② – Morlaix 38 ⑤ – Quimper 64 ③.

Plan page précédente

Clos du Pontic M, r. Pontic ✆ 98 21 50 91, Télex 941572, Fax 98 21 34 33, parc – TV ☎ ♿ P – 50. GB Z **y**
R *(fermé sam. midi, dim. soir et lundi)* 95/290 – 30 – **38 ch** 230/320 – ½ P 250/265.

L'Amandier avec ch, 55 r. Brest ✆ 98 85 10 89 – TV ☎. AE GB Y **a**
fermé 25 août au 7 sept. et 15 fév. au 2 mars – **R** *(fermé dim. soir et lundi)* 175/240 - **Brasserie** *(fermé dim. soir et lundi)* **R** 90 , enf. 35 – 30 – **8 ch** 220/250 – ½ P 210/230.

Mairie, 9 r. La Tour d'Auvergne ✆ 98 85 01 83 – . AE GB Y **r**
fermé mardi – **R** 50/180 .

à La Roche Maurice par ① et C1 : 5 km – ✉ 29800.

Voir Enclos paroissial*.

Aub. Vieux Château, ✆ 98 20 40 52 – GB
fermé mardi soir, merc. soir, jeudi soir du 1er oct. au 31 mars et lundi soir – **R** 70/190.

au Parc de Lann-Rohou SE : 6 km, par r. Pontic -Z – ✉ 29800 Landerneau :

Allibird Golf d'Iroise M, ✆ 98 21 52 21, Fax 98 21 52 08, ≤, « Sur le golf » – TV ☎ ♿ P – 50. AE GB. rest
R 95/160, enf. 45 – 40 – **48 ch** 320/380 – ½ P 310.

PEUGEOT-TALBOT Automobiles-de-l'Elorn, rte de Sizun par ② ✆ 98 21 41 80
RENAULT S.A.G.A., 4 r. de la Marne par ④ ✆ 98 85 41 00 N ✆ 98 00 67 50

V.A.G Gar. Le Lannier, r. du Cdt Charcot ✆ 98 85 00 29 N

Velghe, 27 bis r. H.-de-Guebriant ✆ 98 85 01 56

LANDERSHEIM 67700 B.-Rhin 62 ⑨ – 151 h. alt. 191.

Paris 461 – ◆Strasbourg 25 – Haguenau 31 – Molsheim 21 – Saverne 13.

✿ **Aub. du Kochersberg**, ✆ 88 69 91 58, Fax 88 69 91 42, – P. AE GB
fermé 20 juil. au 12 août, 22 fév. au 10 mars, dim. soir et lundi – **R** (déj. à partir de 13 h. en semaine) 310/390, enf. 120
Spéc. Salade de langoustines aux copeaux de foie d'oie fumé, Sandre aux quenelles de moelle et grumbeereknepfle, Assiette de poissons grillés. **Vins** Riesling, Pinot Auxerrois.

LANDEVANT 56690 Morbihan 63 ② – 2 083 h. alt. 29.

Paris 478 – Vannes 35 – Auray 15 – Hennebont 14 – Lorient 24.

La Forestière, rte de Nostang : 1 km ✆ 97 56 90 55, – P. GB
fermé 2 janv. au 2 fév., dim. soir et lundi – **R** 110/220.

LANDIVISIAU 29400 Finistère 58 ⑤ G. Bretagne – 8 254 h. alt. 76.

Voir Porche* de l'église St-Thivisiau.

Office de Tourisme 14 av. Mar.-Foch ✆ 98 68 03 50.

Paris 560 – ◆Brest 37 – Landerneau 16 – Morlaix 22 – Quimper 70 – St-Pol-de-Léon 23.

Relais du Vern M, N 12 sortie Landivisiau-est ✆ 98 24 42 42, Télex 940333, Fax 98 24 42 00, , – TV ☎ ♿ P – 30. AE GB
R 62/133 , enf. 37 – 35 – **52 ch** 255/300 – ½ P 250.

L'Elorn, 10 r. Gén. de Gaulle ✆ 98 68 38 46 – AE GB
fermé 20 juil. au 12 août – **R** 110/250.

à Lampaul Guimiliau SE : 4 km par D 11 – ✉ 29400 :

Voir Enclos paroissial* : intérieur** de l'église.

L'Enclos, ✆ 98 68 77 08, Fax 98 68 61 06, ≤ – TV ☎ ♿ P. AE GB
fermé vend. soir, sam. midi et dim. soir de nov. à mars – **R** 61/85 , enf. 40 – 29 – **36 ch** 209/241 – ½ P 227.

CITROEN Gar. Palut, 47 av. Libération ✆ 98 68 22 82

Simon-Pneus, av. Foch ✆ 98 68 13 88

LANDOUZY-LA-VILLE 02140 Aisne 53 ⑯ – 578 h. alt. 184.

Paris 186 – St-Quentin 60 – Charleville-Mézières 55 – Hirson 9 – Laon 46 – Vervins 11.

Domaine du Tilleul M, N : 2 km par D 36 ✆ 23 98 48 00, Fax 23 98 46 46, , « Grand parc, golf 18 trous », – TV ☎ ♿ P – 25. AE GB. rest
fermé janv. – **R** 140/200 – 50 – **26 ch** 400/600 – ½ P 450/550.

LANESTER 56 Morbihan 63 ① – rattaché à Lorient.

LANGEAC 43300 H.-Loire 76 ⑤ **G. Auvergne** – 4 195 h. alt. 507.

Office de Tourisme pl. A.-Briand (saison, vacances scolaires) ✆ 71 77 05 41

Paris 516 – Brioude 29 – Mende 92 – Le Puy 45 – St-Chély-d'Apcher 58 – St-Flour 49.

à Reilhac N : 3 km par D 585 – ✉ **43300** Mazeyrat d'Allier :

Val d'Allier Ⓜ, ✆ 71 77 02 11 – TV ☎ Ⓟ. GB. rest
Repas *(fermé fév., dim. soir et sam. du 15 oct. au 15 mars)* 98/250 – ☕ 32 – **22 ch** 265/300 – ½ P 250/265

CITROEN FORD Flandy, 34 r. République ✆ 71 77 05 14 N
RENAULT S.A.M.V.A.L., rte du Puy ✆ 71 77 04 07

Carlet Pneus, 45 av. Victor-Hugo ✆ 71 77 10 40

LANGEAIS 37130 I.-et-L. 64 ⑭ **G. Châteaux de la Loire** – 3 960 h. alt. 53.

Voir Château** : appartements*** – Parc* du château de Cinq-Mars-la-Pile NE : 5 km par N 152.

Syndicat d'Initiative pl. 14 Juillet (vacances scolaires, saison, après-midi hors saison) ✆ 47 96 58 22

Paris 261 – ◆Tours 24 – Angers 86 – Château-la-Vallière 30 – Chinon 27 – Saumur 42.

✿ **Hosten et rest. Langeais**, 2 r. Gambetta ✆ 47 96 82 12, Fax 47 96 56 72 – TV ☎ AE ⓓ GB JCB
fermé 20 juin au 10 juil., 10 janv. au 10 fév., lundi soir et mardi – **R** carte 240 à 400 – ☕ 45 – **11 ch** 320/550
Spéc. Blanquette de sole et turbot. Homard "Cardinal" (mai à oct.). Casse-Museaux Charles VIII. **Vins** Vouvray, Chinon.

à St-Michel-sur-Loire SO : 5 km sur N 152 – ✉ **37130** :

Aub. de la Bonde, ✆ 47 96 83 13, Fax 47 96 85 72 – TV ☎ Ⓟ. GB
fermé 20 déc. au 20 janv. et sam. (sauf hôtel du 15 mars au 15 nov.) – **R** 75/170 , enf. 53 – ☕ 28 – **13 ch** 140/325 – ½ P 189/241

à Bréhemont SO : 6 km par Pont de Langeais et D 16 – ✉ **37130** :

Castel de Bray et Monts , ✆ 47 96 70 47, , « Demeure du 18e siècle, parc » – TV ☎ Ⓟ. AE GB. rest – *fermé 20 déc. au 1er fév. et merc. d'oct. à mars* – **R** 180/245, enf. 60 – ☕ 38 – **9 ch** 275/750 – ½ P 350/600

PEUGEOT-TALBOT Denis ✆ 47 96 80 49

Robles, ZI Sud ✆ 47 96 81 60

LANGOGNE 48300 Lozère 76 ⑰ **G. Gorges du Tarn** – 3 380 h. alt. 912.

Voir Intérieur* de l'église.

Office de Tourisme bd Capucins (15 juin-15 sept.) ✆ 66 69 01 38.

Paris 583 – Mende 47 – Le Puy-en-Velay 42 – Alès 97 – Aubenas 60 – Villefort 44.

Voyageurs, rte Villefort ✆ 66 69 00 56 – . AE GB
fermé 1er au 27 janv. et dim. hors sais. – **R** 55/250 – ☕ 22 – **14 ch** 140/210 – ½ P 200/220

Languedoc, 6 av. Joffre ✆ 66 69 00 78 – GB
R 55/148 – ☕ 24 – **19 ch** 165/327 – ½ P 200.

Gaillard, av. Pont d'Allier ✆ 66 69 10 55, Fax 66 69 10 79 – ☎ ♿ Ⓟ. GB
fermé 1er au 15 oct., 15 déc au 1er janv., dim. soir et lundi sauf du 15 juin au 15 sept. – **R** 58/86 – ☕ 22 – **21 ch** 170/260 – ½ P 220

CITROEN Philip, 20 av. Foch ✆ 66 69 05 82
RENAULT Blanquet, 69 av. Foch ✆ 66 69 11 55 N

Carlet Pneus, Quartier des Abattoirs ✆ 66 69 17 33
Prouhèze, 43 av. Foch ✆ 66 69 09 30
R.I.P.A., ZI ✆ 66 69 05 45

LANGOIRAN 33550 Gironde 71 ⑩ **G. Pyrénées Aquitaine** – 2 024 h.

Paris 600 – ◆Bordeaux 22 – Langon 22 – Libourne 30 – Marmande 60.

Saint-Martin avec ch, au Port ✆ 56 67 02 67, Fax 56 67 15 75 – TV ☎. GB
fermé 18 janv. au 7 fév., mardi soir d'oct. à mai et merc. – **R** 120/220 – ☕ 28 – **14 ch** 240/350

LANGON SP 33210 Gironde 79 ② **G. Pyrénées Aquitaine** – 5 842 h. alt. 22.

Office de Tourisme allées J.-Jaurès ✆ 56 62 34 00

Paris 628 – ◆Bordeaux 48 – Bergerac 81 – Libourne 52 – Marmande 39 – Mont-de-Marsan 83.

✿✿ **Claude Darroze** Ⓜ, 95 cours Gén. Leclerc ✆ 56 63 00 48, Fax 56 63 41 15, – TV ☎ Ⓟ – 25. AE ⓓ GB. ch
fermé 15 oct. au 5 nov. et 5 au 25 janv. – **R** 200/500 et carte – ☕ 65 – **16 ch** 320/420
Spéc. Salade de petits artichauts aux queues de langoustines. Plateau de fruits de mer chauds. Gibier (saison). **Vins** Entre-Deux-Mers, Graves rouge.

Grilotel "La Plantation" Ⓜ, rocade Bazas ✆ 56 62 33 56, – TV ☎ ♿ Ⓟ. GB
R 65/150, enf. 40 – ☕ 26 – **34 ch** 195/220

Grangousier, 2 chemin du Peyrot ✆ 56 63 30 59, – Ⓟ. AE ⓓ GB
fermé dim. soir du 1er nov. au 31 mars – **R** 72/185 , enf. 48

Saint-Macaire N : 2 km – ✉ **33490** :

Voir Verdelais : calvaire ←* N : 3 km – Ste-Croix-du-Mont : ←*, grottes* NO : 5 km.

L'Abricotier, N 115 ✆ 56 76 83 63, – Ⓟ. GB
fermé 25 janv. au 8 fév. et mardi – **R** 100/170, enf. 38.

CITROEN Gar. d'Aquitaine, N 113 à Toulenne ☎ 56 63 55 37
FIAT Gar. Cazenave, 49 cours Sadi Carnot ☎ 56 63 18 59
FORD Auto Service, ZI Dumes, rte de Bazas ☎ 56 63 30 14
MERCEDES **TOYOTA** SOGIDA, 41 cours Sadi-Carnot ☎ 56 62 30 52

PEUGEOT-TALBOT Doux et Trouillot, 50 r. J.-Ferry ☎ 56 63 50 47
RENAULT Sade Langon, Mazères ☎ 56 63 44 69

Central Pneu, 22-24 RN 113 ☎ 56 62 33 44
Saphore, 40 cours Mal-de-Lattre-de-Tassigny ☎ 56 63 02 02

LANGRES

LANGRES <SP> **52200** H.-Marne 166 ③ **G. Champagne** – 9 987 h. alt. 466.

Voir Site★★ – Cathédrale★ Y **E.**

Office de Tourisme square Olivier Lahalle ☎ 25 87 67 67.

Paris 277 ④ – Chaumont 35 ④ – Auxerre 159 ④ – ♦Besançon 101 ③ – ♦Dijon 67 ③ – Dole 112 ③ – Épinal 113 ① – ♦Nancy 131 ① – Troyes 121 ④ – Vesoul 75 ②.

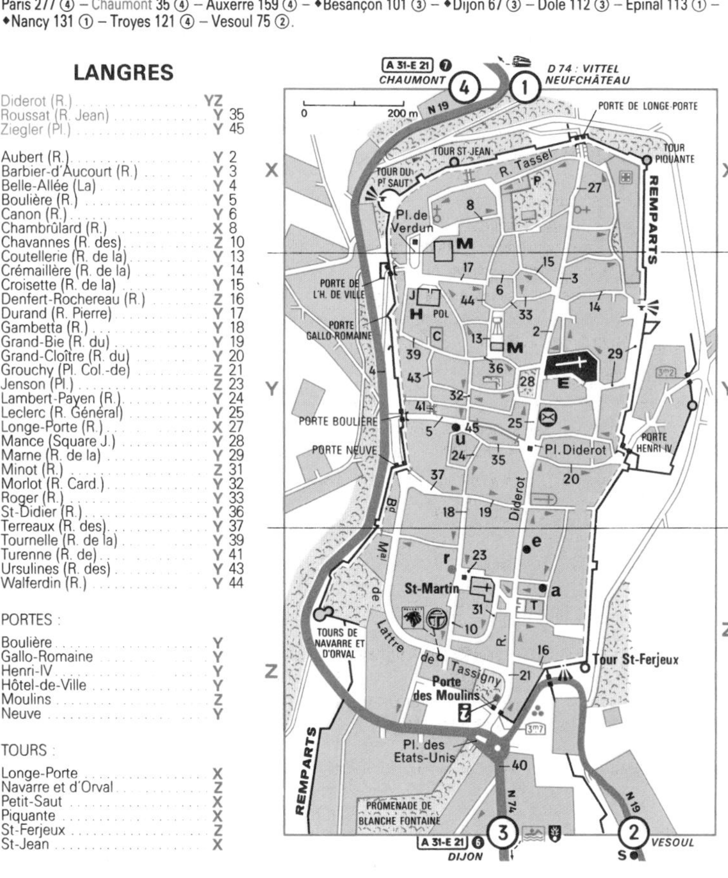

🏨 **Gd H. Europe,** 23 r. Diderot ☎ 25 87 10 88, Fax 25 87 60 65 – TV ☎ P. AE ⓓ GB JCB
fermé 21 avril au 6 mai, 1er au 22 oct., lundi soir (sauf hôtel du 23/10 au 21/04), dim. soir et lundi midi – **Repas** 65/160 – ☕ 30 – **28 ch** 195/280 – ½ P 190/225. Z **e**

🏨 **Cheval Blanc,** 4 r. Estrés ☎ 25 87 07 00, Fax 25 87 23 13 – ☎ 🚗. AE ⓓ GB
fermé janv., merc. (sauf le soir en sais.) et mardi soir – **R** 100/200, enf. 50 – ☕ 33 – **17 ch** 250/350 – ½ P 260/310. Z **a**

🏨 **Poste** sans rest, 10 pl. Ziegler ☎ 25 87 10 51 – TV ☎ P. GB Y **u**
☕ 26 – **35 ch** 100/220.

XX **Lion d'Or** avec ch, rte Vesoul ☎ 25 87 03 30, Fax 25 87 60 67, ≤, 🌳, 🍽 – TV ☎ P. AE GB Z **s**
fermé fin déc. à début fév., vend. soir et sam. sauf le soir en juil.-août – **R** 62/180, enf. 38 – ☕ 30 – **14 ch** 120/300.

X **Aub. Jeanne d'Arc** avec ch, 26 r. Gambetta ✆ 25 87 03 18 – ☎. GB Z r
fermé 15 oct. au 15 nov., mardi (sauf le soir en sais.) et lundi soir – **R** 68/155 🍷, enf. 40 – ☕ 20 – **9 ch** 130 – ½ P 130

au lac de la Liez par ② N 19 et D 284 : 4 km – ✉ **52200** Langres :

XX **Aub. des Voiliers** 🐌 avec ch, ✆ 25 87 05 74, Fax 25 87 24 22, ≤, 🍴 – TV ☎ P. GB
1er mars-30 nov. et fermé dim. soir d'oct. à avril et lundi – **R** 70/250 🍷 – ☕ 30 – **8 ch** 200/220 – ½ P 200/210.

à Sts-Geosmes par ③ : 4 km – ✉ **52200** :

XX **Aub. des Trois Jumeaux** avec ch, ✆ 25 87 03 36 – ☎. GB
fermé 1er au 21 janv., dim. soir du 1er oct. au 30 avril et lundi – **R** 80/280 – ☕ 30 – **10 ch** 200/250 – ½ P 210

CITROEN Lingon, rte de Dijon à Sts-Geosmes par ③ ✆ 25 87 11 83
PEUGEOT-TALBOT Gar. Bel-Air, bd de Lattre-de-Tassigny ✆ 25 87 02 28
V.A.G Europe Gar., rte de Chaumont ✆ 25 87 03 78
Langres Pneus, 1 av. Cap.-Baudoin ✆ 25 87 36 31

Avant de prendre la route, consultez la carte Michelin n° 911 "FRANCE – Grands Itinéraires".

Vous y trouverez :

- *votre kilométrage,*
- *votre temps de parcours,*
- *les zones à "bouchons" et les itinéraires de dégagement,*
- *les stations-service ouvertes 24 h/24...*

Votre route sera plus économique et plus sûre.

LANGUEUX 22 C.-d'Armor 59 ③ – rattaché à St-Brieuc.

LANNEMEZAN 65300 H.-Pyr. 85 ⑨ ⑲ – 6 704 h. alt. 585.

⛳18 de Lannemezan ✆ 62 98 01 01, E par N 117 : 4 km.

i Syndicat d'Initiative pl. République ✆ 62 98 08 31.

Paris 827 – Bagnères-de-Luchon 54 – Auch 67 – St-Gaudens 30 – Tarbes 34.

🏨 **Pyrénées,** rte Tarbes ✆ 62 98 01 53, Télex 532807, Fax 62 98 11 85, 🌳 – 🛗 TV ☎ 🚗 P – 🧑‍🏫 25. AE ⓓ GB. ✘ rest
R 80/250, enf. 35 – ☕ 40 – **30 ch** 270/400 – ½ P 300/350

CITROEN S.P.G.D., rte de Tarbes par r. Clemenceau ✆ 62 98 05 91
PEUGEOT-TALBOT Laffitte, 610 r. G.-Clemenceau ✆ 62 98 34 33
RENAULT Auto-Sce-des-4-Vallées, 500 r. Alsace-Lorraine ✆ 62 98 03 88 N ✆ 62 98 37 37
V.A.G Dambax, 430 r. 8-Mai-1945 ✆ 62 98 35 45
Ibos, 227 rte La Barthe, ZI ✆ 62 98 09 78 N
Laborie, 538 r. 8-Mai-1945 ✆ 62 98 01 67

LANNION <SP> 22300 C.-d'Armor 59 ① G. Bretagne – 16 958 h. alt. 23.

Voir Maisons anciennes★ (pl. du Centre Y 5) – Église de Brélévenez★ Y.

⛳18 de St-Samson ✆ 96 23 87 34, par ① et D 11 : 9,5 km.

✈ de Lannion : T.A.T. ✆ 96 48 42 92, N par ① : 2 km.

i Office de Tourisme quai d'Aiguillon ✆ 96 37 07 35

Paris 516 ③ – St-Brieuc 63 ③ – ◆Brest 95 ⑤ – Morlaix 37 ⑤.

Plan page suivante

🏨 **Le Graal** M, 30 av. Gén. de Gaulle ✆ 96 37 03 67, Fax 96 46 45 83, 🍴 – 🛗 TV ☎ ♿ – 🧑‍🏫 40. GB Z a
R *(fermé dim. soir et lundi midi d'oct. à fév.)* 70/350, enf. 40 – ☕ 29 – **42 ch** 290/310.

🏨 **Porte de France** sans rest, 5 r. J. Savidan ✆ 96 46 54 81 – TV ☎ P. AE GB Z u
☕ 25 – **9 ch** 220/260.

XX **Le Serpolet,** 1 r. F. Le Dantec ✆ 96 46 50 23 – AE GB. ✘ Y e
fermé 1er au 10 oct., 1er au 15 janv., dim. soir et lundi – **R** 98/190.

rte de Perros Guirec par ① – ✉ **22300** Lannion :

🏨 **Bryan** M, à 5 km ✆ 96 48 01 26, Fax 96 48 08 35, 🍴, 🏊, 🌳 – TV ☎ ♿ P – 🧑‍🏫 25. AE GB
R 95/180 – ☕ 25 – **20 ch** 250/280 – ½ P 245/270

🏨 **Climat de France,** à 3 km ✆ 96 48 70 18, Télex 741668, Fax 96 48 08 77, 🌳 – TV ☎ ♿ P – 🧑‍🏫 40. AE GB
R 80/120 🍷, enf. 39 – ☕ 31 – **45 ch** 280 – ½ P 251

LANNION

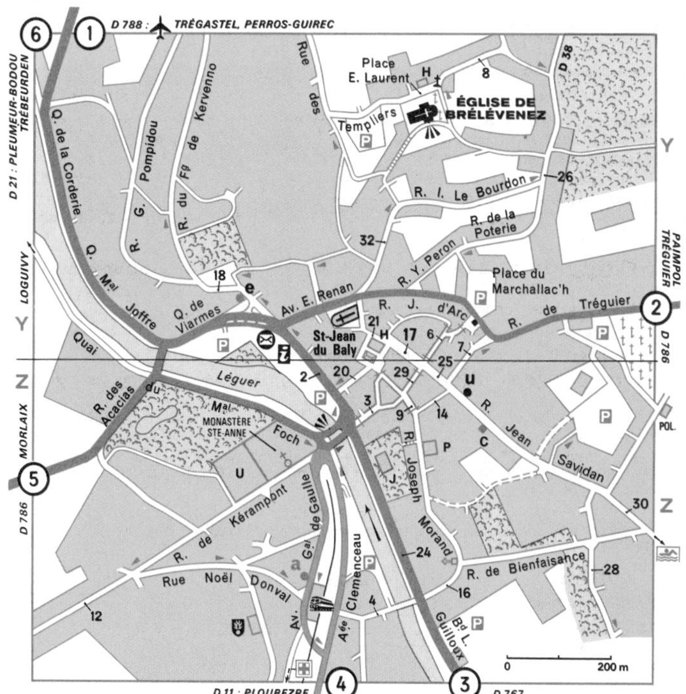

à La Ville Blanche par ② : 5 km sur D 786 – ✉ **22300** Lannion :

XX **Ville Blanche,** ✆ 96 37 04 28 – Ⓟ. AE ⓓ GB JCB
fermé fév., dim. soir et lundi sauf juil.-août – **R** 160/270, enf. 75.

CITROEN Gar. Sobreva, rte de Morlaix par r. Frères-Lagadec Z ✆ 96 37 04 33 N ✆ 96 37 21 05
FORD Gar. Corre, av. Résistance ✆ 96 48 45 41 N ✆ 96 48 83 35
NISSAN Gar. Philippe, rte de Morlaix, Ploulec'h ✆ 96 37 08 81
OPEL Gar. Guillou, rte de Guingamp ✆ 96 37 09 88
PEUGEOT-TALBOT Gd Gar. de Lannion, rte de Perros-Guirec par ① ✆ 96 48 52 71
N ✆ 96 05 92 49

RENAULT Gar. des Côtes d'Armor, rte de Guingamp Z ✆ 96 37 00 23 N
ROVER Gar. le Morvan, 69 rte de Tréguier ✆ 96 37 03 84

Desserrey-Pneu + Armorique, rte de Perros-Guirec ✆ 96 48 44 11
Trégor Pneus Pneu + Armorique, rte du Rusquet ✆ 96 48 58 36

LANS-EN-VERCORS **38250** Isère 77 ④ – 1 451 h. alt. 1 020 – Sports d'hiver : 1 020/1 983 m ⛷16 ⛷.

Office de Tourisme pl. Église ✆ 76 95 42 62.

Paris 587 – ◆Grenoble 27 – Villard-de-Lans 9 – Voiron 42.

Col de l'Arc, pl. Église ✆ 76 95 40 08, Fax 76 95 41 25, ≤, ⛱, ⚑, ✂ – ☎ Ⓟ. AE ⓓ GB. ✻ rest
R *(fermé 28 nov. au 11 déc.)* 73/185, enf. 55 – ☐ 32 – **25 ch** 210/320 – ½ P 250/300.

Au Bon Accueil, D 531 ✆ 76 95 42 02, ≤, ⚑ – ☎ ⇔ Ⓟ. GB
fermé 25 avril au 17 mai, vend. soir et sam. hors sais. – **R** 85/250 – ☐ 28 – **19 ch** 192/266 – ½ P 205/238.

Val Fleuri, ✆ 76 95 41 09, – ☎ Ⓟ. rest
20 juin-15 sept. et 20 déc.-15 avril – **R** (résidents seul.) 99/130 – ☕ 29 – **14 ch** 144/276 – ½ P 198/263.

La Source, à Bouilly SO : 3 km par D 531 ✆ 76 95 42 52, ←, – ☎ Ⓟ. GB. rest
fermé 15 au 30 avril, oct., dim. soir et lundi hors sais. – **R** *(fermé le midi sauf sam. et dim. du 1er avril au 1er juil. et du 15 sept. à Noël)* 85/135 , enf. 40 – ☕ 30 – **18 ch** 160/200 – ½ P 205/215.

LANSLEBOURG-MONT-CENIS 73480 Savoie 77 ⑨ G. Alpes du Nord – 647 h. alt. 1 400 – Sports d'hiver : 1 450/2 800 m 1 23.

Office de Tourisme de Val Cenis ✆ 79 05 23 66, Télex 980213.

Paris 670 – Albertville 116 – Briançon 95 – Chambéry 126 – St-Jean-de-Maurienne 54 – Torino 93 – Val-d'Isère 49.

Alpazur, ✆ 79 05 93 69, Fax 79 05 81 96 – TV ☎ Ⓟ. AE ⓓ GB JCB. rest
1er juin-20 sept. et 20 déc.-15 avril – **R** 100/320 – ☕ 37 – **24 ch** 330/400 – ½ P 325/375.

Relais des 2 Cols, ✆ 79 05 92 83, – ☎. AE ⓓ GB
1er mai-5 nov. et 20 déc.-10 avril – **R** 80/165, enf. 42 – ☕ 32 – **30 ch** 170/280 – ½ P 200/280.

Les Marmottes, ✆ 79 05 93 67 – . GB
10 juin-20 sept. et 20 déc.-15 avril – **R** 75/150 , enf. 42 – ☕ 26 – **20 ch** 140/250 – ½ P 220/260.

LANSLEVILLARD 73480 Savoie 77 ⑨ G. Alpes du Nord – 392 h. alt. 1 479 – Sports d'hiver (voir à Lanslebourg-Mont-Cenis).

Voir Peintures murales★ dans la chapelle St-Sébastien.

Office de Tourisme ✆ 79 05 92 43.

Paris 673 – Albertville 119 – Briançon 94 – Chambéry 129 – Val-d'Isère 46.

Les Prais , ✆ 79 05 93 53, Télex 309983, Fax 79 05 97 60, ←, , , – ☎ Ⓟ. GB. rest
15 juin-15 sept. et 15 déc.-15 avril – **R** 78/195, enf. 38 – ☕ 36 – **30 ch** 225/285 – ½ P 300/350.

Les Mélèzes M, ✆ 79 05 93 82, ←, – cuisinette ☎ Ⓟ.
22 juin-6 sept. et 20 déc.-5 mai – **R** (en été dîner seul.) 95/125 – ☕ 30 – **16 ch** 205/250, 4 studios 250/310 – ½ P 205/240.

Grand Signal, ✆ 79 05 91 24, ←, , – ☎ Ⓟ. GB
21 juin-6 sept. et 20 déc.-vacances de printemps – **R** 70/140, enf. 40 – ☕ 30 – **18 ch** 165/250 – ½ P 256/293.

LANTOSQUE 06450 Alpes-Mar. 84 ⑱ 195 ⑰ G. Côte d'Azur – 972 h. alt. 510.

Paris 889 – ◆Nice 49 – Puget-Théniers 51 – St-Martin-Vésubie 15 – Sospel 41.

XX **L'Ancienne Gendarmerie** avec ch, D 2565 ✆ 93 03 00 65, Fax 93 03 06 31, ←, , – TV ☎ Ⓟ. AE ⓓ GB
fermé 12 nov. au 25 déc. et lundi d'oct. à mai sauf fériés – **R** 190/265 – ☕ 45 – **8 ch** 365/710 – ½ P 370/550.

LANVOLLON 22290 C.-d'Armor 59 ② – 1 427 h. alt. 94.

Paris 478 – St-Brieuc 26 – Guingamp 16 – Lannion 43 – Paimpol 19 – St-Quay-Portrieux 12.

Lucotel M, E : 1 km sur D 6 ✆ 96 70 01 17, Fax 96 70 08 84, , – TV ☎ ♿ Ⓟ – 25 à 70. GB
R 75/220, enf. 40 – ☕ 28 – **20 ch** 190/275 – ½ P 230/260.

LAON P 02000 Aisne 56 ⑤ G. Flandres Artois Picardie – 26 490 h. alt. 179.

Voir Site★★ – Cathédrale N-Dame★★ : nef★★★ CYZ – Rempart du Midi et porte d'Ardon★ CZ **R** – Église St-Martin★ AZ **D** – Porte de Soissons★ AZ **E** – Rue Thibesard ←★ BZ 51 – Musée et chapelle des Templiers★ CZ **M** – Circuit du Laonnois★ par D 7 X.

Office de Tourisme pl. Parvis ✆ 23 20 28 62.

Paris 138 ⑤ – ◆ Reims 58 ③ – St-Quentin 45 ① – ◆Amiens 120 ① – Charleroi 121 ① – Charleville-Mézières 103 ① – Compiègne 75 ⑤ – Mons 107 ① – Soissons 35 ⑤ – Valenciennes 123 ①.

Plans page suivante

Les Lions, av. Ch. de Gaulle ✆ 23 23 42 43, Télex 155302, Fax 23 79 22 55 – TV ☎ ♿ Ⓟ – 35. AE ⓓ GB X **e**
R 75/135 , enf. 40 – ☕ 39 – **47 ch** 280/320.

Angleterre, 10 bd Lyon ✆ 23 23 04 62, Télex 145580 – ☎ Ⓟ – 30. AE ⓓ GB
R *(fermé dim. hors sais. et sam. midi)* 75 bc/130 , enf. 55 – ☕ 25 – **28 ch** 160/260 – ½ P 320. CY **e**

XXX **La Petite Auberge,** 45 bd Brossolette ✆ 23 23 02 38, – AE ⓓ GB. BY **a**
fermé 1er au 17 août, Noël au Jour de l'An, sam. midi et dim. sauf fériés – **R** 150/250.

XX **Bannière de France** avec ch, 11 r. F. Roosevelt ✆ 23 23 21 44 – TV ☎ . AE ⓓ GB. BY **t**
fermé 20 déc. au 20 janv. – **R** 105/280 – ☕ 32 – **18 ch** 210/340 – ½ P 240/290.

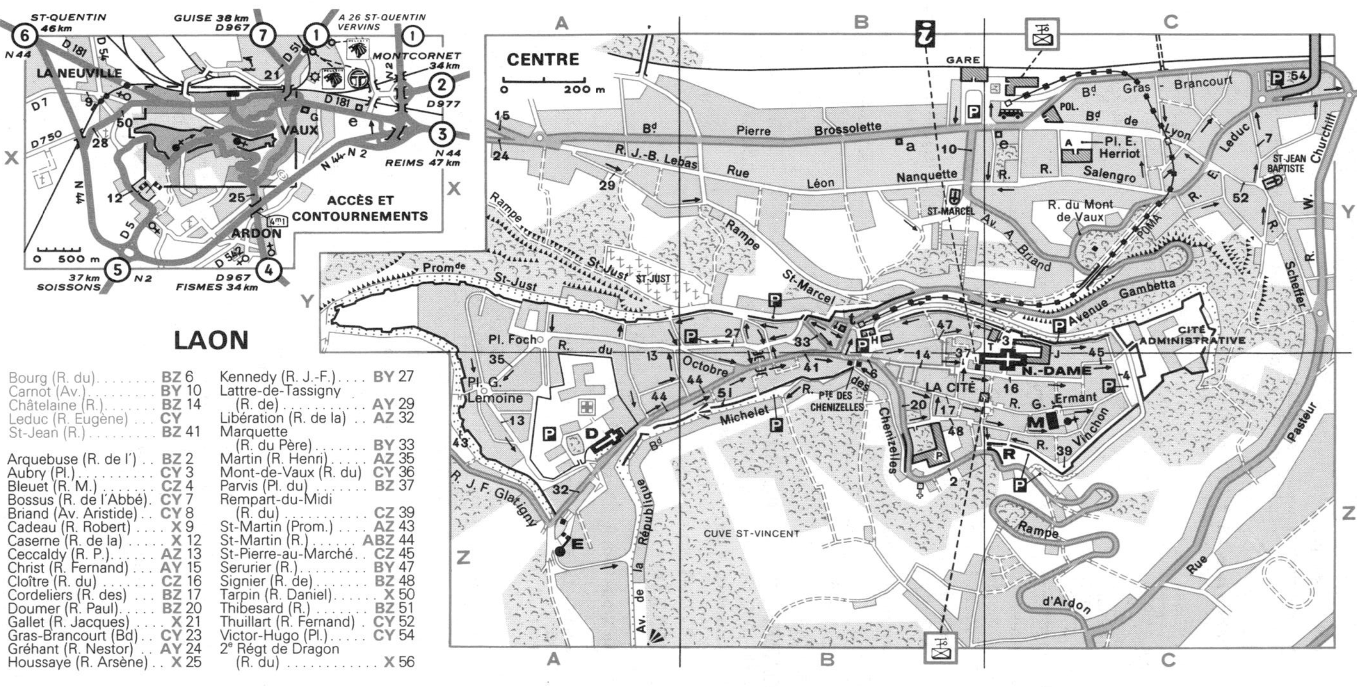

CENTRE
0 200 m
GARE
ACCÈS ET CONTOURNEMENTS
0 500 m
ST-QUENTIN 46 km
GUISE 38 km D 967
A 26 ST-QUENTIN VERVINS
MONTCORNET 34 km
D 977
REIMS 47 km
N 44
N 2
37 km SOISSONS
D 967 FISMES 34 km
LA NEUVILLE
VAUX
ARDON
Bd Pierre Brossolette
R. J.-B. Lebas
Rue Léon Nanquette
Rampe St-Just
Promde St-Just
ST-JUST
Rampe St-Marcel
ST-MARCEL
Av. A. Briand
Bd Gras - Brancourt
Bd de Lyon
Pl. E. Herriot
R. Salengro
R. du Mont de Vaux
POMA
Leduc
ST-JEAN BAPTISTE
Churchill
Scheffer
Avenue Gambetta
CITÉ ADMINISTRATIVE
N.-DAME
LA CITÉ
R. G. Ermant
R. Vinchon
Pl. Foch
R. du 13 Octobre
Pl. G. Lemoine
R. Michelet
Pte DES CHENIZELLES
R. des Chenizelles
Bd de la République
Av. de la République
R. J. F. Glatigny
CUVE ST-VINCENT
Rampe d'Ardon
Rue Pasteur

LAON

à Samoussy par ② : et D 977 km – ✉ **02840** :

XXX **Relais Charlemagne,** ✆ 23 22 21 50, ☂, ⛱ – AE GB
fermé 1er au 15 août, vacances de fév., dim. soir, merc. soir et lundi – **R** 180/300.

à Étouvelles par ⑤ : 7 km – ✉ **02000** :

XX **Au Bon Accueil,** ✆ 23 20 62 09, ☂, ⛱ – P. GB
fermé vacances de fév. et merc. sauf fériés – **R** 78 bc/155.

DATSUN-NISSAN VOLVO S.E.G. Petetin, rte de Fismes à Bruyères-et-Montbérault ✆ 23 24 70 36
FIAT Gar. Colbeaux, ZAC Ile de France ✆ 23 20 64 64
FORD S.I.C.B., 121 av. Mendes-France ✆ 23 79 14 08 N ✆ 23 23 73 73
PEUGEOT-TALBOT Tuppin, 132 av. Mendes-France ✆ 23 23 50 36
RENAULT S.O.D.A.L., av. Mendes-France par ① ✆ 23 23 24 35
Dupont-Pneus, ZI r. Pierre Bourdan ✆ 23 79 49 44

Fischbach Pneu, 10 bd Gras-Brancourt ✆ 23 23 02 27

LAPALISSE **03120** Allier 73 ⑥ **G. Auvergne** – 3 603 h. alt. 299.

Voir Château★★.

Syndicat d'Initiative pl. Ch.-Bécaud (15 juin-20 sept.) ✆ 70 99 08 39.

Paris 342 – Moulins 48 – Digoin 44 – Mâcon 123 – Roanne 49 – St-Pourçain-sur-Sioule 30.

XX **Galland** avec ch, pl. République ✆ **70 99 07 21** – ☎ P. GB
fermé 1er au 15 déc., 15 fév. au 5 mars et merc. – **Repas** (dim. et fêtes - prévenir) 98/250 – ☕ 30 – **8 ch** 220/260.

X Lion des Flandres, r. Prés.-Roosevelt ✆ **70 99 06 75.**

FIAT Gar. Rollet, 7 pl. 14-Juillet ✆ 70 99 08 66
PEUGEOT-TALBOT Cantat-Bardon, 41 r. Prés.-Roosevelt ✆ 70 99 00 77
PEUGEOT-TALBOT Gar. Gabard, rte de Verdun ✆ 70 99 26 99
RENAULT Dupereau, 88 av. Ch.-de-Gaulle ✆ 70 99 01 01 N

LAPLEAU **19550** Corrèze 76 ① – 514 h. alt. 500.

Paris 488 – Aurillac 81 – Égletons 19 – Mauriac 29 – Neuvic 19 – Pleaux 26 – Tulle 41 – Ussel 40.

Touristes, ✆ 55 27 52 06, ⛱ – P. ✻
fermé sam. soir et dim. (sauf juin à sept., vacances de nov. et de Pâques) – **R** 60/120 ♁, enf. 30 – ☕ 20 – **20 ch** 100/140 – ½ P 130/150.

LAPOUTROIE **68650** H.-Rhin 62 ⑱ – 1 981 h. alt. 450.

Paris 426 – Colmar 21 – Munster 25 – Ribeauvillé 20 – St-Dié 36 – Sélestat 34.

Au Vieux Moulin M sans rest, ✆ 89 47 56 55 – |‡| TV ☎ P. AE ⓓ GB
fermé 24 juin au 7 juil. – ☕ 30 – **20 ch** 205/260.

Host. A La Bonne Truite, à Hachimette E par N 415 : 1 km ✆ 89 47 50 07 – TV ☎ P. GB
fermé 22 juin au 8 juil., janv., mardi et merc. du 1er oct. au 10 juil. et le midi sauf dim. et fériés – **Repas** 95/280 ♁, enf. 45 – ☕ 35 – **10 ch** 190/240 – ½ P 240/260.

XX **Les Alisiers** avec ch, SO : 3 km par VO ✆ 89 47 52 82, Fax 89 47 22 38, ☂, « Restaurant panoramique, ≤ vallon », ⛱ – ☎ P. GB
fermé 28 juin au 8 juil., 6 au 25 janv. et 20 au 28 fév. – **R** *(fermé lundi soir et mardi)* 115/210 ♁, enf. 49 – ☕ 35 – **13 ch** 190/335 – ½ P 275/340.

LAQUEUILLE **63820** P.-de-D. 73 ⑬ – 382 h. alt. 1 000.

Paris 462 – ♦ Clermont-Ferrand 38 – Aubusson 72 – Mauriac 72 – Le Mont-Dore 14 – Ussel 44.

à la gare O : 3 km par D 89 et D 82 :

Les Clarines, ✆ 73 22 00 43, ☂, ⛱ – ☎ 🚗 – 🏃 25. AE ⓓ GB
fermé 30 nov. au 22 déc., dim. soir et lundi en mars, nov. et janv. – **R** 70/132, enf. 56 – ☕ 26 – **15 ch** 220/300 – ½ P 204/284.

Commerce, ✆ 73 22 00 03, ☂, ⛱ – TV ☎ 🚗 P. GB
fermé oct. et dim. soir sauf juil.-août – **R** 90/150 ♁ – ☕ 27 – **11 ch** 160/250 – ½ P 190/220.

LARAGNE-MONTÉGLIN **05300** H.-Alpes 81 ⑤ – 3 371 h. alt. 573.

Paris 694 – Digne-les-Bains 55 – Gap 41 – Barcelonnette 89 – Sault 61 – Serres 17 – Sisteron 17.

Chrisma M sans rest, rte de Grenoble ✆ 92 65 09 36, ⛲ – ☎ 🚗 P. GB
fermé 15 nov. au 15 janv. et dim. d'oct. à juin – ☕ 33 – **17 ch** 210/280.

Les Terrasses, av. Provence ✆ 92 65 08 54, ☂ – ☎ 🚗 P. AE ⓓ GB. ✻
hôtel : 1er avril-1er nov. ; rest. : 1er mai-1er oct. – **R** (dîner seul.) 90 ♁, enf. 55 – ☕ 30 – **15 ch** 140/280 – ½ P 180/280.

CITROEN Gar. des Alpes ✆ 92 65 04 79
FORD Audibert ✆ 92 65 09 71 N
RENAULT Gar. Lambert ✆ 92 65 00 05 N

Bernaudon-Pneus, ZA Le Plan ✆ 92 65 16 91

LARÇAY **37** I.-et-L. 64 ⑮ – rattaché à Tours.

LARCEVEAU 64 Pyr.-Atl. 85 ④ – 406 h. alt. 262 – ✉ 64120 Larceveau-Arros-Cibits.

Paris 807 – Biarritz 61 – ♦Bayonne 57 – Pau 86 – St-Jean-Pied-de-Port 16 – St-Palais 15.

- **Espellet,** ✆ 59 37 81 91, – ▤ rest ☎ Ⓟ. AE GB. ✻ rest
  fermé 5 au 31 déc. et mardi sauf juil.-août et fériés – **Repas** 55/140 ♁ – ☕ 28 – **19 ch** 140/220 – ½ P 185/200.
- **Trinquet** avec ch, ✆ 59 37 81 57, – TV ☎. GB
  fermé 8 au 30 nov., vacances de fév. et lundi sauf juil.-août – **R** 68/185 – ☕ 28 – **10 ch** 115/205 – ½ P 185/195.

PEUGEOT, TALBOT Gar. Thambo ✆ 59 37 80 37 N

Le LARDIN-ST-LAZARE 24570 Dordogne 75 ⑦ – 2 047 h. alt. 90.

Paris 490 – Brive-la-Gaillarde 27 – Lanouaille 38 – Périgueux 47 – Sarlat-la-Canéda 32.

- **Sautet,** ✆ 53 51 45 00, Fax 53 51 45 29, ←, « Parc fleuri », ⛱, ✻ – |♦| TV ☎ Ⓟ. GB. ✻ rest
  fermé 19 déc. au 11 janv., sam. sauf le soir du 15 juin au 15 sept. et dim. d'oct. à avril – **R** 103/275, enf. 63 – ☕ 35 – **33 ch** 220/520 – ½ P 255/325.

  à Coly SE : 6 km par D 62 – ✉ 24120 :

  Voir Église★★ de St-Amand-de-Coly SO : 3 km, **G. Périgord Quercy.**

- **Manoir d'Hautegente** ⛰, ✆ 53 51 68 03, Fax 53 50 38 52, « Jardin », ⛱ – TV ☎ Ⓟ. AE GB
  1er avril-3 nov. – **R** (dîner seul.) 230 – ☕ 50 – **10 ch** 650/850 – ½ P 500/690.

  au Sud : 4 km par D 107, D 62 et VO – ✉ 24570 :

- **Château de la Fleunie** ⛰, ✆ 53 51 32 74, Télex 570250, Fax 53 50 58 98, ←, parc, ⛱, ✻ – TV ☎ Ⓟ. AE GB
  fermé 15 déc. au 31 janv. – **R** 150/300, enf. 80 – ☕ 35 – **23 ch** 280/800 – ½ P 280/800.

LARDY 91510 Essonne 60 ⑩ 106 ㊷ **G. Ile de France** – 3 658 h. alt. 75.

Paris 42 – Fontainebleau 46 – Arpajon 8 – Corbeil-Essonnes 24 – Étampes 14 – Évry 21.

- **Aub. de l'Espérance,** Gde Rue (pl. Église) ✆ (1) 64 56 40 82 – AE ⓓ GB
  fermé 5 au 25 août, 1er au 11 fév., dim. soir et lundi – **R** 140/160.

LARGENTIÈRE ⟨SP⟩ 07110 Ardèche 80 ⑧ **G. Vallée du Rhône** – 1 990 h.

ℹ Syndicat d'Initiative pl. des Récollets ✆ 75 39 14 28.

Paris 648 – Aubenas 17 – Alès 64 – Privas 47.

- **Le Chêne Vert** ⛰, à Rocher N : 4 km par D 5 ✆ 75 88 34 02, ←, ⛱, – ☎ Ⓟ – 🏛 30. GB. ✻ rest
  20 mars-20 nov. – **R** 65/160 – ☕ 30 – **27 ch** 220/300 – ½ P 200/260.

CITROEN Gar. Olek ✆ 75 39 17 47 N

RENAULT Gar. Soboul ✆ 75 39 13 66

LARMOR-PLAGE 56260 Morbihan 63 ① **G. Bretagne** – 8 078 h. alt. 40.

Paris 502 – Vannes 64 – Lorient 6 – Quimper 73,5.

- **Les Mouettes** M ⛰, Anse de Kerguélen O : 1 km ✆ 97 65 50 30, Fax 97 33 65 33, ← – ▤ rest TV ☎ ♿ Ⓟ – 🏛 25. AE ⓓ GB
  R 79/350 – ☕ 36 – **21 ch** 300/350 – ½ P 340.

LARRAU 64560 Pyr.-Atl. 85 ⑭ – 241 h. alt. 636.

Paris 838 – Pau 77 – Oloron-Ste-Marie 42 – St-Jean-Pied-de-Port 46 – Sauveterre-de-Béarn 56.

- **Despouey** ⛰, ✆ 59 28 60 82, – ☎ Ⓟ. GB. ✻
  fermé 14 nov. au 31 janv. – **R** 60/100 ♁ – ☕ 24 – **15 ch** 130/220 – ½ P 150/180.

LARUNS 64440 Pyr.-Atl. 85 ⑯ – 1 466 h. alt. 531.

Paris 811 – Pau 37 – Argelès-Gazost 48 – Lourdes 52 – Oloron-Ste-Marie 32.

- **Aub. Bellevue,** ✆ 59 05 31 58, ←, – Ⓟ. GB
  fermé 7 janv. au 22 fév., mardi soir et merc. sauf vacances scolaires – **R** 70/160.

RENAULT Gar. Camdessoucens ✆ 59 05 34 64 N

LASALLE 30460 Gard 80 ⑰ – 1 007 h. alt. 260.

Paris 693 – Alès 29 – Florac 58 – ♦Montpellier 65 – Nîmes 61 – St-Jean-du-Gard 17 – Le Vigan 36.

- **des Camisards,** ✆ 66 85 20 50, – |♦| ☎ ♿. GB
  Pâques- nov. – **R** 65/128 ♁ – ☕ 28 – **20 ch** 128/260 – ½ P 185/215.

LASCHAMPS-DE-CHAVANAT 23 Creuse 72 ⑩ – rattaché à Guéret.

LATILLÉ 86190 Vienne 68 ⑬ – 1 305 h. alt. 149.

Paris 347 – Poitiers 26 – Châtellerault 46 – Parthenay 31 – St-Maixent-l'École 34 – Saumur 85.

- **Centre,** ✆ 49 51 88 75 – ☎ Ⓟ – 🏛 30. AE GB. ✻ rest
  R *(fermé sam. soir et dim. d'oct. à avril)* 69/120 ♁, enf. 30 – ☕ 20 – **12 ch** 100/171 – ½ P 115/150.

LATRONQUIÈRE 46210 Lot 75 ⑳ – 555 h. alt. 650.

Paris 566 – Aurillac 45 – Cahors 85 – Figeac 28 – Lacapelle-Marival 21 – St-Céré 24 – Sousceyrac 12.

Tourisme, ✆ 65 40 25 11 – GB. rest
fermé janv. et fév. – **R** 50/150 – 25 – **28 ch** 170/210 – ½ P 180/200.

CITROEN Jauliac ✆ 65 40 25 12

LATTES 34 Hérault 83 ⑦ – rattaché à Montpellier.

LAURIÈRE 24 Dordogne 75 ⑥ – rattaché à Périgueux.

LAURIS 84360 Vaucluse 84 ② – 2 571 h. alt. 182.

Paris 731 – Aix-en-Provence 33 – Apt 23 – Avignon 53 – Cadenet 5 – Cavaillon 27 – Manosque 59.

La Chaumière M, ✆ 90 08 20 25, Fax 90 08 35 24, ≤ vallée de la Durance, – rest. AE GB
R *(fermé mardi sauf le soir en juil.-août et merc. midi)* 225/325, enf. 115 – 55 – **14 ch** 400/750 – ½ P 410/650.

CITROEN Gaillardon ✆ 90 08 22 81 N — PEUGEOT Gar. Reyre ✆ 90 08 23 93

LAUTARET (Col du) 05 H.-Alpes 77 ⑦ **G. Alpes du Nord** – alt. 2 058 – ✉ **05220** Le Monetier-les-Bains.

Voir ** – Jardin alpin*.

Env. Col du Galibier *** N : 7,5 km.

Paris 658 – Briançon 28 – •Grenoble 89 – Lanslebourg-Mont-Cenis 82 – St-Jean-de-Maurienne 55.

Glaciers, ✆ 92 24 42 21, ≤ – GB
1er juin-22 sept. – **R** 80/125, enf. 55 – 26 – **40 ch** 110/245 – ½ P 165/200.

LAUTERBOURG 67630 B.-Rhin 57 ⑳ – 2 372 h. alt. 115.

Paris 520 – •Strasbourg 62 – Haguenau 41 – Karlsruhe 23 – Wissembourg 19.

XXX ✿ **La Poêle d'Or** (Gottar), 35 r. Gén. Mittelhauser ✆ 88 94 84 16, Fax 88 54 62 30, – AE GB
fermé 27 juil. au 6 août, 4 janv. au 1er fév., merc. et jeudi – **R** carte 260 à 380
Spéc. Foie d'oie poêlé aux raisins (saison), Filet de sandre "façon matelote", Pavé de boeuf au Pinot noir et à la moelle.
Vins Riesling, Pinot noir.

LAVAL P 53000 Mayenne 63 ⑩ **G. Normandie Cotentin** – 50 473 h. alt. 70.

Voir Vieux château* Z : charpente** du donjon, musée d'Art naïf* – Vieille ville* YZ – Les quais* – Jardin de la Perrine* Z – Chevet* de la basilique N.-D. d'Avesnières X.

"Le Jariel" ✆ 43 53 16 03, N : 7 km par quai B.-de-Gavre X.

Office de Tourisme pl. du 11-Nov. ✆ 43 53 09 39 – A.C. 7 pl. J.-Moulin ✆ 43 56 47 54.

Paris 278 ① – Angers 75 ④ – •Caen 146 ① – •Le Havre 249 ① – •Le Mans 83 ① – •Nantes 134 ⑤ – Poitiers 214 ④ – •Rennes 74 ⑦ – •Rouen 236 ① – St-Nazaire 151 ⑤.

Plans page suivante

Impérial H. sans rest, 61 av. R. Buron ✆ 43 53 55 02, Fax 43 49 16 74 – AE GB. — X h
fermé 2 au 24 août et 24 déc. au 1er janv. – 30 – **34 ch** 200/290.

Ibis, rte Mayenne par ① : 3 km ✆ 43 53 81 82, Télex 721094, Fax 43 53 11 19 – – 60. GB
R 90, enf. 39 – 35 – **51 ch** 305/325 – ½ P 240.

Campanile, par ⑥ rte Fougères : 3 km ✆ 43 69 04 00, Télex 722633, Fax 43 02 89 25 – – 35. AE GB
R 77 bc/99 bc, enf. 39 – 28 – **42 ch** 258 – ½ P 234/256.

Arcade sans rest, 8 av. R. Buron ✆ 43 67 19 25, Télex 723438, Fax 43 56 82 83 – – 60. AE GB — X a
30 – **42 ch** 250/290.

Marin'H. sans rest, 102 av. R. Buron ✆ 43 53 09 68, Fax 43 56 95 35 – AE GB — X d
30 – **25 ch** 220/240.

XXX **Gerbe de Blé** M avec ch, 83 r. V.-Boissel ✆ 43 53 14 10, Fax 43 49 02 84 – AE GB JCB. ch — X n
R *(fermé dim. soir et lundi)* 136/235, enf. 100 – 50 – **8 ch** 310/580 – ½ P 240/300.

XXX ✿ **Bistro de Paris** (Lemercier), 67 r. Val de Mayenne ✆ 43 56 98 29 – GB.
fermé 10 août au 1er sept., sam. midi et dim. – **R** 120/235, enf. 80 — Y k
Spéc. Petites entrées gourmandes, Blanc de turbot rôti aux épices, Blanc de poulet fermier fourré de langoustines.
Vins Savennières, Anjou rouge.

XX L'Antiquaire, 5 r. Béliers ✆ 43 53 66 76 — Y e

XX **A la Bonne Auberge** avec ch, 170 r. Bretagne par ⑥ ✆ 43 69 07 81, Fax 43 91 15 02 – GB
fermé 31 juil. au 23 août, 21 au 27 déc., 27 fév. au 7 mars, dim. soir et sam. – **R** 75/210 – 30 – **14 ch** 210/270.

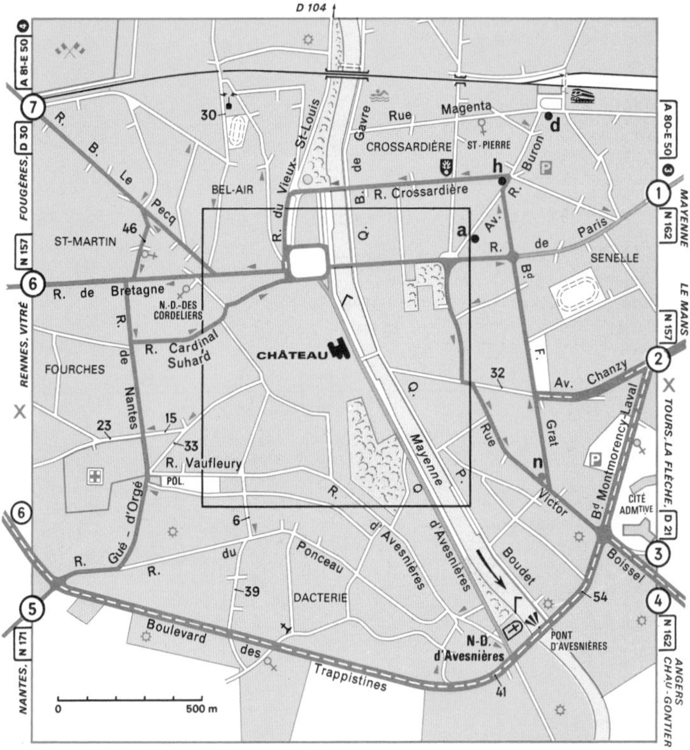

LAVAL

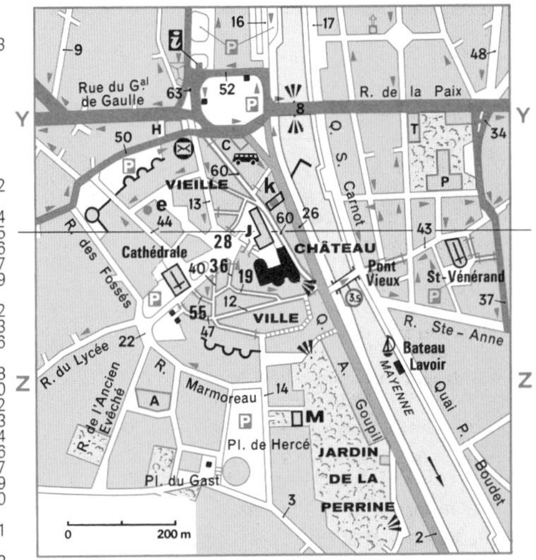

Déportés (R. des) . . Y 13
Gaulle (R. Gén.-de) . Y
Paix (R. de la) . . . . . Y

Avesnières (Q. d') . . Z 2
Avesnières (R. d') . . Z 3
Bourg-Hersent (R.) . X 6
Briand (Pont A.) . . . . Y 8
Britais (R. du) . . . . . . Y 9
Chapelle (R. de) . . . . Z 12
Douanier-Rousseau (R.) . . . Z 14
Étaux (R. des) . . . . . X 15
Gambetta (Quai) . . . Y 16
Gavre (Q. B. de) . . . Y 17
Grande-Rue . . . . Z 19
Hardy-de-Lévaré (Pl.) . . . . . . Z 22
Haut-Rocher (R.) . . . X 23
Jehan-Fouquet (Q.) Y 26
La Trémoille (Pl. de la) . . . . Z 28
Macé (R. J.) . . . . X 30
Mans (R. du) . . . . X 32
Messager (R.) . . . . . X 33
Moulin (Pl. J.) . . . . . Y 34
Orfèvres (R. des) . . . Z 36
Paradis (R. de) . . . . . Z 37
Picardie (R. de) . . . . X 39
Pin-Doré (R. de) . . . . Z 40
Pont-d'Avesnières (Bd du) . . . . X 41
Pont-de-Mayenne (R. du) . . . . Z 43
Renaise (R.) . . . . Y 44
St-Martin (R.) . . . . . . X 46
Serruriers (R. des) . . Z 47
Solférino (R.) . . . . . . Y 48
Souchu-Servinière (R.) . . . . . Y 50
Strasbourg (R. de) . . . . Y 52
Tisserands (Bd des) . . . . X 54
Trinité (R. de la) . . . . Z 55
Val de Mayenne (R. du) . . YZ 60
11-Novembre (Pl. du) . . . . . Y 63

BMW Gar. Bassaler, 110 bd de Buffon, ZI des Touches ✆ 43 53 31 59 N ✆ 43 69 32 32
CITROEN Brilhault, 137 r. de Bretagne par ⑥ ✆ 43 69 19 00 N
MERCEDES-BENZ Patard, rte du Mans à Bonchamp-lès-Laval ✆ 43 53 15 82 N ✆ 43 69 32 32
PEUGEOT Gd Gar. du Maine, av. de Paris, St-Berthevin par ⑥ ✆ 43 69 09 81
RENAULT Hardy, av. de Paris à St-Berthevin par ⑥ ✆ 43 69 26 69 N

V.A.G Gar. des Pommeraies, 36 rte de Mayenne ✆ 43 53 08 04 N
VOLVO Defrance, rte de Rennes à St-Berthevin ✆ 43 68 01 44

Sodipneus, 4 r. du Laurier ✆ 43 53 10 04
Tricard, rte de Rennes, St-Berthevin ✆ 43 69 15 08

Le LAVANCHER 74 H.-Savoie 74 ⑨ – rattaché à Chamonix.

Le LAVANDOU 83980 Var 84 ⑯ G. Côte d'Azur – 5 212 h. alt. 2.

18 de Valcros ✆ 94 66 81 02, par ② : 15 km.

Office de Tourisme quai G.-Péri ✆ 94 71 00 61, Télex 400555.

Paris 880 ② – Fréjus 62 ① – Cannes 98 ① – Draguignan 76 ① – Ste-Maxime 42 ① – ♦Toulon 43 ②.

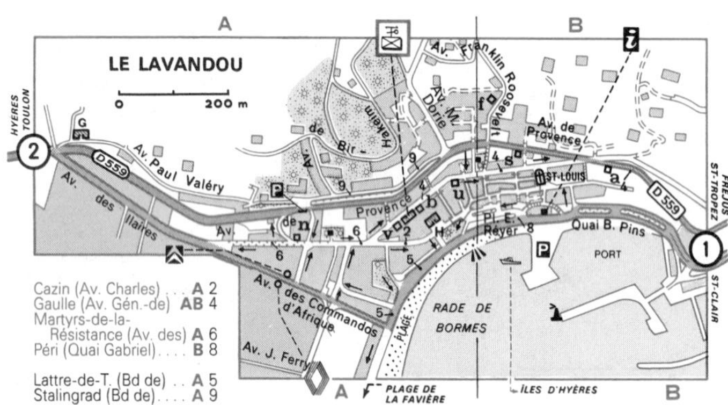

Aub. de la Calanque, 62 av. Gén. de Gaulle ✆ 94 71 05 96, Fax 94 71 20 12, ≤, – TV ☎ – 25. AE GB — B a
fermé janv., fév., jeudi midi et merc. – **R** 200/400, enf. 60 – 48 – **37 ch** 550/950.

La Petite Bohème, av. F.-Roosevelt ✆ 94 71 10 30, Fax 94 64 73 92, – ☎. GB. rest — B f
mai-oct. – **R** 115/150 – 38 – **19 ch** 248/376 – ½ P 310/340.

L'Escapade, chemin du Vannier ✆ 94 71 11 52, Fax 94 71 22 14, – ch TV ☎. GB. — B s
hôtel : fermé 12 nov. au 20 déc. et 10 au 30 janv. ; rest. : fermé d'oct. à Pâques – **R** (dîner seul.) 115/130, enf. 65 – 30 – **16 ch** 220/320 – ½ P 275/295.

La Lune sans rest, av. Gén. de Gaulle ✆ 94 71 04 20 – ☎. AE GB — A v
fin avril-oct. – 34 – **24 ch** 340/400.

Terminus sans rest (annexe M 14 ch), pl. gare autobus ✆ 94 71 00 62 – ☎. GB — A n
1er avril-1er nov. – 25 – **39 ch** 160/280.

Neptune sans rest, av. Gén. de Gaulle ✆ 94 71 01 01, Fax 94 64 91 61 – ☎. AE GB — A u
fermé 15 nov. au 31 janv. – 22 – **33 ch** 180/260.

L'Oustaou sans rest, av. Gén.-de-Gaulle ✆ 94 71 12 18 – TV ☎. AE GB — A b
20 – **20 ch** 250.

Le Grill avec ch, r. Patron-Ravello ✆ 94 71 06 43, ≤, – ☎. AE GB — B r
1er fév.-30 oct. et fermé lundi hors sais. – **R** 120/160 – 35 – **7 ch** 280/350 – ½ P 300/350.

à la Favière S : 2 km - A – ✉ 83230 Bormes-les-Mimosas :

Plage, ✆ 94 71 02 74, Fax 94 71 77 22, – ☎ . GB
28 mars-10 oct. – **R** 78/147, enf. 56 – 36 – **45 ch** 230/320.

à St-Clair par ① : 3 km – ✉ 83980 Le Lavandou :

Belle Vue, ✆ 94 71 01 06, Fax 94 71 64 72, ≤, – ☎ . AE GB.
1er avril-31 oct. – **R** *(fermé le midi sauf sam. et dim.)* 170/250 – 50 – **19 ch** 340/750 – ½ P 400/650.

Roc H. sans rest, ✆ 94 71 12 07, ≤ – TV ☎ . GB.
21 mars-20 oct. – 35 – **26 ch** 390/490.

Tamaris M sans rest, 94 71 79 19, Fax 94 71 88 64 – TV ☎ & P. AE GB
3 avril-1er nov. – 35 – **41 ch** 420/450.

L'Orangeraie sans rest, 94 71 04 25 – TV ☎ P. AE GB
10 avril-4 oct. – 38 – **18 ch** 300/440.

Méditerranée, 94 71 02 18, ←, – TV ☎ P. GB. rest
15 mars-20 oct. – **R** (½ pens. seul.) – 28 – **21 ch** 350/425 – ½ P 288/330.

à La Fossette-Plage par ① : 3 km – ✉ 83980 Le Lavandou :

83 Hôtel M, 94 71 20 15, Fax 94 71 63 42, ← côte et mer, , , , , – TV ☎ P. GB.
Pâques-début oct. – **R** 195 – 65 – **28 ch** 680/1080 – ½ P 600/800.

à Aiguebelle par ① : 4,5 km – ✉ 83980 Le Lavandou :

Les Roches M, 94 71 05 07, Télex 430023, Fax 94 71 08 40, ← mer et les îles, , « Agréables terrasses en bordure de mer, », – ch TV ☎ P – 30. AE GB JCB. rest
fermé 3 janv. au 10 mars – **R** *(fermé merc. soir et jeudi du 18 oct. au 5 avril)* 280/480, enf. 100 – 90 – **41 ch** 1550/2100
Spéc. Barigoule de légumes verts aux coquillages. Tranche de loup au citron. Crépinettes laquées de filet, côte et pieds de cochon de lait. **Vins** Côtes de Provence.

Résidence Soleil sans rest, 94 05 84 18, Fax 94 05 70 89, ← – ☎ P. GB
Pâques-oct. – 30 – **24 ch** 420/590.

Beau Soleil, 94 05 84 55, Fax 94 05 70 89, – ☎ P. GB
Pâques-début oct. – **R** carte 155 à 300 – 28 – **18 ch** 344/394 – ½ P 310/325.

Gd Pavois, 94 05 81 38, – P. GB. rest
1er avril-30 sept. – **R** 80/120 , enf. 50 – 35 – **27 ch** 350/500 – ½ P 250/350.

Plage, 94 05 80 74 – . GB JCB. rest
Pâques-5 oct. – **R** (dîner seul.) 115 – 32 – **24 ch** 340/440 – ½ P 300/341.

CITROEN Gar. des Maures 94 71 14 93
MERCEDES-BENZ, RENAULT Gar. St-Christophe 94 71 14 90

LAVARDAC 47230 L.-et-G. 79 ⑭ G. Pyrénées Aquitaine – 2 454 h. alt. 55.

Paris 700 – Agen 31 – Casteljaloux 25 – Houeillès 23 – Marmande 48 – Nérac 7.

Chaumière d'Albret, rte Nérac 53 65 51 75, , – ☎ P. AE GB
fermé 1er au 15 oct., vacances de fév., dim. soir et lundi sauf juil.-août – **R** 48/150 – 20 – **8 ch** 99/173 – ½ P 133/150.

LAVARDIN 41 L.-et-Ch. 64 ⑤ – rattaché à Montoire-sur-le-Loir.

LAVAUR 81500 Tarn 82 ⑨ G. Pyrénées Roussillon – 8 148 h. alt. 140.

Voir Cathédrale St-Alain★.

des Étangs de Fiac 63 70 64 70, E : 11 km par D 112.

Syndicat d'Initiative 22 Grand'Rue (juil.-août) 63 58 02 00.

Paris 702 – ◆Toulouse 38 – Albi 47 – Castelnaudary 55 – Castres 39 – Montauban 56.

Central H., 7 r. Alsace-Lorraine 63 58 04 16
fermé 15 au 30 sept. et dim. soir – **R** 55/120 , enf. 35 – 25 – **10 ch** 120/160 – ½ P 140/170.

à Giroussens NO : 10 km par D 87 – ✉ 81500 :

L'Échauguette avec ch, 63 41 63 65, ←, – AE GB
fermé 15 au 30 sept., 1er au 21 fév., dim. soir et lundi d'oct. à juin – **R** 60/250, enf. 45 – 24 – **5 ch** 140/230.

ALFA-ROMEO, FIAT Barboule et Laval, 4 et 5 av. G.-Péri 63 58 08 16
CITROEN Lavaur Autom., 14 av. G.-Péri 63 41 43 63
PEUGEOT-TALBOT S.I.V.A., 20 av. G.-Péri 63 58 03 51
RENAULT SARL La Gravette Automobile, rte de Toulouse 63 58 07 20
V.A.G Rigal, rte de Castres 63 58 03 83
Lavaur Pneus, rte de Castres 63 58 25 48

LAVEISSIÈRE 15300 Cantal 76 ③ – 611 h. alt. 930.

Paris 532 – Aurillac 44 – Condat 41 – Le Lioran 6 – Murat 5,5.

Le Vallagnon, 71 20 02 38, ←, – TV ☎ P. GB. rest
fermé 1er nov. au 10 déc., dim. et lundi hors vacances scolaires – **R** 70/145 – 28 – **30 ch** 155/215 – ½ P 155/210.

Cheval Blanc, 71 20 02 51, – ☎. GB
1er juin-30 sept. et Noël-Pâques – **R** 75/140 – 25 – **20 ch** 160/200 – ½ P 180/200.

Bellevue, 71 20 01 22, ←, – ☎. GB
fermé 1er oct. au 26 déc. – **R** 85/110, enf. 33 – 32 – **16 ch** 220/250 – ½ P 200/235.

LAVELANET 09300 Ariège 86 ⑤ – 7 740 h. alt. 510.
Paris 801 – Foix 26 – Carcassonne 67 – Castelnaudary 52 – Limoux 46 – Pamiers 41.

rte de Foix par D 117 : 10 km – ✉ 09300 Roquefixade :

XX **Relais des Trois Châteaux,** ☎ 61 01 33 99, – P. GB
fermé 12 au 26 nov., 14 au 28 janv. et mardi – **R** 65/188, enf. 50.

Lautier-Pneus, 94 av. Gén.-de-Gaulle ☎ 61 01 03 58

LAVERGNE 46 Lot 75 ⑲ – rattaché à Gramat.

LAVILLEDIEU 07 Ardèche 80 ⑨ – rattaché à Aubenas.

LAVIOLLE 07530 Ardèche 76 ⑱ – 119 h. alt. 680.
Env. Mézilhac : Piton de la Croix ≤** N : 9 km G. Vallée du Rhône.
Paris 612 – Le Puy-en-Velay 65 – Aubenas 20 – Lamastre 51 – Mezilhac 8 – Privas 48.

Plantades, rte Antraigues S : 2 km sur D 578 ☎ 75 38 71 58, ≤, – P. GB
fermé 1er nov. au 15 déc. – **R** 58/110 – 20 – **10 ch** 110/130 – ½ P 130/140.

LAYE 05 H.-Alpes 77 ⑯ – rattaché à St-Bonnet-en-Champsaur.

La LÈBE (Col de) 01 Ain 74 ④ – rattaché à Hauteville-Lompnes.

La LÉCHÈRE 73260 Savoie 74 ⑰ G. Alpes du Nord – 1 936 h. alt. 461 – Stat. therm. (15 mars-3 nov.).
Office de Tourisme ☎ 79 22 51 60.
Paris 604 – Albertville 22 – Celliers 17 – Chambéry 68 – Moûtiers 7.

Radiana M, ☎ 79 22 61 61, Fax 79 22 63 59, ≤, parc – TV ☎ P. AE GB
1er mars-31 oct. – **R** 95/200, enf. 60 – 50 – **87 ch** 415/720 – ½ P 370/500.

Les LECQUES 83 Var 84 ⑭ G. Côte d'Azur – ✉ 83270 St-Cyr-sur-Mer.
Office de Tourisme pl. Appel du 18 juin ☎ 94 26 13 46.
Paris 812 – ◆ Marseille 39 – ◆ Toulon 29 – Bandol 11 – Brignoles 66 – La Ciotat 6.

Gd Hôtel, ☎ 94 26 23 01, Télex 400165, ≤, « Parc fleuri », – TV ☎ P. AE GB
2 mai-10 oct. – **R** 160, enf. 60 – 50 – **58 ch** 400/720 – ½ P 450/570.

Chanteplage, ☎ 94 26 16 55, ≤ – TV ☎. GB. rest
hôtel : 15 fév.-15 nov. ; rest. : 15 juin-15 sept. – **R** (dîner seul.) 90/120, enf. 55 – 25 – **20 ch** 248/350 – ½ P 265/295.

Pins, à La Madrague SE : 1,5 km ☎ 94 26 28 36, ≤ – ☎ P. rest
vacances de printemps-fin sept. – **R** 85/150 – 30 – **20 ch** 240/260 – ½ P 240/250.

Petit Nice, ☎ 94 32 00 64, – TV ☎ & P. GB. rest
hôtel : 15 mars-11 nov. ; rest. : 1er avril-15 oct. – **R** (résidents seul.) – 23 – **30 ch** 250/280 – ½ P 245/270.

Tapis de Sable sans rest, rte La Madrague ☎ 94 26 26 34, ≤ – ☎ P
mars-sept. – **16 ch** 270/340.

PEUGEOT-TALBOT Gar. Iori, à St-Cyr-sur-Mer ☎ 94 26 23 80

Marro, quartier Banette à St-Cyr-sur-Mer ☎ 94 26 31 09

LECTOURE 32700 Gers 82 ⑤ G. Pyrénées Aquitaine – 4 034 h. alt. 182.
Voir Site* – Promenade du bastion ≤*.
de Fleurance ☎ 62 06 26 26, S par N 21 : 15 km.
Office de Tourisme cours Hôtel de Ville ☎ 62 68 76 98.
Paris 749 – Agen 36 – Auch 35 – Condom 24 – Montauban 72 – ◆Toulouse 114.

De Bastard, r. Lagrange ☎ 62 68 82 44, Fax 62 68 76 81, – TV ☎ – 30. AE GB
fermé 24 au 29 déc., janv., fév., vend. soir, sam. midi et dim. soir d'oct. à avril – **Repas** 80/300, enf. 48 – 35 – **29 ch** 175/300 – ½ P 250/300.

RENAULT Gar. Franczak, rte de Fleurance ☎ 62 68 71 81 N

LEGÉ 44650 Loire-Atl. 67 ⑬ – 3 532 h. alt. 94.
Paris 422 – ◆ Nantes 41 – La Roche-sur-Yon 31 – Cholet 61 – Clisson 35 – Les Sables-d'Olonne 52.

X **Étoile d'Or,** r. Chaussée ☎ 40 04 97 29 – AE GB
fermé 1er au 22 sept. et lundi – **R** 61/230.

PEUGEOT-TALBOT Gar. Beauséjour, 26 r. Chaussée ☎ 40 04 97 09

RENAULT Gar. Charrier ☎ 40 04 91 56 N

LEIGNÉ-LES-BOIS 86450 Vienne 68 ⑤ – 500 h. alt. 128.
Paris 320 – Poitiers 53 – Le Blanc 35 – Châtellerault 16 – Loches 53 – La Roche-Posay 10.

XX **Gautier,** ☎ 49 86 53 82 – GB
fermé 11 nov. au 6 déc., 15 au 29 fév., dim. soir et lundi – **Repas** 98/195.

LELEX 01410 Ain 170 ⑮ – 232 h. alt. 900 – Sports d'hiver : 900/1 680 m 🚡3 ⛷14.

Paris 518 – Bourg-en-Bresse 89 – Gex 28 – Morez 38 – Nantua 43 – St-Claude 32.

- **Crêt de la Neige** 🐦, ✆ 50 20 90 15, ≤, 🌳, 🎾 – ☎ 🅟. GB. ✻ rest
  25 juin-10 sept. et 20 déc.-20 avril – **R** 75/190 🍷 – ☕ 23 – **29 ch** 140/270 – ½ P 199/268.
- **Centre,** ✆ 50 20 90 81, Fax 50 20 93 97, ≤ – ☎ 🅟. GB
  27 juin-6 sept. et 19 déc.-10 mai – **R** 85/210 – ☕ 25 – **19 ch** 192/246 – ½ P 222/248.
- **Mont-Jura** 🐦, ✆ 50 20 90 53 – ☎ 🅟. GB. ✻ rest
  fermé 15 nov. au 20 déc., dim. soir et lundi hors sais. – **R** 84/195 – ☕ 25 – **12 ch** 120/200 – ½ P 212/255.

LEMBACH 67510 B.-Rhin 57 ⑲ G. Alsace Lorraine – 1 710 h. alt. 190.

Env. Château de Fleckenstein★★ NO : 7 km.

ℹ Syndicat d'Initiative rte Bitche ✆ 88 94 43 16.

Paris 471 – ♦Strasbourg 55 – Bitche 33 – Haguenau 26 – Niederbronn-les-B. 18 – Wissembourg 15.

- **Au Heimbach** M sans rest, ✆ **88 94 43 46, Fax 88 94 20 85** – 🛗 ☎ 🅟. ✻
  ☕ 40 – **16 ch** 160/315.
- **Vosges du Nord** sans rest, **59 rte Bitche** ✆ **88 94 43 41** – ☎. ✻
  fermé 20 au 31 août et lundi – ☕ 19,50 – **8 ch** 170/185.
- XXXX ✿✿ **Aub. Cheval Blanc** (Mischler), ✆ **88 94 41 86, Fax 88 94 20 74,** « **Ancien relais de poste** », 🌳 – 🅟. AE GB. ✻
  fermé 6 au 24 juil., 8 au 26 fév., lundi et mardi – **R** 160/370 et carte
  Spéc. Foie de canard aux épices, Suprême de sandre au fumet de truffes, Médaillons de chevreuil à la moutarde aux fruits rouges (1er juin au 15 fév.). **Vins** Pinot Auxerrois, Tokay-Pinot gris.

à Gimbelhof N : 10 km par D 3 et RF – ✉ 67510 Lembach :

- **Ferme Gimbelhof** 🐦, ✆ **88 94 43 58, Fax 88 94 23 30,** ≤ – ☎ 🅟. GB
  fermé 11 nov. au 26 déc. et vacances de fév. – **R** *(fermé lundi et mardi)* 48/95 🍷 – ☕ 16 – **8 ch** 80/200 – ½ P 125/145.

CITROEN Gar. Weisbecker ✆ 88 94 41 96 N

LEMBERG 57620 Moselle 57 ⑱ – 1 596 h.

Paris 437 – ♦Strasbourg 71 – Haguenau 50 – ♦Metz 108 – Wissembourg 55.

- X **Au Tonneau,** ✆ **87 06 41 04** – 🅟. GB. ✻
  fermé lundi sauf fêtes – **R** 85/140.

LENS SP 62300 P.-de-C. 51 ⑮ – 35 017 h. alt. 38.

Env. Mémorial canadien de Vimy★ 9 km par ④ – N.-D.-de-Lorette ✻★ SO : 11 km, G. Flandres Artois Picardie.

ℹ A.C. Z.I. du Gard ✆ 21 28 34 89.

Paris 199 ④ – ♦Lille 38 ① – Arras 19 ④ – Béthune 18 ⑤ – Douai 21 ② – St-Omer 64 ⑤.

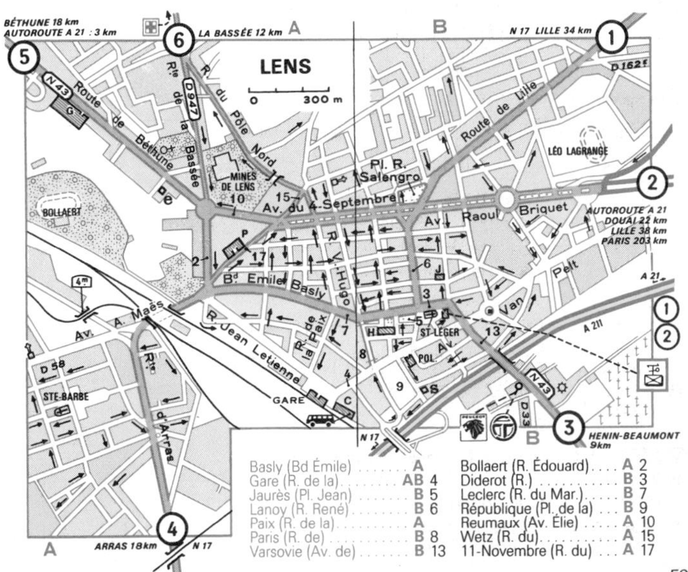

Lensotel et rest. L'Escarpolette, centre comm. Lens 2 par ⑥ : 3,5 km ✉ 62880 Vendin-le-Vieil ✆ 21 78 64 53, Télex 120324, Fax 21 43 76 09, ☂, ⛱, ☘ – TV ☎ P – 50 à 100. AE ⦿ GB
R 90/155, enf. 41 – ☐ 34 – **70 ch** 290/322 – ½ P 260.

Espace Bollaert M, 13C rte Béthune ✆ 21 78 30 30, Télex 134489, Fax 21 78 24 83 – 🛗 TV ☎ ♿ P – 60. GB A e
R *(fermé 27 juil. au 9 août et dim. soir)* 110/280 – ☐ 30 – **54 ch** 235/255 – ½ P 243.

Lutetia sans rest, 29 pl. République ✆ 21 28 02 06 – ☎. ✻ B s
fermé dim. soir – ☐ 20 – **23 ch** 100/190.

à Liévin par ⑤ et A 21 (sortie Liévin) : 6 km – 33 623 h. – ✉ **62800** :

L'Épicurien, parc Mazarin ✆ 21 72 43 00, ☂ – P. GB
fermé août, lundi soir et dim. soir – **R** 95/290.

ALFA-ROMEO Arauto, 44 rte de Lille, Loison ✆ 21 70 61 63
CITROEN Gransart Autom., 2 rte de Béthune, Loos-en-Gohelle par ⑤ ✆ 21 70 15 76 N ✆ 21 29 16 61
FIAT Bourel et Fils 26 r. Vieux-Château à Carvin ✆ 21 37 04 98
FORD Lallain, rond-point Bollaert ✆ 21 28 43 21
OPEL Thirion, 60 av. A.-Maes ✆ 21 43 01 96
PEUGEOT-TALBOT S.A.C.I., 52 r. de Douai ✆ 21 67 62 00
PEUGEOT-TALBOT Wantiez, N à Loison par ① ✆ 21 70 17 65
RENAULT Evrard, 2 r. de la Convention à Liévin par D 58 A ✆ 21 43 42 44 N ✆ 21 69 07 89
RENAULT Nouveaux Gar. Lensois, 50 rte de Lille, Loison par ① ✆ 21 70 19 68 N ✆ 21 69 07 89
SEAT Artois Autom., 79 av. Van-Pelt ✆ 21 28 38 07
V.A.G S.A.M.A., 267 bd Martel à Avion ✆ 21 28 18 16

Auto Pneu Dislaire, 11 av. A.-Thumerelle à Avion ✆ 21 78 81 81
Chamart, 81 av. Van-Pelt ✆ 21 28 60 54
Debove, 275 bd H.-Martel à Avion ✆ 21 28 02 25
François-Pneus, 16 r. de Lille à Annay ✆ 21 70 62 05
La Maison du Pneu, 346 rte de Lille ✆ 21 78 62 78

Les plans de villes sont orientés le Nord en haut.

LÉON 40550 Landes 78 ⑯ – 1 330 h. alt. 15.
Voir Courant d'Huchet★ en barque NO : 1,5 km, **G. Pyrénées Aquitaine.**
9 18 de la Côte d'Argent ✆ 58 48 54 65, SO par D 652 puis D 117 : 8 km.
Syndicat d'Initiative Grand Rue ✆ 58 48 76 03.
Paris 728 – Mont-de-Marsan 78 – Castets 14 – Dax 29 – Mimizan 41 – St-Vincent-de-Tyrosse 32.

Lac ⛰, au Lac NO : 1,5 km ✆ 58 48 73 11, ≤ – GB. ✻
11 avril-1er oct. – **R** 66/135 – ☐ 24 – **15 ch** 140/200 – ½ P 200/220.

CITROEN Ducasse ✆ 58 48 73 10
RENAULT Modern'Gar. ✆ 58 48 74 34

LÉPIN-LE-LAC 73 Savoie 74 ⑮ – rattaché à Aiguebelette (Lac d').

LÉRÉ 18240 Cher 65 ⑫ **G. Berry Limousin** – 1 161 h. alt. 145.
Paris 178 – Auxerre 75 – Bourges 66 – Montargis 64 – Nevers 62 – ♦Orléans 101.

Lion d'Or avec ch, ✆ 48 72 60 12 – ▤ rest ☎. GB
fermé dim. soir et lundi – **R** 120/200 – ☐ 30 – **8 ch** 230.

Gar. Dechêne C.L.D.A., N 751 ✆ 48 72 60 20

LÉRINS (Iles de) 06 Alpes-Mar. 84 ⑨ – voir à Ste-Marguerite et St-Honorat.

LESCAR 64 Pyr.-Atl. 85 ⑥ – rattaché à Pau.

LESCHAUX 74320 H.-Savoie 74 ⑯ – 214 h. alt. 930.
Env. Crêt de Châtillon ✻★★★ N : 9 km puis 15 mn, **G. Alpes du Nord.**
Paris 554 – Annecy 17 – Aix-les-Bains 30 – Albertville 52 – Chambéry 36.

Quatre Vents, au col de Leschaux ✆ 50 32 00 50, ☂ – P.

LESCONIL 29740 Finistère 58 ⑭ **G. Bretagne** – alt. 12.
Paris 576 – Quimper 27 – Douarnenez 43 – Guilvinec 6 – Loctudy 8 – Pont-l'Abbé 8,5.

Atlantic, ✆ 98 87 81 06, « Jardin fleuri », ☘ – ☎ P. GB. ✻
Pâques-oct. – **R** 80/180 – ☐ 32 – **23 ch** 280 – ½ P 255/295.

Plage, ✆ 98 87 80 05 – 🛗 TV ☎ P – 25. AE GB. ✻ rest
15 avril-30 sept. et fermé dim. soir et lundi du 15 avril au 30 juin – **R** 80/380 – ☐ 42 – **28 ch** 240/310 – ½ P 310/320.

LESCUN 64490 Pyr.-Atl. 85 ⑮ **G. Pyrénées Aquitaine** – 198 h. alt. 900.
Voir ✻★★ 30 mn.
Paris 860 – Pau 72 – Lourdes 89 – Oloron-Ste-Marie 36.

Pic d'Anie ⛰, ✆ 59 34 71 54, ≤, ☂ – ☎. AE GB. ✻ ch
1er avril-20 sept. – **R** 80/200, enf. 60 – ☐ 30 – **15 ch** 180/250 – ½ P 190/250.

LESMONT **10500** Aube 61 ⑧ – 244 h. alt. 112.

Paris 186 – Troyes 31 – Bar-sur-Aube 32 – St-Dizier 54 – Vitry-le-François 41.

XX **Aub. Munichoise,** D 960 ✆ 25 92 45 33, 🏔 – AE ⓪ GB
fermé 21 sept. au 15 oct. – **R** 98/198.

RENAULT Millon, D 960 ✆ 25 92 45 13

LESNEVEN **29260** Finistère 58 ④ ⑤ **G. Bretagne** – 6 250 h. alt. 80.

Voir Le Folgoët : église** SO : 2 km.

Paris 586 – ◆ Brest 25 – Landerneau 16 – Morlaix 48 – Quimper 78 – St-Pol-de-Léon 32.

🏠 **Breiz Izel** sans rest, 25 r. Four ✆ 98 83 12 33 – ✈
fermé 26 sept. au 26 oct. – ☕ 22 – **24 ch** 89/178.

au Pont du Châtel NE : 4 km par D 110 – ✉ **29260** Lesneven :

🏠 **Week-End,** ✆ 98 25 40 57, Fax 98 25 46 92, 🌳 – TV ☎ 🚗 P. GB. ✈
fermé janv. et lundi midi – **R** 70/180 ♂ – ☕ 30 – **13 ch** 175/250 – ½ P 220/260.

CITROEN Crauste-Guilliec, 31 r. Gén.-de-Gaulle ✆ 98 83 00 34

RENAULT Colliou, 9 r. de Jérusalem ✆ 98 83 01 50 N ✆ 98 63 63 10

LESPARRE-MÉDOC SP **33340** Gironde 71 ⑰ – 4 661 h. alt. 9.

Paris 543 – ◆ Bordeaux 65 – Soulac-sur-Mer 29.

à Gaillan-en-Médoc par N 215 : 5 km – ✉ **33340** :

XXX ✿ **Château Layauga** (Jorand) M 🐦 avec ch, ✆ **56 41 26 83, Fax 56 41 19 52,** 🏔, 🌳 – TV ☎ ♿ 🚗 P. GB
R carte 300 à 500 – ☕ 55 – **7 ch** 495 – ½ P 550/750
Spéc. Blinis de pomme de terre au saumon fumé et caviar, Ragoût de truffes aux oeufs de caille pochés, Navarin de homard aux légumes.

à Queyrac par N 215 : 8 km – ✉ **33340** :

🏠 **Les Vieux Acacias** sans rest, ✆ **56 59 80 63,** 🌳 – ☎ P
fermé 25 oct. au 15 nov. – ☕ 32 – **15 ch** 195/295.

CITROEN SADAM ✆ 56 41 10 77

⊕ Médoc Pneu, à Gaillan ✆ 56 41 06 73
Pneu Échappement 2000 ✆ 56 41 11 78

LESPONNE **65** H.-Pyr. 85 ⑱ – rattaché à Bagnères-de-Bigorre.

LESTELLE-BÉTHARRAM **64800** Pyr.-Atl. 85 ⑦ **G. Pyrénées Aquitaine** – 865 h. alt. 300.

Voir Grottes de Bétharram** S : 5 km.

Paris 795 – Pau 26 – Laruns 35 – Lourdes 17 – Nay 8,5 – Oloron-Ste-Marie 43.

🏠 **Touristes,** ✆ 59 71 93 05, 🏔 – ☎. GB
fermé 3 janv. au 15 fév. et lundi sauf de juil. à sept. – **R** 70/220 ♂, enf. 45 – ☕ 26 – **14 ch** 100/190 – ½ P 180/230.

XX **Central** avec ch, ✆ 59 71 92 88, 🏔 – ☎ P. AE GB
fermé 15 oct. au 20 nov., mardi et merc. hors sais. – **R** 75 bc/180 ♂, enf. 35 – ☕ 28 – **18 ch** 110/190 – ½ P 170/200.

au SE : 3 km par D 937 et rte des Grottes – ✉ **64800** Nay :

🏠 **Le Vieux Logis** 🐦, ✆ 59 71 94 87, ≤, « Parc » – 🛗 TV ☎ P. AE GB
fermé 15 janv. au 1er mars, dim. soir et lundi hors sais. – **R** 90/170 – ☕ 30 – **40 ch** 170/250, 5 chalets – ½ P 220/250.

LEUCATE **11370** Aude 86 ⑩ **G. Pyrénées Roussillon** – 2 177 h. alt. 21.

Voir ≤* du sémaphore du Cap E : 2 km.

ℹ Syndicat d'Initiative ✆ 68 40 91 31 et av. J.-Jaurès (juil.-août) ✆ 68 40 04 73.

Paris 881 – ◆ Perpignan 35 – Carcassonne 86 – Narbonne 36 – Port-la-Nouvelle 17.

X **Jouve** M avec ch, sur la plage ✆ 68 40 02 77, ≤, 🏔 – TV ☎. GB. ✈ ch
4 avril-18 oct. – **R** *(fermé lundi (sauf le soir en juil.-août) et dim. soir hors sais.)* 85/170 – ☕ 30 – **7 ch** 290/380.

à Port-Leucate S : 7 km par D 627 – ✉ **11370** :

🏠 **Deux Golfs** M 🐦 sans rest, sur le port ✆ **68 40 99 42, Fax 68 40 79 79,** ≤ – 🛗 TV ☎ ♿ P. GB
10 avril-3 nov. – ☕ 40 – **30 ch** 280/390.

LEVALLOIS-PERRET **92** Hauts-de-Seine 106 ⑲ – voir à Paris, Environs.

LEVENS 06670 Alpes-Mar. 84 ⑲ 195 ⑯ G. Côte d'Azur – 2 686 h. alt. 570.

Voir ≤★.

Paris 885 – Antibes 43 – Cannes 54 – ♦Nice 25 – Puget-Théniers 47 – St-Martin-Vésubie 37.

La Vigneraie, SE : 1,5 km (rte St-Blaise) ✆ 93 79 70 46, – P. GB
fermé 18 oct. au 20 janv. – **R** 95/140 – 25 – **18 ch** 100/180 – ½ P 190.

Malausséna, ✆ 93 79 70 06, Fax 93 79 85 89 – . AE GB. ch
fermé 4 nov. au 15 déc. – **R** 65/130 – 25 – **14 ch** 220/300 – ½ P 230/290.

Les Santons, ✆ 93 79 72 47,
fermé 29 juin au 8 juil., 27 sept. au 7 oct., 4 janv. au 10 fév. et merc. – **Repas** (prévenir) 98/220.

Gar. de la Fanga quartier de la Fanga ✆ 93 79 79 56

LEVERNOIS 21 Côte-d'Or 69 ⑨ – rattaché à Beaune.

LEVIER 25270 Doubs 70 ⑥ – 1 785 h. alt. 717.

Paris 431 – ♦Besançon 43 – Champagnole 34 – Pontarlier 21 – Salins-les-Bains 23.

Guyot, ✆ 81 49 50 56, parc, – cuisinette P – 30
fermé 11 nov. au 11 déc. et dim. soir hors sais. – **R** 50/125, enf. 30 – 16 – **35 ch** 100/280.

CITROEN, MERCEDES Cassani ✆ 81 49 53 45 N

LÉVIGNAC 31530 H.-Gar. 82 ⑦ – 1 400 h. alt. 133.

Paris 693 – ♦Toulouse 27 – Auch 53 – Montauban 47.

D'Azimont, SO : 8,5 km par D 17 via Ségoufielle ✆ 61 85 61 13, Télex 532467, Fax 61 85 46 16, ≤, , « Demeure du 19e siècle dans un parc », , – TV P – 60. AE GB
fermé 2 au 23 janv. – **R** *(fermé dim. soir hors sais. et lundi)* 145/345, enf. 100 – 65 – **16 ch** 500/1000 – ½ P 455/805.

LEVROUX 36110 Indre 68 ⑧ G. Berry Limousin – 3 045 h. alt. 141.

Paris 257 – Blois 78 – Châteauroux 21 – Châtellerault 95 – Loches 55 – Vierzon 46.

Cloche, r. Nationale ✆ 54 35 70 43, Fax 54 35 67 43 – . GB. ch
fermé 1er fév. au 1er mars, lundi soir et mardi – **R** 80/270, enf. 48 – 26 – **28 ch** 156/310.

PEUGEOT-TALBOT Bottin, 15 r. Gambetta ✆ 54 35 70 28

RENAULT Tranchant 95 rte de Châteauroux ✆ 54 35 71 45

LÉZARDRIEUX 22740 C.-d'Armor 59 ② G. Bretagne – 1 707 h. alt. 32.

Voir Phare du Bodic : plate-forme ≤★ NE : 3 km.

Paris 500 – St-Brieuc 48 – Guingamp 33 – Lannion 28 – Paimpol 5 – Tréguier 10.

Pont sans rest, ✆ 96 20 10 59, Fax 96 22 17 38 – TV . AE GB
30 – **15 ch** 145/240.

LÉZIGNAN-CORBIÈRES 11200 Aude 83 ⑬ – 7 881 h. alt. 51.

Office de Tourisme pl. République ✆ 68 27 05 42.

Paris 870 – ♦Perpignan 85 – Carcassonne 34 – Narbonne 20 – Prades 129.

Tassigny et rest. Tournedos, pl. de Lattre de Tassigny ✆ 68 27 11 51 – rest TV . GB
fermé 20 sept. au 5 oct., 23 au 28 fév. et dim. soir – **R** *(fermé dim. soir et lundi)* 70 bc/180 bc, enf. 35 – 30 – **18 ch** 160/240.

CITROEN Algrain, bd L. Castel ✆ 68 27 11 57
LANCIA-AUTOBIANCHI Gar. Bernada, 42 av. Wilson ✆ 68 27 00 35 N ✆ 68 27 00 35
PEUGEOT-TALBOT Belmas, ZI de Gaujac, rte de Fabrézan ✆ 68 27 01 66 N ✆ 68 41 95 38

RENAULT Lézignan-Auto, 63 av. G.-Clemenceau ✆ 68 27 02 93 N ✆ 05 05 15 15

Condouret, 35 av. Mar.-Joffre ✆ 68 27 01 72

LEZOUX 63190 P.-de-D. 73 ⑮ G. Auvergne – 4 819 h. alt. 351.

Voir Moissat-Bas : châsse de St-Lomer★★ dans l'église S : 5 km.

Syndicat d'Initiative à la Mairie ✆ 73 73 01 00.

Paris 444 – ♦Clermont-Ferrand 27 – Ambert 58 – Issoire 43 – Riom 26 – Thiers 17 – Vichy 42.

Voyageurs avec ch, pl. H. de Ville ✆ 73 73 10 49 – . GB. ch
fermé 20 sept. au 20 oct., vacances de fév., dim. soir et lundi – **R** 90/260 – 25 – **10 ch** 170/240 – ½ P 180/210.

à Bort-l'Étang SE : 8 km par D 223 et D 309 – ✉ 63190.

Voir ★ de la terrasse du château★ à Ravel O : 5 km.

Château de Codignat, O : 1 km ✆ 73 68 43 03, Fax 73 68 93 54, ≤, , parc, « Château du 15e siècle décoré avec raffinement », , , – TV P – 40. AE GB – *15 mars-5 nov.* – **R** 260/320, enf. 170 – 65 – **14 ch** 690/1300, 4 appart. 2000 – ½ P 600/1000.

PEUGEOT-TALBOT Rozière ✆ 73 73 10 98

LIANCOURT 60140 Oise 56 ① – 6 178 h. alt. 105.

Paris 69 – Compiègne 33 – Beauvais 36 – Chantilly 18 – Creil 10 – Senlis 20.

Host. Parc, av. Ile-de-France ☎ 44 73 04 99, Fax 44 73 67 75, – TV ☎ P. AE O GB. ch
R *(fermé lundi en juil.-août et dim. soir)* 90/140 – 35 – **14 ch** 278/323.

La Bonne Table, 38 r. R. Duplessis ☎ 44 73 10 82.

LIBOURNE SP 33500 Gironde 75 ⑫ G. Pyrénées Aquitaine – 21 012 h. alt. 15.

Office de Tourisme pl. A.-Surchamp ☎ 57 51 15 04.

Paris 578 ⑤ – ♦Bordeaux 29 ④ – Agen 129 ③ – Angoulême 100 ② – Bergerac 61 ③ – Périgueux 91 ② – Royan 119 ⑤.

LIBOURNE

Ferry (R. J.) .... AZ 7
Gambetta (R.) .... AYZ
Jaurès (R. J.) .... ABZ
Montaigne (R. M.-de) .... BZ 21
Montesquieu (R.) .... BY 23
Prés.-Carnot (R. du) .... ABY
Surchamp (Pl. A.) .... AZ 38
Thiers (R.) .... AZ

Clemenceau (Av. G.) .... BY 4
Damade (Q. du Gén.) .... AZ 5
Decazes (Pl.) .... BY 6
Foch (Av. du Mar.) .... BY 8
J.-J.-Rousseau (R.) .... ABZ 10
Lattre-de-Tassigny (Pl. du Mar.-de) .... AZ 14
Prés.-Doumer (R. du) .... ABY 28
Prés.-Wilson (R. du) .... BY 29
Princeteau (Pl.) .... ABY 30
Salinières (Quai des) .... AY 35
Waldeck-Rousseau (R.) .... AY 45

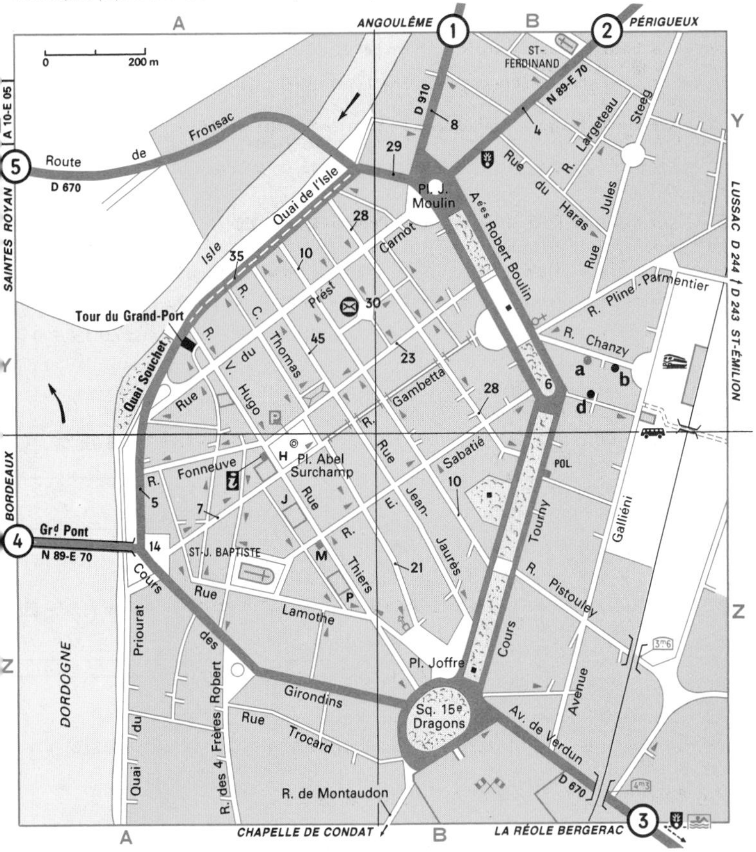

Loubat, 32 r. Chanzy ☎ 57 51 17 58, Télex 540436, – TV ☎ – 70. AE GB — BY **b**
R 80/200, enf. 40 – 30 – **25 ch** 270/340 – ½ P 250/300.

Aub. les Treilles, 11 r. Treilles ☎ 57 25 02 52, Fax 57 25 29 70, – TV ☎ P. AE O GB — BY **d**
R 82/235, enf. 50 – 25 – **20 ch** 190/260 – ½ P 188.

Chanzy avec ch, 16 r. Chanzy ☎ 57 51 05 15 – AE O GB. ch — BY **a**
fermé dim. soir et lundi – **R** 64/140, enf. 35 – 20 – **4 ch** 120/150.

à l'aérodrome d'Artigues par ② et N 89 : 12 km – ✉ **33570** Les Artigues de Lussac :

XX **Chez Servais,** ✆ 57 24 31 95, 🏡 – Ⓟ. GB
fermé dim. soir et lundi – **R** 120.

CITROEN Libourne Autom., 140 av. Ch.-de-Gaulle par ③ ✆ 57 51 62 18
PEUGEOT-TALBOT Agence Centrale Autom. Libournaise 142 av. Gén.-de-Gaulle par ③ ✆ 57 51 40 81
RENAULT Bastide, ZI Ballastière, rte d'Angoulême par ① ✆ 57 25 60 60 N ✆ 56 76 04 08

V.A.G Europe-Auto, av. Gén.-de-Gaulle ✆ 57 51 43 85

Central-Pneu, 113 av. G.-Pompidou ✆ 57 51 24 24
Da Silva Pneu, av. Libération Port-du-Noyer à Arveyres ✆ 57 51 54 56
Da Silva Pneu, 5 quai de l'Isle ✆ 57 25 28 10

LICQ-ATHÉREY **64560** Pyr.-Atl. 85 ⑮ – 237 h. alt. 275.

Paris 828 – Pau 66 – Oloron-Ste-Marie 32 – St-Jean-Pied-de-Port 58 – Sauveterre-de-Béarn 45.

Touristes, ✆ 59 28 61 01, ≤, 🏊, 🏡 – ☎ Ⓟ – 🏢 50. GB
fermé nov. – **R** 80/200 🍷, enf. 50 – ☐ 30 – **21 ch** 190/290 – ½ P 210/250.

LIEPVRE **68660** H.-Rhin 62 ⑱ – 1 558 h. alt. 273.

Paris 420 – Colmar 34 – Ribeauvillé 19 – St-Dié 29 – Sélestat 14.

Élisabeth 🐦, à **La Vancelle** NE : 2,5 km par VO ✉ 67600 Sélestat ✆ 88 57 90 61, 🏡, 🏡 – ☎ Ⓟ – 🏢 25. GB. ✂ rest
fermé 2 au 31 janv. – **R** *(fermé dim. soir et lundi)* 75/160 🍷, enf. 38 – ☐ 35 – **12 ch** 170/240 – ½ P 200/230.

XX **A la Vieille Forge,** à **Bois l'Abbesse** E : 3 km rte Sélestat ✆ 89 58 92 54 – Ⓟ. AE ⓓ GB
fermé 3 au 20 mars, 7 au 24 juil., lundi soir et mardi – **Repas** 100/260 🍷.

RENAULT Gar. André ✆ 89 58 90 29 N ✆ 89 58 90 86

TOYOTA, VOLVO Gerber ✆ 89 58 92 03

LIESSIES **59740** Nord 53 ⑥ **G. Flandres Artois Picardie** – 531 h. alt. 220.

Voir Lac du Val Joly★ E : 5 km.

Paris 215 – St-Quentin 75 – Avesnes-sur-Helpe 15 – Charleroi 45 – Hirson 24 – Maubeuge 26.

Château de la Motte 🐦, S : 1 km par VO ✆ 27 61 81 94, ≤, parc – TV ☎ Ⓟ – 🏢 50. GB
fermé 20 déc. au 31 janv. et dim. soir – **R** 97/178, enf. 60 – ☐ 30 – **12 ch** 130/320 – ½ P 184/256.

LIEUSAINT **77127** S.-et-M. 61 ① – 5 200 h. alt. 91.

Paris 36 – Brie-Comte-Robert 12 – Evry 10 – Melun 12.

Le Flamboyant M, 98 r. Paris (près N 6) ✆ (1) 60 60 05 60, Fax (1) 60 60 05 32, 🏡, 🏊, ✂ – |♦| ▤ rest TV ☎ ♿ Ⓟ – 🏢 30 à 80. AE ⓓ GB
R 85/190 🍷 – ☐ 33 – **72 ch** 280/310 – ½ P 245.

LIÉVIN **62** P.-de-C. 51 ⑮ – rattaché à Lens.

LIFFRÉ **35340** I.-et-V. 59 ⑰ – 5 659 h. alt. 105.

Paris 338 – ♦ Rennes 18 – Avranches 61 – Dinan 54 – Fougères 30 – Mont-St-Michel 57 – Vitré 28.

La Reposée 🐦, SO : 2 km N 12 ✆ 99 68 31 51, Fax 99 68 44 79, 🏡, « Parc », ✂ – TV ☎ Ⓟ – 🏢 25 à 150. AE GB
fermé 20 au 27 déc. et dim. soir – **R** 82/260 – **25 ch** ☐ 160/270 – ½ P 190/220.

à La Bouëxière SE : 7 km par D 528 et D 106 – 3 027 h. – ✉ **35340** :

XX **Fontaine aux Perles,** ✆ 99 04 41 50 – GB
fermé vacances de fév., dim. soir et lundi – **Repas** (prévenir) 80/250, enf. 65.

PEUGEOT, TALBOT Gar. Malle, ✆ 99 68 65 65 N ✆ 99 39 10 23

RENAULT Gar. Ribulé-Boulais ✆ 99 68 31 36

LIGNY-EN-BARROIS **55500** Meuse 62 ② – 5 342 h. alt. 225.

ℹ A.C. 24 r. Gén.-de-Gaulle ✆ 29 78 40 63.

Paris 239 – Bar-le-Duc 14 – Neufchâteau 56 – St-Dizier 31 – Toul 46.

Valéran M sans rest, pl. Église ✆ 29 78 01 22, Fax 29 78 39 50 – |♦| TV ☎. GB
fermé sam. du 15 nov. au 1er mars – ☐ 30 – **25 ch** 190/240.

XX **Syracuse,** 1 r. Strasbourg ✆ 29 78 40 62 – GB
fermé dim. soir – **R** 82/140 🍷.

LIGNY-EN-CAMBRÉSIS **59** Nord 54 ④ ⑭ – rattaché à Cambrai.

LIGNY-LE-CHÂTEL 89144 Yonne 65 ⑤ G. Bourgogne – 1 122 h. alt. 149.

Paris 183 – Auxerre 23 – Sens 57 – Tonnerre 24 – Troyes 64.

Relais St Vincent, ☏ 86 47 53 38, Fax 86 47 54 16, – ☎ ♿ 🅟 – 40. AE ⓓ GB
R 70/150 – ☐ 35 – **10 ch** 200/320 – ½ P 200/260.

Aub. du Bief, ☏ 86 47 43 42, – 🅟. AE ⓓ GB
fermé janv., dim. soir et lundi – **R** 98/250.

LIGUEIL 37240 I.-et-L. 68 ⑤ G. Châteaux de la Loire – 2 201 h. alt. 77.

Paris 271 – ♦Tours 45 – Le Blanc 56 – Châteauroux 79 – Châtellerault 37 – Chinon 50 – Loches 18.

Le Colombier avec ch, pl. Gén. Leclerc ☏ 47 59 60 83 – GB
fermé 1er au 15 sept., janv. et vend. – **R** 50/180, enf. 38 – **11 ch** ☐ 130/180 – ½ P 200/220.

à Cussay SO : 3,5 km par D 31 – ✉ **37240** :

Aub. du Pont Neuf avec ch, ☏ 47 59 66 37, – ☎ 🅟. AE GB
fermé fév. et lundi – **R** 55/210, enf. 40 – ☐ 30 – **7 ch** 125/220 – ½ P 155/170.

RENAULT Gar. Chapet ☏ 47 59 64 10 N

Alle im Michelin-Führer *erwähnten Orte sind*
auf den Michelin-Karten *im Maßstab 1:200 000 rot unterstrichen ;*
die aktuellsten Hinweise gibt nur die neuste Ausgabe.

LILLE P 59000 Nord 51 ⑯ G. Flandres Artois Picardie – 172 142 h. Communauté urbaine 1 081 479 h alt. 21.

Voir Le Vieux Lille★ EFY : Vieille Bourse★★ FY, Hospice Comtesse★ (voûte en carène★★) FY **B**, rue de la Monnaie ★ FY 142, demeure de Gilles de la Boé★ FY **E** – Église St-Maurice★ FY **K** – Citadelle★ BUV – Porte de Paris★ FZ **D** – ≤★ du beffroi FZ **H** – Musée des Beaux-Arts★★ FZ **M1** – Maison natale du Général De Gaulle CU **W**.

9 des Flandres (privé) ☏ 20 72 20 74 par ② : 4,5 km HS ; 18 du Sart (privé) ☏ 20 72 02 51, par ② : 7 km JS ; 18 de Brigode à Villeneuve-d'Ascq ☏ 20 91 17 86, par ③ : 9 km KT ; 18 18 de Bondues ☏ 20 23 20 62, par ① : 9,5 km HS.

✈ de Lille-Lesquin : ☏ 20 49 68 68, par ④ : 8 km JU.

☏ 20 74 50 50.

i Office de Tourisme et Accueil de France (Informations et réservations d'hôtels, pas plus de 5 jours à l'avance) Palais Rihour ☏ 20 30 81 00, Télex 110213 et à la gare SNCF ☏ 20 06 40 65 – A.C. 8 r. Quennette ☏ 20 55 29 44.

Paris 221 ④ – Bruxelles 116 ② – Gent 71 ② – Luxembourg 312 ④ – ♦Strasbourg 525 ④.

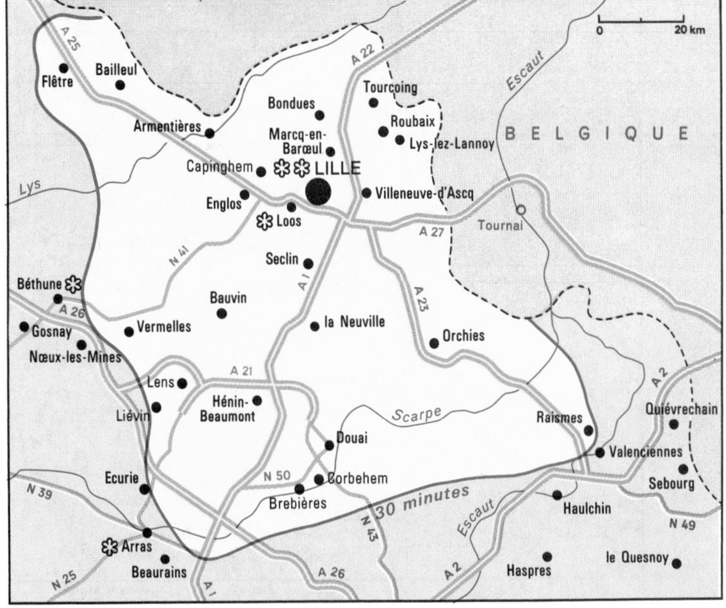

LILLE ROUBAIX TOURCOING

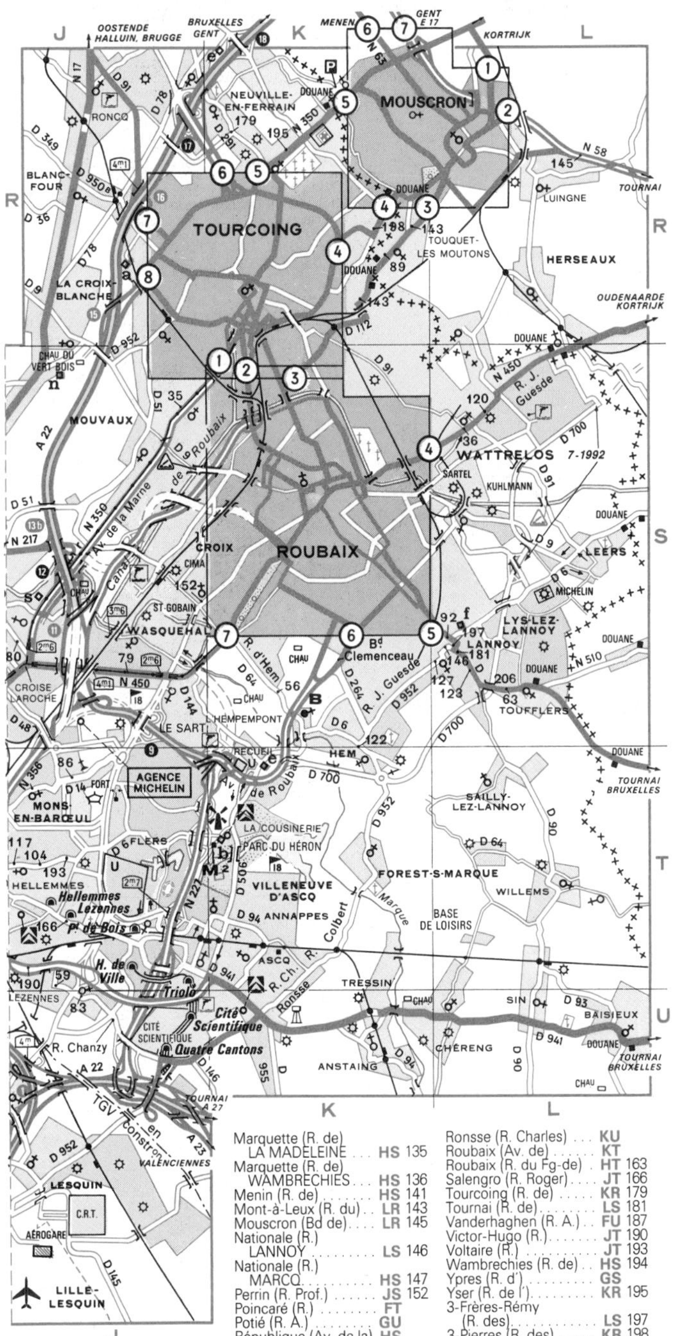
OOSTENDE
HALLUIN, BRUGGE
BRUXELLES
GENT
MENEN
GENT
E 17
KORTRIJK
NEUVILLE-EN-FERRAIN
DOUANE
MOUSCRON
RONCQ
BLANC-FOUR
TOURCOING
TOURNAI
LUINGNE
TOUQUET-LES MOUTONS
HERSEAUX
LA CROIX-BLANCHE
OUDENAARDE
KORTRIJK
CHAU DU VERT BOIS
MOUVAUX
WATTRELOS
SARTEL
KUHLMANN
CROIX
ROUBAIX
LEERS
MICHELIN
ST-GOBAIN
WASQUEHAL
LYS-LEZ-LANNOY
LANNOY
Bd Clemenceau
CROISE LAROCHE
LE SART
L'HEMPEMPONT
TOUFFLERS
RECUEIL
HEM
AGENCE MICHELIN
MONS-EN-BARŒUL
TOURNAI
BRUXELLES
SAILLY-LEZ-LANNOY
LA COUSINERIE
PARC DU HÉRON
FLERS
FOREST-S-MARQUE
HELLEMMES
Hellemmes Lezennes
VILLENEUVE D'ASCQ
WILLEMS
ANNAPPES
BASE DE LOISIRS
Pt de Bois
H. de Ville
ASCQ
TRESSIN
LEZENNES
Triolo
Cité Scientifique
SIN
BAISIEUX
Quatre Cantons
CHÉRENG
ANSTAING
TOURNAI
BRUXELLES
R. Chanzy
TGV en constron
VALENCIENNES
LESQUIN
C.R.T.
AÉROGARE
LILLE-LESQUIN

LILLE

Alsace (Bd) .... **CDX**
Arras (R. d') .... **CX**
Artois (R. d') .... **CX**
Ballon (R. du) .... **DU**
Bapaume (R. de) .... **CX** 12
Bassée (R. de la) .... **AVX**
Bateliers (R. des) .... **CU** 13
Becquart (Av.) .... **ABU**
Beethoven (Av.) .... **AX** 14
Belfort (Bd de) .... **DX**
Bernos (R.) .... **DV** 18
Béthune
(R. du Fg de) .... **AX** 19
Bigo-Danel (Bd) .... **BV** 21
Blanqui (R.) .... **DV** 22
Boilly (R.) .... **DV** 25
Bois (Av. du) .... **ABU**
Bonte (R. Auguste) .... **AU**
Buisson (R. du) .... **DU**
Cambrai (R. de) .... **CDX**
Carrel (R. Armand) .... **DX** 38
Churchill (Av. W.) .... **CU**
Colbert (R.) .... **BV**
Colpin (R. du Lt) .... **BUV** 45
Cordonnier
(R. Denis) .... **DX** 51
Coubertin (Bd P. de) .... **CDU**
Courmont (R.) .... **CX** 53
Cuvier (Av.) .... **BV** 57
Debierre (R. Ch.) .... **DV** 58
Défenseurs de Lille
(Bd) .... **CDX** 60
Delescaux (Av. H.) .... **AU**
Destrée (Av. Julien) .... **DV** 65
Dr-Calmette (Bd) .... **DV** 67
Dorez (Pl. B.) .... **BX** 68
Douai (R. de) .... **CDX**
Dubuisson
(Bd Émile) .... **DV** 69
Dunkerque (Av. de) .... **AV**
Esquermes (R. d') .... **BX**
Fébvrier (Pl. J.) .... **CX** 78
Gambetta (R. Léon) .... **BV**
Gand (R. de) .... **CU**
Gaulle (R. du Gén.-de) .... **CU** 85
Guérin (R. Camille) .... **DV** 90
Guesde (R. Jules) .... **BX**
Halle (R. de la) .... **CU** 93
Hippodrome
(Av. de l') .... **AUV**
Isly (R. d') .... **ABX**

Jacquet (R. Eugène) . . . **DV**
Javary (R.) . . . . **DV** 105
Jouhaux (Av. L.) . . . . . . **BV**
Justice (R. de la) . . . . . . **BX** 110
Lagrange (Av. Léo) . . . . . **AV** 112
Lambret (Av. Oscar) . . . **AX** 116
Lebas (Bd J.-B.) . . . . . . **CVX** 119
Leclerc (Pl. Mar.) . . . . . . **BV**
Le Corbusier (R.) . . . . **CDV** 124
Lefèvre (R. G.) . . . . **DV** 125
Legrand (R. P.) . . . . **DV**
Lille (R. de) . . . . **BU**
Long Pot (R. du) . . . . . **DVX**
Lorraine
(Bd de la) . . . . **ABV**
Louvière (R. de la) . . . . **DU**
Marronniers
(Allée des) . . . . **BU** 137
Marx-Dormoy (Av.) . . . . **AV** 138
Maubeuge (R. de) . . . . . **DX** 139
Max (Av. Adolphe) . . . . **BU** 140
Metz (Bd de) . . . . **BX**
Montebello (Bd) . . . . **BX**
Moselle (Bd de la) . . . **AVX**
Mottez (R. F.) . . . . **DV** 144
Nationale (R.) . . . . **BCV**
Perrin (Av. J.) . . . . **DX**
Pont Neuf (R. du) . . . . . . **CU** 154
Postes (R. des) . . . . . . **BCX**
Prés.-Hoover
(Bd du) . . . . **DV** 155
Prés. Kennedy
(Av. du) . . . . **CDV**
Princesse (R.) . . . . **BU** 156
République
(Av. de la) . . . . **DU**
Roland (R.) . . . . **ABV**
Roubaix (R. du Fg de) . . . **DV**
Royale (R.) . . . . **BUV**
St-Armand (R.) . . . . **DX** 165
St-Gabriel (R.) . . . . **DV**
Schuman (Bd Robert) . . . **BU**
Solférino (R.) . . . . **BCVX**
Strasbourg (Bd de) . . . . **BCX**
Toul (R. de) . . . . **BV** 178
Trévise (R. de) . . . . **CDX**
Turenne (R. de) . . . . **ABV**
Valenciennes (R. de) . . . . **DX** 185
Vauban (Bd) . . . . **BV**
Verdun (Bd de) . . . . **DX** 189
Victor-Hugo (Bd) . . . . . **BCX**
Voltaire (R.) . . . . **BCU** 192
43e-Rég.-d'Infanterie
(Av. du) . . . . **BV** 199

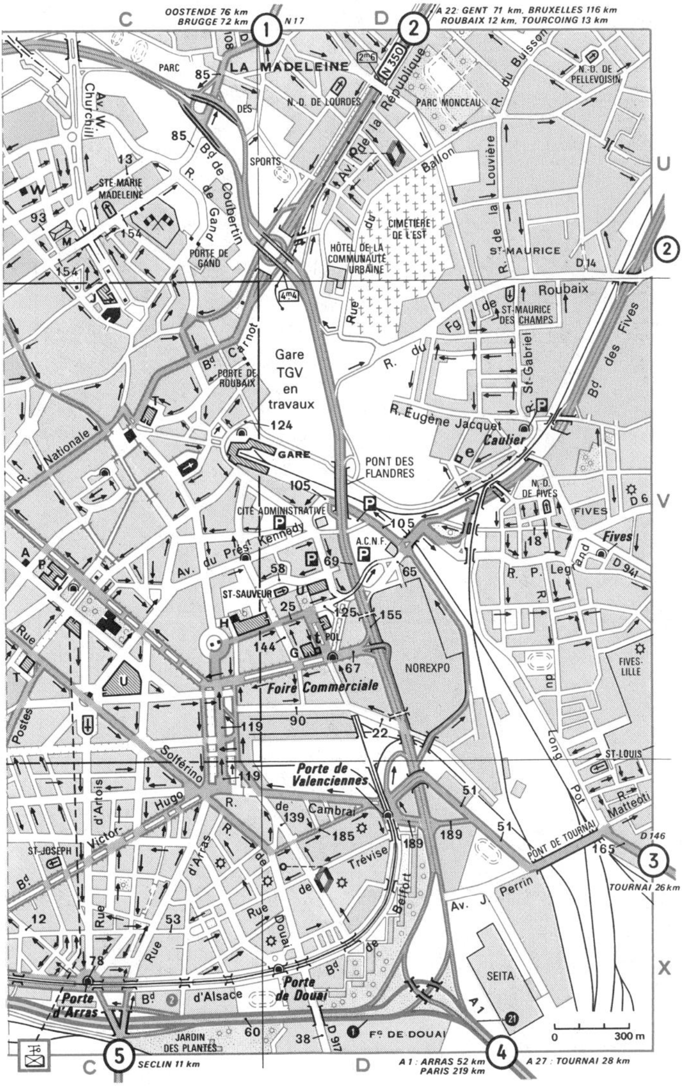

LILLE

Béthune (R. de) . . . . . FYZ
Esquermoise (R.) . . . EFY
Faidherbe (R.) . . . . FY 74
Gambetta (R. Léon) . . . EZ
Gaulle (Pl. Gén.-de)
(Grand Place) . . . . . . FY 84
Grande Chaussée
(R. de la) . . . . FY 88
Monnaie (R. de la) . . . . FY 142
Nationale (R.) . . . . . . EYZ
Neuve (R.) . . . . FY 148

Amiens (R. d') . . . . FZ 6
Anatole-France (R.) . . . FY 7
Angleterre (R. d') . . . . . EY
Arts (R. des) . . . . FY
Baignerie (R. de la) . . . EY 10
Barre (R. de la) . . . . . . EY
Basse (R.) . . . . EFY
Bettignies (R. L. de) . . FY 20
Bourse (R. de la) . . . . . FY 28
Brûle-Maison (R.) . . . EFZ
Buisses (Pl. des) . . . . . FY 33
Carnot (Bd) . . . . FY
Chats-Bossus (R. des) FY 41
Colbrant (R.) . . . . EZ
Collégiale (R. de la) . . . EY 43
Comédie (R. de la) . . . FY 47
Comtesse (R.) . . . . FY 49
Courtrai (Q. de) . . . . . . FY
Cuvier (Av.) . . . . EY
Danel (R. L.) . . . . EY
Delory (R. G.) . . . . FZ
Esplanade
(Façade de l') . . . . . . EY
Flandre (R. de) . . . . EZ
Foch (Av.) . . . . EY
Fosses (R. des) . . . . . . FY 81
Gosselet (R.) . . . . FZ
Guérin (R. Camille) . . . FZ 90
Halloterie (R. de la) . . . EY 95
Hôpital-Militaire (R.) . . EY 98
Inkermann (R.) . . . . EZ
Jacquart (Pl.) . . . . FZ 103
Jacquemars-
Giélée (R.) . . . . EYZ
Jardins (R. des) . . . . . . FY 104
Jean-Bart (R.) . . . . FZ
Jeanne-d'Arc (Pl.) . . . . FZ 107
Jean-sans-Peur (R.) . . . EZ
Lebas (Bd J.-B.) . . . . . . FZ 119
Lzeblanc (R. Nicolas) . EZ 121
Liberté (Bd de la) . . . EYZ
Lombart (R. du) . . . . . . FY 129
Louis XIV (Bd) . . . . FZ
Maillotte (R.) . . . . FZ 132
Manneliers (R. des) . . . FY 134
Marronniers (Av. des) . EY
Masséna (R.) . . . . EZ
Mendès-France (Pl.) . . EY 137
Molinel (R. du) . . . . . FYZ
Paris (R. de) . . . . FYZ
Philippe-le-Bon (Pl.) . . . EZ 153
Postes (R. des) . . . . EZ
Président-Kennedy
(Av. du) . . . . FZ
Pyramides (R. des) . . . . EZ 157
Réduit (R. du) . . . . FZ 158
République (Pl. de la) . EFZ 159
Richebé (Pl.) . . . . EFZ 160
Rihour (Pl.) . . . . FY 161
Roisin (R. Jean) . . . . . EFY 162
Roubaix (R. de) . . . . FY
Royale (R.) . . . . EY
St-Génois (R.) . . . . FY 168
St-Jacques (R.) . . . . . . FY
St-Sauveur (R.) . . . . FZ 170
St-Venant (Av. Ch.) . . . FYZ 172
Ste-Catherine (R.) . . . . . EY 173
Sec-Arembault
(R. du) . . . . FY 175
Solférino (R.) . . . . EZ
Tanneurs (R. des) . . . . FYZ 176
Tenremonde (R.) . . . . . . EY
Théâtre (Pl. du)
(Petite Place) . . . . FY 177
Thiers (R.) . . . . EY
Tournai (R. de) . . . . FY 180
Trois-Mollettes
(R. des) . . . . EY 182
Urbanistes (R. des) . . . . FY
Valmy (R. de) . . . . FZ
Vauban (Bd) . . . . EY 188

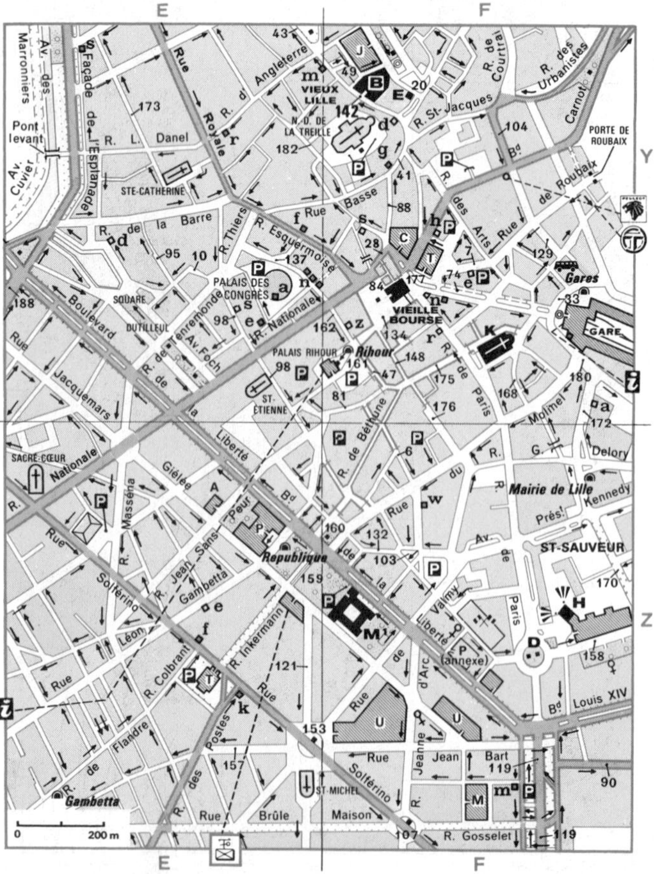

Alliance M, quai du Wault ☎ 20 30 62 62, Télex 136210, Fax 20 42 94 25, « Ancien couvent du 17e siècle » – ch – 150. AE GB JCB. rest EY d
R 170/225 – 60 – **80 ch** 580/850, 3 appart. 1500.

Novotel Lille Centre M, 116 r. Hôpital Militaire 59800 ☎ 20 30 65 26, Télex 160859, Fax 20 30 04 04 – ch – 30. AE GB JCB EY s
R carte environ 140, enf. 50 – 55 – **102 ch** 580/600.

Carlton sans rest, 3 r. Paris 59800 ☎ 20 55 24 11, Télex 110400, Fax 20 51 48 17 – – 30 à 100. AE GB JCB FY n
65 – **61 ch** 420/740.

Gd H. Bellevue sans rest, 5 r. J. Roisin 59800 ☎ 20 57 45 64, Télex 120790, Fax 20 40 07 93 – – 100. AE GB JCB FY z
50 – **80 ch** 390/760.

Mercure Royal Lille Centre sans rest, 2 bd Carnot 59800 ☎ 20 51 05 11, Télex 820575, Fax 20 74 01 65 – – 30. AE GB FY h
55 – **102 ch** 550/620.

Treille M sans rest, 7 pl. L. de Bettignies 59800 ☎ 20 55 45 46, Télex 136761, Fax 20 51 51 69 – – 50. AE GB FY d
38 – **40 ch** 300/330.

Paix sans rest, 46 bis r. Paris 59800 ☎ 20 54 63 93, Fax 20 63 98 97 – . AE GB FY r
28 – **35 ch** 280/350.

Fimotel M, 75 bis r. Gambetta ☎ 20 42 90 90, Fax 20 57 14 24 – – 30 à 180. AE GB EZ e
R 98/150, enf. 36 – **98 ch** 360/380.

Ibis M, av. Ch. St-Venant 59800 ☎ 20 55 44 44, Télex 136950, Fax 20 31 06 25, – – 25 à 80. GB FY a
R 79, enf. 39 – 32 – **151 ch** 330/350.

Cottage H. M, 1 r. C. Colomb 59800 ☎ 20 55 21 55, Fax 20 55 87 49 – – 60. AE GB DV e
R 76/98 – 30 – **61 ch** 270/300 – ½P 150.

Nord H., 46 r. Fg d'Arras ☎ 20 53 53 40, Télex 136589, Fax 20 53 20 95 – – 40. AE GB HU a
R *(fermé sam. midi et dim. soir)* 77/150, enf. 39 – 30 – **80 ch** 185/215.

Urbis M sans rest, 21 r. Lepelletier 59800 ☎ 20 06 21 95, Télex 136846, Fax 20 74 91 30 – . GB FY s
32 – **60 ch** 320/350.

XXXX ✿✿ **Le Flambard** (Bardot), 79 r. Angleterre 59800 ☎ 20 51 00 06, Fax 20 55 09 17, « Maisons 17e siècle du Vieux Lille » – AE GB EY r
fermé dim. soir – **R** 250/550 et carte
Spéc. Salade du pêcheur tiède à l'échalote, Meunière de sole Parmentier, Ris de veau rôti à la crème de truffe (20 déc. à mars).

XXXX ✿✿ **Le Restaurant** (Mme Arabian), 1 pl. Sébastopol ☎ 20 57 05 05, Fax 20 54 72 30 – . AE GB EZ k
fermé 18 au 27 avril, 9 au 24 août, vacances de Noël, sam. midi, dim. et fériés – **R** 200 (déj.)/550 et carte
Spéc. Foie gras d'oie et canard (oct. à juin), Tronçon de turbot rôti à la bière, Poêlée de coquilles Saint-Jacques aux chicons (oct. à avril).

XXX ✿ **A L'Huîtrière,** 3 r. Chats Bossus 59800 ☎ 20 55 43 41, Fax 20 55 23 10, « Original décor de céramiques dans la poissonnerie » – AE GB FY g
fermé 22 juil. au 2 sept., dim. soir et fériés le soir – **R** carte 300 à 450
Spéc. Produits de la mer, Turbot aux quatre légumes, Poêlée de homard aux pommes de terre et à l'estragon.

XXX ✿ **Le Paris,** 52 bis r. Esquermoise 59800 ☎ 20 55 29 41 – AE GB EY f
fermé 8 août au 7 sept. et dim. sauf fêtes – **R** 196/300
Spéc. Poêlée de Saint-Jacques à la Véronique (oct. à mars), Queues de langoustines au chou et beurre blanc, Gibier (saison).

XXX **La Belle Époque** (The Queen Victoria), 10 r. Pas (1er étage) 59800 ☎ 20 54 51 28, « Cadre 1900 » – . AE GB EY n
R 400 bc/600 bc.

XXX **La Laiterie,** 138 av. Hippodrome à Lambersart NO : 2 km 59130 Lambersart ☎ 20 92 79 73, , – . GB AV s
fermé dim. soir – **R** 230/350.

XXX **Le Varbet,** 2 r. Pas 59800 ☎ 20 54 81 40 – AE GB EFY t
fermé 17 au 21 avril, 14 juil. au 18 août, dim., lundi et fériés – **R** 145/300.

XXX **Le Club,** 16 r. Pas 59800 ☎ 20 57 01 10 – AE GB EY n
fermé 26 avril au 4 mai, 3 au 31 août, lundi soir et dim. – **R** 130/210.

XX **Le Bistrot Tourangeau,** 61 bd Louis XIV 59800 ☎ 20 52 74 64 – . AE GB DV t
fermé dim. – **R** (prévenir) 98/136.

XX **Le Cardinal,** 84 façade Esplanade 59800 ☎ 20 06 58 58 – GB EY s
fermé 10 au 16 août et dim. – **R** 230.

XX **La Fringale,** 141 r. Solférino ✆ 20 42 02 80 – AE ⓓ GB EZ **f**
fermé 15 juil. au 15 août, 18 au 25 fév., sam. midi et dim. – **R** (nombre de couverts limité-prévenir) 160/310, enf. 98.

XX **La Salle à Manger,** 91 r. Monnaie ✉ 59800 ✆ 20 06 44 25 – GB EFY **m**
fermé sam. midi et dim. – **R** 185/250.

XX **Charlot II,** 26 bd J.-B. Lebas ✆ 20 52 53 38, produits de la mer – AE ⓓ GB FZ **m**
fermé sam. midi et dim. – **R** carte 210 à 365.

XX **Lutterbach,** 10 r. Faidherbe ✉ 59800 ✆ 20 55 13 74 – AE ⓓ GB FY **n**
fermé 20 juil. au 11 août – **R** 80/130 ⅓, enf. 55.

XX **Le Féguide** (Buffet Gare), pl. Gare ✉ 59800 ✆ 20 06 15 50, Fax 20 06 10 40 – AE ⓓ GB
fermé dim. soir et sam. – **R** 120/180 ⅓ - **Le P'tit Féguide R** 62/80 ⅓, enf. 45. FY

XX **La Petite Taverne,** 9 r. Plat ✉ 59800 ✆ 20 54 79 36 – AE GB FZ **w**
fermé août, mardi soir et lundi – **R** 89/199 ⅓.

XX **La Coquille,** 60 r. St-Étienne ✉ 59800 ✆ 20 54 29 82, maison du 17e siècle – GB EY **e**
fermé 1er au 25 août, vacances de fév., sam. midi et dim. – **R** 130/210.

X **Le Hochepot,** 6 r. Nouveau Siècle ✆ 20 54 17 59, Fax 20 42 92 43 – GB EY **a**
fermé sam. midi et dim. – **R** 120/170.

à Bondues par ① et N 17 : 9 km – 10 281 h. – ✉ **59910** :

XX **Val d'Auge,** 805 av. Gén. de Gaulle ✆ 20 46 26 87 – Ⓟ. AE GB HS **a**
fermé vacances de printemps, août, dim. soir, mardi soir et merc. – **R** 120/190.

à Marcq-en-Baroeul par ② et N 350 : 5 km – 36 601 h. – ✉ **59700**.
Voir Château du Vert Bois★.

Sofitel M, av. Marne ✆ 20 72 17 30, Télex 132785, Fax 20 89 92 34 – ▯ ⇔ ▤ ch TV ☎ ♿ Ⓟ – 🏃 200. AE ⓓ GB JCB JS **s**
L'Europe **R** 160 ⅓, enf. 70 – ☕ 65 – **124 ch** 600.

XXX **Septentrion,** parc du château Vert Bois N : 2 km ✆ 20 46 26 98, Fax 20 46 38 33, ☂, « Dans un parc, pièce d'eau » – Ⓟ. AE ⓓ GB JS **n**
fermé 4 au 26 août, vacances de fév., lundi (sauf fériés), jeudi soir et dim. soir – **R** 145/290, enf. 60.

à Villeneuve d'Ascq par ②, N 356 et autoroute de Roubaix (sortie Recueil-la Cousinerie) : 7 km – 65 320 h. – ✉ **59650**.
Voir Musée d'Art moderne★★ KT **M²**.

Relais d'Hermès M, 13 av. Créativité, Parc des Moulins ✆ 20 47 46 46, Télex 130060, Fax 20 91 36 55, ☂ – ▯ ⇔ ch TV ☎ ♿ Ⓟ – 🏃 50 à 180. AE ⓓ GB
R 80/200 – ☕ 35 – **84 ch** 300.

Campanile, av. Canteleu, La Cousinerie ✆ 20 91 83 10, Télex 133335, Fax 20 67 21 18 – TV ☎ ♿ Ⓟ. AE GB KT **b**
R 77 bc/99 bc, enf. 39 – ☕ 28 – **50 ch** 258 – ½ P 234/256.

XX **Vieille Forge,** 160 r. Lannoy au Recueil ✆ 20 05 50 75, Fax 20 91 28 24, ☂, ⌂ – Ⓟ. AE ⓓ GB JCB KT **e**
fermé dim. soir, lundi soir du 1er juin au 31 août et le soir (sauf sam.) du 1er sept. au 31 mai – **R** 110 bc/250 ⅓.

à l'Aéroport de Lille-Lesquin par ④ et A 1 : 8 km – ✉ **59810** Lesquin :

Mercure Lille Aéroport M 🐦, ✆ 20 87 46 46, Télex 132051, Fax 20 87 46 47, ⛱ – ▯ ⇔ ch ▤ TV ☎ ♿ Ⓟ – 🏃 25 à 1 000. AE ⓓ GB JCB HU **r**
Grill La Flamme R 95 bc/170 bc, enf.39 – **Snack Angus R** 72/90 ⅓, enf. 39 – ☕ 55 – **213 ch** 540/680.

Novotel Lille Aéroport M, ✆ 20 97 92 25, Télex 820519, Fax 20 97 36 12, ☂, ⛱, ⌂ – ▯ ⇔ ▤ rest TV ☎ Ⓟ – 🏃 25 à 200. AE ⓓ GB JCB HU **t**
R carte environ 170, enf. 50 – ☕ 55 – **92 ch** 490/540.

Agena sans rest, ✉ 59155 Faches-Thumesnil ✆ 20 60 13 14, Fax 20 97 31 79 – TV ☎ ♿ Ⓟ. AE GB HU **v**
☕ 42 – **40 ch** 320/350.

Climat de France 🐦, ✉ 59155 Faches-Thumesnil ✆ 20 97 00 24, Fax 20 97 00 67 – TV ☎ ♿ Ⓟ. AE GB HU **e**
R 78/110 ⅓, enf. 38 – ☕ 30 – **42 ch** 250/280.

à Loos SO : 4 km par D 941 – 20 657 h. – ✉ **59120** :

XX ✿ **L'Enfant Terrible** (Desplanques), 25 r. Mar. Foch ✆ 20 07 22 11, ☂ – GB GU **u**
fermé août, dim. soir et lundi – **R** (nombre de couverts limité, prévenir) 180/400
Spéc. Foie gras de canard mariné au vin de pêche. Pigeon à la vapeur d'ail. Millefeuille de crêpes à la chicorée.

à Englos par ⑥ et A 25 : 10 km (sortie Lomme) – ✉ **59320** :

Novotel Lille Lomme M 🐦, ✆ 20 07 09 99, Télex 132120, Fax 20 44 74 58, ☂, ⛱, ⌂ – ⇔ ch TV ☎ ♿ Ⓟ – 🏃 25 à 300. AE ⓓ GB FT **s**
R carte environ 120, enf. 52 – ☕ 52 – **124 ch** 430/480.

Mercure Lille Lomme M 🐦, ✆ 20 92 30 15, Télex 820302, Fax 20 93 75 66, ☂, ⛱ – ▤ rest TV ☎ Ⓟ – 🏃 200. AE ⓓ GB FT **k**
R 65/145, enf. 25 – ☕ 50 – **87 ch** 420/530.

à Capinghem par ⑦ et D 933 : 8 km – ✉ **59160** :

✗ **La Marmite,** 93 r. Poincaré ☎ **20 92 12 41** – GB
fermé 15 juil. au 28 août, 23 déc. au 1er janv., dim. soir et lundi – **R** carte 100 à 180.

MICHELIN, Agence régionale, 30 r. de la Couture, ZI de la Pilaterie à Wasquehal JS ☎ **20 98 40 48**

BMW Autolille, 4 r. d'Isly ☎ 20 09 01 90
CITROEN Gar. St-Christophe, 20 r. Bonté-Pollet AX ☎ 20 93 69 31
CITROEN Nord Suc. de Lille, 145 r. Wazemmes BX ☎ 20 30 87 96
MERCEDES-ALFA-ROMEO Philippe, ZI à Seclin ☎ 20 90 88 00
PEUGEOT-TALBOT S.I.A.-Nord, 50 bd Carnot FY ☎ 20 42 39 00
RENAULT Crépin, 95 r. de Douai DX ☎ 20 52 52 48
RENAULT Succursale, 1 rte de Vendeville à Faches-Thumesnil HU ☎ 20 88 59 59 N ☎ 20 60 50 50
V.A.G Castel Auto, 289 r. L. Gambetta ☎ 20 42 02 02 N ☎ 20 86 24 00
Europneus, 11 bis bd J. B.-Lebas ☎ 20 52 35 34
S.I.A. Nord, 225 r. Clemenceau à Wattignies ☎ 20 95 92 52

Ⓜ Laloyer, 62 r. Abélard ☎ 20 53 40 34
Pneus et Services D.K., 148 bis r. d'Esquermes ☎ 20 93 71 36
Pneus et Services D.K., 2 r. Croix-Bougard à Lesquin ☎ 20 87 82 72

Périphérie et environs

ALFA-ROMEO Italia Motors, 96 allée Gabriel à Marcq-en-Baroeul ☎ 20 72 26 00
BMW Autolille, 873 av. République à Marcq-en-Baroeul ☎ 20 72 90 72
CITROEN Fayen, 186 r. Fusillés à Villeneuve-d'Ascq KU ☎ 20 41 23 05
CITROEN Nord Suc. de Lomme, 449/453 av. de Dunkerque GT ☎ 20 92 33 62 N ☎ 20 78 82 29
FERRARI Auto 2000, 122 av. de la République à La Madeleine ☎ 20 51 53 89
FIAT France Auto, angle bd Ouest r. Fives à Villeneuve-d'Ascq ☎ 20 04 01 30
MERCEDES-BENZ C.I.C.A., 1033 av. République à Marcq-en-Baroeul ☎ 20 72 39 39 N ☎ 20 44 94 94
RENAULT Succursale, 140 av. République à La Madeleine DU ☎ 20 42 40 40 N ☎ 20 60 50 50
RENAULT Gar. de l'Heurtebise, à Englos FT ☎ 20 09 25 55 N ☎ 28 40 36 53
TOYOTA Autodis, 116 r. J.-Guesde à Villeneuve-d'Ascq ☎ 20 04 33 33
V.A.G Gar. du Château, 100 av. Champollion à Villeneuve-d'Ascq ☎ 20 47 30 00 N ☎ 20 75 40 03
V.A.G Valauto, 512 av. Dunkerque à Lambersart ☎ 20 93 20 00

Ⓜ François-Pneus, 331 av. Gén.-de-Gaulle à Hallennes ☎ 20 07 70 44
Prévost, 322 r. Gén.-de-Gaulle, à Mons-en-Baroeul ☎ 20 04 88 08
Reform'Pneus, 261 bis av. République à La Madeleine ☎ 20 55 52 70
Réform'Pneus, r. Croix-Bougard, Centre Routier à Lesquin ☎ 20 87 90 60
Wattelle, 111 r. Gén.-de-Gaulle à La Madeleine ☎ 20 55 67 55

LIMERZEL 56220 Morbihan 63 ④ – 1 178 h. alt. 63.

Paris 433 – ◆Nantes 86 – Ploërmel 42 – Redon 26 – Vannes 37.

✗✗ **Aub. Limerzelaise,** ☎ **97 66 20 59** – GB
fermé janv., fév., lundi soir et mardi sauf juil.-août – **R** 135/200.

LIMEUIL 24510 Dordogne 75 ⑯ G. Perigord Quercy – 335 h. alt. 52.

Voir Site★.

Paris 537 – Bergerac 42 – Brive-la-Gaillarde 79 – Périgueux 47 – Sarlat-la-Canéda 37.

✗✗ **Terrasses de Beauregard** ⛰ avec ch, **O : 1 km par D 31** ☎ **53 22 03 15**, ←, 🌳 – ☎ **P**. GB
1er mai-30 sept. et fermé mardi midi et vend. midi – **R** 90/300, enf. 60 – ☕ 40 – **8 ch** 220/280 – ½ P 290/320.

LIMOGES P 87000 H.-Vienne 72 ⑰ G. Berry Limousin – 133 464 h. alt. 294.

Voir Cathédrale St-Etienne★ CZ – Église St-Michel-des-Lions★ BZ – Cour du temple★ BZ 60 – Musée A. Dubouché★★ (porcelaines) BY – Musée Municipal★ CZ **M**.

⛳18 Municipal de St-Lazare ☎ 55 30 21 02, par ④ : 3 km ; ⛳18 de la Porcelaine ☎ 55 31 10 69, par ②, D 941 puis VC : 9 km.

✈ de Limoges-Bellegarde : ☎ 55 43 30 30, par ⑥ : 10 km.

i Office de Tourisme et Accueil de France (Informations et réservations d'hôtels, pas plus de 5 jours à l'avance) bd Fleurus ☎ 55 34 46 87, Télex 580705.
A.C. 33 bd L.-Blanc ☎ 55 34 32 06.

Paris 399 ① – Angoulême 103 ⑥ – ◆Bordeaux 219 ⑥ – ◆Clermont-Ferrand 175 ③ – ◆Dijon 407 ③ – Montluçon 135 ③ – ◆Montpellier 427 ④ – ◆Nantes 302 ⑥ – Poitiers 120 ⑦ – ◆Toulouse 301 ④.

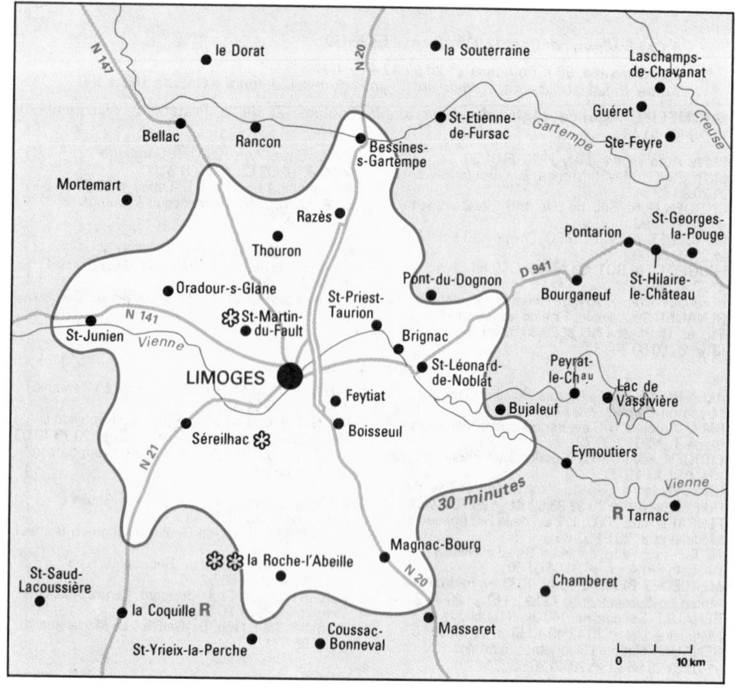

Royal Limousin M sans rest, bd Carnot ✆ 55 34 65 30, Télex 580771, Fax 55 34 55 21 – |♦| TV ☎ – 🔔 25 à 350. AE ⓓ GB — CY **u**
☕ 47 – **70 ch** 380/505.

Luk H., 29 pl. Jourdan ✆ 55 33 44 00, Télex 580704, Fax 55 34 33 57 – |♦| TV ☎ – 🔔 25. AE ⓓ GB — CY **x**
R 100/180 ♫, enf. 50 – ☕ 30 – **57 ch** 235/380 – ½ P 220/325.

Caravelle sans rest, 21 r. A. Barbès ✆ 55 77 75 29, Télex 580733, Fax 55 79 27 60 – |♦| TV ☎ 🚗. AE ⓓ GB — AX **x**
☕ 28 – **37 ch** 245/350.

Richelieu sans rest, 40 av. Baudin ✆ 55 34 22 82, Fax 55 32 48 73 – |♦| TV ☎. GB — AX **a**
☕ 38 – **31 ch** 340/420.

Jeanne-d'Arc sans rest, 17 av. Gén. de Gaulle ✆ 55 77 67 77, Télex 580011, Fax 55 77 33 41 – |♦| TV ☎ Ⓟ – 🔔 30 à 100. AE ⓓ GB — CY **s**
fermé 19 déc. au 2 janv. – ☕ 32 – **55 ch** 210/390.

Musset, 5 r. du 71e Mobiles ✆ 55 34 34 03, Fax 55 32 45 28, « Salle à manger au décor 1900 » – TV ☎ 🚗 Ⓟ. AE ⓓ GB — CZ **b**
fermé vacances de fév. – **R** *(fermé sam. soir et dim. d'oct. à avril)* 100 bc/250, enf. 60 – ☕ 28 – **28 ch** 190/320.

Orléans Lion d'Or sans rest, 9 cours Jourdan ✆ 55 77 49 71, Fax 55 77 33 41 – |♦| TV ☎. AE ⓓ GB — CY **t**
fermé 24 déc. au 4 janv. – ☕ 30 – **42 ch** 160/300.

Petit Paris, 48 bis av. Garibaldi ✆ 55 77 39 82, Fax 55 77 23 99 – TV ☎ 🚗. GB — CY **n**
fermé 20 déc. au 5 janv., vend., sam. et dim. hors sais. – **R** 70/95 ♫, enf. 42 – ☕ 24 – **24 ch** 210/246.

Paix sans rest, 25 pl. Jourdan ✆ 55 34 36 00, « Collection de phonographes » – TV ☎. GB — CY **r**
☕ 25 – **31 ch** 180/320.

L'Aiglon sans rest, 8 r. Crucifix ✉ 87100 ✆ 55 77 39 13 – ☎. AE GB — AX **y**
fermé 2 au 23 août et dim. – ☕ 22 – **17 ch** 85/190.

XXX **Philippe Redon,** 3 r. d'Aguesseau ✆ 55 34 66 22 – AE GB — BZ **t**
fermé 2 au 18 août, lundi midi et dim. – **R** 130/160, enf. 60.

XXX **Champlevé,** 1 pl. Wilson ✆ 55 34 43 34 – ▤. AE GB — CZ **v**
fermé 15 août au 10 sept., 1er au 7 janv., sam. midi et dim. – **R** 150 bc/280.

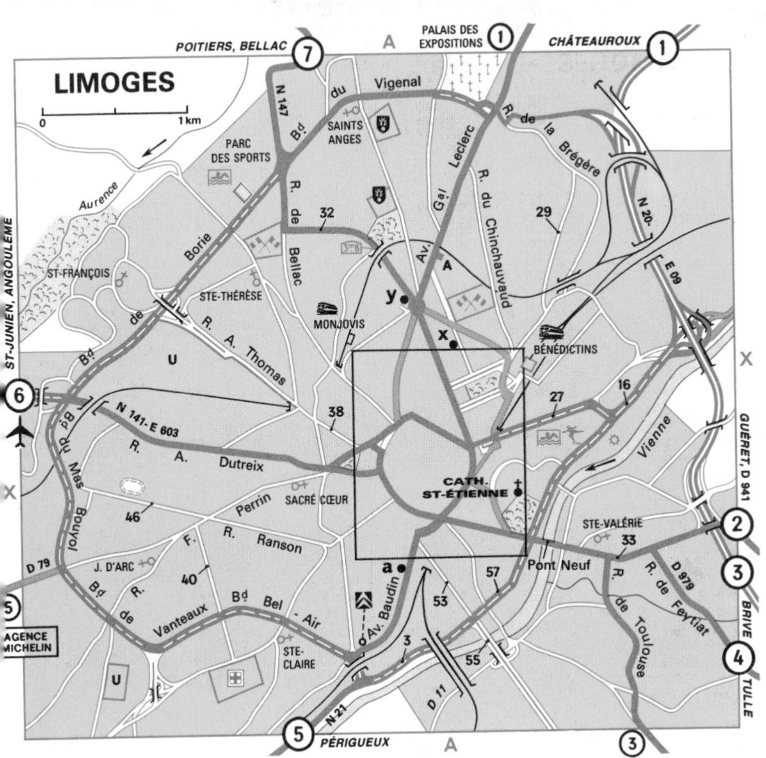

Allende (Q. Salvador) . . . . . AX 3	Labussière (Av. E.) . . . . AX 32	Puy-Las-Rodas (R. du) . . . . AX 46
Casseaux (Av. des) . . . . AX 16	Lattre-de-T. (Av. Mar. de) . . AX 33	Révolution (Av. de la) . . . . . AX 53
Gagnant (Av. J.) . . . . AX 27	Mauvendière (R. de la) . . . . AX 38	Révolution (Pont de la) . . . . AX 55
Grand-Treuil (R. du) . . . . . . AX 29	Naugeat (Av. de) . . . . AX 40	St-Martial (Quai) . . . . AX 57

XXX **Deux Atres,** 17 r. Gén. Bessol ✉ 87100 ✆ 55 79 64 54 – GB. ✻ — CY **e**
fermé 9 août au 1er sept., sam. midi et dim. – **R** 98/160.

XX **Amphitryon,** 26 r. Boucherie ✆ 55 33 36 39 – AE GB. ✻ — BZ **u**
fermé 3 au 19 août, vacances de fév., lundi midi et dim. – **R** 125/260.

XX **Petits Ventres,** 20 r. Boucherie ✆ 55 33 34 02, 綺, « Maison du 15e siècle » – AE GB — BZ **u**
fermé 12 au 27 juil., lundi midi et dim. – **R** carte 120 à 210 ♨.

XX **Versailles,** 20 pl. Aine ✆ 55 34 13 39 – GB — BZ **r**
R brasserie carte 100 à 220.

XX **Buffet Gare Bénédictins,** ✆ 55 77 54 54, Fax 55 79 97 32 – GB — CY
R 56/145 ♨.

par la sortie ① :

Z.I. Nord Quartier du Lac : 5 km – ✉ **87100** Limoges :

Novotel M ♘, ✆ 55 37 20 98, Télex 580866, Fax 55 37 06 12, 綺, ⛱, 綺, ✻ – ▮ ⇆ ch TV ☎ ♿ P – 🏛 25 à 200. AE ⓓ GB
R carte environ 150 ♨, enf. 48 – ☕ 48 – **90 ch** 405/450.

Z.I. Nord-Beaubreuil : 7 km – ✉ **87280** Beaubreuil :

Primevère M, ✆ 55 37 02 55, 綺 – TV ☎ ♿ P – 🏛 25
29 ch.

rte de Paris : 9 km sortie Beaune-les-Mines – ✉ **87280** Beaune-les-Mines :

La Résidence, ✆ 55 39 90 47, 綺, 綺 – TV ☎ P – 🏛 70. GB. ✻ ch
fermé 8 au 23 août, 6 au 27 janv., sam. (sauf hôtel) et dim. soir – **R** 85/190, enf. 35 – ☕ 25 – **20 ch** 160/210.

LIMOGES

Clocher (R. du) . . . . BZ 18
Consulat (R. du) . . . . BZ
Jaurès (R. J.) . . . . BCZ
République (Pl. de la) . . . . CY 52

Aine (Pl. de l') . . . . BZ 2
Allois (R. des) . . . . CZ 5
Amphithéâtre (R. de l') . . . . BY 6
Bénédictins (Av. des) . . . . . CY 7
Betoulle (Pl. L.) . . . . CZ 9
Boucherie (R. de la) . . . . BZ 10
Cathédrale (R. de la) . . . . . . CZ 15
Coopérateurs (R. des) . . . . . BY 19
Dupuytren (R.) . . . . BZ 20
Dussoubs (Pl. D.) . . . . BY 22
Ferrerie (R.) . . . . BZ 23
Fonderie (R. de la) . . . . BY 25
Fontaine-des-Barres (Pl.) . . BY 26
Haute-Cité (R.) . . . . CZ 30
Louvrier-de-Lajolais (R.) . . . BY 35
Maupas (R. du) . . . . CY 36
Motte (Pl. de la) . . . . BZ 39
Perrin (R. G.) . . . . CY 42
Préfecture (R. de la) . . . . BY 45
Raspail (R.) . . . . CZ 49
St-Maurice (Bd) . . . . CZ 59
Temple (Cour du) . . . . BZ 60
Temple (R. du) . . . . BZ 62
Victor-Hugo (Bd) . . . . BY 63
Vigne-de-Fer (R.) . . . . BZ 64
71e Mobile (R. du) . . . . CZ 66

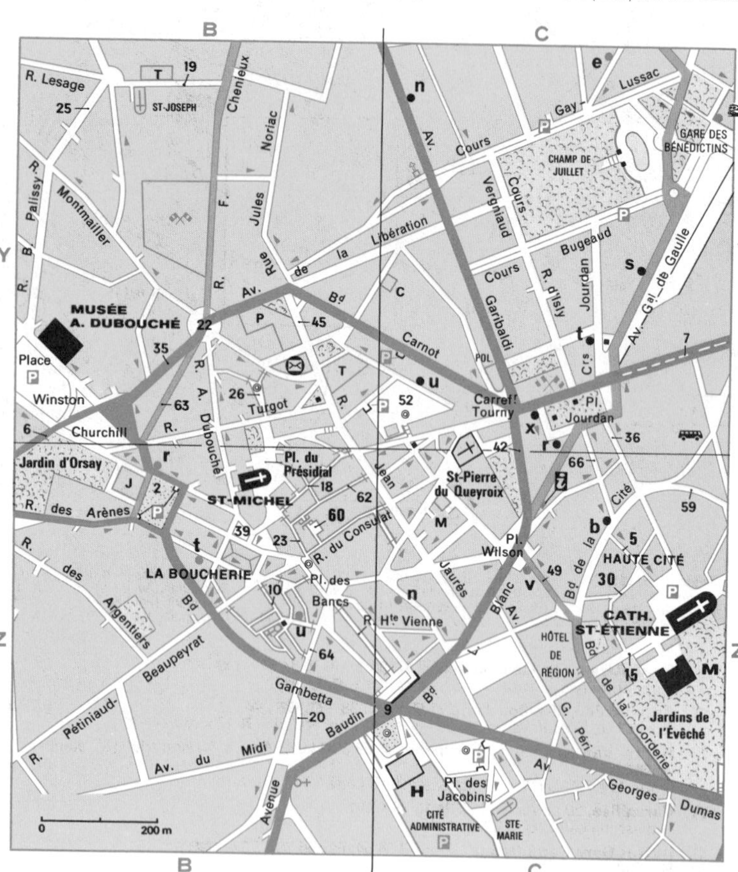

par la sortie ④

à Feytiat : 6 km – 4 430 h. – ✉ **87220** :

Mas Cerise Ⓜ ⛌, ✆ 55 00 26 28, Télex 580425 – 📺 ☎ 🅟 – 🏟 40. AE GB
R *(fermé sam. midi et dim.)* 120 bc/280 – ☕ 28 – **15 ch** 200/260 – ½ P 220.

sur rte d'Eymoutiers : 10 km – ✉ **87220** Feytiat :

XXX **Aub. du Bonheur,** ✆ 55 00 28 19, ⛱, parc, « Collection d'objets anciens » – GB
fermé 15 août au 15 sept., dim. soir et lundi sauf fériés – **R** 120/230, enf. 70.

vers la sortie ②

au golf municipal : 3 km – ✉ **87000** Limoges :

Albatros Ⓜ ⛌, plaine St-Lazare ✆ 55 06 00 00, Télex 580989, Fax 55 06 23 49, ≤, ⛱,
« A l'orée du golf » – 📺 ☎ ♿ 🅟 – 🏟 80. GB
R *(fermé 25 déc. au 1er janv. et dim. soir)* 67/147 🍷 – ☕ 33 – **34 ch** 282/304 – ½ P 232.

par la sortie ⑦ :

sur N 147 : 10,5 km – ✉ **87510** Nieul :

XX **Les Justices** avec ch, ✆ **55 75 84 54,** – **P**. GB
fermé dim. soir et lundi sauf fériés le midi – **R** carte 155 à 235 – 32 – **3 ch** 210.

à St-Martin-du-Fault par N 147 et D 35 : 12 km – ✉ **87510** Nieul :

❀ **La Chapelle St-Martin** (Dudognon) M, ✆ **55 75 80 17, Fax 55 75 89 50,** ←, , « Gentilhommière dans un parc », , – rest TV ☎ **P** – 25. AE GB. rest
fermé 1er janv. au 1er mars – **R** *(fermé lundi)* (nombre de couverts limité - prévenir) 190 (déj.) et carte 270 à 500 – 72 – **10 ch** 590/980, 3 appart. 1350 – ½ P 700/850
Spéc. Roulé de langoustines à l'aigre-doux, Crépinette de pieds de cochon sauce Périgueux, Oeuf au plat aux truffes (saison).

MICHELIN, Agence régionale, av. des Courrières à Isle par D 79 AX ✆ **55 05 18 18**

BMW Gar. Fraisseix J., 213 r. de Toulouse ✆ 55 30 42 70
CITROEN Central Gar., r. de Feytiat ✆ 55 37 23 09
CITROEN Gar. Baudin, 176 av. Baudin ✆ 55 34 15 74
FORD Gar. Fraisseix E., N 20 à Crochat ✆ 55 30 46 47
FORD Limousin Nord Automobiles, r. Serpollet ZI Nord ✆ 55 37 03 29
MERCEDES-BENZ Gar. Launay, av. L.-Armand, ZI Nord ✆ 55 38 16 17
PEUGEOT-TALBOT Gds Gar. Limousin, rte de Toulouse, ZI Magré par ④ ✆ 55 30 65 35 **N** ✆ 55 38 01 28
RENAULT Renault-Limoges, av. L.-Armand, ZI Nord par ① ✆ 55 37 58 25 **N** ✆ 05 05 15 15
RENAULT Boissou, 45 av. Pasteur à Aixe-sur-Vienne ✆ 55 70 20 59
TOYOTA Gar. Carnot, 9 av. E.-Labussière ✆ 55 77 48 06
V.A.G Gar. Auto-Sport, à Feytiat ✆ 55 31 23 85
V.A.G Gar. Auto-Sport, r. Serpollet ZI Nord ✆ 55 37 17 80
Aixe Pneu Service, 23 bis av. J.-Rebler à Aixe-sur-Vienne ✆ 55 70 17 58

Estager-Pneu, 56 av. Gén.-Leclerc ✆ 55 38 42 43 et 5 r. A.-Comte ZI Nord ✆ 55 38 10 71
Estager-Pneu, ZI du Ponteix à Feytiat ✆ 55 06 06 47
Faucher, 55-59 r. Th.-Bac ✆ 55 77 27 02
Omnium-Pneus, 61 av. Gén.-Leclerc ✆ 55 77 52 88
Pneus et Caoutchouc, 230 av. Baudin ✆ 55 34 51 21 et 33 av. Bénédictins ✆ 55 33 32 33
Talandier-Pneus, Mas Sarrazin, RN 147 à Couzeix ✆ 55 77 52 42

CONSTRUCTEUR : RENAULT Véhicules Industriels, rte du Palais ✆ **55 77 58 35**

Le località sottolineate in rosso sulle carte stradali Michelin in scala 1/200 000 figurano in questa guida. Approfittate di questa informazione, utilizzando una carta di edizione recente.

LIMONEST **69** Rhône 74 ⑪ – rattaché à Lyon.

LIMOUX **11300** Aude 86 ⑦ **G. Pyrénées Roussillon** – 9 665 h. alt. 172.
Syndicat d'Initiative promenade Tivoli ✆ 68 31 11 82.
Paris 795 – Foix 70 – Carcassonne 25 – Perpignan 99 – ♦Toulouse 96.

Gd H. Moderne et Pigeon, 1 pl. Gén. Leclerc **(a)** ✆ **68 31 00 25, Fax 68 31 12 43,** – TV ☎. AE GB
fermé 5 déc. au 15 janv. – **R** *(fermé lundi)* 115/230 – 35 – **19 ch** 250/360 – ½ P 260/420.

XX **Maison de la Blanquette,** prom. du Tivoli ✆ **68 31 01 63, Fax 68 31 62 48** – . AE GB
fermé 5 au 18 oct., 11 au 24 janv. et merc. soir – **R** 65 bc/250 bc, enf. 45.

sur rte de Castelnaudary par D 623 : 13 km – ✉ **11240** Belvèze-du-Razès :

XX **Relais Touristique de Belvèze** avec ch, carrefour D 623 - D 18 ✆ **68 69 08 78, Fax 68 69 07 65,** , – rest TV ☎ **P**. AE GB
Repas 75/250, enf. 45 – 25 – **7 ch** 190/200 – ½ P 220/250.

ALFA-ROMEO, SEAT Bardavio, 22 av. A.-Chenier ✆ 68 31 02 43
CITROEN Nivet, rte de Perpignan ✆ 68 31 06 00
FORD Huillet, 25 av. Fabre-d'Églantine ✆ 68 31 01 48
PEUGEOT-TALBOT Gar. de Flassian, rte de Carcassonne ✆ 68 31 21 92
RENAULT SODAC, rte de Carcassonne ✆ 68 31 08 87 **N**

Belotti Pneus, av. de Catalogne ✆ 68 31 13 84

LINAS **91** Essonne 60 ⑩, 101 ㉞ – voir à Paris, Environs.

LINGOLSHEIM **67** B.-Rhin 62 ⑩ – rattaché à Strasbourg.

LINTHAL **68610** H.-Rhin 62 ⑱ – 512 h. alt. 425.
Voir Église★ de Lautenbach SE : 3 km, **G. Alsace Lorraine.**
Paris 460 – Colmar 30 – Gérardmer 47 – Guebwiller 10,5 – ♦Mulhouse 32.

A la Truite de la Lauch, ✆ **89 76 32 30,** – ☎ **P**. GB. rest
fermé 15 nov. au 25 déc. et merc. hors sais. – **R** 70/300 – 25 – **15 ch** 110/250 – ½ P 200/230.

LIOCOURT 57590 Moselle 57 ⑭ – 107 h. alt. 290.
Paris 360 – ♦ Metz 27 – Château-Salins 16 – Pont-à-Mousson 30 – St-Avold 42.

XX **Au Savoy,** ☏ 87 01 36 72 – AE GB
fermé fév., et lundi sauf fériés – **R** 88/225 ₰, enf. 45.

LION-SUR-MER 14780 Calvados 55 ② **G. Normandie Cotentin** – 2 086 h. alt. 2.
ℹ Syndicat d'Initiative bd Calvados (saison) ☏ 31 96 87 95.
Paris 245 – ♦ Caen 17 – Arromanches 28 – Bayeux 33 – Cabourg 25 – Ouistreham-Riva-Bella 9.

Moderne, ☏ 31 97 20 48 – ☎. GB
fermé 15 déc. au 31 janv. – **R** *(fermé lundi)* 70/150, enf. 40 – ☕ 24 – **15 ch** 130/270 – ½ P 230/280.

Le LIORAN 15 Cantal 76 ③ **G. Auvergne** – alt. 1 153 – Sports d'hiver à Super-Lioran SO : 2 km – ✉ **15300** Laveissière.

Voir Gorges de l'Alagnon* NE : 2 km puis 30 mn – Col de Cère ≤* SO : 4 km.
Paris 537 – Aurillac 38 – Condat 46 – Murat 10,5 – St-Jacques-des-Blats 6.

X **Aub. du Tunnel** avec ch, ☏ 71 49 50 02 – ☎. GB
fermé nov. et dim. soir hors sais. – **R** 60/110 ₰, enf. 35 – ☕ 20 – **18 ch** 110/180 – ½ P 160.

à Super-Lioran SO : 2 km par D 67 – Sports d'hiver : 1 260/1 850 m 🚡1 ⛷23 – ✉ **15300** Laveissière.

Voir Plomb du Cantal ✳** par téléphérique.

ℹ Office de Tourisme ☏ 71 49 50 08.

Gd H. Anglard et du Cerf ⛰, ☏ 71 49 50 26, Fax 71 49 53 53, ≤ Monts du Cantal – 🛗 📺 ☎ 🅿 – 🏛 90. AE GB
fermé 11 au 28 mai, 10 au 30 juin et 1er oct. au 20 déc. – **R** 75/200 – ☕ 29 – **38 ch** 180/350 – ½ P 220/350.

Remberter et Saporta ⛰, ☏ 71 49 50 28, Fax 71 49 52 88, ≤, 🌳, 🏊 – 🛗 cuisinette ☎ 🅿. GB. ⛔ rest
15 juin-15 sept. et 17 déc.-14 avril – **R** 78/175, enf. 45 – ☕ 28 – **32 ch** 160/250 – ½ P 180/225.

Rocher du Cerf et Crystal Chalet ⛰, ☏ 71 49 50 14, ≤, 🌳 – ☎ 🅿. AE GB
8 juil.-10 sept. et vacances de noël-7 avril – **R** 65/160, enf. 44 – ☕ 22 – **27 ch** 130/210 – ½ P 160/198.

Le LIOUQUET 13 B.-du-R. 84 ⑭ – rattaché à La Ciotat.

The numbered circles on the town plans ①, ②, ③ are duplicated on the **Michelin maps** *at a scale of 1 : 200 000. These references, common to both guide and map, make it easier to change from one to the other.*

LISIEUX ⟨SP⟩ 14100 Calvados 55 ⑬ **G. Normandie Vallée de la Seine** – 23 703 h. alt. 49 Pèlerinage (fin septembre).

Voir Cathédrale St-Pierre* BY.

Env. Château* de St-Germain-de-Livet 7 km par ④.

ℹ Office de Tourisme 11 r. Alençon ☏ 31 62 08 41.

Paris 177 ② – ♦ Caen 51 ⑥ – Alençon 91 ④ – Argentan 56 ④ – Cherbourg 173 ⑥ – Dieppe 142 ① – Evreux 73 ② – ♦ Le Havre 80 ① – ♦ Le Mans 139 ① – ♦ Rouen 80 ②.

Plan page suivante

Gardens H. Ⓜ, par ② : 2,5 km sur N 13 ☏ 31 61 17 17, Télex 170065, Fax 31 32 33 43, 🌳, 🏊, 🎾 – 📺 ☎ ♿ 🅿 – 🏛 25 à 70. AE ⓓ GB JCB. ⛔ rest
R grill *(fermé dim. soir du 15 nov. au 1er mars)* 85/160, enf. 45 – ☕ 38 – **70 ch** 290/380 – ½ P 335.

Espérance et rest. Pays d'Auge, 16 bd Ste Anne ☏ 31 62 17 53, Télex 171845, Fax 31 62 34 00 – 🛗 📺 ☎ 🚗. AE ⓓ GB BZ **e**
mi-avril-mi-oct. – **R** 78/135, enf. 40 – ☕ 32 – **100 ch** 280/390.

Terrasse H., 25 av. Ste Thérèse ☏ 31 62 17 65 – 📺 ☎. AE GB BZ **r**
fermé 20 déc. au 20 janv., 15 fév. au 15 mars et lundi du 15 oct. au 15 avril – **R** 89/158 ₰, enf. 46 – ☕ 28 – **17 ch** 150/240 – ½ P 192/237.

Coupe d'Or, 49 r. Pont-Mortain ☏ 31 31 16 84, Télex 772163 – 📺 ☎. AE ⓓ GB BZ **v**
R *(fermé 15 déc. au 15 janv.)* 89/150 bc ₰, enf. 42 – ☕ 30 – **18 ch** 155/320 – ½ P 196/279.

Régina sans rest, 14 r. Gare ☏ 31 31 15 43, Fax 31 31 71 83 – 🛗 📺 ☎ 🅿. GB BZ **a**
1er mars-30 nov. – ☕ 35 – **45 ch** 250/300.

St-Louis sans rest, 4 r. St-Jacques ☏ 31 62 06 50 – ☎. GB BZ **s**
fermé 26 déc. au 10 janv., sam. et dim. de nov. à fév. – ☕ 30 – **17 ch** 147/303.

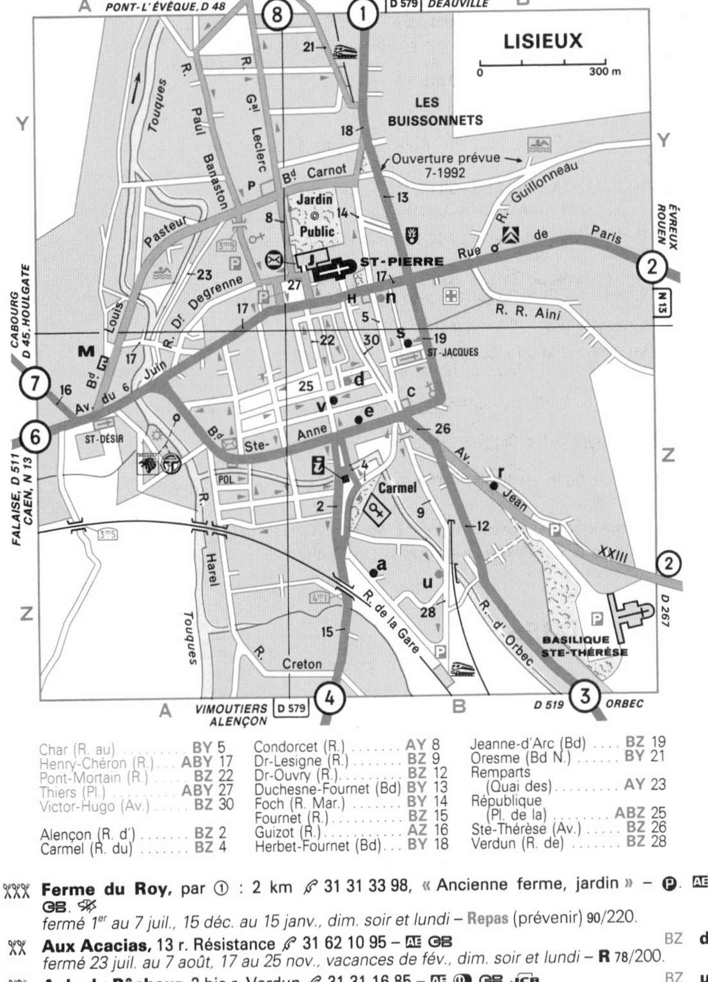

Char (R. au) BY 5
Henry-Chéron (R.) ABY 17
Pont-Mortain (R.) BZ 22
Thiers (Pl.) ABY 27
Victor-Hugo (Av.) BZ 30

Alençon (R. d') BZ 2
Carmel (R. du) BZ 4

Condorcet (R.) AY 8
Dr-Lesigne (R.) BZ 9
Dr-Ouvry (R.) BZ 12
Duchesne-Fournet (Bd) BY 13
Foch (R. Mar.) BY 14
Fournet (R.) BZ 15
Guizot (R.) AZ 16
Herbet-Fournet (Bd) BY 18

Jeanne-d'Arc (Bd) BZ 19
Oresme (Bd N.) BY 21
Remparts (Quai des) AY 23
République (Pl. de la) ABZ 25
Ste-Thérèse (Av.) BZ 26
Verdun (R. de) BZ 28

XXX **Ferme du Roy,** par ① : 2 km ✆ 31 31 33 98, « Ancienne ferme, jardin » – Ⓟ. AE GB.
fermé 1er au 7 juil., 15 déc. au 15 janv., dim. soir et lundi – **Repas** (prévenir) 90/220.

XX **Aux Acacias,** 13 r. Résistance ✆ 31 62 10 95 – AE GB — BZ **d**
fermé 23 juil. au 7 août, 17 au 25 nov., vacances de fév., dim. soir et lundi – **R** 78/200.

XX **Aub. du Pêcheur,** 2 bis r. Verdun ✆ 31 31 16 85 – AE ⓓ GB JCB — BZ **u**
fermé mardi et merc. – **R** 95/255.

X **France,** 5 r. au Char ✆ 31 62 03 37 – GB — BY **n**
fermé 22 au 28 juin et lundi – **R** 83/159.

à Manerbe par ⑦ : 7 km – ✉ 14340 :

XX **Pot d'Étain,** ✆ 31 61 00 94, [terrace], « Jardin fleuri » – Ⓟ. AE GB
fermé vacances de fév., mardi soir et merc. – **R** 95/210, enf. 55.

CITROEN SDA, 41 r. de Paris ✆ 31 62 81 00 N
FORD Gar. des Loges, 24 r. Fournet ✆ 31 62 25 17
PEUGEOT-TALBOT Gar. Jonquard, 61 bd Ste-Anne ✆ 31 31 00 71
RENAULT Gar. de la Vallée, ZA r. Paul Cornu par ⑧ ✆ 31 32 44 44 N ✆ 31 65 52 73

V.A.G Gar. Lepelletier, 118 r. Fournet ✆ 31 31 49 58

Ollitrault-Pneus, 5 bis r. Marché-aux-Bestiaux ✆ 31 62 29 10
Renov.-Pneu, 29 r. de Paris ✆ 31 62 03 04

LIVAROT **14140** Calvados 55 ⑬ **G. Normandie Vallée de la Seine** – 2 469 h. alt. 64.
Paris 195 – ◆Caen 50 – Alençon 73 – Bernay 39 – Falaise 33 – Lisieux 18 – Orbec 23.

Vivier, pl. G. Bisson ✆ 31 63 50 29, – ☎ – ℗. GB
fermé 21 sept. au 6 oct. et 23 déc. au 19 janv. – **R** *(fermé dim. soir et lundi sauf fériés)* 72/132 – ☕ 23 – **10 ch** 125/250 – ½ P 210/230.

CITROEN S.E.R.V.A.L. ✆ 31 63 50 51

LIVERDUN **54460** M.-et-M. 62 ④ **G. Alsace Lorraine** – 6 435 h. alt. 203.
Voir Site★.
18 de Nancy-Aingeray ✆ 83 24 53 87, SO : 2 km.
Paris 304 – ◆Nancy 14 – ◆Metz 51 – Pont-à-Mousson 25 – Toul 20.

XX **Golf Val Fleuri,** rte Villey-St Étienne ✆ 83 24 53 54, , – ℗. AE ⓓ GB
fermé 6 janv. au 5 fév. et merc. d'oct. à Pâques – **R** 138/205, enf. 75.

XX **Host. Gare,** pl. Gare ✆ 83 24 44 76 – AE ⓓ GB
fermé 17 août au 2 sept. et mardi sauf fériés – **R** 130/250.

à Aingeray SO : 6 km par D 90 – ✉ **54460** :

XX **La Poêle d'Or,** 1 r. Liverdun ✆ 83 23 22 31, – AE GB
fermé 27 juil. au 10 août, 17 fév. au 2 mars, dim. soir et lundi – **R** 140/300 , enf. 80.

LIVRY-GARGAN **93** Seine-St-Denis 56 ⑪, 101 ⑱ – voir à Paris, Environs.

La LLAGONNE **66** Pyr.-Or. 86 ⑯ – rattaché à Mont-Louis.

LLO **66** Pyr.-Or. 86 ⑯ – rattaché à Saillagouse.

Konsultieren Sie vor Ihrer Reise die **Michelin-Karte** *Nr.* **911**.
Sie gibt die geschätzte Fahrzeit von Stadt zu Stadt an und trägt zur Zeitersparnis bei.

LOCHES

Descartes (R.) . . . . Y 9
Grande-Rue . . . . Y 13
Picois (R.) . . . . Y
République (R. de la) . . . . Y

Auguste (Bd Ph.) . . . . . Z
Balzac (R.) . . . . YZ
Bas-Clos (Av. des) . . . . Y 2
Blé (Pl. au) . . . . Y 3
Château (R. du) . . . . YZ 5
Cordeliers (Pl. des) . . . Y 6
Delaporte (R.) . . . . Z 8
Donjon (Mail du) . . . . . Z
Droulin (Mail) . . . . Z
Foulques-Nerra (R.) . . . Z 10
Gaulle (Av. Gén.-de) . . Y 12
Lansyer (R.) . . . . Z 14
Marne (Pl. de la) . . . . . Y
Moulins (R. des) . . . . . Y 15
Pactius (R. R.) . . . . Z 16
Poterie (Mail de la) . . . Z
Ponts (R. des) . . . . Y 18
Porte-Poitevine (R.) . . . Z 19
Quintefol (R.) . . . . . . YZ
Ruisseaux (R. des) . . . Z 20
St-Ours (R.) . . . . Z 21
Tours (R. de) . . . . Y
Verdun (Pl. de) . . . . . . Y
Victor-Hugo (R.) . . . . . Y
Vigny (R. A.-de) . . . . . Y
Wermelskirchen (Pl. de) . . . . Y 29

Dans la liste des rues des plans de villes, les noms en rouge indiquent les principales voies commerçantes.

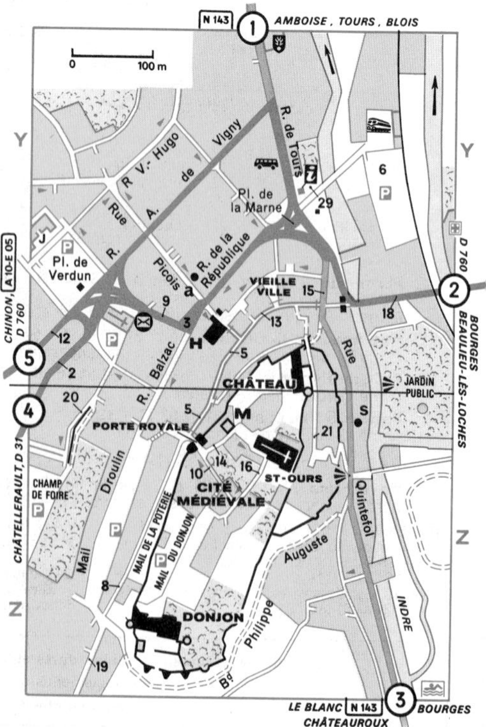

LOCHES 37600 I.-et-L. 68 ⑥ G. Châteaux de la Loire – 6 544 h. alt. 72.

Voir Cité médiévale** Z : château** B, donjon** D, église St-Ours* E, Porte Royale* F – Hôtel de ville* Z H.

Env. Portail* de la Chartreuse du Liget E : 10 km par ②.

Office de Tourisme pl. Wermelskirchen ✆ 47 59 07 98.

Paris 257 ① – ◆ Tours 43 ① – Blois 68 ① – Châteauroux 72 ③ – Châtellerault 55 ④.

Plan page précédente

Luccotel M, r. Lézards, par ⑤ : 1 km ✆ 47 91 50 50, Télex 752054, Fax 47 91 53 88, <, , , – rest TV ☎ P – 100. GB. rest
fermé 18 déc. au 18 janv. – **R** *(fermé sam. midi)* 88/200, enf. 70 – ☐ 30 – **42 ch** 230/290 – ½ P 220/260.

George Sand, 39 r. Quintefol ✆ 47 59 39 74, Fax 47 91 55 75, <, – TV ☎. GB Z s
fermé 27 nov. au 27 déc. – **R** 85/185, enf. 50 – ☐ 32 – **20 ch** 230/370 – ½ P 250/280.

France, 6 r. Picois ✆ 47 59 00 32, – TV ☎ . GB Y a
fermé 5 janv. au 14 fév., lundi midi en juil.-août, dim. soir et lundi de sept. à juin – **R** 80/240 – ☐ 28 – **19 ch** 250/320.

CITROEN Loches-Automobiles, La Cloutière à Perrusson ✆ 47 59 07 50
PEUGEOT-TALBOT Lorillou, N 143, Tivoli par ③ ✆ 47 59 00 41

RENAULT Sud Touraine Automobiles, r. Fontaine-Charbonnelle par ① ✆ 47 59 00 77
N ✆ 47 40 91 43

Touraine Pneus, 48 av. Pierruche à Perrusson ✆ 47 59 03 86

LOCMARIA-BERRIEN 29 Finistère 58 ⑥ – rattaché à Huelgoat.

LOCMARIAQUER 56740 Morbihan 63 ⑫ G. Bretagne – 1 309 h. alt. 16.

Voir Table des Marchands** et Grand menhir** puis dolmens de Mané Lud* et de Mané Rethual* – Tumulus de Mané-er-Hroech* S : 1 km – Dolmen des Pierres Plates* SO : 2 km – Pointe de Kerpenhir <* SE : 2 km – Syndicat d'Initiative r. Victoire (avril-sept.) ✆ 97 57 33 05.

Paris 486 – Vannes 31 – Auray 13 – Quiberon 32 – La Trinité 8,5.

Lautram, ✆ 97 57 31 32 – ☎. GB
début avril-fin sept. – **R** 65/200, enf. 30 – ☐ 32 – **29 ch** 160/280 – ½ P 210/280.

L'Escale, ✆ 97 57 32 51, <, – TV ☎. GB
10 avril- 26 sept. – **R** 71/154, enf. 32 – ☐ 30 – **12 ch** 221/332 – ½ P 199/272.

LOCMINÉ 56500 Morbihan 63 ③ G. Bretagne – 3 346 h. alt. 100.

Syndicat d'Initiative r. Gén.-de-Gaulle (juil.-août) ✆ 97 60 09 90.

Paris 447 – Vannes 29 – Concarneau 95 – Lorient 50 – Pontivy 25 – Quimper 112 – ◆Rennes 98.

L'Argoat, rte Vannes ✆ 97 60 01 02, Fax 97 44 20 55 – TV ☎. GB
fermé 20 déc. au 20 janv. et sam. hors sais. – **R** 55/200, enf. 40 – ☐ 25 – **22 ch** 180/250 – ½ P 180/230.

à Bignan E : 5 km par D 1 – ✉ 56500 :

Aub. La Chouannière, ✆ 97 60 00 96 – AE GB
fermé 29 juin au 4 juil., 1er au 15 oct., dim. soir et lundi – Repas 145/260, enf. 65.

Corbel, à Moréac ✆ 97 60 57 18

Rio Pneus ✆ 97 60 01 24

LOCQUIREC 29241 Finistère 58 ⑦ G. Bretagne – 1 226 h. alt. 10.

Voir Église* – Tour de la Pointe de Locquirec* 30 mn – Table d'orientation de Marc'h Sammet <* O : 3 km – Office de Tourisme pl. du Port ✆ 98 67 40 93.

Paris 536 – ◆ Brest 78,5 – Guingamp 52 – Lannion 22 – Morlaix 21.

Le St-Quirec, rte Plestin : 1,5 km ✆ 98 67 41 07 – GB
fermé 12 nov. au 20 déc., lundi soir et mardi du 15 sept. au 15 juin – **R** 100/250.

LOCRONAN 29180 Finistère 58 ⑮ G. Bretagne – 796 h. alt. 150.

Voir Place** – Église et chapelle du Pénity** – Montagne de Locronan ** E : 2 km – Kergoat : vitraux* de la chapelle NE : 3,5 km.

Env. Guengat : vitraux* de l'église S : 10 km par D 63 et D 56.

Manifestation : Grande Troménie** (du 8 au 16 juil.).

Syndicat d'Initiative ✆ 98 91 70 14.

Paris 563 – Quimper 17 – ◆Brest 39 – Briec 19 – Châteaulin 16 – Crozon 34 – Douarnenez 10.

Prieuré, ✆ 98 91 70 89, – TV ☎ P – 40. GB. ch
fermé 1er oct. au 5 nov. et lundi du 5 nov. au 1er juin – **R** 60/250 , enf. 45 – ☐ 40 – **14 ch** 250/300 – ½ P 250/280.

au NO : 3 km par C 10 – ✉ 29550 Plomodiern :

Manoir de Moëllien , ✆ 98 92 50 40, Fax 98 92 55 21, <, , – ☎ P – 60. AE GB
hôtel : fermé 2 janv. à mi-mars ; rest. fermé 2 janv. à mi-mars, 2 nov. au 15 déc. et merc. d'oct. à mars – **R** 115/275, enf. 52 – ☐ 35 – **10 ch** 310/330 – ½ P 320/340.

LODÈVE 34700 Hérault 83 ⑤ **G. Gorges du Tarn** – 7 602 h. alt. 165.

Voir Anc. cathédrale St-Fulcran★ – Musée Cardinal de Fleury★ **M.**

Office de Tourisme 12 bd de la Liberté ✆ 67 44 24 23.

Paris 713 ② – ◆Montpellier 59 ② – Alès 99 ① – Béziers 69 ② – Millau 59 ① – Pézenas 46 ②.

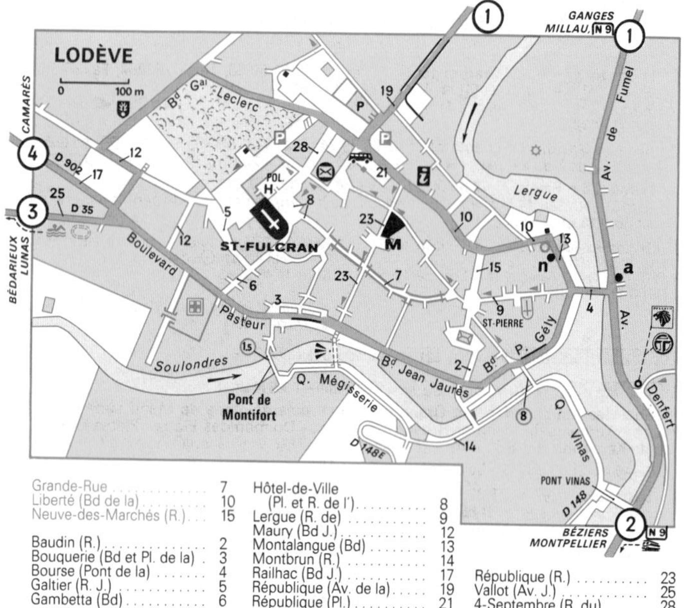

Paix, 11 bd Montalangue **(n)** ✆ 67 44 07 46 – rest. GB
fermé 12 au 30 nov., 15 fév. au 3 mars, lundi (sauf hôtel) et dim. soir d'oct. à avril sauf vacances scolaires – **R** 85/150, enf. 50 – 25 – **21 ch** 200/220 – ½ P 230.

Croix Blanche, 6 av. Fumel **(a)** ✆ 67 44 10 87 – GB – *1er avril-30 nov. et fermé vend. midi* – **R** 65/150, enf. 45 – 20 – **32 ch** 100/200 – ½ P 160/200.

à St-Jean-de-la-Blaquière par ② et D 144E : 14 km – ✉ **34700** :

Aub. du Sanglier , E : 3,5 km par rte de Rabieux et VO ✆ 67 44 70 51, ←, , « Dans la garrigue », , , – . GB. ch
15 mars-1er nov. – **R** *(fermé merc. midi et mardi sauf juil.-août)* 130/195 , enf. 60 – 40 – **10 ch** 330/440 – ½ P 330/370.

PEUGEOT-TALBOT Ryckwaert, 6 av. Denfert ✆ 67 44 02 49 **N** ✆ 67 96 07 31

LODS 25930 Doubs 70 ⑥ **G. Jura** – 284 h. alt. 380.

Paris 439 – ◆Besançon 36 – Baume-les-Dames 51 – Levier 22 – Pontarlier 23 – Vuillafans 4,5.

Truite d'Or, ✆ 81 60 95 48, Fax 81 60 95 73, ←, , – . GB
fermé 15 déc. au 1er fév., dim. soir et lundi d'oct. à mai – **R** 90/260 – 30 – **13 ch** 100/220 – ½ P 200/280.

LOGELHEIM 68 H.-Rhin 62 ⑲ – rattaché à Colmar.

Le LOGIS-NEUF 01 Ain 74 ② – ✉ **01310** Confrançon.

Paris 410 – Mâcon 20 – Bourg-en-Bresse 15 – ◆Lyon 68 – Villefranche-sur-Saône 49.

Bresse avec ch, ✆ 74 30 27 13, , – – 50. GB
R *(fermé dim. soir)* 85/250 , enf. 60 – 37 – **15 ch** 170/300 – ½ P 270/280.

LOIRE-SUR-RHÔNE 69 Rhône 74 ⑪ – rattaché à Givors.

LOMENER 56 Morbihan 58 ⑫ – rattaché à Ploemeur.

LOMPNIEU 01260 Ain 74 ④ – 97 h. alt. 670.

Paris 497 – Aix-les-Bains 43 – Belley 25 – Bourg-en-Bresse 69 – ◆Lyon 111 – Nantua 36.

Clair Soleil , ✆ 79 87 70 42, – . GB
R 65/160 – 25 – **16 ch** 90/195 – ½ P 160/190.

LONDINIÈRES **76660** S.-Mar. 52 ⑮ – 1 119 h. alt. 78.

Paris 147 – ◆Amiens 75 – Blangy-sur-Bresle 24 – Dieppe 26 – Neufchâtel-en-Bray 13 – Le Tréport 29.

X **Aub. du Pont** avec ch, ℘ 35 93 80 47 – ☎ P. GB
◆ **R** 52/185 – ⊡ 32 – **10 ch** 115/195 – ½ P 188/230.

CITROEN Hardiville ℘ 35 93 80 22 N
PEUGEOT-TALBOT Boutleux ℘ 35 93 80 48
RENAULT Courtaud ℘ 35 93 80 81 N

Parin Pneus, à Fréauville ℘ 35 93 80 27

LONGJUMEAU **91** Essonne 60 ⑩, 101 ㉟ – voir à Paris, Environs.

LONGNY-AU-PERCHE **61290** Orne 60 ⑤ **G. Normandie Vallée de la Seine** – 1 575 h. alt. 165.

Paris 136 – Alençon 60 – L'Aigle 28 – Mortagne-au-Perche 17 – Nogent-le-Rotrou 30.

XX **France** avec ch, ℘ 33 73 64 11, Fax 33 83 68 05 – TV ☎. GB
fermé dim. soir et lundi – **R** 90/245 ♨ – ⊡ 28 – **6 ch** 140/190 – ½ P 165/180.

LONGUEAU **80** Somme 52 ⑧ – rattaché à Amiens.

LONGUE-CROIX **59** Nord 51 ④ – rattaché à Hazebrouck.

LONGUES **63** P.-de-D. 73 ⑭ – rattaché à Vic-le-Comte.

LONGUYON **54260** M.-et-M. 57 ② – 6 064 h. alt. 218.

i A.C. 37 r. Hôtel de Ville ℘ 82 26 52 41.

Paris 315 – ◆Metz 81 – ◆Nancy 110 – Sedan 69 – Thionville 57 – Verdun 48.

XXX ✿ **Lorraine et rest. Le Mas** (Tisserant) avec ch, **face gare** ℘ **82 26 50 07, Fax 82 39 26 09** – TV ☎ – 🔔 80. AE ⓓ GB JCB
fermé 4 au 29 janv. et vacances de fév. – **R** *(fermé lundi sauf fériés)* 103/345 – ⊡ 30 – **12 ch** 270
Spéc. Langoustines en feuilleté à la julienne de morilles, Saint-Jacques au flan d'asperges vertes (fév. à mai), Pot-au-feu de foie gras à la purée d'ail doux. **Vins** Côtes de Toul.

XX **de la Gare** avec ch, ℘ 82 26 50 85 – P. AE ⓓ GB JCB
◆ *fermé 1er au 15 mars, 7 au 30 sept. et vend. soir* – **R** 65/200 ♨, enf. 60 – ⊡ 25 – **8 ch** 180/200 – ½ P 280/300.

PEUGEOT-TALBOT Gar. de l'Est, 75 r. Hôtel de Ville ℘ 82 26 50 67
RENAULT Longuyon Autom., 6 r. Mazelle ℘ 82 39 32 38 N ℘ 82 24 41 07

LONGWY **54400** M.-et-M. 57 ② **G. Alsace Lorraine** – 15 439 h. alt. 255.

i Syndicat d'Initiative Gare Routière (fermé matin) ℘ 82 24 27 17 – A.C. 4 r. A.-Mézières ℘ 82 24 35 82.

Paris 333 ④ – Luxembourg 31 ② – ◆Metz 65 ③ – Sedan 79 ④ – Thionville 41 ③ – Verdun 66 ④.

à Longwy-Haut :

🏨 **du Nord** sans rest, pl. Darche (a) ℘ **82 23 40 81, Fax 82 23 17 17** – TV ☎. AE GB
⊡ 29 – **19 ch** 195/240.

à Cosnes et Romain O : 2 km par D 43 – ✉ **54400** :

XX **Aub. des Trois Canards,** ℘ 82 24 35 36 – AE ⓓ GB
fermé 17 août au 7 sept., dim. soir et lundi – **R** 112/185 ♨.

CITROEN Gar. Inglebert R., 50 r. Alsace-Lorraine à Longlaville par ② ℘ 82 24 33 96 N ℘ 82 25 68 57
FORD Bellevue Autom., RN 18 les Maragolles ℘ 82 23 21 60
PEUGEOT-TALBOT Sogaja Delouche, 51 r. de Metz ℘ 82 24 29 46
RENAULT Robert, RN à Mexy par ③ ℘ 82 24 56 61 N ℘ 05 05 15 15
ROVER Gar. Pacci, 22 r. J.-B.-Blondeau à Mont-St-Martin ℘ 82 23 35 05 N
V.A.G Ferreira, 24 r. Faïencerie ℘ 82 24 31 82 N ℘ 82 23 51 91
Pneus D.M., av. de Saintignon ℘ 82 24 23 45

Leclerc-Pneu, 36 r. Chiers ℘ 82 24 40 79

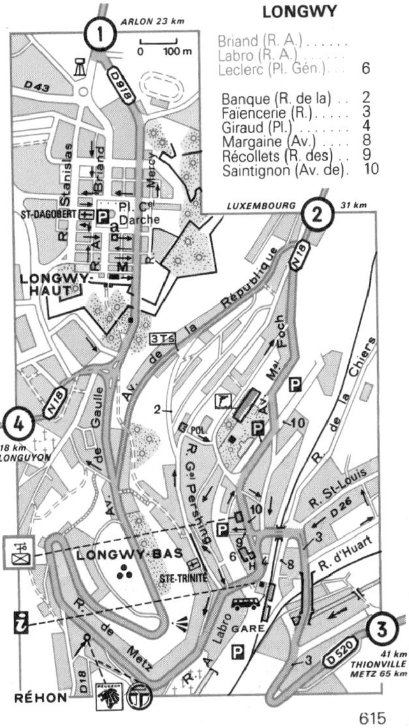

LONGWY

Briand (R. A.)
Labro (R. A.)
Leclerc (Pl. Gén.) 6

Banque (R. de la) 2
Faïencerie (R.) 3
Giraud (Pl.) 4
Margaine (Av.) 8
Récollets (R. des) 9
Saintignon (Av. de) 10

LONS-LE-SAUNIER P 39000 Jura 70 ④ ⑭ **G. Jura** – 19 144 h. alt. 255 – Stat. therm. (6 avril-oct.) – Casino.

Voir Rue du Commerce★ Y – Grille★ de l'hôpital Y.

Env. Creux de Revigny★ 7,5 km par ②.

Office de Tourisme 1 r. Pasteur ✆ 84 24 65 01 avec A.C. ✆ 84 24 20 63.

Paris 393 ⑥ – Chalon-sur-Saône 62 ⑥ – ♦Besançon 86 ① – Bourg-en-Bresse 62 ⑤ – ♦Dijon 102 ① – Dole 51 ① – ♦Genève 113 ② – ♦Lyon 127 ⑤ – Mâcon 79 ⑤ – Pontarlier 77 ②.

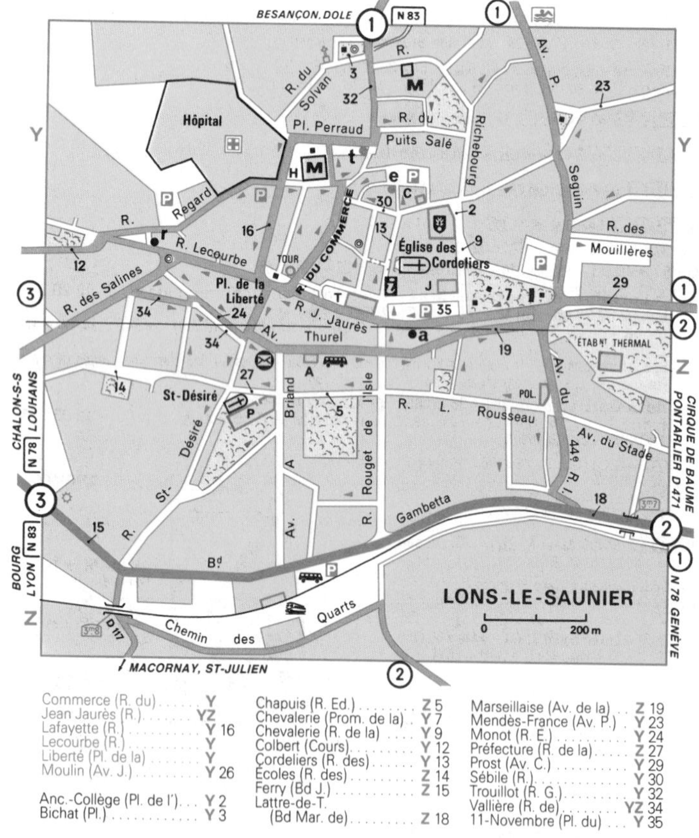

Commerce (R. du) ..... Y
Jean Jaurès (R.) ..... YZ
Lafayette (R.) ..... Y 16
Lecourbe (R.) ..... Y
Liberté (Pl. de la) ..... Y
Moulin (Av. J.) ..... Y 26

Anc.-Collège (Pl. de l') ... Y 2
Bichat (Pl.) ..... Y 3

Chapuis (R. Ed.) ..... Z 5
Chevalerie (Prom. de la) . Y 7
Chevalerie (R. de la) ..... Y 9
Colbert (Cours) ..... Y 12
Cordeliers (R. des) ..... Y 13
Écoles (R. des) ..... Z 14
Ferry (Bd J.) ..... Z 15
Lattre-de-T. (Bd Mar. de) ..... Z 18

Marseillaise (Av. de la) .. Z 19
Mendès-France (Av. P.) . Y 23
Monot (R. E.) ..... Y 24
Préfecture (R. de la) ..... Z 27
Prost (Av. C.) ..... Y 29
Sébile (R.) ..... Y 30
Trouillot (R. G.) ..... Y 32
Vallière (R. de) ..... YZ 34
11-Novembre (Pl. du) ... Y 35

Genève, 39 r. J. Moulin ✆ 84 24 19 11, Fax 84 24 81 42 – TV ☎ P. AE GB JCB. ch
R *(fermé dim. midi)* 90/115 – 32 – **40 ch** 245/420 – ½ P 270/330. YZ **a**

Nouvel H., 50 r. Lecourbe ✆ 84 47 20 67, Fax 84 43 27 49 – TV ☎ P. AE GB Y **r**
fermé 20 déc. au 15 janv. – **R** *(fermé dim. soir hors sais.)* (dîner seul.) 60/90 , enf. 35 – 30 – **26 ch** 180/250 – ½ P 240/250.

Primevère M, 1055 bd Europe par ① ✆ 84 24 78 00, Fax 84 43 07 92 – TV ☎ ♿ P – 35. GB
R 71/95 , enf. 39 – 30 – **39 ch** 230/250.

Relais d'Alsace, 74 rte Besançon par ① ✆ 84 47 24 70, – P. AE GB
fermé 1ᵉʳ au 15 avril, 1ᵉʳ au 15 sept., dim. soir et lundi – **R** 90/180 , enf. 55.

Comédie, 3 r. Agriculture ✆ 84 24 20 66 – . GB Y **e**
fermé vacances de printemps, 1ᵉʳ au 22 août, lundi soir et dim. – **Repas** 95.

Relais des Trois Bornes, 11 pl. Perraud ✆ 84 47 26 75 – . GB Y **t**
fermé merc. soir et dim. – **R** 69/157 , enf. 38.

à Chille par ① et D 157 : 3 km – ✉ **39570** :

Parenthèse, ✆ 84 47 55 44, Fax 84 24 92 13, parc – 50. AE GB
R *(fermé 23 fév. au 9 mars, dim. soir et lundi hors sais.)* 80/200, enf. 50 – 30 – **21 ch** 180/310 – ½ P 225/260.

à Moiron S : 6 km par D 117 et D 41 – ✉ **39570** :

du Golf M, au Golf du Val de Sorne ✆ 84 43 04 80, Fax 84 47 31 21, ≤, « Sur le golf » – 50. GB
fermé 10 janv. au 25 fév. – **R** 75/125, enf. 42 – 40 – **15 ch** 380/420 – ½ P 340/360.

à Courlans par ③ et N 78 : 6 km – ✉ **39570** :

XXX ❀ **Aub. de Chavannes** (Carpentier), ✆ 84 47 05 52, – . GB.
fermé 7 au 14 sept., fév., dim. soir et lundi – **R** (nombre de couverts limité - prévenir) carte 250 à 350
Spéc. Pot-au-feu d'abattis de volaille de Bresse, Pigeon en aumonière aux crêpiaux de maïs, Soufflé au chocolat amer.
Vins L'Etoile, Château-Chalon.

BMW Parizon, à Messia ✆ 84 47 05 45
CITROEN Éts Baud, bd de l'Europe ZI par r. des Mouillères Y ✆ 84 43 18 17
FORD Gar. Lecourbe, 58 bis r. Lecourbe ✆ 84 47 20 13
NISSAN Gar. Labet, à Montmorot ✆ 84 47 46 18
OPEL Gar. des Sports, r. V.-Berard, ZI ✆ 84 43 16 40
RENAULT S.O.R.E.C.A., 47 av. C.-Prost par ② ✆ 84 24 40 67 N
V.A.G Thevenod, rte de Champagnole, ZI à Perrigny ✆ 84 24 41 58

Ledo Pneus, 96 r. St-Désiré ✆ 84 47 09 75
Lehmann, à Messia-sur-Sorne ✆ 84 24 62 43
Pneu Quillot, 6 bd Duparchy ✆ 84 47 12 63
Pneu Services, 32 av. C.-Prost ✆ 84 43 16 91

LOON-PLAGE 59279 Nord 51 ③ – 6 435 h.

Paris 290 – ♦Calais 31 – Cassel 38 – Dunkerque 11,5 – ♦Lille 84 – St-Omer 33.

Climat de France M, O : 1 km par rte Gravelines ✆ 28 27 32 88, Fax 28 27 36 11 – 50. AE GB
R 82/120, enf. 36 – 28 – **55 ch** 270 – ½ P 219.

Michelin n'accroche pas de panonceau aux hôtels et restaurants qu'il signale.

LOOS 59 Nord 51 ⑯ – rattaché à Lille.

LORAY 25 Doubs 166 ⑰ – rattaché à Orchamps-Vennes.

LORGUES 83510 Var 84 ⑥ **G. Côte d'Azur** – 6 340 h. alt. 239.

Paris 855 – Fréjus 37 – Brignoles 33 – Draguignan 12 – St-Raphaël 40 – ♦Toulon 73.

X **Aub. Josse,** rte Carcès ✆ 94 73 73 55, – GB
fermé lundi sauf le soir en saison et dim. soir – **R** 62/130, enf. 41.

LORIENT SP 56100 Morbihan 63 ① **G. Bretagne** – 59 271 h. alt. 16.

Voir Base des sous-marins★ AZ – Intérieur★ de l'église N.-D.-de-Victoire BY **E.**

du Val Quéven ✆ 97 05 17 96, N : 8 km par D 765 et D 6 à dr. AY ; de Ploemeur-Océan ✆ 97 32 81 82, O par D 162 : 13 km.

de Lorient Lann-Bihoué : ✆ 97 87 21 50, par D 162 : 8 km AZ.

Office de Tourisme quai de Rohan ✆ 97 21 07 84 – A.C. 22 r. Poissonnière ✆ 97 21 03 07.

Paris 496 ③ – Vannes 58 ③ – Quimper 68 ③ – St-Brieuc 114 ③ – St-Nazaire 134 ③.

Plan page suivante

Mercure M sans rest, 31 pl. J. Ferry ✆ 97 21 35 73, Télex 950810, Fax 97 64 48 62 – 25 à 70. AE GB BZ **m**
48 – **58 ch** 380/465.

Léopol sans rest, 11 r. W. Rousseau ✆ 97 21 23 16 – . AE GB BY **r**
fermé 24 déc. au 5 janv. – 23 – **32 ch** 115/230.

Centre sans rest, 30 r. Du Couëdic ✆ 97 64 13 27, Fax 97 64 17 39 – . AE GB JCB BY **x**
30 – **34 ch** 170/310.

Astoria sans rest, 3 r. Clisson ✆ 97 21 10 23, Fax 97 21 03 55 – . AE GB BY **q**
25 – **40 ch** 170/260.

H. Victor-Hugo sans rest, 36 r. L. Carnot ✆ 97 21 16 24, Fax 97 84 95 13 – . AE GB BZ **f**
27 – **30 ch** 140/240.

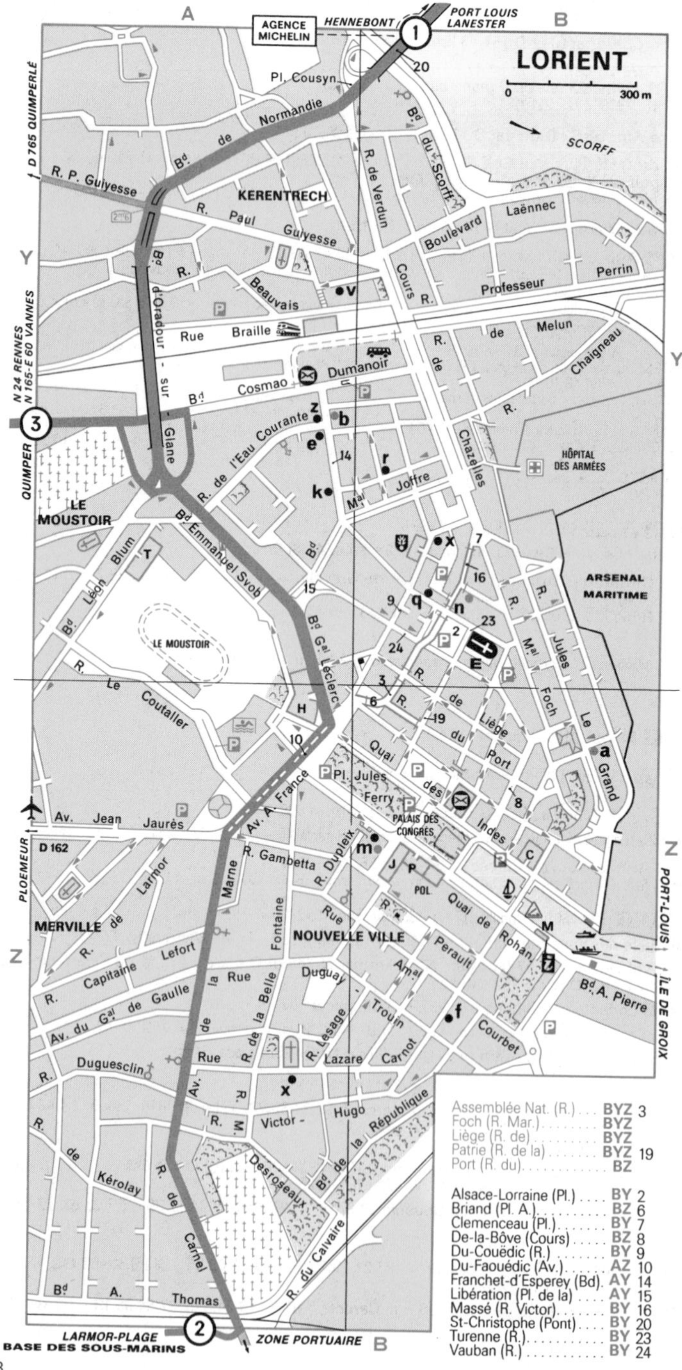
LORIENT
0
300 m
AGENCE MICHELIN
HENNEBONT
PORT LOUIS LANESTER
A
B
Y
Z
D 765 QUIMPERLÉ
N 24 RENNES
N 165-E 60 VANNES
QUIMPER
PLOEMEUR
D 162
LARMOR-PLAGE
BASE DES SOUS-MARINS
ZONE PORTUAIRE
PORT-LOUIS
ÎLE DE GROIX
SCORFF
KERENTRECH
LE MOUSTOIR
MERVILLE
NOUVELLE VILLE
HÔPITAL DES ARMÉES
ARSENAL MARITIME
PALAIS DES CONGRÈS
POL
Pl. Cousyn
Bd de Normandie
R. P. Guiyesse
R. Paul Guiyesse
R. de Verdun
Bd du Scorff
Boulevard Laënnec
R. Professeur Perrin
Cours de Chazelles
R. Beauvais
Bd d'Oradour-sur-Glane
Rue Braille
R. de Melun
R. Chaigneau
Bd Cosmao Dumanoir
R. de l'Eau Courante
Mal Joffre
Bd Léon Blum
Bd Emmanuel Svob
Bd Gal Leclerc
R. Le Coutaller
R. Mal Foch
R. Jules Le Grand
R. de Liège
R. du Port
Quai des Indes
Pl. Jules Ferry
Av. A. France
Av. Jean Jaurès
R. Gambetta
R. Dupleix
Quai de Rohan
Bd A. Pierre
R. de Larmor
R. Capitaine Lefort
R. Fontaine
Rue Duguay Trouin
R. Perault
Amal Courbet
Av. du Gal de Gaulle
Rue de la Belle Fontaine
Av. de la Marne
R. Lesage
Rue Lazare Carnot
Rue Duguesclin
R. Victor-Hugo
Bd de la République
R. M. Desroseaux
R. de Kérolay
R. de Carnel
R. du Calvaire
Bd A. Thomas
Assemblée Nat. (R.) . . . BYZ 3
Foch (R. Mar.) . . . . BYZ
Liège (R. de) . . . . BYZ
Patrie (R. de la) . . . . BYZ 19
Port (R. du) . . . . BZ
Alsace-Lorraine (Pl.) . . . . BY 2
Briand (Pl. A.) . . . . BZ 6
Clemenceau (Pl.) . . . . BY 7
De-la-Bôve (Cours) . . . . . BZ 8
Du-Couëdic (R.) . . . . BY 9
Du-Faouëdic (Av.) . . . . . . AZ 10
Franchet-d'Esperey (Bd) . AY 14
Libération (Pl. de la) . . . . AY 15
Massé (R. Victor) . . . . BY 16
St-Christophe (Pont) . . . . BY 20
Turenne (R.) . . . . BY 23
Vauban (R.) . . . . BY 24

Cléria sans rest, 27 bd Mar. Franchet d'Esperey ✆ 97 21 04 59, Télex 951128, Fax 97 64 19 10 – TV ☎ – 25. AE ⓓ GB JCB — AY k
27 – **33 ch** 205/290.

St-Michel sans rest, 9 bd Mar. Franchet d'Esperey ✆ 97 21 17 53 – TV ☎. GB — AY z
22 – **23 ch** 130/220.

Armor sans rest, 11 bd Mar. Franchet d'Esperey ✆ 97 21 73 87 – TV ☎. AE GB — AY e
23 – **21 ch** 99/220.

Christina sans rest, 10 r. Poulorio ✆ 97 21 33 92 – ☎. GB — AY v
30 – **15 ch** 115/240.

Arvor, 104 r. L. Carnot ✆ 97 21 07 55 – . — AZ x
R *(fermé 20 déc. au 4 janv. et dim. hors sais.)* 75/120 – 20 – **20 ch** 100/170 – ½ P 160/180.

Le Poisson d'Or, 1 r. Maître Esvelin ✆ 97 21 57 06 – AE ⓓ GB — BZ m
fermé vacances de nov., de fév., sam. midi et dim. hors sais. sauf fériés – **R** 95/300.

Neptune avec ch, 15 av. Perrière par ② ✆ 97 37 04 56, Fax 97 87 07 54 – TV ☎. AE GB
fermé dim. – **R** 70/280 – 30 – **23 ch** 180/255 – ½ P 210.

Michel-Ange, 7 r. Fénelon ✆ 97 21 19 11 – AE GB. — BY n
fermé dim. soir et lundi – **R** 130/280.

Rest. Victor-Hugo, 36 r. L. Carnot ✆ 97 64 26 54, Fax 97 84 95 13 – AE ⓓ GB — BZ f
fermé 17 août au 6 sept., 16 au 23 fév., sam. midi et dim. – **R** 85/300, enf. 55.

Le Pic, 2 bd Mar. Franchet d'Esperey ✆ 97 21 18 29 – GB JCB — AY b
fermé 30 août au 7 sept., 3 au 10 janv., sam. midi et dim. – **R** 85/150 , enf. 55.

Le Saint Louis, 48 r. J. Le Grand ✆ 97 21 50 45 – GB — BZ a
fermé 8 au 30 sept., 8 au 18 fév., mardi soir et merc. – **R** 59/150.

au NO : 3,5 km par D 765 – ✉ **56100** Lorient :

✿ **L'Amphitryon** (Abadie), 127 r. Col. Müller ✆ 97 83 34 04 – . AE ⓓ GB.
fermé 24 août au 9 sept., 24 déc. au 4 janv., sam. midi et dim. – **R** 140 (sauf vend. soir et sam. soir)/350, enf. 55
Spéc. Petits gris en ravioles de pomme de terre, Saisie de rouget à l'huile vierge, Etuvée de homard aux herbes fraîches (15 avril au 15 oct.).

à Lanester par ① : 5 km – 22 102 h. – ✉ **56600** :

Novotel M , Centre hôtelier Kerpont-Bellevue ✆ 97 76 02 16, Télex 950026, Fax 97 76 00 24, , , – rest TV ☎ & P – 25 à 120. AE ⓓ GB
R carte environ 150 , enf. 50 – 48 – **88 ch** 390/450.

Ibis M sans rest, centre hôtelier Kerpont-Bellevue ✆ 97 76 40 22 – TV ☎ & P. GB
32 – **41 ch** 265/295.

Kerous M sans rest, 74 av. A. Croizat ✆ 97 76 05 21 – TV ☎ P. AE ⓓ GB.
fermé Noël au Jour de l'An – 27 – **20 ch** 215/245.

Le Marmiton, 20 r. A. Croizat ✆ 97 81 10 10, – GB
fermé 1er au 15 août, vend. soir, dim. soir, lundi soir et sam. – **R** 58/170, enf. 40.

MICHELIN, Agence régionale, r. Arago ZI Kerpont, direction d'Hennebont après Lanester par ① à Caudan ✆ 97 76 03 60

BMW Auto-Port, rond-point du Plénéno ✆ 97 83 87 41 N ✆ 97 37 03 33
CITROEN S.C.A.O., ZI Kerpont à Lanester par ① ✆ 97 81 19 81 N ✆ 97 37 03 33
MERCEDES-BENZ Allanic Frères, rte de Quimperlé, ZI de Keryado ✆ 97 83 00 90 N ✆ 97 37 03 33
PEUGEOT-TALBOT Chrétien, Zone Com. de Bellevue à Caudan par ① ✆ 97 76 13 56 N ✆ 97 87 51 58
PORSCHE, MITSUBITSCHI Sport Bretagne Autom., ZI Kerpont à Lanester ✆ 97 81 19 20

RENAULT Court, ZI Kerpont à Caudan par ① ✆ 97 87 67 67 N ✆ 05 05 15 15
ROVER Gar. Auto Océane, rond-point Base S/Marine ✆ 97 87 07 07
V.A.G Atlantic Auto, ZA de Kergoussel à Caudan ✆ 97 76 07 21 N ✆ 97 37 03 33

Lorans Pneus Pneu + Armorique, 1 bd L.-Blum ✆ 97 87 72 05
Morbihannaise de Pneus, 68 av. A.-Croizat à Lanester ✆ 97 76 03 02

LORIOL-SUR-DRÔME **26270** Drôme **77** ⑪ – 5 609 h. alt. 109.

Syndicat d'Initiative pl. Église ✆ 75 61 36 12.

Paris 586 – Valence 26 – Montelimar 23 – Privas 20.

France Hôtel M, N 7, lot. Le Carthaginois ✆ **75 85 50 85, Télex 346953, Fax 75 85 56 92**, – rest – 25 à 60. AE GB. rest
R 120/145, enf. 48 – 42 – **64 ch** 285/550.

LORP-SENTARAILLE **09** Ariège **86** ③ – rattaché à St-Girons.

LORRIS **45260** Loiret **65** ① **G. Châteaux de la Loire** – 2 620 h. alt. 120.

Voir **Église N.-Dame★.**

Office de Tourisme près des Halles ✆ 38 94 81 42 et r. Gambetta ✆ 38 92 42 76.

Paris 124 – ◆ Orléans 53 – Gien 26 – Montargis 22 – Pithiviers 41 – Sully-sur-Loire 19.

Sauvage, ✆ **38 92 43 79** – GB
fermé 7 au 24 oct., 5 fév. au 1er mars, jeudi soir et vend. sauf juil.-août – **R** 60/260 – 30 – **8 ch** 220/280 – ½ P 210/240.

Guillaume de Lorris, ✆ **38 94 83 55** – GB
fermé mi-fév. à mi-mars, mardi soir et merc. – **R** 105/150.

Point du Jour, ✆ **38 92 40 21** – GB
fermé janv. et lundi sauf fêtes – **R** 92/185 , enf. 45.

LOUDÉAC **22600** C.-d'Armor **58** ⑲ **G. Bretagne** – 9 820 h. alt. 161.

Syndicat d'Initiative pl. Gén.-de-Gaulle (juin-sept.) ✆ 96 28 25 17.

Paris 438 – St-Brieuc 42 – Carhaix-Plouguer 66 – Dinan 79 – Pontivy 21 – ◆Rennes 86.

France, 1 r. Cadélac ✆ **96 28 00 15, Télex 740631, Fax 96 28 61 94** – – 30 à 100. AE GB JCB
hôtel : fermé 24 déc. au 4 janv. ; rest. : fermé 19 déc. au 4 janv. et dim. sauf le soir en juil.-août – **R** 62/220 , enf. 38 – 30 – **40 ch** 130/300 – ½ P 190/230.

Voyageurs, 10 r. Cadélac ✆ **96 28 00 47, Fax 96 28 22 30** – – 50. AE GB
fermé 20 déc. au 10 janv. – **R** *(fermé sam.)* 70/250 – 28 – **29 ch** 90/270 – ½ P 145/235.

Aub. Cheval Blanc, pl. Église ✆ **96 28 00 31** – . GB
fermé oct., vacances de fév., dim. (sauf le midi en été) et lundi – **R** 63/300, enf. 45.

à La Prénessaye E : 7 km sur N 164 – ✉ **22210** Plémet :

Motel d'Armor M , ✆ **96 25 90 87,** – . GB
fermé vacances de fév. – **Le Boléro** *(fermé dim. soir et lundi midi)* **R** 75/230, enf. 40 – 30 – **10 ch** 215/280 – ½ P 220/245.

RENAULT E.L.D.A. Michard, pl. Gén.-de-Gaulle ✆ 96 28 00 07
V.A.G Gar. Lebreton, 23 r. de Pontivy ✆ 96 28 00 59

Desserrey Pneu + Armorique, ZI de Kersuguet ✆ 96 28 05 73

Die auf den ***Michelin-Karten*** *im Maßstab 1 : 200 000 rot unterstrichenen Orte sind in diesem Führer erwähnt.*
Nur eine neue Karte gibt Ihnen die aktuellsten Hinweise.

LOUDUN **86200** Vienne **67** ⑨ **G. Poitou Vendée Charentes** – 7 854 h. alt. 88.

Voir **Tour carrée** ✲★ AY.

18 ✆ **49 98 78 06, par ① : 16,5 km.**

Office de Tourisme à l'Hôtel de Ville ✆ 49 98 15 96.

Paris 309 ② – Angers 76 ⑥ – Châtellerault 44 ③ – Parthenay 54 ④ – Poitiers 57 ④ – ◆Tours 72 ②.

Plan page suivante

Mercure M sans rest, 40 av. de Leuze ✆ **49 98 19 22** – . AE GB — BY **a**
32 – **29 ch** 290/380.

Reine Blanche, 6 pl. Bœuffeterie ✆ **49 98 51 42** – GB — BY **s**
fermé 2 au 21 janv., mardi soir et merc. – **R** 95/205, enf. 50.

Roue d'Or avec ch, 1 av. Anjou ✆ **49 98 01 23, Fax 49 22 31 05** – . AE GB — BY **e**
fermé 20 déc. au 4 janv. et dim. soir hors sais. – **R** 65/195 – 28 – **14 ch** 265/335.

CITROEN Gar. Terradillos, r. Artisans AZ ✆ 49 98 34 30
RENAULT Delacote, 2 bd G.-Chauvet ✆ 49 98 12 93 N ✆ 49 93 41 65
V.A.G Autom. Loudunaise, 9 bd G.-Chauvet ✆ 49 98 15 57

Loudun-Pneus, ZI Nord, av. de Ouagadougou ✆ 49 98 19 39
Pneurénov, 17 bd G.-Chauvet ✆ 49 98 01 22

LOUDUN

Porte-de-Chinon (R.) . . . . BY

Anjou (Av. d') . . . . BY 2
Château (R. du) . . . . AY 3
Chevreau (R. U.) . . . . BZ 4
Collège (R. du) . . . . BZ 6
Croix-Bruneau (R. de la) . AY 7
Grand-Cour . . . . BY 8
Leuze (Av. de) . . . . BY 10
Meures (R. des) . . . . BY 12
Palais (R. du) . . . . BY 13
Portail-Chaussé (R. du) . . BY 14
Poitou (Av. du) . . . . BZ 15
Porte de Chinon (Pl.) . . . BY 16
Porte Mirebeau (Pl.) . . . . BZ 18
Porte Mirebeau (R.) . . . . . BZ 19
Porte St-Nicolas (R.) . . . AY 20
Renaudot (R.) . . . . BY 22
Touraine (Av. de) . . . . BY 23
Vieille Charité (R.) . . . . . BZ 25
Vieille porte du Martray AY 26

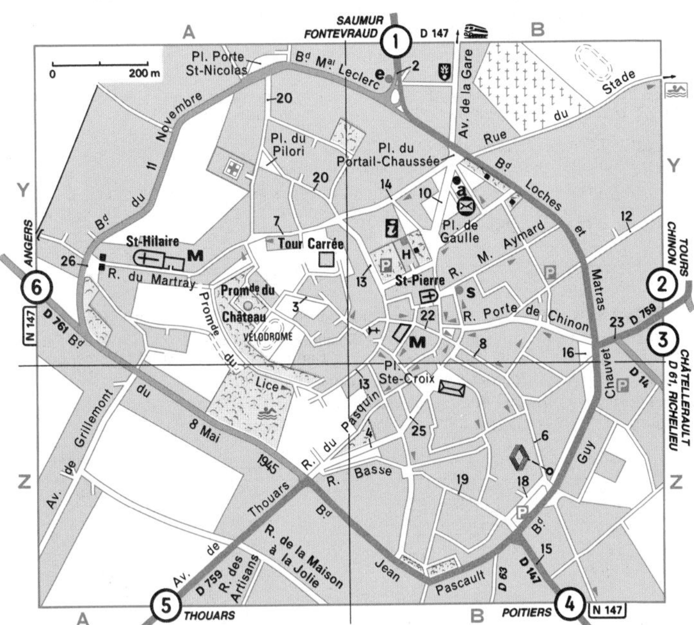

Die im ***Michelin-Führer***
verwendeten Zeichen und Symbole haben –
dünn oder ***fett*** *gedruckt, in einer Kontrastfarbe oder schwarz –*
jeweils eine andere Bedeutung.
Lesen Sie daher die Erklärungen aufmerksam durch.

LOUÉ **72540** Sarthe **60** ⑫ – 1 929 h. alt. 80.

Paris 228 – ♦ Le Mans 27 – Alençon 59 – Angers 81 – Laval 57.

✿ **Laurent**, ✆ 43 88 40 03, Télex 722013, Fax 43 88 62 08, – – 60. GB. rest
fermé 3 janv. au 8 mars, lundi (sauf le soir du 15 juin au 15 sept.) et mardi midi – **R** 290/520, enf. 150 – 80 – **18 ch** 280/800, 4 appart. 1200 – ½ P 510/970
Spéc. Suprême de turbot au cidre, Pigeon de Loué en ballotine au ris de veau, Rêve d'enfant sage. **Vins** Anjou.

LOUENS **33290** Gironde **71** ⑧.

Paris 592 – ♦ Bordeaux 17 – Lesparre-Médoc 48 – Libourne 45.

Pont Bernet M, ✆ 56 72 00 19, Fax 56 72 02 90, parc, – – 30. AE GB JCB
R 150/300, enf. 70 – 38 – **18 ch** 310/340 – ½ P 325.

LOUGRATTE **47** L.-et-G. **79** ⑤ – rattaché à Cancon.

LOUHANS **71500** S.-et-L. **70** ⑬ **G. Bourgogne** – 6 140 h. alt. 181.

Office de Tourisme Arcades St-Jean ✆ 85 75 05 02.

Paris 375 – Chalon-sur-Saône 38 – Bourg-en-Bresse 51 – ♦Dijon 87 – Dole 68 – Tournus 29.

Moulin de Bourgchâteau M, r. Guidon ✆ 85 75 37 12, parc, « Ancien moulin sur la Seille » – ch – 30. AE GB
fermé 20 déc. au 15 janv., dim. soir d'oct. à Pâques et lundi midi – **R** 100/300 – 40 – **19 ch** 210/290.

Host. Cheval Rouge, 5 r. Alsace ☎ 85 75 21 42, Fax 85 75 44 48 – ☎ ⇔. GB. ch
fermé 22 au 29 juin, 2 au 27 janv., dim. soir et lundi sauf juil.-août – **R** 80/180 ♁, enf. 50 – ☕ 28 – **13 ch** 120/250 – ½ P 185/220.

La Cotriade, r. Alsace ☎ 85 75 19 91 – ▤. ⓓ GB
fermé 1er au 7 juil., 16 au 30 nov., mardi soir et jeudi soir – Repas 62/180 ♁, enf. 50.

à Beaurepaire-en-Bresse E : 14 km par N 78 – ✉ 71580 :

Aub. Croix Blanche, ☎ 85 74 13 22, Fax 85 74 13 25, ⇔ – ☎ Ⓟ. GB
fermé 27 sept. au 4 oct., 16 nov. au 6 déc., dim. soir et lundi hors sais. – **R** 85/270 ♁ – ☕ 32 – **14 ch** 145/215 – ½ P 250/300.

CITROEN Gar. Chevrier ☎ 85 75 11 56 🅽
PEUGEOT-TALBOT Gar. Hengy ☎ 85 75 23 59
Bayle Pneus, Châteaurenaud ☎ 85 75 04 41
Collet, Châteaurenaud ☎ 85 75 12 82

La LOUPE 28240 E.-et-L. 60 ⑥ – 3 820 h. alt. 208.

Paris 129 – Chartres 38 – Dreux 42 – Mortagne-au-Perche 40 – Nogent-le-Rotrou 22.

Chêne Doré, pl. H. de Ville ☎ 37 81 06 71 – TV ☎ Ⓟ – 🏊 25. AE ⓓ GB
fermé 1er au 20 août, 20 déc. au 2 janv., lundi (sauf hôtel) et dim. – **R** 70/200 ♁, enf. 48 – ☕ 40 – **12 ch** 200/230.

CITROEN Leproust ☎ 37 81 00 69
FIAT Malbet ☎ 37 81 07 63
PEUGEOT-TALBOT Gonsard ☎ 37 81 08 05
RENAULT St-Thibault-Auto ☎ 37 81 06 23
🅽 ☎ 37 81 02 77

LOURDES 65100 H.-Pyr. 85 ⑱ G. Pyrénées Aquitaine – 16 300 h. alt. 410 Grand centre de pèlerinage.

Voir Château fort★ AY : musée pyrénéen★ – Basilique souterraine St-Pie X AYZ **B** – Pic du Jer ※★★ 1,5 km par ③ et funiculaire puis 20 mn – Le Béout ※★ 1 km par ③ et téléphérique.

✈ de Tarbes-Ossun-Lourdes : ☎ 62 32 92 22, par ① : 11 km.

🅸 Office Municipal de Tourisme avec A.C. pl. Champ-Commun ☎ 62 94 15 64.

Paris 807 ① – Pau 43 ⑤ – ◆Bayonne 148 ⑤ – St-Gaudens 83 ② – Tarbes 19 ①.

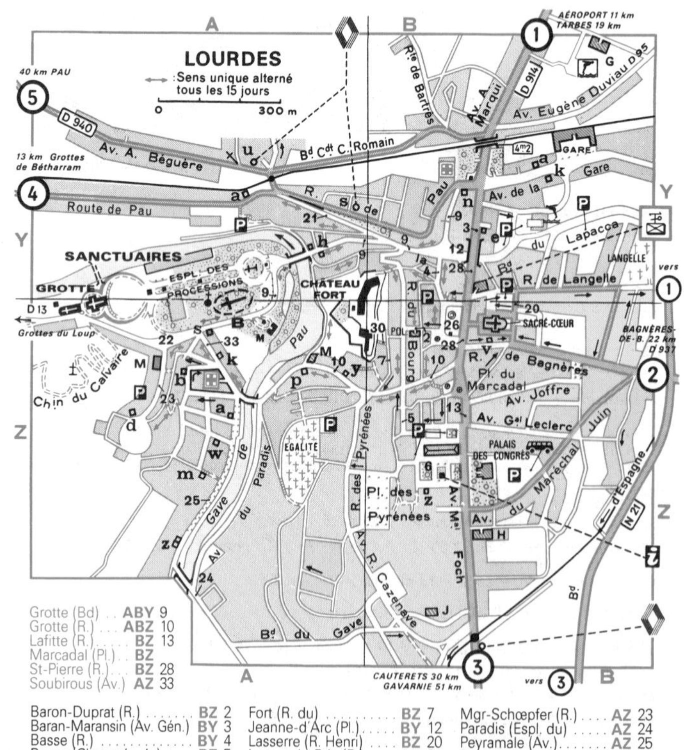

Gallia et Londres, 26 av. B. Soubirous ✆ 62 94 35 44, Télex 521424, Fax 62 94 53 66, – rest. GB AZ k
Pâques-20 oct. – **R** 120/180 – **90 ch** 800/1000 – ½ P 650/750.

Gd H. de la Grotte, 66 r. Grotte ✆ 62 94 58 87, Télex 531937, Fax 62 94 20 50, ←, – rest. GB AZ y
17 avril-25 oct. – **R** 150, enf. 60 – **81 ch** 345/580, 3 appart. – ½ P 315/405.

Jeanne d'Arc, 1 r. Alsace-Lorraine ✆ 62 94 35 42, Fax 62 94 96 52 – rest. GB. ch AZ w
Pâques-20 oct. – **R** 100 – 37 – **156 ch** 410/460 – ½ P 320/370.

Excelsior, 83 bd Grotte ✆ 62 94 02 05, Télex 520343, Fax 62 94 82 88 – GB AY h
12 avril-20 oct. – **R** 110/125 – **80 ch** 400/420 – ½ P 320.

Ambassadeurs, 66 bd Grotte ✆ 62 94 32 85, Télex 532966, ← – GB. AY h
mi-avril-début nov. – **R** 105/160 – **50 ch** 360/430 – ½ P 310/330.

Roissy M, 16 av. Mgr Schoepfer ✆ 62 94 13 04, Fax 62 94 72 76 – – 80. GB. ch AZ d
15 avril-15 oct. – **R** 73 – 28 – **157 ch** 268/329 – ½ P 260.

Christina, 42 av. Peyramale ✆ 62 94 26 11, Télex 531062, Fax 62 94 97 09, ←, – – 50. GB AZ z
15 avril-18 oct. – **R** 100/130, enf. 60 – **210 ch** 247/350 – ½ P 275.

Miramont M, 40 av. Peyramale ✆ 62 94 70 00, Télex 520841, Fax 62 94 50 17, ← – rest. GB. rest AZ z
20 mars-20 oct. – **R** 85 – 35 – **94 ch** 240/360 – ½ P 300.

Aneto M, 5 r. St Félix ✆ 62 94 23 19, Fax 62 94 50 17 – GB. rest AZ m
20 mars-20 oct. – **R** 85 – 35 – **80 ch** 240/360 – ½ P 300.

Beauséjour sans rest, 16 av. Gare ✆ 62 94 38 18, Télex 306022, Fax 62 94 96 20, ←, – GB BY k
35 – **42 ch** 210/350.

Ste-Rose, 2 r. Carrières Peyramale ✆ 62 94 30 96, Fax 62 94 14 50 – rest AZ b
Pâques-12 oct. – **R** 86 – 30 – **97 ch** 225/370.

N.-D. de France, 8 av. Peyramale ✆ 62 94 91 45, Télex 521891, Fax 62 94 57 21, ← – rest. GB AZ a
15 avril-12 oct. – **R** 76/80 – 28 – **76 ch** 240/350, 3 duplex – ½ P 270/280.

Lutétia, 19 av. Gare ✆ 62 94 22 85, Télex 521702, Fax 62 94 11 10 – GB BY a
fermé 4 janv. au 5 fév. – **R** 62/140, enf. 38 – 30 – **51 ch** 190/300 – ½ P 165/283.

H. Albret et rest. Taverne de Bigorre, 21 pl. Champ Commun ✆ 62 94 75 00, Fax 62 94 78 45 – GB BZ z
fermé 18 nov. au 20 déc. et 6 janv. au 9 fév. – **R** *(fermé lundi hors sais.)* 63/158, enf. 52 – 25 – **27 ch** 194/218 – ½ P 178/190.

Acropolis, 5 bd Grotte ✆ 62 94 23 18, Fax 62 94 96 20 – GB. rest BY n
1er avril-15 oct. – **R** 65/100 – 35 – **25 ch** 210/320 – ½ P 195/230.

Majestic, 9 av. Maransin ✆ 62 94 27 23, Télex 532974, Fax 62 94 64 91 – rest. GB. rest BY e
15 avril-15 oct. – **R** 48/77, enf. 30 – 27 – **35 ch** 160/260 – ½ P 210/240.

N.-D. de Sarrance, 7 r. Bagnères ✆ 62 94 09 83, Fax 62 94 95 50 – GB BZ v
hôtel : fermé nov. ; rest. : ouvert Pâques-1er nov. – **R** 85, enf. 50 – 25 – **42 ch** 255 – ½ P 230.

N.-D.-de Lorette, 12 rte Pau ✆ 62 94 12 16 – AY a
10 avril-15 oct. – **R** 77 – 21 – **20 ch** 110/196 – ½ P 161/192.

Arts sans rest, 89 r. Grotte ✆ 62 94 91 25 – GB. AZ p
15 avril-10 sept. – 22 – **13 ch** 180/220.

L'Ermitage, bd R. Sempé (1er étage) ✆ 62 94 08 42 – GB AZ s
1er mai-15 oct. et fermé mardi soir du 1er mai au 15 juin – **R** 98/198, enf. 65.

à Saux par ① : 3 km – ✉ **65100** Lourdes :

Le Relais de Saux avec ch, ✆ 62 94 29 61, Fax 62 42 12 64, ←, , « Cadre rustique », – GB.
R 180/220 – **7 ch** 600/800 – ½ P 500/600.

à Adé par ① : 6 km – ✉ **65100** :

Le Virginia, ✆ 62 94 66 18, Fax 62 94 61 32, – rest. GB
R 95/160, enf. 50 – 34 – **44 ch** 140/350 – ½ P 160/280.

Dupouey-Lopez, ✆ 62 94 29 62, – GB.
fermé 1er janv. au 5 fév. et lundi sauf vacances scolaires – **R** 50/185, enf. 40 – 22 – **40 ch** 130/220 – ½ P 150/240.

à Orincles NE : 12 km par D 937 et D 407 – ✉ **65380** :

Miramont sans rest, ✆ 62 45 41 02, – GB
22 – **9 ch** 200.

à Lugagnan :par ③ : 4 km – ✉ **65100** :

Trois Vallées ♨, ✆ 62 94 73 05, ≤, ✂ – ☎ **P**. GB. ✱ rest
fermé janv. – **R** 58/140 ♁, enf. 38 – ☐ 25 – **41 ch** 95/200 – ½ P 135/180.

CITROEN T.D.A., rte de Tarbes par ① ✆ 62 94 32 32 **N** ✆ 62 93 72 55
FORD Fabre, 46-48 av. A.-Marqui ✆ 62 42 11 11
PEUGEOT Boutes, 102 av. A.-Marqui par ① ✆ 62 94 75 68
RENAULT R.E.N.O.P.A.C., 25 av. F.-Lagardère AZ ✆ 62 94 70 50 **N**
RENAULT Gar. Vincent, 4 av. A.-Béguère AY **u** ✆ 62 94 07 89

RENAULT Gar. Preher, 32 r. de Pau ABY **s** ✆ 62 94 10 00
Gar. Allué, 27 av. A.-Marqui ✆ 62 94 07 23

Bigorre-Pneu Pneu +, 27 av. F.-Lagardère ✆ 62 94 06 70

LOURMARIN 84160 Vaucluse 84 ③ **G. Provence** – 1 108 h.

Voir Château★.

Syndicat d'Initiative av. Ph.-de-Girard (mai-oct.) ✆ 90 68 10 77.

Paris 735 – Digne-les-Bains 111 – Apt 18 – Aix-en-Provence 33 – Cavaillon 31 – Manosque 42 – Salon-de-Provence 33.

Le Moulin de Lourmarin M ♨, r. Temple ✆ 90 68 06 69, Télex 431704, Fax 90 68 31 76, ≤, 舎 – |♦| ⇔ ▤ TV ☎. AE GB
fermé 15 nov. au 20 déc. – **R** 220/300, enf. 100 – ☐ 65 – **19 ch** 650/950, 7 appart. – ½ P 950.

Guilles M ♨, par D 56 et VO : 1,5 km ✆ 90 68 30 55, Fax 90 68 37 41, ≤, 舎, parc, ⛱, ✂ – TV ☎ **P** – 🏰 25. AE ⓓ GB
fermé 19 nov. au 2 déc. et 6 au 27 janv. – **L'Agneau Gourmand** ✆ 90 68 21 04 *(fermé dim. soir et merc. sauf juil.-août)* **R** 160/250 enf. 80 – ☐ 50 – **28 ch** 390/570 – ½ P 410/500.

XXX **La Fenière**, ✆ 90 68 11 79 – ▤. AE ⓓ GB
fermé 29/06 au 7/07, 5 au 12/10, 21 au 28/12, 4 au 18/01, mardi midi en juil.-août, dim. soir hors sais. et lundi – **R** 160/420, enf. 110.

XX **Ollier**, ✆ 90 68 02 03, 舎 – AE ⓓ GB
fermé vacances de fév., mardi soir et merc. sauf fêtes – **R** 150/260.

Dans ce guide

un même symbole, un même caractère,

imprimé en couleur ou en noir, en maigre ou en ***gras****,*

n'ont pas tout à fait la même signification.

Lisez attentivement les pages explicatives.

LOURY 45470 Loiret 60 ⑲ ⑳ – 1 810 h. alt. 126.

Paris 106 – ♦ Orléans 20 – Chartres 72 – Châteauneuf-sur-Loire 19 – Étampes 56 – Pithiviers 24.

X **Relais de la Forge** avec ch, N 152 ✆ 38 65 60 27, Fax 38 52 77 56, ≤ – TV ☎ 🚗 **P**. ⓓ GB
fermé 23 déc. au 12 janv., dim. soir et lundi – **R** 72/230, enf. 50 – ☐ 30 – **7 ch** 180/230 – ½ P 210.

LOUVECIENNES 78 Yvelines 55 ⑳, 101 ⑫ ⑬ – voir à Paris, Environs.

LOUVETOT 76490 S.-Mar. 52 ⑬ 54 ⑨ 55 ⑤ – 562 h. alt. 143.

Paris 171 – ♦ Rouen 38 – Bolbec 18 – Fécamp 34 – Yvetot 7,5.

Au Grand Méchant Loup, carr. D 131 - D 33 ✆ 35 95 46 56, Fax 35 95 33 73 – TV ☎ ♿ **P**. GB
fermé 17 au 29 août – **R** *(fermé vend. soir, sam. midi et dim. soir)* 73/145 ♁, enf. 35 – ☐ 30 – **24 ch** 240/260 – ½ P 208.

LOUVIE-JUZON 64260 Pyr.-Atl. 85 ⑯ – 1 014 h. alt. 412.

Paris 800 – Pau 26 – Laruns 11 – Lourdes 41 – Oloron-Ste-Marie 21.

Forestière ♨, rte Pau ✆ 59 05 62 28, ≤, 舎, ≤ – ☎ **P**. AE ⓓ GB
R 100/180 ♁, enf. 65 – ☐ 35 – **14 ch** 350/450 – ½ P 380/420.

Dhérété ♨, ✆ 59 05 61 01, ≤, ≤ – ☎ 🚗 **P**. GB. ✱
fermé 15 oct. au 1er déc., dim. soir et lundi hors sais. – **R** 80/155, enf. 55 – ☐ 22 – **18 ch** 110/230 – ½ P 185/235.

FORD Gar. Loustaunau ✆ 59 05 84 87

PEUGEOT Gar. Bersans, ✆ 59 05 62 14

LOUVIERS 27400 Eure 55 ⑯ ⑰ **G. Normandie Vallée de la Seine** – 18 658 h. alt. 15.

Voir Église N.-Dame★ : oeuvres d'art★ BY.

18 du Vaudreuil (privé) ✆ 32 59 02 60, NE par ② : 6,5 km.

Office de Tourisme 10 r. Mar.-Foch (mars-déc., fermé matin sauf juin-sept.) ✆ 32 40 04 41.

Paris 108 ③ – ♦ Rouen 31 ② – Les Andelys 22 ③ – Bernay 51 ⑤ – Lisieux 74 ⑤ – Mantes 51 ③.

LOUVIERS

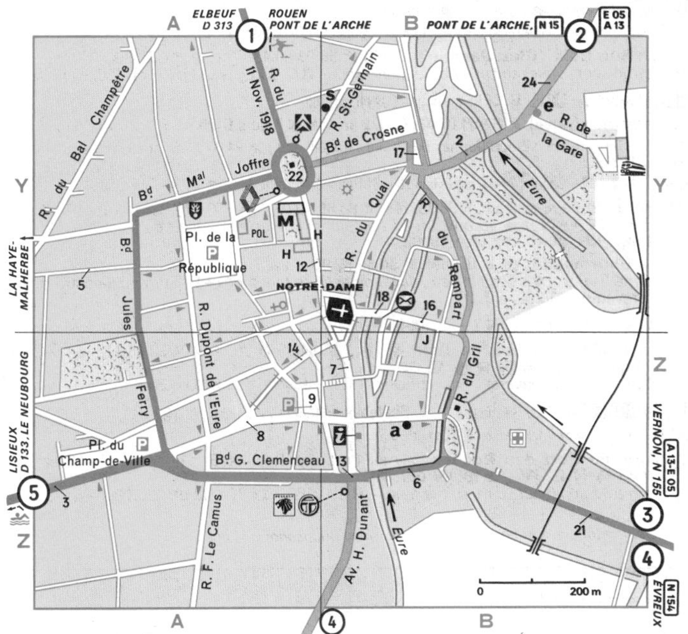

Pré-St-Germain M, 7 r. St-Germain ☎ 32 40 48 48, Fax 32 50 75 60, – ⊕ TV ☎ ♿ P – 🚣 100. AE GB — BY s
R *(fermé dim. soir)* 130, enf. 65 – 45 – **34 ch** 380/520 – ½ P 520.

Altéa Val de Reuil M, par ② : 3,5 km près échangeur A 13 - N 15 (Louviers Nord) ✉ 27100 Val de Reuil ☎ 32 59 09 09, Télex 180540, Fax 32 59 56 54, – ⊕ rest TV ☎ ♿ P – 🚣 100. AE ⓓ GB
R carte 170 à 220 – 52 – **58 ch** 415/540.

Host. de la Poste, 11 r. Quatre-Moulins ☎ 32 40 01 76, – TV ☎. GB — BZ a
R *(fermé dim. soir et lundi)* 90/200 – 35 – **24 ch** 200/300 – ½ P 220/240.

Clos Normand, 16 r. Gare ☎ 32 40 03 56 – GB — BY e
R 70/160.

à St-Pierre-du-Vauvray par ② : 8 km – ✉ **27430** :

Host. St-Pierre, bords de Seine ☎ 32 59 93 29, Fax 32 59 41 93, ≤, – ⊕ TV ☎ P. GB – *fermé 10 janv. au 28 fév.* – **R** *(fermé merc. midi et mardi)* 160/325 – 50 – **14 ch** 450/690 – ½ P 525/595.

à Vironvay par ③ : 5 km – ✉ **27400** – **Voir** Église ⋆.

Les Saisons, ☎ 32 40 02 56, Fax 32 25 05 26, « Pavillons dans un jardin », – TV ☎ P – 🚣 30. AE GB
R *(fermé dim. soir sauf fériés)* 140/390 – 50 – **7 ch** 505/605, 5 appart. 1050 – ½ P 440/715.

à Acquigny par ④ : 5 km – ✉ **27400** :

L'Hostellerie, sur D 71 ☎ 32 50 20 05, – P. GB.
fermé 1er au 22 août, vacances de fév., dim. soir et lundi – **R** 104.

CITROEN Cambour-Automobiles, 4 pl. E.-Thorel ☎ 32 40 37 01
PEUGEOT-TALBOT Dubreuil, 4 pl. J.-Jaurès ☎ 32 40 02 28

RENAULT Duchemin, 1 pl. E.-Thorel ☎ 32 40 15 97 N ☎ 32 25 12 50

Marsat-Pneus Rallye-Pneus, 49 r. de Paris ☎ 32 40 21 16

LOUVIGNY 14 Calvados 55 ⑪ – rattaché à Caen.

LOYETTES 01360 Ain 74 ⑬ – 2 256 h. alt. 193.

Paris 485 – ♦Lyon 40 – Bourg-en-Bresse 56 – Bourgoin-Jallieu 28 – La Tour-du-Pin 41 – Vienne 46.

XXX ✿ **Terrasse** (Antonin), pl. Église ✆ 78 32 70 13, ←, 🍴 – AE GB
fermé vacances de fév., dim. soir et lundi – **R** 180/390
Spéc. Foie gras de canard, Poissons, Gibier (saison). **Vins** Montagnieu, Seyssel.

LUBBON 40240 Landes 79 ⑫ ⑬ – 99 h. alt. 147.

Paris 689 – Mont-de-Marsan 49 – Aire-sur-l'Adour 61 – Condom 41 – Nérac 35.

Le Bon Coin "Chez Jeanne", D 933 ✆ 58 93 60 43, 🏊 – ☎ Ⓟ. AE GB. ✗ ch
fermé sept., vend. soir et sam. sauf juil.-août – **R** 60/200 🍷 – ☕ 25 – **7 ch** 180/200 – ½ P 200.

Le LUC 83340 Var 84 ⑯ G. Côte d' Azur – 6 929 h. alt. 168.

de Barbaroux (privé) ✆ **94 59 07 43, O : 22 km par N 7 puis D 79.**

Office de Tourisme pl. Verdun (fermé après-midi sauf juil.-août) ✆ 94 60 74 51 et à la Mairie (hors saison) ✆ 94 60 70 03.

Paris 840 – Fréjus 39 – Cannes 70 – Draguignan 28 – St-Raphaël 42 – Ste-Maxime 44 – ♦Toulon 58.

XXX **Host. du Parc** avec ch, r. J.-Jaurès ✆ **94 60 70 01**, 🍴, 🌳 – TV ☎ 🚗 Ⓟ. AE ⓓ GB
fermé 13 au 19 mai, 15 nov. au 17 déc., lundi soir et mardi sauf du 14 juil. au 15 août – **R** 140/270 – ☕ 40 – **12 ch** 160/380.

XX **Le Gourmandin**, pl. L. Brunet ✆ **94 60 85 92** –. GB
fermé 2 au 9 nov., 12 au 19 fév., dim. soir et lundi sauf fériés – **R** (nombre de couverts limité - prévenir) 130/200, enf. 70.

à l'Ouest : 4 km par N 7 – ✉ 83340 Le Luc :

La Grillade au Feu de Bois M 🐦, ✆ 94 69 71 20, Fax 94 59 66 11, ←, 🍴, parc, antiquités, 🏊 – |‡| TV ☎ Ⓟ. AE GB
R (nombre de couverts limité - prévenir) 180 – ☕ 40 – **15 ch** 350/550.

LUCHÉ-PRINGÉ 72800 Sarthe 64 ③ G. Châteaux de la Loire – 1 486 h. alt. 34.

Paris 239 – ♦Le Mans 37 – La Flèche 13 – Le Lude 9,5.

Aub. du Port des Roches 🐦, au Port des Roches E : 2 km par D 13 et D 214 ✆ 43 45 44 48, 🌳 – ☎ Ⓟ. ⓓ GB. ✗
fermé 12 au 26 oct., dim. soir et lundi – **R** 130/160 – ☕ 27 – **12 ch** 180/280 – ½ P 225/270.

Demandez chez le libraire le catalogue des publications Michelin.

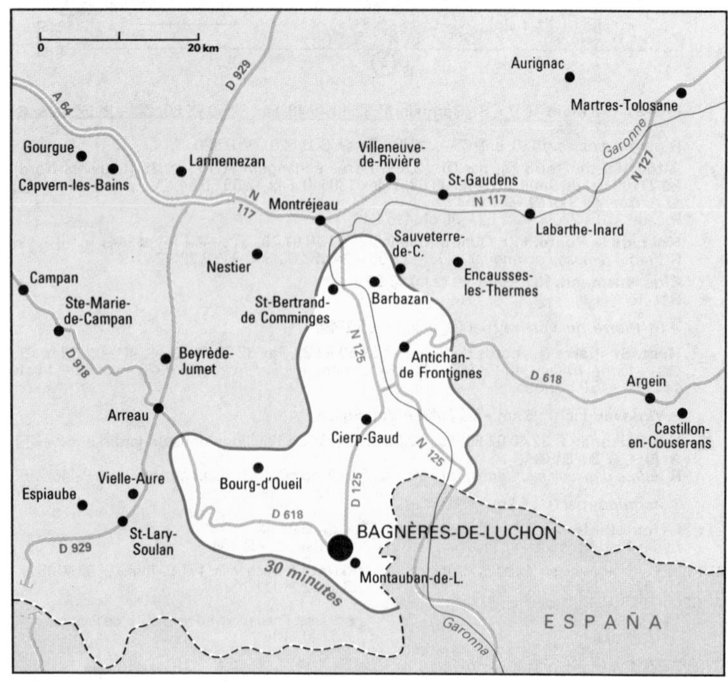

LUCHON 31 H.-Gar. 85 ⑳ G. Pyrénées Aquitaine – 3 094 h. alt. 630 – Stat. therm. (avril-28 oct.) – Sports d'hiver à Superbagnères : 1 450/2 260 m 16 – Casino Y – ✉ 31110 Bagnères-de-Luchon.

Voir Route de Peyresourde★ O.

Env. Vallée du Lys★ SO : 5,5 km par D 125 et D 46.

9 ✆ 61 79 03 27 X.

Office de Tourisme allées Étigny ✆ 61 79 21 21, Télex 530139.

Paris 841 ① – Bagnères-de-Bigorre 70 ③ – St-Gaudens 47 ① – Tarbes 89 ① – ◆Toulouse 136 ①.

Corneille , 5 av. A. Dumas ✆ 61 79 36 22, Télex 520347, Fax 61 79 81 11, ≤, « Résidence dans un parc, beaux aménagements intérieurs » – TV ☎ Ⓟ. AE ⓓ GB JCB. rest Y **u**
1er avril-28 oct. – **R** 130/190, enf. 70 – ☕ 36 – **52 ch** 390/650, 3 appart. 850 – ½ P 380/470.

Étigny, face établ. thermal ✆ 61 79 01 42, Fax 61 79 80 64, – rest TV ☎ . GB. rest Z **k**
31 mars-31 oct. – **R** 94/105 – ☕ 32 – **57 ch** 250/495 – ½ P 235/350.

Bains, 75 allées Étigny ✆ 61 79 00 58, Télex 521437, Fax 61 79 18 18 – ☎ Ⓟ. AE GB. rest YZ **e**
1er avril-30 oct. – **R** 95 – ☕ 30 – **53 ch** 170/270 – ½ P 230/270.

Paris, 9 cours Quinconces ✆ 61 79 13 70 – TV ☎ Ⓟ. GB. rest Z **v**
1er avril-28 oct. et vacances de fév. – **R** 86 – ☕ 30 – **42 ch** 220/320 – ½ P 267.

Royal H., 1 cours Quinconces ✆ 61 79 00 62 – ☎. GB. rest Z **v**
25 mai-8 oct. – **R** 95 – ☕ 29 – **48 ch** 130/230 – ½ P 220/230.

Beau Site, 11 cours Quinconces ✆ 61 79 02 71, – rest TV ☎ Ⓟ. GB. rest
1er avril-28 oct. et vacances de fév. – **R** 86 – ☕ 30 – **24 ch** 220/320 – ½ P 267. Z **v**

Panoramic sans rest, 6 av. Carnot ✆ 61 79 30 90 – TV ☎ Ⓟ. GB X **v**
fermé 1er au 15 déc. et 10 au 20 janv. – ☕ 32 – **30 ch** 160/330.

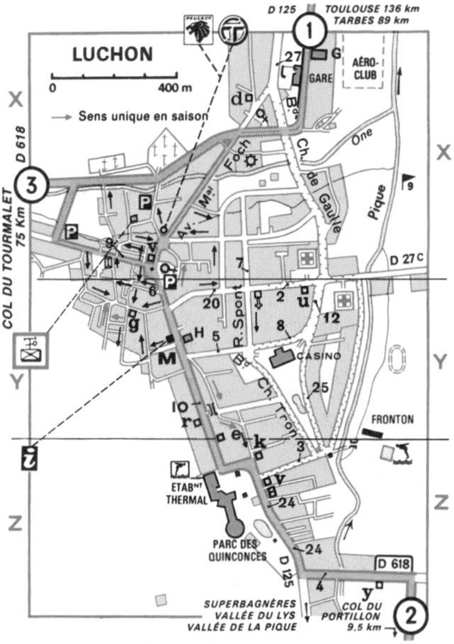

Carnot (Av.) Y 6
Dr-Germès (R. du) X 9
Étigny (Allées d') Y 10

Alexandre-Dumas (Av.) Y 2
Bains (Allées des) Z 3
Barrau (Av. J.) Z 4
Boularan (R. Jean) Y 5

Colomic (R.) X 7
Dardenne (Bd) Y 8
Fontan (Bd A.) Y 12
Lamartine (R.) Y 20
Quinconces (Cours des) Z 24
Rostand (Bd E.) Y 25
Toulouse (Av. de) X 27

La Rencluse, à St-Mamet ✉ 31110 Bagnères-de-Luchon ✆ 61 79 02 81, – ☎ Ⓟ. AE GB. rest Z **y**
1er mai-6 oct., vacances de Noël et de fév. – **R** 65/120 – ☕ 28 – **28 ch** 185/280.

Métropole, 40 allées Étigny ✆ 61 79 38 00 – ☎. GB. rest Y **r**
1er mars-20 oct., vacances de Noël et de fév. – **R** 90 – ☕ 28 – **60 ch** 95/280 – ½ P 200/230.

Deux Nations, 5 r. Victor-Hugo ✆ 61 79 01 71, Fax 61 79 27 89 – ☎. GB Y **g**
R 49/125 , enf. 42 – ☕ 28 – **27 ch** 110/175 – ½ P 159/193.

Sports, 12 av. Mar. Foch ✆ 61 79 02 80 – ☎. GB X **d**
15 mars-25 oct., week-ends et vacances scolaires – **R** voir rest. **Le Pailhet** ci-après – ☕ 18 – **13 ch** 133/190.

Le Pailhet, 12 av. Mar. Foch ✆ 61 79 09 60 – GB X **d**
fermé 15 nov. au 15 déc. et lundi sauf fériés – **R** 80/150 , enf. 40.

à Montauban-de-Luchon E : 2 km par D 27c – ✉ **31110** :

Jardin des Cascades avec ch, ✆ 61 79 83 09, ≤, , parc, – AE GB
1er avril-15 oct. – **R** carte 150 à 200 – ☕ 25 – **10 ch** 180/220 – ½ P 155/195.

CITROEN Bardaji, av. R.-Comet par av. de Toulouse X ✆ 61 79 16 93 N

PEUGEOT-TALBOT Gar. Bedin, pl. Comminges ✆ 61 79 01 35

LUÇON **85400** Vendée 71 ⑪ **G. Poitou Vendée Charentes** – 9 099 h. alt. 10.

Voir Cathédrale N.-Dame★ – Jardin Dumaine★.

Office de Tourisme square E.-Herriot ☎ 51 56 36 52.

Paris 433 – La Rochelle 40 – Cholet 81 – Fontenay-le-C. 29 – La Roche-sur-Yon 32.

XX **Boeuf Couronné** avec ch, rte de la Roche-sur-Yon : 2 km ☎ 51 56 11 32 – TV ☎ P. AE GB
fermé 25 juin au 8 juil., 15 au 30 sept., dim. soir et lundi – **R** 96/215 – ☐ 28 – **4 ch** 210/250.

CITROEN Gar. Murs, rte de Fontenay ☎ 51 56 01 29
FORD Gar. Verger, 2 quai Ouest ☎ 51 56 01 17
RENAULT Gar. Rallet, rte de Fontenay ☎ 51 56 18 21
Luçon-Pneus, 18 pl. Poissonnerie ☎ 51 56 89 63

LUC-SUR-MER **14530** Calvados 54 ⑯ **G. Normandie Cotentin** – 2 902 h. alt. 10 – Casino.

Voir Parc municipal★.

Syndicat d'Initiative r. Dr-Charcot (avril-sept., vacances scolaires, fermé janv.) ☎ 31 97 33 25.

Paris 253 – ♦Caen 15 – Arromanches 21 – Bayeux 29 – Cabourg 29.

Thermes et du Casino, ☎ 31 97 32 37, Fax 31 96 72 57, ≤, , , – TV ☎ P. AE GB
1er mars-15 nov. – **R** 105/280, enf. 70 – ☐ 37 – **48 ch** 280/360 – ½ P 290/310.

Le LUDE **72800** Sarthe 64 ③ **G. Châteaux de la Loire** – 4 424 h. alt. 48.

Voir Château★★ (spectacle son et lumière★★★).

Office de Tourisme pl. F.-de-Nicolay (Pâques-sept.) ☎ 43 94 62 20.

Paris 244 – ♦Le Mans 44 – Angers 73 – Chinon 63 – La Flèche 20 – Saumur 50 – Tours 50.

Maine, 24 av. Saumur ☎ 43 94 60 54, Fax 43 94 19 74, , – ☎ P – 70. GB
R 90/195 – ☐ 35 – **24 ch** 180/300.

XXX **Renaissance,** 2 av. Libération ☎ 43 94 63 10 – GB
fermé vacances de fév., dim. soir et lundi – **Repas** 105/189, enf. 50.

RENAULT Gar. Charpentier, av. de Talhouet ☎ 43 94 63 13 N
V.A.G Grosbois, à La Pointe ☎ 43 94 60 89 N ☎ 43 94 90 49

LUGAGNAN **65** H.-Pyr. 85 ⑱ – rattaché à Lourdes.

LUGOS **33830** Gironde 78 ③ – 476 h. alt. 35.

Paris 645 – ♦Bordeaux 56 – Arcachon 41 – ♦Bayonne 139.

La Bonne Auberge , ☎ 56 58 40 34, , parc – P. GB
fermé nov. et lundi hors sais. – **R** 65/220 – ☐ 25 – **14 ch** 190 – ½ P 200/220.

LUGRIN **74500** H.-Savoie 70 ⑱ – 2 025 h. alt. 411.

Voir Site★ de Meillerie E : 4 km, **G. Alpes du Nord.**

Paris 584 – Thonon-les-Bains 15 – Annecy 89 – Évian-les-Bains 6 – St-Gingolph 11.

Tour Ronde, à Tourronde NO : 1,5 km ☎ 50 76 00 23, ≤ – P. GB. rest
début fév.-mi oct. et fermé dim. soir et lundi de fév. à mai – **R** 73/161 – ☐ 22 – **25 ch** 123/229 – ½ P 153/189.

LULLIN **74470** H.-Savoie 70 ⑰ – 549 h. alt. 850 – Sports d'hiver : 1 050/1 350 m 4.

Paris 575 – Thonon-les-Bains 17 – Annecy 69 – Bonneville 40 – ♦Genève 41.

Poste, ☎ 50 73 81 10, – ☎ P. GB.
hôtel : fermé 20 avril au 15 mai, 27 sept. au 21 déc. et sam. hors sais. – **R** *(fermé 20 avril au 15 mai, dim. soir et sam. hors sais.)* 75/130 – ☐ 25 – **23 ch** 150/180 – ½ P 175/190.

LUMBRES **62380** P.-de-C. 51 ③ – 3 944 h. alt. 47.

Paris 258 – ♦Calais 42 – Aire-sur-la-Lys 27 – Arras 77 – Boulogne-sur-Mer 39 – Hesdin 42 – Montreuil 43 – St-Omer 10.

✿ **Moulin de Mombreux** (Gaudry) M , O : 2 km par N 42 et VO 16 ☎ 21 39 62 44, Télex 133486, Fax 21 93 61 34, parc – TV ☎ P – 25. AE GB
fermé 20 au 30 déc. – **R** (dim. prévenir) 230/390 – ☐ 56 – **24 ch** 490/630
Spéc. Bar croûté au basilic, Filet de boeuf à la ficelle, Gibier (saison).

RENAULT Gar. Basquin, rte Nationale ☎ 21 39 64 25

LUNEL **34400** Hérault 83 ⑧ – 18 404 h. alt. 11.

Office de Tourisme pl. Martyrs-de-la-Résistance ☎ 67 87 83 97.

Paris 739 – ♦Montpellier 23 – Aigues-Mortes 16 – Alès 55 – Arles 57 – Nîmes 27.

La Clausade , 456 av. Col. Simon ☎ 67 71 05 69, Fax 67 71 73 39, , – ☎ P. GB
R *(fermé dim.)* 75/210 , enf. 45 – ☐ 30 – **11 ch** 350.

X **La Toque,** 173 bd Sarrail, rte Sommières ☎ 67 83 19 38 – . AE GB.
fermé 13 au 20 juil., vacances de fév., dim. soir et lundi – **R** 80/145.

CITROEN Brunel, 121 r. Boutonnet ✆ 67 71 11 48
FORD Fenouillet Autom., av. du Vidourle, rte de Nîmes ✆ 67 83 02 12
RENAULT Figère, rte de la Mer ✆ 67 71 00 06
V.A.G Gar. des Fournels, rte de Montpellier, ZI ✆ 67 71 10 59

Lunel-Pneus, ZI Fournels, rte de Montpellier ✆ 67 71 14 95
Mateu, 103 bd Gén.-de-Gaulle ✆ 67 71 11 75

LUNÉVILLE SP **54300** M.-et-M. 62 ⑥ **G. Alsace Lorraine** – 20 711 h. alt. 230.

Voir Château★ A – Parc des Bosquets★ AB – Boiseries★ de l'église St-Jacques A **B**.

Office de Tourisme au Château ✆ 83 74 06 55 – A.C. 38 r. Alsace ✆ 83 74 06 67.

Paris 339 ⑤ – ◆Nancy 30 ⑤ – Épinal 64 ④ – ◆Metz 77 ① – Neufchâteau 79 ⑤ – St-Dié 51 ③ – ◆Strasbourg 127 ②.

LUNÉVILLE

Banaudon (R.) B 2
Carnot (R.) B 6
Castara (R.) A 7
Chanzy (R.) A 9
Charité (R. de la) A 10
Gambetta (R.) B 15
Leclerc (R. Gén.) A 18
Léopold (Pl.) AB 20

Alsace (R. d') B
Basset (R. R.) B
Bosquets (R. des) B
Carmes (Pl. des) A
Château (R. du) A 13
Girardet (R.) A
Guérin (R. Ch.) B
Lattre-de-T. (Av. de) B
Lorraine (R. de) AB
Ménagerie (Ch. de la) B
Petits Bosquets (Q. des) AB
République (R.) A 24
St-Rémy (Pl.) A 31
Sarrebourg (R. de) A 34
Villebois Mareuil (R.) B
Viller (R. de) A 38
Vue (R. Ch.) B
2e-Div.-de-Cavalerie (Pl. de la) A 39

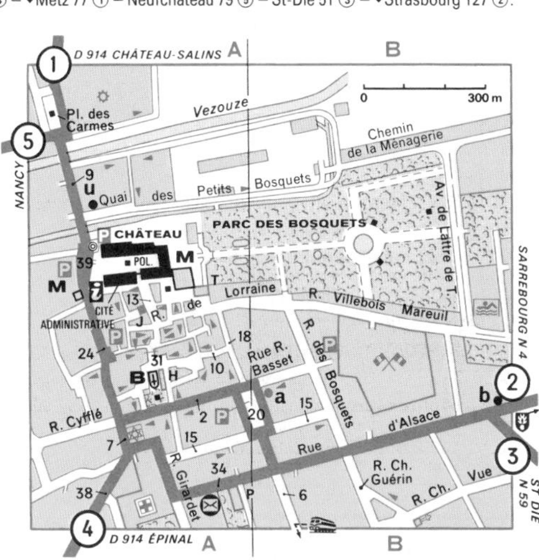

Oasis M sans rest, 3 av. Voltaire ✆ 83 74 11 42, Fax 83 73 46 63, parc – 25. AE GB
29 – **32 ch** 200/380.

Des Pages, 5 quai Petits Bosquets ✆ 83 74 11 42, Fax 83 73 46 63 – ch. GB. A **u**
R *(fermé sam. midi)* 85/150 – 28 – **32 ch** 195/220 – ½ P 195/210.

Le Voltaire avec ch, 8 av. Voltaire par ② ✆ 83 74 07 09. AE GB
fermé dim. soir et lundi – **R** 95/280, enf. 70 – 28 – **10 ch** 194/230 – ½ P 250/280.

Floréal, 1 pl. Léopold (1er étage) ✆ 83 73 36 31 – AE GB B **a**
fermé 15 au 30 août et dim. sauf fêtes – **R** 95/250.

à Moncel-lès-Lunéville par ③ : 2,5 km – ✉ **54300** :

Relais St Jean, N 59 ✆ 83 74 08 65 – AE GB
fermé 20 juil. au 10 août, 17 fév. au 1er mars, dim. soir et vend. – **R** 89/320.

à l'Échangeur Lunéville-Z.I. par ③ : 3 km – ✉ **54300** Moncel-lès-Lunéville :

Acacia M sans rest, ✆ 83 73 49 00, Fax 83 73 46 51 – GB
25 – **42 ch** 190/240.

au Sud : 5 km par ④, av. G. Pompidou et cités Ste-Anne – ✉ **54300** Lunéville :

✿ **Château d'Adomenil** M avec ch, ✆ 83 74 04 81, Fax 83 74 21 78, « Parc » – 25. AE GB JCB
fermé fév., dim. soir du 1er nov. au 31 mars (sauf hôtel), mardi midi et lundi – **R** (nombre de couverts limité-prévenir) 210/430, enf. 95 – 65 – **7 ch** 550/850 – ½ P 690/940
Spéc. Emincé de rouget en piperade. Croustillant de pigeonneau à la lie de vin. Crêpe soufflée à la mirabelle. **Vins** Côtes de Toul.

CITROEN Nouveau Gar., ZA "Ecosseuse" à Moncel-lès-Lunéville par ③ ✆ 83 73 00 75
OPEL Gar. du Champ de Mars, à Chanteheux ✆ 83 74 11 13
PEUGEOT-TALBOT S.A.M.I.A., r. de la Pologne ✆ 83 73 10 78
RENAULT SODIAL, 95 fg de Menil par ④ ✆ 83 74 15 01 N

V.A.G Gar. Fleurantin, ZAC à Chanteheux ✆ 83 73 40 75

Lunéville Inter Pneu Sces, 50 bd G.-Pompidou ✆ 83 74 04 30

LURBE-ST-CHRISTAU 64660 Pyr.-Atl. 85 ⑥ **G. Pyrénées Aquitaine** – 214 h. alt. 330 – Stat. therm. à St-Christau (30 mars-26 oct.).

Paris 833 – Pau 43 – Laruns 30 – Lourdes 60 – Oloron-Ste-Marie 10 – Tardets-Sorholus 28.

Vallées, ☎ 59 34 40 01, ⛱, 🌳 – ☎ ℗ – 🏛 25 à 200. GB
fermé 10 janv. au 24 mars – **R** 52/170 – ☕ 20 – **20 ch** 105/220 – ½ P 135/180.

CITROEN Gar. Camuzou, à Asasp Arros ☎ 59 34 41 57 **N**
RENAULT Gar. Grégoire, à Sarrance ☎ 59 34 72 02 **N**

LURE 70200 H.-Saône 166 ⑥ **G. Jura** – 8 843 h. alt. 292.

Paris 380 – ◆ Besançon 83 – Belfort 32 – Épinal 75 – Montbéliard 34 – Vesoul 31.

à Amblans-et-Velotte E : 6 km par N 19 – ✉ **70200** :

Fontaine des Arts, ☎ 84 62 70 64 – ℗. GB
fermé 12 au 26 août, 23 au 30 déc., vacances de fév., sam. midi, dim. soir et lundi – **R** 70/175 🍷, enf. 45.

CITROEN Vosges Saonoise, ZI aux Cloyes ☎ 84 30 00 00
PEUGEOT Gar. Lurauto, r. du Vert Chêne ☎ 84 62 85 85
RENAULT J.C.B. Automobiles, rte de Belfort ☎ 84 30 22 34
Hyper-Pneus, 67 av. de la République ☎ 84 30 17 08
Servi Pneus, ZI des Cloyes ☎ 84 62 86 12

LUSIGNAN 86600 Vienne 68 ⑬ **G. Poitou Vendée Charentes** – 2 749 h. alt. 135.

Paris 361 – Poitiers 25 – Angoulême 91 – Confolens 72 – Niort 51.

Chapeau Rouge, r. Nationale ☎ 49 43 31 10, 🌳 – TV ☎ ℗. GB
fermé vacances de fév., dim. soir et lundi sauf juil.-août – **R** 80/180 🍷, enf. 45 – ☕ 28 – **8 ch** 190/250 – ½ P 180/210.

CITROEN Gar. des Promenades ☎ 49 43 31 28

LUSSAC-LES-CHÂTEAUX 86320 Vienne 68 ⑮ – 2 297 h. alt. 90.

Paris 372 – Poitiers 38 – Bellac 42 – Châtellerault 50 – Montmorillon 12 – Niort 109 – Ruffec 50.

Montespan sans rest, ☎ 49 48 41 42, Fax 49 84 96 10 – TV ☎ ♿ ℗. GB
fermé 24 déc. au 4 janv. et sam. hors sais. – ☕ 22 – **13 ch** 156/228.

Aub. du Connestable Chandos avec ch, au pont de Lussac O : 2 km sur N 147 ☎ 49 48 40 24 – ☎ ℗. AE ⓓ GB
fermé 16 au 30 nov., 15 fév. au 7 mars et lundi sauf fériés – **R** (dim. prévenir) 80/220 – ☕ 24 – **7 ch** 160/220.

à Civaux NO : 6 km sur D 749 - **G. Poitou Vendée Charentes** – ✉ **86320**.

Voir Nécropole Mérovingienne ★.

Aub. de la Cascade, ☎ 49 48 45 04, Fax 49 48 40 12, ≤, 🌳 – TV ☎ ℗ – 🏛 40. GB
fermé fév. et vend. du 1er oct. au 31 mars – **R** 85/200 – ☕ 23 – **21 ch** 130/260.

LUTHÉZIEU 01 Ain 74 ④ – rattaché à Artemare.

LUTTER 68 H.-Rhin 166 ⑩ ⑳ – rattaché à Ferrette.

LUX 71 S.-et-L. 69 ⑨ – rattaché à Chalon-sur-Saône.

LUXEUIL-LES-BAINS 70300 H.-Saône 166 ⑥ **G. Alsace Lorraine** – 8 790 h. alt. 306 – Stat. therm. – Casino.

Voir Hôtel Cardinal Jouffroy★ **B** – Hôtel des Échevins★ **M** – Anc. Abbaye St-Colomban★ **E** – Maison François 1er★ **F**.

Office de Tourisme 1 av. Thermes ☎ 84 40 06 41.

Paris 367 ⑤ – Épinal 56 ① – Belfort 51 ③ – St-Dié 87 ① – Vesoul 32 ③ – Vittel 71 ⑤.

Beau Site, 18 r. G. Moulimard **(u)** ☎ 84 40 14 67, Fax 84 40 50 25, 🌳, « Jardin fleuri » – |♦| TV ☎ ℗. GB. ✗ rest
fermé 24 déc. au 2 janv. vend. soir et sam. du 7 nov. au 31 mars – **R** 78/200 🍷, enf. 40 – ☕ 38 – **38 ch** 140/340 – ½ P 240/370.

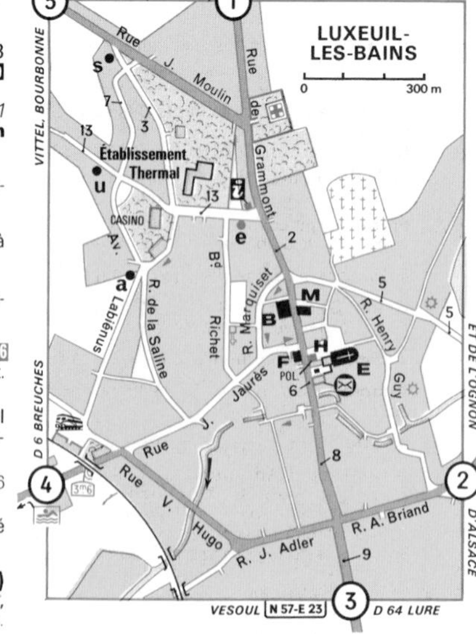

Carnot (R.)	2	Gambetta (R.)	5
Genoux (R. V.)	6	Hoche (R.)	7
Jeanneney (R. J.)	8	Maroselli (Allées A.)	9
Clemenceau (R. G.)	3	Thermes (Av. des)	13

France, 6 r. G. Clemenceau **(s)** ☎ 84 40 13 90, – . GB
R *(fermé dim. soir hors sais.)* 70/150 , enf. 40 – 25 – **19 ch** 170/250 – ½ P 165/190.

Hexagone M, av. Labienus **(a)** ☎ 84 93 61 69, Fax 84 93 61 70 – – 100. AE GB
R 55/150 – 35 – **45 ch** 195/270 – ½ P 175/200.

Thermes, 4 r. Thermes **(e)** ☎ 84 40 18 94, – GB.
fermé 26 oct. au 4 nov. et sam. – **R** 90/130 .

AUSTIN-ROVER-OPEL Gar. Marchal, 5 r. Parc ☎ 84 40 11 80
RENAULT Brunella, à Froideconche par ② ☎ 84 40 48 88 N ☎ 84 40 16 99
V.A.G Hajmann, 31 r. Martyrs-de-la-Résistance ☎ 84 40 23 17
La Maison du Pneu Mariotte, r. Martyrs-de-la-Résistance ☎ 84 40 27 01

LUXEY 40430 Landes 79 ⑪ **G. Pyrénées Aquitaine** – 680 h. alt. 79.

Paris 667 – Mont de Marsan 45 – Belin 48 – ♦Bordeaux 87 – Langon 43 – Mimizan 62 – Roquefort 36.

Relais de la Haute Lande avec ch, ☎ 58 08 02 30 – . GB
fermé 15 janv. au 28 fév., dim. soir et lundi sauf juil.-août – **R** 70/210 – 20 – **7 ch** 150/200 – ½ P 160/180.

LUYNES 37230 I.-et-L. 64 ⑭ **G. Châteaux de la Loire** – 4 128 h. alt. 53.

Voir Église★ au Vieux-Bourg de St-Etienne de Chigny O : 3 km.

Syndicat d'Initiative à la Mairie ☎ 47 55 50 31.

Paris 249 – ♦Tours 11,5 – Angers 99 – Château-La-Vallière 28 – Chinon 41 – Langeais 14 – Saumur 56.

Domaine de Beauvois , NO : 4 km par D 49 ☎ 47 55 50 11, Télex 750204, Fax 47 55 59 62, ≤, parc, , – – 40. GB
fermé 5 janv. au 15 mars – **R** 250/350 – 75 – **33 ch** 650/1300, 4 appart. 1580 – ½ P 635/1030.

LUZARCHES 95270 Val-d'Oise 56 ⑪ 106 ⑧ **G. Ile de France** – 3 371 h. alt. 70.

Paris 31 – Compiègne 58 – Chantilly 10 – Montmorency 18 – Pontoise 30 – St-Denis 22.

Château de Chaumontel , à **Chaumontel** NE : 0,5 km ☎ (1) 34 71 00 30, Télex 609730, Fax (1) 34 71 26 97, , « Parc ombragé et fleuri » – – 40 à 100
18 ch.

LUZ-ST-SAUVEUR 65120 H.-Pyr. 85 ⑱ **G. Pyrénées Aquitaine** – 1 173 h. alt. 711 – Stat. therm. (mai-oct.) – Sports d'hiver : 1 730/2 450 m 19.

Voir Église fortifiée★ – Vallée de Gavarnie★★ S.

Office de Tourisme pl. 8-Mai ☎ 62 92 81 60.

Paris 846 – Pau 74 – Argelès-Gazost 19 – Cauterets 23 – Lourdes 31 – Tarbes 51.

Europe sans rest, D 921 ☎ 62 92 80 02, – . AE GB.
15 juin-15 sept. – 25 – **10 ch** 220/270.

à Esquièze-Sère : au Nord – ✉ **65120** :

Le Montaigu M , rte Vizos ☎ 62 92 81 71, Télex 521959, Fax 62 92 94 11, ≤, – – 30. AE GB. rest
hôtel : 15 mai-15 oct. et 15 déc.-15 avril ; rest. : 15 mai-15 oct. – **R** 75/200, enf. 55 – 32 – **35 ch** 260/330 – ½ P 250/300.

Touristic, ☎ 62 92 82 09, – . GB
ouvert vacances scolaires d'été, d'hiver et week-ends en hiver – **R** (dîner seul.) 75/190 – 25 – **25 ch** 180/270 – ½ P 195/230.

CITROEN Gar. Crepel, à Sassis ☎ 62 92 83 58 N ☎ 62 92 91 80
PEUGEOT Gar. des Pyrénées, à Esquièze-Sère ☎ 62 92 80 87

LUZY 58170 Nièvre 69 ⑥ **G. Bourgogne** – 2 422 h. alt. 275.

Paris 324 – Moulins 65 – Autun 34 – Château-Chinon 39 – Nevers 79.

Morvan, 73 av. Dr Dollet ☎ 86 30 00 66, – . GB
R 70/130 , enf. 32 – 22 – **12 ch** 140/200 – ½ P 210/230.

CITROEN Gar. Lemoine, 2 cours Gambetta ☎ 86 30 06 61
FIAT Gar. Poynter, 4 av. Hoche ☎ 86 30 06 86
PEUGEOT Gar. Martin, 4 av. Dr Bramard ☎ 86 30 01 21 N ☎ 86 30 20 87
PEUGEOT Gar. Bondoux, 7 av. Marceau ☎ 86 30 01 53
RENAULT Gar. Cyrille, 3 pl. du Champ de Foire ☎ 86 30 04 77

When looking for a hotel or restaurant use the most efficient method.
Look for the names of towns underlined in red
on the Michelin maps scale: 1:200 000.
But make sure you have an up-to-date map!

LYON P **69000** Rhône 74 ⑪ ⑫ **G. Vallée du Rhône** – 415 487 h. Communauté urbaine 1 200 000 h alt. 169.

Voir Site★★★ – Le Vieux Lyon★★ BX : galerie★★ de l'hôtel Bullioud **B**, choeur★★ de la Primatiale St-Jean★, rue St-Jean★ 92, hôtel de Gadagne★ **M1**, maison du Crible★ **D**, tour-lanterne★ de l'église St-Paul BV – Basilique N.-D.-de-Fourvière ✻★★ de l'observatoire, ≤★ de l'esplanade BX – Chapiteaux★ de la Basilique St-Martin d'Ainay BYZ – Montée de Garillan★ BX – Vierge à l'Enfant★ dans l'église St-Nizier CX – Parc de la Tête d'Or★ HRS : roseraie★ **R** – Fontaine★ de la Place des Terreaux CV – Arches de Chaponost★ FT – Traboules CUV – Théâtre de Guignol BX **N** – Musées : des Tissus★★★ CZ**M2**, Civilisation gallo-romaine★★ (table claudienne★★★) BX **M3**, Beaux-Arts★★ CV **M4**, Arts décoratifs★★ CZ **M5**, Imprimerie et Banque★★ CX **M6** , Guimet d'histoire naturelle★★ DU **M7**, Marionnette★ BX **M1**, Historique★ : lapidaire★ BX **M1**, Apothicairerie★ (Hospices civils) CY **M8**.

Env. Rochetaillée : Musée Henri Malartre★★ par ⑫ : 12 km.

18 18 à Villette-d'Anthon ℘ 78 31 11 33, par ③ : 21 km ; 18 de Lyon-Verger, à St-Symphorien-d'Ozon ℘ 78 02 84 20 par ⑦ : 14 km ; 18 de Lyon-Chassieu à Chassieu ℘ 78 90 84 77, E : 12 km par D 29 ; 9 18 de Salvagny (privé) à la Tour de Salvagny ℘ 78 48 83 60, ; sortie Lyon Ouest : 8 km par ⑩.

✈ de Lyon-Satolas : ℘ 72 22 76 20, par ⑤ : 27 km.

🚗 ℘ 78 92 50 50.

ℹ Office de Tourisme et Accueil de France (Informations, change et réservations d'hôtels, pas plus de 5 jours à l'avance) pl. Bellecour ℘ 78 42 25 75, Télex 330032 et Centre d'Échange de Perrache ℘ 78 42 22 07 – A.C. 7 r. Grôlée ℘ 78 42 51 01.

Paris 462 ⑪ – ◆Bâle 401 ⑪ – ◆Bordeaux 543 ⑩ – ◆Genève 151 ② – ◆Grenoble 105 ⑤ – ◆Marseille 313 ⑦ – ◆St-Étienne 60 ⑦ – ◆Strasbourg 490 ⑪ – ◆Torino 300 ⑤ – ◆Toulouse 537 ⑦.

Plans : Lyon p. 2 à 7

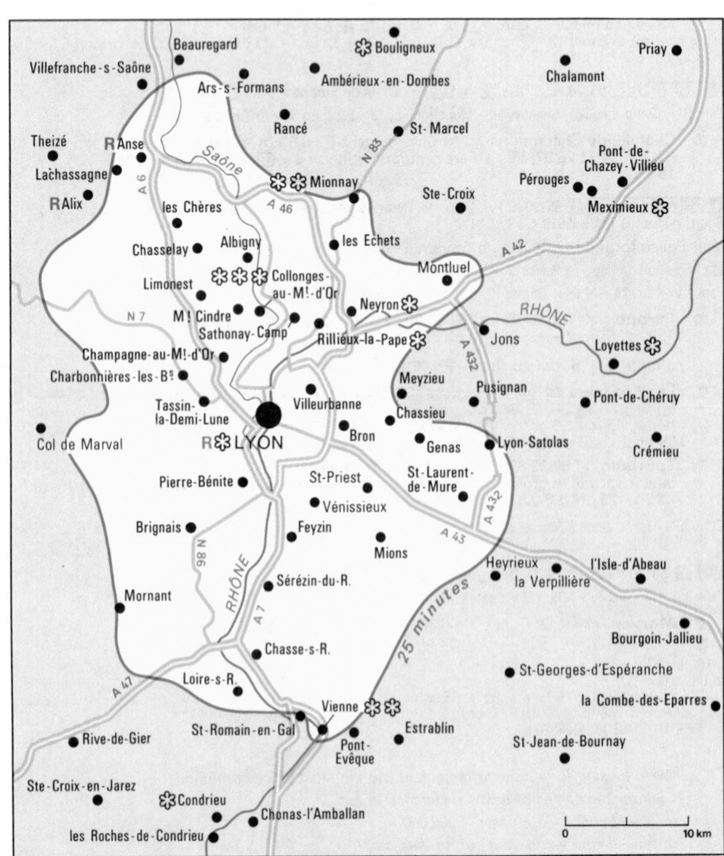

Hôtels

Centre-ville (Bellecour-Terreaux) :

Sofitel M, 20 quai Gailleton ✉ 69002 ℘ 72 41 20 20, Télex 330225, Fax 72 40 05 50, ≤ – ch – 250. AE GB JCB CY k
Les Trois Dômes (au 8e étage) **R** carte 230 à 380 – **Sofi Shop** (rez-de-chaussée) **R** carte 130 à 200, enf. 45 – 75 – **154 ch** 770/995, 21 appart. 995/1800.

Gd Hôtel Concorde M, 11 r. Grolée ✉ 69002 ℘ 72 40 45 45, Télex 330244, Fax 78 37 52 55 – ch – 80. AE GB JCB. DX e
Le Fiorelle *(fermé dim. midi)* **R** 98/180 – 60 – **140 ch** 540/890, 3 appart.

Royal, 20 pl. Bellecour ✉ 69002 ℘ 78 37 57 31, Télex 310785, Fax 78 37 01 36 – ch ch. AE GB JCB CY d
R grill 90/130, enf. 45 – 60 – **79 ch** 490/850.

Carlton sans rest, 4 r. Jussieu ✉ 69002 ℘ 78 42 56 51, Télex 310787, Fax 78 42 10 71 – AE GB JCB DX f
50 – **83 ch** 430/700.

Gd H. des Beaux-Arts sans rest, 75 r. Prés. E. Herriot ✉ 69002 ℘ 78 38 09 50, Télex 330442, Fax 78 42 19 19 – – 30. AE GB JCB CX t
50 – **79 ch** 330/570.

La Résidence sans rest, 18 r. V. Hugo ✉ 69002 ℘ 78 42 63 28, Télex 900950, Fax 78 42 85 76 – AE GB CY s
30 – **65 ch** 260/290.

Globe et Cécil sans rest, 21 r. Gasparin ✉ 69002 ℘ 78 42 58 95, Télex 305184, Fax 72 41 99 06 – AE GB JCB CY b
42 – **65 ch** 300/440.

Artistes sans rest, 8 r. G. André ✉ 69002 ℘ 78 42 04 88, Télex 375664, Fax 78 42 93 76 – AE GB CY r
45 – **45 ch** 300/390.

Nouvel H. Paris sans rest, 16 r. Platière ✉ 69001 ℘ 78 28 00 95, Fax 78 39 57 64 – AE GB CV f
25 – **30 ch** 240/300.

Bellecordière sans rest, 18 r. Bellecordière ✉ 69002 ℘ 78 42 27 78, Télex 301633, Fax 72 40 92 27 – AE GB CY a
32 – **45 ch** 240/314.

Bayard sans rest, 23 pl. Bellecour ✉ 69002 ℘ 78 37 39 64, Fax 72 40 95 51 – AE GB – 27 – **15 ch** 225/275. CY g

Perrache :

Pullman Perrache, 12 cours Verdun ✉ 69002 ℘ 78 37 58 11, Télex 330500, Fax 78 37 06 56, « Décor Art-Nouveau » – ch – 250. AE GB BZ a
Les Belles Saisons **R** 130bc/250, enf. 60 – 58 – **124 ch** 450/760.

Charlemagne M, 23 cours Charlemagne ✉ 69002 ℘ 78 92 81 61, Télex 380401, Fax 78 42 94 84, – – 120. AE GB Lyon p. 4 BZ t
R *(fermé sam. et dim.)* 120/170 – 48 – **116 ch** 383/531.

Axotel et rest. Le Chalut M, 12 r. Marc-Antoine Petit ✉ 69002 ℘ 78 42 17 18, Télex 380736, Fax 72 40 00 65, – rest – 25 à 130. AE GB JCB Lyon p. 4 BZ r
fermé 23 déc. au 3 janv. – **R** *(fermé août et dim.)* 140/280 – 38 – **128 ch** 305/360.

Gd H. Bordeaux sans rest, 1 r. Bélier ✉ 69002 ℘ 78 37 58 73, Télex 330355, Fax 78 37 48 02 – – 30. AE GB BZ y
42 – **77 ch** 300/550.

Berlioz M sans rest, 12 cours Charlemagne ✉ 69002 ℘ 78 42 30 31, Télex 330862, Fax 72 40 97 58 – AE GB BZ z
35 – **38 ch** 235/400.

des Savoies sans rest, 80 r. Charité ✉ 69002 ℘ 78 37 66 94, Fax 72 40 27 84 – AE GB BCZ m
24 – **46 ch** 210/270.

Normandie sans rest, 3 r. du Bélier ✉ 69002 ℘ 78 37 31 36, Fax 72 40 98 56 – AE GB BZ x
25 – **39 ch** 152/278.

Vieux-Lyon :

Cour des Loges M, 6 r. Bœuf ✉ 69005 ℘ 78 42 75 75, Télex 330831, Fax 72 40 93 61, « Décoration contemporaine originale dans des maisons du Vieux Lyon » – – 45. AE GB JCB BX n
Tapas des Loges **R** carte environ 160 – 100 – **53 ch** 1150/1600, 10 appart. 2000/3000.

✿ **Tour Rose** (Chavent) M, 22 r. Boeuf ✉ 69005 ℘ 78 37 25 90, Fax 78 42 26 02, « Maison du 17e siècle, élégante décoration sur le thème de la soie », – – 25. AE GB JCB BX e
R *(fermé dim.)* 350/550 – 90 – **6 ch** 950/1500, 6 appart. 1500/2500, 4 duplex
Spéc. Salade de pommes de terre à la crème de caviar, Saumon mi-cuit au fumoir, Foie chaud de canard et filet de rouget aux lentilles. **Vins** Viognier, Brouilly.

RUES :

Arloing (Quai)	**FS**	10	Marietton (R.)	**FS**	69
Bourgogne (R. de)	**FR**	18	Observance (Mtée)	**FS**	75
Crx-Rousse (Gde R.)	**GR**	42	République (Av.) TASSIN	**FS**	88
Jayr (Quai)	**FR**	63	Stalingrad (Bd de)	**HR**	105
Lignon (Quai A.)	**HR**	68	Thiers (Av.)	**HS**	109

Répertoire des Rues, voir « Lyon p. 7 »

PONTS :

Churchill	**GR**	34	Mulatière	**GT**	73
Clemenceau	**FS**	36	Pasteur	**GT**	79
Mazaryk	**FR**	72	Poincaré	**HR**	82

Voir emplacement sur « Lyon p. 4 et 5 » pour :

Bonaparte	**BY**	16	Kœnig (Gén.)	**AV**	67
Feuillée	**BV**	50	La Fayette	**DX**	
Gallieni	**CZ**		Lattre-de-Tassigny (de)	**DU**	
Guillotière	**DY**		Morand	**DV**	
Hme-de-la-Roche	**AV**	59	Université	**CZ**	
Juin (Mar.)	**CX**	64	Wilson	**DX**	
Kitchener	**BZ**	66			

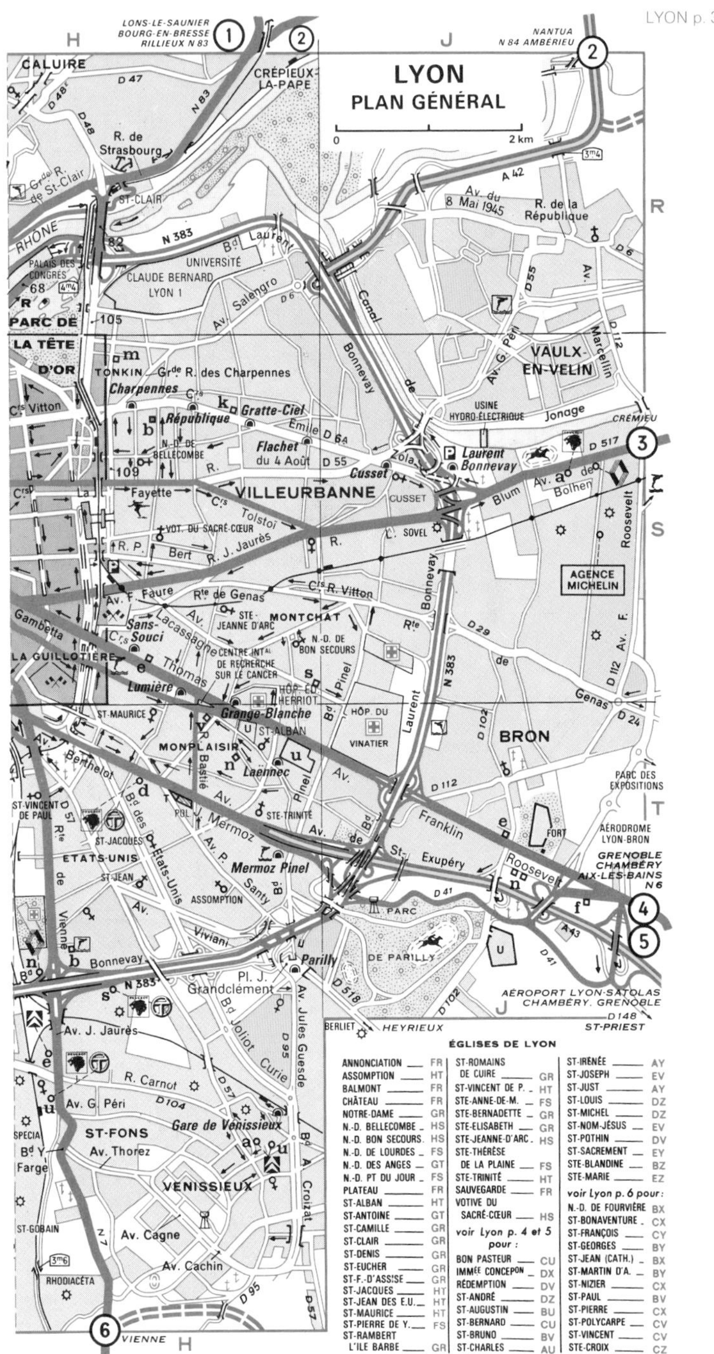

ÉGLISES DE LYON

ANNONCIATION	FR
ASSOMPTION	HT
BALMONT	FR
CHÂTEAU	FR
NOTRE-DAME	GR
N.-D. BELLECOMBE	HS
N.-D. BON SECOURS	HS
N.-D. DE LOURDES	FS
N.-D. DES ANGES	GT
N.-D. PT DU JOUR	FS
PLATEAU	FR
ST-ALBAN	HT
ST-ANTOINE	GT
ST-CAMILLE	GR
ST-CLAIR	GR
ST-DENIS	GR
ST-EUCHER	GR
ST-F.-D'ASSISE	GR
ST-JACQUES	HT
ST-JEAN DES E.U.	HT
ST-MAURICE	HT
ST-PIERRE DE Y.	FS
ST-RAMBERT L'ILE BARBE	GR
ST-ROMAINS DE CUIRE	GR
ST-VINCENT DE P.	HT
STE-ANNE-DE-M.	FS
STE-BERNADETTE	GR
STE-ELISABETH	GR
STE-JEANNE-D'ARC	HS
STE-THÉRÈSE DE LA PLAINE	FS
STE-TRINITÉ	HT
SAUVEGARDE	FR
VOTIVE DU SACRÉ-CŒUR	HS
voir Lyon p. 4 et 5 pour :	
BON PASTEUR	CU
IMMÉE CONCEPON	DX
RÉDEMPTION	DV
ST-ANDRÉ	DZ
ST-AUGUSTIN	BU
ST-BERNARD	CU
ST-BRUNO	BV
ST-CHARLES	AU
ST-IRÉNÉE	AY
ST-JOSEPH	EV
ST-JUST	AY
ST-LOUIS	DZ
ST-MICHEL	DZ
ST-NOM-JÉSUS	EV
ST-POTHIN	DV
ST-SACREMENT	EY
STE-BLANDINE	BZ
STE-MARIE	EZ
voir Lyon p. 6 pour :	
N.-D. DE FOURVIÈRE	BX
ST-BONAVENTURE	CX
ST-FRANÇOIS	CY
ST-GEORGES	BY
ST-JEAN (CATH.)	BX
ST-MARTIN D'A.	BY
ST-NIZIER	CX
ST-PAUL	BV
ST-PIERRE	CX
ST-POLYCARPE	CV
ST-VINCENT	CV
STE-CROIX	CZ

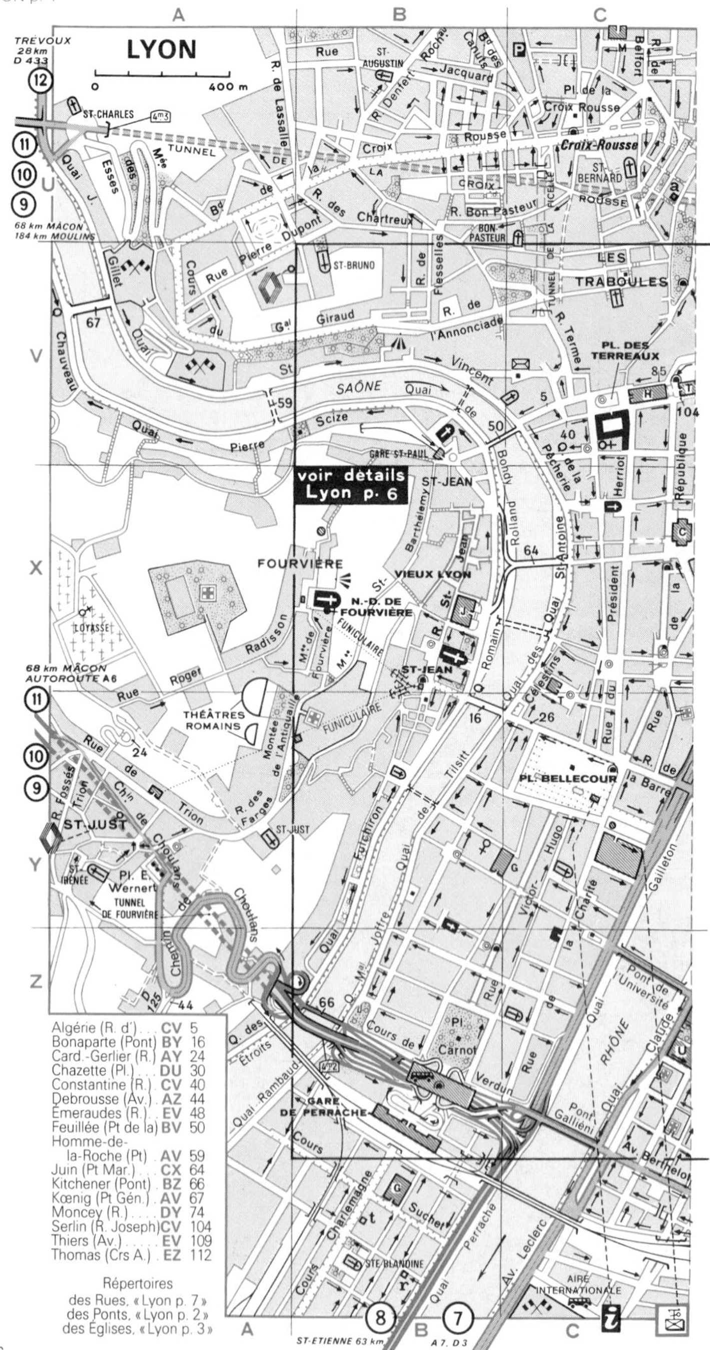

Algérie (R. d')	CV	5
Bonaparte (Pont)	BY	16
Card.-Gerlier (R.)	AY	24
Chazette (Pl.)	DU	30
Constantine (R.)	CV	40
Debrousse (Av.)	AZ	44
Émeraudes (R.)	EV	48
Feuillée (Pt de la)	BV	50
Homme-de-la-Roche (Pt)	AV	59
Juin (Pt Mar.)	CX	64
Kitchener (Pont)	BZ	66
Kœnig (Pt Gén.)	AV	67
Moncey (R.)	DY	74
Serlin (R. Joseph)	CV	104
Thiers (Av.)	EV	109
Thomas (Crs A.)	EZ	112

Répertoires
des Rues, « Lyon p. 7 »
des Ponts, « Lyon p. 2 »
des Églises, « Lyon p. 3 »

PARC DE LA TÊTE D'OR
LES BROTTEAUX
GARE LA PART DIEU
LA PART-DIEU
LA GUILLOTIÈRE
CENTRE COMMERCIAL RÉGIONAL
MANUFACTURE DES TABACS
CENTRE NAUTIQUE
BOURG 62 km
NANTUA 96 km
Bd de Ceinture
PALAIS DES CONGRÈS
CRÉMIEU 37 km D 517
GRENOBLE 104 km
CHAMBERY 98 km
LA TOUR DU PIN 55 km
N6, A 43
VIENNE 27 km N 7
107 km GRENOBLE
113 km CHAMBERY
Entrée

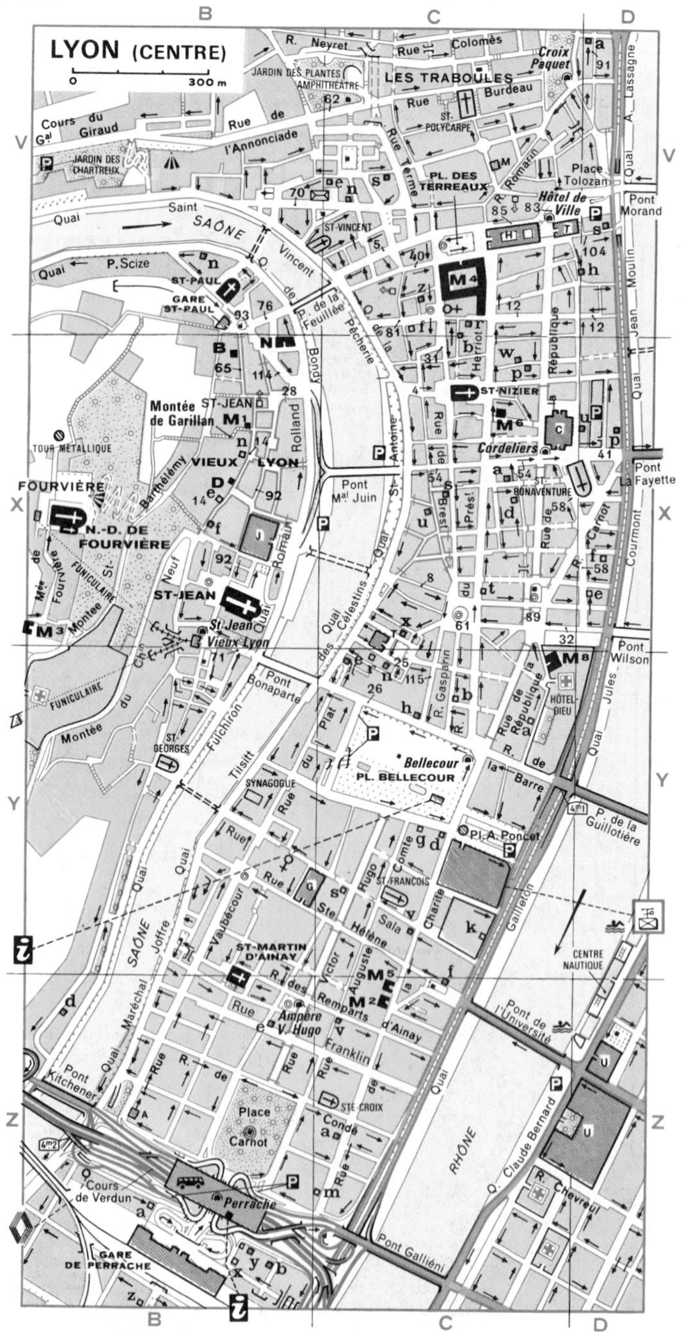

LYON (CENTRE)
0 300 m
LES TRABOULES
JARDIN DES PLANTES
AMPHITHÉÂTRE
JARDIN DES CHARTREUX
PL. DES TERREAUX
Hôtel de Ville
Croix Paquet
Place Tolozan
Pont Morand
ST-POLYCARPE
ST-VINCENT
ST-PAUL
GARE ST-PAUL
Quai Saint Vincent
SAÔNE
Quai P. Scize
Montée de Garillan
ST-JEAN
VIEUX LYON
TOUR MÉTALLIQUE
FOURVIÈRE
N.-D. DE FOURVIÈRE
FUNICULAIRE
ST-NIZIER
Cordeliers
ST-BONAVENTURE
Pont La Fayette
Pont Mal Juin
St Jean
Vieux Lyon
Pont Bonaparte
ST-GEORGES
Pont Wilson
HÔTEL-DIEU
Bellecour
PL. BELLECOUR
SYNAGOGUE
P. de la Guillotière
PI. A. Poncet
ST-FRANÇOIS
CENTRE NAUTIQUE
ST-MARTIN D'AINAY
Ampère V. Hugo
Pont de l'Université
Pont Kitchener
STE-CROIX
Place Carnot
Cours de Verdun
Perrache
GARE DE PERRACHE
Pont Galliéni
RHÔNE
Q. Claude Bernard
R. Chevreul

RÉPERTOIRE DES RUES DU PLAN DE LYON

Guillotière (Gde-R.) p. 5 **EZ**
Jaurès (Av. Jean) p. 5 **DZ**
La Part-Dieu p. 5 **EY**
République (R.) p. 6 **CX**
Terme (R.) p. 6 **CV**
Victor-Hugo (R.) p. 6 **CY**
Vitton (Cours) p. 5 **EV**

Abbé-Boisard (R.) p. 5 **EZ**
Alnay (Remp. d') p. 6 **CZ**
Albon (Pl.) p. 6 **CX** 4
Algérie (R. d') p. 6 **CV** 5
Ambroise-Croizat (Bd) p. 3 **HT**
Anc.-Préfect. (R) p. 6 **CX** 8
Annonciade (R.) p. 6 **BV**
Antiquaille (Mtée) p. 4 **AY**
Arloing (Quai) p. 2 **FS** 10
Augagneur (Quai) p. 5 **DX**
Aynard (Av. E.) p. 2 **FS**
Baron-du-Marais (Bd) p. 2 **FT**
Barre (R. de la) p. 6 **CY**
Barrême (R.) p. 5 **DU**
Bastié (R. M.) p. 3 **HT**
Bât-d'Argent (R.) p. 6 **CV** 12
Belfort (R. de) p. 4 **CU**
Belges (Bd des) p. 5 **EU**
Bellecour (Pl.) p. 6 **CY**
Berthelot (Av.) p. 5 **DZ**
Bloch (R. Marc) p. 5 **DZ**
Blum (R. Léon) p. 3 **JS**
Bœuf (R. du) p. 6 **BX** 14
Boileau (R.) p. 5 **DV**
Bolhen (Av. de) p. 3 **JS**
Bondy (Quai de) p. 6 **BX**
Bonnel (R. de) p. 5 **DX**
Bonnevay (Bd L.) p. 3 **JS**
Bon-Pasteur (R.) p. 4 **CU**
Bourgogne (R. de) p. 2 **FR** 18
Brest (R. de) p. 6 **CX**
Briand (Pl. A.) p. 5 **EZ**
Briand (Crs A.) CUIRE p. 2 **GR**
Brotteaux (Bd des) p. 5 **EV**
Bugeaud (R.) p. 5 **DV**
Burdeau (R.) p. 6 **CV**
Buyer (Av. Barth.) p. 2 **FS**
Cachin (Av. M.) p. 3 **HT**
Cagne (Av. J.) p. 3 **HT**
Canuts (Bd des) p. 4 **BU**
Card. Gerlier (R.) p. 4 **AY** 24
Carnot (Pl.) p. 6 **BZ**
Carnot (R.) p. 6 **DX**
Carnot (R.) ST-FONS p. 3 **HT**
Célestins (Pl. des) p. 6 **CY** 25
Célestins (Q. des) p. 6 **CX**
Chambaud-de-la-Bruyère (Bd) p. 2 **GT**
Chambonnet (R.) p. 6 **CY** 26
Champagne (Rte de) p. 2 **FR**
Change (Pl. du) p. 6 **BX** 28
Chaponnay (R.) p. 5 **EY**
Charcot (R. Cdt) p. 2 **FS**
Charité (R. de la) p. 6 **CY**
Charlemagne (Crs) p. 4 **BZ**
Charpennes (Gde R.) p. 3 HS
Chartreux (R. des) p. 4 **BU**
Chassagnes (Ch.) p. 2 **FT**
Châter (Av. du) p. 2 **FT**
Chauveau (Quai) p. 4 **AV**
Chazette (Pl. L.) p. 5 **DU** 30
Ch.-Neuf (Montée) p. 6 **BX**
Chenevard (R. P.) p. 6 **CX** 31
Chevreul (R.) p. 6 **DZ**
Childebert (R.) p. 6 **CX** 32
Choulans (Ch. de) p. 4 **AY**
Cl.-Bernard (Quai) p. 6 **CZ**
Colomès (R.) p. 6 **CV**
Comte (R. A.) p. 6 **CY**
Condé (R. de) p. 6 **CZ**
Constantine (R.) p. 6 **CV** 40
Cordeliers (Pl.) p. 6 **DX** 41
Corneille (R. P.) p. 5 **DY**
Coste (R.) p. 2 **GR**
Courmont (Quai J.) p. 6 **DX**
Créqui (R.) p. 5 **DX**
Crx-de-Pivort (Ch.) p. 2 **FT**
Croix-Rousse (Bd) p. 4 **BU**
Croix-Rousse (Gde-Rue) p. 2 **GR** 42
Croix-Rousse (Pl.) p. 4 **CU**
Debrousse (Av.) p. 4 **AZ** 44
Déchamp (R. S.) p. 2 **GT**
Deruelle (Bd) p. 5 **EX**
Denf.-Roch. (R.) p. 4 **BU**
Dr-Terver (Av.) p. 2 **FS**
Domer (R.) p. 5 **EZ**
Du-Guesclin (R.) p. 5 **DV**
Dupont (R. Pierre) p. 4 **BU**
Duquesne (R.) p. 5 **DU**
Émeraudes (R. des) p. 5 **EV** 48
Esses (Montée des) p. 4 **AU**
États-Unis (Bd) p. 3 **HT**
Étroits (Quai des) p. 4 **AZ**
Farges (R. des) p. 4 **AY**
Farge (Bd Yves) p. 3 **HT**
Farge (R. Yves) p. 2 **GT**
Favre (Bd Jean) p. 5 **EX**
Félix-Faure (Av.) p. 5 **EZ**
Flesselles (R. de) p. 4 **BV**
Foch (Av. Mar.) p. 5 **DV**
Foch (Av. Mar.) TASSIN p. 2 **FS**
Fourvière (Mtée de) p. 6 **BX**
France (Bd A.) p. 5 **EV**
Franklin (R.) p. 6 **CZ**
Fulchiron (Quai) p. 6 **BY**
Gailleton (Quai) p. 6 **CY**
Gambetta (Cours) p. 5 **DY**
Garibaldi (R.) p. 5 **EX**
Garnier (Av.) p. 2 **GT**
Gasparin (R.) p. 6 **CY**
Gaulle (Av. de) p. 2 **FS**
Genas (Rte de) p. 3 **JS**
Gerland (R. de) p. 2 **GT**
Gillet (Quai J.) p. 4 **AU**
Giraud (Crs Gén.) p. 6 **BV**
Grandclément (Pl.) p. 3 **HT**
Gde-Bretagne (Av.) p. 5 **DU**
Grenette (R.) p. 6 **CX** 54
Grolée (R.) p. 6 **DX** 58
Gryphe (R. S.) p. 5 **DZ**
Guérin (R. L.) p. 5 **EU**
Guesde (Av. J.) VÉNISSIEUX p. 3 **HY**
Henon (R.) p. 2 **GR**
Herbouville (Crs d') p. 5 **DU**
Jacobins (Pl. des) p. 6 **CX** 61
Jacquard (R.) p. 4 **BU**
Jardin-Plantes (R.) p. 6 **CV** 62
Jaurès (Av.) ST-FONS p. 3 **HT**
Jaurès (R. Jean) VILLEURBANNE p. 3 **HS**
Jayr (Quai) p. 2 **FR** 63
J.-J.-Rousseau (Q.) p. 2 **FT**
Joffre (Quai Mar.) p. 6 **BZ**
Joliot-Curie (R.) p. 2 **FS**
Joliot-Curie (Bd) VÉNISSIEUX p. 3 **HT**
Juiverie (R.) p. 6 **BX** 65
Juttet (R. L.) p. 2 **FR**
Kléber (Pl.) p. 5 **DV**
Lacassagne (Av.) p. 3 **HS**
La-Fayette (Cours) p. 5 **EX**
Lanessan (Av. de) p. 2 **FR**
Lassagne (Quai A.) p. 6 **DV**
Lassale (R. Ph.-de) p. 4 **AU**
Leclerc (Av.) p. 4 **CZ**
Liberté (Cours) p. 5 **DY**
Lignon (Quai A.) p. 3 **HR** 68
Louis-Blanc (R.) p. 5 **EX**
Lyautey (Pl. Mar.) p. 5 **DV**
Macé (Pl. Jean) p. 5 **DZ**
Malesherbes (R.) p. 5 **DV**
Marcellin (Av. P.) p. 3 **JS**
Marietton (R.) p. 2 **FS** 69
Marseille (R. de) p. 5 **DY**
Martinière (R.) p. 6 **BV** 70
Max (Av. Adolphe) p. 6 **BY** 71
Merle (Bd Vivier) p. 5 **EY**
Mermoz (Av. Jean) p. 3 **HT**
Molière (R.) p. 5 **DX**
Moncey (R.) p. 5 **DY** 74
Montesquieu (R.) p. 5 **DZ**
Montgolfier (R.) p. 5 **EU**
Moulin (Quai J.) p. 6 **DV**
Neyret (R.) p. 6 **BV**
Observance (Mtée) p. 2 **FS** 75
Octavio-Mey (R.) p. 6 **BV** 76
Part-Dieu (R.) p. 5 **DX**
Paul-Bert (R.) p. 5 **EY**
Pêcherie (Quai) p. 6 **CX**
Péri (Av. Gabriel) ST-FONS p. 3 **HT**
Péri (Av. Gabriel) VAULX-EN-V. p. 3 **JR**
Perrache (Quai) p. 4 **BZ**
Pinel (Bd) p. 3 **HT**
Plat (R. du) p. 6 **BY**
Platière (R. de la) p. 6 **CV** 81
Poncet (Pl. A.) p. 6 **CY**
Pradel (Pl. Louis) p. 6 **CV** 83
Prés.-Herriot (R.) p. 6 **CX**
Puits-Gaillot (R.) p. 6 **CV** 85
Radisson (R.) p. 4 **AX**
Rambaud (Quai) p. 4 **AZ**
Raspail (Pl.) p. 5 **DY**
Récamier (R. J.) p. 5 **EX**
République (Av.) TASSIN p. 2 **FS** 88
République (Pl.) p. 6 **CX** 89
République (R.) VAULX-EN-V. p. 3 **JR**
Rockefeller (Av.) p. 3 **HT**
Romain-Rolland (Quai) p. 6 **BX**
Romarin (R.) p. 6 **CV**
Roosevelt (Crs F.) p. 5 **DV**
Roosevelt (Av. F.) BRON p. 3 **JT**
Roosevelt (Av. F.) DECINES p. 3 **JS**
Roosevelt (Av. F.) ECULLY p. 2 **FS**
Royale (R.) p. 6 **DV** 91
St-Antoine (Quai) p. 6 **CX**
St-Barthélemy (Mtée) p. 6 **BX**
St-Clair (Gde R.) p. 3 **HR**
St-Exupéry (Av.) p. 3 **JT**
St-Jean (R.) p. 6 **BX** 92
St-Paul (Pl.) p. 6 **BV** 93
St-Vincent (Quai) p. 6 **BV**
Ste-Hélène (R.) p. 6 **CY**
Sala (Rue) p. 6 **CY**
Salengro (Av. R.) VILLEURBANNE p. 3 **JR**
Santy (Av. Paul) p. 3 **HT**
Sarrail (Quai Gén.) p. 5 **DV**
Saxe (Av. Mar. de) p. 5 **DY**
Scize (Quai Pierre) p. 6 **BV**
Serbie (Quai de) p. 5 **DV**
Serlin (R. J.) p. 6 **DV** 104
Servient (R.) p. 5 **DX**
Sèze (R. de) p. 5 **EV**
Stalingrad (Bd de) p. 5 **EU**
Strasbourg (R. de) p. 3 **HR**
Suchet (Cours) p. 4 **BZ**
Tchécoslovaques (Bd des) p. 5 **EZ**
Terreaux (Pl. des) p. 6 **CV**
Tête-d'Or (R.) p. 5 **EV**
Thiers (Av.) p. 5 **EV** 109
Thomas (Crs A.) p. 5 **EZ** 112
Thorez (Av. M.) p. 3 **HT**
Tilsitt (Quai) p. 6 **BY**
Tolozan (Pl.) p. 6 **DV**
Tolstoï (Crs) p. 3 **HS**
Trion (R. de) p. 4 **AY**
Université (R.) p. 5 **DZ**
Valioud (Av.) p. 2 **FS**
Vaubécour (R.) p. 6 **BY**
Vendôme (R.) p. 5 **DV**
Verdun (Cours de) p. 6 **BZ**
Verguin (Av.) p. 5 **EU**
Vernay (R. Fr.) p. 6 **BX** 114
V.-Hugo (Av.) TASSIN p. 2 **FS**
Vienne (Rte de) p. 5 **EZ**
Vitton (Crs R.) p. 3 **JS**
Viviani (Av.) p. 3 **HT**
Wernert (Pl. E.) p. 4 **AY**
Zola (R. Émile) p. 6 **CY** 115
Zola (Cours Émile) VILLEURBANNE p. 3 **JS**
4-Août (R. du) p. 3 **JS**
8-Mai 1945 (Av.) p. 3 **JR**
25e-R.T.S. (Av.) p. 2 **FR**

Répertoire des Ponts et des Églises, voir « Lyon p. 2 et 3 ».

La Croix-Rousse (bord de Saône) : voir emplacements sur Lyon p. 2

Lyon Métropole M, 85 quai J. Gillet ✉ 69004 ☎ 78 29 20 20, Télex 380198, Fax 78 39 99 20, – – AE O GB – 350. GR **k**
Grill R carte 100 à 200 – **Les Eaux Vives** ☎ 78 29 36 36 *(fermé 24 déc. au 1er janv. et dim. en juil.-août)* **R** 135/200 – ☐ 49 – **119 ch** 455/550.

Confortel M, 48r. Henon ✉ 69004 ☎ 72 00 22 22, Fax 72 00 00 49, – – 30. AE GB GR **n**
R 74/120 ♁, enf. 37 – ☐ 30 – **51 ch** 280/300.

Les Brotteaux : voir emplacements sur Lyon p. 5

Roosevelt, 25 r. Bossuet ✉ 69006 ☎ 78 52 35 67, Télex 300295, Fax 78 52 39 82 – – 40 DV **x**
87 ch.

Lutétia Comfort Inn M sans rest, 114 bd Belges ☎ 78 24 44 68, Fax 78 24 82 36 – . AE O GB. EV **n**
☐ 37 – **55 ch** 463/486.

Olympique sans rest, 62 r. Garibaldi ✉ 69006 ☎ 78 89 48 04, Fax 78 89 49 97 – . AE GB JCB EV **d**
☐ 28 – **23 ch** 255/265.

La Part-Dieu : voir emplacements sur Lyon p. 5

Holiday Inn Crowne Plaza M, 29 r. Bonnel ☎ 72 61 90 90, Télex 330703, Fax 72 61 17 54, – ch – 200. AE O GB JCB DX **t**
R 130/195 ♁, enf. 45 – ☐ 70 – **156 ch** 810/1350.

✿ **Pullman Part-Dieu** M, 129 r. Servient (32e étage) ✉ 69003 ☎ 78 62 94 12, Télex 380088, Fax 78 60 41 77, ← Lyon et vallée du Rhône – ch – 300. AE O GB JCB EX **n**
L'Arc-en-Ciel *(fermé 20 juil. au 20 août et dim. soir)* **R** carte 240 à 390 – **La Ripaille** grill (rez-de-chaussée) **R** carte 120 à 190 ♁, enf. 50 – ☐ 58 – **245 ch** 595/895
Spéc. Terrine de langoustines au foie gras, Gigotin de lotte braisé au lard fumé, Râble de lapereau au citron et au basilic thaï.

Mercure M, 47 bd Vivier-Merle ✉ 69003 ☎ 72 34 18 12, Télex 306469, Fax 78 53 40 69 – – 100. AE O GB JCB EX **a**
R 125/145 ♁, enf. 45 – ☐ 50 – **124ch** 530/610.

Créqui M sans rest, 158 r. Créqui ✉ 69003 ☎ 78 60 20 47, Fax 78 62 21 12 – . GB DX **s**
☐ 42 – **28 ch** 320/350.

Ibis M, pl. Renaudel ✉ 69003 ☎ 78 95 42 11, Télex 310847, Fax 78 60 42 85, – ch – 30. GB EY **k**
R 79/128 ♁, enf. 39 – ☐ 32 – **144 ch** 325/345.

La Guillotière : voir emplacements sur Lyon p. 5

Gd H. Helder et Institut sans rest, 38 r. Marseille ✉ 69007 ☎ 78 61 61 61, Télex 306411, Fax 78 61 61 00 – . AE O GB DZ **d**
98 ch ☐ 340/480.

Columbia sans rest, 8 pl. A. Briand ✉ 69003 ☎ 78 60 54 65, Télex 305551, Fax 78 62 04 88 – . AE O GB JCB EZ **z**
☐ 31 – **66 ch** 230/270.

Urbis Université M sans rest, 51 r. Université ✉ 69007 ☎ 78 72 78 42, Télex 340455, Fax 78 69 24 36 – . AE GB DZ **b**
☐ 34 – **53 ch** 295/345.

Gerland : voir emplacements sur Lyon p. 2

Mercure M, 70 av. Leclerc ✉ 69007 ☎ 78 58 68 53, Télex 305484, Fax 78 61 05 54, – – 450. AE O GB JCB GT **e**
R 125/145 ♁, enf. 45 – ☐ 50 – **194 ch** 530/610.

Ibis M, 68 av. Leclerc ✉ 69007 ☎ 78 58 30 70, Télex 305483, Fax 78 72 28 61 – – 30. GB GT **e**
R 79 ♁, enf. 39 – ☐ 32 – **129 ch** 310/330.

Montchat-Monplaisir : voir emplacements sur Lyon p. 3

Mercure Lyon Lumière M, 71 cours Albert Thomas ✉ 69003 ☎ 78 53 76 76, Fax 72 36 97 65 – ch – 25 à 70. AE O GB HS **e**
R 125 ♁, enf. 45 – ☐ 49 – **79 ch** 500/550.

Altea Park, 4 r. Prof. Calmette ✉ 69008 ☎ 78 74 11 20, Télex 380230, Fax 78 01 43 38, – – 25. AE O GB HT **v**
Le Patio *(fermé dim. midi et sam.)* **R** 80/120 ♁, enf. 60 – ☐ 46 – **72 ch** 375/410.

Lacassagne sans rest, 245 av. Lacassagne ✉ 69003 ☏ 78 54 09 12, Fax 72 36 99 23 – AE GB HS **s**
25 – **40 ch** 180/260.

Laennec sans rest, 36 r. Seignemartin ✉ 69008 ☏ 78 74 55 22, Fax 78 01 00 24 – GB HT **n**
33 – **14 ch** 270/370.

à Villeurbanne :voir emplacements sur Lyon p. 3 – 116 872 h. – ✉ **69100** :

Congrès, pl. Cdt Rivière ☏ 78 89 81 10, Télex 370216, Fax 78 94 64 86 – 130. AE GB JCB HS **m**
R *(fermé 24 déc. au 1er janv.)* 150/310 – 45 – **136 ch** 345/375 – 1/2 P 352.

Ariana M sans rest, 163 cours É. Zola ☏ 78 85 32 33, Télex 380608, Fax 78 03 02 82 – GB HS **k**
45 – **102 ch** 298/435.

à Bron : 39 683 h. – ✉ **69500** :

Novotel M, av. J. Monnet ☏ 78 26 97 48, Télex 340781, Fax 78 26 45 12, – 25 à 800. AE GB JCB Lyon p. 3 JT **f**
R carte environ 160 , enf. 53 – 47 – **189 ch** 415/430.

Dau Ly sans rest, 28 r. Prévieux ☏ 78 26 04 37, Fax 78 26 62 47 – AE GB Lyon p. 3 JT **e**
29 – **22 ch** 240/290.

Relais Porte des Alpes M, r. Col. Chambonnet ☏ 72 37 00 14, Fax 78 26 95 05 – AE GB JT **n**
R *(fermé dim.)* 79/145 , enf. 50 – 32 – **42 ch** 248/268 – 1/2 P 248.

Ibis Bron Eurexpo M, r. M. Bastié ☏ 72 37 01 46, Télex 306073, Fax 78 26 65 43 – 40. GB JT **n**
R 79 , enf. 39 – 30 – **79 ch** 295/320.

*à Vénissieux - Moulin-à-Vent*S : 5 km par rte de Vienne (N 7) près échangeur N 383 – 60 444 h. – ✉ **69200** :

Cottage H. M, 14 av. Dr Levy (près piscine) ☏ 78 00 00 13, Télex 301426, Fax 78 01 71 10, – 25 à 40. GB HT **b**
R *(fermé août)* 68/88, enf. 35 – 26 – **42 ch** 277 – 1/2 P 276.

à Pierre-Bénite :– 9 574 h. – ✉ **69310** :

Europe sans rest, 67 bd Europe ☏ 78 50 55 55, Fax 78 50 16 01 – GB Lyon p. 2 GT **b**
30 – **34 ch** 230/260.

Restaurants

XXXXX ✿✿✿ **Paul Bocuse,** pont de Collonges N : 12 km par bords Saône (D433, D51) ✉ 69660 Collonges-au-Mont-d'Or ☏ 78 22 01 40, Télex 375382, Fax 72 27 85 87, « Elégante installation » – AE GB Lyon p. 2 GR
R 390 (déj.)/710 et carte 470 à 720, enf. 90
Spéc. Soupe aux truffes noires, Rouget barbet en écailles de pommes de terre, Volaille de Bresse en vessie. **Vins** Saint-Véran, Brouilly.

XXXX ✿ **Orsi,** 3 pl. Kléber ✉ 69006 ☏ 78 89 57 68, Télex 305965, Fax 72 44 93 34, « Décor élégant » – AE GB Lyon p. 5 DV **e**
fermé sam. en juil.-août et dim. sauf le midi de sept. à juil. – **R** 260 (déj.)/450
Spéc. Raviole de foie gras au jus de Porto, Marinière de rouget et daurade au basilic, Pigeonneau de Bresse rôti aux gousses d'ail.

XXXX **Roger Roucou "Mère Guy"** (ch. prévues), 35 quai J. J. Rousseau ✉ 69350 La Mulatière ☏ 78 51 65 37, Fax 78 51 99 47 – AE GB Lyon p. 2 FT **s**
fermé août, dim. soir et lundi – **R** 250/450, enf. 120.

XXXX **Le Gourmandin,** 14 pl. J. Ferry (Gare des Brotteaux) ✉ 69006 ☏ 78 52 02 52, Fax 78 52 33 05, « Décor moderne original évoquant les chemins de fer » – AE GB Lyon p. 5 EV **t**
fermé dim. – **R** 150/395.

XXX ✿ **Léon de Lyon** (Lacombe), 1 r. Pleney ✉ 69001 ☏ 78 28 11 33, Télex 300134, Fax 78 39 89 05, « Ambiance lyonnaise » – AE GB JCB CVX **b**
fermé 2 au 24 août, lundi midi et dim. – **R** 250/440, enf. 85
Spéc. Pâté en croûte à l'ancienne, Pigeonneau "demi-deuil" (avril à juin et sept. à nov.), Six desserts au chocolat amer. **Vins** Pouilly Fuissé , Moulin à Vent.

XXX ✿ **Aub. de Fond-Rose** (Brunet), 23 quai Clemenceau ✉ 69300 Caluire ☏ 78 29 34 61, Fax 72 00 28 67, « Jardin ombragé et fleuri, volière » – AE GB JCB Lyon p. 2 GR **p**
fermé lundi d'oct. à avril et dim. soir – **R** 190/420, enf. 120
Spéc. Volaille de Bresse au vinaigre, Suprême de dorade aux câpres (printemps-été),Salpicon de Saint-Jacques et langoustines (hiver et printemps).

XXX ✿ **Bourillot,** 8 pl. Célestins ✉ 69002 ☏ 78 37 38 64 – AE GB JCB
fermé 4 juil. au 3 août, 23 déc. au 2 janv., dim. et fériés – **R** 225/425 CY **n**
Spéc. Quenelle de brochet au fumet de homard, Volaille de Bresse "Marie" pommes aux truffes, Soufflé glacé au chocolat. **Vins** Coteaux du Lyonnais, Saint-Véran.

XXX ✿ **Nandron,** 26 quai J. Moulin ✉ 69002 ✆ 78 42 10 26, Fax 78 37 69 88 – ▤. AE ⓓ GB JCB DX **p**
fermé 25 juil. au 23 août et sam. – **R** 310/450
Spéc. Terrine tiède de champignons des bois, Quenelle de brochet à la Nantua, Rognon rôti en cocotte au thym. **Vins** Mâcon, Saint-Joseph.

XXX ✿ **Mère Brazier,** 12 r. Royale ✉ 69001 ✆ 78 28 15 49, « Ambiance lyonnaise » – AE ⓓ GB JCB DV **a**
fermé août, sam. (sauf le soir du 1er août au 15 juin), dim. et fériés – **R** 300/350
Spéc. Fond d'artichaut au foie gras, Quenelle au gratin, Volaille de Bresse "demi-deuil". **Vins** Chiroubles, Saint-Joseph.

XXX ✿ **Fédora** (Judéaux), 249 r. M. Merieux ✉ 69007 ✆ 78 69 46 26, Fax 72 73 38 80, – AE GB JCB Lyon p. 2 GT **k**
fermé 23 déc. au 4 janv., sam. midi, dim. et fériés – **R** 160/260 ♁
Spéc. Saint-Jacques en coquille au beurre demi-sel (oct. à avril), Homard en os à moelle, Ragoût d'encornets au poivre. **Vins** Mâcon.

XXX **Le Saint Alban,** 2 quai J. Moulin ✉ 69001 ✆ 78 30 14 89 – ▤. AE GB DV **s**
fermé 1er au 23 août, sam. sauf le soir de sept. à juin, dim. et fériés – **R** 140/260.

XXX **Cazenove,** 75 r. Boileau ✉ 69006 ✆ 78 89 82 92, « Évocation Belle Époque » – ▤. AE GB Lyon p. 5 DV **k**
fermé août, sam. et dim. – **R** 260/360.

XXX **Les Fantasques,** 47 r. Bourse ✉ 69002 ✆ 78 37 36 58 – ▤. AE ⓓ GB DX **u**
fermé 8 au 31 août et dim. – **R** 250/350.

XXX **Henry,** 27 r. Martinière ✉ 69001 ✆ 78 28 26 08, Fax 78 27 97 15, « Fresques murales » – ▤. AE ⓓ GB CV **n**
fermé lundi – **R** 120/250 ♁, enf. 100.

XXX **Christian Têtedoie,** 54 quai Pierre Scize ✉ 69005 ✆ 78 29 40 10, Fax 72 07 05 65 – AE ⓓ GB BV **n**
fermé sam. midi et dim. sauf fériés – **R** 180/260.

XXX **Les Grillons,** 18 r. D. Vincent à **Champagne-au-Mont-d'Or** par ⑪ ✉ 69410 Champagne-au-Mont-d'Or ✆ 78 35 04 78, – ℗. AE ⓓ GB
fermé 16 août au 9 sept., vacances de fév., dim. soir, lundi et fériés le soir – **R** 140/325, enf. 70.

XXX **Le Rocher,** quartier St-Rambert, 8 quai R. Carrié ✉ 69009 ✆ 78 83 99 72, – ℗. GB
fermé 3 au 18 nov. et dim. soir – **R** 120/280. Lyon p.2 GR **f**

XXX **La Soupière,** 14 r. Molière ✉ 69006 ✆ 78 52 75 34, Fax 78 65 03 92, produits de la mer – GB Lyon p. 5 DV **b**
fermé août, sam. d'avril à sept. et dim. – **R** 170/360.

XXX **Junet "Au Petit Col",** 68 r. Charité ✉ 69002 ✆ 78 37 25 18 – ▤. AE CZ **a**
fermé dim. sauf le midi de sept. à juin et lundi – **R** 145/355.

XX **La Mère Vittet** ouvert jour et nuit, 26 cours Verdun ✉ 69002 ✆ 78 37 20 17, Fax 78 42 40 70 – ▤. AE ⓓ GB JCB BZ **y**
R 135/285 ♁, enf. 70.

XX **Le Nord,** 18 r. Neuve ✉ 69002 ✆ 78 28 24 54, Fax 72 28 76 58 – ▤. AE GB CX **p**
fermé 8 au 15 août et sam. – **R** 90/230 ♁.

XX **J.-C. Pequet,** 59 pl. Voltaire ✉ 69003 ✆ 78 95 49 70 – ▤. AE ⓓ GB Lyon p. 5 DY **v**
fermé 14 au 31 juil., 23 déc. au 2 janv., sam., dim. et fêtes – **R** 130/240.

XX **Garioud,** 14 r. Palais Grillet ✉ 69002 ✆ 78 37 04 71, Fax 72 40 98 07 – ▤. AE GB CX **d**
fermé sam. midi et dim. – **R** 132/269, enf. 60.

XX ✿ **Le Passage,** 8 r. Plâtre ✉ 69001 ✆ 78 28 11 16 – ▤. AE ⓓ GB CV **r**
fermé sam. midi, dim. et fériés – **R** 245/330
Spéc. Homard breton au cumin et lentilles au lard, Matelote de lotte au vin rouge, Pigeonneau rôti et escalope de foie gras aux épices (sauf été). **Vins** Bourgogne Aligoté, Côtes-du-Rhône.

XX ✿ **L'Alexandrin** (Alexanian), 83 r. Moncey ✉ 69003 ✆ 72 61 15 69 – ▤. GB. DX **h**
fermé 9 au 31 août, 24 déc. au 4 janv., dim. et lundi – **R** 145/185, enf. 85
Spéc. Terrine de foie gras de canard aux girolles, Escalope de thon sur purée d'artichaut, Grouse rôtie à la feuille de vigne (saison). **Vins** Saint-Joseph.

XX **Tante Alice,** 22 r. Remparts d'Ainay ✉ 69002 ✆ 78 37 49 83 – ▤. AE GB CZ **v**
fermé 31 juil. au 31 août, vend. soir et sam. – **R** 92/194.

XX **La Tassée,** 20 r. Charité ✉ 69002 ✆ 78 37 02 35, Fax 72 40 05 91 – AE ⓓ GB CY **v**
fermé 24 déc. au 2 janv., sam. en juil.-août et dim. – **Repas** 120/190.

XX **Thierry Gaché,** 37 r. Thibaudière ✉ 69007 ✆ 78 72 81 77, Fax 78 72 01 75 – ▤. AE GB
fermé dim. soir – **R** 108/248.

XX **Gourmet de Sèze,** 129 r. Sèze ✉ 69006 ✆ 78 24 23 42 – GB EU **z**
fermé 15 juil. au 15 août, sam. midi, dim. et fériés – **R** 100/220.

XX **Aub. de l'Ile,** quartier St-Rambert, Ile Ste-Barbe ✉ 69009 ✆ 78 83 99 49, Fax 78 47 80 46 – ℗. GB. Lyon p. 2 GR **e**
fermé 10 au 24 août, 1er au 15 janv., 1er au 7 fév., dim. soir et lundi – **R** 150/280.

XX Chez Rose, 4 r. Rabelais ✉ 69003 ✆ 78 60 57 25 – ▤ Lyon p. 5 DX **x**

XX **Chez Gervais,** 42 r. P. Corneille ✉ 69006 ☎ 78 52 19 13 – AE ⓓ GB Lyon p. 5 DX **a**
fermé juil., sam. sauf le soir du 15 sept. au 1er mai, dim. et fériés – **R** 150/185.

XX **Vivarais,** 1 pl. Gailleton ✉ 69002 ☎ 78 37 85 15 – ▤. AE ⓓ GB CYZ **f**
fermé 26 juil. au 16 août, 25 déc. au 3 janv. et dim. – **R** 100/150 ♁.

XX **La Brunoise,** 4 r. A. Boutin à Villeurbanne ✉ 69100 Villeurbanne ☎ 78 52 07 77 – ▤. GB HS **b**
fermé 1er au 30 août, le soir (sauf le jeudi), sam. et dim. – **R** 135/196.

XX **Chevallier,** 40 r. Sergent Blandan ✉ 69001 ☎ 78 28 19 83 – AE ⓓ GB CV **s**
fermé 13 juil. au 5 août, mardi et merc. – **R** 115/195.

XX **La Voûte,** 11 pl. A. Gourju ✉ 69002 ☎ 78 42 01 33, Fax 78 37 36 41 – ▤. AE ⓓ GB CY **e**
fermé 11 au 27 juil. et dim. – **R** 98/160.

XX **Christian Grisard,** 158 r. Cuvier ✉ 69006 ☎ 78 24 77 98 – ▤. ⓓ GB Lyon p.5 EV **r**
fermé août, dim. et lundi – **R** 115/280.

XX Michel Froidevaux, 3 r. Bugeaud ✉ 69006 ☎ 78 24 49 51 Lyon p. 5 DV **n**

X **Chez Jean-François,** 2 pl. Célestins ✉ 69002 ☎ 78 42 08 26 – GB CX **x**
fermé 17 au 26 avril, 25 juil. au 24 août, dim. et fériés – **R** 80/150 ♁.

X **Le Grenadin,** 27 r. Franklin ✉ 69002 ☎ 78 37 80 94 – ▤. GB BZ **e**
fermé lundi midi et dim. – **R** 93/168 ♁.

X **J.-P. Bergier,** 20 r. Sully ✉ 69006 ☎ 78 89 07 09 – AE ⓓ GB DV **f**
fermé 1er au 26 août, sam. (sauf le soir de sept. à juin) et dim. – **R** 110/245.

X **Le Bistrot de Lyon,** 64 r. Mercière ✉ 69002 ☎ 78 37 00 62, Fax 78 38 32 51, 🍽 – ▤. GB. ✱ CX **u**
R carte 180 à 220, enf. 65.

X **Bistrot de "la Mère",** 26 cours Verdun ✉ 69002 ☎ 78 42 16 91, Fax 78 42 40 70 – ▤. AE ⓓ GB BZ **y**
R 80/115 ♁.

X **Le Neuf,** 7 pl. Bellecour ✉ 69002 ☎ 78 42 07 59 – GB CY **h**
fermé 15 juil. au 27 août et dim. – **R** carte 170 à 250.

X **Brasserie Georges,** 30 cours Verdun ✉ 69002 ☎ 78 37 15 78, Télex 310778, Fax 78 42 51 65, brasserie 1925 – AE ⓓ GB BZ **b**
R 80/160 ♁, enf. 47.

X **Bouchon aux Vins,** 62 r. Mercière ✉ 69002 ☎ 78 42 88 90, Fax 78 38 32 51 – ▤. GB CX **u**
fermé dim. – **R** 120.

X **Bouchon de Fourvière,** 33 quai Fulchiron ✉ 69005 ☎ 72 41 85 02, Fax 72 40 05 91 – AE GB BZ **d**
fermé août, sam. et dim. – **R** 80/145.

X **Le Blandan,** 28 r. Sergent Blandan ✉ 69001 ☎ 78 28 76 43 – GB CV **e**
fermé août, le midi en semaine et lundi – **R** 92/158.

X **Boeuf d'Argent,** 29 r. Boeuf ✉ 69005 ☎ 78 42 21 12, Fax 78 42 21 12 – GB BX **f**
fermé 24 août au 6 sept., 15 au 31 déc., sam. midi et dim. – **R** (prévenir) 100/170 ♁.

X **Argenson,** 40 allée P. de Coubertin ✉ 69007 ☎ 78 72 64 53, 🍽 – Ⓟ. GB GT **a**
fermé 9 au 25 août, dim. et fériés – **R** (déj. seul.) 115/260.

X **La Grille,** 106 r. S. Gryphe ✉ 69007 ☎ 78 72 46 58 – GB DZ **r**
fermé 5 au 25 août, sam. midi et dim. – **R** 120/245 ♁.

X **La Pinte à Gones,** 59 r. Ney ✉ 69006 ☎ 78 24 81 75 – GB Lyon p. 5 EV **s**
fermé août, 24 déc. au 1er janv., sam. midi, dim. et fêtes – **R** 98/198.

Les Bouchons : dégustation de vins régionaux et cuisine locale dans une ambiance typiquement lyonnaise

X **Le Garet,** 7 r. Garet ✉ 69001 ☎ 78 28 16 94 – GB CDV **h**
fermé 15 juil. au 15 août, 23 déc. au 2 janv., sam. et dim. – **R** (prévenir) carte 110 à 180.

X **Chez Sylvain,** 4 r. Tupin ✉ 69002 ☎ 78 42 11 98 CX **s**
fermé 18 juil. au 17 août, vacances de fév., sam. et dim. – **R** (prévenir) 80/92, dîner à la carte.

X **La Meunière,** 11 r. Neuve ✉ 69002 ☎ 78 28 62 91 – AE ⓓ GB CX **w**
fermé 17 juil. au 18 août, dim. et lundi – **R** (prévenir) 80/130.

X **Café du Jura,** 25 r. Tupin ✉ 69002 ☎ 78 42 20 57 – AE GB CX **a**
fermé 1er au 23 août, 25 déc. au 1er janv., sam. (sauf le soir du 30 sept. au 1er mai) et dim. – **R** (prévenir) carte 110 à 170 ♁.

X **Café des Fédérations,** 8 r. Major Martin ✉ 69001 ☎ 78 28 26 00 – AE GB CV **z**
fermé août, sam. et dim. – **R** (prévenir) 135.

Environs

à Tassin-la-Demi-Lune : 5 km par D 407 – 15 460 h. – ✉ **69160** :

🏨 **Novotel Tassin** Ⓜ, 13 D av. V. Hugo ☎ 78 64 68 69, Télex 310497, Fax 78 64 61 11, 🍽, 🏊 – |$| ▤ TV ☎ ♿ 🚗 Ⓟ – 🏛 25 à 60. AE ⓓ GB
R carte environ 160 ♁, enf. 50 – ☕ 46 – **104 ch** 425/450.

XXX **Les Tilleuls,** 146 av. Ch. de Gaulle ☎ 78 34 19 58, Fax 78 34 30 87, 余 – ⓟ. AE GB
fermé 17 au 27 août, vacances de fév., dim. soir, fériés le soir et lundi – **R** 120/320, enf. 80. Lyon p.2 FS **k**

XX **Châteaubriand,** 12 av. Mar. Foch ☎ 78 34 15 64, 余, 余 – ⓟ. GB Lyon p.2 FS **r**
fermé août, dim. soir et sam. – **R** 110/300.

à Collonges-au-Mont-d'Or N : 12 km par bords de Saône (D 433, D 51) – 3 165 h. – ✉ **69660** :

🏠 **Relais St-Martin,** 1 pl. St-Martin ☎ 78 22 02 75, Fax 78 22 77 96, 余 – TV ☎ ⓟ. GB
R *(fermé dim. soir et lundi)* 98/350 – ☕ 26 – **15 ch** 280/310.

voir aussi XXXXX ✿✿✿ **Paul Bocusse** à Lyon.

au Mont-Cindre N : 14 km par D 21 et St-Cyr - GR – ✉ **69450** St-Cyr :

XX **Ermitage,** ☎ 78 47 20 96, Fax 78 64 13 04, ≤ Lyon et Monts du Lyonnais, 余 – AE GB
fermé 16 au 23 août, 10 janv. au 16 fév., lundi et mardi – **R** 120/360, enf. 75.

***par la sortie ①* :**

à Rillieux-la-Pape : 7 km par N 83 et N 84 – 30 791 h. – ✉ **69140** :

XXX ✿ **Larivoire** (Constantin), chemin des Iles ☎ 78 88 50 92, Fax 78 88 35 22, ≤, 余 – ⓟ. GB
fermé 24 août au 2 sept., 1er au 20 fév., lundi soir et mardi – **R** 190/380
Spéc. Millefeuille de tourteau, Crépinettes de pieds de veau aux truffes, Volaille de Bresse au vinaigre. **Vins** Pouilly, Chénas.

à Sathonay-Camp N : 9 km par D 48E – 4 673 h. – ✉ **69580** :

🏠 **Val de Saône** sans rest, 1 allée P. Delorme ☎ 78 23 71 45 – TV ☎ ⓟ. GB
☕ 24 – **24 ch** 170/290.

à Neyron (01 Ain) par N 83 et N 84 : 14 km – ✉ **01700** :

XXX ✿ **Le Saint Didier** (Champin), ☎ 78 55 28 72, Fax 78 55 01 55, 余 – ⓟ. AE GB
fermé du 3 au 25 août, 21 déc. au 5 janv., dim. soir et lundi – **R** (nombre de couverts limité-prévenir) 175/400, enf. 70
Spéc. Profiteroles de foie gras sauce périgourdine (oct. à mai), Salade de rougets et St-Jacques poêlés au safran, Rosace de magret de canard aux fruits.

***par la sortie ③* :**

à Meyzieu : 14 km – 28 077 h. – ✉ **69330** :

🏨 **Mont Joyeux** ⛲, av. V. Hugo ☎ 78 04 21 32, Télex 305551, Fax 72 02 85 72, 余, ⛱, 余 – TV ☎ ♿ ⓟ. AE ⓞ GB
R *(fermé 4 au 26 janv., dim. soir et lundi)* 175/250 – ☕ 42 – **20 ch** 340/390.

à l'Est par D 29 (rte de Genas) :

à Chassieu : 12 km – 8 508 h. – ✉ **69680** :

🏨 Exp'Hôtel et rest. le Chasseuland Ⓜ, 82 rte Lyon ☎ 78 40 10 22, Télex 375051, Fax 78 40 67 43, 余 – ⎮ ▤ TV ☎ ♿ ⓟ – 🏛 30 à 80
83 ch.

à Genas : 15 km – 9 316 h. – ✉ **69740** :

🏨 **Forum H.** Ⓜ, 1 r. R. Salengro ☎ 78 40 60 50, Télex 306577, Fax 78 40 17 85 – ⎮ TV ☎ ♿ ⓟ – 🏛 25 à 70. AE ⓞ GB JCB
R *(fermé août et dim.)* 58/165 ⅓ – ☕ 31 – **76 ch** 260/310 – ½ P 290.

***par la sortie ⑤* :**

à St-Priest : 12 km par A 43 et D 148 - JT – 41 876 h. – ✉ **69800** :

X **Monnet,** 7 r. A. Briand (D 518) ☎ 78 20 15 19, Fax 78 21 82 58 – ⓟ. AE ⓞ GB. ✂
fermé 5 au 26 août, sam. soir et dim. – **R** 95/200 ⅓, enf. 60.

à l'aérogare de Satolas : 27 km par A 43 – ✉ **69125** Lyon Satolas Aéroport :

🏨 **Sofitel** Ⓜ sans rest, 3e étage ☎ 72 23 38 00, Télex 380480, Fax 72 23 98 00, ≤ – ⎮ ⟷ ▤ TV ☎. AE ⓞ GB
☕ 65 – **120 ch** 620.

XXX **La Gde Corbeille,** 1er étage ☎ 72 22 71 76, Télex 306723, Fax 72 22 71 72, ≤ – ▤. AE ⓞ GB
fermé août, sam. et dim. – **R** 135/180.

X **Le Bouchon** (brasserie), 1er étage ☎ 72 22 71 99, Télex 306723, Fax 72 22 71 72 – ▤. AE ⓞ GB
R 120, enf. 47.

***par la sortie ⑥* :**

à Feyzin : 12 km – 8 520 h. – ✉ **69320** :

🏨 Bulmotel Ⓜ, 7 r. J. Jaurès ☎ 78 70 25 25, Télex 301451, Fax 78 70 70 43, ⛱ – ▤ TV ☎ ♿ ⓟ – 🏛 120
70 ch.

par la sortie ⑧ :

à Brignais : 12 km par N 86 – 10 036 h. – ✉ **69530** :

Restotel des Barolles Ⓜ, rte Lyon ✆ 78 05 24 57, Fax 78 05 37 57, ⛱, – ▤ rest TV ☎ ♿ P – 40. AE ⓓ GB JCB.
R *(fermé 14 au 31 août, 24 au 31 déc., lundi soir et dim.)* 110 bc/240 – ☕ 30 – **27 ch** 260/450.

par la sortie ⑩ :

à Charbonnières-les-Bains : 8 km par N 7 – 4 033 h. alt. 240 – Stat. therm. – ✉ **69260** :

Thermes, aux Thermes ✆ 78 87 12 33, Télex 375528, Fax 78 87 83 01, – |♦| TV ☎ ♿ P – 30. AE ⓓ GB
R *(fermé dim. soir du 1er oct. au 30 avril)* 100/170, enf. 75 – ☕ 45 – **43 ch** 345/390 – ½ P 330.

Mercure, N7 ✆ 78 34 72 79, Télex 900972, Fax 78 34 88 94 – ch ▤ TV ☎ P – 30 à 150. AE ⓓ GB
R 120/180, enf. 34 – ☕ 48 – **60 ch** 395/450.

Beaulieu sans rest, 19 av. Gén. de Gaulle ✆ 78 87 12 04, Fax 78 87 00 62 – |♦| TV ☎ P – 40. AE ⓓ GB
☕ 29 – **40 ch** 250/300.

par la sortie ⑪ :

Porte de Lyon - Échangeur A6 N 6 Sortie Limonest N : 10 km – ✉ **69570** Dardilly :

Novotel Lyon-Nord Ⓜ, ✆ 78 35 13 41, Télex 330962, Fax 78 35 08 45, , ⛱, – |♦| ▤ TV ☎ P – 150. AE ⓓ GB JCB
R carte environ 150, enf. 50 – ☕ 47 – **107 ch** 425/445.

Mercure Ⓜ, ✆ 78 35 28 05, Télex 330045, Fax 78 47 47 15, , ⛱, – |♦| ch ▤ rest TV ☎ ♿ P – 30 à 250. AE ⓓ GB JCB
R 150 bc/190 bc, enf. 46 – ☕ 50 – **172 ch** 410/475.

Ibis Lyon Nord Ⓜ, ✆ 78 66 02 20, Télex 305250, Fax 78 47 47 93, , ⛱ – TV ☎ ♿ P – 30. AE GB
R 88/120, enf. 39 – ☕ 32 – **69 ch** 305/335.

Campanile, ✆ 78 35 48 44, Télex 310155, Fax 78 64 96 12 – TV ☎ ♿ P – 35. AE GB
R 77 bc/99 bc, enf. 39 – ☕ 28 – **51 ch** 258 – ½ P 234/256.

XXX ✿ **Le Panorama** (Léron), à Dardilly-le-Haut, face église, ✉ 69570 Dardilly ✆ **78 47 40 19, Fax 78 43 20 31**, , – AE ⓓ GB
fermé fév., dim. soir et lundi – **R** 180/380
Spéc. Effeuillé de magret de canard aux baies roses. Langoustines aux blancs de poireaux et pointes d'asperges. Suprêmes de pigeon aux feuilles de chou.

à Limonest : 13 km par A 6 et D 42 – ✉ **69760** :

XXX **La Gentil'Hordière,** ✆ 78 35 94 97, Fax 78 43 85 48, – ⓓ GB
fermé 1er au 24 août, sam. midi et dim. sauf fériés – **R** 150/380.

MICHELIN, Agences régionales, 42-44 av. R.-Salengro ZA Poudrette à Vaulx-en-Velin JS ✆ **72 37 33 63** r. J.-P. Chevrot (7e) GT ✆ **78 69 49 98**

CONSTRUCTEUR : Renault Véhicules Industriels, Tour du Crédit Lyonnais, 129 r. Servient 69003 LYON EX ✆ **78 76 81 11** et Vénissieux HT

1er Arrondissement

RENAULT Haond, 12 pl. Chartreuses ✆ 78 28 62 33

2e Arrondissement

RENAULT Gar. de Verdun, 6 cours Verdun BZ ✆ 78 37 26 31

3e Arrondissement

FIAT Lafayette Automobile, 292 à 300 cours Lafayette ✆ 78 53 33 33
FORD Veyet, 82 bd Vivier-Merle ✆ 78 60 25 28
TOYOTA S.I.D.A.T., 32-34 r. Danton ✆ 78 95 35 64
V.A.G Gar. Bouteille, 195 av. F.-Faure ✆ 78 54 13 24
V.A.G Gacon, 85 r. P.-Corneille ✆ 78 60 94 13
VOLVO Actena, 87-89 av. F.-Faure ✆ 78 95 40 04

Ⓜ Comptoir du Pneu, 299 r. Duguesclin ✆ 78 62 84 86
Deshayes Pneus, 13 r. Louise ✆ 78 54 47 91
Deshayes-Pneus, 19 r. F. garcin ✆ 78 95 25 74
Gaudry-Pneu, 43-45 cours A.-Thomas ✆ 78 53 25 73
Métifiot, 70 r. Rancy ✆ 78 60 36 93
Piot-Pneu, 234 cours Lafayette ✆ 72 33 68 77

4e et 5e Arrondissements

RENAULT Gar. Choulans, 25 r. Basses-Verchères (5e) AY ✆ 78 36 24 11
RENAULT Gar. Point du Jour, 55 bis av. Point-du-Jour (5e) FS ✆ 78 25 02 52

RENAULT Gar. Mondon, 31 av. Barthelemy-Buyer FS a ✆ 78 25 29 18 N ✆ 78 36 88 57

Ⓜ Charcot-Pneus, 20 r. Jeunet ✆ 78 36 05 29
Métifiot, 5 pl. Tabareau ✆ 78 39 16 54

6e Arrondissement

BMW 6e Avenue, 198 av. Thiers ✆ 78 52 80 21
CITROEN Gar. Métropole, 115 r. Bugeaud EV ✆ 78 52 01 10 N ✆ 78 88 39 19

MERCEDES-BENZ Satal, 55 av. Mar.-Foch ✆ 78 89 23 41

Briday-Pneus, 55 bd Brotteaux ✆ 78 52 04 89

7e Arrondissement

CITROEN Succursale, 35 r. de Marseille DZ ✆ 72 72 57 57 N ✆ 05 05 24 24
CITROEN Montveneur-Facultes, 212 Gde-R. Guillotière EZ ✆ 78 72 31 25
FORD Galliéni-Automobiles, 47 av. Berthelot ✆ 78 72 02 27
HONDA Clamagirand, 32 r. Aguesseau ✆ 78 72 40 27
LANCIA City Automobiles, 56 rte de Vienne ✆ 78 72 37 34

OPEL Stala, 136 av. Berthelot ✆ 72 73 21 21
RENAULT Prost, 244 av. J.-Jaurès GT ✆ 78 72 61 46
ROVER Kennings, 72 à 76 r. de Marseille ✆ 78 58 16 53

Boson, 39 r. Béchevelin ✆ 78 72 93 89
Briday-Pneus, 190 av. Berthelot ✆ 78 72 41 76
Gaudry-Pneu, 200 av. J.-Jaurès ✆ 72 73 00 98

8e Arrondissement

PEUGEOT-TALBOT Auto du Bachut, 322 av. Berthelot HT **d** ✆ 78 74 18 09

Métifiot, 71 av. J.-Mermoz ✆ 78 74 08 09
Tessaro-Pneus, 22 bis r. A.-Lumière ✆ 78 00 73 25

9e Arrondissement

BMW Gar. Maublanc, 6 r. Joannès-Carret ✆ 78 64 83 83

RENAULT Succursale, 4 r. St-Simon/93 r. Mariet-ton FR ✆ 72 20 72 20 N ✆ 78 27 99 99

Briday-Pneus, 48 r. de Bourgogne ✆ 78 83 77 76

Brignais

Métifiot, rte d'Irigny, ZI Nord ✆ 78 05 33 04 185 r. Gén.-de-Gaulle ✆ 72 31 61 66

Champagne-au-Mont-d'Or

PEUGEOT, TALBOT S.L.I.C.A.-Lyon Nord, N 6 ✆ 78 43 89 89

Dardilly

Briday-Pneus, che. Moulin Carron ZI le Paisy ✆ 78 35 58 50

Ecully

CITROEN Succursale, 5 r. J.-M.-Vianney FR **a** ✆ 78 33 52 00 N

Meyzieu

PEUGEOT Gar. des Servizières, 116 r. République par ③ ✆ 78 31 40 59

Oullins

Comptoir du Pneu, 44 che. des Célestins ✆ 78 51 04 06

Pneumatech, 133 av. des Acqueducs de Beaumont ✆ 78 51 61 90

Rillieux

PEUGEOT-TALBOT Slica, av.Hippodrome par D 48E HR ✆ 78 88 54 74

RENAULT Bronner, chemin du Champ-de-Lierre ✆ 78 88 04 44

Saint-Fons

CITROEN Gar. J.-Jaurès, 52 av. J.-Jaurès HT **e** ✆ 78 70 94 61

PEUGEOT-TALBOT Gar. Centre, 12 av. G.-Péri HT **u** ✆ 78 70 94 62
SEAT-OPEL Atlas, 53 r. Carnot ✆ 78 70 53 74

Saint-Priest

CITROEN Gar. du Stade, 40 r. H.-Maréchal par D 518 JT ✆ 78 20 23 92
PEUGEOT-TALBOT Gar. Laval, 30 rte de Lyon par D 518 JT ✆ 78 20 07 85
RENAULT Caimi, 37 rte d'Heyrieux par D 518 JT ✆ 78 20 19 59

Briday-Pneus, 52 r. L.-Pradel, ZI à Corbas ✆ 78 20 98 56
Comptoir du Pneu, 10 bis r. A.-Briand ✆ 78 20 29 28
Gaudry-Pneu, 200 rte de Grenoble ✆ 78 90 73 77
Métifiot, Zone Lyder rte de Lyon ✆ 78 21 58 80

Sainte-Foy-lès-Lyon

CITROEN Gar. de la Plaine, 117 bis r. Cdt-Charcot FS **u** ✆ 78 59 62 15

CITROEN Gar. des Provinces, bd des Provinces FS ✆ 78 25 67 79

Tassin-la-Demi-Lune

PEUGEOT-TALBOT Tassin Automobiles, 100 av. République FS ✆ 78 34 31 36
RENAULT Gar. Méjat, 11 pl. P.-Vauboin FS **s** ✆ 78 34 23 50

Pneumatech, 142 av. de Gaulle ✆ 78 34 33 00

Vaulx-en-Velin

CITROEN Citroën Rhône Alpes, 15 av. Charles-de-Gaulle ℘ 78 79 00 09
PEUGEOT S.L.I.C.A., 40 av. de Bohlen JS **a** ℘ 72 37 13 13

RENAULT Succursale Lyon-Est, 52 av. de Bohlen JS ℘ 72 35 30 30 N ℘ (1) 42 52 82 82
V.A.G Gar. Excelsior, r. J.-M.-Merle ℘ 78 80 68 93

Piot-Pneu, 178 av. R.-Salengro ℘ 72 37 54 35

Villeurbanne

CITROEN Badel, 38 r. F.-Chirat HS ℘ 78 54 58 50
SEAT Talas, 37 r. P.-Verlaine ℘ 78 84 81 44

Éts Cintas, 10 r. Sylvestre ℘ 78 52 59 42
Comptoir du Pneu, 27 r. J.-Jaurès ℘ 78 54 84 53
Deshayes-Pneus, 51 r. Anatole France ℘ 78 68 33 34
Dorcier, r. Boulevard ℘ 78 89 78 08
La Maison des Pneus, 42 à 46 r. A.-Perrin ℘ 78 53 28 52
Rhône-Pneus, 80 cours Tolstoï ℘ 78 84 95 24

Vénissieux

CITROEN Gar. du Centre, Éts Faure, 50-52 bd L.-Gérin HT **u** ℘ 72 50 09 61
CITROEN C.V.S., 43 r. Carnot HT **a** ℘ 72 50 40 33 N ℘ 78 88 39 19
MERCEDES Salta, bd L.-Bonnevay ℘ 78 75 18 01
PEUGEOT-TALBOT S.L.I.C.A., 2 r. Frères-Bertrand HT **s** ℘ 78 77 30 30 N ℘ 72 29 89 46

RENAULT Succursale Lyon-Sud, 364 rte de Vienne HT **n** ℘ 78 77 78 77 N

Piot-Pneu, 69 r. A.-Sentuc, ZAC l'Arsenal ℘ 72 51 05 08

LYONS-LA-FORÊT **27480** Eure 55 ⑧ **G. Normandie Vallée de la Seine** – 701 h. alt. 109.

Voir Forêt★★ : hêtre de la Bunodière★ – N.-D.-de la Paix ≤★ O : 1,5 km.

Paris 105 – ◆Rouen 35 – Les Andelys 20 – Forges-les-Eaux 29 – Gisors 29 – Gournay-en-Bray 24.

La Licorne, ℘ 32 49 62 02, Fax 32 49 80 09, « Jardin fleuri » – ☎ P – 30. AE GB.
fermé 20 déc. au 20 janv., dim. soir et lundi d'oct. à mars – **R** 165/255 – 60 – **18 ch** 365/450, 5 appart. 750 – ½ P 420/460.

Domaine St-Paul, N : 1 km par rte Forges-les-Eaux ℘ 32 49 60 57, Fax 32 49 56 05, « Pavillons dans parc fleuri », – ☎ P – 30. GB
3 avril-15 nov. – **R** 125/150 – **17 ch** (½ pens. seul.) – ½ P 270/350.

LYS-LEZ-LANNOY **59** Nord 51 ⑯ – rattaché à Roubaix.

MACÉ **61** Orne 60 ③ – rattaché à Sées.

MACHILLY **74140** H.-Savoie 170 ⑯ – 829 h. alt. 530.

Paris 551 – Thonon-les-Bains 18 – Annemasse 11 – ◆Genève 17.

Refuge des Gourmets, D 206 ℘ 50 43 53 87, – P. AE GB
fermé 27 juil. au 13 août et 4 au 7 janv. – **R** 135/220.

La MACHINE (Col de) **26** Drôme 77 ⑬ – rattaché à St-Jean-en-Royans.

MÂCON P **71000** S.-et-L. 69 ⑲ **G. Bourgogne** – 37 275 h. alt. 175.

Voir Apothicairerie★ de l'Hôtel-Dieu BY – **Musée des Ursulines★** BY **M1.**

Env. Clocher★ de l'église de St-André par ② : 8,5 km.

18 de la Commanderie ℘ 85 30 44 12, par ② : 7 km.

Office de Tourisme 187 r. Carnot ℘ 85 39 71 37, Télex 800762 avec A.C. ℘ 85 38 06 00 – Maison Mâconnaise des Vins (dégustation et machon bourguignon, ventes de vin AOC à emporter), 484 av. de-Lattre-de-Tassigny ℘ 85 38 36 70 BY.

Paris 393 ① – Bourg-en-Bresse 36 ② – Chalon-sur-Saône 58 ① – ◆Lyon 69 ③ – Roanne 95 ④.

Plans page suivante

Altéa Mâcon M, 26 r. Coubertin par ① : 0,5 km ℘ 85 38 28 06, Télex 800830, Fax 85 39 11 45, ≤, – ☎ P – 50. AE GB. rest BZ **u**
Le St-Vincent R 150/200, enf. 55 – 52 – **63 ch** 480/530 – ½ P 410/430.

Bellevue, 416 quai Lamartine ℘ 85 38 05 07, Télex 800837, Fax 85 38 54 60 – TV ☎ P. AE GB JCB
R *(fermé 24 nov. au 15 déc. et mardi)* 160/400 – 42 – **24 ch** 390/580.

Terminus, 91 r. V. Hugo ℘ 85 39 17 11, Télex 351938, Fax 85 38 02 75, – rest TV ☎ – 50. AE GB AZ **t**
R 82/160, enf. 35 – 34 – **48 ch** 220/310 – ½ P 226.

Gd H. de Bourgogne, 6 r. V.-Hugo ℘ 85 38 36 57, Télex 351940, Fax 85 38 65 92 – ch TV ☎ P – 25. AE GB JCB AYZ **n**
La Perdrix ℘ 85 39 07 05 *(fermé dim. soir et lundi)* **R** 62/150 enf. 40 – 34 – **48 ch** 236/324 – ½ P 236/256.

Nord sans rest, 313 quai J. Jaurès ℘ 85 38 08 68, Fax 85 39 01 92 – ☎. AE GB BY **a**
fermé dim. soir – 25 – **21 ch** 110/220.

Concorde sans rest, 73 r. Lacretelle ℘ 85 34 21 47, Fax 85 29 21 79 – ☎. GB AY **d**
25 – **15 ch** 180/255.

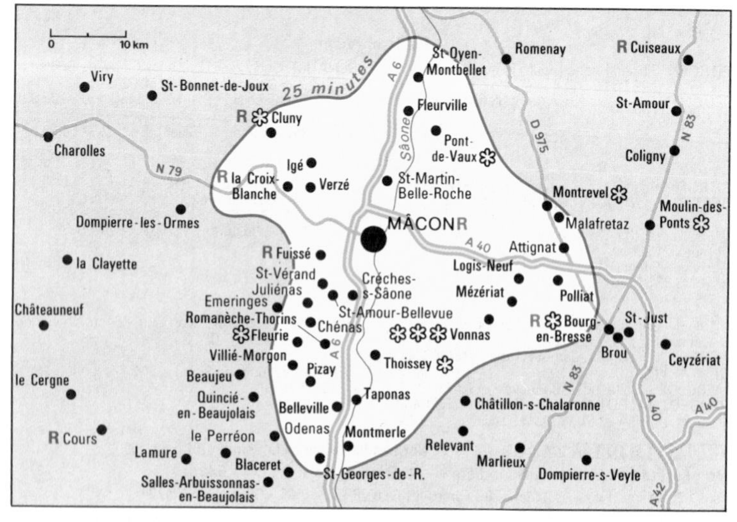

MÂCON

Barre (Pl. de la) . AYZ 2
Barre (R. de la) . . . BZ 3
Laguiche (R. Ph.) . BZ 8
Lamartine (R.) . . BYZ 9
Poissonnière (Pl.) . BZ 13
Pont (R. du). . . . . . BZ 14
Sigorgne (R.). . . . . BZ 19

Dombey (R.) . . . . . BZ 5
Gaulle (Av. Gén.-de) . . . . . . BY 6
Paix (Square de la). . BY 10
Perrier (R.). . . . . . . AY 12
Préfecture (R.) . . . BY 15
St-Étienne (Pl.) . . . BY 17
St-Nizier (R.). . . . . BZ 18
Strasbourg (R. de) BY 20
Ursulines (R. des). BY 21
11-Nov. 1918 (R. du) . . . . . . ABZ 22
28-Juin 1944 (R.) . BY 24

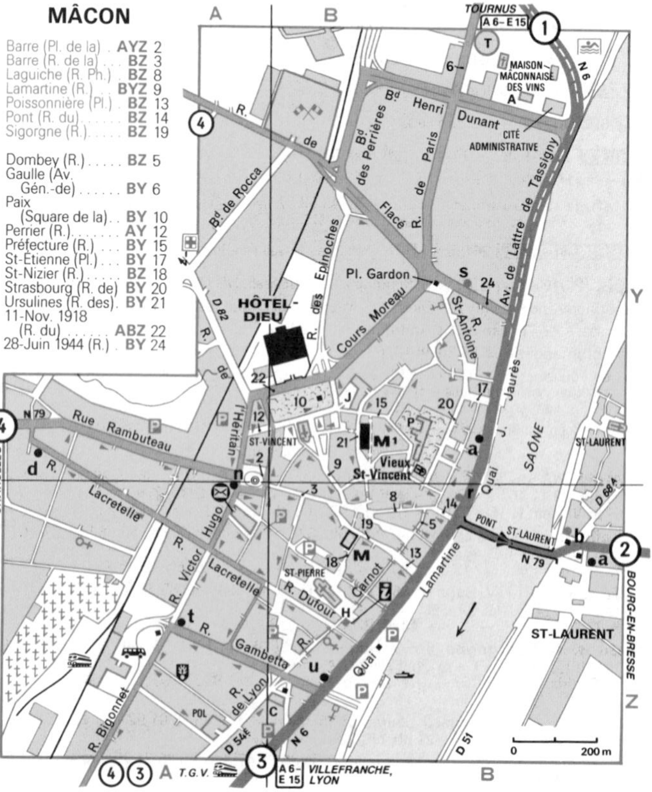

XX **Rocher de Cancale,** 393 quai J. Jaurès ✆ 85 38 07 50, Fax 85 38 70 47 – ▤. AE ⓓ GB BZ **r**
fermé 15 juin au 6 juil., 23 nov. au 6 déc., sam. midi, dim. soir et lundi – **Repas** 98/210 ♁.

XX **Aub. Bressane,** 114 r. 28-Juin-1944 ✆ 85 38 07 42 – GB BY **s**
fermé 4 au 11 mai, 5 au 19 oct., lundi soir, merc. midi et mardi sauf fériés – **R** 90/190, enf. 50.

XX **LaurentCouturier,** 70 r. Lyon AZ ✆ 85 38 16 16 – GB
fermé 1er au 20 août, 1er au 9 janv., sam. midi et dim. – **R** 155/320.

XX **Le Poisson d'or,** allée Parc ✆ 85 38 00 88, Fax 85 38 82 55, 🍽, « Terrasse ombragée en bordure de Saône » – Ⓟ. GB
fermé 28 oct. au 8 nov., 20 déc. au 4 janv., dim. soir et mardi soir de nov. à mars et merc. – **R** 85/175.

à St-Laurent-sur-Saône (Ain), rive gauche - Est du plan – ✉ **01620** St-Laurent :

Beaujolais sans rest, face pont St-Laurent ✆ 85 38 42 06 – AE GB. ✻ BZ **a**
fermé 15 sept. au 1er oct., 24 déc. au 1er janv. et dim. sauf de juil. au 15 sept. – ☕ 24 – **16 ch** 145/195.

à l'échangeur A6-N6 de Mâcon-Nord par ① : 7 km – ✉ **71000** Mâcon :

Novotel M, ✆ 85 36 00 80, Télex 800869, Fax 85 36 02 45, 🍽, ⛱, 🌳 – ⇔ ch ▤ rest TV ☎ ♿ Ⓟ – 🔺 25 à 250. AE ⓓ GB
R carte environ 150 ♁, enf. 50 – ☕ 46 – **111 ch** 375/465.

de la Tour, à Sennecé-lès-Mâcon ✆ 85 36 02 70, 🍽, 🌳 – TV ☎ Ⓟ – **23 ch.**

sur autoroute A6 aire La Salle (en venant de Paris : aire St-Albain) ou par ① : 14 km – ✉ **71260** Lugny :

Mercure M, ✆ 85 33 19 00, Télex 800881, Fax 85 33 13 13, 🍽, ⛱, 🌳 – |⇕| ▤ TV ☎ ♿ Ⓟ – 🔺 80. AE ⓓ GB
R grill (dîner seul. sauf en juil.-août) carte environ 170, enf. 45 – ☕ 51 – **98 ch** 550.

sur rte de Bourg-en-Bresse par ② : 4,5 km – ✉ **01750** Replonges (01 Ain) :

La Huchette M, N 79 ✆ 85 31 03 55, Fax 85 31 10 24, ←, 🍽, parc, « Décor élégant », ⛱ – TV ☎ Ⓟ. AE ⓓ GB
fermé 10 nov. au 16 déc., lundi sauf le soir de mai à sept. et mardi midi – **R** 130/350 – ☕ 60 – **12 ch** 480/650.

par ② direction Bourg-en-Bresse : 5 km – ✉ **01750** Replonges :

Orion M, sortie n° 3 sur A 40 ✆ 85 31 00 10, Fax 85 31 00 90, ⛱, 🌳 – TV ☎ ♿ Ⓟ – 🔺 70. AE GB
R *(fermé dim. soir)* (dîner seul.)(résidents seul.) 75 ♁ – ☕ 30 – **35 ch** 250/280 – ½ P 247.

à l'échangeur A6-N6 de Mâcon-Sud par ③ : 6 km – ✉ **71570** Chaintré :

Primevère M, centre commercial Les Bouchardes ✆ 85 37 44 44, Fax 85 37 44 22 – TV ☎ ♿ Ⓟ – 🔺 30. AE GB
R 74/98 ♁, enf. 40 – ☕ 30 – **42 ch** 250.

à Crèches-sur-Saône S : 8 km par ③ – ✉ **71680** :

Château de la Barge, par rte gare T.G.V. ✆ 85 37 12 04, Fax 85 37 17 18, 🍽, parc – |⇕| ☎ Ⓟ – 🔺 40. AE ⓓ GB
fermé 24 oct. au 1er nov., 18 déc. au 3 janv., sam. et dim. du 1er nov. à Pâques – **R** 85/190, enf. 50 – ☕ 30 – **24 ch** 180/330 – ½ P 220/265.

BMW Favède, 18r. Lacretelle ✆ 85 38 46 05
CITROEN Gar. Central, 62 r. de Lyon D 54E AZ ✆ 85 38 01 74
FORD Corsin, N 6 à Sancé ✆ 85 38 73 33
OPEL, VOLVO Gar. Chauvot, rte de Lyon N 6 ✆ 85 34 98 98 N
PEUGEOT-TALBOT Gounon, 89 rte de Lyon par ③ ✆ 85 29 14 14 N ✆ 85 34 42 50
RENAULT Succursale, carrefour de l'Europe par ③ ✆ 85 38 25 50 N ✆ 05 05 15 15
Ⓜ Gaudry-Pneu, 71 rte de Lyon ✆ 85 34 70 10

Périphérie et environs

CITROEN Autom. du Maconnais, ZAC des Platières à Sancé par ① ✆ 85 38 58 40

La MADELAINE-SOUS-MONTREUIL 62 P.-de-C. 51 ⑫ – rattaché à Montreuil.

MADIÈRES 30 Gard 80 ⑯ – ✉ **34190** Ganges.
Paris 721 – ♦Montpellier 63 – Lodève 32 – Nîmes 78 – Le Vigan 19.
Env. Cirque de Navacelles★★★ 14,5 km NO, accès par St-Maurice-Navacelles, **G. Gorges du Tarn.**

Château de Madières M ⛰, ✆ 67 73 84 03, Fax 67 73 55 71, ←, « Ancienne place forte surplombant les gorges de la Vis », 🌳 – TV ☎. AE GB. ✻ rest
10 avril-15 nov. – **R** 170/310, enf. 110 – ☕ 65 – **10 ch** 480/925 – ½ P 485/630.

MADIRAN 65700 H.-Pyrénées 82 ② – 553 h. alt. 128.
Paris 752 – Pau 47 – Aire-sur-l'Adour 28 – Auch 69 – Mirande 50 – Tarbes 40.

Le Prieuré M ⛰, ✆ 62 31 92 50, 🍽 – TV ☎ Ⓟ – 🔺 40. AE GB
fermé 11 au 24 janv., dim. soir et lundi de nov. à mai – **R** 80/270, enf. 60 – ☕ 30 – **10 ch** 230/270.

MAFFLIERS 95560 Val-d'Oise 55 ⑳ 106 ⑦ – 1 168 h. alt. 160.

Paris 29 – Compiègne 67 – Beaumont-sur-Oise 9,5 – Beauvais 49 – Senlis 35.

Novotel Château de Maffliers M, ✆ (1) 34 73 93 05, Télex 605701, Fax (1) 34 69 97 49, « Parc », ☐, ☐ – ☐ ch ☐ ☎ ☐ ☐ – ☐ 25 à 150. AE ☐ GB
R carte environ 250, enf. 52 – ☐ 50 – **80 ch** 525/560.

MAGAGNOSC 06 Alpes-Mar. 84 ⑧ – rattaché à Grasse.

MAGESCQ 40140 Landes 78 ⑯ – 1 218 h. alt. 25.

Paris 728 – Biarritz 52 – Mont-de-Marsan 65 – ◆Bayonne 46 – Castets 12 – Dax 15 – Soustons 10.

☐☐ **Relais de la Poste** (Coussau) M ☐, ✆ 58 47 70 25, Télex 571349, Fax 58 47 76 17, parc, ☐, ☐, ☐ – ☐ rest ☐ ☎ ☐ ☐. AE ☐ GB. ☐ ch
fermé 11 nov. au 23 déc., lundi midi en juil.-août, lundi soir et mardi de sept. à juin – **R** (week ends, prévenir) 280/360 et carte, enf. 120 – ☐ 60 – **10 ch** 500/600
Spéc. Foie gras de canard chaud aux raisins, Magret de pigeon aux girolles (mars à nov.), Gibier (saison). **Vins** Tursan, Vin des Sables.

XX **Le Cabanon et la Grange au Canard,** N : 0,8 km sur ancienne N 10 ✆ 58 47 71 51, Télex 540660, Fax 58 57 35 45, ☐, « Demeure landaise rustique », ☐ – ☐. GB
fermé 19 sept. au 19 oct., dim. soir et lundi – **R** 116/180 ☐ - **La Grange au Canard** **R** 215/300 ☐.

MAGNAC-BOURG 87380 H.-Vienne 72 ⑱ – 857 h. alt. 453.

Paris 426 – ◆Limoges 29 – St-Yrieix-la-Perche 27 – Uzerche 27.

Midi, N 20 ✆ 55 00 80 13, Fax 55 48 70 96, ☐ – ☐ ☎ ☐. AE ☐ GB
◆ *fermé 16 au 30 nov., 18 janv. au 15 fév. et lundi hors sais.* – **R** 75/200 – ☐ 28 – **11 ch** 210/300 – ½ P 280.

XX **Voyageurs** avec ch, N 20 ✆ 55 00 80 36 – ☐ ☎ ☐. GB. ☐
fermé 4 au 20 oct., 2 au 20 janv., mardi soir et merc. – **R** 98/350, enf. 70 – ☐ 35 – **7 ch** 190/250 – ½ P 190.

XX **Aub. Étang** ☐ avec ch, ✆ 55 00 81 37, Fax 55 48 70 74, ☐ – ☐ ☎ – ☐ 30. GB
◆ *fermé 13 au 25 oct., 23 déc. au 23 janv., dim. soir et lundi hors sais.* – **R** 63/230 ☐ – ☐ 30 – **14 ch** 210/300 – ½ P 220/260.

MAGNY-COURS 58 Nièvre 69 ③ ④ – rattaché à Nevers.

MAGNY-EN-VEXIN 95420 Val-d'Oise 55 ⑱ ⑲ 106 ③ – 5 050 h. alt. 75.

☐18 de Villarceaux ✆ (1) 34 67 73 83, SO : 9 km.

Paris 61 – Beauvais 46 – Gisors 16 – Mantes-la-Jolie 22 – Pontoise 29 – ◆Rouen 63 – Vernon 28.

X **Cheval Blanc,** r. Carnot ✆ (1) 34 67 00 37 – AE GB
fermé août, vacances de fév., le soir (sauf sam.) et merc. – **R** 125/170, enf. 45.

CITROEN Gar. de la Place d'Armes ✆ (1) 34 67 00 70
PEUGEOT-TALBOT Gar. Beauval ✆ (1) 34 67 00 44
☐ Fischbach-Pneu, 11 r. Dr-Fourniols ✆ (1) 34 67 13 94

MAÎCHE 25120 Doubs 66 ⑱ **G. Jura** – 4 168 h. alt. 775.

☐ Office de Tourisme à la Mairie (fermé après-midi hors saison) ✆ 81 64 11 88.

Paris 483 – ◆Besançon 74 – ◆Basel 102 – Belfort 59 – Montbéliard 41 – Pontarlier 60.

Panorama ☐, par rte Pontarlier ✆ 81 64 04 78, Fax 81 64 08 95, ☐, ☐ – ☐ ☎ ☐ – ☐ 30. GB
fermé 10 au 26 déc. – **R** 110/220 ☐, enf. 60 – ☐ 29 – **32 ch** 235/320, 6 studios 450 – ½ P 225/295.

PEUGEOT Gar. Glasson ✆ 81 64 00 12
TOYOTA Schell ✆ 81 64 08 73
Gar. Boibessot ✆ 81 64 09 21

MAILLANE 13 B.-du-R. 81 ⑪ ⑫ – rattaché à St-Rémy-de-Provence.

MAILLEZAIS 85420 Vendée 71 ① **G. Poitou Vendée Charentes** – 930 h. alt. 14.

Voir Ancienne abbaye de Maillezais★.

Paris 434 – La Rochelle 44 – Fontenay-le-Comte 12 – Niort 29 – La Roche-sur-Yon 69.

St Nicolas sans rest, ✆ 51 00 74 45 – ☐ ☎ ☐. GB
fermé fév. – ☐ 30 – **16 ch** 195/295.

XX **Le Collibert,** ✆ 51 87 25 07 – GB
fermé fév., dim. soir et lundi du 15 sept. au 1er mai – **R** (dîner seul. de nov. à janv.) 110/260, enf. 45.

CITROEN Gar. Thouard ✆ 51 00 74 68

MAILLY-LE-CHÂTEAU 89660 Yonne 65 ⑤ **G. Bourgogne** – 555 h. alt. 170.

Voir ☐★ de la terrasse.

Paris 197 – Auxerre 29 – Avallon 30 – Clamecy 22 – Cosne-sur-Loire 64.

XX **Le Castel** ☐ avec ch, près Eglise ✆ 86 81 43 06, Fax 86 81 49 26, ☐ – ☎. GB
◆ *15 mars-15 nov., fermé mardi soir du 1er oct. au 1er avril et merc.* – **R** 75/170 – ☐ 35 – **12 ch** 210/300.

Les MAILLYS 21 Côte-d'Or 66 ⑬ – rattaché à Auxonne.

MAISON-DU-ROY 05 H.-Alpes 77 ⑱ – rattaché à Guillestre.

MAISON-JEANNETTE 24 Dordogne 75 ⑤ – ✉ 24140 Villamblard.

Paris 521 – Périgueux 24 – Bergerac 23 – Vergt 11.

Tropicana, ✆ 53 82 98 31, Fax 53 57 09 62, , étang, , – TV ☎ P – 30. AE GB
fermé 20 déc. au 10 fév., vend. soir et sam. midi hors sais. – **R** 53/190 – 27 – **23 ch** 230/295 – ½ P 170/190.

MAISON NEUVE 16 Charente 72 ⑭ – rattaché à Angoulême.

MAISONS-ALFORT 94 Val-de-Marne 61 ①, 101 ㉗ – voir à Paris, Environs.

MAISONS-LAFFITTE 78 Yvelines 55 ⑳, 101 ⑬ – voir à Paris, Environs.

MAISONS-LÈS-CHAOURCE 10 Aube 61 ⑰ – rattaché à Chaource.

MAIZIÈRES-LÈS-METZ 57 Moselle 57 ④ – rattaché à Metz.

MALAFRÉTAZ 01340 Ain 170 ⑫ – 624 h. alt. 217.

Paris 399 – Bourg-en-Bresse 16 – Lons-le-Saunier 58 – Louhans 40 – Mâcon 27 – Tournus 37.

Le Pillebois M sans rest, D 975 ✆ 74 25 48 44, Fax 74 25 48 79 – TV ☎ ♿ P – 30. AE GB – *fermé 25 déc. au 1er janv. et dim. soir du 1er oct. au 30 avril* – 30 – **30 ch** 230/280.

RENAULT Goyard ✆ 74 30 80 62 N

MALAUCÈNE 84340 Vaucluse 81 ③ **G. Provence** – 2 172 h. alt. 377.

Voir O : Dentelles de Montmirail* – **Env.** Mont Ventoux ※*** E : 21 km.

Office de Tourisme pl. Mairie (vacances de printemps, 15 juin-15 sept.) ✆ 90 65 22 59.

Paris 679 – Avignon 43 – Carpentras 18 – Vaison-la-Romaine 9,5.

Origan, ✆ 90 65 27 08, – ☎. GB
1er mars-5 nov. – **R** 78/128, enf. 38 – 28 – **23 ch** 190/225.

CITROEN Gar. Meffre ✆ 90 65 20 26 RENAULT Gar. du Ventoux ✆ 90 65 20 23

MALAY 71460 S.-et-L. 170 ⑪ **G. Bourgogne** – 200 h. alt. 204.

Voir Château de Cormatin** : cabinet de Ste-Cécile*** S : 3 km.

Paris 370 – Chalon-sur-Saône 34 – Mâcon 39 – Montceau-les-Mines 37 – Paray-le-Monial 54.

Place M, ✆ 85 50 15 08, Fax 85 50 13 23 – TV ☎ P. GB
fermé janv. et lundi de nov. à avril – **R** 64/150 , enf. 42 – 34 – **30 ch** 240/260 – ½ P 195.

MALAY-LE-PETIT 89 Yonne 61 ⑭ – rattaché à Sens.

MALBUISSON 25160 Doubs 170 ⑥ **G. Jura** – 366 h. alt. 900.

Voir Lac de St-Point*.

Syndicat d'Initiative Lac St-Point (fermé après-midi hors saison) ✆ 81 69 31 21.

Paris 452 – ◆Besançon 75 – Champagnole 38 – Pontarlier 16 – St-Claude 72 – Salins-les-Bains 46.

Le Lac, ✆ 81 69 34 80, Télex 360713, Fax 81 69 35 44, <, – | TV ☎ P. GB
fermé 19 nov. au 20 déc. sauf week-ends – **R** 100/220, enf. 55 – 40 – **54 ch** 170/350 – ½ P 180/250.

Les Terrasses, ✆ 81 69 30 24, Fax 81 69 39 60, <, – ☎ P. GB
fermé 15 nov. au 26 déc., dim. soir et lundi sauf fév. et du 15 juin au 15 sept. – **R** 95/260, enf. 60 – 35 – **20 ch** 240/270 – ½ P 300.

XX ✿ **Jean-Michel Tannières** avec ch, ✆ 81 69 30 89, Fax 81 69 39 16 – TV ☎ P. AE GB
fermé 21 avril au 1er mai, 6 au 24 janv., mardi midi de sept. à juin et lundi – **R** 130 (sauf week-ends)/350, enf. 70 – 50 – **7 ch** 220/390 – ½ P 260/350
Spéc. Croûte de morilles farcies, Gratin de féra aux herbes (mai à oct.), Nougat glacé au miel de sapin. **Vins** Côtes du Jura blanc, Arbois rouge.

XX **Au Bon Accueil** avec ch, ✆ 81 69 30 58, – TV ☎ P. GB. rest
fermé 1er au 15 avril, 20 déc. au 20 janv., mardi midi et lundi – **R** 85/250, enf. 70 – 30 – **15 ch** 180/250 – ½ P 190/250.

aux Granges-Ste-Marie SO : 2,5 km par D 437 et D 49 – ✉ 25160 Malbuisson :

Pont, ✆ 81 69 34 33, <, – ☎ P. GB.
fermé 25 mars au 9 avril, 11 au 23 mai, 1er oct. au 25 déc., dim. soir et lundi sauf vacances scolaires – **R** 70/145 – 24 – **24 ch** 110/240 – ½ P 170/205.

La MALÈNE 48210 Lozère 80 ⑤ **G. Gorges du Tarn** – 188 h. alt. 452.

Voir O : les Détroits** et cirque des Baumes** (en barque).

Maison du Tourisme (juil.-août) ✆ 66 48 50 77 et à la Mairie (hors saison après-midi seul.) ✆ 66 48 51 16.

Paris 625 – Mende 41 – Florac 40 – Millau 42 – Séverac-le-Ch. 32 – Le Vigan 78.

Manoir de Montesquiou, ✆ 66 48 51 12, Fax 66 48 50 47, ≤, 🍽, « Belle demeure du 15e siècle », – ☎ P. GB. ⚘ rest
avril-oct. – **R** 160/245, enf. 65 – ☕ 45 – **12 ch** 330/610 – ½ P 380/520.

au Château de la Caze NE : 5,5 km sur D 907 bis – ✉ **48210** Ste-Enimie.

Voir Cirque de Pougnadoires★ N : 2 km – Cirque de St-Chély★ E : 5 km.

Château de la Caze , ✆ 66 48 51 01, Fax 66 48 55 75, 🍽, « Château du 15e siècle au bord du Tarn, parc », , – TV ☎ P. AE ⓓ GB. ⚘ rest
début mai-30 oct. – **R** *(fermé mardi)* 150/300, enf. 70 – ☕ 50 – **12 ch** 550/850 – ½ P 675/725.

A la Ferme, ≤ Château
☕ 50, 6 appart. 900/950 – ½ P 775.

MALESHERBES **45330** Loiret **61** ⑪ **G. Ile de France** – 5 778 h. alt. 140.

Syndicat d'Initiative 2 r. Pilonne (après-midi seulement) ✆ 38 34 81 94.

Paris 82 – Fontainebleau 27 – Étampes 26 – Montargis 49 – ♦Orléans 62 – Pithiviers 18.

Écu de France, pl. Martroi ✆ 38 34 87 25 – TV ☎ P. AE ⓓ GB
R *(fermé jeudi)* 100/230 🍷, enf. 40 – ☕ 37 – **14 ch** 100/340 – ½ P 170/275.

à Buthiers (77 S.-et-M.) S : 2 km – ✉ **77760** :

Roches Gourmandes, ✆ (1) 64 24 14 00 – GB
fermé 9 au 29 sept., lundi soir et mardi sauf fériés – **R** 85/135.

CITROEN Amant, 20 av. Gén.-Leclerc ✆ 38 34 84 56
PEUGEOT-TALBOT Gar. Thomas, 17 r. A.-Cochery ✆ 38 34 81 41
RENAULT Gar. Central, 39 av. Gén.-Patton ✆ 38 34 60 36

MALICORNE-SUR-SARTHE **72270** Sarthe **64** ② **G. Châteaux de la Loire** – 1 659 h. alt. 36.

Paris 237 – Château-Gontier 52 – La Flèche 16 – ♦Le Mans 31.

La Petite Auberge, au pont ✆ 43 94 80 52, Fax 43 94 31 37 – GB
fermé 1er fév. au 4 mars, dim. soir, mardi soir et lundi du 15 sept. au 1er mai – **R** 79/265.

à Dureil NO : 6 km par D 8 et VO – ✉ **72270** :

Aub. des Acacias, ✆ 43 95 34 03, 🍽 – GB
fermé 24 août au 8 sept., janv., lundi de mars à sept., merc. d'oct. à fév. et dim. soir – **R** 75/150.

RENAULT Gar. Georget ✆ 43 94 80 20

MALO-LES-BAINS **59** Nord **51** ④ – rattaché à Dunkerque.

MALVAL (col de) **69** Rhône **73** ⑲ – rattaché à Vaugneray.

Le MALZIEU-VILLE **48140** Lozère **76** ⑮ – 947 h. alt. 860.

Paris 553 – Le Puy-en-Velay 70 – Mende 51 – Millau 112 – Rodez 107 – St-Flour 37.

Voyageurs, rte Saugues ✆ 66 31 70 08, Fax 66 31 80 36 – ☎ P. GB. ⚘ rest
fermé 15 déc. au 28 janv. et dim. soir du 30 sept. au 30 avril – **R** 70/200 🍷 – ☕ 28 – **18 ch** 220/270 – ½ P 240/300.

CITROEN Gar. Vidal ✆ 66 31 71 85

MAMERS SP **72600** Sarthe **60** ⑭ **G. Normandie Vallée de la Seine** – 6 071 h. alt. 128.

Syndicat d'Initiative avec A.C. pl. République ✆ 43 97 60 63.

Paris 183 – Alençon 26 – ♦ Le Mans 43 – Mortagne-au-Perche 24 – Nogent-le-Rotrou 38.

Bon Laboureur avec ch, 1 r. P.-Bert ✆ 43 97 60 27, Fax 43 97 16 19 – TV ☎ 🚗. AE ⓓ GB – *fermé vacances de fév., vend. soir et sam. midi hors sais.* – **R** 56/160 🍷, enf. 45 – ☕ 25 – **10 ch** 140/265 – ½ P 195/225.

au Pérou (61 Orne) E : 6 km par rte Bellême – ✉ **61360** Chemilly :

Petite Auberge, ✆ 33 73 11 34, 🍽, – P. GB
fermé 15 au 31 janv., lundi soir et mardi – **R** 65/260, enf. 50.

CITROEN Autos du Saosnois, 103 rte du Mans ✆ 43 97 60 17 **N** ✆ 43 97 98 77
PEUGEOT TALBOT Gar. du Saosnois, rte de Bellême à Suré ✆ 43 97 64 92
RENAULT Foullon-Dagron, Le Magasin à St-Rémy-des-Monts ✆ 43 97 63 03 **N** ✆ 43 97 63 03

MANCIET **32** Gers **82** ③ – rattaché à Eauze.

MANDELIEU-LA-NAPOULE **06210** Alpes-Mar. **84** ⑧ **195** ㉞ **G. Côte d'Azur** – 16 493 h. alt. 25.

Voir N : Route de Mandelieu ≤★★.

9 18 Golf-Club de Cannes-Mandelieu ✆ 93 49 55 39, S : 2 km.

Maison du Tourisme bd de la Tavernière "Les Vigies" ✆ 92 97 86 46, Télex 462043 ; av. Cannes ✆ 93 49 14 39 et bd H.-Clews ✆ 93 49 95 31.

Paris 896 – Cannes 7 – Fréjus 29 – Brignoles 86 – Draguignan 53 – ♦Nice 37 – St-Raphaël 32.

Domaine d'Olival M sans rest, 778 av. Mer ℘ 93 49 31 00, Fax 92 97 69 28, « Jardin fleuri », – cuisinette – 25. AE GB
18 janv.-18 oct. – 55 – **3 ch** 425/900, 15 appart. 665/1750.

Hostellerie du Golf M, 780 av. Mer ℘ 93 49 11 66, Télex 470948, Fax 92 97 04 01, – AE GB JCB
R 140/180, enf. 70 – 40 – **39 ch** 570/640, 16 appart. 860 – ½ P 480.

Méditerranée, 454 av. Vacqueries ℘ 93 93 00 93, Fax 92 97 55 64, – AE GB
fermé nov. – **R** *(fermé dim.)* 90/140, enf. 60 – 40 – **20 ch** 340/440 – ½ P 300/340.

Les Bruyères M sans rest, 1400 av. Fréjus ℘ 93 49 92 01, Fax 93 49 21 55, – cuisinette AE GB
40 – **14 ch** 300/550.

Eden Park, 494 av. Fréjus ℘ 93 49 50 50, Télex 460945, Fax 93 93 29 80, – 60. AE GB
R *(fermé dim. de mars à juin et d'oct à déc.)* 120/135, enf. 40 – 30 – **36 ch** 360/380 – ½ P 330/350.

Sant'Angelo sans rest, 681 av. Mer ℘ 93 49 28 23, Fax 92 97 55 54, – cuisinette GB
35 – **34 ch** 390/630.

MANDEREN 57 Moselle 57 ④ – rattaché à Sierck-les-Bains.

MANERBE 14 Calvados 55 ⑬ – rattaché à Lisieux.

MANIGOD 74230 H.-Savoie 74 ⑦ – 636 h. alt. 950.

Voir Vallée de Manigod★★, G. Alpes du Nord.

Office de Tourisme Chef Lieu ℘ 50 44 92 44.

Paris 562 – Annecy 26 – Chamonix-Mont-Blanc 73 – Albertville 40 – Bonneville 37 – La Clusaz 17 – Megève 38 – Thônes 6.

Chalet H. Croix-Fry, rte Col de la Croix-Fry : 5,5 km ℘ 50 44 90 16, Fax 50 44 94 87, ≤ montagnes, – cuisinette – 25. GB JCB rest
15 juin-15 sept. et 20 déc.-15 avril – **R** 140/320, enf. 55 – 48 – **10 ch** 480/530, 5 duplex 700 – ½ P 390/450.

au Col de La Croix-Fry NE : 7 km – ✉ 74230 Thônes :

Rosières, ℘ 50 44 90 27, Fax 50 44 94 70, ≤, – GB
fermé nov. – **R** 65/90 – 30 – **17 ch** 180/200 – ½ P 200/230.

MANOSQUE 04100 Alpes-de-H.-P. 81 ⑮ G. Alpes du Sud – 19 107 h. alt. 387.

Voir Porte Saunerie★ – Sarcophage★ dans l'église N.-D. de Romigier – ≤★ du Mont d'Or NE : 1,5 km – ≤★ de la chapelle St-Pancrace 2 km par ③.

18 Country Club de Pierrevert (privé) ℘ 92 72 17 19 ; SO : 7 km par ③ et D 6.

Office de Tourisme avec A.C. pl. Dr.-P.-Joubert ℘ 92 72 16 00.

Paris 761 ③ – Digne 58 ① – Aix-en-P. 53 ② – Avignon 91 ③ – ♦Grenoble 191 ① – ♦Marseille 85 ②.

MANOSQUE

Rue	N°
Grande (R.)	10
Hôtel-de-Ville (Pl. de l')	13
Marchands (R. des)	15
Arthur-Robert (R.)	2
Aubette (R. d')	3
Bret (Bd M.)	5
Chacundier (R.)	6
Dauphine (R.)	8
Giono (Av. J.)	9
Guilhempierre (R.)	12
J.-J. Rousseau (R.)	14
Mirabeau (Bd)	16
Mont d'Or (R. du)	17
Observantins (Pl. des)	19
Ormeaux (Pl. des)	20
Pelloutier (Bd C.)	22
Plaine (Bd de la)	23
Reine-Jeanne (R. de la)	25
République (R. de la)	26
St-Lazare (Av.)	28
Saunerie (R. de la)	30
Soubeyran (R.)	32
Tourelles (R. des)	33
Voland (R.)	34
Vraies-Richesses (Montée des)	36

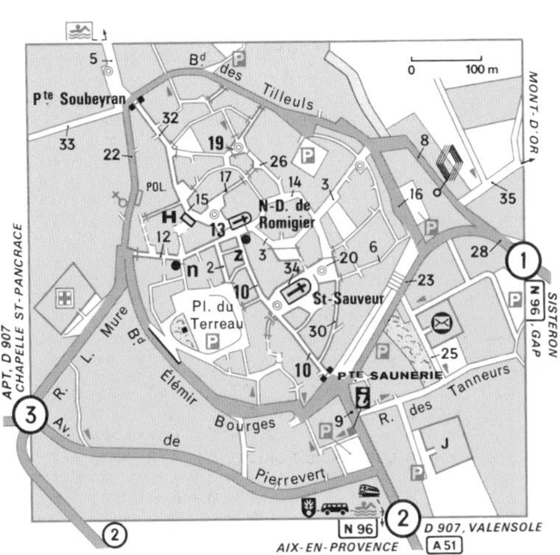

Pré St-Michel M, N : 1,5 km par bd M. Bret et rte Dauphin ✆ 92 72 14 27 – TV ☎ P. GB
R *(fermé 27 avril au 4 mai, mardi midi et lundi)* 98/215 – 27 – **18 ch** 265.

Campanile, par ① ✆ 92 87 59 00, Télex 405915, – TV ☎ P. AE GB
R 77 bc/99 bc, enf. 39 – 28 – **30 ch** 258 – ½ P 234/256.

François 1er sans rest, 18 r. Guilhempierre **(n)** ✆ 92 72 07 99 – ☎. GB
25 – **25 ch** 110/280.

Peyrache sans rest, r. Grande **(z)** ✆ 92 72 07 43 – ☎
18 ch.

à La Fuste SE : 6,5 km sur D 4 par ② et D 907 – ✉ **04210** Valensole :

XXX ❀ **Host. de la Fuste** (Jourdan) avec ch, ✆ 92 72 05 95, Fax 92 72 92 93, ←, , « Parc », , – TV ☎ P – 25. AE GB
fermé 6 janv. au 9 fév., dim. soir et lundi du 30 sept. au 30 juin sauf fériés – **R** (nombre de couverts limité - prévenir) 270/470, enf. 130 – 90 – **14 ch** 600/1000 – ½ P 780/1030
Spéc. Légumes de Provence en tartare, Daurade royale au four, Gibier (saison). **Vins** Côtes du Lubéron, Palette.

à Villeneuve par ① : 11 km – ✉ **04130** :

Mas St Yves , ✆ 92 78 42 51, ←, , parc, – TV ☎ P. GB. rest
fermé 15 déc. au 1er fév., dim. soir et lundi midi du 15 oct. au 15 avril – **R** 75/255, enf. 45 – 30 – **14 ch** 220/330 – ½ P 230/285.

à St-Maime N : 12 km par ① et D13 – ✉ **04300** :

XX **Bois d'Asson,** ✆ 92 79 51 20, – P. AE GB
fermé 25 août au 2 sept., 15 fév. au 10 mars, dim. soir du 1er oct. au 30 mars et mardi – **R** 148/300.

AUSTIN-ROVER Gar. Staino, 45 r. G.-Pompidou ✆ 92 72 55 03
CITROEN Alpes de Provence Autom., rte de Marseille par ② ✆ 92 72 09 94
FORD Gar. Chailan, N 96, rte de Marseille ✆ 92 72 41 70
PEUGEOT-TALBOT Gar. Renardat Autos, rte de Marseille par ② ✆ 92 87 87 90

RENAULT SEPAL, rte d'Aix-en-Provence par ② ✆ 92 72 03 32
RENAULT Roubaud, 14 r. Dauphine ✆ 92 72 06 09

Meizenq-Pneus, ZI de St-Joseph, 144 av. 1er-Mai ✆ 92 72 36 61
Piot-Pneu, rte de la Durance ✆ 92 87 72 00

Le MANS

P **72000** Sarthe 60 ⑬ 64 ③ **G. Châteaux de la Loire** – 145 502 h. Communauté urbaine 185 506 h alt. 71.

Voir Cathédrale★★ : chevet★★★ BV – Le Vieux Mans★★ : maison de la Reine Bérengère★ BV **M2** – Église de la Couture★ : Vierge★★ BX **B** – Église Ste-Jeanne-d'Arc★ BY **E** – Musée de Tessé★ BV **M1** – Abbaye de l'Épau★ : 4 km par D 152 Z – Musée de l'Automobile★★ : 5 km par ⑤.

18 ✆ 43 42 00 36, par ⑤ : 11 km.

Circuit des 24 heures et circuit Bugatti : 5 km par ⑤.

Office de Tourisme Hôtel des Ursulines, r. Étoile ✆ 43 28 17 22, Télex 720006 avec A.C. ✆ 43 28 17 13.

Paris 205 ② – Angers 95 ⑤ – ◆Le Havre 219 ⑨ – ◆Nantes 185 ⑤ – ◆Rennes 152 ⑦ – ◆Tours 80 ④.

Plans pages suivantes

Concorde, 16 av. Gén. Leclerc ✆ 43 24 12 30, Télex 720487, Fax 43 24 85 74, – TV ☎ – 40. AE GB JCB AX **b**
R 130/250 – 48 – **60 ch** 450/795.

Novotel M, bd R.-Schumann ✆ 43 85 26 80, Télex 720706, Fax 43 75 31 76, , , – ch rest TV ☎ P – 200. AE GB Z **a**
R carte environ 150, enf. 50 – 45 – **94 ch** 405/475.

Chantecler M sans rest, 50 r. Pelouse ✆ 43 24 58 53, Télex 722941, Fax 43 77 16 28 – TV ☎ P. GB AY **f**
R voir rest. **Feuillantine** ci-après – 28 – **32 ch** 270/320, 3 appart. 500.

Relais Bleus M, 79 bd A. Oyon (gare TGV) ✆ 43 85 49 00, Fax 43 85 25 95 – TV ☎ P – 100. AE GB AY **a**
R 83/120, enf. 45 – 32 – **66 ch** 270/370.

Anjou sans rest, 27 bd Gare ✆ 43 24 90 45, Fax 43 24 82 38 – TV ☎ P. AE GB AY **s**
28 – **30 ch** 135/235.

L'Escale sans rest, 72 r. Chanzy ✆ 43 84 55 92, Fax 43 84 76 82 – TV ☎ P. AE GB BY **u**
25 – **46 ch** 150/250.

Fimotel M, r. Pointe ✉ 72100 ✆ 43 72 27 20, Télex 722092, Fax 43 85 96 06, – TV ☎ P – 25. AE GB JCB Z **h**
R 80/100 , enf. 34 – 35 – **42 ch** 285/300.

Ibis M, quai Ledru-Rollin ✆ 43 23 18 23, Télex 722035, Fax 43 24 00 72, ←, – TV ☎ – 40. GB AX **a**
R 79 , enf. 39 – 30 – **83 ch** 290/310.

Élysée sans rest, 7 r. Lechesne ✆ 43 28 83 66 – TV ☎. GB. AY **m**
27 – **14 ch** 130/240.

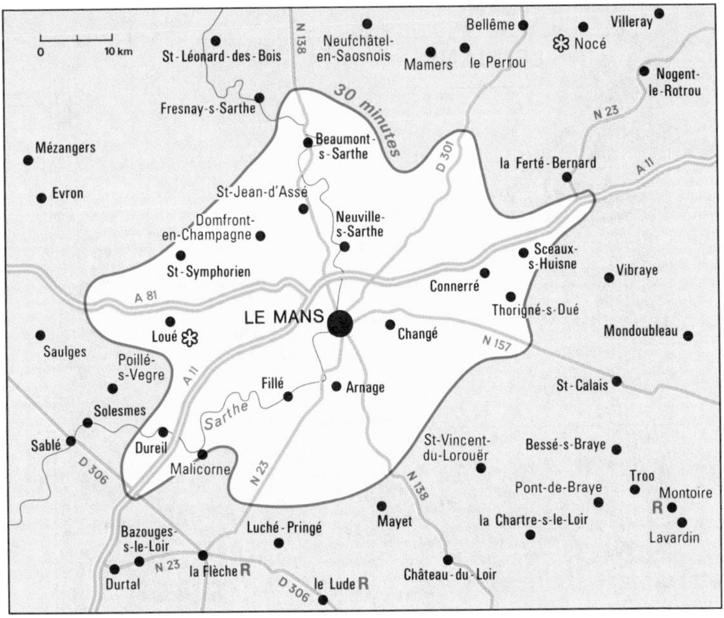

LE MANS

Ambroise Paré (R.)	Z 2
Ballon (R. de)	Z 3
Bertinière (R. de la)	Z 4
Bollée (Av.)	Z 6
Brossolette (Bd P.)	Z 7
Carnot (Bd)	Z 8
Cogner (R. du)	Z 10
Cugnot (Bd N.)	Z 12
Demorieux (Bd)	Z 13
Dr-Mac (Av. du)	Z 15
Estienne-d'Orves (Bd d')	Z 17
Gèneslay (Av. F.)	Z 19
Grande-Maison (R.)	Z 20
Heuzé (Av. Olivier)	Z 21
Maillets (R. des)	Z 23
Mariette (R. de la)	Z 24
Monthéard (R. de)	Z 25
Pied-Sec (R. de)	Z 27
Polygone (Rue du)	Z 28
Rhin-et-Danube (Av.)	Z 29
Riffaudières (Bd)	Z 31
Rubillard (Av.)	Z 32
St-Lazare (⊕)	Z 35
St-Martin (⊕)	Z 36
Victimes du Nazisme (R. des)	Z 39

Une réservation confirmée par écrit est toujours plus sûre.

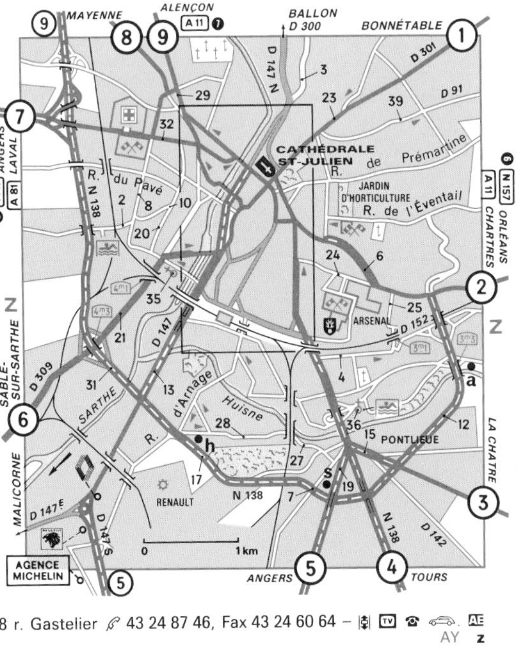

Emeraude sans rest, 18 r. Gastelier ☎ 43 24 87 46, Fax 43 24 60 64 – |$| TV ☎ 🚗. AE GB — AY z
⊐ 25 – **33 ch** 155/215.

Maine Atlantique sans rest, 24 r. E. Chesne ✉ 72100 ☎ 43 84 35 11 – TV ☎ P. AE GB — Z s
⊐ 24 – **29 ch** 145/190.

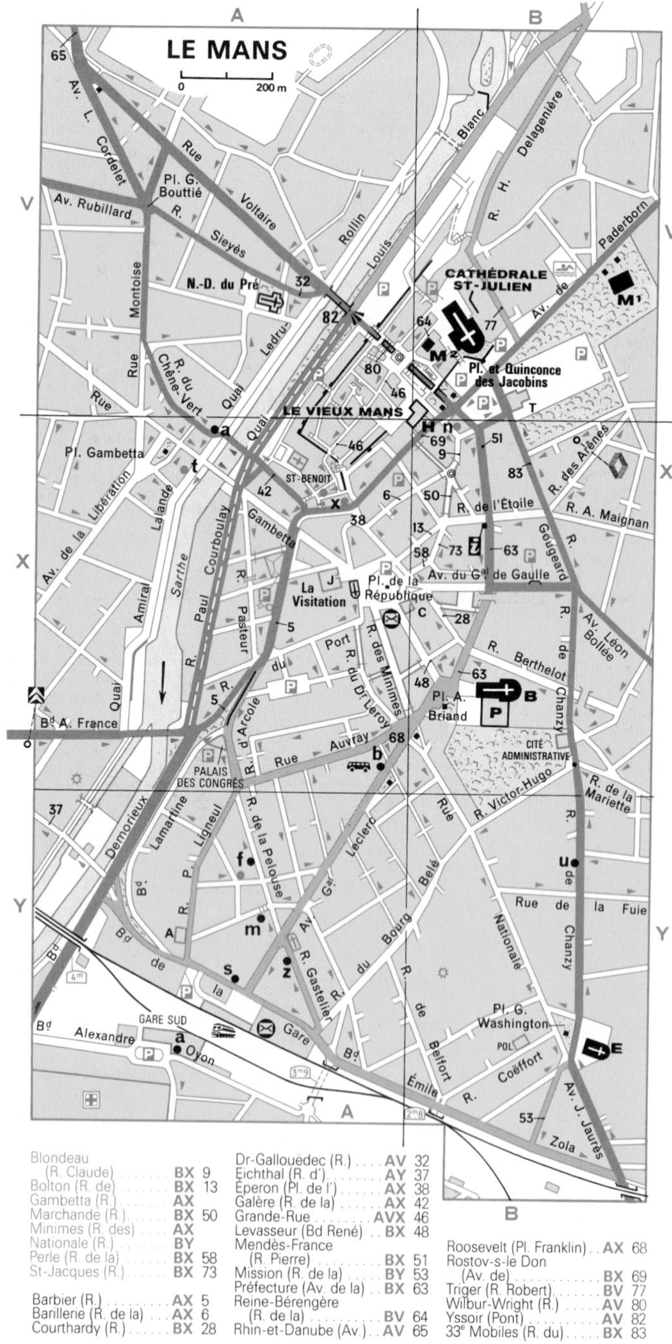

Blondeau (R. Claude) . . . . . . BX 9
Bolton (R. de) . . . . BX 13
Gambetta (R.) . . . . AX
Marchande (R.) . . . . BX 50
Minimes (R. des) . . . . . AX
Nationale (R.) . . . . BY
Perle (R. de la) . . . . BX 58
St-Jacques (R.) . . . . BX 73

Barbier (R.) . . . . AX 5
Barillerie (R. de la) . . . AX 6
Courthardy (R.) . . . . . . BX 28

Dr-Gallouëdec (R.) . . . . AV 32
Eichthal (R. d') . . . . . . AY 37
Éperon (Pl. de l') . . . . . AX 38
Galère (R. de la) . . . . . AX 42
Grande-Rue . . . . AVX 46
Levasseur (Bd René) . . BX 48
Mendès-France (R. Pierre) . . . . BX 51
Mission (R. de la) . . . . . BY 53
Préfecture (Av. de la) . . BX 63
Reine-Bérengère (R. de la) . . . . BV 64
Rhin-et-Danube (Av.) . . AV 65

Roosevelt (Pl. Franklin) . . AX 68
Rostov-s-le Don (Av. de) . . . . BX 69
Triger (R. Robert) . . . . . . BV 77
Wilbur-Wright (R.) . . . . . AV 80
Yssoir (Pont) . . . . AV 82
33e Mobiles (R. du) . . . . . BX 83

XXX **Le Grenier à Sel,** 26 pl. Éperon ✆ 43 23 26 30 – ▤. GB — AX x
fermé 1er au 21 août, vacances de fév., dim. et lundi – **R** 140 (sauf sam. soir)/295.

XX **Feuillantine,** 19 bis r. Foisy ✆ 43 28 00 38 – GB — AY f
fermé 19 au 26 avril, 19 déc. au 4 janv., sam. midi et dim. – **R** 70/135 ₰.

XX **La Grillade,** 1 bis r. C. Blondeau ✆ 43 24 21 87, Fax 43 28 52 04 – AE GB. — BX n
fermé 20 juil. au 13 août, sam. midi, lundi soir et dim. – **R** 130/250.

XX **La Ciboulette,** 14 r. Vieille Porte ✆ 43 24 65 67 – AE GB — AX x
fermé 1er au 25 août, sam. et dim. – **R** 150 ₰.

XX **Gd Cerf,** 8 quai Amiral Lalande ✆ 43 24 16 83, Fax 43 23 98 72, – GB — AX t
fermé 10 au 17 août, dim. sauf le midi d'oct. à juin, lundi en août et sam. midi d'oct. à juin – **R** 65/220 ₰.

par ② et rte de l'Éventail : 4 km – ✉ **72000** Le Mans :

La Pommeraie sans rest, ✆ 43 85 13 93, « Jardin fleuri » – TV ☎ P
20 – **34 ch** 125/195.

à Changé par ② et D 152 : 7 km – 4 428 h. – ✉ **72560** :

XXX **Cheval Blanc,** ✆ 43 40 02 62 – AE GB
fermé août, vacances de fév., dim. soir, mardi soir et merc. – **R** 135/208.

par ④ sur N 138 : 4 km – ✉ **72000** Le Mans :

Green 7 M, 447 av. G. Durand ✆ 43 85 05 73, Télex 711948, Fax 43 86 62 78 – TV ☎ ♿ P – 45. AE GB
R 71/138, enf. 38 – 30 – **40 ch** 235.

à Arnage par ⑤ et N 23 : 9 km – 5 600 h. – ✉ **72230** :

Campanile, Z.I. Sud ✆ 43 21 81 21, Télex 722803, Fax 43 21 66 45, – TV ☎ ♿ P – 30. AE GB
R 77 bc/99 bc, enf. 39 – 28 – **42 ch** 258 – ½ P 234/256.

XXX **Aub. des Matfeux,** 289 rte Nationale ✆ 43 21 10 71, – P. AE GB
fermé 15 au 31 juil., 2 au 31 janv., dim. soir, lundi et soirs fériés – **R** 98/315.

par ⑦ sur N 157 : 4 km – ✉ **72000** Le Mans :

La Closerie et rest. de la Foresterie M, rte de Laval ✆ 43 28 28 44, Fax 43 28 54 58, , , – ▤ rest TV ☎ ♿ P – 30 à 100. AE GB
fermé 28 fév. au 15 mars – **R** 97/250, enf. 50 – 40 – **29 ch** 400/460 – ½ P 310/330.

à Neuville-sur-Sarthe par ⑨ et D 197 : 11 km – ✉ **72190** :

XX **Vieux Moulin,** ✆ 43 25 31 84, ←, , « Au bord de la Sarthe, parc » – . GB
fermé 15 au 31 oct., janv., dim. soir et lundi – **R** 115/320.

MICHELIN, Agence, 54 à 58 r. Pierre-Martin, ZI Sud Z ✆ **43 72 15 85**

AUSTIN-ROVER Gar. Soupizet, 32 r. de la Pelouse à Arnage ✆ 43 77 10 54
BMW Le Mans-Sud-Auto, ZI Sud, rte d'Allonnes ✆ 43 85 00 11 N ✆ 43 85 66 99
CITROEN Alteam, bd P.-Lefaucheux, ZI Sud par D 147 Z ✆ 43 84 20 90
CITROEN Loinard, 49-51 bd A.-France ✆ 43 28 12 84
FIAT SADAM, ZIN r. L.-Delage ✆ 43 24 13 82 N ✆ 43 85 66 99
MAZDA S.O.V.M.A., 124 r. Chanzy ✆ 43 84 53 08 et 4 r. de Bazeilles ✆ 43 84 19 97
MAZDA Geneslay Autos, 108 av. F.-Geneslay ✆ 43 84 32 74
MERCEDES-BENZ Sarthe-Automobiles, 425 av. Bollée ✆ 43 72 72 33 N ✆ 43 85 66 99
MITSUBISHI Gar. Courage, 155 bd Demorieux ✆ 43 24 58 75
OPEL-G.M. Le Mans-Autos 24, ZI Sud, rte d'Allonnes ✆ 43 84 54 60 N ✆ 43 85 66 99
PEUGEOT Cottereau, 125 av. G.-Durand ✆ 43 84 05 99
PEUGEOT-TALBOT Gds Gar. de la Sarthe, bd P.-Lefaucheux, ZI Sud par D 147 Z ✆ 43 86 06 80 N ✆ 43 85 66 99
RENAULT Succursale, 261 bd Demorieux ✆ 43 24 12 24 N ✆ 05 05 72 72
RENAULT Gar. des Jacobins, 8 r. Cirque ✆ 43 81 73 50
V.A.G Robineau, r. L.-Breguet, ZI Sud ✆ 43 86 22 39 N ✆ 43 85 66 99

Jambie-Pneus, 26 av. O.-Heuzé ✆ 43 24 75 82
Le Royal, 6 pl. Gambetta ✆ 43 24 27 74
Marsat Pneus Tourisme, 7 et 9 r. Pasteur ✆ 43 23 83 93
Marsat Pneus, r. P. Martin, ZI Sud ✆ 43 72 91 19
Tours Pneus Interpneus, ZI Sud rte d'Allonnes ✆ 43 85 84 31

MANSLE **16230** Charente 72 ③ ④ – 1 601 h. alt. 60.

Paris 419 – Angoulême 25 – Cognac 52 – ♦Limoges 92 – Poitiers 83 – St-Jean-d'Angély 61.

Trois Saules , à St-Groux, NO : 3 km ✆ 45 20 31 40, parc – TV ☎ P. GB
fermé 1 au 16 nov., 23 fév. au 9 mars, dim. soir et lundi midi – **R** 55/155 ₰, enf. 30 – 23 – **10 ch** 160/240 – ½ P 170/190.

PEUGEOT-TALBOT Gar. Suire-Huguet ✆ 45 20 30 31 N

MANTES-LA-JOLIE ⟨SP⟩ **78200** Yvelines 55 ⑱ 106 ⑮ **G. Ile de France** – 45 087 h. Mantes-la-Ville : 16 710 h alt. 34.

Voir Collégiale N.-Dame★ B**B**.

du Prieuré à Sailly-en-Vexin ✆ (1) 34 76 70 12, par ① : 12 km ; de la Vaucouleurs à Civry-la-Forêt ✆ (1) 34 87 62 29 ; sortie S par ③ N 183 et D 166 : 21,5 km.

Office de Tourisme pl. Jean-XXIII ✆ (1) 34 77 10 30.

Paris 59 ③ – Beauvais 70 ① – Chartres 73 ④ – Évreux 45 ④ – ♦Rouen 79 ④ – Versailles 45 ③.

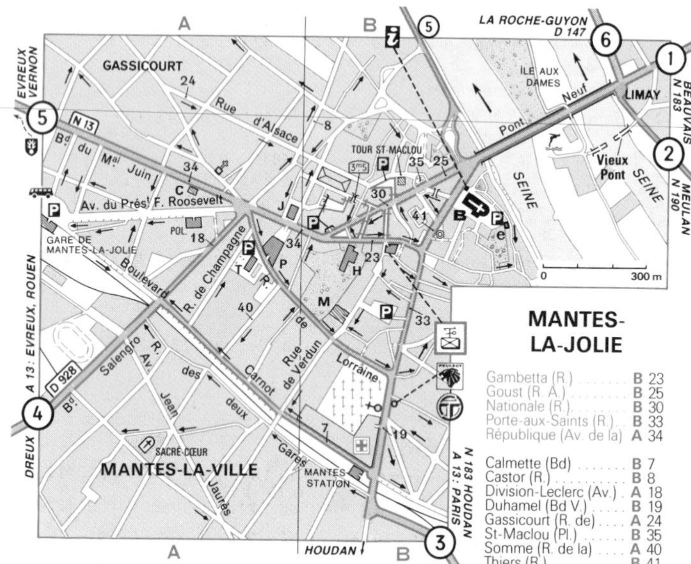

Gambetta (R.)	B 23
Goust (R. A.)	B 25
Nationale (R.)	B 30
Porte-aux-Saints (R.)	B 33
République (Av. de la)	A 34
Calmette (Bd)	B 7
Castor (R.)	B 8
Division-Leclerc (Av.)	A 18
Duhamel (Bd V.)	B 19
Gassicourt (R. de)	A 24
St-Maclou (Pl.)	B 35
Somme (R. de la)	A 40
Thiers (R.)	B 41

XX **La Galiote,** 1 r. Fort ✆ (1) 34 77 03 02, Fax (1) 34 77 07 90 – GB — B e
fermé dim. soir et lundi – **R** 260.

à Follainville-Dennemont par ①, N 184 et VO : 4 km – ✉ **78520** :

XXX **La Feuilleraie,** près Église ✆ (1) 34 77 17 66, – AE GB
fermé 16 au 30 août, vacances de fév., mardi soir et merc. – **R** 160 et carte le dim.

à Mantes-la-Ville par ③ : 2 km – 19 081 h. – ✉ **78200** :

XX **Moulin de la Reillère,** 171 rte Houdan ✆ (1) 30 92 22 00, , parc – P. AE GB
fermé dim. soir et merc. – **R** 150/240.

à Rosay par ③ : 10 km – ✉ **78790** :

XX **Aub. de la Truite,** ✆ (1) 34 76 30 52, – AE GB
fermé 23 août au 6 sept., vacances de fév., merc. soir, dim. soir et lundi – **R** 170/360, enf. 80.

à St Martin-la-Garenne par ⑥ et D 147 : 7 km – ✉ **78520** :

XX **Aub. St-Martin,** ✆ (1) 34 77 58 45 – GB
ferm 3 août au 2 sept., 15 au 29 janv., lundi et mardi – **R** 140.

AUSTIN, ROVER Dupille, rte de Dreux à Magnanville ✆ (1) 34 77 28 08
CITROEN Nord-Ouest Auto, 87 bd Salengro à Mantes-la-Ville par ④ ✆ (1) 34 77 04 30
FIAT Gar. de l'Avenue, 4 r. de la Somme ✆ (1) 34 77 02 00
FORD Gd Gar. Chantereine, 2 r. Chantereine à Mantes-la-Ville ✆ (1) 34 77 31 75
MERCEDES, TOYOTA Gar. Mongazons, rte de Dreux à Magnanville ✆ (1) 34 77 10 75
OPEL Buchelay Autos, 11 r. Ouest, ZI Buchelay à Mantes-la-Ville ✆ (1) 30 92 41 11
PEUGEOT-TALBOT Courtois Autom., 13 bd Duhamel ✆ (1) 34 77 08 27
RENAULT Succursale, 6 r. Ouest à Mantes-la-Ville par ④ ✆ (1) 30 92 92 93
V.A.G S.E.A.M.A., 24 rte de Houdan à Mantes-la-Ville ✆ (1) 34 77 11 57

Bertault, 45 r. Martraits ✆ (1) 34 77 11 88
Marsat-Pneus Au Service du Pneu, 141 bd Mar.-Juin ✆ (1) 30 94 07 40
Marsat-Pneus-Mantes Tourisme, 125 bd R.-Salengro à Mantes-la-Ville ✆ (1) 30 92 49 49

MANTES-LA-VILLE 78 Yvelines 55 ⑱ – rattaché à Mantes-la-Jolie.

MANZAC-SUR-VERN 24110 Dordogne 75 ⑤ – 488 h. alt. 90.

Paris 513 – Périgueux 19 – Bergerac 33 – ◆Bordeaux 107.

- **Lion d'Or** avec ch, ✆ 53 54 28 09 – ☎. AE ⓓ GB
  fermé 25 oct. au 13 nov., vacances de fév., dim. soir (sauf juil-août) et lundi – **Repas** 95/180, enf. 50 – ☕ 30 – **7 ch** 180/190 – ½ P 200.

MARANS 17230 Char.-Mar. 71 ⑫ **G. Poitou Vendée Charentes** – 4 170 h. alt. 13.

Paris 460 – La Rochelle 23 – La Roche-sur-Yon 60 – Fontenay-le-Comte 26 – Niort 48.

- **Porte Verte,** 20 quai Foch ✆ 46 01 09 45, 余 – GB
  fermé vacances de fév. dim. soir hors sais. et merc. – **Repas** (nombre de couverts limité, prévenir) 85/165.

MARBOUÉ 28 E.-et-L. 60 ⑰ – rattaché à Châteaudun.

MARÇAY 37 I.-et-L. 67 ⑨ – rattaché à Chinon.

MARCENAY 21330 Côte-d'Or 65 ⑧ – 130 h. alt. 220.

Paris 233 – Auxerre 70 – Chaumont 72 – ◆Dijon 89 – Montbard 35 – Troyes 67.

- **Le Santenoy** M 🐕, au Lac : 1 km ✆ 80 81 40 08, Fax 80 81 43 05, ←, 余 – TV ☎ ♿ P – 🏛 60. GB
  R 60 bc/172 🍼, enf. 50 – ☕ 20 – **18 ch** 118/218 – ½ P 140/190.

MARCHON 01 Ain 170 ⑭ – rattaché à Oyonnax.

MARCIGNY 71110 S.-et-L. 73 ⑦ **G. Bourgogne** – 2 261 h. alt. 259.

Voir Charpente★ de la tour du Moulin – Église★ de Semur-en-Brionnais SE : 5 km.

Paris 392 – Roanne 30 – Charolles 29 – Lapalisse 37 – Mâcon 83.

à Ste-Foy E : 9 km par D 989 – ✉ **71110** :

- **Le Brionnais** avec ch, ✆ 85 25 83 27 – ☎ P. AE GB
  fermé 30 août au 7 sept., 3 au 10 janv., dim. soir et lundi sauf juil.-août – **R** 88/172, enf. 50 – ☕ 22 – **6 ch** 120/170 – ½ P 130.

MARCILLAC-LA-CROISILLE 19320 Corrèze 75 ⑩ **G. Berry Limousin** – 787 h. alt. 560.

Paris 486 – Argentat 25 – Égletons 17 – Mauriac 38 – Tulle 27.

au Pont du Chambon SE : 15 km par D 978 et D 13 – ✉ **19320** Marcillac-la-Croisille :

- **Fabry** (Au Rendez-vous des Pêcheurs) 🐕 avec ch, ✆ 55 27 88 39, Fax 55 27 83 19, 余 – TV P. GB
  fermé 12 nov. au 20 déc., 18 au 28 fév., vend. soir et sam. midi d'oct. à mars – **R** 75/180 🍼 – ☕ 28 – **8 ch** 200/250 – ½ P 220/250.

MARCQ-EN-BAROEUL 59 Nord 51 ⑯ – rattaché à Lille.

MARENNES 17320 Char.-Mar. 71 ⑭ **G. Poitou Vendée Charentes** – 4 634 h. alt. 10.

Voir ✵★ de la tour de l'église.

Env. Remparts★★ de Brouage NE : 6,5 km.

Pont de la Seudre : passage gratuit.

ℹ Syndicat d'Initiative pl. Chasseloup-Laubat (avril-sept., fermé matin sauf juil.-août) ✆ 46 85 04 36 et à la Mairie (hors saison) ✆ 46 85 25 55.

Paris 492 – La Rochelle 56 – Royan 33 – Rochefort 22 – Saintes 42.

à Bourcefranc-le-Chapus NO : 5 km – ✉ **17560**.

Voir A la pointe du Chapus ←★ sur le pont d'Oléron NO : 3 km.

- ✿ **Les Claires** (Suire) M, près viaduc d'Oléron ✆ 46 85 08 01, Télex 792055, Fax 46 85 45 44, 🏋, 🏊, 🌳, 🎾 – TV ☎ ♿ P – 🏛 30 à 70. AE ⓓ GB
  R 130/200, enf. 75 – ☕ 45 – **48 ch** 260/390 – ½ P 340
  Spéc. Blanquette d'huîtres au Layon et langoustines poêlées, Mouclade charentaise, Morue fraîche à la crème d'ail. **Vins** Haut-Poitou rouge.
- **Terminus,** au port du Chapus ✆ 46 85 02 42, ← – ☎. GB
  fermé 11 oct. au 12 nov., 25 janv. au 2 fév. et lundi d'oct. à juin – **R** 55/180, enf. 45 – ☕ 28 – **10 ch** 150/210 – ½ P 240.

CITROEN Gar. Poitevin ✆ 46 85 04 75
N ✆ 46 85 20 84

Ⓜ Maison du C/c Pneu +, ✆ 46 85 00 08

MARGAUX 33460 Gironde 71 ⑧ **G. Pyrénées Aquitaine** – 1 387 h. alt. 16.

Paris 553 – ◆Bordeaux 27 – Lesparre-Médoc 41.

- **Relais de Margaux** M 🐕, au N : 2 km par VO ✆ 56 88 38 30, Télex 572530, Fax 56 88 31 73, ←, parc, 🏊, 🎾 – 🛗 ▤ ch TV ☎ P – 🏛 80. AE ⓓ GB JCB. 🚫 rest
  fermé 24 déc. au 21 janv. – **R** 200/300, enf. 95 – ☕ 90 – **28 ch** 975/1350, 3 appart. 1800 – ½ P 875/925.
- **Aub. Le Savoie,** ✆ 56 88 31 76, 余 – 🚫
  fermé 10 au 31 janv. et dim. – **Repas** 70 (sauf sam. soir)/110.

à Arcins NO : 6 km sur D 2 – ✉ **33460** :

X **Lion d'Or,** ☎ 56 58 96 79 – Ⓟ. AE
fermé juil., 2 au 10 janv., dim. soir, lundi et soirs fériés – **R** 58 bc/190, enf. 40.

MARIENTHAL **67** B.-Rhin **57** ⑲ – rattaché à Haguenau.

MARIGNANE **13700** B.-du-R. **84** ⑫ **G. Provence** – 32 325 h. alt. 13.

Voir Canal souterrain du Rove★ SE : 3 km.

✈ de Marseille-Marignane : ☎ 42 78 21 00.

ℹ Office de Tourisme 4 bd F.-Mistral ☎ 42 09 78 83 – A.C. 8 r. Vieux Fours ☎ 42 77 29 53.

Paris 756 – ◆Marseille 23 – Aix-en-Provence 25 – Martigues 15 – Salon-de-Provence 34.

à l'aéroport au N – ✉ **13700** Marignane :

Sofitel M, ☎ 42 78 42 78, Télex 401980, Fax 42 78 42 70, ⛱, ⛱, ⛱, ⚔ – |♦| ⛔ ch ▤ TV ☎ ♿ Ⓟ – 🧍 300. AE ⓓ GB
Le Clipper *(fermé dim.)* **R** 180/250 – **Café de Provence R** 115/180 ⅛, enf.85 – ☕ 70 – **180 ch** 635, 3 appart. 1200.

Primotel M, ✉ 13127 Vitrolles ☎ 42 79 79 19, Télex 420809, Fax 42 89 69 18, ⛱, ⛱, ⚔ – |♦| ▤ TV ☎ ♿ Ⓟ – 🧍 100. AE ⓓ GB
R 98/120 ⅛, enf. 50 – ☕ 42 – **120 ch** 330/365.

Ibis M, ☎ 42 79 61 61, Télex 402085, Fax 42 89 93 13, ⛱ – |♦| ▤ TV ☎ ♿ Ⓟ – 🧍 50. GB
R 79/140 ⅛, enf. 41 – ☕ 31 – **85 ch** 280/305.

XX **Romarin,** aérogare (1er étage) ☎ 42 78 23 64, Télex 441171, Fax 42 75 07 48 – ▤. AE ⓓ GB
R (déj. seul.) 108 bc/210.

à Vitrolles N : 8 km – 35 397 h. – ✉ **13127**.

Voir ✻★ 15 mn.

Novotel, Z.I. les Estroublans ☎ 42 89 90 44, Télex 420670, Fax 42 79 07 04, ⛱, ⛱, ⛱ – |♦| ▤ ch TV ☎ Ⓟ – 🧍 25 à 250. AE ⓓ GB JCB
R carte environ 150 ⅛, enf. 50 – ☕ 45 – **142 ch** 385/405.

CITROEN SADAM, av. 8-Mai-1945 ☎ 42 89 92 90
PEUGEOT-TALBOT Provence-Auto-Service, 45 av. 8-Mai-1945 ☎ 42 88 54 54
RENAULT Marignane-Auto, av. 8-Mai-1945 ☎ 42 89 93 94
RENAULT Vitrolles Autos Sces, N 113 ZAC Griffon à Vitrolles ☎ 42 89 92 99

Ⓜ Denizon Pneu Sce, av. 8-Mai-1945 à St-Victoret ☎ 42 79 79 42
Gay Pneus, 29 1e ave ZI à Vitrolles ☎ 42 89 06 97
Omnica, 11 r. 2ème Av., ZI à Vitrolles ☎ 42 79 70 23
St-Victoret Pneus, 59 av. J.-Moulin à St-Victoret ☎ 42 89 07 88

MARIGNIER **74** H.-Savoie **74** ⑦ – 4 322 h. alt. 475 – ✉ **74130** Bonneville.

Paris 567 – Chamonix-Mont-Blanc 47 – Thonon-les-Bains 51 – Annecy 50 – Bonneville 9 – Cluses 7 – Megève 32 – Morzine 28.

XX **Le Pontvys,** ☎ 50 34 63 58, ⛱ – Ⓟ. AE GB
fermé 1er au 15 août, vacances de fév., dim. soir et lundi – **R** 135/360.

MARIGNY **50570** Manche **54** ⑬ – 1 668 h. alt. 71.

Paris 318 – St-Lô 13 – Carentan 27 – Coutances 17.

XX **Poste,** ☎ 33 55 11 08 – AE ⓓ GB
fermé 21 sept. au 6 oct., 2 au 15 janv., dim. soir et lundi – **R** 105/340, enf. 55.

RENAULT Gar. Vigot ☎ 33 55 15 28 N

MARINGUES **63350** P.-de-D. **73** ⑤ **G. Auvergne** – 2 345 h. alt. 315.

Paris 417 – ◆Clermont-Ferrand 27 – Lezoux 16 – Riom 18 – Thiers 23 – Vichy 28.

XX **Clos Fleuri** avec ch, rte Clermont ☎ 73 68 70 46, ⛱, « Jardin ombragé » – TV ☎ ♿ Ⓟ. GB. ⛔ ch
fermé 15 janv. au 15 fév., dim. soir et lundi du 15 sept. au 15 juin – **R** 100/220 – ☕ 27 – **16 ch** 175/300 – ½ P 200/250.

PEUGEOT-TALBOT Larzat et Meyronne ☎ 73 68 70 50

MARIOL **03270** Allier **73** ⑤ – 714 h. alt. 280.

Paris 422 – ◆Clermont-Ferrand 59 – Moulins 67 – Randan 13 – Riom 38 – Thiers 21 – Vichy 13.

Touristes ⛰, ☎ 70 59 20 87
10 ch.

MARLENHEIM **67520** B.-Rhin **62** ⑨ – 2 956 h. alt. 184.

Paris 467 – ◆Strasbourg 20 – Haguenau 35 – Molsheim 12 – Saverne 18.

Host. Reeb, ☎ 88 87 52 70, Télex 871308, Fax 88 87 69 73, ⛱ – ▤ rest TV ☎ Ⓟ – 🧍 25. AE ⓓ GB. ⛔ ch
fermé 3 au 29 janv., dim. soir et lundi – **R** 90/250 ⅛, enf. 60 – ☕ 35 – **35 ch** 250/280 – ½ P 235/250.

XXX ✿✿ **Host. du Cerf** (Husser) avec ch, ☎ 88 87 73 73, Fax 88 87 68 08, ⛱, 🪑 – TV ☎ P – 🏠 25. AE GB
fermé vacances de fév., mardi et merc. – **R** 350/500 et carte 🍷, enf. 85 – ☕ 60 – **15 ch** 510/650
Spéc. Presskopf de tête de veau poêlé sauce gribiche, Choucroute au cochon de lait et foie gras fumé, Aumonières aux griottes et glace au fromage blanc. **Vins** Muscat, Riesling.

CITROEN Gar. Kah-Fuchs, 10 rte de Strasbourg à Furdenheim ☎ 88 69 01 39

MARLIEUX **01240** Ain 74 ② – 633 h. alt. 270.
Paris 428 – Mâcon 37 – Bourg-en-Bresse 19 – ♦Lyon 45 – Villefranche-sur-Saône 35.

XX **Lion d'Or** avec ch, ☎ 74 42 85 15, ⛱, 🏊 – TV. GB. ✂ ch
fermé vacances de fév., lundi soir et mardi sauf juil.-août – **R** 90/290 – ☕ 25 – **8 ch** 200/280 – ½ P 200.

CITROEN Gar. Clerc ☎ 74 42 85 13 N

MARLY-LE-ROI **78** Yvelines 55 ⑲, 101 ⑫ – voir à Paris, Environs.

MARMAGNE **71710** S.-et-L. 69 ⑧ – 1 339 h. alt. 311.
Paris 310 – Chalon-sur-Saône 45 – Autun 19 – Le Creusot 9 – Mâcon 97 – Montceau-les-Mines 23.

XX **Vieux Jambon** avec ch, rte Creusot ☎ 85 78 20 32 – ☎ P. GB
fermé 18 nov. au 3 déc., dim. soir et lundi de fin sept. à fin avril – **R** 58/180 🍷 – ☕ 28 – **13 ch** 150/210 – ½ P 165/200.

RENAULT Gar. Détang, D 61 à St-Symphorien-de-Marmagne ☎ 85 54 40 43 N

Découvrez la France avec les guides Verts Michelin :
24 titres illustrés en couleurs.

MARMANDE SP **47200** L.-et-G. 79 ③ **G. Pyrénées Aquitaine** – 17 568 h. alt. 32.
⛳ ☎ 53 20 87 60, E : 4 km.
ℹ Office de Tourisme bd Gambetta ☎ 53 64 44 44.
Paris 601 ④ – Agen 67 ② – Bergerac 58 ① – ♦Bordeaux 90 ③ – Libourne 65 ④.

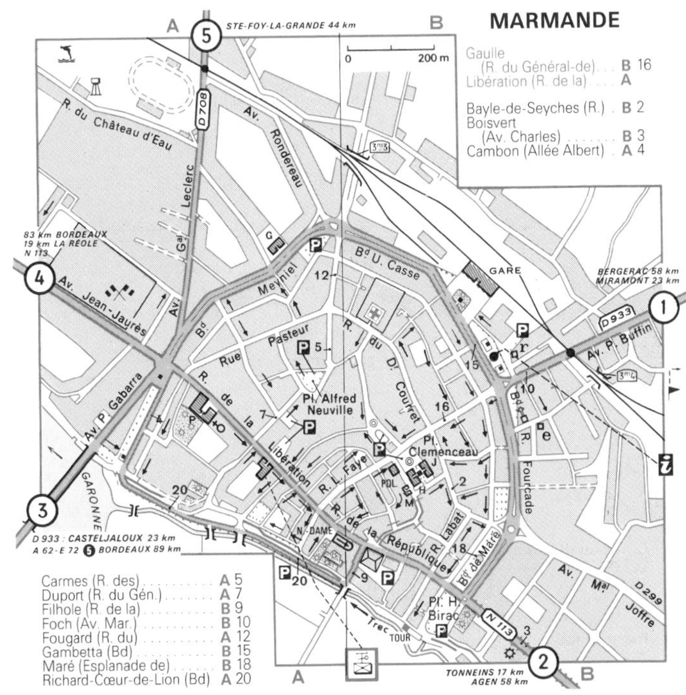

Gaulle (R. du Général-de) . . . B 16
Libération (R. de la) . . . . A
Bayle-de-Seyches (R.) . B 2
Boisvert (Av. Charles) . . . . B 3
Cambon (Allée Albert) . A 4
Carmes (R. des) . . . . A 5
Duport (R. du Gén.) . . . . A 7
Filhole (R. de la) . . . . B 9
Foch (Av. Mar.) . . . . B 10
Fougard (R. du) . . . . A 12
Gambetta (Bd) . . . . B 15
Maré (Esplanade de) . . . . . B 18
Richard-Cœur-de-Lion (Bd) A 20

Capricorne, rte Agen par ② ✆ 53 64 16 14, Fax 53 20 80 18, ⛱, – TV ☎ P – 70. GB
fermé 18 déc. au 3 janv. – **R** *(fermé sam. midi et dim.)* 65/200 – ☕ 26 – **34 ch** 230/245 – ½ P 200.

Europ'H. M sans rest, pl. Couronne ✆ 53 20 93 93, Fax 53 64 46 31 – TV ☎. GB — B r
☕ 28 – **21 ch** 220/235.

Thierry Arbeau, 10 r. C. Baylac ✆ 53 64 24 03, – GB. — B e
fermé dim. soir et lundi – **R** 120/300.

à Virazeil par ① : 5 km – ✉ **47200** :

Le Moulin d'Ané, ✆ 53 20 18 25 – P. AE GB JCB
fermé 17 août au 7 sept., vacances de fév., dim. soir et lundi sauf fériés – **Repas** 95/280, enf. 55.

par ③ : 9 km – ✉ **47430** Le Mas d'Agenais :

Les Rives de l'Avance M sans rest, ✆ 53 20 60 22, Fax 53 20 98 76, parc – GB
☕ 35 – **16 ch** 190/280.

à Mauvezin-sur-Gupie par ⑤ : 11 km par D 708 et V 6 – ✉ **47200** Marmande :

Poulet à la Ficelle, ✆ 53 94 21 26, « Cadre rustique »,
R (nombre de couverts limité - prévenir) 150, enf. 70.

CITROEN Baudrin, rte de Bordeaux, Ste-Bazeille par ④ ✆ 53 64 30 53 N
FORD Auto Aquitaine, rte de Bordeaux ✆ 53 64 75 71
PEUGEOT-TALBOT Guyenne et Gascogne Autom., 95 av. J.-Jaurès par ④ ✆ 53 64 34 47

Central Pneu, ZA Michelon ✆ 53 20 88 76
La Maison du Pneu, 1 pl. Couronne ✆ 53 20 89 80
Relais Marmandais, 123 av. J.-Jaurès ✆ 53 89 26 74 N

MARMOUTIER 67440 B.-Rhin 62 ⑨ **G. Alsace Lorraine** – 2 235 h. alt. 230.
Voir Église★★.
Paris 455 – ◆Strasbourg 32 – Molsheim 21 – Saverne 6,5 – Wasselonne 7,5.

Aux Deux Clefs avec ch, ✆ 88 70 61 08 – ☎. AE GB
fermé 20 au 31 juil., fév., dim. soir et lundi – **R** 45/170 – ☕ 23 – **15 ch** 155/230 – ½ P 200/210.

MARNAY-SUR-MARNE 52800 H.-Marne 62 ⑫ – 245 h. alt. 346.
Paris 264 – Chaumont 16 – Bourbonne-les-Bains 52 – Langres 21.

Vallée avec ch, N 19 ✆ 25 31 10 11, – P. GB
fermé dim. soir et lundi – **R** 58/240 , enf. 45 – ☕ 20 – **6 ch** 90/190 – ½ P 150/190.

MARNE-LA-VALLÉE 77 S.-et-M. 56 ⑫, 106 ㉑ – voir à Paris, Environs.

MARNES-LA-COQUETTE 92 Hauts-de-Seine 60 ⑩, 101 ㉓ – voir à Paris, Environs.

MARQUAY 24620 Dordogne 75 ⑰ – 473 h. alt. 225.
Paris 516 – Brive-la-Gaillarde 57 – Périgueux 58 – Sarlat-la-Canéda 11,5 – Les-Eyzies-de-Tayac 13.

Bories , ✆ 53 29 67 02, Fax 53 29 64 15, , ⛱, – ☎ P. GB
12 avril-15 nov. et fermé lundi midi – **R** 100/240 – ☕ 30 – **30 ch** 210/260 – ½ P 270/300.

La Condamine , ✆ 53 29 64 08, ←, , ⛱, – ☎ ♿ P. GB
12 avril-15 nov. – **R** snack carte 80 à 130 – ☕ 27 – **12 ch** 200/230 – ½ P 220/250.

MARQUISE 62250 P.-de-C. 51 ① – 4 453 h. alt. 57.
Paris 295 – ◆Calais 20 – Arras 115 – Boulogne-sur-Mer 12 – St-Omer 47.

Gd Cerf, av. Ferber ✆ 21 87 55 05 – GB
R *(fermé dim. soir et lundi)* 120/295.

CITROEN Gar. Baude, 27 r. J. Ferry ✆ 21 92 88 73

Clinique du Pneu, ✆ 21 92 86 61

MARSANNAY-LA-CÔTE 21 Côte-d'Or 166 ⑫ – rattaché à Dijon.

MARSEILLAN 34340 Hérault 83 ⑯ **G. Gorges du Tarn** – 4 950 h.
Paris 802 – ◆Montpellier 46 – Agde 7 – Béziers 30 – Pézenas 15 – Sète 26.

Château du Port M sans rest, 9 quai Résistance ✆ 67 77 65 65, Fax 63 61 67 52 – TV ☎. AE GB
15 mars-5 nov. – ☕ 40 – **15 ch** 290/500.

à Marseillan-Plage S : 6 km par D 51[e5] – ✉ **34340** Marseillan :

Richmont , front de mer ✆ 67 21 97 79, Fax 67 21 99 51, ← – TV ☎ . GB.
hôtel : 1er avril-10 oct. ; rest. : mai-fin sept. et fermé mardi du 1er mai au 30 juin – **R** 115/160, enf. 75 – ☕ 39 – **38 ch** 355/397 – ½ P 320/335.

MARSEILLE P 13 B.-du-R. 84 ⑬ G. Provence – 800 550 h.

Voir Basilique N.-D.-de-la-Garde ✲★★★ EV – Vieux Port★★ DETV – Corniche Président-J.-F.-Kennedy★★ AYZ – Port moderne★★ AX – Palais Longchamp★ GS – Basilique St-Victor★ : crypte★★ DU – Ancienne cathédrale de la Major★ DS **N** – Parc du Pharo ≤★ DU – Belvédère St-Laurent ≤★ DT **E** – Musées : Grobet-Labadié★★ GS **M7**, Cantini★ FU **M5**, Beaux-Arts★ GS **M8**, Histoire naturelle★ GS **M9** – Archéologie méditerranéenne★ : collection d'antiquités égyptiennes★★ (Vieille Charité★) DS **M6**, Docks romains DET **M2**, – Vieux Marseille★ DT **M3**.

Env. Route en corniche★★ de Callelongue S : 13 km par la Promenade de la plage BZ.

Excurs. : Château d'If★★ (✲★★★) 1 h 30.

18 de Marseille-Aix ☎ 42 24 20 41, par ① : 22 km ; 18 d'Allauch-Marseille (privé) ☎ 91 05 20 60, sortie Marseille Est ; 15 km par D 2 et D 4^A ; 9 18 Country Club de la Salette ☎ 91 27 12 16, par ② : 10 km.

✈ de Marseille-Marignane : ☎ 42 78 21 00, par ① : 28 km – 🚗 ☎ 91 08 50 50.

⛴ pour la Corse : Société Nationale Corse-Méditerranée (S.N.C.M.), 61 bd des Dames (2e) ☎ **91 56 62 05** DS.

ℹ Office de Tourisme 4 Canebière, 13001 ☎ 91 54 91 11, Télex 430402 et gare St-Charles ☎ 91 50 59 18 – A.C. 149 bd Rabatau, 13010 ☎ 91 78 83 00.

Paris 772 ④ – ♦Lyon 312 ④ – Nice 188 ② – Torino 407 ② – ♦Toulon 64 ② – ♦Toulouse 401 ④.

Plans : Marseille p. 2 à 5.

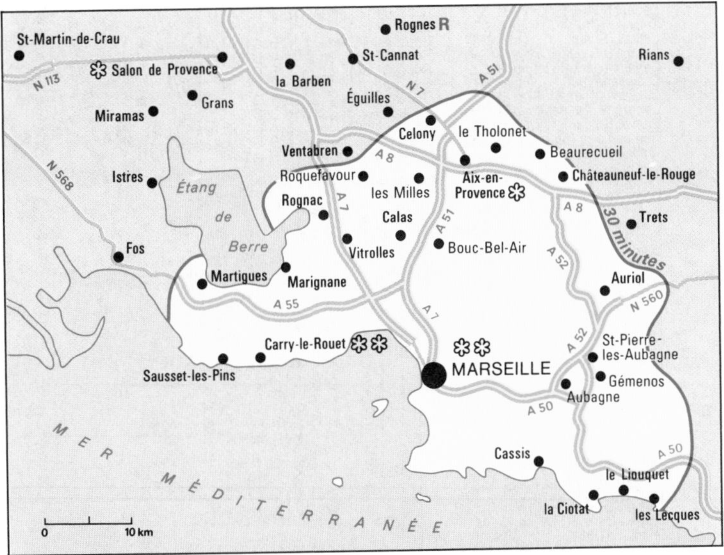

Sofitel Vieux Port M, 36 bd Ch. Livon ✉ 13007 ☎ 91 52 90 19, Télex 401270, Fax 91 31 46 52, restaurant panoramique ≤ Vieux Port, ⛱ – |♦| ⇔ ch ▤ TV ☎ ♿ 🚗 – 🏛 180. AE ⓓ GB DU **n**
Les Trois Forts R 180/280 – ☕ 70 – **127 ch** 660/960, 3 appart.

Mercure-Centre M, r. Neuve St Martin ✉ 13001 ☎ 91 39 20 00, Télex 401886, Fax 91 56 24 57 – |♦| ⇔ ch ▤ TV ☎ 🚗 – 🏛 150. AE ⓓ GB EST **g**
Oursinade *(fermé août, dim. et fériés)* **R** 198/280 – **Oliveraie** *(fermé sam. soir)* **R** 120, enf. 50 – ☕ 60 – **198 ch** 680/750.

Pullman Beauvau sans rest, 4 r. Beauvau ✉ 13001 ☎ 91 54 91 00, Télex 401778, Fax 91 54 15 76 – |♦| ▤ TV ☎ – 🏛 30. AE ⓓ GB ET **r**
☕ 65 – **71 ch** 600/840.

Novotel Marseille Centre M, 36 bd Ch. Livon ✉ 13007 ☎ 91 59 22 22, Télex 402937, Fax 91 31 15 48, ≤, 🌳, ⛱ – |♦| ⇔ ch ▤ TV ♿ 🚗 – 🏛 400. AE ⓓ GB JCB
R carte environ 150 🍷, enf. 50 – ☕ 47 – **90 ch** 480/540. DU **n**

Concorde Prado, 11 av. Mazargues ✉ 13008 ☎ 91 76 51 11, Télex 420209, Fax 91 77 95 10 – |♦| ⇔ ch ▤ TV ☎ – 🏛 100. AE ⓓ GB JCB. ⛔ rest
R carte 160 à 250 – ☕ 60 – **100 ch** 545/660. Marseille p. 3 BZ **r**

New H. Bompard 🔇 sans rest, 2 r. Flots Bleus ✉ 13007 ☎ 91 52 10 93, Télex 400430, Fax 91 31 02 14, 🌳 – |♦| TV ☎ Ⓟ – 🏛 40. AE ⓓ GB JCB Marseille p. 2 AZ **e**
☕ 45 – **46 ch** 380/430.

RÉPERTOIRE DES RUES

Aix (R. d') p. 4 **ES**
Canebière (La) p. 5 **FT**
Gaulle (Pl. Gén.-de) p. 4 **ET** 31
Paradis (R.) p. 5 **FU**
St-Ferréol (R.) p. 5 **FU**
St-Pierre (R.) p. 5 **GU**

Antholne (R. d') p. 2 **AX**
Athènes (Bd d') p. 5 **FS** 2
Aubagne (R. d') p. 5 **FU**
Aune (Bd A.) p. 4 **EV**
Baille (Bd) p. 5 **GV**
Ballard (Crs J.) p. 4 **EU** 3
Barbusse (R. H.) p. 4 **ET** 4
Barry (Bd) p. 3 **CX**
Belges (Quai des) p. 4 **ET** 5
Belles-Écuelles (R.) p. 4 **ES** 6
Belsunce (Cours) p. 5 **FT**
Bir-Hakeim (R.) p. 4 **EFT** 8
Blancarde (Bd de la) p. 3 **CY**
Bompard (Bd) p. 3 **AY**
Bourdet (Bd M.) p. 5 **FS** 13
Breteuil (R.) p. 4 **EU**
Briançon (Bd de) p. 3 **BX** 14
Brun (R. Roger) p. 5 **GV**
Busquet (R.) p. 5 **GV** 15
Cadenat (Pl. B.) p. 3 **BX**
Caisserie (R.) p. 4 **DT**
Camas (R. du) p. 5 **GT**
Cantini (Av. Jules) p. 5 **GV**
Capelette (Av. de la) p. 3 **CZ**
Castellane (Pl.) p. 5 **FV**
Catalans (R. des) p. 2 **AY** 16
Chartreux (Av. des) p. 3 **CY** 17
Chave (Bd) p. 5 **GT**
Chutes-Lavie (Av.) p. 3 **CX**
Colbert (R.) p. 4 **ES** 18
Corderie (Bd de la) p. 4 **DU**
Corinthe (Av. de) p. 5 **GV**
Corniche Président J.-F. Kennedy p. 2 **AZ**
Corse (Av. de la) p. 4 **DV**
Curiol (R.) p. 5 **FT**
Dames (Bd des) p. 4 **ES**
Delphes (Av. des) p. 5 **GV** 20
Delpuech (Bd) p. 5 **GV** 21
Dessemond (R. Cap.) p. 4 **DV** 22
Dr-Escat (R.) p. 5 **FV**
Dragon (R.) p. 5 **FV**
Dugommier (Bd) p. 5 **FT** 23
Dunkerque (Bd de) p. 2 **AX**
Endoume (R. d') p. 4 **DV**
Estrangin (Bd G.) p. 2 **BZ**
Eugène-Pierre (Bd) p. 5 **GT**
Évêché (R. de l') p. 4 **DS**
Extérieur (Bd) p. 2 **AX** 26
Fabres (R. des) p. 5 **FT** 27
Fauchier (R.) p. 4 **ES**
Ferrari (R.) p. 5 **GU**
Flammarion (Bd C.) p. 5 **GS**
Foch (Av. Mar.) p. 3 **CY**
Fort-du-Sanct. (R.) p. 4 **EV** 29
Fort-N.-Dame (R.) p. 4 **EV**
Friedland (R.) p. 5 **GV**
Gambetta (Allées) p. 5 **FS**
Garibaldi (Bd) p. 5 **FT** 30
Gênes (R. de) p. 5 **GV**
Gouffé (Cours) p. 5 **GV**
Grand'Rue p. 4 **ET** 33
Grignan (R.) p. 4 **EU** 34
Guesde (Pl. Jules) p. 4 **ES**
Guibal (R.) p. 3 **BX**
Héros (R. des) p. 5 **FS**
Honnorat (R.) p. 5 **FS**
Iéna (R. d') p. 5 **GV** 35
Italie (R. d') p. 5 **FV**
Jaurès (Pl. Jean) p. 5 **GT**
Jeanne-d'Arc (Bd) p. 3 **CY**
Joliette (Pl., Quai, R.) p. 4 **DS**
Julien (Cours) p. 5 **FU**
Lazaret (Quai du) p. 2 **AX**
Leblanc (R.V.) p. 4 **DS** 40
Leclerc (Av. Gén.) p. 5 **FS**
Libération (Bd de la) p. 5 **GS**
Liberté (Bd de la) p. 5 **FS** 42
Lieutaud (Cours) p. 5 **FU**
Livon (Bd Charles) p. 4 **DU**
Lodi (R. de) p. 5 **GV**
Longchamp (Bd) p. 5 **GS**
Loubière (R. de la) p. 5 **GU**
Marceau (Pl.) p. 4 **ES**
Mazargues (Av. de) p. 3 **BZ**
Menpenti (R.) p. 5 **GV**

Michelet (Bd) p. 3 **BZ**
Moisson (R.F.) p. 4 **ES** 45
Montricher (Bd) p. 5 **GS** 46
Moulin (Bd Jean) p. 3 **CY** 47
National (Bd) p. 5 **GS**
Nationale (R.) p. 5 **FS**
Nedelec (Bd Ch.) p. 5 **FS** 48
Notre-Dame (Bd) p. 4 **EV**
Panier (R. du) p. 4 **DS**
Paris (Bd de) p. 3 **BX**
Pasteur (Av.) p. 4 **DU**
Pelletan (Av. C.) p. 4 **ES**
Périer (Bd) p. 3 **BZ**
Philipon (Bd) p. 5 **GS** 51
Plage (Prom. de la) p. 3 **BZ**
Plombières (Bd de) p. 3 **BX**
Pologne (Pl. de) p. 3 **CY** 52
Port (Quai du) p. 4 **ET**
Prado (Av. du) p. 5 **FV**
Puget (Cours Pierre) p. 4 **EU**
Pyat (R. Félix) p. 3 **BX**
Rabatau (Bd) p. 3 **CZ**
Raynouard (Trav.) p. 5 **GV** 53
République (R.) p. 4 **ET**
Rive-Neuve (Quai) p. 4 **EU**
Roches (Av. des) p. 2 **FZ**
Rolland (R. du Cdt) p. 3 **BZ**
Rome (R. de) p. 5 **FV**
Roosevelt (Cours F.) p. 5 **GS**
Roucas-Blanc (Ch.) p. 4 **DV**
Rouet (R. du) p. 5 **GV**
Sadi-Carnot (Pl.) p. 4 **ES** 54
St-Jean (Av.) p. 4 **DT**
St-Just (Av. de) p. 3 **CX**
St-Laurent (R.) p. 4 **DT** 55
St-Louis (Cours) p. 5 **FT** 56
St-Savournin (R.) p. 5 **GT**

Sainte (R.) p. 4 **EU**
Ste-Barbe (R.) p. 4 **ES** 57
Ste-Cécile (R.) p. 5 **GV**
Ste-Marguerite (Bd) p. 3 **CZ**
Ste-Marthe (Ch. de) p. 3 **BX**
Ste-Philomène (R.) p. 5 **FV** 58
Sakakini (Bd) p. 3 **CY**
Salengro (Av. R.) p. 3 **BX**
Salvator (Bd L.) p. 5 **FU**
Sebastopol (Pl.) p. 3 **CY**
Sémard (Av. P.) p. 5 **FS**
Sembat (R. M.) p. 5 **FS** 60
Schlœsing (Bd) p. 3 **CZ**
Schuman (Av. R.) p. 4 **DS**
Strasbourg (Bd) p. 3 **BX** 61
Tapis-Vert (R.) p. 5 **FT**
Teisseire (Bd R.) p. 3 **CZ**
Tellène (Bd) p. 4 **DV**
Terrusse (R.) p. 5 **GT**
Thierry (Cours J.) p. 5 **GS** 62
Tilsit (R.) p. 5 **GU**
Timone (Av. de la) p. 3 **CY**
Toulon (Av. de) p. 5 **GV**

Tourette (Quai) p. 4 **DS** 63
Vallon-l'Oriol (Ch.) p. 2 **AZ**
Vauban (Bd) p. 4 **EV**
Vaudoyer (Av.) p. 4 **DT** 64
Vertus (R. des) p. 5 **GU**
Victor-Hugo (Pl.) p. 5 **FS**
Voltaire (Bd) p. 5 **FS**
3-Mages (R.) p. 5 **FT**

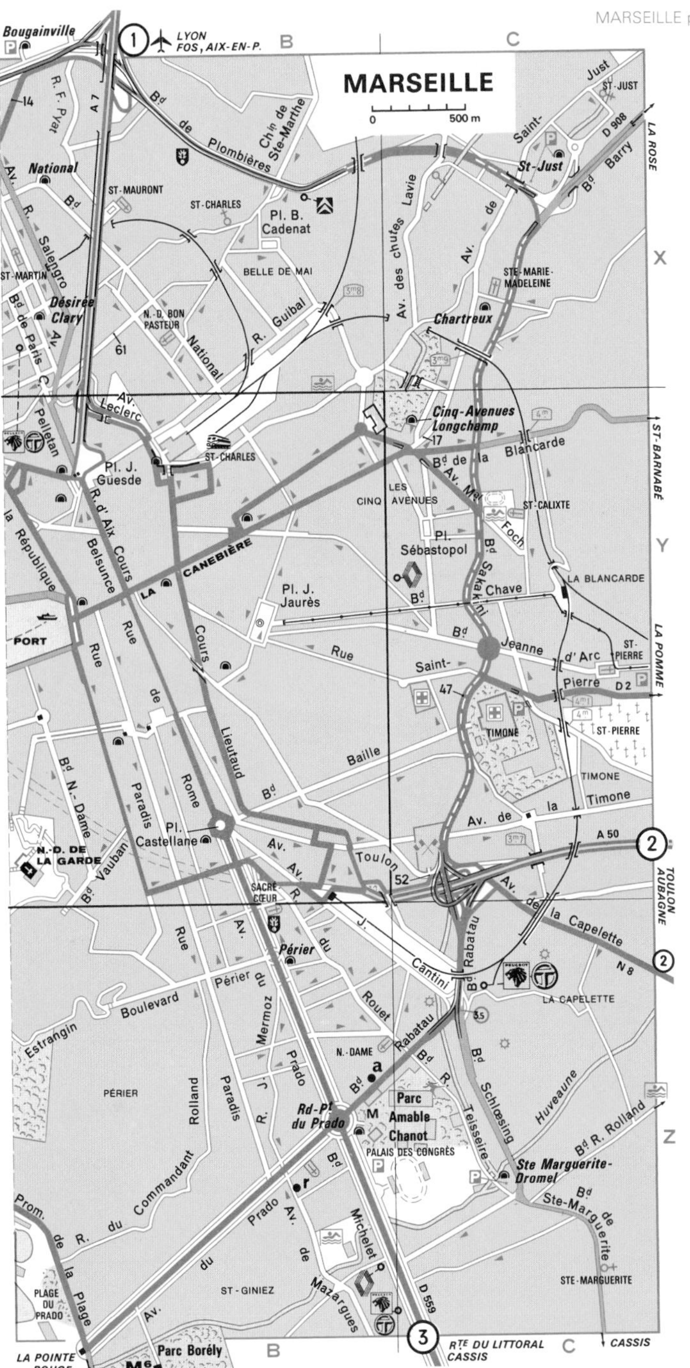
MARSEILLE
0
500 m
LYON
FOS, AIX-EN-P.
Bougainville
National
ST-MAURONT
ST-CHARLES
Pl. B. Cadenat
BELLE DE MAI
ST-MARTIN
Désirée Clary
N.-D. BON PASTEUR
Bd de Plombières
Chin de Ste-Marthe
R. F. Pyat
Av. R. Salengro
Bd de Paris
R. Guibal
R. National
Av. des chutes Lavie
Av. de Saint-Just
St-Just
ST-JUST
STE-MARIE-MADELEINE
Chartreux
Cinq-Avenues Longchamp
Av. Leclerc
ST-CHARLES
Pl. J. Guesde
Bd de la Blancarde
LES CINQ AVENUES
ST-CALIXTE
Pl. Sébastopol
Av. Mal Foch
LA CANEBIÈRE
R. d'Aix
Cours Belsunce
la République
PORT
Pl. J. Jaurès
Bd Chave
LA BLANCARDE
Bd Sakakini
Bd Jeanne d'Arc
ST-PIERRE
Rue Saint-Pierre
D 2
TIMONE
ST-PIERRE
Rue de Rome
Cours Lieutaud
Bd Baille
Rue Paradis
Bd N.-Dame
N.-D. DE LA GARDE
Bd Vauban
Pl. Castellane
Av. de la Timone
TIMONE
A 50
Av. de Toulon
SACRÉ CŒUR
Av. R. J. Cantini
Av. de la Capelette
N 8
LA CAPELETTE
Périer
Bd Périer
Boulevard Estrangin
Av. du Prado
Rue du Rouet
Bd Rabatau
R. Mermoz
R. J. Mermoz
N.-DAME
PÉRIER
Rue Paradis
Rolland
Rd-Pt du Prado
Parc Amable Chanot
PALAIS DES CONGRÈS
R. Teisseire
Bd Schlœsing
Huveaune
Bd R. Rolland
Ste Marguerite-Dromel
Bd de Ste-Marguerite
STE-MARGUERITE
R. du Commandant Rolland
Prom. de la Plage
PLAGE DU PRADO
Av. du Prado
Av. de Mazargues
Bd Michelet
ST-GINIEZ
D 559
Parc Borély
LA POINTE ROUGE
RTE DU LITTORAL CASSIS
CASSIS
LA ROSE
D 908
Bd Barry
ST-BARNABÉ
LA POMME
TOULON AUBAGNE
B
C
X
Y
Z
1
2
3
14
61
17
47
52
35

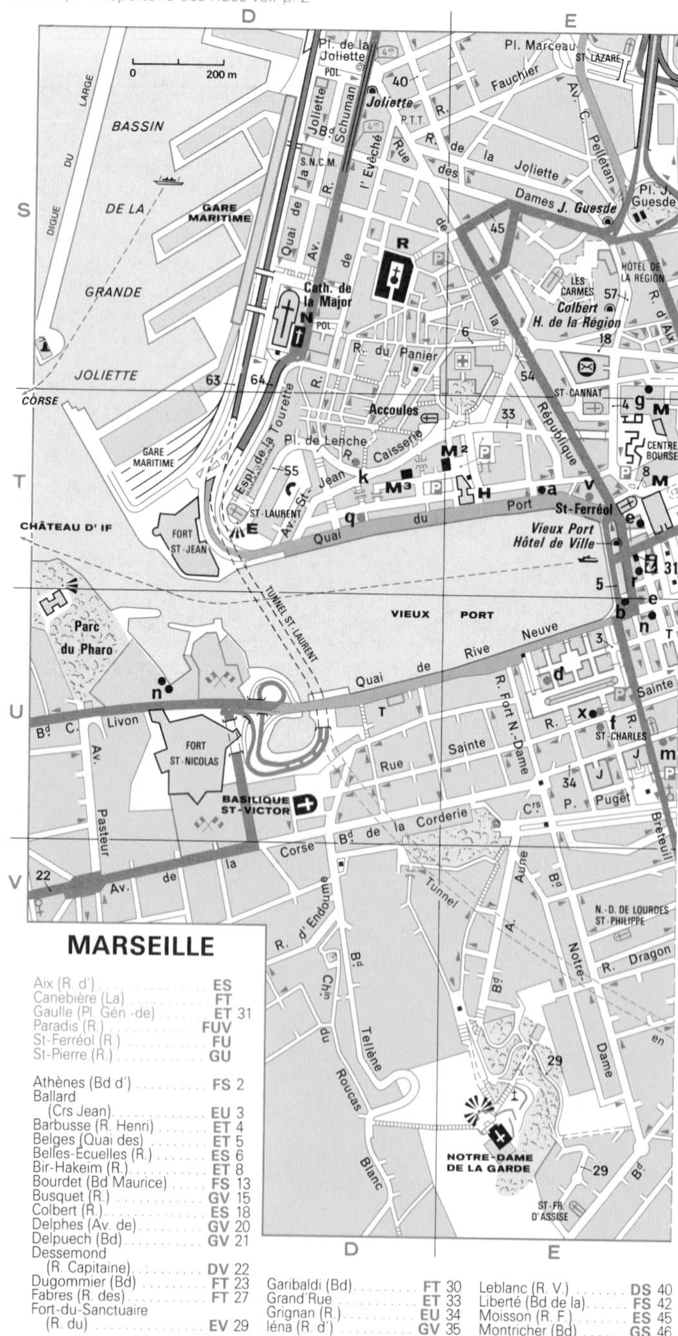
D
E
S
T
U
V
0 200 m
BASSIN
DE LA
GRANDE
JOLIETTE
DIGUE DU LARGE
GARE MARITIME
CORSE
CHÂTEAU D' IF
FORT ST-JEAN
Parc du Pharo
FORT ST-NICOLAS
BASILIQUE ST-VICTOR
VIEUX PORT
TUNNEL ST-LAURENT
Pl. de la Joliette
Joliette
Quai de la Joliette
Bd Schuman
Av. R. Schuman
S.N.C.M.
P.T.T.
R. de la Joliette
Rue de l' Évêché
Pl. Marceau
ST-LAZARE
Fauchier
Av. C. Pelletan
Pl. J. Guesde
J. Guesde
R. des Dames
HÔTEL DE LA RÉGION
LES CARMES
Colbert H. de la Région
R. d'Aix
Cath. de la Major
R. du Panier
Accoules
Pl. de Lenche
R. Caisserie
Espl. de la Tourette
Av. St-Jean
ST-LAURENT
Quai du Port
St-Ferréol
Vieux Port Hôtel de Ville
ST-CANNAT
CENTRE BOURSE
R. de la République
Quai de Rive Neuve
R. Fort N.-Dame
Rue Sainte
R. Sainte
ST-CHARLES
Crs P. Puget
Bd C. Livon
Av. Pasteur
Av. de la Corse
Bd de la Corderie
Tunnel
Bd A. Aune
R. d'Endoume
Bd Tellène
Chin du Roucas Blanc
N.-D. DE LOURDES ST-PHILIPPE
R. Dragon
Notre-Dame
NOTRE-DAME DE LA GARDE
ST-FR. D'ASSISE
Breteuil

MARSEILLE

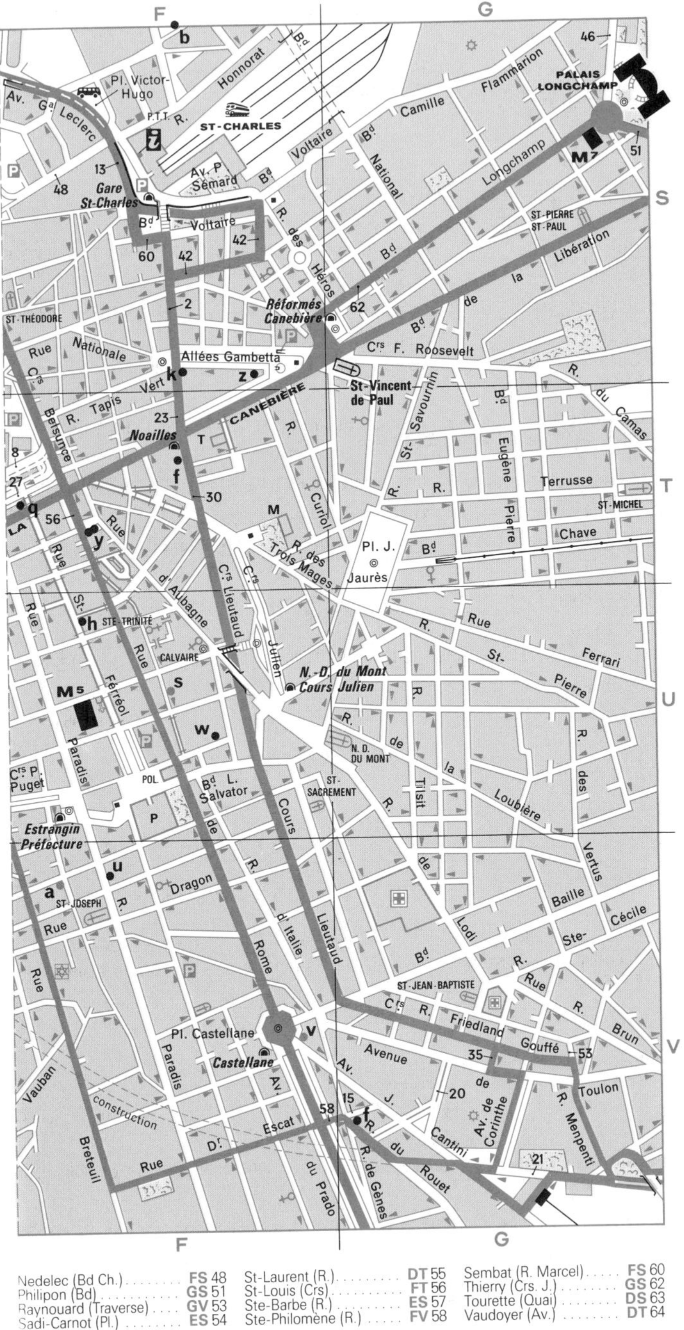

St-Ferréol's M sans rest, 19 r. Pisançon ✉ 13001 ☎ 91 33 12 21, Fax 91 54 29 97 – TV ☎. AE GB
fermé 20 juil. au 10 août – ☕ 35 – **19 ch** 275/410. FU **h**

New H. Sélect M sans rest, 4 allée Gambetta ✉ 13001 ☎ 91 50 65 50, Télex 402175, Fax 91 50 45 56 – TV ☎ – 25. AE GB JCB.
☕ 45 – **60 ch** 310/400. FS **k**

Alizé M sans rest, 7 quai Belges ✉ 13001 ☎ 91 33 66 97, Fax 91 54 80 06, ≤ – TV ☎. AE GB
☕ 30 – **35 ch** 288/358. ETU **b**

New H. Astoria sans rest, 10 bd Garibaldi ✉ 13001 ☎ 91 33 33 50, Fax 91 54 80 75 – TV ☎. AE GB JCB.
☕ 45 – **58 ch** 310/400. FT **f**

Castellane M sans rest, 31 r. Rouet ✉ 13006 ☎ 91 79 27 54, Télex 402326, Fax 91 25 44 07 – TV ☎. AE GB
☕ 39 – **55 ch** 300/400. GV **f**

La Capitainerie des Galères M, 46 r. Sainte ✉ 13001 ☎ 91 54 73 73, Télex 420808, Fax 91 54 77 77, – TV ☎ – 80. AE GB
R carte 120 à 160 – ☕ 33 – **141 ch** 300/330. EU **x**

Européen sans rest, 115 r. Paradis ✉ 13006 ☎ 91 37 77 20, Fax 91 81 40 80 – TV ☎. AE GB JCB
☕ 27 – **43 ch** 200/255. FV **u**

Rome et St Pierre sans rest, 7 cours St Louis ✉ 13001 ☎ 91 54 19 52, Télex 430641, Fax 91 54 34 56 – TV ☎. AE GB JCB
☕ 40 – **53 ch** 184/408. FT **y**

Petit Louvre, 19 Canebière ✉ 13001 ☎ 91 90 16 27, Fax 91 54 34 56 – TV ☎. AE GB JCB. rest
R *(fermé dim.)* 60/170 – ☕ 40 – **31 ch** 184/408 – ½ P 270/290. FT **q**

Fimotel M, 23 bd Rabatau ✉ 13008 ☎ 91 25 66 66, Télex 402672, Fax 91 78 09 66 – ch TV ☎ – 100. AE GB
R 75 – ☕ 38 – **120 ch** 315/335. BZ **a**

Relais Bleus Préfecture M sans rest, 13 r. Lafon ✉ 13006 ☎ 91 33 34 34, Fax 91 54 10 59 – TV ☎ – 30. AE GB
☕ 32 – **83 ch** 280/350. FU **w**

Sud sans rest, 18 r. Beauvau ✉ 13001 ☎ 91 54 38 50, Fax 91 54 75 62 – TV ☎. AE GB
☕ 26 – **24 ch** 220/299. EU **n**

Relais Bleus St-Charles, 5 bd G. Desplaces ✉ 13003 ☎ 91 64 11 17, Fax 91 95 69 05 – TV ☎. AE GB
R *(fermé sam. et dim.)* 72/95 – ☕ 30 – **40 ch** 280/315 – ½ P 215/220. FS **b**

Hermès M sans rest, 2 r. Bonneterie ✉ 13002 ☎ 91 90 34 51, Fax 91 91 14 44, ≤ – TV ☎. AE GB
☕ 30 – **27 ch** 263/396. ET **a**

Lutétia sans rest, 38 allées L. Gambetta ✉ 13001 ☎ 91 50 81 78 – TV ☎. GB
☕ 27 – **29 ch** 218/286. FS **z**

XXX ✿ **Jambon de Parme,** 67 r. La Palud ✉ 13006 ☎ 91 54 37 98 – AE GB JCB
fermé 11 juil. au 25 août, dim. soir et lundi – **R** carte 190 à 310 FU **s**
Spéc. Rougets du Vallon des Auffes, Tortelloni à la modenese, Saltimbocca à la romaine. **Vins** Cassis.

XXX **Patalain,** 49 r. Sainte ✉ 13001 ☎ 91 55 02 78, Fax 91 54 15 29, « Cadre élégant » – AE GB
fermé 14 juil. au 3 sept., sam. midi, dim. et fériés – **R** carte 185 à 345, enf. 85. EU **f**

XXX **La Ferme,** 23 r. Sainte ✉ 13001 ☎ 91 33 21 12 – AE GB JCB
fermé août, sam. midi, dim. et fériés – **R** carte 230 à 330. EU **m**

XXX **Les Échevins,** 44 r. Sainte ✉ 13001 ☎ 91 33 08 08 – AE GB JCB
fermé 14 juil. au 15 août, sam. midi et dim. – **R** 140/200. EU **x**

XXX **Au Pescadou,** 19 pl. Castellane ✉ 13006 ☎ 91 78 36 01, produits de la mer – AE GB
fermé 13 juil. au 31 août et dim. soir – **R** 158/198 FV **v**

XX **Michel-Brasserie des Catalans,** 6 r. Catalans ✉ 13007 ☎ 91 52 30 63, produits de la mer – AE GB JCB
R carte 320 à 440. Marseille p. 2 AY **e**

XX **Miramar,** 12 quai Port ✉ 13002 ☎ 91 91 10 40, Fax 91 56 64 31, – AE GB JCB
fermé 1er au 24 août, 24 déc. au 4 janv. et dim. – **R** carte 250 à 400 ET **v**

XX **Brasserie New-York Vieux Port,** 7 quai Belges ✉ 13001 ☎ 91 33 60 98, Fax 91 33 29 46, – AE GB JCB
R carte 175 à 300. ETU **e**

XX **Chez Caruso,** 158 quai Port ✉ 13002 ☏ 91 90 94 04, terrasse, spécialités italiennes – AE GB DT **q**
fermé 1er au 26 sept., dim. soir et lundi – **R** 140.

XX **Calypso,** 3 r. Catalans ✉ 13007 ☏ 91 52 64 00, ≤, produits de la mer – AE GB
fermé août – **R** 180/250. Marseille p. 2 AY **p**

XX **Le Chaudron Provençal,** 48 r. Caisserie ✉ 13002 ☏ 91 91 02 37 – ▤. AE GB DT **k**
fermé sam. midi et dim. – **R** carte 250 à 360.

XX **Béarnais,** 16 r. S. Torrents ✉ 13006 ☏ 91 37 01 96 – ⇔ ▤. GB FV **a**
fermé août, sam.midi et dim. – **R** carte 160 à 285.

X **La Charpenterie,** 22 r. Paix ✉ 13001 ☏ 91 54 22 89 – AE ⓓ GB EU **d**
fermé 1er au 21 août, sam. midi, dim. et fêtes – **R** 98/155.

sur la Corniche : voir emplacements sur Marseille p. 2

Concorde-Palm Beach M, 2 promenade Plage ✉ 13008 ☏ 91 76 20 00, Télex 401894, Fax 91 77 37 83, ≤, terrasse, piscine, – ascenseur ▤ TV ☎ garage P – 450. AE ⓓ GB JCB. rest Marseille p. 2 AZ **s**
La Réserve R carte 200 à 360 – **Les Voiliers R** carte 130 à 200 – ☕ 60 – **145 ch** 655/730.

✿✿ **Le Petit Nice** (Passédat) M, anse de Maldormé (hauteur 160 corniche Kennedy) ✉ 13007 ☏ 91 59 25 92, Télex 401565, Fax 91 59 28 08, terrasse, « Villas dominant la mer, beaux aménagements intérieurs », piscine – ascenseur ▤ TV ☎ P. AE GB AZ **d**
R *(fermé dim. d'oct. à mars sauf fériés)* 550/650 et carte – ☕ 100 – **15 ch** 1000/1700 – ½ P 1150/1500
Spéc. Loup de palangre, Gâteau de grenouilles aux pieds de porc, Soufflé chaud à la réglisse. Vins Cassis, Palette.

XXX **L'Epuisette,** vallon des Auffes ✉ 13007 ☏ 91 52 17 82, Fax 91 59 18 80, ≤ château d'If – AE ⓓ GB JCB AY **n**
fermé 19 déc. au 26 janv., sam. et dim. – **R** 160/500.

XX **Chez Fonfon,** 140 vallon des Auffes ✉ 13007 ☏ 91 52 14 38, ≤, produits de la mer – AE ⓓ GB AY **t**
fermé oct., 24 déc. au 2 janv., dim. et lundi – **R** carte 250 à 380.

XX **Peron,** 56 corniche Prés. Kennedy ✉ 13007 ☏ 91 52 43 70, ≤ entrée du port et château d'If – AE ⓓ GB AY **m**
fermé janv., 1er au 9 mai, dim. soir et lundi – **R** carte 200 à 350.

au centre commercial Bonneveine par corniche Kennedy : 8 km - AZ – ✉ **13008** Marseille :

Ibis M, av. E. Triolet (près parc Borely) ☏ 91 72 34 34, Télex 420845, Fax 91 25 32 78, terrasse, piscine, tennis – ascenseur TV ☎ ♿ garage P – 25 à 45. GB. rest
R 79 🍷, enf. 39 – ☕ 32 – **88 ch** 297/320.

à l'Est 11,5 km par ② et sortie La Penne-St-Menet :

Novotel M, à St Menet ✉ 13011 ☏ 91 43 90 60, Télex 400667, Fax 91 27 06 74, terrasse, piscine, tennis – ascenseur ⇔ ch ▤ TV ☎ ♿ P – 200. AE ⓓ GB
R carte environ 160 🍷, enf. 50 – ☕ 45 – **131 ch** 370/400.

Ibis M, à St-Menet ☏ 91 27 12 27, Télex 420686, Fax 91 43 31 14, terrasse – ascenseur ▤ TV ☎ ♿ P – 50. GB
R 79, enf. 39 – ☕ 32 – **82 ch** 285/320.

MICHELIN, Agence régionale, 18 et 20 r. F. Sauvage (14e) par N 8 AX ☏ **91 02 08 02**

1er et 2e Arrondissements

BMW Gar. Station 7, 42 bd de Dunkerque (2e) ☏ 91 91 92 42 N ☏ 91 59 40 40
PEUGEOT-TALBOT Filiale, 27 bd de Paris (2e) BX ☏ 91 91 90 65

3e et 4e Arrondissements

CITROEN Succursale, 53 bd Guigou (3e) BX ☏ 91 84 40 40

Ⓜ Ayme-Pneus, 6 r. Esperandieu ☏ 91 50 71 07
Denizon, 34 bd Battala (3e) ☏ 91 02 40 40
Escoffier-Pneus, 19 à 23 bd de Briançon (3e) ☏ 91 50 77 91
Piot Pneu Top Way, 33 bd Maréchal Juin ☏ 91 34 71 71
Pneus 13, 114 bd F. Duparc ☏ 91 49 02 51
Pneus 13, 42 bd Pardigon ☏ 91 08 42 57

5e Arrondissement

RENAULT Gd Gar. de Verdun, 11 r. de Verdun CY ☏ 91 94 91 25

Ⓜ Diff. Comm. Accessoires, 15 r. Ste-Cécile ☏ 91 78 63 58
Pneus et Services Phocéens, 60 r. L.-Astruc ☏ 91 42 50 83

6e et 7e Arrondissements

BMW Bernabeu, 50 av. Prado (6e) ☏ 91 37 74 34
MERCEDES-BENZ Paris Méditerranée Auto, 166 cours Lieutaud (6e) ☏ 91 94 91 40
V.A.G VAB, 45 av. J. Cantini ☏ 91 79 91 01 N ☏ 91 59 40 40
VOLVO Actena Marseille, 27 av. J.-Cantini (6e) ☏ 91 79 91 36

8e Arrondissement

ALFA-ROMEO Alfa-Provence, 241 av. Prado ✆ 91 79 91 44
CITROEN Succursale, 96 bd Rabatau CZ ✆ 91 79 90 20 N ✆ 91 52 30 75
FIAT Sud-Autos, 110 et 116 av. Cantini ✆ 91 78 12 11
FORD Agence Centrale, 36 bd Michelet ✆ 91 77 97 06
LANCIA S.O.D.I.A., 150 av. Prado ✆ 91 53 55 22
OPEL GM Auto Service Réparation, 3 et 5 bd Rabatau ✆ 91 83 57 57
PEUGEOT-TALBOT Filiale, 204 bd Michelet BCZ ✆ 91 22 92 92 N ✆ 91 97 34 39
RENAULT Succursale, 134 bd Michelet BZ ✆ 91 30 33 00

Central-Pneus, 104 av. Cantini ✆ 91 79 79 86
Omnica, 4 r. R.-Teissère/pl. Rabatau ✆ 91 79 18 12
VSD Pneus, 25 bd du Sablier ✆ 91 73 32 22

9e, 10e et 11e Arrondissements

FERRARI, HONDA Gar. Pagani, 47 bd Cabot (9e) ✆ 91 82 06 66
FIAT Sud-Autos-Sces, 16 bd Pont-de-Vivaux (10e) ✆ 91 78 79 80
MERCEDES-BENZ M.A.S.A., 108 bd Pont-de-Vivaux (10e) ✆ 91 79 56 56
PEUGEOT-TALBOT SIAP-Lombard, 37 av. J.-Lombard (11e) par D 2 CY ✆ 91 94 91 21 N ✆ 91 49 75 34

Alberola, 167 bd R.-Rolland (10e) ✆ 91 79 75 81
Ayme-Pneus, 322 bd Romain-Rolland ✆ 91 26 16 17
Ayme-Pneus, 7 av. de la Capelette ✆ 91 80 15 15
Omnica, 37 r. Capitaine-Galinat (10e) ✆ 91 78 10 13

12e, 13e et 14e Arrondissements

V.A.G S.O.D.R.A., 1 chemin Ste-Marthe (14e) ✆ 91 50 19 30

Ayme-Pneus, 80 bd Barry St-Just (13e) ✆ 91 66 25 12
Gay Pneus, 47 bd Burel ✆ 91 95 91 13
Omnica, 15 bd Gay-Lussac (14e) ✆ 91 98 90 11
Sirvent-Pneus, 194 bd D.-Casanova (14e) ✆ 91 67 22 20

15e et 16e Arrondissements

FORD Marseille-Nord-Automobiles, 64 r. de Lyon (15e) ✆ 91 95 90 42
PEUGEOT-TALBOT Gar. Gastaldi, 48 rte Nationale de St-Antoine (15e) par N 8 AX ✆ 91 51 32 37
RENAULT Éts Lodi, 124 rte Nationale, la Viste (15e) par N 8 AX ✆ 91 69 90 71
Gar. Corradi, 111 r. Condorcet, St-André (16e) ✆ 91 46 50 77

Sirvent, Compt. Pneu, 428 rte Nationale St-Antoine (15e) ✆ 91 51 24 13

Banlieue

Relais des Pennes, Les Pennes-Mirabeau ✆ 42 02 71 26

Morillas Pneus, Septemes les Vallons ✆ 42 68 18 08

MARSSAC-SUR-TARN **81** Tarn 82 ⑩ – rattaché à Albi.

MARTEL **46600** Lot 75 ⑱ **G. Périgord Quercy** – 1 462 h. alt. 225.

Voir Place des Consuls★ – Belvédère de Copeyre ≤★ sur cirque de Montvalent★ SE : 4 km.

Syndicat d'Initiative à la Mairie ✆ 65 37 30 03.

Paris 518 – Brive-la-Gaillarde 33 – Cahors 79 – Figeac 58 – Gourdon 43 – St-Céré 32 – Sarlat-la-C. 45.

à Gluges : S : 5 km par N 140 – ✉ **46600** Martel.
Voir Site★.

Falaises ⑤, ✆ 65 37 33 59, 帝, parc – ☎ ⓟ. GB. ⛔ ch
1er mars-30 nov. – **R** 90/200 – ☕ 30 – **14 ch** 190/280 – ½ P 195/300.

MARTIGUES **13500** B.-du-R. 84 ⑫ **G. Provence** – 42 678 h. alt. 1.

Voir Pont St-Sébastien ≤★ Z B – Étang de Berre★ Z – Viaduc autoroutier de Caronte★ – Chapelle N.-D.-des-Marins ⁂★ 3,5 km par ④.

Office de Tourisme quai P.-Doumer ✆ 42 80 30 72.

Paris 761 ② – ◆Marseille 35 ② – Aix-en-Provence 44 ② – Arles 53 ④ – Salon-de-Provence 38 ①.

Plan page suivante

St-Roch M ⑤, sortie Martigues Nord ✆ 42 80 19 73, Télex 402925, Fax 42 80 01 80, ≤, 帝, parc, ⛱ – ▤ TV ☎ ⓟ. AE ⓞ GB — Y **x**
R 100/140 – ☕ 42 – **39 ch** 380/490 – ½ P 270/345.

Campanile, par ① : 1,5 km rte Istres ✆ 42 80 14 00, Télex 401378, Fax 42 80 01 72, 帝 – ▤ rest TV ☎ ♿ ⓟ – 🔬 30. AE GB
R 77 bc/99 bc, enf. 39 – ☕ 28 – **42 ch** 258 – ½ P 234/285.

Clair H. sans rest, bd M. Cachin ✆ 42 07 02 43 – ☎ ⓟ. ⛔ — Z **e**
fermé 19 déc. au 4 janv. – ☕ 25 – **38 ch** 90/200.

ALFA-ROMEO Gar. Nlle Europe, RN 568 Croix Sainte ✆ 42 80 13 90
FORD Autom. de Provence, 48 av. F.-Mistral ✆ 42 81 08 63 N ✆ 42 80 72 44
RENAULT Aragon, av. J.-Macé ✆ 42 07 03 54

Maison du Pneu, ZI Martigues Sud ✆ 42 07 07 71
Morcel, av. Fleming ✆ 42 80 44 49
Omnica, Puits de Pouane, RN 568 ✆ 42 06 63 27

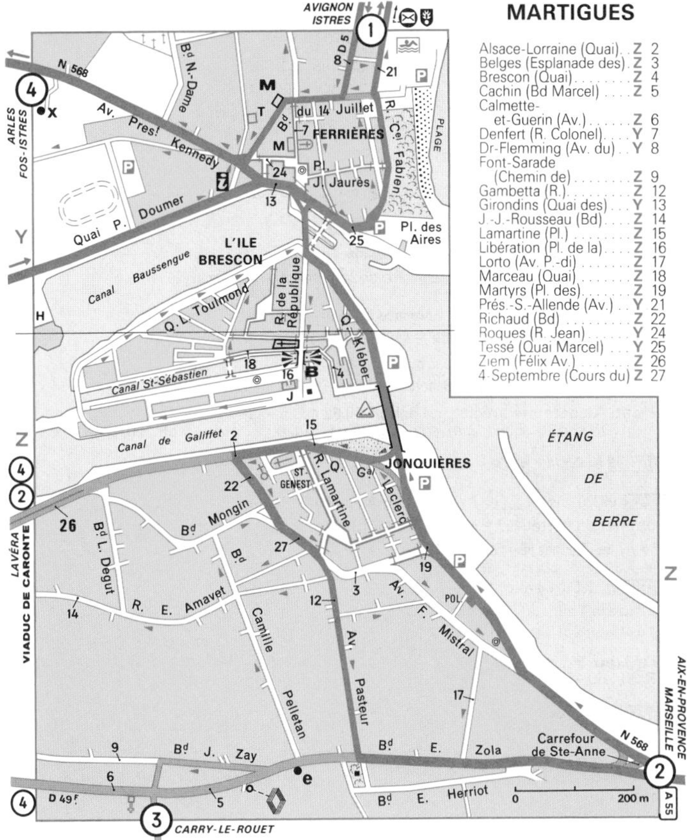

Entrate nell'albergo o nel ristorante con la Guida alla mano, dimostrando in tal modo la fiducia in chi vi ha indirizzato.

MARTIMPRÉ (Col de) **88** Vosges 62 ⑰ – rattaché à Gérardmer.

MARTIN-ÉGLISE **76** S.-Mar. 52 ④ – rattaché à Dieppe.

MARTRES-TOLOSANE **31220** H.-Gar. 82 ⑯ **G. Pyrénées Roussillon** – 1 929 h. alt. 264.

Paris 756 – Bagnères-de-Luchon 76 – ♦Toulouse 60 – Auch 79 – Auterive 45 – Pamiers 77 – St-Gaudens 29 – St-Girons 40.

Castet, face gare ✆ 61 98 80 20, ... – ... *fermé 10 fév. au 10 mars* – **R** *(fermé dim. soir et lundi de sept. à juin)* 55/150 – 20 – **13 ch** 150/250 – ½ P 190.

Pons, à Cazères ✆ 61 97 27 33

MARVEJOLS **48100** Lozère 80 ⑤ **G. Gorges du Tarn** (plan) – 5 476 h. alt. 651.

Voir Porte de Soubeyran★.

Syndicat d'Initiative av. Brazza (transfert prévu Porte du Soubeyran) ✆ 66 32 02 14.

Paris 582 – Mende 29 – Espalion 64 – Florac 53 – Millau 71 – Rodez 90 – St-Chély-d'Apcher 31.

Gare et Rochers, pl. Gare ✆ 66 32 10 58, Fax 66 32 14 65, ... *fermé 15 janv. au 15 mars* – **R** *(fermé sam. hors sais. sauf vacances scolaires)* 78/180 – 28 – **30 ch** 190/220 – ½ P 190/210.

Viz Club, rte du Nord ✆ 66 32 17 69 – ... *fermé 1er janv. au 5 fév.* – **R** (nombre de couverts limité, prévenir) 125/220.

rte de Mende par N 108 : 3,5 km – ✉ **48100** Marvejols :

XX **Moulin de la Chaze,** ✆ 66 32 36 07, ☂ – **P**. GB
fermé 1er au 15 oct. et lundi – **R** (week-ends prévenir) 95/180.

CITROEN Rel du Gévaudan, rte de St-Flour ✆ 66 32 15 62 **N**
FORD Garde ✆ 66 32 01 04
PEUGEOT-TALBOT Rouvière ✆ 66 32 00 88

Vulc Lozérienne, 26 bd de Chambrun ✆ 66 32 07 11

MAS-BLANC-DES-ALPILLES **13** B.-du-R. **81** ⑪ – rattaché à St-Rémy-de-Provence.

Le MAS-D'AZIL **09290** Ariège **86** ④ – 1 307 h. alt. 292.

Voir Grotte** S : 1,5 km, **G. Pyrénées Roussillon.**

Paris 774 – Auch 149 – Foix 34 – Montesquieu-Volvestre 24 – Pamiers 31 – St-Girons 24.

MASEVAUX **68290** H.-Rhin **166** ⑧ **G. Alsace Lorraine** – 3 267 h. alt. 405.

Env. Descente du col du Hundsrück <** NE : 13 km.

B Office de Tourisme Fossé Flagellants ✆ 89 82 41 99.

Paris 433 – ♦Mulhouse 29 – Altkirch 30 – Belfort 24 – Colmar 56 – Thann 15 – Le Thillot 36.

XX **Host. Alsacienne** avec ch, r. Foch ✆ 89 82 45 25 – GB
fermé 15 juin au 15 juil., dim. soir et lundi – **R** 80/200 – ☕ 28 – **9 ch** 140/170 – ½ P 190.

MASLACQ **64** Pyr.-Atl. **78** ⑧ – rattaché à Orthez.

MASSAT **09320** Ariège **86** ③ ④ **G. Pyrénées Aquitaine** – 624 h. alt. 650.

Env. Sommet de Portel ✻** NE : 9,5 km puis 15 mn, **G. Pyrénées Roussillon.**

Paris 823 – Ax-les-Thermes 55 – Foix 37 – St-Girons 27.

MASSERET **19510** Corrèze **72** ⑱ **G. Berry-Limousin** – 669 h.

Voir ✻ * de la Tour.

Paris 438 – ♦Limoges 41 – Guéret 105 – Tulle 46 – Ussel 97.

La Tour 🐦, ✆ 55 73 40 12 – TV ☎. GB
R 90/260 – ☕ 30 – **16 ch** 210/250.

MASSEUBE **32140** Gers **82** ⑮ – 1 453 h. alt. 205.

Paris 811 – Auch 26 – Mirande 21 – St-Gaudens 48 – Tarbes 58 – ♦Toulouse 81.

à Panassac S : 5 km sur D 929 – ✉ **32140** :

XX **Le Bailly,** ✆ 62 66 13 44, ☂, 🌳 – **P**. AE GB
fermé 1er au 15 sept., dim. soir et lundi sauf fériés – **R** 80/230, enf. 50.

RENAULT Gar. Fautrier ✆ 62 66 03 43 **N**

MASSIAC **15500** Cantal **76** ④ **G. Auvergne** – 1 881 h. alt. 537.

Voir N : Gorges de l'Alagnon*.

B Office de Tourisme r. Paix ✆ 71 23 07 76 et av. Gén.-de-Gaulle ✆ 71 23 11 86.

Paris 491 – Aurillac 84 – Brioude 22 – Issoire 38 – Murat 35 – St-Flour 26.

Gd H. Poste, 26 av. Ch. de Gaulle ✆ 71 23 02 01, Télex 990989, Fax 71 23 09 23, 🏊, 🌳 – 🛗 TV ☎ **P** – 🏛 30. AE ⓓ GB
fermé 7 nov. au 20 déc. et merc. sauf du 1er juil. au 15 sept. – **R** 68/168 – ☕ 30 – **34 ch** 185/300 – ½ P 240/285.

au Chalet N : 2,5 km par VO – ✉ **15500** Massiac :

X **La Ferme,** Chapelle Ste-Madeleine ✆ 71 23 00 67, ☂ – **P**. GB
fermé 3 au 13 avril, 6 janv. au 9 fév. et jeudi – **R** carte 110 à 200.

CITROEN Auto-Gar. Brunet, pl. Pupilles-de-la-Nation ✆ 71 23 02 23 **N**
PEUGEOT-TALBOT Richard, 20 av. Gén.-de-Gaulle ✆ 71 23 02 25

RENAULT Gar. Delmas, RN 9 Le Gravairas, 103 av. Gén.-de-Gaulle ✆ 71 23 02 11 **N**

MASSY **91** Essonne **60** ⑩, **106** ㉛ – voir à Paris, Environs.

MATIGNON **22550** C.-d'Armor **59** ⑤ – 1 613 h. alt. 41.

Paris 421 – St-Malo 30 – Dinan 31 – Dol-de-Bretagne 46 – Lamballe 23 – St-Brieuc 45 – St-Cast 6.

Poste, ✆ 96 41 02 20 – ☎. AE GB
R 69/158, enf. 48 – ☕ 22 – **14 ch** 180/200 – ½ P 211/291.

RENAULT Hamon ✆ 96 41 02 31 **N**

MAUBEUGE **59600** Nord 53 ⑥ **G. Flandres Artois Picardie** – 34 989 h. alt. 134.

Office de Tourisme Porte de Bavay ✆ 27 62 11 93 – A.C. Porte de France, av. Gare ✆ 27 64 62 34.

Paris 243 ⑤ – Charleville-Mézières 94 ④ – Mons 20 ① – St-Quentin 77 ④ – Valenciennes 36 ⑤.

MAUBEUGE

Albert-1er (R.) . . . B 2	Paillot (R. G.) . . . B 21	Intendance (R. de l') . . . B 10
France (Av. de) . . . B	Roosevelt (Av. Franklin) AB 28	Mabuse (Pl.) . . . B 13
Gare (Av. de la) . . . A	Vauban (Pl.) . . . B 29	Musée (R. du) . . . B 18
Mabuse (Av.) . . . B 12	145e-Régt-d'Inf. (R. du) . . B 31	Nations (Pl. des) . . . B 19
Mail de la Sambre . . . AB 14	Concorde (Pl. de la) . . . B 4	Pasteur (Bd) . . . A 24
	Coutelle (R.) . . . A 5	Porte-de-Bavay (Av.) . . . A 25
		Provinces-Françaises (Av.) B 26

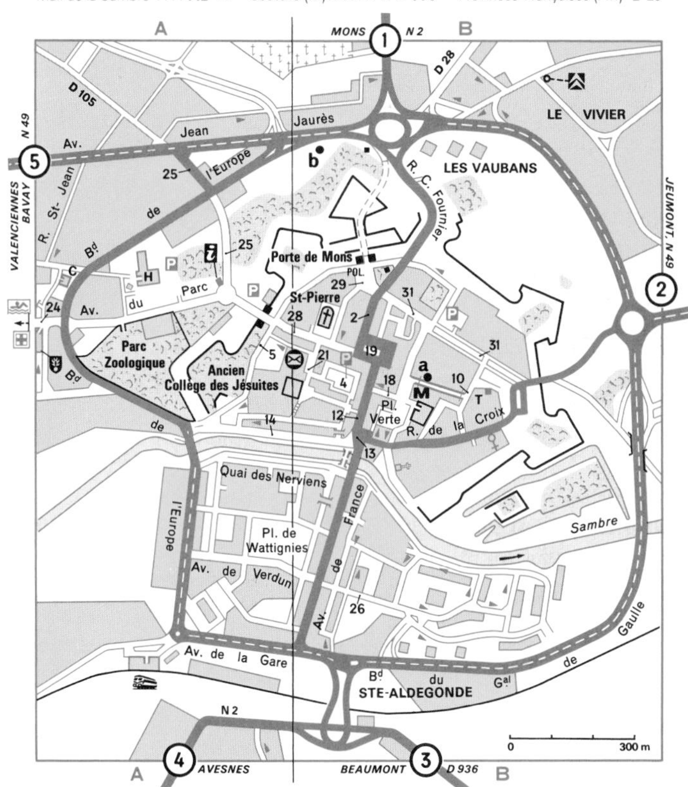

Shakespeare , 3 r. Commerce ✆ 27 65 14 14, Télex 810231, Fax 27 64 04 66 – AE GB
R snack (dîner seul.) 75 bc/150 – 26 – **35 ch** 240/320 – ½ P 200/240. B **a**

Campanile, av. J. Jaurès ✆ 27 64 00 91, Télex 810482, Fax 27 65 34 47, – AE GB – **R** 77 bc/99 bc, enf. 39 – 28 – **40 ch** 258 – ½ P 234/256. B **b**

sur rte d'Avesnes par ④ et N 2 : 6 km – ✉ **59330** Beaufort :

Aub. de l'Hermitage, ✆ 27 67 89 59 – AE GB
fermé 22 juil. au 13 août, lundi soir et dim. soir – **R** 125/260, enf. 60.

CITROEN Deshayes, 18 bd de Jeumont ✆ 27 62 07 12
PEUGEOT-TALBOT Nouvelle Maubeugeoise Automobiles, 11 rte de Mons par ① ✆ 27 65 79 33
RENAULT S.A.F.D.A., 124 rte de Valenciennes à Feignies par ⑤ ✆ 27 62 30 74 ✆ 27 69 33 33

Auto-Sécurité, bd Lamartine ✆ 27 64 97 91
Pneus et Services D.K., 13 porte de Paris ✆ 27 62 17 65

MAUBUISSON **33** Gironde 71 ⑱ – alt. 15 – ✉ **33121** Carcans.

Paris 587 – ◆ Bordeaux 59 – Lacanau-Océan 13 – Lesparre-Médoc 38.

Lac, ✆ 56 03 30 03, – AE GB
1er avril-30 sept. – **R** 96/148 – 34 – **38 ch** 168/294 – ½ P 204/268.

MAULÉON 79700 Deux-Sèvres 67 ⑥ ⑯ – 8 779 h. alt. 187.

Paris 363 – Cholet 24 – ♦Nantes 75 – Niort 85 – Parthenay 53 – La Roche-sur-Yon 65 – Thouars 45.

Terrasse, 7 pl. Terrasse ✆ 49 81 47 24, Fax 49 81 65 04, – TV ☎. GB
fermé 1 au 10/5, 1 au 12/8, 9 au 17/11, 22 au 28/2, week-ends d'oct. à mai et dim. (sauf hôtel) de juin à sept. – **R** 70/175, enf. 45 – ☕ 30 – **13 ch** 200/290 – ½ P 205/225.

Europe avec ch, **15 r. Hôpital** ✆ **49 81 40 33** – TV ☎ P. GB
fermé 19 au 27 avril, 1er au 15 oct., dim. soir et lundi sauf juil.-août – **R** 70/130 – ☕ 27 – **11 ch** 120/200 – ½ P 210/250.

CITROEN Gar. Olivier ✆ 49 81 47 75 N

RENAULT Gar. Lebeau ✆ 49 81 40 53 N

MAULÉON-LICHARRE 64130 Pyr.-Atl. 85 ④ ⑤ **G. Pyrénées Aquitaine** – 3 533 h. alt. 141.

Office de Tourisme 10 r. J.-B.-Heugas ✆ 59 28 02 37.

Paris 808 – Pau 58 – Oloron-Ste-M. 29 – Orthez 39 – St-Jean-Pied-de-Port 40 – Sauveterre-de-B. 26.

Bidegain, r. Navarre ✆ **59 28 16 05, Fax 59 28 09 96,** – ☎. AE O GB
fermé 23 au 30 nov., 15 déc. au 15 janv., vend. soir (sauf hôtel), sam. midi et dim. soir sauf juil.-août et fêtes – **R** 70/200, enf. 50 – ☕ 30 – **30 ch** 120/260 – ½ P 170/210.

PEUGEOT-TALBOT Armagnague ✆ 59 28 03 92
PEUGEOT-TALBOT Sarlang ✆ 59 28 07 61
RENAULT Gar. le Rallye ✆ 59 28 13 70 N ✆ 59 28 13 78

RENAULT Gar. Jaury ✆ 59 28 15 13
Central Pneu, 3 r. Mar.-Harispe ✆ 59 28 07 90

MAULETTE 78 Yvelines 60 ⑧, 106 ⑭ – rattaché à Houdan.

MAURE-DE-BRETAGNE 35330 I.-et-V. 63 ⑤ ⑥ – 2 552 h. alt. 35.

Paris 382 – ♦Rennes 36 – Châteaubriant 56 – Ploërmel 32 – Redon 35.

Centre sans rest, **2 pl. Poste** ✆ **99 34 91 52** – ☎. GB
☕ 20 – **16 ch** 115/195.

MAUREILLAS-LAS-ILLAS 66400 Pyr.-Or. 86 ⑲ – 2 037 h. alt. 120.

Paris 934 – ♦Perpignan 26 – Gerona 76 – Port-Vendres 31 – Prades 56.

à Las Illas SO : 11 km par D 13 – ✉ 66400 Maureillas Las Illas :

Hostal dels Trabucayres avec ch, ✆ 68 83 07 56, ← – P. ch
hôtel : ouvert 1er mai-30 sept. et fermé lundi et mardi en mai et sept. – **R** *(fermé 2 janv. au 15 fév., lundi soir et mardi sauf du 1er juin au 10 sept.)* 56 bc/225 bc – ☕ 20 – **4 ch** 115/145 – ½ P 148.

CITROEN Gar. Coste ✆ 68 83 06 10

MAUREPAS 78 Yvelines 60 ⑨ – voir à St-Quentin-en-Yvelines.

MAURIAC <SP> 15200 Cantal 76 ① **G. Auvergne** (plan) – 4 224 h. alt. 722.

Voir Basilique★ – Le Vigean : châsse★ dans l'église NE : 2 km.

Env. Barrage de l'Aigle★★ : 11 km par D 678 et D105, **G. Berry Limousin.**

Office de Tourisme pl. G.-Pompidou (juin-sept.) ✆ 71 67 30 26.

Paris 499 – Aurillac 52 – Le Mont-Dore 77 – ♦Clermont-Ferrand 110 – Le Puy 181 – Tulle 65.

Serre M sans rest, **r. du 11 Novembre** ✆ **71 68 19 10,** – TV ☎ P. GB.
fermé 20 déc. au 31 janv. – ☕ 25 – **13 ch** 200/300.

PEUGEOT-TALBOT Mouret, rte de Clermont ✆ 71 68 06 24
RENAULT Balmisse, au Vigean ✆ 71 68 06 77 N

Gar. Dutuel, av. Auguste Chauvet ✆ 71 68 15 24
Haag, r. du 19 Mars ✆ 71 68 09 81

MAUROUX 46 Lot 79 ⑥ – rattaché à Puy-l'Évêque.

MAURS 15600 Cantal 76 ⑪ **G. Auvergne** – 2 350 h. alt. 280.

Voir Buste-reliquaire★ et statues★ dans l'église.

Office de Tourisme pl. Champ-de-Foire (vacances scolaires matin seul., 15 juin-15 sept.) ✆ 71 46 73 72.

Paris 617 – Aurillac 43 – Rodez 60 – Entraygues-sur-Truyère 47 – Figeac 22 – Tulle 98.

Périgord sans rest, **av. Gare** ✆ **71 49 04 25** – TV ☎ P. GB
☕ 25 – **17 ch** 210/230.

CITROEN Gar. Central ✆ 71 49 01 95
PEUGEOT-TALBOT Balitrand ✆ 71 49 02 04 N

RENAULT Gar. Lavigne ✆ 71 49 00 20

MAUSSAC 19 Corrèze 73 ⑪ – rattaché à Meymac.

MAUSSANE-LES-ALPILLES 13520 B.-du-R. 84 ① – 1 886 h. alt. 28.

Paris 714 – Avignon 29 – Arles 18 – ♦Marseille 78 – Martigues 44 – St-Rémy-de-Pr. 9,5 – Salon-de-Pr. 28.

Fabian des Baux M, rte St-Rémy : 2,5 km ✆ **90 54 37 87, Fax 90 54 42 44,** – TV ☎ P. O GB. rest
R *(fermé 15 janv. au 28 fév., dim. soir et lundi d'oct. à avril)* 145/195 – ☕ 45 – **31 ch** 350/780 – ½ P 355/570.

Pré des Baux M sans rest, **r. Vieux Moulin** ✆ **90 54 40 40,** – TV ☎ P. GB
fermé 15 janv. au 1er mars – ☕ 49 – **10 ch** 520/620.

Val Baussenc M, 122 av. Vallée des Baux ☎ 90 54 38 90, Fax 90 54 33 36, – TV ☎ P. AE ① GB
1er avril-31 oct. – **R** *(fermé mardi)* 170/230, enf. 100 – 50 – **21 ch** 430/530 – ½ P 395/430.

Touret M sans rest, ☎ 90 54 31 93, Fax 90 54 42 44, – ☎ P. ① GB.
27 – **16 ch** 270/300.

La Petite France, ☎ 90 54 41 91, Fax 90 54 66 87 – P. GB
fermé 24 au 30 nov., 7 au 31 janv., sam. midi et lundi – **R** 120/280, enf. 70.

Ou Ravi Provençau, 34 av. Vallée des Baux ☎ 90 54 31 11, – GB
fermé 15 au 30 juin, 15 nov. au 15 déc. et mardi – **R** 150/240, enf. 70.

La Pitchoune, pl. Église ☎ 90 54 34 84, – P. GB
fermé 15 nov. au 5 déc., 15 au 28 fév., mardi du 15 juin à fin sept., dim. soir hors sais. et lundi – **R** 110/180, enf. 50.

L'Oustaloun avec ch, ☎ 90 54 32 19 – TV ☎. AE GB. rest
fermé 2 janv. au 18 fév. – **R** *(fermé merc. en hiver et jeudi midi de juin à sept.)* 99/165, enf. 70 – 30 – **10 ch** 260/350 – ½ P 250/270.

MAUVEZIN 32120 Gers 82 ⑥ – 1 671 h. alt. 157.
Paris 704 – Auch 27 – Agen 71 – Montauban 55 – ♦Toulouse 55.

La Rapière, ☎ 62 06 80 08, – AE ① GB.
fermé 15 juin au 4 juil., 1er au 20 oct., mardi soir et merc. – **Repas** 100/280, enf. 50.

RENAULT Gar. Douard ☎ 62 06 80 11

MAUVEZIN-SUR-GUPIE 47 L.-et-G. 79 ③ – rattaché à Marmande.

MAUZAC-ET-GRAND-CASTANG 24150 Dordogne 75 ⑮ ⑯ – 958 h. alt. 49.
Paris 554 – Périgueux 63 – Bergerac 29 – Brive-la-Gaillarde 95 – Sarlat-la-Canéda 53.

La Métairie, à Millac N : 2,5 km ☎ 53 22 50 47, Télex 572717, Fax 53 22 52 93, ≤, , parc, – TV ☎ P. GB
1er avril-15 oct. et fermé mardi sauf le soir du 15 juin au 15 sept. – **R** 110/330, enf. 70 – 60 – **9 ch** 585/830 – ½ P 475/720.

Poste, ☎ 53 22 50 52, ≤, – ☎ P. AE GB
1er mars-31 oct. et fermé mardi – **R** 65/170, enf. 40 – 25 – **18 ch** 140/250 – ½ P 190/210.

MAUZÉ-SUR-LE-MIGNON 79210 Deux-Sèvres 71 ② – 2 378 h. alt. 21.
Paris 429 – La Rochelle 40 – Niort 22 – Rochefort 38.

Relais de la Fourche en Pré, rte Niort ☎ 49 26 32 36, – TV ☎ P. GB
fermé 21 déc. au 12 janv., vacances de fév., dim. soir et lundi sauf juil.-août – **R** 63/190, enf. 58 – 29 – **12 ch** 230/329 – ½ P 318.

France avec ch, ☎ 49 26 30 15 – ☎ P. GB
fermé 19 au 29 déc. et dim. du 1er oct. au 30 mars – **R** 70/170 – 25 – **7 ch** 125/155 – ½ P 170/230.

Pas de publicité payée dans ce guide.

MAYENNE

Briand (R. Aristide) 4
Gaulle (R. Ch. de) 14
St-Martin (R. et ⊕) 28
Sergent-Louvier (R.) 29

Anatole-France (Bd) 2
Bretagne (R. de) 3
Carnot (Quai) 5
Chateaubriand (R.) 6
Cheverus (Pl.) 7
Du-Guesclin (R.) 8
Gambetta (Pl.) 13
Jules-Ferry (R.) 15
Herce (Pl. de) 16
Hoche (Av.) 17
Montigny (Bd de) 18
Normandie (R. de) 20
Notre-Dame (⊕) 21
Papin (R. Denis) 22
Pavé-Morin (R. du) 23
République (Quai de la) 24
Roullois (R.) 25
Vallées (R. des) 32
Verdun (R. de) 33
8-Mai 1945 (Pl. du) 35
130e-R.-I. (R. du) 36

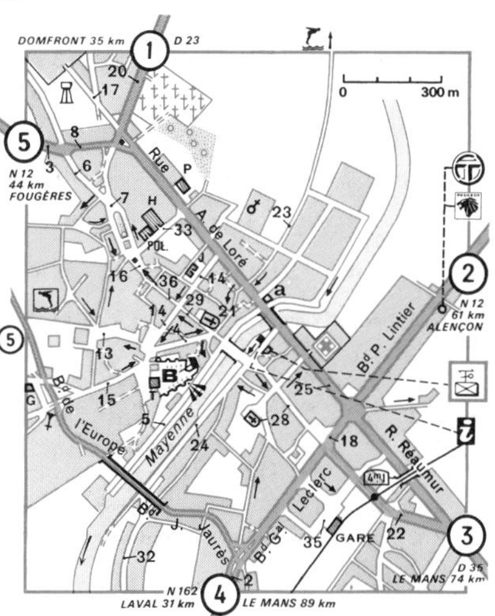

Utilisez le guide de l'année.

MAYENNE 53100 Mayenne 59 ⑳ **G. Normandie Cotentin** – 13 549 h. alt. 124.
Voir Ancien château ⩽★ **B.**

Office de Tourisme quai de Waiblingen (fermé après-midi hors saison) ✆ 43 04 19 37.

Paris 252 ② – Alençon 61 ② – Flers 57 ① – Fougères 45 ⑤ – Laval 31 ④ – ♦Le Mans 88 ④.

Plan page précédente

Gd Hôtel, 2 r. A. de Loré **(a)** ✆ 43 00 96 00, Télex 722622 – TV ☎ P. GB
fermé 22 déc. au 11 janv., vend. soir du 1er nov. au 31 mars et sam. sauf le soir du 1er avril au 31 oct. – **R** 87/270, enf. 50 – ☕ 37 – **30 ch** 237/357 – ½ P 223/300.

XXX **Croix Couverte** avec ch, rte Alençon par ② : 2 km sur N 12 ✆ 43 04 32 48, Fax 43 04 43 69, – TV ☎ P. AE ⓓ GB
fermé 23 au 30 déc. – **R** *(fermé dim. du 1er oct. au 30 avril)* 92/220 ꝭ, enf. 52 – ☕ 28 – **13 ch** 220/280 – ½ P 220/270.

par ④ N 162 et VO : 6,5 km – ✉ **53100** Mayenne :

XXX **La Marjolaine** (chambres prévues), au domaine du Bas-Mont ✆ 43 00 48 42, Fax 43 08 10 58, parc – P. GB
fermé mi-janv. à mi-fév., dim. soir et lundi – **R** 135/200.

BMW **TOYOTA** Bassaler Automobiles, 92 r. P.-Lintier ✆ 43 04 15 84 N ✆ 43 69 32 32
CITROEN SODIAM, rte d'Ernée par ⑤ ✆ 43 04 36 71 N ✆ 43 00 29 83
PEUGEOT-TALBOT Mallecot Père et Fils, 622 bd P.-Lintier ✆ 43 04 10 76
RENAULT Mayenne-Auto, D 35 rte d'Aron par ③ ✆ 43 04 58 86 N ✆ 43 90 82 01

V.A.G Espace Auto, ZA de l'Huilerie la Motte ✆ 43 04 26 40

SOS PNEUS Pneu + Nord Ouest, r. de la Peyennière ✆ 43 00 01 95
Tricard, 412 bd P.-Lintier ✆ 43 04 19 47

MAYET 72360 Sarthe 64 ③ – 2 877 h. alt. 74.

Paris 225 – ♦Le Mans 29 – Château-la-Vallière 27 – La Flèche 31 – ♦Tours 57 – Vendôme 71.

X **Aub. des Tilleuls,** ✆ 43 46 60 12 – GB
fermé fév., dim. soir, lundi soir, mardi soir et merc. – **R** 45/140 ꝭ.

Le MAYET-DE-MONTAGNE 03250 Allier 73 ⑥ **G. Auvergne** – 1 609 h. alt. 545.

Syndicat d'Initiative Chalet Cantonal pl. Foires ✆ 70 59 38 40.

Paris 365 – ♦Clermont-Fd 73 – Lapalisse 23 – Moulins 71 – Roanne 47 – Thiers 41 – Vichy 25.

Relais du Lac, S : 0,5 km sur D 7 ✆ 70 59 70 23, ⩽, – TV ☎ P.
fermé oct. – **R** 89/170 ꝭ, enf. 40 – ☕ 28 – **7 ch** 220/250 – ½ P 210/220.

CITROEN Gar. St-Christophe ✆ 70 59 70 42
RENAULT Tartarin ✆ 70 59 70 61

MAZAGRAN 57 Moselle 57 ⑭ – rattaché à Metz.

MAZAMET 81200 Tarn 83 ⑪ ⑫ **G. Gorges du Tarn** – 11 481 h. alt. 241.

18 de la Barouge (privé) ✆ 63 61 06 72, par ① : 3,5 km.

Office de Tourisme r. des Casernes ✆ 63 61 27 07 et D 118, le Plô de la Bise (juil.-août) ✆ 63 61 25 54.

Paris 772 ④ – ♦Toulouse 82 ③ – Albi 60 ④ – Béziers 87 ① – Carcassonne 45 ② – Castres 18 ④.

Plan page suivante

Le Gd Balcon M, 1 square G. Tournier **(a)** ✆ 63 61 01 15, Fax 63 98 69 24 – TV ☎ – 30. AE GB
R carte 130 à 230 - **Brasserie** *(fermé dim. et fêtes)* **R** carte 90 à 170 ꝭ – ☕ 30 – **23 ch** 295/420 – ½ P 295.

Les Comtes d'Hautpoul, face gare ✆ 63 61 98 14, Fax 63 98 95 76, – TV ☎ P. GB
fermé août – **R** *(fermé sam.)* 65/210 ꝭ, enf. 40 – ☕ 30 – **40 ch** 160/260 – ½ P 200.

H. Jourdon, 7 av. A. Rouvière **(e)** ✆ 63 61 56 93, Fax 63 61 83 38 – rest TV ☎. GB.
fermé dim. sauf fériés le midi – **Repas** 72/260 – ☕ 35 – **11 ch** 240/280 – ½ P 280.

à Bout-du-Pont-de-Larn par ① et D 54 : 2 km – ✉ **81660** :

La Métairie Neuve , ✆ 63 61 23 31, Fax 63 61 94 75, ⩽, , , – TV ☎ P – 25. ⓓ GB
fermé 15 déc. au 15 janv. – **R** *(fermé sam. sauf le soir du 15 avril au 30 sept)* 95/200 ꝭ, enf. 50 – ☕ 45 – **11 ch** 275/410 – ½ P 275/325.

par ① D 109 et D 54 : 5 km – ✉ **81660** Pont-de-Larn :

Host. du Château de Montlédier , ✆ 63 61 20 54, ⩽, , « Parc », – TV ☎ P – 50. AE ⓓ GB
fermé janv. – **R** *(fermé dim. soir et lundi sauf juil.-août)* 120/230, enf. 50 – ☕ 45 – **9 ch** 330/570 – ½ P 390/450.

MAZAMET

Barbey (R. Édouard)
Brenac (R. Paul) 2
Gambetta (Pl.) 9
Olombel (Pl. Ph.) 16

Caville (R. du Pont de) 4
Champ-de-la-Ville (R. du) 5
Chevalière (Av. de la) 7
Galibert-Ferret (R.) 8
Guynemer (Av. G.) 10
Lattre-de-Tassigny
(Bd de) 13
Nouvela (R. du) 14
Reille (Cours R.) 17
St-Jacques (R.) 19
Tournier (Pl. G.) 20
Tournier (R. Alphonse) 22

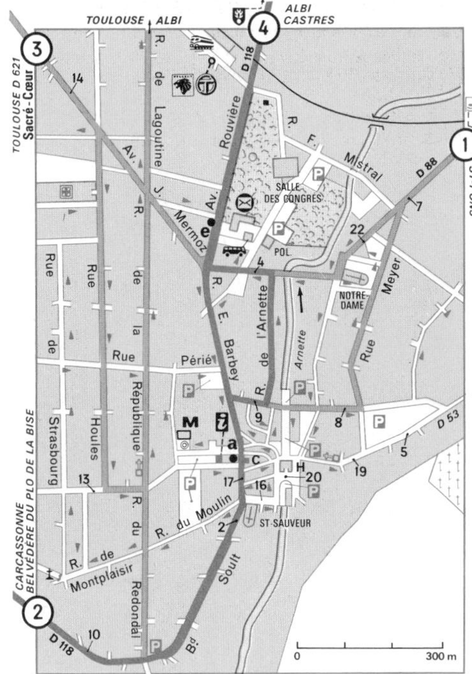

Les plans de villes sont orientés le Nord en haut.

Pour un bon usage des plans de villes, voir les signes conventionnels dans l'introduction.

à ***St-Amans-Soult*** par ① : 9 km – ✉ **81240** :

XX **Host. des Cèdres** avec ch, N 112 ✆ 63 98 36 73, ⛱, parc – ☎. GB
fermé fév., dim. soir et lundi – **R** 85/250 – ☕ 35 – **6 ch** 250/310 – ½ P 260/380.

ALFA-ROMEO, OPEL Auto Garage, 11 r. Cormouls-Houlès ✆ 63 61 06 94
CITROEN S.M.A., Bout du Pont de Larn à Mazamet par ③ ✆ 63 61 39 41
PEUGEOT-TALBOT Gd Gar. Gare, av. Ch.-Sabatier ✆ 63 61 01 89

RENAULT Gar. Savoldelli, ZI Rougearié à Aussillon par ③ ✆ 63 61 36 76

Central Pneu, RN 112 La Richarde ✆ 63 61 07 32
Cousinié-Pneus, 14 r. République ✆ 63 61 80 17

MAZAN **84** Vaucluse 81 ⑬ – rattaché à Carpentras.

MAZET-ST-VOY **43520** H.-Loire 76 ⑧ – 1 077 h. alt. 1 043.

Paris 580 – Le Puy-en-Velay 39 – Lamastre 36 – ♦St-Étienne 62 – Yssingeaux 17.

L'Escuelle, ✆ 71 65 00 51 – ☎. ✗ ch
fermé nov., janv., dim. et lundi du 10 sept. au 30 juin – **R** 62/135 – ☕ 27 – **11 ch** 140/220.

MÉAUDRE **38** Isère 77 ④ – rattaché à Autrans.

Find your way in PARIS using the following **Michelin publications :**

No 9 for public transport

No 10 the town plan on one sheet

with No 12, a street index.

No 11 the town plan, in atlas form, with street index, useful addresses and a public transport leaflet.

No 14 the town plan, in atlas form, with street index.

For sightseeing in PARIS : the **Green Tourist Guide**

These publications are designed to be used in conjunction with each other.

MEAUX <SP> 77100 S.-et-M. 56 ⑫ ⑬ 106 ㉒ G. Ile de France – 48 305 h. alt. 52.

Voir Centre épiscopal★ ABY : cathédrale★ **B**, ≤★ de la terrasse des remparts.

9 18 de Meaux-Boutigny (privé) ✆ (1) 60 25 63 98, par ③ ; 9 du Lac de Germigny ✆ (1) 64 33 57 00, par ① : 10 km ; 18 de Bussy-St-Georges ✆ (1) 64 66 00 00 ; par ③ (A4 sortie Ferrières) : 26 km.

Office de Tourisme 2 r. Notre-Dame ✆ (1) 64 33 02 26.

Paris 54 ③ – Châlons-s-M. 117 ② – Compiègne 66 ⑤ – Melun 54 ③ – ♦Reims 97 ② – Troyes 132 ③.

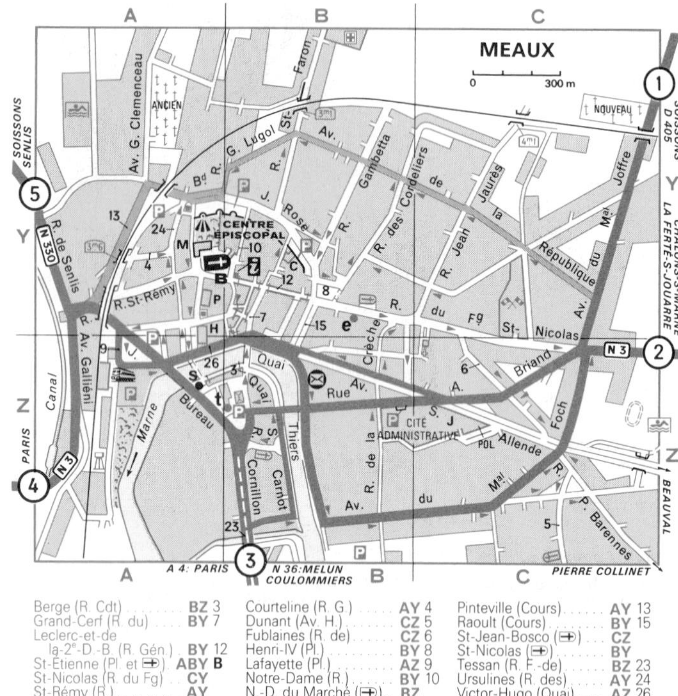

Berge (R. Cdt) .... **BZ** 3
Grand-Cerf (R. du) ..... **BY** 7
Leclerc-et-de la-2e-D.-B. (R. Gén.) . **BY** 12
St-Étienne (Pl. et ⊞). **ABY B**
St-Nicolas (R. du Fg) ... **CY**
St-Rémy (R.) .... **AY**
Courteline (R. G.) ...... **AY** 4
Dunant (Av. H.) .... **CZ** 5
Fublaines (R. de) ...... **CZ** 6
Henri-IV (Pl.) .... **BY** 8
Lafayette (Pl.) .... **AZ** 9
Notre-Dame (R.) .... **BY** 10
N.-D. du Marché (⊞).. **BZ**
Pinteville (Cours) ...... **AY** 13
Raoult (Cours) .... **BY** 15
St-Jean-Bosco (⊞) .... **CZ**
St-Nicolas (⊞) .... **BY**
Tessan (R. F.-de) ...... **BZ** 23
Ursulines (R. des) ..... **AY** 24
Victor-Hugo (Quai) .... **AZ** 26

Richemont sans rest, quai Grande Ile ✆ (1) 60 25 12 10, Télex 691792, Fax (1) 60 25 18 27 – |‡| TV ☎ ♿ P – 🏛 25. AE GB — AZ **s**
☕ 30 – **42 ch** 255/275.

Climat de France M, 32 av. Victoire par ② ✆ (1) 64 33 15 47, Fax (1) 64 33 83 80, 🌳 – TV ☎ ♿ P – 🏛 40. AE GB
R 80/112 🍷, enf. 40 – ☕ 30 – **60 ch** 285.

XX **Le Marinone,** 30 pl. Marché ✆ (1) 64 33 57 37 – AE GB — ABZ **t**
fermé dim. soir et lundi sauf fériés – **R** 140/260.

XX **Le Briçonnet,** 8 r. Fg St Nicolas ✆ (1) 60 09 29 31 – AE ⓓ GB — BY **e**
fermé 15 août au 1er sept., mardi soir, sam. midi et dim. – **R** carte 270 à 360.

à Varreddes par ① : 6 km – ✉ **77910** :

XXX **Aub. Cheval Blanc** avec ch, D 405 ✆ (1) 64 33 18 03, Fax (1) 64 03 25 56, 🌳, 🪑 – TV ☎ P. AE ⓓ GB
fermé août, dim. soir et lundi – **R** 198/380, enf. 98 – ☕ 49 – **8 ch** 280/350.

XX **Au Petit Nain,** 7 r. Orsoy ✆ (1) 64 33 18 12, 🌳 – AE GB
fermé 15 au 30 juil., 10 fév. au 4 mars, mardi soir, jeudi soir et merc. sauf fériés – **R** 140/285, enf. 65.

à Germigny-l'Évèque par ① et D 97 : 8 km – ✉ **77910** :

XXX **Le Gonfalon** 🐌 avec ch, 2 r. Église ✆ (1) 60 25 29 29, ≤, 🌳 – TV ☎. AE ⓓ GB
fermé 1er janv. au 5 fév., dim. soir et lundi – **R** 250/330, enf. 50 – ☕ 40 – **10 ch** 280/350.

à Poincy par ② : 5 km – ✉ **77470** :

XXX **Moulin de Poincy,** ✆ (1) 60 23 06 80, Fax (1) 60 23 12 56, 🏞, 🏞 – **P**. AE GB JCB
fermé mardi soir et merc. – **R** 190/325.

ALFA ROMEO-TOYOTA Trouble, 17 av. de la Foulée à Nanteuil-les-Meaux ✆ (1) 64 33 30 00
BMW Sodela, 12 r. Buttes-Blanches ZI ✆ (1) 60 09 35 35
CITROEN Victoire Autom., 101 av. Victoire, ZI par ② ✆ (1) 64 34 90 90
FORD Gar. Brie et Picardie, 44 r. Crèche ✆ (1) 64 34 06 51
MERCEDES-BENZ Compagnie de l'Est, 137 av. Victoire ✆ (1) 64 33 05 52
OPEL Meaux Autom., 71-73 av. F.-Roosevelt ✆ (1) 60 25 32 00
PEUGEOT-TALBOT Métin, 81 av. Roosevelt par ② ✆ (1) 64 33 20 00
RENAULT Vance, 37 av. Roosevelt par ② ✆ (1) 64 34 90 76 **N** ✆ (1) 60 25 71 77
V.A.G Gar. Carnot, 26 et 67 av. F.-Roosevelt ✆ (1) 60 25 10 66

Central-Pneumatiques, ZI, 57 av. Victoire ✆ (1) 64 34 12 67
Ets Vernières, 101 r. Fg-St-Nicolas ✆ (1) 64 34 44 48
Hurand Pneu, à Trilport ✆ (1) 64 33 41 41
Ile-de-France Pneum., 180 r. Fg-St-Nicolas ✆ (1) 64 33 29 79
La Centrale du Pneu, 19 r. Gén. de Gaulle à Crouy-sur-Ourcq ✆ (1) 64 35 61 10

MÉDAN **78670** Yvelines 55 ⑲ 106 ⑰ **G. Ile de France** – 1 387 h.

Paris 40 – Mantes-la-Jolie 27 – Pontoise 21 – Rambouillet 51 – St-Germain-en-Laye 15 – Versailles 26.

XX **Le Moulin Rouge,** 1 r. Seine ✆ (1) 39 75 80 85, Fax (1) 39 75 32 92, 🏞 – GB
fermé dim. soir d'oct. à juin et lundi – **R** 150 et carte 240 à 280.

MEGÈVE **74120** H.-Savoie 74 ⑦ ⑧ **G. Alpes du Nord** – 4 750 h. alt. 1 113 – Sports d'hiver : 1 113/2 350 m 9 74 – Casino AY.

Voir Mont d'Arbois au terminus de la télécabine ✻★★★ BZ.

18 du Mont d'Arbois ✆ 50 21 29 79, E : 2 km BZ.

Altiport de Megève-Mont-d'Arbois ✆ 50 21 33 67, SE : 7 km BZ.

Office de Tourisme r. Poste ✆ 50 21 27 28, Télex 385532 et réservations hôtels ✆ 50 21 29 52.

Paris 596 ① – Chamonix-Mont-Blanc 35 ① – Albertville 31 ② – Annecy 61 ② – ✦Genève 69 ①.

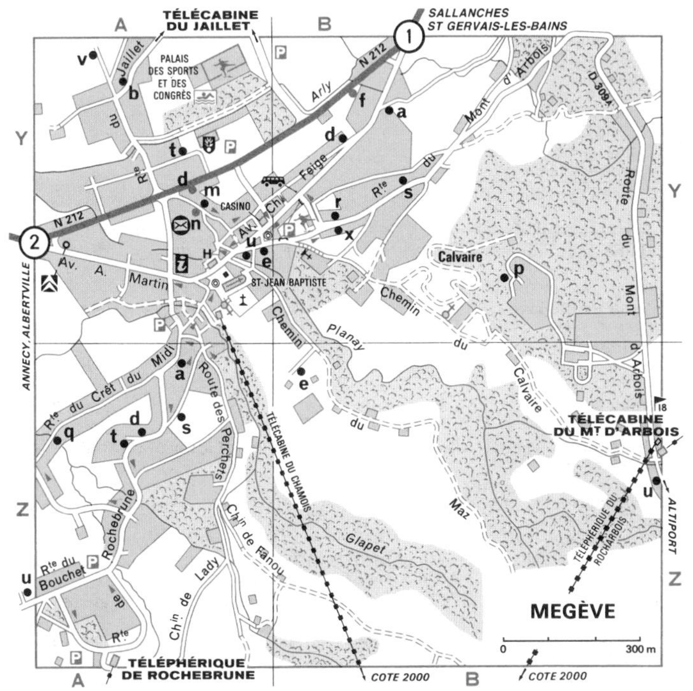

Parc des Loges [M], 100 r. d'Arly ℘ 50 93 05 03, Télex 385854, Fax 50 93 09 52, ☂, « Décoration style "art-déco" », ⛹, ☘ – |‡| [TV] ☎ ♿ ⇔ P – 🏔 50. AE ⊙ GB
fermé 12 nov. au 15 déc. – **La Rotonde R** 170/310 – ⊡ 85 – **40 ch** 750/1250, 13 appart. – ½ P 875/950. AY **m**

Les Fermes de Marie [M] ⛰, chemin de Riante Colline par ② ℘ 50 93 03 10, Fax 50 93 09 84, ≤, ☂, « Anciennes fermes savoyardes élégamment agencées », ⛹, ⛱, ☘ – |‡| [TV] ☎ ♿ ⇔ P – 🏔 30. AE GB. ✻ rest
15 juin-15 sept. et 15 déc.-15 avril – **R** carte 250 à 300 – **46 ch** ⊡ 800/1600, 4 appart. 2800, 4 duplex – ½ P 700/1000.

Chalet-Mt-d'Arbois [M] ⛰, rte Mt-d'Arbois ℘ 50 21 25 03, Fax 50 21 24 79, ≤, ☂, ☘, ✂ – |‡| [TV] ☎ P. AE ⊙ GB BY **p**
20 juin-4 oct. et 19 déc.-5 avril – **R** 190/360 – **20 ch** ⊡ 1310/1740 – ½ P 1060/1420.

Fer à Cheval, rte Crêt ℘ 50 21 30 39, Fax 50 93 07 60, « Élégant décor rustique », ⛹, ⛱, ☘ – |‡| [TV] ☎ ♿ ⇔ P – 🏔 30. GB. ✻ rest BY **a**
30 juin-6 sept. et 20 déc.-15 avril – **R** (dîner seul.) carte 230 à 330 – **31 ch** ⊡ 740/1210, 10 appart. 1660/1920 – ½ P 615/820.

Coin du Feu, rte Rochebrune ℘ 50 21 04 94, Fax 50 21 20 15, ≤, « Décor et ambiance savoyards » – |‡| [TV] ☎. AE GB AZ **t**
hôtel : 20 juil.-31 août et 20 déc.-15 avril – **Saint Nicolas** *(20 déc.-15 avril)* **R** (dîner seul.) 240/290 – **23 ch** ⊡ 750/1100 – ½ P 500/650.

Le Manège [M], rond-point de Rochebrune ℘ 50 21 21 08, Fax 50 58 95 32, ⛹, ⛱ – |‡| [TV] ☎ ♿ AZ **a**
saisonnier – **la Cravache d'Or** – **13 ch**, 19 appart..

Le Triolet ⛰, rte Bouchet ℘ 50 21 08 96, Fax 50 70 77 75, ≤ – [TV] ☎ ⇔. AE GB. ✻ rest AZ **u**
Noël-Pâques – **R** (nombre de couverts limité, prévenir) 250/380 – ⊡ 70 – **10 ch** 750/950, 3 appart. – ½ P 700/1100.

La Grange d'Arly [M] ⛰ sans rest, ℘ 50 58 77 88, Fax 50 93 07 13 – |‡| [TV] ♿ ⇔ P. AE ⊙ GB AY **t**
15 juin-11 nov. et 20 déc.-20 avril – **22 ch** ⊡ 850/980.

Mont-Joly ⛰, rte Crêt du Midi ℘ 50 21 26 14, Fax 50 58 75 20, ≤, ☂, ☘ – |‡| [TV] ☎. AE ⊙ GB JCB. ✻ AZ **q**
15 juin-15 sept. et 20 déc.-10 avril – **R** 340 – ⊡ 46 – **22 ch** 600/730 – ½ P 590/630.

La Prairie [M], av. Ch. Feige ℘ 50 21 48 55, Fax 50 21 42 13, ≤, ☘ – |‡| [TV] ☎ ⇔ P. AE ⊙ GB JCB. ✻ rest BY **d**
hôtel : 20 juin-27 sept. et 19 déc.-1er mai ; rest. : 4 juil.-30 août et 20 déc.-début avril – **R** (dîner seul) carte 120 à 175 ⚲ – ⊡ 42 – **32 ch** 352/650.

Sapins ⛰, rte Rochebrune ℘ 50 21 02 79, Fax 50 93 07 54, ☂, ⛱ (été), ☘ – |‡| [TV] ☎. GB. ✻ rest AZ **s**
25 juin-10 sept. et 20 déc.-20 avril – **R** 150/250, enf. 83 – ⊡ 36 – **19 ch** 288/510 – ½ P 367/450.

Ferme Hôtel Duvillard, plateau du Mt d'Arbois ℘ 50 21 14 62, Fax 50 21 42 82, ≤, ⛱, ☘ – [TV] ☎ P BZ **u**
saisonnier – **19 ch.**

St-Jean ⛰, chemin du Maz ℘ 50 21 24 45, Fax 50 58 78 50, ≤, ☘ – [TV] ☎ P. ✻ BZ **e**
1er juil.-12 sept. et 20 déc.- 10 avril – **R** 110 – ⊡ 35 – **15 ch** 250/400 – ½ P 330/345.

Alpina sans rest, pl. Casino ℘ 50 21 54 77, Fax 50 21 53 79 – [TV] ☎. AE ⊙ GB. ✻ AY **e**
fermé 1er juin au 5 juil., oct. et lundi en avril, mai, sept. et nov. – **14 ch** ⊡ 565/600.

Coeur de Megève sans rest, av. Ch. Feige ℘ 50 21 25 30 – |‡| [TV] ☎. GB. ✻ AY **u**
fermé mi-mai à mi-juin – **23 ch** ⊡ 350/625.

Fleur des Alpes, rte Jaillet ℘ 50 21 11 42, ≤, ☂, ☘ – [TV] ☎ P – 🏔 50. GB. ✻ rest
20 mai-20 sept., vacances de nov. et 15 déc.-20 avril – **R** 110/160, enf. 75 – **18 ch** ⊡ 375/455 – ½ P 400. AY **b**

Week-End sans rest, rte Rochebrune ℘ 50 21 26 49, Fax 50 58 90 40 – ☎ P. ⊙ GB
fermé 10 au 20 mai et 10 au 30 nov. – ⊡ 32 – **16 ch** 360/446. AZ **d**

L'Auguille ⛰ sans rest, chemin de l'Auguille ℘ 50 21 40 00, Fax 50 58 78 78, ≤, ☘ – [TV] ☎ ⇔ P. ✻ AY **v**
15 juin-30 sept. et 15 déc.-25 avril – ⊡ 30 – **11 ch** 350/420.

Les Mourets ⛰, rte Odier par ① : 1 km ℘ 50 21 04 76, Fax 50 58 78 78, ≤ – |‡| ☎ ⇔ P. GB. ✻ rest
19 mai-15 sept. et 20 déc.-31 mars – **R** 90/110 – ⊡ 34 – **24 ch** 350/390 – ½ P 350/370.

Clos Joli, rte Sallanches par ① ℘ 50 21 20 48, Fax 50 58 78 39, ☘ – ☎ P. GB. ✻ rest
fermé 31 oct. au 15 déc. – **R** 82/88 – ⊡ 32 – **24 ch** 215/310.

Patinoire sans rest, rte Mt d'Arbois ℘ 50 21 11 33, Fax 50 58 90 39 – [TV] ☎. GB BY **x**
⊡ 30 – **14 ch** 260/420.

Rond-Point d'Arbois, rte Mt-d'Arbois ℘ 50 21 17 50, Fax 50 58 90 24, ☘ – [TV] ☎. GB BY **r**
fermé 15 mai au 30 juin et 20 sept.au 30 oct. – **R** 80/150 – **13 ch** ⊡ 450 – ½ P 310/340.

XX **Michel Gaudin,** carr. d'Arly ✆ 50 21 02 18 – GB — AY **d**
fermé mardi hors sais. – **R** 140/270.

XX **Aub. Les Griottes,** rte Nationale ✆ 50 93 05 94, – AE GB — BY **f**
fermé 1er au 15 juin, 11 nov. au 20 déc., dim. soir et lundi sauf vacances scolaires – **R** 110/250.

XX **Bouquet Garni,** rte Sallanches par ① ✆ 50 21 26 82, – P. AE GB
fermé 15 au 30 juin, 1er au 29 oct., mardi et merc. hors sais. – **R** 90/165.

X **Tire-Bouchon,** r. d'Arly ✆ 50 21 14 73 – AE GB — AY **n**
fermé 7 au 25 oct., 12 au 22 nov., mardi soir et merc. du 1er mai au 20 déc. sauf vacances scolaires – **R** 95/139, enf. 49.

à Petit Bois par ① : 3 km – ✉ **74120** :

Princesse de Megève M, les Poex ✆ 50 93 08 08, Fax 50 21 45 65, ←, (été), « Cadre rustique élégant », – TV ☎ P. AE GB. rest
fermé 16 nov. au 20 déc. – **R** *(fermé merc. du 15 avril au 1er juil. et du 15 sept. au 16 nov.)* snack 150, enf. 70 – **11 ch** 580/1500 – ½ P 600/900.

au sommet du Mont d'Arbois par télécabine du Mt d'Arbois ou télécabine de la Princesse – ✉ **74170** St-Gervais :

L'Igloo M, ✆ 50 93 05 84, Fax 50 21 02 74, , (été), « chaîne du Mont Blanc » – TV ☎. GB
15 juin-15 sept. et 20 déc.-10 mai – **R** carte 200 à 350, enf. 75 – **11 ch** 500/1600 – ½ P 500/800.

à l'altiport SE : 7,5 km par rte Mont d'Arbois - BZ – alt. 1 450 – ✉ **74120** Megève :

X **Cote 2000,** ✆ 50 21 31 84, ←, – GB
juil.-août et Noël-Pâques – **R** carte 150 à 210.

CITROEN Mont-Blanc Gar., 356 r. A.-Martin ✆ 50 21 05 72
FIAT, LANCIA-AUTOBIANCHI Gar. Gachet, rte de Sallanches ✆ 50 21 21 23 N
MERCEDES V.A.G Gar. du Christomet, rte d'Albertville ✆ 50 58 76 22 N ✆ 50 21 00 27

Avant de prendre la route,
consultez 36.15 MICHELIN sur votre Minitel :
votre meilleur itinéraire,
le choix de votre hôtel, restaurant, camping,
des propositions de visites touristiques.

MEHUN-SUR-YÈVRE

18500 Cher 64 ⑳ **G. Berry Limousin** – 7 227 h. alt. 120.

Syndicat d'Initiative pl. 14-Juillet (15 juin-15 sept.) ✆ 48 57 35 51.

Paris 225 – Bourges 17 – Cosne-sur-Loire 67 – Gien 77 – Issoudun 32 – Vierzon 15.

Croix-Blanche, 164 r. Jeanne d'Arc ✆ 48 57 30 01, Fax 48 57 29 66, – TV ☎ P. GB. rest
fermé 20 déc. au 20 janv. et dim. soir du 1er oct. au 31 mars – **R** 65/180, enf. 40 – 25 – **19 ch** 110/270 – ½ P 160/225.

XXX **Les Abiès,** rte Vierzon ✆ 48 57 39 31, , – P. AE GB
fermé vacances de fév., dim. soir et lundi – **R** 100/350.

MÉJANNES-LÈS-ALÈS

30 Gard 80 ⑱ – rattaché à Alès.

MÉLICOCQ

60 Oise 56 ② – rattaché à Compiègne.

MELUN

P **77000** S.-et-M. 61 ② 106 ㊺ **G. Ile de France** – 35 319 h. alt. 54.

Env. Vaux-le-Vicomte : château★★ et jardins★★★ 6 km par ②.

9 la Croix des Anges à Réau ✆ (1) 60 60 18 76, par ⑨ N 105 : 8,5 km.

Office de Tourisme 2 av. Gallieni ✆ (1) 64 37 11 31.

Paris 49 ⑧ – Fontainebleau 16 ⑤ – Châlons-sur-Marne 144 ① – Chartres 102 ⑧ – Meaux 54 ② – ◆Orléans 103 ⑥ – ◆Reims 144 ② – Sens 65 ⑤ – Troyes 116 ③.

Plans page suivante

Gd Monarque-Concorde M, par ⑤ : 2,5 km rte Fontainebleau ✆ (1) 64 39 04 40, Télex 690140, Fax (1) 64 39 94 10, , parc, , – rest TV ☎ P – 150. AE GB
R 145 bc/185, enf. 60 – 45 – **45 ch** 420/515, 5 appart. 750 – ½ P 425/455.

Ibis M, 81 av. Meaux ✆ (1) 60 68 42 45, Télex 691779, Fax (1) 64 09 62 00 – TV ☎ P – 30. AE GB — X **a**
R 79, enf. 39 – 32 – **74 ch** 270/290.

X **La Melunoise,** 5 r. Gâtinais ✆ (1) 64 39 68 27 – GB. — X **b**
fermé 17 août au 6 sept., 14 au 20 fév. – **R** 120/250.

MELUN

Carnot (R.) . . . . AY 6
Doumer (R. Paul) . . BY 13
Miroir (R. du) . . . . . AY 25
Pouteau (R. René) . BY 34
St-Ambroise (R.) . . . AZ
St-Aspais (R. et ⊞) BY 41
St-Étienne (R.) . . . . AZ 43

Alsace-Lorr. (Q.) . . . BZ 2
Chartrettes (Rte de) . X 3
Chasse (R. de la) . . . X 7
Corbeil (Av. de) . . . . X 8
Courtille (R. de la) . . BZ 9
Courtilleraies (Av.) . . X 10
Dauvergne (Av. M.) . . X 12
Gaulle (Av. Gén.-de) . X 18
Godin (Av. E.) . . . . . AZ 19
Jaurès (Av. J.) . . . . . X 20
Leclerc (Av. Mar.) . . . X 22
Libération (Av. de la) . X 23
Mare-aux-Champs (R. de la) . . . . X 24
Montagne-du-Mée (R. de la) . . . . AY 26
Montaigne (Av.) . . . . . X 27
N.-Dame (Pl. et ⊞) BZ 32
Pompidou (Av. G.) . . X 33
Prés.-Despatys (R.) AY 35
Rossignol (Q. H.) . . . . X 39
St-Liesne (R.) . . . . . . X 44
Vaux (R. de) . . . . X 45
Voisenon (Rte de) . . . X 46
Voltaire (Quai) . . . . . . X 48
13e-Dragons (Av.) . . . X 49
31e-d'Inf. (Av. du) . . . X 50

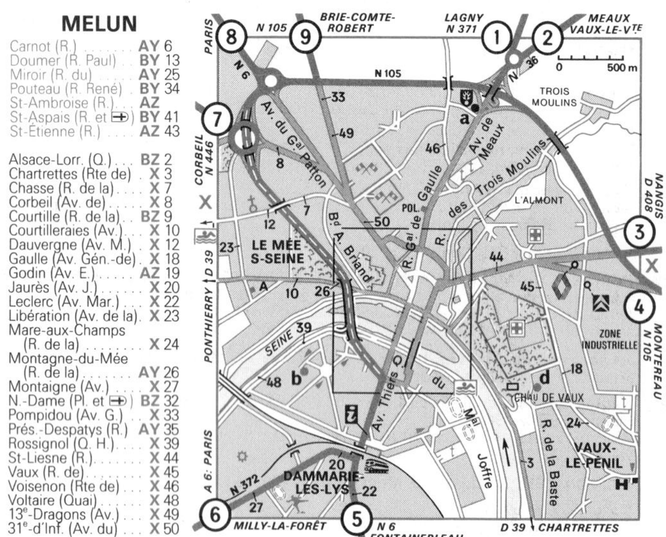

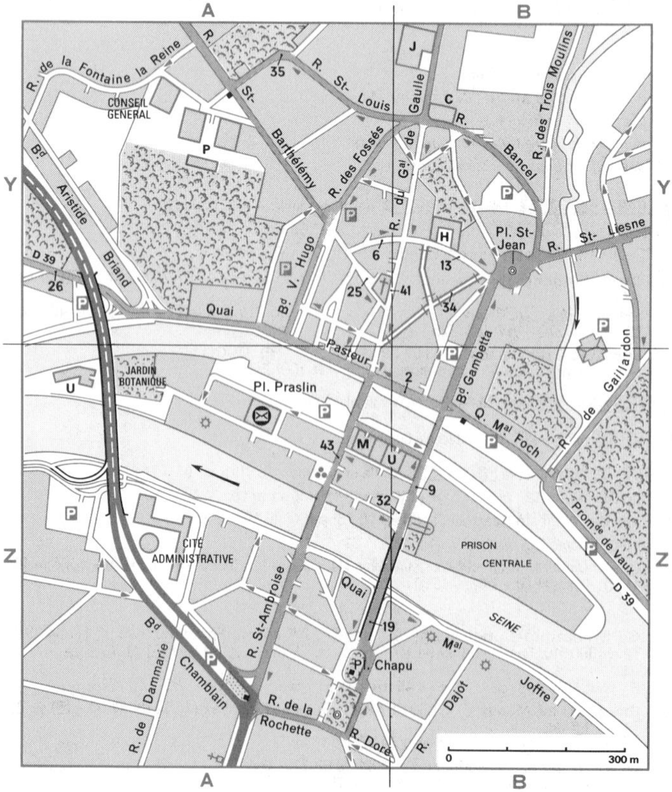

R. de la Fontaine la Reine
CONSEIL GÉNÉRAL
R. St-Barthélémy
R. St-Louis
R. du Gal de Gaulle
R. Bancel
R. des Trois Moulins
Bd Aristide Briand
R. des Fossés
Bd V. Hugo
Pl. St-Jean
R. St-Liesne
Quai Pasteur
Bd Gambetta
R. de Gaillardon
JARDIN BOTANIQUE
Pl. Praslin
Q. Mal Foch
Promde de Vaux
PRISON CENTRALE
CITÉ ADMINISTRATIVE
R. St-Ambroise
Quai
SEINE
Bd Chamblain
R. de Dammarie
Pl. Chapu
Mal Joffre
R. Dajot
R. de la Rochette
R. Doré
0 300 m

à Dammarie-les-Lys - X – 21 148 h. – ✉ **77190** :

🏨 **Campanile,** 346 r. B. de Pôret par ⑥ - N 372 ✆ (1) 64 37 51 51, Télex 691621 – TV ☎ ♿ P – 🏛 50. AE GB
R 77 bc/99 bc, enf. 39 – ☕ 28 – **50 ch** 258 – ½ P 234/256.

à Rubelles par ② : 3 km – ✉ **77950** :

XXX **L'Orée de Rubelles,** ✆ (1) 64 09 56 56, Fax (1) 60 68 27 19, 🌳, parc, « Gentilhommière du 18e siècle » – 🚭 P. AE ⓓ GB
fermé 17 août au 7 sept., 21 déc. au 4 janv., lundi soir, sam. midi et dim. soir – **R** 160/450.

à Crisenoy par ② : 10 km – ✉ **77390** :

XX **Aub. de Crisenoy,** Gde Rue ✆ (1) 64 38 83 06, 🌳, 🍽 – GB
fermé 1er au 15 août, Noël au Jour de l'An, vacances de fév., merc. soir hors sais., dim. soir et lundi – **R** 98/195, enf. 60.

à Vaux-le-Pénil - X – 8 143 h. – ✉ **77000** :

🏨 **Climat de France** M 🐕, 338 r. R. Hervillard par ④ ✆ (1) 64 52 71 81, Télex 693140, Fax (1) 64 52 71 81 – TV ☎ ♿ P – 🏛 25. AE GB
R 90/180 🍷, enf. 35 – ☕ 32 – **42 ch** 250/275 – ½ P 220/270.

au Plessis-Picard par ⑧ : 8 km – ✉ **77550** :

XX **La Mare au Diable,** ✆ (1) 60 63 17 17, Fax (1) 64 41 88 49, 🌳, 🏊, 🎾 – P. AE ⓓ GB
fermé dim. soir et lundi – **R** 150/300, enf. 45.

à Pouilly-le-Fort par ⑨ : 6 km – ✉ **77240** :

XXX **Le Pouilly,** r. Fontaine ✆ (1) 64 09 56 64, 🌳 – P. AE ⓓ GB
fermé 17 au 30 août, 2 au 9 nov., 1er au 8 fév., dim soir et lundi – **R** 180/320.

CITROEN Bernard Terrasse Autom., 100 rte de Montereau à Vaux-le-Pénil ✆ (1) 64 37 92 10 N
FORD Gd Gar. de la Gare, N 6 ZAC les Caves à Vert-St-Denis ✆ (1) 60 68 22 57
MERCEDES-BENZ SAFI 77, 11 av. Gén.-Patton ✆ (1) 60 68 86 45
OPEL Gar. de Brie et Champagne, 27 rte de Montereau ✆ (1) 64 39 37 08
PEUGEOT, TALBOT Duport-Automobiles, N 6, Vert-St-Denis par ⑧ ✆ (1) 60 68 69 70 N ✆ (1) 64 52 35 14
RENAULT Redele, 23 rte de Montereau ✆ (1) 64 39 95 77 N ✆ (1) 05 05 15 15
ROVER Nelson Automobiles, 9 rte de Nangis ✆ 64 39 31 61

Ⓜ La Centrale de Pneu, 11 r. de Ponthierry ✆ (1) 64 37 20 99
Piot-Pneu, 22 r. Mar-Juin, ZI à Vaux-le-Pénil ✆ (1) 64 39 12 63
Vaysse, r. des Frères Thibault à Dammarie-les-Lys ✆ 64 37 50 07

La MEMBROLLE-SUR-CHOISILLE 37 I.-et-L. 64 ⑮ – rattaché à Tours.

MENDE P **48000** Lozère 80 ⑤ ⑥ **G. Gorges du Tarn** – 11 286 h. alt. 731.

Voir Cathédrale★ – Pont N.-Dame★ – Route du col de Montmirat★★ par ③.

ℹ Syndicat d'Initiative bd Henri Bourillon ✆ 66 65 02 69 – A.C. 3 r. Chapitre ✆ 66 49 20 54.

Paris 598 ① – Alès 106 ③ – Aurillac 155 ① – Gap 304 ② – Issoire 145 ① – Millau 96 ③ – Montélimar 149 ② – Le Puy 89 ② – Rodez 114 ③ – Valence 176 ②.

Plans pages suivantes

🏨 **Lion d'Or** M, 12 bd Britexte par ② ✆ 66 49 16 46, Télex 480302, Fax 66 49 23 31, 🌳, 🏊, 🍽 – 🛗 TV ☎ P – 🏛 40. AE ⓓ GB JCB
hôtel : fermé 10 janv. au 15 mars – **R** *(ouvert : 1er mai-31 oct. et fermé dim. hors sais.)* 100/220, enf. 65 - **Brasserie** *(ouvert : 1er mars-15 mai, 1er oct.-10 janv. et fermé dim. hors sais.)* **R** 80 – ☕ 35 – **40 ch** 280/440.

🏨 **Urbain V** sans rest, 9 bd Th. Roussel **(s)** ✆ 66 49 14 49, Fax 66 49 20 42 – 🛗 TV ☎ 🚗. GB
fermé dim. hors sais. – ☕ 32 – **60 ch** 220/320.

🏨 **Pont Roupt,** av. 11-Novembre par ③ ✆ 66 65 01 43, Fax 66 65 22 96, 🌳 – TV ☎ P – 🏛 30. GB. 🚫
fermé 15 janv. au 1er mars, dim. soir et lundi sauf juil.-août – **R** 80/250 bc 🍷 – ☕ 30 – **28 ch** 180/300 – ½ P 220/280.

🏨 **France,** 9 bd L. Arnault **(v)** ✆ 66 65 00 04, Fax 66 49 30 47, 🌳 – TV ☎ 🚗. GB
fermé 15 déc. au 15 janv. – **Repas** *(fermé dim. soir et lundi hors sais.)* 80/200 🍷 – ☕ 30 – **28 ch** 220/280 – ½ P 210/240.

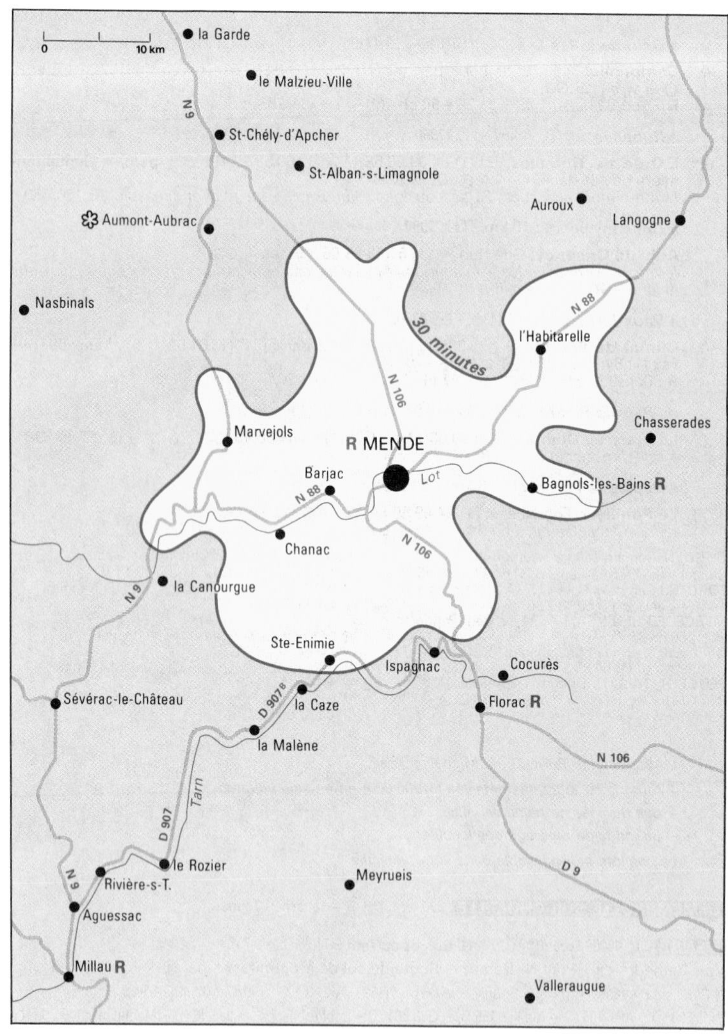

Relais de la Tour [M], 30 av. Gorges du Tarn ✆ 66 49 05 50, Fax 66 65 05 21, 🍽, 🏊 – |◆| TV ☎ ♿ P – 🚗 35. AE GB
R 69/86 ♂, enf. 30 – ☕ 30 – **41 ch** 250/270 – ½ P 250/260.

Mimat 🐎 sans rest, 7 quai Petite Roubeyrolle ✆ 66 49 13 65 – ☎ P. GB. 🚫
☕ 25 – **12 ch** 230/280.

Remparts sans rest, pl. Th. Roussel **(n)** ✆ 66 65 02 29 – TV ☎ P
fermé 24 déc. au 2 janv. – ☕ 22 – **10 ch** 180/190.

Le Mazel, 25 r. Collège **(a)** ✆ 66 65 05 33, 🍽 – ▤. GB
fermé lundi soir et mardi – **R** 79/139 ♂.

La Gogaille, 5 r. Notre-Dame **(r)** ✆ 66 65 08 79, 🍽
fermé dim. soir et lundi – **R** 70/160.

CITROEN Gar. des Causses, 27 av. Gorges-du-Tarn par ③ ✆ 66 49 11 22 **N** ✆ 66 65 27 03
PEUGEOT-TALBOT Giral, 7 allée Soupirs ✆ 66 49 00 15 **N** ✆ 66 49 91 34

Escoffier-Pneus, 31 av. Gorges-du-Tarn ✆ 66 65 08 69
Vulc Lozérienne, 9 bd Britexte ✆ 66 65 03 98

MENDE

Angiran (R. d') 4
Beurre (Pl. au) 5
Droite (R.) 15
Estoup (Pl. René) 22
République (Pl. et R.) 30
Soubeyran (R. du) 34

Aigues-Passes (R. d') 2
Ange (R. de l') 3
Blé (Pl. au) 6
Britexte (Bd) 7
Capucins (Bd des) 8
Carmes (Cité des) 9
Chanteronne (R.) 12
Chaptal (R.) 13
Chastel (R. du) 14
Collège (R. du) 18
Écoles (R. des) 20
Épine (R. de l') 21
Gaulle (Pl. Ch.-de) 23
Montbel (R. du Fg) 24
Piencourt (Allée) 25
Planche (Pont de la) 26
Pont N.-Dame (R. du) 27
Roussel (Pl. Th.) 32
Soubeyran (Bd du) 33
Soupirs (Allée des) 36
Urbain V (Place) 37

Pour un bon usage des plans de villes voir les signes conventionnels dans l'introduction.

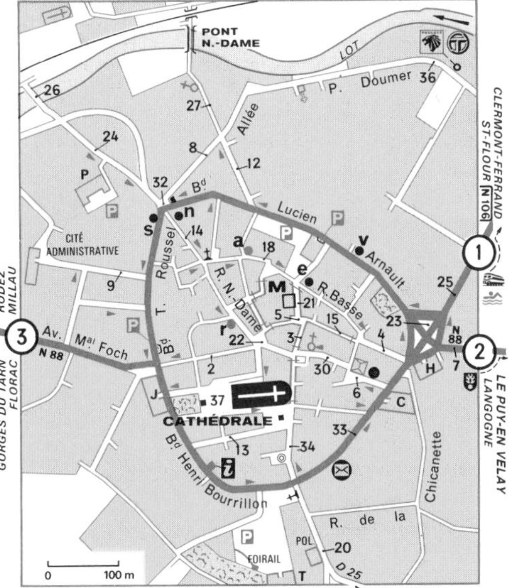

When you intend going by motorway use

MOTORWAYS OF FRANCE no 914

Atlas with simplified presentation

Introductory notes in English

Practical information: rest areas, service stations, tolls, restaurants.

MÉNESQUEVILLE **27850** Eure 55 ⑦ **G. Normandie Vallée de la Seine** – 358 h. alt. 43.

Paris 100 – ◆Rouen 28 – Les Andelys 15 – Évreux 57 – Gournay-en-Bray 31 – Lyons-la-Forêt 7.

Relais de la Lieure ⑤, ✆ 32 49 06 21, Fax 32 49 53 87, – TV ☎ ♿ P. GB. ch
fermé 24 déc. au 10 fév. – **R** *(fermé dim. soir et lundi sauf juil.-août)* 72/230, enf. 45 – ☕ 29 – **16 ch** 210/290 – ½ P 250/320.

MENETOU-RATEL **18300** Cher 65 ⑫ – 483 h. alt. 311.

Paris 195 – Bourges 49 – La Charité-sur-Loire 31 – Cosne-sur-Loire 16 – Salbris 63 – Sancerre 9.

Maillet, rte Sancerre ✆ 48 79 32 54 – P.
fermé 22 déc. au 12 janv., 2 au 17 mars et lundi – **R** (déj. seul) 115/155.

CITROEN Maillet ✆ 48 79 32 54

Le MÉNIL **88** Vosges 166 ⑧ – rattaché au Thillot.

La MÉNITRÉ **49250** M.-et-L. 64 ⑪ – 1 780 h. alt. 21.

Paris 293 – Angers 26,5 – Baugé 21 – Saumur 25.

Aub. de l'Abbaye, Port St-Maur ✉ 49250 ✆ 41 45 64 67 – AE GB
fermé fév., dim. soir, lundi et fériés le soir – **R** 98/155, enf. 65.

MENTHON-ST-BERNARD **74290** H.-Savoie 74 ⑥ **G. Alpes du Nord** – 1 517 h. alt. 482.

Voir Château de Menthon★ : ←★ E : 2 km.

18 du lac d'Annecy ✆ 50 60 12 89, S : 1 km.

Syndicat d'Initiative (fermé après-midi oct.-mai) ✆ 50 60 14 30.

Paris 547 – Annecy 9,5 – Albertville 36 – Bonneville 44 – Megève 53 – Talloires 3 – Thônes 13.

Beau Séjour ⑤, ✆ 50 60 12 04, parc – ☎ P. rest
15 avril-fin sept. – **R** (en sem. dîner seul. pour résidents) 130/160 – ☕ 40 – **18 ch** 280/335 – ½ P 310/335.

MENTON 06500 Alpes-Mar. 84 ⑩ ⑳ 195 ㉘ **G. Côte d'Azur** – 29 141 h. alt. 16 – Casino du Soleil AZ.

Voir Site★★ – Bord de mer et vieille ville★★ : Promenade du Soleil★★ ABYZ, Parvis St-Michel★★, Église St-Michel★ BY **F**, Façade★ de la Chapelle de la Conception BY**B**, ⩽★ de la jetée BV, ⩽★ du Vieux cimetière BX**D** – Musée du Palais Carnolès★ AX**M1** – Garavan★ BV – Jardin botanique exotique★ BV**E** – Salle des mariages★ de l'Hôtel de Ville BY**H** – Statuettes féminines★ du musée municipal BY**M2** – ⩽★ du jardin des Colombières BV – Vallée du Careï★ par ①.

Env. Monastère de l'Annonciade ⁂★ N : 6 km AV – Gorbio : site★ NO : 9 km.

Office de Tourisme "Palais de l'Europe", 8 av. Boyer ☏ 93 57 57 00, Télex 462207 avec A.C. ☏ 93 35 77 39 et Pinède du Bastion ☏ 93 28 26 27.

Paris 962 ③ – Monaco 10,5 ③ – Aix-en-P. 206 ① – Cannes 63 ① – Cuneo 102 ① – Monte-Carlo 09 ③ – ♦Nice 29 ①.

Plans page suivante

Princess et Richmond M sans rest, 617 prom. Soleil ☏ 93 35 80 20, Fax 93 57 40 20, ⩽ – |‡| ▤ TV ☎ P. AE ⓓ GB — AZ **s**
fermé 4 nov. au 17 déc. – **44 ch** ☐ 440/520.

Aiglon, 7 av. Madone ☏ 93 57 55 55, Fax 93 57 40 20, 斎, ⛱, ⛾ – |‡| ▤ TV ☎ P. AE ⓓ GB — AZ **b**
fermé 4 nov. au 17 déc. – **Le Riaumont** *(fermé merc.)* **R** 185/400 enf. 80 – **29 ch** ☐ 405/625 – ½ P 395/485.

Europ H. M sans rest, 35 av. Verdun ☏ 93 35 59 92, Fax 93 28 48 40 – |‡| ▤ TV ☎ ♿ ⇔. AE ⓓ GB — AY **v**
☐ 35 – **33 ch** 410/550.

Chambord M sans rest, 6 av. Boyer ☏ 93 35 94 19, Fax 93 41 30 55 – |‡| ▤ TV ☎ ⇔. AE ⓓ GB — AY **a**
☐ 30 – **40 ch** 346/440.

Méditerranée M, 5 r. République ☏ 93 28 25 25, Télex 461361, Fax 93 57 88 38 – |‡| TV ☎ ♿ ⇔ – 🎤 30. AE ⓓ GB. ✻ rest — BY **m**
R 110/120 ⅓, enf. 75 – ☐ 40 – **90 ch** 460/500 – ½ P 315/360.

Dauphin sans rest, 28 av. Gén. de Gaulle ☏ 93 35 76 37, Fax 93 35 31 74, ⩽ – |‡| TV ☎ ⇔ P. AE GB. ✻ — AX **y**
fermé 20 oct. au 20 déc. – **30 ch** ☐ 220/450.

Prince de Galles, 4 av. Gén. de Gaulle ☏ 93 28 21 21, Télex 462540, Fax 93 35 92 91, ⩽, 斎 – |‡| TV ☎ P – 🎤 35. AE ⓓ GB. ✻ ch — AX **e**
Petit Prince *(fermé 15 nov. au 22 déc. et mardi)* **R** 90/180 ⅓ – ☐ 40 – **68 ch** 295/490 – ½ P 315/375.

Viking, 2 av. Gén. de Gaulle ☏ 93 57 95 85, Télex 970331, Fax 93 35 89 57, ⩽, ⛱ – |‡| ▤ ch TV ☎. AE ⓓ GB — AX **e**
hôtel : fermé 11 nov. au 15 déc.; rest. : fermé 5 nov. au 15 déc. et merc. sauf en été – **R** 92/150 – ☐ 35 – **32 ch** 370/470 – ½ P 340/390.

Beau Rivage sans rest, 1 av. Ibanez ☏ 93 28 08 08, Télex 970339 – |‡| ▤ TV ☎ P. AE GB — BV **r**
☐ 38 – **40 ch** 428.

Orly, 27 Porte de France ☏ 93 35 60 81, ⩽, 斎 – ▤ ch ☎ P. AE GB — BV **e**
fermé 15 nov. au 28 déc. – **R** *(fermé mardi d'oct. à juin)* 90/130 – **30 ch** ☐ 334/596 – ½ P 232/380.

Moderne sans rest, 1 cours George V ☏ 93 57 20 02, Fax 93 35 71 87 – |‡| TV ☎ – 🎤 60. AE ⓓ GB — AZ **e**
33 ch ☐ 290/400.

Amirauté sans rest, 3 Porte de France ☏ 93 35 59 41, Fax 93 57 74 44 – |‡| ☎. GB — BX **s**
fermé 15 nov. au 15 déc. – ☐ 33 – **18 ch** 255/355.

Pin Doré, 16 av. F. Faure ☏ 93 28 31 00, ⩽, 斎, ⛱ – |‡| ☎ P. GB — BY **r**
fermé 10 nov. au 19 déc. – **La Rotonde** *(fermé lundi)* **R** 89/135 ⅓ – **45 ch** ☐ 320/420.

Richelieu sans rest, 26 r. Partouneaux ☏ 93 35 74 71, Fax 93 57 69 61 – |‡| ☎. AE GB. ✻ — BY **q**
fermé 10 au 30 oct. – ☐ 27 – **32 ch** 450/550.

Claridge's sans rest, 39 av. Verdun ☏ 93 35 72 53 – |‡| TV ☎. AE GB — AY **f**
☐ 29 – **39 ch** 235/370.

Londres, 15 av. Carnot ☏ 93 35 74 62, Fax 93 41 77 78, 斎 – |‡| TV ☎. AE GB. ✻ rest — AZ **d**
fermé 15 nov. au 10 janv. et merc. – **R** 98 – **26 ch** ☐ 230/410 – ½ P 240/305.

Le Globe, 21 av. Verdun ☏ 93 35 73 03 – |‡| TV ☎. GB. ✻ ch — AY **r**
fermé 16 nov. au 6 déc. – **R** *(fermé merc.)* 95/230 ⅓ – ☐ 25 – **24 ch** 270/300 – ½ P 245/260.

Chez Mireille-l'Ermitage avec ch, 1080 prom. Soleil ☏ 93 35 77 23, ⩽, 斎 – TV ☎. AE ⓓ GB — AZ **v**
fermé 30 nov. au 14 déc. et lundi du 12 oct. au 27 avril – **R** 150/270 – ☐ 40 – **21 ch** 270/420 – ½ P 340/380.

La Calanque, 13 square Victoria ☏ 93 35 83 15, 斎 – AE ⓓ GB — BX **t**
fermé 27 oct. au 3 déc., mardi soir et merc. sauf de juil. à sept. – **R** 140.

Le Galion, port de Garavan ☏ 93 35 89 73, 斎, cuisine italienne – GB — BV **u**
fermé 15 janv. au 28 fév., lundi soir hors sais. et mardi – **R** carte 175 à 310.

Au Pistou, 2 r. Fossan ☏ 93 57 45 89, 斎 – GB — BY **f**
fermé nov., dim. soir hors sais. et lundi – **R** 74/94 ⅓.

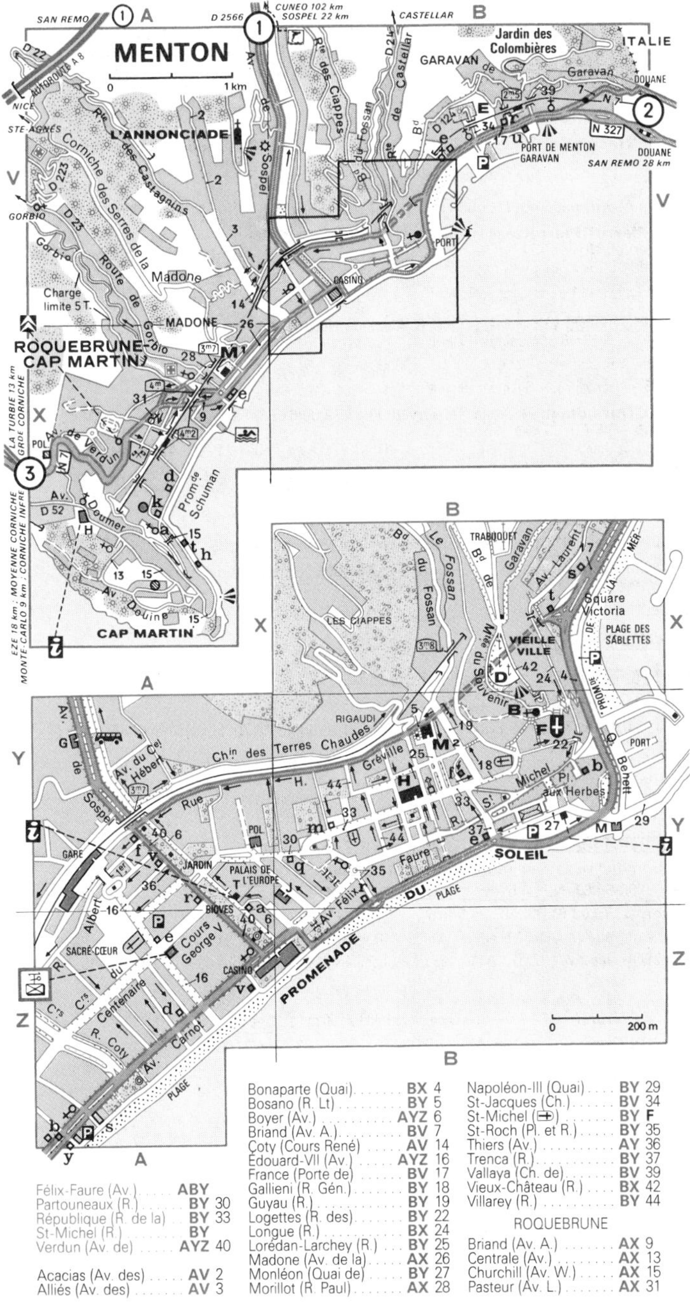

Félix-Faure (Av.) . . . . . . **ABY**
Partouneaux (R.) . . . . . . **BY** 30
République (R. de la) . . **BY** 33
St-Michel (R.) . . . . **BY**
Verdun (Av. de) . . . . . . **AYZ** 40

Acacias (Av. des) . . . . . **AV** 2
Alliés (Av. des) . . . . **AV** 3
Bonaparte (Quai) . . . . **BX** 4
Bosano (R. Lt) . . . . **BY** 5
Boyer (Av.) . . . . **AYZ** 6
Briand (Av. A.) . . . . **BV** 7
Coty (Cours René) . . . . . **AV** 14
Édouard-VII (Av.) . . . . . **AYZ** 16
France (Porte de) . . . . . . **BV** 17
Gallieni (R. Gén.) . . . . . . **BY** 18
Guyau (R.) . . . . **BY** 19
Logettes (R. des) . . . . . . **BY** 22
Longue (R.) . . . . **BX** 24
Lorédan-Larchey (R.) . . . **BY** 25
Madone (Av. de la) . . . . . **AX** 26
Monléon (Quai de) . . . . . **BY** 27
Morillot (R. Paul) . . . . . . **AX** 28
Napoléon-III (Quai) . . . . **BY** 29
St-Jacques (Ch.) . . . . **BV** 34
St-Michel (⊞) . . . . **BY** **F**
St-Roch (Pl. et R.) . . . . . **BY** 35
Thiers (Av.) . . . . **AY** 36
Trenca (R.) . . . . **BY** 37
Vallaya (Ch. de) . . . . **BV** 39
Vieux-Château (R.) . . . . . **BX** 42
Villarey (R.) . . . . **BY** 44

ROQUEBRUNE

Briand (Av. A.) . . . . **AX** 9
Centrale (Av.) . . . . **AX** 13
Churchill (Av. W.) . . . . . . **AX** 15
Pasteur (Av. L.) . . . . **AX** 31

Les plans de villes sont orientés le Nord en haut.

✗ **L'Oursin,** 3 r. Trenca ✆ 93 28 33 62, ☂, produits de la mer – AE GB — BY e
fermé 1er au 15 juil., 15 déc. au 4 janv. et merc. – **R** (prévenir) carte 280 à 350.

✗ **Viviers Bretons,** 6 pl. Cap ✆ 93 35 24 24, ☂, produits de la mer – AE GB — BY b
fermé 10 nov. au 10 déc. et mardi d'oct. à mai – **R** (prévenir) 150/350.

au NO : 3,5 km par rte de Gorbio – ✉ **06500** Menton :

✗ **L'Hacienda,** D 23 ✆ 93 35 84 44, Fax 93 28 88 04, produits de la ferme – AE ⓓ GB — AV
fermé 11 janv. au 4 fév. – **R** 220/260 ♨.

à Monti par ① et D 2566 : 5 km – ✉ **06500** Menton :

✗✗ **Pierrot-Pierrette** avec ch, ✆ 93 35 79 76, ≤ – GB
hôtel : 16 avril-31 oct. et fermé lundi ; rest. : fermé 1er déc. au 15 janv. et lundi – **R** (déj. seul. du 15 janv. au 31 mars) 135/215 – ☐ 30 – **6 ch** 215/310 – ½ P 285/350.

FORD Idéal Gar., 1 av. Riviéra ✆ 93 35 79 20

Les MENUIRES 73 Savoie 77 ⑦ ⑧ **G. Alpes du Nord** – alt. 1 700 – Sports d'hiver : 1 400/2 850 m ⛷ 11 ⛷ 43 ⛷ – ✉ **73440** St-Martin-de-Belleville.

Office de Tourisme ✆ 79 00 73 00, Télex 980084

Paris 635 – Albertville 53 – Chambéry 99 – Moûtiers 25.

🏨 **L'Ours Blanc** M ⛰, à Reberty 2000 ✆ 79 00 61 66, Fax 79 00 63 67, ≤, ☂ – 🛗 TV ☎ ♿ 🅿 – 🏛 70. AE GB. ✂ rest
15 juil.-25 août et 1er déc.-1er mai – **R** 130/290, enf. 50 – ☐ 40 – **47 ch** 490/550 – ½ P 420.

🏨 **Carla,** ✆ 79 00 73 73, ≤ – 🛗 TV ☎ ♿ 🅿 – 🏛 25. AE GB. ✂ rest
28 juin-15 sept. et 15 déc.-5 mai – **R** 85/90 – **32 ch** ☐ 355/610 – ½ P 370/400.

MER **41500** L.-et-Ch. 64 ⑦ ⑧ – 5 950 h. alt. 87.

Paris 164 – ◆Orléans 41 – Blois 18 – Châteaudun 49 – Romorantin-Lanthenay 45.

✗✗ **Les Calanques,** 21 r. S. Héme ✆ 54 81 00 55, produits de la mer – AE GB
fermé 31 janv. au 1er mars, dim. soir et lundi – **R** 130/170.

PEUGEOT Gar. Clément, 15 rte d'Orléans ✆ 54 81 03 75

MERCUÈS **46** Lot 79 ⑧ – rattaché à Cahors.

MERCUREY **71640** S.-et-L. 69 ⑨ – 1 276 h. alt. 241.

Paris 345 – Chalon-sur-Saône 13 – Autun 39 – Chagny 11 – Le Creusot 29 – Mâcon 72.

🏨 ✿ **Hôtellerie du Val d'Or** (Cogny), D 978 ✆ 85 45 13 70, Fax 85 45 18 45, 🌳 – TV ☎ 🚗. GB. ✂
fermé 11 au 15 mai, 31 août au 7 sept., 14 déc. au 12 janv., mardi midi et lundi – **R** 150/360, enf. 85 – ☐ 45 – **13 ch** 300/370
Spéc. Rouget en écailles au beurre rouge. Soupière d'escargots en feuilleté. Souffé glacé vigneronne. **Vins** Rully, Mercurey.

MÉRIBEL-LES-ALLUES **73550** Savoie 74 ⑱ **G. Alpes du Nord.**

Voir Sommet de la Saulire ✻** SE par télécabine.

⛳18 ✆ 79 00 52 67, NE : 4,5 km.

Altiport ✆ **79 08 61 33, NE : 4,5 km.**

Office de Tourisme de la Vallée des Allues ✆ 79 08 60 01, Télex 980001

Paris 624 ① – Albertville 42 ① – Annecy 88 ① – Chambéry 88 ① – ◆Grenoble 119 ① – Moûtiers 15 ①.

Plans page suivante

à Méribel – alt. 1 700 – Sports d'hiver : 1 400/2 950 m ⛷ 15 ⛷ 32 ⛷ – ✉ **73550** Méribel-les-Allues :

🏨 **Gd Coeur** ⛰, **(a)** ✆ 79 08 60 03, Télex 309623, Fax 79 08 58 38, ≤, ☂, ⛱ (été), 🏋 – 🛗 TV ☎ 🚗 🅿. AE ⓓ GB. ✂ rest
21 déc.-10 avril – **R** 280, enf. 130 – ☐ 70 – **42 ch** 600/2050, 8 appart. 2100/2750 – ½ P 1000/1400.

🏨 **Le Chalet** M ⛰, sur les pistes (accès piétonnier) **(b)** ✆ 79 00 55 71, Télex 309992, Fax 79 00 56 22, ≤, ☂, « Belle décoration intérieure », 🏋 – 🛗 TV ☎ ♿ 🚗 🅿 – 🏛 50. AE ⓓ GB. ✂ rest
1er juil.-31 août et 15 déc.-21 avril – **R** 250/380 ♨, enf. 125 – **28 ch** ☐ 1250/2500, 6 appart. 3550 – ½ P 1150/1350.

🏨 **Allodis** M ⛰, au Belvédère **(d)** ✆ 79 00 56 00, Télex 309949, Fax 79 00 59 28, ≤, ☂, 🏋, ⛱ – 🛗 TV ☎ ♿ 🚗 🅿 – 🏛 60. ⓓ GB. ✂
1er juil.-10 sept et 15 déc.-fin avril – **R** 260/400 – **29 ch** ☐ 1100/1800, 13 appart. 1860/2400 – ½ P 830/980.

🏨 **La Chaudanne** M, **(e)** ✆ 79 08 61 76, Fax 79 08 57 75, ≤, 🏋, ⛱ – 🛗 cuisinette TV ☎ 🚗 🅿 – 🏛 50 à 70. AE GB. ✂ rest
27 juin-15 sept. et 15 déc.-15 avril – **R** 135/395, enf. 65 – **68 ch** ☐ 1100/1800, 10 appart. 1500/2000 – ½ P 600/1150.

Alba M 🐎, **(f)** ✆ 79 08 55 55, Fax 79 00 55 63, ≤, ☂, ⛹ – 🛗 📺 ☎ ♿ 🚗. AE GB. ✈ rest
15 mai-15 nov. (sauf rest.), 15 déc.-25 avril et fermé dim. du 26 avril au 14 déc. – **R** 195/250 – ☕ 45 – **23 ch** 600/1300 – ½ P 770/830.

Orée du Bois 🐎, **(k)** ✆ 79 00 50 30, Fax 79 08 57 52, ≤, 🏊 (été), ☂ – 🛗 📺 ☎. GB. ✈
1er juil.-31 août et vacances de Noël-vacances de printemps – **R** 150/170, enf. 85 – **28 ch** ☕ 446/750 – ½ P 395/590.

Adray Télé-Bar 🐎, sur les pistes (accès piétonnier) **(n)** ✆ 79 08 60 26, Fax 79 08 53 85, ≤, ☂ – ☎
20 déc.-20 avril – **R** 180 🍷 – ☕ 55 – **24 ch** 250/600 – ½ P 530/630.

à l'altiport NE : 4,5 km – ✉ **73550** Méribel-les-Allues :

H. Altiport M 🐎, ✆ 79 00 52 32, Télex 980456, Fax 79 08 57 54, ≤ montagnes, ☂, 🏊 (été), « Décor savoyard », ⛹, 🎾 – 🛗 📺 ☎ 🚗 – 🏛 50. AE ⓓ GB
20 juin-20 sept. et 20 déc.-20 avril – **R** 250 🍷 – ☕ 75 – **39 ch** 1150/1700 – ½ P 920.

à Méribel-Mottaret S : 6 km – ✉ **73550** Méribel-les-Allues :

Mont Vallon M 🐎, **(r)** ✆ 79 00 44 00, Télex 309192, Fax 79 00 46 93, ≤, ☂, ⛹, 🏊 – 🛗 📺 ☎ 🚗 – 🏛 180. AE ⓓ GB. ✈
10 déc.-10 mai – **R** (dîner seul.) 300 – **87 ch** (½ pens. seul.) – ½ P 1200.

Tarentaise M 🐎, **(s)** ✆ 79 00 42 43, Fax 79 00 46 99, ≤, ☂, ⛹ – 📺 ☎ – 🏛 30. AE GB. ✈ rest
1er juil.-31 août et 12 déc.-fin avril – **R** 250/600 – **45 ch** (½ pens. seul.) – ½ P 830.

Ruitor M 🐎, **(t)** ✆ 79 00 48 48, Télex 309747, Fax 79 00 48 31, ≤ – 🛗 📺 ☎ 🚗. AE ⓓ GB. ✈ rest
Noël-Pâques – **R** (résidents seul.) – **44 ch** (½ pens. seul.) – ½ P 750/900.

Les Arolles M 🐎, **(u)** ✆ 79 00 40 40, Fax 79 00 45 50, ≤, ☂ – 🛗 📺 ☎. GB. ✈ rest
15 déc.-4 mai – **R** 120/170, enf. 60 – **50 ch** ☕ 1000/1150 – ½ P 650/800.

MOÛTIERS, ALBERTVILLE
ALTIPORT
1
MÉRIBEL-LES-ALLUES
0 200 m
D 90
MOREL
MUSSILLON
ALTITUDE 1600
Rte de l'Altiport
LE PLAN DU MOULIN
N.D. DES NEIGES
Rte du Plateau
Rte de la Renarde
Rte des Chalets
LE PLATEAU
LES CHALETS
Doron des Allues
Rte Gd Cœur
LE ROND POINT DES PISTES
POL.
LA RENARDE
CENTRE
Rte de la Chaudanne
ALTIPORT
SOMMET DE LA SAULIRE
Rte du Belvédère
RHODOS
LA CHAUDANNE
BELVÉDÈRE 1600
BURGIN-SAULIRE
TOUGNÈTE
MÉRIBEL-MOTTARET

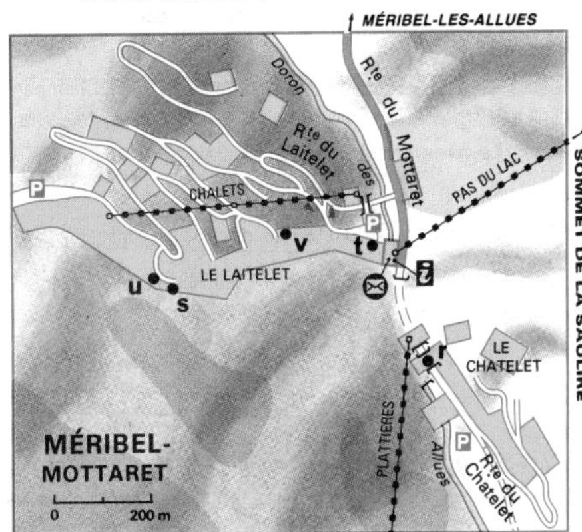

Mottaret M 🐎, **(v)** ✆ 79 00 47 47, Télex 980473, Fax 79 00 40 08, ≤, ☂, 🏊 – ☎. ⓓ GB. ✈ rest – *15 déc.-30 avril* – **R** 180/250 – **42 ch** (½ pens. seul.) – ½ P 570/620.

MÉRIGNAC 33 Gironde 71 ⑨ – rattaché à Bordeaux.

MERKWILLER-PECHELBRONN **67250** B.-Rhin 57 ⑲ **G. Alsace Lorraine** – 825 h. alt. 376.

Paris 477 – ◆Strasbourg 45 – Haguenau 16 – Wissembourg 19.

Aub. Baechel-Brunn, ✆ 88 80 78 61, ☂ – Ⓟ. GB. ✈
fermé 15 août au 7 sept., 15 au 31 janv., lundi soir et mardi – **R** 120/250, enf. 50.

MERLETTE 05 H.-Alpes 77 ⑰ – rattaché à Orcières.

MÉRU 60110 Oise 55 ⑳ – 11 928 h. alt. 89.

Paris 61 – Compiègne 74 – Beauvais 26 – Clermont 32 – Senlis 40.

X **Trois Toques,** 5 r. P. Curie ☎ 44 52 01 15 – GB
fermé 16 août au 5 sept., mardi soir et merc. – **R** 125.

PEUGEOT-TALBOT Gar. Jean Jaurès, 12 pl. Jeu de Paume ☎ 44 22 11 60

La Centrale du Pneu, 4 r. Lamartine ☎ 44 52 24 73

MERVILLE-FRANCEVILLE-PLAGE 14810 Calvados 55 ② **G. Normandie Vallée de la Seine** – 1 317 h. alt. 2.

Paris 229 – ♦ Caen 19 – Arromanches-les-Bains 41 – Cabourg 6.

XX **Chez Marion** avec ch, ☎ 31 24 23 39, Fax 31 24 88 75 – TV ☎. AE ⊙ GB
fermé janv., lundi soir et mardi sauf vacances scolaires – **R** 120/440, enf. 58 – ☕ 45 – **14 ch** 252/460 – ½ P 305/400.

MERY-CORBON 14370 Calvados 54 ⑰ – 873 h. alt. 19.

Paris 224 – ♦ Caen 26 – Falaise 35 – Lisieux 30.

XX **Relais du Lion d'Or,** au Lion d'Or S : 3 km sur N 13 ☎ 31 23 65 30 – P. AE GB
fermé 16 juin au 8 juil., 23 déc. au 5 janv., mardi soir et merc. – **R** 75/150.

MESCHERS-SUR-GIRONDE 17132 Char.-Mar. 71 ⑮ **G. Poitou Vendée Charentes** – 1 862 h. alt. 22.

Syndicat d'Initiative pl. Verdun (juil.-août) ☎ 46 02 70 39.

Paris 506 – Royan 10,5 – Blaye 72 – Jonzac 50 – Pons 36 – La Rochelle 84 – Saintes 39.

XX **Grottes de Matata,** ☎ 46 02 70 02, ←, « Cavernes creusées dans une falaise dominant l'estuaire »
25 juin-10 sept. – **R** (en sem. dîner seul.) 150.

MESNIÈRES-EN-BRAY 76 S.-Mar. 52 ⑮ – rattaché à Neufchâtel-en-Bray.

Le MESNIL-ESNARD 76 S.-Mar. 55 ⑥ ⑦ – rattaché à Rouen.

MESNIL-ST-PÈRE 10140 Aube 61 ⑰ **G. Champagne** – 287 h. alt. 130.

Voir Lac et forêt d'Orient★★.

Paris 177 – Troyes 22 – Bar-sur-Aube 32 – Châtillon-sur-Seine 53 – St-Dizier 76 – Vitry-le-François 70.

XX **Aub. du Lac et rest. Vieux Pressoir** avec ch, ☎ 25 41 27 16, 🌳 – TV ☎ P. GB
fermé dim. soir du 15 sept. au 30 mars – **R** 145/300 – ☕ 35 – **15 ch** 240/300 – ½ P 280/320.

Le MESNIL-SUR-OGER 51190 Marne 56 ⑯ **G. Champagne** – 1 118 h. alt. 134.

Paris 144 – ♦ Reims 39 – Châlons-sur-Marne 29 – Épernay 14 – Vertus 6,5.

XXX **Le Mesnil,** ☎ 26 57 95 57, Fax 26 57 78 57 – ▤. GB
fermé 16 août au 3 sept., vacances de fév., lundi soir et merc. – **R** (dim. prévenir) 100/350, enf. 65.

RENAULT Gar. Ewen, rte d'Oiry ☎ 26 57 52 25

MESNIL-VAL 76 S.-Mar. 52 ⑤ – ✉ **76910** Criel-sur-Mer.

Paris 176 – ♦ Amiens 85 – Dieppe 25 – Le Tréport 5.

Host. Vieille Ferme 🐌, ☎ 35 86 72 18, Télex 770303, Fax 35 86 12 67, 🌳 – TV ☎ P – 🏛 30. AE ⊙ GB
fermé dim. soir du 8 nov. à fin mars – **R** 75 (sauf sam.)/220, enf. 65 – ☕ 35 – **37 ch** 290/490 – ½ P 320/360.

Les MESNULS 78490 Yvelines 60 ⑨ 106 ㉘ – 793 h. alt. 110.

Paris 45 – Dreux 40 – Mantes-la-Jolie 32 – Rambouillet 16 – Versailles 25.

XXX ✿ **Toque Blanche** (Philippe), 12 Gde Rue ☎ (1) 34 86 05 55, Fax (1) 34 86 82 18 – AE ⊙ GB
fermé août, Noël au Jour de l'An, dim. soir et lundi – **R** carte 290 à 460
Spéc. Saint-Jacques aux cèpes, Filet de barbue aux poivrons, Paupiette de Bresse aux herbes.

MESSERY 74140 H.-Savoie 70 ⑯ – 1 145 h. alt. 420.

Paris 563 – Thonon-les-Bains 18 – Annecy 68 – Bonneville 40 – ♦Genève 22.

Bellevue, ☎ 50 94 70 55, ←, 🌳, 🌳 – ☎ P. GB. ✻ rest
fermé 1er au 20 oct. et mardi d'oct. à fin mai – **R** 75/160 ♁ – ☕ 26 – **22 ch** 120/210 – ½ P 190/220.

MÉTABIEF 25 Doubs 70 ⑥ – voir à Jougne et aux Hôpitaux Neufs.

MÉTHAMIS **84570** Vaucluse **81** ⑬ – 352 h. alt. 300.
Paris 696 – Apt 39 – Carpentras 17.

✗ **Lou Roucas,** ☎ 90 61 81 04, ☂ – GB. ✂
✦ *fermé jeudi sauf le soir en juil.-août* – **R** 60/160, enf. 45.

METZ **P** **57000** Moselle **57** ⑬ ⑭ **G. Alsace Lorraine** – 119 594 h. alt. 173.

Voir Cathédrale St-Etienne★★★ CDV – Porte des Allemands★ DV – Esplanade★ CV : église St-Pierre-aux-Nonnains★ CX **E** – Place St-Louis★ DVX – Église St-Maximin★ DVX **L** – Narthex★ de l'église St-Martin DX **B** – ⩽★ du Moyen Pont CV – Musée d'Art et d'Histoire★★ DV **M**[1].

⛳18 de Metz-Cherisey ☎ 87 52 70 18, par ⑤ : 14 km ; ⛳18 du Technopole de Metz 2000 ☎ 87 20 33 11, par ④ : 5 km.

✈ de Metz-Frescaty : ☎ 87 38 31 32, SO : 6 km – 🚗 ☎ 87 63 50 50.

ℹ Office de Tourisme et Accueil de France (Informations et réservations d'hôtels, pas plus de 5 jours à l'avance) pl. d'Armes, ☎ 87 75 65 21, Télex 860411 et Bureau Gare – A.C. 10 r. Ferme St-Ladre à Marly ☎ 87 66 80 15.

Paris 332 ① – Bonn 241 ① – Bruxelles 283 ① – ♦Dijon 264 ⑦ – ♦Lille 368 ① – Luxembourg 64 ① – ♦Nancy 53 ⑦ – ♦Reims 190 ① – Saarbrücken 67 ③ – ♦Strasbourg 161 ③.

Plans pages suivantes

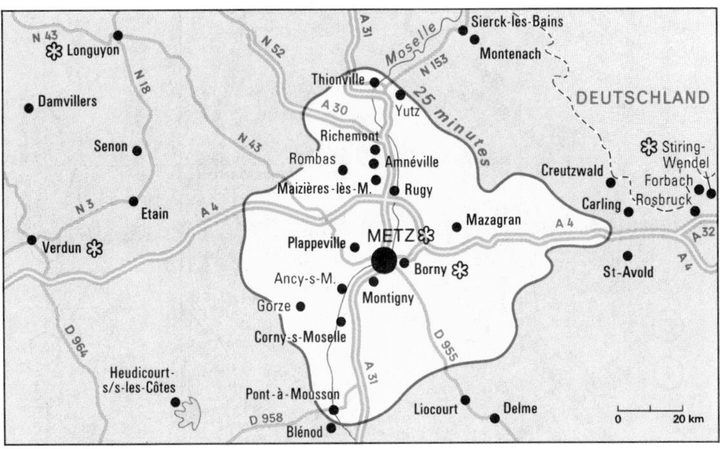

🏨 **Novotel** Ⓜ, pl. Paraiges ☎ 87 37 38 39, Télex 861815, Fax 87 36 10 00, ☂, 🏊 – 🛗 ⇔ ch ▤ 📺 ☎ ♿ 🚗 – 🎤 30 à 150. AE ⓓ GB — DV **t**
R carte environ 150 🍷, enf. 50 – ☕ 50 – **117 ch** 460/490.

🏨 **Altéa St-Thiébault** Ⓜ, 29 pl. St-Thiébault ☎ 87 36 17 69, Télex 930417, Fax 87 75 48 18, ☂ – 🛗 ▤ rest 📺 ☎ Ⓟ – 🎤 30 à 250. AE ⓓ GB — DX **d**
Les 4 Saisons R 155/210 – ☕ 50 – **112 ch** 450/600.

🏨 **Royal-Concorde,** 23 av. Foch ☎ 87 66 81 11, Télex 860425, Fax 87 56 13 16 – 🛗 ⇔ ch 📺 ☎ – 🎤 60. AE ⓓ GB JCB — DX **s**
R carte 190 à 370 - **Le Caveau R** 98/139 – ☕ 65 – **75 ch** 515/545, 11 appart..

🏨 **Théâtre** Ⓜ, Port-St-Marcel ☎ 87 31 10 10, Télex 861375, Fax 87 30 04 66, ☂, « Maison du 17e siècle », 🏋, 🏊 – 🛗 📺 ☎ ♿ 🚗 – 🎤 50. AE ⓓ GB — CV **b**
Pont-St-Marcel ☎ 87 30 12 29 *(fermé dim. soir et lundi)* **R** 98/155 🍷 – **Bistrot du Port** ☎ 87 30 70 70 **R** 98/158 🍷 enf. 55 – ☕ 45 – **36 ch** 420/460.

🏨 **Arc-en-Ciel** Ⓜ, Ilôt Citadelle ☎ 87 56 00 01, Fax 87 56 00 09, ☂ – 📺 ☎ Ⓟ – 🎤 300. AE ⓓ GB — AZ **b**
R 80/280 – ☕ 42 – **42 ch** 330/360 – ½ P 280.

🏨 **Urbis** Ⓜ sans rest, 3 bis r. Vauban ☎ 87 75 53 43, Télex 930281, Fax 87 37 04 11 – 🛗 📺 ☎. GB — DX **b**
☕ 32 – **72 ch** 270/300.

🏨 **Bristol** sans rest, 7 r. La Fayette ☎ 87 66 74 22, Télex 861759, Fax 87 50 67 89 – 🛗 📺 ☎. GB — CX **u**
fermé 25 déc. au 1er janv. – ☕ 25 – **66 ch** 105/275.

🏨 **Foch** sans rest, 8 pl. R. Mondon ☎ 87 74 40 75, Fax 87 74 49 90 – 🛗 📺 ☎. GB — CX **v**
☕ 21 – **38 ch** 162/297.

🏨 **Gare** sans rest, 20 r. Gambetta ☎ 87 66 74 03, Télex 861317, Fax 87 63 82 50 – 🛗 📺 ☎. AE ⓓ GB — DX **q**
☕ 23 – **40 ch** 147/260.

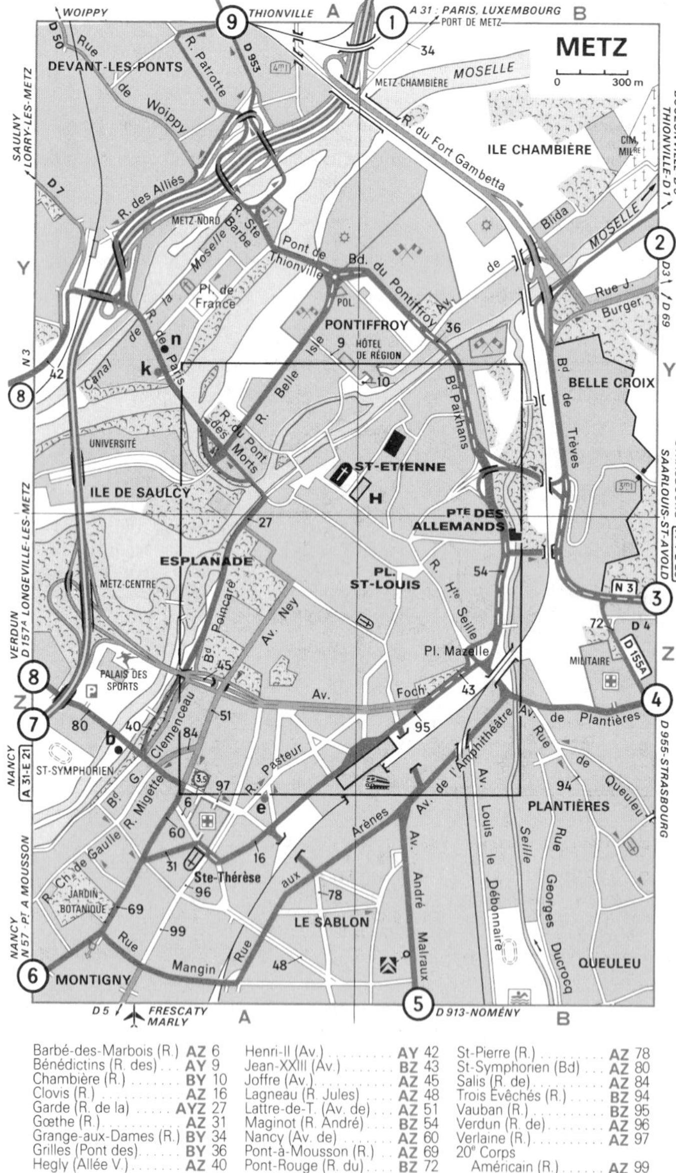

Barbé-des-Marbois (R.) . . **AZ** 6	Henri-II (Av.) . . . . **AY** 42	St-Pierre (R.) . . . . **AZ** 78
Bénédictins (R. des) . . . **AY** 9	Jean-XXIII (Av.) . . . . **BZ** 43	St-Symphorien (Bd) . . . **AZ** 80
Chambière (R.) . . . . **BY** 10	Joffre (Av.) . . . . **AZ** 45	Salis (R. de) . . . . **AZ** 84
Clovis (R.) . . . . **AZ** 16	Lagneau (R. Jules) . . . . **AZ** 48	Trois Évêchés (R.) . . . . **BZ** 94
Garde (R. de la) . . . . . **AYZ** 27	Lattre-de-T. (Av. de) . . . **AZ** 51	Vauban (R.) . . . . **BZ** 95
Gœthe (R.) . . . . **AZ** 31	Maginot (R. André) . . . . **BZ** 54	Verdun (R. de) . . . . **AZ** 96
Grange-aux-Dames (R.) **BY** 34	Nancy (Av. de) . . . . **AZ** 60	Verlaine (R.) . . . . **AZ** 97
Grilles (Pont des) . . . . . **BY** 36	Pont-à-Mousson (R.) . . . **AZ** 69	20e Corps
Hegly (Allée V.) . . . . . . **AZ** 40	Pont-Rouge (R. du) . . . . **BZ** 72	Américain (R.) . . . . . . **AZ** 99

Pour vos voyages, en complément de ce guide, utilisez :

- Les guides Verts Michelin régionaux paysages, monuments et routes touristiques.
- Les cartes Michelin à 1/1 000 000 grands itinéraires
  1/200 000 cartes détaillées.

METZ

Ambroise-Thomas (R.) . . CV 2
Clercs (R. des) CV
En Fournirue . . . . DV
Fabert (R.) . . . . CV 21
Jardins (R. des) . . . . . . DV
Palais (R. du) . . . . CV 63
Petit-Paris (R. du) . . . . CV 64
St-Louis (Pl.) . . . . DVX
Schuman (Av. R.) CX
Serpenoise (R.) CV
Tête d'Or (R. de la) . . . . DV 91

Armes (Pl. d'.) . . . . DV 3
Augustins (R. des) . . . . DX 5
Belle-Isle (R.) . . . . CV 7
Chambière (R.) . . . . DV 10
Chambre (Pl. de) . . . . . CV 12
Chanoine-Collin (R.) . . . DV 13
Charlemagne (R.) . . . . . CX 15
Coëtlosquet (R. du) . . . CX 18
Coislin (Pl.) . . . . DX 19
Faisan (R. du) . . . . CV 22
Fontaine (R. de la) . . . . DX 24
Gaulle (Pl. du Gén. de) . DX 28
George (Pl. du Roi) . . . . CX 30
Gde-Armée (R. de la) . . DV 33
Hache (R. de la) . . . . . . DV 39
Hegly (Allée V.) . . . . . . CX 40
La Fayette (R.) . . . . CX 46
Lasalle (R.) . . . . DX 49
Lattre-de-T. (Av. de) . . . CX 51
Leclerc-de-H. (Av.) . . . . CX 52
Mondon (Pl. R.) . . . . . . CX 57
Morts (Pont des) . . . . . CV 58
Nancy (Av. de) . . . . CX 60
Paix (R. de la) . . . . CV 61
Pierre-Hardie (R. de la) . . CV 66
Poncelet (R.) . . . . CV 67
Prés. Kennedy (Av.) . . . . CX 73
République (Pl. de la) . . . CX 75
St-Eucaire (R.) . . . . DV 76
St-Simplice (Pl.) . . . . . . DV 79
St-Thiébault (Pl.) . . . . . DX 81
Ste-Marie (R.) . . . . CV 82
Salis (R. de) . . . . CX 84
Sérot (Bd Robert) . . . . . CV 85
Serpenoise (Porte) . . . . . CX 87
Taison (R.) . . . . DV 88
Tanneurs (R. des) . . . . . DV 90
Trinitaires (R. des) . . . . DV 93
Verlaine (R.) . . . . CX 97

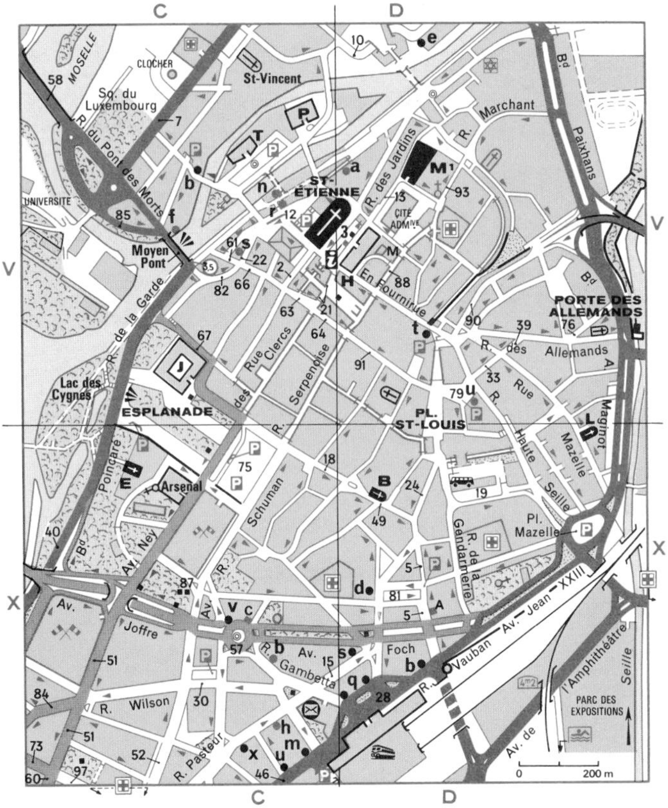

Métropole sans rest, 5 pl. Gén. de Gaulle ✆ 87 66 26 22, Télex 861661, Fax 87 66 29 91 – ⧖ TV ☎. AE GB — DX **q**
☐ 22 – **80 ch** 120/230.

Cécil sans rest, 14 r. Pasteur ✆ 87 66 66 13, Fax 87 56 96 02 – ⧖ TV ☎ ⇔. GB. ✂ — CX **x**
☐ 25 – **39 ch** 170/240.

Ibis M, 47 r. Chambière, quartier Pontiffroy ✆ 87 31 01 73, Télex 930278, Fax 87 31 25 46, ☂ – ⧖ ⇋ ch TV ☎ ♿ – 🏔 25. GB — DV **e**
R 79, enf. 39 – ☐ 30 – **79 ch** 280/300.

Moderne sans rest, 1 r. La Fayette ✆ 87 66 57 33, Fax 87 55 98 59 – ⧖ TV ☎. AE ⓓ GB — CX **m**
☐ 25 – **43 ch** 125/260.

Lutèce, 11 r. Paris ✆ 87 30 27 25 – TV ☎ ⇔. AE GB. ✂ rest — AY **n**
fermé 20 déc. au 12 janv. – **R** *(fermé sam., dim. et fériés)* 65/110 ♂, enf. 40 – ☐ 21 – **20 ch** 130/222 – ½ P 150/195.

XXX **Maire,** 1 r. Pont des Morts ✆ 87 32 43 12, Fax 87 31 16 75, ⛱ – AE ⓓ GB JCB — CV **f**
fermé 27 août au 10 sept., 27 fév. au 15 mars, mardi soir et merc. – **R** 180/360.

XXX **La Dinanderie,** 2 r. Paris ✆ 87 30 14 40, Fax 87 32 44 23 – ▤. AE GB — AY **k**
fermé 24 au 31 août, vacances de fév., dim. et lundi sauf fêtes – **R** 160/350.

XXX **Chambertin,** 22 pl. St-Simplice ✆ 87 37 32 81 – AE ⓓ GB — DV **u**
fermé 15 juil. au 5 août, 20 janv. au 5 fév., dim. soir et lundi – **R** 130/250.

XXX **des Roches,** 25 r. Roches ✆ 87 74 06 51, ⛱ – AE ⓓ GB — CV **n**
fermé dim. soir – **R** 170/280.

XXX **Le Bouquet Garni,** 10 r. Pasteur ✆ 87 66 85 97 – ▤. AE ⓓ GB — CX **h**
fermé 8 au 30 août, sam. midi et dim. – **R** 200/380.

XX **Flo,** 2 bis r. Gambetta ✆ 87 55 94 95, Fax 87 38 09 26 – **brasserie** ▤. AE ⓓ GB — CX **b**
R 97/140 ♨.

XX **Ville de Lyon,** 7 r. Piques ✆ 87 36 07 01 – Ⓟ. AE ⓓ GB — DV **a**
fermé 27 juil. au 25 août, 16 au 23 fév., dim. soir et lundi – **R** 100/280.

XX **Le Chat Noir,** 30 r. Pasteur ✆ 87 56 99 19 – AE ⓓ GB — AZ **e**
R carte 160 à 230 ♨.

X **L'Assiette du Bistrot,** 9 r. Faisan ✆ 87 37 06 44, Fax 87 32 44 23 – GB — CV **s**
fermé 10 au 31 août, vacances de fév., lundi midi et dim. – **R** 82 bc/160 bc.

X **La Gargouille,** 29 pl. Chambre ✆ 87 36 65 77 – GB — CV **r**
fermé 24 déc. au 2 janv., lundi midi, dim. et fériés – **R** 155 bc/245 bc.

par ① : A 31 sortie la Maxe : 5 km - AY – ✉ **57140** Woippy :

Mercure Ⓜ, Z. I. Metz Nord ✆ 87 32 52 79, Télex 860891, Fax 87 32 73 11, ⛱ – ⇅ ▤ TV ☎ ♿ Ⓟ – 🏛 100. AE ⓓ GB JCB
R 98, enf. 45 – ☕ 44 – **83 ch** 390/510.

à Maizières-les-Metz par ① et A 31 : 10 km – 8 901 h. – ✉ **57210** :

Novotel Ⓜ, ✆ 87 80 41 11, Télex 860191, Fax 87 80 36 00, ⛱, ⛱, ♣ – ⇅ ⅍ ch ▤ rest TV ☎ ♿ Ⓟ – 🏛 80. AE ⓓ GB
R carte environ 170 ♨, enf. 52 – ☕ 45 – **132 ch** 380/420.

à Rugy N : 12 km par ② et D 1 – ✉ **57640** Argancy :

La Bergerie Ⓜ ⛰, ✆ 87 77 82 27, Fax 87 77 87 07, ⛱, ♣ – TV ☎ ♿ Ⓟ – 🏛 50. GB
R 125/300 – ☕ 30 – **42 ch** 260/320.

par ③ direction Bellecroix : 3 km – ✉ **57070** Metz :

XXX ✿ **Crinouc** (Lamaze) avec ch, 79 r. Gén. Metman ✆ 87 74 12 46, Fax 87 36 96 92 – TV ☎ Ⓟ. AE ⓓ GB. ⅍ ch
fermé 16 au 24 août, vacances de fév., sam. midi, lundi (sauf hôtel) et dim. soir – **R** 170/350 – ☕ 30 – **9 ch** 230
Spéc. Gourmandise de ris de veau et foie gras. Baron d'agneau en croûte. Colvert en bécasse en deux services (sept. à fév.).

à Mazagran par ③ et D 954 : 13 km – ✉ **57530** Courcelles-Chaussy :

XXX **Aub. de Mazagran,** ✆ 87 76 62 47 – Ⓟ. AE GB. ⅍
fermé mardi soir et merc. – **R** 160 bc/300.

à Borny E par ④ et rte Strasbourg : 3 km - BZ – ✉ **57070** Metz :

XXX ✿ **Belle-Vue** (Krompholtz), 58 r. Pange (près Technopole Metz 2000) ✆ 87 37 10 27, ⛱ – Ⓟ. GB. ⅍
fermé dim. soir et lundi – **R** 180/300
Spéc. Cochon de lait en gelée (mai-oct.). Terrine tiède de tête de veau en feuille de brick (oct.-mars). Petits boudins blancs farcis au foie gras (oct.-mars). **Vins** Côtes de Toul, Vins de Moselle.

à la Grange-aux-Bois par ④ et rte de Strasbourg : 5 km – ✉ **57070** Metz :

Saphyr Ⓜ ⛰, 3 r. Pré Chaudron ✆ 87 75 30 97, Télex 861262, Fax 87 75 29 10 – ⇅ TV ☎ ♿ Ⓟ – 🏛 60. AE ⓓ GB JCB
R *(fermé dim. soir du 1er déc. au 31 mars)* 80/130 ♨ – ☕ 40 – **55 ch** 290/450 – ½ P 243/275.

à Montigny-lès-Metz S : 3 km par D 5 (rte de l'aéroport) - AZ – 21 983 h. – ✉ **57158** :

Air sans rest, 54 bis r. Franiatte ✆ 87 63 30 22 – ☎ 🚗. AE ⓓ GB
☕ 21 – **21 ch** 125/220.

à Plappeville par av. Henri II - AY : 7 km – ✉ **57050** :

XX **La Grignotière,** 50 r. Gén. de Gaulle ✆ 87 30 36 68, Fax 87 31 98 87 – AE ⓓ GB
fermé 21 juil. au 11 août, 28 déc. au 7 janv., dim. soir et lundi – **R** 180/290.

ALFA-ROMEO Jacquot, 17 r. R.-Schumann, Longeville-lès-Metz ✆ 87 32 53 06
BMW, OPEL Eurauto, 191 r. Gén.-Metman ✆ 87 74 95 82
CITROEN Filiale, 71 av. A.-Malraux ✆ 87 65 51 33
FIAT Gar. Parachini, bretelle autoroute à Talange ✆ 87 71 47 30
FIAT Gar. de la Lorraine, 195 r. Gén.-Metman, Actipole Metz Borny ✆ 87 74 95 83 **N** ✆ 87 65 60 17
FORD Romanazzi, 11 r. Drapiers, ZIL Borny ✆ 87 74 44 91
MERCEDES-BENZ Gar. de l'Étoile, 130 rte de Thionville ✆ 87 32 53 49
NISSAN Gangloff, 63 rte de Thionville à Woippy ✆ 87 30 00 31
PEUGEOT TALBOT Jacquot, 2 r. P.-Boileau par ⑨ ✆ 87 32 52 90 **N**
PEUGEOT-TALBOT Mosellane-Autom., 199 r. Gén.-Metman par ③ ✆ 87 74 17 90 **N**
RENAULT Auto Losange, 50 r. Gén.-Metman par ③ ✆ 87 39 40 40 **N** ✆ 05 05 15 15
RENAULT Chevalier, 57 bd St-Symphorien, à Longeville par ⑧ ✆ 87 66 80 22 **N** ✆ 05 05 15 15
ROVER Gar. Jactard, à Scy-Chazelles ✆ 87 60 56 32
SAAB Gar. Corroy, 6 r. Chaponost à Moulins-lès-Metz ✆ 87 62 32 15
V.A.G Philippe Automobiles, à Augny ✆ 87 66 91 11
V.A.G Philippe Automobiles, à Woippy ✆ 87 30 46 47

Laglasse-Pneus, 53 r. Haute-Seille ✆ 87 36 00 42
Leclerc-Pneu, 57 av. Abbaye St-Eloy ✆ 87 32 53 17
Leclerc-Pneu, 3 pl. Mondon ✆ 87 65 49 33
Leclerc-Pneu, ZI Nord à Hauconcourt ✆ 87 80 49 80
Leclerc-Pneu, 59 av. République à Jarny (54) ✆ 82 33 44 59
Metz-Pneus, 100 av. Strasbourg ✆ 87 74 16 28
Pneus Diffusion, Actipole ZI Borny, 3 r. des Verriers ✆ 87 74 63 55

CONSTRUCTEUR : Renault Véhicules Industriels, à Batilly ✆ **87 22 34 99**

METZERAL **68380** H.-Rhin 62 ⑱ – 1 041 h. alt. 484.

Paris 451 – Colmar 25 – Gérardmer 39 – Guebwiller 30 – Thann 43.

Aux Deux Clefs ⛰, ✆ 89 77 61 48, ← – ☎ **P**. AE ① GB. ✻ rest
Pâques-1er nov. et fermé merc. – **R** (résidents seul.) – ☕ 22 – **12 ch** 220/240 – ½ P 207/217.

Pont avec ch, ✆ 89 77 60 84, ☂, ☂ – **P**. GB
fermé 20 nov. au 25 déc. et lundi – **R** 80/250 ♨, enf. 50 – ☕ 30 – **15 ch** 150/300 – ½ P 200/220.

RENAULT Friederich, r. Principale à Sondernach ✆ 89 77 60 02

MEUDON **92** Hauts-de-Seine 60 ⑩, 101 ㉔ – voir à Paris, Environs.

MEULAN **78250** Yvelines 55 ⑲ 106 ④ ⑯ – 8 101 h. alt. 26.

18 18 du Prieuré à Sailly-en-Vexin ✆ (1) 34 76 70 12, par D 913 : 12 km ; 18 de Seraincourt ✆ (1) 34 75 47 28, par D 913 : 3,5 km.

Paris 47 – Beauvais 58 – Mantes-la-Jolie 19 – Pontoise 21 – Rambouillet 58 – Versailles 33.

Mercure M ⛰, l'Ile Belle (dir. Mureaux) ✆ (1) 34 74 63 63, Télex 695295, Fax (1) 34 74 00 98, ←, ☂, ☂ – |‡| ⇆ ch TV ☎ ♿ **P** – 🏛 30. AE ① GB
R 140/350, enf. 50 – ☕ 50 – **65 ch** 495/580.

La Flottille, 10 r. Bignon à Hardricourt ✆ (1) 34 74 21 67, Fax (1) 34 74 90 51, ←, ☂ – GB
fermé 17 août au 1er sept, vacances de fév., dim. soir et lundi – **R** 125/180, enf. 50.

aux Mureaux : au Sud – 33 089 h. – ✉ **78130** :

Avenir, 7 r. Seine ✆ (1) 34 74 02 58 – **P**. GB
fermé lundi soir et mardi – **R** 65/190.

CITROEN Gar. des Sports, 6 r. Stade ✆ (1) 34 74 00 22
CITROEN Mureaux Autom., 14 r. Ampère aux Mureaux ✆ (1) 34 74 01 95
PEUGEOT-TALBOT Basse-Seine-Autos, 2 av. Seine aux Mureaux ✆ (1) 30 99 77 11
RENAULT PHP Autom., 4 r. A.-Briand aux Mureaux ✆ (1) 34 74 17 92

La Station du Pneu, 90 av. Mar.-Foch aux Mureaux ✆ (1) 34 74 19 28
Marsat-Pneus Meulan-Pneu, 41 bis av. Gambetta ✆ (1) 34 74 84 44
Nony Pneus, RN 190 à Gargenville ✆ (1) 30 93 65 27

MEUNG-SUR-LOIRE **45130** Loiret 64 ⑧ **G. Châteaux de la Loire** – 5 993 h. alt. 100.

Voir Église St-Liphard★ – Basilique★ de Cléry-St-André E : 5 km par D 18.

Syndicat d'Initiative 42 r. J.-de-Meung (avril-sept.) ✆ 38 44 32 28.

Paris 144 – ◆Orléans 18 – Beaugency 7 – Blois 39.

Aub. St-Jacques avec ch, r. Gén. de Gaulle ✆ 38 44 30 39 – ▤ rest TV ☎ 🚗. AE GB. ✻ ch
R 80/250 ♨, enf. 48 – ☕ 25 – **12 ch** 170/220 – ½ P 215/265.

MEURSAULT **21** Côte-d'Or 69 ⑨ – rattaché à Beaune.

Le MEUX **60** Oise 56 ② – rattaché à Compiègne.

MEXIMIEUX 01800 Ain 74 ③ – 6 230 h. alt. 226.

Paris 451 – ◆ Lyon 36 – Bourg-en-Bresse 43 – Chambéry 95 – ◆Genève 121 – ◆Grenoble 111.

La Bérangère M, rte Lyon ☎ 74 34 77 77, Fax 74 34 70 27, parc, piscine, tennis – TV ☎ & P – salle 50. AE GB
R *(fermé sam. midi)* 75/150 enf. 45 – 25 – **37 ch** 200/230.

XXX ✿ **Claude Lutz** avec ch, 17 r. Lyon ☎ 74 61 06 78, Fax 74 34 75 23, parc, terrasse – rest TV ☎ P – salle 80. AE GB JCB
fermé 20 au 27 juil., 19 oct. au 9 nov., vacances de fév. dim. soir et lundi – **R** (prévenir) 145/305, enf. 70 – 28 – **15 ch** 160/300
Spéc. Mousseline de carpe aux cuisses de grenouilles, Turbot soufflé au Chardonnay, Poulet de Bresse à la crème et aux morilles.

au Pont de Chazey-Villieu E : 3 km sur N 84 – ✉ 01800 Meximieux :

XXX **La Mère Jacquet** M avec ch, ☎ 74 61 94 80, Fax 74 61 92 07, parc, piscine, tennis – TV ☎ & P. GB
fermé 20 déc. au 16 janv. – **R** *(fermé dim. soir et lundi midi)* 180/440, enf. 85 – 45 – **21 ch** 260/450.

PEUGEOT Gar. du Centre ☎ 74 61 06 00
PEUGEOT, TALBOT Gar. Chabran ☎ 74 61 18 09
RENAULT Gar. Paviot ☎ 74 61 07 89

MEYLAN 38 Isère 77 ⑤ – rattaché à Grenoble.

MEYMAC 19250 Corrèze 73 ⑪ G. Berry Limousin – 2 796 h. alt. 702.

Voir Vierge noire★ dans l'église abbatiale.

Syndicat d'Initiative pl. Hôtel-de-Ville ☎ 55 95 18 43.

Paris 449 – Aubusson 57 – ◆Limoges 95 – Neuvic 29 – Tulle 49 – Ussel 17.

à la Chapelle S : 10 km par D 36 et N 89 – alt. 630 – ✉ 19250 :

Chatel M, sur N 89 ☎ 55 94 22 64, Fax 55 94 24 62, parc, terrasse – ☎ P – salle 30. GB
fermé 15 déc. au 15 janv. et sam. du 1er sept. au 15 juin – **R** carte environ 150 – 35 – **30 ch** 230/320 – ½ P 240/270.

à Maussac S : 9 km par D 36 – ✉ 19250 :

Europa M, N 89 ☎ 55 94 25 21, Fax 55 94 26 08 – rest TV ☎ & P – salle 25. AE GB
R 60/195 enf. 40 – 28 – **24 ch** 190/250 – ½ P 200.

CITROEN Vergne ☎ 55 95 11 36
PEUGEOT,TALBOT Longerinas ☎ 55 95 10 32
RENAULT Gar. Mauriange ☎ 55 95 10 54

MEYRUEIS 48150 Lozère 80 ⑤ ⑮ G. Gorges du Tarn – 907 h. alt. 706.

Voir NO : Gorges de la Jonte★★.

Env. Aven Armand★★★ NO : 11 km – Grotte de Dargilan★★ NO : 8,5 km.

Office de Tourisme Tour de l'Horloge (fermé après-midi hors saison) ☎ 66 45 60 33.

Paris 650 – Mende 56 – Florac 35 – Millau 41 – Rodez 100 – Sévérac-le-Château 50 – Le Vigan 53.

Château d'Ayres, E : 1,5 km par D 57 ☎ 66 45 60 10, Fax 66 45 62 26, <, « Parc », piscine, tennis – TV ☎ P. AE GB. rest
30 mars-5 nov. – **R** 132/292, enf. 73 – 52 – **24 ch** 390/760 – ½ P 330/530.

Renaissance, ☎ 66 45 60 19, Fax 66 45 65 94, « Maison du 16e siècle », terrasse – TV ☎. AE GB
1er avril-15 nov. – **R** 98/260 – 40 – **20 ch** 263/440 – ½ P 247/330.

Gd H. Europe, ☎ 66 45 60 05, Fax 66 45 65 31 – ascenseur ☎ P. GB. rest
Pâques-15 oct. – **R** 60/120 – 26 – **30 ch** 180/250 – ½ P 230.

Family H., ☎ 66 45 60 02, Fax 66 45 66 54, piscine, terrasse – ascenseur ☎. AE GB
12 avril-12 nov. – **R** 70/120 enf. 40 – 28 – **48 ch** 180/200 – ½ P 200.

Mont Aigoual, r. Barrière ☎ 66 45 65 61, piscine, terrasse – ascenseur ☎. GB. rest
fin mars-début nov. – **R** 80/130 – 30 – **30 ch** 240/260 – ½ P 240.

CITROEN Giraud ☎ 66 45 60 04

MEYZIEU 69 Rhône 74 ⑫ – rattaché à Lyon.

MÉZANGERS 53 Mayenne 60 ⑪ – rattaché à Evron.

MÈZE 34140 Hérault 83 ⑯ G. Gorges du Tarn – 6 502 h. alt. 6.

Syndicat d'Initiative r. Massaloup ☎ 67 43 93 08.

Paris 789 – ◆ Montpellier 30 – Agde 20 – Béziers 41 – Lodève 59 – Pézenas 18 – Sète 19.

de Thau sans rest, r. Parée ☎ 67 43 83 83, Fax 67 43 69 45 – ☎. GB
23 – **13 ch** 193/225.

à Bouzigues NE : 4 km par N 113 et VO – ✉ 34140 :

Côte Bleue M, ☎ 67 78 31 42, Fax 67 78 35 49, <, parc, produits de la mer, piscine, terrasse – TV ☎ P – salle 40. GB
R *(fermé janv., mardi soir et merc.)* 150/380, enf. 85 – 32 – **32 ch** 250/300.

Thau-Pneus, 35 rte de Pézenas ☎ 67 43 93 38

MÉZENC (Mont) 07 Ardèche 76 ⑱ **G. Vallée du Rhône** – alt. 1754.

Voir ✲★★★.

Accès par la Croix de Boutières ⩽★★ (1 h 1/2 AR) ou par la Croix de Peccata (1 h AR).

MÉZÉRIAT **01660** Ain 74 ② – 1 995 h. alt. 198.

Paris 411 – Mâcon 21 – Bourg-en-Bresse 17 – Villefranche-sur-Saône 46.

XX **Les Bessières** avec ch, ℘ 74 30 24 24, 🍴 – GB
fermé 2 janv. au 2 fév., mardi sauf juil.-août et lundi – **R** 130/170 – ☕ 30 – **6 ch** 160/230 – ½ P 240/310.

MÉZIÈRES-EN-BRENNE **36290** Indre 68 ⑥ **G. Berry Limousin** – 1 194 h. alt. 90.

ℹ Office de Tourisme "Le Moulin" r. du Nord ℘ 54 38 12 24.

Paris 277 – Le Blanc 26 – Châteauroux 40 – Châtellerault 58 – Poitiers 89 – ♦Tours 89.

X **Boeuf Couronné** avec ch, ℘ 54 38 04 39 – ☎. GB. ✗ ch
fermé 5 au 19 oct., 18 au 25 janv., dim. soir et lundi – **R** 60 (sauf sam.)/235, enf. 36 – ☕ 26 – **8 ch** 155/210 – ½ P 222.

RENAULT Gar. Fradet ℘ 54 38 00 02

MÉZOS **40170** Landes 78 ⑮ – 851 h. alt. 45.

Paris 703 – Mont-de-Marsan 63 – ♦Bordeaux 114 – Castets 24 – Mimizan 16 – Tartas 47.

XX **Boucau** ⛰ avec ch, ℘ 58 42 61 38, 🍴, 🍴 – AE ⓪ GB. ✗
avril-fin sept. et fermé dim. soir et lundi hors sais. – **R** 70/155 – ☕ 30 – **5 ch** 250/320 – ½ P 240/260.

XX **Verdier,** ℘ 58 42 61 27, 🍴 – Ⓟ. GB
fermé 15 janv. au 1er mars, dim. soir et lundi sauf du 1er juil. au 15 sept. – **R** 88/160, enf. 37.

☛ *Towns underlined in red on the Michelin maps*
at a scale of 1 : 200 000 are included in this Guide.
Use the latest map to take full advantage
of this information.

MIALET 30 Gard 80 ⑰ – rattaché à Anduze.

MIEUSSY **74440** H.-Savoie 74 ⑦ **G. Alpes du Nord** – 1 346 h. alt. 636.

ℹ Syndicat d'Initiative ℘ 50 43 02 72.

Paris 567 – Chamonix-Mont-Blanc 57 – Thonon-les-Bains 48 – Annecy 61 – Bonneville 19 – ♦Genève 38 – Megève 41 – Morzine 24.

🏠 **Accueil Savoyard,** ℘ 50 43 01 90 – ☎ Ⓟ. GB
fermé 24 au 29 juin et 10 oct. au 11 nov. – **R** 52/115 – ☕ 25 – **19 ch** 160/270 – ½ P 160/220.

RENAULT Gar. Jacquard ℘ 50 43 00 86 🅽

MIGENNES **89400** Yonne 65 ⑤ – 8 235 h. alt. 87.

ℹ Office de Tourisme pl. E.-Laporte ℘ 86 80 03 70.

Paris 157 – Auxerre 21 – Joigny 10 – Nogent-sur-Seine 72 – St-Florentin 16 – Seignelay 11,5.

XX **Paris** Ⓜ avec ch, 57 av. J. Jaurès ℘ 86 80 23 22 – 📺 ☎. GB
fermé août, vend. soir, sam. midi et dim. soir – **Repas** 90/320 🍷, enf. 50 – ☕ 30 – **9 ch** 180/350 – ½ P 300.

PEUGEOT-TALBOT Prudhomme, 17 allée Industrie ℘ 86 80 02 60 🅽 ℘ 86 80 03 03

RENAULT Gar. Picot-Clemente, 148 av. J.-Jaurès ℘ 86 80 35 15

MIJOUX 01 Ain 170 ⑮ – rattaché à Faucille (Col de la).

MILLAU ⟨SP⟩ **12100** Aveyron 80 ⑭ **G. Gorges du Tarn** – 21 788 h. alt. 379.

Voir Musée archéologique : poteries★ BZ **M.**

Env. Gorges du Tarn★★★ 21 km par ① – Canyon de la Dourbie★★ 8 km par ②.

ℹ Office de Tourisme av. A.-Merle ℘ 65 60 02 42.

Paris 654 ① – Mende 96 ① – Rodez 66 ⑤ – Albi 109 ③ – Alès 138 ③ – Béziers 123 ③ – ♦Montpellier 113 ③ – Nîmes 172 ③.

Plan page suivante

🏨 **International** Ⓜ, 1 pl. Tine ℘ 65 60 20 66, Télex 520629, Fax 65 59 11 78, ⩽ – 🛗 📺 ☎ Ⓟ – 🎤 50 à 250. AE ⓪ GB JCB BY **y**
R *(fermé dim. soir et lundi hors sais. sauf fériés)* 100/325, enf. 63 – ☕ 42 – **110 ch** 285/425 – ½ P 282/369.

🏨 **La Musardière,** 34 av. République ℘ 65 60 20 63, Fax 65 61 02 05, « Parc » – 🛗 ☎ Ⓟ. AE ⓪ GB. ✗ rest AY **v**
12 avril-3 nov. – **R** *(fermé lundi)* (dim. et fêtes prévenir) 120/240 – ☕ 50 – **12 ch** 350/560 – ½ P 510/570.

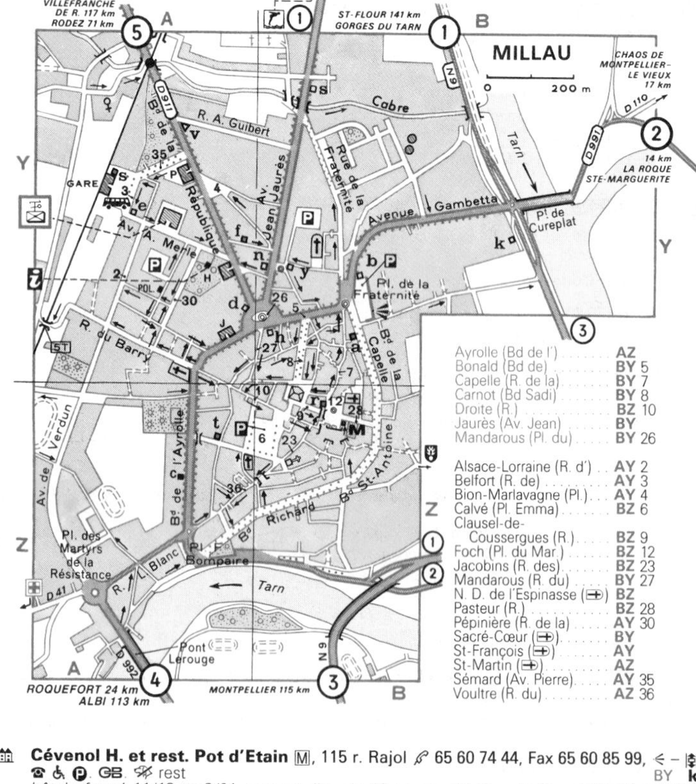

Cévenol H. et rest. Pot d'Etain Ⓜ, 115 r. Rajol ☏ 65 60 74 44, Fax 65 60 85 99, ← – |‡| ☎ ♿ Ⓟ. GB. ✂ rest — BY **k**
hôtel : fermé 11/12 au 3/01, sam. et dim. du 13 nov. au 12 fév. – **R** *(fermé 28/11 au 3/01, sam. du 13/11 au 12/02, lundi midi et dim. d'oct. à juin)* 81/165 🍷 – ☕ 30 – **42 ch** 265/281 – ½ P 249/266.

Moderne, 11 av. J. Jaurès ☏ 65 60 59 23, Télex 520629, Fax 65 59 11 78 – |‡| ☎ Ⓟ. AE ⓓ GB JCB — BY **n**
avril-sept. – **R** grill *(fermé mardi midi et vend. midi)* 80/115 🍷, enf. 45 – ☕ 26 – **45 ch** 168/195 – ½ P 179/213.

La Capelle 🍃 sans rest, 7 pl. Fraternité ☏ 65 60 14 72 – ☎. GB. ✂ — BY **b**
11 mai-début oct. – ☕ 30 – **46 ch** 130/250.

Causses, 56 av. J. Jaurès ☏ 65 60 03 19 – ✂ rest TV ☎. GB — BY **s**
fermé 25 déc. au 1er janv. – **R** *(fermé dim. soir sauf juil.-août et sam.)* 58/150 🍷 – ☕ 28 – **22 ch** 120/260 – ½ P 180/228.

Jalade sans rest, 18 bis av. A. Merle ☏ 65 60 62 00 – |‡| TV ☎. AE GB — AY **e**
☕ 25 – **23 ch** 200/240.

Cristal sans rest, 5 pl. Mandarous ☏ 65 60 02 18 – |‡| TV ☎ — AY **d**
15 ch.

Commerce sans rest, 8 pl. Mandarous ☏ 65 60 00 56 – |‡| ☎. GB — BY **h**
fermé 24 au 31 déc. – ☕ 22 – **17 ch** 125/195.

Buffet de France, pl. Gare ☏ 65 60 09 04, 🏠 – AE ⓓ GB — AY **s**
fermé fév. et mardi sauf juil.-août – **R** 68/140 🍷, enf. 40.

Capion, 3 r. J.-F. Alméras ☏ 65 60 00 91 – AE GB — AY **f**
fermé 15 au 31 janv. et merc. sauf juil.-août – **R** 83/250 🍷, enf. 42.

La Braconne, 7 pl. Mar. Foch ☏ 65 60 30 93, 🏠 – AE ⓓ GB — BZ **r**
fermé 13 au 20 mai, 10 au 30 nov., dim. soir et lundi – **Repas** 98/165.

Le Square, 10 r. St-Martin ☏ 65 61 26 00, 🏠 – GB — AZ **t**
fermé dim. soir et lundi du 15 sept. au 30 juin – **R** 75/153, enf. 40.

La Marmite du Pêcheur, 14 bd Capelle ☏ 65 61 20 44, 🏠 – AE ⓓ GB — BY **a**
fermé fév. et merc. – **R** 75/190 🍷, enf. 40.

par ④ rte St-Affrique : 2 km :

Château de Creissels ⛰, ✆ 65 60 16 59, Fax 65 61 24 63, ≤, 🌂, parc – ☎ 🅟. AE ⓓ GB. ✻ rest
fermé 2 janv. au 10 mars – **Repas** *(fermé mardi hors sais.)* 98/182 🍷, enf. 40 – ☕ 30 – **31 ch** 192/300 – ½ P 210/285.

PEUGEOT-TALBOT Pujol, 85 av. J.-Jaurès par ① ✆ 65 60 09 21

Ⓜ Lassale, 275 r. E.-Delmas ✆ 65 60 27 85

Pneus-2000, 8 av. Martel ✆ 65 60 09 77
Treillet Pneus, 325 r. E.-Delmas ✆ 65 60 05 56 N ✆ 65 60 23 04

MILLEMONT 78940 Yvelines 60 ⑧ 106 ⑮ – 173 h. alt. 184.
Paris 51 – Dreux 31 – Mantes 24 – Rambouillet 27 – Versailles 31.

XX **Aub. de la Malvina,** la Haute Perruche ✉ 78890 Garancières ✆ (1) 34 86 45 76, 🌂 – GB
fermé 7 au 18 sept., 4 au 29 janv., merc. soir et jeudi sauf fériés – **R** 190 bc/250.

Les MILLES 13 B.-du-R. 84 ③ – rattaché à Aix-en-Provence.

MILLY-LA-FORÊT 91490 Essonne 61 ⑪ 106 ㊹ **G. Ile de France** – 4 307 h. alt. 65.
Voir Parc de Courances** N : 5 km.
Paris 61 – Fontainebleau 18 – Étampes 25 – Évry 32 – Melun 23 – Nemours 27.

à Auvers (S.-et-M.) S : 4 km par D 948 – ✉ **77123** Noisy-sur-École :

XX **Aub. d'Auvers Galant,** ✆ (1) 64 24 51 02, 🌂 – AE GB
fermé 20 au 30 août, vacances de fév., lundi (sauf le midi de sept. à juin) et mardi – **R** 150/270.

MIMIZAN 40200 Landes 78 ⑭ **G. Pyrénées Aquitaine** – 6 710 h. alt. 12 – Casino.
Paris 687 – Mont-de-M. 76 – Arcachon 65 – ◆Bayonne 104 – ◆Bordeaux 98 – Dax 65 – Langon 107.

à Mimizan-Bourg :

XXX ✿ **Au Bon Coin** (Caule) M ⛰ avec ch, au lac N : 1,5 km ✆ 58 09 01 55, Fax 58 09 40 84, ≤, 🌂, 🚣 – ▤ rest TV ☎ 🚗 🅟. AE GB. ✻
fermé fév., dim. soir et lundi sauf juil.-août – **R** 150/350, enf. 100 – ☕ 60 – **8 ch** 480/750
Spéc. Petits crabes farcis, Paupiette de magret de canard, Grand dessert. **Vins** Pacherenc du Vic Bihl, Madiran.

à Mimizan-Plage O : 6 km par D 626 – ✉ **40200**.
ℹ Office de Tourisme 38 av. M.-Martin ✆ 58 09 11 20.

Plage Nord :

Côte d'Argent, 4 av. M. Martin ✆ 58 09 15 22, Fax 58 09 06 92, ≤ océan, rest. panoramique – |♦| TV ☎ 🅟. AE ⓓ GB. ✻
hôtel : 15 mai-fin sept. ; rest. : 1er juin-20 sept. – **R** 150/250, enf. 80 – ☕ 36 – **40 ch** 399/550 – ½ P 321/441.

Bellevue, 34 av. M. Martin ✆ 58 09 05 23, Fax 58 09 19 15 – ☎ 🅟. ⓓ GB
mars-oct. – **R** 74/130, enf. 39 – ☕ 22 – **36 ch** 300 – ½ P 222/308.

France sans rest, 18 av. Côte d'Argent ✆ 58 09 09 01 – ☎ 🅟. GB. ✻
14 avril-15 sept. – ☕ 27 – **21 ch** 220/240.

Plage Sud :

Parc ⛰, 6 r. Papeterie ✆ 58 09 13 88, Fax 58 09 25 44, 🚣 – TV ☎ 🅟. AE ⓓ GB
R 80/130 🍷 – **16 ch** ☕ 260/320 – ½ P 250/280.

Mermoz, 16 av. Courant ✆ 58 09 09 30, Fax 58 09 06 92, ≤, 🌂 – ☎
saisonnier – **R** (dîner seul.) – **18 ch.**

Émeraude des Bois, 68 av. Courant ✆ 58 09 05 28 – ☎ 🅟. GB. ✻ rest
hôtel : début avril-fin sept. ; rest. : juin-mi-sept. – **R** (dîner seul.) 95 – ☕ 26 – **16 ch** 152/232 – ½ P 197/237.

Plaisance, 10 r. Cormorans ✆ 58 09 08 06, 🌂 – ▤ rest TV ☎. GB. ✻
fermé 2 janv. au 10 fév. – **R** *(fermé jeudi)* 70/260, enf. 45 – ☕ 28 – **9 ch** 185/231 – ½ P 225/248.

CITROEN Auto Mimizanaise, 15 av. de Bordeaux à Mimizan-Bourg ✆ 58 09 09 81
FORD Gar. Claverie, 1 av. Maurice Martin ✆ 58 09 21 24

RENAULT Gar. Poisson, 48 av. de Bordeaux à Mimizan-Bourg ✆ 58 09 08 73
RENAULT Gar. Caignieu, 8 r. Papeterie ✆ 58 09 08 84 N ✆ 58 09 00 17

MINDIN 44 Loire-Atl. 67 ① – rattaché à St-Brévin-les-Pins.

MINERVE 34210 Hérault 83 ⑬ **G. Gorges du Tarn** – 104 h. alt. 227.
Voir Village*.
Paris 868 – Béziers 44 – Carcassonne 44 – Narbonne 32 – St-Pons 29.

X **Relais Chantovent** ⛰ avec ch, ✆ 68 91 14 18, ≤, 🌂 – GB
fermé 3 janv. au 15 mars, dim. soir et lundi sauf juil.-août – **R** 85/200, enf. 40 – ☕ 25 – **7 ch** 180/210 – ½ P 260.

MIONNAY 01390 Ain 74 ② – 1 103 h. alt. 288.

Paris 456 – ♦ Lyon23 – Bourg-en-Bresse 42 – Meximieux 25 – Montluel 16 – Villefranche-sur-S. 27.

XXXX ✿✿ **Alain Chapel** avec ch, ✆ 78 91 82 02, Télex 305605, Fax 78 91 82 37, « Jardin fleuri » – TV ☎ P. AE O GB
fermé janv., mardi midi et lundi – **R** 600/720 et carte – ☕ 75 – **13 ch** 700/825
Spéc. Bouillon de champignons de printemps, Ragoût de homard breton, Côte de veau (avril à sept.). **Vins** Mâcon Villages, Vosne-Romanée.

MIONS 69780 Rhône 74 ⑫ – 9 145 h. alt. 219.

Paris 487 – ♦ Lyon19 – Bourgoin-Jallieu 30 – Vienne 18.

Parc, r. Libération ✆ 78 20 16 41, – ▤ rest TV ☎ P. GB
fermé 1er au 21 août – **R** *(fermé dim. soir et lundi)* 89/282, enf. 69 – ☕ 45 – **20 ch** 200/250 – ½ P 173/198.

MIRAMAR 06 Alpes-Mar. 84 ⑧ 195 ㉞ **G. Côte d'Azur** – ✉ 06590 Théoule-sur-Mer.

Voir Pointe de l'Esquillon ≤★★ NE : 1 km puis 15 mn.

Paris 907 – Cannes17 – Grasse 27 – ♦Nice 48 – St-Raphaël 23.

St-Christophe, ✆ 93 75 41 36, Télex 470878, Fax 93 75 44 83, ≤, « Jardin en terrasses », ⛱, – |‡| TV ☎ P – 🏛 40. AE O GB
R 135/245, enf. 75 – ☕ 40 – **40 ch** 630/990 – ½ P 520/635.

Tour de l'Esquillon, ✆ 93 75 41 51, Fax 93 75 49 99, accès plage par minibus privé, « Beau jardin et ≤ mer », – ☎ P. AE O GB JCB. ✻
2 fév.-15 oct. – **R** 210 ⅓ – ☕ 70 – **25 ch** 600/750.

XX **Père Pascal,** N 98 ✆ 93 75 40 11, ≤, – P. AE O GB
1er fév.-31 oct. et fermé jeudi sauf juil.-août – **R** 145/195.

MIRAMAS 13140 B.-du-R. 84 ① – 21 602 h. alt. 49.

ℹ Office de Tourisme pl. J.-Jaurès ✆ 90 58 08 24.

Paris 734 – ♦ Marseille52 – Arles 34 – Martigues 25 – St-Rémy-de-Provence 32 – Salon-de-Pr. 11.

Borel sans rest, 37 r. L. Pasquet ✆ 90 58 18 73 – P. GB
☕ 30 – **22 ch** 120/250.

MIRANDE ⟨SP⟩ 32300 Gers 82 ⑭ **G. Pyrénées Aquitaine** – 3 565 h. alt. 174.

Voir Musée des Beaux-Arts★.

ℹ Office de Tourisme r. Évéché ✆ 62 66 68 10.

Paris 784 – Auch25 – Mont-de-Marsan 98 – Tarbes 50 – ♦Toulouse 104.

XX Pyrénées avec ch, r. d'Etigny ✆ 62 66 51 16, ⛱ – TV ☎ P
18 ch.

RENAULT Central Garage ✆ 62 66 50 19

MIRANDOL-BOURGNOUNAC 81 Tarn 80 ⑪ – rattaché à Carmaux.

MIREBEAU 21310 Côte-d'Or 166 ⑬ – 1 464 h. alt. 202.

Paris 337 – ♦ Dijon25 – Châtillon-sur-Seine 93 – Dole 43 – Gray 24 – Langres 59.

XX **Aub. Marronniers** avec ch, ✆ 80 36 71 05, – ☎. GB. ✻
fermé 22 déc. au 8 janv., vend. soir du 30 sept. au 30 avril et dim. soir – **R** 50/170 ⅓, enf. 40 – ☕ 22 – **17 ch** 160/250 – ½ P 170/195.

RENAULT Hinsinger ✆ 80 36 71 15 N

MIRECOURT 88500 Vosges 62 ⑮ **G. Alsace Lorraine** – 6 900 h. alt. 292.

Paris 338 – Épinal33 – Lunéville 49 – Luxeuil-les-Bains 74 – ♦Nancy 47 – Neufchâteau 39 – Vittel 23.

Le Luth M, rte Neufchâteau ✆ 29 37 12 12, Fax 29 65 68 88 – TV ☎ ♿ P – 🏛 50. GB
fermé vend. soir et sam. sauf hôtel en sais. – **R** *(fermé 26 juil. au 16 août)* 95/130 ⅓, enf. 45 – ☕ 25 – **29 ch** 200/230 – ½ P 210.

MIREPOIX 09500 Ariège 86 ⑤ **G. Pyrénées Roussillon** – 2 993 h. alt. 303.

Voir Place principale★★.

Paris 778 – Foix36 – Carcassonne 48 – Castelnaudary 33 – Limoux 34 – Pamiers 24 – Quillan 45.

X **Commerce,** près église ✆ 61 68 10 29, – O GB
fermé 1er au 10 oct., janv. et sam. sauf juil.-août – **R** 60/175 ⅓, enf. 40.

RENAULT Jean ✆ 61 68 15 64 — Service de l'Hers ✆ 61 68 15 76

MISSILLAC 44780 Loire-Atl. 63 ⑮ **G. Bretagne** – 3 915 h. alt. 30.

Voir Retable★ dans l'église – Site★ du château de la Bretesche O : 1 km.

18 de la Bretesche ✆ 40 88 30 03, O : 2 km.

Paris 438 – ♦ Nantes61 – Redon 22 – St-Nazaire 36 – Vannes 53.

Golf de la Bretesche ⛄, O : 1 km par D 2 ✆ 40 88 30 05, Télex 701976, Fax 40 66 99 47, ≤, parc, ⛱ – TV ☎ P – 🏛 60. GB. ✻ rest
fermé fév. – **R** 135/280 – ☕ 42 – **27 ch** 385/550 – ½ P 355/395.

MISY-SUR-YONNE 77130 S.-et-M. 61 ⑬ – 515 h. alt. 59.

Paris 97 – Fontainebleau 32 – Melun 42 – Provins 32 – Sens 27.

XX **La Gaule,** ✆ (1) 64 31 31 11, – P. GB
fermé 3 au 10 août, 23 déc. au 15 janv. et lundi – **R** (déj. seul.) carte 190 à 350.

MITTELBERGHEIM 67140 B.-Rhin 62 ⑨ **G. Alsace Lorraine** – 628 h. alt. 205.

Paris 499 – ◆ Strasbourg 37 – Barr 1,5 – Erstein 21 – Molsheim 22 – Sélestat 17.

XX **Winstub Gilg** avec ch, ✆ 88 08 91 37 – ☎ P. AE ⓓ GB
fermé 22 juin au 8 juil., 7 au 28 janv., mardi soir et merc. – **R** 130/320 ⅓ – ☕ 30 – **10 ch** 175/330.

XX **Am Lindeplatzel,** ✆ 88 08 10 69 – AE ⓓ GB
fermé vacances de fév., merc. soir et jeudi – **R** 92/225 ⅓, enf. 55.

MITTELHAUSEN 67170 B.-Rhin 62 ⑨ 87 ④ – 490 h. alt. 185.

Paris 469 – ◆ Strasbourg 18 – Haguenau 17 – Saverne 22.

L'Étoile, 12 r. La Hey ✆ 88 51 28 44, Fax 88 51 24 79, – ☎ ♿ P. GB
R *(fermé 13 juil. au 5 août, 2 au 11 janv., dim. soir et lundi)* 60/170 ⅓, enf. 40 – ☕ 22 – **22 ch** 100/250 – ½ P 142/217.

MITTELWIHR 68630 H.-Rhin 87 ⑰ **G. Alsace Lorraine** – 732 h. alt. 220.

Paris 441 – Colmar 9,5 – Gérardmer 56 – Saint-Dié 51 – Sélestat 17.

XX **A la Maison Blanche,** 1 r. Bouxhof ✆ 89 49 03 04, Fax 89 49 01 07, – P. AE GB
fermé 20 déc. au 15 janv., dim. soir et lundi – **R** 140/375 ⅓, enf. 60.

MITTERSHEIM 57930 Moselle 57 ⑯ – 627 h. alt. 233.

Paris 410 – ◆ Nancy 60 – ◆ Metz 82 – Sarrebourg 22 – Sarre-Union 16 – Saverne 39.

XX **L'Escale** avec ch, rte Dieuze ✆ 87 07 67 01, ≤, – ☎ P. AE ⓓ GB JCB.
fermé fév. et merc. sauf juil.-août – **R** 65/150 ⅓ – ☕ 25 – **13 ch** 180/250 – ½ P 200/240.

MIZOËN 38 Isère 77 ⑥ – rattaché au Freney-d'Oisans.

MODANE 73500 Savoie 77 ⑧ **G. Alpes du Nord** – 4 250 h. alt. 1 057 – Sports d'hiver : 1 550/2 737 m 2 11.

Tunnel du Fréjus : Péage en 1991 aller simple : autos 78 à 155 F, camions 385 à 775 F - Tarifs spéciaux AR pour autos et camions.

Office de Tourisme pl. Replaton (saison) ✆ 79 05 22 35.

Paris 647 – Albertville 93 – Chambéry 103 – Lanslebourg-Mont-Cenis 23 – Col du Lautaret 59 – St-Jean-de-Maurienne 31.

Perce Neige, cours J. Jaurès ✆ 79 05 00 50 – TV ☎. GB.
fermé 1er au 15 mai et 18 oct. au 4 nov. – **R** 71/98 ⅓, enf. 48 – ☕ 25 – **18 ch** 215/299 – ½ P 204/246.

CITROEN Gar. Lombardo ✆ 79 05 02 60 N
FIAT-TOYOTA Gar. Durieux, 36 av. de la Liberté à Fourneaux ✆ 79 05 07 74
PEUGEOT-TALBOT Bellussi J.-P. ✆ 79 05 07 68 N
RENAULT Gar. Soto, 20 av. de la Liberté à Fourneaux ✆ 79 05 09 19 N ✆ 79 05 08 10

MOËLAN-SUR-MER 29350 Finistère 58 ⑪ ⑫ **G. Bretagne** – 6 596 h. alt. 52.

Office de Tourisme r. des Moulins (fermé après-midi sauf vacances de printemps, 15 juin-15 sept.) ✆ 98 39 67 28.

Paris 516 – Quimper 47 – Carhaix-Plouguer 65 – Concarneau 26 – Lorient 26 – Quimperlé 10.

Les Moulins du Duc M, NO : 2 km ✆ 98 39 60 73, Télex 940080, Fax 98 39 75 56, ≤, « Moulins dans un cadre de verdure, parc », – rest TV ☎ P – 25. AE ⓓ GB
fermé 15 janv. à fin fév. – **R** *(fermé mardi du 15 oct. au 30 mars)* 230/315, enf. 70 – ☕ 55 – **22 ch** 490/770, 5 appart. – ½ P 570/975.

Manoir de Kertalg M sans rest, O : 3 km par D 24 et chemin privé ✆ 98 39 77 77, ≤, parc – TV ☎ P. GB
12 avril-4 nov. – ☕ 60 – **9 ch** 570/930.

MOERNACH 68 H.-Rhin 166 ⑨ – rattaché à Ferrette.

MOIRANS 38430 Isère 77 ④ – 7 133 h. alt. 192.

Paris 552 – ◆ Grenoble 24 – Chambéry 48 – ◆ Lyon 84 – Valence 77.

XXX **Beauséjour,** rte Grenoble ✆ 76 35 30 38, Fax 76 35 59 80, – P. AE ⓓ GB
fermé 17 août au 3 sept., 5 au 12 janv., vacances de fév., dim. soir et lundi – **R** 130/495, enf. 70.

CITROEN Peretti, ZA La Pichatière ✆ 76 35 31 00
PEUGEOT-TALBOT Gar. de la Gare, av. Gare ✆ 76 35 30 51

MOIRAX 47 L.-et-G. 79 ⑮ – rattaché à Agen.

MOIRON 39 Jura 170 ⑭ – rattaché à Lons-le-Saunier.

MOISSAC 82200 T.-et-G. 79 ⑯ ⑰ **G. Pyrénées Roussillon** – 11 971 h. alt. 76.

Voir Église St-Pierre★ : portail méridional★★★, cloître★★.

Env. Boudou ✲★ 7 km par ③.

Golf Club d'Espalais ✆ 63 29 04 56, par ③ N 113 : 20 km.

Office de Tourisme pl. Durand-de-Bredon ✆ 63 04 01 85.

Paris 655 ① – Agen 42 ③ – Cahors 61 ① – Auch 85 ② – Montauban 31 ① – ✦Toulouse 69 ②.

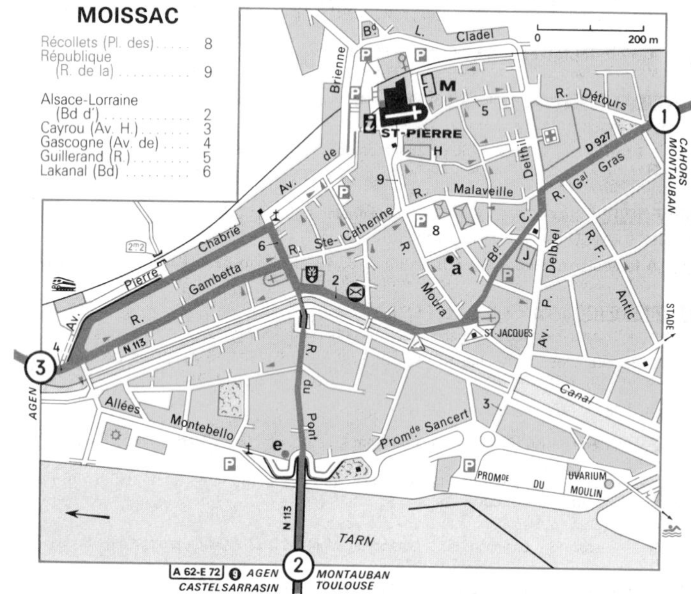

Chapon Fin, pl. Récollets **(a)** ✆ 63 04 04 22 – ☎. AE ⓪ GB JCB
fermé nov. et lundi – **R** 85/250 ⅌, enf. 65 – ☐ 28 – **29 ch** 160/300 – ½ P 190/235.

Pont-Napoléon avec ch, au pont **(e)** ✆ 63 04 01 55, ☂, – ☎. GB
fermé janv., dim. soir et lundi – **R** 63/240 ⅌, enf. 50 – ☐ 42 – **12 ch** 190/275.

Taquipneu, "La Dérocade" ✆ 63 04 07 85

MOISSAC-BELLEVUE 83 Var 84 ⑥ – rattaché à Aups.

MOLINES-EN-QUEYRAS 05350 H.-Alpes 77 ⑲ **G. Alpes du Sud** – 336 h. alt. 1 762 – Sports d'hiver : 1 750/2 450 m ⛷8 ⛷.

Office de Tourisme ✆ 92 45 83 22.

Paris 732 – Briançon 46 – Gap 87 – Guillestre 27 – St-Véran 5,5.

Le Cognarel ⛰, au Coin E : 3 km par D 205 et VO ✆ 92 45 81 03, Fax 92 45 81 17, ≤, ☂ – ☎. AE ⓪ GB
1er juin- 20 sept. et 20 déc.- 10 mai – **R** *(fermé lundi)* 100/170, enf. 58 – ☐ 32 – **25 ch** 221/353 – ½ P 280/330.

L'Équipe ⛰, rte St-Véran ✆ 92 45 83 20, ≤, ☂ – ☎ P. AE ⓪ GB
27 mai-3 nov. et 21 déc.-26 avril – **R** 63/142 ⅌ – ☐ 30 – **22 ch** 260 – ½ P 244.

MOLINEUF 41 L.-et-Ch. 64 ⑦ – rattaché à Blois.

MOLITG-LES-BAINS **66500** Pyr.-Or. 86 ⑰ **G. Pyrénées Roussillon** – 185 h. alt. 500 – Stat. therm. (avril-2 nov.).

Paris 957 – ♦Perpignan 47 – Prades 7 – Quillan 54.

Château de Riell M, ℘ 68 05 04 40, Télex 500705, Fax 68 05 02 91, ≤ Canigou, parc, – cuisinette – 70. AE GB. rest
1er avril-2 nov. – **R** 270/400, enf. 160 – ☐ 80 – **18 ch** 900/1115, 3 appart. 1465
Spéc. Tapenade de légumes aux rougets. Tournedos de lapereau à la fondue de poireaux. Gâteau moëlleux au chocolat. **Vins** Côtes du Roussillon.

Gd Hôtel Thermal, ℘ 68 05 00 50, Télex 500705, Fax 68 05 02 91, ≤, « Parc », – rest – 150. AE GB. rest
1er avril-31 oct. – **R** 110/170, enf. 58 – ☐ 30 – **56 ch** 133/539 – P 248/397.

MOLLANS-SUR-OUVÈZE **26170** Drôme 81 ③ **G. Alpes du Sud** – 782 h. alt. 280.

Paris 682 – Carpentras 30 – Nyons 20 – Vaison-la-Romaine 12.

St Marc, pl. Gare ℘ 75 28 70 01, – GB.
fermé 15 nov. au 1er fév., dim. soir et lundi sauf d'avril à oct. – **R** 110/190 – ☐ 43 – **30 ch** 220/385 – ½ P 276/318.

PEUGEOT-TALBOT Gar. Magnet, ℘ 75 28 71 42

MOLLKIRCH **67190** B.-Rhin 62 ⑨ – 552 h. alt. 325.

Paris 481 – ♦Strasbourg 36 – Molsheim 11 – Saverne 32.

Fischhutte, rte Grendelbruch : 3,5 km ℘ 88 97 42 03, Fax 88 97 51 85, ≤, – – 30. AE GB.
fermé 26 juin au 6 juil. et 10 fév. au 6 mars – **R** *(fermé lundi soir et mardi)* 150/260 – ☐ 30 – **18 ch** 200/350 – ½ P 240/320.

MOLSHEIM 67120 B.-Rhin 62 ⑨ **G. Alsace Lorraine** – 7 973 h. alt. 200.

Voir La Metzig★ D.

Office de Tourisme pl. Hôtel de Ville ℘ 88 38 11 61.

Paris 477 ① – ♦Strasbourg 26 ③ – Lunéville 90 ④ – St-Dié 64 ④ – Saverne 28 ① – Sélestat 36 ③.

Diana M, pont de la Bruche **(n)** ℘ 88 38 51 59, Télex 890559, Fax 88 38 87 11, – 65. AE GB
R 120/295 - **La Taverne R** 75/92 enf. 40 – ☐ 35 – **60 ch** 295/410 – ½ P 285/305.

CITROEN Krantz, 6 av. Gare ℘ 88 38 11 57 N
PEUGEOT, TALBOT Kenck, 2 r. Gén.-de-Gaulle ℘ 88 38 10 97
RENAULT Wietrich, RN 422 par ③ ℘ 88 38 21 62
N ℘ 88 49 38 88

Les MOLUNES **39310** Jura 70 ⑮ – 93 h – Paris 469 – ♦Genève 53 – Gex 32 – Lons-le-S. 72 – St-Claude 15.

Pré Fillet, ℘ 84 41 62 89, ≤ – GB
fermé 12 oct. au 30 nov. – **R** *(fermé dim. soir hors sais.)* 50 bc/88 – ☐ 20 – **20 ch** 150/220 – ½ P 150/165.

MOMMENHEIM **67** B.-Rhin 57 ⑲ – rattaché à Brumath.

MONACO (Principauté de) 84 ⑩ 195 ㉗ ㉘ **G. Côte d'Azur** – 29 972 h. alt. 65 – Casino.

Paris 956 ⑤ – Menton 9 ② – ♦Nice (par la Moyenne Corniche) 18 ④ – San Remo 44 ①.

Beausoleil **06240** Alpes-Mar. – 12 326 h..

Voir Mont des Mules ★ N : 1 km puis 30 mn.

Olympia sans rest, 17 bis bd Gén. Leclerc ℘ 93 78 12 70, Fax 93 41 85 04 – GB. DX **f**
☐ 28 – **32 ch** 235/280.

Sera-Technic-Pneu, 38 r. des Martyrs ℘ 93 78 59 16

Monaco Capitale de la Principauté – ✉ **98000**.

Voir Jardin exotique★★ CZ : ≤★ – Grotte de l'Observatoire★ CZ **B** – Jardins St-Martin★ DZ – Ensemble de primitifs niçois★★ dans la cathédrale DZ – Christ gisant★ dans la chapelle de la Miséricorde DZ **D** – Place du Palais★ CZ – Palais du Prince★ CZ – Musées : océanographique★★ DZ (aquarium★★, ≤★★ de la terrasse), d'anthropologie préhistorique★ CZ **M**[1], napoléonien et des archives monégasques★ CZ **M**[4].

Circuit automobile urbain – A.C.M. 23 bd Albert-1er ℘ 93 15 26 00, Télex 469003.

Paris 953 ⑤ – Menton 10,5 ② – ♦Nice 19 ③ – San Remo 44 ①.

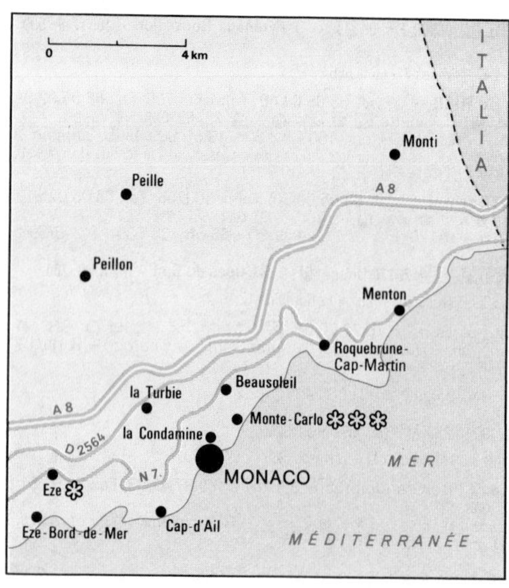

à Monaco Ville, sur le Rocher :

XX **Castelroc,** pl. Palais ☎ 93 30 36 68, ≤, 🍽 – AE GB — CZ **p**
fermé 1ᵉʳ déc. au 31 janv. et sam. – **R** (déj. seul.) 110/200.

à Fontvieille :

Abela M, 23 av. Papalins ☎ **92 05 90 00, Télex 489307, Fax 92 05 91 67**, ≤, 🍽 – ⬍ ch ▤ TV ☎ ♿ – 🅰 70 à 180. AE ⓓ GB — AV **s**
R 105/290 – ☕ 85 – **174 ch** 850/1060, 18 appart. 1270/1480.

FORD Gar. Melchiorre, pl. du Crédit Lyonnais ☎ 93 50 63 26
MERCEDES-BENZ SAMGF, 1 bd Charles-III ☎ 93 30 49 05 **N** ☎ 93 25 76 70
OPEL Monte-Carlos-Motors, 30 bd Jardin Exotique ☎ 93 50 54 92

V.A.G Gar. du Pont, 35 bd Rainier-III, Ste-Dévote ☎ 93 30 82 03

Ⓜ Portier Tiberti, 4 av. Princesse Grace ☎ 93 15 90 21

Monte-Carlo Centre mondain de la Principauté – Casinos Grand Casino DY, Monte-Carlo Sporting Club BU, Sun Casino DX – ✉ **98000**.

Voir Terrasse★★ du Grand casino DXY – Musée de poupées et automates★ DX **M5**.

⛳18 de Monte-Carlo Golf Club ☎ **93 41 09 11**, par ④ : 11 km.

ℹ Direction du Tourisme et des Congrès 2 A bd Moulins ☎ 93 30 87 01, Télex 469760.

Paris, pl. Casino ☎ **93 50 80 80, Télex 469925, Fax 93 25 59 17**, ≤, 🍽, 🏊 – ⬍ ▤ TV ☎ 🅿 – 🅰 50. AE ⓓ GB. ✗ rest — DY **y**
R voir rest. **Louis XV** et **Le Grill** ci-après - **Salle Empire** *(26 juin-28 sept.)(dîner seul.)* **R** carte 500 à 750 – ☕ 135 – **206 ch** 2300/2900, 40 appart.

Hermitage, square Beaumarchais ☎ **93 50 67 31, Télex 479432, Fax 93 50 47 12**, ≤, 🍽, « Salle à manger de style baroque », 🏊 – ⬍ ▤ TV ☎ 🅿 – 🅰 80. AE ⓓ GB. ✗ rest — DY **r**
R 320/450 – ☕ 135 – **220 ch** 1800/2700, 22 appart.

Métropole Palace M, 4 av. Madone ☎ **93 15 15 15, Télex 489836, Fax 93 25 24 44**, 🏊, 🍽 – ⬍ ▤ TV ☎ ♿ – 🅰 150. AE ⓓ GB JCB — DX **z**
R carte 160 à 260 🍷 – ☕ 95 – **54 ch** 1350/1900, 76 appart.

Loews M, 12 av. Spélugues ☎ **93 50 65 00, Télex 479435, Fax 93 30 01 57**, ≤, 🍽, casino et cabaret sur place, Fö, 🏊 – ⬍ ▤ TV ☎ ♿ – 🅰 30 à 2 000. AE ⓓ GB JCB. ✗ rest — DX **e**
Le Foie Gras (dîner seul.) *(fermé 24 nov. au 23 déc.)* **R** carte 355 à 570 – **L'Argentin** (dîner seul.) *(fermé 20 oct. au 28 nov.)* **R** carte 260 à 445 – **Le Pistou** (dîner seul.) *(fermé déc. à fin mars)* **R** 240 /320 – **Café de la mer R** carte 155 à 300 – ☕ 120 – **600 ch** 3350/3800, 35 appart.

Beach Plaza M, av. Princesse Grace, à la plage du Larvotto ☎ **93 30 98 80, Télex 479617, Fax 93 50 23 14**, ≤, 🍽, « Bel ensemble balnéaire, piscines, plage aménagée » – ⬍ ▤ TV ☎ ♿ – 🅰 50 à 300. AE ⓓ GB JCB. ✗ rest — BU **b**
Le Gratin *(fermé 26 nov. au 28 déc.)* **R** carte 290 à 440 – **Le Café-Terrasse R** carte 210 à 370 – ☕ 110 – **304 ch** 1600/2050, 9 appart.

Mirabeau [M], 1 av. Princesse Grace ☏ 93 25 45 45, Télex 479413, Fax 93 50 84 85, ≤, – |‡| ▤ ch [TV] ☎ – 100. AE ⓓ GB. ✈ rest DX **n**
R voir rest. **La Coupole** ci-après – ☐ 135 – **99 ch** 1500/2000, 4 appart. 2700 – ½ P 1260/1410.

Balmoral, 12 av. Costa ☏ 93 50 62 37, Télex 479436, Fax 93 15 08 69, ≤ – |‡| ▤ ch [TV] ☎. AE ⓓ GB JCB. ✈ DY **b**
R snack *(fermé nov., dim. soir, lundi et fériés)* 80 – ☐ 50 – **77 ch** 400/800.

Louvre sans rest, 16 bd Moulins ☏ 93 50 65 25, Télex 479645, Fax 93 30 23 68 – |‡| ▤ ☎. AE ⓓ GB JCB. ✈ – **75 ch** ☐ 900/1200. DX **a**

Alexandra sans rest, 35 bd Princesse Charlotte ☏ 93 50 63 13, Télex 489286, Fax 92 16 06 48 – |‡| ▤ [TV] ☎. AE ⓓ GB. ✈ DX **r**
☐ 47 – **56 ch** 530/730.

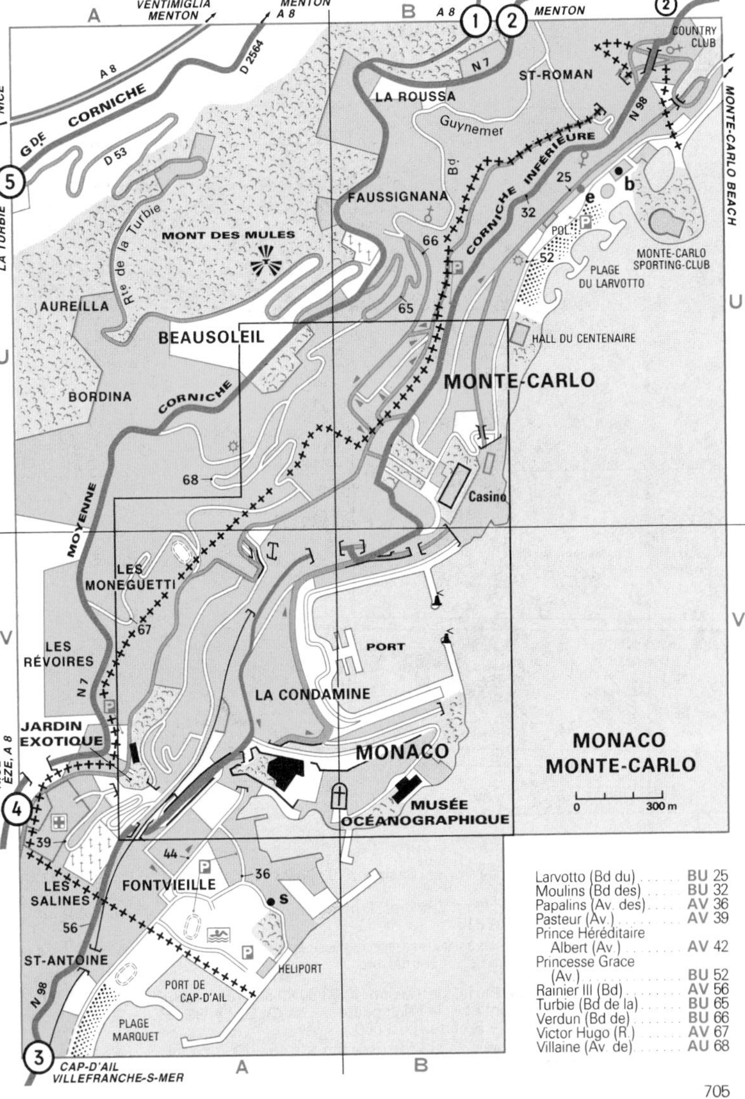

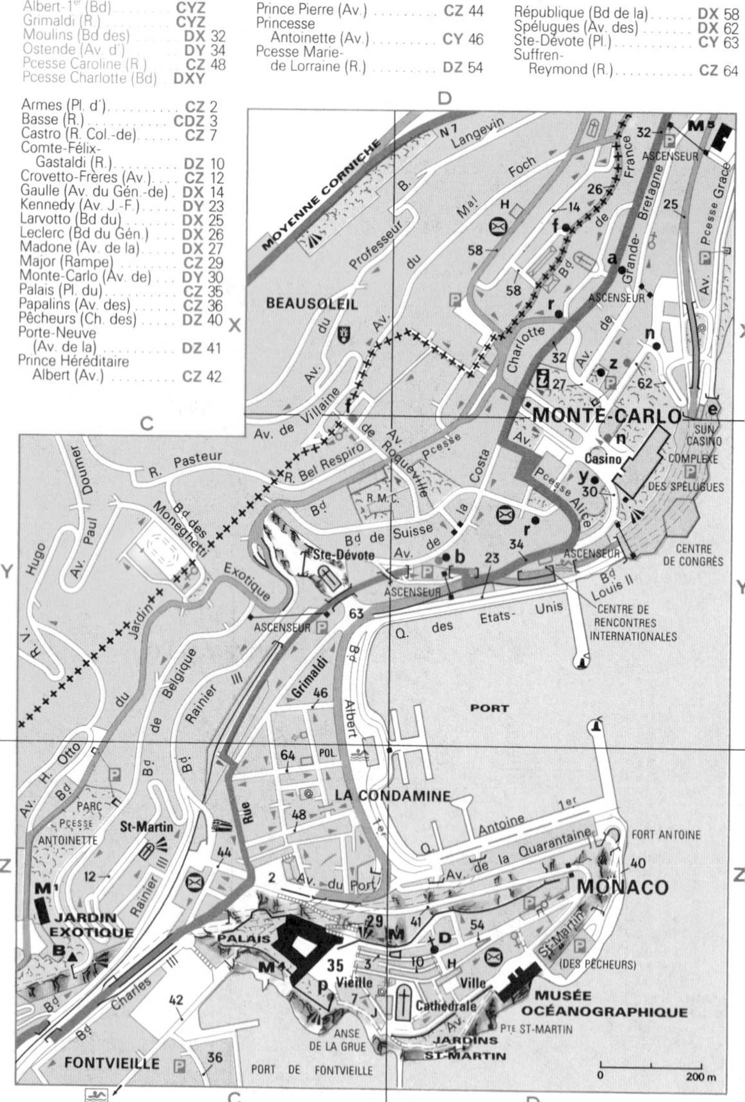

XXXXX ✿✿✿ **Louis XV** - Hôtel de Paris, pl. Casino ✆ 93 30 23 11, Télex 469925, Fax 93 25 43 46, ≤ – ▤ Ⓟ. AE ⓓ GB. ✂ DY **y**
fermé 30 nov. au 30 déc., 15 fév. au 4 mars, mardi et merc. sauf le soir du 30 juin au 31 août – **R** 630/740 et carte 550 à 810

Spéc. Légumes provençaux mijotés à la truffe noire (mars à juin), Jarret de veau fermier et côtes de blettes, Pyramide glacée chocolat-nougat-noix. **Vins** Bellet, Côtes de Provence.

XXXX ✿ **Grill de l'Hôtel de Paris,** pl. Casino ✆ 93 50 80 80, Télex 469925, Fax 93 25 59 17, « Au 8e étage, toit ouvrant et ≤ la Principauté » – ▤ Ⓟ. AE ⓓ GB. ✂ DY **y**
fermé 30 nov. au 23 déc. – **R** carte 450 à 660

Spéc. Ravioli aux herbes et artichauts violets, Légumes du pays et langoustines "façon rustique", Pavé de chocolat au croustillant de pralin. **Vins** Bellet, Côtes de Provence.

XXX ✿ **La Coupole** - Hôtel Mirabeau, 1 av. Princesse Grace ☎ 93 25 45 45, Télex 479413, Fax 93 50 84 85, ☂ – ▤. AE ⓓ GB DX **n**
fermé le midi en juil.-août – **R** 270/400
Spéc. Barigoule d'artichaut en quenelles, Socca de pageot et poêlée d'olivettes noires, Parmentier de canette en "cuisson de 7 heures".

XXX **Giacomo,** av. Spélugues (126 galerie Métropole) ☎ 93 25 20 30, Fax 93 15 98 71, cuisine italienne – ▤. AE ⓓ GB DX **z**
R (prévenir) carte 350 à 660.

XX **Café de Paris,** pl. Casino ☎ 93 50 57 75, Fax 93 25 46 98, ☂ – ▤. AE ⓓ GB DY **n**
R 210/420.

XX **Le Saint Benoit,** 10 ter av. Costa ☎ 93 25 02 34, Fax 93 30 52 64, ≤ le port et le Rocher, ☂ – ▤. AE ⓓ GB JCB DY **b**
fermé 13 déc. au 7 janv. et lundi – **R** 160/225.

XX **Chez Gianni,** 39 av. Princesse Grace ☎ 93 30 46 33, ☂, cuisine italienne – AE ⓓ GB BU **e**
fermé sam. midi – **R** carte 240 à 360.

X **Polpetta,** 6 av. Roqueville ☎ 93 50 67 84, cuisine italienne – GB CY **f**
fermé 15 au 31 oct., 15 fév. au 8 mars, sam. midi et mardi sauf de juil. à sept. – **R** 150.

à Monte-Carlo-Beach (06 Alpes-Mar.) NE BU : 2,5 km – ✉ **06190** Roquebrune-Cap-Martin :

Monte-Carlo Beach H. M ⛰, ☎ 93 78 21 40, Télex 462010, Fax 93 78 14 18, ≤ mer et Monaco, ☂ – |♦| ▤ ch TV ☎ P – 🏊 30
saisonnier – **46 ch.**

ROVER-JAGUAR British-Motors, 15 bd Princesse Charlotte ☎ 93 25 64 84

MONBAZILLAC 24 Dordogne 75 ⑭ ⑮ – rattaché à Bergerac.

MONCEL-LÈS-LUNÉVILLE 54 M.-et-M. 62 ⑥ – rattaché à Lunéville.

MONCHEL-SUR-CANCHE 62 P.-de-C. 51 ⑬ – rattaché à Frévent.

MONCRABEAU 47600 L.-et-G. 79 ⑭ – 789 h. alt. 93.
Paris 720 – Agen 38 – Condom 10,5 – Mont-de-Marsan 83 – Nérac 12.

Le Phare ⛰, ☎ 53 65 42 08, ☂, 🌳 – TV ☎. AE ⓓ GB
fermé 2 au 28 oct., 5 au 24 fév., lundi soir et mardi sauf juil.-août – **Repas** 60/210 🍷 – ☕ 28 – **8 ch** 215/355 – ½ P 240/320.

MONDEVILLE 14 Calvados 55 ⑫ – rattaché à Caen.

MONDOUBLEAU 41170 L.-et-Ch. 60 ⑮ ⑯ **G. Châteaux de la Loire** – 1 557 h. alt. 135.
Paris 167 – ◆Le Mans 63 – Blois 59 – Chartres 80 – Châteaudun 38 – ◆Orléans 89.

Grand Monarque, r. Chrétien ☎ 54 80 92 10, ☂, 🌳 – ☎ 🚗 P. GB
fermé 21 déc. au 6 janv., lundi (sauf hôtel) et dim. soir d'oct. à mai – **R** 75/190 🍷, enf. 50 – ☕ 25 – **12 ch** 195/225 – ½ P 190/200.

MONDRAGON 84430 Vaucluse 81 ① – 3 118 h. alt. 42.
Paris 645 – Avignon 44 – Montélimar 40 – Nyons 41 – Orange 16.

XX **La Beaugravière** avec ch, ☎ 90 40 82 54, ☂, 🌳 – ⇆ rest ☎ P. AE GB
fermé 15 au 30 sept., lundi hors sais. (sauf hôtel) et dim. soir – **R** 110/375 bc – ☕ 27 – **3 ch** 245/345.

MONESTIER-DE-CLERMONT 38650 Isère 77 ⑭ **G. Alpes du Nord** – 905 h. alt. 832.
🅸 Syndicat d'Initiative Parc Municipal (20 juin-10 sept. matin seul.) ☎ 76 34 15 99.
Paris 603 – ◆Grenoble 33 – La Mure 30 – Serres 74 – Sisteron 108.

Au Sans Souci ⛰, à St-Paul-lès-Monestier NO : 2 km sur D 8 - alt. 800 ☎ 76 34 03 60, ≤, 🌳, 🎾 – TV ☎ 🚗 P. GB
fermé 15 déc. au 1er fév., dim. soir et lundi – **Repas** 89/190 🍷, enf. 42 – ☕ 32 – **15 ch** 160/250 – ½ P 240.

Piot ⛰, ☎ 76 34 07 35, parc – ☎ P. GB
fév.-1er nov. et fermé mardi soir et merc. du 15 sept. au 15 juin – **R** 70/125 🍷 – ☕ 25 – **20 ch** 125/265 – ½ P 180/220.

PEUGEOT-TALBOT Gar. des Alpes ☎ 76 34 08 20 N ☎ 76 34 14 08
RENAULT Gar. Charvet ☎ 76 34 05 13 N

MONÉTEAU 89 Yonne 65 ⑤ – rattaché à Auxerre.

Le MONETIER-LES-BAINS 05 H.-Alpes 77 ⑦ – rattaché à Serre-Chevalier.

MONFLANQUIN 47150 L.-et-G. 79 ⑤ **G. Pyrénées Aquitaine** – 2 431 h.

Voir ≤★.

Maison du Tourisme pl. Arcades ✆ 53 36 40 19.

Paris 588 – Agen 48 – Bergerac 48 – Cahors 67 – Marmande 54.

Prince Noir, pl. Arcades ✆ 53 36 50 25 – ☎. AE GB. ch
hôtel : fermé 15 au 30 janv. ; rest. : fermé 15 janv. au 15 fév. et lundi – **R** 95/250 – 45 – **10 ch** 280/390 – ½ P 300/350.

PEUGEOT-TALBOT Gar. Lompech, ✆ 53 36 41 03

La MONGIE 65 H.-Pyr. 85 ⑱ ⑲ **G. Pyrénées Aquitaine** – alt. 1 800 – Sports d'hiver : 1 800/2 500 m 2 26 – ✉ 65200 Bagnères-de-Bigorre.

Voir Le Taoulet ≤★★ N par téléphérique.

Office de Tourisme ✆ 62 91 94 15.

Paris 841 – Pau 85 – Arreau 37 – Bagnères-de-Bigorre 25 – Lourdes 48 – Luz-St-Sauveur 22 – Tarbes 47.

Pourteilh (annexe Le Taoulet 29 ch), ✆ **62 91 93 33, Fax 62 91 90 88,** ≤ – ☎. AE GB. rest
15 déc.-avril – **R** 90/150 – 40 – **43 ch** 380/440 – ½ P 320/350.

Pic d'Espade, ✆ **62 91 92 27, Fax 62 91 90 64,** ≤ – ☎. AE GB. rest
15 juin-15 sept. (sauf rest.) et 15 déc.-1er mai – **R** 75/85 – 35 – **30 ch** 220/300 – ½ P 250/350.

MONISTROL-SUR-LOIRE 43120 H.-Loire 76 ⑧ **G. Vallée du Rhône** – 6 180 h. alt. 602.

Paris 548 – Le Puy-en-Velay 45 – ◆St-Étienne 30 – Firminy 16 – Yssingeaux 20.

La Madeleine, av. St-Étienne ✆ 71 66 50 05 – GB. ch
fermé 30 sept. au 10 oct. (sauf hôtel), 20 déc. au 1er fév. et sam. sauf juil.-août – **R** 67/170 – 26 – **14 ch** 100/240 – ½ P 145/180.

CITROEN Fourgon, 18 av. Libération ✆ 71 66 50 66
PEUGEOT Gar. Gouy, rte de Ste-Sigolène ✆ 71 66 55 37
RENAULT Gar. Theillière, av. Gén.-Leclerc ✆ 71 61 53 22

MONNAIE 37380 I.-et-L. 64 ⑮ – 2 829 h. alt. 113.

Paris 226 – ◆Tours 17 – Château-Renault 15 – Vouvray 11.

Soleil Levant avec ch, ✆ 47 56 10 34 – GB
fermé 5 au 28 août, 15 au 28 fév., merc. soir et jeudi – **R** 95/250, enf. 60 – 22 – **7 ch** 120/180.

MONPAZIER 24540 Dordogne 75 ⑯ **G. Perigord Quercy** – 531 h. alt. 195.

Voir Place centrale★.

Syndicat d'Initiative (15 avril-15 oct.) ✆ 53 22 68 59 et à la Mairie (hors saison) ✆ 53 22 60 38.

Paris 563 – Bergerac 45 – Fumel 29 – Périgueux 73 – Sarlat-la-Canéda 49 – Villeneuve-sur-Lot 39.

Edward 1er sans rest, 5 r. St-Pierre ✆ 53 22 44 00, Fax 53 22 57 99, « Ancienne gentilhommière du 19e siècle », – ☎ AE GB
15 avril-15 nov. – 60 – **13 ch** 350/900.

MONSÉGUR 33580 Gironde 79 ③ – 1 537 h. alt. 69.

Paris 583 – Bergerac 54 – Castillonnès 47 – Langon 34 – Libourne 49 – Marmande 21 – La Réole 15.

Gd Hôtel, ✆ 56 61 60 28 – ☎. GB. ch
fermé lundi midi en oct. – **R** 52/160 – 20 – **11 ch** 80/220 – ½ P 160/200.

PEUGEOT-TALBOT Vigneau ✆ 56 61 61 37

MONT voir au nom propre du mont.

MONTAGNY 42840 Loire 73 ⑧ – 1 124 h. alt. 480.

Paris 404 – Roanne 15 – ◆Lyon 74,5 – Montbrison 75 – ◆Saint Étienne 94 – Thizy 7.

Poste, ✆ 77 66 11 31, – AE GB
fermé 15 au 30 août, 15 fév. au 1er mars, dim. soir et lundi – **R** 95/215.

MONTAGNY-LÈS-BEAUNE 21 Côte-d'Or 69 ⑨ – rattaché à Beaune.

MONTAIGU 85600 Vendée 67 ④ – 4 323 h. alt. 48.

Paris 387 – ◆Nantes 33 – La Roche-sur-Yon 39 – Cholet 36 – Fontenay-le-C. 78 – Noirmoutier 90.

Voyageurs, rte Nantes ✆ 51 94 00 71, Télex 701877, Fax 51 94 07 78, – ch ☎ – 60. AE GB
fermé sam. d'oct. à mars – **R** 79/185, enf. 35 – 39 – **33 ch** 150/550 – ½ P 270/360.

FIAT Gar. Maine Automobiles, ZA Mirville à Boufféré ✆ 51 46 35 52
PEUGEOT-TALBOT Beauvois Automobiles, ZI, rte de Nantes ✆ 51 94 04 97

MONTAIGU-DE-QUERCY 82150 T.-et-G. 79 ⑯ – 1 634 h. alt. 186.

Paris 622 – Agen 38 – Cahors 46 – Moissac 33 – Montauban 54 – Villeneuve-sur-Lot 29.

XX **Vieux Relais** avec ch, ☎ 63 94 46 63 – AE GB. ch
fermé 1er au 15 janv., dim. soir et lundi sauf du 1er juil. au 30 sept. – **R** 85/195 , enf. 55 – ☕ 30 – **5 ch** 195/215 – ½ P 220.

PEUGEOT-TALBOT Gar. Sztandéra ☎ 63 94 47 20

MONTAIGUT-SUR-SAVE 31530 H.-Gar. 82 ⑦ – 972 h. alt. 124.

9 Las Martines ☎ 62 07 27 12, S par D 17 : 13 km.

Paris 688 – ♦Toulouse 23 – Auch 58 – Montauban 42.

XX **Host. Le Ratelier** avec ch, SE : 3 km par D 17 et VO ☎ 61 85 43 36, Fax 61 85 76 98, ←, , – TV ☎ P – 30. AE GB
R *(fermé mardi)* 78/160 , enf. 52 – ☕ 30 – **25 ch** 250/355 – ½ P 213/285.

Ne voyagez pas aujourd'hui avec une carte d'hier.

MONTARGIS

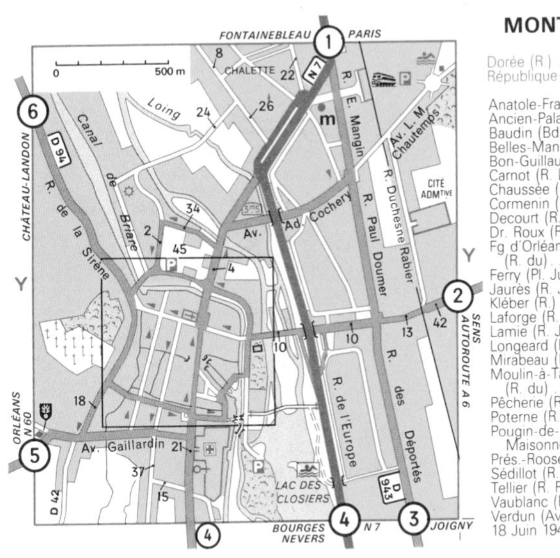

Dorée (R.)	Z
République (Pl. de la)	Z 36
Anatole-France (Bd)	Y 2
Ancien-Palais (R.)	Z 3
Baudin (Bd)	YZ 4
Belles-Manières (Bd)	Z 5
Bon-Guillaume (R.)	Z 6
Carnot (R. Lazare)	Y 8
Chaussée (R. de la)	YZ 10
Cormenin (R.)	Z 12
Decourt (R. E.)	Y 13
Dr. Roux (R. du)	Y 15
Fg d'Orléans (R. du)	YZ 18
Ferry (Pl. Jules)	Z 20
Jaurès (R. Jean)	Y 21
Kléber (R.)	Y 22
Laforge (R. R.)	Z 23
Lamie (R. Jean)	Y 24
Longeard (R. du)	Y 26
Mirabeau (Pl.)	Z 27
Moulin-à-Tan (R. du)	Z 28
Pêcherie (R. de la)	Z 30
Poterne (R. de la)	Z 32
Pougin-de-Maisonneuve (R.)	Z 33
Prés.-Roosevelt (R.)	Y 34
Sédillot (R.)	Y 37
Tellier (R. R.)	Z 39
Vaublanc (R. de)	Z 41
Verdun (Av. de)	Y 42
18 Juin 1940 (Pl. du)	Z 45

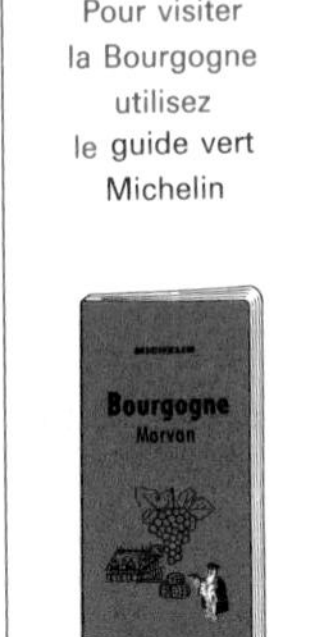

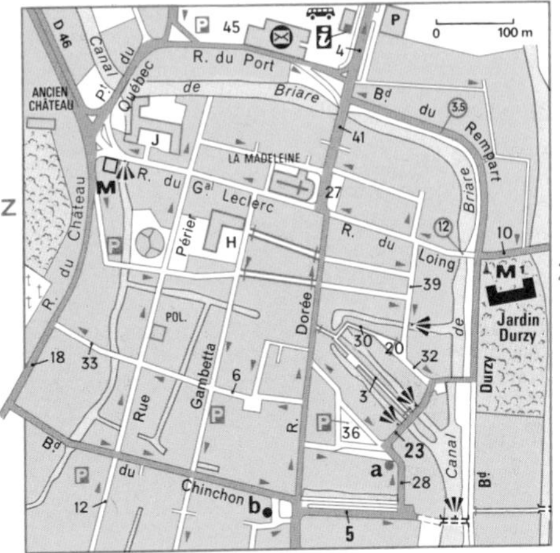

MONTARGIS 45200 Loiret 61 ⑫ **G. Bourgogne** – 15 020 h. alt. 88.

Voir Collection Girodet★ du musée Z **M**[1].

Office de Tourisme pl. du Pâtis ℘ 38 98 00 87.

Paris 114 ① – Auxerre 81 ② – Autun 206 ② – Bourges 117 ④ – Chartres 115 ⑤ – Chaumont 211 ② – Fontainebleau 52 ① – Nevers 126 ④ – ♦Orléans 71 ⑤ – Sens 53 ②.

Plans page précédente

Urbis M, 2 pl. V. Hugo ℘ 38 98 00 68, Télex 780461, Fax 38 89 14 37 – – 40. GB Z **b**
Brasserie de la Poste R carte 130 à 180 , enf. 37 – 32 – **49 ch** 268/295.

Climat de France M, av. Antibes (centre commercial) par ④ : 3 km ℘ 38 98 20 21, Télex 783706, Fax 38 89 19 16 – – 30. GB
R 85/120 – 32 – **40 ch** 270.

XXX **Gloire** (Jolly) avec ch, 74 av. Gén. de Gaulle ℘ 38 85 04 69 – rest . GB.
– *fermé vacances de fév., 15 au 27 août, mardi soir et merc.* – **R** 160/400 – 35 – **11 ch** 350/400 Y **m**
Spéc. Foie gras de canard poêlé aux poires, Langoustines poêlées aux anchois et beurre de crustacés, Rosace de filet d'agneau à la pommade de basilic. **Vins** Sancerre blanc, Menetou Salon rouge.

XX **Coche de Briare** avec ch, 72 pl. République ℘ 38 85 30 75 – rest . GB Z **a**
fermé 1er au 15 juil., vacances de fév., dim. soir et lundi sauf fériés – **R** 105/250, enf. 75 – 23 – **12 ch** 160/215.

N : 10 km par ①, N 7 et VO – 45210 Fontenay-sur-Loing :

Domaine de Vaugouard M , ℘ 38 95 71 85, Télex 783582, Fax 38 95 77 47, « Dans un domaine de loisirs, golf », , , – cuisinette rest – 40 à 100
Le Domaine – **Brasserie** – **32 ch**, 15 duplex.

à Amilly par ③ : 5 km – 11 029 h. – 45200 :

Le Belvédère sans rest, 192 r. J. Ferry ℘ 38 85 41 09, – . GB
24 – **25 ch** 100/220.

XX **Aub. Écluse,** rte Mormant ℘ 38 85 44 24 – . GB.
fermé 21 déc. au 11 janv., dim. soir et lundi – **R** 135/225.

par ④ : 6,5 km – 45200 Montargis :

X **Relais du Miel,** rte Nevers ℘ 38 85 32 02, Télex 780880, Fax 38 98 47 60, – . GB
R carte 80 à 160 , enf. 37.

VOLVO Gar. Schnaidt, 36/38 r. Jean-Jaurès ℘ 38 93 28 10

Dominicé, 64 r. J.-Jaurès ℘ 38 93 38 33
La Centrale du Pneu, 3 r. de Nevers ℘ 38 85 12 80

Périphérie et environs

CITROEN S.M.A., 1176 av. d'Antibes à Amilly par ④ ℘ 38 85 73 25
PEUGEOT-TALBOT Corre, N 60 à Villemandeur par ⑤ ℘ 38 85 03 29
RENAULT Basty, 1400 av. d'Antibes à Amilly ℘ 38 95 15 15 N

V.A.G Gar. St-Christophe, 330 av. d'Antibes à Amilly ℘ 38 85 22 84

La Maison du Pneu, 180 rte de Viroy à Amilly ℘ 38 85 31 28

MONTASTRUC-LA-CONSEILLÈRE 31380 H.-Gar. 82 ⑧ – 2 101 h. alt. 234.

Paris 695 – ♦Toulouse 20 – Castres 65 – Gaillac 35 – Montauban 51.

Relais de la Conseillère, N 88 ℘ 61 84 21 23, Fax 61 84 17 12, – – 25. GB
R *(fermé 25 déc. au 1er janv., dim. soir et lundi)* 55/160 , enf. 42 – 25 – **20 ch** 130/205 – ½ P 138/171.

Le MONTAT 46 Lot 79 ⑱ – rattaché à Cahors.

MONTAUBAN P 82000 T.-et-G. 79 ⑰ ⑱ **G. Pyrénées Roussillon** – 51 224 h. alt. 87.

Voir Musée Ingres★★ Z – Place Nationale★ Z – Dernier Centaure mourant★ (bronze de Bourdelle) Z **B** – des Aiguillons ℘ 63 31 35 40, N par D 959 : 8 km.

Office de Tourisme, Ancien Collège pl. Prax ℘ 63 63 60 60 – A.C. 22 allées Mortarieu ℘ 63 63 22 35.

Paris 648 ① – ♦Toulouse 52 ③ – Agen 73 ④ – Albi 74 ② – Auch 82 ③ – Cahors 60 ①.

Plans page suivante

Ingres M sans rest, 10 av. Mayenne ℘ 63 63 36 01, Télex 520319, Fax 63 66 02 90, – . AE GB – 38 – **31 ch** 310/420. Y **u**

Host. des Coulandrières M , rte Castelsarrasin par ④ : 4 km 82290 Montbeton ℘ 63 67 47 47, Télex 533554, Fax 63 67 46 45, , « Parc fleuri, piscine » – – 30. AE GB JCB
R 120/280 – 50 – **22 ch** 380/440 – ½ P 430.

XX **Orsay et rest. La Cuisine d'Alain** avec ch, face gare ℘ 63 66 06 66, Télex 520362, Fax 63 66 19 39, – – 25. AE GB JCB Y **f**
fermé 23 déc. au 6 janv., lundi midi et dim. sauf fériés – **R** 90/280, enf. 70 – 28 – **20 ch** 190/300 – ½ P 245.

XX **Chapon Fin,** 1 pl. St-Orens ℘ 63 63 12 10 – ▤. GB — Y **d**
fermé 18 juil. au 16 août, vend. soir et sam. – **R** 75/240 ♨, enf. 65.

XX **Ambroisie,** 41 r. Comédie ℘ 63 66 27 40 – ▤. ⓓ GB — Z **s**
fermé 14 au 31 juil., dim. et fêtes – **Repas** 100/250, enf. 60.

par ① et N 20 : 4 km – ✉ **82000** Montauban :

Confortel Ⓜ sans rest, ℘ 63 66 51 61, Fax 63 66 70 80 – TV ☎ ♿ Ⓟ – 25. GB
☕ 30 – **38 ch** 210/260.

à Brial par ③ : 9 km sur N 20 – ✉ **82710** Bressols :

XXX ✿ **Depeyre,** ℘ 63 02 13 13, Fax 63 02 18 18, parc – ▤ Ⓟ. AE ⓓ GB JCB
fermé 9 au 19 juin, 24 au 30 nov., 12 au 19 janv., dim. soir et lundi sauf fériés – **R** 140/300, enf. 100
Spéc. Petit mulet de mer au vin de Cahors, Tête, langue et fraise de veau à la vinaigrette de truffe, Gibier (saison). **Vins** Côtes du Frontonnais, Coteau du Quercy.

MONTAUBAN

Nationale (Pl.) Z
République (R. de la) Z 63
Résistance (R. de la) Z 64

Abbaye (R. de l') Z
Alsace-Lorraine (Bd) X 3
Barbazan (R.) Z
Bordeaux (Av. de) X
Bourdelle (Pl. A.) Z 8
Briand (Av. A.) Y 9
Chamier (Av.) Y 12
Cladel (R. L.) X
Comédie (R. de la) Z 13
Consul-Dupuy (Allées du) Z 14
Coq (Pl. du) Z 16
Dr-Alibert (R.) X
Dr-Lacaze (R. du) Z 19
Doumerc (Bd B.) X
Foch (Pl. Mar.) Z
Fort (R. du) Z
Gambetta (Av.) YZ
Garrisson (Bd G.) YZ
Gaulle (Av. Ch. de) Y 25
Grand'Rue de Sapiac Z
Grand'Rue Villenouvelle X 28
Guibert (Pl.) Z 29
Herriot (Av. E.) Y 30
Hôtel-de-Ville (R. de l') Z 31
Ingres (R.) YZ
Jourdain (R. A.) Z
Lacapelle (Fg) YZ
Lafon (R. du Pasteur L.) Y 34
Lagrange (R. L.) Y 35
Libération (Pl. de la) X
Lycée (R. du) Z
Mandoune (R. de la) Z
Marceau-Hamecher (Av.) Y 37
Marty (Pl. A.) XY
Martyrs (Pl. des) Z 46
Mary-Lafon (R.) Z 48
Mayenne (Av.) Y 50
Michelet (R.) Z 51
Midi-Pyrénées (Bd) Z 52
Montauriol (Bd) Y
Montmurat (Q. de) Z 54
Mortarieu (Allées de) Z 56
Moustier (Fg du) Z
Notre-Dame (R.) Z 60
Picard (Sq. Gén.) Z 62
Prax-Paris (Pl.) Z
Roosevelt (Pl. F.) Z 66
St-Jean (R.) X 67
Ste-Claire (R.) Z
Sapiac (Pont) YZ 68
Sarrail (R. Gén.) Y 70
Verdun (Q. de) Z
IIe-Rég.-d'Infanterie (Av. du) X 73
19-Août-1944 (Av. du) X 75
22-Septembre (Pl. du) Z 76

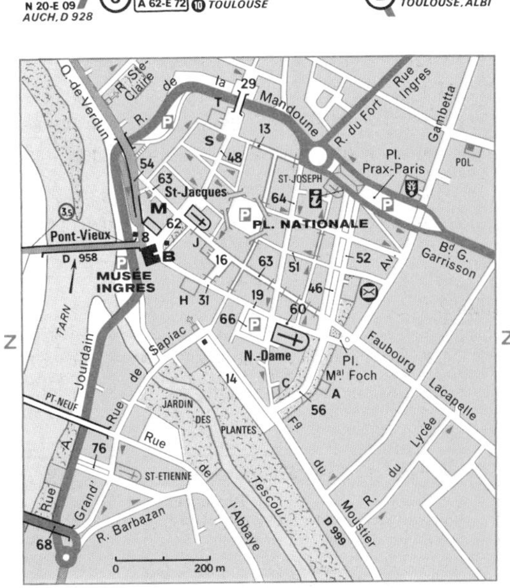

ALFA ROMEO Gar. Suères, 44/46 r. Léon Cladel ✆ 63 03 42 06
CITROEN Larroque, N 20, ZI Nord par ①
✆ 63 03 15 30
MERCEDES Almayrac et Despoux, 200 r. Camp-d'Aviation ✆ 63 63 44 52
MERCEDES-BENZ Gar. Hamecher, ZI Sud, rte de Toulouse ✆ 63 63 07 70
PEUGEOT, TALBOT Macard, r. Bac ✆ 63 63 76 00

RENAULT Tarn-et-Garonne Autom., rte de Paris par ① ✆ 63 03 23 23

Central Pneu, ZI Nord r. Voltaire ✆ 63 66 85 86
Doumerc-Pneus, 281 av. de Toulouse
✆ 63 63 09 76
Le Palais du Pneu, 17 pl. Lalaque ✆ 63 63 15 80
Pereira, 52 av. du 10e-Dragon ✆ 63 03 53 98
Taquipneu, 69 av. Gambetta ✆ 63 03 30 14

MONTAUBAN-DE-LUCHON 31 H.-Gar. 86 ① – rattaché à Luchon.

MONTAUROUX 83440 Var 84 ⑧ 195 ㉓ G. Côte d'Azur – 2 773 h. alt. 350.

Syndicat d'Initiative pl. du Clos ✆ 94 47 75 90.

Paris 895 – Cannes 31 – Draguignan 39 – Fréjus 28 – Grasse 20.

La Marjolaine, ✆ 94 76 43 32, Fax 94 47 73 09, ≤, – rest TV ☎. AE GB
fermé merc. – **R** *(fermé dim. soir sauf juil.-août, mardi midi en juil.-août et merc. sauf le soir en juil.-août)* (déj. seul. du 1er nov. au 30 mars) 120/260, enf. 70 – ☐ 45 – **19 ch** 175/300 – ½ P 220/280.

rte de Draguignan S : 4 km – ✉ 83440 Fayence :

XX **La Bécassière,** ✆ 94 76 43 96, – P. AE GB
fermé oct., le soir de nov. à mai (sauf vend. et sam.), dim. soir (sauf juil.-août) et lundi – **R** 92/190.

au lac de St-Cassien au Sud par D 37 et VO : 5 km – ✉ 83440 Fayence :

XX **Aub. du Puits Jaubert** avec ch, ✆ 94 76 44 48, ≤, , parc, « Ancienne bergerie du 15e siècle » – P. GB. ch
fermé 15 nov. au 15 déc., le soir sauf vend. et sam. du 10 janv. au 10 mars et mardi – **R** 180/240, enf. 80 – ☐ 30 – **8 ch** 225/265 – ½ P 290/310.

MONTBARD 21500 Côte-d'Or 65 ⑦ G. Bourgogne (plan) – 7 108 h. alt. 211.

Voir Parc Buffon*.

Env. Abbaye de Fontenay*** E : 6 km par D 905.

Office de Tourisme avec A.C. r. Carnot ✆ 80 92 03 75.

Paris 235 – Dijon 82 – Autun 100 – Auxerre 72 – Troyes 100.

Gare (annexe M 14 ch parc), 10 av. Mar. Foch ✆ 80 92 02 12, Fax 80 92 41 72 – TV ☎ P – 50. GB
fermé 22 déc. au 5 janv. – **R** (ouverture prévue) – ☐ 30 – **33 ch** 160/320.

Écu, 7 r. A. Carré ✆ 80 92 11 66, Télex 351102, Fax 80 92 14 13 – TV ☎. AE GB
R 95/300, enf. 55 – ☐ 35 – **25 ch** 200/380 – ½ P 280/320.

à Fain-lès-Montbard SE : 6 km sur N 905 – ✉ 21500 :

Château de Malaisy, ✆ 80 89 46 54, Fax 80 92 30 16, parc, – TV ☎ P – 40 à 150. GB.
R 120/240, enf. 65 – ☐ 50 – **22 ch** 250/780 – ½ P 310/556.

à St-Rémy NO : 4 km par rte Tonnerre – ✉ 21500 :

XXX **St-Rémy,** ✆ 80 92 13 44 – P. AE GB
fermé 21 déc. au 31 janv., lundi (sauf fériés) et le soir sauf sam. – **R** 100/260.

CITROEN Gar. Monnet, rte de Dijon ✆ 80 92 06 09 N
PEUGEOT-TALBOT Gar. Carnot, 7 r. Carnot ✆ 80 92 01 83 N ✆ 80 92 17 27

RENAULT Montbard-Autom., 39 r. Abrantès ✆ 80 92 06 23 N ✆ 80 92 70 35

MONTBAZENS 12220 Aveyron 80 ① – 1 389 h. alt. 472.

Paris 605 – Rodez 37 – Aurillac 78 – Figeac 28 – Marcillac-Vallon 25 – Villefranche-de-Rouergue 26.

Levant, rte Rignac ✆ 65 80 60 24, – cuisinette TV ☎ P. GB. ch
fermé 20 sept. au 15 oct. – **R** *(fermé dim. soir et lundi midi sauf juil.-août)* 58/170 – ☐ 22 – **6 ch** 240, 3 appart. 370 – ½ P 210/270.

Gar. du Fargal, ✆ 65 80 62 23

MONTBAZON 37250 I.-et-L. 64 ⑮ G. Châteaux de la Loire – 3 354 h. alt. 71.

Pavillon du Tourisme av. Gare (juin-sept.) ✆ 47 26 97 87.

Paris 248 – ◆Tours 15 – Châtellerault 59 – Chinon 41 – Loches 32 – Montrichard 40 – Saumur 68.

Château d'Artigny, SO : 2 km par D 17 ✆ 47 26 24 24, Télex 750900, Fax 47 65 92 79, « Parc, ≤ sur l'Indre, pavillon de 8 ch. au bord de la rivière », – 80. GB
fermé 29 nov. au 9 janv. – **R** 270/420, enf. 80 – ☕ 80 – **51 ch** 600/1500 – ½ P 660/1160
Spéc. Sandre aux truffes, Pièce de veau "d'ici", Macarons tendres aux fruits rouges (mars à oct.). **Vins** Vouvray, Chinon.

Domaine de la Tortinière, N : 2 km par N 10 et D 287 ✆ 47 26 00 19, Télex 752186, Fax 47 65 95 70, « Dans un parc ≤ vallée de l'Indre », – 30. GB
1er mars-20 déc. – **R** 260/390, enf. 120 – ☕ 60 – **15 ch** 520/840, 6 appart. 1000/1260 – ½ P 510/780.

Relais de Touraine M, N : 2 km rte Tours ✆ 47 26 06 57, parc – 50. AE GB
fermé 2 au 20 janv. – **R** *(fermé dim. soir et lundi)* 145/190, enf. 70 – ☕ 40 – **21 ch** 260/340 – ½ P 330/380.

XXXX **La Chancelière**, 1 pl. Marronniers ✆ 47 26 00 67, Fax 47 73 14 82, « Élégant décor » – GB
fermé 1er au 7 sept., vacances de fév., dim. (sauf le midi de sept. à juin) et lundi sauf fériés – **R** 280 (sauf sam. soir)/460 et carte
Spéc. Ravioles d'huîtres au Champagne, Sauté de homard au lard, Colvert aux figues fraîches (fin août à oct.). **Vins** Montlouis, Chinon.

XX **Courtille**, av. Gare ✆ 47 26 28 26 – GB
fermé 10 au 31 août, dim. soir et merc. – **R** 140/190, enf. 60

à l'ouest : 5 km par N 10, D 287 et D 87 – ✉ 37250 Montbazon :

XX **Moulin Fleuri** avec ch, ✆ 47 26 01 12, ≤, « Terrasse au bord de l'Indre », – AE GB
fermé 1er au 7 mars, fév. et lundi sauf fériés – **R** 130, enf. 48 – ☕ 38 – **12 ch** 160/300 – ½ P 230/320.

PEUGEOT-TALBOT Gar. Rousseau ✆ 47 26 06 50

Repas 100/130 Repas soignés à prix modérés.

MONTBÉLIARD 25200 Doubs 66 ⑧ G. Jura – 29 005 h. alt. 318.

18 de Prunevelle ✆ 81 98 11 77, par ④ : 10 km.

Office de Tourisme 1 rue H.-Mouhot ✆ 81 94 45 60.

Paris 410 ⑦ – ◆Besançon 85 ⑦ – ◆Mulhouse 57 ③ – ◆Basel 72 ④ – Belfort 21 ③ – Pontarlier 101 ⑦ – Vesoul 59 ①.

Plans page suivante

Bristol sans rest, 2 r. Velotte ✆ 81 94 43 17, Télex 361080, Fax 81 94 15 29 – 40. AE GB. AZ **b**
fermé août, 26 déc. au 4 janv. – ☕ 27 – **46 ch** 130/380.

Joffre sans rest, 34 bis av. Mar. Joffre ✆ 81 94 44 64, Fax 81 94 37 40 – AE GB AX **a**
☕ 28 – **48 ch** 225/260.

Mulhouse, pl. Gare ✆ 81 94 46 35, Fax 81 32 20 32 – GB AZ **a**
fermé 27 juil. au 24 août et 25 déc. au 1er janv. – **R** *(fermé vend. soir, sam. soir et dim. soir)* 75/130 – ☕ 30 – **54 ch** 160/290 – ½ P 230/250.

Les Relais Verts M, le Pied des Gouttes ✆ 81 90 10 69, Télex 360724, Fax 81 90 15 18, – 30. AE GB AX **v**
R *(fermé sam. midi)* 80/280, enf. 45 – ☕ 30 – **40 ch** 250 – ½ P 200.

Ibis M, r. J. Foillet ✆ 81 90 21 58, Télex 361555, Fax 81 90 44 37 – 40. GB AX **v**
R *(fermé dim. et fériés le midi)* 79, enf. 39 – ☕ 30 – **62 ch** 249/279.

XXX **Tour Henriette**, 59 fg Besançon ✆ 81 91 03 24, Fax 81 96 71 43 – AE GB AZ **r**
fermé août, sam. midi et dim. – **R** 115/325

X **St-Martin**, 1 r. Gén. Leclerc ✆ 81 91 18 37 – AE GB AZ **u**
fermé 3 au 23 août, vacances de fév., dim. et fériés – **R** carte 160 à 250.

X **Le Comté**, 18 r. Belfort ✆ 81 91 48 42 – GB AZ **k**
fermé 5 au 31 août, 24 déc. au 5 janv., sam. midi et lundi – **R** 86/145

FIAT Mercier, 1 r. Keller à Arbouans ✆ 81 35 57 62
PEUGEOT Gar. de la Croisée, 104 fg de Besançon ✆ 81 91 05 50
PEUGEOT-TALBOT Succursale, 16 av. Helvétie ✆ 81 94 52 15
RENAULT Filiale, 87 fg de Besançon ✆ 81 96 75 75 N

Pneus et Services D.K., 7a r. Port ✆ 81 98 25 29
ZI Charmontet 20 r. Jeanperrin ✆ 81 95 38 33

CONSTRUCTEUR : S.A. des Automobiles Peugeot, ✆ 81 91 83 42

MONTBÉLIARD

Cuvier (R.) . . . . AZ
Denfert-Rochereau (Pl.) AZ 10
Febvres (R. des) . . . . . . AZ 14

Albert-Thomas (Pl.) . . . . AZ 2
Audincourt (R. d') . . . . AXY 4
Belchamp (R. de) . . . . . AY 5
Besançon (Fg de) . . . . . AX 7
Carnot (Av.) . . . . AZ 8
Chabaud-Latour (Av.) . . AX 9
Dorian (Pl.) . . . . AZ 12
Epinal (R. d') . . . . AX 13
Gambetta (Av.) . . . . AX 15
Gaulle (Pl. Gén.-de) . . . . AZ 16
Helvétie (Av. d') . . . . . . AX 18
Jean-Jaurès (Av.) . . . . . AY 20
Joffre (Av. du Mar.) . . . . AX 22
Leclerc (R. Gén.) . . . . . . AZ 24
Ludwigsburg (Av. de) . . AX 26
Petite-Hollande (R. de la) . AXY 28
Schliffre (R. de) . . . . . . AZ 30
Toussain (R. P.) . . . . AX 36
Valentigney (R. de) . . . . AY 40

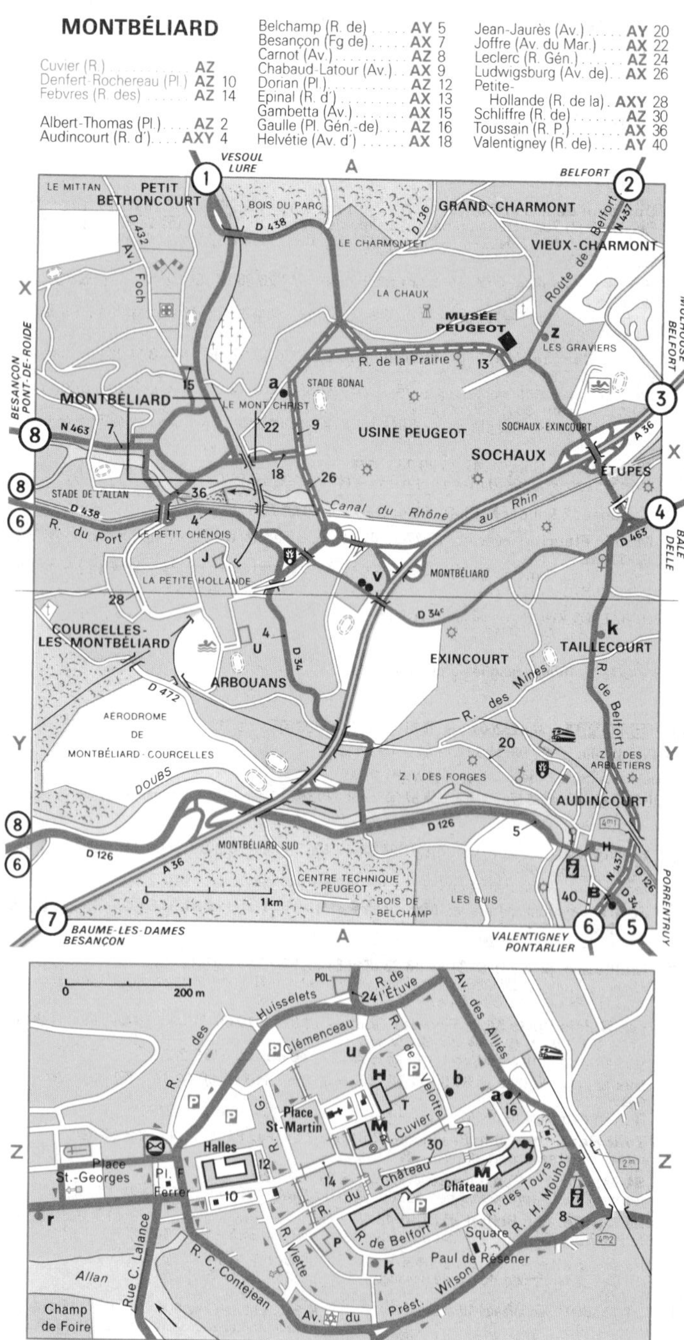

MONTBENOIT 25650 Doubs 70 ⑦ **G. Jura** – 238 h. alt. 782.

Voir Ancienne abbaye★ : stalles★★, niche abbatiale★.

Syndicat d'Initiative (vacances scolaires) ✆ 81 38 10 32.

Paris 469 – ◆ Besançon 60 – Morteau 17 – Pontarlier 14.

à Maisons-du-Bois SO : 4 km sur D 437 – ✉ **25650** Maisons-du-Bois-Lièvremont :

Saugeais avec ch, ✆ 81 38 14 65 – TV ☎ P. GB. ch
fermé 1er au 20 nov., dim. soir et lundi sauf vacances scolaires – **R** 60/150, enf. 40 – ☕ 28 – **6 ch** 180/240 – ½ P 170/200.

PEUGEOT TALBOT Gar. Querry ✆ 81 38 11 89 N ✆ 81 38 10 99

MONT-BLANC (Tunnel du) 74 H.-Savoie 74 ⑧ ⑨ – voir à Chamonix-Mont-Blanc.

MONTBONNOT-ST-MARTIN 38 Isère 77 ⑤ – rattaché à Grenoble.

MONTBOUCHER-SUR-JABRON 26 Drôme 81 ① – rattaché à Montélimar.

MONTBRISON SP 42600 Loire 73 ⑰ **G. Vallée du Rhône** (plan) – 14 064 h. alt. 394.

Voir Intérieur★ de l'église N.-D.-d'Espérance.

Office de Tourisme cloître des Cordeliers ✆ 77 96 08 69.

Paris 511 – ◆ St-Étienne 32 – ◆ Lyon 74 – Le Puy 102 – Roanne 65 – Thiers 69.

Host. Lion d'Or, 14 quai Eaux Minérales ✆ 77 58 34 66, Fax 77 58 73 13, – TV ☎ – 40. AE GB
R (fermé Noël au Jour de l'An et dim. soir hors sais.) 85/230 – ☕ 35 – **19 ch** 240/360 – ½ P 228/240.

Gil de france M, 18 bis bd Lachèze ✆ 77 58 06 16, Fax 77 58 73 78, – TV ☎ & P. GB
R 78/125, enf. 42 – ☕ 25 – **30 ch** 180/230 – ½ P 165/183.

à Savigneux E : 1,5 km par D 496 – ✉ **42600** :

Marytel M sans rest, 95 rte Lyon ✆ 77 58 72 00, Fax 77 58 42 81 – TV ☎ & P – 50. AE GB
☕ 30 – **33 ch** 220/250.

Yves Thollot, 93 rte Lyon ✆ 77 96 10 40, – P. AE GB
fermé 29 juil. au 14 août, vacances de fév., dim. soir et lundi – **R** 90/260, enf. 50.

à Champdieu N : 4,5 km par D 8 – ✉ **42600**.

Voir Église★.

Le Prieuré, ✆ 77 58 31 21 – P. GB.
fermé 3 au 24 août, merc. soir, dim. soir, soirs fériés et jeudi – **R** 64/300.

FORD Montagny, av. Ch.-de-Gaulle ✆ 77 58 29 99
OPEL Forez-Autos, av. P.-Cézanne, Beauregard par D 69 ✆ 77 58 02 59
RENAULT Sa P. Mathieu, 8 av. de St-Étienne ✆ 77 58 30 48 N

Chasseing-Pneus, 12 bd de la Madeleine ✆ 77 96 06 06
Géométrie-Pneus, ZI des Granges ✆ 77 96 10 60

MONTCABRIER 46 Lot 79 ⑥ ⑦ – rattaché à Puy-l'Évêque.

MONTCEAU-LES-MINES 71300 S.-et-L. 69 ⑰ ⑱ **G. Bourgogne** – 22 999 h. alt. 287.

Env. Mont-St-Vincent : tour ✻★★ 12 km par ③.

Office de Tourisme 1 pl. Hôtel de Ville ✆ 85 57 38 51 avec A.C. ✆ 85 57 52 45.

Paris 333 ② – Chalon-sur-Saône 44 ② – Autun 42 ① – Mâcon 69 ③ – Moulins 89 ④ – Roanne 92 ④.

Plans page suivante

Beauregard sans rest, sur D 980 : 2 km ✉ 71690 Mont-St-Vincent ✆ 85 57 15 37 – ☎ P. GB — B s
fermé 20 au 27 avril, 19 déc. au 4 janv. et vend. soir hors sais. – ☕ 26 – **12 ch** 140/240.

Primevère, rte Blanzy ✆ 85 57 49 49, Fax 85 57 72 23 – TV & P – 30. GB — B a
R 71/95, enf. 39 – ☕ 30 – **29 ch** 230/250.

France avec ch, 7 pl. Beaubernard ✆ 85 57 26 64 – TV ☎. GB — A k
fermé août et lundi – **Repas** 90/260, enf. 60 – ☕ 28 – **10 ch** 180/260.

Moulin de Galuzot, SO : 5 km sur D 974 ✉ 71230 St-Vallier ✆ 85 57 18 85 – P. AE GB — B u
fermé mi-juil. à mi-août, mardi soir et merc. – **R** 95/165.

par ③ : 4 km sur D 980 :

Aub. Plain-Joly, ✉ 71690 Mont-St-Vincent ✆ 85 57 24 74, – ☎ P. AE GB
R 58/110 – ☕ 25 – **8 ch** 120/260 – ½ P 180.

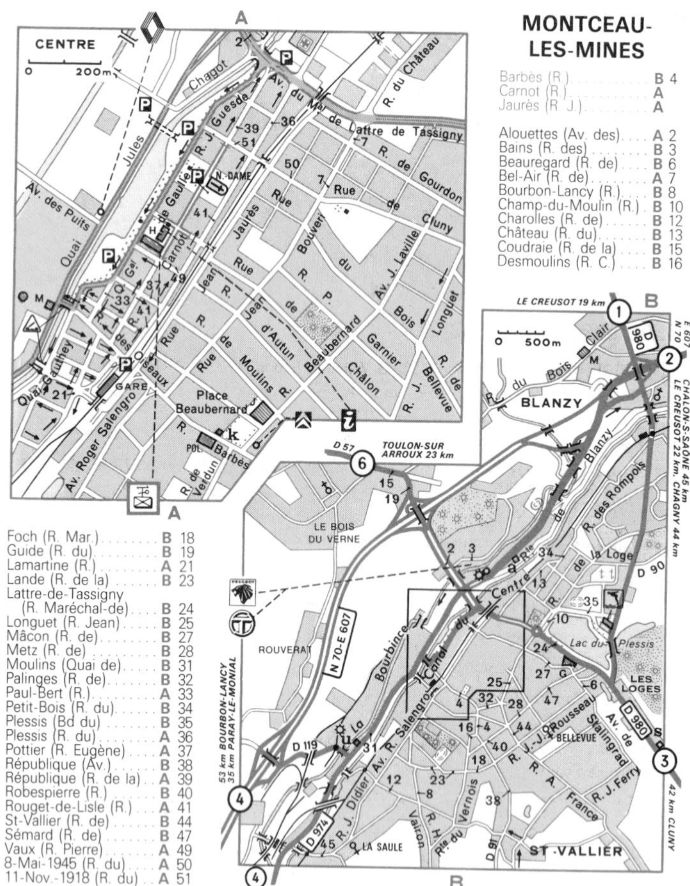

MONTCEAU-LES-MINES

CITROEN Aubert, 57/59 r. Beaubernard ☎ 85 57 16 45
PEUGEOT-TALBOT Gar. Rebeuf-Garnier, rte Express, av. Mar.-Leclerc ☎ 85 57 29 30
RENAULT Gar. Central, quai J.-Chagot ☎ 85 57 25 17

V.A.G Gar. Dufour, 124 r. Coudraie, Le Bois-du-Verne ☎ 85 57 23 81

Ⓜ Goésin, D 974, ZI des Alouettes, av. Mar. Leclerc ☎ 85 57 36 01
Okrzesik, bd Maugrand ☎ 85 57 47 00
Okrzesik, 9 r. Verdun ☎ 85 57 00 55

MONTCHANIN **71** S.-et-L. **69** ⑧ – rattaché au Creusot.

MONTCHAUVROT **39** Jura **70** ④ – rattaché à Poligny.

MONTCHENOT **51** Marne **56** ⑯ – rattaché à Reims.

MONT-CINDRE **69** Rhône **74** ⑪ – rattaché à Lyon.

Pour vos voyages, en complément de ce guide utilisez :

– Les **guides Verts Michelin** régionaux paysages, monuments et routes touristiques.
– Les **cartes Michelin** à 1/1 000 000 grands itinéraires
1/200 000 cartes détaillées.

MONTCUQ 46800 Lot 79 ⑰ **G. Périgord Quercy** – 1 189 h. alt. 224.

des Roucous à Sauveterre (82) ✆ 63 95 83 70, SE : 16 km par D 28.

Syndicat d'Initiative à la Mairie (10 juin-10 sept.) ✆ 65 22 94 04.

Paris 613 – Cahors 26 – Agen 66 – Montauban 51 – Villeneuve-sur-Lot 48.

Parc , rte Fumel ✆ 65 31 81 82, , parc – ☎ . GB
15 avril-5 oct. – **R** 85/135, enf. 45 – 27 – **16 ch** 130/230 – ½ P 165/205.

CITROEN-FORD Gar. St-Jean ✆ 65 31 80 21 N   RENAULT Mazanec ✆ 65 31 80 53

MONT-DAUPHIN GARE 05 H.-Alpes 77 ⑱ – rattaché à Guillestre.

MONT-DE-MARSAN P 40000 Landes 82 ① **G. Pyrénées Aquitaine** – 28 328 h. alt. 58.

Voir Musée municipal★ BY **M.**

✆ 58 75 63 05, par ① : 10 km.

Office de Tourisme 2 pl. Gén.-Leclerc ✆ 58 75 22 23 – A.C. av. Corps Franc Pommiès à St-Pierre-du-Mont ✆ 58 75 03 24.

Paris 708 ① – Agen 109 ① – ◆Bayonne 102 ⑥ – ◆Bordeaux 128 ① – Pau 81 ③ – Tarbes 101 ③.

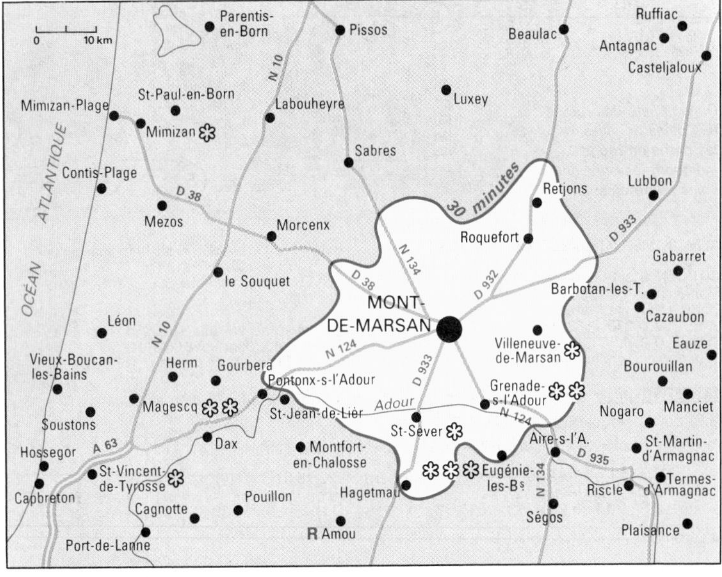

Le Renaissance M , rte Villeneuve par ② : 2 km ✆ 58 51 51 51, Fax 58 75 29 07, , – TV ☎ ♿ – 40. AE GB
R *(fermé sam. midi)* 88/250 – 25 – **29 ch** 250/370 – ½ P 225/300.

Richelieu, 3 r. Wlerick ✆ 58 06 10 20, Fax 58 06 00 68 – ☎ – 25 à 80. AE GB   BY r
R *(fermé sam. hors sais. sauf fêtes)* 76/220 – 28 – **56 ch** 125/260 – ½ P 210/240.

Abor M, rte Grenade par ④ : 3 km ✆ 58 51 58 00, Fax 58 75 78 78, , – TV ☎ ♿ – 80. AE GB
R *(fermé sam. midi)* 85/120 , enf. 39 – 30 – **68 ch** 220/380 – ½ P 210/230.

La Siesta, 8 pl. J. Jaurès ✆ 58 06 44 44 – TV ☎. AE GB   BZ e
R *(fermé dim. soir du 1er janv. au 28 fév.)* 70/145 , enf. 38 – 27 – **16 ch** 190/230 – ½ P 190/220.

Hexagone, rte Langon par ① : 2 km ✆ 58 06 20 21 – TV ☎ ♿. GB
R *(fermé dim.)* 78/195 , enf. 45 – 24 – **22 ch** 170/200 – ½ P 180.

Zanchettin avec ch, à **St-Médard** par ② : 3 km rte Villeneuve ✆ 58 75 19 52, , – – 25. GB. ch
fermé 16 août au 15 sept., vacances de fév., lundi (sauf hôtel) et dim. soir – **R** 60/130 – 20 – **9 ch** 155/200 – ½ P 135/145.

Le Midou avec ch, 12 pl. Porte Campet ✆ 58 75 24 26 – GB   AY a
fermé 23 au 26 déc. – **R** *(fermé dim. soir)* 68/160 , enf. 40 – 23 – **9 ch** 96/157 – ½ P 170.

MONT-DE-MARSAN

Bastiat (R. F.) . . . . ABZ
Gambetta (R. L.) . . . . BZ 12
Lesbazeilles (R. A.) . . . . BZ 18

Alsace-Lorraine (R. d') . . . . AZ 2
Bosquet (R. Mar.) . . . . AZ 3
Briand (Av. A.) . . . . BY 4
Brouchet (Allées) . . . . BZ 5
Carnot (Av. Sadi) . . . . BZ 6
Delamarre (Bd) . . . . BZ 8
Despiau (R. Ch.) . . . . AZ 9
Gaulle (Pl. Ch. de) . . . . BY 13
Gourgues (R. D.-de) . . . . BY 14
Landes (R. L. des) . . . . BZ 15
Lasserre (R. Gén.) . . . . AZ 16
Lattre-de-Tassigny (Bd de) . . . . . . BY 17
Martinon (R.) . . . . BZ 19
Pancaut (Pl. J.) . . . . AZ 20
Poincaré (Pl. R.) . . . . AY 21
Président-Kennedy (Av. du) . . . . . BZ 22
St-Jean-d'Août (R.) . . . . AY 24
St-Roch (Pl.) . . . . BZ 25
8-Mai-1945 (R. du) . . . . BY 27
34ᵉ-d'Inf. (Av. du) . . . . BZ 28

Dans la liste des rues des plans de villes, les noms en rouge indiquent les principales voies commerçantes.

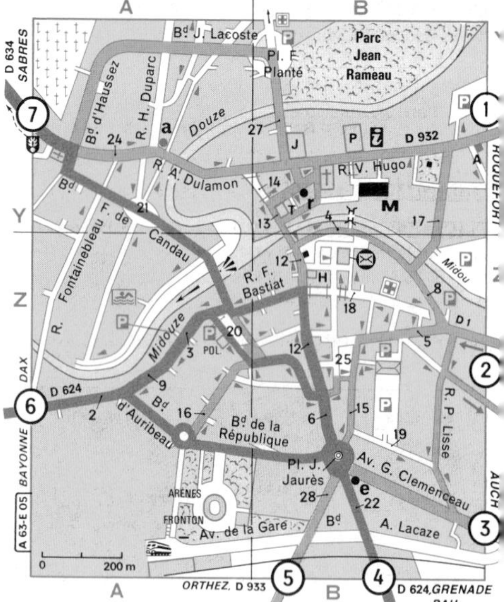

ALFA-ROMEO Mesplède, 56 av. H.-Farbos ☏ 58 75 98 88
CITROEN Mont-de-Marsan Autom., 1596 av. Mar.-Juin par ① ☏ 58 75 12 10 🅽 ☏ 05 05 24 24
FORD La Hiroire-Auto, 995 bd Alingsas ☏ 58 75 36 62 🅽 ☏ 58 06 16 16
PEUGEOT-TALBOT Labarthe, av. Corps-Franc-Pommiès à St-Pierre-du-Mont par ⑥ ☏ 58 51 55 55
RENAULT SODIAM, 935 av. Mar.-Juin par ① ☏ 58 46 14 80 🅽 ☏ 58 06 73 08
ROVER Gar. Continental, 839 av. Mar.-Foch ☏ 58 06 32 32

Central Pneu, 89 che. Lubet bd Kennedy à St-Pierre-du-Mont ☏ 58 06 31 83
Pedarré Pneus, 14 bd Candau ☏ 58 75 01 18

MONTDIDIER 80500 Somme 52 ⑲ **G. Flandres Artois Picardie** – 6 262 h. alt. 97.

Office de Tourisme Hôtel de Ville ☏ 22 78 92 00.

Paris 107 – ♦ Amiens 36 – Compiègne 45 – Beauvais 49 – Péronne 47 – St-Quentin 62.

Dijon, 1 pl. 10-Août-1918 (rte de Rouen) ☏ 22 78 01 35 – TV ☎. AE GB
fermé 2 au 19 août, 26 déc. au 19 janv., dim. soir, lundi midi et soirs de fêtes – **R** 80/200 – ☕ 32 – **14 ch** 210/310 – ½ P 174/206.

Leflamand, 30 av. M.-Leconte ☏ 22 37 08 67

Le MONT-DORE **63240** P.-de-D. 73 ⑬ **G. Auvergne** – 1 975 h. alt. 1 050 – Stat. therm. (15 mai-sept.) – Sports d'hiver : 1 250/1 850 m 2 18.

Voir Puy de Sancy ✲★★★ 5 km par ② puis 1 h. AR de téléphérique et de marche – Cascade du Queureuilh★ 2 km par ① puis 30 mn.

Env. Col de Guéry ⩤★★ sur roches Tuilière et Sanadoire★★ et lac★ 9 km par ① – Col de la Croix-St-Robert ✲★★ 6,5 km par ②.

9 du Rigolet ☏ 73 65 00 79, par ③ : 2,5 km.

Office de Tourisme av. Libération ☏ 73 65 20 21, Télex 990332.

Paris 473 ① – ♦ Clermont-Fd 44 ① – Aubusson 84 ⑤ – Issoire 49 ① – Mauriac 77 ④ – Ussel 56 ④.

Plan page suivante

Panorama ⛭, av. Libération ☏ 73 65 11 12, Fax 73 65 20 80, ⩤, – TV ☎ P. GB. rest Z **u**
15 mai-15 oct. et 25 déc.-30 mars – **R** 120/230, enf. 70 – ☕ 55 – **40 ch** 300/360 – ½ P 285/345.

Castelet, av. M. Bertrand ☏ 73 65 05 29, Fax 73 65 27 95, – TV ☎ P. GB. rest Y **t**
15 mai-30 sept. et 20 déc.-31 mars – **R** 110/198 – ☕ 31 – **37 ch** 234/290 – ½ P 272.

Parc, r. Meynadier ☏ 73 65 02 92, Fax 73 65 28 36 – TV ☎. GB. rest Z **k**
19 avril-10 oct. et 26 déc.-20 mars – **R** 75/95 – ☕ 28 – **33 ch** 240/280 – ½ P 235/250.

MONT-DORE

Favart (R.) . . . . Y 12
Panthéon (Pl. du) . . . . . Z 22
République (Pl. de la) . . . . Z 26
Rigny (R.) . . . . Z 28

Apollinaire (R. S.) . . . . . Y 2
Artistes (Promenade des) . . . Z
Belges (Av. des) . . . . . Y
Bertrand (Av. M.) . . . . . Y
Chazotte (R. Capitaine) . . . . . . Y 4
Clemenceau (Av.) . . . . Z 5
Clermont (Av. de) . . . . Y 8
Crouzets (Av. des) . . . . Y
Dr-Claude (R.) . . . . Y
Duchâtel (R.) . . . . Z 9
Ferry (Av. J.) . . . . YZ
Gaulle (Pl. Ch.-de) . . . . Y 14
Guyot-Dessaigne (Av.) . . . . Y 15
Leclerc (Av. du Gén.) . . . . . . Y
Libération (Av. de la) . . . . YZ
Melchi-Roze (Promenade) . . . . . . Y
Meynadier (R.) . . . . . . YZ
Mirabeau (Bd) . . . . Y 18
Montlosier (R.) . . . . Y 19
Ramond (R.) . . . . Z 24
Sand (Allée G.) . . . . . YZ 29
Verrier (R. P.) . . . . Y
Wilson (Av.) . . . . Y 30
19 Mars 1962 (R. du) . . . . Y 32

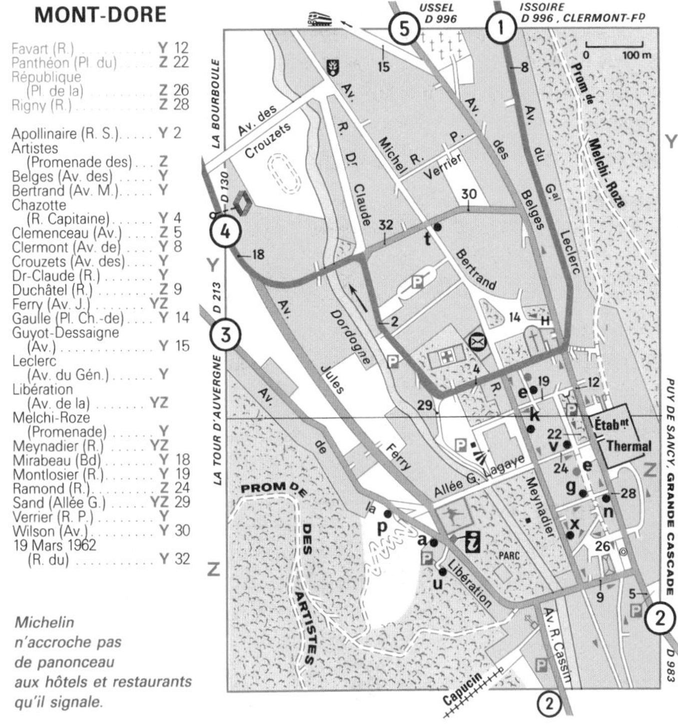

Michelin n'accroche pas de panonceau aux hôtels et restaurants qu'il signale.

Oise, av. Libération ☎ 73 65 04 68, ≤ – ascenseur cuisinette ☎ P. AE GB. rest — Z **p**
15 mai-30 sept. et Noël-Pâques – **R** 80/100 – ☐ 35 – **43 ch** 190/350, 4 studios – ½ P 170/280.

Paris M, 11 pl. Panthéon ☎ 73 65 01 79, Fax 73 65 20 98, – ascenseur TV ☎. GB. rest — Z **v**
R 69/145 – ☐ 27 – **23 ch** 250/280 – ½ P 295.

Paix, r. Rigny ☎ 73 65 00 17, Fax 73 65 00 31 – ascenseur ☎. AE GB — Z **n**
fermé 15 oct. au 22 déc. sauf vacances de nov. – **R** 70/130, enf. 35 – ☐ 26 – **36 ch** 200/250 – ½ P 220/240.

Les Charmettes sans rest, 30 av. G. Clemenceau par ② ☎ 73 65 05 49 – ☎ ♿ P. GB.
18 au 28 mars, 7 mai-6 oct., 19 déc.-4 janv., vacances de fév. et week-ends en hiver – ☐ 25 – **21 ch** 170/225.

Londres sans rest, r. Meynadier ☎ 73 65 01 12 – ascenseur ☎. GB — Z **x**
15 mars-15 nov. – ☐ 25 – **23 ch** 180/230.

Madalet sans rest, av. Libération ☎ 73 65 03 13 – ☎. GB — Z **a**
14 mai-30 sept. et Noël-Pâques – ☐ 25 – **18 ch** 150/225.

Nouvel H., r. J. Moulin ☎ 73 65 11 34 – ascenseur ☎. GB. rest — Z **g**
10 mai-oct. et 15 déc.-20 avril – **R** 75/120 – ☐ 24 – **64 ch** 115/250 – ½ P 172/225.

Les Mouflons sans rest, par ② rte du Sancy : 0,5 km ☎ 73 65 02 90, ≤ – ☎ P. GB
fermé 20 oct. au 15 déc. et 20 au 28 avril – ☐ 22 – **28 ch** 105/180.

Mon Clocher, r. M. Sauvagnat ☎ 73 65 05 41, Fax 73 65 20 80 – ☎. GB. rest
1er mai-30 sept. et vacances scolaires – **R** 70/130 ♁, enf. 28 – ☐ 25 – **30 ch** 145/210 – ½ P 185/220. — Y **e**

Louisiane, r. J. Moulin ☎ 73 65 03 14 – GB — Z **e**
fermé 11 nov. au 15 déc., 5 au 30 janv. et merc. sauf vacances scolaires – **R** 70/149, enf. 35.

La Belle Epoque, r. Sauvagnat ☎ 73 65 07 68 – GB — Y **e**
1er mai-fin nov. et fermé mardi sauf vacances scolaires – **R** (en été prévenir) 84/138, enf. 42.

au Genestoux par ⑤ : 3,5 km sur D 996 – ✉ **63240** Mont-Dore :

Le Pitsounet, ☎ 73 65 00 67, – P. GB
fermé 4 nov. au 15 déc. et lundi sauf juil.-août et fév. – **R** (nombre de couverts limité - prévenir) 60/130 ♁, enf. 45.

au pied du Sancy par ② : 4 km – ✉ **63240** Le Mont-Dore :

🏨 **Puy Ferrand** 🐎, ✆ 73 65 18 99, Fax 73 65 28 38, ← le Sancy – |≑| TV ☎ P. AE ⓓ GB ✈ rest
fermé 15 oct. au 22 déc. – **R** 95/250, enf. 50 – ☕ 32 – **40 ch** 200/350 – ½ P 205/280.

RENAULT Gar. des Thermes, 5-7 bd Mirabeau ✆ 73 65 02 33

MONTE-CARLO Principauté de Monaco 84 ⑩, 195 ㉗ ㉘ – voir à Monaco.

MONTECH **82700** T.-et-G. 79 ⑰ – 3 091 h. alt. 112.

Voir Pente d'eau★ N : 1 km, **G. Pyrénées Roussillon.**

Paris 661 – ♦Toulouse 46 – Auch 69 – Beaumont-de-Lomagne 23 – Castelsarrasin 14 – Montauban 13.

🏨 **Notre Dame,** pl. J. Jaurès ✆ 63 64 77 45 – ☎ – 🏛 50. ⓓ GB
✦ *fermé 1er au 15 nov.* – **R** 75/210, enf. 45 – ☕ 25 – **12 ch** 130/220 – ½ P 170/200.

Gar. Gaiardo ✆ 63 64 72 44

MONTÉLIMAR **26200** Drôme 81 ① **G. Vallée du Rhône** – 29 982 h. alt. 81.

Env. Site★★ du Château de Rochemaure, 7 km par ⑤.

i Office de Tourisme allées Champ-de-Mars ✆ 75 01 00 20.

Paris 607 ① – Valence 46 ① – Aix-en-Provence 154 ③ – Alès 99 ③ – Avignon 83 ③ – Nîmes 106 ③ – Le Puy 131 ④ – Salon-de-Provence 118 ③.

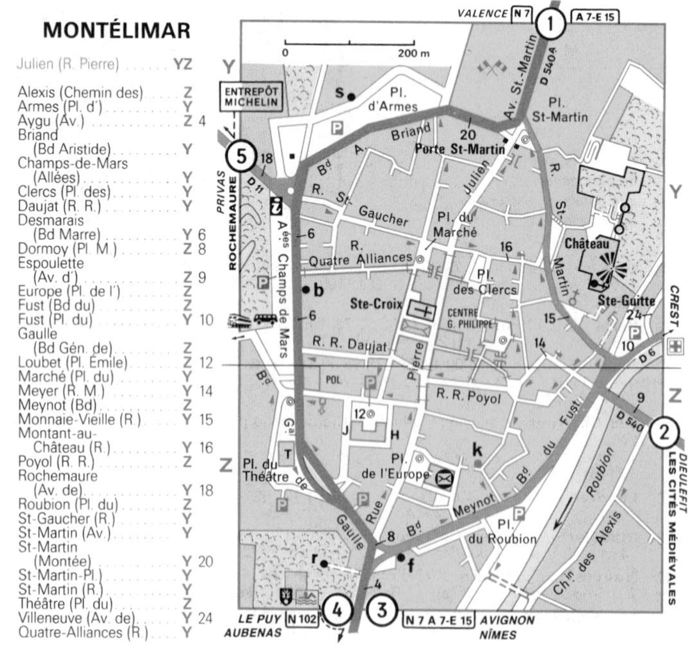

🏨 **Relais de l'Empereur,** pl. Marx Dormoy ✆ 75 01 29 00, Télex 345537, Fax 75 01 32 21 – TV ☎ 🚗 P. AE ⓓ GB — Z **f**
fermé 10 nov. au 21 déc. – **R** 178/198, enf. 85 – ☕ 39 – **40 ch** 190/565.

🏨 **Parc Chabaud,** 16 av. d'Aygu ✆ 75 01 65 66, Télex 345324, Fax 75 01 61 12, « Parc », 🏊 – |≑| ✈ rest TV ☎ P – 🏛 60. AE ⓓ GB — Z **r**
R 130/250, enf. 75 – ☕ 40 – **22 ch** 300/660.

🏨 **Sphinx** sans rest, 19 bd Desmarais ✆ 75 01 86 64, Fax 75 52 34 21 – TV ☎ P. GB — Y **b**
fermé 23 déc. au 3 janv. – ☕ 26 – **25 ch** 146/300.

🏨 **Beausoleil** sans rest, 14 bd Pêcher ✆ 75 01 19 80 – TV ☎ P. GB — Y **s**
fermé 10 au 25 août – ☕ 30 – **16 ch** 210/270.

Printemps 🙰, chemin Manche par ① ☏ 75 01 32 63, Fax 75 46 03 14, 🏖, 🏊, 🌳 – ☎ 🅟. AE ⊙ GB. ✗ rest
fermé 22 nov. au 14 déc. – **R** *(fermé sam. midi et lundi midi)* 89/360, enf. 55 – ☕ 35 – **16 ch** 160/360 – ½ P 360/400.

Crémaillère sans rest, 138 rte Marseille par ③ ☏ 75 01 87 46, Fax 75 52 36 87, 🏊 – TV ☎ 🅟. AE GB – *fermé 20 au 31 déc.* – ☕ 28 – **20 ch** 210/290.

Provence sans rest, rte Marseille par ③ ☏ 75 01 11 67 – ☎ 🚗 🅟
fermé nov. et sam. de déc. à fév. – ☕ 26 – **16 ch** 130/200.

XX **Francis,** rte Marseille par ③ : 1,5 km ☏ 75 01 43 82 – 🅟. GB
fermé 30 juil. au 26 août, mardi soir et merc. – **Repas** 78/148, enf. 63.

X **Le Grillon,** 40 r. Cuiraterie ☏ 75 01 79 02 – AE GB Z k
fermé janv., dim. midi et jeudi – **R** 90/165.

à Montboucher-sur-Jabron par ② et D 940 : 4,5 km – ✉ **26740** :

Château de Montboucher 🙰, ☏ 75 46 08 16, Fax 75 01 44 09, ≤, 🏖, 🏊, 🌳 – TV ☎ 🅟. AE GB
fermé fév. – **R** *(fermé lundi sauf juil.-août)* 140/225, enf. 70 – **11 ch** ☕ 390/650 – ½ P 350/450.

par ③ : 9 km sur N 7 et D 144[a] – ✉ **26780** Malataverne :

✿ **Domaine du Colombier** (Barette) 🙰, ☏ 75 90 86 86, Fax 75 90 79 40, ≤, 🏖, « Belle décoration intérieure, jardin fleuri, 🏊 » – TV ☎ 🅟 – 🏛 30. AE ⊙ GB
R *(fermé lundi midi hors sais.)* 180/250, enf. 100 – ☕ 65 – **20 ch** 450/860, 5 appart. 1200 – ½ P 480/860
Spéc. Omelette aux truffes du Tricastin et foie gras, Noix de ris de veau au Champagne, Pot-au-feu de mer aux ravioles de Royans. **Vins** Coteaux du Tricastin, Côtes du Rhône.

MICHELIN, Entrepôt, ZA du Meyrol par av. Rochemaure par ⑤ ☏ 75 01 80 91

BMW SEAT Chevalier-Lagarde, ZI av. Gournier ☏ 75 51 83 65
CITROEN Magne, 9 av. J.-Jaurès par ③ ☏ 75 01 20 55
FIAT, LANCIA Gar. Bernard, ZI, déviation Poids-Lourds Sud ☏ 75 51 86 75
FORD Croullet, ZI Sud ☏ 75 51 02 31
PEUGEOT-TALBOT Moulin, rte de Marseille, le Grand Pélican par ③ ☏ 75 01 74 99 N ☏ 75 01 57 04
RENAULT Éts Jean, rte de Valence par ① ☏ 75 01 77 00

Ⓜ Ayme-Pneus, ZI Sud av. Gournier ☏ 75 01 32 77
Piot-Pneu, 112 av. J.-Jaurès ☏ 75 01 88 11
Plantin-Pneus, 167 rte de Marseille ☏ 75 01 18 33

MONTENACH

57 Moselle 57 ④ – rattaché à Sierck-les-Bains.

MONTENDRE

17130 Char.-Mar. 71 ⑦ – 3 140 h. alt. 88.

Office de Tourisme av. Royan (juil.-août) ☏ 46 49 46 45.

Paris 534 – ♦Bordeaux 62 – Angoulême 72 – Blaye 27 – Saintes 70.

rte de Jonzac N : 7 km par D 19 et VO – ✉ **17130** Montendre :

X **La Mangeoire,** ☏ 46 49 27 37, 🏖, 🏊, 🌳 – 🅟. GB
fermé 15 au 30 sept., 15 au 25 fév., dim. soir et lundi – **R** 125/220 🍷, enf. 35.

à Sousmoulins NE : 8 km par rte de Baignes G. Poitou Vendée Charentes – ✉ **17130** :

X **Aub. du Presbytère,** ☏ 46 70 38 49, 🏖, « Ancien presbytère », 🌳 – 🅟. GB
fermé 3 au 17 mars, 17 nov. au 2 déc., lundi soir et mardi – **R** 90/170, enf. 62.

MONTEREAU-FAUT-YONNE

77130 S.-et-M. 61 ⑬ 106 ㊼ G. Ile de France – 18 657 h. alt. 52.

Voir au N Montereau-Surville : ≤★ sur le confluent de la Seine et de l'Yonne, 15 mn.

Office de Tourisme 2 bis r. D.-Casanova ☏ (1) 64 32 07 76.

Paris 88 – Fontainebleau 22 – Meaux 77 – Melun 30 – Sens 35 – Troyes 98.

XXX **Le Régent,** 6 pl. Bosson ☏ (1) 60 96 35 74, 🏖 – AE GB
fermé 3 au 23 août, vacances de fév. et dim. sauf fériés – **R** 95/250.

X **Aub. des Noues,** 22 r. Arches ☏ (1) 64 32 05 34, 🏖 – GB
fermé août, vacances de fév. et lundi – **R** (déj. seul.) 95/135.

à Flagy SO : 10 km par rte Nemours et D 120 – ✉ **77940** :

XXX **Host. du Moulin** 🙰 avec ch, ☏ (1) 60 96 67 89, Fax (1) 60 96 69 51, 🏖, « Moulin du 13e siècle », 🌳 – ☎ 🅟. AE ⊙ GB
fermé 13 au 25 sept., 20 déc. au 22 janv., dim. soir et lundi – **R** 150/190 🍷, enf. 70 – ☕ 38 – **10 ch** 190/410 – ½ P 288/362.

FORD Gar. Félix, rte du Petit Fossard à Varennes-sur-Seine ☏ (1) 64 32 00 76
PEUGEOT-TALBOT Gar. de la Gare, 11 r. Chatelet par av. Gén.-de-Gaulle ☏ (1) 64 32 02 16
RENAULT Coulet, av. 8-Mai-1945 à Varennes-sur-Seine ☏ (1) 64 32 09 25 N
Agrinel, 30 rte de Petit Fossard à Varennes-sur-Seine ☏ 64 32 23 71

Ⓜ Sovic, ZI, carrefour Central ☏ (1) 64 32 11 98

MONTEUX

84 Vaucluse 81 ⑫ – rattaché à Carpentras.

MONTFAUCON 25 Doubs 66 ⑮ – rattaché à Besançon.

MONTFAVET 84 Vaucluse 81 ⑫ – rattaché à Avignon.

MONTFERRAT 83131 Var 84 ⑦ – 629 h. alt. 480.

Voir S : Gorges de Châteaudouble★, P67G. Côte d'Azur.

Paris 880 – Castellane 39 – Draguignan 15 – Toulon 98.

Ferme du Baudron, S : 1 km par D 955 ✆ 94 70 91 03, « Cadre rustique », – Ⓟ
fermé 15 janv. au 28 fév. et merc. – **Repas** (nombre de couverts limité, prévenir) 70 carte le dim.

MONTFORT-EN-CHALOSSE 40380 Landes 78 ⑦ **G. Pyrénées Aquitaine** – 1 116 h. alt. 101.

Paris 742 – Mont-de-Marsan 35 – Aire-sur-l'Adour 56 – Dax 18 – Hagetmau 27 – Orthez 28 – Tartas 15.

Aux Tauzins, E : 1,5 km par D 32 et D 2 ✆ 58 98 60 22, ←, parc, – ☎ Ⓟ – 30. GB. ch
fermé 15 janv. au 15 fév. et lundi sauf juil.-août – **R** 85/180 – 28 – **20 ch** 150/240 – ½ P 220/300.

MONTFORT-L'AMAURY 78490 Yvelines 60 ⑨ 106 ㉗ **G. Ile de France** (plan) – 2 651 h. alt. 186.

Voir Église★ – Ancien charnier★ (au cimetière) – Ruines du château ←★.

Syndicat d'Initiative à la Mairie ✆ (1) 34 86 00 40.

Paris 46 – Dreux 37 – Houdan 16 – Mantes-la-Jolie 29 – Rambouillet 19 – Versailles 26.

XXX ✿ **Aub. de l'Arrivée** (Habans), D 76 (à Méré) ✆ (1) 34 86 00 28, Fax (1) 34 86 84 94, – GB
fermé 15 août au 20 sept., vacances de fév., lundi soir et mardi – **R** 350
Spéc. Foie gras de canard, Cassolette de homard breton, Fondant au chocolat.

XXX **Chez Nous,** ✆ (1) 34 86 01 62 – GB
fermé 28 juin au 10 juil., 2 au 20 nov., dim. soir et lundi sauf fériés – **R** 200 carte le dim.

MONTGENÈVRE 05100 H.-Alpes 77 ⑱ **G. Alpes du Sud** – 519 h. alt. 1 854 – Sports d'hiver : 1 860/2 700 m 2 21.

9 9 ✆ 92 21 94 23.

Office de Tourisme ✆ 92 21 90 22, Télex 440440.

Paris 698 – Briançon 12 – Gap 100 – Lanslebourg-Mont-Cenis 83 – Torino 96.

Valérie, ✆ 92 21 90 02 – ☎. GB. rest
1er juil.-10 sept. et 20 déc.-début avril – **R** 130 – 30 – **19 ch** 220/320 – ½ P 260/280.

MONTGRÉSIN 60 Oise 56 ⑪, 106 ⑧ – rattaché à Chantilly.

Les MONTHAIRONS 55 Meuse 57 ⑪ – rattaché à Verdun.

MONTHERMÉ 08800 Ardennes 53 ⑱ **G. Champagne** (plan) – 2 866 h. alt. 140.

Voir Roche aux Sept Villages ←★★ S : 3 km – Roc de la Tour ←★★ E : 3,5 km puis 20 mn – Longue Roche ←★★ NO : 2,5 km puis 30 mn – Roche à Sept Heures ←★ N : 2 km – Roche de Roma ←★ S : 4 km – Les Dames de Meuse★ NO : 5 km – E : Vallée de la Semoy★.

Env. Roches de Laifour★★ NO : 6 km.

Office de Tourisme r. Etienne Dolet (juil.-15 sept.) ✆ 24 53 07 46 et (hors saison) ✆ 24 53 06 50.

Paris 243 – Charleville-Mézières 18 – Fumay 28.

Franco-Belge, 2 r. Pasteur ✆ 24 53 01 20 – ☎. GB.
fermé 30 déc. au 15 janv., vend. soir et dim. soir sauf juil.-août – **R** 85/250 – 30 – **18 ch** 170/250 – ½ P 190/210.

PEUGEOT-TALBOT Modern Gar., 3 r. Dr-Lemaire ✆ 24 53 00 46

RENAULT Domelier, r. Gén.-de-Gaulle ✆ 24 53 01 12

MONTI 06 Alpes-Mar. 84 ⑳ – rattaché à Menton.

MONTIGNAC 24290 Dordogne 75 ⑦ **G. Périgord Quercy** – 2 938 h. alt. 77.

Voir Lascaux II★★ SE : 2,5 km – **Env.** Église★★ de St-Amand de Coly E : 7 km.

Syndicat d'Initiative pl. Léo Magne ✆ 53 51 82 60.

Paris 497 – Périgueux 48 – Sarlat-la-Canéda 25 – Bergerac 88 – Brive-la-Gaillarde 37 – ◆Limoges 100.

✿ **Château de Puy Robert** M, SO : 1,5 km par D 65 ✆ 53 51 92 13, Télex 550616, Fax 53 51 80 11, parc, « Élégante décoration intérieure », – ☎ Ⓟ – 30. AE GB JCB. rest
1er mai-15 oct. – **R** *(fermé merc. midi)* 215/415, enf. 95 – 65 – **32 ch** 720/1100, 6 appart. 1100/1600 – ½ P 710/950
Spéc. Trio de foie gras, Salade Puy-Robert aux trois confits, Carbonara de truffes. **Vins** Bergerac.

Soleil d'Or, r. 4-Septembre ✆ 53 51 80 22, Fax 53 50 27 54, parc, – ☎ Ⓟ – 60 – **28 ch**, 4 appart.

MONTIGNY-AUX-AMOGNES **58130** Nièvre 69 ④ – 498 h. alt. 218.

Paris 248 – Château-Chinon 57 – Decize 36 – Nevers 10,5 – Prémery 18.

XX **Aub. des Amognes,** ✆ 86 58 61 97, ⛱, 🌳 – 🅿. GB
fermé 15 fév. au 15 mars, 31 août au 9 sept., dim. soir et lundi – **Repas** (prévenir) 95/160.

MONTIGNY-LA-RESLE **89230** Yonne 65 ⑤ – 548 h. alt. 153.

Paris 175 – Auxerre 15 – St-Florentin 18 – Tonnerre 28.

🏠 **Soleil d'Or** M, ✆ 86 41 81 21, Fax 86 41 86 88 – TV ☎ 🅿. AE ⓓ GB. 🚫 ch
fermé 6 au 31 janv. – **R** *(fermé merc. midi)* 88/220 🍷, enf. 58 – ☕ 25 – **16 ch** 215/255 – ½ P 220/230.

MONTIGNY-LE-BRETONNEUX **78** Yvelines 60 ⑨, 101 ㉑ – voir à St-Quentin-en-Yvelines.

MONTIGNY-LE-ROI **52** H.-Marne 62 ⑬ – 2 167 h. alt. 405 – ✉ **52140** Val de Meuse.

Paris 289 – Chaumont 34 – Bourbonne-les-Bains 21 – Langres 23 – Neufchâteau 57 – Vittel 49.

🏨 **Moderne** M, ✆ 25 90 30 18, Fax 25 90 71 80 – TV ☎ ♿ 🚗 🅿 – 🎤 30. AE ⓓ GB
R 78/210 🍷, enf. 40 – ☕ 36 – **26 ch** 200/265 – ½ P 200/245.

PEUGEOT-TALBOT Gar. Flagez rte de Chaumont ✆ 25 90 30 34 **N**

RENAULT Gar. Rabert ✆ 25 90 31 15 **N** ✆ 25 90 37 19

MONTIGNY-LÈS-METZ **57** Moselle 57 ⑬ ⑭ – rattaché à Metz.

MONT-L'ÉVÊQUE **60** Oise 56 ⑫ – rattaché à Senlis.

MONTLHÉRY **91310** Essonne 60 ⑩ 106 ㉚ 101 ㉞ **G. Ile de France** – 5 195 h. alt. 120.

Voir ☼★ de la tour – Marcoussis : Vierge★ dans l'église O : 3 km.

Autodrome permanent de Linas-Montlhéry SO : 2,5 km.

ℹ Syndicat d'Initiative pl. Hôtel de Ville ✆ (1) 69 01 70 11.

Paris 26 – Etampes 24 – Evry 14 – Versailles 26.

FIAT Gar. Docteur ✆ (1) 69 01 02 00
PEUGEOT-TALBOT Paulmier ✆ (1) 69 01 02 17

RENAULT E.D.A.M., 72 RN 20 ✆ (1) 69 01 41 20
ROVER Gar. de l'Autodrome ✆ (1) 69 01 00 55

MONT-LOUIS **66210** Pyr.-Or. 86 ⑯ **G. Pyrénées Roussillon** – 200 h. alt. 1 600 – **Voir** Remparts★.

ℹ Syndicat d'Initiative r. Marché (saison) ✆ 68 04 21 97.

Paris 989 – Andorre-la-Vieille 88 – Carcassonne 120 – Foix 118 – ♦Perpignan 80 – Prades 36.

à la Llagonne N : 3 km par D 118 – ✉ **66210** Mont-Louis :

🏠 **Corrieu** 🔇, ✆ 68 04 22 04, ≤, 🎾 – ☎ 🅿. AE GB. 🚫 rest
4 juin-27 sept., 19 déc.-30 mars et vacances de printemps – **R** 78/104 🍷 – ☕ 30 – **28 ch** 128/310 – ½ P 185/265.

PEUGEOT-TALBOT Gar. Giraud, carr. Monument Brousse à la Cabanasse ✆ 68 04 20 22 **N**

MONTLOUIS-SUR-LOIRE **37270** I.-et-L. 64 ⑮ **G. Châteaux de la Loire** – 8 309 h. alt. 60.

ℹ Syndicat d'Initiative pl. Mairie (Pâques-1er oct.) ✆ 47 45 00 16.

Paris 235 – ♦Tours 12 – Amboise 13 – Blois 47 – Château-Renault 36 – Loches 38 – Montrichard 31.

🏠 **de la Ville,** pl. Mairie ✆ 47 50 84 84, Fax 47 45 08 43 – TV ☎ 🅿. GB
R 80/130, enf. 55 – ☕ 35 – **29 ch** 260/310 – ½ P 235/255.

XXX **Roc-en-Val,** 4 quai Loire ✆ 47 50 81 96, Fax 47 45 18 73, ⛱, « Jardin ombragé » – 🅿. AE GB – *fermé lundi (sauf le soir du 15 avril au 15 oct.) et dim. soir* – **R** 165/310.

XX **Tourangelle,** quai A. Baillet ✆ 47 50 81 15 – GB
fermé 29 juin au 13 juil., 22 déc. au 6 janv., dim. soir, mardi soir et merc. – **R** 79 (sauf sam.)/162.

MONTLUÇON <SP> **03100** Allier 69 ⑪ ⑫ **G. Auvergne** – 44 248 h. alt. 211.

Voir Le Vieux Montluçon★ BCZ : intérieur★ de l'église St-Pierre (sainte Madeleine★★) CYZ, esplanade du château ≤★ – Collection de vielles★ au musée municipal CZ **M.**

⛳18 du Val de Cher ✆ 70 06 71 15, N : 17 km.

ℹ Office de Tourisme 1 av. Marx-Dormoy ✆ 70 05 05 92 et 5 pl. E.-Piquand (mai-sept. après-midi seul.) ✆ 70 05 50 70 – A.C. 10 r. Michelet ✆ 70 64 70 38.

Paris 333 ① – Moulins 78 ② – Bourges 100 ① – ♦Clermont-Ferrand 88 ① – ♦Limoges 135 ⑤ – Poitiers 207 ⑥.

Plans page suivante

🏨 **Host. du Château St-Jean** M 🔇, près hippodrome par ③ ✆ 70 05 04 65, Télex 392339, Fax 70 05 97 75, ⛱, « Belle demeure en bordure d'un parc », 🏊, 🌳 – 🛗 TV ☎ ♿ 🅿 – 🎤 40 à 150. AE ⓓ GB
R 170/385, enf. 90 – ☕ 60 – **20 ch** 470/950, 6 appart. 950/1600 – ½ P 475/575.

🏨 **Univers** sans rest, 38 av. Marx Dormoy ✆ 70 05 33 47, Télex 392309, Fax 70 28 44 30 – 🛗 TV ☎ – 🎤 70. AE GB BZ **k**
☕ 28 – **53 ch** 190/248.

MONTLUÇON

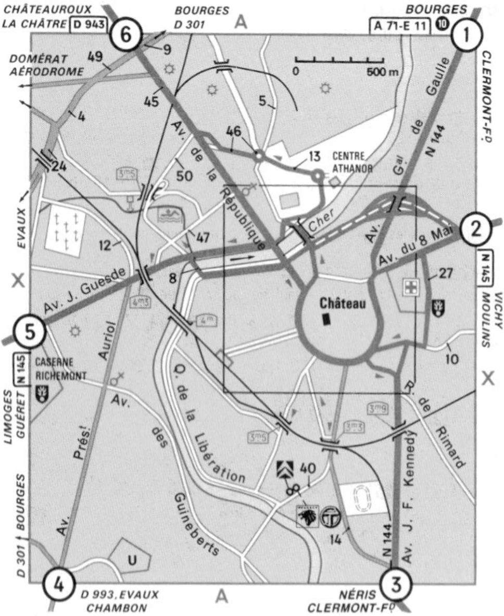

Street	Grid	No.
Barathon (R.)	CZ	2
Courtais (Bd de)	BCZ	
République (Av.)	BY	
St-Pierre (R. Fg)	BY	35
Beaulieu (R.)	AX	4
Blanzat (R. de)	AX	5
Château (R. du)	BZ	6
Châtelet (Pont du)	AX	8
Desmoulins (R. C.)	AX	9
Dienat (R. du)	AX	10
Egalité (R. de l')	AX	12
Einstein (R. A.)	AX	13
Faucheroux (R.)	AX	14
Favières (Q.)	BY	15
Fontaine (R.)	CZ	16
Forges (R. Porte)	CZ	17
Jaurès (Pl. Jean)	CZ	18
Menut (R. L.)	CY	22
Nègre (Av. J.)	AX	24
Notre-Dame (Pl.)	CZ	25
Notre-Dame (R.)	CZ	26
Pamparoux (R.)	AX	27
Petit (R. P.)	CY	30
Picasso (R. P.)	CY	31
Piquant (R. E.)	BZ	32
St-Pierre (Pl.)	BCZ	36
St-Roch (R.)	BCZ	38
Semard (R. P.)	AX	40
Serruriers (R.)	BCZ	42
Thomas (Av. A.)	AX	45
Verrerie (R. et Pl. de la)	AX	46
Victor-Hugo (R.)	AX	47
Villon (R. P.)	AX	49
Voltaire (R.)	AX	50
5 Piliers (R. des)	CZ	52

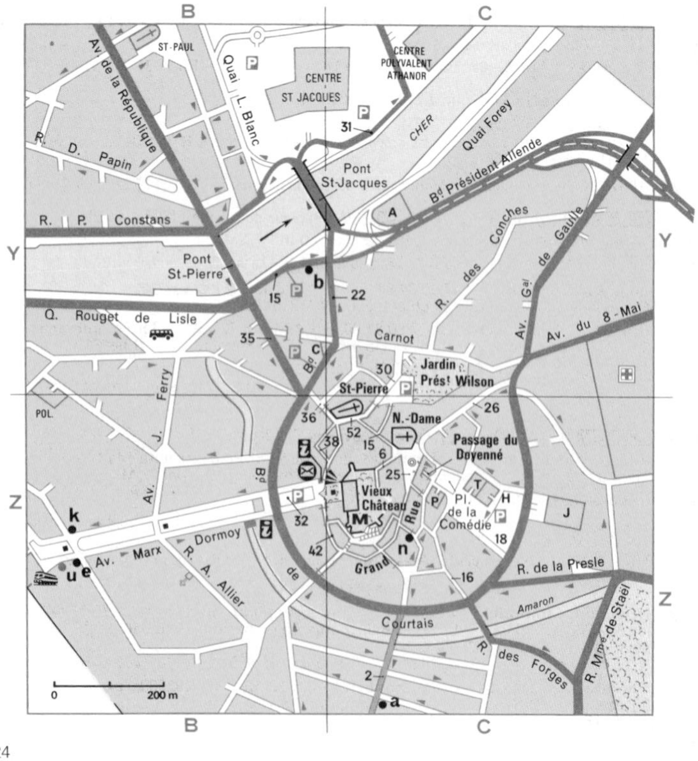

Ibis [M], r. Nicolaïs ☎ 70 28 48 42, Télex 393029, Fax 70 28 58 62 – |‡| ▤ rest [TV] ☎ ♿ Ⓟ – 40. GB BY b
R 73/125 ⅛, enf. 39 – ☕ 30 – **63 ch** 245/270.

Lion d'Or, 19 r. Barathon ☎ 70 05 00 62, Fax 70 05 76 39 – |‡| [TV] ☎ – 30. GB
La Crémaillère ☎ 70 05 91 88 *(fermé vacances de fév. et dim.)* **R** 65/165⅛, enf. 45 – ☕ 25 – **31 ch** 175/235 – ½ P 363/383. CZ a

des Bourbons, 47 av. Marx Dormoy ☎ 70 05 28 93, Fax 70 05 16 92 – |‡| ▤ rest [TV] ☎. AE ⓓ GB BZ e
Aux Ducs de Bourbon ☎ 70 05 22 79 *(fermé dim. soir et lundi)* **R** 105/178 ⅛, enf. 45 – ☕ 30 – **43 ch** 140/240.

XXX ✿ **Grenier à Sel** (Corlouër) avec ch, 8 r. Ste-Anne ☎ 70 05 53 79, « Hôtel particulier du vieux Montluçon », – [TV] ☎. AE ⓓ GB CZ n
fermé dim. soir et lundi – **R** 120/340 – ☕ 50 – **4 ch** 500
Spéc. Petit pâté chaud de ris de veau (sept. à mars), Langoustines rôties au Sancerre rouge et foie gras poêlé, Assiette de desserts. **Vins** Sancerre, Saint-Pourçain.

par ① : 5 km sur N 144 – ✉ **03410** St-Victor :

Campanile, rte Bourges ☎ 70 28 48 48, Télex 393004, Fax 70 28 51 04, – [TV] ☎ ♿ Ⓟ – 30. AE GB
R 77 bc/99 bc, enf. 39 – ☕ 28 – **50 ch** 258 – ½ P 234/256.

à ***Estivareilles*** par ① : 10 km – ✉ **03190** :

XX **Host. Lion d'Or** avec ch, N 144 ☎ 70 06 00 35, parc – ☎ Ⓟ. AE GB
fermé août, fév., dim. soir et lundi – **R** 75/250 – ☕ 25 – **10 ch** 140/190 – ½ P 180/190.

par ⑤ : 3,5 km sur N 145 – ✉ **03410** Domérat :

Novelta, rte Guéret ☎ 70 03 34 88, Télex 392936 – |‡| [TV] ☎ Ⓟ – 60 à 100. ⓓ GB.
R *(fermé dim. soir)* 70/170 ⅛, enf. 45 – ☕ 35 – **40 ch** 260/320 – ½ P 240.

ALFA-ROMEO Gar. Andrieu, 21 r. H.-Berlioz ☎ 70 28 41 34
CITROEN Grand Gar. Montluçonnais, 12 r. P. Sémard AX ☎ 70 05 32 07
MERCEDES-BENZ Auvity, 23 à 27 quai Stalingrad ☎ 70 29 07 93
OPEL S.I.V.R.A.C., 162 av. Gén.-de-Gaulle ☎ 70 28 39 01
PEUGEOT-TALBOT Gar. Bourbonnais, 10 r. P.-Sémard AX ☎ 70 05 34 37 N ☎ 05 44 24 24
RENAULT I.D.E.A., La Cote Rouge rte de Châteauroux à Domérat par ⑥ ☎ 70 08 13 00 N ☎ 70 05 28 80
V.A.G Europe Gar., 18 quai Forey ☎ 70 05 31 33

Estager-Pneu, 1 r. de Blanzat ☎ 70 03 74 30
Godignon Pneu +, ZI r. E.-Sue ☎ 70 29 64 85 N ☎ 70 06 42 82

MONTLUEL 01120 Ain 74 ② – 5 954 h. alt. 198.

Paris 474 – ♦Lyon 24 – Bourg-en-Bresse 58 – Chalamont 20 – Meximieux 14 – Villefranche-sur-S. 45.

Le Petit Casset [M] sans rest, à **La Boisse** SO : 2 km ☎ 78 06 21 33, – [TV] ☎ Ⓟ. GB
☕ 37 – **15 ch** 280/310.

à ***Ste-Croix*** N : 5 km par D 61 – ✉ **01120** :

Chez Nous , ☎ 78 06 60 60, Fax 78 06 63 26, , – [TV] ☎ Ⓟ – 40. GB
R *(fermé 11 au 22 nov., 25 déc. au 1er janv., dim. soir et jeudi hors sais.)* 90/250 ⅛, enf. 60 – ☕ 30 – **32 ch** 220/280 – ½ P 220/250.

Relais Pneus, ZA du Petit Rosait à la Boisse ☎ 78 06 41 01

MONTMARAULT 03390 Allier 69 ⑬ – 1 597 h.

Paris 353 – Moulins 45 – Gannat 39 – Montluçon 32 – St-Pourçain-sur-Sioule 28.

XX **France** avec ch, 1 r. Marx Dormoy ☎ 70 07 60 26 – [TV] ☎ Ⓟ. GB
R 70/190 ⅛, enf. 45 – ☕ 30 – **8 ch** 190/260 – ½ P 195/230.

PEUGEOT Gar. Mercadal, ☎ 70 07 61 06
RENAULT Gar. Maillard ☎ 70 07 67 97

MONTMARTIN-SUR-MER 50590 Manche 54 ⑫ – 880 h. alt. 42.

Paris 345 – St-Lô 40 – Coutances 11 – Granville 21 – Villedieu-les-Poêles 32.

Host. du Bon Vieux Temps, ☎ 33 47 54 44 – ☎ Ⓟ. GB
fermé dim. soir du 15 nov. à Pâques – **R** 55/190 – ☕ 22 – **20 ch** 126/214 – ½ P 164/206.

PEUGEOT-TALBOT Gar. des Gravelets ☎ 33 47 60 15

MONTMÉDY 55600 Meuse 57 ① G. Alsace Lorraine (plan) – 1 943 h. alt. 198.

Voir Remparts*.

Env. Basilique** et Recevresse* d'Avioth N : 8 km.

Office de Tourisme Ville Haute (15 fév.-15 nov.) ☎ 29 80 15 90 – A.C. 13 r. Gén.-de-Gaulle ☎ 29 80 10 06.

Paris 260 – Charleville-Mézières 66 – Longwy 40 – ♦Metz 103 – Verdun 47 – Vouziers 60.

Le Mady, ☎ 29 80 10 87 – [TV] ☎. GB
fermé fév., dim. soir et lundi sauf juil.-août – **R** 60/250 ⅛, enf. 45 – ☕ 30 – **11 ch** 230/260 – ½ P 210/230.

PEUGEOT-TALBOT Bigorgne ☎ 29 80 10 34

MONTMÉLIAN 73800 Savoie 74 ⑯ G. Alpes du Nord – 3 930 h. alt. 285.

Voir ✻★ du rocher.

Paris 557 – ♦ Grenoble 50 – Albertville 40 – Allevard 25 – Chambéry 13 – St-Jean-de-Maurienne 57.

- **Primevère** M, N 6 ☎ 79 84 12 01, Fax 79 84 23 01 – TV ☎ ♿ P – 40. GB
  R 75/130 ♁, enf. 39 – ☐ 30 – **42 ch** 240/260 – ½ P 220/250.
- **George,** N 6 ☎ 79 84 05 87 – ☎ P. GB. ch
  hôtel : fermé 15/10 au 15/12 et mardi ; rest. : fermé 1er au 15/6, 15 au 30/11 et mardi – **R** 62/120 ♁, enf. 38 – ☐ 25 – **12 ch** 160/200.
- XXX **Host. des Cinq Voûtes,** N 6 ☎ 79 84 05 78, « Voûtes moyenâgeuses » – P. AE ① GB
  fermé nov., jeudi soir de sept. à juin et merc. soir – **R** 180/350, enf. 80.
- XX L'Arlequin (Centre technique hôtelier), N 6 ☎ 79 84 21 54 – P.
- X **Viboud** avec ch, Vieux Montmélian ☎ 79 84 07 24 – ▤ rest ☎ P – 30 à 50. AE ① GB
  fermé 15 au 29 juin, 28 sept. au 12 oct., 4 au 10 janv., dim. soir et lundi – **Repas** 88/160 ♁, enf. 45 – ☐ 25 – **17 ch** 80/240 – ½ P 120/175.

FIAT Gar. Novel ☎ 79 84 04 52

NISSAN Joguet, à Francin ☎ 79 84 23 78

MONTMERLE-SUR-SAÔNE 01090 Ain 74 ① – 2 596 h. alt. 170.

Paris 422 – Mâcon 29 – Bourg-en-Bresse 42 – Chauffailles 48 – ♦Lyon 45 – Villefranche-sur-Saône 12.

- **Rivage,** au pont ☎ 74 69 33 92, Fax 74 69 49 21, – cuisinette ☎ P – 30 à 100. AE GB.
  fermé lundi sauf le soir du 1er juin au 15 sept. et dim. soir du 16 sept. au 31 mai – **R** 85/280 ♁ – ☐ 32 – **21 ch** 195/350, 6 appart. 300/380.
- XXX **Castel de Valrose** avec ch, ☎ 74 69 30 52, , – 25. GB
  fermé merc. du 1er oct. à fin mai – **R** 140/300, enf. 90 – ☐ 38 – **7 ch** 240/380 – ½ P 270/320.

RENAULT Gar. Deschampt ☎ 74 69 37 20

MONTMEYRAN 26120 Drôme 77 ⑫ – 2 360 h. alt. 189.

Paris 579 – Valence 14 – Crest 14 – Romans-sur-Isère 25.

- XX **La Vieille Ferme,** Les Dorelons ☎ 75 59 31 64, , « Intérieur rustique », – P. GB
  fermé 1er au 25 août, dim. soir, lundi soir et mardi – **R** (prévenir) 170/195.

MONTMIRAIL 84 Vaucluse 81 ⑫ – rattaché à Gigondas.

MONTMORENCY 95 Val-d'Oise 56 ⑪, 101 ⑤ – voir Paris, Environs.

MONTMORILLON SP 86500 Vienne 68 ⑮ G. Poitou Vendée Charentes (plan) – 6 667 h. alt. 105.

Voir Fresques★ dans la crypte de l'église N.-Dame.

ℹ Office de Tourisme 21 av. F.-Tribot ☎ 49 91 11 96.

Paris 360 – Poitiers 50 – Angoulême 118 – Châteauroux 87 – ♦Limoges 83.

- **France-Mercier,** 2 bd Strasbourg ☎ 49 91 00 51, Fax 49 91 29 03 – ☎. AE ① GB
  fermé 1er au 6 juil., 20 au 26 oct., janv., dim. soir et lundi sauf fériés – **R** (dim. et fêtes - prévenir) 115/300, enf. 65 – ☐ 40 – **25 ch** 185/230.

CITROEN Perrot, rte de Lussac-les-Châteaux ☎ 49 91 00 05

PEUGEOT-TALBOT G.M.G.A., 59 bd Gambetta ☎ 49 91 11 33

RENAULT Robuchon et Fils, 1 av. de l'Europe ☎ 49 91 06 44 N ☎ 49 44 66 58

MONTMORT 51270 Marne 56 ⑮ ⑯ G. Champagne – 583 h. alt. 206.

Env. Fromentières : retable★★ de l'église SO : 11 km.

Paris 123 – ♦ Reims 43 – Châlons-sur-Marne 46 – Épernay 18 – Montmirail 24 – Sézanne 26.

- **Cheval Blanc,** ☎ 26 59 10 03, Fax 26 59 15 88 – TV ☎ P. GB
  fermé 15 fév. au 1er mars et vend. du 1er nov. au 1er avril – **R** 70/280 ♁ – ☐ 30 – **19 ch** 130/280 – ½ P 180/280.

MONTOIRE-SUR-LE-LOIR 41800 L.-et-Ch. 64 ⑤ G. Châteaux de la Loire (plan) – 4 065 h. alt. 70.

Voir Chapelle St-Gilles★ : peintures murales★★ – Pont ≤★.

ℹ Syndicat d'Initiative à la Mairie (juil.-août) ☎ 54 85 00 29.

Paris 189 – ♦ Le Mans 68 – Blois 43 – Château-Renault 21 – La Flèche 80 – St-Calais 23 – Vendôme 18.

- XX **Cheval Rouge** avec ch, pl. Foch ☎ 54 85 07 05, Fax 54 85 17 42 – ☎ . AE GB
  fermé fév., mardi soir et merc. – **Repas** (dim. prévenir) 111/268, enf. 46 – ☐ 25 – **15 ch** 110/206 – ½ P 196/239.

à Lavardin SE : 2,5 km par D 108 – ✉ 41800 :

- XX **Relais d'Antan,** ☎ 54 86 61 33, – GB
  fermé 1er au 10 sept., vacances de fév., mardi soir et merc. sauf juil.-août – **R** 120/195, enf. 45.

PEUGEOT Gar. Hervio ☎ 54 85 02 40 N

MONTPELLIER P 34000 Hérault 83 ⑦ **G. Gorges du Tarn** – 207 996 h. alt. 50.

Voir Vieux Montpellier★★ : hôtel de Varennes★ FY **M1**, hôtel des Trésoriers de la Bourse★ FY **X**, rue de l'Ancien Courrier★ EFY **4** – Promenade du Peyrou★★ : ≤★ de la terrasse supérieure AU – Musée Fabre★★ FY – Musée Atger★ (dans la faculté de médecine) EX.

Env. Parc zoologique de Lunaret★ 6 km par av. Bouisson-Bertrand ABT – Château de la Mogère★ E : 5 km par D 24 DU.

18 de Coulondres ✆ 67 84 13 75, par ⑦.

✈ de Montpellier-Fréjorgues : Air France ✆ 67 92 12 11, SE par ③ : 7 km.

Office de Tourisme 78 av. Pirée ✆ 67 22 06 16, au Triangle allée Tourisme ✆ 67 58 67 58 et Gare SNCF r. J.-Ferry ✆ 67 92 90 03 – A.C. 3 r. Maguelone ✆ 67 58 44 12.

Paris 759 ② – ◆Marseille 164 ② – ◆Nice 325 ② – Nîmes 51 ② – ◆Toulouse 241 ⑤.

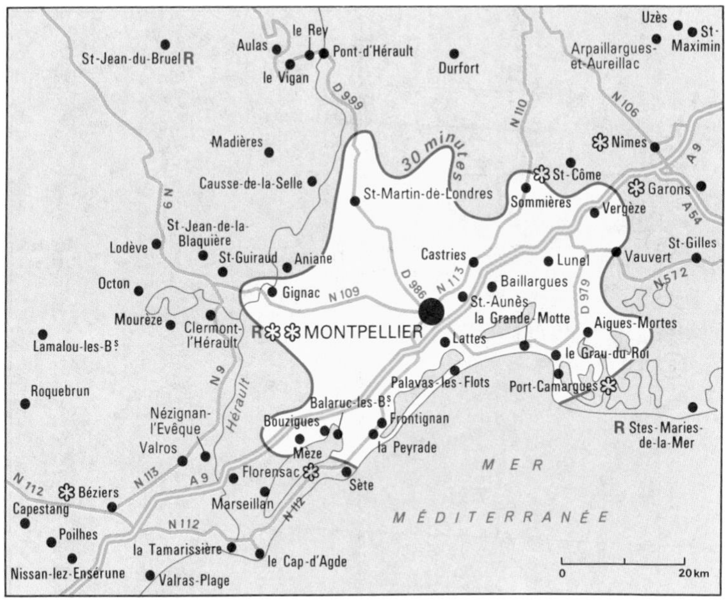

Métropole M, 3 r. Clos René ✆ 67 58 11 22, Télex 480410, Fax 67 92 13 02, 🏷, 🏷 – |‡| ⊁ ch ▤ TV ☎ 🚗 – 🏷 40 à 70. AE ⓓ GB JCB — FZ **a**
R 180/320 – ☕ 45 – **78 ch** 580/640, 7 appart. 800/1000 – ½ P 520/610.

Sofitel M sans rest, au Triangle ✆ 67 58 45 45, Télex 480140, Fax 67 58 77 50 – |‡| ⊁ ▤ TV ☎. AE ⓓ GB JCB — CU **h**
☕ 65 – **96 ch** 510/575.

Pullman Antigone M, r. Pertuisanes ✆ 67 65 62 63, Télex 485875, Fax 67 65 17 50, 🏷, 🏊 – |‡| ⊁ ch ▤ TV ☎ ♿ 🚗 – 🏷 130. AE ⓓ GB — CU **v**
R *(fermé sam. et dim.)* carte 175 à 300 – ☕ 70 – **88 ch** 550/650.

Altéa Antigone M, au Polygone ✆ 67 64 65 66, Télex 480362, Fax 67 22 22 21, 🏷 – |‡| ▤ TV ☎ 🚗 – 🏷 350. AE ⓓ GB — CU **a**
Lou Païrol *(fermé sam. midi et dim. midi)* **R** 140/230, enf. 65 – ☕ 55 – **116 ch** 485/520.

La Maison Blanche M, 1796 av. Pompignane ✆ 67 79 60 25, Fax 67 79 53 39, parc, 🏷 – TV ☎ ♿ P – 🏷 30. AE GB — DT **r**
R *(fermé 1er au 14 août et dim.)* 80/130 – ☕ 38 – **38 ch** 350/450 – ½ P 390.

Noailles 🏷 sans rest, 2 r. Ecoles-Centrales ✆ 67 60 49 80, Fax 67 66 08 26, « Demeure du 17e siècle » – |‡| TV ☎. AE ⓓ GB JCB — FY **t**
fermé 24 déc. au 18 janv. – ☕ 40 – **30 ch** 230/450.

Chevalier d'Assas M sans rest, 18 av. d'Assas ✆ 67 52 02 02, Fax 67 04 18 02, 🏷 – TV ☎ 🚗. AE ⓓ GB — AT **x**
☕ 56 – **14 ch** 430/560.

George V, 42 av. St-Lazare ✆ 67 72 35 91, Télex 480953, Fax 67 72 53 33 – |‡| ▤ TV ☎ P. AE ⓓ GB — CT **a**
R *(fermé sam. midi et dim.)* 90/148 🍷 – ☕ 35 – **39 ch** 350/460 – ½ P 327.

MONTPELLIER

Polygone (Le) . . . . CU
Arceaux (Bd des) . . . . AU 6
Bazille (R. F.) . . . . BCV 12
Blum (R. L.) . . . . CU 13
Broussonnet (R. A.) . . . . . AT 18
Chancel (Av.) . . . . AT 25
Citadelle (Allée) . . . . CU 26
Clapiès (R.) . . . . AU 28
Comte (R. A.) . . . . AU 29
Délicieux (R. B.) . . . . CT 31
Etats-du-Languedoc (Av. des) . . . . CU 35
Fabre-de-Morlhon (Bd) . BV 36
Fg-Boutonnet (R.) . . . . . . BT 37

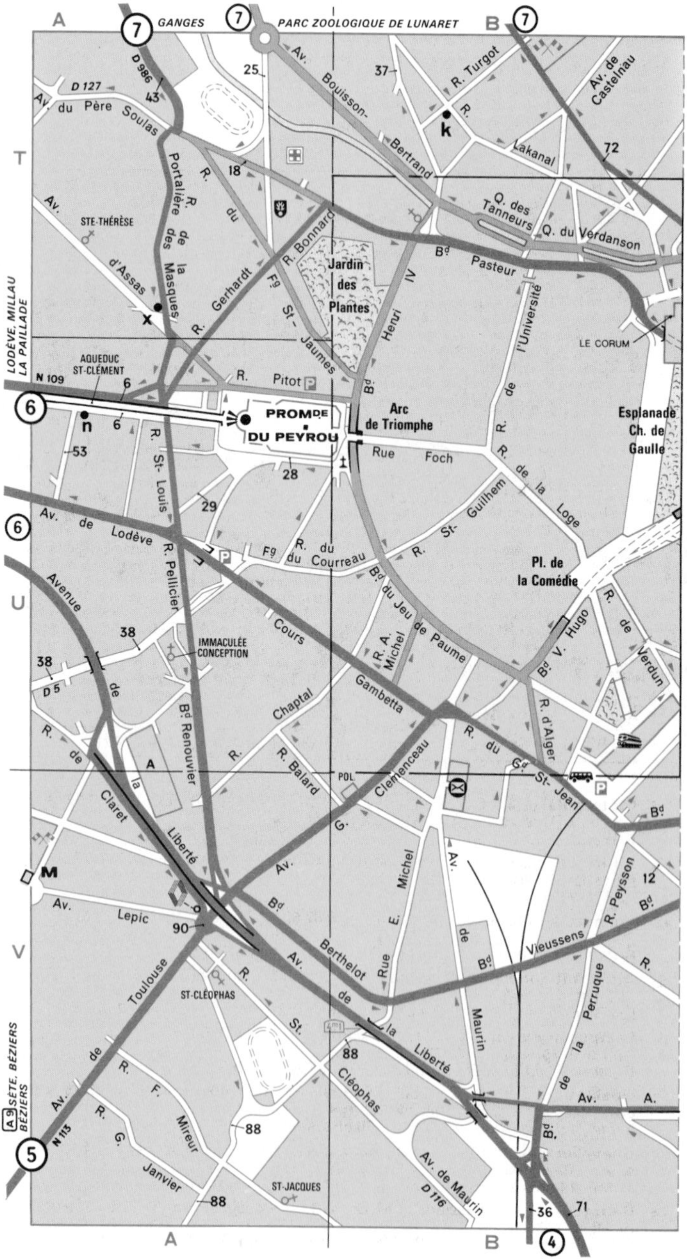

GANGES
PARC ZOOLOGIQUE DE LUNARET
LODÈVE, MILLAU LA PAILLADE
SÈTE, BÉZIERS BÉZIERS
PROMDE DU PEYROU
Arc de Triomphe
Jardin des Plantes
Esplanade Ch. de Gaulle
Pl. de la Comédie
LE CORUM
AQUEDUC ST-CLÉMENT
STE-THÉRÈSE
IMMACULÉE CONCEPTION
ST-CLÉOPHAS
ST-JACQUES

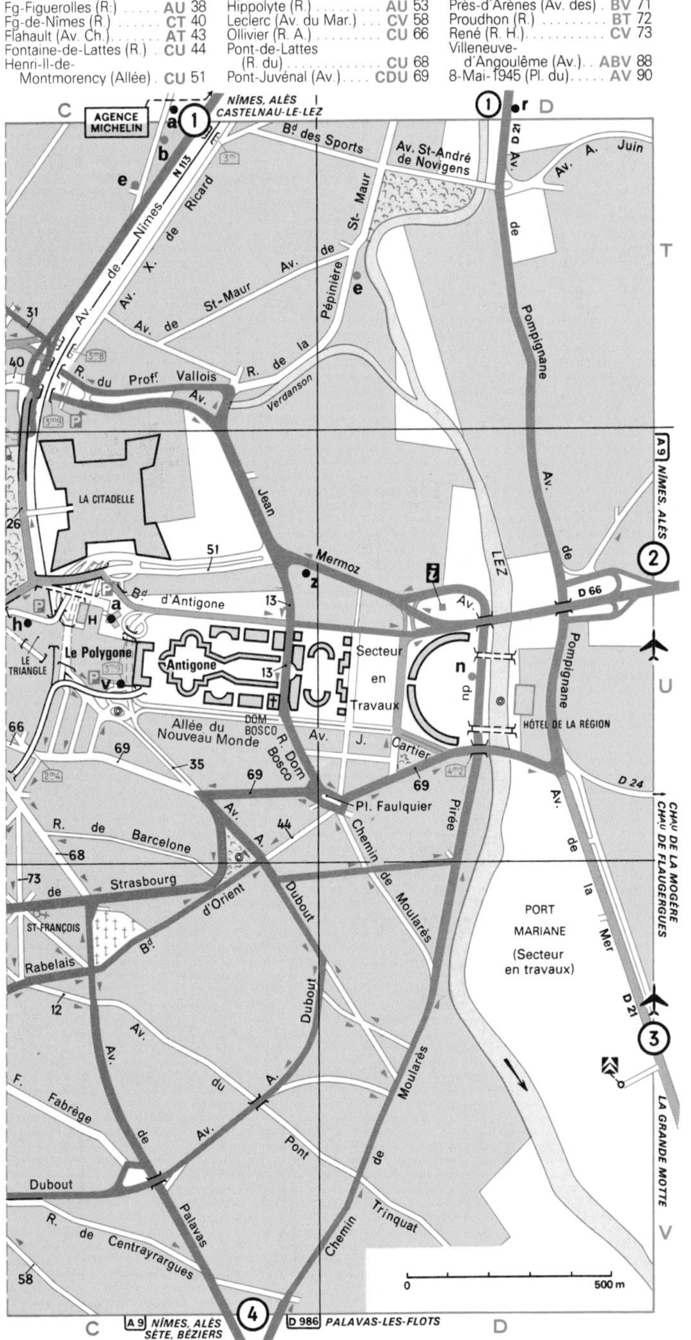

AGENCE MICHELIN
NÎMES, ALÈS
CASTELNAU-LE-LEZ
Bd des Sports
Av. St-André de Novigens
Av. A. Juin
Av. de Nîmes
N 113
Av. X. de Ricard
Av. de St-Maur
R. de la Pépinière
Av. de St-Maur
R. du Profr Vallois
Verdanson
LA CITADELLE
Av. Jean Mermoz
Bd d'Antigone
Le Polygone
LE TRIANGLE
Antigone
Secteur en Travaux
DOM BOSCO
Allée du Nouveau Monde
R. Dom Bosco
Av. J. Cartier
Pl. Faulquier
R. de Barcelone
Av. A. Dubout
Chemin de Moularès
Pirée
de Strasbourg
Bd d'Orient
ST-FRANÇOIS
Rabelais
Av. de Pompignane
D 66
LEZ
Av. Pompignane
HÔTEL DE LA RÉGION
D 24
Av. de la Mer
PORT MARIANE (Secteur en travaux)
D 21
A 9 NÎMES, ALÈS
CHAU DE LA MOGÈRE
CHAU DE FLAUGERGUES
LA GRANDE MOTTE
F. Fabrège
Av. de Palavas
Av. du Pont
Av. de Moularès
Dubout
R. de Centrayrargues
Chemin de Trinquat
0
500 m
A 9 NÎMES, ALÈS SÈTE, BÉZIERS
D 986 PALAVAS-LES-FLOTS

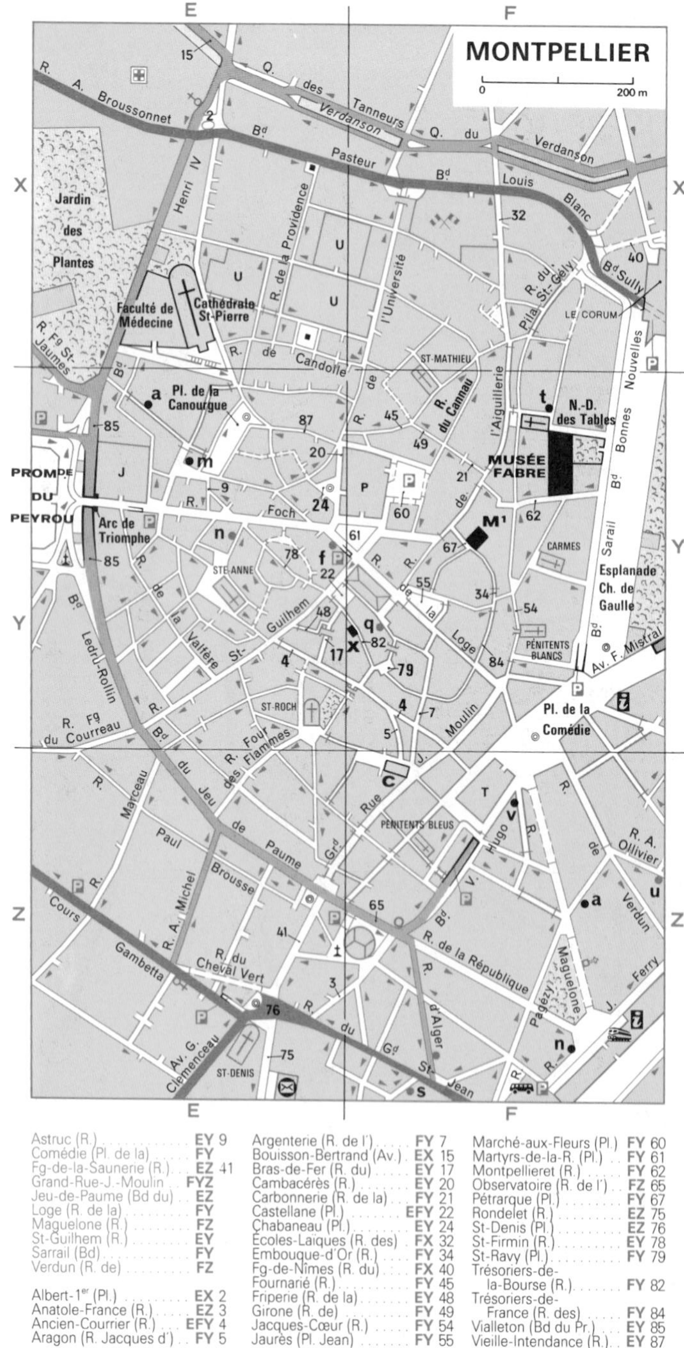

Astruc (R.)	EY 9	Argenterie (R. de l')	FY 7	Marché-aux-Fleurs (Pl.)	FY 60
Comédie (Pl. de la)	FY	Bouisson-Bertrand (Av.)	EX 15	Martyrs-de-la-R. (Pl.)	FY 61
Fg-de-la-Saunerie (R.)	EZ 41	Bras-de-Fer (R. du)	EY 17	Montpellieret (R.)	FY 62
Grand-Rue-J.-Moulin	FYZ	Cambacérès (R.)	EY 20	Observatoire (R. de l')	FZ 65
Jeu-de-Paume (Bd du)	EZ	Carbonnerie (R. de la)	EY 21	Pétrarque (Pl.)	FY 67
Loge (R. de la)	FY	Castellane (Pl.)	EFY 22	Rondelet (R.)	EZ 75
Maguelone (R.)	FZ	Chabaneau (Pl.)	EY 24	St-Denis (Pl.)	EZ 76
St-Guilhem (R.)	EY	Écoles-Laïques (R. des)	FX 32	St-Firmin (R.)	EY 78
Sarrail (Bd)	FY	Embouque-d'Or (R.)	FY 34	St-Ravy (Pl.)	FY 79
Verdun (R. de)	FZ	Fg-de-Nîmes (R. du)	FX 40	Trésoriers-de-la-Bourse (R.)	FY 82
		Fournarié (R.)	FY 45		
Albert-1er (Pl.)	EX 2	Friperie (R. de la)	EY 48	Trésoriers-de-France (R. des)	FY 84
Anatole-France (R.)	EZ 3	Girone (R. de)	FY 49	Vialleton (Bd du Pr.)	EY 85
Ancien-Courrier (R.)	EFY 4	Jacques-Cœur (R.)	FY 54	Vieille-Intendance (R.)	EY 87
Aragon (R. Jacques d')	FY 5	Jaurès (Pl. Jean)	FY 55		

Princes M sans rest, pl. A. Gibert ☎ 67 58 93 94, Fax 67 92 21 63 – ▤ TV ☎. AE ⓓ GB. ✗ FZ **n**
☐ 40 – **40 ch** 300/420.

Gd. H. du Midi sans rest, 22 bd V. Hugo ☎ 67 92 69 61, Télex 490752, Fax 67 92 73 63 – ▤ TV ☎. AE ⓓ GB JCB FZ **v**
☐ 48 – **47 ch** 400/620.

Guilhem M ⛰ sans rest, 18 r. J.-J. Rousseau ☎ 67 52 90 90, Fax 67 60 67 67 – TV ☎. AE ⓓ GB JCB EY **a**
☐ 45 – **33 ch** 300/550.

Parc M sans rest, 8 r. A. Bège ☎ 67 41 16 49, Fax 67 54 10 05 – ▤ TV ☎ P. GB BT **k**
☐ 40 – **19 ch** 230/450.

Palais sans rest, 3 r. Palais ☎ 67 60 47 38, Fax 67 60 40 23 – TV ☎. GB EY **m**
☐ 35 – **26 ch** 210/350.

Relais Bleus M, 890 av. J. Mermoz-Antigone ☎ 67 64 88 50, Fax 67 64 04 15 – TV ☎ ♿ – 40. AE GB CU **z**
R snack 65/130 ♂, enf. 45 – ☐ 32 – **93 ch** 280.

Arceaux sans rest, 33 bd Arceaux ☎ 67 92 03 03, Fax 67 92 05 09 – TV ☎. GB AU **n**
☐ 29 – **18 ch** 230/300.

XXX ✿✿ **Jardin des Sens** (Pourcel), 11 av. St-Lazare ☎ 67 79 63 38, Fax 67 72 13 05, ☂, « Élégant décor contemporain » – ▤. AE GB JCB CT **e**
fermé 1er au 15 août, vacances de fév. et dim. – **R** (nombre de couverts limité, prévenir) 240/350 et carte
Spéc. Petits encornets farcis de ratatouille, Tarte aux maquereaux à la Sétoise (oct. à mars), Filet d'agneau rôti à la tapenade. **Vins** Faugères, Coteaux du Languedoc.

XXX ✿ **Chandelier,** 3 r. A. Leenhardt ☎ 67 92 61 62 – ▤. AE ⓓ GB FZ **s**
fermé lundi midi et dim. – **R** 220/340
Spéc. Fondants de tomate à la menthe poivrée, Ragoût de homard aux herbes en lasagnes, Pigeonneau à l'ail et noix sous la peau. **Vins** Costières de Nîmes, Faugères.

XXX **Les Agapes,** av. Pirée - esplanade de l'Europe ☎ 67 22 44 14, Fax 67 42 60 85 – ▤. AE GB. ✗ DU **n**
fermé dim. soir et lundi – **R** 220/320.

XXX **Réserve Rimbaud,** quartier des Aubes, 820 av. St-Maur ☎ 67 72 52 53, ≤, ☂, « Terrasse au bord du Lez » – AE ⓓ GB. ✗ DT **e**
fermé 1er au 15 janv., dim. soir et lundi – **R** carte 225 à 360.

XXX **Isadora,** 6 r. Petit Scel ☎ 67 66 25 23, ☂ – ▤. AE ⓓ GB EY **n**
fermé sam. midi et dim. – **R** carte 200 à 280.

XX **L'Olivier,** 12 r. A. Olivier ☎ 67 92 86 28 – ▤. AE ⓓ GB FZ **u**
fermé 15 août au 1er sept., dim., lundi et fériés – **R** (prévenir) 135/188.

XX **Le Ménestrel,** pl. Préfecture ☎ 67 60 62 51, « Ancienne halle aux grains du 13e siècle » – ⓓ GB EY **f**
fermé dim. et lundi – **Repas** 120, enf. 70.

XX **Castel Ronceray,** 71 av. Toulouse par ⑤ ✉ 34070 ☎ 67 42 46 30, ☂ – P. GB
fermé août, vacances de fév., lundi soir, dim. et fériés – **R** 165/200.

X **Le Louvre,** 2 r. Vieille ☎ 67 60 59 37 – ▤. ⓓ GB FY **q**
fermé 28 avril au 22 mai, 27 oct. au 13 nov., vacances de fév., sam. midi, lundi midi en été et dim. – **R** 130 ♂.

X **Le Pique Feu,** 40 av. St-Lazare ☎ 67 72 16 39, ☂ – GB CT **b**
fermé 15 au 31 août, 24 déc. au 1er janv., sam. midi et dim. – **R** 85/150 ♂.

à St-Aunès par ① : 9 km – ✉ **34130** :

Cetus M, N 113 ☎ 67 70 38 40, Fax 67 87 38 04 – ▤ TV ☎ ♿ P. AE ⓓ GB. ✗ rest
R *(fermé dim. soir d'oct. à mars)* 80/220 – ☐ 35 – **50 ch** 290/380 – ½ P 280/320.

Le Millénaire par ② : 1 km – ✉ **34000** Montpellier :

Campanile, ☎ 67 64 85 85, Télex 485659, Fax 67 22 19 25, ☂ – ▤ rest TV ♿ P – 30. AE GB
R 77 bc/99 bc, enf. 39 – ☐ 28 – **84 ch** 258 – ½ P 234/256.

au Sud de l'échangeur A9-Montpellier-Est : 2 km sur D 66 – ✉ **34130** Mauguio :

Relais de Fréjorgues M, espace commercial Fréjorgues ☎ 67 22 06 50, Télex 485652, Fax 67 22 37 63, ☂ – ▤ TV ☎ ♿ P – 25. AE GB
R 75/159 ♂, enf. 41 – ☐ 30 – **49 ch** 250.

à l'Est : 4 km par D 24 et D 172E - DU – ✉ **34000** Montpellier :

Demeure des Brousses ⛰, rte Vauguières ☎ 67 65 77 66, Fax 67 22 22 17, parc, ☂, « Demeure du 18e siècle dans un parc » – TV ☎ P. AE ⓓ GB
fermé 15 déc. au 1er mars – **L'Orangerie** *(fermé 1er janv. au 1er mars, dim. soir et lundi midi)* **R** 180/300 – ☐ 47 – **17 ch** 390/610 – ½ P 422/532.

XXX **Le Mas,** rte Vauguières ☎ 67 65 52 27, Fax 67 65 21 93, ☂ – P. AE ⓓ GB
fermé 7 au 13 sept., 18 janv. au 1er fév., dim. soir et lundi – **R** 200/340, enf. 120.

Les plans de villes sont orientés le Nord en haut.

rte de Carnon-Pérols par ③ : 6 km – ✉ **34470** Pérols :

Eurotel Ⓜ, ZAC Le Fenouillet ✆ 67 50 27 27, Télex 485481, Fax 67 50 23 27, – ⌂ ▤ TV ☎ ♿ P – 40 à 100. AE ⓓ GB
R 85/159, enf. 32 – ☕ 32 – **42 ch** 260/300 – ½ P 260.

à l'échangeur A9-Montpellier-sud par ④ : 2 km – ✉ **34000** Montpellier :

Novotel Ⓜ, 125 bis av. Palavas ✆ 67 64 04 04, Télex 490433, Fax 67 65 40 88, – ▤ TV ☎ ♿ P – 25 à 200. AE ⓓ GB
R carte environ 150, enf. 50 – ☕ 46 – **162 ch** 420/460.

Ibis Ⓜ, 164 av. Palavas ✆ 67 58 82 30, Télex 480578, Fax 67 92 17 76, – ▤ TV ☎ ♿ P – 25 à 100. AE GB
R 79, enf. 39 – ☕ 30 – **165 ch** 282/321.

à Lattes par ④ : 5 km – 10 203 h. – ✉ **34970** :

Le Mazerand, rte Fréjorgues ✆ 67 64 82 10, « Terrasses ombragées ouvrant sur le parc » – ▤ P. AE ⓓ GB
fermé sam. midi et lundi – **R** 120/300.

par ⑤ et N 112 : 5 km – ✉ **34430** St-Jean-de-Vedas :

Yan's Ⓜ, ✆ 67 47 07 45, Fax 67 47 16 90, – ▤ TV ☎ ♿ P – 35. AE GB
R *(fermé dim.)* 88/135 – ☕ 40 – **40 ch** 280/360 – ½ P 270.

rte de Ganges par ⑦ : 7 km :

Juvena Ⓜ, ✉ 34000 Montpellier ✆ 67 04 25 10, Fax 67 54 57 52, ≤, – ch ▤ TV ☎ ♿ P. AE GB
R *(fermé sam. et dim.)* 95/230 – ☕ 60 – **21 ch** 390/440.

Relais Bleus Ⓜ, sur D 986 ✉ 34480 St-Clément-la-Rivière ✆ 67 61 05 05, Fax 67 61 10 41, – ▤ TV ☎ ♿ P – 25. GB
R *(fermé 21 déc. au 6 janv. et dim. du 15 sept. au 15 mai)* 75/150, enf. 40 – ☕ 32 – **54 ch** 270 – ½ P 215.

MICHELIN, Agence régionale, 120 av. M.-Dassault à Castelnau-le-Lez par ① ✆ **67 79 50 79**

ALFA-ROMEO, PORSCHE-MITSUBISHI Mourier, ZI, av. Mas-d'Argelliers ✆ 67 92 33 47
AUSTIN-ROVER Midi-Auto, r. de Montels-Église, ZI ✆ 67 92 19 86
BMW Auto Méditerranée, ZI, 361 r. Industrie ✆ 67 92 97 29
CITROEN Succursale, 852 av. Mer, rte de Carnon DV ✆ 67 65 73 10
CITROEN Succursale, rte de Sète à St-Jean-de-Védas par ⑤ ✆ 67 69 03 30 N ✆ 67 92 22 18
FIAT SODAM Diffusion, 1532 av. des Platanes à Lattes ✆ 67 65 78 80
FORD Gar. Imbert, rte de Sète à St-Jean-de-Védas ✆ 67 42 46 22
FORD Fenouillet-Autom., Zone Com. Fenouillet, rte de Carnon à Pérols ✆ 67 50 34 20
LADA-SKODA Gar. Guitard, ZI Marché-Gare, r. Mas-St-Pierre ✆ 67 58 13 13
MERCEDES-BENZ SADLER, ZA de l'Aube Rouge à Castelnau-le-Lez ✆ 67 79 40 50 N ✆ 23 72 11 08
NISSAN-VOLVO Auto Contrôle Clemenceau, r. Montels L'Église à Lattes ✆ 67 92 95 47
OPEL France-Auto, 56 av. Marché-Gare, ZI ✆ 67 92 63 74
OPEL France Auto, Parc de l'Aube Rouge à Castelnau-le-Lez ✆ 67 72 20 40
PEUGEOT-TALBOT Gds Gar. de l'Hérault, r. Industrie par ④ ✆ 67 58 94 94 N ✆ 05 44 24 24
RENAULT Paillade-Autos, av. de l'Europe par ⑥ ✆ 67 84 74 74 N
RENAULT Succursale, 700 r. de l'Industrie, ZI par av. des Prés d'Arènes BV ✆ 67 07 87 87 N et pl. 8-mai-1945 AV ✆ 67 27 91 21 N ✆ 67 04 95 12
SEAT P.H.F., 500 av. de l'Europe à Castelnau-le-Lez ✆ 67 79 44 76
SEAT P.H.F. Auto, 1 678 av. de Toulouse ✆ 67 27 23 62
TOYOTA C.D.B., 1134 av. de l'Europe à Castelnau-le-Lez ✆ 67 79 41 71
V.A.G Montpellier-Autos-Sud, rd-pt Rieucoulon à St-Jean-de-Védas ✆ 67 07 83 83 N ✆ 67 92 22 18
V.A.G Cerf-Autos, 145 rte de Nîmes au Crès ✆ 67 70 50 00 N ✆ 05 00 24 24

Ayme Pneus, 49 av. de Toulouse ✆ 67 42 82 25
Ayme Pneus, 210 rte de Nimes au Cres ✆ 67 70 80 01
Ayme-Pneus, av. Mas-d'Argelliers, ZI ✆ 67 92 72 62
Escoffier-Pneus, 685 r. Industrie ✆ 67 92 00 30
Piot-Pneu, ZI av. Mas-d'Argelliers ✆ 67 92 05 93

MONTPEYROUX 63114 P.-de-D. 73 ⑭ G. Auvergne – 303 h. alt. 480.

Paris 443 – ◆Clermont-Ferrand 25 – Ambert 62 – Issoire 14 – Le Mont-Dore 46 – Thiers 47.

Auberge de Tralume avec ch, ✆ 73 96 60 09, , parc – P. AE ⓓ GB
fermé 17 nov. au 10 déc. et 5 au 20 janv. – **R** 220/360 – ☕ 45 – **4 ch** 280/340 – ½ P 250/325.

MONTPINCHON 50 Manche 54 ⑫ ⑬ – rattaché à Coutances.

MONTPON-MÉNESTEROL 24700 Dordogne 75 ③ ⑬ – 5 481 h. alt. 39.

Paris 533 – Bergerac 38 – Libourne 38 – Périgueux 53 – Ste-Foy-la-Grande 24.

Puits d'Or, 7 r. Carnot ✆ 53 80 33 07, – TV ☎ P. AE ⓓ GB
R *(fermé 1er au 7 janv., dim. soir et lundi midi hors sais.)* 95/200 – ☕ 28 – **21 ch** 180/210 – ½ P 230.

à Ménesterol N : 1 km par D 708, D 730 et D 3[E1] – ✉ **24700** Montpon-Ménesterol :

Aub. de l'Éclade, ✆ 53 80 28 64 – ▤. GB
fermé 15 au 31 mars, 25 sept. au 15 oct., mardi soir et merc. – **R** 110/210.

au NO : 5 km par D 730 et D 3[E1] – ✉ **24700** Montpon-Menesterol :

XXX **Château des Grillauds** avec ch, ℘ **53 80 49 71**, parc, – ☎ Ⓟ
fermé janv. – **R** *(fermé dim. soir et lundi)* 140/230 – ☕ 40 – **7 ch** 400 – ½ P 360/380.

CITROEN Montpon-Autom., 1 av. G.-Pompidou ℘ 53 80 31 00
PEUGEOT TALBOT Gar. Bonnet, 51 av. J. Moulin ℘ 53 80 33 57
RENAULT Pommerie, 25 av. J.-Moulin ℘ 53 80 30 10 🅽
Ⓜ Service du Pneu, 74 rte de Bordeaux ℘ 53 80 37 21

MONTRÉAL **32250** Gers 79 ⑬ **G. Pyrénées Aquitaine** – 1 221 h. alt. 98.
Paris 732 – Agen 54 – Auch 57 – Condom 15 – Mont-de-Marsan 66 – Nérac 26.

X **Gare** avec ch, S : 3 km par D 29 et voie privée ℘ **62 29 43 37**, ancienne gare au décor 1900, – Ⓟ. AE ⓓ GB. ch
fermé janv., jeudi soir (sauf juil.-août) et vend. – **R** 60/200, enf. 43 – ☕ 20 – **5 ch** 180 – ½ P 200.

MONTREDON 11 Aude 83 ⑪ – rattaché à Carcassonne.

MONTREDON-LABESSONNIÉ **81360** Tarn 83 ① – 2 111 h. alt. 520.
Paris 746 – Albi 34 – Castres 21 – Lacaune 41 – ✦Toulouse 92.

Host. de Parc, ℘ **63 75 14 08**, – TV ☎. GB
R 68/175, enf. 40 – ☕ 26 – **20 ch** 150/250 – ½ P 185/220.

CITROEN Gar. Rahoux, ℘ 63 75 14 11

MONTRÉJEAU **31210** H.-Gar. 85 ⑳ **G. Pyrénées Aquitaine** – 2 857 h. alt. 468.
Voir ≤★.
🅸 Office de Tourisme pl. V.-Abeille ℘ 61 95 80 22.
Paris 842 – Bagnères-de-Luchon 38 – Auch 77 – Lannemezan 16 – St-Gaudens 14 – ✦Toulouse 104.

Lecler, av. St-Gaudens ℘ **61 95 80 43**, Fax 61 95 45 78, ≤ Pyrénées – TV ☎. AE GB
fermé nov. – **R** *(fermé dim. soir et lundi d'oct. à avril sauf vacances scolaires)* 86/140 – ☕ 25 – **22 ch** 150/270 – ½ P 165/220.

MONTREUIL SP **62170** P.-de-C. 51 ⑫ **G. Flandres Artois Picardie** (plan) – 2 450 h. alt. 45.
Voir Site★ – Citadelle★ : ≤★★ – Remparts★ – Mobilier★ de la chapelle de l'Hôtel-Dieu – Église St-Saulve★.
🅸 Office de Tourisme pl. Poissonnerie (15 avril-15 sept.) ℘ 21 06 04 27 et à la Mairie (hors saison) ℘ 21 06 01 33.
Paris 207 – ✦Calais 66 – Abbeville 42 – Arras 83 – Boulogne-sur-Mer 37 – ✦Lille 116 – St-Omer 56.

✿ **Château de Montreuil** (Germain), chaussée Capucins ℘ **21 81 53 04**, Télex 135205, Fax 21 81 36 43, « Belle demeure dans un parc » – TV ☎. AE ⓓ GB. ch
fermé 13 déc. au 6 fév., lundi d'oct. à mai et jeudi midi – **R** 250 bc (déj.)/350 – **14 ch** ☕ 600/850 – ½ P 725
Spéc. Grillade de lapereau aux pruneaux, Grouse d'Ecosse (mi-août à fin oct.), Poissons de petits bateaux.

Bellevue, av. du 11 Novembre ℘ **21 06 04 19** – ☎. GB. rest
fermé 10 au 29 déc. – **R** *(fermé merc. d'oct. au 15 mars)* 80/150 – ☕ 29 – **13 ch** 180/300 – ½ P 250/320.

France sans rest, 2 r. Coquempot ℘ **21 06 05 36** – Ⓟ. GB.
fermé 15 déc. au 15 fév., dim. soir et lundi hors sais. – ☕ 35 – **15 ch** 120/300.

XX **Le Darnetal** avec ch, pl. Darnetal ✉ 62170 ℘ **21 06 04 87** – AE ⓓ GB. ch
fermé 29 juin au 9 juil., lundi soir (sauf juil.-août) et mardi – **R** 90/170 – ☕ 30 – **4 ch** 200/260.

à La Madelaine-sous-Montreuil O : 2,5 km par D 917 et D 139 – ✉ **62170** Madelaine-sous-Montreuil :

XXX ✿ **Aub. La Grenouillère** (Gauthier) avec ch, ℘ **21 06 07 22**, Fax 21 86 36 36, – Ⓟ. AE ⓓ GB. ch
fermé mardi soir et merc. sauf juil.-août – **R** 190/300 – ☕ 40 – **4 ch** 300/500
Spéc. Toast d'escargots au chèvre frais (été), Cuisses de grenouilles fraîches.

à Attin NO : 5 km par N 39 – ✉ **62170** :

X **Bon Accueil,** ℘ **21 06 04 21** – GB
fermé 1er au 9 mars, 17 août au 7 sept., le soir hors sais., dim. soir et lundi – **R** 77 bc/185.

Ⓜ Caucheteux, à St-Justin ℘ 21 06 09 97

MONTREUIL 93 Seine-St-Denis 56 ⑪, 101 ⑰ – voir à Paris, Environs.

MONTREUIL-BELLAY 49260 M.-et-L. 67 ⑧ G. Châteaux de la Loire (plan) – 4 041 h. alt. 54.

Voir Château★★ – Site★.

Syndicat d'Initiative r. du Marché (mai-sept.) ☎ 41 52 32 39 et à la Mairie (hors saison) ☎ 41 52 33 86.

Paris 326 – Angers 50 – Châtellerault 73 – Chinon 39 – Cholet 59 – Poitiers 82 – Saumur 15.

- **Splendid** (annexe Relais du Bellay,), r. Dr Gaudrez ☎ 41 52 30 21, Fax 41 52 45 17 – ☎ P – 30. GB
  R *(fermé dim. soir du 15 oct. au 15 mars)* 70/230, enf. 40 – 35 – **40 ch** 180/330 – ½ P 240/320.

MONTREUIL-L'ARGILLÉ 27390 Eure 55 ⑭ – 706 h. alt. 172.

Paris 159 – L'Aigle 25 – Argentan 50 – Bernay 21 – Évreux 56 – Lisieux 32 – Vimoutiers 27.

- **Aub. de la Truite,** ☎ 32 44 50 47, « Collection d'orgues de Barbarie » – GB
  fermé 20 janv. au 20 fév., mardi soir et merc. – **R** 74/175.

MONTREVEL-EN-BRESSE 01340 Ain 170 ⑫ – 1 973 h. alt. 230.

Paris 397 – Mâcon 24 – Bourg-en-Bresse 17 – Pont-de-Vaux 22 – St-Amour 24 – Tournus 34.

- **Léa** (Monnier), ☎ 74 30 80 84 – GB
  fermé juil., 25 déc. au 2 janv., les soirs de fêtes, dim. soir et merc. – **R** (nombre de couverts limité-prévenir) 170/300
  Spéc. Gâteau de foies blonds au coulis d'écrevisses. Suprême de volaille de Bresse aux morilles. Marquise au chocolat. **Vins** Seyssel, Montagnieu.

CITROEN Gar. Berret ☎ 74 30 80 06
FIAT-LANCIA Gar. Roux ☎ 74 25 45 46
PEUGEOT-TALBOT Petit ☎ 74 30 82 22

MONTRICHARD 41400 L.-et-Ch. 64 ⑯ ⑰ G. Châteaux de la Loire – 3 786 h. alt. 68.

Voir Donjon★ : ★★.

Office de Tourisme r. Pont (Pâques-sept.) ☎ 54 32 05 10.

Paris 219 – ◆Tours 42 – Blois 35 – Châteauroux 84 – Châtellerault 88 – Loches 32 – Vierzon 74.

- **Château de la Menaudière** M, NO : 2,5 km par rte Amboise D 115 ☎ 54 32 02 44, Télex 751246, Fax 54 71 34 58, ≤, parc, – TV ☎ P – 25. AE GB. rest
  15 mars-30 nov., fermé dim. soir et lundi sauf de mai au 15 oct. et fériés – **R** 190/440, enf. 125 – 53 – **25 ch** 400/760 – ½ P 525/695.
- **Tête Noire,** 24 r. Tours ☎ 54 32 05 55 – ☎ P. GB
  fermé janv. – **R** 98/240 – 33 – **38 ch** 185/305 – ½ P 265/338.
- **Bellevue,** quai du Cher ☎ 54 32 06 17, Télex 751673, Fax 54 32 48 06, ≤ – rest TV ☎. AE GB
  R 85/240, enf. 45 – 35 – **29 ch** 221/352 – ½ P 320/352.
- **Croix blanche** M sans rest, 64 r. Nationale ☎ 54 32 30 87 – ☎. GB
  15 mars-20 nov. – 25 – **19 ch** 225/305.

à Chissay en Touraine O : 4 km par N 76 – ✉ 41400 :

- **Château de Chissay**, ☎ 54 32 32 01, Télex 750393, Fax 54 32 43 80, ≤, , « Château du 15e siècle, parc, » – ☎ P. AE GB. rest
  fermé 3 janv. au 1er mars – **R** 180/300 – 55 – **23 ch** 450/1000, 8 appart. 920/1500 – ½ P 500/710.

CITROEN Giraudon ☎ 54 32 15 33
PEUGEOT-TALBOT Ferrand ☎ 54 32 00 61

MONTRICOUX 82800 T.-et-G. 79 ⑱ ⑲ G. Périgord Quercy – 909 h. alt. 105.

Voir Bruniquel : site★, vieux bourg★, château ≤★ SE : 5 km.

Paris 635 – Cahors 47 – Gaillac 35 – Montauban 24 – Villefranche-de-Rouergue 57.

- **Relais du Postillon,** S : 0,5 km par D 964 ☎ 63 67 23 58, , – P. GB.
  fermé 15 au 30 nov., vend. soir et sam. midi d'oct. à mai – **R** 60/170, enf. 30 – 20 – **11 ch** 100/170 – ½ P 140/170.

MONTROC-LE-PLANET 74 H.-Savoie 74 ⑨ – rattaché à Argentière.

MONT-ROLAND 39 Jura 170 ③ – rattaché à Dôle.

MONTROND-LES-BAINS 42210 Loire 73 ⑱ G. Vallée du Rhône – 3 627 h. alt. 356 – Stat. therm. (mars-nov.) – Casino.

Paris 499 – ◆St-Étienne 28 – ◆Lyon 62 – Montbrison 12 – Roanne 49 – Thiers 81.

- **Host. La Poularde** (Etéocle), ☎ 77 54 40 06, Télex 307002, Fax 77 54 53 14, – rest TV ☎ – 40. AE GB JCB
  fermé 2 au 15 janv., mardi midi et lundi soir sauf fériés – **R** (dim. prévenir) 180/480 et carte – 60 – **11 ch** 300/470, 3 duplex 800
  Spéc. Saumon mariné tiédi aux graines de sésame. Fricassée de poulette aux cèpes. Gibier (en saison). **Vins** Condrieu, Saint-Joseph.
- **Vieux Logis,** 4 rte Lyon ☎ 77 54 42 71, – GB
  fermé 1er au 15 juil., 15 fév. au 1er mars, dim. soir et lundi – **R** 100/350.

CITROEN Protière ☎ 77 54 44 28
RENAULT Décultieux ☎ 77 54 41 32

Benutzen Sie den Hotelführer des laufenden Jahres.

MONTROUGE 92 Hauts-de-Seine 60 ⑩, 101 ㉕ – voir à Paris, Environs.

MONT-ST-AIGNAN 76 S.-Mar. 55 ⑥ – rattaché à Rouen.

Le MONT-ST-MICHEL 50116 Manche 59 ⑦ **G. Normandie Cotentin, G. Bretagne** – 72 h. alt. 154.

Voir Abbaye★★★ – Remparts★★ – Grande-Rue★ – Jardins de l'abbaye★ – Musée historique : coqs de montres★ – le Mont est entouré d'eau aux pleines mers des grandes marées.

Office de Tourisme Corps de Garde des Bourgeois (fév.-nov.) ☎ 33 60 14 30.

Paris 363 – St-Malo 53 – Alençon 135 – Avranches 22 – Dinan 55 – Fougères 42 – ◆Rennes 66.

- **H. Terrasses Poulard** sans rest, ☎ 33 60 14 09, Télex 170197, Fax 33 60 37 31, ≤ – TV ☎. AE ⓓ GB – ☕ 60 – **29 ch** 550/950.
- **Saint Pierre et Logis du Chapeau Blanc,** ☎ 33 60 14 03, Télex 772094, Fax 33 48 59 82, ≤, – TV ☎. AE GB
  15 mars-15 nov. – **R** 85/215, enf. 45 – ☕ 45 – **21 ch** 440/780 – ½ P 360/520.
- **Mouton Blanc** avec ch, ☎ 33 60 14 08, – ☎. GB
  fermé fin-nov. à début-fév. et merc. d'oct. à mai – **R** 85/260, enf. 55 – ☕ 39 – **26 ch** 180/500.

à la Digue S : 2 km sur D 976 :

- **Relais du Roy,** ☎ 33 60 14 25, Télex 170561, Fax 33 60 37 69 – TV ☎ ♿ P. AE GB. ✻ ch
  28 mars-30 nov. – **R** 77/220, enf. 44 – ☕ 35 – **27 ch** 280/350 – ½ P 310/350.
- **Digue,** ☎ 33 60 14 02, Télex 170157, Fax 33 60 37 59, ≤ – ▤ rest TV ☎ P. AE ⓓ GB JCB. ✻ ch – *1er avril-15 nov.* – **R** 80/200, enf. 41 – ☕ 45 – **35 ch** 290/400 – ½ P 320/370.

à Beauvoir S : 4 km par D 976 – ✉ 50170 Pontorson :

- **Beauvoir,** ☎ 33 60 09 39, Fax 33 48 59 65, – TV ☎ P. GB
  15 fév.-15 nov. – **R** 80/220, enf. 45 – ☕ 35 – **18 ch** 230/350.

au Sud : 5,5 km sur D 976 – ✉ 50172 Moidrey :

- **Au Vent des Grèves,** ☎ 33 60 01 63, – P. GB
  fermé 6 janv. au 13 fév., mardi soir et merc. sauf vacances scolaires – **R** 90/275.

MONTSALVY 15120 Cantal 76 ⑫ **G. Auvergne** – 970 h. alt. 800.

Voir Puy-de-l'Arbre ✻★ NE : 1,5 km.

Office de Tourisme ☎ 71 49 21 43.

Paris 604 – Aurillac 32 – Rodez 61 – Entraygues-sur-Truyère 14 – Figeac 55.

- **Nord,** ☎ 71 49 20 03, Fax 71 49 29 00 – TV ☎ P. AE ⓓ GB JCB
  1er avril-31 déc. – **Repas** 75/250, enf. 38 – ☕ 30 – **26 ch** 140/270 – ½ P 210/315.
- **Aub. Fleurie** avec ch, ☎ 71 49 20 02 – GB
  fermé 15 janv. au 15 fév. – **R** 50/160 🍷, enf. 30 – ☕ 25 – **12 ch** 120/160 – ½ P 130/150.

PEUGEOT-TALBOT Cazal ☎ 71 49 26 65 N ☎ 71 47 80 56

RENAULT Lacombe ☎ 71 49 20 27 N

MONTSAUCHE-LES-SETTONS 58230 Nièvre 65 ⑯ **G. Bourgogne** – 714 h. alt. 650.

Voir Lac des Settons★ SE : 5 km.

Paris 257 – Autun 41 – Avallon 40 – Château-Chinon 24 – Clamecy 56 – Nevers 88 – Saulieu 25.

- **Idéal,** ☎ 86 84 51 26, – ☎ P. GB. ✻ ch
  Pâques-4 nov. – **R** 75/150 – ☕ 27 – **15 ch** 190/300 – ½ P 210/220.

CITROEN Bouché-Pillon ☎ 86 84 52 26

MONT-SAXONNEX 74130 H.-Savoie 74 ⑦ **G. Alpes du Nord** – 880 h. alt. 997 – Sports d'hiver : 1 100/1 570 m ⛷7 – **Voir** Église ✻★★ 15 mn.

Syndicat d'Initiative le Bourgeal (saison) ☎ 50 96 97 27.

Paris 569 – Chamonix-Mont-Blanc 51 – Thonon-les-Bains 57 – Annecy 52 – Bonneville 11 – Cluses 10,5 – Megève 35 – Morzine 38.

- **Jalouvre** , ☎ 50 96 90 67, ≤, – P. GB. ✻ rest
  fermé 3 mai au 1er juin, 13 sept. au 1er nov. et merc. hors sais. – **R** 80/130 🍷, enf. 35 – ☕ 24 – **15 ch** 125/201 – ½ P 175/199.

Les MONTS-DE-VAUX 39 Jura 170 ④ – rattaché à Poligny.

MONTSOREAU 49730 M.-et-L. 64 ⑫ ⑬ **G. Châteaux de la Loire** – 561 h. alt. 36.

Voir ✻★★ – Église★ de Candes-St-Martin SE : 1,5 km.

Paris 294 – Angers 60 – Châtellerault 66 – Chinon 18 – Poitiers 80 – Saumur 11 – ◆Tours 56.

- **Bussy et Diane de Méridor,** ☎ 41 51 70 18, Fax 41 38 15 93, ≤, – ☎ P. GB
  hôtel : fermé 15 déc. au 31 janv. et mardi d'oct. à mai – **R** *(fermé 15 déc. au 31 janv., lundi soir d'oct. à mai et mardi sauf le soir en juil.-août)* 75/220, enf. 48 – ☕ 32 – **15 ch** 140/300 – ½ P 220/285.
- **Loire** avec ch, ☎ 41 51 70 06, – ☎ P. GB. ✻ ch
  fermé 15 janv. au 1er mars, jeudi soir hors sais. et vend. sauf hôtel en sais. – **R** 73/145 🍷 – ☕ 27 – **14 ch** 150/240.

MONT-SOUS-VAUDREY 39380 Jura 170 ④ – 1 099 h. alt. 221.

Paris 380 – Chalon-sur-Saône 75 – Arbois 16 – Beaune 71 – Dole 19 – Lons-le-Saunier 39 – Salins-les-Bains 25.

Aub. Jurassienne, r. L. Guignard ☎ 84 81 50 17 – GB
fermé 15 juin au 1er juil. mardi soir et merc. soir – **R** 68/150.

CITROEN Gar. Tisserand ☎ 84 81 50 26 — RENAULT Gar. Voitoux ☎ 84 71 73 29 N

MOOSCH 68690 H.-Rhin 166 ⑧ ⑨ **G. Alsace Lorraine** – 1 906 h. alt. 395.

Paris 451 – ♦Mulhouse 27 – Colmar 48 – Gérardmer 41 – Thann 7 – Le Thillot 30.

Aux Trois Rois avec ch, ☎ 89 82 34 66, – GB
fermé 15 janv. au 1er mars, mardi soir et merc. – **R** 58/230 – 35 – **6 ch** 250/300 – ½P 260.

V.A.G Sovra, à Fellering ☎ 89 82 63 90 N

MORANGIS 91 Essonne 61 ①, 101 ㉟ – voir à Paris, Environs.

MORBIER 39400 Jura 170 ⑮ – 1 964 h. alt. 823.

Paris 454 – Champagnole 30 – Lons-le-Saunier 55 – Morez 3 – Pontarlier 60 – Saint-Claude 25.

L'Escale Jurassienne, N 5 ☎ 84 33 41 82, – AE GB
fermé 28 avril au 10 mai, 21 juil. au 2 août, dim. soir et lundi – **R** 95/250.

MORCENX 40110 Landes 78 ⑤ – 4 332 h. alt. 74.

Paris 699 – Mont-de-Marsan 40 – Bayonne 85 – ♦Bordeaux 110 – Mimizan 36.

Bellevue, rte Sabres ☎ 58 07 85 07, – ch TV ☎ GB
fermé vacances de Noël – **R** *(fermé week-ends hors sais.)* 85/170, enf. 48 – 38 – **21 ch** 290/445 – ½P 242/335.

RENAULT Gar. Samson, à Garrosse ☎ 58 07 81 09 N

MORESTEL 38510 Isère 74 ⑭ **G. Vallée du Rhône** – 2 972 h. alt. 214.

Paris 499 – Bourg-en-Bresse 68 – Chambéry 49 – ♦Grenoble 68 – ♦Lyon 60 – La Tour-du-Pin 15.

France M, Gde rue ☎ 74 80 04 77, Fax 74 33 07 47 – TV ☎ – 30. AE GB
R *(fermé dim. soir et lundi midi hors sais.)* 100/360, enf. 80 – 32 – **11 ch** 240/390 – ½P 280/300.

Servothel, ☎ 74 80 06 22, Fax 74 80 25 89, – TV ☎. AE GB
R *(fermé lundi midi)* 65/120, enf. 30 – 25 – **20 ch** 140/220 – ½P 150/170.

La Grille, ☎ 74 80 02 88 – AE GB
fermé 20 déc. au 10 janv., vend. soir et sam. midi – **R** 70/180, enf. 60.

CITROEN Gar. Bernard ☎ 74 80 08 11
RENAULT Lavalette ☎ 74 80 07 54
Norda-Pneu ☎ 74 80 24 82

MORET-SUR-LOING 77250 S.-et-M. 61 ⑫ 106 ㊻ **G. Ile de France** (plan) – 4 174 h. alt. 70.

Voir Site★.

Office de Tourisme pl. Samois ☎ (1) 60 70 41 66.

Paris 75 – Fontainebleau 10 – Melun 26 – Montereau-faut-Yonne 11 – Nemours 16 – Sens 43.

Aub. de la Terrasse, 40 r. Pêcherie ☎ (1) 60 70 51 03, ← – TV ☎. GB
R *(fermé dim. soir et lundi sauf fériés)* 105/210, enf. 55 – 33 – **20 ch** 190/360 – ½P 270/325.

Aub. de la Palette, av. J. Jaurès ☎ (1) 60 70 50 72 – GB
fermé 21 au 30 avril, 16 au 4 sept., 2 au 15 janv., mardi soir et merc. – **R** 90/250.

à Veneux-les-Sablons O : 3,5 km – 4 298 h. – ✉ 77250 :

Bon Abri, av. Fontainebleau ☎ (1) 60 70 55 40 – GB
fermé 1er au 15 sept., vacances de fév., dim. soir et lundi – **R** 99/215, enf. 60.

MOREZ 39400 Jura 170 ⑮ **G. Jura** (plan) – 6 957 h. alt. 702.

Voir Site★ – La Roche au Dade ←★ 30 mn – O : Gorges de la Bienne★.

9 les Mélèzes à Chapelle-de-Bois (25) ☎ 81 69 21 82 ; N : 15 km par N 5 puis D 18.

Office de Tourisme pl. J.-Jaurès ☎ 84 33 08 73.

Paris 457 – Bourg-en-B. 99 – Champagnole 33 – ♦Genève 55 – Lons-le-Saunier 58 – Pontarlier 63.

Poste, 1 rue Docteur Regad ☎ 84 33 11 03, Fax 84 33 09 23 – ☎. AE GB
fermé 15 déc.au 15 janv. – **R** *(fermé sam. soir et dim. sauf fériés)* 80/300 – 28 – **45 ch** 85/280 – ½P 185/240.

CITROEN Lambert, 2 r. V.-Poupin ☎ 84 33 06 72
FORD Gar. Raguin, 144 r. République ☎ 84 33 04 48
PEUGEOT Ganeval, 34 bis r. de la République ☎ 84 33 03 55
PEUGEOT-TALBOT Gar. de l'Hôtel de Ville, 1 pl. J.-Jaurès ☎ 84 33 13 04
RENAULT Morez-Autom., 74 r. République ☎ 84 33 14 70 N ☎ 84 35 93 74
Jura-Pneu, 17 r. Lamartine ☎ 84 33 19 97

MORGAT 29 Finistère 58 ⑭ G. Bretagne – ✉ 29160 Crozon.

Voir Phare ≤★ – Grandes Grottes★.

ℹ Office de Tourisme bd de la Plage (saison) ✆ 98 27 07 92 et à Crozon Ancienne Mairie, pl. Église (oct.-mai matin seul.) ✆ 98 27 29 49.

Paris 583 – Quimper 55 – ◆Brest 60 – Châteaulin 36 – Douarnenez 46 – Morlaix 80.

- **Ville d'Ys** ⛰, ✆ 98 27 06 49, ≤ – |♿| ☎ **P**. **GB**. ⚠
  Pâques-30 sept. – **R** *(fermé le midi sauf dim. et fêtes)* 105/210 dîner à la carte, enf. 65 – ☕ 32 – **42 ch** 230/365 – ½ P 210/270.
- **Julia** ⛰, ✆ 98 27 05 89, 🌳 – ☎ **P**. **AE** **GB**. ⚠ rest
  fermé 11 nov. au 20 déc., 1er janv. au 15 fév. et lundi hors sais. – **R** 75/250, enf. 40 – ☕ 27 – **22 ch** 140/300 – ½ P 200/260.
- **Le Roof,** ✆ 98 27 08 40, ⛱ – **GB**
  fermé lundi – **R** 98/195, enf. 50.

MORIÈRES-LÈS-AVIGNON 84 Vaucluse 81 ⑫ – rattaché à Avignon.

MORILLON 74 H.-Savoie 74 ⑧ – rattaché à Samoëns.

MORLAAS 64160 Pyr.-Atl. 85 ⑦ G. Pyrénées Aquitaine – 3 094 h. alt. 295.

Paris 768 – Pau 11,5 – Tarbes 38.

- **Glisia,** ✆ 59 33 41 12, 🌳 – **TV** ☎. **GB**
  fermé 20 au 31 juil. – **R** *(fermé sam. midi et dim.)* 60/85, enf. 45 – ☕ 23 – **20 ch** 90/200 – ½ P 125/175.
- **Le Bourgneuf,** ✆ 59 33 44 02 – **P**. **AE** **①** **GB**
  fermé 12 au 31 oct., dim. soir et lundi – **R** 70/220 🍷.

CITROEN Gar. Saubade ✆ 59 33 40 09 **N**

RENAULT Gar. du Bourg-Neuf, à St-Jammes ✆ 59 33 41 44

MORLAIX ⟨SP⟩ 29600 Finistère 58 ⑥ G. Bretagne – 16 701 h. alt. 61.

Voir Viaduc★ ABY – Grand'Rue★ BZ – Maison "de la Reine Anne" : intérieur★ BZ **B** – Vierge★ dans l'église St-Mathieu BZ – Musée★ BZ **M**.

Env. Calvaire★★ de Plougonven SE : 12 km par D 9 Z.

ℹ Office de Tourisme pl. Otages ✆ 98 62 14 94.

Paris 536 ② – ◆Brest 58 ③ – Quimper 76 ③ – St-Brieuc 83 ②.

Plan page suivante

- **Europe,** 1 r. Aiguillon ✆ 98 62 11 99, Télex 941676, Fax 98 88 83 38 – |♿| **TV** ☎ – 🏛 35. **AE** **①** **GB** BZ **a**
  R 110/235, enf. 50 - **Le Lof** ✆ 98 88 81 15 **R** 80 🍷 – ☕ 33 – **65 ch** 225/335 – ½ P 240/305.
- **Fontaine** sans rest, ZA la Boissière par ① et rte Lannion : 3 km ✆ 98 62 09 55 – ☎ ♿ **P**. **GB**
  fermé 15 fév. au 15 mars et dim. du 1er oct. au 1er avril – ☕ 25 – **35 ch** 230/280.
- **Les Bruyères** sans rest, par ② : 3 km sur D 712 ✆ 98 88 08 68, Fax 98 88 66 54, 🌳 – **TV** ☎ **P**. **GB**
  fermé 15 déc. au 15 janv. – ☕ 25 – **32 ch** 185/245.
- **Minimote St-Martin** **M** sans rest, au Ctre Com. St-Martin par r. de la Villeneuve O : 3 km ✉ 29210 ✆ 98 88 35 30, Fax 98 63 33 99 – **TV** ☎. **AE** **①** **GB**
  fermé 20 déc. au 5 janv. – ☕ 32 – **22 ch** 245/335.
- **Marée Bleue,** 3 rampe St Mélaine ✆ 98 63 24 21 – **GB** BY **s**
  fermé fév., dim. soir (sauf juil.-août) et lundi – **R** 70/225 🍷.

à St-Antoine par ① et D 46 : 9 km – ✉ **29252** :

- **Menez** **M** ⛰ sans rest, ✆ 98 67 28 85, ≤, « Jardin » – ☎ **P**. ⚠
  1er avril-12 sept. et fermé sam. et dim. hors sais. – ☕ 25 – **10 ch** 210/240.

BMW Style Autom., La Vierge Noire ✆ 98 63 30 30
CITROEN SOMODA, bd St-Martin à St-Martin-des-Champs par r. de la Villeneuve AY ✆ 98 62 09 68 **N** ✆ 98 88 05 74
FORD Gar. Bourven, rte de Paris, La Roseraie ✆ 98 88 18 02
HONDA-SEAT Gar. Morlaix, ZA la Boissière ✆ 98 63 37 37
NISSAN Gar. Allain, ZI de Keriven à St-Martin-des-Champs ✆ 98 88 06 16

PEUGEOT-TALBOT Gar. de Bretagne, La Croix Rouge, rte de Paris par ② ✆ 98 62 03 11
RENAULT Gar. Huitric, La Croix Rouge, rte de Paris par ② ✆ 98 62 04 22
V.A.G Gar. Beyou, à St-Martin-des-Champs, rte de Plouvorn ✆ 98 88 23 80

Ⓜ Simon-Pneus, rte de St-Sève à St-Martin-des-Champs ✆ 98 88 01 43

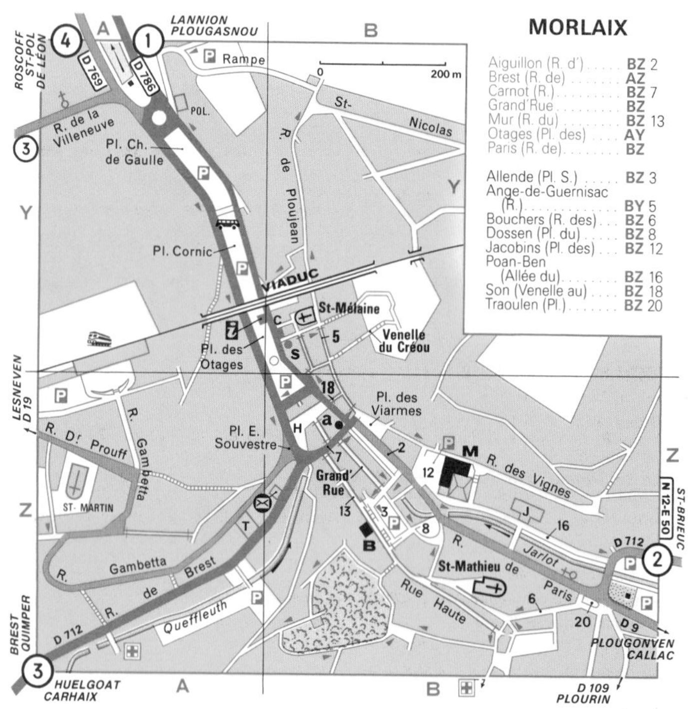

Besonders angenehme Hotels oder Restaurants sind im Führer rot gekennzeichnet.

Sie können uns helfen, wenn Sie uns die Häuser angeben, in denen Sie sich besonders wohl gefühlt haben.

Jährlich erscheint eine komplett überarbeitete Ausgabe aller Roten Michelin-Führer.

MORNAC-SUR-SEUDRE **17113** Char.-Mar. **71** ⑭ ⑮ **G. Poitou Vendée Charentes** – 640 h. alt. 5.
Paris 505 – Royan 12 – Marennes 24 – Rochefort 36 – La Rochelle 70 – Saintes 39.

- **Mornac** sans rest, r. des Halles ✆ 46 22 63 20 – TV ☎. GB
  fermé 4 janv. au 1er mars – ☕ 30 – **9 ch** 280.
- La Gratienne, rte Breuillet ✆ 46 22 73 90, « Jardin fleuri » – P
  saisonnier.
- **La Colombière,** r. du Port ✆ 46 22 62 22 – GB
  Pâques-fin sept. et fermé mardi sauf juil.-août – **R** 90/180, enf. 45.

MORNANT **69440** Rhône **74** ⑪ **G. Vallée du Rhône** – 3 900 h. alt. 367.
Paris 481 – ◆Lyon 27 – ◆St-Étienne 36 – Givors 10 – Rive-de-Gier 13 – Vienne 22.

- **Poste,** ✆ 78 44 00 40 – ☎ . GB
  fermé 30 août au 14 sept., dim. soir et lundi – **R** 80/250 – ☕ 28 – **12 ch** 140/260 – ½ P 220/300.

MORNAS **84550** Vaucluse **81** ① **G. Provence** – 2 087 h. alt. 38.
Paris 649 – Avignon 40 – Bollène 10 – Montélimar 44 – Nyons 45 – Orange 12 – Pont-St-Esprit 13.

- **Le Manoir,** ✆ 90 37 00 79, Fax 90 37 10 34, – ch ☎ P. AE GB
  fermé 15 nov. au 9 déc., 10 janv. au 10 fév., dim. soir et lundi du 15 sept. au 15 juin – **R** 130/175, enf. 50 – ☕ 40 – **25 ch** 240/370 – ½ P 293.

MORSANG-SUR-ORGE **91** Essonne **61** ①, **101** ㊱ – voir à Paris, Environs.

MORTAGNE-AU-PERCHE
SP 61400 Orne 60 ④ G. Normandie Vallée de la Seine (plan) – 4 584 h. alt. 255.

Voir Boiseries★ de l'église N.-Dame.

18 de Bellême-St-Martin ✆ 33 73 15 35, S par D 938 : 17 km.

Office de Tourisme pl. Gén.-de-Gaulle ✆ 33 25 19 21.

Paris 156 – Alençon 38 – Chartres 80 – Lisieux 85 – ◆Le Mans 71 – Verneuil 39.

XX **Host. Genty-Home** avec ch, 4 r. Notre Dame ✆ 33 25 11 53 – TV ☎. GB
R 73/169 ₰, enf. 55 – ☕ 30 – **4 ch** 220/265 – ½ P 250/275.

Château des Carreaux sans rest, rte Alençon : 5,5 km par D 912 et N 12 ✆ 33 25 02 00, parc – TV ☎ P – 25. GB
☕ 35 – **5 ch** 275/395.

au Pin-la-Garenne S : 9 km par rte Bellême sur D 938 – ✉ **61400** Mortagne-au-Perche :

XX **La Croix d'Or,** ✆ 33 83 80 33 – P. AE GB JCB
fermé 10 au 28 fév., mardi soir et merc. de sept. à mai sauf fériés – **R** 75/280 ₰, enf. 45.

CITROEN Seram, à St-Langis-lès-Mortagne ✆ 33 25 06 66
FORD Gd Gar. du Panorama ✆ 33 25 37 45
PEUGEOT-TALBOT Gar. du Valdieu, à St-Langis-lès-Mortagne ✆ 33 25 27 00 N ✆ 33 29 22 22
RENAULT Perche-Autom. ✆ 33 25 21 45
V.A.G Poirier, N 12, Gaillons à St-Hilaire-le-Châtel ✆ 33 25 30 88

MORTAGNE-SUR-GIRONDE
17120 Char.-Mar. 71 ⑥ G. Poitou Vendée Charentes – 972 h. alt. 51.

Voir Chapelle★ de l'Ermitage St-Martial S : 1,5 km.

Paris 509 – Royan 30 – Blaye 52 – Jonzac 30 – Pons 25 – La Rochelle 98 – Saintes 38 – Saujon 30.

Aub. de la Garenne ⑤, ✆ 46 90 63 69, ≤, 🏠, 🏊, 🌳 – ☎ P. GB
fermé 20 oct. au 20 nov., mardi soir et merc. du 20 oct. à pâques – **R** 80/190 ₰ – ☕ 32 – **11 ch** 165/285 – ½ P 190/220.

MORTAGNE-SUR-SÈVRE
85290 Vendée 67 ⑤ G. Poitou Vendée Charentes – 5 724 h. alt. 175.

Paris 360 – Angers 68 – La Roche-sur-Yon 54 – Bressuire 40 – Cholet 9,5 – ◆Nantes 57.

France, pl. Dr Pichat ✆ 51 65 03 37, Télex 711403, Fax 51 65 27 83, 🏊, 🌳 – |ascenseur| ≡ rest TV ☎ – 25 à 80. AE ⓓ GB
fermé 28 juil. au 12 août, 23 déc. au 11 janv. et sam. du 15 sept. au 31 mai – **R** 75/145 ₰, enf. 45 **La Taverne R** 145/310, enf. 45 – ☕ 40 – **24 ch** 220/380 – ½ P 347/362.

PEUGEOT-TALBOT Fièvre ✆ 51 65 00 96
RENAULT Soulard ✆ 51 65 02 33

MORTAIN
50140 Manche 59 ⑨ G. Normandie Cotentin (plan) – 2 416 h. alt. 232.

Voir Site★ – Grande Cascade★ – Petite chapelle ≤★.

Syndicat d'Initiative r. Bourglopin (juil.-août) ✆ 33 59 19 74 et à la Mairie (hors saison) ✆ 33 59 00 51.

Paris 277 – Avranches 34 – Domfront 24 – Flers 36 – Mayenne 52 – Le Mont-St-Michel 50 – St-Lô 63 – Villedieu-les-Poêles 35.

Poste, pl. Arcades ✆ 33 59 00 05 – |ascenseur| TV ☎ P. ⓓ GB
fermé 15 janv. au 15 fév., dim. soir et lundi hors sais. – **R** 88/225 ₰, enf. 55 – ☕ 30 – **29 ch** 120/340 – ½ P 178/258.

CITROEN Dubois-Helleux ✆ 33 59 01 63 N
PEUGEOT-TALBOT Prieur, Le Neufbourg ✆ 33 59 00 14 N
RENAULT Langlois, 27 r. Rocher ✆ 33 59 00 53

MORTEAU
25500 Doubs 70 ⑦ G. Jura (plan) – 6 458 h. alt. 772.

Voir Fermes★ de Grand'Combe-Châteleu SO : 4 km.

Syndicat d'Initiative pl. Gare (15 juin-15 sept.) ✆ 81 67 18 53 et à la Mairie (hors saison) ✆ 81 67 14 78.

Paris 472 – ◆Besançon 63 – ◆Basel 128 – Belfort 87 – Montbéliard 70 – Neuchâtel 38 – Pontarlier 31.

La Guimbarde, 10 pl. Carnot ✆ 81 67 14 12, Fax 81 67 48 27, 🏠 – TV ☎ 🚗 P. AE GB
R *(fermé oct., dim. soir du 1er nov. au 15 avril et lundi midi sauf fêtes)* 85/250 ₰, enf. 45 – ☕ 28 – **19 ch** 150/330.

XX ✿ **Aub. de la Roche** (Feuvrier), au pont de la Roche SO : 3 km par D 437 ✉ 25570 Gd Combe Chateleu ✆ 81 68 80 05, Fax 81 68 87 64, 🌳 – P. AE GB
fermé 30 juin au 9 juil., 22 au 29 sept., 5 au 26 janv., dim. soir et lundi sauf fériés – **R** 125/400
Spéc. Jésus de Morteau en brioche, Mousse de sandre aux pâtes fraîches, Fricassée de cuisses de grenouilles désossées à l'émulsion de cresson. **Vins** Arbois.

FORD Gar. Franc-Comtois, La Tanche-les-Fins ✆ 81 67 07 99
PEUGEOT-TALBOT Gar. Central, 40 r. Louhière ✆ 81 67 08 12 N
Pneus Roland, av. Charles-de-Gaulle ✆ 81 67 31 50

MORTEMART
87330 H.-Vienne 72 ⑥ G. Berry Limousin – 152 h. alt. 301.

Paris 395 – ◆Limoges 39 – Bellac 14 – Confolens 28 – St-Junien 20.

XX **Le Relais** avec ch, D 675 ✆ 55 68 12 09 – GB
fermé fév., mardi soir et merc. sauf juil.-août – **R** 83/230, enf. 50 – ☕ 30 – **5 ch** 130/190 – ½ P 250.

MORTRÉE 61570 Orne 60 ③ – 1 022 h – **Voir** Château d'O★ N : 2 km, **G. Normandie Cotentin.**
Paris 188 – Alençon 29,5 – L'Aigle 48 – Argentan 14,5 – Mortagne au Perche 40,5.

XX **La Ferme d'O,** N : 1 km par D 26 ☎ 33 35 35 27, Fax 33 35 15 92, « Dans les dépendances d'un château renaissance » – P. AE GB
fermé fév., dim. soir et mardi – **R** 98/228.

MORZINE 74110 H.-Savoie 74 ⑧ **G. Alpes du Nord** – 2 967 h. alt. 960 – Sports d'hiver : 1 000/2 460 m 6 64 .

Voir Le Pléney ※★ S : par téléphérique A – **Env.** Col de Joux Plane ※★★ S : 10 km B.
Office de Tourisme pl. Crusaz ☎ 50 79 03 45, Télex 385620.
Paris 591 ② – Thonon-les-Bains 32 ① – Annecy 82 ② – Chamonix-Mont-Blanc 68 ② – Cluses 28 ② – ✦Genève 74 ②.

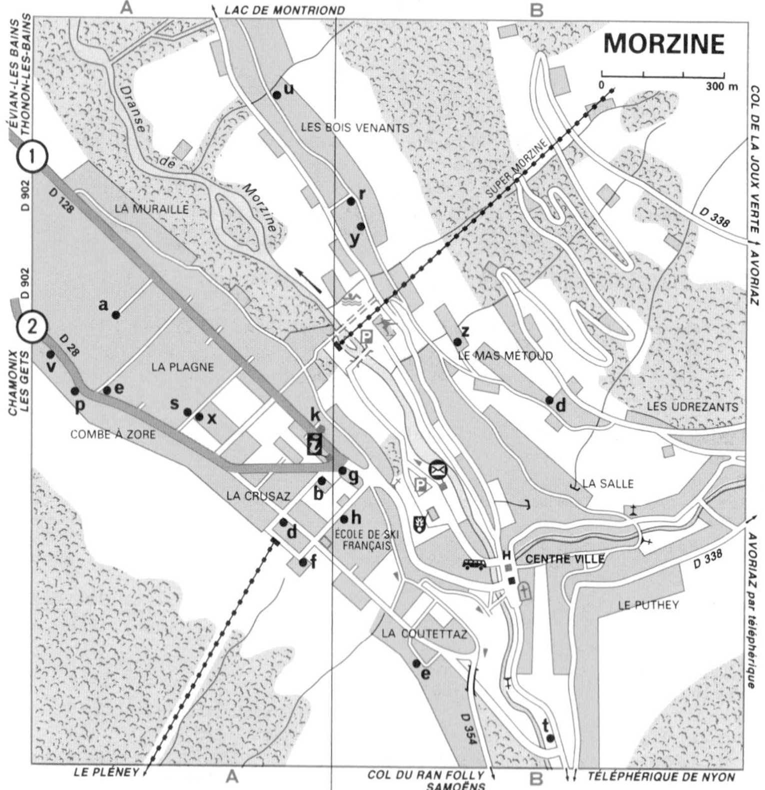

Les Airelles M, ☎ 50 79 15 24, Télex 385178, Fax 50 79 17 49, ←, , , , – cuisinette TV ☎ P – 30 à 50. AE GB JCB. rest
15 mai-20 sept. et 1er déc.-20 avril – - **Les Jardins d'Ulysse R** 120/240 – ☕ 45 – **47 ch** 390/650, 9 studios. A **b**

Le Dahu , ☎ 50 75 92 92, Fax 50 75 92 50, ←, , , , – ☎ P. GB. rest
20 juin-20 sept. et 19 déc.-15 avril – **R** *(fermé mardi en hiver)* 155/285 – ☕ 55 – **40 ch** 355/775 – ½ P 415/640. B **z**

La Bergerie M sans rest, ☎ 50 79 13 69, Télex 309066, Fax 50 75 95 71, ←, « Intérieur savoyard », , , – cuisinette TV ☎ . AE GB B **h**
fin juin-début sept. et 17 déc.-vacances de printemps – ☕ 50 – **5 ch** 250/350, 22 studios 400/680.

Champs Fleuris, ☎ 50 79 14 44, Fax 50 79 27 75, ←, , , , – TV ☎ P. GB. rest A **f**
25 juin-5 sept. et 20 déc.-12 avril – **R** 155/200 – ☕ 50 – **45 ch** 480/750 – ½ P 400/680.

Le Samoyède, ✆ 50 79 00 79, Fax 50 79 07 91, ≤, 余, 🐕 – |‡| ☎ ℗. AE ⓓ GB. ✗ rest B g
15 juin-fin sept. et 18 déc.-20 avril – **R** 94/203, enf. 60 – ☐ 37 – **27 ch** 207/346 – ½ P 375.

La Chicane 🌿 sans rest, ✆ 50 79 05 99, ≤, 🐕 – cuisinette ☎ ℗. GB A a
15 juin-15 sept. et 15 déc.-20 avril – ☐ 30 – **14 ch** 200/370.

Carlina, ✆ 50 79 01 03, Fax 50 75 94 11, 余 – TV ☎. AE ⓓ GB. ✗ rest A d
fin juin-fin sept., vacances de nov. et mi-déc.-vacances de Pâques – **R** 130/160 🍷, enf. 75 – ☐ 50 – **18 ch** 290/450 – ½ P 320/430.

Clef des Champs 🌿, ✆ 50 79 10 13, 🐕 – ☎ ℗. GB. ✗ rest B e
15 juin-15 sept. et 20 déc.-20 avril – **R** 115/125 – ☐ 32 – **27 ch** 260/310 – ½ P 276/302.

La Renardière, ✆ 50 79 03 50, ≤, 🏊, 🐕 – TV ☎ 🚗 ℗. GB A v
15 juin-15 sept. et 15 déc.-15 avril – **R** 100/180 – ☐ 35 – **17 ch** 250/350 – ½ P 300/350.

Le Concorde, ✆ 50 79 13 05, Fax 50 75 95 82, ≤, 🐕 – |‡| ☎ ℗. GB. ✗ rest A e
juil.-août et vacances de Noël-vacances de printemps – **R** 85/135 – ☐ 32 – **27 ch** 230/320 – ½ P 240/300.

Ours Blanc 🌿, ✆ 50 79 04 02, Fax 50 75 97 82, ≤, 🏊, 🐕 – ☎ ℗. GB. ✗ rest A u
13 juin-5 sept. et Noël-Pâques – **R** 110/120 – ☐ 32 – **23 ch** 250/290 – ½ P 220/275.

Bel'Alpe, ✆ 50 79 05 50, ≤, 🏊, 🐕 – ☎ ℗. GB. ✗ rest A x
25 juin-10 sept. et 23 déc.-10 avril – **R** 105/120 – ☐ 28 – **22 ch** 210/280 – ½ P 280/290.

Alpina 🌿, ✆ 50 79 05 24, Fax 50 75 94 23, ≤, 🏊 (été), 🏋, 🐕 – |‡| TV ☎ 🚗 ℗. AE ⓓ GB. ✗ rest B y
24 juin-10 oct. et 22 déc.-24 avril – **R** 90/180, enf. 70 – ☐ 45 – **17 ch** 150/380 – ½ P 280/330.

Les Côtes 🌿, ✆ 50 79 09 96, Fax 50 75 97 38, ≤, 🏋, 🏊, 🐕 – cuisinette TV ☎ ℗. GB. ✗ rest B d
27 juin-7 sept. et 12 déc. -20 avril – **R** 90/100 – ☐ 35 – **14 ch** 230/310, 11 studios 260/535 – ½ P 230/295.

Combe Humbert sans rest, ✆ 50 79 06 70, ≤ – |‡| TV ☎ 🚗 ℗. AE ⓓ GB A p
☐ 30 – **10 ch** 230/270.

Beau Regard 🌿, ✆ 50 79 11 05, ≤, 🐕 – |‡| ☎ ℗. GB. ✗ rest B r
juil.-août et Noël-début avril – **R** 120/130 – ☐ 35 – **34 ch** 180/340 – ½ P 290/310.

Soly et rest. Le Varnay, ✆ 50 79 09 45, Fax 50 79 22 20, ≤, 🐕 – ☎ ℗. AE ⓓ GB B t
20 juin-13 sept. et 19 déc.-17 avril – **R** 85/135 – ☐ 35 – **19 ch** 210/270 – ½ P 260/300.

La Musardière 🌿 sans rest, ✆ 50 79 13 48, ≤, 🐕 – ☎ 🚗 A s
1er juil.-1er sept. et 20 déc.-20 avril – ☐ 20 – **10 ch** 175/195.

✗✗ **La Chamade,** ✆ 50 79 13 91 – AE ⓓ GB JCB A k
30 juin-10 sept., 1er déc.-10 mai et fermé merc. midi et mardi – **R** 230/360.

MOSNAC 17 Char.-Mar. 71 ⑥ – rattaché à Pons.

La MOTTE 83920 Var 84 ⑦ – 1 993 h. alt. 72.

Paris 861 – Fréjus 19 – Brignoles 51 – Cannes 53 – Draguignan 10 – St-Raphaël 22 – Ste-Maxime 27.

✗✗ **Les Pignatelles,** E : 1 km par D 47 ✆ 94 70 25 70, 余, 🐕 – ℗. AE ⓓ GB
fermé 19 au 24 oct., 12 janv. au 8 fév., dim. soir hors sais. et merc. – **R** 100/260, enf. 80.

✗ **Aub. Fleurie,** ✆ 94 70 27 68, 余, « Jardin ombragé au bord de l'eau » – GB
fermé 22 déc. au 15 janv., lundi et merc. du 1er sept. au 31 mars et mardi – **R** 90/170, enf. 55.

La MOTTE-AU-BOIS 59 Nord 51 ⑭ – rattaché à Hazebrouck.

La MOTTE D'AIGUES 84240 Vaucluse 84 ③ – 748 h. alt. 385.

Paris 749 – Digne-les-Bains 86 – Aix-en-Provence 30 – Avignon 72 – Manosque 28.

✗ Aub. La Cigale avec ch, ✆ 90 77 63 06, 余 – ℗
8 ch.

La MOTTE-SERVOLEX 73 Savoie 74 ⑮ – rattaché à Chambéry.

Le MOTTIER 38260 Isère 74 ⑬ – 468 h. alt. 450.

Paris 532 – Bourgoin-Jallieu 23 – ♦Grenoble 46 – St-Etienne de St-Geoirs 11 – Vienne 45.

✗✗ **Les Donnières,** ✆ 74 54 42 06 – AE
fermé 14 juil. au 15 août, janv., dim. soir, merc. et jeudi – **Repas** (nombre de couverts limité, prévenir) carte 80 à 120.

Des pneus mal gonflés s'usent vite, tiennent moins bien la route, sont moins confortables. Respectez les pressions recommandées.

MOUANS-SARTOUX 06370 Alpes-Mar. 84 ⑧ 195 ㉔ – 7 989 h. alt. 125.
Paris 909 – Cannes 9,5 – Antibes 15 – Grasse 7 – Mougins 3 – ♦Nice 34.

au SO par D 409 :

Confortel M, parc de l'Argile, 3 km ☎ 92 92 21 92, Télex 470851, Fax 92 92 17 25, ☂, ⛱ – TV ☎ ♿ P – 🏟 50. AE GB. ✗ rest
R 78/95 🍷, enf. 35 – ☕ 27 – **40 ch** 235/285 – ½ P 238/248.

XX **Palais des Coqs**, parc de l'Argile, 3 km ☎ 93 75 61 57, ☂, ⛱ – AE GB
fermé 15 au 21 juin, 11 janv. au 4 fév., merc. soir d'oct. à juin, sam. midi de juil. à sept. et jeudi – **R** (prévenir) 170/235.

X **Relais de la Pinède**, à 1,5 km ☎ 93 75 28 29, ☂ – P
fermé merc. sauf juil.-août – **R** (prévenir) 95/200.

MOUCHARD 39330 Jura 70 ④ ⑤ – 997 h. alt. 277.
Paris 400 – ♦ Besançon 38 – Arbois 10 – Dole 32 – Lons-le-Saunier 48 – Salins-les-Bains 8.

XX **Chalet Bel'Air** avec ch, ☎ 84 37 80 34, Fax 84 73 81 18, ≤, ⛱ – TV ☎ P. AE ⓓ GB
R *(fermé 10 au 17 juin, 18 nov. au 9 déc. et merc. sauf vacances scolaires)* 185/280 - **Rôtisserie Repas** carte environ 140 🍷 – ☕ 40 – **7 ch** 250/300 – ½ P 280.

RENAULT Gar. Conry ☎ 84 37 82 43 N

MOUDEYRES 43150 H.-Loire 76 ⑱ – 111 h. alt. 1 177.
Paris 573 – Le Puy-en-Velay 25 – Aubenas 62 – Langogne 57 – St-Agrève 36 – Yssingeaux 35.

✿ **Aub. Pré Bossu** (Grootaert) 🐦, ☎ 71 05 10 70, Fax 71 05 10 21 – ⇆ rest ☎ P. AE GB. ✗ rest
12 avril-3 nov. – **R** *(fermé le midi sauf sam. et dim.)* (prévenir) 170/360, enf. 75 – **10 ch** ☕ 350/480 – ½ P 380/480
Spéc. Saucisson d'escargots et pieds de porc aux orties, Gratin d'écrevisses et champignons des bois (saison), Côtelettes de ramier au coing confit (sept.-nov.). **Vins** Côtes d'Auvergne, Saint-Joseph.

MOUGINS 06250 Alpes-Mar. 84 ⑨ 195 ㉔ ㊳ **G. Côte d'Azur** – 13 014 h. alt. 260.
Voir Site★ – Ermitage N.-D. de Vie : site★, ≤★ SE : 3,5 km.
⛳18 Country-Club de Cannes-Mougins ☎ 93 75 79 13, E : 2 km.
ℹ Syndicat d'Initiative av. J.-Ch.-Mallet ☎ 93 75 87 67.
Paris 906 – Cannes 7 – Antibes 14 – Grasse 10 – ♦Nice 31 – Vallauris 10.

Mas Candille 🐦, bd Rebuffel ☎ 93 90 00 85, Télex 462131, Fax 92 92 85 56, ≤, ☂, ⛱, ⛱, 🎾 – ▤ ch ☎ P. AE ⓓ GB
fermé 1er nov. au 9 déc. – **R** *(fermé jeudi midi et merc. du 13 déc. au 1er avril)* 200/300 – ☕ 65 – **21 ch** 950/1065.

Arc H. M 🐦, 1082 rte Valbonne ☎ 93 75 77 33, Télex 462190, Fax 92 92 20 57, ☂, ⛱, ⛱, 🎾 – TV ☎ ♿ P – 🏟 50. AE ⓓ GB. ✗ rest
R 140/180, enf. 65 – ☕ – **44 ch** 445/495.

Manoir de l'Étang 🐦, aux Bois de Font-Merle E : 2 km par D 35 et VO ☎ 93 90 01 07, Fax 92 92 20 70, ≤, ☂, parc, « Isolé dans la campagne », ⛱ – TV ☎ P – 🏟 25. AE ⓓ GB. ✗ ch – *fermé 15 nov. au 15 déc. et fév.* – **R** *(fermé dim. soir et mardi)* 190/250, enf. 120 – ☕ 55 – **15 ch** 500/950.

XXXX ✿✿✿ **Moulin de Mougins** (Vergé) avec ch, à Notre-Dame-de-Vie SE : 2,5 km par D 3 ☎ 93 75 78 24, Télex 970732, Fax 93 90 18 55, ☂, « Ancien moulin à huile du 16e siècle », ⛱ – ▤ TV ☎ P. AE ⓓ GB
fermé 31 janv. à fin mars – **R** *(fermé lundi sauf le soir du 15 juil. au 31 août et jeudi midi)* 700 et carte 600 à 850 – ☕ 75 – **5 ch** 800/1300
Spéc. Poupeton de fleur de courgette aux truffes, Petits artichauts violets à la barigoule d'asperges, Rougets de roche en croustillants de pommes. **Vins** Cassis, Côtes de Provence.

XXX ✿ **Les Muscadins** M avec ch, au village ☎ 93 90 00 43, Fax 92 92 88 23, ≤, ☂ – ▤ ch TV ☎ P. AE ⓓ GB JCB
fermé 1er au 13 mars et 10 au 20 déc. – **R** (dîner seul. en juil.-août) 250/400, enf. 100 – ☕ 60 – **8 ch** 850/1275 – ½ P 1270/1990
Spéc. St-Pierre du pays en cocotte aux langoustines, Pomme de ris de veau fermier aux girolles, Aumonière de fruits rouges et sabayon.

XXX ✿ **Ferme de Mougins**, à St-Basile ☎ 93 90 03 74, Fax 92 92 21 48, ≤, ☂, « Jardin fleuri » – P. AE ⓓ GB
fermé dim. soir et lundi de nov. à avril – **R** 250/380, enf. 180
Spéc. Loup au sésame, Foie gras chaud de canard, Petits rouleaux de boeuf aux épices. **Vins** Bandol, Coteaux Varois.

XXX ✿ **L'Amandier de Mougins**, au village ☎ 93 90 00 91, ≤, ☂ – AE ⓓ GB
fermé 4 au 14 fév., sam. midi et merc. – **R** 230 (déj.)/350
Spéc. Effeuillé de truffes en brouillade, Blanc de loup et filets de rougets rôtis à la peau, Croustillant de foie chaud. **Vins** Côtes de Provence.

XXX ✿ **Relais à Mougins** (Surmain), au village ☎ 93 90 03 47, Télex 462559, Fax 93 75 72 83, ☂ – AE GB
fermé nov., mardi midi et lundi sauf fériés – **R** (nombre de couverts limité - prévenir) 140/435
Spéc. Papillote de langoustines au foie gras, Fricassée de poulet de Bresse et homard à l'estragon, "Chartreuse" de pigeonneau braisée aux laitues. **Vins** Côtes de Provence.

XX **Feu Follet,** au village, pl. Mairie ✆ 93 90 15 78, ⛱ – ⊬. GB
fermé 9 mars au 6 avril, dim. soir et lundi – **Repas** 145/175.

XX **La Terrasse,** au village ✆ 93 90 14 70, ≤, ⛱ – GB
fermé 8 au 14 déc., 4 janv. au 3 fév., dim. soir du 1er oct. au 30 avril, lundi sauf juil.-août et fériés – **R** 130/180, enf. 95.

XX **Bistrot de Mougins,** au village ✆ 93 75 78 34 – ▤. GB
fermé 3 déc. au 19 janv., mardi et merc. sauf le soir en juil.-août – **R** (prévenir) 160/175.

X Au Rendez-vous de Mougins, au village ✆ 93 75 87 47, ⛱.

PEUGEOT-TALBOT Ortelli, 235 rte du Cannet (bretelle autoroute) ✆ 93 69 60 60

MOULIN-DES-PONTS 01 Ain 170 ⑬ – rattaché à Coligny.

MOULINS P 03000 Allier 69 ⑭ **G. Auvergne** – 22 799 h. alt. 221.

Voir Cathédrale★ : triptyque★★★, vitraux★★ DY – Jacquemart★ DY – Mausolée du duc de Montmorency★ (chapelle du lycée) CDY **B** – Musée d'Art et d'Archéologie★ : oeuvres médiévales★★, collection de faïences★ DY **M**2.

⛳9 des Avenelles ✆ 70 20 00 95, par ④ N 7 : 7 km.

ℹ Office de Tourisme pl. Hôtel de Ville ✆ 70 44 14 14 – A.C. Parc de Villars ✆ 70 20 19 15.

Paris 293 ① – Bourges 101 ① – Chalon-sur-Saône 134 ③ – Châteauroux 153 ① – ◆Clermont-Ferrand 104 ⑤ – Mâcon 138 ③ – Montluçon 78 ⑥ – Nevers 54 ① – Roanne 97 ④ – Vichy 55 ④.

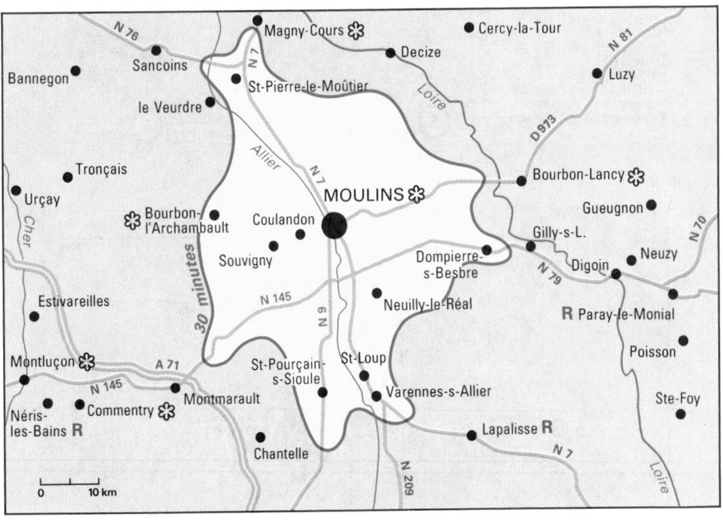

🏨 ✿ **Paris** (de Roberty), 21 r. Paris ✆ 70 44 00 58, Fax 70 34 05 39, ⛱ – |✦| ▤ rest TV ☎ 🚗 – 🅟 – 🅐 30. AE ⓓ GB JCB — DY **p**
fermé 1er au 20 janv. et 1er au 15 mai – **R** *(fermé dim. soir et lundi)* 160/400 – ☕ 70 – **22 ch** 380/980 – ½ P 580/1000
Spéc. Papillotte de homard à la verveine, Emincé de canard rôti au gingembre, Soufflé au chocolat. **Vins** Saint-Pourçain, Menetou-Salon.

🏨 **Moderne,** 9 pl. J. Moulin ✆ 70 44 05 06, Télex 392968, Fax 70 44 89 79 – |✦| TV ☎ 🚗 – 🅐 100. GB — CY **m**
R *(fermé 6 nov. au 15 déc. et sam. midi de nov. aux vacances de printemps)* 73/145 🍷, enf. 60 – ☕ 26 – **42 ch** 240/320 – ½ P 240/250.

🏨 **Parc,** 31 av. Gén. Leclerc ✆ 70 44 12 25, Fax 70 46 79 35 – ▤ rest TV ☎ 🅟. GB — BX **a**
fermé 15 au 23 juil., 1er au 15 oct. et 23 déc. au 8 janv. – **R** *(fermé sam.)* 85/200 🍷, enf. 50 – ☕ 32 – **27 ch** 180/290 – ½ P 220.

XXX **des Cours,** 36 cours J. Jaurès ✆ 70 44 32 56 – AE GB — DY **e**
fermé juil. – **R** 120/270.

X **Pégase,** 37 r. Flèche ✆ 70 44 33 10 – GB — DZ **x**
fermé 13 juil. au 6 août, 25 janv. au 1er fév., dim. soir et lundi – **R** 82/130.

rte de Paris par ① : 8 km – ✉ **03460** Trevol :

🏨 **Ibis,** ✆ 70 42 61 43, Télex 392999, Fax 70 42 64 03, parc, ⛱, ⛱ – |✦| TV ☎ ♿ 🅟 – 🅐 150. GB – **R** 90/125 🍷, enf. 40 – ☕ 32 – **40 ch** 250/300.

MOULINS

Allier (Pl. d') . . . CDZ
Allier (R. d') . . . DYZ
Flèche (R. de la) . DZ 20
Horloge (R. de l') DZ 26

Alsace-Lorraine (Av. d') . . . . . . BX 3
Ancien-Palais (R.) DY 4
Bourgogne (R. de) . . . . DY 6
Bréchimbault (R.) DZ 7
Cerf-Volant (R.) . BV 8
Desboutins (R.) . BX 16
Diderot (R.) . . . . . DY 17
Dombasle (R. M. de) . . . . CZ 18
Fausses-Braies (R. des) . . . . . . DY 19
France (Crs A.) . . DY 22
Grenier (R.) . . . . . DY 25
Hôtel de Ville (Pl. de l') . . . . . DY 27
Leclerc (Av. Gén.) . . . . BX 30
Orfèvres (R. des) DY 33
Pascal (R. Blaise-) . . . CZ 34
Péron (R. F.) . . . . DY 35
République (Av.) BX 36
Roche (R. A.) . . . CZ 37
Tanneries (R. des) DY 38
Tinland (R.M.) . . CY 39
Vert-Galant (R. du) . . . . . CDY 40
Voltaire (R.) . . . . DY 41
4-Septembre (R.) DZ 42

N 7 NEVERS, PARIS BOURGES
D 919A, DECIZE
0 300 m
Allées des Soupirs
Av. du Gal de Gaulle
R. de Bercy
R. de Paris
R. de Decize
Crs de Bercy
PALAIS DES SPORTS
R. Félix Mathé
CATHÉDRALE N-DAME
D 13 LURCY-LÉVIS
N 79, MÂCON BOURBON-LANCY
Pont de Regemortes
ALLIER
Av. d'Orvilliers
Q. d'Allier
Bd Ledru-Rollin
R. de Lyon
Bd de Courtais
R. Ph. Thomas
Av. Meunier
D 525
D 945 MONTLUÇON
N 9 VICHY CLERMONT-FD
ROANNE LYON N 7
VICHY

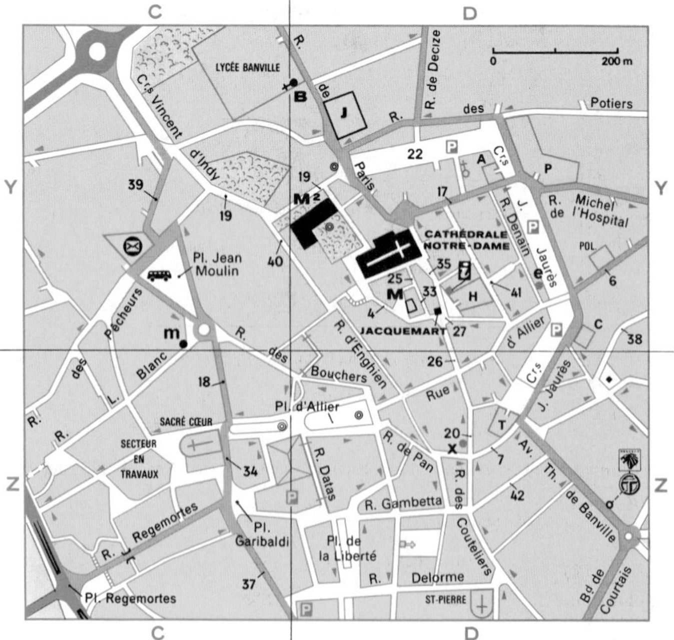

Plans de villes : *Les rues sont sélectionnées en fonction de leur importance pour la circulation et le repérage des établissements cités. Les rues secondaires ne sont qu'amorcées.*

à Coulandon par ⑥ et VO : 7 km – ✉ **03000** :

Le Chalet ⑤, ✆ 70 44 50 08, Fax 70 44 07 09, ≤, ⛱, « Parc » – ▣ ☎ Ⓟ. AE ⊙ GB
1er fév.-15 nov. – **R** (dîner seul.) 80/140 – ☕ 34 – **25 ch** 250/390 – ½ P 285/330.

ALFA-ROMEO Gar. de la Gare, 119 r. de Lyon ✆ 70 44 23 84
CITROEN Dubois-Dallois, Le Pré Vert RN 7 par ① ✆ 70 44 34 98 N ✆ 70 44 38 38
MERCEDES-BENZ Gar. St-Christophe, 119 r. de Paris ✆ 70 44 13 60
PEUGEOT-TALBOT Cognet, 175 rte de Lyon RN 7 par ④ ✆ 70 46 07 07
RENAULT Gd Gar. Paris-Lyon, N 7 à Avermes par ① ✆ 70 44 30 12 N
RENAULT Vernet, 63 rte de Bourgogne à Yzeure par ③ ✆ 70 46 07 55 N
V.A.G Gar. Clain, 120 rte de Lyon à Yzeure ✆ 70 44 47 46

Estager-Pneu, 36 rte de Moulins, Avermes ✆ 70 44 11 55
Moulins-Pneus, 103 rte de Lyon ✆ 70 46 31 42 N ✆ 70 43 92 55

MOULINS-ENGILBERT 58290 Nièvre 69 ⑥ G. Bourgogne – 1 711 h. alt. 210.

Paris 295 – Autun 52 – Château-Chinon 16 – Corbigny 38 – Moulins 72 – Nevers 58.

Bon Laboureur, ✆ 86 84 20 55 – ☎. GB
fermé janv. – **R** 55/205 🍷 – ☕ 28 – **21 ch** 100/250 – ½ P 135/185.

Cadran, ✆ 86 84 33 44 – AE ⊙ GB
fermé vacances de fév., merc. soir et lundi sauf juil.-août – **R** 83/185, enf. 35.

CITROEN Gar. Lavalette ✆ 86 84 21 68
PEUGEOT-TALBOT Perraudin ✆ 86 84 23 55
RENAULT Gar. Pessin ✆ 86 84 25 13

MOULINS-LA-MARCHE 61380 Orne 60 ④ – 816 h. alt. 255.

Paris 158 – Alençon 43 – L'Aigle 18 – Argentan 48 – Mortagne-au-Perche 17.

Dauphin, ✆ 33 34 50 55 – GB
fermé 7 au 30 sept., 3 au 19 fév., dim. soir et lundi – **R** 65 (sauf sam.)/165 🍷, enf. 33.

PEUGEOT-TALBOT Gar. Bazin ✆ 33 34 55 33 N

Un conseil Michelin :
pour réussir vos voyages, préparez-les à l'avance.
Les cartes et guides Michelin, vous donnent toutes indications utiles sur : itinéraires, visite des curiosités, logement, prix, etc.

Le MOULLEAU 33 Gironde 78 ② ⑫ – rattaché à Arcachon.

MOURÈZE 34800 Hérault 83 ⑤ G. Gorges du Tarn – 100 h. alt. 200.

Voir Cirque★★.

Paris 736 – ◆Montpellier 48 – Bédarieux 23 – Clermont-l'Hérault 8.

Hauts de Mourèze ⑤ sans rest, ✆ 67 96 04 84, ≤, parc, ⛱ – Ⓟ. ⛔
29 mars-15 oct. – ☕ 25 – **16 ch** 250/350.

MOUSTERLIN (Pointe de) 29 Finistère 58 ⑮ – rattaché à Fouesnant.

MOUSTIERS-STE-MARIE 04360 Alpes-de-H.-P. 81 ⑰ G. Alpes du Sud (plan) – 580 h. alt. 631.

Voir Site★★ – Eglise★ – Musée de la Faïence★.

ℹ Syndicat d'Initiative (fermé matin hors saison) ✆ 92 74 67 84.

Paris 775 – Digne 47 – Aix-en-Provence 87 – Castellane 45 – Draguignan 61 – Manosque 48.

Bonne Auberge, ✆ 92 74 66 18, Fax 92 74 65 11, ⛱ – ▣ ☎ 🚗. AE GB
14 fév.-15 nov. – **R** *(fermé dim. soir et lundi du 14 fév. au 30 juin)* 92/150, enf. 48 – ☕ 32 – **16 ch** 280 – ½ P 280.

Le Colombier ⑤ sans rest, quartier St-Michel ✆ 92 74 66 02, ≤, ⛱, 🎾 – ▣ ☎ ♿ Ⓟ. GB. ⛔
☕ 30 – **22 ch** 220/330.

✿ **Les Santons** (Abert), pl. Église ✆ 92 74 66 48, ⛱ – ⊙ GB
fermé 1er déc. au 1er fév., lundi soir hors sais. et mardi – **R** (nombre de couverts limité, prévenir) 195/280
Spéc. Nouilles fraîches au foie gras et truffes de pays. Poulet fermier au miel de lavande et aux épices. Agneau de Sisteron. **Vins** Palette, Bandol.

RENAULT Gar. Honorat ✆ 92 74 66 30 N
Gar. Achard ✆ 92 74 66 24

MOUTHIER-HAUTE-PIERRE 25920 Doubs 70 ⑥ G. Jura – 356 h. alt. 430.

Voir Belvédère de Mouthier ≤★★ SE : 2,5 km – Gorges de Nouailles★ SE : 3,5 km – Roche de Haute-Pierre ≤★ N : 5 km puis 30 mn.

Paris 447 – ◆Besançon 38 – Baume-les-Dames 53 – Levier 27 – Pontarlier 21 – Salins-les-Bains 42.

La Cascade ⑤, ✆ 81 60 95 30, Fax 81 60 94 55, ≤ vallée – ☎ ♿ Ⓟ. GB. ⛔
15 fév.-25 nov. – **Repas** 100/270 – ☕ 32 – **23 ch** 230/290 – ½ P 240/273.

MOÛTIERS 73600 Savoie 74 ⑰ **G. Alpes du Nord** – 4 295 h. alt. 479.

Office de Tourisme pl. St-Pierre ✆ 79 24 04 23.

Paris 608 – Albertville 26 – Chambéry 73 – St-Jean-de-Maurienne 62.

Ibis, colline Champoulet ✆ 79 24 27 11, Télex 980611, Fax 79 24 30 03, ≤ – |♦| TV ☎ P. GB
R 79 ♁, enf. 39 – ☕ 32 – **61 ch** 285/340 – ½ P 252.

Welcome's et rest. Souvenir, r. Greyffié de Bellecombe ✆ 79 24 00 48, Télex 319180, Fax 79 22 99 96 – |♦| TV ☎ ♿ – 🏊 30. AE GB
R *(fermé dim. soir du 1er mai au 15 déc.)* 110/290 – ☕ 40 – **22 ch** 290/320 – ½ P 285.

Aub. de Savoie M, square Liberté ✆ 79 24 20 15 – TV ☎. GB
R *(fermé sam. hors sais. et lundi en sais.)* 72/100 ♁ – ☕ 27 – **20 ch** 240/300.

PEUGEOT-TALBOT Peugeot Bernard ✆ 79 24 10 66
RENAULT Moutiers Automobiles, av. des Thermes à Salins-les-Thermes ✆ 79 24 29 55
La Maison du Pneu ✆ 79 24 21 95

Les MOÛTIERS-EN-RETZ 44580 Loire-Atl. 67 ② **G. Poitou Vendée Charentes** – 739 h. alt. 6.

Paris 434 – ♦Nantes 45 – Challans 32 – St.-Nazaire 40.

Bonne Auberge, av. Mer ✆ 40 82 72 03 – AE GB. ✗
fermé fin nov. à début fév., dim. soir et lundi sauf juil.-août – **Repas** 105/290, enf. 70.

MOUX-EN-MORVAN 58230 Nièvre 65 ⑰ – 744 h. alt. 496.

Paris 265 – Autun 30 – Château-Chinon 28 – Clamecy 71 – Nevers 92 – Saulieu 15.

Beau Site, ✆ 86 76 11 75, ≤, parc – 🚗 P. GB. ✗ rest
hôtel : fermé 20 nov. au 15 fév., lundi soir et dim. du 15 fév. au 20 mars – **R** *(fermé 22 déc. au 10 fév., lundi soir et dim. du 15 nov. au 20 mars)* 60/180 ♁, enf. 50 – ☕ 26 – **19 ch** 134/240 – ½ P 170/220.

CITROEN Gar. Bureau ✆ 86 76 14 05 N

Découvrez la France avec les guides Verts Michelin :
24 titres illustrés en couleurs.

MOUZON 08210 Ardennes 56 ⑩ **G. Champagne** – 2 637 h. alt. 160.

Voir Église Notre-Dame★.

Paris 259 – Charleville-Mézières 40 – Carignan 7 – Longwy 66 – Sedan 17 – Verdun 62.

Les Échevins, 33 r. Ch. de Gaulle ✆ 24 26 10 90 – GB
fermé 30 juil. au 21 août, dim. soir et lundi – **R** 105/220, enf. 50.

PEUGEOT Fedricq, RN 64 ✆ 24 26 13 87
RENAULT Rogier, 4 r. Porte de France ✆ 24 26 11 84 N ✆ 24 26 11 84

MOYE 74 H.-Savoie 74 ⑤ – rattaché à Rumilly.

MOYENMOUTIER 88420 Vosges 62 ⑦ **G. Alsace Lorraine** – 3 304 h. alt. 312.

Voir Église★ d'Étival-Clairefontaine O : 5 km.

Paris 380 – Épinal 50 – ♦Strasbourg 82 – Lunéville 42 – St-Dié 15.

Host. de l'Abbaye, r. Hôtel de Ville ✆ 29 41 54 31 – ☎. AE ⓓ GB
fermé 30 sept. au 30 oct., 15 au 23 fév., dim. soir et lundi sauf juil.-août – **R** 50/200 ♁ – ☕ 25 – **12 ch** 120/190 – ½ P 145/185.

MUHLBACH-SUR-MUNSTER 68380 H.-Rhin 62 ⑱ **G. Alsace Lorraine** – 631 h. alt. 465.

Paris 450 – Colmar 24 – Gérardmer 37 – Guebwiller 31.

Perle des Vosges ⛰, ✆ 89 77 61 34, ≤ – |♦| ☎ P. ✗ rest
fermé 15 nov. au 1er déc. et 3 janv. au 2 fév. – **R** *(fermé lundi du 1er oct. au 1er mai)* 65/200 ♁ – ☕ 25 – **40 ch** 210/270 – ½ P 180/230.

MULHOUSE SP 68100 H.-Rhin 166 ⑨ ⑩ **G. Alsace Lorraine** – 108 357 h. alt. 240.

Voir Parc zoologique et botanique★★ CV – Place de la Réunion★ EFY 113 : Hôtel de Ville★ FY **H** – Vitraux★ du temple St-Étienne FY **D** – Musées : Automobile★★★ BU **M6**, Historique★★ (hôtel de ville) FY **M1**, Français du Chemin de fer★ AV **M3**, de l'Impression sur étoffes★ FZ **M2**.

Env. Musée du Papier peint★ : collection★★ à Rixheim E : 6 km DV **M7**.

18 du Rhin à Chalampé ✆ 89 26 07 86, par ① : 19 km.

✈ de Bâle-Mulhouse par ② : 27 km, ✆ 89 69 00 00 à St-Louis (France) et ✪ 061 ✆ 325 31 11 à Bâle (Suisse).

Office de Tourisme 9 av. Mar.-Foch ✆ 89 45 68 31, Télex 881285 – A.C. Résidence du Parc, 15 bd Europe ✆ 89 45 38 72.

Paris 454 ⑤ – ♦Basel 35 ② – Belfort 40 ⑤ – ♦Besançon 134 ⑤ – Colmar 43 ⑧ – ♦Dijon 223 ⑤ – Freiburg 60 ⑨ – ♦Nancy 175 ⑧ – ♦Reims 371 ⑥ – ♦Strasbourg 112 ⑧.

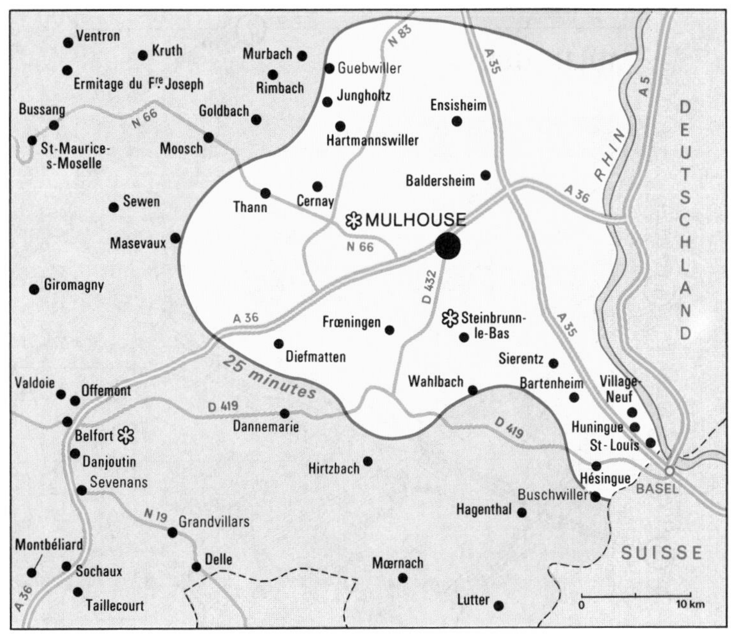

Parc Ⓜ, 26 r. Sinne ✆ 89 66 12 22, Télex 881790, Fax 89 66 42 44 – ⬍ ✕ ch ▤ TV ☎ ⇔ – 🏛 70. AE ⓓ GB JCB — FZ **a**
R *(fermé sam. midi et dim. soir)* 250 – ☕ 65 – **73 ch** 550/950, 7 appart..

Altéa, 4 pl. Gén. de Gaulle ✆ 89 46 01 23, Télex 881807, Fax 89 56 59 98 – ⬍ ▤ rest TV ☎ ⇔ – 🏛 130. AE ⓓ GB — FZ **b**
Alsace R 95/210 ♨, enf. 50 – ☕ 50 – **96 ch** 460/550.

des Maréchaux Ⓜ sans rest, 15 r. Lambert ✆ 89 66 44 77, Télex 871929, Fax 89 46 30 66, Ⅎ₺ – ⬍ TV ☎ ♿ – 🏛 60. AE ⓓ GB — FY **t**
☕ 45 – **60 ch** 370/440.

Bourse sans rest, 14 r. Bourse ✆ 89 56 18 44, Télex 881264, Fax 89 56 60 51 – ⬍ ✕ TV ☎. AE ⓓ GB — FZ **d**
fermé 20 déc. au 4 janv. – ☕ 53 – **50 ch** 320/440.

Bristol sans rest, 18 av. Colmar ✆ 89 42 12 31, Fax 89 42 50 57 – ⬍ TV ☎ Ⓟ. AE ⓓ GB JCB — FY **e**
☕ 30 – **65 ch** 250/500.

Europe sans rest, 11 av. Mar.-Foch ✆ 89 45 19 18, Fax 89 45 29 89 – ⬍ TV ☎. AE ⓓ GB — FZ **g**
☕ 35 – **50 ch** 240/370.

Wir, 1 porte Bâle ✆ 89 56 13 22, Fax 89 46 44 91 – ⬍ TV ☎. AE ⓓ GB JCB — FY **s**
R *(fermé juil. et vend.)* 100/275 ♨ – ☕ 30 – **39 ch** 160/290.

Arcade Ⓜ sans rest, 53 r. Bâle ✆ 89 46 41 41, Télex 871916, Fax 89 56 24 26 – ⬍ TV ☎ ♿ Ⓟ – 🏛 50. AE GB — FY **f**
☕ 32 – **66 ch** 275/300.

Bâle sans rest, 19 passage Central ✆ 89 46 19 87 – TV ☎. GB — FY **p**
☕ 30 – **32 ch** 170/275.

XXX ✿ **Aub. de la Tonnelle** (Hirtzlin), 61 r. Mar.-Joffre à **Riedisheim** ✉ 68400 Riedisheim ✆ 89 54 25 77 – Ⓟ. ⓓ GB — CV **u**
fermé 15 août au 2 sept., vacances de fév., sam. midi et dim. – **R** 280/400 ♨
Spéc. Terrine de carpe marinée et coulis de concombres. Escalope de sandre aux pommes de terre et vin rouge. Galette de poires et amandes. **Vins** Muscat, Riesling.

XXX **Le Parc,** 8 r. V. Hugo à **Illzach-Modenheim** ✉ 68110 Illzach ✆ 89 56 61 67, Fax 89 56 13 85, ☂, ⛱ – Ⓟ. GB — CU **k**
fermé 3 au 18 août, Noël au Jour de l'An, sam. midi, dim. soir et lundi – **R** 185/365.

XXX **Au Quai de la Cloche,** 5 quai de la Cloche ✉ 68200 ✆ 89 43 07 81 – GB — EY **k**
fermé 21 juil. au 14 août, sam. midi, dim. soir et lundi – **R** 165/320.

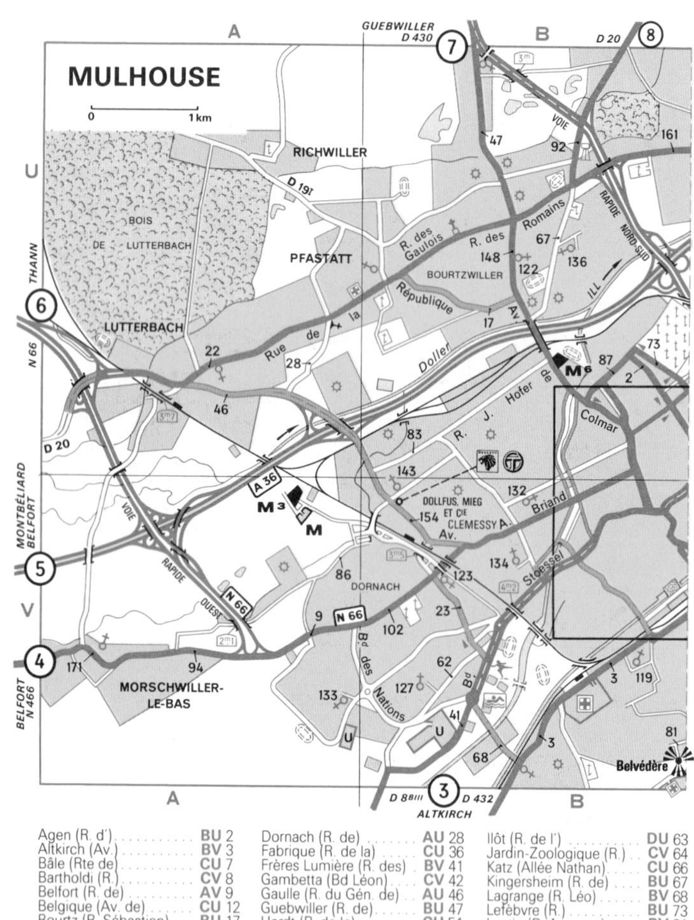

Agen (R. d') .... BU 2
Altkirch (Av.) .... BV 3
Bâle (Rte de) .... CU 7
Bartholdi (R.) .... CV 8
Belfort (R. de) .... AV 9
Belgique (Av. de) .... CU 12
Bourtz (R. Sébastien) .... BU 17
Briand (R. Aristide) .... AU 22
Brunstatt (R. de) .... BV 23
Dollfus (Av. Gustave) .... CV 27

Dornach (R. de) .... AU 28
Fabrique (R. de la) .... CU 36
Frères Lumière (R. des) .... BV 41
Gambetta (Bd Léon) .... CV 42
Gaulle (R. du Gén. de) .... AU 46
Guebwiller (R. de) .... BU 47
Hardt (R. de la) .... CU 51
Hollande (Av. de) .... CU 57
Ile-Napoléon (R. de l') .... CU 58
Illberg (R. de l') .... BV 62

Ilôt (R. de l') .... DU 63
Jardin-Zoologique (R.) .... CV 64
Katz (Allée Nathan) .... CU 66
Kingersheim (R. de) .... BU 67
Lagrange (R. Léo) .... BV 68
Lefèbvre (R.) .... BU 73
Lustig (R. Auguste) .... BV 81
Martin (R. Jean) .... BU 83
Mer-Rouge (R. de la) .... AV 86
Mertzau (R. de la) .... BU 87

XX ✿ **Poste** (Kieny), 7 r. Gén. de Gaulle à **Riedisheim** ✉ 68400 Riedisheim ☎ 89 44 07 71 – P. GB JCB CV **d**
fermé 27 juil. au 18 août, vacances de fév., dim. soir et lundi – **R** 190/270 ♂
Spéc. Pavé aux lentilles vertes et foie de canard, Filet de sandre poché en rognonnade, Douceur au pralin.

X **Aux Caves du Vieux Couvent,** 23 r. Couvent ☎ 89 46 28 79, Taverne – ▤. AE ⓓ GB
fermé 17 au 26 avril, 12 juil. au 2 août, vacances de Noël, lundi midi, dim. et fériés – **R** 45/110 ♂, enf. 40. EY **n**

au NE – ✉ **68390** Sausheim :

Mercure, ☎ 89 61 87 87, Télex 881757, Fax 89 61 88 40, ⛱, ⛱, ✕ – |✦| ▤ TV ☎ ♿ P – 🏛 35 à 130. AE ⓓ GB DU **r**
La Tissandière **R** 80/180 ♂, enf. 45 – ☕ 50 – **100 ch** 415/550.

Novotel M, ☎ 89 61 84 84, Télex 881673, Fax 89 61 77 99, ⛱, ⛱ – ⇆ ch ▤ rest TV ☎ P – 🏛 80. AE ⓓ GB DU **s**
R carte environ 150 ♂, enf. 50 – ☕ 47 – **77 ch** 395/435.

Ile Napoléon, ☎ 89 61 97 97, Télex 881980, Fax 89 61 73 15, ⛱, ⛱ – |✦| ▤ rest TV ☎ ♿ P – 🏛 150. AE ⓓ GB DU **t**
R 120/180 ♂ – ☕ 45 – **98 ch** 275/410.

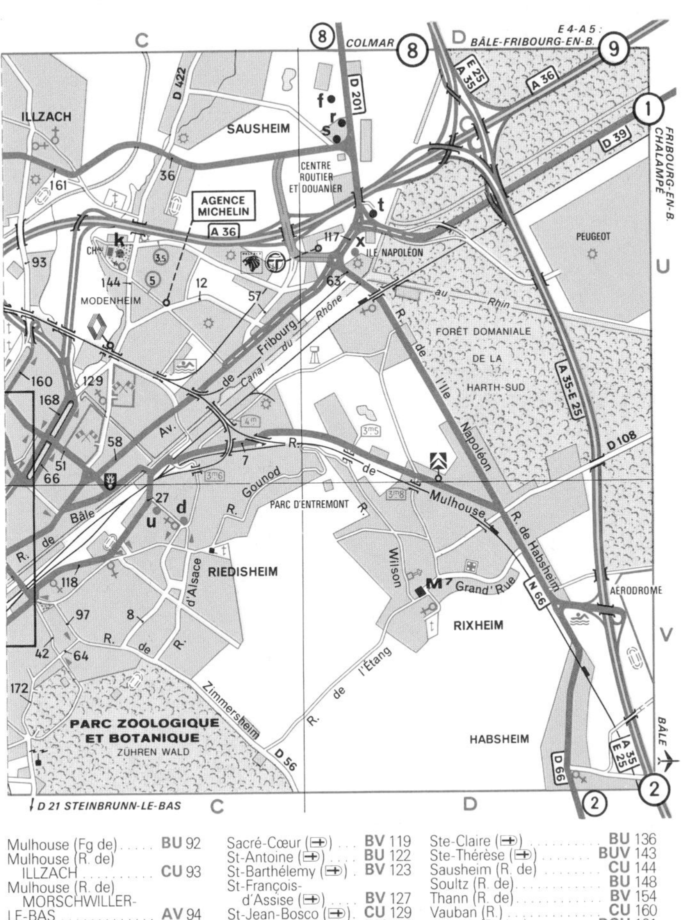

Mulhouse (Fg de) . . . . . **BU** 92
Mulhouse (R. de) ILLZACH . . . . . **CU** 93
Mulhouse (R. de) MORSCHWILLER-LE-BAS . . . . . **AV** 94
Noelting (R. Émilio) . . . . **CV** 97
Paris (Bd de) . . . . . **BV** 102
Rhin (R. du) ILLZACH . . **DU** 117
Riedischeim (Av. de) . . **CV** 118
Sacré-Cœur (✝) . . . **BV** 119
St-Antoine (✝) . . . . **BU** 122
St-Barthélemy (✝) . **BV** 123
St-François-d'Assise (✝) . . . . **BV** 127
St-Jean-Bosco (✝) . **CU** 129
St-Joseph (✝) . . . . . **BV** 132
St-Luc (✝) . . . . **AV** 133
St-Pierre-et-Paul (✝) . . . . **BV** 134
Ste-Claire (✝) . . . . **BU** 136
Ste-Thérèse (✝) . . . . **BUV** 143
Sausheim (R. de) . . . . **CU** 144
Soultz (R. de) . . . . **BU** 148
Thann (R. de) . . . . **BV** 154
Vauban (R.) . . . . **CU** 160
Vosges (R. des) . . . . **BCU** 161
Wyler (Allée William) . . . . . **CU** 168
1re-Armée-Française (R.) . . . **AV** 171
9e-Div.-d'Inf.-Coloniale (R.) . **CV** 172

Ibis, ✆ 89 61 83 83, Télex 881970, Fax 89 61 78 10, – – 40. GB **R** 79, enf. 39 – 30 – **76 ch** 270/290. DU **f**

NE : île Napoléon – ✉ **68110** Illzach :

La Closerie, ✆ 89 61 88 00, Fax 89 61 95 49 – . GB DU **x**
fermé 15 au 31 juil., 22 déc. au 4 janv., lundi soir, sam. midi et dim. – **R** 200/250.

à Baldersheim par ⑧ : 8 km – ✉ **68390** :

Au Cheval Blanc, ✆ 89 45 45 44, Fax 89 56 28 93, – rest – 30. GB
R *(fermé 6 au 19 juil., 24 déc. au 7 janv., dim. soir et jeudi)* 76/215 , enf. 55 – 30 – **73 ch** 255/305 – ½ P 220/240.

à Steinbrunn-le-Bas SE CV : 9,5 km par rte parc zoologique, Bruebach et D 21 – ✉ **68440** :

Moulin du Kaegy (Bégat), ✆ 89 81 30 34, Fax 89 81 31 10, « Maison du 16e siècle, jardin » – . AE GB
fermé janv., dim. soir et lundi – **R** (dim.prévenir) 260/450
Spéc. Foie d'oie confit, Pigeonneau en croûte fine, Croustillant de bar. **Vins** Tokay-Pinot gris, Clevner.

MULHOUSE

Colmar (Av. de) . . . . . EXY
Prés.-Kennedy (Av. du) EFY
Sauvage (R. du) . . . . FY 145

Altkirch (Av. et Pt d') . . . FZ 3
Arsenal (R. de l') . . . . . . EY 4
Bonbonnière (R.) . . . . . . EY 13
Bonnes-Gens (R. des) . . FZ 14
Bons-Enfants (R. des) . . EY 18
Briand (Av. Aristide) . . . EY 19
Cloche (Quai de la) . . . . EY 24
Dreyfus (R. du Capit.) . . FX 29
Ehrmann (R. Jules) . . . . FZ 32
Ensisheim (R. d') . . . . . . FY 33
Europe (Pl. de l') . . . . . . FY 34
Fleurs (R. des) . . . . EZ 37
Foch (Av. du Mar.) . . . . . FZ 38
Franciscains (R. des) . . . EY 40
Gaulle (Pl. Gén. de) . . . . FZ 43
Guillaume-Tell (Pl.) . . . . FZ 48
Heilmann (R. Josué) . . EXY 52
Henner (R. J.-J.) . . . . . . FZ 53
Henriette (R.) . . . . EY 56
Joffre (Av. du Mar.) . . . . FZ 65
Lattre-de-T. (Av. Mar.) . FY 71
Leclerc (Av. du Gén.) . . . FZ 72
Loi (R. de la) . . . . EY 76
Loisy (R. du Lt de) . . . . . FX 77
Lorraine (R. de) . . . . EY 78
Maréchaux (R. des) . . . . EY 82
Mertzau (R. de la) . . . . . EX 87
Metz (R. de) . . . . FY 88
Moselle (R. de la) . . . . . FY 91
Norfeld (R. du) . . . . FY 98
Oran (Quai d') . . . . FZ 99
Pasteur (R. Louis) . . . . . FY 103
Poincaré (R.) . . . . FZ 107
Prés.-Roosevelt (Bd) . . EXY 108
Raisin (R. du) . . . . EY 109
République (Pl. de la) . FY 112
Réunion (Pl. de la) . . . FY 113
St-Étienne (✝) . . . . EZ 124
St-Fridolin (✝) . . . . EX 128
Ste-Claire (R.) . . . . EZ 137
Ste-Geneviève (✝) . . . . FY 138
Ste-J.-d'Arc (✝) . . . . FX 139
Ste-Marie (✝) . . . . EY 140
Somme (R. de la) . . . . . . FY 146
Stalingrad (R. de) . . . . . FY 149
Stoessel (Bd Charles) . . EZ 152
Tanneurs (R. des) . . . . . EY 153
Tour-du-Diable (R.) . . . . EZ 155
Trois-Rois (R. des) . . . . EZ 156
Vauban (Pl.) . . . . FX 159
Wicky (Av. Auguste) . . . FZ 165
Wilson (R.) . . . . FZ 166
Wolf (R. de) . . . . FX 167
Wyler (Allée William) . . FX 168
Zillisheim (R. de) . . . . . . EZ 170
17-Novembre (R. du) . . FZ 173

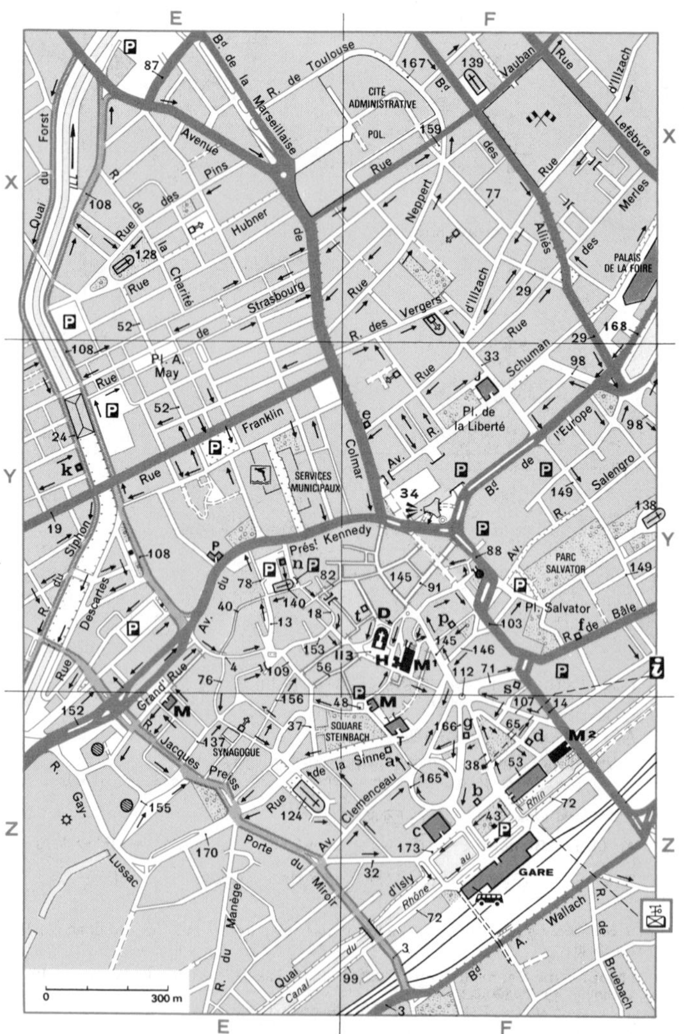

à Froeningen : SO : 9 km par D 8 BIII - BV – ✉ **68720** :

XX **Aub. de Froeningen** avec ch, ✆ 89 25 48 48, 🌳, 🪑 – ✂ rest ☎ **P**. GB
fermé 17 au 31 août, 15 fév. au 8 mars, dim. soir et lundi – **R** 110/360 – ☕ 38 – **7 ch** 270/330.

MICHELIN, Agence, 35 av. de Belgique à Illzach CU ✆ **89 61 70 55**

FIAT, LANCIA Gar. Hess, 1 bis r. de Sausheim à Illzach ✆ 89 66 57 66
FORD Safor Autom., 56 av. de Belgique à Illzach ✆ 89 61 76 33
FORD Gar. Sax, 12 r. Couvent ✆ 89 56 52 22
HONDA, MAZDA, VOLVO Gar. Christen, 21 r. Thann ✆ 89 42 09 44
NISSAN Gar. Manu Est, 26 r. Manulaine ✆ 89 52 35 80
OPEL-GM Gar. Muller, 23 r. Thann ✆ 89 43 98 88
PEUGEOT, TALBOT S.I.A.M., 22 r. Thann ✆ 89 43 98 20
PEUGEOT-TALBOT S.I.A.M, 7 r. de Berne à Illzach ✆ 89 61 83 23
RENAULT Gd. Gar. Mulhousien, r. Sausheim à Illzach ✆ 89 36 22 22
TOYOTA SDA Rixheim, 64 rte de Mulhouse à Rixheim ✆ 89 44 40 50
V.A.G Gar. Schelcher, 27 fg de Mulhouse à Kingersheim ✆ 89 52 45 22
V.A.G Générale-Autom., 228 av. de Fribourg, Illzach ✆ 89 61 89 61 **N** ✆ 89 61 76 88

Arni-Hohler, 3 r. L.-Pasteur ✆ 89 45 85 27
Arni-Hohler, Z.I. av. d'Italie à Illzach ✆ 89 45 85 27
Kautzmann, 276 av. d'Altkirch à Brunstatt ✆ 89 06 08 44
Pneus et Services D. K, 6 r. Amidonniers ✆ 89 42 30 06
Pneus et Services D.K., 14 av. de Hollande, Z.I. à Illzach ✆ 89 61 76 76

MUNSTER 68140 H.-Rhin 62 ⑱ G. Alsace Lorraine – 4 657 h. alt. 381.

Office de Tourisme pl. du Marché ✆ 89 77 31 80.

Paris 445 – Colmar 19 – Gérardmer 32 – Guebwiller 28 – ♦Mulhouse 59 – St-Dié 54 – ♦Strasbourg 88.

Verte Vallée Ⓜ, 10 r. A. Hartmann, parc de la Fecht ✆ 89 77 15 15, Télex 870586, Fax 89 77 17 40, 🌳, 🏋, 🏊, 🪑 – 🛗 ▤ rest 📺 ☎ ♿ **P** – 🏛 100. AE ⓓ GB
fermé 3 au 30 janv. – **R** 80/250 🍷 – ☕ 40 – **107 ch** 310 – ½ P 265.

Cigogne Ⓜ, pl. Marché ✆ 89 77 32 27, Fax 89 77 28 64 – 🛗 📺 ☎ 🚗. GB. ✂
R *(fermé 22 au 30 juin, 24 nov. au 10 déc., dim. soir et lundi sauf juil.-août)* 100/250 🍷 – ☕ 40 – **23 ch** 350/480 – ½ P 320/360.

Deux Sapins, 49 r. 9e Zouaves par rte Gérardmer ✆ 89 77 33 96, Télex 870560, Fax 89 77 03 90 – 🛗 📺 ☎ **P**. AE ⓓ GB
fermé 15 nov. au 15 déc., dim. soir et lundi d'oct. à mai – **R** 65/200 🍷, enf. 40 – ☕ 27 – **19 ch** 220/280 – ½ P 210/250.

à Breitenbach-Haut-Rhin SO : 4 km par D 10 – ✉ **68380** :

X **Cecchetti** avec ch, rte Metzeral ✆ 89 77 32 20 – **P**. ⓓ
fermé 1er au 15 nov. et lundi – **R** 80/170 🍷 – ☕ 32 – **16 ch** 120/250 – ½ P 200/250.

CITROEN Gar. Sary ✆ 89 77 33 44
PEUGEOT, TALBOT Gar. Schmidt ✆ 89 77 40 78 **N**
RENAULT Gar. Gissler ✆ 89 77 37 44
V.A.G Gar. du Centre ✆ 89 77 33 41

MURAT 15300 Cantal 76 ③ G. Auvergne (plan) – 2 409 h. alt. 917.

Voir Site★ – Église★ de Bredons S : 2,5 km.

Office de Tourisme av. Dr-Mallet ✆ 71 20 09 47.

Paris 526 – Aurillac 49 – Brioude 57 – Issoire 73 – Le Puy 118 – St-Flour 24.

Les Breuils sans rest, ✆ 71 20 01 25, 🪑 – ☎ **P**. GB. ✂
fermé 5 nov. au 15 janv. – ☕ 28 – **12 ch** 190/350.

Les Messageries (Annexe Le Bredons 14 ch), ✆ 71 20 04 04, Fax 71 20 02 81, 🪑 – 📺 ☎. AE GB
fermé 5 nov. au 25 déc. – **R** 70/160 🍷, enf. 35 – ☕ 26 – **36 ch** 170/260 – ½ P 190/245.

au Jarrousset E : 5 km par N 122 – ✉ **15300** Murat :

XXX ✿ **Jarrousset** (Andrieu), ✆ 71 20 10 69, 🌳, 🏊, 🪑 – **P**. GB
fermé 2 au 13 sept., 2 au 15 janv., lundi soir et merc. sauf juil.-août – **R** 90/300
Spéc. Marbré de foie gras au céleri, Saumon poêlé aux lentilles crémées, Blanquette de ris de veau.

CITROEN Gar. Meissonnier, Le Martinet ✆ 71 20 13 87 **N** ✆ 71 20 05 55
PEUGEOT-TALBOT Gar. Delrieu ✆ 71 20 06 22 **N**
RENAULT Dolly ✆ 71 20 03 93

MURBACH 68 H.-Rhin 62 ⑱ – rattaché à Guebwiller.

MUR-DE-BARREZ 12600 Aveyron 76 ⑫ G. Gorges du Tarn – 1 109 h. alt. 789.

Paris 576 – Aurillac 38 – Rodez 76 – St-Flour 59.

- **Aub. du Barrez** M, 65 66 00 76, Fax 65 66 07 98 – TV ☎ P. AE GB
  fermé 1er janv. au 8 fév., dim. soir de nov. à Pâques et lundi – **Repas** 58/180 – 27 – **10 ch** 180/220 – ½ P 205.

PEUGEOT-TALBOT Gar. Manhes 65 66 02 25 N 65 66 16 70

Gar. Yerles 65 66 02 24 N 65 66 16 94

MUR-DE-BRETAGNE 22530 C.-d'Armor 58 ⑲ G. Bretagne – 2 049 h. alt. 225.

Voir Rond-Point du lac ≤★ – Lac de Guerlédan★★ O : 2 km.

Syndicat d'Initiative pl. Église (15 juin-15 sept.) 96 28 51 41.

Paris 459 – St-Brieuc 45 – Carhaix-Pl. 46 – Guingamp 44 – Loudéac 21 – Pontivy 16 – Quimper 97.

- XXX **Aub. Grand'Maison** (Guillo) avec ch, 96 28 51 10, Fax 96 28 52 30 – TV ☎. AE GB JCB
  fermé oct., vacances de fév., dim. soir et lundi – **R** (nombre de couverts limité-prévenir) 160/350, enf. 110 – 45 – **12 ch** 240/600 – ½ P 360/550
  Spéc. Profiteroles de foie gras au coulis de truffes. Galettes de pommes de terre crême océane. Queues de langoustines panées à la noix de coco.

La MURE 38350 Isère 77 ⑮ G. Alpes du Nord – 5 480 h. alt. 885.

Paris 608 – ◆ Grenoble 39 – Gap 65.

- **Murtel** M, 76 30 96 10, Fax 76 30 91 38, – TV ☎ P. GB
  R 69/155 – 25 – **40 ch** 220/260 – ½ P 180/195.

CITROEN Gar. Gay, 76 81 02 57

PEUGEOT-TALBOT Gar. Reynier 76 81 03 78 N

RENAULT Gar. Reynaud 76 81 01 69

Les MUREAUX 78 Yvelines 55 ⑲, 106 ⑯ – rattaché à Meulan.

MURET <SP> 31600 H.-Gar. 82 ⑰ G. Pyrénées Roussillon – 18 134 h. alt. 169.

Paris 715 – ◆ Toulouse 19 – Auch 74 – St-Gaudens 69 – Pamiers 52.

- **Aragon** sans rest, 15 r. Aragon 61 56 18 19 – ☎. GB
  fermé dim. sauf en août – 20 – **20 ch** 100/148.

à Labarthe-sur-Lèze E : 6 km par D 19 – 3 772 h. – ✉ 31860 :

- XX **Poêlon,** 61 08 68 49, – AE GB.
  fermé 15 au 30 août, 2 au 15 janv., dim. soir, fériés le soir et lundi – **R** 150/200.
- XX **Rose des Vents,** carrefour D 19-D 4 61 08 67 01, – P. AE GB
  fermé 1er au 14 sept., dim. soir du 1er nov. à fin mars et lundi – **R** 90/170.

CITROEN G.A.M., N 117 61 51 01 02
CITROEN Dedieu, à Rieumes 61 91 81 28
FIAT Sud Garonne Autom., 7 r. Berges, ZI Marclan 61 56 82 82
FORD Llédo, N 117 61 51 03 30
MERCEDES Antras Autom., 44 av. de l'Europe 61 51 00 66 N

PEUGEOT-TALBOT SO.NO.MA., 50 av. de Toulouse 61 56 18 15
RENAULT S.A.D.A.M., N 117 61 51 05 44 N 61 17 76 50

Muret-Pneus, ZI Joffrery 61 51 09 39
Vialatte Pneus, 179 av. de Toulouse 61 51 48 34

MUROL 63790 P.-de-D. 73 ⑬ ⑭ G. Auvergne (plan) – 606 h. alt. 833.

Voir Château★★.

Syndicat d'Initiative r. de Jassaguet 73 88 62 62.

Paris 465 – ◆ Clermont-Fd 37 – Besse-en-Chandesse 11,5 – Condat 39 – Issoire 30 – Le Mont-Dore 19.

- **Les Volcans** M sans rest, 73 88 60 77, – ☎ P. GB
  15 juin-30 sept. et vacances de nov., de fév. et de printemps – 24 – **10 ch** 200/250.
- **Pins**, 73 88 60 50, – ☎ P. GB
  1er mai-30 sept. – **R** 50/130, enf. 40 – 25 – **31 ch** 220/240 – ½ P 215/245.
- **Paris,** 73 88 60 09, – ☎. GB. rest
  vacances de printemps-22 sept. et vacances de fév. – **R** 52/110, enf. 37 – 23 – **20 ch** 120/190 – ½ P 150/175.

PEUGEOT-TALBOT Pons 73 88 60 22 N

RENAULT Gar. Dabert 73 88 63 43

MUSSIDAN 24400 Dordogne 75 ④ G. Périgord Quercy – 2 985 h. alt. 57.

Syndicat d'Initiative r. Libération (fermé fév.) 53 81 04 77.

Paris 533 – Périgueux 36 – Angoulême 86 – Bergerac 25 – Libourne 55 – Ste-Foy-la-Grande 28.

- **Midi**, à la gare 53 81 01 77, – TV ☎ P. GB. ch
  fermé 2 au 20 janv., vend. soir et sam. hors sais. – **R** 68/250, enf. 48 – 30 – **10 ch** 200/280 – ½ P 210/230.
- **Gd Café** sans rest, 1 av. Gambetta 53 81 00 07
  20 – **11 ch** 80/160.

XX **Clos Joli,** O : 6,5 km sur N 89 ✆ 53 81 10 01, « Jardin fleuri » – . AE GB
fermé 8 au 20 juin, 5 au 17 oct., dim. soir et lundi soir (hors sais.) et mardi – **R** 139/249, enf. 50.

XX **Relais de Gabillou,** rte de Périgueux ✆ 53 81 01 42, – . GB
fermé 16 au 23 nov., vacances de fév., dim. soir et lundi – **Repas** 75/250 , enf. 40.

CITROEN Gar. Gras, 65/67 r. Libération ✆ 53 81 04 18

PEUGEOT TALBOT Rousseau ✆ 53 81 04 47

MUTRECY 14220 Calvados 54 ⑮ – 219 h. alt. 80.

Paris 252 – ◆ Caen 17 – Falaise 27 – Lisieux 56 – St-Pierre-sur-Dives 36.

Aub. des Pommiers, ✆ 31 79 32 03 – rest . GB
fermé fév. et mardi du 1er oct. au 1er juin – **R** 69/165, enf. 44 – 23 – **12 ch** 130/200 – ½ P 170/240.

MUTZIG 67190 B.-Rhin 62 ⑨ **G. Alsace Lorraine** – 4 552 h. alt. 187.

Paris 480 – ◆ Strasbourg 26 – Obernai 12 – Saverne 31 – Sélestat 37.

L'Ours Noir, pl. Fontaine ✆ 88 38 13 20, Télex 890664, Fax 88 38 76 41, – – 45. AE GB
R 50/160 – 40 – **32 ch** 260/290 – ½ P 260.

Host. de la Poste, pl. Fontaine ✆ 88 38 38 38, Fax 88 49 82 05, – . GB.
R *(fermé vend. midi de sept. à avril)* 98/270 – 32 – **19 ch** 190/230.

XX **Aub. Alsacienne au Nid de Cigogne,** r. 18-Novembre ✆ 88 38 11 97 – GB
fermé mardi soir et merc. – **R** 65 (sauf sam.)/190 .

Kautzmann ✆ 88 38 61 78

R 70/145

Repas à prix fixes :
des menus à prix intermédiaires à ceux indiqués sont généralement proposés.

MUZILLAC 56190 Morbihan 63 ⑭ – 3 471 h. alt. 23.

Paris 447 – Vannes 25 – ◆Nantes 85 – Redon 37 – La Roche-Bernard 15.

Aub Pen-Mur, 20 rte Vannes ✆ 97 41 67 58, – – 25. GB
R 68/155 , enf. 45 – 28 – **18 ch** 200/300 – ½ P 205/250.

à Billiers S : 2,5 km par D 5 – ✉ **56190** :

X **Glycines** avec ch, pl. Église ✆ 97 41 64 63 – GB.
fermé fév. et lundi hors sais. – **R** 75/235 – 25 – **11 ch** 120/160 – ½ P 165/195.

à la Pointe de Pen-Lan S : 5 km par D 5 **G. Bretagne** – ✉ **56190** Muzillac.

Voir ≤★.

Domaine du Château de Rochevilaine, ✆ 97 41 61 61, Télex 950570, Fax 97 41 44 85, « Demeures anciennes avec jardin, ≤ littoral », – – 45. AE GB. rest
fermé 4 janv. au 26 fév. – **R** 280/400 – 65 – **27 ch** 560/1050 – ½ P 510/825
Spéc. Galette de homard aux pommes de terre (15 avril au 30 sept.), Bar raidi et friture de légumes (avril à sept.), Croustillant de rhubarbe et glace au lait. **Vins** Muscadet sur lie, Savennières.

NAINTRÉ 86 Vienne 68 ④ – rattaché à Châtellerault.

NAJAC 12270 Aveyron 79 ⑳ **G. Gorges du Tarn** – 766 h. alt. 350.

Voir Site★★ – Ruines du château★ : ≤★.

Syndicat d'Initiative pl. Faubourg ✆ 65 29 72 05.

Paris 631 – Rodez 71 – Albi 50 – Cahors 69 – Gaillac 49 – Montauban 68 – Villefranche-de-R. 19.

Belle Rive, NO : 2 km par D 39 ✆ 65 29 73 90, ≤, « Dans les gorges de l'Aveyron », – – 30. AE GB
12 avril-1er nov. – **Repas** 78/230, enf. 50 – 40 – **35 ch** 240/280 – ½ P 250/270.

XXX **Oustal del Barry** avec ch, ✆ 65 29 74 32, Fax 65 29 75 32, ≤, « Jardin » – . AE GB
7 avril-1er nov. et fermé lundi (sauf fériés) en avril et oct. et lundi midi en mai et juin – **Repas** 120/300, enf. 66 – 40 – **21 ch** 255/400 – ½ P 273/305.

au NE : 7 km par D 39 et D 638 – ✉ **12270** Najac :

Longcol, ✆ 65 29 63 36, Fax 65 29 64 28, ≤, parc, – . AE GB. rest
15 mars-15 nov. – **R** *(fermé mardi sauf du 15 juin au 15 sept.)* 110/210 – 45 – **14 ch** 450/700 – ½ P 500/525.

NAMPONT-ST-MARTIN 80120 Somme 51 ⑫ G. Flandres Artois Picardie – 242 h. alt. 41.

Paris 193 – ◆ Calais 83 – Abbeville 28 – ◆Amiens 71 – Hesdin 25 – Montreuil 14 – Le Touquet 28.

X **Les Contrebandiers** avec ch, sur N 1 ✆ 22 29 90 43, 🏠 – GB
fermé dim. soir et lundi sauf juil.-août – **R** 85/180 ♫, enf. 40 – ☕ 25 – **4 ch** 180/250.

NANÇAY 18330 Cher 64 ⑳ G. Berry Limousin – 784 h. alt. 140.

Paris 202 – Bourges 36 – Bonny-sur-Loire 64 – Gien 56 – Salbris 14 – Vierzon 22.

XXX Les Meaulnes avec ch, ✆ 48 51 81 15, 🏠, « Mobilier ancien », 🌳 – ☎
R (nombre de couverts limité - prévenir) – **9 ch.**

XX **Aub. de Nançay**, ✆ 48 51 82 38, 🏠 – AE GB
fermé fév., jeudi soir et lundi – **R** 95/250, enf. 60.

NANCY P 54000 M.-et-M. 62 ⑤ G. Alsace Lorraine – 99 351 h. alt. 212.

Voir Ensemble 18ᵉ s. : Place Stanislas★★★ BY, Arc de Triomphe★ BY **B** – Place de la Carrière★ BY **21** et Palais du Gouvernement★ BX **W** – Palais ducal★★ BX **M1** – Église et Couvent des Cordeliers★ BX **E** : gisant de Philippe de Gueldre★★ – Porte de la Craffe★ AX **F** – Église N.-D.-de-Bon-Secours★ EX **K** – Façade★ de l'église St-Sébastien BY **L** – Musées : Historique lorrain★★★ BX **M1**, Beaux-Arts★★ BY **M2**, Ecole de Nancy★★ DX **M3**, Zoologie (aquarium tropical★) CY **M4**.

Env. Basilique★★ de St-Nicolas-de-Port par ② : 12 km.

18 de Nancy-Aingeray ✆ 83 24 53 87, par ⑥ : 17 km.

✈ de Nancy-Essey : ✆ 83 21 56 90, 4,5 km EV.

🚗 ✆ 83 56 50 50.

ℹ Office de Tourisme et Accueil de France (Informations et réservations d'hôtels, pas plus de 5 jours à l'avance) 14 pl. Stanislas ✆ 83 35 22 41, Télex 960414 – A.C. 49 pl. Carrière ✆ 83 35 04 65.

Paris 307 ⑤ – Chaumont 117 ④ – ◆Dijon 208 ⑤ – ◆Metz 53 ⑥ – ◆Reims 213 ⑤ – ◆Strasbourg 146 ①.

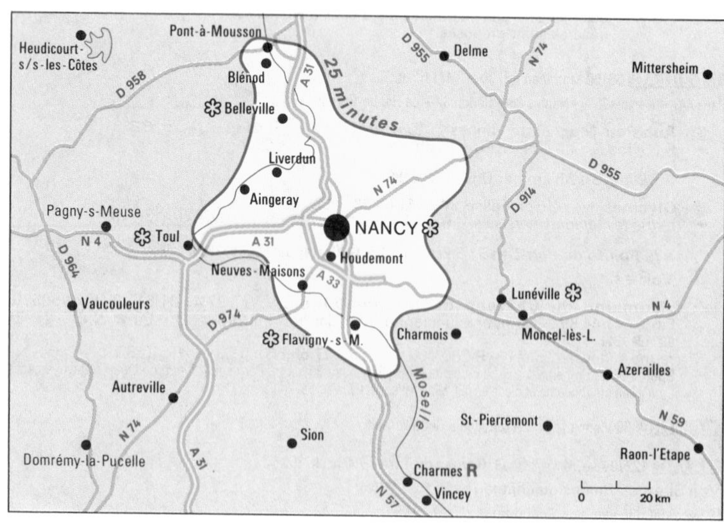

🏨 **Gd H. de la Reine et rest. Stanislas**, 2 pl. Stanislas ✆ 83 35 03 01, Télex 960367, Fax 83 32 86 04, « Palais du 18ᵉ siècle sur la place Stanislas » – 🛗 ▤ rest 📺 ☎ ♿ 🅿 – 🏛 50. AE ⓓ GB. ✂ rest — BY **d**
R 220/275, enf. 100 – ☕ 75 – **44 ch** 590/1800, 7 appart. 1100/1800.

🏨 **Altéa Thiers** M, 11 r. R. Poincaré ✆ 83 39 75 75, Télex 960034, Fax 83 32 78 17 – 🛗 ▤ 📺 ☎ ♿ – 🏛 300. AE ⓓ GB — AY **r**
La Toison d'Or *(fermé 26 juil. au 25 août)* **R** 175 bc/225, enf. 100 – ☕ 52 – **185 ch** 340/625.

🏨 **Mercure** M sans rest, 5 r. Carmes ✆ 83 35 32 10, Télex 960413, Fax 83 32 92 49 – 🛗 ✂ 📺 ☎ 🅿. AE ⓓ GB — BY **m**
☕ 50 – **80 ch** 410/530.

🏨 **Albert 1ᵉʳ-Astoria** sans rest, 3 r. Armée Patton ✆ 83 40 31 24, Télex 850895, Fax 83 28 47 78, 🌳 – 🛗 📺 ☎ 🅿 – 🏛 60. AE ⓓ GB JCB — AY **d**
☕ 36 – **126 ch** 270/380.

Crystal sans rest, 5 r. Chanzy ✆ 83 35 41 55, Télex 850139, Fax 83 37 84 85 – AE GB AY a
35 – **56 ch** 190/340.

Urbis M sans rest, 3 r. Crampel ✆ 83 32 90 16, Télex 961959, Fax 83 32 08 77 – AY e
62 ch.

Central H. sans rest, 6 av. R. Poincaré ✆ 83 32 21 24, Télex 850895, Fax 83 37 84 61, – 25. GB AY k
30 – **68 ch** 190/290.

Arcade M, 42 av. 20e Corps ✆ 83 37 10 10, Télex 850264, Fax 83 37 66 33 – rest – 30. AE GB CY v
L'Aquarelle ✆ **83 37 99 40** *(fermé 1 au 15/8, 25/12 au 1/1, vac. de fév., dim. sauf midi hors sais., lundi hors sais. et sam. midi)* **R** 85/205, enf. 50 – 32 – **60 ch** 250/300 – 1/2 P 265/315.

Résidence sans rest, 30 bd J. Jaurès ✆ 83 40 33 56 – AE GB JCB DEX a
fermé Noël au Jour de l'An – 33 – **24 ch** 200/330.

Cigogne sans rest, 4 bis r. Ponts ✆ 83 32 89 33, Fax 83 35 45 85 – AE GB BY s
fermé 20 déc. au 2 janv. – 27 – **44 ch** 195/235.

XXXX ✿ **Le Goéland** (Mengin), 27 r. Ponts ✆ 83 35 17 25, produits de la mer – AE GB BY e
fermé 2 au 17 août, dim. (sauf le midi d'oct. à mai) et lundi – **R** 165/320
Spéc. Langoustines rôties à la tête de veau au parmesan, Homard rôti aux spätzles, Sandre aux quenelles de moelle et nouilles fraîches. **Vins** Côtes de Toul, Klevner.

XXX **Capucin Gourmand,** 31 r. Gambetta ✆ 83 35 26 98, « Décor modern'style » – GB BY m
fermé 1er au 15 août, 2 au 10 janv., dim. sauf le midi de sept. à mars et lundi – **R** 180/280.

XXX **La Gentilhommière,** 29 r. Maréchaux ✆ 83 32 26 44, – GB BY x
fermé 3 au 23 août, vacances de fév., sam. midi et dim. – **R** 150.

XXX **Cap Marine,** 60 r. Stanislas ✆ 83 37 05 03, Fax 83 37 01 32 – AE GB BY t
fermé 1er au 23 août, sam. midi et dim. sauf fériés – **R** 110/250.

XX **La Chine,** 31 r. Ponts ✆ 83 30 13 89, cuisine chinoise – AE GB BY r
fermé 2 au 25 août, dim. soir et lundi – **R** 135/175.

XX **Mirabelle,** 24 r. Héré ✆ 83 30 49 69 – GB BY f
fermé 3 au 24 août, 4 au 11 janv., dim. soir et lundi sauf fêtes – **R** 110/260.

XX **Pavillon Anatole,** 62 av. A. France ✆ 83 40 63 30, – AE GB DVX b
fermé 14 juil. au 15 août, sam. midi, dim. soir et lundi – **R** 150/230.

XX **Les Agaves,** 2 r. Carmes ✆ 83 32 14 14 – AE GB BY u
fermé 30 juil. au 20 août, vacances de fév., lundi soir et dim. – **R** 110/225.

XX **L'Amandier,** 24 pl. Arsenal ✆ 83 32 11 01 – GB AY s
fermé 1er au 15 août, 24 déc. au 3 janv., sam. midi et dim. – **R** 135/165.

X **Petite Marmite,** 8 r. Gambetta ✆ 83 35 25 63 – GB BY b
fermé sam. midi et dim. – **R** 85/145.

X **Nouveaux Abattoirs,** 4 bd Austrasie ✆ 83 35 46 25 – GB EV s
fermé fin juil. à mi-août, sam., dim. et fériés – **R** 70/210 .

X **Le Wagon,** 57 r. Chaligny ✆ 83 32 32 16, Fax 83 35 68 36, ancien wagon-restaurant – P. AE GB EV k
fermé 4 juil. au 2 août, sam., dim. et fêtes – **R** 70/170 .

à Flavigny-sur-Moselle par ③ et N 57 : 16 km – ✉ **54630** :

XXX ✿ **Le Prieuré** (Roy) M avec ch, ✆ 83 26 70 45, Fax 83 26 75 51, , – AE GB
fermé 26 août au 4 sept., vacances de fév., dim. soir, fériés le soir et merc. – **R** 270/400 – 55 – **4 ch** 600
Spéc. Persillé de grenouilles aux pommes de terre, Blanc de turbot aux pêches, Râble de lapereau à la rhubarbe.

à Houdemont S : 6 km – ✉ **54180** :

Novotel Nancy Sud M, rte Épinal ✆ 83 56 10 25, Télex 961124, Fax 83 57 62 20, , , – ch rest P – 150. AE GB EY s
R carte environ 150 , enf. 52 – 45 – **86 ch** 380/420.

à Neuves-Maisons par ④ : 14 km – 6 432 h. – ✉ **54230** :

XX **L'Union,** 1 r. A. Briand ✆ 83 47 30 46, – GB
fermé 20 juil. au 10 août., vacances de fév., dim. soir et lundi – **R** 85/230.

rte de Paris O : 4 km – ✉ **54520** Laxou :

Novotel Nancy Ouest M, ✆ 83 96 67 46, Télex 850988, Fax 83 98 57 07, , , – ch rest P – 25 à 250. AE GB CV a
R carte environ 150 , enf. 50 – 45 – **119 ch** 380/420.

MICHELIN, Agence régionale, 117 bd Tolstoï à Tomblaine EX ✆ 83 21 83 21

NANCY

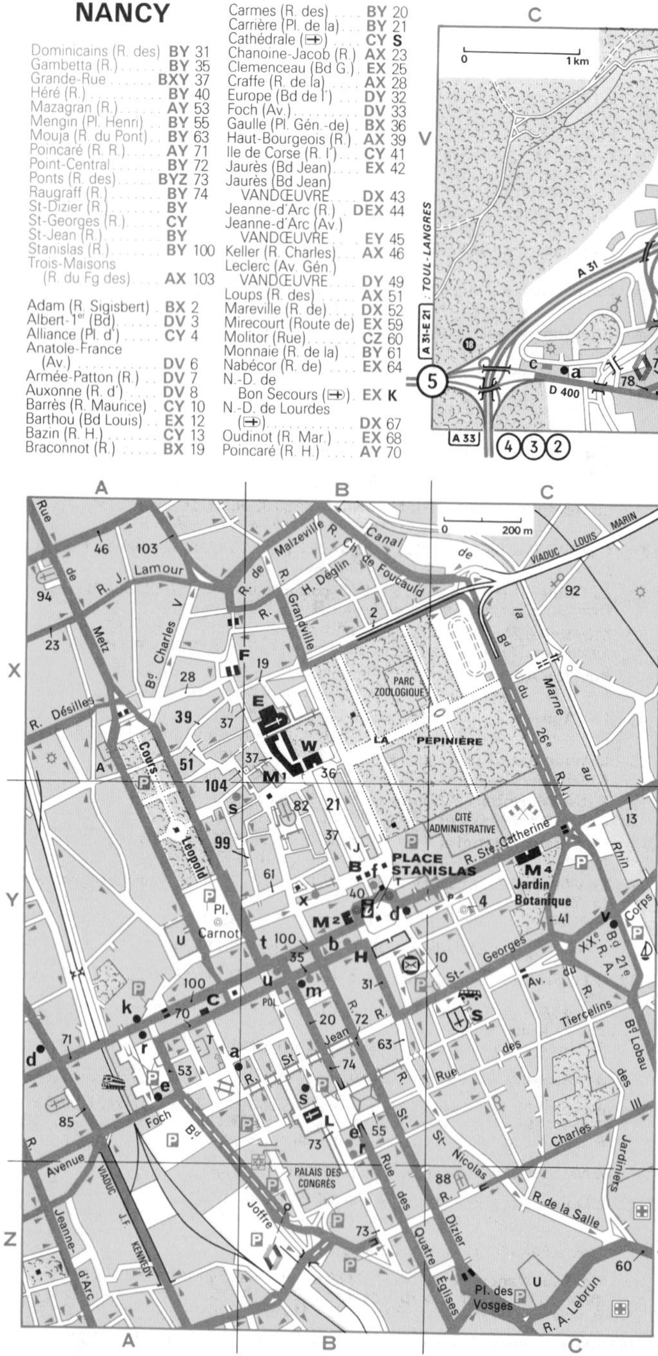

C
V
0
1 km
TOUL-LANGRES
A 31-E 21
A 31
A 33
D 400
5
4
3
2
A
B
C
X
Y
Z
0
200 m
Canal
de
Rue
de
Metz
R. J. Lamour
Bd Charles V
R. Désilles
Cours Léopold
R. de Malzeville
R. H. Déglin
R. Grandville
R. Ch. de Foucauld
VIADUC LOUIS MARIN
Bd du 26e R.I.
la Marne
au
Rhin
PARC ZOOLOGIQUE
LA PEPINIÈRE
CITÉ ADMINISTRATIVE
R. Ste-Catherine
PLACE STANISLAS
Jardin Botanique
Pl. Carnot
POL.
Av. du XXe Corps
Bd 21e R.A.
R. St-Georges
R. des Tiercelins
Bd Lobau
Rue des Jardiniers
Charles III
Rue St-Jean
R. St-Dizier
R. St-Nicolas
Rue des Quatre Eglises
R. de la Salle
Bd Foch
Avenue
Jeanne-d'Arc
VIADUC J.F. KENNEDY
Joffre
PALAIS DES CONGRÈS
Pl. des Vosges
R. A. Lebrun

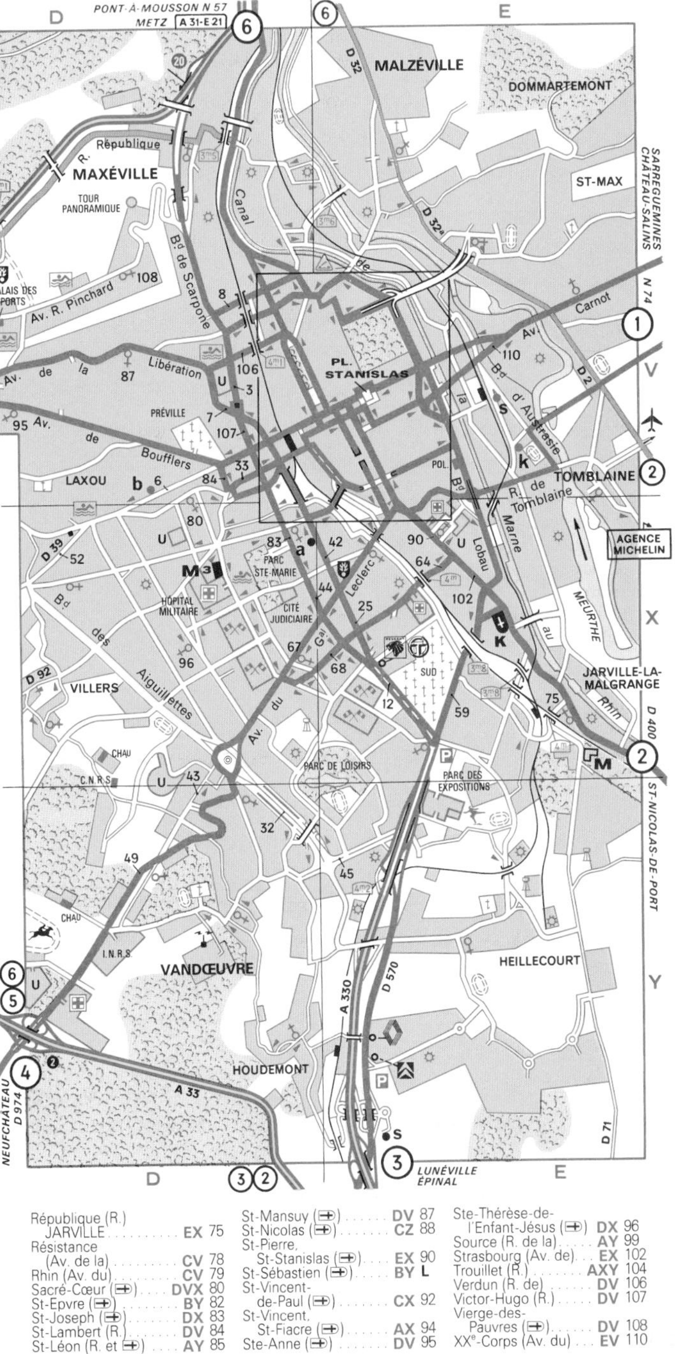

République (R.) JARVILLE . . . . EX 75
Résistance (Av. de la) . . . . CV 78
Rhin (Av. du) . . . . CV 79
Sacré-Cœur (⊞) . . . . DVX 80
St-Epvre (⊞) . . . . BY 82
St-Joseph (⊞) . . . . DX 83
St-Lambert (R.) . . . . DV 84
St-Léon (R. et ⊞) . . . . AY 85
St-Mansuy (⊞) . . . . DV 87
St-Nicolas (⊞) . . . . CZ 88
St-Pierre, St-Stanislas (⊞) . . . . EX 90
St-Sébastien (⊞) . . . . BY L
St-Vincent-de-Paul (⊞) . . . . CX 92
St-Vincent, St-Fiacre (⊞) . . . . AX 94
Ste-Anne (⊞) . . . . DV 95
Ste-Thérèse-de-l'Enfant-Jésus (⊞) DX 96
Source (R. de la) . . . . . AY 99
Strasbourg (Av. de) . . . EX 102
Trouillet (R.) . . . . AXY 104
Verdun (R. de) . . . . . . DV 106
Victor-Hugo (R.) . . . . . DV 107
Vierge-des-Pauvres (⊞) . . . . . . DV 108
XXe-Corps (Av. du) . . . EV 110

BMW Hazard, 105 bd Austrasie ✆ 83 32 32 41
FIAT S.O.D.E.A., 51/53 r. G. Mouilleron ✆ 83 27 52 52
FORD Gras, 11 r. A.-Lebrun ✆ 83 36 51 75 **N** ✆ 83 35 90 90
MERCEDES Etoile 54, 107 bd Austrasie ✆ 83 35 00 55
NISSAN Gar. Lorraine-Auto, 39 av. Garenne ✆ 83 40 22 57
OPEL S.A.N.E., 11 r. Tapis-Vert ✆ 83 32 10 24
RENAULT Mr Roth Building Joffre, 29 bd Joffre BZ ✆ 83 32 96 03 **N**
ROVER Charmois Automobiles, 304 av. Gén.-Leclerc ✆ 83 51 45 52
VOLVO Contact Auto, 28 r. de Remenauville ✆ 83 37 16 72

Le Circulaire, 37 r. Sigisbert-Adam ✆ 83 37 06 23
Leclerc-Pneu, r. M.-Barrès ✆ 83 37 06 57
Leclerc-Pneu, 11 r. A.-Krug ✆ 83 35 28 31

Périphérie et environs

ALFA-ROMEO Nasa Automobiles, 26 av. du 106e RI à Essey-les-Nancy ✆ 83 21 47 47
CITROEN Central Autom. de Lorraine, N 57 à Houdemont EY ✆ 83 51 29 30
FORD Nancy-Laxou Autom., 21 av. Résistance à Laxou ✆ 83 98 43 43 **N** ✆ 83 35 90 90
LANCIA SOVATEC, 111 av. du Gén.-Leclerc à Vandoeuvre-les-Nancy ✆ 83 53 22 07
MAZDA Sapinière Automobile, 26 r. de la Sapinière à Laxou ✆ 83 95 10 20
PEUGEOT, TALBOT S.I.A.L., av. P.-Doumer à Vandoeuvre EX ✆ 83 50 38 00 **N** ✆ 05 44 24 24
PEUGEOT-TALBOT S.I.A.L., 1 à 3 av. de la Résistance à Laxou CVa ✆ 83 96 34 21 **N** ✆ 05 44 24 24
PORSCHE-MITSUBISHI Richard Alcaray Automobiles, 4 pl. Gérard d'Alsace à Vandoeuvre-les-Nancy ✆ 83 56 20 80
RENAULT Renault Nancy, av. Résistance, Direction Paris à Laxou CV ✆ 83 95 33 33 **N** ✆ 05 05 15 15
RENAULT Renault Nancy, N 57, rte d'Epinal à Houdemont EY ✆ 83 95 33 33 **N** ✆ 05 05 15 15
V.A.G SODATEC, Aéroport de Nancy av. Eugène Potier à Tomblaine ✆ 83 21 38 90

PAD, 97 av. 69e-R.I. à Essey-lès-Nancy ✆ 83 21 24 03
Vulca Pneus, r. des Mailly ZAC de Pulnoy à Essey-les-Nancy ✆ 83 29 25 53

Planen Sie Ihre Fahrtroute in Frankreich mit der
Michelin-Karte Nr. 911 *„FRANCE – Grands Itinéraires"*
Sie ersehen daraus
– die Kilometerzahl Ihrer Strecke
– Ihre Fahrzeit
– die Zonen mit Staus und die Entlastungsstrecken
– die Lage der Tag und Nacht geöffneten Tankstellen
Sie fahren billiger und sicherer.

NANDY **77176** S.-et-M. 61 ① – 5 429 h. alt. 81.

Paris 43 – Fontainebleau 25 – Brie-Comte-Robert 18 – Corbeil-Essonnes 8 – Melun 9,5.

L'Écurie M, 1 r. Arqueil (N 446) ✆ (1) 60 63 63 63, Télex 690483, Fax (1) 60 63 64 39, – TV – 25 à 70. AE GB
R *(fermé dim. soir)* 118/128 – 35 – **43 ch** 300/330 – ½ P 318.

NANGIS **77370** S.-et-M. 61 ③ 106 ㊱ ㊽ – 7 013 h. alt. 130.

Voir Église★ de Rampillon E : 4,5 km par D 62, **G. Ile de France.**

Paris 75 – Fontainebleau 33 – Coulommiers 34 – Melun 26 – Provins 21 – Sens 53.

XX **Dauphin** avec ch, 9 bis r. A. Briand ✆ (1) 64 08 00 27, Télex 693525 – TV . AE GB
fermé dim. soir – **R** 130/310 carte le dim. – 32 – **18 ch** 140/280 – ½ P 210/250.

CITROEN Gar. Barbier, 31 ter r. Écoles ✆ (1) 64 08 01 03
CITROEN S.N.M.A., 3 av. Gén.-de-Gaulle ✆ (1) 64 08 00 48 **N**
FORD M.A.N., 39 r. Libération ✆ (1) 64 08 01 37 **N** ✆ (1) 64 08 01 37
Nangis Accessoires Pièces, 13 bd V. Hugo ✆ (1) 64 08 73 21

NANS-LES-PINS **83860** Var 84 ⑭ – 2 485 h. alt. 430.

Paris 800 – Aix-en-Provence 43 – Brignoles 25 – ◆Marseille 42 – Rians 35 – ◆Toulon 69.

Domaine de Châteauneuf, au Châteauneuf N : 3,5 km par D 80 et N 560 ✆ 94 78 90 06, Télex 400747, Fax 94 78 63 30, « dans un parc, golf », – TV – 30. AE GB
27 mars-30 nov. – **R** *(fermé lundi hors sais.)* 220/380 – 65 – **24 ch** 530/1100, 8 appart. 1150/2150 – ½ P 540/820.

RENAULT Gar. Cardillo ✆ 94 78 92 53

NANS-SOUS-STE-ANNE **25330** Doubs 70 ⑤ **G. Jura** – 142 h. alt. 365.

Voir Source du Lison★★★ 15 mn, Grotte Sarrazine★★ 30 mn, Creux Billard ★ 30 mn, SE : 3 km.

Paris 421 – ◆Besançon 40 – Pontarlier 36 – Salins-les-Bains 13.

Poste , ✆ 81 86 62 57, – AE GB. ch
fermé 2 au 31 janv. – **R** *(fermé merc. de sept. à avril)* 90/135, enf. 35 – 28 – **10 ch** 120/200 – ½ P 140/190.

NANTERRE **92** Hauts-de-Seine 55 ⑳, 101 ⑬ – voir Paris, Environs.

NANTES P 44000 Loire-Atl. 67 ③ **G. Bretagne** – 244 995 h. alt. 8

Voir Intérieur★★ de la cathédrale HY – Château ducal★★ : musées d'art populaire régional★ et des Salorges★ HY – La ville du 19e s. ★ : passage Pommeraye★ GZ **135**, cours Cambronne★ FZ – Jardin des Plantes★ HY – Palais Dobrée★ FZ – Ancienne île Feydeau★ GZ – Belvédère Ste-Anne ←★ EZ **S** – Musées : Beaux-Arts★★ HY **M1**, Histoire naturelle★★ FZ **M2**, Archéologie régionale★ (dans les jardins du palais Dobrée) FZ **M3**, Jules Verne★ EZ **M5**.

18 ✆ 40 63 25 82, D 81 : 16 km AV.

International Nantes-Atlantique : ✆ 40 84 80 00, par D 85 : 8,5 km BX.

✆ 40 50 50 50.

Office de Tourisme et Accueil de France (Informations, change et réservations d'hôtels, pas plus de 5 jours à l'avance) pl. Commerce ✆ 40 47 04 51, Télex 710905 et pl. Marc Elder (saison) – A.C. 6 bld G.-Guisth'au ✆ 40 48 56 19.

Paris 384 ① – Angers 89 ① – ◆Bordeaux 324 ④ – ◆Lyon 611 ① – Quimper 230 ⑦ – ◆Rennes 108 ⑨.

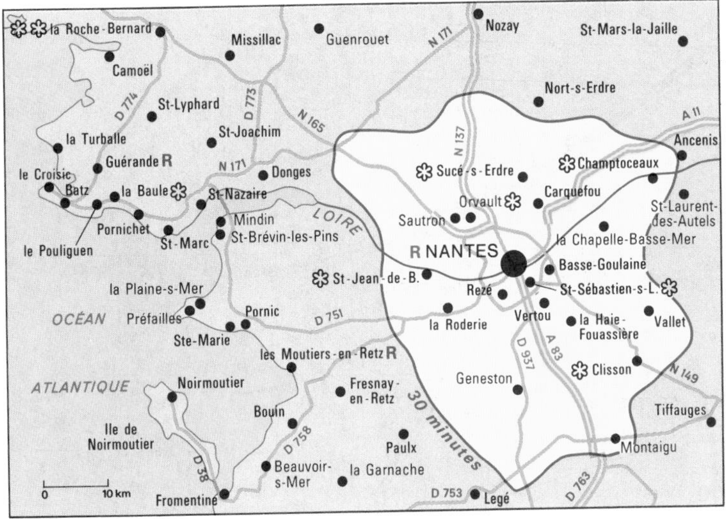

Holiday Inn Garden Court M, 1 bd Martyrs Nantais ✆ 40 47 77 77, Télex 710297, Fax 40 47 36 52, – ch rest – 50. AE GB JCB. rest — HZ **v**
R carte 120 à 180 – 49 – **108 ch** 420/840 – ½ P 355/590.

Sofitel M, Ile Beaulieu ✉ 44200 ✆ 40 47 61 03, Télex 710990, Fax 40 48 23 83, ←, , , – ch – 150. AE GB — CX **a**
R 115/170 – 60 – **98 ch** 565/595 – ½ P 740/770.

Pullman Beaulieu M, Ile Beaulieu ✉ 44200 ✆ 40 41 30 00, Télex 711440, Fax 40 89 69 14 – rest – 40 à 200. AE GB — CX **u**
R 95/230 – 55 – **148 ch** 485/640.

L'Hôtel M sans rest, 6 r. Henry IV ✆ 40 29 30 31, Télex 701569, Fax 40 29 00 95 – AE GB — HY **e**
37 – **31 ch** 360/400.

Jules Verne M sans rest, 3 r. Couëdic ✆ 40 35 74 50, Télex 701166, Fax 40 20 09 35 – AE GB. — GZ **h**
39 – **65 ch** 375.

Relais Bleus M, 50 quai Malakoff (gare sud) ✆ 40 35 30 30, Fax 40 89 35 43 – – 25 à 150. AE GB — HY **m**
R 68 bc/120, enf. 45 – 32 – **91 ch** 270.

Amiral sans rest, 26 bis r. Scribe ✆ 40 69 20 21, Télex 711783, Fax 40 73 98 13 – AE GB — FZ **a**
33 – **49 ch** 289/319.

Le Martray M, 10 pl. Viarme ✆ 40 89 62 62, Télex 710292, Fax 40 89 43 78 – – 40. AE GB — FY **k**
R (brasserie) 58/120 – 30 – **58 ch** 275/340 – ½ P 445/485.

Astoria sans rest, 11 r. Richebourg ✆ 40 74 39 90, Fax 40 14 05 49 – GB — HY **k**
fermé 25 juil. au 23 août – 30 – **45 ch** 260/335.

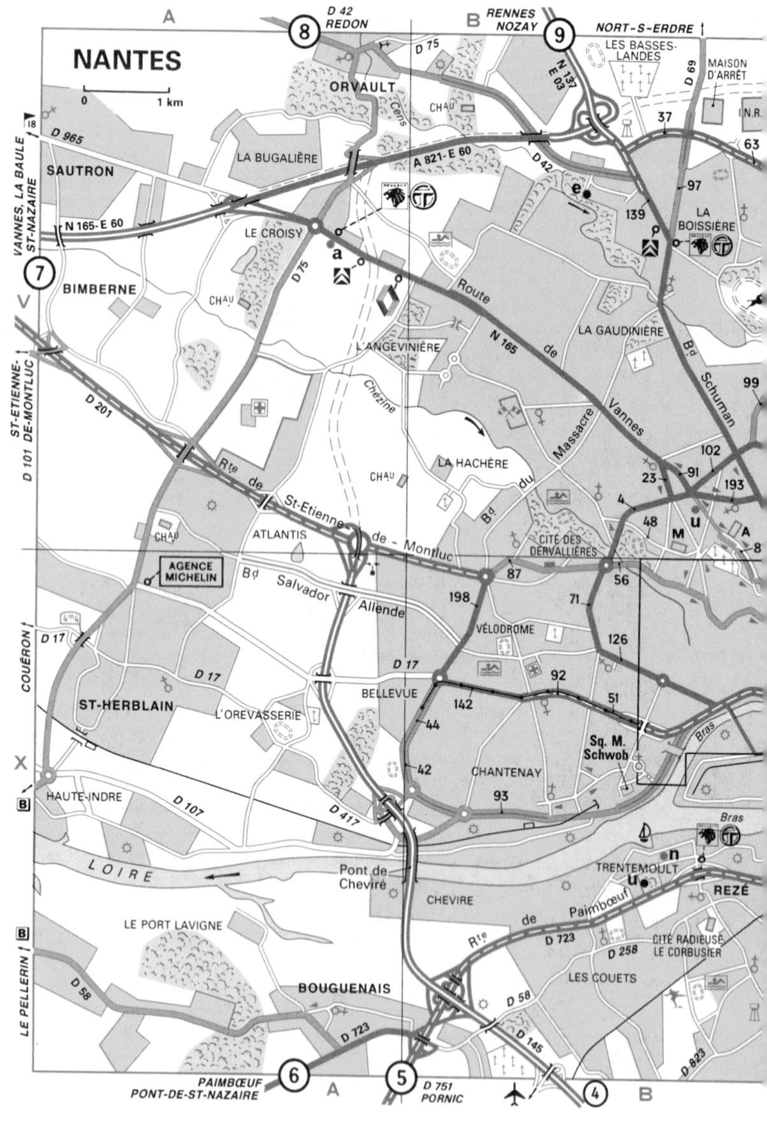

Allende (Bd S.) ST-HERBLAIN . . . . ABX
Anglais (Bd des) . . . . BV 4
Beaujoire (Bd et Pont de la) CV 10
Belges (Bd des) . . . . CV 13
Bellamy (R. P.) . . . . CV 14
Bellevue (Pont de) STE-LUCE-S-L . . . . DV
Boulay Paty (Bd) . . . . BV 23
Bourcy (Bd Joseph) . . . . . CDV
Buat (R. Gén.) . . . . CV 32
Carquefou (Rte de) CV
Cassin (Bd R.) . . . . BV 37
Cheviré (Pont de) . . . . ABX
Cholet (Bd Bâtonnier) . . . . . BX 42
Churchill (Bd W.) . . . . BX 44
Clemenceau (Pont G.) . . . . . CX 45
Clisson (Rte de) ST-SÉBASTIEN-S-L . . . CDX
Constant (Bd Clovis) . . . . . . BV 49
Coty (Bd R.) . . . . BX 51
Courbet (Bd Amiral) . . . . . . CV 52
Dalby (Bd E.) . . . . CV 54
Dervallières (R. des) . . . . . . BX 56
Dos-d'Ane (R.) . . . . CX 59
Doulon (Bd de) . . . . CV 60
Einstein (Bd A.) . . . . BV 63
Fraternité (Bd de la) . . . . . . BX 71
Gabory (Bd E.) . . . . CX 72
Gaulle (Bd Gén. de) . . . . . . CX 76
Gaulle (Bd Gén. de) REZÉ . . . . CX 77
Hauts-Pavés (R. des) . . . . . BV 81
Ingres (B. J.) . . . . BX 87
Jaurès (R. J.) REZÉ CX
Jean XXIII (Bd) . . . . BV 91
Jouhaux (Bd L.) . . . . BX 92
Juin (Bd Mar.) . . . . BX 93

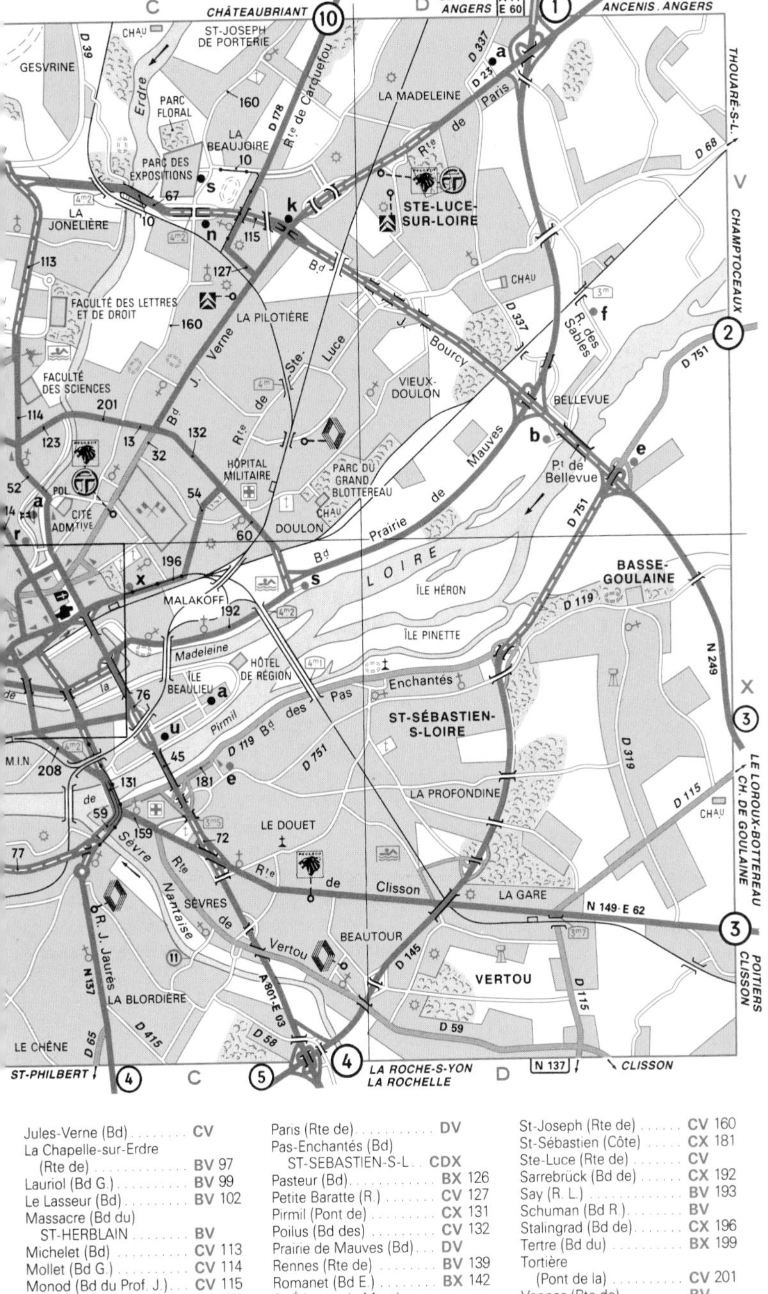

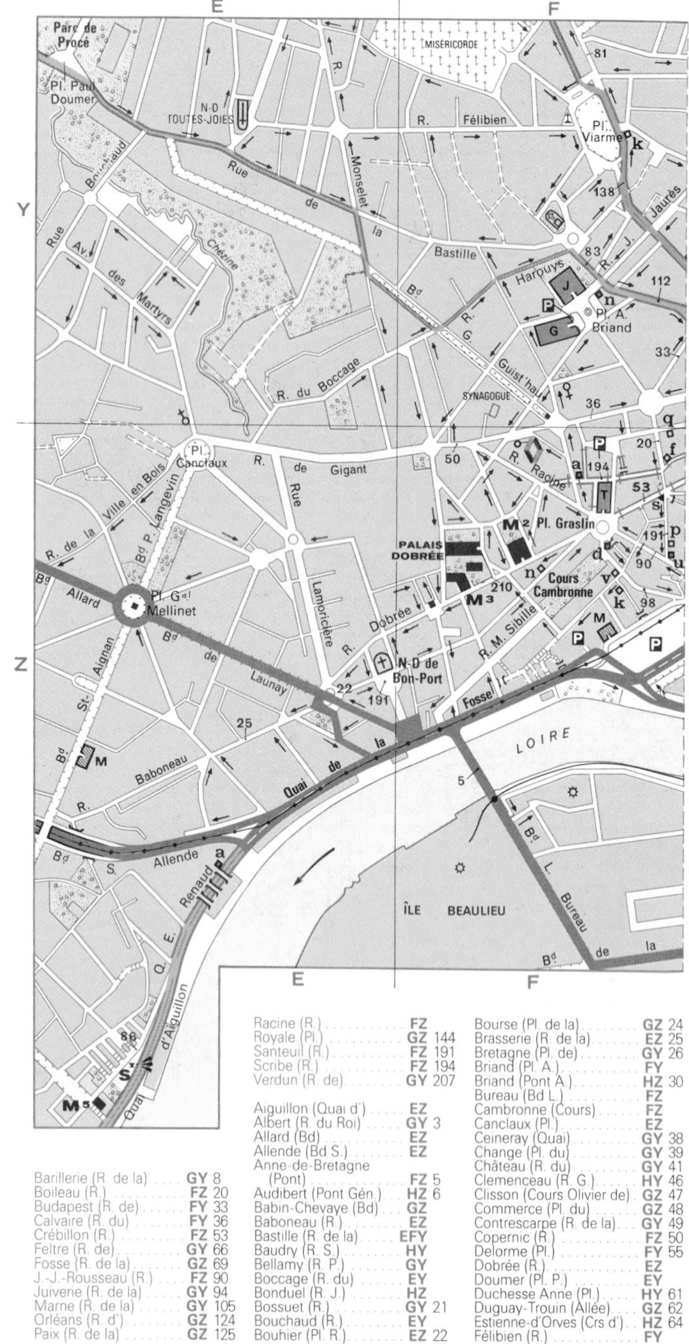

Barillerie (R. de la) GY 8
Boileau (R.) FZ 20
Budapest (R. de) FY 33
Calvaire (R. du) FY 36
Crébillon (R.) FZ 53
Feltre (R. de) GY 66
Fosse (R. de la) GZ 69
J.-J.-Rousseau (R.) FZ 90
Juiverie (R. de la) GY 94
Marne (R. de la) GY 105
Orléans (R. d') GZ 124
Paix (R. de la) GZ 125

Racine (R.) FZ
Royale (Pl.) GZ 144
Santeuil (R.) FZ 191
Scribe (R.) FZ 194
Verdun (R. de) GY 207

Aiguillon (Quai d') EZ
Albert (R. du Roi) GY 3
Allard (Bd) EZ
Allende (Bd S.) EZ
Anne-de-Bretagne (Pont) FZ 5
Audibert (Pont Gén.) HZ 6
Babin-Chevaye (Bd) GZ
Baboneau (R.) EZ
Bastille (R. de la) EFY
Baudry (R. S.) HY
Bellamy (R. P.) GY
Boccage (R. du) EY
Bonduel (R. J.) HZ
Bossuet (R.) GY 21
Bouchaud (R.) EY
Bouhier (Pl. R.) EZ 22

Bourse (Pl. de la) GZ 24
Brasserie (R. de la) EZ 25
Bretagne (Pl. de) GY 26
Briand (Pl. A.) FY
Briand (Pont A.) HZ 30
Bureau (Bd L.) FZ
Cambronne (Cours) FZ
Canclaux (Pl.) EZ
Ceineray (Quai) GY 38
Change (Pl. du) GY 39
Château (R. du) GY 41
Clemenceau (R. G.) HY 46
Clisson (Cours Olivier de) GZ 47
Commerce (Pl. du) GZ 48
Contrescarpe (R. de la) GY 49
Copernic (R.) FZ 50
Delorme (Pl.) FY 55
Dobrée (R.) EZ
Doumer (Pl. P.) EY
Duchesse Anne (Pl.) HY 61
Duguay-Trouin (Allée) GZ 62
Estienne-d'Orves (Crs d') HZ 64
Félibien (R.) FY

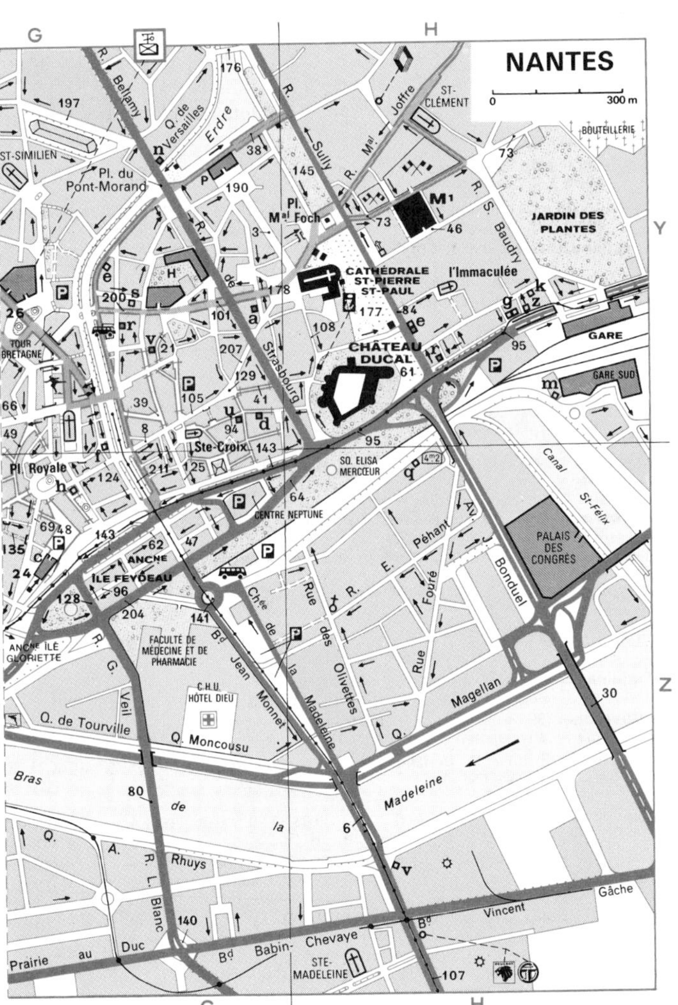

Foch (Pl. Mar.) . . . . HY 68
Fosse (Quai de la) . . . . EFZ
Fouré (R.) . . . . HZ
Gâche (Bd V.) . . . . HZ
Gambetta (R.) . . . . HY 73
Gigant (R. de) . . . . EZ
Graslin (Pl.) . . . . FZ
Guist'hau (Bd G.) . . . . . FY
Harouys (R.) . . . . FY
Haudaudine (Pont) . . . . GZ 80
Hauts-Pavés (R. des) . . . FY 81
Hélie (R. F.) . . . . FY 83
Henri IV (R.) . . . . HY 84
Hermitage (R. de l') . . . . EZ 86
Jaurès (R. J.) . . . . FY
Joffre (R. Mar.) . . . . . . HY
Kennedy (Cours J.-F.) . . HY 95
Kervégan (R.) . . . . GZ 96
Lamoricière (R.) . . . . . . EZ
Langevin (Bd P.) . . . . . . EZ
Launay (Bd de) . . . . EZ
Lattre-de-Tassigny
(R. Mar. de-) . . . . FZ 98

Leclerc (R. Mar.) . . . . . . GY 101
Louis-Blanc (R.) . . . . . . GZ 104
Madeleine (Chée) . . . . GHZ
Magellan (Quai) . . . . . . HZ
Martyrs (Av. des) . . . . . EY
Martyrs-Nantais-
de la Résist. (Bd) . . . . HZ 107
Mathelin-Rodier (R.) . . . . HY 108
Mellinet (Pl. Gén.) . . . . . EZ
Mercœur (R.) . . . . FY 112
Moncousu (Quai) . . . . . . GZ
Monnet (Bd Jean) . . . . . GZ
Monselet (R. Ch.) . . . . . EY
Olivettes (R. des) . . . . . HZ
Péhant (R. E.) . . . . HZ
Petite-Hollande (Pl.) . . . . GZ 128
Pilori (Pl. du) . . . . GY 129
Pommeraye (Pas.) . . . . . GZ 135
Pont-Morand (Pl. du) . . . GY
Porte-Neuve (R.) . . . . . . FY 138
Prairie-au-Duc (Bd) . . . . FGZ
Renaud (Q. E.) . . . . EZ
République (Pl. de la) . . . GZ 140

Rhuys (Q. A.) . . . . GZ
Ricordeau (Pl. A.) . . . . . GZ 141
Roosevelt (Crs F.) . . . . . GZ 143
St-Aignan (Bd) . . . . EZ
St-André (Crs) . . . . HY 145
St-Mihiel (Pont) . . . . . . GY 176
St-Pierre (Cours) . . . . . . HY 177
St-Pierre (Pl.) . . . . GY 178
Salengro (Pl. R.) . . . . . . GY 190
Sanitat (Pl.) . . . . EZ 191
Sibille (R. M.) . . . . FZ
Strasbourg (R. de) . . . . . GY
Sully (R.) . . . . HY
Talensac (R.) . . . . GY 197
Thiers (R.) . . . . GY 200
Tourville (Quai de) . . . . . GZ
Turenne (Allée de) . . . . . GZ 204
Veil (R. G.) . . . . GZ
Versailles (Quai de) . . . . GY
Viarme (Pl.) . . . . FY
Ville-en-Bois (R. de la) . . EZ
Voltaire (R.) . . . . FZ 210
50-Otages (Crs des) . . GYZ 211

Colonies sans rest, 5 r. Chapeau Rouge ✆ 40 48 79 76, Télex 711874, Fax 40 12 49 25 – AE GB JCB
28 – **39 ch** 259/269. FZ **q**

Graslin sans rest, 1 r. Piron ✆ 40 69 72 91, Télex 701619, Fax 40 69 04 44 – – 25. AE GB
35 – **47 ch** 280/360. FZ **v**

Gd Hôtel sans rest, 2 r. Santeuil ✆ 40 73 46 68, Fax 40 69 65 98 – AE GB
25 – **41 ch** 235/250. FZ **p**

Le Concorde sans rest, 2 allée d'Orléans ✆ 40 48 75 91, Fax 40 47 15 34 – GB
30 – **38 ch** 225/320. GY **f**

Bourgogne sans rest, 9 allée Cdt Charcot ✆ 40 74 03 34, Télex 701405 – AE GB
fermé 14 juil. au 7 août et 20 déc. au 6 janv. – 25 – **42 ch** 155/330. HY **g**

Cholet sans rest, 10 r. Gresset ✆ 40 73 31 04, Fax 40 73 78 82 – GB FZ **n**
25 – **38 ch** 160/250.

Paris sans rest, 2 r. Boileau ✆ 40 48 78 79, Télex 701242, Fax 40 47 63 75 – – 50. AE GB
28 – **50 ch** 240/310. FZ **f**

Vendée sans rest, 8 allée Cdt Charcot ✆ 40 74 14 54, Télex 701395, Fax 40 74 77 68 – – 30. AE GB
40 – **94 ch** 250/380. HY **g**

Ibis Centre M, 3 allée Baco ✆ 40 20 21 20, Télex 701382, Fax 40 89 45 08, – – 60. GB
R 82, enf. 40 – 32 – **104 ch** 310/330. HZ **q**

Duquesne sans rest, 12 allée Duquesne ✆ 40 47 57 24 – AE GB GY **e**
23 – **27 ch** 173/235.

Gare sans rest, 5 allée Cdt Charcot ✆ 40 74 37 25, Fax 40 93 33 71 – AE GB
23 – **28 ch** 185/225. HY **z**

Fourcroy sans rest, 11 r. Fourcroy ✆ 40 44 68 00 – FZ **k**
fermé 30 oct. au 8 nov. – 20 – **19 ch** 110/164.

San Francisco, 3 chemin Bateliers ✉ 44300 ✆ 40 49 59 42, – AE GB CX **s**
fermé août, dim. soir et lundi – **R** 140/350.

L'Esquinade, 7 r. St-Denis ✆ 40 48 17 22 – AE GB GY **a**
fermé 10 au 31 juil., dim. (sauf le midi de sept. à juin) et lundi – **R** 152/285.

Le Gavroche, 139 r. Hauts Pavés ✆ 40 76 22 49, – GB BV **u**
fermé 15 juil. au 15 août, dim. soir et lundi – **R** 135/280.

L'Atlantide, 15 quai E. Renaud, centre les Salorges, 4e étage ✆ 40 73 23 23, Fax 40 73 76 46, – GB
R *(fermé dim.)* 130/280. EZ **a**

Torigaï, île de Versailles ✆ 40 37 06 37, Fax 40 93 34 29, – GB. CV **a**
fermé 9 au 31 août, 24 déc. au 3 janv. et dim. – **R** 210/370.

Aub. du Château, 5 pl. Duchesse Anne ✆ 40 74 05 51 – GB HY **e**
fermé 1er au 24 août, 24 déc. au 2 janv., dim. et lundi – **Repas** (nombre de couverts limité - prévenir) 126/173.

Coq Hardi, 22 allée Cdt Charcot ✆ 40 74 14 25 – AE GB HY **r**
fermé 14 juil. au 1er août, vend. soir et sam. – **R** 88/150.

Le Colvert, 14 r. A. Brossard ✆ 40 48 20 02 – AE GB GY **r**
fermé 8 au 23 août, 20 au 27 déc. et dim. – **R** 130/310.

Les Dauphins, 18 quai de Versailles ✆ 40 47 32 80 – GB JCB CV **r**
fermé août, sam. midi et dim. – **R** 90/260.

L'Océanide, 2 r. P. Bellamy ✆ 40 20 32 28 – AE GB GY **n**
fermé sam. midi en juil.-août et dim. – **R** 90/260.

La Cigale, 4 pl. Graslin ✆ 40 69 76 41, Fax 40 73 75 37, « Brasserie 1900 » – GB
R carte 120 à 200, enf. 39. FZ **d**

La Palombière, 13 bd Stalingrad ✆ 40 74 05 15 – AE GB CX **x**
fermé 27 juil. au 20 août, sam. midi et dim. – **R** 86/210.

Rôtisserie du Palais, 1 pl. A. Briand ✆ 40 89 20 12 – AE GB FY **n**
fermé 18 au 27 avril, 8 au 16 août et dim. – **R** 90/260.

Margotte, 2 r. Santeuil ✆ 40 73 27 40 – AE GB FZ **u**
fermé 3 au 23 août, vacances de fév., sam. (sauf le soir du 15 sept. au 15 juin) et dim. –
R 125/250.

Le Change, 11 r. Juiverie ✆ 40 48 02 28 – AE GB. GY **u**
fermé 15 au 30 juil., fév., dim. soir et lundi – **R** 95/180.

Le Bouchon, 7 r. Bossuet ✆ 40 20 08 44, – GB GY **v**
fermé sam. et dim. – **R** 145.

Christiana, 3 r. Émery ✆ 40 89 68 31 – AE GB GY **d**
fermé 4 au 19 nov., 1er au 15 fév., mardi midi et lundi – **R** 80/180.

Environs

à la Beaujoire NE : 5 km – ✉ **44300** Nantes :

Otelinn M, 45 bd Batignolles ☎ 40 50 07 07, Télex 711373, Fax 40 49 41 40 – TV ☎ ♿ P – 30 à 150. AE GB CV **n**
R 70/170, enf. 50 – ☕ 37 – **60 ch** 275/325 – ½ P 235/255.

Beaujoire M, 15 r. Pays de Loire (près stade) ☎ 40 93 00 01, Télex 701438, Fax 40 68 98 32 – TV ☎ ♿ P – 50. AE GB CV **s**
R 87/128 ♁, enf. 45 – ☕ 30 – **41 ch** 265/290 – ½ P 220.

rte de Paris vers ① : 5 km – ✉ **44300** Nantes :

Ibis M, r. Champ de Tir ☎ 40 93 22 22, Télex 701113, Fax 40 52 17 73, – TV ☎ ♿ P – 40. GB CV **k**
R 79 ♁, enf. 39 – ☕ 32 – **64 ch** 280/295.

rte d'Angers par ① – ✉ **44470** Carquefou :

Novotel M, à la Belle Étoile : 12 km ☎ 40 52 64 64, Télex 711175, Fax 40 93 70 78, , , – ch rest TV ☎ ♿ P – 30 à 150. AE GB JCB
R carte environ 160 ♁, enf. 50 – ☕ 48 – **96 ch** 385/440.

Altéa, La Madeleine : 9 km ☎ 40 30 29 24, Télex 710962, Fax 40 25 16 21, , – rest TV ☎ ♿ P – 120. AE GB DV **a**
R *(fermé sam. et dim.)* 69/150, enf. 50 – ☕ 46 – **76 ch** 330/430 – ½ P 230/359.

Belle Étoile M, à la Belle Étoile : 11,5 km ☎ 40 68 01 69, Fax 40 68 07 27 – TV ☎ ♿ P – 25. GB
R *(fermé 1er au 21 août, 25 déc. au 2 janv., sam. et dim.)* 70/160 ♁ – ☕ 30 – **37 ch** 230/250 – ½ P 220.

au pont de Bellevue E : 9 km par A 11 – ✉ **44980** Ste-Luce-sur-Loire :

XXX **Beauséjour,** ☎ 40 25 60 39, ← – AE GB DV **b**
fermé 3 au 25 août, 21 déc. au 4 janv., dim. soir et lundi – **R** (nombre de couverts limité, prévenir) 125/270, enf. 80.

au NE : 11 km par A 11, échangeur de Bellevue, puis r. Sables – ✉ **44980** Ste-Luce-sur-Loire :

XXX **Bénureau,** Le Grand Plessis ☎ 40 25 95 25, , « Ancienne maison bourgeoise dans un parc » – P. GB DV **f**
fermé 27 juil. au 20 août, vacances de fév., jeudi soir, dim. soir et lundi – **R** 145/230.

à Basse-Goulaine vers ② sur D 751 : 8 km – 5 910 h. – ✉ **44115** :

XXX **Mon Rêve,** ☎ 40 03 55 50, Fax 40 06 05 41, , « Parc et roseraie » – P. AE GB
fermé vacances de nov., de fév., mardi soir et merc. hors sais. – **R** (dim. prévenir) 155/318, enf. 70. DV **e**

par ② : 15 km sur D 751 – ✉ **44450** St-Julien-de-Concelles :

XX **Aub. Nantaise,** Le Bout des Ponts ☎ 40 54 10 73, ← – AE GB
fermé 10 au 27 juil., vacances de fév., sam. midi, dim. soir et lundi soir – **R** 105/240, enf. 60.

à St-Sébastien-sur-Loire par D 751 : 4 km – 22 202 h. – ✉ **44230** :

XXX ✿ **Manoir de la Comète** (Thomas-Trophime), 21 av. Libération ☎ 40 34 15 93, Fax 40 34 46 23, « Élégant cadre contemporain » – P. AE GB CX **e**
fermé 28 juil. au 20 août, 2 au 10 janv., sam. midi et dim. sauf fériés – **R** 150/290
Spéc. Crème renversée de homard au jus de viande. Rougets de roche poêlés à la fondue de tomate et basilic. Foie gras de canard poêlé aux pêches de vignes. **Vins** Anjou, Coteaux de l'Aubance.

rte de Poitiers par ③ et N 149 : 11 km – ✉ **44115** Haute-Goulaine :

La Lande St-Martin, à Haute-Goulaine ☎ 40 06 20 06, Télex 700520, Fax 40 06 15 41, , parc – TV ☎ P – 150
33 ch.

à La Haie Fouassière par ③, N 149 et D 74 : 15 km – ✉ **44690** :

XX **Cep de Vigne,** à la Gare N : 1 km par D 74 ☎ 40 36 93 90 – GB
fermé août, fév., dim. soir, mardi soir et merc. – **R** 85/300, enf. 65.

à Vertou SE : 10 km par D 59 DZ – 18 235 h. – ✉ **44120** :

Haute-Forêt, bd Europe ☎ 40 34 01 74, – TV ☎ P. GB
R 50/150, enf. 25 – ☕ 24 – **35 ch** 180/240 – ½ P 210/260.

rte des Sables d'Olonne par ④ et D 178 : 12 km – ✉ **44840** Les Sorinières :

Abbaye de Villeneuve, ☎ 40 04 40 25, Télex 710451, Fax 40 31 28 45, ←, , « Belle demeure du 18e siècle dans un parc », – TV ☎ P – 25 à 250. AE GB
R 260/340 – ☕ 60 – **17 ch** 610/850, 3 appart. 1200 – ½ P 430/880.

à Rezé SO : 6 km par D 723 – 33 262 h. – ✉ **44400** :

Fimotel M, Atout Sud, Z.I. de Rezé ☎ 40 04 20 30, Fax 40 75 73 83 – TV ☎ ♿ P – 35. AE GB BX **u**
R 75/130 ♁, enf. 38 – ☕ 36 – **42 ch** 270/280 – ½ P 300/330.

XX **L'Aquarelle,** 33 rue Gén.-Leclerc ☎ 40 75 18 33, – GB BX **n**
fermé 1er au 25 août, 21 déc. au 3 janv., lundi soir, sam. midi et dim. – **R** 90/220.

à l'Aéroport SO : 10 km par rte de Pornic – ✉ **44340** Bouguenais :

Océania Ⓜ, ✆ 40 05 05 66, Télex 700091, Fax 40 05 12 03, 余, Ⅰ₆, ⛱, ⚔ – 🛗 ⇔ ch ▤ 📺 ☎ ♿ Ⓟ – 🏛 25 à 130. AE ⓓ GB
R 130 – ⊇ 45 – **87 ch** 450/600.

Mascotte Ⓜ sans rest, ✆ 40 32 14 14, Télex 710312, Fax 40 32 14 13, ⚔ – 🛗 📺 ☎ ♿ Ⓟ. AE ⓓ GB
⊇ 35 – **69 ch** 295/340, 4 appart. 470.

rte de Pornic par ⑤ : 15 km sur D 751 – ✉ **44830** Bouaye :

Les Champs d'Avaux Ⓜ, ✆ 40 65 43 50, Fax 40 32 64 83, 余, ⛟, ⚔ – 📺 ☎ ♿ Ⓟ – 🏛 80. AE GB
fermé 18 déc. au 3 janv. – **R** *(fermé sam. sauf juil.-août et dim. soir)* 85/230 – ⊇ 40 – **43 ch** 245/275 – ½ P 245.

à St-Jean-de-Boiseau O : 18 km par D 723 et D 58 - AX – 4 120 h. – ✉ **44640** :

XX ✿ **L'Enclos de la Cruaudière** (Durand), ✆ 40 65 66 10, Fax 40 65 63 98, « Jardin ombragé » – Ⓟ. GB
fermé 1er au 26 août, 23 déc. au 7 janv., dim. (sauf fêtes) et lundi – **R** (nombre de couverts limité - prévenir) 180/260
Spéc. Saint-Pierre à la vapeur d'algues, Sandre au beurre blanc, Emincé de rognon de veau au jus de viande. **Vins** Muscadet, Savennières.

rte de Vannes vers ⑦ : 7 km – ✉ **44800** St-Herblain :

XXX **Le Pavillon,** ✆ 40 94 99 99, Fax 40 94 96 07, ⛟ – Ⓟ. AE GB — AV **a**
fermé 9 au 23 août, sam. midi et dim. – **R** 110/320, enf. 80.

par ⑦ et rte de Vannes : 17 km

Mercure Ⓜ, ✉ 44360 Vigneux-de-Bretagne ✆ 40 57 10 80, Télex 711823, Fax 40 57 13 30, 余, Ⅰ₆, ⛱, ⚔ – ▤ rest 📺 ☎ ♿ Ⓟ – 🏛 30 à 150. AE ⓓ GB JCB
R carte 140 à 210 ♁, enf. 45 – ⊇ 49 – **90 ch** 405/460.

à Sautron NO : 11 km - AV – 6 026 h. – ✉ **44880** :

XX **Le Romarin,** 79 r. Bretagne (D 965) ✆ 40 63 15 87 – GB
fermé août, vacances de fév., dim. soir et lundi – **R** 95/240.

à Orvault NO : 8 km - ABV – 23 115 h. – ✉ **44700** :

✿ **Domaine d'Orvault** (Bernard) 🐎, par N 137 et voie pavillonaire ✆ 40 76 84 02, Télex 700454, Fax 40 76 04 21, 余, « Élégante hostellerie dans un parc », ⛟, ⚔ – 🛗 ▤ rest 📺 ☎ ♿ Ⓟ – 🏛 25. AE ⓓ GB — BV **e**
hôtel : fermé sam. et dim. en fév. ; rest. : fermé vacances de fév. et lundi midi – **R** 200/420 – ⊇ 60 – **29 ch** 320/590 – ½ P 540/620
Spéc. Fantaisie de bar aux langoustines, Turbot aux palourdes et petits farcis bretons, Foie gras de canard poêlé aux cèpes. **Vins** Muscadet de Sèvre et Maine, Anjou rouge.

XXX **Orée du Bois,** rte Garenne ✆ 40 63 63 54, Fax 40 63 91 79, 余, « Terrasse avec pièce d'eau », ⛟ – Ⓟ. GB
fermé 9 au 24 août, vacances de fév., dim. soir et lundi – **R** 98/350.

à Sucé-sur-Erdre : 16 km par D 69 - BV – 4 806 h. – ✉ **44240** :

XXX ✿ **La Châtaigneraie** (Delphin), 156 rte Carquefou ✆ 40 77 90 95, Fax 40 77 90 08, ≤, 余, « Manoir du 19e siècle dans un parc au bord de l'Erdre » – Ⓟ. AE ⓓ GB JCB
fermé 27 juil. au 9 août, 4 au 24 janv., lundi (sauf le soir de juin à août) et dim. soir – **R** 235/400, enf. 100
Spéc. Duo de grenouilles et ris de veau, Estouffade de turbot au muscadet, Filet de pigeon en croûte au foie gras. **Vins** Muscadet, Chinon.

X **Au Cordon Bleu** avec ch, ✆ 40 77 71 34 – ☎. GB
fermé 3 au 24 août, dim. soir et lundi – **R** 82/188, enf. 50 – ⊇ 30 – **8 ch** 190/240 – ½ P 160/240.

par ⑩ et rte de la Chantrerie : 9 km – ✉ **44300** Nantes :

XXX **Manoir de la Régate,** 155 rte Gachet ✆ 40 30 02 97, Fax 40 25 23 36, 余, parc – ⓓ GB
fermé 16 août au 3 sept., vacances de fév., dim. soir, fériés le soir et lundi – **R** 155/310, enf. 70.

à Carquefou par ⑩ : 11 km – 12 877 h. – ✉ **44470** :

XXX **Aub. du Cheval Blanc,** r. 9 août-1944 ✆ 40 50 88 05 – GB
fermé 20 juil. au 10 août, lundi sauf le midi de sept. à mai et et dim. soir – **R** 105/235.

XX **Les Calanques,** r. Bel Air ✆ 40 25 10 25, Fax 40 25 28 14, 余, produits de la mer – Ⓟ. AE GB
fermé août, sam. et dim. – **R** 140/170.

MICHELIN, Agence régionale, 13 r. du Rémouleur ZI à St-Herblain AX ✆ 40 92 15 44

AUSTIN, ROVER Armoric-Auto, 2 bis r. Lamoricière ✆ 40 73 12 24
AUSTIN-ROVER Le Moigne, 18 allée Baco ✆ 40 47 77 16
CITROEN Centre de gros automobiles, 14 r. Marché Commun ✆ 40 49 65 97
CITROEN Sena, 215 bd J.-Verne CV ✆ 40 50 71 72 **N** ✆ 40 74 66 66
FORD Conté Automobiles, 16 bd Stalingrad ✆ 40 74 30 11
NISSAN-VOLVO Centre Automobile Beaulieu, 25 bd des Martyrs Nantais ✆ 40 47 73 73
OPEL Longchamp Autom., 37 rte de Vannes ✆ 40 67 68 00
PEUGEOT Raguideau, 170 rte de Clisson CX ✆ 40 34 20 63 **N** ✆ 40 74 66 66
PEUGEOT-TALBOT S.I.A.O., 40 r. de Monaco, centre de gros, rte de Paris DV ✆ 40 93 96 96
PEUGEOT-TALBOT Dugast, 105 r. Gén.-Buat CV ✆ 40 74 18 04
PEUGEOT-TALBOT S.I.A.O., 7 bd Martyrs-Nantais HZ ✆ 40 35 16 16
PEUGEOT-TALBOT Gar. Charpentier, 78 r. de Rennes BV ✆ 40 76 69 66
RENAULT Gar. Louis XVI, 41 r. Gambetta HY ✆ 40 29 15 15 **N**
RENAULT Gar. Lizé, 82 r. du Landreau CV ✆ 40 49 49 17
RENAULT Gar. Copernic, 5 r. Copernic FZ ✆ 40 73 34 04
V.A.G Auto-Gar. de l'Ouest, 8 r. Sully ✆ 40 29 40 00

Nantes-Pneumatiques, 83 rte de Paris ✆ 40 49 36 19
SOFRAP, 10 quai H.-Barbusse ✆ 40 74 05 69
Station Magellan Pneu + Nord Ouest, 58 r. Fouré ✆ 40 89 52 00
Vallée Pneus, 104 rte de Vannes ✆ 40 76 11 98
Vallée-Pneus, 13 bd Martyrs-Nantais-de-la-Résistance ✆ 40 47 87 14

Périphérie et environs

ALFA-ROMEO Véloce Auto, 277 rte de Vannes à St-Herblain ✆ 40 63 38 38
ALFA-ROMEO-FERRARI Gar. Barteau, r. Ordronneau, ZI à Rezé ✆ 40 04 11 00
CITROEN SORDA, 9 r. Ch.-Rivière à Rezé par ④ ✆ 40 75 24 44
CITROEN CAPAL, 351 rte de Vannes à St-Herblain AV ✆ 40 94 24 24 **N** ✆ 40 74 66 66
CITROEN Gar. Robin, 133 rte de Rennes à Orvault BV ✆ 40 76 81 50
FIAT Loire-Océans-Autos, 272 bd M.-Paul à St-Herblain ✆ 40 94 84 14
FORD Sud Loire Autom., rte des Sorinières à Rezé ✆ 40 32 10 00
FORD Gar. Bezard, 136 rte de la Gare à Vertou ✆ 40 34 44 95
FORD Mustière Automobiles, 365 rte de Vannes à St-Herblain ✆ 40 16 11 12 **N** ✆ 40 74 66 66
HONDA Gar. Victor Hugo, 223 et 225 rte de Vannes à St-Herblain ✆ 40 76 20 21
MERCEDES-BENZ Gar. Paris-Maine, 307 rte de Vannes à St-Herblain ✆ 40 63 63 89 **N** ✆ 88 72 00 94
PEUGEOT-TALBOT S.I.A.O., rte de Vannes le Croisy à Orvault AV ✆ 40 67 76 76
PEUGEOT-TALBOT Rez'Auto, rte de Pornic à Rezé BX ✆ 40 32 21 21
RENAULT Cora, 100 rte Sorinières à Rezé par r. J.-Jaurès CX ✆ 40 84 49 49 **N** ✆ 40 75 21 21
RENAULT Gar. Mecan'auto, 30 r. Fontenelle à Vertou DX ✆ 40 34 17 02
RENAULT Gar. Moinet, 25 r. J.-Jaurès à Rezé CX ✆ 40 04 04 00
RENAULT Gar. Dabireau, 25 r. A.-Arnaud à Vertou par D 59 ✆ 40 34 21 04
RENAULT Succursale, Les Lions, rte de Vannes à St-Herblain AV ✆ 40 67 27 27
RENAULT Plaisance Auto, rte de Machecoul à St-Philbert-de-Grand-Lieu par D 65 ✆ 40 78 77 71 **N**
SAAB Ouest-Autom., 277 rte de Vannes à St-Herblain ✆ 40 63 94 94
TOYOTA Gar. Grimaud, à Treillières ✆ 40 72 87 87

Chrono Pneus, 246 rte de Vannes à Orvault ✆ 40 94 03 02
Lemaux-Pneu, 67 r. A.-Briand à Rezé ✆ 40 75 84 16
Nantex, 2 r. Cochardières, ZI à St-Herblain ✆ 40 94 86 07
Vallée Pneus, 3 r. Grande Bretagne à Carquefou ✆ 40 25 25 05
Vallée-Pneus, Zone Atlantis, bd S.-Allendé à St-Herblain ✆ 40 92 00 05
Vertou Centre Auto Pneus, 117 rte de la Gare à Vertou ✆ 40 33 10 11

NANTILLY 70 H.-Saône 166 ⑬ – rattaché à Gray.

NANTUA <SP> 01130 Ain 74 ④ G. Jura (plan) – 3 602 h. alt. 479.

Voir Cluse★★ – Lac★ – Bords du lac ≤★.

Office de Tourisme r. Collège (juin-15 sept.) ✆ 74 75 00 05 et à la Mairie (hors saison matin seul.) ✆ 74 75 20 55.

Paris 477 – Aix-les-B. 77 – Annecy 64 – Bourg-en-B. 48 – ♦Genève 64 – ♦Lyon 90.

Embarcadère M, av. Lac ✆ 74 75 22 88, Fax 74 75 22 25, ≤ – TV ☎ P – 35. GB. rest
fermé 1er au 8 mai et 20 déc. au 20 janv. – **R** *(fermé lundi)* 105/260, enf. 55 – ☐ 30 – **50 ch** 230/300 – ½ P 255/260.

France, 44 r. Dr Mercier ✆ 74 75 00 55, Fax 74 75 21 32 – TV ☎ P. AE GB
fermé 1er nov. au 20 déc. et mardi sauf juil.-août – **R** 120/195 – ☐ 32 – **19 ch** 290/400.

aux Neyrolles SE – alt. 563 – ✉ **01130** :

XX **Daphnés** avec ch, ✆ 74 75 01 42, – ☎ . GB. rest
fermé 11 au 27/5, 1er/10 au 31/12, lundi soir et mardi (sauf juil.-août et vac. de fév.) et mardi midi en sais. – **R** 110/260 – ☐ 30 – **12 ch** 220/280 – ½ P 220/250.

PEUGEOT Grenard, La Cluse ✆ 74 76 14 80 **N** ✆ 74 76 05 12
PEUGEOT Gar. Tarrare, La Cluse ✆ 74 76 01 61 **N** ✆ 74 76 11 14
RENAULT Gar. du Lac, 16 rte de Lyon à Port N 84 ✆ 74 76 07 33 **N**

La NAPOULE 06210 Alpes-Mar. 84 ⑧ **G. Côte d'Azur** – alt. 18.

Voir Site★ du château-musée.

Golf Club de Cannes-Mandelieu ✆ 93 49 55 39, N : 1,5 km.

Maison du Tourisme bd de la Tavernière "Les Vigies" ✆ 93 97 86 46, Télex 462043 ; av. Cannes ✆ 93 49 14 39 et bd H.-Clews ✆ 93 49 95 31.

Paris 899 – Cannes 8,5 – Mandelieu 3 – ♦Nice 40 – St-Raphaël 32.

Royal M, ✆ 93 49 90 00, Télex 461820, Fax 93 49 51 50, ≤, ⛱, ⛱, ⛱ – ⛱ ⛱ ⛱ ⛱ ⛱ ⛱ – ⛱ 800. AE ⓓ GB
R 150/290 – ⛱ 95 – **196 ch** 1960, 15 appart. – ½ P 870/1125.

Ermitage du Riou, av. H.-Clews ✆ 93 49 95 56, Télex 470072, Fax 92 97 69 05, ≤, ⛱, ⛱, ⛱ – ⛱ ⛱ ch ⛱ ⛱ ⛱ ⛱ – ⛱ 25. ⓓ GB
R *(fermé 2 nov. au 23 déc.)* 165/310, enf. 90 – ⛱ 50 – **40 ch** 765/1240 – ½ P 660/810.

Parisiana sans rest, r. Argentière ✆ 93 49 93 02 – ⛱. ⛱
10 avril-20 oct. – ⛱ 25 – **12 ch** 220/380.

La Calanque, av. H.-Clews ✆ 93 49 95 11, ≤, ⛱ – ⛱. GB
1er avril-1er nov. – **R** 98/155 – ⛱ 27 – **17 ch** 170/280 – ½ P 210/280.

Corniche d'Or sans rest, La. Fontaine ✆ 93 49 92 51 – ⛱
18 avril-18 oct. – ⛱ 24 – **12 ch** 150/260.

XXXX ⛱⛱ **L'Oasis,** ✆ 93 49 95 52, Télex 461389, Fax 93 49 64 13, ⛱, « Patio ombragé et fleuri » – ⛱. AE GB
fermé 1er au 17 mars, 15 nov. au 7 déc., dim. soir et lundi – **R** 450/550 et carte
Spéc. Salade de pâtes fraîches safranées aux palourdes, Risotto de pageot aux fruits de mer, Caravane de desserts.

XXX **La Maison de Bruno et Judy,** pl. Château ✆ 93 49 95 15, ⛱ – AE ⓓ GB
fermé 1er nov. au 15 déc. et mardi du 15 déc. au 15 avril – **R** 150/190.

XX **Brocherie II,** au Port ✆ 93 49 80 73, ≤, ⛱ – GB
fermé 3 janv. au 10 fév., lundi soir et mardi hors sais. sauf fêtes – **R** 170/300.

XX **La Pomme d'Amour,** 209 av. 23-Août ✆ 93 49 95 19, ⛱ – GB JCB
fermé janv., mardi (sauf le soir de juil. à sept.) et merc. midi – **R** 140/185, enf. 65.

NARBONNE SP 11100 Aude 83 ⑭ **G. Pyrénées Roussillon** – 45 849 h. alt. 11.

Voir Cathédrale St-Just★★ (Trésor : tapisserie représentant la Création★★) BY **B** – Donjon Gilles Aycelin★ (✻★) BY **M** – Choeur★ de la basilique St-Paul-Serge AZ **E** – Musées : Art et Histoire★ BY **M**, Archéologique★ BY **M**, Lapidaire★ BZ **M1**.

Env. Abbaye de Fontfroide★★ 14 km par ④.

✆ 67 62 50 50.

Office de Tourisme pl. R.-Salengro ✆ 68 65 15 60.

Paris 851 ② – ♦Perpignan 64 ③ – Béziers 27 ① – Carcassonne 60 ③ – ♦Montpellier 94 ②.

Plan page suivante

Motel d'Occitanie M ⛱, av. Mer par ② : 2 km ✆ 68 65 23 71, Télex 505562, Fax 68 65 09 17, ≤, ⛱, ⛱, ⛱, ⛱ – ⛱ ⛱ ⛱ ⛱ ⛱ – ⛱ 40 à 150. AE ⓓ GB
R *(fermé dim. sauf juil.-août)* 72/120 ⛱ – ⛱ 40 – **55 ch** 350/395 – ½ P 320.

Novotel M, par ③ : 3 km ✆ 68 41 59 52, Télex 500480, Fax 68 41 32 12, ⛱, ⛱, ⛱ – ⛱ ⛱ ⛱ ⛱ ⛱ ⛱ – ⛱ 25 à 200. AE ⓓ GB JCB
R carte environ 160 ⛱, enf. 45 – ⛱ 45 – **96 ch** 390/440.

La Résidence ⛱ sans rest, 6 r. 1er-Mai ✆ 68 32 19 41, Fax 68 65 51 82, « Bel aménagement intérieur » – ⛱ ⛱ ⛱ ⛱. GB AY **r**
⛱ 40 – **26 ch** 270/395.

Languedoc, 22 bd Gambetta ✆ 68 65 14 74, Télex 505167, Fax 68 65 81 48 – ⛱ ⛱ rest ⛱ ⛱ – ⛱ 40. AE ⓓ GB BY **b**
R 85/220 ⛱, enf. 40 – ⛱ 40 – **44 ch** 260/410 – ½ P 255/330.

Mirabeau M sans rest, 4 r. B. Limouzy ✆ 68 65 12 01 – ⛱ ⛱ ⛱ ⛱. ⓓ GB BZ **v**
⛱ 30 – **19 ch** 250/300.

Lion d'Or, 39 av. P. Sémard ✆ 68 32 06 92, Fax 68 65 51 13 – ⛱. AE ⓓ GB BX **k**
fermé 9 au 22 nov., janv., vend. soir (sauf hôtel) et dim. soir hors sais. – **R** 80/150, enf. 45 – ⛱ 32 – **27 ch** 190/240 – ½ P 230.

H. Alsace sans rest, 2 av. Carnot ✆ 68 32 01 86 – ⛱ ⛱. GB BX **a**
⛱ 25 – **20 ch** 130/250.

France sans rest, 6 r. Rossini ✆ 68 32 09 75 – ⛱ ⛱. AE GB BZ **s**
⛱ 25 – **17 ch** 100/220.

Regent ⛱ sans rest, 15 r. Suffren ✆ 68 32 02 41, Fax 68 65 86 33 – ⛱ ⛱. AE ⓓ GB BY **d**
⛱ 27 – **15 ch** 140/250.

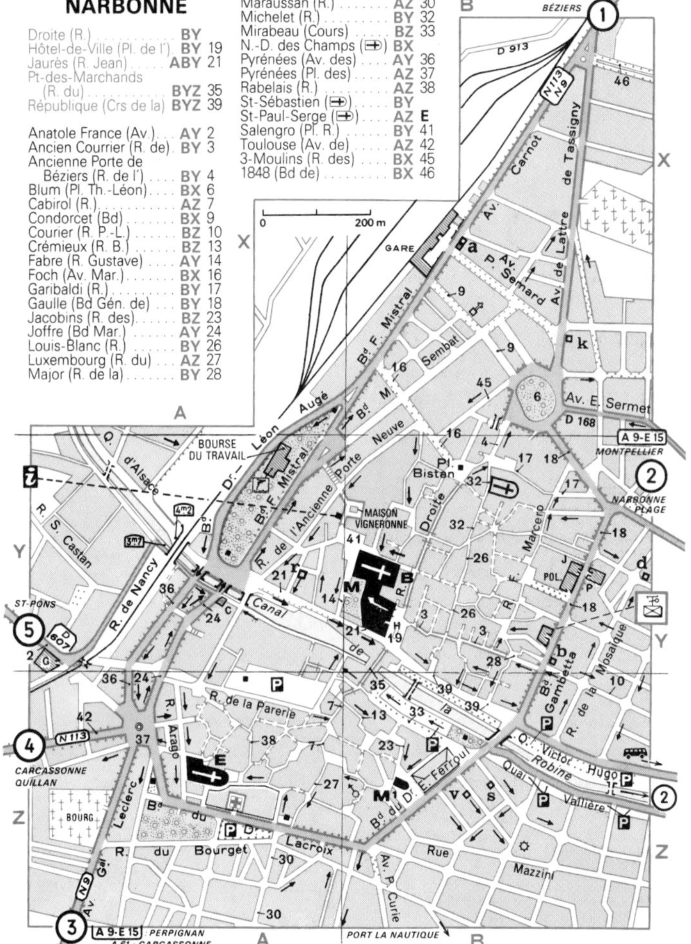

XXX **Rest. Alsace,** 2 av. P. Sémard ☎ 68 65 10 24 – ▤. AE ⓓ GB JCB — BX **a**
fermé 16 nov. au 16 déc., lundi soir et mardi – **R** 110/330, enf. 80.

XX **Le Saint-Loup,** par ② rte Gruissan ☎ 68 32 40 62 – ▤. GB
fermé lundi – **R** 95/250.

à Coursan par ① : 9 km – 5 137 h. – ✉ **11110** :

XXX **Château de Coursan,** av. Toulouse ☎ 68 33 51 94, Fax 68 33 91 63, 帀, 𐃏 – Ⓟ. AE ⓓ GB
R 88/240, enf. 50.

à Narbonne-Plage par ② et D 168 : 15 km – ✉ **11100** Narbonne :

ℹ Office de Tourisme bd des Fleurs (15 juin-sept.) ☎ 68 49 84 86.

Caravelle, ☎ 68 49 80 38, ←, 帀 – ☎ Ⓟ. GB. ✂ rest
13 avril-fin sept. – **R** 95/270 ꕥ – ☕ 35 – **24 ch** 210/280 – ½ P 245/285.

à Ornaisons par ④ et D 24 : 14 km – ✉ **11200** :

Relais Val d'Orbieu ⛰, ☎ 68 27 10 27, Fax 68 27 52 44, ←, 帀, ⛱, 𐃏, ✂ – TV ☎ Ⓟ – 🏛 30. AE ⓓ GB
R 210/420, enf. 120 – ☕ 65 – **15 ch** 450/750, 7 appart. 740/1500 – ½ P 685/800.

ALFA-ROMEO Gar. Occitan, 38 av. de Bordeaux ✆ 68 42 11 44
BMW, OPEL-GM Narbonauto, av. Champ-de-Mars, ZI Plaisance ✆ 68 41 14 81
CITROEN Plaisance-Autos Service, N 9 par ③ ✆ 68 41 69 62
FORD Villefranque, 20 bd M.-Sembat ✆ 68 32 30 11
LADA Croix Sud Autom., ZI Croix Sud ✆ 68 41 43 87
MERCEDES-BENZ, **TOYOTA** Gar. Deville, ZI Plaisance ✆ 68 41 22 38

PEUGEOT-TALBOT Audoise, rte de Perpignan, le Peyrou par ③ ✆ 68 41 09 85
RENAULT Languedoc Auto, Croix Sud rte de Perpignan ✆ 68 42 50 00 N ✆ 05 05 15 15
V.A.G Marty, 87 av. Gén.-Leclerc ✆ 68 41 16 10

Éts Escande, 1 av. de Toulouse ✆ 68 41 01 03
Brunel, 31 et 33 bd Mar.-Joffre ✆ 68 42 27 53
Distri-Pneu, ZI Croix sud ✆ 68 41 36 14
Gastou-Pneus, ZI Croix Sud ✆ 68 41 69 03
Piot-Pneu, ZI, rte de Perpignan ✆ 68 41 23 24

La NARTELLE **83** Var 84 ⑰ – rattaché à Ste-Maxime.

NASBINALS **48260** Lozère 76 ⑭ **G. Gorges du Tarn** – 503 h. alt. 1 180 – Sports d'hiver : 1 250/1 321 m 1.

Paris 573 – Aurillac 107 – Mende 59 – Rodez 66 – Aumont-Aubrac 23 – Chaudes-Aigues 27 – Espalion 34 – St-Flour 56.

- **Route d'Argent**, ✆ 66 32 50 03, – cuisinette TV. GB
  R 76/160, enf. 42 – 30 – **19 ch** 85/200 – ½ P 140/190.

au Nord par D 12 : 4 km – alt. 1 080 – ✉ **48260** Nasbinals :

- **Relais de l'Aubrac**, au **Pont de Gournier** (carrefour D 12 - D 112) ✆ 66 32 52 06, – ☎ P. GB. rest
  fermé 15 nov. au 20 déc. et 10 janv. au 5 fév. – **R** 75/160 et carte le soir, enf. 45 – 28 – **19 ch** 190 – ½ P 200.

NATZWILLER **67130** B.-Rhin 62 ⑧ – 634 h. alt. 540.

Paris 415 – ◆Strasbourg 55 – Barr 32 – Molsheim 30 – St-Dié 42.

- **Aub. Metzger**, ✆ 88 97 02 42, Fax 88 97 93 59, , – ☎ P. AE GB
  fermé 23 au 27 juin, 1er au 22 janv. et lundi hors sais. – **R** 90/230, enf. 45 – 35 – **10 ch** 210 – ½ P 230/240.

NAUCELLE **12800** Aveyron 80 ① – 1 929 h. alt. 469.

Paris 665 – Rodez 32 – Albi 47 – Millau 87 – St-Affrique 75 – Villefranche-de-Rouergue 49.

- **Host. Voyageurs**, pl. Hôtel de Ville ✆ 65 47 01 34, – ☎. AE GB
  fermé 26 oct. au 9 nov. et lundi sauf du 15 juin au 15 sept. – **R** 49/155, enf. 35 – 24 – **15 ch** 80/200 – ½ P 115/160.

à Castelpers SE : 12,5 km sur D 10 – ✉ **12170** Réquista :

- **Château de Castelpers** avec ch, ✆ 65 69 22 61, ≤, « Parc au bord de l'eau » – TV ☎ P. AE GB. rest
  1er avril-1er oct. – **R** *(fermé mardi)* 120/130, enf. 55 – 40 – **9 ch** 265/450 – ½ P 215/325.

NAUZAN **17** Char.-Mar. 71 ⑮ – voir St-Palais-sur-Mer et Royan.

NAVAROSSE **40** Landes 78 ⑬ – rattaché à Biscarrosse.

NAVARRENX **64190** Pyr.-Atl. 85 ⑤ **G. Pyrénées Aquitaine** – 1 036 h. alt. 125.

Syndicat d'Initiative pl. des Casernes ✆ 59 66 14 93.

Paris 803 – Pau 41 – Oloron-Ste-M. 22 – Orthez 22 – St-Jean-Pied-de-Port 57 – Sauveterre-de-B. 21.

- **Commerce**, ✆ 59 66 50 16 – ☎ – 40. GB
  fermé 18 au 31 oct., 24 déc. au 24 janv., dim. soir et lundi sauf juil.-août – **R** 60/180, enf. 45 – 20 – **28 ch** 120/220 – ½ P 190.

CITROEN Labrit ✆ 59 66 16 32 N ✆ 59 34 36 75

NAY **64800** Pyr.-Atl. 85 ⑦ – 3 591 h. alt. 352.

Paris 788 – Pau 18 – Laruns 34 – Lourdes 25 – Oloron-Ste-Marie 36 – Tarbes 32.

- **Aub. Chez Lazare**, Les Labassères SO : 3 km par D 36 et D 287 ✆ 59 61 05 26, ≤, , – ☎ P. GB
  fermé 1er au 16 août, lundi midi et dim. (sauf hôtel en sais.) – **R** (prévenir) 100/150 – 26 – **8 ch** 200/220 – ½ P 190.

PEUGEOT Gar. Manuel ✆ 59 61 27 67
RENAULT Gar. Fouraa ✆ 59 61 06 18
RENAULT Gar. Bonnasse-Gahot, à Bénéjacq ✆ 59 61 07 25 N ✆ 59 61 26 99
Gar. Antony, ✆ 59 61 16 21

NÉANT-SUR-YVEL **56430** Morbihan 63 ④ – 882 h. alt. 75.

Paris 408 – ◆Rennes 59 – Dinan 57 – Loudéac 40 – Ploërmel 11,5 – Vannes 58.

- **Aub. Table Ronde** avec ch, ✆ 97 93 03 96 – ☎. GB
  fermé janv., dim. soir et lundi – **R** 48/180 – 27 – **10 ch** 115/230 – ½ P 130/180.

NEAU 53150 Mayenne 60 ⑪ – 652 h. alt. 91.

Paris 267 – Alençon 62 – Laval 27 – ♦Le Mans 60 – Mayenne 22 – Ste-Suzanne 14 – Vaiges 14.

Croix Verte, ✆ 43 98 23 41 – TV ☎. GB
fermé 15 au 30 sept., 15 au 28 fév., dim. soir et lundi de sept à mai – **R** 56/141 ♁ – ☕ 26 – **14 ch** 135/195 – ½ P 200.

RENAULT Gar. Terrier ✆ 43 98 22 37

NEAUPHLE-LE-CHÂTEAU 78640 Yvelines 60 ⑨ 106 ⑯ **G. Ile de France** – 2 499 h. alt. 185.

Paris 38 – Dreux 43 – Mantes-la-Jolie 29 – Rambouillet 25 – St-Nom-la-Bretèche 11,5 – Versailles 18.

Le Verbois M, ✆ (1) 34 89 11 78, Télex 699981, Fax (1) 34 89 57 33, ≤, parc, – TV ☎ P – 40. GB JCB.
fermé 29 juil. au 28 août – **R** *(fermé lundi midi et dim.)* 149/190 carte le dim. – ☕ 60 – **20 ch** 430/700 – ½ P 390/505.

La Griotte, 58 av. République ✆ (1) 34 89 19 98, « Jardin fleuri » – AE ⓓ GB
fermé 20 avril au 3 mai, 31 août au 7 sept., 5 au 19 janv., dim. soir et lundi – **R** 170.

PEUGEOT-TALBOT Cabailh, 7 r. des Frères-Lumière à Plaisir ✆ (1) 30 55 17 30 N

RENAULT Gar. des Petits Prés, 16 r. de la Gare à Plaisir ✆ (1) 30 55 80 84 N ✆ (1) 44 00 62 54

NÉGRON 37 I.-et-L. 64 ⑯ – rattaché à Amboise.

NEMOURS 77140 S.-et-M. 61 ⑫ **G. Ile de France** – 12 072 h. alt. 62.

Voir Musée de Préhistoire de l'Ile de France★ par ②.

ℹ Office de Tourisme 41 quai V.-Hugo ✆ (1) 64 28 03 95.

Paris 79 ① – Fontainebleau 16 ⑥ – Chartres 126 ① – Melun 32 ⑥ – Montargis 34 ① – ♦Orléans 89 ④ – Sens 48 ②.

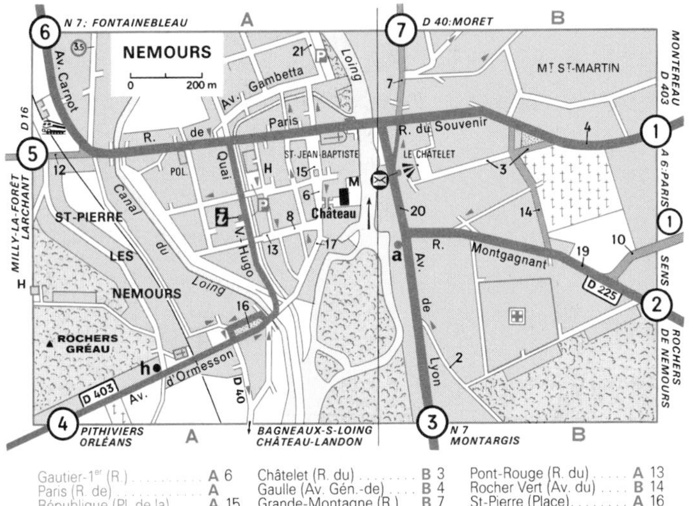

Gautier-1er (R.) ..... A 6
Paris (R. de) ..... A
République (Pl. de la) ..... A 15
Sanson (R.) ..... A 17
Beauregard (R. de) ..... B 2
Châtelet (R. du) ..... B 3
Gaulle (Av. Gén.-de) ..... B 4
Grande-Montagne (R.) ..... B 7
Jaurès (Pl. Jean) ..... A 8
Kennedy (Av. J.-F.) ..... B 10
Larchant (R. de) ..... A 12
Pont-Rouge (R. du) ..... A 13
Rocher Vert (Av. du) ..... B 14
St-Pierre (Place) ..... A 16
Stalingrad (Av. de) ..... B 19
Tanneurs (R. des) ..... B 20
Thiers (R.) ..... A 21

Les Roches, av. L. Pelletier à St-Pierre-lès-Nemours ✆ (1) 64 28 01 43, Fax (1) 64 28 04 27, – TV ☎. AE GB — A **h**
fermé vacances de nov., lundi (sauf hôtel) et dim. soir sauf juil.-août – **R** 90/260, enf. 45 – ☕ 35 – **15 ch** 120/290 – ½ P 220/295.

Vieux Moulin, 5 av. Lyon ✆ (1) 64 28 02 98 — B **a**

Autoroute A 6 sur l'aire de service, SE 2 km, accès par A 6 ou D 225 – ✉ **77140** Nemours :

Altéa M sans rest, ✆ (1) 64 28 10 32, Télex 690243, Fax (1) 64 28 60 59, – TV ☎ P. AE ⓓ GB
☕ 50 – **102 ch** 340/440.

à Glandelles par ③ : 7 km – ✉ **77167** Bagneaux-sur-Loing :

Les Marronniers N 7, ✆ (1) 64 28 07 04, – GB
fermé 16 au 31 août, 1er au 15 fév., mardi soir et merc. – **R** 89/129, enf. 55.

La Glandelière, S : 1 km N 7 ✆ (1) 64 28 10 20, – P. GB
fermé 15 sept. au 5 oct., 15 fév. au 5 mars, lundi soir, jeudi soir et mardi – **R** 100/210.

CITROEN Nemours Autom., 8 av. J.-F.-Kennedy ✆ (1) 64 28 11 17 N
PEUGEOT-TALBOT Coffre, 18 av. Kennedy B ✆ (1) 64 28 03 27
RENAULT Brillet, 107 av. Carnot à St-Pierre par ⑥ ✆ (1) 64 28 01 50

Jean Bohec, 16 av. Gén-de-Gaulle ✆ (1) 64 28 29 10

Dominicé, 90 r. de Paris ✆ (1) 64 28 11 21
Pneu Sce, 45 av. Carnot à St-Pierre-lès-Nemours ✆ (1) 64 28 04 67

NÉRAC <SP> **47600** L.-et-G. 79 ⑭ **G. Pyrénées Aquitaine** (plan) – 7 015 h. alt. 71.

18 d'Albret à Pusocq ✆ 53 65 53 69, NO par D 930 : 8 km.

Maison du Tourisme av. Mondenard ✆ 53 65 27 75.

Paris 707 – Agen 27 – ♦Bordeaux 127 – Condom 21 – Marmande 53.

- **du Château,** 7 av. Mondenard ✆ 53 65 09 05, Fax 53 65 89 78 – ☎. GB
  fermé janv. – **R** *(fermé vend. soir, sam. midi et dim. soir d'oct. à mai)* 65/220 ♪ – ☕ 26 – **22 ch** 130/250 – ½ P 175/220.
- XX **d'Albret** avec ch, 42 allées d'Albret ✆ 53 65 01 47 – TV ☎ – 25. AE GB
  fermé sept. et lundi d'oct. à mai – **R** 62/260 ♪ – ☕ 30 – **23 ch** 190/480 – ½ P 210/330.

NÉRIS-LES-BAINS **03310** Allier 73 ② **G. Auvergne** – 2 831 h. alt. 354 – Stat. therm. (avril-23 oct.) – Casino.

9 Club de Ste-Agathe ✆ 70 03 21 77, par ③ : 4 km.

Office de Tourisme carrefour des Arènes (2 avril-26 oct.) ✆ 70 03 11 03.

Paris 343 ③ – Moulins 71 ① – ♦Clermont-Fd 80 ② – Montluçon 8 ③ – St-Pourçain-sur-Sioule 54 ①.

NÉRIS-LES-BAINS

Arènes (Bd des) 2
Boisrot-Desserviers (R.) 3
Constans (R.) 5
Cuvier (R.) 7
Dormoy (Av. Marx) 8
Gaulle (R. du Gén.-de) 9
Kars (R. des) 10
Marceau (R.) 12
Migat (R. du Capitaine) 14
Molière (R.) 15
Parmentier (R.) 18
Reignier (Av.) 19
République (Pl. de la) 21
Rieckötter (R.) 23
St-Joseph (R.) 25
Thermes (Pl. des) 27
Voltaire (R.) 29

Découvrez la France avec les guides Verts Michelin : 24 titres illustrés en couleurs.

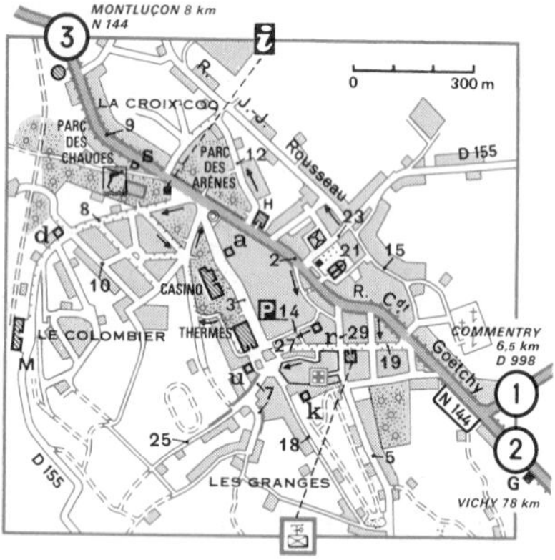

- **Garden,** 12 av. Marx Dormoy **(d)** ✆ 70 03 21 16, – TV ☎ P – 25. GB. ✻ ch
  fermé 20 oct. au 20 nov., 5 au 20 janv., dim. soir et vend. du 20 nov. au 1er avril – **Repas** 70/200 ♪, enf. 45 – ☕ 28 – **19 ch** 190/260 – ½ P 220/230.
- **Parc des Rivalles** , r. Parmentier **(k)** ✆ 70 03 10 50, parc – ☎ P. GB. ✻ rest
  15 avril-16 oct. – **R** 75/260 ♪ – ☕ 28 – **28 ch** 150/220 – P 198/249.
- **Arènes,** 1 av. Gén. de Gaulle **(s)** ✆ 70 03 19 02, – ☎ P. GB. ✻
  avril-20 oct. – **R** 70/150 ♪ – ☕ 25 – **18 ch** 200/280 – P 250/285.
- **Les Pervenches** sans rest, 11 r. Cap. Migat **(r)** ✆ 70 03 14 03 – cuisinette
  fermé 1er au 15 oct. – ☕ 30 – **10 ch** 200/220.
- **Terrasse,** 52 r. Boisrot-Desserviers **(a)** ✆ 70 03 10 42 – TV ☎. ✻ rest
  15 avril-15 oct. – **R** 78/100 – ☕ 26 – **22 ch** 185/240 – P 245/300.
- **Source** , pl. Thermes **(u)** ✆ 70 03 10 20, parc – ☎ P. GB. ✻ rest
  1er mai-16 oct. – **R** 75/120 – ☕ 24 – **40 ch** 84/191 – P 179/235.

NÉRONDES **18350** Cher 69 ② – 1 521 h. alt. 189.

Paris 242 – Bourges 36 – Montluçon 83 – Nevers 33 – St-Amand-Montrond 43.

- X **Lion d'Or** avec ch, pl. Mairie ✆ 48 74 87 81 – ☎. GB
  fermé 1er au 6 sept., fév. et merc. – **R** 72/175, enf. 40 – ☕ 28 – **12 ch** 110/240.

NERSAC **16** Charente 72 ⑬ – rattaché à Angoulême.

NESTIER **65150** H.-Pyr. 85 ⑳ – 196 h. alt. 500.

Paris 839 – Bagnères-de-Luchon 43 – Auch 75 – Lannemezan 13 – Saint-Gaudens 23 – ♦Toulouse 113.

- **Relais du Castéra,** ✆ 62 39 77 37 – ☎ P. AE GB. ✻
  fermé 15 au 22 juin, 12 au 27 janv., dim. soir de sept. à juin et lundi sauf hôtel en juil.-août – **R** 92/168 – ☕ 30 – **8 ch** 180/250 – ½ P 220.

NEUF-BRISACH 68600 H.-Rhin 62 ⑲ G. Alsace Lorraine – 2 092 h. alt. 205.

du Rhin à Chalampé ✆ 89 26 07 86, S par D 468 : 25 km.

Office de Tourisme pl. d'Armes ✆ 89 72 56 66.

Paris 462 – Colmar 16 – ◆Basel 66 – Belfort 77 – Freiburg 33 – ◆Mulhouse 39 – Sélestat 30 – Thann 48.

Soleil, ✆ 89 72 51 28, Fax 89 72 83 77 – TV ☎. AE GB
R *(fermé 5 au 25 déc., dim. soir et lundi)* 50/210 – ☕ 30 – **25 ch** 100/260 – ½ P 160/200.

La Petite Palette, ✆ 89 72 73 50 – AE GB
fermé 3 au 26 août, mardi soir et lundi – **R** 100/290.

à Biesheim N : 3 km par D 468 – ✉ **68600** :

Deux Clefs, ✆ 89 72 51 20, Télex 890861, Fax 89 72 92 94, – TV ☎ P – 25. AE GB
R *(fermé 1er au 15 janv. et dim. soir)* 80/275 , enf. 60 – ☕ 30 – **28 ch** 250/350 – ½ P 280/350.

à Vogelgrün E : 5 km par N 415 – ✉ **68600**.

Voir Bief hydro-électrique★ – ≤★ du pont-frontière.

L'Européen , à la frontière, sur l'île du Rhin ✆ 89 72 51 57, Fax 89 72 74 54, , – TV ☎ P – 30. AE GB JCB
fermé 1er au 15 fév. – **R** *(fermé dim. soir et lundi sauf fériés)* 110/340 – ☕ 45 – **23 ch** 280/380 – ½ P 320/450.

FORD Ebelin-Vonarb ✆ 89 72 51 76
RENAULT Gar. Haeffeli, ZI CD 52 à Biesheim ✆ 89 72 54 83
RENAULT Gar. Venturini ✆ 89 72 69 11 N

NEUFCHÂTEAU 88300 Vosges 62 ⑬ G. Alsace Lorraine – 7 803 h. alt. 298.

Voir Escalier★ de l'hôtel de ville **H** – Groupe en pierre★ dans l'église St-Nicolas **K**.

Syndicat d'Initiative à la Mairie ✆ 29 94 14 75 et Chalet Parking de la Poste (saison).

Paris 295 ① – Chaumont 57 ⑥ – Belfort 152 ④ – Épinal 72 ③ – Langres 80 ⑤ – Verdun 103 ①.

St-Christophe, 1 av. Gde Fontaine **(e)** ✆ 29 94 16 28, Fax 29 94 12 77 – TV ☎ P. AE GB
R 65/192 , enf. 40 – ☕ 38 – **36 ch** 240/360.

L'Amie Lune, 12 r. Neuve **(d)** ✆ 29 94 28 76 – AE GB
fermé 15 au 31 juil., dim. soir et lundi – **R** 85/250 , enf. 42.

à Rouvres-la-Chétive par ③ : 10 km – ✉ **88170** :

La Frezelle, ✆ 29 94 51 51, Fax 29 94 27 07 – ☎ P. AE GB. ch
fermé 15 au 31 oct. – **R** *(fermé sam.)* 63/250 – ☕ 27 – **7 ch** 200/305 – ½ P 280/300.

CITROEN Anotin, rte de Langres par ⑤ ✆ 29 94 10 33
FIAT Gar. de l'Étoile, 1 quai Pasteur ✆ 29 94 17 65
PEUGEOT, TALBOT Dutemple-Gaxotte, rte de Langres par ⑤ ✆ 29 94 88 88
RENAULT Gar. Reuchet, 95 av. Gén.-de-Gaulle par ⑤ ✆ 29 94 19 20 N ✆ 29 06 20 43
RENAULT Reuchet, rte de Nancy par ② ✆ 29 94 05 57 N ✆ 29 06 20 43
D. G. Pneus, 70 av. Kennedy ✆ 29 94 19 76
Néo-Pneu, ZI, rte de Frebécourt ✆ 29 94 10 47 N ✆ 29 06 01 06

NEUFCHÂTEL-EN-BRAY 76270 S.-Mar. 52 ⑮ G. Normandie Vallée de la Seine – 5 322 h. alt. 99.

Env. Forêt d'Eawy★★ 10 km au SO.

Office de Tourisme 6 pl. Notre-Dame ✆ 35 93 22 96.

Paris 134 – ◆ Amiens 69 – ◆ Rouen 45 – Abbeville 53 – Dieppe 35 – Gournay-en-B. 37.

Les Airelles avec ch, 2 passage Michu ✆ 35 93 14 60, Fax 35 93 89 03, , – rest TV ☎ – 30. AE GB
fermé vacances de fév. – **R** 89/190 – ☕ 30 – **14 ch** 190/250.

à Mesnières-en-Bray NO : 5,5 km par D 1 – ✉ **76270** :

Voir Château★.

Aub. Bec Fin, ✆ 35 94 15 15, Fax 35 94 42 14, – AE GB
fermé lundi – **R** 110/155.

RENAULT Sibra, 31 Grande-R. St-Pierre ✆ 35 93 00 82 N
V.A.G Gar. Duparc, 9 rte de Foucarmont ✆ 35 93 02 66 N
Thérier, 1 et 3 Grande-R. St-Pierre ✆ 35 93 00 75
Réparpneu, 16 bd Mar.-Joffre ✆ 35 94 15 01

NEUFCHÂTEL-EN-SAOSNOIS **72600** Sarthe 60 ⑬ – 794 h.

Paris 196 – Alençon 14,5 – ◆Le Mans 49 – La Ferté Bernard 43,5.

XXX **Relais des Etangs de Guibert** M avec ch, NE : 1 km par VO ☎ 43 97 15 38, Fax 43 97 66 42, ←, 🌳, « Ancienne ferme aménagée avec élégance » – TV ☎ P – 🏛 30. ⓓ GB. ✗ ch
fermé 2 janv. au 7 fév., dim. soir d'août à juin (sauf hôtel) et lundi – **R** 120/330, enf. 70 – ☕ 35 – **14 ch** 250/350 – ½ P 255/355.

NEUFCHATEL-SUR-AISNE **02190** Aisne 56 ⑥ – 483 h.

Paris 165 – ◆Reims 22 – Laon 44 – Rethel 30 – Soissons 60.

XX **Le Jardin,** ☎ 23 23 82 00, Fax 23 23 84 05 – GB
fermé 1er au 15 janv., 15 au 31 août, dim. soir, lundi et mardi – **R** 90/230.

NEUFGRANGE **57** Moselle 57 ⑰ – rattaché à Sarreguemines.

NEUF-MARCHÉ **76220** S.-Mar. 55 ⑧ – 568 h. alt. 104.

Paris 89 – ◆Rouen 51 – Les Andelys 34 – Beauvais 33 – Gisors 18 – Gournay-en-Bray 7.

XX **Aub. du Puits de Corval,** ☎ 35 09 12 25 – ⓓ GB
fermé lundi soir et mardi soir – **R** 100/140, enf. 55.

XX **André de Lyon,** D 915 ☎ 35 90 10 01 – GB
fermé 17 août au 4 sept., 17 fév. au 6 mars et merc. – **R** (déj. seul.) carte 140 à 300.

NEUILLÉ-LE-LIERRE **37380** I.-et-L. 64 ⑮ ⑯ – 514 h. alt. 88.

Paris 217 – ◆Tours 26 – Amboise 12 – Château-Renault 10 – Montrichard 30 – Reugny 4,5.

XX **Aub. de la Brenne,** ☎ 47 52 95 05 – P. AE GB
✦ *fermé 19 au 28 oct., 20 janv. au 11 mars, mardi soir et merc.* – **Repas** (dim. prévenir) 71/175, enf. 55.

NEUILLY-EN-THELLE **60530** Oise 55 ⑳ 106 ⑦ – 2 683 h. alt. 130.

Paris 48 – Compiègne 55 – Beaumont-sur-Oise 9,5 – Beauvais 32 – Pontoise 27 – Senlis 25.

X **Aub. du Centre,** ☎ 44 26 70 01 – GB
✦ *fermé 9 août au 2 sept., 20 déc. au 7 janv. et lundi* – **R** 57/90 🍷.

Merlin Pneus, à Ercuis ☎ 44 26 53 38

NEUILLY-LE-REAL **03340** Allier 69 ⑭ – 1 287 h. alt. 253.

Paris 308 – Moulins 14 – Mâcon 129 – Roanne 82 – Vichy 49.

XX **Logis Henri IV,** ☎ 70 43 87 64, 🌳, 🌲 – GB
fermé vacances de fév., dim. soir et lundi – **R** 120/225.

NEUILLY-SUR-SEINE **92** Hauts-de-Seine 55 ⑳, 101 ⑭ ⑮ – voir à Paris, Environs.

NEUVÉGLISE **15260** Cantal 76 ⑭ – 1 078 h. alt. 938.

Env. Château d'Alleuze** : site** NE : 14 km, **G. Auvergne.**

Syndicat d'Initiative le Bourg ☎ 71 23 85 43.

Paris 537 – Aurillac 78 – Entraygues-sur-T. 70 – Espalion 67 – St-Chély-d'Apcher 41 – St-Flour 19.

🏠 **Central Hôtel,** ☎ 71 23 81 28 – ☎. GB
✦ *fermé oct., dim. soir et sam. d'oct. à fin mars* – **R** 65/160 🍷 – ☕ 30 – **20 ch** 90/220 – ½ P 170/200.

à Cordesse E : 1,5 km – ✉ **15260** Neuvéglise :

🏠 **Relais de la Poste** M, ☎ 71 23 82 32, Fax 71 23 86 23, 🌳 – TV ☎ P. GB
✦ *1er mars-30 nov.* – **R** 60/190 🍷, enf. 40 – ☕ 30 – **8 ch** 190/270 – ½ P 190/230.

RENAULT Mabit Alain ☎ 71 23 81 53

Gar. Sauret ☎ 71 23 80 90 N ☎ 71 23 84 47

NEUVES-MAISONS **54** M.-et-M. 62 ⑤ – rattaché à Nancy.

NEUVIC **19160** Corrèze 76 ① **G. Berry Limousin** – 1 829 h. alt. 610.

⛳ du LEGTA "Henri Queuille" ☎ 55 95 98 89.

Syndicat d'Initiative r. Tour Cinq Pierres ☎ 55 95 88 78.

Paris 473 – Aurillac 78 – Mauriac 26 – Tulle 55 – Ussel 21.

🏠 **Lac** 🐦, à Neuvic-Plage E : 3 km ☎ 55 95 81 43, ←, 🌳, 🎾 – ☎ P. GB. ✗ rest
Pâques-fin sept. – **R** 115/220, enf. 55 – ☕ 40 – **15 ch** 280/320 – ½ P 280/320.

CITROEN Bordas ☎ 55 95 80 29

RENAULT Potronnat ☎ 55 95 89 28
N ☎ 55 95 81 68

La NEUVILLE **59239** Nord 51 ⑯ – 588 h.

Paris 208 – ◆Lille 18,5 – Douai 19,5 – Lens 25 – Valenciennes 43.

XX **Leu Pindu,** 1 r. Gén. de Gaulle ☎ 20 86 57 59, 🌳, « Jardin à l'orée de la forêt » – P. GB
fermé août et sam. – **R** (déj. seul.) 95/160.

NEUVILLE-AUX-BOIS 45170 Loiret 60 ⑲ – 3 870 h.

Paris 94 – ◆Orléans 26 – Chartres 64 – Étampes 44 – Pithiviers 21.

L'Hostellerie M, 48 pl. Gén. Leclerc ✆ 38 75 50 00, Fax 38 91 86 81, – 25 à 80. AE GB
L'Escapade *(fermé mars à mi-avril, 4 au 27 janv., dim. soir et lundi)* **R** 150/300, enf. 80 – **Brasserie** *(fermé 16 août au 3 sept., 23 déc. au 6 janv. et dim.)* **R** 80/200, enf. 50 – 40 – **32 ch** 340/390.

NEUVILLE-DE-POITOU 86170 Vienne 68 ⑬ – 3 840 h. alt. 121.

Paris 332 – Poitiers 17 – Châtellerault 31 – Parthenay 40 – Saumur 75 – Thouars 50.

Saint-Fortunat, 6 r. Bangoura-Moridé ✆ 49 54 56 74 – GB
fermé 16 au 30 août, 2 au 9 nov., dim. soir et lundi – **R** 95/200.

NEUVILLE-ST-AMAND 02 Aisne 53 ⑭ – rattaché à St-Quentin.

NEUVILLE-SUR-SAONE 69250 Rhône 74 ① **G. Vallée du Rhône** – 6 762 h. alt. 172.

Paris 448 – ◆Lyon 18 – Bourg-en-Bresse 49 – Villefranche-sur-Saône 19.

à Albigny-sur-Saône par rive droite : 2,5 km – ✉ **69250** :

Le Cellier, quai Saône ✆ 78 98 26 16, Fax 72 08 90 10, – . AE GB
fermé 10 au 25 août, 20 déc. au 4 janv., dim. soir et lundi – **R** 130/300.

NEUVILLE-SUR-SARTHE 72 Sarthe 60 ⑬ – rattaché au Mans.

NEUVY-SAUTOUR 89 Yonne 61 ⑮ – rattaché à St-Florentin.

NEUZY 71 S.-et-L. 69 ⑯ – rattaché à Digoin.

NEVERS P 58000 Nièvre 69 ③ ④ **G. Bourgogne** – 41 968 h. alt. 186 Pèlerinage de Ste Bernadette d'avril à octobre : couvent St-Gildard.

Voir Cathédrale★ Z – Palais ducal★ Z – Église St-Étienne★ Y – Porte du Croux★ Z – Faïences de Nevers★ du musée municipal Z **M1**.

18 du Nivernais ✆ 86 58 18 30, à Magny-Cours par ④.

Circuit Automobile permanent à Magny-Cours SE : 3,5 km.

Office de Tourisme 31 r. du Rempart ✆ 86 59 07 03 – A.C. 1 av. Gén.-de-Gaulle, résidence Carnot ✆ 86 61 27 75.

Paris 239 ① – Bourges 69 ④ – Chalon-sur-Saône 155 ③ – ◆Clermont-Ferrand 158 ④ – ◆Dijon 187 ③ – Montargis 125 ① – Montluçon 103 ④ – Moulins 54 ④ – ◆Orléans 162 ① – Roanne 151 ④.

Plans page suivante

Loire, quai Médine ✆ 86 61 50 92, Télex 801112, Fax 86 59 43 29, ← – rest – 80. AE GB JCB Z a
R *(fermé 10 déc. au 15 janv. et sam.)* 125/270 – 33 – **58 ch** 300/395.

Diane, 38 r. Midi ✆ 86 57 28 10, Télex 801021, Fax 86 59 45 08 – – 30. AE GB JCB Z u
fermé 20 déc. au 15 janv. – **R** *(fermé dim. midi et lundi)* carte 130 à 190, enf. 40 – 40 – **30 ch** 380/600.

Magdalena, rte Paris par ① : 2 km ✉ 58640 Varennes Vauzelles ✆ 86 57 21 41, Télex 801678, Fax 86 59 46 19 – ch – 70. AE GB
R (dîner seul.) 70/100 – 30 – **39 ch** 210/320 – ½ P 220/260.

Molière sans rest, 25 r. Molière ✆ 86 57 29 96, Fax 86 59 58 25 – . GB V k
26 – **18 ch** 140/230.

Ibis M, r. plateau Bonne Dame par ④ ✆ 86 37 56 00, Télex 800221, Fax 86 37 64 48, – rest – 60. GB
R 80/150, enf. 39 – 30 – **56 ch** 250/280 – ½ P 230/240.

Climat de France M, 35 bd V. Hugo ✆ 86 21 42 88, Télex 800579, Fax 86 36 08 16, – – 100. AE GB V f
R 77/105, enf. 37 – 30 – **54 ch** 250.

Villa du Parc sans rest, 16 ter r. Lourdes ✆ 86 61 09 48, Télex 809000 – . AE GB
fermé 4 au 10 janv. – 25 – **28 ch** 110/230. Y d

Clèves sans rest, 8 r. St-Didier ✆ 86 61 15 87 – . AE GB Z x
23 – **15 ch** 145/219.

Aub. Porte du Croux, 17 r. Porte du Croux ✆ 86 57 12 71, , – AE GB Z e
fermé 7 au 30 août, 26 oct. au 2 nov., vend. soir et dim. sauf fêtes – **R** 95/260

Puits St Pierre, 21 r. Mirangron ✆ 86 59 28 88 – AE GB Y v
fermé 3 au 24 août, 4 au 10 fév., dim. soir et lundi – **R** 105/350, enf. 60.

Morvan avec ch, 28 r. Mouësse ✆ 86 61 14 16 – . GB X b
fermé 7 au 30 juil. et 2 au 17 janv. – **Repas** *(fermé mardi soir et merc.)* 95/220 – 28 – **8 ch** 210/230.

NEVERS

Commerce (R. du)	YZ
Gaulle (Av. Gén.-de)	YZ
Nièvre (R. de la)	Y 21
Pelleterie (R. de la)	Y 24
Préfecture (R. de la)	Y 27
St-Martin (R.)	Y 40
Ardilliers (R. des)	Y 2
Banlay (R. du)	V 3
Barre (R. de la)	Y 4
Bourgeois (R. Mlle)	V 5
Champ-de-Foire (R. du)	Z 6
Charnier (R. du)	Y 7
Chauvelles (R. des)	V 8
Cloître-St-Cyr (R. du)	Z 9
Colbert (Av.)	Y 10
Coquille (Pl. G.)	Y 12
Docks (R. des)	V 13
Francs-Bourgeois (R.)	Y 14
Gautron-du-Coudray (Bd)	Y 15
Jacobins (R. des)	Z 16
Lattre-de-Tassigny (Bd Mar. de)	V 17
Mantoue (Quai de)	Z 18
Mariniers (Quai des)	Z 19
Midi (R. du)	Z 20
Ouches (R. des)	YZ 22
Remigny (R. de)	Y 23
Petit-Mouësse (R. du)	X 26
Rempart (R. du)	Y 29
Renardats (R. des)	V 30
République (Bd de la)	X 32
République (Pl. de la)	Z 34
Roy (R.C.)	Y 36
Tillier (R.C.)	Z 38
Vaillant-Couturier (R. Paul)	V 42
14-Juillet (R. du)	Z 45

ORLÉANS MONTARGIS
0 500 m
N 7
Ste-Bernadette
LE BANLAY
R. de Vauzelles
Fg de Paris
Avenue du Mal Leclerc
STE-BERNADETTE
R. J. Gautherin
AUXERRE CLAMECY
GUÉRIGNY D 977
Bd J. Trésaguet
Bd Victor Hugo
Av. Colbert
R. C. Roy
D 40 FOURCHAMBAULT
ST-ÉTIENNE
Bd Gautron du Coudray
AUTUN N 81
MÂCON, DIJON CHALON-S-SAÔNE
MARZY D 131
CATHÉDRALE
LES MONTAPINS
PONT DE LOIRE
D 504
LOIRE
BOURGES
N 7 MOULINS CLERMONT-FERRAND

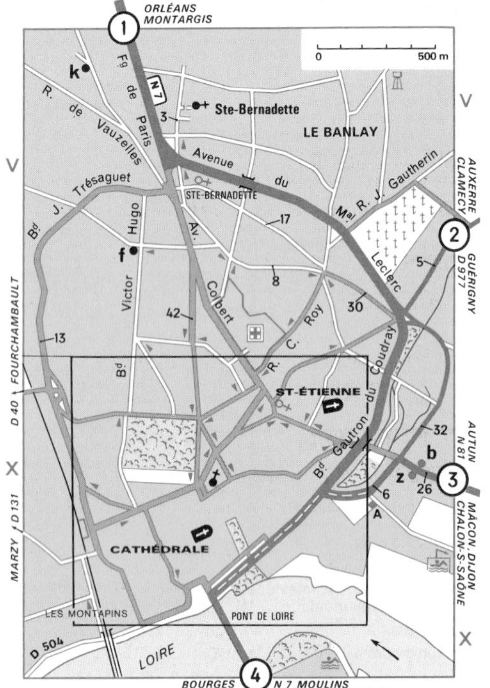

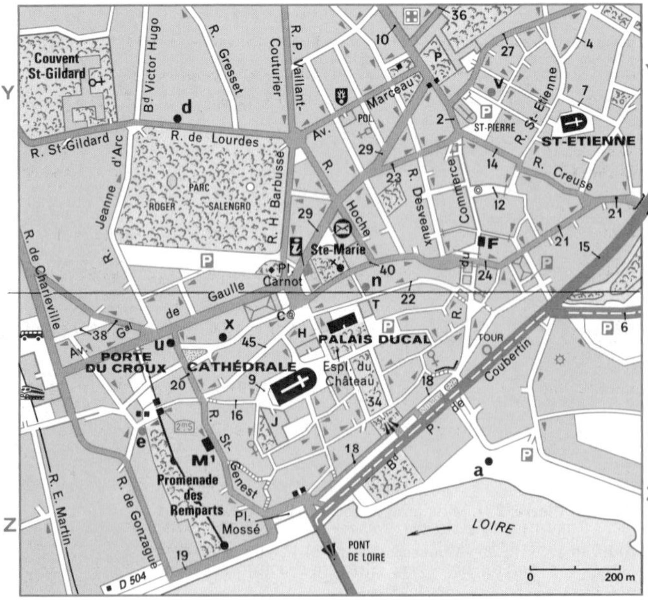

Couvent St-Gildard
Bd Victor Hugo
R. Gresset
R. P. Vaillant-Couturier
R. St-Gildard
R. de Lourdes
R. Jeanne d'Arc
PARC ROGER SALENGRO
R. H. Barbusse
Av. Marceau
R. Hoche
R. Desveaux
R. du Commerce
R. St-Étienne
ST-PIERRE
ST-ÉTIENNE
R. Creuse
Ste-Marie
Pl. Carnot
Av. Gal de Gaulle
R. de Charleville
PORTE DU CROUX
CATHÉDRALE
PALAIS DUCAL
Espl. du Château
TOUR
Bd P. de Coubertin
R. St-Genest
Promenade des Remparts
Pl. Mossé
R. de Gonzague
R. E. Martin
D 504
LOIRE
PONT DE LOIRE
0 200 m

XX **La Botte de Nevers,** r. Petit Château ✆ 86 61 16 93, « Cadre médiéval » – AE ⓓ GB
fermé août, vacances de fév., dim. soir et lundi – **R** 105/240, enf. 50. Y **n**

XX **Relais du Bengy,** rte de Paris par ① : 4 km ✉ 58640 Varennes-Vauzelles ✆ 86 38 02 84, – GB
fermé 23 juil. au 12 août, vacances de fév. et dim. – **Repas** (déj. seul. sauf vend.) 85/205 ♁.

par ① et chemin privé : 5 km – ✉ **58640** Varennes-Vauzelles :

Château de la Rocherie ⛰, ✆ 86 38 07 21, Fax 86 38 23 01, ←, , parc – TV ☎ P. AE ⓓ GB
fermé 1er au 11 nov., sam. midi et dim. – **R** 100/250 – ☕ 35 – **17 ch** 208/365.

à Magny-Cours par ④ rte Moulins : 12 km – ✉ **58470** :

Circuit, sur N 7 ✆ 86 58 04 88, Fax 86 58 00 25 – TV ☎ ♿ P – 40. AE GB
R *(fermé dim. soir et lundi)* 65/85 ♁ – ☕ 38 – **32 ch** 290 – ½ P 238.

XXX ❀ **La Renaissance** (Dray) M ⛰ avec ch, ✆ 86 58 10 40, Fax 86 21 22 60, – TV ☎ P. AE GB
fermé 3 au 24 août, 24 fév. au 16 mars, dim. soir et lundi – **R** (nombre de couverts limité-prévenir) 280/500, enf. 150 – ☕ 80 – **9 ch** 500/900
Spéc. Cuisses de grenouilles sur compoté niçois. Filet de charolais à la crème et aux morilles. Rognon de veau rôti entier aux échalotes confites. **Vins** Pouilly Fumé, Sancerre.

rte des Saulaies O : 4 km par D 504 - X – ✉ **58000** Nevers :

La Folie ⛰, ✆ 86 57 05 31, Fax 86 57 66 99, , – TV ☎ P – 60. GB
fermé vacances de printemps – **R** *(fermé dim. soir et vend. sauf juil.-août)* 94/145 ♁, enf. 42 – ☕ 31 – **37 ch** 210/270 – ½ P 235.

ALFA-ROMEO, ROVER Tenailles, 18 r. Pasteur ✆ 86 59 28 55
BMW, TOYOTA Verma, 4 av. Colbert ✆ 86 61 03 32
CITROEN Gar. Vincent, N 7 Les Bourdons à Varennes-Vauzelles par ① ✆ 86 68 22 00
DATSUN-NISSAN Gar. Doulet, 203 rte de Lyon à Challuy ✆ 86 37 61 07
FIAT Auto Hall, à la Baratte, N 81 St-Éloi ✆ 86 36 22 11
LADA-SKODA Gar. Kozakowski, 32 r. Grands-Jardins ✆ 86 57 60 51
LANCIA Gar. de la Cité, r. M.-Turpin à Vauzelles ✆ 86 57 15 45
MERCEDES Gar. Bezin, RN 7 à Sermoise ✆ 86 36 06 55
OPEL SORAMA, RN 7, Le Brengy à Varennes-Vauzelles ✆ 86 38 02 94
PEUGEOT-TALBOT C.A.T.A.R., rte de Fourchambault par D 40 X ✆ 86 57 36 80
RENAULT Éts Decelle, 39 à 49 fg de Paris par ① ✆ 86 59 84 00 N
SEAT Nevers gare Autom., 42 av. Gén.-de-Gaulle ✆ 86 57 32 36
V.A.G Gds Champs Autom., ZAC des Grands Champs ✆ 86 59 58 44
VOLVO Gar. Jacquey, 6 r. N.-Delange ✆ 86 61 12 47

Piot-Pneu, 3 r. Mouësse ✆ 86 57 76 33
Pneu Plus Centre, 1 r. Petit-Mouësse ✆ 86 61 02 51

Les NEYROLLES **01** Ain 74 ④ – rattaché à Nantua.

NEYRON **01** Ain 74 ⑫ – rattaché à Lyon.

NÉZIGNAN-L'ÉVÊQUE **34** Hérault 83 ⑮ – rattaché à Pézenas.

NICE P **06000** Alpes-Mar. 84 ⑨ ⑩ 195 ㉖ ㉗ **G. Côte d'Azur** – 342 439 h. alt. 5 – Casino Ruhl FZ.

Voir Site★★ – Promenade des Anglais★★ EFZ – Vieux Nice★ : Château ⩽★★ JZ, Intérieur★ de l'église St-Martin-St-Augustin HY, Escalier monumental★ du Palais Lascaris HZ **K**, Intérieur★ de la cathédrale Ste-Réparate HZ, Église St-Jacques★ HZ, Décors★ de la chapelle Saint-Giaume HZ **R** – Mosaïque★ de Chagall dans la Faculté de droit DZ **U** – Palais des Arts★ HJY – Chapelle de la Miséricorde★ HZ **S** – À Cimiez : Monastère★ (Primitifs niçois★★ dans l'église) HV **Q**, site gallo-romain★ HV – Musées : Marc Chagall★★ GX, des Beaux-Arts★★ DZ **M**, d'Art moderne et d'Art contemporain★★ HY **M**[9], Matisse★ HV **M**[2], Masséna★ FZ **M**[1], International d'Art Naïf★ AU **M**[9], Galeries-Musées Mossa★ HZ **X** et Dufy★ HZ **Y**, – Carnaval★★★ (avant Mardi-Gras) – Mont Alban ⩽★★ 5 km CT – Mont Boron ⩽★ 3 km CT – Église St-Pons★ : 3 km BS.

Env. Plateau St-Michel ⩽★★ 9,5 km par ①.

18 de Biot ✆ 93 65 08 48, par ④ : 22 km.

✈ de Nice-Côte-d'Azur : ✆ 93 21 30 30, 7 km AU.

✆ 93 87 50 50.

pour la Corse : S.N.C.M. - Ferryterranée, quai du Commerce ✆ 93 13 66 66 JZ.

Office de Tourisme et Accueil de France (Réservations d'hôtels, pas plus de 7 jours à l'avance) av. Thiers ✆ 93 87 07 07, Télex 460042 ; 5 av. Gustave-V ✆ 93 87 60 60 et Nice-Ferber près Aéroport ✆ 93 83 32 64 – A.C. 9 r. Massenet ✆ 93 87 18 17.

Paris 932 ⑤ – Cannes 32 ⑤ – Genova 194 ⑨ – ◆Lyon 472 ⑤ – ◆Marseille 188 ⑤ – Torino 220 ⑧.

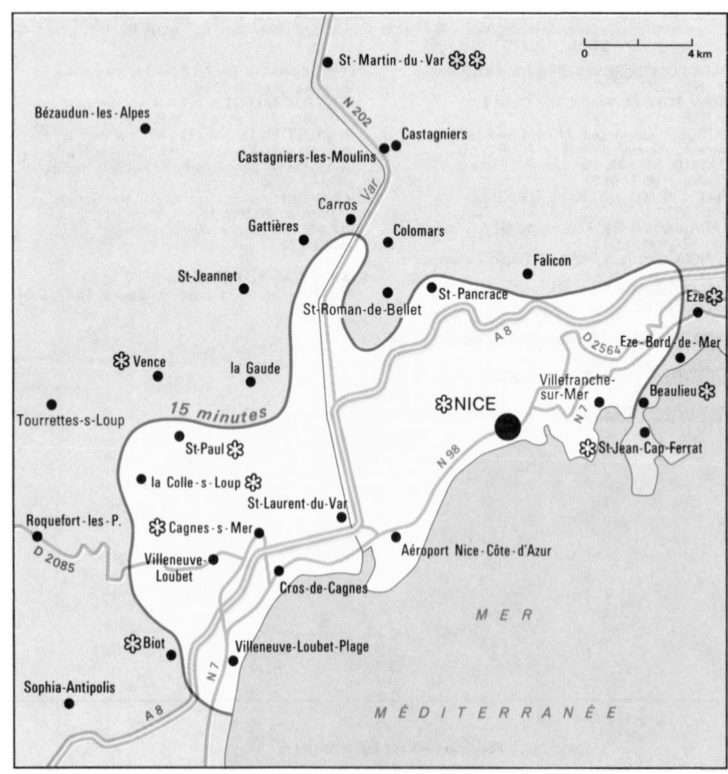

The Michelin Road Atlas FRANCE offers:

- *all of France, covered at a scale of 1:200 000, in one volume*
- *plans of principal towns and cities*
- *comprehensive index*

It makes the ideal navigator.

Négresco, 37 promenade des Anglais ☎ 93 88 39 51, Télex 460040, Fax 93 88 35 68, ≤, « Mobilier d'époque : 17e et 18e siècle, Empire, Napoléon III » – 50 à 400. AE GB JCB FZ **k**
R voir rest **Chantecler** ci-après - **La Rotonde R** carte 185 à 325 – 100 – **150 ch** 1550/2250, 20 appart.

Palais Maeterlinck M, 6 km par corniche inférieure ✉ 06300 ☎ 93 56 21 12, Fax 93 26 39 91, ≤ mer, – cuisinette ch – 25. AE GB CU **t**
fermé 6 janv. au 12 fév. – **R** *(fermé dim. soir et lundi)* 250/380 – 75 – **20 ch** 1500/3100, 6 appart.

Sofitel M, 2-4 parvis de l'Europe ✉ 06300 ☎ 92 00 80 00, Télex 461800, Fax 93 26 27 00, « Piscine sur le toit, ≤ la ville » – ch – 60. AE GB JX **t**
R carte 165 à 305, enf. 80 – 70 – **152 ch** 800/1800.

Sofitel Splendid, 50 bd V. Hugo ☎ 93 88 69 54, Télex 460938, Fax 93 87 02 46, « Piscine sur le toit ≤ la ville » – ch – 30 à 100. AE GB JCB. rest FYZ **g**
R 135/165 – 70 – **116 ch** 720/995, 12 appart. 1200/1500 – ½ P 565/695.

Beach Régency M, 223 promenade des Anglais ☎ 93 37 17 17, Télex 461635, Fax 93 71 21 71, « Piscine sur le toit ≤ baie », – – 400. AE GB JCB DZ **a**
Le Régency *(fermé 15 juin au 31 août)* **R** 110/175, enf.80 – **La Piscine** grill *(ouvert 15 juin-15 sept.)* **R** carte 230 à 340 – 80 – **320 ch** 1050/1400, 12 appart. – ½ P 835/960.

Élysée Palace M, 59 promenade des Anglais ☎ 93 86 06 06, Télex 970336, Fax 93 44 50 40, « Piscine sur le toit ≤ la ville », – ch – 45. AE GB. rest EZ **d**
R carte 190 à 390 – 95 – **143 ch** 1000/1950, 4 appart. 3300 – ½ P 600/660.

du Louvre M, 20 bd V. Hugo ☎ 93 16 55 00, Télex 461630, Fax 93 16 55 55, – ch – 100. AE GB. FY **a**
R *(fermé dim.)* 140 – 75 – **131 ch** 640/790 – ½ P 620.

Méridien M, 1 promenade des Anglais ☎ 93 82 25 25, Télex 470361, Fax 93 16 08 90, « Piscine sur le toit ≤ baie » – – 400. AE GB JCB FZ **d**
L'Habit Blanc *(fermé dim. soir et lundi en juil.-août)* **R** 240 – **La Terrasse** *(fin avril-sept.)* **R** carte 180 à 275 – 90 – **314 ch** 1100/3150.

Plaza Concorde, 12 av. Verdun ☎ 93 87 80 41, Télex 460979, Fax 93 88 61 11, ≤, « Terrasse sur le toit » – – 30 à 400. AE GB JCB GZ **f**
R 135/195 – 80 – **183 ch** 650/1300, 10 appart. 1500/2500 – ½ P 600/800.

Beau Rivage M, 24 r. St François de Paule ✉ 06300 ☎ 93 80 80 70, Télex 462708, Fax 93 80 55 77, – ch – 40. AE GB JCB. rest GZ **y**
R *(fermé dim. soir)* carte 205 à 330 – 80 – **106 ch** 800/1000, 12 appart. 1500/1700.

Westminster Concorde, 27 promenade des Anglais ☎ 93 88 29 44, Télex 460872, Fax 93 82 45 35, ≤, – – 40 à 350. AE GB JCB. FZ **m**
Le Farniente R carte 230 à 400 – 70 – **105 ch** 700/1200.

West End, 31 promenade des Anglais ☎ 93 88 79 91, Télex 460879, Fax 93 88 85 07, ≤, – – 150. AE GB JCB FZ **p**
R 150/270 – 70 – **130 ch** 475/1365, 5 appart. 1260 – ½ P 420/840.

Pullman Nice sans rest, 28 av. Notre-Dame ☎ 93 13 36 36, Télex 470662, Fax 93 62 61 69, « Jardin suspendu au 2e étage, au 8e, ≤ » – – 25 à 120. AE GB – 68 – **200 ch** 590/1100. FXY **q**

La Pérouse , 11 quai Rauba-Capéu ✉ 06300 ☎ 93 62 34 63, Télex 461411, Fax 93 62 59 41, « ≤ Nice et la Baie des Anges », – ch – 25. AE GB JCB. rest HZ **k**
R grill *(15 mai-16 sept.)* carte 180 à 230 – 70 – **65 ch** 440/1100.

Park, 6 av. de Suède ☎ 93 87 80 25, Télex 970176, Fax 93 82 29 27, ≤ – rest – 100. AE GB JCB FZ **x**
Le Passage *(fermé dim.)* **R** 115/155 – 75 – **130 ch** 850/950, 4 appart. 1100 – ½ P 605/705.

Atlantic, 12 bd V. Hugo ☎ 93 88 40 15, Télex 460840, Fax 93 88 68 60, – – 30 à 80. AE GB JCB FY **d**
R 120/130 – 60 – **123 ch** 650/900 – ½ P 1060/1280.

Novotel M, 8-10 Parvis de l'Europe ✉ 06300 ☎ 93 13 30 93, Télex 460243, Fax 93 13 09 04, – ch – 90. AE GB JCB JX **v**
R carte environ 140 , enf. 50 – 48 – **173 ch** 510/780.

Altea Masséna M sans rest, 58 r. Gioffredo ☎ 93 85 49 25, Télex 470192, Fax 93 62 43 27 – . AE GB – 60 – **116 ch** 510/795. GZ **k**

Grand H. Aston, 12 av. F. Faure ☎ 93 80 62 52, Télex 470290, Fax 93 80 40 02, « Terrasse sur le toit » – – 80. AE GB HZ **u**
Le Champagne *(fermé août et dim.)* **R** 230/290, enf. 150 – 50 – **160 ch** 450/1300 – ½ P 450/800.

La Malmaison, 48 bd V. Hugo ☎ 93 87 62 56, Télex 470410, Fax 93 16 17 99 – ch . AE GB JCB. rest FYZ **e**
R *(fermé 15 au 30 nov., dim. soir et lundi)* 130/260 – 35 – **50 ch** 465/830 – ½ P 535/580.

RÉPERTOIRE DES RUES

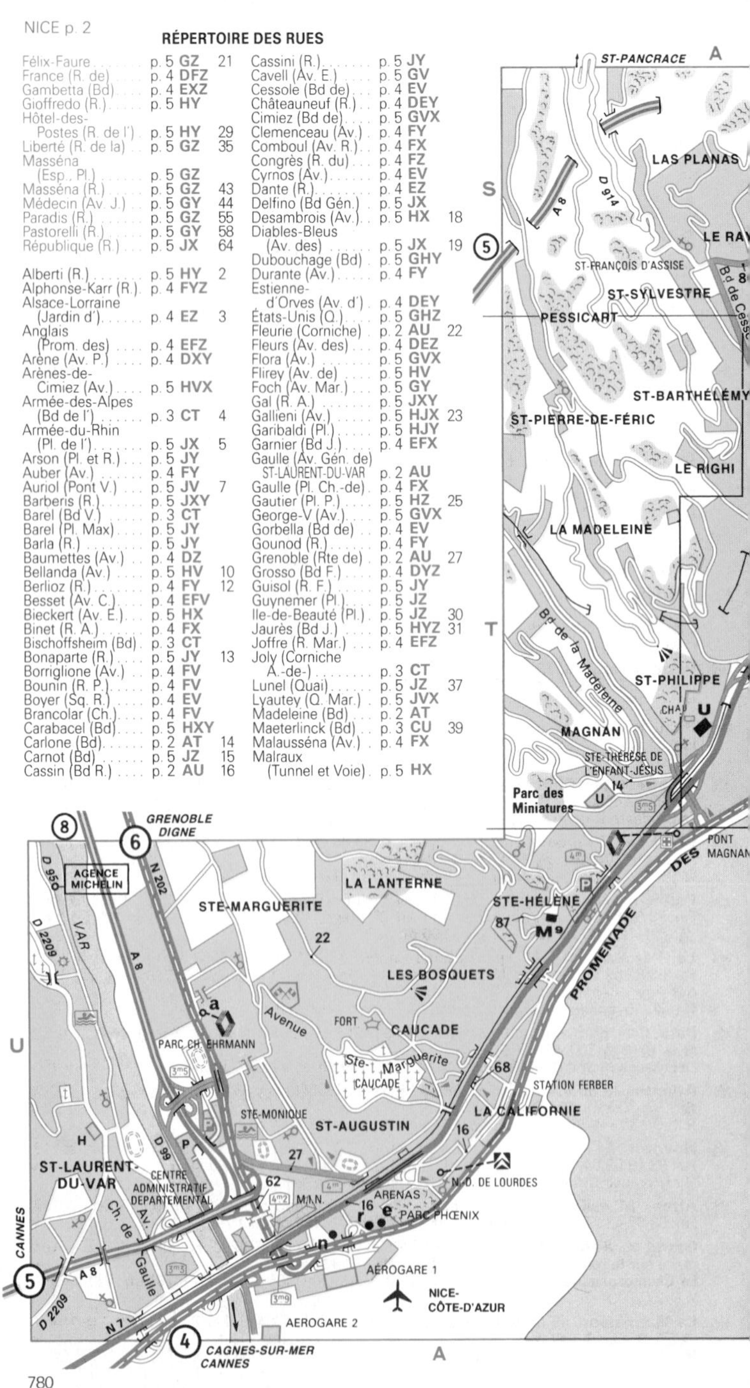

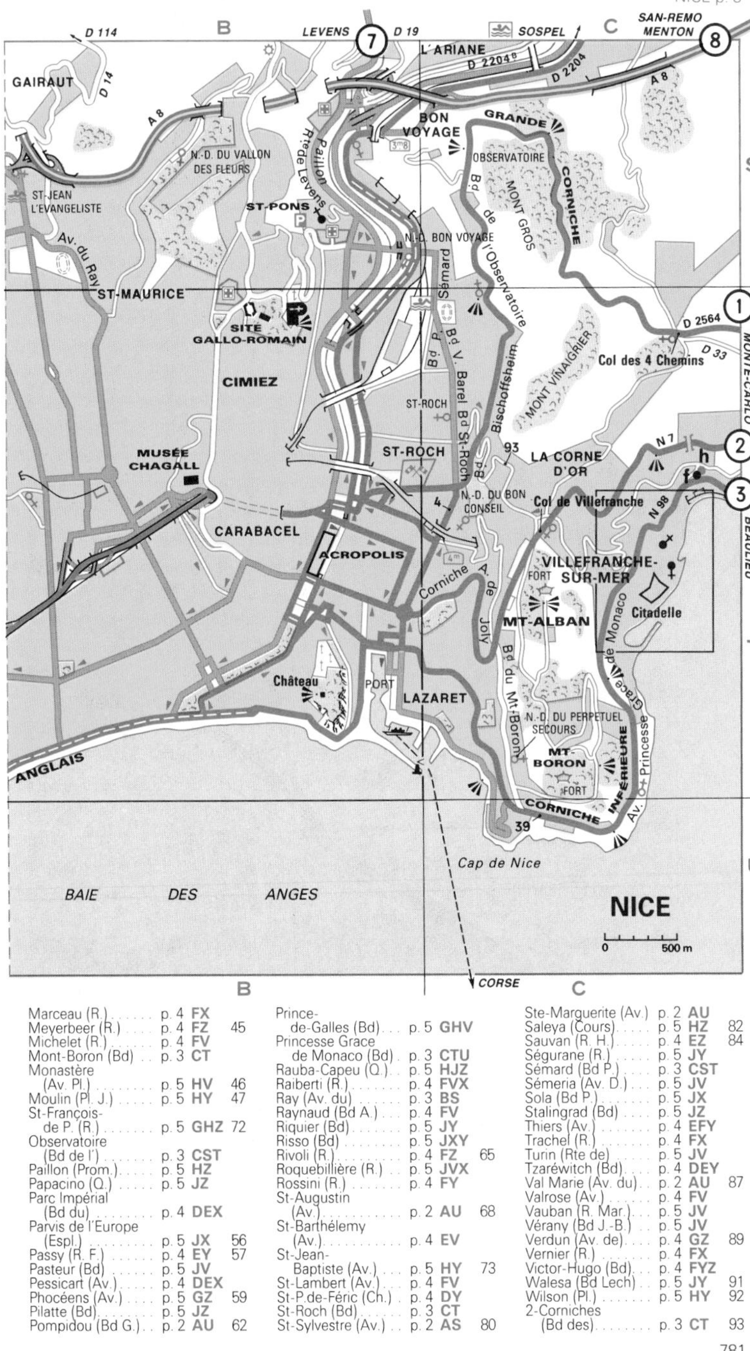
D 114
B
LEVENS
7
D 19
SOSPEL
C
SAN-REMO
MENTON
8
GAIRAUT
D 14
L'ARIANE
D 2204B
D 2204
A 8
A 8
BON VOYAGE
GRANDE
CORNICHE
N.-D. DU VALLON DES FLEURS
OBSERVATOIRE
MONT GROS
S
ST-JEAN L'EVANGELISTE
Paillon
Rte de Levens
ST-PONS
Av. du Ray
N.-D. BON VOYAGE
Bd de l'Observatoire
ST-MAURICE
Bd P. Sémard
SITE GALLO-ROMAIN
1
D 2564
Col des 4 Chemins
D 33
MENTON MONTE-CARLO
MONT VINAIGRIER
Bischoffsheim
CIMIEZ
Bd V. Barel
Bd St-Roch
ST-ROCH
ST-ROCH
MUSÉE CHAGALL
93
LA CORNE D'OR
N 7
2
h
f
3
N.-D. DU BON CONSEIL
Col de Villefranche
N 98
MONTE-CARLO BEAULIEU
CARABACEL
4
ACROPOLIS
VILLEFRANCHE-SUR-MER
FORT
Corniche
A. de Joly
MT-ALBAN
Citadelle
T
Château
PORT
LAZARET
Bd du Mt-Boron
Bd Princesse Grace de Monaco
N.-D. DU PERPETUEL SECOURS
MT-BORON
FORT
INFÉRIEURE
Av. Princesse
ANGLAIS
CORNICHE
39
Cap de Nice
U
BAIE DES ANGES
NICE
0
500 m
CORSE
B
C

NICE

Phocéens (Av. des) . . . . . **GZ** 59
Rivoli (R.) . . . . **FZ** 65
St-François-de P. (R.) . . . . **GHZ** 72
St-Jean-Baptiste (Av.) . . **HY** 73
Saleya (Cours) . . . . **HZ** 82
Sauvan (R. H.) . . . . **EZ** 84
Verdun (Av. de) . . . . **FGZ** 89
Walesa (Bd Lech) . . . . . **JYZ** 91
Wilson (Pl.) . . . . **HY** 92

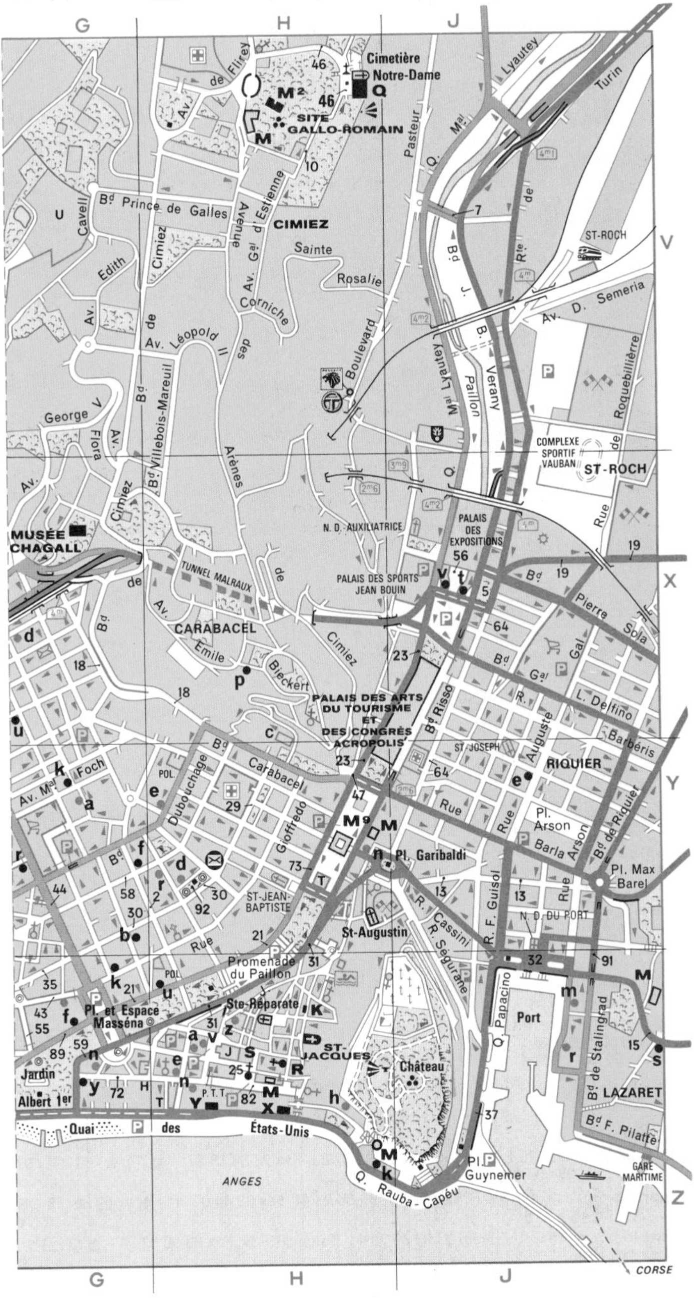

Ambassador sans rest, 8 av. Suède ✆ 93 87 90 19, Télex 460025, Fax 93 82 14 90 – ⛁ ▤ 📺 ☎ ♿. AE ⓓ GB JCB
fermé déc. et janv. – ☕ 50 – **45 ch** 430/750. FZ **x**

Frantour Napoléon sans rest, 6 r. Grimaldi ✆ 93 87 70 07, Télex 460949, Fax 93 16 17 80, Fō – ⛁ ▤ 📺 ☎. AE ⓓ GB
☕ 55 – **83 ch** 500/850. FZ **r**

Petit Palais 🐦 sans rest, 10 av. E. Bieckert ✆ 93 62 19 11, Télex 462233, ≤ Nice et mer – ⛁ 📺 ☎. AE ⓓ GB
☕ 40 – **25 ch** 480/530. HX **p**

Victoria sans rest, 33 bd V. Hugo ✆ 93 88 39 60, Télex 461337, 🌳 – ⛁ 📺 ☎. AE ⓓ GB JCB – **39 ch** ☕ 540/620. FYZ **z**

Lausanne sans rest, 36 r. Rossini ✆ 93 88 85 94, Télex 461269, Fax 93 88 15 88 – ⛁ 📺 ☎. AE ⓓ GB JCB
☕ 52 – **36 ch** 350/650. FY **t**

Windsor, 11 r. Dalpozzo ✆ 93 88 59 35, Télex 970072, Fax 93 88 94 57, Fō, 🏊, 🌳 – ⛁ 📺 ☎. AE ⓓ GB JCB. ✻ rest
R (snack) *(fermé dim.)* carte 160 à 190 – ☕ 40 – **60 ch** 390/620 – ½ P 410/470. FZ **f**

Apogia Ⓜ sans rest, 26 r. Smolett ✉ 06300 ✆ 93 89 18 88, Télex 461118, Fax 93 89 16 06 – ⛁ 📺 ☎ Ⓟ. AE ⓓ GB
☕ 49 – **101 ch** 495/650. JY **e**

Gounod sans rest, 3 r. Gounod ✆ 93 88 26 20, Télex 461705, Fax 93 88 23 84 – ⛁ ▤ 📺 ☎ Ⓟ. AE ⓓ GB JCB
fermé 22 nov. au 20 déc. – **45 ch** ☕ 460/590, 5 appart. 780. FYZ **g**

Vendôme Ⓜ sans rest, 26 r. Pastorelli ✆ 93 62 00 77, Télex 461762, Fax 93 13 40 78 – ⛁ ▤ 📺 ☎ Ⓟ. AE ⓓ GB
☕ 40 – **51 ch** 510/640, 5 duplex 760. GY **f**

Gourmet Lorrain, 7 av. Santa Fior ✉ 06100 ✆ 93 84 90 78, Fax 92 09 11 25, 🍽 – ▤ 📺 ☎. AE ⓓ GB JCB
R *(fermé dim. soir et lundi)* 145/300 – ☕ 38 – **11 ch** 320/370 – ½ P 300. FV **n**

Alexandra sansrest, 41 r. Lamartine ✆ 93 62 14 43, Télex 461802, Fax 93 62 30 34 – ⛁ 📺 ☎. AE ⓓ GB
☕ 45 – **53 ch** 404/508. GX **u**

Chatham Ⓜ sans rest, 9 r. A. Kaar ✆ 93 87 80 61, Télex 970753, Fax 93 82 30 97 – ⛁ ▤ 📺 ☎. AE ⓓ GB
49 ch ☕ 500/700. FY **x**

St-Georges sans rest, 7 av. G. Clemenceau ✆ 93 88 79 21, Fax 93 16 22 85 – ⛁ 📺 ☎. GB
☕ 30 – **30 ch** 250/320. FY **y**

Durante 🐦 sans rest, 16 av. Durante ✆ 93 88 84 40, Fax 93 87 77 76, 🌳 – ⛁ cuisinette 📺 ☎ Ⓟ. GB. ✻
fermé 10 nov. au 14 déc. – ☕ 36 – **26 ch** 210/400. FY **b**

Brice, 44 r. Mar. Joffre ✆ 93 88 14 44, Télex 470658, Fax 93 87 38 54, 🍽, Fō, 🌳 – ⛁ 📺 ☎ – 🏛 30. AE ⓓ GB. ✻ rest
R 110/140 – ☕ 30 – **65 ch** 380/610 – ½ P 405/445. FZ **b**

Cigognes sans rest, 16 r. Maccarani ✆ 93 88 65 02, Télex 462019 – ⛁ 📺 ☎. GB. ✻
☕ 25 – **30 ch** 360/420. FY **s**

Agata sans rest, 46 bd Carnot ✉ 06300 ✆ 93 55 97 13, Télex 462426, Fax 93 55 67 38, ≤ – ⛁ ▤ 📺 ☎ 🚗. AE GB
☕ 35 – **45 ch** 400/520. JZ **s**

Oasis 🐦 sans rest, 23 r. Gounod ✆ 93 88 12 29, Télex 462705, Fax 93 16 14 40, 🌳 – ⛁ 📺 ☎ Ⓟ. AE ⓓ GB
☕ 35 – **38 ch** 320/400. FY **r**

Gd Hôtel de Florence sans rest, 3 r. P. Déroulède ✆ 93 88 46 87, Télex 470652, Fax 93 88 43 65 – ⛁ ▤ 📺 ☎. AE ⓓ GB
☕ 35 – **56 ch** 390/500. GY **r**

Nouvel H. sans rest, 19 bis bd V. Hugo ✆ 93 87 15 00, Télex 462926, Fax 93 16 00 67 – ⛁ ▤ 📺 ☎. AE ⓓ GB
☕ 15 – **60 ch** 395/490. FY **v**

Busby, 38 r. Mar. Joffre ✆ 93 88 19 41, Télex 461053, Fax 93 87 73 53 – ⛁ 📺 ☎. AE ⓓ GB JCB
hôtel : fermé 15 nov. au 20 déc. ; rest. : ouvert 20 déc.-31 mai – **R** 120 🍷 – ☕ 25 – **80 ch** 425/650. FZ **u**

Carlton sans rest, 26 bd V. Hugo ✆ 93 88 87 83, Fax 93 88 18 87 – ⛁ 📺 ☎. AE ⓓ GB JCB – ☕ 28 – **29 ch** 350/500. FY **w**

Georges 🐦 sans rest, 3 r. H. Cordier ✆ 93 86 23 41, Fax 93 44 02 30 – ⛁ ▤ 📺 ☎. AE GB – ☕ 30 – **18 ch** 320/430. DZ **e**

Kent sans rest, 16 r. Chauvain ✆ 93 80 76 11, Télex 461784, Fax 93 80 02 94 – ⛁ ▤ 📺 ☎. AE ⓓ GB JCB
☕ 30 – **32 ch** 360/420. GY **b**

Armenonville sans rest, 20 av. Fleurs ☎ 93 96 86 00, – TV ☎ P. EZ b
28 – **13 ch** 230/500.

Buffa sans rest, 56 r. Buffa ☎ 93 88 77 35 – ☎ EZ r
30 – **13 ch** 260/320.

Harvey sans rest, 18 av. Suède ☎ 93 88 73 73, Télex 461687, Fax 93 82 53 55 – ☎. GB. FZ h
15 fév.-11 nov. – 20 – **62 ch** 270/330.

Avenida sans rest, 41 av. J. Médecin ☎ 93 88 55 03, Fax 93 88 02 88 – cuisinette TV ☎. AE GB. FY m
25 – **35 ch** 275/325.

Trianon sans rest, 15 av. Auber ☎ 93 88 30 69, Télex 970984, Fax 93 88 11 35 – TV ☎. AE GB FY u
25 – **32 ch** 250/310.

Carlone sans rest, 2 bd F. Grosso ☎ 93 44 71 61 – TV ☎. GB EZ n
25 – **22 ch** 173/336.

Alizé sans rest, 65 r. Buffa ☎ 93 88 99 46 – ☎. GB. EZ y
30 – **12 ch** 290/380.

Star H. sans rest, 14 r. Biscarra ☎ 93 85 19 03, Fax 93 13 04 23 – TV ☎. AE GB GY k
25 – **19 ch** 200/300.

Marbella sans rest, 120 bd Carnot ✉ 06300 ☎ 93 89 39 35, ← – TV ☎. AE GB. CT a
28 – **17 ch** 230/430.

XXXXX ❀ **Chantecler** - Hôtel Négresco, 37 promenade des Anglais ☎ 93 88 39 51, Télex 460040, Fax 93 88 35 68 – . AE GB JCB FZ k
fermé mi-nov. à mi-déc. – **R** 390/550
Spéc. Ravioli ouvert aux artichauts, asperges et langoustines. St-Pierre au jus de ratatouille safrané. Filets de rougets en salade d'artichauts.

XXX ❀ **Florian** (Gillon), 22 r. A. Karr ☎ 93 88 86 60, Fax 93 87 31 98 – . GB FY k
fermé 1er juil. au 31 août, sam. midi et dim. – **R** 235/335
Spéc. Filets de rougets "niçoise". Pastilla de pied de porc aux truffes. Noisettes de faon en poivrade (15 sept. au 15 janv.). **Vins** Bellet, Côtes de Provence.

XXX **L'Ane Rouge,** 7 quai Deux-Emmanuel ✉ 06300 ☎ 93 89 49 63 – AE GB JCB JZ m
fermé 20 juil. au 1er sept., sam. et dim. – **R** carte 340 à 500.

XXX **L'Eridan,** 6 pl. Wilson ☎ 93 92 43 75, – . AE GB HY d
fermé 10 au 23 août, 21 déc. au 3 janv., sam. midi, dim. et fériés – **R** carte 250 à 370.

XXX **Antoine,** 26 bd V. Hugo ☎ 93 88 49 75, – . GB FY f
fermé sam. midi et dim. – **R** 130/190.

XXX **La Toque Blanche,** 40 r. Buffa ☎ 93 88 38 18 – . GB JCB FZ n
fermé dim. soir et lundi – **R** (nombre de couverts limité, prévenir) 130/160.

XX **Les Dents de la Mer,** 2 r. St-François-de-Paule ✉ 06300 ☎ 93 80 99 16, , produits de la mer, « Décor original de galion englouti » – . AE GB HZ n
R 135/255.

XX **Boccaccio,** 7 r. Masséna ☎ 93 87 71 76, Fax 93 82 09 06, produits de la mer, « Décor de Caravelle » – . AE GB GZ f
R carte 220 à 360.

XX **Flo,** 4 r. S. Guitry ☎ 93 80 70 10, Fax 93 62 37 79, brasserie – . AE GB GYZ m
R carte 145 à 210 .

XX **Le Gd Pavois "Chez Michel",** 11 r. Meyerbeer ☎ 93 88 77 42, produits de la mer – . GB JCB FZ s
fermé lundi sauf en saison et fériés – **R** 195/250.

XX **Los Caracolès,** 5 r. St-François-de-Paule ✉ 06300 ☎ 93 80 98 23 – . GB JCB HZ e
fermé 8 juil. au 13 août, vacances de fév., sam. midi et merc. – **R** 185/225, enf. 50.

XX **Chez les Pêcheurs,** 18 quai Docks ✉ 06300 ☎ 93 89 59 61, produits de la mer – AE GB
fermé 1er nov. au 17 déc., jeudi midi de mai à oct., mardi soir de déc. à avril et merc. –
R carte 230 à 400. JZ r

XX Ruffel, 10 bd Dubouchage ☎ 93 62 05 45, HY e

XX **Don Camillo,** 5 r. Ponchettes ✉ 06300 ☎ 93 85 67 95 – . GB HZ h
fermé dim. et lundi – **R** 180.

XX **Les Préjugés du Palais,** 1 pl. Palais ✉ 06300 ☎ 93 62 37 03, – . AE GB HZ v
fermé 15 oct. au 15 nov. et dim. – **R** 130/380.

XX **Chez Rolando,** 3 r. Desboutins ✉ 06300 ☎ 93 85 76 79, cuisine italienne – . AE GB GZ n
fermé 1er juil. au 7 août, dim., fériés et le midi en août – **R** carte 200 à 290 .

XX **Aux Gourmets,** 12 r. Dante ☎ 93 96 83 53 – . AE GB JCB EZ w
fermé 24 juin au 8 juil., 16 au 29 nov., dim. soir et lundi – **R** 150/350.

XX **Albert's Bar,** 1 r. M. Jaubert ☎ 93 16 27 69, – AE GB JCB FZ a
fermé dim. – **R** carte 160 à 240.

XX **Bông-Laï,** 14 r. Alsace-Lorraine ✆ 93 88 75 36, cuisine vietnamienne – ▤. AE ⓓ JCB FX n
fermé 4 au 26 déc., lundi et mardi – **R** carte 180 à 220.

XX **L'Olivier,** 2 pl. Garibaldi ✉ 06300 ✆ 93 26 89 09 – ▤. AE GB. ✗ HY n
fermé 10 au 31 août, 14 au 27 déc., dim. et lundi – **R** 135/250.

X **Le St-Laurent,** 12 r. Paganini ✆ 93 87 18 94 – ▤. AE ⓓ GB FY n
fermé 24 juin au 10 juil., 26 nov. au 9 déc. et merc. – **R** 74/155.

X **Le Bistrot du Florian,** 22 r. A. Karr ✆ 93 16 08 49, Fax 93 87 31 98 – ▤. GB FY k
fermé sam. midi et dim. – **R** carte 130 à 200 ♁.

X **La Nissarda,** 17 r. Gubernatis ✆ 93 85 26 29 – GB HY r
fermé août, dim. et fériés – **R** 72/130 ♁.

X **Au Chapon Fin,** 1 r. Moulin ✉ 06300 ✆ 93 80 56 92 – GB HZ z
fermé 21 juin au 7 juil., 23 déc. au 4 janv., lundi midi, dim. et fériés – **R** 175/198.

X **La Casbah,** 3 r. Dr Balestre ✆ 93 85 58 81, couscous – GB GY a
fermé 1er juil. au 1er sept., dim. soir et lundi – **R** carte 120 à 150.

X **Mireille,** 19 bd Raimbaldi ✆ 93 85 27 23, plat unique : paëlla – ▤. GB GX d
fermé 8 juin au 10 juil., lundi et mardi sauf fériés – **R** carte environ 135.

X **La Merenda,** 4 r. Terrasse ✉ 06300, cuisine niçoise HZ a
fermé août, Noël au Jour de l'An, fév., sam., dim., lundi et fériés – **R** carte 130 à 170.

à l'Aéroport : 7 km – ✉ **06200** Nice :

Holiday Inn M, 179 bd R. Cassin ✆ 93 83 91 92, Télex 970202, Fax 93 21 69 57, ☂, ⛱ – 🛗 ✗ ch ▤ TV ☎ ♿ 🚗 – 🏛 150. AE ⓓ GB JCB AU n
R 95/160 ♁, enf. 40 – ☕ 80 – **150 ch** 850/950.

Nice Arenas M, 455 promenade des Anglais ✆ 93 21 22 50, Télex 461660, Fax 93 21 63 50 – 🛗 ▤ TV ☎ ♿ P – 🏛 200. AE ⓓ GB AU r
R carte environ 170 ♁ – ☕ 45 – **130 ch** 500/600.

Campanile M, 459 promenade des Anglais ✆ 93 21 20 20, Télex 461640, Fax 93 83 83 96 – 🛗 ▤ TV ☎ ♿ 🚗 – 🏛 25 à 80. AE GB AU e
R 85 bc/113 bc, enf. 39 – ☕ 29 – **170 ch** 360 – ½ P 294/322.

au Cap 3000 par ④ : 8 km – ✉ **06100** Nice :

Novotel M, ✆ 93 31 61 15, Télex 470643, Fax 93 07 62 25, ☂, ⛱, 🌳 – 🛗 ▤ TV ☎ ♿ P – 🏛 120. AE ⓓ GB
R carte environ 160 ♁, enf. 52 – ☕ 47 – **103 ch** 450/560.

Galaxie du Cap sans rest, av. Mar. Juin ✆ 93 07 73 72, Télex 470431, Fax 93 14 32 14 – 🛗 ▤ TV ☎ P. AE ⓓ GB
☕ 40 – **28 ch** 400/550.

à St-Pancrace N : 8 km par D 914 AS – alt. 302 – ✉ **06100** Nice :

XXX **Rôtisserie de St-Pancrace,** ✆ 92 09 94 94, ≤, ☂, 🌳 – P. GB
fermé 4 janv. au 4 fév., dim. soir et lundi – **R** 180/280.

XX **Cicion,** ✆ 92 09 95 09, ≤ Nice et littoral, ☂ – P. AE GB
fermé 10 au 31 oct., 5 au 25 janv. et merc. – **R** (en saison, prévenir) 170/210.

MICHELIN, Agence régionale, ZI, quartier Pugets à St-Laurent-du-Var par ⑤ AU ✆ 93 31 66 09

AUSTIN-ROVER Kennings, 9 r. Veillon ✆ 93 80 56 83
BMW Gar. Azur-Autos, Nice la Plaine 1 Contre Allée RN 202 ✆ 93 18 22 00
CITROEN Succursale, 74 bd R.-Cassin AU ✆ 93 83 66 66 N ✆ 93 89 80 89
CITROEN Succursale, complexe J. Bouin Palais des Sports HJX ✆ 93 92 26 06 N ✆ 93 89 80 89
FIAT Diam Nouvelle, 3 et 4 r. Meyerbeer ✆ 93 88 87 46
FIAT Diffusion Automobiles, 69 bd Madeleine ✆ 93 97 51 00
LANCIA Gar. de Touraine, 151 bd Cessole ✆ 93 51 29 63
MERCEDES-BENZ Succursale, 83 bd Gambetta ✆ 93 96 15 49
MITSUBISHI-PORSCHE Somédia, 1 et 3 av. Notre-Dame ✆ 93 92 44 12
NISSAN Gds Gar. Mériterranéens, 45 r. Buffa ✆ 93 88 13 27
OPEL Détroit-Motors, 87 r. de France ✆ 93 87 62 45
PEUGEOT, TALBOT Gds Gar. Nice et Littoral, 132 bd Pasteur HV ✆ 93 62 20 26 N ✆ 92 06 36 25
RENAULT Succursale de Nice Riquier, 2 bd Armée-des-Alpes CT ✆ 93 14 21 21 N ✆ 05 05 15 15
RENAULT Gar. Macagno, 17 av. de la Californie AU ✆ 93 86 59 81
RENAULT Gar. des Résidences, 9 r. Combattants en AFN ✆ 93 88 18 59
RENAULT Succursale de Nice, 254 rte de Grenoble AU a ✆ 93 14 22 22 N ✆ 05 05 15 15
TOYOTA Gar. Albert 1er, 5 r. Cronstadt ✆ 93 88 39 35
V.A.G S.M.A., 146 rte de Turin ✆ 92 00 35 35 N ✆ 93 29 87 87

Ⓜ Cagnol, 3 r. Gare du Sud ✆ 93 84 52 29
Massa-Pneu, 336 rte de Turin ✆ 93 27 93 93
Massa-Pneus, 248 rte de Grenoble ✆ 93 71 31 32
Nice-Pneu, 14 r. L.-Ackermann ✆ 93 87 49 07
Office du Pneu, 116 bd Gambetta ✆ 93 88 45 84
Omnium-Niçois du C/c, 298 rte de Turin ✆ 93 27 91 00
Piot Pneu, angle R.-Nicot de Villemain et 17 bd P.-Montel ✆ 93 83 10 92
Piot-Pneu, 3 rte de Laghet à la Trinité ✆ 93 54 76 00
Vulca-202, 762 rte de Grenoble ✆ 93 08 14 84

NIEDERBRONN-LES-BAINS **67110** B.-Rhin 57 ⑱ ⑲ **G. Alsace Lorraine** – 4 372 h. alt. 192 – Stat. therm. - Casino.

Office de Tourisme pl. Hôtel de Ville ☎ 88 09 17 00.

Paris 460 – ♦Strasbourg 50 – Haguenau 21 – Sarreguemines 56 – Saverne 40 – Wissembourg 33.

Gd Hôtel, av. Foch ☎ 88 09 02 60, Télex 890151, Fax 88 80 38 75, – 100. AE GB
R voir rest. **Parc** ci-après – 32 – **55 ch** 310/440, 5 appart. 520 – ½ P 315/400.

Bristol, pl. H. de Ville ☎ 88 09 61 44, Fax 88 09 01 20 – rest AE GB
fermé 27 déc. au 27 janv. – **R** *(fermé merc.)* 65/300, enf. 45 – 30 – **28 ch** 190/295 – ½ P 230/295.

Cully, r. République ☎ 88 09 01 42, Fax 88 09 05 80 – AE GB JCB. ch
fermé 16 nov. au 6 déc. (sauf hôtel) et 15 au 28 fév. – **R** *(fermé dim. soir et lundi)* 50/250 – 25 – **39 ch** 113/230 – ½ P 182/222.

XXX **Parc** - Gd Hôtel, pl. Thermes ☎ 88 09 66 48, ← – AE GB
fermé jeudi – **R** 98/170.

XX **Muller** avec ch, av. Libération ☎ 88 63 38 38, Télex 871327, Fax 88 09 02 79, parc – AE GB. rest
R *(fermé janv., dim. soir et lundi)* 54/210, enf. 44 – 28 – **16 ch** 142/204 – ½ P 152/196.

Annexe Muller M, av. Libération ☎ 88 63 38 38, Télex 871327, Fax 88 63 38 39, parc, – 40. AE GB. rest
R *(fermé janv., dim. soir et lundi)* 54/210, enf. 44 – 37 – **30 ch** 306/362 – ½ P 292.

XX **Les Acacias**, 35 r. Acacias ☎ 88 09 00 47, ←, – AE GB
fermé 1er au 15 sept., fin janv. au 15 fév. et vend. – **R** 165/280, enf. 55.

à Untermuhlthal (57 Moselle) O : 11 km par D 28 et D 141 – ✉ **57230** Bitche :

XXX ✿ **L'Arnsbourg** (Mme Klein), ☎ 87 06 50 85, Fax 87 06 57 67, – AE GB
fermé 23 juin au 9 juil., janv., mardi et merc. – **R** 248/305
Spéc. Méli-mélo de saumon et langoustines. Strudel au foie gras. Croustillant de caille au ris de veau. **Vins** Pinot noir, Riesling.

CITROEN Krebs ☎ 88 09 03 66
PEUGEOT Jung, à Gundershoffen ☎ 88 72 92 46
RENAULT Gar. Moderne, 22 r. des Romains à Reichshoffen ☎ 88 09 04 58 N

Dans ce guide
un même symbole, un même caractère,
*imprimé en couleur ou en noir, en maigre ou en **gras**,*
n'ont pas tout à fait la même signification.
Lisez attentivement les pages explicatives.

NIEDERHASLACH **67280** B.-Rhin 62 ⑨ **G. Alsace Lorraine** – 1 088 h. alt. 255.

Voir Église★.

Paris 481 – ♦Strasbourg 39 – Molsheim 13 – St-Dié 55 – Saverne 32.

Pomme d'Or, face église ☎ 88 50 90 21, Fax 88 50 95 17 – GB. ch
fermé 28 juin au 5 juil, 14 fév. au 15 mars, dim. soir et lundi (sauf hôtel en sais.) – **R** 95/160 – 30 – **20 ch** 150/250 – ½ P 210/250.

RENAULT Gar. Ludwig ☎ 88 50 90 08 N

NIEDERSCHAEFFOLSHEIM **67500** B.-Rhin 57 ⑲ – 1 267 h. alt. 183.

Paris 473 – ♦Strasbourg 23 – Haguenau 6 – Saverne 31.

XX **Au Boeuf Rouge** avec ch, ☎ 88 73 81 00, – 50. AE GB
fermé 14 au 30 juil. et vacances de fév. – **R** *(fermé dim. soir et lundi sauf fêtes)* 105/280, enf. 48 – 32 – **15 ch** 180/260 – ½ P 220/230.

NIEDERSTEINBACH **67510** B.-Rhin 57 ⑲ **G. Alsace Lorraine** – 161 h. alt. 225.

Paris 462 – ♦Strasbourg 64 – Bitche 24 – Haguenau 35 – Lembach 9 – Wissembourg 24.

Cheval Blanc, ☎ 88 09 55 31, Fax 88 09 50 24, – GB. rest
fermé 22 au 30 juin, 1er au 13 déc. et 1er fév. au 10 mars – **Repas** *(fermé vend. midi et jeudi hors sais.)* 83/260 – 30 – **26 ch** 200/260 – ½ P 240/280.

NIEUIL **16270** Charente 72 ⑤ – 954 h. alt. 153.

Paris 436 – Angoulême 41 – Confolens 25 – ♦Limoges 64 – Nontron 51 – Ruffec 34.

✿ **Château de Nieuil** (Mme Bodinaud), à l'Est par D 739 et VO ☎ 45 71 36 38, Télex 791230, Fax 45 71 46 45, ←, « Belle demeure Renaissance dans un parc », – rest – 40. AE GB
30 avril-2 nov. – **R** (nombre de couverts limité - prévenir) 220/290 – 70 – **11 ch** 530/1200, 3 appart. 1650 – ½ P 630/830
Spéc. Terrine de poule au pot. Sole cuite à l'arête sauce mouclade. Fricassée de chapon aux pleurotes.

NIEUL-SUR-MER 17 Char.-Mar. 71 ⑫ – rattaché à La Rochelle.

NÎMES P 30000 Gard 80 ⑲ **G. Provence** – 128 471 h. alt. 39.

Voir Arènes★★★ CV – Maison Carrée★★★ CU – Jardin de la Fontaine★★ AX : Tour Magne★, ≤★ – Musées : Antiques★ de la Maison Carrée CU, Archéologie★ DU **M**[1], Beaux-Arts★ ABY **M**[2], Vieux Nîmes★ CU **M.**

18 de Nîmes-Campagne ☎ 66 70 17 37, par ⑤ : 11 km ; 18 des Hauts-de-Nîmes à Vacquerolles ☎ 66 23 33 33, E : 6 km par ⑦.

✈ de Nîmes-Garons : ☎ 66 70 06 88, par ⑤ : 8 km.

ℹ Office de Tourisme et Accueil de France (Informations et réservations d'hôtels, pas plus de 5 jours à l'avance) 6 r. Auguste ☎ 66 67 29 11, Télex 490926 et à la gare SNCF ☎ 66 84 18 13 – A.C. 5 bd Talabot ☎ 66 29 12 54.

Paris 711 ② – ♦ Montpellier 51 ⑤ – Aix-en-Provence 107 ④ – Avignon 44 ② – ♦Clermont-Ferrand 330 ② – ♦Grenoble 245 ② – ♦Lyon 251 ② – ♦Marseille 118 ④ – ♦Nice 279 ④ – ♦St-Étienne 268 ②.

NÎMES

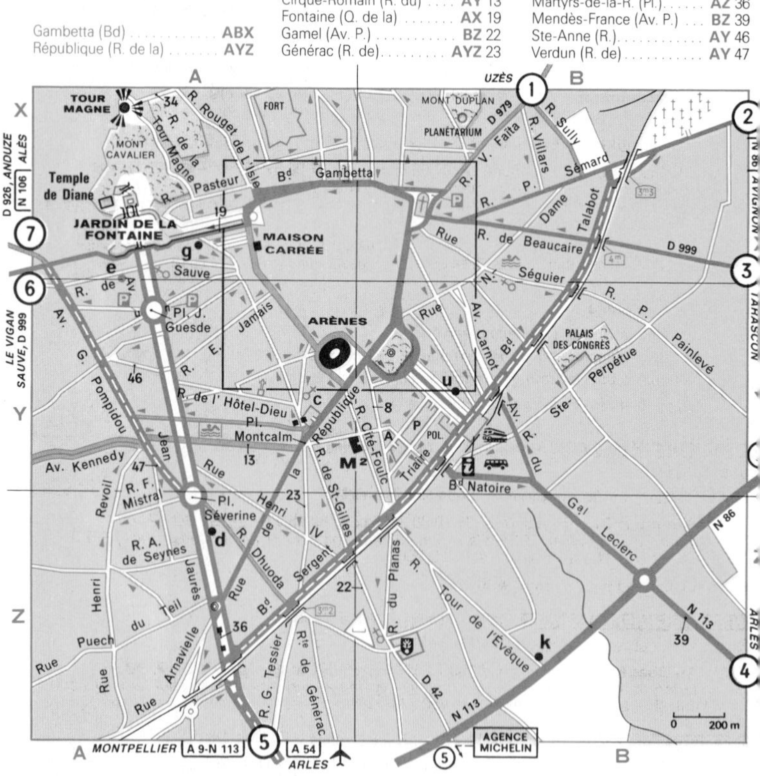

🏨 ✿ **Le Cheval Blanc** M, pl. Arènes ☎ 66 76 32 32, Télex 480856, Fax 66 76 32 33, « Élégant décor contemporain » – ⎘ ⊁ ch ▤ TV ☎ ♿ – 🏛 35. AE ⓓ GB DV **b**
R *(fermé sam. midi et dim.)* 280/480, enf. 100 - **Bistrot des Costières** *(fermé sam. midi et dim.)* **R** carte 120 à 170 🍷 enf. 50 – ☕ 80 – **26 ch** 700/1900.
Spéc. Pâté chaud de pigeonneau en croûte blonde, Mitonnée de joue et queue de bœuf aux Costières de Nîmes, Marquise chocolat de trois façons.

🏨 **Imperator Concorde,** quai de la Fontaine ✉ 30900 ☎ 66 21 90 30, Télex 490635, Fax 66 67 70 25, 🌳, « Jardin fleuri » – ⎘ ▤ ch TV ☎ 🚗 – 🏛 50. AE ⓓ GB JCB AX **g**
Enclos de la Fontaine R 230/260 enf. 85 – ☕ 60 – **62 ch** 530/850, 3 appart. 1400 – ½ P 490/615.

NÎMES

Aspic (R. de l') . . . . . CUV	Guizot (R.) . . . . CU 26	Bouquerie (Sq. de la) . . . CU 7
Courbet (Bd Amiral) . DUV 14	Madeleine (R.) . . . . CU 32	Chapitre (R. du) . . . . CU 12
Crémieux (Rue) . . . . DU 16	Nationale (R.) . . . . CDU	Fontaine (Q. de la) . . . . . CU 19
Curaterie (R.) . . . . DV 17	Perrier (R. Gén.) . . . . CU	Halles (R. des) . . . . CU 27
Daudet (Bd A.) . . . . CU 18	République (R. de la) . . CV 43	Horloge (R. de l') . . . . CU 28
Gambetta (Bd) . . . . . CUV	Victor-Hugo (Bd) . . . . CUV	Libération (Bd de la) . . . . DV 30
Grand'Rue . . . . DU 24		Maison carrée (Pl. de la) CU 33
	Arènes (Bd des) . . . . . . CV 2	Marchands (R. des) . . . . CU 35
	Auguste (R.) . . . . CU 4	Prague (Bd de) . . . . DV 42
	Bernis (R. de) . . . . CV 6	Saintenac (Bd E.) . . . . . . DU 45

Vatel Ⓜ (École hôtelière), 140 r. Vatel par av. Kennedy AY ☎ 66 62 57 57, Fax 66 62 57 50, ←, ☂, 🚲, ⛾ – |‡| ▤ TV ☎ ♿ 🅟 – 🎤 100. ◑ GB
Les Palmiers *(fermé dim. soir)* **R** 120/180 – **Grill R** 90/110 🌡 – ☕ 40 – **42 ch** 400/500, 4 appart. 800 – ½ P 360.

Novotel Atria Nîmes Centre Ⓜ, 5 bd Prague ☎ 66 76 56 56, Télex 485618, Fax 66 76 26 36, ☂ – |‡| ▤ TV ☎ ♿ 🚗 – 🎤 25 à 480. AE ◑ GB JCB DV **f**
Les 7 Collines **R** carte environ 150 🌡, enf. 50 – ☕ 47 – **112 ch** 470/530.

Mercure Nîmes Centre Ⓜ sans rest, 21 r. Nationale ☎ 66 76 28 42, Fax 66 76 28 45, « Hôtel particulier du vieux Nîmes » – |‡| ▤ TV ☎ ♿. AE ◑ GB JCB DU **b**
☕ 45 – **33 ch** 490/600.

L'Orangerie Ⓜ, 755 r. Tour de l'Évêque ☎ 66 84 50 57, Fax 66 29 44 55, ☂, ⛾ – ▤ TV ☎ ♿ 🅟. AE ◑ GB BZ **k**
R 160/240, enf. 60 – ☕ 45 – **31 ch** 390/500 – ½ P 330/410.

Tuileries Ⓜ sans rest, 22 r. Roussy ☎ 66 21 31 15, Fax 66 67 48 72 – |‡| ▤ TV ☎ 🚗. AE ◑ GB JCB DV **n**
fermé 24 déc. au 10 janv. – ☕ 37 – **10 ch** 340/370.

Chéops Ⓜ, 61 bis av. J. Jaurès ☎ 66 29 57 57, Télex 490120, Fax 66 29 21 31 – |‡| ▤ TV ☎ ♿ 🚗 – 🎤 30 à 100 AZ **d**
Le Bramante – 60 ch.

Carrière, 6 r. Grizot ☎ 66 67 24 89, Télex 490580, Fax 66 67 28 08 – |‡| TV ☎. AE ◑ GB DU **a**
R *(fermé 4 au 16 janv.)* 55/125, enf. 50 – ☕ 30 – **54 ch** 160/255 – ½ P 230.

Plazza Ⓜ sans rest, 10 r. Roussy ☎ 66 76 16 20, Fax 66 67 65 99 – |‡| ▤ TV ☎ 🚗. AE ◑ GB JCB. ✂ DU **r**
☕ 40 – **28 ch** 230/390.

Milan sans rest, 17 av. Feuchères ☎ 66 29 29 90 – |‡| TV ☎. AE GB BY **u**
☕ 28 – **33 ch** 188/295.

Amphithéâtre sans rest, 4 r. Arènes ☎ 66 67 28 51, Fax 66 67 07 79 – TV ☎. GB CV **h**
fermé 22 déc. au 31 janv. – ☕ 32 – **20 ch** 135/230.

Majestic sans rest, 10 r. Pradier ☎ 66 29 24 14, Fax 66 29 77 33 – ☎. GB DV **z**
☕ 38 – **26 ch** 200/265.

XXX **Le Magister,** 5 r. Nationale ✆ 66 76 11 00 – ▤. AE ⓞ GB JCB — DU
fermé 1er au 24 août, vacances de fév., sam. midi et dim. sauf fêtes – **R** 200, enf. 60.

XX **Le Lisita,** 2 bd Arènes ✆ 66 67 29 15 – ▤. ⓞ GB — CV
fermé 1er au 24 août, dim. soir et sam. – **R** 115/160.

XX **Lou Mas,** 5 r. Sauve ✉ 30900 ✆ 66 23 24 71 – AE GB — AXY
R 99.

près échangeur Nîmes-Est (A 9-N 86) par ② : 6 km – ✉ **30320** Marguerittes :

Confortel Louisiane M, ✆ 66 26 30 50, Fax 66 26 44 66, 🏞, ⛱ – 🛗 ▤ rest TV ☎ ♿ P – 25. GB
R 74/120 🍼, enf. 37 – ☕ 28 – **47 ch** 240/260 – ½ P 190/200.

par④ et rte d'Arles : 4 km – ✉ **30000** Nîmes :

Host. Relais du Moulin, ✆ 66 84 30 20, Fax 66 29 45 99, 🏞, ⛱, 🌳 – ▤ TV ☎ ♿ P – 60. AE GB
R *(fermé août, dim. soir et lundi)* 180/320 🍼 – ☕ 50 – **21 ch** 300/400 – ½ P 350.

par④, N 113 puis rte de Caissargues par D 135 : 6,5 km – ✉ **30132** Caissargues :

Climat de France, ✆ 66 84 21 52, Télex 485201, Fax 66 29 76 81, ⛱, 🌳 – ▤ rest TV ☎ ♿ P. AE GB
R 80/125 🍼, enf. 35 – ☕ 30 – **44 ch** 255 – ½ P 210/250.

par⑤ : 2,5 km par rte de l'Aéroport – ✉ **30000** Nîmes :

XXX **Mas des Abeilles,** rte parc Georges Besse (ancienne rte St-Gilles) ✆ 66 38 28 57, 🏞, produits de la mer – P. GB
fermé 10 août au 10 sept., 2 au 10 janv., dim. soir et lundi – **R** 130 bc et carte 250 à 370.

à Garons par ⑤, D 42 et D 442 : 9 km – 3 648 h. – ✉ **30128** :

XXX ✿ **Alexandre** (Kayser), ✆ 66 70 08 99, Fax 66 70 01 75, « Jardin » – ▤ P. AE GB
fermé 24 août au 7 sept., vacances de fév., dim. soir et lundi – **R** 255/320, enf. 90
Spéc. Ile flottante aux truffes noires (sept. à avril), Pieds et langues d'agneau mijotés dans leur jus, Chariot de desserts. **Vins** Costières de Nîmes, Chateauneuf du Pape blanc.

près échangeur A9 - A54 parc hôtelier Ville Active par ⑤ : 3 km – ✉ **30900** Nîmes :

Mercure M, ✆ 66 84 14 55, Télex 490746, Fax 66 38 01 44, 🏞, ⛱, 🌳, 🎾 – 🛗 ⅍ ch ▤ TV ☎ ♿ P – 25 à 100. AE ⓞ GB
Le Mazet R carte 150 à 210 🍼, enf. 45 – ☕ 48 – **98 ch** 390/540.

Novotel Nîmes-Ouest M, ✆ 66 84 60 20, Télex 480675, Fax 66 38 02 31, 🏞, ⛱, 🌳 – ▤ TV ☎ P – 25 à 130. AE ⓞ GB
R carte environ 150, enf. 50 – ☕ 45 – **96 ch** 395/445.

Nimotel, ✆ 66 38 13 84, Télex 490592, Fax 66 38 14 06, 🏞, ⛱, 🎾 – 🛗 ▤ TV ☎ P – 150. AE ⓞ GB JCB
R 85/160 🍼, enf. 65 – ☕ 30 – **180 ch** 235/270.

Ibis, ✆ 66 38 00 65, Télex 490180, Fax 66 29 19 56 – 🛗 ▤ TV ☎ ♿ P – 40 à 80. AE GB
R carte environ 110 🍼 – ☕ 35 – **108 ch** 270/305.

à St-Côme-et-Maruéjols O : 15 km par D 40, D 103 et D 1 – ✉ **30870** :

XX ✿ **La Vaunage** (Villenueva), ✆ 66 81 33 29, 🏞 – GB. ✖
fermé 1er au 18 mars, 1er au 18 sept., lundi et mardi – **R** carte 195 à 275
Spéc. Parmentière de homard, Côtes d'agneau en beignet, Croustillant de pommes au caramel de cidre. **Vins** Costières de Nîmes, Lirac.

MICHELIN, Agence, rte de St-Gilles, par D 42 BZ ✆ **66 84 99 05**

ALFA ROMEO-SEAT Auto-Sport, 2210 rte de Montpellier ✆ 66 84 03 55
BMW Méridional-Autos, av. Pavlov, ZI St-Césaire ✆ 66 62 10 90
CITROEN K 2 Auto, 2290 rte de Montpellier par ⑤ ✆ 66 84 60 05 N ✆ 66 67 85 51
FIAT Gar. Europe, 1976 av. Mar.-Juin ✆ 66 84 04 40
FORD Méditerranée-Autom., 655 av. Mar.-Juin ✆ 66 84 08 01
MERCEDES-BENZ SODIRA, 328 rte d'Avignon ✆ 66 26 04 99 N ✆ 66 26 06 24
PEUGEOT TALBOT Gds Gar. du Gard, 1667 av. Mar.-Juin par ⑥ ✆ 66 84 69 11 N ✆ 67 03 62 48
RENAULT Succursale, 1412 av. Mar.-Juin par ⑥ ✆ 66 62 72 72 N ✆ 66 87 94 61
TOYOTA Veyrunes, bd Périphérique Sud, r. F. Cantier ✆ 66 21 71 22

Ayme Pneus, 2 500 rte de Montpellier ✆ 66 84 94 21
Escoffier Pneus, bd Périphérique Sud ✆ 66 84 02 01
Escoffier-Pneus, 2 et 4 r. République ✆ 66 67 32 72
Pneu Service Folcher, 2722 rte de Montpellier ✆ 66 84 85 40
Pneu Service Folcher, 55 bd Talabot ✆ 66 67 94 17
Rigon-Pneus, Arche 18, bd Talabot ✆ 66 84 15 26
Sud-Pneus, 128 bd Sergent-Triaire ✆ 66 84 70 94

Dans ce guide

un même symbole, un même caractère,
imprimé en couleur ou en noir, en maigre ou en **gras**
n'ont pas tout à fait la même signification.
Lisez attentivement les pages explicatives.

NIORT P 79000 Deux-Sèvres 71 ② **G. Poitou Vendée Charentes** – 57 012 h. alt. 29.

Voir Donjon★ : ※★ AY **B** – Ancien Hôtel de Ville★ BY **M1**.

Env. Château de Coudray-Salbart★ 10 km par ①.

Office de Tourisme pl. Poste ✆ 49 24 18 79 – A.C. 1 av. République ✆ 49 24 90 80.

Paris 406 ② – La Rochelle 63 ⑥ – Angoulême 106 ③ – ◆Bordeaux 182 ⑤ – ◆Limoges 160 ③ – ◆Nantes 145 ⑦ – Poitiers 74 ② – Rochefort 60 ⑥.

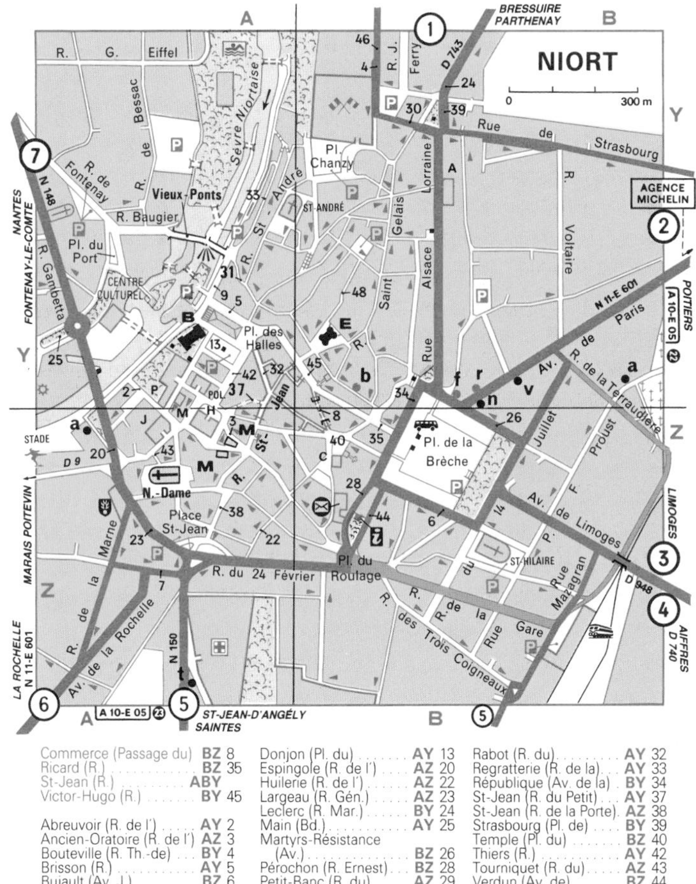

Commerce (Passage du) . . . BZ 8	Donjon (Pl. du) . . . . . . AY 13	Rabot (R. du) . . . . AY 32
Ricard (R.) . . . . BZ 35	Espingole (R. de l') . . . . AZ 20	Regratterie (R. de la) . . . AY 33
St-Jean (R.) . . . . ABY	Huilerie (R. de l') . . . . . AZ 22	République (Av. de la) . . BY 34
Victor-Hugo (R.) . . . . . . BY 45	Largeau (R. Gén.) . . . . . AZ 23	St-Jean (R. du Petit) . . . AY 37
	Leclerc (R. Mar.) . . . . . BY 24	St-Jean (R. de la Porte) . AZ 38
Abreuvoir (R. de l') . . . . AY 2	Main (Bd.) . . . . AY 25	Strasbourg (Pl. de) . . . . BY 39
Ancien-Oratoire (R. de l') AZ 3	Martyrs-Résistance	Temple (Pl. du) . . . . . . BZ 40
Bouteville (R. Th.-de) . . . BY 4	(Av.) . . . . BZ 26	Thiers (R.) . . . . AY 42
Brisson (R.) . . . . AY 5	Pérochon (R. Ernest) . . . BZ 28	Tourniquet (R. du) . . . . AZ 43
Bujault (Av. J.) . . . . BZ 6	Petit-Banc (R. du) . . . . . AZ 29	Verdun (Av. de) . . . . . . BZ 44
Chabaudy (R.) . . . . AZ 7	Pluviault (R.) . . . . BY 30	Vieux-Fourneau (R. du) . BY 46
Cronstadt (Quai) . . . . . . AY 9	Pont (R. du) . . . . AY 31	Yver (R.) . . . . BY 48

Altéa Porte Océane M, 17 r. Bellune ✆ 49 24 29 29, Télex 793120, Fax 49 28 00 90, – ch TV ☎ – 25 à 80. AE GB — BY **a**
R 100/180 – ☕ 48 – **60 ch** 465/950.

Gd Hôtel sans rest, 32 av. Paris ✆ 49 24 22 21, Télex 791502, – TV ☎. AE GB JCB. — BY **v**
☕ 35 – **40 ch** 315/525.

Moulin M sans rest, 27 r. Espingole ✆ 49 09 07 07 – TV ☎. AE GB — AZ **a**
☕ 25 – **22 ch** 230/260.

Paris sans rest, 12 av. Paris ✆ 49 24 93 78, Fax 49 28 27 57 – TV ☎. GB — BY **n**
fermé 20 déc. au 20 janv. – ☕ 27 – **47 ch** 175/330.

Avenue sans rest, 43 av. St-Jean-d'Angély ✆ 49 79 28 42 – ☎. GB — AZ **t**
fermé 15 au 31 déc. – ☕ 20 – **20 ch** 95/180.

XXX **Belle Étoile,** 115 quai M. Métayer (près périph. ouest) -AY- O : 2,5 km ✆ 49 73 31 29, Fax 49 09 05 59, 😀, 😀 – P. AE ⓓ GB
fermé 3 au 13 août, 2 au 6 janv., dim. soir et lundi – **R** 120/385 bc, enf. 85.

XXX ✿ **Relais St-Antoine** (Cardin), pl. Brèche ✆ 49 24 02 76, Fax 49 24 79 11, 😀 – AE ⓓ GB BY **f**
fermé sam. midi et dim. soir – **R** 130/350, enf. 80
Spéc. Foie gras de canard, Blanc de turbot au Pineau des Charentes, Pigeonneau du pays. **Vins** Anjou rouge, Haut-Poitou.

XX **Charly's,** 5 av. Paris ✆ 49 24 07 75 – ⇆. GB BY **r**
fermé dim. soir – **R** 75/155 ♁, enf. 35.

X **Quatre saisons,** 21 r. Faisan ✆ 49 24 96 97 – GB BY **b**
fermé sam. midi et dim. – **R** 62/155 ♁.

par ② : 5 km sur N 11 – ✉ **79180** Chauray :

Solana M sans rest, ✆ 49 33 33 33, Fax 49 33 33 33 – TV ☎ ♿ P – 🏛 40. AE ⓓ GB
☕ 25 – **51 ch** 210/240.

XX **Victor,** ✆ 49 33 13 70, 😀 – ▤ P. AE ⓓ GB
fermé dim. – **R** 85/220 ♁.

par ② et D 5 rte Chavagné : 11 km – ✉ **79260** La Crèche :

des Rocs M ⛰, ✆ 49 25 50 38, Télex 790632, Fax 49 05 31 57, ≤, 😀, parc, 🏋, 🏊, 🎾 – TV ☎ ♿ P – 🏛 50. AE ⓓ GB. ✂ rest
fermé fév. – **Le Golden** *(fermé fév., sam. et dim. du 1er nov. au 1er avril)* **R** 150/380 – **Le Sloop** (grill) *(1er juin-30 sept.)* **R** 135 – ☕ 50 – **50 ch** 350/450 – ½ P 400.

sur autoroute A 10 aire Les Ruralies ou accès de Niort par ③ et VO : 9 km – ✉ **79230** Prahecq :

Les Ruralies M, ✆ 49 75 67 66, Fax 49 75 80 29 – ⇅ TV ☎ ♿ P – 🏛 25 à 50. GB JCB
La Mijotière (rest. d'autoroute) **R** 95/135 ♁, enf. 40 – ☕ 35 – **51 ch** 275/380 – ½ P 260/330.

rte de Saintes par ⑤ : 12 km – ✉ **79360** Granzay-Gript :

Domaine du Griffier M ⛰, ✆ 49 32 62 62, Fax 49 32 62 63, ≤, 😀, parc, 🏊 – TV ☎ ♿ P – 🏛 25 à 100. AE GB
fermé 1er au 15 janv. – **R** 130/250, enf. 65 – ☕ 42 – **29 ch** 310/480.

rte de La Rochelle par ⑥ : 4,5 km sur N 11 – ✉ **79000** Niort :

Reix H. M sans rest, ✆ 49 09 15 15, 🏊 – TV ☎ ♿ P. AE GB
fermé 22 déc. au 1er janv. – ☕ 30 – **36 ch** 250/300.

Espace H. M sans rest, ✆ 49 09 08 07, Fax 49 09 16 07 – TV ☎ ♿ P – 🏛 25. AE GB
☕ 30 – **31 ch** 200/280.

XXX **La Tuilerie,** ✆ 49 09 12 45, Fax 49 09 16 22, 😀, 🏊, 😀, 🎾 – ▤ P. GB
fermé dim. soir – **R** 138/360 bc.

à St-Rémy par ⑦ : 6 km sur N 148 – ✉ **79410** Échiré :

Relais du Poitou, ✆ 49 73 43 99, Fax 49 73 44 67 – TV ☎ P. GB
R *(fermé 24 déc. au 24 janv. et lundi)* 80/220 ♁, enf. 35 – ☕ 32 – **22 ch** 195/220.

MICHELIN, Agence régionale, Lot. d'Activité Economique de Bardon, r. Jean Baptiste Colbert par ② ✆ 49 33 00 42

ALFA-ROMEO Gar. de Paris, 55 bis r. Terraudière ✆ 49 24 72 40
BMW Gar. Tapy, 45 r. des Maisons Rouges, ZA ✆ 49 33 01 46 **N** ✆ 49 73 37 70
CITROEN Niort-Autom., 80 av. St-Jean-d'Angély par ⑤ ✆ 49 79 24 22 **N** ✆ 49 73 55 10
CITROEN Gar. Dupont, 362 av. de Limoges par ③ ✆ 49 24 12 85
FIAT Gar. Touzalin, 459 av. de Paris ✆ 49 33 00 55
FORD Genève Automobiles, 119 av. de Nantes ✆ 49 73 45 20 **N** ✆ 49 73 55 10
LADA-LANCIA Gar. Beauchamp, ZC Mendès France r. Cail ✆ 49 24 25 05
MERCEDES-BENZ S.A.V.I.A., r. Pied de Fonds ZI de St-Liguaire ✆ 49 73 41 90
OPEL Gar. Hurtaud, rte de La Rochelle à Bessines ✆ 49 09 13 02

PEUGEOT-TALBOT Sodan, 475 av. de Paris par ② ✆ 49 33 02 05
RENAULT Gar. St-Christophe, 214 av. de Paris par ② ✆ 49 33 34 22 **N** ✆ 05 05 15 15
V.A.G International Gar., bd de l'Atlantique ✆ 49 73 19 66
Gar. Aumonier, 630 rte de Niort à Aiffres ✆ 49 32 02 57

Ⓜ Chouteau, 36 av. de Paris ✆ 49 24 68 81
Chouteau, 640 rte de Paris à Chauray par ② ✆ 49 33 08 63
Pneumatec, ZC des Trente-Ormeaux, r. Vaumorin ✆ 49 33 12 08
Woodman-Pneus Pneu +, 39 av. de Verdun ✆ 49 28 14 22

NISSAN-LEZ-ENSÉRUNE 34440 Hérault 83 ⑭ G. Gorges du Tarn – 2 835 h. alt. 21.

Voir Oppidum d'Ensérune★ : musée★, ≤★ NO : 5 km.

Paris 834 – ♦Montpellier 77 – Béziers 11 – Capestang 9 – Narbonne 16 – St-Pons 49.

La Résidence, ✆ 67 37 00 63, 😀, 😀 – ☎ 🚗. GB. ✂
R *(fermé dim. et fériés)* (dîner seul.) (résidents seul.) 90 bc, enf. 43 – ☕ 30 – **19 ch** 210/270.

La guida cambia, cambiate la guida ogni anno.

NITRY 89310 Yonne 65 ⑥ – 336 h. alt. 246.

Paris 195 – Auxerre 32 – Avallon 22 – Vézelay 30,5.

Axis M sans rest, échangeur A 6 ✆ 86 33 60 92, Fax 86 33 64 14 – TV ☎ ♿ P. GB
28 – **41 ch** 200/225.

Aub. la Beursaudière, ✉ 89310 Noyers-sur-Serein ✆ 86 33 62 51, Fax 86 33 65 21,
– P. AE GB
R 67/250 ₰, enf. 40.

NOAILLES 60430 Oise 55 ⑩ – 2 415 h. alt. 91.

Paris 60 – Compiègne 52 – Beauvais 16 – Chantilly 27 – Clermont 18 – Creil 27 – Gisors 37 – L'Isle-Adam 27.

XXX **Moulin de Blainville,** à Blainville N : 1 km ✆ 44 03 31 00, Fax 44 07 45 65, , « Cadre rustique » – P. GB.
fermé 17 août au 9 sept. et dim. soir de mai à fin oct. – **R** (déj. seul. du 1er nov. au 30 avril sauf vend. et sam. : dîner seul.) 145.

PEUGEOT-TALBOT Bochent, 20 r. de Calais ✆ 44 03 30 25

NOAILLY 42640 Loire 73 ⑦ – 727 h. alt. 307.

Paris 384 – Roanne 14 – ◆Lyon 101 – Moulins 90 – ◆St-Étienne 99.

XX **Lion d'Or** avec ch, ✆ 77 66 60 13 – P.
fermé août, vacances de fév., mardi et merc. – **R** (sur réservation seul.) 125/350 – 28 – **3 ch** 180/200 – ½ P 160/210.

NOCÉ 61 Orne 60 ⑮ – rattaché à Bellême.

Découvrez la France avec les guides Verts Michelin :
24 titres illustrés en couleurs.

NOÉ 31410 H.-Gar. 82 ⑰ – 1 975 h. alt. 194.

Paris 730 – ◆Toulouse 34 – Auch 73 – Auterive 20 – Foix 60 – St-Gaudens 57 – St-Girons 67.

L'Arche sans rest, ✆ 61 87 40 12, – TV ☎ P – 25. GB
25 – **20 ch** 140/240.

NOEUX-LES-MINES 62290 P.-de-C. 51 ⑭ – 12 351 h. alt. 31.

Paris 208 – ◆Lille 41 – Arras 25 – Béthune 6 – Bully-les-Mines 6,5 – Doullens 48 – Lens 16.

Les Tourterelles, 374 r. Nationale ✆ 21 66 90 75, Télex 134338, Fax 21 26 98 98, ,
– TV ☎ P. AE GB. ch
R *(fermé sam. midi, dim. soir et fériés le soir)* 85/210 – 30 – **19 ch** 120/350 – ½ P 225/300.

X **Paix,** 115 r. Nationale ✆ 21 26 37 66 – GB
fermé 22 juil. au 22 août, sam. et fériés le soir – **R** 80/160 ₰.

NOGARO 32110 Gers 82 ② – 2 008 h. alt. 98.

Paris 728 – Mont-de-Marsan 44 – Agen 86 – Auch 62 – Pau 71 – Tarbes 65.

Otelinn M , N : 1 km sur N 124 ✆ 62 09 12 11, Fax 62 69 08 65, , , – TV ☎ ♿
P – 30 à 200. AE GB
R 65/210 ₰, enf. 50 – 45 – **50 ch** 235/270 – ½ P 195/215.

CITROEN Gar. Bounet ✆ 62 09 00 39
PEUGEOT-TALBOT Saint-Orens ✆ 62 09 00 98 N
RENAULT Gar. Ducourneau ✆ 62 09 00 80 N ✆ 62 69 00 87

NOGENT-EN-BASSIGNY 52800 H.-Marne 62 ⑫ – 4 754 h. alt. 400.

Paris 270 – Chaumont 21 – Bourbonne-les-Bains 36 – Langres 22 – Neufchâteau 54 – Vittel 64.

Commerce, pl. Gén. de Gaulle ✆ 25 31 81 14, Fax 25 31 74 00 – TV ☎ . GB
R 85/200 ₰ – 25 – **19 ch** 165/300 – ½ P 180/240.

PEUGEOT, TALBOT Ponce ✆ 25 31 80 44

NOGENT-LE-ROI 28210 E.-et-L. 60 ⑧ 106 ㉖ **G. Ile de France** – 3 832 h. alt. 93.

9 18 de Maintenon ✆ 37 27 18 09, SE : 8 km par D 983.

Paris 74 – Chartres 26 – Ablis 32 – Dreux 18 – Maintenon 8 – Mantes-la-Jolie 47 – Rambouillet 27.

XX **Relais des Remparts,** 2 pl. Marché aux Légumes ✆ 37 51 40 47 – GB
fermé 4 au 27 août, 16 fév. au 2 mars, dim. soir (sauf juil.), mardi (sauf le midi d'août à juin) et merc. – **R** 78 (sauf sam. soir)/220 ₰, enf. 45.

PEUGEOT-TALBOT Jeunesse, à Chaudon ✆ 37 51 41 47
RENAULT Gar. Bourinet, 19 r. de Verdun à Lormaye ✆ 37 51 42 95

NOGENT-LE-ROTROU 28400 E.-et-L. 60 ⑮ **G. Normandie Vallée de la Seine** – 11 591 h. alt. 108.

18 du Perche ✆ 37 29 17 33, par ③ : 9 km.

Office de Tourisme 44 r. Villette-Gaté ✆ 37 52 22 16.

Paris 146 ① – Alençon 64,5 ⑤ – ◆Le Mans 74 ④ – Chartres 54 ① – Châteaudun 53 ③ – Mortagne-au-Perche 36 ⑤.

NOGENT-LE-ROTROU

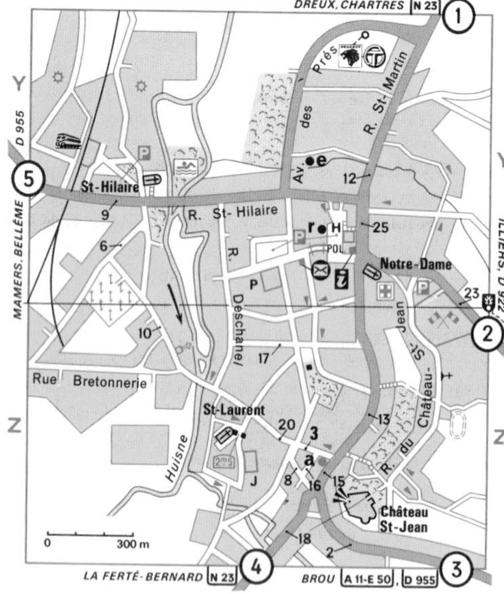

Si vous êtes retardé sur la route, dès 18 h, confirmez votre réservation par téléphone, c'est plus sûr... et c'est l'usage.

Inter Hôtel Le Couronnet M, 12 r. Viennes ✆ 37 52 85 00, Fax 37 52 14 28 – rest TV ☎ ♿ P – 50. GB — Y **e**
fermé 22 déc. au 8 janv., dim. midi et jeudi – **R** 180 – ⊏ 48 – **42 ch** 290/350 – ½ P 300.

Lion d'Or, 28 pl. St-Pol ✆ 37 52 01 60 – TV ☎ P – 25. GB. ch — Y **r**
fermé 4 au 24 août, 23 déc. au 5 janv. vend. soir et sam. – **R** 95/240, enf. 65 – ⊏ 32 – **14 ch** 240/320 – ½ P 270/300.

XXX **Host. de la Papotière,** 3 r. Bourg le Comte ✆ 37 52 18 41, « Maison du 16e siècle » – P. AE GB — Z **a**
fermé dim. soir et lundi – **R** 95/195.

à Villeray (61 Orne) par ① D 918 et D 10 : 11 km – ✉ **61110** Condeau :

XXX **Moulin de Villeray** avec ch, ✆ 33 73 30 22, Fax 33 73 38 28, ←, , parc – ☎ P. AE GB
fermé 4 janv. au 15 fév. – **R** *(fermé merc. midi et mardi du 15 sept. au 15 juin)* 130/300 – ⊏ 55 – **10 ch** 590/740 – ½ P 725/750.

CITROEN Répar. Autos Nogentaise, rte d'Alençon par ⑤ ✆ 37 52 47 48 N
FORD Gar. de l'Huisne, av. des Prés à Margon ✆ 37 52 05 97
PEUGEOT-TALBOT Thibault, av. des Prés à Margon Z ✆ 37 52 13 26 N
RENAULT N.A.S.A., rte de Paris par ① à Margon ✆ 37 52 58 70 N
RENAULT Auto du Perche, 1 bis r. G.-Hayes par r. Bretonnerie Z ✆ 37 52 18 91 N

NOGENT-SUR-AUBE 10240 Aube 61 ⑦ – 311 h. alt. 103.
Paris 173 – Troyes 29 – Châlons-sur-Marne 65 – Romilly-sur-Seine 47.

XX **Assiette Champenoise,** D 441 ✆ 25 37 66 74, , « Jardin fleuri » – P. GB
fermé le soir (sauf jeudi, vend. et sam.) – **R** (dim. prévenir) 95/205.

NOGENT-SUR-MARNE 94 Val-de-Marne 56 ⑪, 101 ㉗ – voir Paris, Environs.

NOGENT-SUR-OISE 60 Oise 56 ① – rattaché à Creil.

NOGENT-SUR-SEINE 10400 Aube 61 ④ ⑤ **G. Champagne** – 5 505 h. alt. 65.
Paris 104 – Troyes 49 – Châlons-sur-M. 92 – Épernay 82 – Fontainebleau 66 – Provins 18 – Sens 40.

Loisirotel M sans rest, 19 r. Fossés ✆ 25 39 71 46, – TV ☎ ♿ – 40
44 ch.

XX **Beau Rivage** avec ch, r. Villiers-aux-Choux, près piscine ✆ 25 39 84 22, – GB. ch
fermé 31 août au 15 sept. et vacances de fév. – **R** *(fermé dim. soir et lundi sauf fériés)* 69/178 – ⊏ 25 – **7 ch** 100/185 – ½ P 145/188.

XX **Cygne de la Croix,** 22 r. Ponts ✆ 25 39 91 26, – GB
fermé lundi (en été) et dim. soir – **R** 65/170.

à la Chapelle-Godefroy E : 3 km par N 19 – ✉ **10400** Nogent-sur-Seine :

XX **Host. du Moulin,** ✆ 25 39 88 32, parc – Ⓟ. GB
fermé lundi soir – **R** 120/210, enf. 55.

à Traînel SO : 10,5 km par D 374 et D 68 – ✉ **10400** :

XX **Host. de l'Orvin** avec ch, ✆ 25 39 11 13, 🏞, 🛋 – GB
fermé dim. soir et vend. – **R** 60/170 ⅓, enf. 40 – ☕ 30 – **5 ch** 200/220 – ½ P 170/210.

CITROEN Gar. Legrand, 48 bis av. Pasteur ✆ 25 39 87 09
PEUGEOT-TALBOT Gar. St-Laurent, 11 bis av. J.-C.-Perrier ✆ 25 39 83 17
RENAULT Gar. Corbin, 16-20 av. Gén.-de-Gaulle ✆ 25 39 84 39

NOGENT-SUR-VERNISSON **45290** Loiret 65 ② – 2 357 h. alt. 125.

Paris 131 – Auxerre 73 – Bonny-sur-Loire 34 – Gien 21 – Montargis 17 – ♦Orléans 75.

X **Commerce,** ✆ 38 97 60 37 – GB
fermé 17 août au 10 sept., 1er au 18 fév. et jeudi – **R** (déj. seul. sauf vend. et sam. : déj. et dîner) 79/200 ⅓, enf. 38.

NOIRÉTABLE **42440** Loire 73 ⑯ **G. Auvergne** – 1 719 h. alt. 722.

ℹ Syndicat d'Initiative à la Mairie ✆ 77 24 70 12.

Paris 485 – Roanne 45 – Ambert 48 – ♦Lyon 112 – Montbrison 45 – ♦St-Étienne 88 – Thiers 24.

🏠 **Au Rendez-vous des Chasseurs,** O : 2 km par D 53 ✆ 77 24 72 51 – ☎ Ⓟ. GB
fermé 15 au 30 sept., dim. soir et lundi d'oct. à juin – **R** 55/210 ⅓ – ☕ 22 – **17 ch** 115/230 – ½ P 130/170.

RENAULT Gar. Dejob ✆ 77 24 70 31 **N**

NOIRMOUTIER (Ile de) **85** Vendée 67 ① **G. Poitou Vendée Charentes.**

Accès : par le pont routier au départ de Fromentine. Péage, auto et véhicule inférieur à 1,5 t : 8 F, camion et véhicule supérieur à 1,5 t : 10 F.

- par le passage du Gois : 4,5 km.

- pendant le premier ou le dernier quartier de la lune par beau temps (vents hauts) d'une heure et demie environ avant la basse mer, à une heure et demie environ après la basse mer.

- pendant la pleine lune ou la nouvelle lune par temps normal : deux heures avant la basse mer à deux heures après la basse mer.

- en toutes périodes par mauvais temps (vents bas) ne pas s'écarter de l'heure de la basse mer.

L'Épine – 1 653 h. alt. 3 – ✉ **85740**.

Paris 471 – Cholet 126 – ♦Nantes 87 – Noirmoutier-en-l'Ile 3 – La Roche-sur-Yon 83.

🏨 **Punta Lara** 🐦, S : 2 km par D 95 et VO ✉ 85680 La Guérinière ✆ 51 39 11 58, Télex 701892, Fax 51 39 69 12, ≤, 🏞, « Dans une pinède en bordure de mer », 🏊, 🎾 – ☎ Ⓟ – 🏛 100. AE ⓓ GB
Pâques-oct. – **R** 215/340 – ☕ 50 – **62 ch** 490/1200 – ½ P 445/570.

Noirmoutier-en-l'Ile – 4 846 h. – ✉ **85330**.

Voir Collection de faïences anglaises★ au château.

ℹ Office de Tourisme rte du Pont ✆ 51 39 80 71 et quai J.-Bart (vacances scolaires) ✆ 51 39 12 42.

Paris 471 – Cholet 126 – ♦Nantes 87,5 – La Roche sur Yon 84.

🏨 **Fleur de Sel** M 🐦, ✆ 51 39 21 59, Télex 701229, Fax 51 39 75 66, ≤, 🏞, « Jardin », 🏊 – TV ☎ ♿ Ⓟ – 🏛 30. GB. ⛌ ch
1er avril-1er nov. – **R** 145/225, enf. 68 – ☕ 42 – **35 ch** 470/525 – ½ P 425/455.

🏨 **Les Douves,** 11 r. Douves ✆ 51 39 02 72, Fax 51 39 73 09, 🏊 – TV ☎. AE ⓓ GB
R *(fermé 20 déc. au 1er fév.)* 94/216 – ☕ 30 – **21 ch** 220/390 – ½ P 260/345.

🏠 **La Quichenotte,** 32 av. J. Pineau ✆ 51 39 11 77 – ☎ Ⓟ. GB
hôtel : fermé 15 oct. au 15 déc., dim. soir et lundi hors sais. – **R** *(ouvert 1er avril-30 sept. et fermé dim. soir et lundi hors sais.)* 75/95 – ☕ 28 – **29 ch** 160/340 – ½ P 220/300.

XX **L'Etier,** rte Épine SO : 1 km ✆ 51 39 10 28, 🏞 – Ⓟ. AE GB
fév.-1er nov. et fermé merc. hors sais. – **R** 75/140, enf. 45.

XX **Côte Jardin,** 1 bis r. Grand Four (derriere le château) ✆ 51 39 03 02, 🏞 – AE GB
fermé 15 janv. au 15 fév., dim. soir et lundi sauf juil.-août – **R** 85/205.

au Bois de la Chaize E : 2 km – ✉ **85330** Noirmoutier.

Voir Bois★.

🏨 **St-Paul** 🐦, ✆ 51 39 05 63, Fax 51 39 73 98, « Beau jardin », 🏊, 🎾 – TV ☎. AE GB. ⛌ rest
hôtel : 15 mars-4 nov. ; rest. : 1er avril-4 nov. et fermé lundi en oct. – **R** 165/290, enf. 95 – ☕ 45 – **34 ch** 390/590 – ½ P 440/490.

Les Prateaux ⑤, ☎ 51 39 12 52, Fax 51 39 46 28, « Jardin » – ☎ Ⓟ. ⓓ GB. ✻ rest
15 mars -30 sept. – **R** carte 155 à 280 – ☕ 35 – **13 ch** 340/380 – P 330/440.

Les Capucines (annexe ⑤ -11 ch), ☎ 51 39 06 82, – TV ☎ Ⓟ. GB. ✻ ch
hôtel : 10 fév.-12 nov. ; rest. : 29 fév.-4 oct. et fermé merc. hors sais. sauf vacances scolaires – **R** 75/175, enf. 50 – ☕ 35 – **21 ch** 190/390 – ½ P 255/350.

NOIZAY 37 I.-et-L. 64 ⑮ – rattaché à Vouvray.

NOLAY 21340 Côte-d'Or 69 ⑨ G. Bourgogne – 1 551 h. alt. 324.

Voir site★ du Château de la Rochepot E : 5 km – Site★ du Cirque du Bout-du-Monde NE : 5 km.

Syndicat d'Initiative Maison des Halles (juil.-août) ☎ 80 21 80 73 et r. St-Pierre ☎ 80 21 70 96.

Paris 314 – Chalon-sur-Saône 34 – Autun 28 – Beaune 20 – ◆Dijon 64.

Parc H. sans rest, pl. H. de Ville ☎ 80 21 84 01 – ☎ Ⓟ. AE ⓓ GB
15 mars-15 déc. – ☕ 30 – **8 ch** 204/240.

Chevreuil, pl. H.-de-Ville ☎ 80 21 71 89, Fax 80 21 82 18, – TV ☎. AE ⓓ GB
fermé 15 déc. au 10 janv. et merc. hors sais. – **R** 76/175 ⅓, enf. 40 – ☕ 32 – **14 ch** 170/265 – ½ P 235/245.

NONANCOURT 27320 Eure 60 ⑥ ⑦ G. Normandie Vallée de la Seine – 2 184 h. alt. 125.

Paris 93 – Châteauneuf-en-Thymerais 23 – Dreux 13 – Evreux 29 – Verneuil-sur-Avre 21.

XX **Gd Cerf** avec ch, ☎ 32 58 15 27, – Ⓟ. AE GB
R 82/185 ⅓, enf. 38 – ☕ 28 – **8 ch** 125/215 – ½ P 155/225.

Les NONIÈRES 26 Drôme 77 ⑭ – alt. 850 – ✉ 26410 Châtillon-en-Diois.

Paris 642 – Die 25 – Gap 85 – ◆Grenoble 72 – Valence 91.

Le Mont-Barral ⑤, ☎ 75 21 12 21, Fax 75 21 12 70, ←, , , – ☎ Ⓟ – 25. GB
fermé 15 nov. au 20 déc. et mardi sauf juil.-août – **R** 70/150 ⅓, enf. 36 – ☕ 28 – **24 ch** 160/205 – ½ P 194/221.

NONTRON ⟨SP⟩ 24300 Dordogne 72 ⑮ G. Berry Limousin – 3 558 h. alt. 182.

Syndicat d'Initiative r. Verdun (saison) ☎ 53 56 25 50.

Paris 465 – Angoulême 45 – Libourne 119 – ◆Limoges 70 – Périgueux 51 – Rochechouart 42.

Gd Hôtel, 3 pl. A. Agard ☎ 53 56 11 22, Fax 53 56 59 94, , – ☎ Ⓟ – 100. GB. ✻ ch
fermé dim. soir de nov. à mars – **R** 71/270 ⅓, enf. 48 – ☕ 28 – **26 ch** 135/280 – ½ P 190/270.

CITROEN Limousin ☎ 53 56 01 42
FORD Marchives ☎ 53 56 07 13
PEUGEOT Bayer ☎ 53 56 00 21

NORT-SUR-ERDRE 44390 Loire-Atl. 63 ⑰ – 5 362 h. alt. 11.

Paris 374 – ◆Nantes 29 – Ancenis 27 – Châteaubriant 35 – ◆Rennes 82 – St-Nazaire 61.

XX **Bretagne** avec ch, 41 r. A. Briand ☎ 40 72 21 95, , – TV ☎ Ⓟ. GB. ✻ ch
fermé vacances de fév., dim. soir et lundi – **R** 75/205, enf. 48 – ☕ 25 – **7 ch** 195/250 – ½ P 260/280.

NORVILLE 76330 S.-Mar. 55 ⑤ – 827 h. alt. 45.

Voir Château d'Etelan★ S : 1 km, G. Normandie Vallée de la Seine.

Paris 177 – ◆Rouen 45 – Bolbec 19 – ◆Le Havre 44,5 – Honfleur 47,5 – Lisieux 72,5.

X **Aub. de Norville** avec ch, ☎ 35 39 91 14 – TV ☎. GB
fermé janv. – **R** *(fermé dim. soir et lundi)* 75 (sauf sam.)/200, enf. 45 – ☕ 26 – **10 ch** 210/260.

NOTRE-DAME-DE-BELLECOMBE 73850 Savoie 74 ⑦ G. Alpes du Nord – 459 h. alt. 1 134 – Sports d'hiver : 1 150/2 060 m ⛷17.

Office de Tourisme ☎ 79 31 61 40.

Paris 592 – Chamonix-Mont-Blanc 49 – Albertville 24 – Annecy 53 – Bonneville 48 – Chambéry 74 – Megève 11.

Le Tétras, rte Saisies E : 4 km ☎ 79 31 61 70, Fax 79 31 77 31, ←, – TV ☎ Ⓟ – 30. ⓓ GB
1er juin-4 oct. et 12 déc.-26 avril – **R** 75/150, enf. 50 – ☕ 40 – **19 ch** 200/365 – ½ P 280/345.

NOTRE-DAME-DE-BONDEVILLE 76 S.-Mar. 55 ⑥ – rattaché à Rouen.

NOTRE-DAME-DE-MONTS 85690 Vendée 67 ⑪ – 1 333 h. alt. 5.

Paris 458 – La Roche-sur-Yon 62 – Challans 21 – ◆Nantes 72 – Noirmoutier-en-l'Ile 25 – Pornic 45.

Plage, ☎ 51 58 83 09, ←, – ☎ Ⓟ. AE ⓓ GB
15 fév.-15 nov. et fermé dim. soir et lundi sauf vacances scolaires – **R** 90/210 ⅓, enf. 48 – ☕ 38 – **49 ch** 207/437 – ½ P 282/385.

Centre, pl. Église ☎ 51 58 83 05 – ☎ ♿ Ⓟ. GB
fermé 23 déc. au 14 janv. – **R** 56/320 ⅓, enf. 37 – ☕ 30 – **19 ch** 200/270 – ½ P 220/280.

NOUAN-LE-FUZELIER 41600 L.-et-Ch. 64 ⑲ – 2 274 h. alt. 139.

de Rivaulde ✆ 54 97 21 85, S par N 20 puis D 724 : 13 km.

Syndicat d'Initiative pl. Mairie ✆ 54 88 76 75.

Paris 177 – Orléans 43 – Blois 58 – Cosne-sur-Loire 76 – Gien 55 – Lamotte-Beuvron 8 – Salbris 12.

Charmilles sans rest, D 122 - rte Pierrefitte-sur-Sauldre ✆ 54 88 73 55, « Parc » – TV ☎ P. GB.
15 mars-15 déc. et fermé lundi d'oct. à déc. – **13 ch** 260/360.

Moulin de Villiers, rte Chaon NE : 3 km par D 44 ✆ 54 88 72 27, ≤, « En forêt, étang privé », – TV ☎ P. GB.
fermé 1er au 15 sept., 3 janv. au 25 mars, mardi soir et merc. en nov. et déc. – **R** 75/180 – 28 – **20 ch** 170/330 – ½ P 200/250.

Le Dahu, 14 r. H. Chapron ✆ 54 88 72 88, , « Jardin » – P. AE GB
fermé 20 fév. au 20 mars, mardi soir et merc. – **R** 120/280, enf. 58.

Le Raboliot, av. Mairie ✆ 54 88 70 67, Fax 54 88 77 86 – AE GB
fermé 22 sept. au 3 oct., 18 janv. au 20 fév., mardi soir de nov. à avril et merc. – **R** 80/250, enf. 45.

à St Viâtre : O : 8 km par D 93 – ✉ **41210** :

Aub. de la Chichone avec ch, pl. Eglise ✆ 54 88 91 33, Fax 54 96 18 06, – ☎. AE GB JCB
fermé mars, mardi soir et merc. hors sais. – **R** 135/190, enf. 60 – 35 – **7 ch** 290 – ½ P 320.

Le NOUVION-EN-THIÉRACHE 02170 Aisne 53 ⑮ – 2 905 h. alt. 185.

Paris 194 – St-Quentin 48 – Avesnes-sur-Helpe 21 – Le Cateau 19 – Guise 21 – Hirson 26 – Laon 62 – Vervins 27.

Paix, r. J. Vimont-Vicary ✆ 23 97 04 55, Fax 23 98 98 39, , – TV ☎ P. GB
fermé 17 juil. au 6 août, 23 déc. au 12 janv. et dim. soir – **R** 70/210, enf. 58 – 26 – **22 ch** 105/330 – ½ P 160/250.

Pétion, r. Th. Blot ✆ 23 97 00 11, Fax 23 97 10 66 – TV ☎ P. AE ⓓ GB JCB
R *(fermé lundi midi)* 70 bc/189 – 25 – **12 ch** 140/230 – ½ P 300/390.

PEUGEOT Gar. Hannecart 36 r. Jean Vimont Vicary ✆ 23 97 01 05

NOUZERINES 23 Creuse 68 ⑳ – rattaché à Boussac.

NOUZONVILLE 08700 Ardennes 53 ⑱ **G. Champagne** – 6 970 h. alt. 142.

Paris 232 – Charleville-Mézières 7 – Givet 53 – Rocroi 26.

La Potinière, N : 1 km rte Joigny-sur-Meuse ✆ 24 53 13 88, , – P. GB
fermé dim. soir et lundi – **R** 68/135.

CITROEN Gar. Brunet, 14 bd J.-B.-Clément ✆ 24 53 82 08 N ✆ 24 53 11 54

NOVALAISE 73 Savoie 74 ⑮ – rattaché à Aiguebelette-le-Lac.

NOVES 13550 B.-du-R. 81 ⑫ **G. Provence** – 4 021 h. alt. 40.

Paris 691 – Avignon 12 – Arles 37 – Carpentras 29 – Cavaillon 14 – Marseille 86 – Orange 35.

Aub. de Noves (Lalleman), NO : 2 km par D 28 ✆ 90 94 19 21, Télex 431312, Fax 90 94 47 76, , parc, « Élégante hostellerie aménagée dans un ancien domaine, belle vue », , – rest TV ☎ P – 40. AE ⓓ GB JCB
fermé 2 janv. au 14 fév. – **R** *(fermé merc. sauf le soir du 15 mars au 15 oct.)* 350/450, enf. 140 – 90 – **23 ch** 1025/1600 – ½ P 1015/1290
Spéc. Bouillon de homard au pistou, Ragoût de champignons en feuilletage, Gratin de fraises des bois. **Vins** Châteauneuf-du-Pape, Coteaux d'Aix.

NOYAL-SUR-VILAINE 35 I.-et-V. 59 ⑰ – rattaché à Rennes.

NOYON 60400 Oise 56 ③ **G. Flandres Artois Picardie** (plan) – 14 426 h. alt. 52.

Voir Cathédrale★★ – Abbaye d'Ourscamps★ 5 km par N 32.

Office de Tourisme pl. Hôtel de Ville ✆ 44 44 21 88.

Paris 104 – Compiègne 22 – St-Quentin 38 – Amiens 65 – Laon 52 – Péronne 43 – Soissons 37.

Les Lions M, r. L'Evêché ✆ 44 44 23 24, Télex 155604, Fax 44 09 53 79 – TV ☎ P – 60. AE ⓓ GB
R *(fermé Noël au Jour de l'An et sam. du 15 oct. au 15 mars)* 95/165, enf. 50 – 39 – **35 ch** 285/350 – ½ P 260.

Dame Journe, 2 bd Mony ✆ 44 44 01 33 – . AE GB
fermé 10 au 24 août, 2 au 16 janv., dim. soir, mardi soir et lundi – **R** 100/160.

à Pont l'Évêque S : 3 km par N 32 et D 165 – ✉ **60400** :

L'Auberge, ✆ 44 44 05 17 – GB
fermé 10 au 24 mars, 2 au 16 janv., dim. soir, mardi soir et lundi – **R** 105/160.

CITROEN Wargnier, 15 av. J.-Jaurès ✆ 44 44 05 40
PEUGEOT-TALBOT Gd Gar. de l'Avenue, 69 av. J.-Jaurès ✆ 44 44 10 19 N
V.A.G Éts Thiry, 82 bd Carnot ✆ 44 44 02 78
Fischbach-Pneu, 5 bd Ernest Noël ✆ 44 44 01 59

NOZAY **44170** Loire-Atl. 63 ⑰ – 3 050 h. alt. 50.

Paris 382 – ◆ Nantes 44 – Ancenis 44 – Châteaubriant 27 – Redon 40 – ◆ Rennes 65 – St-Nazaire 59.

- **Gergaud** avec ch, rte Nantes ✆ 40 79 47 54 – P. GB
  fermé dim. soir – **R** 53/160 ⅃ – ☕ 23 – **10 ch** 110/140 – ½ P 126/140.

NUAILLÉ **49** M.-et-L. 67 ⑥ – rattaché à Cholet.

NUCES **12** Aveyron 80 ② – rattaché à Valady.

NUITS-ST-GEORGES **21700** Côte-d'Or 166 ⑫ **G. Bourgogne** – 5 569 h. alt. 234.

Syndicat d'Initiative r. Sonays ✆ 80 61 22 47.

Paris 321 – ◆ Dijon 22 – Beaune 21 – Chalon-sur-Saône 44 – Dole 50.

- **Host. St-Vincent** M, r. Gén. de Gaulle ✆ 80 61 14 91, Télex 352138, Fax 80 61 24 65, – TV ☎ ♿ P – 40. AE GB JCB
  R *(fermé 24 au 30 déc., 20 janv. au 12 fév. et lundi sauf juil.-août)* 90/190 – ☕ 50 – **22 ch** 350/380.
- **Host. Gentilhommière**, rte Meuilley O : 1,5 km ✆ 80 61 12 06, Fax 80 61 30 33, parc, « Jardin avec basse-cour », – ☎ P – 30. AE GB JCB
  fermé fév. – **R** *(fermé mardi midi et lundi)* 170/230 – ☕ 50 – **20 ch** 350.
- **Ibis** M, av. Chambolland ✆ 80 61 17 17, Télex 350954, Fax 80 61 24 65, – TV ☎ ♿ P – 30. GB
  R *(fermé 15 déc. au 15 janv., sam. midi et dim. midi)* 100 ⅃, enf. 39 – ☕ 32 – **52 ch** 260/280.
- XXX ✿ **Côte d'Or** (Guillot) avec ch, **37 r. Thurot** ✆ **80 61 06 10, Fax 80 61 36 24** – TV ☎. AE GB JCB. ch
  fermé fév., jeudi midi et merc. – **R** 150 (sauf vend. soir et sam.)/380 – ☕ 40 – **6 ch** 320/490
  Spéc. Ragoût d'huîtres et foie gras au gingembre (automne-hiver), Croustillant de bar à la vanille, Pigeon sur lit d'épinards crémés (automne-hiver). **Vins** Nuits-Saint-Georges.

à l'échangeur Autoroute A 31 - carrefour de l'Europe – ✉ **21700** Nuits-St-Georges :

- **St Georges** M (annexe M 17 ch.), ✆ 80 61 15 00, Télex 351370, Fax 80 61 23 80, – rest TV ☎ ♿ P – 30. AE GB
  R 92/176, enf. 50 – ☕ 37 – **47 ch** 252/320 – ½ P 263/320.

à Curtil-Vergy NO : 7 km par D 25, D 35 et VO – ✉ **21220** :

- X **Aub. La Ruellée,** ✆ 80 61 44 11, – GB
  fermé vacances de fév. et mardi – **R** 88/145.

CITROEN Gar. Blondeau ✆ 80 61 02 40 N ✆ 80 61 05 71
MERCEDES-BENZ Gar. Aubin ✆ 80 61 03 85
PEUGEOT-TALBOT Gar. des Gds Crus ✆ 80 61 02 23 N

RENAULT Gar. Montelle ✆ 80 61 06 31
RENAULT Gar. Meunier ✆ 80 61 10 43

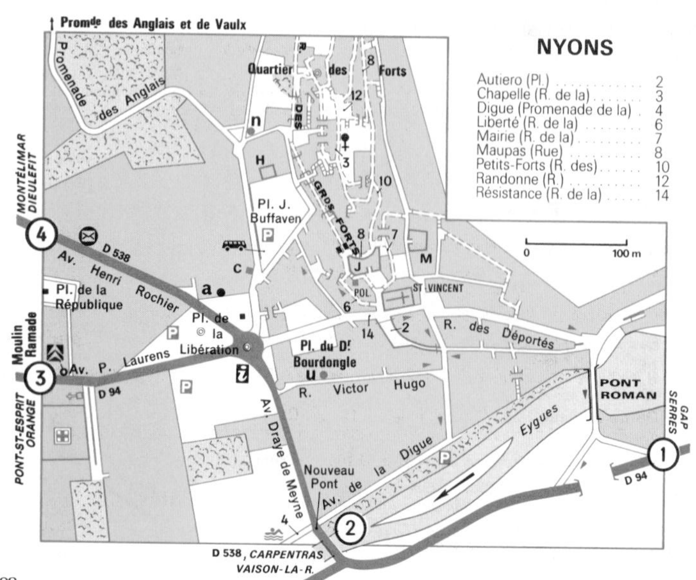

NYONS <SP> 26110 Drôme 81 ③ G. Provence – 6 353 h. alt. 270.

Voir Rue des Grands Forts★ – Pont Roman★.

Office de Tourisme pl. Libération ✆ 75 26 10 35.

Paris 656 ④ – Alès 106 ③ – Gap 105 ① – Orange 42 ③ – Sisteron 98 ① – Valence 96 ④.

Plan page précédente

- **Alizés** sans rest, 77 av. H.-Rochier par ④ ✆ 75 26 08 11 – ☎ P
  fermé 1er janv. au 6 fév. – ☕ 35 – **22 ch** 210/230.
- **Colombet**, pl. Libération **(a)** ✆ 75 26 03 66 – ☎. GB
  fermé début nov. à début janv. – **R** 88/220 – ☕ 36 – **30 ch** 155/340 – ½ P 210/280.
- **Caravelle** sans rest, r. Antignans par prom. Digue ✆ 75 26 07 44, – TV ☎ P. GB
  fermé 12 au 30 nov. et 6 au 26 fév. – ☕ 45 – **11 ch** 340/395.
- **La Picholine**, promenade Perrière ✆ 75 26 06 21, Fax 75 26 40 72, ←, – TV ☎ P. GB
  hôtel : fermé fév. ; rest. : fermé janv., fév., lundi soir et mardi du 1er sept. au 30 avril – **R** 118/178, enf. 50 – ☕ 38 – **16 ch** 280/360 – ½ P 310/350.
- XX **Les Oliviers** avec ch, 2 r. Escoffier **(n)** ✆ 75 26 11 44, – ☎ P. AE GB
  fermé dim. soir du 1er nov. au 30 juin – **R** 84/179 – ☕ 29 – **10 ch** 148/178 – ½ P 165/180.
- XX **Le Petit Caveau**, 9 r. V. Hugo **(u)** ✆ 75 26 20 21 – GB
  fermé vacances de Noël, dim. soir et lundi sauf fêtes – **R** 95/235.

rte de Gap par ① : 6 km – ✉ 26110 Nyons :

- XX **La Charrette Bleue**, ✆ 75 27 72 33 – P. GB
  fermé 12 nov. au 16 déc., mardi soir et merc. sauf juil.-août – **R** 90/150, enf. 42.

par ③ et D 94 : 7 km – ✉ 26110 Nyons :

- XX **Croisée des Chemins**, ✆ 75 27 61 19, – P. GB
  fermé 21 au 30 juin, 7 au 12 sept., 20 oct. au 15 nov. jeudi soir hors sais. et vend. – **R** 82/260, enf. 40.

CITROEN Monod ✆ 75 26 12 11 N

OBERHASLACH 67280 B.-Rhin 62 ⑨ G. Alsace Lorraine – 1 333 h. alt. 250.

Paris 480 – ◆ Strasbourg 40 – Molsheim 14 – Saverne 31 – St-Dié 56.

- **St-Florent** M, ✆ 88 50 94 10 – rest ☎ & P – 40. AE GB. ch
  fermé 21 déc. au 1er fév., dim. soir et lundi – **R** 85/240 – ☕ 30 – **24 ch** 220/265 – ½ P 210/235.
- **Ruines du Nideck**, ✆ 88 50 90 14, – TV ☎ P. GB
  fermé du 10 au 20 nov., 6 au 24 janv. mardi soir et merc. du 12 nov. au 31 mars – **R** 105/200, enf. 50 – ☕ 26 – **13 ch** 220/300 – ½ P 210/260.

OBERNAI 67210 B.-Rhin 62 ⑨ G. Alsace Lorraine (plan) – 9 610 h. alt. 181.

Voir Place du Marché★★ – Hôtel de ville★ – Tour de la Chapelle★ – Ancienne halle aux blés★ – Maisons anciennes★ – Place★ de Boersch NO : 4 km.

Office de Tourisme Chapelle du Beffroi ✆ 88 95 64 13.

Paris 488 – ◆ Strasbourg 31 – Colmar 47 – Erstein 14 – Molsheim 11,5 – Sélestat 25.

- **A la Cour d'Alsace** M, 3 r. Gail ✆ 88 95 07 00, Télex 871122, Fax 88 95 19 21, – TV ☎ & P – 80. AE GB. rest
  fermé 19 déc. au 10 janv. – **R** *(fermé dim. soir)* 190/360 – ☕ 70 – **43 ch** 500/740 – ½ P 550.
- **Parc**, 169 r. Gén. Gouraud ✆ 88 95 50 08, Télex 870615, Fax 88 95 37 29, – rest TV ☎ & P – 80. AE GB
  hôtel : fermé 30/6 au 9/7 et 20/12 au 6/1 ; rest. : fermé 30/6 au 9/7, 6/12 au 6/1, dim. soir et lundi – **R** 300/340 – ☕ 55 – **50 ch** 400/700 – ½ P 380/600.
- **Gd Hôtel**, r. Dietrich ✆ 88 95 51 28, Fax 88 95 50 93 – TV ☎ – 80. AE GB.
  fermé 1er au 10 juil., 20 déc. au 5 janv. et 9 au 24 fév. – **R** *(fermé dim. soir et lundi)* 100/200, enf. 67 – ☕ 35 – **24 ch** 275/380 – ½ P 320/340.
- **Diligence, Résidence Exquisit et Bel Air** sans rest, 23 pl. Mairie ✆ 88 95 55 69, Télex 880133, Fax 88 95 42 46 – TV ☎ P. AE GB
  ☕ 37 – **46 ch** 210/350, 4 appart. 465.
- **Les Jardins d'Adalric** M sans rest, r. Mar. Koenig ✆ 88 49 90 90, Fax 88 49 91 80 – TV ☎ & P – 25. AE
  ☕ 38 – **46 ch** 280/350.
- **Vosges**, 5 pl. Gare ✆ 88 95 53 78, – TV ☎ & – 30. GB
  R *(fermé 22 juin au 6 juil., 4 au 25 janv., dim. soir de sept. à juin et lundi)* 75/270 – ☕ 37 – **20 ch** 230/260 – ½ P 270.
- **Host. Duc d'Alsace** sans rest, 6 r. Gare ✆ 88 95 55 34, Fax 88 95 00 92 – TV ☎ – 25. AE GB
  ☕ 33 – **19 ch** 275/335.
- XX **Le Chambellan** M avec ch, 1 r. Gén. Leclerc ✆ 88 95 09 88, Fax 88 49 90 34, – TV ☎. GB. ch
  R *(fermé fév., dim. soir et lundi)* 85/200 – ☕ 35 – **10 ch** 300/400 – ½ P 290/340.

à Ottrott O : 4 km – ✉ **67530** :

Voir Couvent de Ste-Odile : ※** de la terrasse, chapelle de la Croix* SO : 11 km - pèlerinage 13 décembre.

Clos des Délices M, rte Klingenthal NO : 1 km par D 426 ✆ 88 95 81 00, Fax 88 95 97 71, parc, – 40. AE GB
R *(fermé dim. soir sauf fériés et merc.)* 150/360 – 50 – **25 ch** 450/650 – ½ P 430/480.

Host. des Châteaux M, Ottrott-le-Haut ✆ 88 95 81 54, Télex 870439, Fax 88 95 95 20, ←, – ch – 30 à 100. AE GB
fermé fév. – **R** *(fermé dim. soir et lundi hors sais.)* 160/460, enf. 75 – 50 – **60 ch** 370/680, 5 appart. 980 – ½ P 350/650.

Beau Site M, Ottrott-le-Haut ✆ 88 95 80 61, Fax 88 95 86 41, « Salle à manger "Spindler" » – ch. AE GB
fermé vacances de fév. – **R** *(fermé dim. soir et lundi)* 95/350, enf. 55 – 45 – **15 ch** 260/620 – ½ P 320/450.

Le Moulin M, rte Klingenthal NO : 1 km par D 426 ✆ 88 95 87 33, Fax 88 95 98 03, parc, – GB
fermé 20 déc. au 20 janv. et 1er au 7 juil. – **R** 98/200, enf. 65 – 35 – **21 ch** 270/350 – ½ P 270/300.

A l'Ami Fritz, Ottrott-le-Haut ✆ 88 95 80 81, –. AE GB
fermé 2 au 15 janv. et merc. – **Repas** 90/275.

Annexe H. A l'Ami Fritz M, à 500 m. ✆ 88 95 87 39, Fax 88 95 84 85, ←, – – 25. AE GB
32 – **16 ch** 195/325 – ½ P 300/330.

à Boersch O : 4 km par D 322 – ✉ **67530** :

Le Chatelain, ✆ 88 95 83 33, Fax 88 95 97 71 –. AE GB
fermé lundi – **R** 85/295, enf. 50.

à Klingenthal O : 6 km – ✉ **67530** Boersch :

Vosges, ✆ 88 95 82 86, Télex 871222, Fax 88 95 90 84, – – 120. AE GB
fermé 1er au 7 mars et 1er au 14 juil. – **R** *(fermé dim. soir et lundi du 2 nov. au 31 mars)* 85/215, enf. 55 – 35 – **63 ch** 330/500 – ½ P 290/375.

CITROEN Dagorn, 24 A r. Gén.-Gouraud ✆ 88 95 52 78
CITROEN Juen Automobiles, Zone Artisanale Sud ✆ 88 95 00 00
DATSUN-NISSAN-VOLVO-OPEL Gar. Keller, r. de l'Artisanat ZA Sud ✆ 88 95 47 47 N ✆ 88 95 01 91
FIAT-LANCIA Haus, r. Gén.-Leclerc ✆ 88 95 53 72 N
NISSAN-VOLVO Gar. Gruss, 202a r. Gén.-Gouraud ✆ 88 95 58 48
PEUGEOT, TALBOT Gillmann-Auto, 10 r. Gén.-Gouraud ✆ 88 95 52 56
RENAULT Wietrich Auto, r. de l'Artisanat, ZA Sud ✆ 88 95 36 36

OBERSTEIGEN 67 B.-Rhin 62 ⑧ G. Alsace Lorraine – alt. 500 – ✉ 67710 Wangenbourg.

Voir Vallée de la Mossig* E : 2 km.

Paris 460 – ♦Strasbourg 38 – Molsheim 27 – Sarrebourg 31 – Saverne 16 – Wasselonne 12.

Host. Belle Vue, ✆ 88 87 32 39, Fax 88 87 37 77, ←, – – 40. GB. rest
fermé 10 fév. au 16 mars, dim. soir et lundi en hiver – **R** 130/270 – 35 – **38 ch** 300/550 – ½ P 280/310.

Au Goldbrunnen, ✆ 88 87 31 01, ←, – – 30. AE GB
1er avril-15 nov. et fermé lundi du 1er avril au 1er juin – **R** 90/150, enf. 45 – 30 – **18 ch** 140/200 – ½ P 160/200.

OBERSTEINBACH 67510 B.-Rhin 57 ⑱ ⑲ G. Alsace Lorraine – 199 h. alt. 239.

Paris 460 – ♦Strasbourg 64 – Bitche 22 – Haguenau 37 – Wissembourg 26.

Anthon avec ch, ✆ 88 09 55 01, – – 30. GB
fermé 17 au 27 août, 7 au 17 déc., 2 au 30 janv., mardi et merc. – **R** 105/310, enf. 70 – 40 – **9 ch** 205/240.

OBJAT 19130 Corrèze 75 ⑧ – 3 163 h. alt. 126.

Paris 473 – Brive-la-Gaillarde 19 – Arnac-Pompadour 18 – ♦Limoges 76 – Tulle 44 – Uzerche 29.

France, av. G.-Clemenceau ✆ 55 25 80 38 –. GB
fermé 20 sept. au 10 oct., 23 déc. au 2 janv. et dim. hors sais. – **R** 65/155, enf. 45 – 30 – **30 ch** 110/220 – ½ P 160/200.

Pré Fleuri avec ch, rte Pompadour ✆ 55 25 83 92, –. AE GB
fermé 10 au 25 janv. et lundi hors sais. – **R** 130/260 – 30 – **7 ch** 160/195 – ½ P 250.

Chez Tony, pl. Gare ✆ 55 25 02 23 –. GB.
fermé 1er juin au 1er juil. et lundi – **R** 70/175, enf. 40.

à St-Aulaire par rte des 4 chemins : 3 km – ✉ **19130** :

Bellevue ⅋, ☎ 55 25 81 39, ≤, 🍽 – ☎ P. ⓓ GB. ✗ ch
fermé fév., vend. soir et sam. midi hors sais. – **R** 65/220 – ☕ 25 – **10 ch** 140/260 – ½ P 200/260.

OCHIAZ **01** Ain **74** ⑤ – rattaché à Bellegarde-sur-Valserine.

OCTON **34800** Hérault **83** ⑤ – 350 h. alt. 120.
Paris 727 – ♦Montpellier 54 – Béziers 54 – Lodève 19.

Mas de Clergues ⅋, ☎ 67 96 08 84, ≤, ⛱ – P
Pâques-15 oct. – **R** 140 bc/200 bc, enf. 75 – ☕ 25 – **7 ch** 250/280 – ½ P 270.

ODEILLO **66** Pyr.-Or. **86** ⑯ – rattaché à Font-Romeu.

ODENAS **69460** Rhône **74** ① – 750 h. alt. 298.
Paris 424 – Mâcon 32 – Bourg-en-Bresse 51 – ♦Lyon 49 – Villefranche-sur-Saône 16.

Christian Mabeau, ☎ 74 03 41 79, 🍽 – GB
fermé 1er au 22 sept., 2 au 16 fév., dim. soir et lundi – **R** 120/210.

OFFEMONT **90** Ter.-de-Belf. **66** ⑧ – rattaché à Belfort.

OFFENDORF **67850** B.-Rhin **57** ⑲ – 1 640 h. alt. 127.
Paris 497 – ♦Strasbourg 22 – Haguenau 18 – Karlsruhe 65 – Saverne 48.

A la Forêt du Rhin, 2 r. Principale ☎ 88 96 49 53 – P. AE ⓓ GB
fermé 13 au 31 juil., 18 au 28 fév., mardi soir et merc. – **R** 95/185.

Pas de publicité payée dans ce guide.

OGNES **02** Aisne **56** ③ – rattaché à Chauny.

OIGNY-EN-VALOIS **02** Aisne **56** ⑬ – rattaché à Villers-Cotterets.

OIRON **79100** Deux-Sèvres **68** ② **G. Poitou Vendée Charentes** – 1 009 h. alt. 85.
Voir Château★ : galerie★★ – Collégiale★.
Paris 324 – Poitiers 57 – Loudun 14 – Parthenay 40 – Thouars 12.

Relais du Château, ☎ 49 96 54 96, 🍽 – GB
fermé dim. soir – **R** 64/185 ♁.

OLARGUES **34390** Hérault **83** ③ **G. Gorges du Tarn** – 512 h. alt. 183.
Env. Gorges d'Héric★★ NE : 8 km.
ℹ Syndicat d'Initiative r. de la Place ☎ 67 97 71 26.
Paris 768 – Béziers 49 – Lodève 55 – ♦Montpellier 97 – St-Affrique 76 – St-Pons 19.

Domaine de Rieumégé ⅋, 2,5 km par rte St-Pons ☎ 67 97 73 99, Fax 67 97 78 52, ≤, 🍽, ⛱, 🌳, ✗ – ☎ P. GB
4 avril-1er nov. – **R** 135/165, enf. 65 – ☕ 50 – **10 ch** 267/456 – ½ P 340/462.

OLEMPS **12** Aveyron **80** ② – rattaché à Rodez.

OLÉRON (Ile d') ★ **17** Char.-Mar. **71** ⑬ ⑭ **G. Poitou Vendée Charentes.**
Accès par le pont viaduc★. **Passage gratuit.**

Boyardville – alt. 3 – ✉ **17190** St-Georges-d'Oléron.
⛳9 d'Oléron ☎ 46 47 11 59, S par D 126 : 2 km.
Paris 520 – Marennes 25 – Rochefort 46 – Saintes 66.

La Perrotine, au port ☎ 46 47 01 01, Fax 46 47 37 85 – GB
fermé janv. et mardi sauf vacances scolaires – **R** 130/170, enf. 60.

Bains avec ch, au port ☎ 46 47 01 02, 🍽 – ☎. AE ⓓ GB
28 mai-27 sept. – **R** 100/300, enf. 54 – ☕ 35 – **11 ch** 180/229 – ½ P 253/291.

CITROEN Brancq ☎ 46 47 01 61

Le Château-d'Oléron – 3 544 h. alt. 3 – ✉ **17480**.
ℹ Office de Tourisme pl. République ☎ 46 47 60 51.
Paris 504 – Marennes 14 – Rochefort 34 – Saintes 54.

France, ☎ 46 47 60 07 – TV ☎. GB
fermé 15 janv. au 15 fév., dim. soir et lundi sauf vacances scolaires – **R** 100/150 – ☕ 32 – **11 ch** 210/250 – ½ P 250/290.

RENAULT Gar. S.O.A. ☎ 46 47 67 22

La Cotinière – ✉ **17310** St-Pierre-d'Oléron.

Paris 520 – Marennes 25 – Rochefort 45 – Saintes 65.

Motel Ile de Lumière Ⓜ sans rest, ☎ 46 47 10 80, Fax 46 47 30 87, ≤, ⛱, ✻, ✂ – TV ☎ P. GB
avril-oct. – **45 ch** ▭ 400/620.

Face aux Flots, ☎ 46 47 10 05, Fax 46 47 45 95, ≤, ⛱ – TV ☎ ♿. GB
fermé 15 nov. au 20 déc., 15 janv. au 1er fév. et vend. en fév.-mars – **R** 99/180 – ▭ 37 – **20 ch** 290/360 – ½ P 310/340.

Dolus-d'Oléron – 2440 h. alt. 6 – ✉ **17550**.

ℹ Syndicat d'Initiative pl. Hôtel de Ville (fermé après-midi 15 sept.-avril) ☎ 46 75 32 84.

Paris 513 – Marennes 18 – Rochefort 39 – Saintes 59.

Floratel Ⓜ, rte Boyardville ☎ 46 75 46 40, Fax 46 75 46 50, ⛱, ✻ – ▤ rest TV ☎ ♿ P. GB
1er mars-30 nov. – **R** 65/160 ♁, enf. 42 – ▭ 30 – **50 ch** 310/350 – ½ P 270.

La Remigeasse – ✉ **17550** Dolus-d'Oléron.

Voir Plage de Vert-Bois ≤★ S : 4 km.

Paris 516 – Marennes 21 – Rochefort 41 – Saintes 61.

Gd Large et rest. Amiral Ⓜ , à la plage ☎ 46 75 37 89, Télex 790395, Fax 46 75 49 15, ≤, parc, ⛱, ✂ – TV ☎ P. GB
Pâques-fin sept. – **R** 240/340 – ▭ 75 – **21 ch** 660/1480, 5 appart. 1710 – ½ P 680/1090.

St-Pierre-d'Oléron – 5 365 h. alt. 11 – ✉ **17310**.

Voir Église ✻★.

ℹ Office de Tourisme pl. Gambetta ☎ 46 47 11 39.

Paris 518 – La Rochelle 78 – Royan 51 – Marennes 23 – Rochefort 44 – Saintes 64.

Otelinn Ⓜ, D 734 ☎ 46 47 19 92, Fax 46 47 47 19, ✻ – TV ☎ ♿ P – 🏛 30. AE GB
R 85/250 – ▭ 40 – **34 ch** 350 – ½ P 260/280.

Moulin du Coivre, D 734 ☎ 46 47 44 23 – P. AE GB
fermé 1er au 15 déc., dim. soir et lundi sauf vacances scolaires – **R** 120/170.

La Campagne, D 734 ☎ 46 47 25 42, ☂, ✻ – P. AE GB. ✻
Pâques-1er oct. et fermé dim. soir et lundi hors sais. – **R** 195/230.

PEUGEOT, TALBOT Belluteau, pl. Gambetta ☎ 46 47 02 26 N

V.A.G Pacreau, Zone Ind. rte St Georges ☎ 46 47 13 21

St-Trojan-les-Bains – 1 490 h. alt. 4 – ✉ **17370**.

ℹ Office de Tourisme carrefour du Port ☎ 46 76 00 86.

Paris 513 – Marennes 18 – Rochefort 38 – Saintes 58.

Novotel Ⓜ , plage de Gatseau S : 2,5 km ☎ 46 76 02 46, Télex 790910, Fax 46 76 09 33, ≤, ☂, centre de thalassothérapie, « En forêt près de la mer », ⛹, ⛱, ✻, ✂ – 🛗 ⇆ TV ☎ ♿ P – 🏛 30. AE ◑ GB
R carte environ 170 ♁, enf. 68 – ▭ 52 – **80 ch** 750 – ½ P 402/567.

La Forêt Ⓜ , bd P. Wiehn ☎ 46 76 00 15, ☂, ✻ – 🛗 ☎ P. AE ◑ GB
10 avril-15 oct. – **R** 75, enf. 45 – ▭ 35 – **44 ch** 280/460 – ½ P 260/360.

Les Cleunes, ☎ 46 76 03 08, Fax 46 76 08 95, ≤, ⛱, ✂ – TV ☎ P. AE ◑ GB
26 mars-5 nov. – **R** *(fermé lundi du 26 mars au 30 juin sauf fêtes)* 72/99, enf. 45 – ▭ 37 – **49 ch** 240/495.

L'Albatros , ≤, ☂ – TV ☎ P. GB ☎ 46 76 00 08
fermé 13 nov. au 4 fév. – **R** 71/162 – ▭ 29 – **13 ch** 226/253 – ½ P 242/262.

La Marée, au port ☎ 46 76 04 96, ☂ – AE ◑ GB
1er avril-11 oct. et fermé lundi sauf juil.-août – **R** 98/160, enf. 46.

RENAULT Testard, ☎ 46 76 01 07

OLETTE 66360 Pyr.-Or. 86 ⑰ **G. Pyrénées Roussillon** – 447 h. alt. 627.

Paris 969 – Font-Romeu 29 – Mont-Louis 20 – ◆Perpignan 60 – Prades 16.

La Fontaine avec ch, ☎ 68 97 03 67, ☂ – ☎. AE ◑ GB
fermé janv., mardi soir et merc. sauf vacances scolaires – **R** 77/250, enf. 40 – ▭ 19 – **8 ch** 90/180 – ½ P 130/175.

OLIVET 45 Loiret 64 ⑨ – rattaché à Orléans.

Les OLLIÈRES-SUR-EYRIEUX 07360 Ardèche 76 ⑲ ⑳ – 769 h. alt. 174.

Paris 595 – Valence 34 – Le Cheylard 29 – Lamastre 34 – Montélimar 52 – Privas 19.

Aub. de la Vallée avec ch, ☎ 75 66 20 32 – ▤ rest ☎ P. GB. ✻
fermé 22 au 29 sept., 1er fév. au 15 mars, dim. et lundi hors sais. sauf fériés – **R** 90/280 ♁ – ▭ 35 – **7 ch** 185/280.

PEUGEOT-TALBOT Gar. de Veyes ☎ 75 66 20 86

OLLIOULES 83190 Var 84 ⑭ **G. Côte d'Azur** – 10 398 h. alt. 50.

Voir Gorges d'Ollioules★.

Paris 832 – ♦Toulon 10 – Aix-en-Provence 75 – ♦Marseille 59.

✗ **L'Assiette Gourmande,** pl. H. Duprat (parvis de l'église) ✆ 94 63 04 61, 余 – GB
fermé 1er au 28 fév., mardi soir hors sais. et merc. – **R** (nombre de couverts limité, prévenir) 120/170.

V.A.G Star, quart. Lagoubran ✆ 94 09 23 12

OLONNE-SUR-MER 85340 Vendée 67 ⑫ – 8 546 h. alt. 27.

Paris 449 – La Roche-sur-Yon 34 – Les Sables-d'Olonne 5 – St-Gilles-Croix-de-Vie 26.

au NO par D 80 : 7 km – ✉ 85340 Olonne-sur-Mer :

✗ **Aub. de la Forêt,** ✆ 51 90 52 29, 余 – Ⓟ. AE GB
fermé 20 janv. au 15 mars, lundi et mardi du 20 sept. au 20 juin – **R** 95/265, enf. 50.

FORD Gar. de l'Atlantique, 37 bis rte d'Olonne ✆ 51 32 08 43

RENAULT Central Gar., 6 rte de Nantes ✆ 51 21 01 07 N ✆ 51 32 40 70

OLORON-STE-MARIE SP 64400 Pyr.-Atl. 85 ⑤ ⑥ **G. Pyrénées Aquitaine** – 11 067 h. alt. 221.

Voir Portail★★ de l'église Ste-Marie A.

Office de Tourisme pl. Résistance ✆ 59 39 98 00.

Paris 823 ⑤ – Pau 35 ② – ♦Bayonne 93 ⑤ – Dax 79 ⑤ – Lourdes 60 ② – Mont-de-Marsan 96 ①.

OLORON-STE-MARIE

Barthou (R. Louis) B
Camou (R.) B
Gambetta (Pl.) B 12
Résistance (Pl. de la) B 18

Bellevue (Promenade) B 2
Biscondau B 3
Bordelongue (R. A.) B 4
Casamayor-Dufaur (R.) A 5
Cathédrale (R.) A 6
Dalmais (R.) B 8
Despourins (R.) A 9
Gabe (Pl. Amédée) B 10
Jaca (Pl. de) A 13
Jeliotte (R.) B 14
Mendiondou (Pl.) B 15
Moureu (Av. Charles et Henri) A 16
St-Grat (R.) A 19
Vigny (Av. Alfred de) A 23
4-Septembre A 24

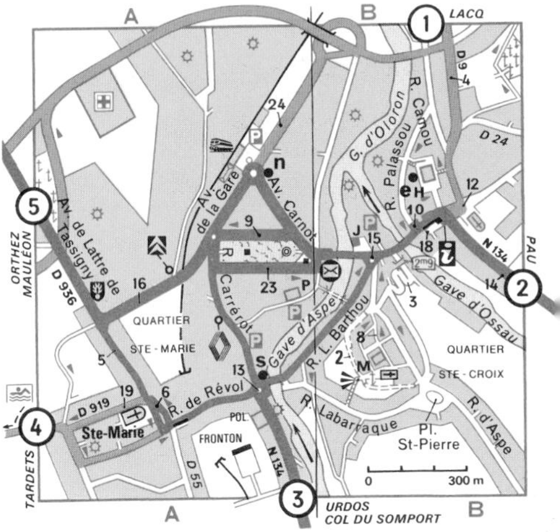

Découvrez la France avec les guides Verts Michelin : 24 titres illustrés en couleurs.

Darroze, 4 pl. Mairie ✆ 59 39 00 99, Fax 59 39 17 88, 🚗 – 🛗 TV ☎. AE ⓓ GB — B e
fermé 15 au 31 janv., sam. midi et vend. du 1er nov. au 30 avril – **R** 100/230, enf. 50 – ☕ 35 – **30 ch** 290/400 – ½ P 300/310.

Brun, pl. Jaca ✆ 59 39 64 90 – 🛗 TV ☎ 🚗. GB — A s
R snack *(fermé vend. soir et sam.)* 55/75 🍷 – ☕ 25 – **20 ch** 240/340 – ½ P 200/250.

Paix sans rest, 24 av. Sadi-Carnot ✆ 59 39 02 63, Fax 59 39 98 20, 🚗 – TV ☎ Ⓟ. 🐕 — A n
☕ 24 – **24 ch** 130/250.

à Féas par ④ : 7,5 km – ✉ 64570 :

La Forgerie du Beau Site 🐎, ✆ 59 39 24 87, 余, 🚗 – Ⓟ. GB
fermé 12 nov. au 27 déc. et merc. du 15 sept. au 30 juin – **R** 48/110 🍷, enf. 35 – ☕ 20 – **10 ch** 85/130 – ½ P 120/140.

CITROEN Atomic Gar., 5 av. 14-Juillet A ✆ 59 39 53 00
FIAT Guiraud, av. Ch.-Moureu ✆ 59 39 02 43 N ✆ 59 39 19 92
PEUGEOT, TALBOT Tristan, av. de Lattre-de-Tassigny par ⑤ ✆ 59 39 10 73 N ✆ 59 38 82 44

RENAULT Haurat, 41 r. Carrérot ✆ 59 39 01 93 N ✆ 59 38 81 25
RENAULT Gar. Biscay, à Ledeuix par ① ✆ 59 39 12 08 N
V.A.G Gar. Loustaunau, 71 av. d'Espagne à Bidos ✆ 59 39 26 55

OMAHA BEACH 14 Calvados 54 ④ ⑭ – voir à Vierville-sur-Mer.

Une réservation confirmée par écrit est toujours plus sûre.

OMONVILLE-LA-PETITE 50440 Manche 54 ① – 137 h.

Paris 385 – Cherbourg 24 – Barneville Carteret 45 – Nez de Jobourg 6,5 – Saint-Lô 101.

La Fossardière sans rest, au hameau de la Fosse ✆ 33 52 19 83 – ☎ P. GB
fermé janv. et fév. – ☕ 30 – **8 ch** 210/290.

ONZAIN 41150 L.-et-Ch. 64 ⑯ – 3 080 h. alt. 67.

Voir Château★★ de Chaumont-sur-Loire S : 3 km, **G. Châteaux de la Loire.**

Paris 198 – ◆Tours 47 – Amboise 20 – Blois 16 – Château-Renault 23 – Montrichard 21.

✿ **Domaine des Hauts de Loire** M, NO : 3 km par D 1 et voie privée ✆ 54 20 72 57, Télex 751547, Fax 54 20 77 32, « Manoir, parc et forêt », – TV ☎ & P – 80. AE GB.
1er mars-1er déc. – **R** *(fermé mardi midi et lundi en mars et nov.)* 280 et carte 295 à 475, enf. 100 – ☕ 75 – **25 ch** 900/1200, 8 appart. 1600
Spéc. Saumon cru au citron vert, Boeuf poché au vin blanc de Montlouis, Dos de sandre sur la peau au jus de volaille (saison). **Vins** Touraine-Mesland.

La Carte M, SE : 4,5 km sur N 152 ✆ 54 20 49 00, Fax 54 20 43 78, « au milieu de son golf », – TV ☎ & P – 30. AE GB. rest
1er mars-12 nov. – **R** 210 – ☕ 50 – **15 ch** 450/680, 5 appart. 1250 – ½ P 420/580.

Château des Tertres sans rest, O : 1,5 km par D 58 ✆ 54 20 83 88, Fax 54 20 89 21, ≤, « Gentilhommière dans un parc » – P. AE GB.
22 mars-11 nov. – ☕ 37 – **19 ch** 290/420.

PEUGEOT, TALBOT Gar. Guyader ✆ 54 20 70 37 N

RENAULT Gar. Lefebvre, à Onzain ✆ 54 20 98 65 N ✆ 54 20 97 96

OPIO 06 Alpes-Mar. 84 ⑧, 195 ㉔ – rattaché à Grasse.

ORADOUR-SUR-GLANE 87520 H.-Vienne 72 ⑥ ⑦ **G. Berry Limousin** – 1 998 h. alt. 275.

Voir "Village martyr" dont la population a été massacrée en juin 1944.

Paris 403 – ◆Limoges 22 – Angoulême 89 – Bellac 25 – Confolens 35 – Nontron 70.

Le Milord avec ch, ✆ 55 03 10 35, – P. AE GB. ch
fermé fév. et merc. d'oct. à fin avril – **R** 55/160 ⅄, enf. 32 – ☕ 22 – **8 ch** 130/160.

La Glane avec ch, ✆ 55 03 10 43 – GB. ch
fermé 1er au 10 nov., 1er au 10 fév. et merc. du 15 sept. au 1er mai – **R** 60/150 – ☕ 20 – **10 ch** 100/180 – ½ P 180/230.

ORANGE 84100 Vaucluse 81 ⑪ ⑫ **G. Provence** – 26 964 h. alt. 46.

Voir Théâtre antique★★★ BZ – Arc de Triomphe★★ AY – Colline St-Eutrope ≤★ BZ.

Office de Tourisme et Accueil de France (Informations, change et réservations d'hôtels pas plus de 5 jours à l'avance) cours A.-Briand ✆ 90 34 70 88, Télex 432357 et pl. Frères Mounet (juin-sept.).

Paris 659 ⑤ – Avignon 31 ⑤ – Alès 74 ⑤ – Carpentras 23 ③ – Montélimar 54 ⑤ – Nîmes 54 ⑤.

Plan page suivante

Altéa M, rte Caderousse par ⑤ ✆ 90 34 24 10, Télex 431550, Fax 90 34 85 48, – TV ☎ & P – 30 à 150. AE GB
R 110/240, enf. 55 – ☕ 50 – **99 ch** 410/480 – ½ P 330/350.

Louvre et Terminus, 89 av. F. Mistral BY **6** ✆ 90 34 10 08, Fax 90 34 68 71, – rest TV ☎ &. AE GB
fermé 19 déc. au 4 janv. – **R** *(fermé sam. midi et dim.)* 83/170 ⅄, enf. 38 – ☕ 30 – **36 ch** 250/320 – ½ P 230/260.

Mas des Aigras sans rest, par ① N 7 : 2 km et VO chemin des Aigras ✆ 90 34 81 01, « Joli mas provençal », – ☎ P. GB
☕ 40 – **11 ch** 320/390.

Arène sans rest, pl. Langes ✆ 90 34 10 95, Fax 90 34 91 62 – TV ☎. AE GB — AY **a**
fermé 1er nov. au 15 déc. – ☕ 38 – **30 ch** 300/380.

Glacier sans rest, 46 cours A. Briand ✆ 90 34 02 01, Fax 90 51 13 80 – TV ☎. GB — AY **r**
fermé 22 déc. au 1er fév. et dim. soir de nov. à Pâques – ☕ 28 – **28 ch** 230/250.

Ibis M, rte Caderousse par ⑤ ✆ 90 34 35 35, Télex 432752, Fax 90 34 96 47, – TV ☎ & P. GB
R 79/135 ⅄, enf. 39 – ☕ 32 – **72 ch** 280/300 – ½ P 231.

Campanile, rte Caderousse par ⑤ ✆ 90 51 68 68, Télex 431885, Fax 90 34 04 67 – rest TV ☎ & P. AE GB
R 77 bc/99 bc, enf. 39 – ☕ 28 – **43 ch** 258 – ½ P 234/256.

Parvis, 3 cours Pourtoules ✆ 90 34 82 00, – AE GB — BZ **e**
fermé 15 au 30 nov., 15 au 30 janv., dim. soir et lundi sauf du 1er juil. au 15 août – **R** 137/192, enf. 55.

Le Forum, 3 r. Mazeau ✆ 90 34 01 09 – AE GB — BY **z**
fermé août, sam. soir et dim. – **R** 100/200.

Au Goût de Jour, 9 pl. aux Herbes ✆ 90 34 10 80, – GB. — BY **d**
fermé jeudi sauf juil.-août – **R** (nombre de couverts limité-prévenir) 98/200.

ORANGE

République (R. de la) . . . . . BY 9
St-Martin (R.) . . . . AY 13

Arc de Triomphe (Av. de l') . . . . AY
Artaud (Av. A.) . . . . ABY
Blanc (R. A.) . . . . BZ
Briand (Crs A.) . . . . AYZ
Caristié (R.) . . . . BY 2
Châteauneuf (R. de) . . . . . . BZ 4
Clemenceau (Pl. G.) . . . . . . BY 3
Contrescarpe (R. de la) . . . . BY
Daladier (Av. E.) . . . . AY
Fabre (Av. H.) . . . . BY
Frères-Mounet (Pl. des) . . . . BY 5
Guillaume-le Taciturne (Av.) . . . . BY
Lacour (R.) . . . . AY
Leclerc (Av. Gén.) . . . . BZ
Mistral (Av. F.) . . . . BY 6
Noble (R. du) . . . . ABY
Pourtoule (Cours) . . . . BZ
Princes d'Orange-Nassau (Mtée des) . . . . . AZ
République (Pl. de la) . . . . . BY 8
Roch (R. Madeleine) . . . . . . BZ 10
St-Clement (Rue) . . . . AZ
St-Florent (R. et ⊞) . . . . . . BY 12
St-Jean (Rue) . . . . AY
Tanneurs (R. des) . . . . AY 16
Thermes (Av. des) . . . . AZ
Tourre (R. de) . . . . AZ 20
Victor-Hugo (Rue) . . . . AY

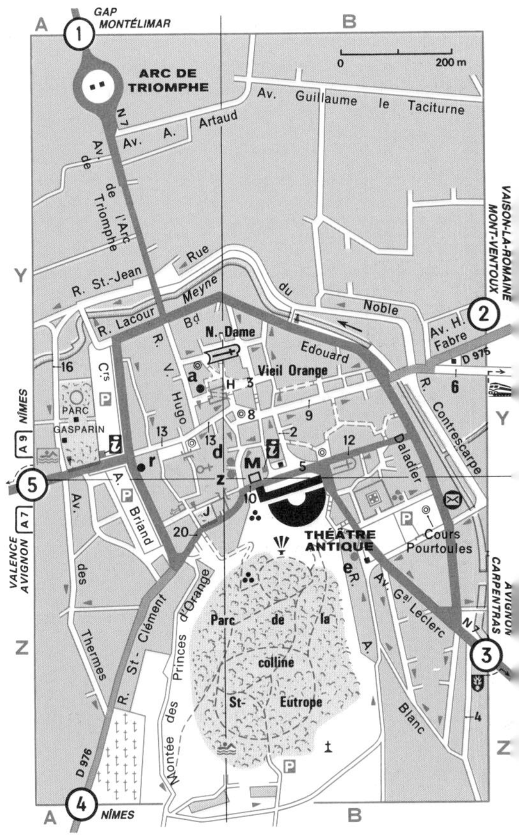

Promeneurs,
campeurs,
fumeurs,

Soyez prudents!

Le feu
est le plus terrible ennemi
de la forêt.

à Rochegude (26 Drôme) par ①, D 976, D 11 et D 117 : 14 km – ✉ **26790** :

Château de Rochegude Ⓜ, ✆ 75 04 81 88, Télex 345661, Fax 75 04 89 87, « Élégante installation, parc, », – . AE ① GB JCB
fermé janv. et fév. – **R** carte 260 à 480 – ☐ 75 – **25 ch** 650/1500, 4 appart. 2500
Spéc. Ravioles de Romans en velouté de morilles, Pigeon rôti en cocotte aux deux olives, Croustillant de picodon à la mozzarella. **Vins** Côtes du Rhône Villages.

ALFA-ROMEO Gar. Masoero, rte d'Avignon, N 7 ✆ 75 34 62 91
BMW Foch-Autom., 655 av. Mar.-Foch ✆ 90 34 24 35
CITROEN Forum Auto, ZAC du Coudoulet par ③ ✆ 90 34 04 50 N ✆ 90 34 30 60
FIAT, LANCIA Gemelli, rte de Jonquières ✆ 90 34 69 04 N ✆ 90 51 75 64
FORD Auto-Sce-Leader, rte d'Avignon N 7 ✆ 90 51 82 41
MERCEDES SAVIA, rte d'Avignon ✆ 90 34 72 70 N ✆ 88 72 00 94
OPEL-GM Balbi, 191 r. de Lattre-de-Tassigny ✆ 90 34 04 16

PEUGEOT-TALBOT Développement Auto Sce, 196 av. de Verdun ✆ 90 34 24 11
RENAULT Brun, N 7 rte de Lyon par ① ✆ 90 34 02 68 N
V.A.G Orangeoise-Autom., rte de Jonquières ✆ 90 34 61 83

Ayme-Pneus, rte de Caderousse ✆ 90 34 24 65
Pneus Service, 18 r. A.-Lacour ✆ 90 34 34 03
Pneus Service, 280 av. de Lattre-de-Tassigny ✆ 90 34 14 66
Valerian Pneus, 1 rte de Jonquières ✆ 90 34 86 86 N ✆ 90 51 55 65

In this Guide,
a symbol or a character, printed in black or another colour
*in light or **bold** type,*
does not have the same meaning.
Please read the explanatory pages carefully.

ORBEC 14290 Calvados 55 ⑭ **G. Normandie Vallée de la Seine** – 2 642 h. alt. 120.

Voir Vieux manoir★.

Syndicat d'Initiative r. Guillonnière (juin-15 sept. après-midi seul.) ✆ 31 32 87 15.

Paris 170 – L'Aigle 37 – Alençon 79 – Argentan 52 – Bernay 16 – ◆Caen 72 – Lisieux 21.

France (Annexe 11 ch), r. Grande ✆ 31 32 74 02, Fax 31 32 27 77, – ☎ P. GB
fermé 15 déc. au 15 janv. – **R** *(fermé dim. soir d'oct. à Pâques)* 83/160, enf. 45 – 27 – **23 ch** 112/300 – ½ P 158/247.

Au Caneton, r. Grande ✆ 31 32 73 32 – AE GB
fermé vacances de fév., 1er au 7 sept., lundi soir et mardi – **R** (nombre de couverts limité-prévenir) 130/275, enf. 70.

CITROEN Decaux, à la Vespière ✆ 31 32 80 49 N — PEUGEOT Gar. Derriennic ✆ 31 32 83 53 N

ORBEY 68370 H.-Rhin 62 ⑱ **G. Alsace Lorraine** – 3 282 h. alt. 500.

Office de Tourisme à la Mairie ✆ 89 71 30 11 et à Hachimette (mi juin-mi sept.) ✆ 89 47 53 11.

Paris 431 – Colmar 22 – Gérardmer 40 – Munster 20 – Ribeauvillé 22 – St-Dié 40 – Sélestat 35.

Bois Le Sire et son Motel, ✆ 89 71 25 25, Fax 89 71 30 75, – ☎ ♿ P – 30. AE GB
fermé 3 janv. au 9 fév. – **R** *(fermé mardi midi sauf juil.-août et lundi)* 70/270 – 45 – **36 ch** 228/326 – ½ P 253/303.

Saut de la Truite , à Remomont NO : 1 km par VO ✉ 68370 Orbey ✆ 89 71 20 04, ←, – ☎ P – 30. GB. – *fermé 1er déc. au 2 fév. et merc. sauf juil.-août* – **R** 95/210 – 40 – **22 ch** 195/300 – ½ P 230/285.

Croix d'Or, r. Église ✆ 89 71 20 51, – ☎. AE GB JCB. rest
fermé 16 nov. au 24 déc., lundi en sais. (sauf hôtel) et merc. hors sais. – **R** 96/268 , enf. 58 – 39 – **19 ch** 200/250 – ½ P 230/260.

à Basses-Huttes S : 4 km par D 48 – ✉ **68370** Orbey :

Wetterer , ✆ 89 71 20 28 – ☎ P. GB.
fermé 4 nov. au 19 déc., merc. (sauf le soir en juil.-août) et lundi midi – **R** 75/160 , enf. 45 – 32 – **17 ch** 240/260 – ½ P 220/230.

à Pairis SO : 3 km sur D 48 II – alt. 700 – ✉ **68370** Orbey.
Voir Lac Noir★ : ←★ 30 mn O : 5 km.

Bon Repos , ✆ 89 71 21 92 – ☎ P. AE GB
fermé 12 nov. au 19 déc. et merc. sauf le soir en juil.-août – **R** 70/160 , enf. 40 – 28 – **18 ch** 140/215 – ½ P 205/215.

Pairis avec ch, ✆ 89 71 20 15, , – ☎ P. AE GB
fermé janv., et lundi hors sais. – **R** 50/280 , enf. 48 – 32 – **15 ch** 150/220 – ½ P 220.

CITROEN Gar. Eberlé ✆ 89 71 20 35 N ✆ 89 71 23 45

ORCHAMPS-VENNES 25390 Doubs 166 ⑰ **G. Jura** – 1 497 h. alt. 750.

Paris 457 – ◆Besançon 48 – Baume-les-Dames 40 – Montbéliard 70 – Morteau 17 – Pontarlier 36.

Barrey avec ch, face église ✆ 81 43 50 97 – TV ☎ P. GB
fermé 7 au 14 sept., 3 au 10 nov., dim. soir et lundi d'oct. à juin – **R** 60/220 , enf. 45 – 30 – **13 ch** 170/230 – ½ P 200/220.

à Fuans E : 3 km par D 461 – ✉ **25390** :

Patton, ✆ 81 43 51 01, Fax 81 43 62 48, ← – TV P. AE GB. ch
fermé 11 nov. au 10 déc. et lundi du 1er oct. au 1er juil. – **R** 95/230 – 28 – **10 ch** 130/230 – ½ P 180/225.

à Loray NO : 4,5 km par D 461 – ✉ **25390** :

Vieille-Robichon avec ch, ✆ 81 43 21 67, Fax 81 43 26 10, – ☎ P. GB
fermé 1er au 15 sept., 1er au 15 janv., dim. soir et lundi sauf juil.-août – **R** 70/250 , enf. 50 – 35 – **9 ch** 205/225 – ½ P 220/240.

CITROEN Gar. Cartier ✆ 81 43 60 52 N ✆ 81 43 57 72 — FORD Vernier ✆ 81 43 52 38 N

ORCHIES 59310 Nord 51 ⑯ – 6 945 h. alt. 38.

Paris 216 – ◆Lille 26 – Denain 26 – Douai 19 – St-Amand-les-Eaux 17 – Tournai 19 – Valenciennes 28.

La Chaumière, S : 3 km D 957, rte Marchiennes ✆ 20 71 86 38, , – P. AE GB
fermé fév., jeudi soir et vend. – **R** 75/225.

ORCIÈRES 05170 H.-Alpes 77 ⑰ **G. Alpes du Nord** – 841 h. alt. 1 439 – Sports d'hiver à Orcières-Merlette : 1 850/2 650 m 2 27 – **Env.** Vallée du Drac Blanc★★ NO : 14 km.

Maison du Tourisme ✆ 92 55 70 39, Télex 401162.

Paris 686 – Briançon 110 – Gap 33 – ◆Grenoble 116 – La Mure 77 – Saint-Bonnet-en-Champsaur 27.

Poste, ✆ 92 55 70 04, ←, – ☎ P. AE GB
R 60/110 , enf. 35 – 25 – **21 ch** 160/250 – ½ P 230/240.

à Merlette N : 5 km par D 76 – ✉ **05170** Orcières :

Le Montagnon M sans rest, ☎ 92 55 74 37 – TV ☎ . GB.
fermé oct. et nov. – ☐ 30 – **16 ch** 280/330.

Les Gardettes, ☎ 92 55 71 11, ← – ☎ P. GB. ch
1er juil.-30 sept. et 1er déc.-30 avril – **R** (dîner seul. en été) 100/150 – ☐ 35 – **15 ch** 200/320 – ½ P 235/280.

ORCINES **63** P.-de-D. **73** ⑭ – rattaché à Clermont-Ferrand.

ORCIVAL **63210** P.-de-D. **73** ⑬ **G. Auvergne** – 283 h. alt. 860.

Voir Basilique Notre-Dame★★.

Paris 451 – ♦Clermont-F. 26 – Aubusson 82 – Le Mont-Dore 17 – Rochefort-Montagne 5 – Ussel 56.

Roche sans rest, ☎ 73 65 82 31, – ☎. GB.
fermé 12 nov. au 15 déc. et vend. hors sais. – ☐ 25 – **9 ch** 140/190.

Notre-Dame, ☎ 73 65 82 02 – ☎. GB.
ouvert 1er avril-31 oct., vacances de Noël, de fév. et fermé merc. hors sais. – **R** (résidents seul.) (dîner seul.) 78, enf. 30 – ☐ 25 – **9 ch** 120/190 – ½ P 135/175.

L'Ajasserie d'Orcival sans rest, ☎ 73 65 81 54 – GB.
Pâques-oct. – ☐ 22 – **14 ch** 115/300.

Les Bourelles sans rest, ☎ 73 65 82 28, ←, – P.
vacances de printemps-1er oct. et vacances de fév. – ☐ 20 – **7 ch** 100/135.

ORGELET **39270** Jura **70** ⑭ **G. Jura** – 1 700 h. alt. 503.

Paris 413 – Bourg-en-Bresse 63 – Lons-le-Saunier 20 – Nantua 51 – St-Claude 40.

La Valouse, ☎ 84 25 40 64, Fax 84 35 55 28, – ☎ P. AE GB
fermé dim. soir et lundi – **R** *(fermé 1er au 15 nov., dim. soir et lundi)* 70/235, enf. 45 – ☐ 34 – **15 ch** 179/223 – ½ P 214/234.

CITROEN Gar. Jeunet et Guyot ☎ 84 25 41 87 **N** ☎ 84 25 43 09

PEUGEOT, TALBOT Gar. Bernard ☎ 84 25 42 11
RENAULT Gar. Masini ☎ 84 25 40 22 **N** ☎ 84 35 53 25

ORGEVAL **78630** Yvelines **55** ⑲ **106** ⑰ **101** ⑪ – 4 509 h. alt. 100.

Paris 35 – Mantes-la-Jolie 23 – Pontoise 27 – Rambouillet 46 – St-Germain-en-Laye 10,5 – Versailles 21.

Novotel M, à l'échangeur A 13, D 113 ☎ (1) 39 75 97 60, Télex 697174, Fax (1) 39 75 48 93, , , , – TV ☎ P – 200. AE GB
R carte environ 150, enf. 50 – ☐ 49 – **119 ch** 430/460.

ORGNAC-L'AVEN **07150** Ardèche **80** ⑨ – 327 h. alt. 290.

Voir Aven d'Orgnac★★★ NO : 2 km, **G. Provence.**

Paris 661 – Alès 43 – Aubenas 46 – Pont-St-Esprit 24.

Stalagmites, ☎ 75 38 60 67, – ☎ P.
1er mars-30 nov. – **R** 70/128, enf. 40 – ☐ 25 – **24 ch** 130/235 – ½ P 170/210.

ORGON **13660** B.-du-R. **84** ① ② **G. Provence** – 2 453 h. alt. 85.

Paris 707 – Avignon 25 – Cavaillon 7 – ♦Marseille 68 – St-Rémy-de-Pr. 17 – Salon-de-Pr. 19.

Relais Basque, ☎ 90 73 00 39, , – P.

ORINCLES **65** H.-Pyr. **85** ⑧ – rattaché à Lourdes.

ORLÉANS P **45000** Loiret **64** ⑨ **G. Châteaux de la Loire** – 105 111 h. alt. 110.

Voir Cathédrale Ste-Croix★ EY : boiseries★★ – Maison de Jeanne d'Arc★ DZ **E** – Quai Fort-des-Tourelles ←★ EZ60 – Musée des Beaux-Arts★★ EY **M**1 – Musée Historique★ EZ **M**2.

Env. Olivet : parc floral de la Source★★ SE : 8 km CZ.

18 d'Orléans Val de Loire ☎ 38 59 25 15, par ③ : 17 km.

Office de Tourisme et Accueil de France (Informations et réservations d'hôtels, pas plus de 5 jours à l'avance) pl. Albert-Ier ☎ 38 53 05 95, Télex 781188 – A.C. r. A.-Brillat-Savarin, Expo-Sud ☎ 38 66 50 50.

Paris 130 ⑪ – ♦Caen 260 ⑪ – ♦Clermont-Ferrand 301 ⑥ – ♦Dijon 300 ② – ♦Limoges 274 ⑥ – ♦Le Mans 141 ⑩ – ♦Reims 267 ② – ♦Rouen 219 ⑪ – ♦Tours 115 ⑨.

Plans pages suivantes

Sofitel M, 44 quai Barentin ☎ 38 62 17 39, Télex 780073, Fax 38 53 95 34, ←, , – ch TV ☎ P – 300. AE GB JCB DZ **t**
La Vénerie R 150/200 – ☐ 60 – **109 ch** 615.

Chéops M, r. des Charrières ☎ 38 43 92 92, Télex 300121, Fax 38 88 75 60, – ch TV ☎ P – 200. AE GB JCB BY **e**
R 80/199 – ☐ 40 – **111 ch** 395/470 – ½ P 330/400.

d'Arc sans rest, 37 r. République ☎ 38 53 10 94, Télex 760297, Fax 38 81 77 47 – TV ☎ . AE GB EY **g**
☐ 40 – **35 ch** 295/420.

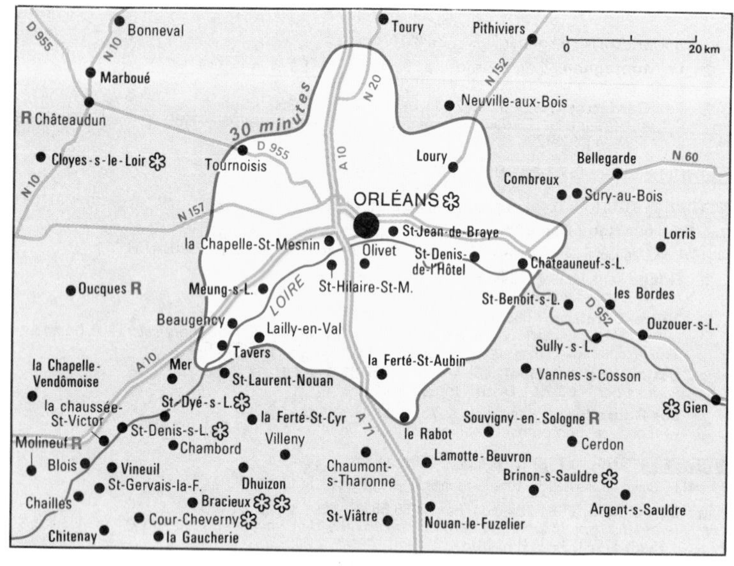

🏨 **Sanotel** sans rest, 16 quai St Laurent ✆ 38 54 47 65, Télex 783684, Fax 38 62 05 91 – 🛗 ▤ 📺 ☎ ♿ 🅟 – 🏛 100. AE ⓓ GB — DZ **q**
☕ 30 – **50 ch** 292/360.

🏨 **St-Aignan** sans rest, 3 pl. Gambetta ✆ 38 53 15 35, Télex 783587 – 🛗 📺 ☎ 🚗. AE ⓓ GB — DY **k**
☕ 30 – **29 ch** 250/320.

🏨 **Les Cèdres** sans rest, 17 r. Mar. Foch ✆ 38 62 22 92, Télex 782314, Fax 38 81 76 46 – 🛗 📺 ☎. AE GB — DY **a**
☕ 32 – **34 ch** 185/370.

🏨 **Urbis** Ⓜ sans rest, 17 r. Paris ✆ 38 62 40 40, Télex 760080, Fax 38 77 13 59 – 🛗 📺 ☎ ♿ 🅟. GB — EY **s**
☕ 32 – **66 ch** 290/320.

🏨 **Orléans** sans rest, 6 r. A. Crespin ✆ 38 53 35 34, Télex 760235, Fax 38 53 68 20 – 🛗 📺 ☎ 🚗. AE ⓓ GB — EY **t**
☕ 35 – **18 ch** 260/370.

🏨 **St-Martin** sans rest, 52 bd A. Martin ✆ 38 62 47 47 – ☎. GB. ✗ — EY **r**
fermé 24 déc. au 3 janv. – ☕ 21 – **22 ch** 114/256.

XXX ✿ **Les Antiquaires** (Pipet), 2 r. au Lin ✆ 38 53 52 35 – AE ⓓ GB — EZ **d**
fermé 14 au 22 avril, 4 au 26 août, 24 déc. au 4 janv., dim. et lundi – **R** 110 (sauf sam.)/290
Spéc. Vinaigrette tiède de grenouilles aux herbes, Croustillant de sandre au beurre orléanais, Estouffade de marcassin à la solognote (saison). Vins Touraine.

XXX **La Poutrière,** 8 r. Brèche ✉ 45100 ✆ 38 66 02 30, 🏖, 🌳 – GB — EZ **s**
fermé 21 avril au 6 mai, 22 déc. au 7 janv., dim. soir et lundi – **R** 150/300, enf. 65.

XX Le Lautrec, 26 pl. Châtelet ✆ 38 54 09 54 — EZ **e**

XX **L'Hermitage,** 9 r. Sept Dormants ✆ 38 62 15 61 – AE GB — EZ **n**
fermé dim. soir – **R** 89/200.

XX **L'Archange,** 66 r. fg Madeleine DZ ✆ 38 88 64 20 – GB
fermé août, Noël au Jour de l'An, dim. et lundi – **R** 100 (sauf sam. soir)/180 bc, enf. 50.

XX **Le Bigorneau,** 54 r. Turcies ✆ 38 68 01 10, produits de la mer – AE ⓓ GB — DZ **k**
fermé 5 au 20 juil., 11 au 25 fév., dim., lundi et fériés – **R** carte 180 à 310.

XX **L'Ambroisie,** 222 r. Bourgogne ✆ 38 68 13 33 – AE GB — EZ **t**
fermé dim. – **R** 115/155.

XX **Le Florian,** 70 bd A. Martin ✆ 38 53 08 15, 🏖 – ▤. AE GB — EY **p**
fermé 10 au 25 août et dim. – **R** 100/180.

XX **La Loire,** 6 r. J. Hupeau ✆ 38 62 76 48 – AE GB — EZ **h**
fermé 10 au 24 août, sam. midi, dim. et fêtes – **R** 120 (sauf sam. soir)/250.

X **Le Lyonnais,** 82 r. Turcies ✆ 38 53 15 24 – GB — DZ **m**
fermé 29 juil. au 19 août, sam. midi, dim. et fériés – **R** 110.

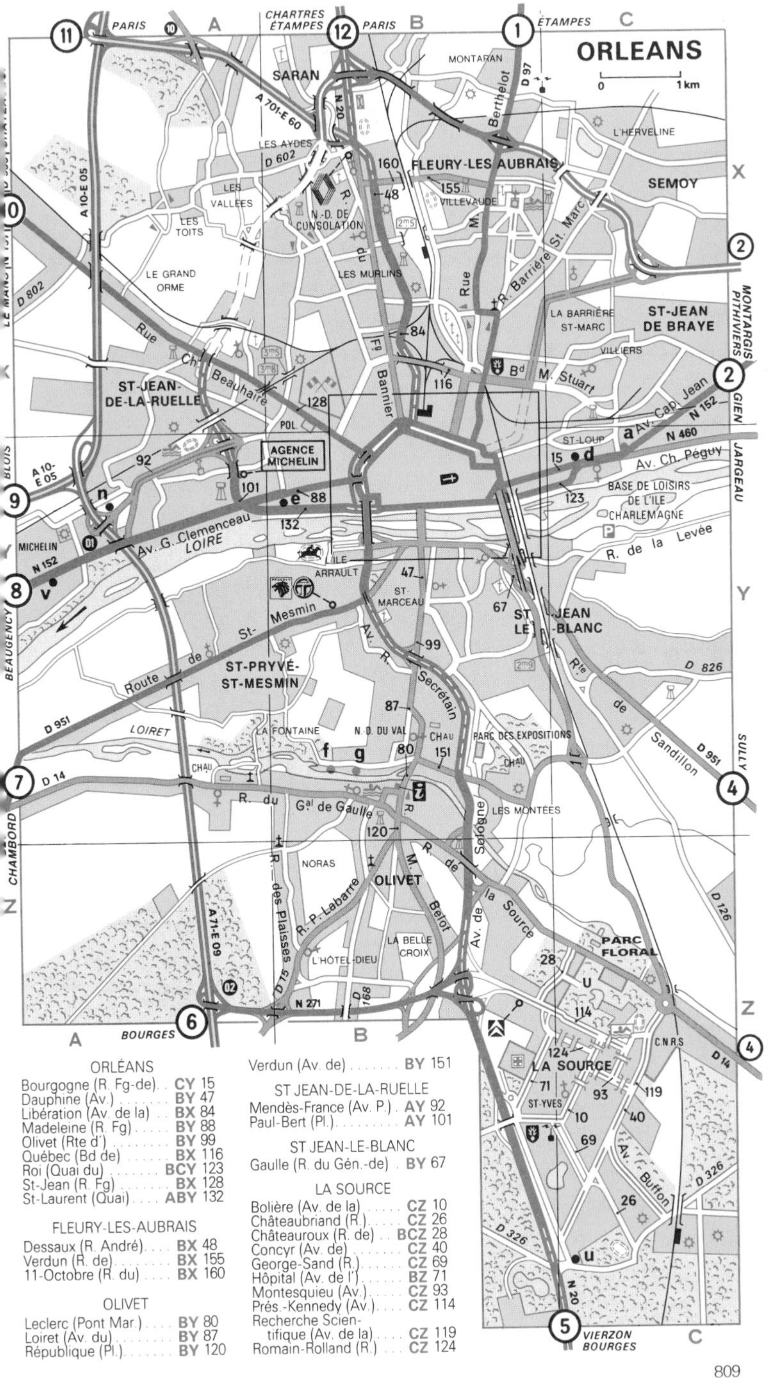

ORLÉANS

Bourgogne (R. Fg-de) . . CY 15
Dauphine (Av.) . . . . BY 47
Libération (Av. de la) . . BX 84
Madeleine (R. Fg) . . . . . BY 88
Olivet (Rte d') . . . . BY 99
Québec (Bd de) . . . . BX 116
Roi (Quai du) . . . . BCY 123
St-Jean (R. Fg) . . . . BX 128
St-Laurent (Quai) . . . . ABY 132

FLEURY-LES-AUBRAIS

Dessaux (R. André) . . . . BX 48
Verdun (R. de) . . . . BX 155
11-Octobre (R. du) . . . . BX 160

OLIVET

Leclerc (Pont Mar.) . . . . BY 80
Loiret (Av. du) . . . . BY 87
République (Pl.) . . . . BY 120
Verdun (Av. de) . . . . BY 151

ST JEAN-DE-LA-RUELLE

Mendès-France (Av. P.) . AY 92
Paul-Bert (Pl.) . . . . AY 101

ST JEAN-LE-BLANC

Gaulle (R. du Gén.-de) . BY 67

LA SOURCE

Bolière (Av. de la) . . . . . CZ 10
Châteaubriand (R.) . . . . CZ 26
Châteauroux (R. de) . . BCZ 28
Concyr (Av. de) . . . . CZ 40
George-Sand (R.) . . . . . . CZ 69
Hôpital (Av. de l') . . . . . BZ 71
Montesquieu (Av.) . . . . . CZ 93
Prés.-Kennedy (Av.) . . . . CZ 114
Recherche Scientifique (Av. de la) . . . . CZ 119
Romain-Rolland (R.) . . . . CZ 124

ORLÉANS

Bannier (R.) . . . . . . DY
Jeanne-d'Arc (R.) . . . . . . EY
République (R. de la) . . . . . . EY
Royale (R.) . . . . . . EZ 125
Tabour (R. du) . . . . . . EZ 145

Antigna (R.) . . . . . . DY 4
Bourgogne (R. Fg-de) . . . . . . FZ 15
Bretonnerie (R. de la) . . . . . . DY 16
Briand (Bd A.) . . . . . . FY 19
Champ-de-Mars (Av.) . . . . . . DZ 25
Châtelet (Square du) . . . . . . EZ 32
Charpenterie (R. de la) . . . . . . EZ 34
Chollet (R. Théophile) . . . . . . EY 36
Claye (R. de la) . . . . . . FY 38
Coligny (R.) . . . . . . FZ 39
Croix-de-la-Pucelle (R.) . . . . . . EZ 43
Dauphine (Av.) . . . . . . EZ 47
Dolet (R. Étienne) . . . . . . EZ 49
Dunois (Pl.) . . . . . . DY 52
Dupanloup (R.) . . . . . . EY 53
Escures (R. d') . . . . . . EY 55
Étape (Pl. de l') . . . . . . EY 56
Ételon (R. de l') . . . . . . FY 57
Folie (R. de la) . . . . . . FZ 58
Fort-des-Tourelles (Q.) . . . . . . EZ 60
Gaulle (Pl. Gén.-de) . . . . . . DZ 65
Gaulle (R. Gén.-de) . . . . . . FZ 67
Hallebarde (R. de la) . . . . . . DY 70
Madeleine (R. Fg) . . . . . . DZ 88
Motte-Sanguin (Bd de) . . . . . . FZ 95
Notre-Dame-de-Recouvrance (R.) . . . . . . DZ 97
Oriflamme (R. de l') . . . . . . FZ 98
Parisie (R.) . . . . . . EZ 100
Poirier (R. du) . . . . . . EZ 106
Pte-Madeleine (R.) . . . . . . DY 108
Pte-St-Jean (R.) . . . . . . DY 109
Pothier (R.) . . . . . . EZ 112
Prague (Quai) . . . . . . DZ 113
Rabier (R. F.) . . . . . . EY 117
St-Euverte (Bd) . . . . . . FYZ 126
St-Euverte (R.) . . . . . . FY 127
Ste-Catherine (R.) . . . . . . EZ 138
Ste-Croix (Pl.) . . . . . . EYZ 139
Secrétain (Av. R.) . . . . . . DZ 140
Tour-Neuve (R. de la) . . . . . . FZ 147
Verdun (Bd de) . . . . . . DY 152
Vieux-Marché (Pl.) . . . . . . DZ 159

Les numéros de sorties des villes ①, ②.. sont identiques sur les plans et les cartes Michelin.

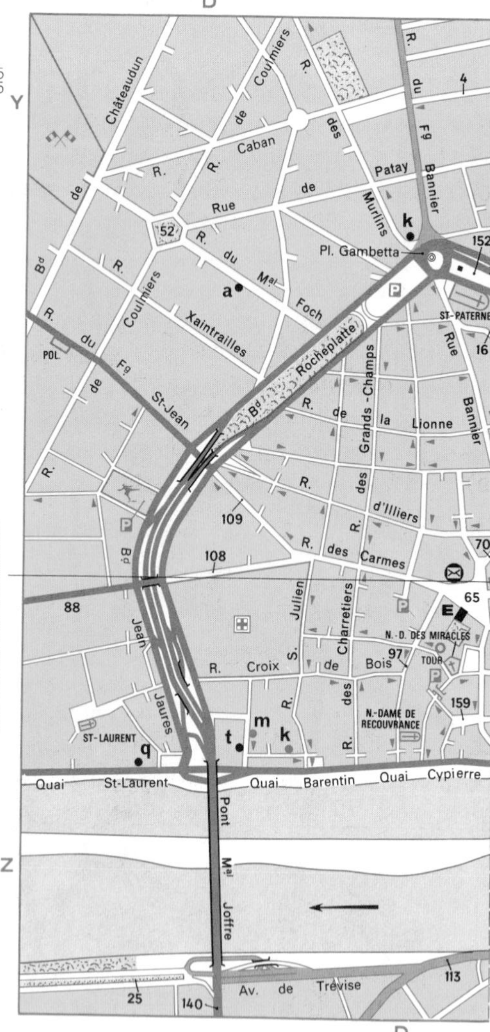

à St-Jean-de-Braye - CXY – 16 387 h. – ✉ 45800 :

Novotel Orléans Charbonnière Ⓜ, N 152 ☏ 38 84 65 65, Télex 760717, Fax 38 84 66 61, ⛱, 🏊, 🌳 – 🛗 ⇆ ch ▤ TV ☎ ♿ Ⓟ – 🎤 150. AE ⓓ GB JCB
R carte environ 160, enf. 52 – ☕ 48 – **107 ch** 420/530.

Promotel Ⓜ sans rest, 117 fg Bourgogne ☏ 38 53 64 09, Fax 38 62 70 62, 🏊, 🌳 – 🛗 TV ☎ ♿ Ⓟ. AE GB. ✻ CY **d**
☕ 30 – **83 ch** 250/350.

Antares Ⓜ, 2 av. Gén. Leclerc ☏ 38 83 19 19, Fax 38 61 52 32, ⛱ – 🛗 TV ☎ ♿ – 🎤 25. AE GB. ✻ rest
R 68/125 🌡 – ☕ 35 – **60 ch** 260/290.

Abraysien H. sans rest, 24 r. Planche de Pierre par ② : 6 km ☏ 38 83 16 16, Fax 38 70 03 17 – 🛗 TV ☎ ♿ 🚗 – 🎤 40. AE ⓓ GB
☕ 30 – **44 ch** 240/270.

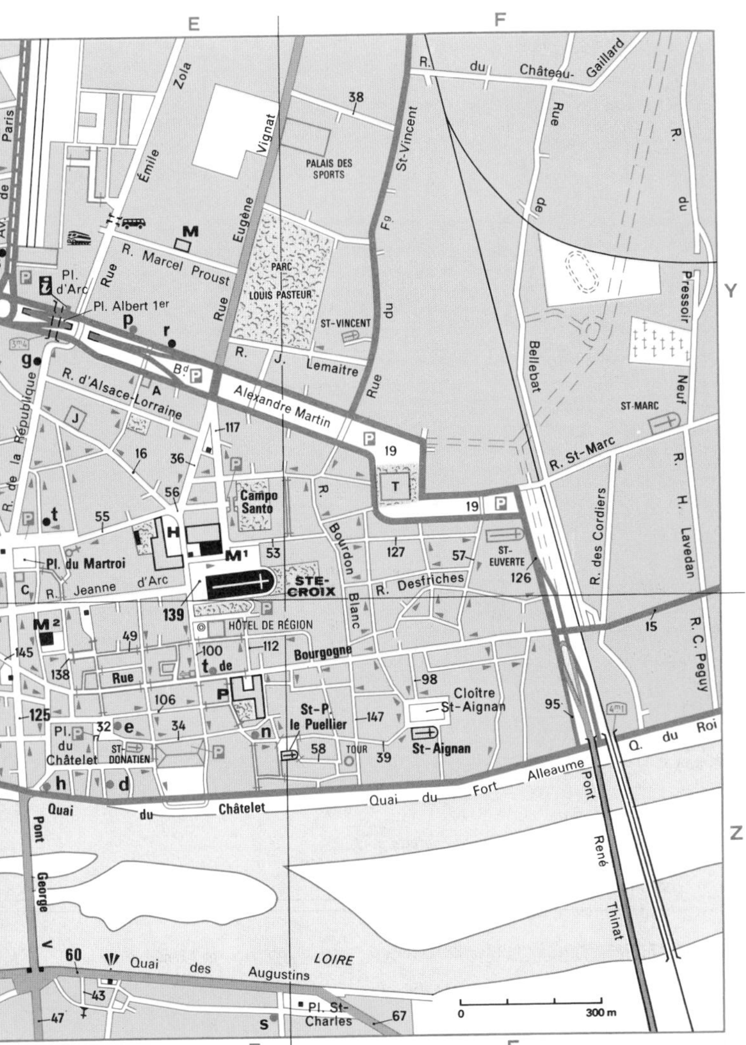

✗✗ **La Grange,** 205 fg Bourgogne ✆ 38 86 43 36 – GB CY **a**
fermé 1er au 10 mars, août, dim. (sauf fêtes le midi) et lundi – **R** 95/138.

au Sud vers ⑤ : 11 km carrefour N 20-CD 326 – ✉ **45100** Orléans :

Novotel Orléans La Source Ⓜ, r. H. de Balzac ✆ 38 63 04 28, Télex 760619, Fax 38 69 24 04, 余, ⛱, 🎾 – 🛗 ⇔ ▤ ch 📺 ☎ ♿ 🅟 – 🏛 200. AE ① GB JCB
R carte environ 170, enf. 50 – ☕ 48 – **119 ch** 420/470. CZ **u**

à Olivet : S : 5 km par av. Loiret et bords du Loiret G. Châteaux de la Loire – 17 572 h. – ✉ **45160** :

ℹ Office de Tourisme 226 r. Paul-Génain ✆ 38 63 49 68.

Le Rivage Ⓜ 🐦, 635 r. Reine Blanche ✆ 38 66 02 93, Fax 38 56 31 11, ≤, 余, « Terrasse au bord de l'eau », 🎾 – 📺 🅟 – 🏛 30. AE ① GB JCB BY **f**
fermé 26 déc. au 15 janv. et dim. soir du 1er nov. à Pâques – **R** 160/270 – ☕ 50 – **17 ch** 340/460 – ½ P 475/550.

XXX **Quatre Saisons** avec ch, 351 r. Reine Blanche ☎ 38 66 14 30, ←, terrasse, « Terrasse au bord de l'eau » – TV ☎ P. AE GB JCB BY **g**
fermé dim. soir et lundi du 1er oct. au 31 mars – **R** 165/280, enf. 60 – ☐ 40 – **10 ch** 280/420 – ½ P 380/430.

à St-Hilaire-St-Mesmin par ⑥ : 7 km par D 951 et VO – ✉ **45160** :

Escale du Port Arthur, ☎ 38 76 30 36, Télex 782320, Fax 38 76 37 67, ←, terrasse – TV ☎ P. AE ⓓ GB JCB
fermé 1er au 21 janv., dim. soir et lundi d'oct. à mars – **R** 100/200, enf. 70 – ☐ 30 – **18 ch** 260/300 – ½ P 300/330.

à la Chapelle-St-Mesmin AY – 8 207 h. – ✉ **45380** :

Orléans Parc H. M sans rest, 55 rte Orléans ☎ 38 43 26 26, Télex 760823, Fax 38 72 00 99, ←, parc – TV ☎ ♿ P – 50. AE GB AY **v**
☐ 40 – **34 ch** 290/420.

Campanile, Z.A. Les Portes de Micy ☎ 38 72 23 23, Télex 783799, Fax 38 88 21 81, terrasse – TV ☎ ♿ P – 40. AE GB AY **n**
R 77 bc/99 bc, enf. 39 – ☐ 28 – **52 ch** 258 – ½ P 234/256.

XXX **Ciel de Loire,** ☎ 38 72 29 51, terrasse, parc – P. GB.
fermé 26 avril au 3 mai, 1er au 21 août et dim. – **R** 140/175.

MICHELIN, Agence régionale, 1 allée des Mistigris à St-Jean-de-la-Ruelle AY ☎ **38 88 02 20**

BMW Dupont, 34 fg Madeleine ☎ 38 71 71 71
FIAT Diffusion Auto Orléanaise, 54 r. fg Bannier ☎ 38 54 51 51
MAZDA Gar. du Martroi, 29 fg de Bourgogne ☎ 38 62 60 71
MERCEDES-BENZ Gar. Jousselin, 12 r. Jousselin ☎ 38 53 61 04
PEUGEOT-TALBOT Agence Générale Autom., 22 av. St-Mesmin BY ☎ 38 66 10 97

Interpneus, 44 quai Madeleine ☎ 38 88 68 08
La Centrale du Pneu, 5 r. Rape ☎ 38 53 57 18
Orléans-Pneu, 42 quai St-Laurent ☎ 38 62 24 54

Périphérie et environs

ALFA ROMEO Prestige Automobiles, ZAC des Aulnaies à Olivet ☎ 38 69 65 65
CITROEN France et Delaroche, rte Nationale 20 à Saran par ⑫ ☎ 38 73 50 60
CITROEN France et Delaroche, r. de Bourges à Olivet BZ ☎ 38 63 02 62
HONDA Orléans Motors, RN 20 à Fleury-les-Aubrais ☎ 38 43 95 95
LANCIA A.O.A., 2 r. Dessaux à Fleury-les-Aubrais ☎ 38 88 70 80
PORSCHE-MITSUBISHI Loire Auto, r. de Bourges à Olivet ☎ 38 69 33 69
RENAULT Succursale, 539 fg Bannier à Saran BX ☎ 38 79 30 30 N
SEAT Gar. Central, 11 r. Dessaux à Fleury-les-Aubrais ☎ 38 43 60 04
V.A.G Gar. Pillon, 20 r. A. Dessaux à Fleury-les-Aubrais ☎ 38 88 53 29

Central Pneu, ZA La Chistera à la Chapelle-St-Mesmin ☎ 38 43 73 93
Interpneus, ZI de Montaran à Saran ☎ 38 73 13 13
Pneus Service, ZA r. d'Alsace à Olivet ☎ 38 63 41 64

In questa guida
uno stesso simbolo, uno stesso carattere
stampati a colori o in nero, in magro o in ***grassetto***
hanno un significato diverso.
Leggete attentamente le pagine esplicative.

ORLY (Aéroports de Paris) **94** Val-de-Marne 61 ①, 106 ㉗, 101 ㉖ – voir à Paris, Environs.

ORNAISONS **11** Aude 83 ⑬ – rattaché à Narbonne.

ORNANS **25290** Doubs 66 ⑯ **G. Jura** (plan) – 4 016 h. alt. 315.
Voir Grand Pont ←★ – Miroir de la Loue★ – O : Vallée de la Loue★★ – Le Château ←★ N : 2,5 km.
Office de Tourisme r. P.-Vernier (avril-sept.) ☎ 81 62 21 50.
Paris 428 – ♦ Besançon 25 – Baume-les-Dames 42 – Morteau 47 – Pontarlier 34 – Salins-les-Bains 37.

France, r. P. Vernier ☎ 81 62 24 44, Fax 81 62 12 03 – TV ☎ P. ⓓ GB. ch
fermé 15 déc. au 1er fév., sam. et dim. de nov. à mars, dim. soir et lundi d'avril à oct. sauf juil.-août – **R** 120/320 – ☐ 35 – **31 ch** 260/350 – ½ P 330/400.

rte de Bonnevaux-le-Prieuré NO : 8 km par D 67 et D 280 – ✉ **25620** Mamirolle :

XXX **Moulin du Prieuré** avec ch, ☎ 81 59 21 47, Fax 81 59 28 79, – TV ☎ ♿ P. AE ⓓ GB
5 mars-11 nov. – **R** *(fermé dim. soir et lundi du 1er oct. au 30 avril)* carte 230 à 340 – ☐ 30 – **8 ch** 330/350 – ½ P 630/800.

CITROEN Gar. Magnin ☎ 81 62 17 69
PEUGEOT, TALBOT Gar. Poulet ☎ 81 62 15 24 N ☎ 81 59 24 31
RENAULT Gar. de la Vallée ☎ 81 62 18 68 N ☎ 81 62 21 35

OROUET **85** Vendée 67 ⑫ – rattaché à St-Jean-de-Monts.

ORPIERRE 05700 H.-Alpes 81 ⑤ G. Alpes du Sud – 335 h. alt. 683.
Paris 696 – Digne-les-Bains 70 – Gap 55 – Château-Arnoux 45 – Serres 19 – Sisteron 31.

Les Begües SE : 4,5 km – ✉ 05700 Orpierre :

Le Céans ⑤, ☏ 92 66 24 22, Fax 92 66 28 29, ≤, ⛱, ⛺, 🚗, 🎾 – ☎ ℗. AE GB. ⅋ rest
15 mars-30 oct. – **R** 75/160 – ☕ 27 – **22 ch** 180/240 – ½ P 210/230.

ORTHEZ 64300 Pyr.-Atl. 78 ⑧ G. Pyrénées Aquitaine – 10 159 h. alt. 62.
Voir Pont Vieux★ AZ.
⛳ d'Hélios à Salies-de-Béarn ☏ 59 38 37 59, par ⑤ : 17 km.
ℹ Office de Tourisme Maison Jeanne-d'Albret ☏ 59 69 02 75.
Paris 775 ⑥ – Pau 41 ② – ◆Bayonne 66 ⑤ – Dax 37 ⑥ – Mont-de-Marsan 53 ①.

ORTHEZ

Briand (R. Aristide)	BY 8
Jacobins (R. des)	BZ 22
St-Gilles (R.)	BZ
Albret (R. Jeanne-d')	BZ 2
Aquitaine (Av. d')	AY 3
Argote (R. Daniel)	AZ 4
Armes (Pl. d')	BZ 5
Baillères (R. Paul)	BZ 6
Bourg-Vieux (R.)	AZ 7
Brossers (Pl.)	BZ 9
Corps-Franc-Pommiès (Av. du)	AY 12
Darget (Av. Xavier)	BZ 13
Foy (R. du Gén.)	BY 14
Frères-Reclus (R. des)	AZ 16
Horloge (R. de l')	BY 21
Jammes (Av. Francis)	BZ 23
Lasserre (R. Pierre)	ABZ 26
Moncade (R.)	BY 28
Moulin (R. du)	BZ 29
Moutète (Pl. de la)	AZ 30
Pont-Neuf (Av. du)	ABZ 32
Poustelle (Pl. de la)	BY 33
St-Pierre (Pl. et ⊕)	AY 35
St-Pierre (R.)	AY 36
Tilleuls (Av. des)	BY 38
Viaduc (R. du)	AY 40

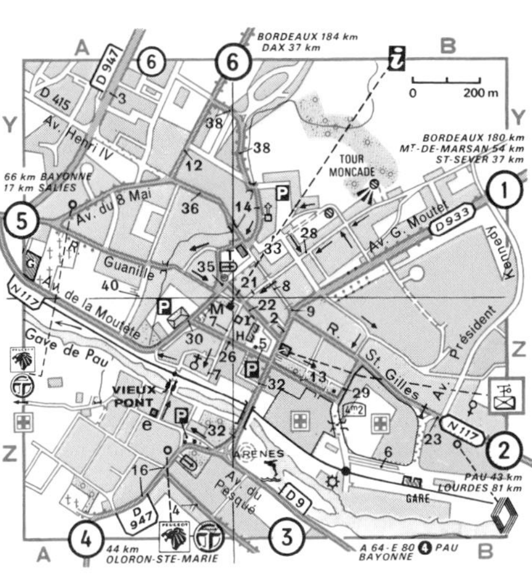

Au Temps de la Reine Jeanne Ⓜ, 44 r. Bourg-Vieux ☏ 59 67 00 76, Fax 59 69 09 63 – TV ☎ ♿. GB
fermé 20 au 28 fév. – **R** 80/120 ♂, enf. 38 – ☕ 25 – **20 ch** 200/260 – ½ P 185/195. AZ **r**

Aub. St-Loup, 20 r. Pont Vieux ☏ 59 69 15 40, ⛱, « Patio » – AE ⓓ GB AZ **e**
fermé 2 au 10 janv. et lundi – **R** 115/195 ♂, enf. 65.

à Maslacq par ③ : 6 km – ✉ 64300 Orthez :

Maugouber ⑤, ☏ 59 38 78 00, Fax 59 38 78 29, ⛱, 🚗 – TV ☎ ♿. GB. ⅋ rest
R *(fermé 25 déc. au 1er janv., vend. soir, sam. et fériés)* 60/150 ♂ – ☕ 25 – **26 ch** 210/270 – ½ P 190/240.

CITROEN Béarn-Auto, rte de Bayonne par ⑤ ☏ 59 38 79 29
FIAT Gar. Molia, 26 av. 8-mai ☏ 59 69 94 55
FORD Diris, rte de Pau ☏ 59 69 16 34
PEUGEOT, TALBOT Orthézienne-Automobiles, 19 av. du 8 Mai ☏ 59 69 08 22
PEUGEOT-TALBOT Gar. Flous, 52 r. Frères-Reclus ☏ 59 69 13 63

RENAULT Gar. Mousques, 10 av. F.-Jammes ☏ 59 69 09 78
RENAULT Autom. Ortheziennes, Nat 117, ZI des Soarns par ② ☏ 59 67 00 00 🅽 ☏ 05 05 15 15

Ⓜ Pédarre Pneus, RN 117 à Castétis ☏ 59 69 06 15

ORVAULT 44 Loire-Atl. 67 ③ – rattaché à Nantes.

OSNY 95 Val-d'Oise 55 ⑲, 106 ⑤ – rattaché à Cergy-Pontoise.

Pour traverser Paris et vous diriger en banlieue,
utilisez la carte Michelin **Banlieue de Paris** n° 101 à 1/50 000
et les plans de banlieue nos 17-18, 19-20, 21-22, 23-24 à 1/15 000.

OSQUICH (Col d') 64 Pyr.-Atl. 85 ④ **G. Pyrénées Aquitaine** – alt. 392.

Voir ✻★.

Paris 810 – Biarritz 71 – Mauléon-Licharre 14 – Oloron-Ste-Marie 44 – Pau 72 – St-Jean-Pied-de-Port 26.

Col d'Osquich M, ✉ 64130 Mauléon ✆ 59 37 81 23, ←, – ☎ ♿ P. GB
week-ends de Pâques à fin mai et 1er juin-15 nov. – **R** 80/180, enf. 50 – ☕ 23 – **23 ch** 170/220 – ½ P 190.

OSSÈS 64780 Pyr.-Atl. 85 ③ – 692 h. alt. 120.

Paris 813 – Biarritz 44 – Cambo-les-Bains 24 – Pau 104 – St-Étienne-de-Baïgorry 10,5 – St-Jean-Pied-de-Port 14.

Mendi Alde, pl. église ✆ 59 37 71 78, – TV ☎ P. AE GB
fermé 11 nov. au 15 déc. et lundi du 15 sept. au 1er avril – **R** 90/170, enf. 40 – ☕ 30 – **16 ch** 190/220 – ½ P 210/230.

OTTROTT 67 B.-Rhin 62 ⑨ – rattaché à Obernai.

OUCHAMPS 41120 L.-et-Ch. 64 ⑰ – 648 h. alt. 92.

Voir Château de Fougères-sur-Bièvre★ NO : 5 km, **G. Châteaux de la Loire.**

Paris 198 – ◆Tours 55 – Blois 16 – Montrichard 18 – Romorantin-Lanthenay 38.

Relais des Landes M, ✆ 54 44 03 33, Télex 751454, Fax 54 44 03 89, parc – TV ☎ P – 30. AE GB JCB
fermé 1er déc. au 3 janv., dim. soir et lundi de janv. à mars – **R** 190/345, enf. 90 – ☕ 50 – **28 ch** 465/645 – ½ P 500/590.

OUCQUES 41290 L.-et-Ch. 64 ⑦ – 1 473 h. alt. 118.

Paris 160 – ◆Orléans 55 – Beaugency 28 – Blois 27 – Châteaudun 30 – Vendôme 20.

XX **Commerce** avec ch, ✆ 54 23 20 41, Fax 54 23 02 88 – rest TV ☎. GB
fermé 20 déc. au 31 janv., lundi (sauf le soir en juil.-août) et dim. soir de sept. à juin – **Repas** (dim. prévenir) 90/245 – ☕ 33 – **12 ch** 190/420 – ½ P 280.

RENAULT Péan ✆ 54 23 20 25 N

OUESSANT (Ile d') ★★ 29242 Finistère 58 ② **G. Bretagne** – 1 062 h. alt. 30.

Voir Rochers★★★ – Phare du Stiff ✻★★ – Pointe de Pern★.

Accès par transports maritimes.

depuis **Brest** (1er éperon du port de commerce) avec escales au Conquet et à Molène. En 1991 : juil.-août, 4 services quotidiens ; hors saison, 1 service quotidien - Traversée 2 h - Voyageurs 152 F (AR). Renseignements : Service Maritime Départemental ✆ 98 80 24 68 (Brest).

OUHANS 25520 Doubs 70 ⑥ – 287 h. alt. 640.

Voir Source de la Loue★★★ N : 2,5 km puis 30 mn – Belvédère du Moine de la Vallée ✻★★ 5 km – Belvédère de Renédale ←★ NO : 4 km puis 15 mn, **G. Jura.**

Paris 457 – ◆Besançon 48 – Pontarlier 16 – Salins-les-Bains 39.

Sources de la Loue, ✆ 81 69 90 06 – ☎
14 ch.

OUISTREHAM 14150 Calvados 55 ② **G. Normandie Cotentin** (plan) – 6 709 h. alt. 11 – Casino (Riva Bella).

Voir Église St Samson★.

18 de Caen ✆ 31 94 72 09, S par D 514 : 13 km.

Office de Tourisme Jardins du Casino (saison) ✆ 31 97 18 63.

Paris 239 – ◆Caen 14 – Arromanches-les-Bains 31 – Bayeux 36 – Cabourg 19.

au Port d'Ouistreham :

Broche d'Argent M, pl Gén. de Gaulle ✆ 31 97 12 16, Télex 170352, Fax 31 97 03 33 – TV ☎ ♿ P – 120. GB
R *(fermé dim. soir du 15 oct. au 1er mars)* 75/235 – ☕ 45 – **48 ch** 205/450 – ½ P 290/331.

Delta H. M, 37 r. Dunes ✆ 31 96 20 20, Télex 772584, Fax 31 97 10 10, – ch TV ☎ ♿ P – 60. AE GB
R 78/150, enf. 45 – ☕ 38 – **50 ch** 290/325 – ½ P 240.

à Riva-Bella :

X **Métropolitain,** 1 rte Lion ✆ 31 97 18 61, « Évocation d'un wagon de métropolitain de 1900 » – AE GB
fermé mardi soir et merc. sauf de juil. à sept. – **R** 88/155.

à Colleville-Montgomery bourg O : 3,5 km par D 35A – ✉ **14880** :

XX **Ferme St-Hubert,** ✆ 31 96 35 41, Fax 31 97 45 79, – P. AE GB
fermé 21 déc. au 4 janv., dim. soir et lundi sauf juil.-août et fériés – **R** 88/250, enf. 60.

OUSSE 64 Pyr.-Atl. 85 ⑦ – rattaché à Pau.

OUZOUER-SUR-LOIRE **45570** Loiret 65 ① – 2 310 h. alt. 153.

Paris 142 – ◆Orléans 52 – Gien 16 – Montargis 44 – Pithiviers 53 – Sully-sur-Loire 10.

XX **Abricotier,** 106 r. Gien ✆ 38 35 07 11 – GB
fermé 17 août au 10 sept., 23 déc. au 2 janv., merc. soir, dim. soir et lundi – **R** 128/300, enf. 50.

OYE-ET-PALLET **25160** Doubs 70 ⑥ – 467 h. alt. 870.

Paris 475 – ◆Besançon 66 – Champagnole 40 – Morez 56 – Pontarlier 6,5.

Parnet, ✆ 81 89 42 03, ≤, parc, ⛱, 🎾 – TV ☎ 🚗 P. GB. ✻
fermé 20 déc. au 1er fév., dim. soir et lundi sauf vacances scolaires – **R** 95/260 – ☕ 40 – **18 ch** 280/350 – ½ P 325/360.

OYONNAX **01100** Ain 70 ⑭ **G. Jura** – 23 869 h. alt. 540.

ℹ Office de Tourisme 1 r. Bichat ✆ 74 77 94 46.

Paris 486 ③ – Bellegarde-sur-V. 29 ② – Bourg-en-B. 57 ④ – Lons-le-Saunier 60 ① – Nantua 15 ③.

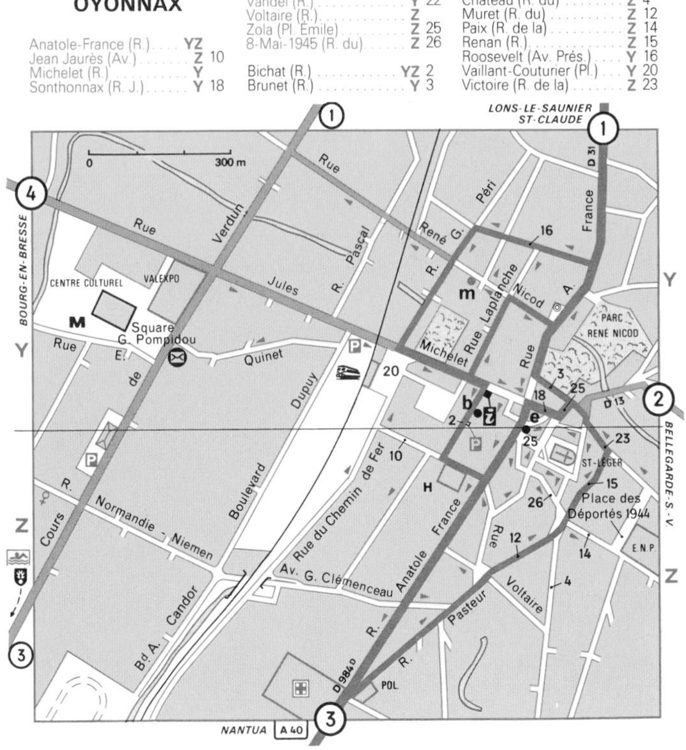

Gdes Roches et rest. Les Feuillantines 🐎, rte Bourg par ④ : 1,5 km ✆ 74 77 27 60, Télex 375892, Fax 74 73 89 87, ≤, 🌳, 🏡 – 🛗 TV ☎ P – 🏛 50. AE ◑ GB
fermé 2 au 17 août et 24 déc. au 4 janv. – **R** *(fermé sam. midi et dim. soir)* 90/210, enf. 65 – ☕ 35 – **38 ch** 270/420 – ½ P 389/395.

Ibis M, r. Bichat ✆ 74 73 90 15, Télex 340999, Fax 74 77 23 19 – 🛗 TV ☎ ♿ 🚗 – 🏛 60. AE GB JCB — Y **b**
R 95 🍷, enf. 39 – ☕ 32 – **53 ch** 270/310.

Buffard, pl. Eglise ✆ 74 77 86 01 – 🛗 TV ☎. GB — YZ **e**
R *(fermé 21 juil. au 20 août, vend. soir, dim. soir et sam.)* 75/180 🍷, enf. 60 – ☕ 26 – **28 ch** 120/300 – ½ P 170/220.

X **Le Gourmand'Ain,** 29 r. Nicod ✆ 74 77 05 34 – AE GB — Y **m**
fermé 31 juil. au 24 août, 24 déc. au 4 janv. et dim. sauf fériés – **R** 70/140.

à Marchon par ① : 1,5 km – ✉ **01100** Oyonnax :

Le Macretet, ✆ 74 77 09 82 – TV ☎ ♿ P. AE GB. ch
fermé 27 juil. au 30 août – **R** *(fermé dim. soir et lundi)* 250 – 25 – **20 ch** 135/280 – ½ P 190/250.

au Lac Génin par ② et D 13 : 10 km – ✉ **01130** Nantua.

Voir Site★ du lac★.

Aub. du Lac Genin avec ch, ✆ 74 75 52 50, ←, – ☎ P. GB.
fermé 15 oct. au 1er déc., dim. soir et lundi – **R** 58/95 – 22 – **6 ch** 110/220.

CITROEN Gar. Vailloud, à Bellignat par D 85 ✆ 74 77 24 30
CITROEN Dara, 6 cours de Verdun ✆ 74 77 31 22
LANCIA-HONDA-FORD Gar. Capelli, 178 r. A.-France ✆ 74 77 18 86
PEUGEOT Sicma, rte de la Forge à Bellignat ✆ 74 77 45 09
RENAULT Gar. du Lac, rte de St-Claude, ZI Nord par ① ✆ 74 76 07 33 N

V.A.G Central Gar., 4 cours de Verdun ✆ 74 77 29 10
Gar. Humbert, 15 rte de Marchon ✆ 74 77 03 97

Alain-Pneu, 53 cours de Verdun ✆ 74 73 51 88
CDP Ayme Pneus, 53 r. B.-Savarin ✆ 74 77 88 88
Carronnier, 61 r. Castellion ✆ 74 73 64 00

OZOIR-LA-FERRIÈRE 77330 S.-et-M. 61 ② 106 ㉝ 101 ㉚ – 19 031 h. alt. 112.

9 9 9 ✆ (1) 60 02 60 79, O : 2 km.

Paris 35 – Coulommiers 41 – Lagny-sur-M. 16 – Melun 30 – Sézanne 82.

La Gueulardière, 66 av. Gén. de Gaulle ✆ (1) 60 02 94 56, Fax (1) 60 02 98 51, – GB
fermé août, vacances de fév., sam. midi et dim. – **R** 140/210.

Le Relais d'Ozoir, 73 av. Gén. de Gaulle ✆ (1) 60 02 91 33 – GB
fermé 12 juil. au 4 août, vacances de fév., dim. soir et lundi – **R** 120/240.

FIAT Couffignal 38 av. Gén.-de-Gaulle ✆ (1) 60 02 60 77

We suggest:

for a successful tour, that you prepare it in advance.

Michelin Maps and Guides, will give you much useful information on route planning, places of interest, accommodation, prices etc.

PACY-SUR-EURE 27120 Eure 55 ⑰ 106 ① G. Normandie Vallée de la Seine – 4 295 h. alt. 45.

Paris 84 – ♦Rouen 60 – Dreux 38 – Évreux 17 – Louviers 31 – Mantes-la-Jolie 27 – Vernon 14.

Mère Corbeau, face gare ✆ 32 36 98 49, – GB
fermé mi-déc. à mi-janv., mardi soir et merc. – **R** 63/215.

à Douains NE : 6 km par D 181 et D 75 – ✉ **27120** :

Château de Brécourt , ✆ 32 52 40 50, Télex 172250, Fax 32 52 69 65, ←, parc, « Château du 17e siècle », , – ☎ P – 100. AE GB
R 225/350 – 60 – **26 ch** 450/950, 4 appart. 1300 – ½ P 575/830.

à Cocherel NO : 6,5 km par D 836 – ✉ **27120** Pacy-sur-Eure :

Ferme de Cocherel avec ch, ✆ 32 36 68 27, – P. AE GB
fermé 2 au 23 janv., mardi et merc. – **R** carte 250 à 360 – **3 ch** 350/400.

à Jouy-sur-Eure NO : 9 km par D 836 et D 57 – ✉ **27120** :

Relais Du Guesclin, pl. Église ✆ 32 36 62 75, – AE GB
fermé merc. – **R** (déj. seul.) 150 bc/200 bc.

PEUGEOT-TALBOT Gar. de la Prudence, Z.I. rte de Paris ✆ 32 36 10 44 N

RENAULT Gar. Bonneau, 19 r. Albert-Camus ✆ 32 36 11 88

PADIRAC 46500 Lot 75 ⑲ – 160 h. alt. 360.

Paris 538 – Brive-la-Gaillarde 53 – Cahors 63 – Figeac 39 – Gourdon 47 – Gramat 10,5 – St-Céré 15.

au Village :

Montbertrand, ✆ 65 33 64 47, , – ☎ P. GB JCB.
4 avril-1er nov. – **R** 75/165 – 25 – **7 ch** 205/235 – ½ P 193/210.

au Gouffre N : 2,5 km – ✉ **46500** Gramat.

Voir Gouffre★★★, **G. Périgord Quercy.**

Padirac H. , ✆ 65 33 64 23, Fax 65 33 72 03, – ☎ P. GB
1er avril-11 oct. – **R** 55/170, enf. 32 – 30 – **23 ch** 95/200 – ½ P 145/190.

PAGNY-SUR-MEUSE 55190 Meuse 62 ③ – 841 h. alt. 252.

Paris 269 – ♦Nancy 38 – Bar-le-Duc 44 – Commercy 15 – Vaucouleurs 13.

E : 1 km Z.A.C. des Herbues – ✉ **55190** Pagny-sur-Meuse :

Les Orchidées M, ✆ 29 90 66 65, Fax 29 90 66 63 – TV ☎ ♿ P – 40. GB
R 70/200, enf. 50 – 30 – **38 ch** 210 – ½ P 200.

PAILHEROLS 15800 Cantal 76 ⑬ – 171 h. alt. 1 040.

Paris 569 – Aurillac 34 – Entraygues-sur-Truyère 48 – Murat 43 – Raulhac 11 – Vic-sur-Cère 14.

Aub. des Montagnes ⑤, ✆ 71 47 57 01, Fax 71 49 63 83, ⛱, – ☎ [P]. GB
fermé 15 au 23 oct. et 2 nov. au 20 déc. – **Repas** 62/115 – ☕ 25 – **18 ch** 174/184 – ½ P 190/200.

PAIMPOL 22500 C.-d'Armor 59 ② **G. Bretagne** – 7 856 h. alt. 12.

Voir Abbaye de Beauport★ SE : 2 km par ② – Tour de Kerroc'h ≤★ 3 km par ① puis 15 mn.

Env. Pointe de Minard★★ SE : 11 km par ②.

Office de Tourisme r. P.-Feutren ✆ 96 20 83 16.

Paris 495 ② – St-Brieuc 43 ② – Guingamp 31 ④ – Lannion 33 ⑤.

PAIMPOL

Martray (Pl. du)	13
République (Pl. de la)	16
Bertho (R. Sylvain)	2
Botrel (Sq. T.)	3
Église (R. de l')	4
Fromal (R. H.)	5
Gaulle (Av. Gén.-de)	7
Islandais (R. des)	8
Labenne (R. de)	9
Leclerc (R. Gén.)	10
Marne (R. de la)	12
Morand (Quai)	14
Pasteur (R.)	15
St-Vincent (R.)	17
Verdun (Pl. de)	19
18-Juin (R. du)	22

Michelin n'accroche pas de panonceau aux hôtels et restaurants qu'il signale.

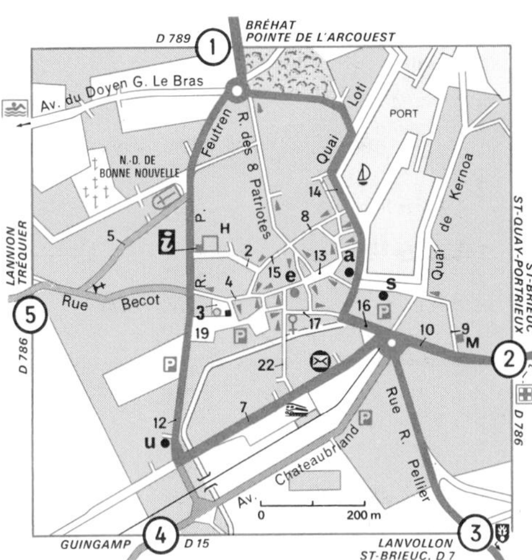

Paimpol-Eurotel [M], par ③ : 1 km ✆ 96 20 81 85, Fax 96 20 48 24 – [TV] ☎ ♿ [P] – 🏛 25. AE GB
fermé 1er au 15 nov. – **R** *(fermé dim. soir et lundi d'oct. à avril)* 65/140 ⑤, enf. 35 – ☕ 35 – **30 ch** 190/305 – ½ P 235/260.

Marne, 30 r. Marne **(u)** ✆ 96 20 82 16 – [TV] ☎ [P]. GB
fermé 15 nov. au 8 déc., 1er au 15 fév., dim. soir et lundi du 16 sept. au 30 juin – **R** 95/350, enf. 70 – ☕ 30 – **13 ch** 260/320 – ½ P 230/260.

Le Goëlo sans rest, quai Duguay-Trouin (au port) **(s)** ✆ 96 20 82 74 – [lift] [TV] ☎. GB
fermé janv. – ☕ 30 – **32 ch** 120/250.

Chalutiers sans rest, 5 quai Morand **(a)** ✆ 96 20 82 15, ≤ – [lift]
11 avril-11 oct. – ☕ 28 – **21 ch** 95/283.

Vieille Tour, 13 r. Église **(e)** ✆ 96 20 83 18 – ⓓ GB
fermé 18 nov. au 4 déc., dim. soir et merc. de sept. à juin et lundi midi en juil.-août – **Repas** 100/350.

à Ploubazlanec par ① : 2 km – 3 725 h. – ✉ **22620** :

Motel Nuit et Jour [M] sans rest, rte Ile-de-Bréhat ✆ 96 20 97 97, – cuisinette [TV] ☎ ♿ [P]. GB
☕ 30 – **17 ch** 280/370.

à Pors-Even par ① : 5 km – ✉ **22620** Ploubazlanec :

Bocher, ✆ 96 55 84 16 – ☎ [P]. GB.
12 avril-4 nov. – **R** 100/215, enf. 55 – ☕ 28 – **15 ch** 140/275 – ½ P 232/310.

à la Pointe de l'Arcouest par ① : 6 km – ✉ **22620** Ploubazlanec.

Voir ≤★★.

Le Barbu ⑤, ✆ 96 55 86 98, Fax 96 55 73 87, ≤ Ile de Bréhat, « Jardin avec piscine » – [TV] ☎ ♿ [P] – 🏛 30. GB
15 mars-15 nov. – **R** 140/400 – ☕ 50 – **20 ch** 350/600 – ½ P 500.

près du pont de Lézardrieux par ⑤ : 4,5 km sur D 786 – ✉ **22500** Paimpol :

Relais des Pins 🐦, ☎ 96 20 11 05, Fax 96 22 16 27, ≤, « Parc fleuri sur le Trieux », 🏊 – 📺 ☎ 🅿 – 🏛 25. AE GB
29 mars-3 nov. – **R** *(fermé le midi sauf sam. et dim.)* 150/480, enf. 100 – ☕ 70 – **18 ch** 600/1800 – ½ P 500/1150.

CITROEN Gar. Landais, rte de Lanvollon par ③ ☎ 96 20 88 43 N
FORD Gar. Chapalain, quai Duguay-Trouin ☎ 96 20 80 55 N
RENAULT Poidevin, rte de Lanvollon par ③ ☎ 96 20 73 15 N

Ⓜ Trégor Pneus Pneu + Armorique, rte de Lanvollon ☎ 96 22 03 18

PAIMPONT **35380** I.-et-V. 63 ⑤ **G. Bretagne** – 1 385 h. alt. 155.

Voir Forêt de Paimpont★.

Paris 389 – ◆Rennes 40 – Dinan 55 – Ploërmel 23 – Redon 48.

Relais de Brocéliande, ☎ 99 07 81 07, Fax 99 07 80 60, 🍽, 🌳 – 📺 ☎ 🅿 – 🏛 40. AE ① GB. ✻ rest
fermé 20 déc. au 10 janv. – **R** 98/260 🍷, enf. 60 – ☕ 30 – **25 ch** 165/260 – ½ P 185/230.

XX Manoir du Tertre 🐦 avec ch, Le Tertre SO : 4 km par rte de Beignon et VO ☎ 99 07 81 02, Fax 99 07 85 45, parc – 🛗 ☎ 🅿
8 ch.

PAIRIS **68** H.-Rhin 62 ⑱ – rattaché à Orbey.

PALAISEAU **91** Essonne 60 ⑩, 101 ㉞ – voir à Paris, Environs.

The new Michelin Green Tourist Guides offer:
- *more detailed descriptive texts,*
- *practical information,*
- *town plans, local maps and colour photographs,*
- *frequent fully revised editions.*

Always make sure you have the latest edition.

PALAVAS-LES-FLOTS **34250** Hérault 83 ⑦ ⑰ **G. Gorges du Tarn** – 4 748 h. – Casino.

Voir Ancienne cathédrale★ de Maguelone SO : 4 km.

ℹ Office de Tourisme bd Joffre ☎ 67 07 73 34.

Paris 766 – ◆Montpellier 12 – Aigues-Mortes 23 – Nîmes 58 – Sète 31.

Amérique H. M sans rest, av. F. Fabrège ☎ 67 68 04 39, Télex 480800, Fax 67 68 07 83, 🏊 – 🛗 ▤ 📺 ☎ 🅿. AE ① GB
☕ 32 – **47 ch** 260/320.

Mar y Sol sans rest, bd Joffre ☎ 67 68 00 46, Télex 485082, Fax 67 68 93 10, 🏊 – 🛗 📺 ☎. AE ① GB. ✻
☕ 28 – **38 ch** 243/380.

Brasilia sans rest, bd Joffre ☎ 67 68 00 68, Fax 67 68 40 41 – 📺 ☎. AE ① GB
☕ 28 – **22 ch** 210/340.

XX **Le Sphinx,** quai P. Cunq ☎ 67 68 00 21, 🍽 – ▤. AE ① GB
R carte 210 à 310.

La PALMYRE **17** Char.-Mar. 71 ⑮ **G. Poitou Vendée Charentes** – ✉ **17570** Les Mathes.

Voir Zoo de la Palmyre★ – ✻★ du phare de la Coubre★ NO : 5 km – Forêt de la Coubre★ N : 5 km.

Paris 521 – Royan 15 – Marennes 21 – Rochefort 42 – La Rochelle 76 – Saintes 54.

Palmyrotel M 🐦, ☎ 46 23 65 65, Télex 790527, Fax 46 22 44 13, 🍽, 🌳 – 🛗 📺 ☎ ♿ 🅿 – 🏛 40. GB. ✻ rest
hôtel : fermé 2 janv. au 1er avril ; rest. : fermé 16 nov. au 20 déc. et 2 janv. au 31 mars – **R** 79/198, enf. 42 – ☕ 28 – **46 ch** 290/360 – ½ P 298.

La PALUD-SUR-VERDON **04120** Alpes-de-H.-P. 81 ⑰ **G. Alpes du Sud** – 243 h. alt. 890.

Paris 793 – Digne 65 – Castellane 25 – Draguignan 60 – Manosque 66.

Provence 🐦, ☎ 92 77 38 88, ≤, 🍽 – ☎ 🅿. GB. ✻ rest
18 avril-1er nov. – **R** *(fermé lundi sauf juil.-août et fêtes)* 70/140 🍷, enf. 45 – ☕ 35 – **20 ch** 200/240 – ½ P 210/230.

Aub. des Crêtes, E : 1 km sur D 952 ☎ 92 77 38 47, 🍽 – ☎ 🅿. GB
4 avril-4 oct. – **R** *(fermé merc. sauf juil.-août et vacances scolaires)* 71/210, enf. 48 – ☕ 28 – **12 ch** 190/215 – ½ P 203/214.

PAMIERS <SP> **09100** Ariège 86 ④ ⑤ **G. Pyrénées Roussillon** – 12 965 h. alt. 278.

Office de Tourisme bd Delcassé ☏ 61 67 20 30.

Paris 759 – Foix 19 – Auch 134 – Carcassonne 72 – Castres 96 – ♦Toulouse 63.

France, 13 r. Hospice ☏ 61 60 20 88, Fax 61 67 29 48 – ☎ Ⓟ. AE GB
R *(fermé 22 déc. au 3 janv. et dim. du 1er oct. au 28 mai)* 80/210, enf. 58 – ☕ 30 – **31 ch** 240/300 – ½ P 185/230.

ALFA-ROMEO LADA Gar. Brillas, rte de Mirepoix, la Tour-du-Crieu ☏ 61 60 13 31
CITROEN Lopez, Côtes de la Cavalerie ☏ 61 67 11 45
FIAT S.C.A.A., 33 av. des Pyrénées à St-Jean-du-Falga ☏ 61 67 12 08
OPEL, GM Gomez, espl. de Milliane ☏ 61 67 26 33
PEUGEOT, TALBOT Labail, N 20 à St-Jean-du-Falga ☏ 61 68 01 00
RENAULT Pamiers-Autom., N 20 à St-Jean-du-Falga ☏ 61 68 01 41
V.A.G Marhuenda, 30 av. de Toulouse ☏ 61 60 11 96

Central Pneu, 3 av. Terrassa ☏ 61 60 54 34

PANASSAC **32** Gers 82 ⑮ – rattaché à Masseube.

PANTIN **93** Seine-St-Denis 56 ⑪, 101 ⑯ – voir à Paris, Environs.

PARAMÉ **35** I.-et-V. 59 ⑥ – voir à St-Malo.

PARAY-LE-MONIAL **71600** S.-et-L. 69 ⑰ **G. Bourgogne** – 9 859 h. alt. 245.

Voir Basilique du Sacré-Coeur★★ – Hôtel de ville★ **H** – Tympan★ du musée du Hiéron **M.**

Office de Tourisme av. Jean-Paul-II ☏ 85 81 10 92.

Paris 368 ⑤ – Moulins 71 ⑤ – Autun 77 ⑤ – Mâcon 66 ② – Montceau-les-M. 35 ① – Roanne 55 ④.

PARAY-LE-MONIAL

République (R.) ... 27
Victor-Hugo (R.) ... 29

Alsace-Lorraine (Pl.) ... 2
Billet (R.) ... 3
Chapelains (Allée des) ... 5
Charolles (av. de) ... 6
Commerce (Quai du) ... 7
Dauphin-Louis (Bd) ... 8
Derischard (R. Louis) ... 9
Deux-Ponts (R.) ... 12
Dr. Griveaud (R.) ... 13
Four (R. du) ... 14
Gaulle (Av. Ch.-de) ... 15
Guignaud (Pl.) ... 17
Industrie (Quai de l') ... 18
Jaurès (Cours Jean) ... 20
Lamartine (Pl.) ... 21
Marché (R. du) ... 22
Paix (R. de la) ... 23
Regnier (Bd H. de) ... 26
St-Vincent (R.) ... 28
Visitation (R.) ... 30

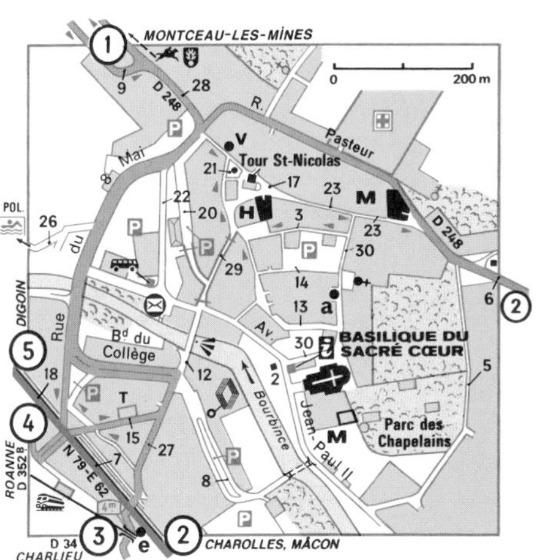

Trois Pigeons (annexe 29 ch), 2 r. Dargaud **(v)** ☏ 85 81 03 77, Fax 85 81 58 59 – ☎ AE GB
1er mars-30 nov. – **Repas** 95/190 – ☕ 29 – **45 ch** 190/275 – ½ P 192/242.

Gd H. Basilique, (a) ☏ 85 81 11 13, Fax 85 88 83 70 – ☎. AE GB
1er avril-30 oct. – **R** 69/170 – ☕ 25 – **64 ch** 100/260 – ½ P 170/210.

Vendanges de Bourgogne, 5 r. D. Papin **(e)** ☏ 85 81 13 43, Fax 85 88 87 59 – ☎ Ⓟ. AE GB
fermé 25 nov. au 15 déc. et dim. soir du 30 sept. au 1er juin – **R** 68/160 – ☕ 28 – **17 ch** 135/230 – ½ P 190/240.

à l'Est par ② : 3 km sur N 79 – ✉ **71600** Paray-le-Monial :

Delfotel M, ☏ 85 88 82 89, Fax 85 81 14 12, – ☎ Ⓟ – 25. GB
fermé vacances de Noël et dim. soir de nov. à Pâques – **R** 80/120, enf. 40 – ☕ 30 – **32 ch** 180/280 – ½ P 180.

à l'Est : par ② : 3 km sur D 248 – ✉ **71600** Paray-le-Monial :

Val d'Or, ☏ 85 81 05 07, – ☎ Ⓟ. GB
fermé nov. et lundi sauf juil.-août – **R** 70/200, enf. 58 – ☕ 28 – **17 ch** 160/195 – ½ P 195/225.

à Poisson par ③ : 8 km sur D 84 – ✉ **71600** :

X **Poste,** ☏ 85 81 10 72 – GB
fermé fév., lundi soir et mardi – **R** 85/300, enf. 45.

par ⑤ : 4 km sur N 79 – ✉ **71600** Paray-le-Monial :

Motel Grill Le Charollais M, ☏ 85 81 03 35, Fax 85 81 50 31, – TV ☎ ♿ P. AE GB
R grill 55/110 ♂, enf. 32 – ☕ 36 – **20 ch** 290/350 – ½ P 235.

CITROEN Milli Automobiles, ZA Le Champ Bossu par ① ☏ 85 88 88 21 N ☏ 85 85 06 02
FIAT Lauferon, 16 r. Deux-Ponts ☏ 85 81 13 41
MAZDA-INNOCENTI Serieys Modern Gar., La Beluze par av. de Charolles ☏ 85 81 09 31 N
PEUGEOT Gar. de la Beluze la Beluze par av. de Charolles à Volesvres ☏ 85 81 43 45 N
RENAULT Taillardat, 13 bd Dauphin-Louis ☏ 85 81 44 12 N ☏ 85 26 70 54

PARCEY **39** Jura 170 ③ – rattaché à Dole.

PARENT **63** P.-de-D. 73 ⑭ ⑮ – rattaché à Vic-le-Comte.

PARENTIGNAT **63** P.-de-D. 73 ⑮ – rattaché à Issoire.

PARENTIS-EN-BORN **40160** Landes 78 ③ **G. Pyrénées Aquitaine** – 4 056 h. alt. 32.

ℹ Syndicat d'Initiative pl. Gén.-de-Gaulle ☏ 58 78 43 60.

Paris 663 – ◆ Bordeaux 74 – Mont-de-Marsan 77 – Arcachon 41 – Mimizan 24.

Cousseau, r. St-Barthélemy ☏ 58 78 42 46 – P. GB
fermé 18 au 24 mai, 17 oct. au 8 nov., vend. soir et dim. soir – **R** 65/250 – ☕ 25 – **10 ch** 130/230.

XX Poste, r. 8-Mai-1945 ☏ 58 78 40 23.

CITROEN Gar. Dumartin ☏ 58 78 43 00 N ☏ 58 78 40 40
RENAULT Gar. Larrieu ☏ 58 78 43 50 N

Paris et environs

PARIS P 75 Plans : 10, 11, 12 et 14 **G. Paris** – 2 152 333 h. – Région d'Ile-de-France 10 651 000 h. – alt. Observatoire 60 m – Place de la Concorde 34 m – ☉ 1

Aérogares urbaines (Terminal) : esplanade des Invalides (7e) ☏ 43 23 97 10 et Palais des Congrès Porte Maillot ☏ 42 99 20 18.

Aéroports de Paris : voir à Orly et à Roissy-en-France, rubrique environs.

Trains Autos : renseignements ☏ 45 82 50 50.

Distances : A chacune des localités du Guide est donnée la distance du centre de l'agglomération à Paris (Notre-Dame) calculée par la route la plus pratique.

OFFICES DE TOURISME

Office de Tourisme et des Congrès de Paris et Accueil de France :
(tous les jours de 9 à 20 h), 127 av. des Champs-Élysées (8e) ✆ 47 23 61 72 ; Télex 611984 – Informations et réservations d'hôtels (pas plus de 5 jours à l'avance pour la province) – Change : C.C.F., 127 av. des Champs-Élysées ✆ 47 20 59 64.

Bureaux Annexes :
Gare de l'Est ✆ 46 07 17 73 ; Gare de Lyon ✆ 43 43 33 24 ; Gare du Nord ✆ 45 26 694 82 ; Gare d'Austerlitz ✆ 45 84 91 70 ; Tour Eiffel ✆ 45 51 22 15 ; Gare Montparnasse ✆ 43 22 19 19.

Province et étranger :
Voir adresses dans Index et Plan de Paris Michelin n° 11

CURIOSITÉS

ce qu'il faut surtout voir

GRANDS MONUMENTS

Louvre*** (le Palais des rois de France*** ; Cour Carrée, colonnade de Perrault, façade sur le quai, les « bras » du Louvre, Arc de Triomphe du Carrousel et Pyramide) – Notre Dame*** K 15 – Ste Chapelle*** J 14 – Arc de Triomphe*** F 8 (Place Charles de Gaulle) – Tour Eiffel*** J 7 – Invalides*** (Eglise du Dôme, tombeau de Napoléon) J 10 – Palais Royal** H 13 – La Madeleine** G 11 – Opéra** F 12 – St-Germain l'Auxerrois** H 14 – Conciergerie** J 14 – École Militaire** K 9 – Luxembourg** (palais, jardins) KL 13 – Panthéon** L 14 – St Séverin** K 14 – St Germain des Prés** J 13 – St Etienne du Mont** L 15 – St Sulpice** K 13 – Hôtel Lamoignon** J 16 – Hôtel Guénégaud** (musée de la chasse) H 16 – Hôtel de Rohan** H 16 – Palais Soubise** (musée de l'Histoire de France) H 16 – Sacré Cœur** D 14 – Tour Montparnasse** LM 11 – Institut de France* J 13 – Maison de Radio-France* K 5 – Palais des Congrès* E 6 – St Roch* G 13 – Pont Alexandre III* H 10 – Pont Neuf* J 14 – Pont des Arts J 13.

GRANDS MUSÉES

Louvre*** : Frise des Archers, Scribe accroupi, Vénus de Milo, Victoire de Samothrace, Nymphes de Jean Goujon, la Joconde, le Régent... H 13 – Orsay*** H 12 – Art moderne*** (Centre Georges Pompidou**) H 15 – Armée*** J 10 – Cité des Sciences et de l'Industrie*** (La Villette)** BC 20 – Arts décoratifs** H 13 – Cluny** (hôtel et musée : la Dame à la Licorne) K 14 – Rodin** (hôtel de Biron) J 10 – Carnavalet** J 17 – Picasso** H 17 – Monuments français**, musée de l'Homme**, musée de la Marine** (Palais de Chaillot) H 7 – Palais de la Découverte** G 10 – Conservatoire des Arts et Métiers** G 16 – Marmottan** H 4 – Orangerie* H 11.

RUES – PLACES – JARDINS

Champs-Élysées*** F 8, F 9, G 10 – Place de la Concorde*** (Obélisque de Louksor) G 11 – Jardin des Tuileries** H 12 – Rue du Faubourg St-Honoré G 11, G 12 – Avenue de l'Opéra** G 13 – Place Vendôme** G 12 – Place des Vosges** J 17 – Place du Tertre** D 14 – Jardin des Plantes** L 16 – Avenue Foch* F 6, F 7 – Rue de Rivoli* G 12 – Rue Mouffetard* M 15 – Place de la Bastille (Colonne de Juillet) JK 17 – Place de la République G 17 – Grands Boulevards F 13, F 14.

QUARTIERS ANCIENS

La Cité*** (Ile St-Louis, les Quais) J 14, J 15 – Le Marais*** – Montmartre*** D 14 – Montagne Ste Geneviève** (Quartier Latin) K 14.

K 14, G 10 : *Lettres et chiffres de situation sur les plans de Paris Michelin n°* 10, 11, 12, 14 *ou* 15

RENSEIGNEMENTS PRATIQUES

BUREAUX DE CHANGE

- Principales banques : ferment à 17 h et sam., dim.
- A l'aéroport d'Orly-Sud : de 6 h 30 à 23 h 30
- A l'aéroport Charles de Gaulle : de 6 h 15 à 23 h 30 (aérogare 1)
  de 7 h à 23 h (aérogare 2)

TRANSPORTS

Taxi : faire signe aux véhicules libres (lumière jaune allumée) – Aires de stationnement – De jour et de nuit : appels téléphonés.

Bus-Métro : se reporter au plan de Paris Michelin n° 11. Le bus permet une bonne vision de la ville, surtout pour courtes distances.

POSTES-TÉLÉPHONE

Chaque quartier a un bureau de Postes ouvert jusqu'à 19 h, fermé samedi après-midi et dim.

Bureau ouvert 24 h sur 24 : 52, rue du Louvre.

PRINCIPAUX CENTRES DE COMMERCE

Grands magasins : Boulevard Haussmann, Rue de Rivoli, Rue de Sèvres.

Commerce de luxe : Faubourg St-Honoré, Rue de la Paix, Rue Royale, av. Montaigne.

Occasions et antiquités : Marché aux Puces (Porte Clignancourt), Village Suisse (av. de la Motte-Piquet) – Louvre des Antiquaires.

COMPAGNIES AÉRIENNES FRANÇAISES

Air France 119, Champs-Élysées ✆ 45 35 61 61
Air Inter 1, av. Mar.-Devaux 91551 Paray-Vieille-Poste Cedex ✆ 46 75 12 12
UTA 3, boulevard Malesherbes ✆ 40 17 46 46

DÉPANNAGE AUTOMOBILE

Il existe, à Paris et dans la Région Parisienne, des ateliers et des services permanents de dépannage.

Les postes de Police vous indiqueront le dépanneur le plus proche de l'endroit où vous vous trouvez.

MICHELIN à Paris et en banlieue

Services généraux :

46 av. Breteuil ✆ 45 66 12 34 – 75324 PARIS CEDEX 07 – Télex MICHLIN 270789 F. Ouverts du lundi au vendredi de 8 h 45 à 16 h 30 (16 h le vendredi).

Agences régionales :

Ouvertes du lundi au vendredi de 8 h à 12 h 15 et de 14 h à 18 h (17 h 45 le vendredi).

Aubervilliers : 34 r. des Gardinoux ✆ 48 33 07 58 – BP 79 – 93302 AUBERVILLIERS CEDEX.

Maisons-Alfort : r. Charles-Martigny – Z.I. des Petites Haies – ✆ 48 99 55 60 – BP 50 – 94702 MAISONS ALFORT CEDEX.

Nanterre : 13, 15, 17 r. des Fondrières ✆ 47 21 67 21 – BP 505 – 92005 NANTERRE CEDEX.

Agences :

Buc : 417 av. R. Garros – Z.I. Centre – ✆ 39 56 10 66 – 78530 BUC.

ARRONDISSEMENTS

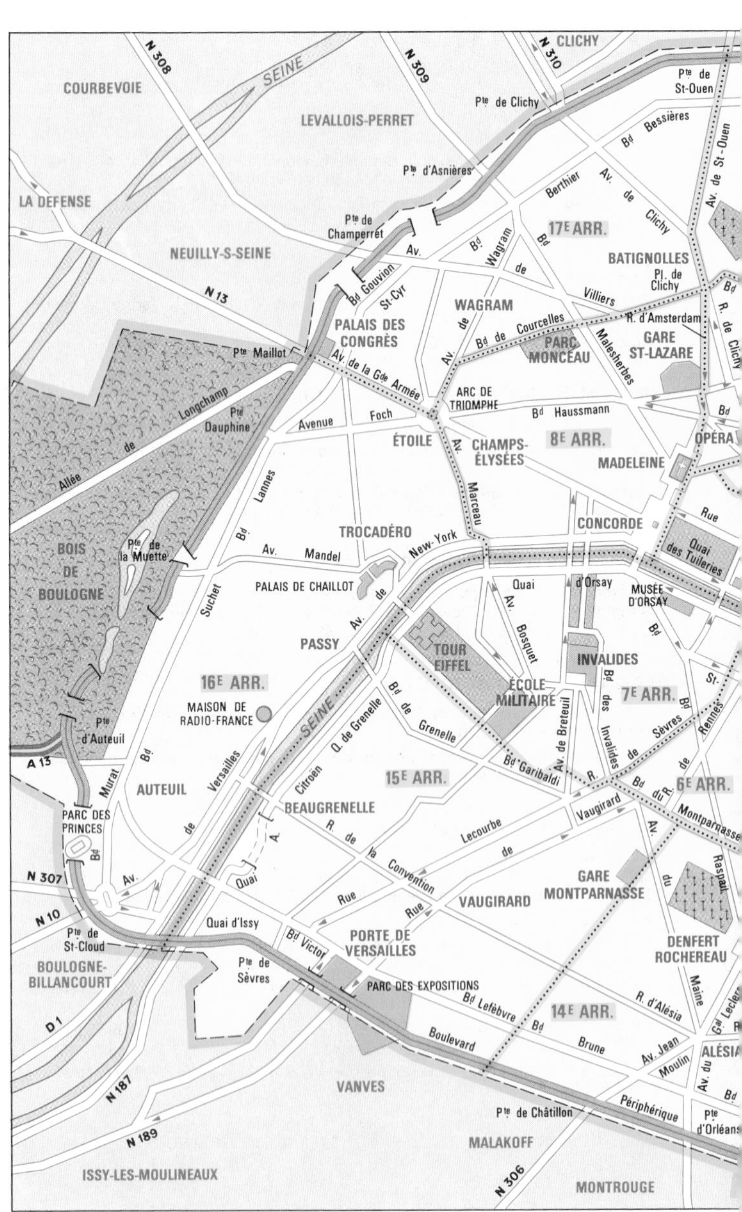

ET QUARTIERS

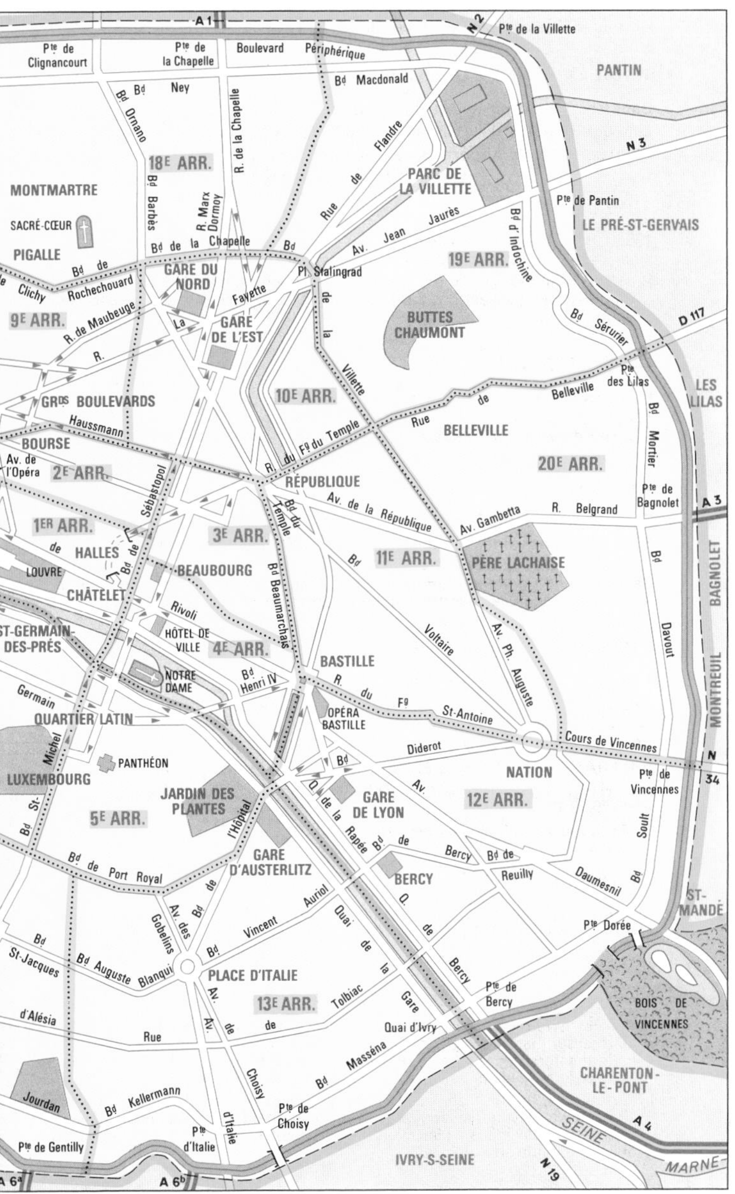

PRACTICAL INFORMATION

TOURIST INFORMATION

Paris "Welcome" Office (Office de Tourisme de Paris - Accueil de France) : 127 Champs-Élysées, 8th, ✆ 47 23 61 72, Telex 611984

American Express 11 Rue Scribe, 9th, ✆ 42 66 09 99

FOREIGN EXCHANGE OFFICES

Banks : close at 5 pm and at weekends

Orly Sud Airport : daily 6.30 am to 11.30 pm

Charles de Gaulle Airport : daily 7 am to 11.30 pm (Air terminal 1)
daily 7 am to 11 pm (Air terminal 2)

TRANSPORT

Taxis : may be hailed in the street when showing the illuminated sign-available day and night at taxi ranks or called by telephone

Bus-Métro (subway) : for full details see the Michelin Plan de Paris no 11. The métro is quickest but the bus is good for sightseeing and practical for short distances

POSTAL SERVICES

Local post offices : open Mondays to Fridays 8 am to 7 pm ; Saturdays 8 am to noon

General Post Office, 52 Rue du Louvre, 1st : open 24 hours

SHOPPING

Department stores : Boulevard Haussmann, Rue de Rivoli and Rue de Sèvres

Exclusive shops and boutiques : Faubourg St-Honoré, Rue de la Paix, Rue Royale and Avenue Montaigne

Second-hand goods and antiques : Flea Market (Porte Clignancourt) ; Swiss Village (Avenue de La Motte Picquet), Louvre des Antiquaires

AIRLINES

T.W.A. : 101 Champs-Élysées, 8th, ✆ 47 20 62 11

DELTA AIRLINES : 4 pl. des Vosges, Immeuble Lavoisier, Cedex 64 Paris 92052 La Défense, ✆ 47 68 92 92

BRITISH AIRWAYS : 91 Champs-Élysées, 8th, ✆ 47 78 14 14

AIR FRANCE : 119 Champs-Élysées, 8th, ✆ 45 35 61 61

AIR INTER : 1 Avenue Mar.-Devaux 91551 Paray-Vieille-Poste Cedex ✆ 46 75 12 12

UTA : 3 Boulevard Malesherbes, 8th, ✆ 40 17 46 46

BREAKDOWN SERVICE

Certain garages in central and outer Paris operate a 24-hour breakdown service. If you break down the police are usually able to help by indicating the nearest one.

TIPPING

In France, in addition to the usual people who are tipped (the barber or ladies' hairdresser, hat-check girl, taxi-driver, doorman, porter, et al.), the ushers in Paris theaters and cinemas, as well as the custodians of the "men's" and "ladies" in all kinds of establishments, expect a small gratuity.

In restaurants, the tip ("service") is always included in the bill to the tune of 15 %. However you may choose to leave in addition the small change in your plate, especially if it is a place you would like to come back to, but there is no obligation to do so.

LISTE ALPHABÉTIQUE
des hôtels et restaurants

H - I

J - K

L

M

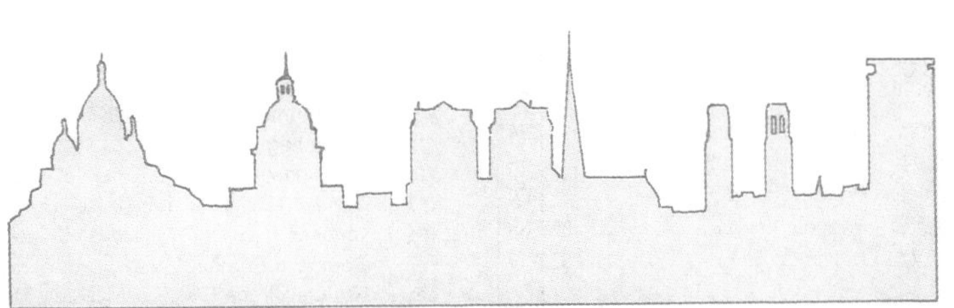

RESTAURANTS
de Paris et de la Banlieue

Les bonnes tables... à étoiles

		Arr.	Page
XXXXX	Lucas Carton (Senderens)	8e	39
XXXXX	Taillevent (Vrinat)	8e	39
XXXXX	Tour d'Argent (Terrail)	5e	31
XXXX	Ambroisie (L') (pacaud)	4e	28
XXXX	Jamin (Robuchon)	16e	52

✿✿

		Arr.	Page
XXXXX	Ambassadeurs (Les)	8e	39
XXXXX	Espadon	1er	24
XXXXX	Lasserre	8e	39
XXXXX	Laurent	8e	39
XXXX	Arpège	7e	34
XXXX	Carré des Feuillants	1er	24
XXXX	Chiberta	8e	39
XXXX	Clos de Longchamp (Le)	17e	55
XXXX	Duc d'Enghien	à Enghien-les-Bains	66
XXXX	Duquesnoy	7e	34
XXXX	Faugeron	16e	52
XXXX	Gérard Besson	1er	25
XXXX	Grand Vefour	1er	24
XXXX	Guy Savoy	17e	55
XXXX	Le Divellec	7e	34
XXXX	Michel Rostang	17e	55
XXXX	Trois Marches (Les)	à Versailles	84
XXXX	Vivarois	16e	52
XXX	Amphyclès	17e	56
XXX	Apicius	17e	56
XXX	Jacques Cagna	6e	31
XXX	Tastevin (Le)	à Maisons-Laffitte	69
XXX	Vieille-Fontaine	à Maisons-Laffitte	69

✿

		Arr.	Page
XXXXX	Bristol	8e	39
XXXXX	Ledoyen	8e	39
XXXXX	Régence	8e	39
XXXX	Célébrités (Les)	15e	49
XXXX	Drouant	2e	25
XXXX	Élysée Lenôtre	8e	39
XXXX	Étoile d'or	17e	56
XXXX	Fouquet's Europe	à La Défense	65
XXXX	Grande Cascade	16e	54
XXXX	Manoir de Paris	17e	56
XXXX	Marée (La)	8e	39
XXXX	Meurice (Le)	1er	24
XXXX	Montparnasse 25	14e	49
XXXX	Pré Catelan	16e	54
XXXX	Princes (Les)	8e	39
XXXX	Relais de Sèvres	15e	49
XXXX	Rest Opéra-Café de la Paix	9e	43
XXX	Barrière de Clichy (La)	à Clichy	64
XXX	Beauvilliers	18e	59
XXX	Belle Époque (La)	à Châteaufort	63
XXX	Boule d'Or (La)	7e	34
XXX	Camélia (Le)	à Bougival	62
XXX	Cantine des Gourmets	7e	34
XXX	Céladon (Le)	2e	25
XXX	Clovis (Le)	8e	40
XXX	Cochon d'Or	19e	59
XXX	Communautés (Les)	à La Défense	65
XXX	Copenhague	8e	40
XXX	Couronne (La)	8e	39
XXX	Dariole de Viry	à Viry-Châtillon	85
XXX	Faucher	17e	56
XXX	Goumard-Prunier	1er	25
XXX	Grande Sirène (La)	à Versailles	84

XXX	Jacqueline Fénix	à Neuilly-sur-Seine	72
XXX	Magnolias (Les)	au Perreux-sur-Marne	74
XXX	Mercure Galant	1er	25
XXX	Miravile	4e	28
XXX	Morot-Gaudry	15e	49
XXX	Paris	6e	31
XXX	Paul et France	17e	56
XXX	Port Alma	16e	53
XXX	Pressoir (Au)	12e	46
XXX	15 Montaigne Maison Blanche	8e	39
XXX	Regain	7e	34
XXX	Relais Louis XIII	6e	31
XXX	Sormani	17e	56
XXX	Table d'Anvers (La)	9e	43
XXX	Timgad	17e	56
XXX	Toit de Passy	16e	53
XXX	Truffe Noire	à Neuilly-sur-Seine	72
XX	Bellecour (Le)	7e	34
XX	Benoît	4e	28
XX	Bistro 121	15e	49
XX	Cagouille (La)	14e	50
XX	Clavel	5e	31
XX	Conti	16e	53
XX	Dodin Bouffant	5e	31
XX	Dôme (Le)	14e	49
XX	Ferme St-Simon	7e	34
XX	Fontaine d'Auteuil	16e	53
XX	Jacques Hébert	15e	49
XX	Pauline (Chez)	1er	25
XX	Petit Colombier (Le)	17e	56
XX	Petite Bretonnière	15e	49
XX	Petite Tour (La)	16e	53
XX	Pharamond	1er	25
XX	Pierre au Palais Royal	1er	25
XX	Pile ou face	2e	25
XX	Récamier	7e	34
XX	Relais d'Auteuil	16e	53
XX	Sousceyrac (A)	11e	28
XX	Timonerie (La)	5e	32
XX	Trou Gascon (Au)	12e	46
X	Pouilly-Reuilly (Au)	au Pré St-Gervais	74
X	Vin sur Vin	7e	35

Pour le souper après le spectacle

(Nous indiquons entre parenthèses l'heure limite d'arrivée)

XXXX	Drouant (Café Drouant) (0 h 30)	2e	25
XXX	Charlot Ier « Merveilles des mers » (1 h)	18e	59
XXX	Charlot « Roi des Coquillages » (1 h)	9e	43
XXX	Le Grill (1 h)	8e	40
XXX	Le Louis XIV (1 h)	10e	43
XXX	Pierre « A la Fontaine Gaillon » (0 h 30)	1er	25
XXX	Le Procope (1 h)	6e	31
XXX	Relais Plaza (1 h 15)	8e	40
XXX	Chez Vong (0 h 30)	1er	25
XX	Baumann Marbeuf (1 h)	8e	40
XX	Le Ballon des Ternes (0 h 30)	17e	56
XX	Le Bœuf sur le Toit (2 h)	8e	40
XX	Bofinger (Brasserie) (1 h)	4e	28
XX	Brasserie Flo (1 h 30)	10e	44
XX	La Coupole (2 h)	14e	49
XX	Le Dôme (0 h 45)	14e	49
XX	L'Écailler du Palais (1 h)	17e	57
XX	Gand Café Capucines (jour et nuit)	9e	43
XX	Le Grand Colbert (1 h)	2e	26
XX	Julien (1 h 30)	10e	44
XX	Au Pied de Cochon (jour et nuit)	1er	25
XX	Brasserie Café de la Paix (1 h 15)	9e	43
XX	Vaudeville (2 h)	2e	25
X	Bistro des Deux Théâtres (0 h 30)	9e	44
X	Brasserie de la Poste (1 h)	16e	54
X	La Main à la Pâte (0 h 30)	1er	26
X	La Poule au Pot (5 h)	1er	26

Il est conseillé d'avoir une tenue vestimentaire adaptée à la classe et à la réputation de l'établissement choisi.

Le plat que vous recherchez

Une andouillette

Ambassade d'Auvergne	3e	28
Bistrot d'Alex	6e	32
Bofinger	4e	28
Cochon d'Or	19e	59
Comme Chez Soi	9e	44
Coupole (La)	14e	49
Duquesnoy	7e	34
Ferme des Mathurins	8e	41
Gasnier	à Puteaux	75
Gastroquet (Le)	15e	50
Georges (Chez)	1er	26
Joséphine	6e	32
Julien	10e	44
Marlotte (La)	6e	32
Moissonnier	5e	32
Nuit de St-Jean	7e	35
Petits Pères « Chez Yvonne » (Aux)	2e	26
Pharamond	1er	25
Pied de Cochon (Au)	1er	25
Pierre (Chez)	15e	50
Pouilly-Reuilly (Au)	au Pré-St-Gervais	74
Quai d'Orsay (au)	7e	34
Rhône (Le)	13e	46
St-Vincent	15e	50
Sousceyrac (A)	11e	28
Traversière (Le)	12e	46

Du boudin

Ambassade d'Auvergne	3e	28
Cochon d'Or	19e	59
D'Chez Eux	7e	34
Marlotte (La)	6e	32
Moissonnier	5e	32
Pierre Au Palais Royal	1er	25
Pouilly-Reuilly (Au)	Au Pré-St-Gervais	74
Quai d'Orsay (Au)	7e	34
Rhône (Le)	13e	46
Yvette (Chez)	15e	50

Une bouillabaisse

Augusta (Chez)	17e	56
Charlot Ier « Merveilles des Mers »	18e	59
Charlot « Roi des Coquillages »	9e	43
Dôme (Le)	14e	49
Écailler du Palais (L')	17e	57
Frégate (La)	12e	46
Jarrasse	à Neuilly-sur-Seine	73
Marius	16e	53
Marius et Janette	8e	40
Moniage Guillaume	14e	49
Senteurs de Provence	15e	50
Truite Vagabonde (La)	17e	57

Un cassoulet

Bœuf sur le Toit (Le)	8e	40
Brasserie de la Poste	16e	53
Clef du Périgord (La)	1er	26
Cochon Doré	2e	26
D'Chez Eux	7e	34
Écrevisse (L')	17e	57
Etchegorry	13e	46
Flambée (La)	12e	46
Gasnier	à Puteaux	75
Gourmets Landais (Aux)	à la Garenne Colombes	66
Julien	10e	44
Léon (Chez)	17e	57
Lous Landès	14e	49
Pierre (Chez)	15e	50
Pyrénées-Cévennes	11e	28
Quercy (Le)	9e	43
Quincy (Le)	12e	46
Saint-Vincent (Le)	15e	50
Sarladais (Le)	8e	40
Thoumieux	7e	35
Vendanges (Les)	14e	50

Une choucroute

Andrée Baumann	17e	56
Baumann Marbeuf	8e	40
Bofinger	4e	28
Brasserie de la Poste	16e	53
Brasserie Flo	10e	44
Cochon doré	1er	26
Coupole (La)	14e	49
Luneau (Le)	12e	46
Terminus Nord	9e	44

Un confit

Aub. Landaise	à Enghien-les-Bains	66
Brasserie de la Poste	16e	53
Cazaudehore	à St-Germain-en-Laye	77
Clef du Périgord (La)	1er	26
Closerie Périgourdine	à Argenteuil	60
Cochon Doré	2e	26
Comme Chez Soi	9e	44
D'Chez Eux	7e	34
Écrevisse (L')	17e	57
Escargot (A L')	à Aulnay-sous-Bois	61
Etchegorry	13e	46
Flambée (La)	12e	46
Françoise (Chez)	13e	46
Gasnier	à Puteaux	75
Gastroquet (Le)	15e	50
Giberne (La)	15e	50
Jean l'Auvergnat (Chez)	9e	44
Lous Landès	14e	49
Périgord (Le)	à Asnières	60
Pierre (Chez)	15e	50
Poule au Pot (La)	1er	26
Pyrénées-Cévennes	11e	28
Quercy (Le)	9e	43
Relais Beaujolais	9e	44
Repaire de Cartouche	11e	28
Saint-Amour (Le)	1er	26
Sarladais (Le)	8e	40
Tante Louise (Chez)	8e	40
Trinquet (Le)	à St-Mandé	78
Trou Gascon (Au)	12e	46
Vendanges (Les)	14e	50

Des coquillages, crustacés, poissons

Andrée Baumann	17e	56
Armes de Bretagne	14e	49
Augusta (Chez)	17e	56
Ballon des Ternes (Le)	17e	56
Bœuf sur le Toit (Le)	8e	40
Bofinger	4e	28
Bonne Table (La)	à Clichy	64
Cagouille (La)	14e	50
Charlot Ier « Merveilles des Mers »	18e	59

Charlot « Roi des Coquillages »	9e	43
Coupole (La)	14e	49
Dodin-Bouffant	5e	31
Dôme (Le)	14e	49
Eau Vive (L')	à Chelles	63
Ecailler du palais (L')	17e	57
El Chiquito	à Reuil-Malmaison	76
Flamberge (La)	7e	34
Frégate (La)	12e	46
Gaya	1er	25
Goumard-Prunier	1er	25
Grand Café Capucines	9e	43
Jarrasse	à Neuilly-sur-Seine	73
Le Divellec	7e	34
Louis XIV (Le)	10e	43
Marée (La)	8e	39
Marius et Janette	8e	40
Marty	5e	31
Mère Michel	17e	57
Orée du Bois (L')	à Vélizy-Villacoublay	81
Pied de Cochon (Au)	1er	25
Pierre « A la Fontaine Gaillon »	2e	25
Procope (Le)	6e	31
Senteurs de Provence	15e	50
Vaudeville	2e	25

Des escargots

Escargot (A l')	à Aulnay-sous-Bois	61
Escargot de Linas (L')	à Linas	68
Escargot Montorgueil (L')	1er	26
Léon (Chez)	17e	57
Moissonnier	5e	32
Quincy (Le)	12e	46

Une paëlla

Etchegorry	13e	46
Françoise (Chez)	13e	46
Pyrénées-Cévennes	11e	28
San Valero	à Neuilly-sur-Seine	73

Une grillade

Baumann Marbeuf	8e	40
Caveau du Palais	1er	26
Cochon d'Or	19e	59
Flambée (La)	12e	46
Grilladin (Au)	6e	32
Quai d'Orsay (Au)	7e	34
Rôtisserie du Beaujolais	5e	32
Saint-Vincent (Le)	15e	50
Terminus Nord	9e	44
Train Bleu	12e	46

De la tête de veau

Apicius	17e	56
Bistrot d'Alex	6e	32
Bœuf sur le toit (Le)	8e	40
Cochon d'Or	19e	59
Georges (Chez)	17e	57
Grille (La)	10e	44
Léon (Chez)	17e	57
Marty	5e	31
Paul	1er	26
Petite Tour (La)	16e	53
Petit Riche	9e	44
Pierre (Chez)	15e	50
Regain	8e	34

Des tripes

Bistro d'Alex (Le)	6e	32
Nuit de St-Jean	7e	35
Pharamond	1er	25
Pied de Cochon	1er	25
Thoumieux	7e	35

Des fromages choisis

Androuët	8e	40

Des soufflés

Soufflé (Le)	1er	26

Spécialités étrangères

Chinoises et Indochinoises

Délices de Szechuen (Aux)	7e	35
Focly	7e	34
Focly	à Neuilly-sur-Seine	72
Gd Chinois (Le)	16e	53
Jardin Violet (Le)	8e	40
Ngo (Chez)	16e	53
Palais du Trocadéro	16e	53
Palanquin (Le)	6e	32
P'tite Tonkinoise (La)	10e	44
Tan Dinh	7e	35
Tong-Yen	8e	41
Tsé-Yang	16e	53
Vong (Chez)	1er	25

Espagnoles

San Valero	à Neuilly-sur-Seine	73

Indiennes

Indra	8e	40
Lal Qila	15e	49
Mina Mahal	15e	50
Yugaraj	6e	31

Italiennes

Beato	7e	34
Bice	8e	40
Châteaubriant (Au)	10e	43
Conti	16e	53
Fellini	15e	50
Finzi	8e	40
Florence (Le)	7e	34
Gildo	7e	35
Giulio Rebellato	7e	34
Giulio Rebellato	16e	53
Il Ristorante	17e	56
Main à la Pâte (La)	1er	26
Sormani	17e	56
Stresa	8e	40
Velloni	1er	25
Villa Vinci	16e	53

Japonaises

Benkay (H. Nikko)	15e	47
Gokado	9e	44
Kinugawa	1er	25
Yamato (H. Méridien)	17e	54

Libanaises

Pavillon Noura	16e	53

Nord-Africaines

Al Mounia	16e	53
Étoile Marocaine (L')	8e	40
Timgad	17e	56
Tour de Marrakech (La)	à Antony	60
Wally	4e	28

Portugaises

Saudade	1er	25

Russes

Datcha Lydie (La)	15e	50

Scandinaves

Copenhague	8e	40

Quelques restaurants où vous trouverez un menu à moins de 170 F

Banlieue

Argenteuil		
XX	Closerie Périgourdine	60
Asnières		
XX	Petite Auberge (La)	60
Bois Colombes		
XX	Bouquet Garni (Le)	61
Bougival		
X	Bistro du quai	62
La Celle-St-Cloud		
X	Petit chez Soi (Au)	63
Clichy		
XX	Dagobert	64
Cormeilles-en-Parisis		
XX	Aub. de l'Hexagone	64
Fontenay-sous-Bois		
X	Musardière (La)	66
Fourqueux		
XX	Timbalier (Le)	66
Garches		
X	Tardoire (La)	66
La Garenne-Colombes		
XX	Sartorine (La)	66
Levallois-Perret		
XX	Chou Farci (Le)	68
XX	Jardin (Le)	68
Marly-le-Roi		
XX	Chevaux de Marly (Les)	69
Meudon		
XX	Lapin Sauté	71
Montreuil		
XXX	Gaillard (Le)	71
Morsang-sur-Orge		
XX	Causette (La)	72
Nanterre		
XXX	Ile de France	72
XX	Rôtisserie (La)	72
Neuilly-sur-Seine		
XX	Bistrot d'à Côté Neuilly	73
Petit-Clamart		
XX	Rendez-vous de Chasse (Au)	74
Le Port-Marly		
XX	Aub. du Relais Breton	74
Puteaux		
XX	Chaumière (La)	75
St Germain-en-Laye		
XX	Feuillantine (La)	77
St-Mandé		
X	Trinquet (Le)	78
St-Maur-des-Fossés		
XX	Jardin d'Ohé (Le)	79
Sucy-en-Brie		
XXX	Terrasse Fleurie	80
La Varenne-St-Hilaire		
XXX	Bretèche (La)	81
XX	Chez Nous comme chez vous	81
Versailles		
XX	Connemara (Le)	84
XX	Potager du Roy	84
XX	Pot-au-Feu	84
Viroflay		
XX	Aub. La Chaumière	85

Plein air

XXXXX	✿✿	Laurent	8e	39
XXXX	✿	Grande Cascade	16e	54
XXXX	✿	Pré Catelan	16e	54
XXX		Pavillon Puebla	19e	59

Champrosay	XXX		Bouquet de la Forêt	65
Chennevières-sur-Marne	XXX		Écu de France	63
Maisons-Laffitte	XXX	✿✿	Vieille Fontaine	69
»	XXX	✿✿	Tastevin (Le)	69
Rueil-Malmaison	XXX		El Chiquito	76
St-Germain-en-L.	XXX		Cazaudehore	77
Vaucresson	XX		Poularde (La)	81

Restaurants avec salons particuliers

1er arrondissement

2e arrondissement

3e arrondissement

4e arrondissement

5e arrondissement

6e arrondissement

7e arrondissement

8e arrondissement

9e arrondissement

12e arrondissement

13e arrondissement

14e arrondissement

15e arrondissement

16e arrondissement

17e arrondissement

18e arrondissement

19e arrondissement

Restaurants ouverts samedi et dimanche

Banlieue

HOTELS, RESTAURANTS
par arrondissements

(Liste alphabétique des Hôtels et Restaurants, voir p. 7 à 13)

G 12 : Ces lettres et chiffres correspondent au carroyage du **Plan de Paris** Michelin n° 10, **Paris Atlas** n° 11, **Plan avec répertoire** n° 12 et **Plan de Paris** n° 14.

En consultant ces quatre publications vous trouverez également les parkings les plus proches des établissements cités.

Opéra, Palais-Royal, Halles, Bourse.

1er et 2e arrondissements - 1er : ✉ 75001 - 2e : ✉ 75002

Ritz, 15 pl. Vendôme (1er) ✉ 75001 ℘ 42 60 38 30, Télex 220262, Fax 42 60 23 71, « Belle piscine et luxueux centre de remise en forme » – 30 à 80. AE GB JCB. rest G 12
R voir rest. **Espadon** ci-après – 160 – **142 ch** 2750/4100, 45 appart.

Meurice, 228 r. Rivoli (1er) ℘ 42 60 38 60, Télex 230673, Fax 49 27 94 97 – – 40 à 100. AE GB. rest G 12
R voir rest. **Le Meurice** ci-après – 130 – **148 ch** 2200/2900, 40 appart.

Inter-Continental, 3 r. Castiglione (1er) ℘ 44 77 11 11, Télex 220114, Fax 44 77 14 60, – ch – 500. AE GB. rest G 12
Café Tuileries (coffee shop) **R** carte 215 à 295 – **La Terrasse Fleurie R** carte 340 à 540 – 120 – **435 ch** 1650/2450, 16 appart.

Lotti, 7 r. Castiglione (1er) ℘ 42 60 37 34, Télex 240066, Fax 40 15 93 56 – ch – 25. AE GB JCB. rest G 12
R *(fermé dim. en août)* 230 et carte 260 à 410 – 120 – **129 ch** 1600/3000.

Westminster, 13 r. Paix (2e) ℘ 42 61 57 46, Télex 680035, Fax 42 60 30 66 – ch ch – 40. AE GB G 12
R voir rest. **Le Céladon** ci-après – 110 – **101 ch** 1900/2400, 18 appart. 2600/4200.

du Louvre, pl. A. Malraux (1er) ℘ 44 58 38 38, Télex 240412, Fax 44 58 38 01 – – 100. AE GB JCB H 13
Brasserie Le Louvre R carte 190 à 330 – 90 – **179 ch** 1200/2000, 21 appart.

Édouard VII et rest. le Delmonico, 39 av. Opéra (2e) ℘ 42 61 56 90, Télex 680217, Fax 42 61 47 73 – rest – 45. AE GB JCB G 13
R *(fermé 25 juil. au 25 août, sam. et dim.)* 250 bc/350 – 30 – **68 ch** 750/1290, 4 appart. 1800.

Normandy, 7 r. Échelle (1er) ℘ 42 60 30 21, Télex 670250, Fax 42 60 45 81 – – 50. AE GB JCB H 13
L'Échelle *(fermé sam. et dim.)* **R** 180 et carte 230 à 320 – 68 – **123 ch** 920/1490, 8 appart. 1770/2500.

Cambon sans rest, 3 r. Cambon (1er) ℘ 42 60 38 09, Télex 240814, Fax 42 60 30 59 – . AE GB JCB G 12
70 – **43 ch** 880/1380.

Mayfair sans rest, 3 r. Rouget-de-Lisle (1er) ℘ 42 60 38 14, Télex 240037, Fax 40 15 04 78 – . AE GB JCB. G 12
70 – **53 ch** 850/1555.

Novotel Paris Halles M, 8 pl. M.-de-Navarre (1er) ℘ 42 21 31 31, Télex 216389, Fax 40 26 05 79, – – 40 à 100. AE GB H 14
R carte environ 150, enf. 50 – 55 – **280 ch** 790/860, 5 appart. 1500.

Royal St Honoré sans rest, 13 r. Alger (1er) ℘ 42 60 32 79, Télex 680429, Fax 42 61 21 49 – – 25. AE GB JCB G 12
60 – **71 ch** 700/900, 3 appart. 1650.

de Noailles M sans rest, 9 r. Michodière (2e) ✆ 47 42 92 90, Télex 290644, Fax 49 24 92 71 – TV ☎. AE GB G 13
35 – **58 ch** 800.

Favart sans rest, 5 r. Marivaux (2e) ✆ 42 97 59 83, Télex 213126, Fax 40 15 95 58 – TV ☎ ♿. AE GB F 13
20 – **37 ch** 490/590.

François sans rest, 3 bd Montmartre (2e) ✆ 42 33 51 53, Télex 211097, Fax 40 26 29 90 – TV ☎. AE GB. F 14
48 – **61 ch** 680/820, 11 appart. 795/930.

Montana Tuileries sans rest, 12 r. St-Roch (1er) ✆ 42 60 35 10, Télex 214404, Fax 42 61 12 28 – TV ☎. AE GB JCB G 12
48 – **25 ch** 690/990.

Duminy Vendôme sans rest, 3 r. Mont Thabor (1er) ✆ 42 60 32 80, Télex 213492, Fax 42 96 07 83 – TV ☎ – 30. AE GB JCB. G 12
79 ch 780/850.

Louvre St-Honoré M sans rest, 141 r. St-Honoré (1er) ✆ 42 96 23 23, Télex 215044, Fax 42 96 21 61 – TV ☎. AE GB JCB H 14
45 – **40 ch** 450/945.

Molière sans rest, 21 r. Molière (1er) ✆ 42 96 22 01, Télex 213292, Fax 42 60 48 68 – TV ☎. AE GB. G 13
35 – **29 ch** 430/650, 3 appart.

Lautrec Opéra M sans rest, 8 r. d'Amboise (2e) ✆ 42 96 67 90, Télex 216502, Fax 42 96 06 83 – TV ☎. AE GB. F 13
25 – **30 ch** 500/800.

Baudelaire Opéra M sans rest, 61 r. Ste Anne (2e) ✆ 42 97 50 62, Télex 216116, Fax 42 86 85 85 – TV ☎. AE GB JCB G 13
30 – **29 ch** 420/570, 5 duplex 680.

Gd H. de Champagne sans rest, 17 r. J.-Lantier (1er) ✆ 42 36 60 00, Télex 215955, Fax 45 08 43 33 – TV ☎. AE GB J 14
55 – **40 ch** 545/850, 3 appart. 1150.

Le Relais du Louvre sans rest, 19 r. Prêtres-St-Germain-L'Auxerrois (1er) ✆ 40 41 96 42, Fax 40 41 96 44 – TV ☎. AE GB H 14
50 – **20 ch** 575/1100.

Gaillon-Opéra sans rest, 9 r. Gaillon (2e) ✆ 47 42 47 74, Télex 215716, Fax 47 42 01 23 – TV ☎. AE GB JCB G 13
30 – **25 ch** 600/850.

Britannique sans rest, 20 av. Victoria (1er) ✆ 42 33 74 59, Télex 220240, Fax 42 33 82 65 – TV ☎. AE GB. J 14
40 – **40 ch** 490/680.

Ducs de Bourgogne sans rest, 19 r. Pont-Neuf (1er) ✆ 42 33 95 64, Télex 216367, Fax 40 39 01 25 – TV ☎. AE GB JCB. H 14
43 – **50 ch** 450/650.

Ducs d'Anjou sans rest, 1 r. Ste-Opportune (1er) ✆ 42 36 92 24, Télex 218681, Fax 42 36 16 63 – TV ☎. AE GB JCB H 14
42 – **38 ch** 410/565.

Timhôtel Le Louvre sans rest, 4 r. Croix des Petits Champs (1er) ✆ 42 60 34 86, Télex 216405, Fax 42 60 10 39 – TV ☎ ♿. AE GB JCB H 13
45 – **56 ch** 389/523.

XXXXX ✿✿ **Espadon** - Hôtel Ritz, 15 pl. Vendôme (1er) ✆ 42 60 38 30, Télex 220262, Fax 42 60 23 71, – . AE GB JCB. G 12
fermé août – **R** 340 (déj.)/560 et carte 450 à 750
Spéc. Foie gras de canard au Médoc, Omble chevalier du lac Pavin (nov. à déc.), Canette de Barbarie.

XXXX ✿✿ **Grand Vefour,** 17 r. Beaujolais (1er) ✆ 42 96 56 27, Fax 42 86 80 71, « Ancien café du Palais Royal fin 18e siècle » – . AE GB JCB. G 13
fermé août, sam. et dim. – **R** 305 (déj.) et carte 510 à 720
Spéc. Saumon mi-cuit en terrine, Pigeon de Bresse rôti, Déclinaison de pomme.

XXXX ✿ **Le Meurice** - Hôtel Meurice, 228 r. Rivoli (1er) ✆ 42 60 38 60, Télex 230673, Fax 49 27 94 97 – . AE GB – **R** 300 (déj.) et carte 355 à 460 G 12
Spéc. Crêpes de maïs fourrées au foie de canard, Filets de sole en bouillon d'écrevisses, Pommes de ris de veau truffée au Vin Jaune.

XXXX ✿✿ **Carré des Feuillants** (Dutournier), 14 r. Castiglione (1er) ✆ 42 86 82 82, Fax 42 86 07 71 – . AE GB JCB G 12
fermé sam. (sauf le soir de sept. à juin) et dim. – **R** 250 (déj.) et carte 410 à 570
Spéc. Gaspacho blanc de homard (été), Merlu poêlé, Jarret de veau de lait à la daube de cèpes (automne-hiver).

XXXX ✿ **Drouant,** pl. Gaillon (2e) ✆ 42 65 15 16, Fax 49 24 02 15 – ▤. AE ⓓ GB JCB G 13
R 320 (déj.) et carte 405 à 550 - **Café Drouant R** 200bc (dîner et dim.) et carte 245 à 340
Spéc. Charlotte de langoustines aux aubergines confites, Aile de raie en papillote aux aromates, Filet de veau à la ficelle.

XXXX ✿ **Goumard-Prunier,** 9 r. Duphot (1er) ✆ 42 60 36 07, Fax 42 60 04 54, produits de la mer – ▤. AE ⓓ GB JCB G 12
fermé dim. et lundi – **R** carte 410 à 560
Spéc. Friture de petits calamars, Carpaccio de Saint-Jacques et truffes (oct. à mai), Poissons de roche en soupe safranée.

XXXX ✿✿ **Gérard Besson,** 5 r. Coq Héron (1er) ✆ 42 33 14 74, Fax 42 33 85 71 – ▤. AE ⓓ GB
fermé 11 juillet au 2 août, 25 déc. au 2 janv., sam. et dim. – **R** 260 (déj.) et carte 335 à 520
Spéc. Homard et poissons de la baie d'Erquy, Champignons et truffes (saison), Gibier (saison). H 14

XXX ✿ **Mercure Galant,** 15 r. Petits-Champs (1er) ✆ 42 96 98 89, Fax 42 96 08 89 – GB G 13
fermé sam. midi, dim. et fêtes – **R** 250 (déj.)/400
Spéc. Tournedos de saumon fumé, Coeur de Charolais à la moelle en papillote, Mille et une feuilles.

XXX ✿ **Le Céladon** - Hôtel Westminster, 15 r. Daunou (2e) ✆ 42 61 57 46, Télex 680035, Fax 42 60 30 66 – ⇝ ▤. AE ⓓ GB G 12
fermé août, sam., dim. et fériés – **R** 290 et carte 420 à 545
Spéc. Oeufs brouillés aux oursins en coque (oct. à mars), Saint-Jacques grillées bardées de magret de canard (oct. à mars), Escalope de ris de veau panée.

XXX **Pierre " A la Fontaine Gaillon ",** pl. Gaillon (2e) ✆ 42 65 87 04, ⛱ – ▤. AE ⓓ GB JCB G 13
fermé août, sam. midi et dim. – **R** carte 200 à 360.

XXX **Serge Granger,** 36 pl. Marché St-Honoré (1er) ✆ 42 60 03 00, Fax 42 60 00 89, ⛱ – ▤. AE ⓓ GB. ✂ G 13
fermé mi-août à mi-sept., sam. midi, dim. et fériés – **R** 170/220 bc.

XXX **La Corbeille,** 154 r. Montmartre (2e) ✆ 40 26 30 87 – AE GB G 14
fermé 10 au 20 août, sam. et dim. – **R** 150/280.

XXX **Chez Vong,** 10 r. Grande-Truanderie (1er) ✆ 40 39 99 89, cuisine chinoise et vietnamienne – ▤. AE ⓓ GB H 15
fermé dim. – **R** carte 170 à 340.

XX **Au Pied de Cochon** (ouvert jour et nuit), 6 r. Coquillière (1er) ✆ 42 36 11 75, Fax 45 08 48 90 – ▤. AE ⓓ GB JCB H 14
R carte 170 à 310.

XX **Gaya,** 17 r. Duphot (1er) ✆ 42 60 43 03, Fax 42 60 39 57, « Belles fresques d'azulejos » – ▤. AE ⓓ GB JCB G 12
fermé dim. et lundi – **R** carte environ 250.

XX ✿ **Chez Pauline** (Génin), 5 r. Villédo (1er) ✆ 42 96 20 70, Fax 49 27 99 89 – AE GB G 13
fermé 9 au 23 août, 20 au 27 déc., sam. (sauf le midi d'oct. à avril) et dim. – **R** (▤ 1er étage) 190 (déj.) et carte 290 à 480
Spéc. Salade tiède de tête de veau, Terrine de lapereau en gelée de Pouilly, Ris de veau en croûte.

XX ✿ **Pierre Au Palais Royal,** 10 r. Richelieu (1er) ✆ 42 96 09 17 – ⓓ GB H 13
fermé août, sam., dim. et fériés – **R** carte 215 à 380
Spéc. Escalopes de foie gras de canard chaud, Quenelles de brochet, Rognon de veau rôti.

XX **Saudade,** 34 r. Bourdonnais (1er) ✆ 42 36 30 71, cuisine portugaise – ▤. AE ⓓ GB. ✂
fermé dim. soir – **R** carte 170 à 270. H 14

XX **Kinugawa,** 9 r. Mont Thabor (1er) ✆ 42 60 65 07, Fax 42 60 45 21, cuisine japonaise – ▤. AE GB JCB. ✂ G 12
fermé 23 déc. au 8 janv. et dim. – **R** carte 175 à 310 ♁.

XX ✿ **Pharamond,** 24 r. Grande-Truanderie (1er) ✆ 42 33 06 72 – AE ⓓ GB H 15
fermé 19 juil. au 17 août, lundi midi et dim. – **R** carte 210 à 360
Spéc. Tripes à la mode de Caen, Coquilles Saint-Jacques au cidre (15 oct. au 15 mai), Dodine de caneton au Saumur-Champigny.

XX **Palais Cardinal,** 43 r. Montpensier (1er) ✆ 42 61 20 23 – GB G 13
fermé 1er au 25 août, dim. et lundi – **R** carte 195 à 315.

XX ✿ **Pile ou Face,** 52 bis r. N.-D. des Victoires (2e) ✆ 42 33 64 33, Fax 42 36 61 09 – ▤. GB
fermé 27 juil. au 23 août, 23 déc. au 1er janv., sam., dim. et fériés – **R** carte 285 à 435 G 14
Spéc. Pigeonneau rôti à l'huile de truffe, Fricassée de ris de veau et coques à l'oseille, Mousse de thé "Earl Grey".

XX **Bernard Chirent,** 28 r. Mont-Thabor (1er) ✆ 42 86 80 05 – GB G 12
fermé sam. midi et dim. – **R** 170 bc/450.

XX **Velloni,** 22 r. des Halles (1er) ✆ 42 21 12 50, cuisine italienne – AE ⓓ GB JCB. ✂ H 14
fermé août et dim. – **R** carte 180 à 290.

XX **A la Grille St-Honoré,** 15 pl. Marché St-Honoré (1er) ✆ 42 61 00 93, Fax 47 03 31 64 – AE GB G 12
fermé 30 juil. au 19 août, 24 déc. au 2 janv., dim. et lundi – **R** 180 et carte 260 à 395 ♁.

XX **La Passion,** 41 r. Petits Champs (1er) ✆ 42 97 53 41 – ▤. GB. ✂ G 13
fermé 26 juil. au 26 août, sam. et dim. – **R** 170/360.

XX **Vaudeville,** 29 r. Vivienne (2e) ✆ 40 20 04 62, Fax 49 27 08 78, brasserie – AE ⓓ GB G 14
R carte 150 à 290 ♁.

XX **Chatelet Gourmand,** 13 r. Lavandières Ste-Opportune (1er) ✆ 40 26 45 00 – AE ⓓ GB J 14
fermé août, sam. midi et dim. – **R** 160 et carte 245 à 335.

XX **Le Grand Colbert,** 2 r. Vivienne (2e) ✆ 42 86 87 88, brasserie – ▤. AE ⓓ GB G 13
fermé août – **R** carte 160 à 240 ♁.

XX **Coup de Coeur,** 19 r. St Augustin (2e) ✆ 47 03 45 70 – AE ⓓ GB G 13
fermé 8 au 23 août, sam. midi et dim. – **R** 130/165 bc.

XX **Le Soufflé,** 36 r. Mont Thabor (1er) ✆ 42 60 27 19 – ▤. AE ⓓ GB JCB G 12
fermé dim. et fériés – **R** 200.

XX **Les Cartes Postales,** 7 r. Gomboust (1er) ✆ 42 61 02 93 – GB. ✻ G 13
fermé 2 au 23 août, 20 déc. au 3 janv., sam. midi, dim. et fériés – **R** (nombre de couverts limité, prévenir) carte 220 à 330.

XX **Chez Gabriel,** 123 r. St-Honoré (1er) ✆ 42 33 02 99 – ▤. AE ⓓ GB JCB. ✻ H 14
fermé 1er au 20 août, 24 déc. au 4 janv. dim. et fêtes – **R** 145/235.

XX **Le Saint Amour,** 8 r. Port Mahon (2e) ✆ 47 42 63 82 – ▤. AE ⓓ GB G 13
fermé 13 juil. au 15 août, sam. (sauf le soir du 16 sept. au 14 juin), dim. et fériés – **R** 165 et carte 200 à 315.

XX **Escargot Montorgueil,** 38 r. Montorgueil (1er) ✆ 42 36 83 51, Fax 42 36 35 05, « Cadre bistrot 1830 » – AE ⓓ GB H 14
fermé 2 au 17 août et lundi – **R** carte 240 à 380.

XX **Caveau du Palais,** 19 pl. Dauphine (1er) ✆ 43 26 04 28, Fax 43 26 81 84 – AE GB J 14
fermé sam. d'oct. à mai et dim. – **R** carte 190 à 335.

XX **Bonne Fourchette,** 320 r. St Honoré, au fond de la cour (1er) ✆ 42 60 45 27 – ▤. ⓓ GB. ✻ G 12
fermé 1er au 30 août, dim. midi et sam. – **R** 105/145 ♁.

X **La Main à la Pâte,** 35 r. St-Honoré (1er) ✆ 45 08 85 73, cuisine italienne – AE ⓓ GB H 14
fermé dim. – **R** 168 et carte 180 à 310.

X **Aux Petits Pères " Chez Yvonne ",** 8 r. N.-D.-des-Victoires (2e) ✆ 42 60 91 73 – ▤. AE GB G 14
fermé 2 au 8 mars, août, sam., dim. et fêtes – **R** 158 et carte 170 à 315.

X **Chez Georges,** 1 r. Mail (2e) ✆ 42 60 07 11 – ▤. AE GB G 14
fermé 6 au 20 août, dim. et fêtes – **R** carte 195 à 335.

X **La Clef du Périgord,** 38 r. Croix des Petits Champs (1er) ✆ 40 20 06 46 – GB G 14
fermé 1er au 15 mai, 15 au 31 août, sam. midi et dim. – **R** 145/198 bc.

X **Joss Dumoulin,** 16 r. St-Augustin (2e) ✆ 49 27 09 90 – ▤. GB G 13
fermé août, sam. (sauf le soir du 1er oct. au 30 juin) et dim. – **R** carte 145 à 230.

X **Cochon Doré,** 16 r. Thorel (2e) ✆ 42 33 29 70 – ▤. GB F 15
fermé 1er au 16 août et lundi – **R** 78/150.

X **Paul,** 15 pl. Dauphine (1er) ✆ 43 54 21 48 – GB. ✻ J 14
fermé 2 au 10 mars, 3 au 27 août, lundi et mardi – **R** carte 185 à 310.

X **La Poule au Pot,** 9 r. Vauvilliers (1er) ✆ 42 36 32 96 – GB H 14
fermé lundi – **R** (dîner seul.) carte 210 à 360.

Bastille, République, Hôtel de Ville.

3e, 4e et 11e arrondissements.
3e : ✉ 75003
4e : ✉ 75004
11e : ✉ 75011

Pavillon de la Reine M ⛯ sans rest, 28 pl. Vosges (3e) ✆ 42 77 96 40, Télex 216160, Fax 42 77 63 06 – 🛗 ▤ TV ☎ ♿ 🚗. AE ⓓ GB J17
☕ 85 – **31 ch** 1150/1600, 24 appart. 1600/2800.

Holiday Inn M, 10 pl. République (11e) ✆ 43 55 44 34, Télex 210651, Fax 47 00 32 34, 🍽 – 🛗 ✻ ch ▤ TV ☎ ♿ P – 🏛 200. AE ⓓ GB JCB. ✻ rest G 17
Belle Epoque *(fermé 1er au 30 août, sam. midi et dim.)* **R** carte 240 à 335, enf. 90 – ☕ 90 – **304 ch** 1150/1590, 7 appart. 1950/2800.

Jeu de Paume M sans rest, 54 r. St-Louis-en-l'Ile (4e) ✆ 43 26 14 18, Télex 205160, Fax 43 26 14 18, « Ancien jeu de paume du 17e siècle » – 🛗 TV ☎ – 🏛 30. AE ⓓ GB JCB K 16
☕ 70 – **32 ch** 820/1070, 8 duplex.

Atlantide République [M] sans rest, 114 bd Richard-Lenoir (11e) ✆ 43 38 29 29, Télex 216907, Fax 43 38 03 18 – |♦| [TV] ☎. AE ① GB H 18
⊒ 35 – **27 ch** 420/630.

Beaubourg [M] sans rest, 11 r. S. Le Franc (4e) ✆ 42 74 34 24, Fax 42 78 68 11 – |♦| [TV] ☎. AE ① GB. ✂ H 15
⊒ 35 – **28 ch** 450/650.

Bretonnerie [M] sans rest, 22 r. Ste-Croix-de-la-Bretonnerie (4e) ✆ 48 87 77 63, Fax 42 77 26 78 – |♦| [TV] ☎. GB. ✂ J 16
fermé 26 juil. au 23 août – ⊒ 40 – **30 ch** 500/700.

Méridional [M] sans rest, 36 bd Richard-Lenoir (11e) ✆ 48 05 75 00, Télex 211324, Fax 43 57 42 85 – |♦| [TV] ☎. AE ① GB JCB J 18
⊒ 40 – **36 ch** 600.

Lutèce sans rest, 65 r. St-Louis-en-l'Ile (4e) ✆ 43 26 23 52, Fax 43 29 60 25 – |♦| [TV] ☎. ✂ K 16
⊒ 37 – **23 ch** 690/710.

Bastille Spéria [M] sans rest, 1 r. Bastille (4e) ✆ 42 72 04 01, Télex 214327, Fax 42 72 56 38 – |♦| [TV] ☎. AE ① GB. ✂ J 17
⊒ 35 – **42 ch** 490/580.

Rivoli Notre Dame sans rest, 19 r. Bourg Tibourg (4e) ✆ 42 78 47 39, Télex 215314, Fax 40 29 07 00 – |♦| [TV] ☎. AE ① GB. ✂ J 16
⊒ 38 – **31 ch** 480/590.

Meslay République sans rest, 3 r. Meslay (3e) ✆ 42 72 79 79, Télex 213021, Fax 42 72 76 94 – |♦| [TV] ☎. AE GB G 16
⊒ 38 – **39 ch** 660/690.

Vieux Saule [M] sans rest, 6 r. Picardie (3e) ✆ 42 72 01 14, Télex 216840, Fax 40 27 88 21 – |♦| [TV] ☎. AE ① GB JCB. ✂ H 17
⊒ 40 – **31 ch** 350/550.

Little Palace [M], 4 r. Salomon de Caus (3e) ✆ 42 72 08 15, Fax 42 72 45 81 – |♦| [TV] ☎ ♿. GB. ✂ G 15
R *(fermé 13 juil. au 16 août)* carte 110 à 190 – ⊒ 35 – **57 ch** 430/620.

Campanile sans rest, 9 r. Chemin Vert (11e) ✆ 43 38 58 08, Télex 218019, Fax 43 38 52 28 – |♦| [TV] ☎ ♿. AE GB J 18
⊒ 29 – **162 ch** 395.

Deux Iles sans rest, 59 r. St-Louis-en-l'Ile (4e) ✆ 43 26 13 35, Fax 43 29 60 25 – |♦| [TV] ☎ K 16
⊒ 40 – **17 ch** 600/750.

Axial Beaubourg sans rest, 11 r. Temple (4e) ✆ 42 72 72 22, Télex 216250, Fax 42 72 03 53 – |♦| [TV] ☎. AE GB. ✂ J 15
⊒ 35 – **39 ch** 450/550.

Nord et Est sans rest, 49 r. Malte (11e) ✆ 47 00 71 70, Fax 43 57 51 16 – |♦| [TV] ☎. GB. ✂ G 17
fermé août et 24 déc. au 2 janv. – ⊒ 30 – **45 ch** 300/330.

Vieux Marais sans rest, 8 r. Plâtre (4e) ✆ 42 78 47 22, Fax 42 78 34 32 – |♦| [TV] ☎. GB. ✂ H 16
⊒ 35 – **30 ch** 320/540.

Prince Eugène sans rest, 247 bd Voltaire (11e) ✆ 43 71 22 81, Télex 215603, Fax 43 71 24 71 – |♦| [TV] ☎. AE ① GB K 21
⊒ 30 – **35 ch** 320/380.

Paris Voltaire [M] sans rest, 79 r. Sedaine (11e) ✆ 48 05 44 66, Télex 215401, Fax 48 07 87 96 – |♦| [TV] ☎. AE GB JCB. ✂ J 19
fermé 15 au 31 août et 23 au 28 déc. – ⊒ 35 – **28 ch** 350/500.

Mondia sans rest, 22 r. Gd Prieuré (11e) ✆ 47 00 93 44, Fax 43 38 66 14 – |♦| [TV] ☎. AE ① GB G 17
⊒ 35 – **23 ch** 310/420.

Place des Vosges sans rest, 12 r. Birague (4e) ✆ 42 72 60 46, Fax 42 72 02 64 – |♦| ☎. AE ① GB J 17
⊒ 32 – **16 ch** 275/400.

XXXX ✿✿✿ **L'Ambroisie** (Pacaud), 9 pl. des Vosges (4e) ✆ 42 78 51 45 – GB. ✻ J 17
fermé 1er au 16 mars, 3 au 23 août, dim. et lundi – **R** carte 550 à 810
Spéc. Feuillantine de queues de langoustines, Foie de veau fermier en persillade, Tarte fine sablée au cacao amer et glace vanille.

XXX ✿ **Miraville** (Épié), 72 quai Hôtel de Ville (4e) ✆ 42 74 72 22, Fax 42 74 64 85 – ▤. AE GB J 15
fermé sam. midi et dim. – **R** 150 (déj.)/500
Spéc. Beignet de foie gras au Porto, Pissalat de loup à la mozzarella, Tournedos de pied de cochon aux truffes.

XXX **Ambassade d'Auvergne,** 22 r. Grenier St-Lazare (3e) ✆ 42 72 31 22, Fax 42 78 85 47 – ▤. GB H 15
fermé 26 juil. au 11 août – **R** carte 175 à 275.

XXX **Le Péché Mignon,** 5 r. Guillaume-Bertrand (11e) ✆ 43 57 02 51 – ▤. AE GB H 19
fermé dim. – **R** 160 (déj.) et carte 220 à 325.

XX **Bofinger,** 5 r. Bastille (4e) ✆ 42 72 87 82, Fax 42 72 97 68, brasserie, « Décor Belle Époque » – AE ⦿ GB J 17
R 160 bc et carte 200 à 320 ♁.

XX ✿ **Benoît,** 20 r. St-Martin (4e) ✆ 42 72 25 76 J 15
fermé août, sam. et dim. – **R** carte 325 à 460
Spéc. Langue de boeuf Lucullus, Selle d'agneau en rognonnade, Boeuf mode braisé à l'ancienne.

XX ✿ **A Sousceyrac** (Asfaux), 35 r. Faidherbe (11e) ✆ 43 71 65 30, Fax 40 09 79 75 – ▤. AE GB J 19
fermé août, sam. et dim. – **R** carte 185 à 345
Spéc. Les foies gras en terrine, Ris de veau aux pleurotes, Lièvre à la royale (saison).

XX **Blue Elephant,** 43 r. Roquette (11e) ✆ 47 00 42 00, Fax 47 00 45 44, « Décor thaïlandais » – AE ⦿ GB J 18
fermé 24 au 28 déc. et sam. midi – **R** carte 180 à 260 ♁.

XX **Repaire de Cartouche,** 8 bd Filles-du-Calvaire (11e) ✆ 47 00 25 86 – AE ⦿ GB H 17
fermé 25 juil. au 25 août, sam. midi et dim. – **R** 140/350.

XX **L'Aiguière,** 37 bis r. Montreuil (11e) ✆ 43 72 42 32 – ▤. AE ⦿ GB K 20
fermé sam. midi et dim. – **R** 120 (déj.) et carte 240 à 340.

XX **Coconnas,** 2 bis pl. Vosges (4e) ✆ 42 78 58 16, ☂ – GB J 17
fermé mi-janv. à mi-fév., lundi midi et mardi – **R** carte 230 à 350.

XX **L'Alisier,** 26 r. Montmorency (3e) ✆ 42 72 31 04, Fax 42 72 74 83 – AE GB. ✻ H 16
fermé 3 au 30 août, sam. midi et dim. – **R** 145 (sauf sam. soir)/195.

XX **La Table Richelieu,** 276 bd Voltaire (11e) ✆ 43 72 31 23 – ▤. AE GB K 21
R carte 220 à 320.

XX **Wally,** 16 r. Le Regrattier (4e) ✆ 43 25 01 39, Fax 45 86 08 35, cuisine nord-africaine – ⦿ GB. ✻ K 15
fermé lundi midi et dim. – **R** 300.

XX **Les Amognes,** 243 r. Fg St-Antoine (11e) ✆ 43 72 73 05 – GB K 20
fermé août, dim. soir et lundi – **R** 160.

XX **Pyrénées Cévennes,** 106 r. Folie-Méricourt (11e) ✆ 43 57 33 78 – AE GB G 17
fermé août, sam. et dim. – **R** carte 190 à 370.

XX **Guirlande de Julie,** 25 pl. des Vosges (3e) ✆ 48 87 94 07, ☂ – ▤. GB J 17
R 200/250.

X **Le Navarin,** 3 av. Philippe Auguste (11e) ✆ 43 67 17 49 – GB. ✻ K 21
fermé 14 au 18 août, 23 au 26 déc., sam. midi et dim. soir – **R** 117 (déj) et carte 175 à 335.

X **Le Monde des Chimères,** 69 r. St-Louis-en-L'Ile (4e) ✆ 43 54 45 27 – GB K 16
fermé vacances de fév., dim. et lundi – **R** carte 230 à 340 ♁.

X **Le Grizzli,** 7 r. St-Martin (4e) ✆ 48 87 77 56 – GB J 15
fermé 20 déc. au 3 janv., lundi midi et dim. – **R** 110 (déj.) et carte 145 à 225.

X **Astier,** 44 r. J.-P. Timbaud (11e) ✆ 43 57 16 35 – ▤. GB G 18
fermé 24 avril au 11 mai, 31 juil. au 7 sept., 18 déc. au 4 janv., sam., dim. et fêtes – **R** 125.

X **Le Maraicher,** 5 r. Beautreillis (4e) ✆ 42 71 42 49 – GB K 17
fermé 2 au 30 août, sam. midi et dim. – **R** carte 195 à 270.

X **Chez Fernand,** 17 r. Fontaine au Roi (11e) ✆ 43 57 46 25 – GB G 18
fermé 3 au 24 août, dim. et lundi – **R** 100 (déj.) et carte 155 à 250 - **Les Fernandises R** 100 (déj.) et carte 115 à 170.

Quartier Latin, Luxembourg, Jardin des Plantes,

5e et 6e arrondissements.
5e : ✉ 75005
6e : ✉ 75006

Lutétia, 45 bd Raspail (6e) ☎ 49 54 46 46, Télex 270424, Fax 49 54 46 00 – |‡| ▤ TV ☎ – 400. AE ⓓ GB JCB K 12
R voir rest. **Le Paris** ci-après - **Brasserie Lutétia R** 105/175 ₰, enf. 60 – ☕ 85 – **232 ch** 1400/2050, 39 appart.

Relais Christine M sans rest, 3 r. Christine (6e) ☎ 43 26 71 80, Télex 202606, Fax 43 26 89 38, « Bel aménagement intérieur » – |‡| ▤ TV ☎. AE ⓓ GB J 14
☕ 80 – **38 ch** 1300/1700, 13 appart. 1800/2500.

Quality Inn M sans rest, 92 r. Vaugirard (6e) ☎ 42 22 00 56, Télex 206900, Fax 42 22 05 39 – |‡| ▤ TV ☎ ♿. AE ⓓ GB JCB L 12
☕ 60 – **134 ch** 660/825.

Latitudes St Germain M sans rest, 7-11 r. St-Benoit (6e) ☎ 42 61 53 53, Télex 213531, Fax 49 27 09 33 – |‡| ▤ TV ☎ ♿. AE ⓓ GB J 13
☕ 58 – **117 ch** 790/890.

Victoria Palace sans rest, 6 r. Blaise-Desgoffe (6e) ☎ 45 44 38 16, Télex 270557, Fax 45 49 23 75 – |‡| TV ☎. AE ⓓ GB. ✻ L 11
110 ch ☕ 780/1320.

Littré sans rest, 9 r. Littré (6e) ☎ 45 44 38 68, Télex 203852, Fax 45 44 88 13 – |‡| TV ☎ – 25. AE ⓓ GB JCB. ✻ L 11
☕ 50 – **93 ch** 660/875, 4 appart. 1345.

Madison H. sans rest, 143 bd St-Germain (6e) ☎ 40 51 60 00, Télex 201628, Fax 40 51 60 01 – |‡| ▤ TV ☎. AE ⓓ GB J 13
55 ch ☕ 700/1200.

St-Grégoire M sans rest, 43 r. Abbé Grégoire (6e) ☎ 45 48 23 23, Télex 205343, Fax 45 48 33 95 – |‡| TV ☎. AE ⓓ GB JCB. ✻ L 12
☕ 55 – **20 ch** 830/1160.

Abbaye St-Germain sans rest, 10 r. Cassette (6e) ☎ 45 44 38 11, Fax 45 48 07 86 – |‡| ☎. GB. ✻ K 12
44 ch ☕ 760/1200, 4 duplex 1780.

Relais St Germain M sans rest, 9 carrefour de l'Odéon (6e) ☎ 43 29 12 05, Télex 201889, Fax 46 33 45 30, « Bel aménagement intérieur » – |‡| ▤ TV ☎. AE ⓓ GB K 13
10 ch ☕ 1190/1380.

Sainte Beuve M sans rest, 9 r. Ste Beuve (6e) ☎ 45 48 20 07, Télex 270182, Fax 45 48 67 52 – |‡| TV ☎. AE GB JCB. ✻ L 12
☕ 70 – **22 ch** 650/1150.

Left Bank H. M sans rest, 9 r. Ancienne Comédie (6e) ☎ 43 54 01 70, Télex 200502, Fax 43 26 17 14 – |‡| ▤ TV ☎. AE ⓓ GB JCB K 13
☕ 25 – **31 ch** 875/950.

La Villa M sans rest, 29 r. Jacob (6e) ☎ 43 26 60 00, Télex 202437, Fax 46 34 63 63, « Original décor contemporain » – |‡| ▤ TV ☎. AE GB. ✻ J 13
☕ 80 – **28 ch** 800/1250, 4 appart. 1950.

Angleterre sans rest, 44 r. Jacob (6e) ☎ 42 60 34 72, Fax 42 60 16 93 – |‡| TV ☎. AE ⓓ GB. ✻ J 13
☕ 40 – **29 ch** 750/1100.

St-Germain-des-Prés sans rest, 36 r. Bonaparte (6e) ☎ 43 26 00 19, Télex 200409, Fax 40 46 83 63, « Bel aménagement intérieur » – |‡| TV ☎. GB. ✻ J 13
30 ch ☕ 780/1200.

Villa des Artistes M sans rest, 9 r. Grande Chaumière (6e) ☎ 43 26 60 86, Télex 204080, Fax 43 54 73 70 – |‡| TV ☎. AE ⓓ GB. ✻ L 12
59 ch ☕ 580/780.

Ferrandi sans rest, 92 r. Cherche-Midi (6e) ☎ 42 22 97 40, Télex 205201, Fax 45 44 89 97 – |‡| TV ☎. AE ⓓ GB L 11
☕ 60 – **40 ch** 400/850.

Panthéon M sans rest, 19 pl. Panthéon (5e) ☎ 43 54 32 95, Télex 206435, Fax 43 26 64 65, ≤ – |‡| TV ☎. AE ⓓ GB. ✻ L 14
☕ 35 – **34 ch** 600/700.

Grands Hommes M sans rest, 17 pl. Panthéon (5e) ☎ 46 34 19 60, Télex 200185, Fax 43 26 67 32, ≤ – |‡| TV ☎. AE ⓓ GB. ✻ L 14
☕ 35 – **32 ch** 600/700.

des Saints-Pères sans rest, 65 r. des Sts-Pères (6e) ℘ 45 44 50 00, Télex 205424, Fax 45 44 90 83 – |$| TV ☎. GB. ✗ J 12
☕ 45 – **34 ch** 450/1500, 3 appart. 1500.

Odéon H., Ⓜ sans rest, 3 r. Odéon (6e) ℘ 43 25 90 67, Télex 202943, Fax 43 25 55 98 – |$| ▤ TV ☎. AE ⓞ GB. ✗ K 13
☕ 50 – **34 ch** 700/900.

de Fleurie sans rest, 32 r. Grégoire de Tours (6e) ℘ 43 29 59 81, Télex 206153, Fax 43 29 68 44 – |$| TV ☎. AE ⓞ GB. ✗ K 13
☕ 45 – **29 ch** 550/950.

Le Régent Ⓜ sans rest, 61 r. Dauphine (6e) ℘ 46 34 59 80, Télex 206257, Fax 40 51 05 07 – |$| ▤ TV ☎ ♿. AE ⓞ GB JCB J 13
☕ 50 – **25 ch** 600/900.

Parc St-Séverin Ⓜ sans rest, 22 r. Parcheminerie (5e) ℘ 43 54 32 17, Télex 270905, Fax 43 54 70 71 – |$| TV ☎. AE GB. ✗ K 14
☕ 45 – **27 ch** 500/1500.

St Christophe Ⓜ sans rest, 17 r. Lacépède (5e) ℘ 43 31 81 54, Télex 204304, Fax 43 31 12 54 – |$| TV ☎. AE ⓞ GB JCB L 15
☕ 40 – **31 ch** 650.

Select Ⓜ sans rest, 1 pl. Sorbonne (5e) ℘ 46 34 14 80, Télex 201207, Fax 46 34 51 79 – |$| ▤ TV ☎. AE ⓞ GB K 14
☕ 30 – **67 ch** 590/750.

Elysa Luxembourg Ⓜ sans rest, 6 r. Gay-Lussac (5e) ℘ 43 25 31 74, Télex 206881 – |$| TV ☎. AE ⓞ GB JCB. ✗ L 14
☕ 35 – **30 ch** 560/660.

Aramis St Germain sans rest, 124 r. Rennes (6e) ℘ 45 48 03 75, Télex 205098, Fax 45 44 99 29 – |$| TV ☎ – 🏛 30. AE ⓞ GB JCB. ✗ L 12
☕ 45 – **42 ch** 550/750.

de l'Odéon sans rest, 13 r. St-Sulpice (6e) ℘ 43 25 70 11, Télex 206731, Fax 43 29 97 34, « Maison du 16e siècle » – |$| TV ☎. AE ⓞ GB K 13
☕ 39 – **29 ch** 520/760.

Jardin des Plantes Ⓜ sans rest, 5 r. Linné (5e) ℘ 47 07 06 20, Télex 203684, Fax 47 07 62 74 – |$| TV ☎. AE ⓞ GB L15
☕ 40 – **33 ch** 390/640.

Jardin de Cluny sans rest, 9 r. Sommerard (5e) ℘ 43 54 22 66, Télex 206975, Fax 40 51 03 36 – |$| TV ☎. AE ⓞ GB JCB. ✗ K 14
☕ 30 – **40 ch** 500/660.

Notre Dame Ⓜ sans rest, 1 quai St-Michel (5e) ℘ 43 54 20 43, Télex 206650, Fax 43 26 61 75, ≤ – |$| TV ☎. AE ⓞ GB JCB K 14
☕ 35 – **23 ch** 470/770, 3 duplex 1030.

Avenir sans rest, 65 r. Madame (6e) ℘ 45 48 84 54, Télex 200428, Fax 45 49 26 80 – |$| TV ☎. AE ⓞ GB. ✗ L 12
35 ch ☕ 432/614.

Agora St-Germain sans rest, 42 r. Bernardins (5e) ℘ 46 34 13 00, Télex 205965, Fax 46 34 75 05 – |$| TV ☎. AE ⓞ GB JCB. ✗ K 15
☕ 35 – **39 ch** 550/610.

Collège de France Ⓜ sans rest, 7 r. Thénard (5e) ℘ 43 26 78 36, Fax 46 34 58 29 – |$| TV ☎. AE. ✗ K 14
☕ 30 – **29 ch** 480/530.

Trois Collèges Ⓜ sans rest, 16 r. Cujas (5e) ℘ 43 54 67 30, Télex 206034, Fax 46 34 02 99 – |$| TV ☎. AE ⓞ GB. ✗ K 14
☕ 42 – **44 ch** 320/560.

Bréa sans rest, 14 r. Bréa (6e) ℘ 43 25 44 41, Télex 202053, Fax 44 07 19 25 – |$| TV ☎. AE ⓞ GB JCB L 12
☕ 40 – **23 ch** 550/680.

Terminus Montparnasse sans rest, 59 bd Montparnasse (6e) ℘ 45 48 99 10, Télex 202636, Fax 45 48 59 10 – |$| TV ☎. AE ⓞ GB JCB L 11
fermé 1er au 24 août – ☕ 35 – **63 ch** 435/540.

Pas-de-Calais sans rest, 59 r. Sts-Pères (6e) ℘ 45 48 78 74, Télex 270476, Fax 45 44 94 57 – |$| TV ☎. GB J 12
☕ 40 – **41 ch** 540/640.

Delavigne sans rest, 1 r. Casimir Delavigne (6e) ℘ 43 29 31 50, Télex 201579, Fax 43 29 78 56 – |$| TV ☎. GB. ✗ K 13
☕ 35 – **34 ch** 520.

Albe Ⓜ sans rest, 1 r. Harpe (5e) ℘ 46 34 09 70, Télex 203328, Fax 40 46 85 70 – |$| TV ☎. AE GB JCB. ✗ K 14
☕ 33 – **45 ch** 436/554.

Louis II sans rest, 2 r. St-Sulpice (6e) ℘ 46 33 13 80, Télex 206561, Fax 46 33 17 29 – |$| TV ☎. AE ⓞ GB K 13
☕ 35 – **22 ch** 415/620.

Marronniers sans rest, 21 r. Jacob (6e) 43 25 30 60, Fax 40 46 83 56 – TV ☎. J 13
45 – **37 ch** 650/690.

Nations sans rest, 54 r. Monge (5e) 43 26 45 24, Télex 200397, Fax 46 34 00 13 – TV ☎. AE GB L 15
50 – **38 ch** 520/550.

La Sorbonne sans rest, 6 r. Victor Cousin (5e) 43 54 58 08, Télex 206373, Fax 40 51 05 18 – TV ☎. GB K 14
35 – **37 ch** 380/500.

Gd H. Suez sans rest, 31 bd St-Michel (5e) 46 34 08 02, Télex 202019, Fax 40 51 79 44 – TV ☎. AE GB JCB. K 14
49 ch 345/475.

XXXXX ✿✿✿ **Tour d'Argent** (Terrail), 15 quai Tournelle (5e) 43 54 23 31, Fax 44 07 12 04, « ≤ Notre Dame - Petit musée de la table. Dans les caves : spectacle historique sur le vin » – AE GB K 16
fermé lundi – **R** 375 (déj. sauf dim.) et carte 700 à 880
Spéc. Quenelles de brochet André Terrail, Caneton Tour d'Argent, Poire "Vie Parisienne".

XXX ✿✿ **Jacques Cagna,** 14 r. Gds Augustins (6e) 43 26 49 39, Fax 43 54 54 48, « Maison du Vieux Paris » – AE GB JCB J 14
fermé sam. et dim. – **R** 260 (déj.) et carte 460 à 690
Spéc. Petits escargots frais en surprise, Goujonnettes de sole et rouget de roche, Côte de veau mijotée à l'ancienne.

XXX ✿ **Paris** - Hôtel Lutétia, 45 bd Raspail (6e) 49 54 46 90, Télex 270424, Fax 49 54 46 00, « Cadre paquebot "Art Déco" » – AE GB JCB K 12
fermé août, vacances de fév., sam., dim. et fériés – **R** 395 (déj.) et carte 380 à 470
Spéc. Ravioles de tourteau et chou vert, Tronçon de turbot rôti au lard, Feuilles de chocolat noir et blanc.

XXX ✿ **Relais Louis XIII,** 1 r. Pont de Lodi (6e) 43 26 75 96, Fax 44 07 07 80, « Caveau du 16e siècle, beau mobilier » – AE GB JCB J 14
fermé 26 juil. au 25 août, lundi midi et dim. – **R** 240 (déj.) et carte 375 à 580
Spéc. Ravioli de langoustines, Panaché de poissons de petite pêche, Filet de boeuf aux truffes du Perigord.

XXX **Lapérouse,** 51 quai Gds Augustins (6e) 43 26 68 04, Fax 43 26 99 39, « Salons Belle Époque » – AE GB JCB. J 14
fermé août, lundi midi et dim. – **R** 250 (déj.) et carte 375 à 550.

XXX **Le Procope,** 13 r. Ancienne Comédie (6e) 43 26 99 20, Fax 43 54 16 86, « Ancien café littéraire du 18e siècle » – AE GB K 13
R 128 bc/289 bc

XX **Aub. des Deux Signes,** 46 r. Galande (5e) 43 25 46 56, Fax 46 33 20 49, « Cadre médiéval » – AE GB JCB K 14
fermé août, sam. midi et dim. – **R** 140 (déj.) et carte 310 à 490.

XX **Au Pactole,** 44 bd St-Germain (5e) 46 33 31 31 – AE GB K 15
fermé sam. midi et dim. – **R** 139/279.

XX ✿ **Dodin-Bouffant,** 25 r. F.-Sauton (5e) 43 25 25 14, – AE GB K 15
fermé 10 au 23 août et dim. – **R** 170 (déj.) et carte 230 à 370
Spéc. Daube d'huîtres et pieds de porc, Ragoût de canard et ris de veau, Soufflé chaud aux fruits de saison.

XX **Calvet,** 165 bd St-Germain (6e) 45 48 93 51 – AE GB JCB J 12
fermé août – **R** 139/195.

XX **Quai de la Tournelle,** 25 quai de la Tournelle (5e) 43 54 05 17 – GB. K 15
fermé sam. midi et dim. – **R** carte 260 à 430.

XX **Diapason,** 30 r. Bernardins (5e) 43 54 21 13 – AE GB JCB K 15
fermé 1er au 15 août, sam. midi et dim. – **R** 165/300.

XX ✿ **Clavel,** 65 quai Tournelle (5e) 46 33 18 65 – GB. K 15
fermé 3 au 24 août, dim. soir et lundi – **R** 160 (déj.)/450 bc
Spéc. Feuilleté de haddock aux poireaux, Tourte de canard sauvage (saison), Gateau au chocolat noir.

XX **Yugaraj,** 14 r. Dauphine (6e) 43 26 44 91, cuisine indienne – AE GB. J 14
fermé lundi – **R** 196/230.

XX **L'Arrosée,** 12 r. Guisarde (6e) 43 54 66 59 – AE GB JCB. K 13
fermé 2 au 8 janv. et dim. – **R** 145/450.

XX **La Truffière,** 4 r. Blainville (5e) 46 33 29 82 – AE GB L 15
fermé 10 au 24 août sam. midi et lundi – **R** 162/210.

XX **La Petite Cour,** 8 r. Mabillon (6e) 43 26 52 26, – GB K 13
R 180/250.

XX **Marty,** 20 av. Gobelins (5e) 43 31 39 51, Fax 43 37 63 70 – AE GB M 15
R 159 bc et carte 175 à 320.

XX ✿ **La Timonerie** (de Givenchy), 35 quai Tournelle (5e) ✆ 43 25 44 42 – ▤. GB — K 15
fermé 24 au 30 août, 22 au 28 fév., dim. et lundi – **R** carte 260 à 425
Spéc. Fleurs de courgettes farcies aux aubergines (mai à sept.). Sandre rôti au céleri frit (oct. à juin). Tarte fine au chocolat.

XX **La Marlotte,** 55 r. Cherche-Midi (6e) ✆ 45 48 86 79 – AE ⓓ GB — K 12
fermé août, sam. et dim. – **R** carte 185 à 320.

XX **Bistrot d'Alex,** 2 r. Clément (6e) ✆ 43 25 77 66 – ▤. AE GB JCB — K 13
fermé 24 déc. au 2 janv., lundi midi et dim. – **R** 140/190 ♁.

XX **Au Régent,** 97 r. Cherche Midi (6e) ✆ 42 22 32 44 – AE ⓓ GB — L 11
fermé août, dim. et lundi – **R** 125/170.

XX **Petit Germain,** 11 r. Dupin (6e) ✆ 42 22 64 56 – GB — K 12
fermé 3 au 24 août, sam. et dim. – **R** carte 170 à 230.

XX **Le Sybarite,** 6 r. Sabot (6e) ✆ 42 22 21 56, Fax 42 22 26 21 – ▤. AE ⓓ GB — K 12
fermé sam. midi et dim. – **R** 75 (déj.)/168 ♁.

XX **Joséphine** "Chez Dumonet", 117 r. Cherche-Midi (6e) ✆ 45 48 52 40, Fax 42 84 06 83 – GB — L 11
fermé 4 juil. au 2 août, 19 au 27 déc., sam. et dim. – **R** 170 bc (déj.) et carte 215 à 350 - **La Rôtisserie** ✆ 42 22 81 19 *(fermé 3-31/8, 28/12-5/1, sam. et dim. en juil., lundi et mardi sauf juil.)* **R** 140 bc (déj.) et carte 185 à 285.

XX **Chez Maître Paul,** 12 r. Monsieur-le-Prince (6e) ✆ 43 54 74 59 – AE ⓓ GB — K 13
fermé sam. midi et dim. – **R** 180 et carte 170 à 285.

XX **Au Grilladin,** 13 r. Mézières (6e) ✆ 45 48 30 38 – AE GB — K 12
fermé août, 23 déc. au 3 janv., lundi midi et dim. – **R** 149 et carte 170 à 250.

X **Allard,** 41 r. St-André-des-Arts (6e) ✆ 43 26 48 23 – AE ⓓ GB — K 14
fermé 31 juil. au 3 sept., 23 déc. au 3 janv., sam. et dim. – **R** carte 215 à 395.

X **Moissonnier,** 28 r. Fossés-St-Bernard (5e) ✆ 43 29 87 65 – GB — K 15
fermé 24 juil. au 2 sept., dim. soir et lundi – **R** carte 170 à 270.

X **Moulin à Vent "Chez Henri",** 20 r. Fossés-St-Bernard (5e) ✆ 43 54 99 37 – GB. ✻ — K 15
fermé août, dim. et lundi – **R** carte 225 à 340.

X **Rôtisserie du Beaujolais,** 19 quai Tournelle (5e) ✆ 43 54 17 47 – GB — K 15
fermé lundi – **R** carte 165 à 260.

X **Le Palanquin,** 12 r. Princesse (6e) ✆ 43 29 77 66, cuisine vietnamienne – GB — K 13
fermé dim. – **R** 118 et carte 145 à 240.

X **Balzar,** 49 r. Écoles (5e) ✆ 43 54 13 67, ☂, brasserie – AE GB — K 14
fermé août et Noël au Jour de l'An – **R** carte 145 à 275.

X **La Vigneraie,** 16 r. Dragon (6e) ✆ 45 48 57 04 – AE ⓓ GB JCB — J 12
fermé 10 au 20 août et dim. midi – **R** 130 et carte 190 à 290.

Faubourg-St-Germain, Invalides, École Militaire.

7e arrondissement.
7e : ✉ 75007

Pont Royal et rest. Les Antiquaires, 7 r. Montalembert ✆ 45 44 38 27, Télex 270113, Fax 45 44 92 07 – |♦| cuisinette ▤ TV ☎ – ♟ 30. AE ⓓ GB JCB — J 12
R *(fermé août, sam. et dim.)* 160 – **73 ch** ☐ 850/1550, 5 appart. 2800.

Montalembert, 3 r. Montalembert ✆ 45 48 68 11, Télex 200132, Fax 42 22 58 19, « Décoration originale » – |♦| ▤ ch TV ☎ – ♟ 25. AE ⓓ GB — J 12
R 165 (déj.) et carte 195 à 320 – ☐ 90 – **51 ch** 1450/1850, 5 appart. 3000.

Duc de Saint Simon sans rest, 14 r. St-Simon ✆ 45 48 35 66, Télex 203277, Fax 45 48 68 25, « Belle décoration intérieure » – |♦| TV ☎. ✻ — J 11
☐ 70 – **29 ch** 950/1500, 5 appart. 1900.

Cayré M sans rest, 4 bd Raspail ✆ 45 44 38 88, Télex 270577, Fax 45 44 98 13 – |♦| TV ☎ – ♟ 30. AE ⓓ GB JCB — J 12
126 ch ☐ 920/1400.

La Bourdonnais, 111 av. La Bourdonnais ✆ 47 05 45 42, Télex 201416, Fax 45 55 75 54 – |♦| TV ☎ ♿. ⓓ GB JCB — J 9
R voir rest. **La Cantine des Gourmets** ci-après – **60 ch** ☐ 445/615.

Eiffel Park H. M sans rest, 17 bis r. Amélie ✆ 45 55 10 01, Télex 202950, Fax 47 05 28 68 – TV ☎ – 40. AE GB JCB. J 9
49 – **36 ch** 695/900.

Université sans rest, 22 r. Université ✆ 42 61 09 39, Fax 42 60 40 84, « Beau mobilier » – TV ☎. J 12
50 – **27 ch** 600/1350.

Les Jardins d'Eiffel M sans rest, 8 r. Amélie ✆ 47 05 46 21, Télex 206582, Fax 45 55 28 08 – TV ☎. AE GB JCB H 9
44 ch 690/850.

Élysées Maubourg M sans rest, 35 bd La Tour-Maubourg ✆ 45 56 10 78, Télex 206227, Fax 47 05 65 08 – TV ☎. AE GB JCB H 10
35 – **30 ch** 520/800.

Beaugency M sans rest, 21 r. Duvivier ✆ 47 05 01 63, Télex 201494, Fax 45 51 04 96 – TV ☎. AE GB J 9
30 ch 580.

Lenox Saint-Germain sans rest, 9 r. Université ✆ 42 96 10 95, Fax 42 61 52 83 – TV ☎. AE GB JCB J 12
40 – **32 ch** 490/690.

De Varenne M sans rest, 44 r. Bourgogne ✆ 45 51 45 55, Télex 205329, Fax 45 51 86 63 – TV ☎. AE GB J 10
37 – **24 ch** 450/610.

Londres sans rest, 1 r. Augereau ✆ 45 51 63 02, Télex 206398, Fax 47 05 28 96 – TV ☎. AE GB JCB. J 8
35 – **30 ch** 440/560.

Suède sans rest, 31 r. Vaneau ✆ 47 05 00 08, Télex 200596, Fax 47 05 69 27 – ☎. AE GB. K 11
40 ch 540/850.

Bourgogne et Montana, 3 r. Bourgogne ✆ 45 51 20 22, Télex 270854, Fax 45 56 11 98 – rest TV ☎. AE GB H 11
R *(fermé août, sam. et dim.)* 160, enf. 150 – **30 ch** 600/950, 5 appart. 1200.

St-Germain sans rest, 88 r. Bac ✆ 45 48 62 92, Fax 45 48 26 89 – TV ☎. AE GB J 11
36 – **29 ch** 330/640.

France M sans rest, 102 bd Latour-Maubourg ✆ 47 05 40 49, Télex 205020, Fax 45 56 96 78 – TV ☎. AE GB J 9
30 – **60 ch** 310/440.

Derby H. sans rest, 5 av. Duquesne ✆ 47 05 12 05, Télex 206236, Fax 47 05 43 43 – TV ☎. AE GB J 9
50 – **43 ch** 550/620.

Saxe Résidence sans rest, 9 villa Saxe ✆ 47 83 98 28, Télex 270139, Fax 47 83 85 47 – TV ☎. AE GB. K 9
55 – **52 ch** 575/760.

Chomel sans rest, 15 r. Chomel ✆ 45 48 55 52, Télex 206522, Fax 45 48 89 76 – TV ☎. AE GB JCB. K 12
46 – **23 ch** 495/695.

Lindbergh sans rest, 5 r. Chomel ✆ 45 48 35 53, Télex 201777, Fax 45 49 31 48 – TV ☎. AE GB K 12
35 – **26 ch** 370/480.

Bersoly's sans rest, 28 r. Lille ✆ 42 60 73 79, Télex 217505, Fax 49 27 05 55 – TV ☎. GB J 13
fermé août – 45 – **16 ch** 550/650.

Solférino sans rest, 91 r. Lille ✆ 47 05 85 54, Télex 203865, Fax 45 55 51 16 – ☎. GB. H 11
fermé 23 déc. au 3 janv. – **33 ch** 265/650.

L'Empereur sans rest, 2 r. Chevert ✆ 45 55 88 02, Fax 45 51 88 54 – TV ☎. GB J 9
34 – **34 ch** 390/430.

Tour Eiffel sans rest, 17 r. Exposition ✆ 47 05 14 75, Fax 47 53 99 46 – TV ☎. GB J 9
25 – **22 ch** 320/420.

Turenne sans rest, 20 av. Tourville ✆ 47 05 99 92, Télex 203407, Fax 45 56 06 04 – ☎. AE GB J 9
30 – **34 ch** 290/500.

Mars H. sans rest, 117 av. La Bourdonnais ✆ 47 05 42 30, Fax 47 05 45 91 – TV ☎. GB. J 9
30 – **24 ch** 290/350.

Champ de Mars sans rest, 7 r. Champ de Mars ✆ 45 51 52 30 – ☎. GB J 9
fermé 10 au 25 août – 35 – **25 ch** 320/380.

Résidence Orsay sans rest, 93 r. Lille ✆ 47 05 05 27 – ☎. GB H 11
fermé août – 30 – **32 ch** 190/400.

XXXX **Jules Verne,** 2ᵉ étage Tour Eiffel, ascenseur privé pilier sud ☎ 45 55 61 44, Télex 205789, Fax 47 05 94 40, ≤ Paris – ▤. AE ⓓ GB. ✂ J 7
R 290 (déj.) et carte 450 à 600

XXXX ✿✿ **Le Divellec,** 107 r. Université ☎ 45 51 91 96, Fax 45 51 31 75, produits de la mer – ▤. AE ⓓ GB JCB. ✂ H 10
fermé août, dim. et lundi – **R** 270 (déj.) et carte 440 à 730
Spéc. Homard à la presse et son corail, Filet de Saint-Pierre poêlé aux chicons, Merlu braisé à la lie de vin.

XXXX ✿✿ **Arpège** (Passard), 84 r. Varenne ☎ 45 51 47 33, Fax 44 18 98 39 – ▤. AE ⓓ GB J 10
fermé dim. midi et sam. – **R** 240 (déj.) et carte 430 à 570
Spéc. Homard et navet à la vinaigrette aigre douce, Canard "Louise Passard", Feuilletage au chocolat.

XXXX ✿✿ **Duquesnoy,** 6 av. Bosquet ☎ 47 05 96 78, Fax 44 18 90 57 – ▤. AE GB H 9
fermé août, sam. midi et dim. – **R** 250 (déj.) et carte 400 à 590
Spéc. Croustillants d'escargots frais, Noix de ris de veau rôtie au "caramel poivré", Millefeuille aux poires.

XXX ✿ **La Cantine des Gourmets,** 113 av. La Bourdonnais ☎ 47 05 47 96, Fax 45 51 09 29 – ▤. AE ⓓ GB JCB J 9
R 220 bc et carte 280 à 450
Spéc. Soufflé d'artichaut au foie gras de canard poêlé, Petit ragoût de homard au curry, Tourte de pigeonneau au foie gras.

XXX ✿ **Regain** (Delaveyne), 135 r. St-Dominique ☎ 47 53 09 85, Fax 45 56 96 16 – ▤. AE GB JCB. ✂ J 9
fermé août, sam. et dim. – **R** 240 (déj.) et carte 335 à 470
Spéc. Soupière de palourdes, Friandise de merlan "Plein Ciel", Tomate farcie fondante à la Brivadoise.

XXX **Chez les Anges,** 54 bd La Tour Maubourg ☎ 47 05 89 86, Fax 45 56 03 83 – ▤. AE ⓓ GB JCB J 9
fermé dim. soir – **R** 230/320 bc.

XXX **La Flamberge,** 12 av. Rapp ☎ 47 05 91 37 – ▤. AE ⓓ GB H 8
fermé 1ᵉʳ au 21 août, Noël au Jour de l'An, sam. midi et dim. – **R** 230 et carte 260 à 455.

XXX ✿ **La Boule d'Or,** 13 bd La Tour Maubourg ☎ 47 05 50 18 – ▤. AE ⓓ GB JCB H 10
fermé sam. midi et lundi – **R** 195 et carte 250 à 360
Spéc. Foie gras frais de canard, Saumon piqué au lard fumé, Soufflé chaud au citron.

XXX **Beato,** 8 r. Malar ☎ 47 05 94 27, cuisine italienne – ▤. AE GB. ✂ H 9
fermé août, Noël au Jour de l'An, dim. et lundi – **R** 145 (déj.) et carte 215 à 315 ♨.

XXX **Focly,** 71 av. Suffren ☎ 47 83 27 12, cuisine chinoise et thaïlandaise – ▤. AE GB K 8
fermé 6 au 19 juil. – **R** 130 bc/160 bc ♨.

XX ✿ **Ferme St-Simon** (Vandenhende), 6 r. St-Simon ☎ 45 48 35 74 – ▤. GB J 11
fermé 1ᵉʳ au 23 août, sam. midi et dim. – **R** 160 (déj.) et carte 250 à 370
Spéc. Gâteau de cèpes aux petits gris (oct. à janv.), Saint-Jacques poêlées en feuilleté (oct. à mars), Pêche rôtie aux fraises (juin à oct.).

XX ✿ **Récamier** (Cantegrit), 4 r. Récamier ☎ 45 48 86 58, Fax 42 22 84 76, 🏠 – ▤. ⓓ GB K 12
fermé dim. – **R** carte 290 à 475
Spéc. Œufs en meurette, Mousse de brochet sauce Nantua, Sauté de boeuf Bourguignon.

XX **Au Quai d'Orsay,** 49 quai d'Orsay ☎ 45 51 58 58 – AE GB H 9
R carte 225 à 365.

XX **Le Petit Laurent,** 38 r. Varenne ☎ 45 48 79 64, Fax 42 66 68 59 – AE ⓓ GB J 11
fermé 9 au 22 août, sam. midi et dim. – **R** 175, enf. 75.

XX **Le Florence,** 22 r. Champ-de-Mars ☎ 45 51 52 69, cuisine italienne – ▤. AE GB J 9
fermé août, dim. et lundi – **R** carte 215 à 355.

XX ✿ **Le Bellecour** (Goutagny), 22 r. Surcouf ☎ 45 51 46 93 – AE ⓓ GB H 9
fermé août, lundi (sauf de juin à sept.), sam. et dim. – **R** 180 (déj.) et carte 285 à 450
Spéc. Langoustines rôties aux poireaux frits (mars à oct.), Lotte rôtie à l'ail en chemise, Pigeonneau fermier à la moelle.

XX **D'Chez Eux,** 2 av. Lowendal ☎ 47 05 52 55 – ▤. ⓓ GB J 9
fermé 3 juil. au 3 sept. et dim. – **R** carte 270 à 425.

XX **Giulio Rebellato,** 20 r. Monttessuy ☎ 45 55 79 01, cuisine italienne – ▤. AE GB. ✂ H 8
fermé 25 juil. au 18 août, sam. midi et dim. – **R** carte 240 à 340.

XX **Vert Bocage,** 96 bd La Tour Maubourg ☎ 45 51 48 64 – ▤. AE ⓓ GB J 9
fermé sam. et dim. – **R** carte 245 à 370.

XX **Le Luz,** 4 r. Pierre Leroux ☎ 43 06 99 39 – ▤. AE ⓓ GB K 11
fermé 9 au 23 août, sam. midi et dim. – **R** 150 et carte 190 à 325.

XX **Les Glénan,** 54 r. Bourgogne ☎ 47 05 96 65, produits de la mer – ▤. GB J 10
fermé 10 au 20 août, dim. midi et sam. – **R** carte 240 à 310.

XX **Aux Délices de Szechuen,** 40 av. Duquesne ✆ 43 06 22 55, cuisine chinoise – ▤. AE GB K 10
fermé 27 juil. au 24 août et lundi – **R** 96 (sauf dim.) et carte 155 à 260.

XX **Le Club,** (Au Bon Marché) 38 r. Sèvres - 1er étage magasin 2 ✆ 45 48 95 25, Fax 45 49 27 99 – ▤. AE ⓓ GB K 11
fermé août et dim. – **R** (déj. seul.) 149 et carte 170 à 290.

XX **Chez Ribe,** 15 av. Suffren ✆ 45 66 53 79 – AE ⓓ GB J 7
fermé août, 23 déc. au 4 janv., sam. midi et dim. – **R** 168, enf. 98.

XX **Gildo,** 153 r. Grenelle ✆ 45 51 54 12, Fax 45 51 57 42, cuisine italienne – ▤. GB J 9
fermé 20 juil. au 20 août, 24 déc. au 3 janv., lundi midi et dim – **R** carte 210 à 330.

XX **Tan Dinh,** 60 r. Verneuil ✆ 45 44 04 84, cuisine vietnamienne J 12
fermé août et dim. – **R** carte 225 à 300.

XX **Le Champ de Mars,** 17 av. La Motte-Picquet ✆ 47 05 57 99 – AE ⓓ GB J 9
fermé 13 juil. au 20 août, mardi soir et lundi – **R** 118/159.

XX **Clémentine,** 62 av. Bosquet ✆ 45 51 41 16 – GB J 9
fermé 15 au 30 août, sam. midi et dim. – **R** 168.

X ✿ **Vin sur Vin** (Vidal), 20 r. Monttessuy ✆ 47 05 14 20 – GB H 8
fermé 1er au 8 mai, 12 au 31 août, 22 déc. au 3 janv., sam. midi, lundi midi et dim. – **R** carte 230 à 345
Spéc. Salade de ris de veau aux noisettes (oct. à janv.), Raquette de boeuf (juin à sept.), Crème brûlée à la vergeoise.

X **L'Oeillade,** 10 r. St-Simon ✆ 42 22 01 60 – ▤. GB J 11
fermé 15 août au 1er sept., 22 déc. au 2 janv., sam. midi et dim. – **R** 152.

X **Le Maupertu,** 94 bd La Tour Maubourg ✆ 45 51 37 96 – AE GB J 10
fermé 3 au 24 août, sam. midi et dim. – **R** 130 et carte 190 à 280.

X **Bistrot de Breteuil,** 3 pl. de Breteuil ✆ 45 67 07 27, – GB L 10
R 170 bc.

X **Chez Collinot,** 1 r. P. Leroux ✆ 45 67 66 42 – GB K 11
fermé août, sam. (sauf le soir en hiver) et dim. – **R** 120 et carte 165 à 285.

X **Clos de l'Alma,** 17 r. Malar ✆ 45 55 79 77 – GB H 9
fermé 10 au 25 août, sam. midi et dim. – **R** carte 150 à 230.

X **Nuit de St Jean,** 29 r. Surcouf ✆ 45 51 61 49, Fax 47 05 36 40 – AE ⓓ GB. H 9
fermé 7 au 15 mars, 1er au 10 mai, 1er au 16 août, 23 déc. au 4 janv., sam. midi et dim. – **R** 120 et carte 145 à 270.

X **Pantagruel,** 20 r. Exposition ✆ 45 51 79 96 – AE ⓓ GB J 9
fermé sam. midi – **R** carte 190 à 325.

X **La Calèche,** 8 r. Lille ✆ 42 60 24 76 – AE ⓓ GB J 12
fermé 5 au 31 août, 26 déc. au 1er janv., sam. et dim. – **R** 130/170.

X **Thoumieux,** 79 r. St Dominique ✆ 47 05 49 75, Fax 47 05 36 96 – ▤. GB H 9
R carte 145 à 250.

Champs-Élysées, St-Lazare, Madeleine.

8e arrondissement.
8e : ✉ 75008

Plaza-Athénée, 25 av. Montaigne ✆ 47 23 78 33, Télex 650092, Fax 47 20 20 70 – ▤ TV ☎ – 30 à 100. AE ⓓ GB JCB G 9
R voir rest. **Régence** et **Relais Plaza** ci-après – ☐ 115 – **215 ch** 2890/4610, 41 appart.

Crillon, 10 pl. Concorde ✆ 44 71 15 00, Télex 290204, Fax 44 71 15 02 – ▤ ch TV ☎ – 30 à 60. AE ⓓ GB JCB. rest G 11
R voir rest. **Les Ambassadeurs** ci-après- **L'Obélisque** ✆ 44 71 15 15 *(fermé août et fériés)* **R** 220 – ☐ 130 – **117 ch** 2300/3800, 46 appart.

Bristol, 112 r. Fg St-Honoré ✆ 42 66 91 45, Télex 280961, Fax 42 66 68 68, – ▤ TV ☎ – 40 à 150. AE ⓓ GB JCB. F 10
R voir rest. **Bristol** ci-après – ☐ 130 – **152 ch** 2300/3300, 45 appart.

George V, 31 av. George-V ✆ 47 23 54 00, Télex 650082, Fax 47 20 40 00, – ▤ ch TV ☎ – 600. AE ⓓ GB JCB G 8
R voir rest. **Les Princes** et **Le Grill** ci-après – ☐ 115 – **298 ch** 2150/3850, 53 appart.

Royal Monceau, 37 av. Hoche ✆ 45 61 98 00, Télex 650361, Fax 45 63 28 93, « Piscine et centre de remise en forme » – ▤ TV ☎ – 30 à 300. AE ⓓ GB JCB. E 8
Le Jardin R 270 (déj.) et carte 340/570 – **Le Carpaccio** *(fermé août)* **R** 270 (déj.) et carte 300 à 430 – ☐ 130 – **180 ch** 1950/2650, 39 appart.

Prince de Galles, 33 av. George-V ✉ 75008 ✆ 47 23 55 11, Télex 651627, Fax 47 20 96 92, – ch ▤ TV ☎ – 40 à 200. AE ⓓ GB. rest G 8
R (dim. brunch seul. 240) 235/575 – ☐ 95 – **141 ch** 1700/2400, 30 appart.

Vernet [M], 25 r. Vernet ✆ 47 23 43 10, Télex 290347, Fax 40 70 10 14 – ascenseur climatisation TV ☎. AE ⓓ GB. ✻ rest F 8
Les Élysées *(fermé 23 juil. au 26 août, sam. et dim.)* **R** carte 320 à 410 – ☕ 100 – **54 ch** 1400/1950, 3 appart.

San Régis [M], 12 r. J. Goujon ✆ 43 59 41 90, Télex 643637, Fax 45 61 05 48, « Bel aménagement intérieur » – ascenseur climatisation ch TV ☎. AE ⓓ GB JCB. ✻ G 9
R carte 265 à 415 – ☕ 100 – **34 ch** 1325/2525, 10 appart. 2800/4800.

Balzac [M], 6 r. Balzac ✆ 45 61 97 22, Télex 290298, Fax 42 25 24 82 – ascenseur TV ☎. AE ⓓ GB F 8
R voir rest. **Bice** ci-après – ☕ 90 – **56 ch** 1320/1730, 14 appart.

De Vigny [M] sans rest, 9 r. Balzac ✆ 40 75 04 39, Télex 651822, Fax 40 75 05 81, « Élégante installation » – ascenseur non-fumeurs climatisation TV ☎ garage. AE ⓓ GB F 8
☕ 90 – **25 ch** 1900/2600, 12 appart.

La Trémoille, 14 r. La Trémoille ✆ 47 23 34 20, Télex 640344, Fax 40 70 01 08 – ascenseur climatisation TV ☎. AE ⓓ GB JCB G 9
R *(fermé sam.)* carte 235 à 380 – ☕ 80 – **96 ch** 1770/2760, 14 appart. 2760.

Warwick [M], 5 r. Berri ✆ 45 63 14 11, Télex 642295, Fax 45 63 75 81 – ascenseur non-fumeurs ch climatisation TV ☎ – salle 30 à 120. AE ⓓ GB JCB F 9
R voir rest. **La Couronne** ci-après – ☕ 100 – **144 ch** 1920/2420, 4 appart.

Golden Tulip St-Honoré [M], 220 r. Fg St-Honoré ✆ 49 53 03 03, Télex 650657, Fax 40 75 02 00, piscine – ascenseur cuisinette climatisation TV ☎ ♿ garage – salle 200. AE ⓓ GB JCB. ✻ rest E 8
Relais Vermeer *(fermé dim.)* **R** 195 et carte 270 à 450 – ☕ 95 – **52 ch** 1550/1750, 20 appart.

Lancaster, 7 r. Berri ✆ 43 59 90 43, Télex 640991, Fax 42 89 22 71, terrasse – ascenseur climatisation ch TV ☎. AE ⓓ GB JCB F 9
R 230 – ☕ 110 – **52 ch** 1890/2500, 7 appart.

Pullman Windsor [M], 14 r. Beaujon ✆ 45 63 04 04, Télex 650902, Fax 42 25 36 81 – ascenseur climatisation TV ☎ – salle 130. AE ⓓ GB JCB F 8
R voir rest. **Le Clovis** ci-après – ☕ 90 – **135 ch** 1250/1600, 7 appart. 1900/3200.

Relais Carré d'Or [M], 46 av. George V ✆ 40 70 05 05, Télex 640561, Fax 47 23 30 90, terrasse – ascenseur cuisinette climatisation TV ☎ garage. AE ⓓ GB JCB. ✻ F 8
R carte 195 à 370 – ☕ 95, 23 appart.

Château Frontenac, 54 r. P.-Charron ✆ 47 23 55 85, Télex 644994, Fax 47 23 03 32 – ascenseur TV ☎ – salle 30. ⓓ GB. ✻ G 9
Pavillon Frontenac *(fermé août, sam. midi et dim.)* **R** 190 et carte 210 à 295 – ☕ 75 – **102 ch** 850/1300, 4 appart. 1480.

Bedford, 17 r. Arcade ✆ 42 66 22 32, Télex 290506, Fax 42 66 51 56 – ascenseur climatisation TV ☎ – salle 80. GB. ✻ rest F 11
R *(fermé 1er au 30 août, sam. et dim.)* carte 210 à 335 – **137 ch** ☕ 680/980, 10 appart. 1425/1750.

Résidence du Roy [M] sans rest, 8 r. François 1er ✆ 42 89 59 59, Télex 648452, Fax 40 74 07 92 – ascenseur cuisinette climatisation TV ☎ ♿ garage – salle 25. AE ⓓ GB JCB G 9
☕ 65 – **5 ch** 1140, 31 appart.

Élysées Star [M] sans rest, 19 r. Vernet ✆ 47 20 41 73, Télex 651153, Fax 47 23 32 15 – ascenseur climatisation TV ☎ – salle 30. AE ⓓ GB JCB F8
☕ 80 – **39 ch** 1300/1900, 4 appart. 3500.

Claridge Bellman, 37 r. François 1er ✆ 47 23 54 42, Télex 641150, Fax 47 23 08 84 – ascenseur climatisation TV ☎. AE ⓓ GB. ✻ G 9
R *(fermé août, 25 déc. au 2 janv., sam. et dim.)* carte 230 à 380 🍷 – ☕ 70 – **42 ch** 950/1300.

Napoléon, 40 av. Friedland ✆ 47 66 02 02, Télex 640609, Fax 47 66 82 33 – ascenseur TV ☎ – salle 130. AE ⓓ GB JCB F 8
Le Napoléon ✆ 42 27 99 50 *(fermé 8 au 16 août, sam. et dim.)* **R** carte 265 à 430 – ☕ 70 – **70 ch** 1100/1550, 32 appart.

California, 16 r. Berri ✉ 75008 ✆ 43 59 93 00, Télex 644634, Fax 45 61 03 62 – ascenseur non-fumeurs ch climatisation TV ☎ – salle 40. AE ⓓ GB JCB F 9
R carte 220 à 290 – ☕ 100 – **154 ch** 1400/1900, 18 appart.

Concorde-St-Lazare, 108 r. St-Lazare ✆ 40 08 44 44, Télex 650442, Fax 42 93 01 20 – ascenseur climatisation TV ☎ – salle 95. AE ⓓ GB JCB. ✻ rest E 12
Café Terminus R 140/195 🍷 – ☕ 90 – **298 ch** 950/1650, 13 appart. 1950/2450.

Queen Elizabeth, 41 av. Pierre-1er-de-Serbie ✆ 47 20 80 56, Télex 641179, Fax 47 20 89 19 – ascenseur climatisation TV ☎ – salle 25 à 30. AE ⓓ GB JCB G 8
R *(fermé août et dim.)* (déj. seul.) 150 bc/210 🍷 – ☕ 85 – **54 ch** 1000/1750, 12 appart. 1900/2600.

La Maison des Centraliens [M], 8 r. J. Goujon ✆ 43 59 52 41, Télex 651838, Fax 42 25 06 59 – ascenseur non-fumeurs ch climatisation TV ☎ ♿ garage – salle 150. AE ⓓ GB JCB G 9
R 150 bc/220 – ☕ 100 – **40 ch** 1200/1400.

Pullman St-Honoré sans rest, 15 r. Boissy d'Anglas ✆ 42 66 93 62, Télex 240366, Fax 42 66 14 98 – ascenseur climatisation TV ☎. AE ⓓ GB G 11
☕ 90 – **104 ch** 790/1050, 8 appart. 1650.

Chateaubriand [M] sans rest, 6 r. Chateaubriand ✆ 40 76 00 50, Télex 641012, Fax 40 76 09 22 – ascenseur climatisation TV ☎. AE ⓓ GB JCB F 9
☕ 65 – **28 ch** 1600.

L'Horset Astor, 11 r. Astorg ☎ 42 66 56 56, Télex 642737, Fax 42 65 18 37 – ▮ ▤ rest TV ☎ – 🏔 25. AE ⓞ GB JCB F 11
R *(fermé juil.-août, sam. et dim.)* (déj. seul.) 190/210 – ☕ 70 – **128 ch** 920.

Royal Alma M sans rest, 35 r. J.-Goujon ☎ 42 25 83 30, Télex 641428, Fax 45 63 68 64 – ▮ TV ☎. AE ⓞ GB JCB. ✻ G 9
☕ 85 – **58 ch** 1100/1600, 7 appart. 1600/2500.

Montaigne M sans rest, 6 av. Montaigne ☎ 47 20 30 50, Télex 648051, Fax 47 20 94 12 – ▮ ▤ TV ☎ ♿. AE ⓞ GB. ✻ G 9
☕ 80 – **29 ch** 1300/1800.

François 1er M, 7 r. Magellan ☎ 47 23 44 04, Télex 648880, Fax 47 23 93 43 – ▮ ⇔ ch ▤ TV ☎. AE ⓞ GB JCB F 8
R 165/380, enf. 130 – ☕ 90 – **36 ch** 1250/1380, 4 appart. 2160.

de l'Élysée M sans rest, 12 r. Saussaies ☎ 42 65 29 25, Télex 281665, Fax 42 65 64 28 – ▮ TV ☎. AE ⓞ GB. ✻ F 11
☕ 60 – **30 ch** 620/880.

Marignan, 12 r. Marignan ☎ 40 76 34 56, Télex 644018, Fax 40 76 34 34 – ▮ ⇔ ch TV ☎ – 🏔 80. AE ⓞ GB JCB G 9
R *(fermé août, sam., dim. et fériés)* carte 250 à 300 – ☕ 95 – **55 ch** 1900/2200, 18 appart. 2500.

Élysées Ponthieu et résidence Le Cid M sans rest, 24 r. Ponthieu ☎ 42 25 68 70, Télex 640053, Fax 42 25 80 82 – ▮ cuisinette ▤ TV ☎. AE ⓞ GB JCB F 9
☕ 65 – **92 ch** 610/1600, 6 appart. 1800/2500.

Royal H. sans rest, 33 av. Friedland ☎ 43 59 08 14, Télex 651465, Fax 45 63 69 92 – ▮ TV ☎. AE ⓞ GB JCB F 8
☕ 60 – **58 ch** 810/1100.

Résidence Champs-Elysées M sans rest, 92 r. La Boëtie ☎ 43 59 96 15, Télex 650695, Fax 42 56 01 38 – ▮ TV ☎. ⓞ GB. ✻ F 9
☕ 70 – **83 ch** 740/1200.

Résidence Monceau M sans rest, 85 r. Rocher ☎ 45 22 75 11, Télex 280671, Fax 45 22 30 88 – ▮ TV ☎ ♿. AE ⓞ GB. ✻ E 11
☕ 42 – **50 ch** 585.

Concortel sans rest, 19 r. Pasquier ☎ 42 65 45 44, Télex 660228, Fax 42 65 18 33 – ▮ TV ☎. AE ⓞ GB F 11
☕ 35 – **46 ch** 550/700.

Résidence St-Honoré sans rest, 214 r. Fg St-Honoré ☎ 42 25 26 27, Télex 640524, Fax 45 63 30 67 – ▮ ⇔ TV ☎. AE ⓞ GB JCB E 9
☕ 40 – **89 ch** 650/1000.

Powers sans rest, 52 r. François-1er ☎ 47 23 91 05, Télex 642051, Fax 49 52 04 63 – ▮ TV ☎. AE ⓞ GB. ✻ G 9
☕ 50 – **53 ch** 720/980.

Beau Manoir sans rest, 6 r. Arcade ☎ 42 66 03 07, Fax 42 68 03 00 – ▮ ▤ TV ☎ ♿. AE ⓞ GB JCB F 11
☕ 30 – **29 ch** 820/890, 3 appart. 1240.

Castiglione, 40 r. Fg-St-Honoré ☎ 42 65 07 50, Télex 240362, Fax 42 65 12 27 – ▮ ▤ rest TV ☎ – 🏔 50. AE ⓞ GB JCB G 11
R 160 et carte 250 à 400 – **119 ch** ☕ 930/1800, 10 appart. 2100/2800 – ½ P 655/1060.

Printemps et rest. Chez Martin, 1 r. Isly ☎ 42 94 12 12, Télex 290744, Fax 42 94 05 02 – ▮ TV ☎ – 🏔 25 à 35. GB F 12
R *(fermé 20 juil. au 9 août, sam. et dim.)* 108/160 🍷 – **67 ch** ☕ 444/928.

New Roblin et rest. le Mazagran, 6 r. Chauveau-Lagarde ☎ 44 71 20 80, Télex 640154, Fax 42 65 19 49 – ▮ ▤ TV ☎. AE ⓞ GB JCB. ✻ rest F 11
R *(fermé sam., dim. et fériés)* 140/150 🍷, enf. 60 – ☕ 55 – **74 ch** 600/790, 3 appart. 1350.

West End sans rest, 7 r. Clément-Marot ☎ 47 20 30 78, Télex 611972, Fax 47 20 34 42 – ▮ TV ☎. AE ⓞ GB JCB G 9
☕ 40 – **47 ch** 650/1450.

Lido M sans rest, 4 passage Madeleine ☎ 42 66 27 37, Télex 281039, Fax 42 66 61 23 – ▮ TV ☎. AE ⓞ GB JCB F 11
☕ 25 – **32 ch** 555/780.

Cordélia M sans rest, 11 r. Greffulhe ☎ 42 65 42 40, Télex 281760, Fax 42 65 11 81 – ▮ TV ☎. AE ⓞ GB F 11
☕ 45 – **30 ch** 630/680.

Newton Opéra M sans rest, 11 bis r. de l'Arcade ☎ 42 65 32 13, Télex 280340, Fax 42 65 30 90 – ▮ TV ☎. AE ⓞ GB F 11
☕ 45 – **31 ch** 660/830.

Franklin Roosevelt sans rest, 18 r. Clément-Marot ☎ 47 23 61 66, Télex 614797, Fax 47 20 44 30 – ▮ TV ☎. AE GB. ✻ G 9
☕ 45 – **45 ch** 650/800.

Colisée sans rest, 6 r. Colisée ☎ 43 59 95 25, Télex 643101, Fax 45 63 26 54 – ▮ TV ☎. AE ⓞ GB JCB F 9
☕ 30 – **44 ch** 490/780.

Rochambeau sans rest, 4 r. La Boëtie ✆ 42 65 27 54, Télex 640030, Fax 42 66 03 81 – |♦| TV ☎. AE ⓓ GB JCB F 11
50 ch ☐ 745/1200

Atlantic sans rest, 44 r. Londres ✆ 43 87 45 40, Télex 650477, Fax 42 93 06 26 – |♦| TV ☎. AE GB JCB. ✻ E 12
☐ 45 – **93 ch** 410/660

L'Orangerie M sans rest, 9 r. de Constantinople ✆ 45 22 07 51, Télex 650294, Fax 45 22 16 49 – |♦| TV ☎. AE ⓓ GB. ✻ E 11
☐ 30 – **29 ch** 450/635

St Augustin sans rest, 9 r. Roy ✆ 42 93 32 17, Télex 283919, Fax 42 93 19 34 – |♦| TV ☎. AE ⓓ GB JCB F 11
☐ 37 – **62 ch** 550/760

Queen Mary sans rest, 9 r. Greffulhe ✆ 42 66 40 50, Télex 640419, Fax 42 66 94 92 – |♦| TV ☎ GB F 12
☐ 40 – **36 ch** 550/730

Waldorf Florida sans rest, 12 bd Malesherbes ✆ 42 65 72 06, Télex 650557, Fax 40 07 10 45 – |♦| TV ☎. AE ⓓ GB JCB F 11
44 ch ☐ 725/1130

Résidence Saint-Philippe sans rest, 123 r. Fg-St-Honoré ✆ 43 59 86 99, Télex 650837, Fax 45 61 09 07 – |♦| TV ☎. AE GB JCB F 9-10
☐ 40 – **38 ch** 430/700

Alison M sans rest, 21 r. Surène ✆ 42 65 54 00, Télex 640435, Fax 42 65 08 17 – |♦| TV ☎. AE ⓓ GB. ✻ F 11
☐ 40 – **35 ch** 420/690

Astoria sans rest, 42 r. Moscou ✆ 42 93 63 53, Télex 290061, Fax 42 93 30 30 – |♦| ▤ TV ☎. AE ⓓ GB JCB. ✻ D 11
☐ 40 – **83 ch** 590/850

Bradford sans rest, 10 r. St-Philippe-du-Roule ✆ 43 59 24 20, Télex 648530, Fax 45 63 20 07 – |♦| ☎. GB. ✻ F 9
46 ch ☐ 600/750

Lord Byron sans rest, 5 r. Chateaubriand ✆ 43 59 89 98, Télex 649662, Fax 42 89 46 04, ☼ – |♦| TV ☎. GB. ✻ F 9
☐ 50 – **31 ch** 560/1200

Rond-Point des Champs-Elysées sans rest, 10 r. Ponthieu ✆ 43 59 55 58, Télex 642386, Fax 45 63 99 75 – |♦| TV ☎. AE ⓓ GB. ✻ F 10
☐ 30 – **44 ch** 450/775

Élysées sans rest, 100 r. La Boétie ✆ 43 59 23 46, Télex 648572, Fax 42 56 33 80 – |♦| TV ☎. AE ⓓ GB. ✻ F 9
☐ 25 – **28 ch** 525/605

Angleterre-Champs-Élysées sans rest, 91 r. La Boétie ✆ 43 59 35 45, Télex 640317, Fax 45 63 22 22 – |♦| TV ☎. AE ⓓ GB F 9
☐ 30 – **40 ch** 450/580

Plaza Haussmann sans rest, 177 bd Haussmann ✆ 45 63 93 83, Télex 643716, Fax 45 61 14 30 – |♦| TV ☎. AE ⓓ GB JCB. ✻ F 9
☐ 30 – **41 ch** 620/730

Charing Cross M sans rest, 39 r. Pasquier ✆ 43 87 41 04, Télex 290681, Fax 42 93 70 45 – |♦| TV ☎. AE ⓓ GB JCB F 11
31 ch ☐ 385/485

Ministère sans rest, 31 r. Surène ✆ 42 66 21 43, Fax 42 66 96 04 – |♦| TV ☎. AE GB JCB F 11
☐ 35 – **28 ch** 360/550

Madeleine Haussmann M sans rest, 10 r. Pasquier ✆ 42 65 90 11, Télex 281472, Fax 42 68 07 93 – |♦| TV ☎ ♿. AE ⓓ GB F 11
☐ 30 – **36 ch** 440

New Orient sans rest, 16 r. Constantinople ✆ 45 22 21 64, Télex 282263, Fax 42 93 83 23 – |♦| TV ☎. AE GB E 11
fermé 24 au 30 déc. – ☐ 30 – **30 ch** 360/450

Lavoisier-Malesherbes sans rest, 21 r. Lavoisier ✆ 42 65 10 97, Télex 281801, Fax 42 65 02 43 – |♦| TV ☎. GB. ✻ F 11
☐ 30 – **32 ch** 350/450

Come districarsi nei sobborghi di Parigi?
Utilizzando la carta stradale Michelin n. **101**
e le piante n. **17**-**18**, **19**-**20**, **21**-**22**, **23**-**24** *: chiare, precise ed aggiornate.*

XXXXX ✿✿✿ **Lucas-Carton** (Senderens), 9 pl. Madeleine ✆ 42 65 22 90, Télex 281088, Fax 42 65 06 23, « Authentique décor 1900 » – ▤. GB JCB. ✻ G 11
fermé 1er au 25 août, 24 déc. au 3 janv., sam. et dim. – **R** 375 (déj.) et carte 560 à 980
Spéc. Risotto de riz sauvage aux girolles. Turbot à l'encre de seiche. Pigeon rôti au vermicelle à la coriandre.

XXXXX ✿✿ **Lasserre,** 17 av. F.-D.-Roosevelt ✆ 43 59 53 43, Fax 45 63 72 23, Toit ouvrant – ▤. GB. ✻ G 10
fermé 2 au 31 août, lundi midi et dim. – **R** carte 415 à 555
Spéc. Salade tiède de ris de veau et langoustines. Parmentier de morue fraîche. Soufflé glacé menthe-chocolat.

XXXXX ✿✿✿ **Taillevent,** 15 r. Lamennais ✆ 45 61 12 90, Fax 42 25 95 18 – ▤. GB. ✻ F 9
fermé 26 juil. au 26 août, vacances de fév., sam., dim. et fériés – **R** (nombre de couverts limité - prévenir) carte 550 à 750
Spéc. Ravioli d'escargots au curry. Côtes d'agneau aux olives noires. Fantaisie au caramel et au pain d'épices.

XXXXX ✿✿ **Les Ambassadeurs** - Hôtel Crillon, 10 pl. Concorde ✆ 44 71 16 16, Télex 290204, Fax 44 71 15 02, « Cadre 18e siècle » – ▤. AE ① GB JCB. ✻ G 11
R 310 (déj.) et carte 400 à 680
Spéc. Moelleux de pommes rattes et médaillon de homard à la civette. Bar croustillant aux graines de sésame. Carré d'agneau de Pauillac rôti sous la cendre.

XXXXX ✿✿ **Laurent,** 41 av. Gabriel ✆ 42 25 00 39, Fax 45 62 45 21, « Agréable terrasse d'été » – AE ① GB. ✻ G 10
fermé sam. midi, dim. et fériés – **R** 400 (déj.) et carte 480 à 800
Spéc. "Minestrone" aux écrevisses. Gambas tièdes à la fine semoule épicée. Rognon de veau entier rôti.

XXXXX ✿ **Bristol,** 112 r. Fg St-Honoré ✆ 42 66 91 45, Télex 280961, Fax 42 66 68 68 – ▤. AE ① GB JCB. ✻ F 10
R carte 480 à 630
Spéc. Blanc de barbue et langoustines aux épinards. Escalope de turbot au Sauternes. Feuillantine de rognon de veau.

XXXXX ✿ **Régence** - Hôtel Plaza Athénée, 25 av. Montaigne ✆ 47 23 78 33, Télex 650092, Fax 47 20 20 70, 🏕 – ▤. AE ① GB JCB G 9
R carte 400 à 620
Spéc. Soufflé de homard "Plaza". Duo de langoustines et Saint-Jacques. Piccata de veau au citron.

XXXXX ✿ **Ledoyen,** carré Champs-Élysées ✆ 47 42 23 23, Télex 282358, Fax 47 42 55 01, 🏕 – ▤ P. AE ① GB. ✻ G 10
fermé août et dim. – **R** 350 (déj.) et carte 480 à 650 **Le Carré R** 250 et carte 280 à 420
Spéc. Terrine de ris de veau et crustacés. Pot-au-feu de pigeon. Velours au chocolat.

XXXX ✿ **Élysée Lenôtre,** 10 av. Champs Élysées ✆ 42 65 85 10, Fax 42 65 76 23, 🏕 – |⇕| ▤ P. AE ① GB G 10
Rez-de-Chaussée (déj. seul.) *(fermé sam. et dim)* **R** 350 – **1er étage** (dîner seul.) *(fermé dim.)* **R** carte 380 à 670
Spéc. Homard tiède verdurette. Saint Pierre à la nage de palourdes. Millefeuille au chocolat et glace à la chicorée.

XXXX ✿ **Les Princes** - Hôtel George V, 31 av. George V ✆ 47 23 54 00, Télex 650082, Fax 47 20 40 00, 🏕 – ▤. AE ① GB JCB G 8
fermé 25 juil. au 23 août – **R** 350 et carte 400 à 670
Spéc. Tartare d'huîtres (oct. à avril). Daurade aux épices et ses "pailles" de crevettes. Millefeuille caramélisé aux noix.

XXXX ✿✿ **Chiberta,** 3 r. Arsène-Houssaye ✆ 45 63 77 90, Fax 45 62 85 08 – ▤. AE ① GB JCB
fermé 1er au 30 août, 24 déc. au 3 janv., sam., dim. et fériés – **R** carte 415 à 585 F 8
Spéc. Salade d'anguille de Loire au caviar (oct. à janv.). Bar croustillant au jus truffé (oct. à janv.). Ris de veau braisé au cidre.

XXXX ✿ **La Marée,** 1 r. Daru ✆ 43 80 20 00, Fax 48 88 04 04, produits de la mer – ▤. AE ① GB E 8
fermé août, sam. et dim. – **R** carte 410 à 640
Spéc. Cassolette de homard et langouste. Tronçon de turbot rôti à la sauge. Fricassée de rognons de veau aux choux.

XXXX **Fouquet's,** 99 av. Champs Élysées ✆ 47 23 70 60, Fax 47 20 08 69 – AE ① GB JCB F 8
Rez-de-Chaussée (grill) **R** 250 et carte 260 à 410 – **1er Étage** *(fermé sam. midi et dim.)* **R** carte 290 à 510.

XXX ✿ **15 Montaigne Maison Blanche,** 15 av. Montaigne (6e étage) ✆ 47 23 55 99, Fax 47 20 09 56, ≤, 🏕, « Décor contemporain » – |⇕| ▤. GB G 9
fermé sam. midi et dim. – **R** 295 (déj.) et carte 335 à 550
Spéc. Gâteau landais. Risotto de langoustines. Sablé de pommes au romarin et à la cannelle.

XXX ✿ **La Couronne** - Hôtel Warwick, 5 r. Berri ✆ 45 63 78 49, Télex 642295, Fax 45 63 75 81 – ▤. AE ① GB JCB F 9
fermé août, sam. midi, dim. et fériés – **R** 260 et carte 300 à 440
Spéc. Marbré de langoustines et ris de veau. Matelote d'anguilles au Saumur. Rosace de selle d'agneau à la graine de semoule.

XXX ✿ **Le Clovis** - Hôtel Pullman Windsor, 4 r. B.-Albrecht ☎ 45 61 15 32, Télex 650902, Fax 42 25 36 81 – ▤. AE ① GB F 8
fermé 3 au 28 août, 28 déc. au 1er janv., sam., dim. et fériés – **R** 245 (déj.) et carte 320 à 460
Spéc. Tartare de dorade rose et saumon mariné, Médaillon de veau aux grains de café écrasés, Assiette des quatre douceurs.

XXX **Le 30 - Fauchon,** pl. Madeleine ☎ 47 42 56 58, Fax 47 42 83 75, 🏠 – ▤. AE ① GB JCB F 12
fermé dim. – **R** carte 255 à 415.

XXX ✿ **Copenhague,** 142 av. Champs-Élysées (1er étage) ☎ 43 59 20 41, Fax 42 25 83 10, 🏠, cuisine danoise – ▤. AE ① GB JCB. ✻ F 8
fermé 3 au 30 août, 1er au 7 janv., sam. midi et fériés en été et dim. – **R** carte 265 à 450 - **Flora Danica R** carte 200 à 360
Spéc. Saumon mariné à l'aneth, Mignon de renne aux mûres jaunes, Mandelrand avec sorbets et fruits.

XXX **Relais-Plaza** - Hôtel Plaza Athénée, 21 av. Montaigne ☎ 47 23 46 36, Télex 650092, Fax 47 20 20 70 – ▤. AE ① GB JCB G 9
R 285 bc et carte 300 à 580.

XXX **Le Grill** - Hôtel George V, 31 av. George V ☎ 47 23 54 00, Fax 47 30 04 49 – ▤. AE ① GB JCB G 8
R 198 et carte 210 à 360.

XXX **Yvan,** 1bis r. J. Mermoz ☎ 43 59 18 40, Fax 45 63 78 69 – ▤. AE ① GB F-G 10
fermé sam. midi et dim. – **R** 168/285.

XXX **Les Géorgiques,** 36 av. George V ☎ 40 70 10 49 – ▤. AE ① GB JCB. ✻ G 8
fermé sam. midi et dim. – **R** 180 (déj.) et carte 275 à 465.

XXX **Vancouver,** 4 r. Arsène Houssaye ☎ 42 56 77 77, Fax 42 56 50 52, produits de la mer – ▤. GB F 8
fermé août, vacances de Noël, sam., dim. et fériés – **R** carte 255 à 360.

XXX **Le Jardin Violet,** 19 r. Bayard ☎ 47 20 55 11, cuisine chinoise – ▤. AE ① GB G 9
R 150 bc/350 bc.

XXX **Indra,** 10 r. Cdt-Rivière ☎ 43 59 46 40, Fax 42 89 90 18, cuisine indienne – ▤. AE ① GB F 9
fermé sam. midi et dim. – **R** 220/300.

XX **Baumann Marbeuf,** 15 r. Marbeuf ☎ 47 20 11 11, Fax 47 23 69 65 – AE ① GB G 9
fermé 13 au 19 août, sam. midi et dim. du 18 juil. au 31 août – **R** carte 175 à 300 🍷.

XX **Fermette Marbeuf,** 5 r. Marbeuf ☎ 47 23 31 31, Fax 40 70 02 11, « Décor 1900, céramiques et vitraux d'époque » – ▤. AE ① GB G 9
R 160 et carte 185 à 315 🍷.

XX **Bice** - Hôtel Balzac, 6 r. Balzac ☎ 42 89 86 34, Fax 42 25 24 82, cuisine italienne – ▤. AE ① GB F 8
fermé 14 au 31 août et 22 déc. au 3 janv. – **R** carte 220 à 370.

XX **Chez Tante Louise,** 41 r. Boissy d'Anglas ☎ 42 65 06 85 – ▤. AE ① GB JCB F 11
fermé août, sam. et dim. – **R** 190 et carte 245 à 405.

XX **Le Bœuf sur le Toit,** 34 r. Colisée ☎ 43 59 83 80, Fax 45 63 45 40, brasserie – AE ① GB F 10
R carte 170 à 295 🍷.

XX **Le Grenadin,** 46 r. Naples ☎ 45 63 28 92 – ▤. AE GB E 11
fermé 11 au 19 juil., 8 au 16 août, Noël au Jour de l'An, sam., dim. et fériés – **R** 200/370.

XX **Le Sarladais,** 2 r. Vienne ☎ 45 22 23 62 – ▤. AE GB E 11
fermé août, sam. (sauf le soir en hiver) et dim. – **R** 145 (dîner) et carte 205 à 355.

XX **Androuët,** 41 r. Amsterdam ☎ 48 74 26 93, Télex 280466, Fax 49 95 02 54, fromages et cuisine fromagère – ▤. AE ① GB JCB E 12
fermé dim. – **R** 175 (déj.)/240.

XX **Marius et Janette,** 4 av. George V ☎ 47 23 41 88, Fax 47 23 07 19, 🏠, produits de la mer – ▤. AE GB G 8
fermé 24 au 31 déc. – **R** carte 320 à 480.

XX **L'Avenue,** 41 av. Montaigne ☎ 40 70 14 91, brasserie – ▤. AE GB G 9
R carte 180 à 290.

XX **Finzi,** 24 av. George V ☎ 47 20 14 78, Fax 47 20 10 08, cuisine italienne – ▤. AE ① GB G 8
fermé sam. midi en juil.-août et dim. midi – **R** carte 160 à 300 🍷.

XX **Le Pichet,** 68 r. P. Charron ☎ 43 59 50 34 – ▤. AE ① GB G 9-F 9
fermé 23 déc. au 6 janv., sam. et dim. – **R** carte 260 à 370.

XX **Le Lloyd's,** 23 r. Treilhard ☎ 45 63 21 23 – AE GB E 10
fermé 25 déc. au 2 janv., sam. et dim. – **R** 200 (déj.) et carte 260 à 385.

XX **Artois,** 13 r. Artois ☎ 42 25 01 10 – GB F 9
fermé août, sam. et dim. – **R** (prévenir) carte 220 à 330.

XX **Stresa,** 7 r. Chambiges ☎ 47 23 51 62, cuisine italienne – AE ① G 9
fermé août, 20 déc. au 3 janv., sam. soir et dim. – **R** 250/400.

XX **L'Étoile Marocaine,** 56 r. Galilée ☎ 47 20 54 45, cuisine marocaine – ▤. AE ① GB. ✻ F 8
R 180/450.

XX **Tong Yen,** 1 bis r. J. Mermoz ✆ 42 25 04 23, Fax 45 63 51 57, cuisine chinoise et spécialités, thaïlandaises et vietnamiennes – ▤. AE ⓓ GB F 10
fermé 1er au 25 août – **R** carte 190 à 340.

XX **Chez Bosc,** 7 r. Richepanse ✆ 42 60 10 27 – ⓓ GB G 12
fermé 1er au 16 août, sam. midi et dim. – **R** 190 ♁.

X **Le Bouchon Gourmand,** 25 r. Colisée ✆ 43 59 25 29, Fax 42 56 33 97 – AE ⓓ GB F 9
fermé août, sam. midi et dim. – **R** 130.

X **Bistrot de Marius,** 6 av. George V ✆ 40 70 11 76, 🏠, produits de la mer – AE GB G 8
R carte 200 à 300.

X **La Petite Auberge,** 48 r. Moscou ✆ 43 87 91 84 – GB D 11
fermé 8 au 24 août, sam. et dim. – **R** 140 et carte 190 à 290.

X **Ferme des Mathurins,** 17 r. Vignon ✆ 42 66 46 39 – GB F 12
fermé août, dim. et fériés – **R** 150/250.

X **Finzi,** 182 bd Haussmann ✆ 45 62 88 68, Fax 47 20 10 08, cuisine italienne – ▤ AE GB
fermé dim. midi – **R** carte 175 à 300. F 8

Opéra, Gare du Nord, Gare de l'Est, Grands Boulevards.

9e et 10e arrondissements.
9e : ✉ 75009
10e : ✉ 75010

Grand Hôtel Inter-Continental, 2 r. Scribe (9e) ✆ 40 07 32 32, Télex 220875, Fax 42 66 12 51, ⅉ – |‡| ⇜ ch ▤ TV ☎ ♿ – 🏛 350. AE ⓓ GB JCB. ✄ rest F 12
R voir rest. **Opéra et Brasserie Café de la Paix** ci-après -rest. **La Verrière** ✆ 40 07 31 00 *(fermé août)* **R** (déj. seul) 275 – ☕ 140 – **470 ch** 1650/3500, 23 appart.

Scribe M, 1 r. Scribe (9e) ✆ 44 71 24 24, Télex 214653, Fax 42 65 39 97 – |‡| ⇜ ch ▤ TV ☎ ♿ – 🏛 80. AE ⓓ GB JCB. ✄ rest F 12
Le Jardin des Muses ✆ 44 71 24 24 snack **R** carte environ 155 à 250 ♁ – **Les Muses** *(fermé août, sam., dim. et fériés)* **R** 210 (déj.)/350 – ☕ 105 – **206 ch** 1450/1950, 11 appart.

Ambassador, 16 bd Haussmann (9e) ✆ 42 46 92 63, Télex 650912, Fax 40 22 08 74 – |‡| ▤ TV ☎ – 🏛 110. AE ⓓ GB JCB. ✄ rest F 13
R 250/400 – ☕ 100 – **298 ch** 1300/2000.

Commodore, 12 bd Haussmann (9e) ✆ 42 46 72 82, Télex 280601, Fax 47 70 23 81 – |‡| TV ☎ – 🏛 25. AE ⓓ GB JCB F 13
R 240 **Cancans** (snack) **R** carte 150/245 – **Le Carvery** (déj. seul.) *(fermé juil.-août, sam. et dim.)* **R** 240 – ☕ 80 – **151 ch** 1000/1800, 11 appart. 2150/2900 – ½ P 885/1120

L'Horset Pavillon M, 38 r. Échiquier (10e) ✆ 42 46 92 75, Télex 283905, Fax 42 47 03 97 – |‡| ▤ TV ☎. AE ⓓ GB JCB F 15
R 110 – ☕ 65 – **92 ch** 660/760 – ½ P 1170.

Blanche Fontaine M 🐚 sans rest, 34 r. Fontaine (9e) ✆ 45 26 72 32, Télex 660311, Fax 42 81 05 52 – |‡| TV ☎ 🚗. AE GB. ✄ D 13
☕ 38 – **45 ch** 395/465.

Cidotel Lafayette M sans rest, 49 r. Lafayette (9e) ✆ 42 85 05 44, Télex 283025, Fax 49 95 06 60 – |‡| TV ☎. AE ⓓ GB JCB. ✄ F 14
☕ 65 – **75 ch** 800.

Brébant, 32 bd Poissonnière (9e) ✆ 47 70 25 55, Télex 280127, Fax 42 46 65 70 – |‡| ▤ rest TV ☎ – 🏛 60. AE ⓓ GB JCB F 14
R 89/198 – **122 ch** ☕ 690/850.

St-Pétersbourg sans rest, 33 r. Caumartin (9e) ✆ 42 66 60 38, Télex 680001, Fax 42 66 53 54 – |‡| TV ☎ – 🏛 100. AE ⓓ GB JCB F 12
100 ch ☕ 473/915.

Astra M sans rest, 29 r. Caumartin (9e) ✆ 42 66 15 15, Télex 210408, Fax 42 66 98 05 – |‡| ⇜ ▤ TV ☎. AE ⓓ GB JCB. ✄ F 15
☕ 45 – **85 ch** 790/980.

Opéra Cadet M sans rest, 24 r. Cadet (9e) ✆ 48 24 05 26, Télex 282287, Fax 42 46 68 09 – |‡| TV ☎ ♿ 🚗. AE ⓓ GB F 14
☕ 48 – **90 ch** 690/695.

Bergère sans rest, 34 r. Bergère (9e) ✆ 47 70 34 34, Télex 290668, Fax 47 70 36 36 – |‡| TV ☎. AE ⓓ GB JCB F 14
☕ 45 – **131 ch** 850/890.

Altéa Ronceray M sans rest, 10 bd Montmartre (9e) ✆ 42 47 13 45, Télex 283906, Fax 42 47 13 63 – |‡| TV ☎ – 🏛 65. AE ⓓ GB F 14
☕ 59 – **117 ch** 680/1250, 7 duplex.

Trinité Plaza M sans rest, 41 r. Pigalle (9e) ✆ 42 85 57 00, Télex 280110, Fax 45 26 41 20 – 🛗 TV ☎. AE ⓓ GB. ✻ E 13
42 ch ☕ 525/650.

Paix République sans rest, 2 bis bd St Martin (10e) ✆ 42 08 96 95, Télex 680632, Fax 42 06 36 30 – 🛗 TV ☎. AE ⓓ GB. ✻ G 16
☕ 35 – **45 ch** 540/950.

Anjou-Lafayette M sans rest, 4 r. Riboutté (9e) ✆ 42 46 83 44, Télex 281001, Fax 48 00 08 97 – 🛗 TV ☎. AE ⓓ GB JCB E 14
☕ 30 – **39 ch** 450/660.

Carlton's H. sans rest, 55 bd Rochechouart (9e) ✆ 42 81 91 00, Télex 640649, Fax 42 81 97 04 – 🛗 TV ☎. AE ⓓ GB D 14
☕ 45 – **103 ch** 575/785.

Frantour Paris Est M, cour d'Honneur (10e) ✆ 42 05 00 33, Télex 217916, Fax 42 09 91 60 – 🛗 TV ☎. GB JCB E 16
R carte 100 à 170 ₰ – ☕ 39 – **34 ch** 385/880.

Mercure Monty M, 5 r. Montyon (9e) ✆ 47 70 26 10, Télex 660677, Fax 42 46 55 10 – 🛗 TV ☎ – 🏫 50. AE ⓓ GB F 14
R *(fermé sam. et dim.)* 82/160, enf. 45 – ☕ 55 – **71 ch** 470/710 – ½ P 372/492.

Printania sans rest, 19 r. Château d'Eau (10e) ✆ 42 01 84 20, Télex 215425, Fax 42 39 55 12 – 🛗 TV ☎. AE ⓓ GB. ✻ F 16
☕ 39 – **51 ch** 460/545.

Caumartin M sans rest, 27 r. Caumartin (9e) ✆ 47 42 95 95, Télex 680702, Fax 47 42 88 19 – 🛗 TV ☎. AE ⓓ GB JCB F 12
☕ 65 – **40 ch** 760/790.

Albert 1er M sans rest, 162 r. La Fayette (10e) ✆ 40 36 82 40, Télex 212887, Fax 40 35 72 52 – 🛗 ▤ TV ☎. AE ⓓ GB E 16
☕ 35 – **59 ch** 400/550.

La Tour d'Auvergne sans rest, 10 r. La Tour d'Auvergne (9e) ✆ 48 78 61 60, Télex 281604, Fax 49 95 99 00 – 🛗 ⇹ TV ☎. AE ⓓ GB. ✻ E 14
☕ 35 – **24 ch** 500/650.

Celte La Fayette M sans rest, 25 r. Buffault (9e) ✆ 49 95 09 49, Fax 49 95 01 88 – 🛗 TV ☎. AE ⓓ GB. ✻ E 14
☕ 35 – **50 ch** 480/630.

Corona ⛰ sans rest, 8 cité Bergère (9e) ✆ 47 70 52 96, Télex 281081, Fax 42 46 83 49 – 🛗 TV ☎. AE ⓓ GB F 14
☕ 40 – **56 ch** 490/710, 4 appart. 990.

Résidence du Pré sans rest, 15 r. P. Sémard (9e) ✆ 48 78 26 72, Télex 660549, Fax 42 80 64 83 – 🛗 TV ☎. AE GB E 15
☕ 30 – **40 ch** 395/435.

du Pré sans rest, 10 r. Pierre Sémard (9e) ✆ 42 81 37 11, Télex 660549, Fax 40 23 98 28 – 🛗 TV ☎. AE GB E 15
☕ 35 – **41 ch** 395/495.

Gd H. Montmartre M sans rest, 2 r. Calais (9e) ✆ 48 74 87 76, Télex 649906, Fax 42 81 31 31 – 🛗 TV ☎. AE ⓓ GB D 12
☕ 60 – **40 ch** 550/750.

Libertel du Moulin M sans rest, 39 r. Fontaine (9e) ✆ 42 81 93 25, Télex 660055, Fax 40 16 09 90 – 🛗 TV ☎. AE ⓓ GB JCB. ✻ D 13
☕ 50 – **50 ch** 620/840.

Gd H. Haussmann sans rest, 6 r. Helder (9e) ✆ 48 24 76 10, Télex 650018, Fax 48 00 97 18 – 🛗 TV ☎. AE ⓓ GB. ✻ F 13
☕ 45 – **59 ch** 435/600.

Florida sans rest, 7 r. Parme (9e) ✆ 48 74 47 09, Télex 640410, Fax 42 80 29 96 – 🛗 TV ☎. AE ⓓ GB JCB. ✻ D 12
☕ 30 – **31 ch** 490/790.

Gare du Nord sans rest, 33 r. St-Quentin (10e) ✆ 48 78 02 92, Télex 642415, Fax 45 26 88 31 – 🛗 TV ☎. AE GB. ✻ E 16
☕ 35 – **48 ch** 360/500.

Gotty M sans rest, 11 r. Trévise (9e) ✆ 47 70 12 90, Télex 660330, Fax 47 70 21 26 – 🛗 TV ☎. AE ⓓ GB F 14
☕ 25 – **44 ch** 630/735.

Peyris sans rest, 10 r. Conservatoire (9e) ✆ 47 70 50 83, Fax 40 22 06 58 – 🛗 TV ☎. GB JCB F 14
☕ 25 – **50 ch** 365/480.

Moris sans rest, 13 r. R.-Boulanger (10e) ✆ 42 06 27 53, Télex 212024, Fax 40 40 05 23 – 🛗 TV ☎. AE ⓓ GB G 16
☕ 45 – **48 ch** 485/570.

Français sans rest, 13 r. 8-Mai 1945 (10e) ✆ 40 35 94 14, Télex 220401, Fax 40 35 55 40 – 🛗 TV ☎. GB E 16
☕ 29 – **71 ch** 390/450.

Caravelle sans rest, 68 r. Martyrs (9e) ✆ 48 78 43 31, Télex 649052, Fax 40 23 98 72 – 🛗 TV ☎. AE ⓓ GB D 14
☕ 40 – **31 ch** 510/540.

Morny sans rest, 4 r. Liège (9e) ☎ 42 85 47 92, Télex 660822, Fax 40 16 44 84 – |‡| TV ☎. AE ⓓ GB JCB. ✖ E 12
40 – **41 ch** 450/560.

Athènes sans rest, 21 r. d'Athènes (9e) ☎ 48 74 00 55, Télex 640715, Fax 42 81 04 75 – |‡| TV ☎. AE GB JCB. ✖ E 12
40 – **36 ch** 490/580.

Montréal sans rest, 23 r. Godot-de-Mauroy (9e) ☎ 42 65 99 54, Fax 49 24 07 33 – |‡| TV ☎. AE ⓓ GB F 12
fermé août – 35 – **14 ch** 285/550, 5 appart. 600.

Modern' Est sans rest, 91 bd Strasbourg (10e) ☎ 40 37 77 20, Fax 40 37 17 55 – |‡| TV ☎. GB. ✖ E 16
28 – **30 ch** 320/400.

Capucines sans rest, 6 r. Godot de Mauroy (9e) ☎ 47 42 06 37, Fax 42 68 05 05 – |‡| ✖ ☎. AE ⓓ GB F 12
25 – **47 ch** 390/580.

D'Estrées M sans rest, 2 bis cité Pigalle (9e) ☎ 48 74 39 22, Télex 290609, Fax 45 96 04 09 – |‡| TV ☎. AE ⓓ GB E 13
40 – **23 ch** 540/570.

Urbis Lafayette sans rest, 122 r. Lafayette (10e) ☎ 45 23 27 27, Télex 290272, Fax 42 46 73 79 – |‡| TV ☎ &. GB E 16
35 – **70 ch** 372/415.

Fénelon sans rest, 23 r. Buffault (9e) ☎ 48 78 32 18, Télex 281781, Fax 48 78 38 15 – |‡| TV ☎. AE GB E 14
39 ch 480/600.

Ribouttè-Lafayette sans rest, 5 r. Riboutté (9e) ☎ 47 70 62 36, Fax 48 00 91 50 – |‡| TV ☎. GB E 14
30 – **24 ch** 400/440.

Trois Nations sans rest, 19 r. Lancry (10e) ☎ 42 01 41 00, Télex 240168 – |‡| TV ☎. GB. ✖ G 16
27 – **38 ch** 260/380.

Résidence Magenta sans rest, 35 r. Y.-Toudic (10e) ☎ 42 40 17 72, Télex 216543, Fax 42 02 59 66 – |‡| TV ☎. AE GB. ✖ F 17
30 – **32 ch** 300/340.

Baccarat sans rest, 19 r. Messageries (10e) ☎ 47 70 96 92, Télex 648895, Fax 47 70 96 92 – |‡| TV ☎. AE ⓓ GB E 15
30 – **30 ch** 300/440.

XXXX ✿ **Rest. Opéra-Café de la Paix** - Le Grand Hôtel, pl. Opéra (9e) ☎ 40 07 30 10, Télex 220875, Fax 42 66 12 51, « Cadre Second Empire » – ▤. AE ⓓ GB JCB F 12
fermé août – **R** carte 370 à 600
Spéc. Salade de canette rouennaise à la coriandre, Boudin blanc truffé à l'ancienne (automne-hiver), Filet mignon de veau aux morilles (printemps).

XXX ✿ **La Table d'Anvers** (Conticini), 2 pl. d'Anvers (9e) ☎ 48 78 35 21, Fax 45 26 66 67 – ▤. AE GB D 14
fermé 10 au 20 août, sam. midi et dim. – **R** 240/490
Spéc. Chausson de langoustines aux girolles, Filet de bar au thym et citron, Croquettes au chocolat fondant.

XXX **Charlot "Roi des Coquillages"**, 81 bd Clichy (9e) ☎ 48 74 49 64, Fax 40 16 11 00, produits de la mer – ▤. AE ⓓ GB D 12
R carte 230 à 390.

XXX **Le Louis XIV**, 8 bd St-Denis (10e) ☎ 42 08 56 56 – AE ⓓ GB G 15
fermé mai à août – **R** carte 230 à 450.

XX **Au Chateaubriant**, 23 r. Chabrol (10e) ☎ 48 24 58 94, cuisine italienne, collection de tableaux – ▤. AE GB. ✖ E 15
fermé août, 14 au 22 fév., dim. et lundi – **R** carte 205 à 370.

XX **Chez Michel**, 10 r. Belzunce (10e) ☎ 48 78 44 14 – ▤. AE ⓓ GB E 15
fermé août, 25 déc. au 1er janv., sam. et dim. – **R** (nombre de couverts limité - prévenir) 250 (déj.) et carte 300 à 455.

XX **Brasserie Flo Printemps**, (Printemps de la Mode - 6e étage) 64 bd Haussman (9e) ☎ 42 82 58 81, Fax 45 26 31 24 – ▤. AE GB F 12
fermé dim. et fériés – **R** (déj. seul.) carte 160 à 265 ♁.

XX **Brasserie Café de la Paix** - Le Grand Hôtel, 12 bd Capucines (9e) ☎ 40 07 30 20, Télex 220875, Fax 42 66 12 51 – ✖. AE ⓓ GB JCB F 12
R 180 et carte 185 à 300 ♁.

XX **Grand Café Capucines** (ouvert jour et nuit), 4 bd Capucines (9e) ☎ 47 42 19 00, Fax 47 42 74 22, « Décor "Belle Époque" » – AE ⓓ GB F 13
R carte 175 à 320 ♁.

XX **Le Quercy**, 36 r. Condorcet (9e) ☎ 48 78 30 61 – AE ⓓ GB E 14
fermé août, dim. et fériés – **R** 158 et carte 175 à 310.

XX **Comme Chez Soi,** 20 r. Lamartine (9e) ✆ 48 78 00 02 – ▤. ⓓ GB JCB E 14
fermé août, sam. et dim. – **R** 170/220.

XX **Le Saintongeais,** 62 r. Fg Montmartre (9e) ✆ 42 80 39 92 – AE ⓓ GB E 14
fermé 8 au 30 août, 25 déc. au 4 janv., sam. et dim. – **R** carte 180 à 260.

XX **Julien,** 16 r. Fg St Denis (10e) ✆ 47 70 12 06, Fax 42 47 00 65, « Brasserie "Belle Époque" » – ▤. AE ⓓ GB F 15
R carte 155 à 290 ♁.

XX **Le Franche-Comté,** 2 bd Madeleine (Maison de la Franche-Comté) (9e) ✆ 49 24 99 09, Fax 49 24 96 56 – AE GB F 12
fermé dim. – **R** 90/150.

XX **Petit Riche,** 25 r. Le Peletier (9e) ✆ 47 70 68 68, Fax 48 24 10 79, « Cadre fin 19e siècle » – AE ⓓ GB JCB F 13
fermé sam. du 15 juil. au 31 août et dim. – **R** 180 et carte 170 à 300 ♁.

XX **Bistrot Papillon,** 6 r. Papillon (9e) ✆ 47 70 90 03 – AE ⓓ GB E 15
fermé 1er au 10 mai, 8 au 30 août, sam., dim. et fériés – **R** 135 et carte 210 à 300.

XX **Aux Deux Canards,** 8 r. fg Poissonnière (10e) ✆ 47 70 03 23, rest. non-fumeurs – ▤. AE ⓓ GB F 15
fermé sam. midi et dim. – **R** carte 230 à 330 ♁.

XX **Brasserie Flo,** 7 cour Petites-Écuries (10e) ✆ 47 70 13 59, Fax 42 47 00 80, « Cadre 1900 » – ▤. AE ⓓ GB JCB F 15
R carte 155 à 290 ♁.

XX **Gokado,** 18 r. Caumartin (9e) ✆ 47 42 08 82, Fax 47 42 76 19, cuisine japonaise – ▤. AE GB JCB F 12
fermé Noël au Jour de l'An, sam. midi et dim. midi – **R** carte 270 à 335.

XX **Terminus Nord,** 23 r. Dunkerque (10e) ✆ 42 85 05 15, Fax 40 16 13 98, brasserie – AE ⓓ GB E 16
R carte 155 à 290 ♁.

XX **La P'tite Tonkinoise,** 56 r. Fg Poissonnière (10e) ✆ 42 46 85 98, cuisine vietnamienne – GB F 15
fermé 1er août au 15 sept., 22 déc. au 5 janv., dim. et lundi – **R** carte 150 à 235.

X **Relais Beaujolais,** 3 r. Milton (9e) ✆ 48 78 77 91 – GB E 14
fermé sam. et dim. – **R** 130 (déj.) et carte 135 à 290.

X **Petit Batailley,** 26 r. Bergère (9e) ✆ 47 70 85 81 – AE ⓓ GB JCB F 14
fermé 1er au 21 août, 1er au 8 janv., sam. midi, dim. et fériés – **R** 100/205 ♁.

X **La Grille,** 80 r. Fg Poissonnière (10e) ✆ 47 70 89 73 – AE ⓓ GB E 15
fermé août, vacances de fév., sam. et dim. – **R** carte 190 à 280.

X **Chez Jean l'Auvergnat,** 52 r. Lamartine (9e) ✆ 48 78 62 73, Fax 48 78 39 29 – GB E 14
fermé sam. midi et dim. – **R** carte 135 à 235.

X **Bistro des Deux Théâtres,** 18 r. Blanche (9e) ✆ 45 26 41 43 – ▤. GB E 12
R 162.

Bastille, Gare de Lyon, Place d'Italie, Bois de Vincennes.

12e et 13e arrondissements.
12e : ✉ 75012
13e : ✉ 75013

🏨 **Pavillon Bastille** Ⓜ sans rest, 65 r. Lyon (12e) ✆ 43 43 65 65, Fax 43 43 96 52 – ⎮ ⇆ TV ☎ ♿. AE ⓓ GB JCB K 18
☕ 65 – **25 ch** 890.

🏨 **Novotel Paris Bercy** Ⓜ, 85 r. Bercy (12e) ✆ 43 42 30 00, Télex 218332, Fax 43 45 30 60, 🍴 – ⎮ ⇆ ▤ TV ☎ ♿ – 🏛 30 à 100. AE ⓓ GB M 19
R carte environ 150 ♁, enf. 55 – ☕ 55 – **129 ch** 700/1090.

🏨 **Altéa Place d'Italie** Ⓜ sans rest, 178 bd Vincent Auriol (13e) ✆ 44 24 01 01, Télex 203424, Fax 44 24 07 07 – ⎮ TV ☎ – 🏛 25. AE ⓓ GB N 16
☕ 60 – **70 ch** 630/1000.

🏨 **Mercure Pont de Bercy** Ⓜ, 6 bd Vincent Auriol (13e) ✆ 45 82 48 00, Télex 205010, Fax 45 82 19 16 – ⎮ ⇆ ch ▤ rest TV ☎ ♿ – 🏛 40. AE ⓓ GB M 18
R *(fermé 27 juil. au 23 août, 24 déc. au 3 janv., sam. et dim.)* carte environ 250 – ☕ 53 – **89 ch** 620/690.

Mercure Paris Tolbiac M sans rest, 21 rue Tolbiac (13e) ✆ 45 84 61 61, Télex 250822, Fax 45 84 43 38 – ⧫ ⇸ TV ☎ ♿ P – 25. AE ⓓ GB P 18
☐ 55 – **71 ch** 590/670.

Équinoxe sans rest, 40 r. Le Brun (13e) ✆ 43 37 56 56, Télex 201476, Fax 45 35 52 42 – ⧫ TV ☎ ⇐. AE ⓓ GB JCB N 15
☐ 30 – **49 ch** 450/590.

Relais de Lyon sans rest, 64 r. Crozatier (12e) ✆ 43 44 22 50, Télex 216690, Fax 43 41 55 12 – ⧫ TV ☎ ⇐. AE ⓓ GB JCB. ⚔ K 19
☐ 30 – **34 ch** 400/498.

Quatre Saisons Bastille M sans rest, 67 r. Lyon (12e) ✆ 40 01 07 17, Télex 214223, Fax 40 01 07 27 – ⧫ ▤ TV ☎ – 25. AE ⓓ GB K 18
☐ 40 – **36 ch** 550/900.

Modern H. Lyon sans rest, 3 r. Parrot (12e) ✆ 43 43 41 52, Télex 220083, Fax 43 43 81 16 – ⧫ TV ☎. AE GB JCB. ⚔ L 18
☐ 37 – **49 ch** 500/640.

Média M sans rest, 22 r. Reine Blanche (13e) ✆ 45 35 72 72, Télex 206702, Fax 43 31 43 31 – ⧫ TV ☎ – 25. AE ⓓ GB M 15
☐ 30 – **19 ch** 450/520.

de Weha M sans rest, 205 av. Choisy (13e) ✆ 45 86 06 06, Télex 206898, Fax 43 31 42 06 – ⧫ ⇸ TV ☎. AE ⓓ GB P 16
☐ 40 – **34 ch** 539/649.

Terminus-Lyon sans rest, 19 bd Diderot (12e) ✆ 43 43 24 03, Télex 220117, Fax 43 44 09 00 – ⧫ TV ☎. AE ⓓ GB JCB. ⚔ L 18
☐ 35 – **61 ch** 470/550.

Slavia sans rest, 51 bd St-Marcel (13e) ✆ 43 37 81 25, Télex 205542, Fax 45 87 05 03 – ⧫ TV ☎. AE GB. ⚔ M 16
☐ 28 – **37 ch** 300/340, 6 appart. 405.

Midi sans rest, 114 av. Daumesnil (12e) ✆ 43 07 72 03, Télex 215917, Fax 43 43 21 75 – TV ☎. AE ⓓ GB L 20
☐ 30 – **36 ch** 350/440.

Résidence Vert Galant M ⛰, 43 r. Croulebarbe (13e) ✆ 43 36 22 41, Télex 202371 – TV ☎ ♿. AE ⓓ GB JCB. ⚔ ch N 15
R voir rest. **Etchegorry** ci-après – ☐ 35 – **15 ch** 400/500.

Ibis Paris Bercy M, 77 rue Bercy (12e) ✆ 43 42 91 91, Télex 216391, Fax 43 42 34 79, ☂ – ⧫ ⇸ ch ▤ rest TV ☎ ♿ – 25 à 180. AE GB M 19
R 135 ♫, enf. 39 – ☐ 32 – **368 ch** 455.

Corail sans rest, 23 r. Lyon (12e) ✆ 43 43 23 54, Télex 212002, Fax 43 43 82 55 – ⧫ TV ☎. AE ⓓ GB JCB L 18
☐ 31 – **50 ch** 310/400.

Marceau sans rest, 13 r. J. César (12e) ✆ 43 43 11 65, Télex 214006, Fax 43 41 67 70 – ⧫ TV ☎. GB. ⚔ K 17
fermé 20 juil. au 20 août – ☐ 30 – **53 ch** 335/380.

Campanile sans rest, 15 bis av. Italie (13e) ✆ 45 84 95 95, Télex 205256, Fax 45 70 73 06 – ⧫ TV ☎. AE ⓓ GB P 16
☐ 29 – **122 ch** 350/395.

Nouvel H. sans rest, 24 av. Bel Air (12e) ✆ 43 43 01 81, Télex 240139, Fax 43 44 64 13, ☂ – TV ☎. AE ⓓ GB L 21
☐ 40 – **28 ch** 245/550.

Gd H. Gobelins sans rest, 57 bd St Marcel (13e) ✆ 43 31 79 89, Fax 45 35 43 56 – ⧫ TV ☎ M 16
☐ 30 – **45 ch** 240/350.

des Trois Gares sans rest, 1 r. J. César (12e) ✆ 43 43 01 70, Télex 216392, Fax 43 41 36 58 – ⧫ TV ☎. GB. ⚔ K 17
☐ 30 – **36 ch** 220/400.

Viator sans rest, 1 r. Parrot (12e) ✆ 43 43 11 00, Télex 216236, Fax 43 43 10 89 – ⧫ TV ☎. GB. ⚔ L 18
☐ 32 – **45 ch** 310/360.

Palym H. sans rest, 4 r. E.-Gilbert (12e) ✆ 43 43 24 48, Fax 43 41 69 47 – ⧫ TV ☎. GB
☐ 30 – **51 ch** 300/380. L 18

Urbis Paris Tolbiac sans rest, 177 r. Tolbiac (13e) ✆ 45 80 16 60, Télex 200821, Fax 45 80 95 80 – ⧫ TV ☎ ♿. GB P 15
☐ 32 – **60 ch** 360/390.

Résidence Les Gobelins sans rest, 9 r. Gobelins (13e) ✆ 47 07 26 90, Télex 206566, Fax 43 31 44 05 – ⧫ TV ☎. AE ⓓ GB. ⚔ N 15
☐ 32 – **32 ch** 320/400.

Timhôtel sans rest, 22 r. Barrault (13e) ✆ 45 80 67 67, Télex 205461, Fax 45 89 36 93 – ⧫ TV ☎. AE ⓓ GB JCB P 15
☐ 45 – **73 ch** 343/425.

Terrasses sans rest, 74 r. Glacière (13e) ✆ 47 07 73 70, Télex 203488, Fax 43 31 05 45 – TV ☎. GB. N 14
☕ 28 – **43 ch** 260/500

Terminus et Sports sans rest, 96 cours Vincennes (12e) ✆ 43 43 97 93, Télex 217581 – TV ☎. GB. L 23
☕ 30 – **43 ch** 180/380

Arts sans rest, 8 r. Coypel (13e) ✆ 47 07 76 32, Fax 43 31 18 09 – ☎. AE GB N 16
☕ 26 – **37 ch** 160/300

XXXX **Fouquet's Bastille,** 130 r. Lyon (12e) ✆ 43 42 18 18, Fax 43 42 08 20 – ▤. AE ① GB JCB K 18
fermé août et dim. – **Rez-de-Chaussée R** 165 bc – **1er étage R** carte 300 à 430.

XXX ✿ **Au Pressoir** (Séguin), 257 av. Daumesnil (12e) ✆ 43 44 38 21, Fax 43 43 81 77 – ▤. GB M 22
fermé août, vacances de fév., sam. et dim. – **R** 360 et carte 330 à 490
Spéc. Fricassée de Saint-Jacques aux cèpes (oct. à déc.), Bar à l'écaille au beurre à la badiane, Ris de veau aux noix et au lard.

XXX **Train Bleu,** Gare de Lyon (12e) ✆ 43 43 38 39, Télex 240788, Fax 43 43 97 96, « Cadre 1900 - fresques évoquant le voyage de Paris à la Méditerranée » – AE ① GB L 18
R (1er étage) 220 bc (déj.) et carte 260 à 360.

XX ✿ **Au Trou Gascon,** 40 r. Taine (12e) ✆ 43 44 34 26, Fax 43 07 80 55 – ▤. AE ① GB JCB
fermé août, 25 déc. au 3 janv., sam. et dim. – **R** (nombre de couverts limité - prévenir) 200 et carte 295 à 400 M 21
Spéc. Bouillon de châtaignes au blanc de poule faisanne (automne-hiver). Pâté chaud de cèpes. Volaille de Chalosse truffée.

XX **La Gourmandise,** 271 av. Daumesnil (12e) ✆ 43 43 94 41 – AE GB M 22
fermé 1er au 8 mai, 2 au 24 août, dim. et lundi – **R** 188 et carte 260 à 400, enf. 90.

XX **L'Oulette,** 15 pl. Lachambeaudie (12e) ✆ 40 02 02 12, Fax 40 02 02 13, 🏠 – ▤. GB N 20
fermé août, vacances de fév., sam. midi, dim. et fériés – **R** 170 (déj.) et carte 250 à 345.

XX **Au Petit Marguery,** 9 bd. Port-Royal (13e) ✆ 43 31 58 59 – AE ① GB M 15
fermé août, 24 déc. au 2 janv., dim. et lundi – **R** carte 300 à 435.

XX **Les Vieux Métiers de France,** 13 bd A. Blanqui (13e) ✆ 45 88 90 03 – ▤. AE ① GB JCB P 15
fermé dim. et lundi – **R** 165/290

XX **Le Luneau,** 5 r. Lyon (12e) ✆ 43 43 90 85 – AE ① GB L 18
R 139 et carte 240 à 300 🍷

XX **La Flambée,** 4 r. Taine (12e) ✆ 43 43 21 80 – AE ① GB M 20
fermé 2 au 23 août, 20 au 28 déc., dim. soir et lundi – **R** 119/169.

XX **La Frégate,** 30 av. Ledru-Rollin (12e) ✆ 43 43 90 32, produits de la mer – ▤. GB L 18
fermé 1er au 23 août, sam. et dim. – **R** 200/290.

XX **Le Traversière,** 40 r. Traversière (12e) ✆ 43 44 02 10 – AE ① GB JCB K 18
fermé 1er au 30 août, dim. soir et fériés – **R** 150 et carte 180 à 350.

XX **La Sologne,** 164 av. Daumesnil (12e) ✆ 43 07 68 97 – GB M 21
fermé sam. midi et dim. – **R** 135/250

XX **L'Escapade en Touraine,** 24 r. Traversière (12e) ✆ 43 43 14 96 – GB JCB L 18
fermé août, sam., dim. et fériés – **R** 140 et carte 130 à 220

X **Mange Tout,** 24 bd Bastille (12e) ✆ 43 43 95 15 – AE GB K 17
fermé 10 au 16 août, 21 au 27 déc. et dim. – **R** 98 et carte 150 à 245 🍷, enf. 45.

X **Le Quincy,** 28 av. Ledru-Rollin (12e) ✆ 46 28 46 76 – ▤ L 17
fermé 10 août au 10 sept., sam., dim. et lundi – **R** carte 200 à 345.

X **Etchegorry,** 41 r. Croulebarbe (13e) ✆ 43 31 63 05, Télex 202371 – AE ① GB N 15
fermé dim. – **R** 140 bc/200 bc

X **Le Rhône,** 40 bd Arago (13e) ✆ 47 07 33 57, 🏠 – GB N 14
fermé août, sam., dim. et fêtes – **R** 75/155 🍷.

X **Chez Françoise,** 12 r. Butte aux Cailles (13e) ✆ 45 80 12 02 – AE ① GB. P 15
fermé 1er au 8 mars, 30 juil. au 26 août, sam. midi et dim. – **R** 88/128.

How do you find your way around the Paris suburbs?
Use the Michelin map no **101**
and the four street maps nos **17-18**, **19-20**, **21-22** *and* **23-24**
clear, precise, up to date.

Vaugirard, Gare Montparnasse, Grenelle, Denfert-Rochereau.

14e et 15e arrondissements.
14e : ✉ 75014
15e : ✉ 75015

Hilton M, 18 av. Suffren (15e) ☎ 42 73 92 00, Télex 200955, Fax 47 83 62 66, – ⇕ ⊬ ▤ TV ☎ ♿ – 🏛 100. AE ⊕ GB J 7
Western R carte 230 à 405 ♀, enf. 80 – **La Terrasse R** carte 185 à 300 ♀, enf. 80 – ☐ 120 – **455 ch** 1450/2150, 22 appart.

Nikko M, 61 quai Grenelle (15e) ☎ 40 58 20 00, Télex 205811, Fax 45 75 42 35, ≤, Fб, ⊡ – ⇕ ⊬ ch ▤ TV ☎ 🚗 – 🏛 800. AE ⊕ GB JCB K 6
R voir rest. **Les Célébrités** ci-après - **Brasserie Pont Mirabeau R** carte 195 à 340 – **Rest. japonais Benkay R** 300/650 – ☐ 75 – **761 ch** 1260/1880, 7 appart.

Méridien Montparnasse M, 19 r. Cdt-Mouchotte (14e) ☎ 44 36 44 36, Télex 200135, Fax 44 36 49 00, ≤ – ⇕ ⊬ ch ▤ TV ☎ ♿ – 🏛 1 400. AE ⊕ GB JCB. ✻ rest M 11
R voir rest. **Montparnasse 25** ci-après – **Justine** ☎ 44 36 44 00 **R** 185 – ☐ 98 – **950 ch** 1150/2200, 34 appart.

Sofitel Paris Porte de Sèvres M, 8 r. L.-Armand (15e) ☎ 40 60 30 30, Télex 200484, Fax 45 57 04 22, ≤, piscine intérieure panoramique, Fб – ⇕ ⊬ ch ▤ TV ☎ ♿ 🚗 – 🏛 1 200. AE ⊕ GB N 5
R voir rest. **Le Relais de Sèvres** ci-après - **La Tonnelle** (brasserie) **R** 145 ♀ – ☐ 80 – **601 ch** 750/950, 14 appart. 1500/1900.

Pullman St-Jacques M, 17 bd St-Jacques (14e) ☎ 40 78 79 80, Télex 270740, Fax 45 88 43 93 – ⇕ ⊬ ▤ TV ☎ 🚗 – 🏛 40 à 1 200. AE ⊕ GB JCB N 13-14
Brasserie Le Français R 182bc – ☐ 90 – **783 ch** 1095/1360, 14 appart. 1825/2200.

Adagio Paris Vaugirard M, 253 r. Vaugirard (15e) ☎ 40 45 10 00, Télex 250709, Fax 40 45 10 10, Fб – ⇕ ⊬ ch ▤ rest TV ☎ ♿ 🚗 – 🏛 400. AE ⊕ GB M 9
Le Transatlantique R 120 – ☐ 65 – **185 ch** 850/930 – ½ P 650.

Mercure Paris Vaugirard M, porte de Versailles (15e) ☎ 45 33 74 63, Télex 205628, Fax 48 28 22 11 – ⇕ ⊬ ch ▤ TV ☎ ♿ 🚗 – 🏛 120. AE ⊕ GB JCB N 7
R 130, enf. 45 – ☐ 55 – **91 ch** 980/1400.

Mercure Paris Montparnasse M, 20 r. Gaîté (14e) ☎ 43 35 28 28, Télex 201532, Fax 43 27 98 64 – ⇕ ▤ TV ☎ ♿ 🚗 – 🏛 100. AE ⊕ GB M 11
Bistrot de la Gaîté R carte environ 180 ♀, enf. 45 – ☐ 65 – **177 ch** 770/900, 8 appart. 1200.

L'Aiglon sans rest, 232 bd Raspail (14e) ☎ 43 20 82 42, Télex 206038, Fax 43 20 98 72 – ⇕ cuisinette ☎. AE ⊕ GB JCB M 12
☐ 33 – **40 ch** 450/670, 9 appart. 750/950.

Lenox Montparnasse M sans rest, 15 r. Delambre (14e) ☎ 43 35 34 50, Télex 205937, Fax 43 20 46 64 – ⇕ TV ☎. AE ⊕ GB JCB. ✻ M 12
☐ 40 – **46 ch** 460/890.

Orléans Palace H. sans rest, 185 bd Brune (14e) ☎ 45 39 68 50, Télex 205490, Fax 45 43 65 64 – ⇕ TV ☎ – 🏛 35. AE ⊕ GB R 11
☐ 40 – **92 ch** 450/500.

Mercure Paris XV M sans rest, 6 r. St-Lambert (15e) ☎ 45 58 61 00, Télex 206936, Fax 45 54 10 43 – ⇕ TV ☎ ♿ 🚗. AE ⊕ GB M 7
☐ 50 – **56 ch** 550/650.

Capitol M sans rest, 9 r. Viala (15e) ☎ 45 78 61 00, Télex 202881, Fax 45 79 32 51 – ⇕ ▤ TV ☎. AE ⊕ GB JCB. ✻ K 7
☐ 65 – **42 ch** 590/690, 4 appart. 1080.

Messidor sans rest, 330 r. Vaugirard (15e) ☎ 48 28 03 74, Télex 204606, Fax 48 28 75 17, 🌳 – ⇕ TV ☎. AE ⊕ GB M 8
☐ 48 – **72 ch** 475/950.

Waldorf M sans rest, 17 r. Départ (14e) ☎ 43 20 64 79, Télex 201677, Fax 43 35 17 52 – ⇕ ▤ TV ☎. AE ⊕ GB JCB. ✻ L 11
☐ 40 – **30 ch** 520/720.

Raspail M sans rest, 203 bd Raspail (14e) ☎ 43 20 62 86, Fax 43 20 50 79 – ⇕ ▤ TV ☎. AE ⊕ GB. ✻ M 12
☐ 40 – **36 ch** 495/790.

Alizé Grenelle M sans rest, 87 av. É. Zola (15e) ☎ 45 78 08 22, Télex 250095, Fax 40 59 03 06 – ⇕ TV ☎ AE ⊕ GB JCB L 7
☐ 30 – **50 ch** 360/400.

🏨 **Beaugrenelle St-Charles** M sans rest, 82 r. St-Charles (15e) ✆ 45 78 61 63, Télex 270263, Fax 45 79 04 38 – TV ☎. AE ① GB JCB K 7
☕ 30 – **51 ch** 330/400.

🏨 **Renoir** M sans rest, 39 r. Montparnasse (14e) ✆ 43 21 72 50, Télex 205436, Fax 43 21 68 72 – |≡| TV ☎. AE ① GB ※ L 12
☕ 32 – **29 ch** 470/580.

🏨 **Versailles** M sans rest, 213 r. Croix Nivert (15e) ✆ 48 28 48 66, Télex 200473, Fax 45 30 16 22 – |≡| TV ☎. AE GB N 7
☕ 40 – **41 ch** 455/680.

🏨 **Châtillon H.** sans rest, 11 square Châtillon (14e) ✆ 45 42 31 17, Fax 45 42 72 09 – |≡| TV ☎. GB. ※ P 11
☕ 25 – **31 ch** 270/310.

🏨 **Terminus Vaugirard** sans rest, 403 r. Vaugirard (15e) ✆ 48 28 18 72, Télex 206562, Fax 48 28 56 34 – |≡| TV ☎. GB. ※ N 7
☕ 35 – **89 ch** 400/600.

🏨 **Wallace** sans rest, 89 r. Fondary (15e) ✆ 45 78 83 30, Télex 205277, Fax 40 58 19 43 – |≡| TV ☎. AE ① GB JCB L 8
☕ 35 – **35 ch** 500.

🏨 **Acropole** sans rest, 199 bd Brune (14e) ✆ 45 39 64 17, Télex 203131, Fax 45 42 18 21 – |≡| TV ☎. AE ① GB. ※ R 12
☕ 30 – **41 ch** 340/450.

🏨 **L'Alligator** sans rest, 39 r. Delambre (14e) ✆ 43 35 18 40, Télex 270545, Fax 43 35 30 71 – |≡| TV ☎. AE ① GB. ※ M 12
☕ 40 – **35 ch** 395/620.

🏨 **Résidence St-Lambert** sans rest, 5 r. E. Gibez (15e) ✆ 48 28 63 14, Télex 205459, Fax 45 33 45 50 – |≡| TV ☎. AE ① GB JCB N 8
☕ 32 – **48 ch** 390/550.

🏨 **Alésia Montparnasse** sans rest, 84 r. R. Losserand (14e) ✆ 45 42 16 03, Fax 45 42 11 60 – |≡| ⇔ TV ☎. AE ① GB JCB N 10
☕ 35 – **45 ch** 450/490.

🏨 **Primavera** sans rest, 147 ter r. Alésia (14e) ✆ 45 42 06 37, Télex 206831, Fax 45 42 44 56 – |≡| TV ☎. AE ① GB P 11
☕ 33 – **70 ch** 395/440.

🏨 **Bailli de Suffren** sans rest, 149 av. Suffren (15e) ✆ 47 34 58 61, Télex 204854, Fax 45 67 75 82 – |≡| TV ☎. AE GB L 9
☕ 40 – **25 ch** 580/720.

🏨 **France Eiffel** sans rest, 8 r. St-Charles (15e) ✆ 45 79 33 35, Télex 204057, Fax 45 79 40 84 – |≡| TV ☎. AE ① GB JCB K 7
☕ 40 – **37 ch** 460/560.

🏨 **Arès** sans rest, 7 r. Gén. de Larminat (15e) ✆ 47 34 74 04, Télex 206083, Fax 47 34 48 56 – |≡| TV ☎. AE ① GB. ※ K 8
☕ 35 – **43 ch** 450/490.

🏨 **Tourisme** sans rest, 66 av. La-Motte-Picquet (15e) ✆ 47 34 28 01, Fax 47 83 66 54 – |≡| TV ☎. GB. ※ K 8
☕ 30 – **60 ch** 250/380.

🏨 **Sophie Germain** sans rest, 12 r. Sophie Germain (14e) ✆ 43 21 43 75, Télex 206720, Fax 43 20 82 89 – |≡| TV ☎. AE ① GB. ※ NP 12
☕ 35 – **33 ch** 470/540.

🏨 **L'Orchidée** sans rest, 65 r. de l'Ouest (14e) ✆ 43 22 70 50, Télex 203026, Fax 42 79 97 46 – |≡| TV ☎ ♿. AE ① GB. ※ N 11
☕ 35 – **40 ch** 450/690.

🏨 **France** sans rest, 46 r. Croix-Nivert (15e) ✆ 47 83 67 02, Fax 47 83 67 02 – |≡| TV ☎. GB. ※ L 8
☕ 30 – **30 ch** 370/480.

🏠 **Lilas Blanc** M sans rest, 5 r. Avre (15e) ✆ 45 75 30 07, Fax 45 78 66 65 – |≡| TV ☎. AE ① GB. ※ K 8
☕ 30 – **32 ch** 375/420.

🏠 **Ariane Montparnasse** sans rest, 35 r. Sablière (14e) ✆ 45 45 67 13, Télex 203554, Fax 45 45 39 49 – |≡| TV ☎. AE GB. ※ N 11
☕ 35 – **30 ch** 370/500.

🏠 **Fondary** sans rest, 30 r. Fondary (15e) ✆ 45 75 14 75, Télex 206761, Fax 45 75 84 42 – |≡| TV ☎. AE GB L 8
☕ 38 – **20 ch** 365/405.

🏠 **Istria** sans rest, 29 r. Campagne Première (14e) ✆ 43 20 91 82, Télex 203618, Fax 43 22 48 45 – |≡| TV ☎. AE GB JCB M 12
☕ 40 – **26 ch** 440/540.

🏠 **Cécil'H.** sans rest, 47 r. Beaunier (14e) ✆ 45 40 93 53, Télex 206873, Fax 45 40 43 26 – |≡| TV ☎. GB JCB. ※ R 12
☕ 29 – **25 ch** 345/385.

🏠 **Agenor** sans rest, 22 r. Cels (14e) ✆ 43 22 47 25, Télex 203994, Fax 42 79 94 01 – |≡| TV ☎. AE GB. ※ M 11
☕ 31 – **19 ch** 340/430.

🏨 **Pasteur** sans rest, 33 r. Dr.-Roux (15e) ✆ 47 83 53 17, Fax 45 66 62 39 – |♦| TV ☎. GB M 10
fermé août – ☐ 35 – **19 ch** 310/430.

🏨 **Friant** sans rest, 8 r. Friant (14e) ✆ 45 42 71 91, Fax 45 42 04 67 – |♦| TV ☎. GB. ✻ P 11
☐ 28 – **27 ch** 325/380.

🏨 **Sèvres-Montparnasse** sans rest, 153 r. Vaugirard (15e) ✆ 47 34 56 75, Télex 206300, Fax 40 65 01 86 – |♦| TV ☎. AE ⓓ GB. ✻ L 10
☐ 30 – **35 ch** 360/450.

XXXX ✿ **Les Célébrités** - Hôtel Nikko, 61 quai Grenelle (15e) ✆ 40 58 20 00, Télex 205811, Fax 45 75 42 35, ≤ – ▤. AE ⓓ GB JCB K 6
R 250 (déj.) et carte 420 à 690
Spéc. Langoustines rôties au basilic, Bar grillé sur peau au beurre rouge, Canette de Bresse rôtie.

XXXX ✿ **Montparnasse 25** - Hôtel Méridien Montparnasse, ✆ 44 36 44 25, Télex 200135, Fax 44 36 49 00 – ▤ Ⓟ. AE ⓓ GB JCB. ✻ M 25
R *(fermé août, 19 au 27 déc., sam. et dim.)* 230 (déj.) et carte 270 à 360
Spéc. Galette de petits gris et grenouilles au persil, Effiloché de raie aux pommes de terre tièdes, Royal de lapereau et gratin de pâtes fraîches au foie gras.

XXXX ✿ **Relais de Sèvres** - Hôtel Sofitel Paris, 8 r. L.-Armand (15e) ✆ 40 60 33 66, Télex 200432, Fax 45 57 04 22 – ⊁ ▤. AE ⓓ GB N 5
fermé août, 24 déc. au 2 janv., sam. et dim. – **R** 320 et carte 280 à 430
Spéc. Tartare de poisson à l'huile douce, Fricassée de sole à l'aigre doux, Hochepot d'aiguillette de boeuf aux pieds de mouton.

XXX ✿ **Morot Gaudry,** 6 r. Cavalerie (15e) (8e étage) ✆ 45 67 06 85, Fax 45 67 55 72, 🍽 – ▤. AE GB JCB K 8
fermé sam. et dim. – **R** 200 (déj.) et carte 280 à 460
Spéc. Salade de rougets et langoustines au safran, Sandre en écailles de pommes de terre, Grouse rôtie (15 sept. au 28 fév.).

XXX **Armes de Bretagne,** 108 av. Maine (14e) ✆ 43 20 29 50 – ▤. AE ⓓ GB JCB N 11
fermé août, dim. soir et lundi – **R** 200 et carte 245 à 505.

XXX **Pavillon Montsouris,** 20 r. Gazan (14e) ✆ 45 88 38 52, Fax 45 88 63 40, ≤, 🍽, « Pavillon 1900 en bordure du parc » – Ⓟ. AE ⓓ GB R 14
R 255.

XXX **Moniage Guillaume** avec ch, 88 r. Tombe-Issoire (14e) ✆ 43 22 96 15, Fax 43 27 11 79 – TV ☎. AE ⓓ GB JCB P 12
fermé août et dim. – **R** 195 bc (déj.) et carte 260 à 460 – ☐ 30 – **5 ch** 240/320.

XXX **Lous Landès,** 157 av. Maine (14e) ✆ 45 43 08 04 – ▤. AE ⓓ GB N 11
fermé août, sam. midi et dim. – **R** carte 255 à 430.

XXX **Olympe,** 8 r. Nicolas Charlet (15e) ✆ 47 34 86 08 – ▤. AE ⓓ GB JCB L 10
fermé sam. midi, dim. midi et lundi – **R** 200 et carte 230 à 345.

XX **Lal Qila,** 86 av. É. Zola (15e) ✆ 45 75 68 40, cuisine indienne, « Décor original » – ▤. AE ⓓ GB. ✻ L 7
R 185/400.

XX ✿ **Jacques Hébert,** 38 r. Sébastien Mercier (15e) ✆ 45 57 77 88 – GB L 5
fermé dim. et lundi – **R** 185/260
Spéc. Marinière de poissons à la tomate et basilic, Crépinette de pied de porc farci, Symphonie gourmande.

XX **L'Aubergade,** 53 av. La Motte-Picquet (15e) ✆ 47 83 23 85, 🍽 – AE GB J 9
fermé 13 au 23 avril, 27 juil. au 27 août, 21 déc. au 5 janv., dim. soir et lundi – **R** 150 (déj.) et carte 235 à 355.

XX **La Chaumière des Gourmets,** 22 pl. Denfert-Rochereau (14e) ✆ 43 21 22 59 – AE GB N 12
fermé août, sam. midi et dim. – **R** 240 et carte 245 à 385.

XX ✿ **Bistro 121,** 121 r. Convention (15e) ✆ 45 57 52 90 – AE ⓓ GB M 7
R 200 bc/450 bc
Spéc. Foie gras de canard chaud au verjus, Marmite de poissons au fumet de homard, Poule au pot farcie.

XX ✿ **Le Dôme,** 108 bd du Montparnasse (14e) ✆ 43 35 25 81, Fax 42 79 01 19, produits de la mer – ▤. AE ⓓ GB LM 12
fermé lundi – **R** carte 270 à 400
Spéc. Saint-Jacques crues aux truffes, Queues de langoustines aux girolles, Curry de filets de sole.

XX **La Coupole,** 102 bd Montparnasse (14e) ✆ 43 20 14 20, Fax 43 35 46 14, « Brasserie parisienne des années 20 » – AE ⓓ GB L 12
R carte 170 à 310 ♁.

XX ✿ **Petite Bretonnière** (Lamaison), 2 r. Cadix (15e) ✆ 48 28 34 39 – AE GB N 7
fermé août, sam. midi et dim. – **R** 220 et carte 280 à 440
Spéc. Terrine de tête de veau à la tomate confite, Croustillant de pieds de veau farcis (oct. à janv.), Magret de canard farci (oct. à mars).

XX **Yves Quintard,** 99 r. Blomet (15e) ☎ 42 50 22 27 – GB M 8
fermé août, lundi midi et dim. – **R** 145 et carte 225 à 325.

XX **Didier Délu,** 85 r. Leblanc (15e) ☎ 45 54 20 49 – AE ⓓ GB M 5
fermé 1er au 16 août, Noël au Jour de l'An, sam. et dim. – **R** 170 (déj.) et carte 250 à 360.

XX **La Roseraie,** 15 r. Ferdinand Fabre (15e) ☎ 48 28 60 24 – AE GB M 8
fermé août, sam. midi et dim. – **R** 160 et carte 170 à 250.

XX **L'Entre Siècle,** 29 av. Lowendal (15e) ☎ 47 83 51 22 – AE GB K 9
fermé août, sam. midi, dim. et fériés – **R** 160 (déj.) et carte 240 à 330.

XX **Senteurs de Provence,** 295 r. Lecourbe (15e) ☎ 45 57 11 98, produits de la mer – AE ⓓ GB M 6
fermé 1er au 11 mai, 3 au 24 août, dim. et lundi – **R** 225 et carte 200 à 340.

XX **Napoléon et Chaix,** 46 r. Balard (15e) ☎ 45 54 09 00 – ▤. GB M 5
fermé 1er au 30 août, sam. midi et dim. – **R** carte 210 à 325.

XX **Monsieur Lapin,** 11 r. R. Losserand (14e) ☎ 43 20 21 39 – AE GB N 11
fermé août, sam. midi et lundi – **R** 200 (déj) et carte 265 à 410.

XX **Le Croquant,** 28 r. J. Maridor (15e) ☎ 45 58 50 83 – GB. ✻ M 6
fermé 1er au 11 mai, 1er au 30 août, dim. et lundi – **R** carte 290 à 440.

XX **Le Copreaux,** 15 r. Copreaux (15e) ☎ 43 06 83 35 – GB M 9
fermé sam. sauf le soir de sept. à juil. et dim. – **R** 145/255.

XX **L'Étape,** 89 r. Convention (15e) ☎ 45 54 73 49 – GB M 6
fermé vacances de Noël, sam. (sauf le soir de sept. à juin) et dim. – **R** 150 et carte 180 à 325.

XX **La Chaumière,** 54 av. F.-Faure (15e) ☎ 45 54 13 91 – AE ⓓ GB M 7
fermé août, lundi soir et mardi – **R** carte 200 à 305.

XX **La Giberne,** 42 bis av. de Suffren (15e) ☎ 47 34 82 18 – AE ⓓ GB J 8
fermé 25 juil. au 23 août, sam. midi et dim. – **R** 115 bc/350 &.

XX **Le Clos Morillons,** 50 r. Morillons (15e) ☎ 48 28 04 37 – GB N 8
fermé 1er au 21 août, sam. midi et dim. – **R** 195 (déj.)/220.

XX **Filoche,** 34 r. Laos (15e) ☎ 45 66 44 60 – GB. ✻ K 8
fermé 15 juil. au 20 août, 23 déc. au 4 janv., sam. et dim. – **R** carte 190 à 285.

XX **Les Vendanges,** 40 r. Friant (14e) ☎ 45 39 59 98 – GB R 11
fermé août, sam. midi, dim. et fériés – **R** 155 et carte 205 à 310.

XX **Pierre Vedel,** 19 r. Duranton (15e) ☎ 45 58 43 17, Fax 45 58 42 65 – GB. ✻ M 6
fermé sam. et dim. – **R** carte 210 à 315.

XX **Mina Mahal,** 25 r. Cambronne (15e) ☎ 47 34 19 88, cuisine indienne – ▤. AE ⓓ GB. ✻
R 160/350. L 8

XX ✿ **La Cagouille** (Allemandou), 10 pl. Constantin Brancusi (14e) ☎ 43 22 09 01, Fax 45 38 57 29, ☂, produits de la mer – GB M 11
fermé 5 au 11 mai, 9 au 31 août, 27 déc. au 4 janv., dim. et lundi – **R** carte 295 à 440
Spéc. Chaudrée charentaise (nov. à mars), Céteaux à la poêle (avril à oct.), Moules de bouchot "brûle-doigts" (juin à oct.).

XX **de la Tour,** 6 r. Desaix (15e) ☎ 43 06 04 24 – GB J 8
fermé août, sam. midi et dim. – **R** 168 et carte 185 à 300.

X **Bistrot du Dôme,** 1 r. Delambre (14e) ☎ 43 35 32 00, produits de la mer – AE GB M 12
R carte 150 à 200.

X **Oh! Duo,** 54 av. É. Zola (15e) ☎ 45 77 28 82 – GB L 6
fermé août, sam. et dim. – **R** 127/135 &.

X **La Bonne Table,** 42 r. Friant (14e) ☎ 45 39 74 91 – GB R 11
fermé 4 juil. au 4 août, 24 déc. au 5 janv., sam. et dim. – **R** carte 180 à 295.

X **La Datcha Lydie,** 7 r. Dupleix (15e) ☎ 45 66 67 77, cuisine russe – GB K 8
fermé 12 juil. au 31 août et merc. – **R** 125 bc et carte 120 à 200.

X **Le Gastroquet,** 10 r. Desnouettes (15e) ☎ 48 28 60 91 – GB N 7
fermé 11 juil. au 3 août, sam. et dim. – **R** 140 et carte 160 à 245.

X **Chez Pierre,** 117 r. Vaugirard (15e) ☎ 47 34 96 12 – ▤. AE GB JCB L 11
fermé 25 juil. au 25 août, sam. midi, lundi midi et dim. – **R** 120 (déj.)/195.

X **L'Armoise,** 67 r. Entrepreneurs (15e) ☎ 45 79 03 31 – GB L 7
fermé 5 au 26 août, vacances de fév., sam. midi et dim. soir – **R** 125/163 bc.

X **La Gitane,** 53 bis av. La Motte-Picquet (15e) ☎ 47 34 62 92, ☂ – GB K8
fermé sam. et dim. – **R** carte 130 à 190.

X **Chez Yvette,** 46 bis bd Montparnasse (15e) ☎ 42 22 45 54 – GB L 11
fermé 18 au 26 avril, août, sam. et dim. – **R** carte 155 à 250.

X **L'Amuse Bouche,** 186 r. Château (14e) ☎ 43 35 31 60 – GB N 11
fermé 14 au 21 août, sam. midi et dim. – **R** (nombre de couverts limité, prévenir) 145 (déj.) et carte 210 à 335.

X **Le Saint-Vincent,** 26 r. Croix-Nivert (15e) ☎ 47 34 14 94 – ▤. GB. ✻ L 8
fermé dim. – **R** carte 160 à 230 &.

X **Fellini,** 58 r. Croix-Nivert (15e) ☎ 45 77 40 77, cuisine italienne – ▤. GB. ✻ L 8
fermé août, sam. midi et dim. – **R** carte 180 à 300.

Passy, Auteuil, Bois de Boulogne, Chaillot, Porte Maillot.

16e arrondissement.
16e : ✉ 75016

Park Avenue et Central Park Ⓜ (réouverture prévue en mai), 55 av. Poincaré ✉ 75116 ☎ 45 53 44 60, Télex 643862, Fax 47 27 53 04, – cuisinette ch – 400. AE GB JCB. rest G 6
R *(fermé sam., dim. et fériés)* 190 et carte 280 à 460 – ☕ 95 – **99 ch** 1600/2200, 13 appart. 2200/2800.

Raphaël, 17 av. Kléber ✉ 75116 ☎ 44 28 00 28, Télex 645356, Fax 45 01 21 50, « Élégant cachet ancien » – – 50. AE GB JCB F 7
R 220 et carte 320 à 400 – ☕ 95 – **87 ch** 1600/2600, 23 appart.

Baltimore Ⓜ, 88 bis av. Kléber ✉ 75116 ☎ 44 34 54 54, Télex 611591, Fax 45 34 54 44 – – 30 à 100. AE GB JCB. G 7
L'Estournel *(fermé août, sam., dim. et fériés)* **R** 250 et carte 310 à 440 – ☕ 90 – **104 ch** 1600/2200.

Villa Maillot Ⓜ sans rest, 143 av. Malakoff ✉ 75116 ☎ 45 01 25 22, Télex 649808, Fax 45 00 60 61 – . AE GB JCB F 6
☕ 100 – **39 ch** 900/1600, 3 appart. 2400.

Garden Elysée Ⓜ , 12 r. St-Didier ✉ 75116 ☎ 47 55 01 11, Télex 648157, Fax 47 27 79 24, – . AE GB JCB. G 7
R *(fermé août, sam. et dim.)* 160/250 – ☕ 80 – **48 ch** 1350/1550.

Résidence Bassano Ⓜ sans rest, 15 r. Bassano ✉ 75116 ☎ 47 23 78 23, Télex 649872, Fax 47 20 41 22 – cuisinette . AE GB G 8
☕ 65 – **28 ch** 750/1150, 3 appart. 1950.

Majestic sans rest, 29 r. Dumont d'Urville ✉ 75116 ☎ 45 00 83 70, Télex 640034, Fax 45 00 29 48 – . AE GB JCB F 7
☕ 55 – **27 ch** 900/1250, 3 appart. 1700.

Pergolèse Ⓜ sans rest, 3 r. Pergolèse ✉ 75116 ☎ 40 67 96 77, Télex 651618, Fax 45 00 12 11 – . AE GB E 6
☕ 70 – **40 ch** 1200/1500.

Rond-Point de Longchamp Ⓜ, 86 r. Longchamp ✉ 75116 ☎ 45 05 13 63, Télex 640883, Fax 47 55 12 80 – rest – 40. AE GB JCB G 6
R (snack) carte environ 160 – ☕ 45 – **56 ch** 760/850.

Alexander sans rest, 102 av. V. Hugo ✉ 75116 ☎ 45 53 64 65, Télex 610373, Fax 45 53 12 51 – . AE GB JCB. G 6
☕ 60 – **59 ch** 790/1140, 3 appart. 1870.

Union H. Étoile sans rest, 44 r. Hamelin, ✉ 75116 ☎ 45 53 14 95, Télex 611394, Fax 47 55 94 79 – cuisinette . AE GB G 7
☕ 40 – **29 ch** 680/790, 13 appart. 1050/1200.

Elysées Bassano sans rest, 24 r. de Bassano ✉ 75116 ☎ 47 20 49 03, Télex 611559, Fax 47 23 06 72 – . AE GB JCB G 8
☕ 65 – **40 ch** 600/760.

Victor Hugo sans rest, 19 r. Copernic ✉ 75116 ☎ 45 53 76 01, Télex 630939, Fax 45 53 69 93 – . AE GB. G 7
☕ 40 – **75 ch** 610/730.

Sévigné sans rest, 6 r. Belloy ✉ 75116 ☎ 47 20 88 90, Télex 645219, Fax 40 70 98 73 – . AE GB JCB G 7
☕ 40 – **30 ch** 600/720.

Frémiet sans rest, 6 av. Frémiet ✉ 75016 ☎ 45 24 52 06, Télex 630329, Fax 42 88 77 46 – . AE GB JCB J 6
☕ 40 – **34 ch** 625/850.

Floride Etoile Ⓜ sans rest, 14 r. St-Didier ✉ 75116 ☎ 47 27 23 36, Télex 643715, Fax 47 27 82 87 – – 40. AE GB JCB. G 7
☕ 45 – **60 ch** 780/800.

Massenet sans rest, 5 bis r. Massenet ✉ 75116 ☎ 45 24 43 03, Télex 640196, Fax 45 24 41 39 – . AE GB JCB. J 6
☕ 40 – **41 ch** 460/700.

Résidence Foch sans rest, 10 r. Marbeau ✉ 75116 ☏ 45 00 46 50, Télex 645886, Fax 45 01 98 68 – 📺 ☎. AE ⓓ GB F 6
☕ 40 – **21 ch** 610/690, 4 appart. 850.

Kléber sans rest, 7 r. Belloy ✉ 75116 ☏ 47 23 80 22, Télex 612830, Fax 49 52 07 20 – 📺 ☎. AE ⓓ GB JCB G 7
☕ 45 – **23 ch** 670/950.

Murat M sans rest, 119 bis bd Murat ✉ 75016 ☏ 46 51 12 32, Télex 648963, Fax 46 51 70 01 – 📺 ☎. AE ⓓ GB. M 3
☕ 45 – **28 ch** 500/650.

Résidence Chambellan Morgane M sans rest, 6 r. Keppler ✉ 75116 ☏ 47 20 35 72, Télex 613682, Fax 47 20 95 69 – 📺 ☎. AE ⓓ GB. GF 8
fermé 20 au 27 déc. – ☕ 40 – **20 ch** 600/800.

Résidence Impériale M sans rest, 155 av. Malakoff ✉ 75116 ☏ 45 00 23 45, Télex 651158, Fax 45 01 88 82 – 📺 ☎. AE ⓓ GB JCB E 6
☕ 35 – **37 ch** 790/870.

Résidence Kléber M sans rest, 97 r. Lauriston ✉ 75016 ☏ 45 53 83 30, Télex 642707, Fax 47 55 92 52 – 📺 ☎. AE ⓓ GB JCB G 7
☕ 40 – **51 ch** 750.

Étoile Maillot sans rest, 10 r. Bois de Boulogne (angle r. Duret) ✉ 75116 ☏ 45 00 42 60, Télex 613936, Fax 45 00 55 89 – 📺 ☎. AE GB F 6
27 ch ☕ 530/690.

Passy Eiffel sans rest, 10 r. Passy ✉ 75016 ☏ 45 25 55 66, Fax 42 88 89 88 – 📺 ☎. AE ⓓ GB JCB J 6
☕ 35 – **50 ch** 550/600.

Résidence Marceau sans rest, 37 av. Marceau ✉ 75116 ☏ 47 20 43 37, Télex 648509, Fax 47 20 14 76 – 📺 ☎. AE ⓓ GB JCB. G 8
fermé 5 au 25 août – ☕ 32 – **30 ch** 500/580.

Ambassade sans rest, 79 r. Lauriston ✉ 75116 ☏ 45 53 41 15, Télex 613643, Fax 45 53 30 80 – 📺 ☎. AE ⓓ GB. G 7
☕ 40 – **38 ch** 440/560.

Beauséjour Ranelagh sans rest, 99 r. Ranelagh ✉ 75016 ☏ 42 88 14 39, Télex 614072, Fax 40 50 81 21 – 📺 ☎. AE J 4
☕ 30 – **30 ch** 370/600.

Longchamp sans rest, 68 r. Longchamp ✉ 75116 ☏ 47 27 13 48, Télex 610342, Fax 47 55 68 26 – 📺 ☎. AE ⓓ GB G 6
☕ 40 – **23 ch** 580/750.

Hameau de Passy M sans rest, 48 r. Passy ✉ 75016 ☏ 42 88 47 55, Télex 651469, Fax 42 30 83 72 – 📺 ☎. AE GB J 5-6
32 ch ☕ 480/550.

Queen's H. sans rest, 4 r. Bastien Lepage ✉ 75016 ☏ 42 88 89 85, Fax 40 50 67 52 – 📺 ☎. AE ⓓ GB. K 4
☕ 35 – **23 ch** 275/490.

Keppler sans rest, 12 r. Keppler ✉ 75116 ☏ 47 20 65 05, Télex 640544, Fax 47 23 02 29 – 📺 ☎. AE GB. F 8
☕ 28 – **49 ch** 380/400.

XXXX ✿✿ **Faugeron**, 52 r. Longchamp ✉ 75116 ☏ 47 04 24 53, Fax 47 55 62 90 – ▤. GB.
fermé août, 23 déc. au 2 janv., sam. et dim. – **R** 310 (déj.) et carte 415 à 585 G 7
Spéc. Parmentier de truffes aux fines épices (janv. à mars), Croustillant de ris de veau (mai à juil.), Millefeuille "Amadeus".

XXXX ✿✿✿ **Jamin** (Robuchon), 32 r. Longchamp ✉ 75116 ☏ 47 27 12 27 – ▤. GB G 7
fermé juil., sam. et dim. – **R** (nombre de couverts limité, prévenir) carte 600 à 900
Spéc. Tarte friande de truffes aux oignons et lard fumé (déc. à mars), Pièce de saumon rôti à l'huile vierge (mars à sept.), Lièvre à la royale (oct. à déc.).

XXXX ✿✿ **Vivarois** (Peyrot), 192 av. V.-Hugo, ✉ 75116 ☏ 45 04 04 31, Fax 45 03 09 84 – ▤. AE ⓓ GB. G 5
fermé août, sam. et dim. – **R** 345 (déj.) et carte 480 à 650
Spéc. Fondant de légumes à la purée d'olives, Dartois de sole, Salade de pigeon au soja.

XXX ☼ **Toit de Passy** (Jacquot), 94 av. P. Doumer (6e étage) ✉ 75016 ☎ 45 24 55 37, Fax 45 20 94 57, 🏠 – ▤ Ⓟ. AE GB H J 5
fermé 24 déc. au 4 janv., sam. midi, dim. et fériés – **R** 265 (déj.) et carte 375 à 540
Spéc. Foie gras froid poché au vin de Graves, Pigeonneau cuit dans sa croûte de sel, Tarte au chocolat sans sucre (15 sept. au 15 avril).

XXX **Tsé-Yang,** 25 av. Pierre 1er de Serbie ✉ 75016 ☎ 47 20 68 02, cuisine chinoise, « Cadre élégant » – ▤. AE ⓓ GB G 8
R 225/275.

XXX **Sully d'Auteuil,** 78 r. Auteuil ✉ 75016 ☎ 46 51 71 18, Fax 46 51 70 60 – ▤. AE GB K 3
fermé 10 au 31 août, sam. midi et dim. – **R** carte 310 à 460.

XXX **Jean-Claude Ferrero,** 38 r. Vital ✉ 75016 ☎ 45 04 42 42, Fax 45 04 67 71 – AE GB H 5
fermé 1er au 15 mai, 10 août au 5 sept., sam. (sauf le soir du 10 nov. au 1er mars) et dim. – **R** 220 (déj.) et carte 315 à 500.

XXX **Le Petit Bedon,** 38 r. Pergolèse ✉ 75116 ☎ 45 00 23 66, Fax 45 01 96 29 – ▤. AE ⓓ GB F 6
fermé août, sam. (sauf le soir d'oct. à avril) et dim. – **R** carte 305 à 505.

XXX ☼ **Port Alma** (Canal), 10 av. New York ✉ 75116 ☎ 47 23 75 11 – ▤. AE ⓓ GB H 8
fermé août et dim. – **R** 200 (déj.) et carte 260 à 425
Spéc. Gaspacho de tourteau (juin à sept.), Fricassée de sole poêlée au foie gras, Soufflé au chocolat.

XXX **Chez Ngo,** 70 r. Longchamp ✉ 75116 ☎ 47 04 53 20, cuisine sino-thaïlandaise – ▤. AE GB. ✻ G 6
R carte 160 à 225.

XXX **Le Pergolèse,** 40 r. Pergolèse ✉ 75016 ☎ 45 00 21 40, Fax 45 00 81 31 – AE GB F 6
fermé 8 au 24 août, sam. et dim. – **R** carte 275 à 390.

XXX **Pavillon Noura,** 21 av. Marceau ✉ 75116 ☎ 47 20 33 33, Fax 47 20 60 31, cuisine libanaise – AE ⓓ GB G 8
R carte 165 à 225.

XX ☼ **Relais d'Auteuil** (Pignol), 31 bd. Murat ✉ 75016 ☎ 46 51 09 54, Fax 40 71 05 03 – ▤. AE GB L 3
fermé août, sam. midi et dim. – **R** 180 (déj.)/390
Spéc. Amandine de foie gras de canard, Gibier (saison), Madeleines au miel de bruyère avec glace miel et noix.

XX **Al Mounia,** 16 r. Magdebourg ✉ 75116 ☎ 47 27 57 28, cuisine marocaine – ▤. AE GB. ✻ G 7
fermé 12 juil. au 31 août et dim. – **R** carte 200 à 280.

XX **Giulio Rebellato,** 136 r. Pompe ✉ 75116 ☎ 47 27 50 26, cuisine italienne – AE GB. ✻ G 6
fermé août, sam. midi et dim. – **R** carte 245 à 380.

XX ☼ **Fontaine d'Auteuil** (Grégoire), 35bis r. La Fontaine ☎ 42 88 04 47 – AE ⓓ GB K 5
fermé 2 au 30 août, 9 au 16 fév., sam. midi et dim. – **R** 180 (déj.) et carte 255 à 385
Spéc. Pommes de terre lardées aux huîtres "Spéciales" (15 oct.-1er mars), Pavé de cabillaud, Mitonnée de joue de boeuf au vin de Graves.

XX ☼ **Conti,** 72 r. Lauriston ✉ 75116 ☎ 47 27 74 67 – ▤. AE ⓓ GB G 7
fermé 10 au 31 août, sam. et dim. – **R** 265 bc (déj.) et carte 265 à 400
Spéc. Carpaccio de Saint-Jacques (nov. à mars), Tagliatelles aux truffes blanches (oct. à déc.), Rognon de veau rôti au romarin (juin à sept.).

XX **Villa Vinci,** 23 r. P. Valéry ✉ 75116 ☎ 45 01 68 18, cuisine italienne – ▤. GB. ✻ F 7
fermé août, 25 déc. au 1er janv., sam. et dim. – **R** 170 (déj.) et carte 225 à 405.

XX **Paul Chêne,** 123 r. Lauriston ✉ 75116 ☎ 47 27 63 17 – ▤. AE ⓓ GB G 6
fermé août, 24 déc. au 4 janv., sam. et dim. – **R** 250 et carte 245 à 420.

XX ☼ **La Petite Tour** (Israël), 11 r. Tour ✉ 75116 ☎ 45 20 09 31 – AE ⓓ GB H 6
fermé août et dim. – **R** carte 225 à 410
Spéc. Mousse de Saint-Jacques aux huîtres (oct. à mars), Noisettes de chevreuil Grand Veneur (oct. à déc.), Tête de veau sauce ravigote.

XX **Sous l'Olivier,** 15 r. Goethe ✉ 75116 ☎ 47 20 84 81, 🏠 – GB G 8
fermé sam., dim. et fériés – **R** carte 210 à 315.

XX **Palais du Trocadéro,** 7 av. Eylau ✉ 75016 ☎ 47 27 05 02, cuisine chinoise – ▤. AE GB H 6
R carte 175 à 290.

XX **Le Grand Chinois,** 6 av. New York ✉ 75116 ☎ 47 23 98 21, cuisine chinoise – AE ⓓ H 8
fermé 3 août au 2 sept. et lundi – **R** carte 185 à 290.

XX **Marius,** 82 bd Murat ✉ 75016 ☎ 46 51 67 80 – GB M 2
fermé août, 21 déc. au 2 janv., sam. midi et dim. – **R** carte 195 à 280.

X **Chez Géraud,** 31 r. Vital ✉ 75016 ☎ 45 20 46 60, « Belle fresque en faïence de Longwy » – GB H 5
fermé août, sam. midi du 16 nov. au 25 avril et dim. – **R** carte 200 à 325.

X **Bistrot de l'Étoile,** 19 r. Lauriston ✉ 75016 ☎ 40 67 11 16 – ▤. GB F 7
fermé sam. midi et dim. – **R** carte 180 à 245.

X **Brasserie de la Poste,** 54 r. Longchamp ✉ 75116 ☎ 47 55 01 31, Fax 39 50 74 32 – GB G 7
R carte 130 à 270 ♁.

X **Beaujolais d'Auteuil,** 99 bd Montmorency ✉ 75016 ☎ 47 43 03 56 – AE GB K 3
fermé sam. midi, dim. et fériés – **R** 109 et carte 160 à 265.

Au Bois de Boulogne :

XXXX ✿ **Pré Catelan,** rte Suresnes ✉ 75016 ☎ 45 24 55 58, Télex 614983, Fax 45 24 43 25, 🏵, 🏵 – 🅟. AE ⓓ GB JCB H 2
fermé 1er au 16 mars, vacances de fév., dim. soir et lundi – **R** 650/800
Spéc. Soufflé d'oursins (oct. à mars), Saint-Pierre aux truffes et céleri rave (oct. à mars), Canard de Duclair aux épices.

XXXX ✿ **Grande Cascade,** allée de Longchamp (face hippodrome) ✉ 75016 ☎ 45 27 33 51, Fax 42 88 99 06, 🏵 – 🅟. AE ⓓ GB
fermé 20 déc. au 20 janv. et le soir du 1er nov. au 15 avril – **R** 270 (déj.) et carte 400 à 690
Spéc. Délice des Landes, Homard étuvé aux algues bretonnes, Filet de boeuf à la fricassée de champignons.

XXX **Pavillon Royal,** rte Suresnes ✉ 75116 ☎ 40 67 11 56, ≤, 🏵 – 🅟. GB G 4
fermé sam. (de nov. à avril) et dim. sauf le midi de mai à oct – **R** 350/195 (déj.) et carte 255 à 400.

Clichy, Ternes, Wagram.

17e arrondissement.
17e : ✉ 75017

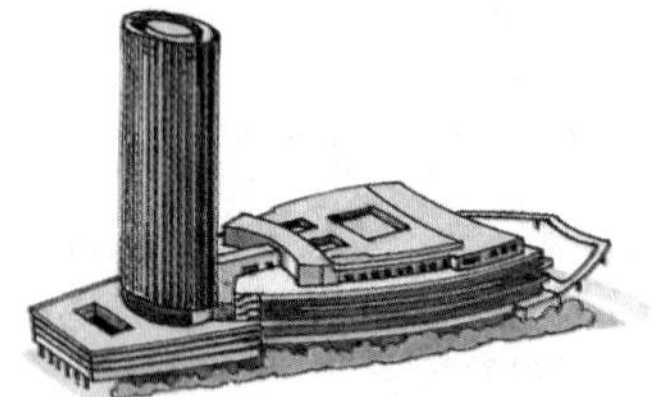

🏨 **Concorde La Fayette** Ⓜ, 3 pl. Gén.-Koenig ☎ 40 68 50 68, Télex 650892, Fax 40 68 50 43, « Bar panoramique au 34e étage ≤ Paris » – |♦| ▤ TV ☎ – 🏵 40. AE ⓓ GB JCB E 6
R voir rest. **Étoile d'Or** ci-après - **L'Arc-en-Ciel R** 175/280 ♁, enf. 78 – **Les Saisons** (coffee shop) **R** 115/180 ♁ – ☐ 90 – **935 ch** 1500/2100, 44 appart.

🏨 **Méridien** Ⓜ, 81 bd Gouvion St Cyr ☎ 40 68 34 34, Télex 651952, Fax 40 68 31 31 – |♦| ▤ TV ☎ – 🏵 50 à 800. AE ⓓ GB JCB E 6
R voir rest. **Clos de Longchamp** ci-après - **Café l'Arlequin R** carte 175 à 305 – **Le Yamato** (rest. japonais) *(fermé août, 3 au 11 janv., dim. et lundi)* **R** carte 150 à 260 – **La Maison Beaujolaise** *(fermé août, 21 au 28 déc. et dim.)* **R** carte environ 180 – ☐ 95 – **989 ch** 1600/1950, 17 appart.

🏨 **Splendid Etoile** sans rest, 1 bis av. Carnot ☎ 43 80 14 56, Télex 651773, Fax 47 64 05 09 – |♦| ▤ TV ☎. ⓓ GB. ✻ F 7
☐ 70 – **50 ch** 850/1100, 7 appart. 1320.

🏨 **Regent's Garden** 🏵 sans rest, 6 r. P.-Demours ☎ 45 74 07 30, Télex 640127, Fax 40 55 01 42, « Jardin » – |♦| TV ☎. AE ⓓ GB JCB E 7
☐ 35 – **40 ch** 630/880.

🏨 **Pierre** Ⓜ sans rest, 25 r. Th.-de-Banville ☎ 47 63 76 69, Télex 643003, Fax 43 80 63 96 – |♦| ⇔ TV ☎ ♿ – 🏵 30. AE ⓓ GB JCB D 8
☐ 60 – **50 ch** 630/900.

🏨 **Balmoral** sans rest, 6 r. Gén.-Lanrezac ☎ 43 80 30 50, Télex 642435, Fax 43 80 51 56 – |♦| TV ☎. AE ⓓ GB E 7
☐ 38 – **57 ch** 500/700.

🏨 **Magellan** 🏵 sans rest, 17 r. J.B.-Dumas ☎ 45 72 44 51, Télex 644728, Fax 40 68 90 36, 🏵 – |♦| TV ☎. AE ⓓ GB. ✻ D 7
☐ 30 – **75 ch** 490.

🏨 **Mercure Paris Etoile** Ⓜ sans rest, 27 av. Ternes ☎ 47 66 49 18, Télex 650679, Fax 47 63 77 91 – |♦| ▤ TV ☎. AE ⓓ GB E 8
☐ 55 – **56 ch** 660/790.

🏨 **Résidence St-Ferdinand** Ⓜ sans rest, 36 r. St-Ferdinand ☎ 45 72 66 66, Télex 649565, Fax 45 74 12 92 – |♦| ▤ TV ☎. AE ⓓ GB JCB E 6-7
☐ 40 – **42 ch** 620/790.

🏨 **Banville** sans rest, 166 bd Berthier ☎ 42 67 70 16, Télex 643025, Fax 44 40 42 77 – |♦| TV ☎. AE GB D 8
☐ 35 – **39 ch** 535/600.

🏨 **Mercédès** Ⓜ sans rest, 128 av. Wagram ☎ 42 27 77 82, Télex 644751, Fax 40 53 09 89 – |♦| ▤ TV ☎. AE GB. ✻ D 9
☐ 45 – **35 ch** 580/650.

🏨 **De Neuville,** 3 r. Verniquet ☎ 43 80 26 30, Télex 648822, Fax 43 80 38 55 – |♦| TV ☎. AE ⓓ GB JCB C 8
R *(fermé sam. et dim.)* carte 160 à 220 ♁ – ☐ 38 – **28 ch** 540/670.

🏨 **Harvey** Ⓜ sans rest, 7 bis r. Débarcadère ☎ 45 74 27 19, Télex 650855, Fax 40 68 03 56 – |♦| TV ☎. AE ⓓ GB JCB E 6
☐ 35 – **32 ch** 480/680.

Cheverny M sans rest, 7 Villa Berthier ✆ 43 80 46 42, Télex 648848, Fax 47 63 26 62 – |‡| TV ☎. AE ① GB D 7
☕ 35 – **50 ch** 450/750.

Étoile Pereire 🐎 sans rest, 146 bd Péreire ✆ 42 67 60 00, Fax 42 67 02 90 – |‡| TV ☎. AE ① GB. ✻ D 7
☕ 50 – **21 ch** 460/650, 5 appart. 900.

Royal Magda sans rest, 7 r. Troyon ✆ 47 64 10 19, Télex 641068, Fax 47 64 02 12 – |‡| TV ☎. AE ① GB E 8
☕ 35 – **26 ch** 565/630, 11 appart. 700/900.

Belfast sans rest, 10 av. Carnot ✆ 43 80 12 10, Télex 642777, Fax 43 80 34 93 – |‡| TV ☎. AE ① GB JCB E 7
☕ 40 – **54 ch** 570/740.

Abrial M sans rest, 176 r. Cardinet ✆ 42 63 50 00, Fax 42 63 50 03 – |‡| TV ☎ ♿. AE GB JCB C 11
☕ 42 – **80 ch** 550/590.

Star H. Étoile sans rest, 18 r. Arc de Triomphe ✆ 43 80 27 69, Télex 643569, Fax 40 54 94 84 – |‡| TV ☎. AE ① GB JCB E 7
☕ 38 – **62 ch** 440/580.

Monceau sans rest, 7 r. Rennequin ✆ 47 63 07 52, Télex 649094, Fax 47 66 84 44 – |‡| TV ☎. AE GB E 8
☕ 35 – **25 ch** 530/700.

Étoile Park H. sans rest, 10 av. Mac Mahon ✆ 42 67 69 63, Télex 649266, Fax 43 80 18 99 – |‡| TV ☎. AE ① GB E 8
☕ 47 – **28 ch** 440/700.

Monceau Étoile sans rest, 64 r. de Levis ✆ 42 27 33 10, Télex 643170, Fax 42 27 59 58 – |‡| TV ☎. GB. ✻ D 10
☕ 30 – **26 ch** 470/530.

Astor Élysées sans rest, 36 r. P. Demours ✆ 42 27 44 93, Télex 650078, Fax 40 53 91 34 – |‡| TV ☎. GB. ✻ D 8
☕ 35 – **45 ch** 575/690.

Empire H. sans rest, 3 r. Montenotte ✆ 43 80 14 55, Télex 643232, Fax 47 66 04 33 – |‡| TV ☎. AE ① GB E 8
☕ 40 – **49 ch** 400/710.

Courcelles sans rest, 184 r. Courcelles ✆ 47 63 65 30, Télex 642252, Fax 46 22 49 44 – |‡| TV ☎. AE ① GB JCB D 8
☕ 35 – **42 ch** 510/640.

Palma sans rest, 46 r. Brunel ✆ 45 74 74 51, Télex 644183, Fax 45 74 40 90 – |‡| TV ☎. GB. ✻ E 7
☕ 32 – **37 ch** 320/420.

Acacias Étoile sans rest, 11 r. Acacias ✆ 43 80 60 22, Télex 643551, Fax 48 88 96 40 – |‡| TV ☎. AE ① GB JCB E 7
☕ 35 – **37 ch** 480/610.

Prima H., 167 r. Rome ✆ 46 22 21 09, Télex 642186, Fax 46 22 21 09 – |‡| ▤ rest TV ☎. AE ① GB C 10
R *(fermé 10 au 20 août et dim.)* carte 140 à 270 🍷 – ☕ 28 – **30 ch** 300/380.

Flaubert sans rest, 19 r. Rennequin ✆ 46 22 44 35, Télex 649689, Fax 43 80 32 34 – |‡| TV ☎. GB. ✻ D 8
☕ 35 – **36 ch** 390/650.

Bel'Hôtel sans rest, 20 r. Pouchet ✆ 46 27 34 77, Télex 642396, 🚗 – |‡| TV ☎. AE GB
fermé août – ☕ 30 – **30 ch** 160/360. B 11

XXXX ✿✿ **Guy Savoy**, 18 r. Troyon ✆ 43 80 40 61, Fax 46 22 43 09 – ▤. AE GB E 8
fermé sam. (sauf le soir d'oct. à Pâques) et dim. – **R** 650 et carte 490 à 680
Spéc. Suprême de volaille de Bresse au foie gras, Crème légère de lentilles et langoustines, Bar en écailles grillées.

XXXX ✿✿ **Michel Rostang**, 20 r. Rennequin ✆ 47 63 40 77, Fax 47 63 82 75 – ▤. AE GB D 8
fermé 1er au 10 mai, 1er au 15 août, sam. sauf le soir de sept. à juin et dim. – **R** 260 (déj.)/660 et carte 480 à 700
Spéc. Oeufs de caille en coque d'oursins (oct. à avril), Canette de Bresse au sang, Tarte au chocolat amer.

XXXX ✿✿ **Le Clos Longchamp** - Hôtel Méridien, 81 bd Gouvion-St-Cyr (Pte Maillot) ✆ 40 68 00 70, Télex 651952, Fax 40 68 30 81 – ▤. AE ① GB JCB E 6
fermé 8 au 16 août, sam. et dim. – **R** 250 (déj.) et carte 425 à 550
Spéc. Echaudé de caille aux grenouilles (mars à oct.), Marbré de foie de canard au Beaumes de Venise, Noisettes d'agneau au café (mars à oct.).

XXXX ✿ **Étoile d'Or** - Hôtel Concorde La Fayette, 3 pl. Gén.-Koenig ☎ 40 68 51 28, Fax 40 68 50 43 – ▤. AE D GB JCB E 6
fermé 29 fév. au 8 mars, août, sam. midi et dim. – **R** carte 310 à 540
Spéc. Maraîchère de homard au miel de romarin, Turbot vapeur à l'infusion de coriandre, Fin ragoût du Gâtinais en ravioles.

XXXX ✿ **Manoir de Paris,** 6 r. P. Demours ☎ 45 72 25 25, Fax 45 74 80 98 – ▤. AE D GB JCB
fermé sam. midi et dim. – **R** 290 (déj.) et carte 365 à 560 E 7
Spéc. Ravioli de scampi de Méditerranée, Ris et onglet de veau de lait en cocotte, Douceur tiède au chocolat.

XXX ✿✿ **Apicius** (Vigato), 122 av. Villiers ☎ 43 80 19 66, Fax 44 40 09 57 – ▤. AE GB D 8
fermé août, sam. et dim. – **R** carte 350 à 540
Spéc. Grosses langoustines façon "Tempura", Pied de porc en crépinette rôti et jus de truffe au persil, Grand dessert au chocolat amer.

XXX ✿✿ **Amphyclès** (Groult), 78 av. Ternes ☎ 40 68 01 01, Fax 40 68 91 88 – ▤. D GB E 7
fermé 7 au 28 juil. sam. midi et dim. – **R** 240 (déj.)/580 et carte
Spéc. Gelée de pied de veau, Canette de Challans à la coriandre, Joue de boeuf braisée.

XXX **Maître Corbeau,** 6 r. Armaillé ☎ 42 27 19 20 – ▤. AE D GB JCB E 7
fermé 3 au 20 août, 21 fév. au 3 mars, sam. midi et dim. – **R** carte 305 à 440.

XXX ✿ **Timgad** (Laasri), 21 r. Brunel ☎ 45 74 23 70, Télex 649239, Fax 40 68 76 46, cuisine du Maghreb, « Décor mauresque » – ▤. AE D GB. ⚲ E 7
R 230/510
Spéc. Couscous, Pastilla.

XXX ✿ **Sormani** (Fayet), 4 r. Gén.-Lanrezac ☎ 43 80 13 91 – ▤. GB E 7
fermé 25 avril au 5 mai, 1er au 23 août, 23 déc. au 3 janv., sam., dim. et fériés – **R** carte 290 à 470
Spéc. Chou vert au mascarpone (1/10-31/3), Friture de cervelles, ris de veau, rognons et amourettes d'agneau (1/11-31/4), Risotto aux truffes blanches (saison).

XXX ✿ **Faucher,** 123 av. Wagram ☎ 42 27 61 50, Fax 46 22 25 72, ☂ – AE GB D 8
fermé 8 au 16 août, sam. midi et dim. – **R** 180 (déj.) et carte 255 à 460
Spéc. Millefeuille de boeuf cru, Filet de rouget au foie gras à la provençale, Ris de veau croustillant.

XXX **La Table de Pierre,** 116 bd Péreire ☎ 43 80 88 68, Fax 47 66 53 02 – AE GB D 8
fermé sam. midi et dim. – **R** 220 et carte 250 à 370.

XXX **Chez Augusta,** 98 r. Tocqueville ☎ 47 63 39 97, Fax 42 27 21 71, produits de la mer – ▤. GB C 9
fermé 9 au 24 août, sam. (sauf le soir d'oct. à fin avril) et dim. – **R** carte 370 à 480.

XXX ✿ **Paul et France** (Romano), 27 av. Niel ☎ 47 63 04 24 – ▤. AE D GB JCB. ⚲ D 8
fermé 14 juil. au 15 août, sam. et dim. – **R** 290 (déj.) et carte 330 à 530
Spéc. Ravioli de tourteaux, Rougets de roche au beurre de pistou, Rognon de veau au jus de truffe.

XXX **Il Ristorante,** 22 r. Fourcroy ☎ 47 63 34 00, cuisine italienne – ▤. AE GB D 8
fermé 10 au 24 août et dim. – **R** 158 (déj.) et carte 185 à 305.

XX **Le Madigan,** 22 r. Terrasse ☎ 42 27 31 51, Fax 42 67 70 29, ☂ – ▤. AE D GB JCB. ⚲
fermé sam. midi, dim. et fériés – **R** 170/250 🍷. D 10

XX **L'Introuvable,** 15 r. Arc de Triomphe ☎ 47 54 00 28 – AE GB E 7
fermé août, sam. midi et dim. – **R** 145 (déj.) et carte 250 à 350.

XX ✿ **Le Petit Colombier** (Fournier), 42 r. Acacias ☎ 43 80 28 54, Fax 44 40 04 29 – ▤. AE GB E 7
fermé 18 juil. au 17 août, dim. midi et sam. – **R** 200 (déj.) et carte 310 à 440
Spéc. Oeufs rôtis à la broche aux truffes fraîches (nov. à fév.), Côte de veau en cocotte, Grouse d'Ecosse rôtie (août à nov.).

XX **Andrée Baumann,** 64 av. Ternes ☎ 45 74 16 66, Fax 45 72 44 32 – ▤. AE D GB JCB
R carte 190 à 335 🍷, enf. 60. E 7

XX **La Braisière,** 54 r. Cardinet ☎ 47 63 40 37, Fax 47 63 04 76 – AE GB D 9
fermé vacances de printemps, août, sam. et dim. – **R** carte 185 à 390.

XX **Gourmand Candide,** 6 pl. Mar. Juin ☎ 43 80 01 41, Fax 46 22 82 66, ☂ – AE D GB
fermé 1er au 10 mai, août, sam. (sauf le soir de sept. à mai) et dim. – **R** carte 255 à 380. D 8

XX **Billy Gourmand,** 20 r. Tocqueville ☎ 42 27 03 71 – GB D 10
fermé 3 au 23 août, sam. sauf le soir de sept. à juin, dim. et fêtes – **R** carte 220 à 360.

XX **La Soupière,** 154 av. Wagram ☎ 42 27 00 73 – ▤. AE GB D 9
fermé 8 au 18 août, sam. midi et dim. – **R** 160 et carte 210 à 360.

XX **Le Beudant,** 97 r. des Dames ☎ 43 87 11 20 – ⊗ ▤. AE GB D 11
fermé 15 au 31 août, sam. midi et dim. – **R** 140/285.

XX **La Coquille,** 6 r. Débarcadère ☎ 45 74 25 95 – ▤. AE GB E 7
fermé août, 23 déc. au 4 janv., dim. et lundi – **R** carte 270 à 390.

XX **Ballon des Ternes,** 103 av. Ternes ☎ 45 74 17 98, Fax 45 72 18 84 – AE GB E 6
fermé août – **R** carte 180 à 305.

XX **Chez Laudrin,** 154 bd Péreire ☎ 43 80 87 40 – ▤. AE GB D 7
fermé 1er au 9 mai, sam. midi et dim. – **R** carte 280 à 390.

XX **La Truite Vagabonde,** 17 r. Batignolles ✆ 43 87 77 80, 🏞 – AE GB D 11
fermé dim. soir – **R** 210/320.

XX **La Petite Auberge,** 38 r. Laugier ✆ 47 63 85 51 – GB D 7-8
fermé août, sept., dim. soir et lundi – **R** (nombre de couverts limité - prévenir) 160 et carte 230 à 350.

XX **L'Écrevisse,** 212 bis bd Péreire ✆ 45 72 17 60 – ▤. AE ⓞ GB E 6
fermé sam. midi et dim. – **R** carte 180 à 340.

XX **Chez Guyvonne,** 14 r. Thann ✆ 42 27 25 43 – GB D 10
fermé 13 juil. au 3 août, 24 déc. au 4 janv., sam. et dim. – **R** 230 et carte 250 à 390.

XX **Chez Georges,** 273 bd Péreire ✆ 45 74 31 00, Fax 45 74 02 58 – GB. ⚹ E 6
fermé août – **R** carte 150 à 300.

XX **Epicure 108,** 108 r. Cardinet ✆ 47 63 50 91 – GB D 10
fermé 15 juil. au 15 août, sam. midi, dim. et fériés – **R** 175/300.

XX **La Niçoise,** 4 r. P. Demours ✆ 45 74 42 41, Fax 45 74 80 98 – ▤. AE ⓞ GB JCB E 7
fermé sam. midi et dim. – **R** carte 170 à 230.

XX **Le Cougar,** 10 r. Acacias ✆ 47 66 74 14, Fax 47 66 74 14 – ▤. AE ⓞ GB E 7
fermé sam. midi et dim. – **R** carte 255 à 390.

XX **Le Gouberville,** 1 pl. Ch. Fillion ✆ 46 27 33 37, 🏞 – GB C 10-11
fermé août, vacances de fév., dim. et lundi – **R** carte 220 à 330.

XX **Chez Léon,** 32 r. Legendre ✆ 42 27 06 82 – ⓞ GB D 10
fermé 31 juil. au 1er sept., vacances de fév., sam., dim. et fériés – **R** 160 et carte 185 à 330.

XX **L'Écailler du Palais,** 101 av. Ternes ✆ 45 74 87 07, fruits de mer – ▤. AE ⓞ GB E 6
R 155 et carte 215 à 350.

XX **Le Troyon,** 4 r. Troyon ✆ 43 80 57 02 – GB E 8
fermé sam. midi et dim. – **R** carte 165 à 245.

XX **La Toque,** 16 r. Tocqueville ✆ 42 27 97 75 – ▤. GB D 10
fermé 25 juil. au 25 août, sam. et dim. – **R** 160 et carte 210 à 325.

X **Bistrot de l'Étoile,** 75 av. Niel ✆ 42 27 88 44 – ▤. GB D 8
fermé dim. – **R** carte 180 à 275.

X **Bistrot d'à Côté Villiers,** 16 av. Villiers ✆ 47 63 25 61 – AE GB D 10
fermé 1er au 10 mai, 1er au 18 août, sam. (sauf le soir de sept. à juin) et dim. – **R** 115 et carte 170 à 245.

X **Bistrot d'à Côté Flaubert,** 10 r. G. Flaubert ✆ 42 67 05 81, Fax 47 63 82 75 – AE GB
fermé 1er au 10 mai, 1er au 15 août, sam. (sauf le soir de sept. à juin) et dim. – **R** 115 et carte 170 à 245. D 8

X **Les Béatilles,** 127 r. Cardinet ✆ 42 27 95 64 – GB D 10
fermé 30 juil. au 24 août, sam. et dim. – **R** 130 (déj.) et carte 230 à 330.

X **Mère Michel,** 5 r. Rennequin ✆ 47 63 59 80 – AE GB E 8
fermé août, sam. et dim. – **R** (nombre de couverts limité - prévenir) carte 215 à 365.

X **Le Champart,** 132 r. Cardinet ✆ 42 27 36 78 – AE GB C 10
fermé 11 au 19 août, vacances de fév., sam. midi et dim – **R** 130 et carte 140 à 230, enf. 49.

X **L'Œuf à la Neige,** 16 r. Salneuve ✆ 47 63 45 43 – AE ⓞ GB D 10
fermé 1er au 25 août, 24 déc. au 2 janv., sam. midi et dim. – **R** 135 et carte 175 à 320.

X **Bistrot de l'Étoile,** 13 r. Troyon ✆ 42 67 25 95 – ▤. GB E 8
fermé sam. et dim. – **R** 200 bc/250 🍷.

Montmartre, La Villette, Belleville.

18e, 19e et 20e arrondissements.
18e : ✉ 75018
19e : ✉ 75019
20e : ✉ 75020

Terrass'H. Ⓜ, 12 r. J. de Maistre (18e) ✆ 46 06 72 85, Télex 280830, Fax 42 52 29 11 – rest – 30. AE GB JCB C 13
R *(fermé août)* carte environ 200 – **88 ch** 800/1200, 13 appart. 1330 – ½ P 675.

Mercure Paris Montmartre Ⓜ sans rest, 1 r. Caulaincourt (18e) ✆ 42 94 17 17, Télex 640605, Fax 42 93 66 14 – – 120. AE GB JCB D 12
68 – **308 ch** 760/940.

Palma Ⓜ sans rest, 77 av. Gambetta (20e) ✆ 46 36 13 65, Télex 216056, Fax 46 36 03 27 – AE GB. G 21
27 – **32 ch** 315/365.

Belgrand Ⓜ sans rest, 60 r. Belgrand (20e) ✆ 43 61 28 38, Télex 233620 – AE GB G 22
30 – **27 ch** 360/400.

Regyn's Montmartre sans rest, 18 pl. Abbesses (18e) ✆ 42 54 45 21, Fax 42 54 45 21 – GB D 13
36 – **22 ch** 335/420.

Résidence Montmartre sans rest, 10 r. Burq (18e) ✆ 46 06 51 91, Télex 282779, Fax 42 52 82 59 – AE GB D 13
45 – **50 ch** 445/520.

Super H. sans rest, 208 r. Pyrénées (20e) ✆ 46 36 97 48, Télex 215588, Fax 46 36 26 10 – GB G 21
fermé août – 27 – **28 ch** 255/430.

Roma Sacré Coeur Ⓜ sans rest, 101 r. Caulaincourt (18e) ✆ 42 62 02 02, Télex 643492, Fax 42 54 34 92 – AE GB JCB C 14
35 – **57 ch** 390/460.

Eden H. sans rest, 90 r. Ordener (18e) ✆ 42 64 61 63, Télex 290504, Fax 42 64 11 43 – AE GB. B 14
28 – **35 ch** 340/370.

Pyrénées Gambetta sans rest, 12 av. Père Lachaise (20e) ✆ 47 97 76 57, Fax 47 97 17 61 – AE GB H 21
28 – **32 ch** 164/400.

H. Le Laumière sans rest, 4 r. Petit (19e) ✆ 42 06 10 77, Fax 42 06 72 50 – GB D 19
27 – **54 ch** 220/340.

Arts sans rest, 5 r. Tholozé (18e) ✆ 46 06 30 52, Fax 46 06 10 83 – AE GB. D 13
30 – **50 ch** 310/420.

Prima-Lepic sans rest, 29 r. Lepic (18e) ✆ 46 06 44 64, Télex 281162, Fax 46 06 66 11 – GB. D 13
32 – **38 ch** 260/400.

Climat de France Ⓜ, 2 av. Prof. A. Lemierre (20e) ✆ 40 31 08 80, Télex 232711, Fax 40 31 09 66 – – 150. AE GB J 23
R 90/130, enf. 35 – 40 – **325 ch** 425.

Capucines Montmartre sans rest, 5 r. A.-Bruant (18e) ✆ 42 52 89 80, Télex 281648, Fax 42 52 29 57 – AE GB JCB D 13
30 – **29 ch** 290/380.

XXXX ✿ **Beauvilliers,** 52 r. Lamarck (18ᵉ) ✆ **42 54 54 42, Fax 42 62 70 30,** ☂, « **Décor original, terrasse** » – ⊭. AE GB. ⛌ C 14
fermé 30 août au 15 sept., lundi midi et dim. – **R** 185 (déj.) et carte 390 à 520
Spéc. Rognonnade de veau au jus de truffes, Sauté de homard aux "billes du jardin", Gâteau au chocolat.

XXXX **Pavillon Puebla,** Parc Buttes-Chaumont, entrée : av Bolivar, r. Botzaris (19e) ✆ **42 08 92 62, Fax 42 39 83 16,** ☂, « **Agréable situation dans le parc** » – GB E 19
fermé dim. et lundi – **R** 230 et carte 300 à 430.

XXX ✿ **Cochon d'Or,** 192 av. J.-Jaurès (19ᵉ) ✆ **42 45 46 46, Fax 42 40 43 90** – ▤. AE ⓓ GB C 20
R 240 et carte 225 à 445
Spéc. Effiloché d'aile de raie en salade, Tête de veau ravigote, Grillades.

XXX **Charlot 1ᵉʳ "Merveilles des Mers",** 128 bis bd Clichy (18ᵉ) ✆ **45 22 47 08, Fax 44 70 07 50, produits de la mer** – AE ⓓ GB D 12
R 200 (déj.) et carte 250 à 410.

XX **Le Clodenis,** 57 r. Caulaincourt (18ᵉ) ✆ **46 06 20 26** – GB C 13
fermé dim. soir et lundi – **R** 200 (déj.) et carte 220 à 310.

XX **Deux Taureaux,** 206 av. J.-Jaurès (19ᵉ) ✆ **42 02 12 40** – AE GB C 21
fermé sam. et dim. – **R** 250/280.

XX **Au Clair de la Lune,** 9 r. Poulbot (18ᵉ) ✆ **42 58 97 03** – AE GB D 14
fermé fév., lundi midi et dim. – **R** 170/300.

XX **Grandgousier,** 17 av. Rachel (18ᵉ) ✆ **43 87 66 12** – AE ⓓ GB D 12
fermé 10 au 23 août, sam. midi, dim. et fériés – **R** 145 et carte 180 à 270.

XX **La Chaumière,** 46 av. Secrétan (19ᵉ) ✆ **42 06 54 69** – AE ⓓ GB E 18
fermé 8 au 25 août – **R** 143.

XX **Cottage Marcadet,** 151 bis r. Marcadet (18ᵉ) ✆ **42 57 71 22** – ▤. GB. ⛌ C 13
fermé 30 avril au 19 mai, 8 au 31 août et dim. – **R** 195 bc et carte 200 à 300.

XX **Les Chants du Piano,** 10 r. Lambert (18ᵉ) ✆ **42 62 02 14, Fax 42 54 98 52** – AE ⓓ GB C 14
fermé 16 au 26 août, dim. soir et lundi midi – **R** 149/319.

XX **Poulbot Gourmet,** 39 r. Lamarck (18ᵉ) ✆ **46 06 86 00** C 14
fermé dim. – **R** carte 195 à 270.

XX **Clap 49ᵉᵐᵉ,** 49 quai Seine (19ᵉ) ✆ **42 09 01 70** – GB C 18
◆ *fermé 1ᵉʳ au 15 sept., 1ᵉʳ au 15 fév., sam. midi et dim.* – **R** 59/170 bc ♁.

X **Marie-Louise,** 52 r. Championnet (18ᵉ) ✆ **46 06 86 55** – ⓓ GB B 15
fermé 31 juil. au 3 sept., dim., lundi et fériés – **R** 110 et carte 140 à 235.

X **Le Sancerre,** 13 av. Corentin Cariou (19ᵉ) ✆ **40 36 80 44** – AE ⓓ GB B 19
fermé sam. et dim. – **R** 110/169 ♁.

X **Aucune Idée,** 2 pl. St-Blaise (20ᵉ) ✆ **40 09 70 67** – GB H 22
fermé 3 au 23 août, dim. soir et lundi – **R** 110/215 ♁, enf. 45.

ENVIRONS

25 km environ autour de Paris

Pour appeler de province les localités suivantes, composez le 1 avant le numéro à 8 chiffres.

F 15 : Ces lettres et ces chiffres correspondent au carroyage des **plans Michelin Banlieue de Paris** n° 18, n° 20, n° 22, n° 24.

Antony **92160** Hauts-de-Seine 101 ㉕ 22 – 57 771 h. alt. 65.

Paris 17 – Bagneux 7,5 – Corbeil-Essonnes 29 – Nanterre 24 – Versailles 16.

XX **L'Amandier,** 8 r. Église ✆ 46 66 22 02 – ▤. GB. ✻ AM 24-25
fermé 4 août au 1er sept., 22 déc. au 3 janv., dim. soir et lundi – **R** carte 165 à 285 ♁.

XX **La Tour de Marrakech,** 75 r. Division leclerc ✆ 46 66 00 54, cuisine nord-africaine – GB. ✻ AN 25
fermé août et lundi – **R** carte 140 à 270.

Arcueil **94110** Val-de-Marne 101 ㉕ 22 – 20 334 h. alt. 51.

Paris 6,5 – Boulogne Billancourt 8,5 – Longjumeau 14 – Montrouge 2,5 – Versailles 23.

🏨 **Campanile,** 73 av. A. Briand, N 20 ✆ 47 40 87 09, Télex 632426, Fax 45 47 51 93 – |≑| TV ☎ ♿ P – 🔬 25. AE GB AF 27
R 85 bc/113 bc, enf. 39 – ☕ 29 – **88 ch** 330 – ½ P 279/307.

CITROEN Verdier Sud-Ouest, 28 av. Aristide-Briand ✆ 46 55 28 38

⊕ Equipneu, 32 r. de la Gare ✆ 46 65 10 44

Argenteuil SP **95100** Val-d'Oise 101 ⑭ 18 **G. Ile de France** – 93 096 h. alt. 42.

Paris 16 – Chantilly 35 – Pontoise 19 – St-Germain-en-Laye 14.

🏨 **Campanile** M, 1 r. Ary Scheffer ✆ 39 61 34 34, Télex 688268, Fax 39 61 44 20, 🌳 – |≑| TV ☎ ♿ P – 🔬 25 à 50. AE GB P 20
R 85 bc/113 bc, enf. 39 – ☕ 29 – **100 ch** 330 – ½ P 279/307.

XXX **La Ferme d'Argenteuil,** 2 bis r. Verte ✆ 39 61 00 62 – AE GB N 20
fermé 25 juil. au 26 août, lundi soir et dim. – **R** carte 250 à 360.

XX **Closerie Périgourdine,** 85 bd J.-Allemane ✆ 39 80 01 28 – AE ⓓ GB L 21
fermé sam. midi et dim. soir – **R** 128 bc/300 bc.

XX **La Colombe** avec ch, 20 bd Héloïse ✆ 39 61 01 38, Fax 30 76 23 29, 🌳 – TV ☎ P. AE ⓓ GB N 21
R (1er étage) *(fermé dim. soir)* 180 - **Brasserie** (rez-de-chaussée) **R** carte 115 à 165 ♁ – ☕ 30 – **20 ch** 150/400.

ALFA-ROMEO Gar. Busson, 21 r. Chapeau Rouge à Sannois ✆ 39 81 43 27
CITROEN SEDA, 117 bd J.-Allemane ✆ 39 82 81 81
FORD Gar. des Grandes Fontaines, 70 bd J. Allemane ✆ 39 81 61 61
OPEL Argenteuil Motors, 114 av. de Stalingrad ✆ 34 10 20 80
PEUGEOT-TALBOT SODISTO, 45 r. H.-Barbusse ✆ 39 47 09 79
RENAULT Succursale, 219 r. H.-Barbusse ✆ 39 47 09 09 N ✆ 05 05 15 15
RENAULT Succursale, 2 bd de la Résistance Val d'Argent ✆ 34 10 40 04 N ✆ 05 05 15 15
V.A.G Gar. du Plessis, 98 bd J.-Allemane ✆ 39 61 70 74

⊕ Monteils Pneumatiques, 48-50 av. Stalingrad ✆ 34 10 20 89
Pneu-Sécurité-Autom., 161 r. H.-Barbusse ✆ 39 61 49 90

Asnières **92600** Hauts-de-Seine 101 ⑮ 18 **G. Ile de France** – 71 850 h. alt. 32.

Paris 10 – Argenteuil 5,5 – Nanterre 7,5 – Pontoise 27 – St-Denis 8 – St-Germain-en-Laye 17.

🏨 **Wilson H.** M sans rest, 10 bis r. Château ✆ 47 93 01 66, Télex 610350, Fax 47 33 74 98 – |≑| ⇥ TV ☎. AE ⓓ GB T 24
☕ 35 – **62 ch** 310/390.

XX **Le Van Gogh,** Port Van Gogh ✆ 47 91 05 10, Fax 47 93 00 93, 🌳 – P. AE ⓓ GB. ✻ S 25
fermé 23 déc. au 5 janv., sam., dim. et fériés – **R** carte 230 à 350.

XX **Le Périgord,** 3 quai Aulagnier ✆ 47 90 19 86 – P. AE ⓓ GB S 25
fermé 5 au 12 mai, 11 au 18 août, sam. et dim. – **R** 300/400.

XX **La Petite Auberge,** 118 r. Colombes ✆ 47 93 33 94 – GB S 23
fermé 31 juil. au 24 août, vacances de fév., dim. soir, merc. soir et lundi – **R** 130/200, enf. 50.

CITROEN Forum Automobile de l'Ouest, 249 av. d'Argenteuil à Bois-Colombes ✆ 47 82 41 00
PEUGEOT-TALBOT Gar. Hôtel de Ville, 18 r. P.-Brossolette ✆ 47 33 02 60
TOYOTA S.I.D.A.T., 3 r. de Normandie ✆ 47 90 62 10
V.A.G Gar. de la Comète, 33 av. d'Argenteuil ✆ 47 93 02 09

Coursaux, 61 r. Colombes ✆ 47 93 07 53

Athis-Mons **91200** Essonne 101 ㊱ – 29 123 h. alt. 80.

Paris 18 – Créteil 17 – Évry 11,5 – Fontainebleau 48.

La Rotonde M sans rest, 25 bis r. H. Pinson ✆ 69 38 97 78 – TV ☎ P. GB. ✻
30 – **22 ch** 280/330.

ALFA-ROMEO Gar. Bellanger, 37 rte de Fontainebleau à Paray-Vieille-Poste ✆ 69 38 50 72
BMW VP Automobiles, 111 r. R.-Schumann ✆ 69 38 64 36

Aulnay-sous-Bois **93600** Seine-St-Denis 101 ⑰ 20 – 82 314 h. alt. 50.

Paris 18 – Bobigny 7 – Lagny-sur-Marne 21 – Meaux 30 – St-Denis 11 – Senlis 36.

Novotel M, rte Gonesse N 370 ✆ 48 66 22 97, Télex 230121, Fax 48 66 99 39, ☂, ⛱ – | ch TV ☎ ♿ P – 200. AE GB L 42
R carte environ 160 ♀, enf. 50 – 50 – **139 ch** 450/480.

Aub. Saints Pères, 212 av. Nonneville ✆ 48 66 62 11, Fax 48 66 25 22 – AE GB. ✻
fermé août, 1er au 11 janv., sam. midi, dim. soir et lundi – **R** 260/360. R 42

A l'Escargot, 40 rte Bondy ✆ 48 66 88 88 – AE GB P 42
fermé août, vacances de fév. et lundi – **R** (déj. seul. sauf vend. et sam.) carte 230 à 385.

CITROEN Gar. des Petits Ponts, 153 rte de Mitry ✆ 43 83 70 81
FORD Bocquet, 37 av. A. France ✆ 48 66 47 33
RENAULT Paris Nord Autos, r. J.-Duclos RN 370 ✆ 48 66 30 65
La Centrale du Pneu, Bt. M 134 X Garonor ✆ 48 65 26 08

Bagnolet **93170** Seine-St-Denis 101 ⑯ 20 – 32 600 h. alt. 86.

Paris 6,5 – Bobigny 9,5 – Lagny-sur-Marne 27 – Meaux 40.

Novotel Paris Bagnolet M, av. République, échangeur porte de Bagnolet ✆ 49 93 63 00, Télex 235136, Fax 43 60 83 95, <, ⛱ – | ch TV ☎ – 500. AE GB JCB Y 36
R carte environ 150 ♀, enf. 50 – 52 – **602 ch** 615/650, 9 appart. 950.

PEUGEOT-TALBOT Botzaris, 210 r. de Noisy-le-Sec ✆ 43 61 17 90

Bobigny **93000** Seine-St-Denis 101 ⑰ 20 – 44 659 h. alt. 53 – Paris 15 – St-Denis 7.

Campanile M, 304 av. Paul Vaillant-Couturier ✆ 48 31 37 55, Télex 233027, Fax 48 31 53 30 – | TV ☎ ♿ P – 25 à 50. AE GB T 39
R 85 bc/113 bc, enf. 39 – 29 – **120 ch** 330 – ½ P 279/307.

PEUGEOT-TALBOT Nouvelle Centrale Auto, Nouvelle Centrale Auto à Bondy ✆ 48 47 31 19

Bois-Colombes **92270** Hauts-de-Seine 101 ⑭ 18 – 24 415 h. alt. 65.

Paris 11 – Nanterre 8 – Pontoise 26 – St-Denis 9 – St-Germain-en-Laye 20.

Le Bouquet Garni, 7 r. Ch. Chefson ✆ 47 80 55 51 – GB S 23
fermé dim. soir – **R** 130.

Bonneuil-sur-Marne **94380** Val-de-Marne 101 ㉗ 24 – 13 626 h. alt. 45.

Paris 17 – Chennevières-sur-Marne 5,5 – Créteil 3,5 – Lagny-sur-Marne 27 – St-Maur-des-Fossés 5.

Campanile, ZI Petits Carreaux, 2 av. Bleuets ✆ 43 77 70 29, Télex 264197, Fax 43 99 42 96, ☂ – TV ☎ ♿ P – 25. AE GB AL 42
R 77 bc/99 bc, enf. 39 – 28 – **50 ch** 258 – ½ P 234/256.

Aub. du Moulin Bateau, r. Moulin Bateau ✆ 43 77 00 10, <, ☂, « Terrasse en bordure de Marne », ✻ – P. AE GB AJ 43
fermé 4 au 19 janv., sam. midi et dim. soir – **R** 140/650.

CITROEN Soulard et Faure, av. du 19 Mars 1962 ✆ 43 39 63 66
MERCEDES Segmat, ZI des Petits Carreaux ✆ 43 39 70 11
RENAULT Central Gar., 11 r. Col.-Fabien ✆ 43 39 62 76
RENAULT Central Gar., 3 av. de Boissy ✆ 43 39 62 39

Bougival **78380** Yvelines 101 ⑬ 18 **G. Ile de France** – 8 552 h. alt. 40.

Paris 19 – Rueil-Malmaison 5 – St-Germain-en-Laye 6 – Versailles 6,5 – Le Vésinet 4.

des Maréchaux M sans rest, 10 côte de la Jonchère ✆ 30 82 77 11, Télex 699597, Fax 30 82 78 40, parc – | TV ☎ P – 120. AE GB JCB Y 12
45 – **40 ch** 550/650.

Coq Hardy, 16 quai Rennequin-Sualem (N 13) ✆ 39 69 01 43, Fax 39 69 40 93, ☂, « Jardins en terrasses », – P. AE GB X 10
fermé dim. soir et lundi – **R** 260 et carte 280 à 400.

XXX ✿ **Le Camélia** (Durand), 7 quai G. Clemenceau ✆ 39 18 36 06, Fax 39 18 33 18 – ▤. AE ⓓ GB JCB Y 11
fermé août, dim. et lundi – **R** 220 (déj.)/490
Spéc. Risotto noir de langoustines, Pied de cochon aux champignons, Pain perdu aux pommes rôties au miel.

X **Bistro du Quai,** 6 quai G. Clemenceau ✆ 39 69 18 98, Fax 39 18 33 18 – AE ⓓ GB Y 11
fermé août et dim. soir – **R** 115 et carte 150 à 220.

Boulogne-Billancourt SP **92100** Hauts-de-Seine 101 ㉔ 22 **G. Ile de France** – 101 743 h. alt. 35.
Voir Jardin Albert Kahn★ – Musée Paul Landowski★.
Paris 9 – Nanterre 10,5 – Versailles 15.

Acanthe M sans rest, 9 rd-pt Rhin et Danube ✆ 46 99 10 40, Télex 633062, Fax 46 99 00 05 – ▤ TV ☎. AE ⓓ GB AB 18
☕ 55 – **34 ch** 550/800.

Adagio M, 20 r. Abondances ✆ 48 25 80 80, Télex 632189, Fax 48 25 33 13, – TV ☎ ♿ – 🏛 60. AE ⓓ GB JCB AB 19
R *(fermé sam.)* 115/300 – ☕ 55 – **75 ch** 695/790.

Sélect H. sans rest, 66 av. Gén.-Leclerc ✆ 46 04 70 47, Télex 206029, Fax 46 04 07 77 – TV ☎ Ⓟ. AE ⓓ GB. AC 19
☕ 37 – **63 ch** 480/560.

Excelsior sans rest, 12 r. Ferme ✆ 46 21 08 08, Télex 203114, Fax 46 21 76 15 – TV ☎. AE ⓓ GB AC 19
☕ 32 – **52 ch** 340/395.

Paris sans rest, 104 bis r. Paris ✆ 46 05 13 82, Télex 632156, Fax 48 25 10 43 – TV ☎. AE ⓓ GB – ☕ 32 – **31 ch** 315/395. AB 19-20

XXXX **Au Comte de Gascogne,** 89 av. J.-B. Clément ✆ 46 03 47 27, Fax 46 04 85 70, « Jardin d'hiver » – ▤. AE ⓓ GB JCB AB 19
fermé 14 au 18 août, sam. soir en août, sam. midi et dim. – **R** carte 400 à 580.

XX **L'Auberge,** 86 av. J.-B. Clément ✆ 46 05 67 19, Fax 46 05 23 16 – ▤. AE ⓓ GB AB 19
fermé août, sam., dim. et fêtes – **R** 190.

XX **La Bretonnière,** 120 av. J.-B. Clément ✆ 46 05 73 56 – GB AB 19
fermé sam. et dim. – **R** 200.

ALFA-ROMEO Lov'Auto, 23 r. Solférino ✆ 46 21 50 60
BMW Zol'Auto, 24 r. du Chemin Vert ✆ 46 09 91 43 N ✆ 46 08 23 00
CITROEN Augustin, 53 r. Danjou ✆ 46 09 93 75
FIAT-LANCIA Fiat Auto France, 58 r. Denfert-Rochereau ✆ 46 04 41 62
JAGUAR, ROVER Adam Clayton, 77 av. P.-Grenier ✆ 46 09 15 32
MERCEDES Port Marly Gar., 32 bis rte de la Reine ✆ 46 03 50 50
PEUGEOT-TALBOT Paris Ouest Autom., 74 rte de la Reine ✆ 46 05 43 43
PEUGEOT-TALBOT Paris Ouest Autom., 21/23 quai A.-Le Gallo ✆ 46 05 43 43
RENAULT Succursale, 577 av. Gén.-Leclerc ✆ 47 61 39 39 N
RENAULT, ALPINE Centre Alpine, 120 r. Thiers ✆ 46 20 12 13
V.A.G Aguesseau Autom., 183 r. Gallieni ✆ 46 05 62 60

Ⓜ Cent Mille Pneus, 148 rte de la Reine ✆ 46 03 02 02
Etter-Pneus, 57 r. Thiers ✆ 46 20 18 55

Le Bourget **93350** Seine-St-Denis 101 ⑰ 20 **G. Ile de France** – 11 699 h. alt. 66.
Voir Musée de l'Air et de l'Espace★★.
Paris 11 – Bobigny 5 – Chantilly 37 – Meaux 41 – St-Denis 6,5 – Senlis 37.

Novotel M, ZA pont Yblon au Blanc Mesnil ✉ 93150 ✆ 48 67 48 88, Télex 230115, Fax 45 91 08 27, – ch ▤ TV ☎ ♿ Ⓟ – 🏛 25 à 200. AE ⓓ GB L 38
R carte environ 150 ♿, enf. 50 – ☕ 49 – **143 ch** 450/480.

FIAT, LANCIA-AUTOBIANCHI Actis-Barone, 77 av. Division-Leclerc ✆ 48 37 91 30
RENAULT Gar. Bon, 132 av. Division-Leclerc ✆ 48 37 01 12

Ⓜ Piot-Pneu, 190 av. Ch.-Floquet à Blanc-Mesnil ✆ 48 67 17 40

Bry-sur-Marne **94360** Val-de-Marne 101 ⑱ 24 – 13 826 h. alt. 39.
Paris 16 – Créteil 10,5 – Lagny-sur-Marne 19.

Bryhôtel M, 1 av. Europe (Z.A.C. Fontaines Giroux) ✆ 49 83 87 20, Fax 49 83 89 98 – TV ☎ ♿ Ⓟ. GB AC 46
R *(fermé dim. soir)* 75/125 ♿, enf. 37 – ☕ 28 – **44 ch** 250 – ½ P 217.

Buc **78530** Yvelines 101 ㉓ 22 – 5 434 h. alt. 112.
Paris 24 – Bièvres 7,5 – Chevreuse 12 – Versailles 4,5.

Climat de France, Z.A.C. du Haut Buc ✆ 39 56 48 11, Télex 699220, Fax 39 56 81 54, – TV ☎ ♿ Ⓟ – 🏛 25. AE GB AL 9
R 86/140 ♿, enf. 40 – ☕ 35 – **43 ch** 285.

XXX **Relais de Courlande** avec ch, 2 r. Collin-Mamet au Haut Buc ✆ 39 56 24 29, Fax 39 56 03 92, – TV ☎ Ⓟ. AE GB AL 9
R *(fermé 3 au 24 août, dim. soir et lundi)* 120/340 – ☕ 30 – **12 ch** 240/350.

RENAULT Succursale, ZI, r. R. Garros ✆ 30 84 60 00 N ✆ (1) 05 05 15 15

Bussy-St-Georges **77** S.-et-M. **101** ⑳ – rattaché à Marne-la-Vallée.

La Celle-St-Cloud **78170** Yvelines **101** ⑬ **18** – 22 834 h. alt. 120.

Paris 20 – Rueil-Malmaison 6,5 – St-Germain-en-Laye 7,5 – Versailles 5 – le Vésinet 9,5.

✕ **Au Petit Chez Soi,** pl. Église ✆ 39 69 69 51 – AE GB AA 11
R 155 ♁.

Champs-sur-Marne **77** S.-et-M. **101** ⑲ – rattaché à Marne-la-Vallée.

Châteaufort **78117** Yvelines **101** ㉒ **22** – 1 427 h. alt. 153.

Paris 30 – Arpajon 28 – Rambouillet 25 – Versailles 10.

✕✕✕ ✿ **La Belle Epoque** (Peignaud), ✆ 39 56 21 66, ⛱, « Auberge rustique dominant le vallon » – ⟷. AE ⓞ GB AR 6
fermé 10 août au 8 sept., 24 déc. au 5 janv., dim. soir et lundi – **R** carte 275 à 460
Spéc. Terrine de Saint-Pierre, Ormaux aux tagliatelles gratinées, Grenadin de veau.

Châtillon **92320** Hauts-de-Seine **101** ㉕ **22** – 26 411 h.

Paris 7,5 – Boulogne-Billancourt 6,5 – Nanterre 17 – Versailles 13.

🏨 **I.D.F.** Ⓜ, 40 av. Verdun ✆ 42 53 03 03, Télex 632461, Fax 42 53 53 91 – ⇕ TV ☎ ♿ Ⓟ – ♟ 70. AE ⓞ GB AG 23
Grill **R** 100/125 – ☕ 50 – **80 ch** 500/550.

Chaville **92370** Hauts-de-Seine **101** ㉓ **22** – 17 784 h. alt. 87.

Paris 13 – Nanterre 14 – Versailles 5.

✕✕ **La Tonnelle,** 29 r. Lamennais ✆ 47 50 42 77, ⛱ – ▤. GB AG 15
fermé 4 au 25 août, vacances de fév. et lundi – **R** 180/240, enf. 90.

Chelles **77500** S.-et-M. **101** ⑲ **20** – 45 365 h. alt. 45.

Paris 22 – Coulommiers 42 – Meaux 27 – Melun 45.

🏨 **Climat de France** Ⓜ, D 34, rte Claye-Souilly ✆ 60 08 75 58, Télex 691149, Fax 60 08 90 94, ⛱ – TV ☎ ♿ Ⓟ – ♟ 50. AE GB W 52
R 87/120 ♁, enf. 39 – ☕ 29 – **43 ch** 310 – ½ P 240.

✕✕ **L'Eau Vive,** 42 r. Gambetta ✆ 60 08 10 10, produits de la mer – ▤. GB W 51
fermé 27 avril au 10 mai, 10 août au 7 sept., dim. soir et lundi – **R** 140 (sauf vend. soir et sam. soir) et carte 185 à 360, enf. 68.

✕✕ **Rôt. Briarde,** 43 r. A. Meunier ✆ 60 08 02 78, Fax 60 08 85 76, ⛱, ⛱ – Ⓟ. AE ⓞ GB – *fermé août, lundi soir et mardi* – **R** carte 230 à 365, enf. 65. X 51

CITROEN Pacha, 59 av. Mar.-Foch ✆ 60 08 56 01
N ✆ 64 26 17 96
FORD Dubos, 92 av. Mar.-Foch ✆ 60 20 43 42
OPEL Chelles-Autom., ZI, av. de Sylvie ✆ 60 08 53 02
PEUGEOT-TALBOT Metin, 53 av. Mar.-Foch ✆ 60 08 57 57
RENAULT Gar. de Chelles, 9 av. du Marais ✆ 64 21 19 81 N ✆ 60 26 15 88
V.A.G Gar. Lourdin, 33 r. G.-Nast ✆ 60 08 38 42

⊛ La Centrale du Pneu, 41 r. A.-Meunier ✆ 60 08 07 68

Chennevières-sur-Marne **94430** Val-de-Marne **101** ㉘ **24** – 17 857 h. alt. 100.

18 d'Ormesson ✆ 45 76 20 71, SE : 3 km.

Paris 19 – Coulommiers 48 – Créteil 9 – Lagny-sur-Marne 22.

✕✕✕ **Écu de France,** 31 r. Champigny ✆ 45 76 00 03, ≤, ⛱, « Cadre rustique, terrasse fleurie en bordure de rivière », ⛱ – Ⓟ. GB. ✻ AG 45
fermé 1er au 7 sept., dim. soir et lundi – **R** carte 220 à 355.

BMW Gar. du Bac, 2 et 4 r. Lavoisier ✆ 45 76 33 33
FIAT Carrefour des Nations, 2 rte de la Libération ✆ 45 76 56 05
RENAULT SOVEA, 96 rte de la Libération ✆ 45 76 96 70
VOLVO Volvo Alma, 102 rte de la Libération ✆ 45 93 04 00

Clamart **92140** Hauts-de-Seine **101** ㉔ **22** – 47 214 h.

Paris 10 – Boulogne-Billancourt 5 – Issy-les-Moulineaux 3,5 – Nanterre 16 – Versailles 13,5.

🏨 **du Trosy** sans rest, 41 r. P. Vaillant-Couturier ✆ 47 36 37 37, Télex 631956, Fax 47 36 88 38 – ⇕ TV ☎ ♿ ⛟. AE GB AG 21
☕ 30 – **40 ch** 310/340.

CITROEN S.E.G.A.C., 323 av. Gén.-de-Gaulle ✆ 46 30 45 90
PEUGEOT-TALBOT Claudis, 182 av. Gén.-de-Gaulle ✆ 46 32 16 40
RENAULT Clamart Automobiles, 185 av. V.-Hugo ✆ 46 44 38 03
V.A.G S.T.N.A., 154 av. Victor-Hugo ✆ 46 42 20 61

⊛ Clamart Pneus, 329 av. Gén.-de-Gaulle ✆ 46 31 12 04

Clichy 92110 Hauts-de-Seine 101 ⑮ 18 – 48 030 h. alt. 30.

Paris 8 – Argenteuil 8 – Nanterre 8 – Pontoise 28 – St-Germain-en-Laye 20.

Victoria sans rest, 15 rue Pierre Curie ✆ 47 56 05 00, Télex 615798 – 🛗 TV ☎. AE ⓓ GB JCB T 26
⊒ 35 – **28 ch** 380/450.

Girbal sans rest, 14 r. Dagobert ✆ 47 37 54 24, Fax 47 30 05 80 – 🛗 TV ☎ 🚗. AE ⓓ GB T 25
⊒ 28 – **42 ch** 320.

Le Ruthène sans rest, 35 r. Klock ✆ 47 37 02 51, Télex 613461 – 🛗 TV ☎. GB. ✗ U 26
⊒ 28 – **20 ch** 320/350.

des Chasses M sans rest, 49 r. des Chasses ✆ 47 37 01 73, Fax 47 31 40 98 – 🛗 TV ☎. AE ⓓ GB T 25
⊒ 28 – **35 ch** 310/330.

L'Europe sans rest, 52 bd Gén. Leclerc ✆ 47 37 13 10, Fax 40 87 11 06 – 🛗 TV ☎. AE GB T 26
⊒ 30 – **43 ch** 330/360.

XXX ✿ **Barrière de Clichy** (Le Gallès), 1 r. Paris ✆ 47 37 05 18, Fax 47 37 77 05 – ▤. AE ⓓ GB JCB U 26
fermé 1er au 17 août, sam. midi et dim. – **R** 270 bc/370
Spéc. Vinaigrette d'huîtres et saumon. Filet de lapereau au camembert. Pigeonneau rôti au chou.

XX **La Bonne Table,** 119 bd J.-Jaurès ✆ 47 37 38 79, produits de la mer – ▤. GB T 25
fermé 31 juil. au 2 sept., sam. midi et dim. – **R** 250/400.

XX **Dagobert,** 76 r. Martre ✆ 42 70 05 64 – ▤. GB T 25
fermé 2 au 30 août, sam. midi et dim. – **R** 130 et carte 215 à 335.

BMW G.P.M., 8 rue de Belfort ✆ 47 39 99 40
CITROEN Centre Citroën Clichy, 125 bd J.-Jaurès ✆ 42 70 17 17
CITROEN Succursale, 15-17 r. Fournier ZAC ✆ 47 37 00 54
Ⓜ Central-Pneumatique, 22 r. Dr- Calmette ✆ 42 70 99 94
P.S.T.A., 107 bd V.-Hugo ✆ 42 70 11 43

Collégien 77 S.-et-M. 101 ㉚ – rattaché à Marne-la-Vallée.

Cormeilles-en-Parisis 95240 Val-d'Oise 101 ③ ④ 18 – 17 417 h. alt. 115.

Paris 21 – Argenteuil 7 – Maisons-Laffitte 8,5 – Pontoise 14.

XX **Aub de l'Hexagone,** 32 r. Pommiers ✆ 39 78 77 49 – Ⓟ. AE ⓓ GB. ✗ K 16
fermé 3 au 25 août et dim. – **R** 120/175.

CITROEN Cormeilles Autos, 27 bd Joffre ✆ 39 78 01 64
RENAULT Gar. Parisis, 29 bd Joffre ✆ 39 78 41 32
SEAT J.C.A. Automobiles, 19 bd Mar.-Joffre ✆ 39 78 11 06

Courbevoie 92400 Hauts-de-Seine 101 ⑭ 18 **G. Ile de France** – 65 389 h. alt. 34.

Paris 10 – Asnières-sur-Seine 3 – Levallois-Perret 5,5 – Nanterre 4 – St-Germain-en-Laye 16.

Blois sans rest, 85 bd St-Denis ✆ 43 33 13 35, Télex 612576, Fax 47 88 24 80 – 🛗 TV ☎. AE ⓓ GB U 21-22
⊒ 33 – **30 ch** 370/410.

Marina sans rest, 18 av. Marceau ✆ 43 33 57 04, Télex 615305, Fax 47 88 59 38 – 🛗 TV ☎. AE ⓓ GB U 20
⊒ 35 – **31 ch** 360/420.

Quartier Charras :

Paris Penta M, 18 r. Baudin ✆ 49 04 75 00, Télex 610470, Fax 47 68 83 32 – 🛗 ⤫ ▤ rest TV ☎ 🚗 – 🏛 25 à 300. AE ⓓ GB JCB. ✗ rest U 20
L'Atelier R carte 190 à 295, enf.85 – ⊒ 60 – **494 ch** 660/790.

au Parc de Bécon :

XX **Trois Marmites,** 215 bd St-Denis ✆ 43 33 25 35 – ▤. AE ⓓ GB U 22
fermé août, sam. et dim. – **R** 200.

RENAULT Succursale, 8 bd G.-Clemenceau ✆ 43 34 45 45 N ✆ 42 52 82 82
Ⓜ Cenci-Pneu, 8 r. de Bitche ✆ 43 33 25 36

Créteil P 94000 Val-de-Marne 101 ㉗ 24 **G. Ile de France** – 82 088 h. alt. 49.

Voir Hôtel de ville★ : parvis★.

ℹ Office de Tourisme 1 r. F.-Mauriac ✆ 48 98 58 18.

Paris 14 – Bobigny 19 – Évry 35 – Lagny-sur-Marne 28 – Melun 35.

Novotel M 🐎, au lac ✆ 42 07 91 02, Télex 264177, Fax 48 99 03 48, 🌳, 🏊 – 🛗 ⤫ ch ▤ TV ☎ Ⓟ – 🏛 50. AE ⓓ GB AJ 38
R carte environ 160 🍷, enf. 50 – ⊒ 49 – **110 ch** 450/490.

Ibis M, carrefour Pompadour, 14 r. Basse Quinte ✆ 49 80 12 22, Télex 262378, Fax 43 99 04 45 – 🛗 TV ☎ ♿ Ⓟ – 🏛 30. GB AK 38
R 86 🍷, enf. 39 – ⊒ 32 – **84 ch** 290/305.

XXX **Le Cristolien,** 29 av. P. Brossolette, N 19 ✆ 48 98 12 01, Fax 42 07 24 47 – ▤. AE GB — AH 40
fermé sam. midi et dim. – **R** 180/300.

CITROEN Citroën Palais Sport Auto, 30 r. de Valenton ✆ 42 07 81 18
PEUGEOT-TALBOT SCA-SVICA, 89 av. Gén.-de-Gaulle ✆ 43 39 50 00
RENAULT SVAC, ZI Petites Haies, 37 r. de Valenton ✆ 48 99 72 50
Créteil-Pneu, 90 av. Mar.-de-Lattre-de-Tassigny ✆ 42 07 36 58

Croissy-Beaubourg 77 S.-et-M. 101 ㉚ – rattaché à Marne-la-Vallée.

Croissy-sur-Seine 78290 Yvelines 101 ⑬ 18 – 9 098 h.

Paris 20 – Maisons-Laffitte 10 – Pontoise 27 – St-Germain-en-Laye 4,5 – Versailles 9.

X **La Buissonnière,** 9 av. Mar. Foch ✆ 39 76 73 55 – GB — W 11
fermé août, dim. soir et lundi – **R** carte 160 à 240.

FORD Croissy Automobiles, 4 r. des Ponts ✆ 39 76 22 17

La Défense 92 Hauts-de-Seine 101 ⑭ 18 G. Paris – ✉ 92400 Courbevoie.

Voir Quartier★★ : perspective★ du parvis.

Paris 8,5 – Courbevoie 1,5 – Nanterre 2,5 – Puteaux 1.

Sofitel Paris CNIT M ≫, 2 pl. Défense ✆ 46 92 10 10, Télex 613782, Fax 46 92 10 50 – ▯ ⇔ ch ▤ TV ☎ ♿ ⇔. AE ⓓ GB JCB. ✻ rest — U19-V19
R voir rest. **Les Communautés** ci-après – ☕ 90 – **141 ch** 1300/1600, 6 appart. 2500/3000.

Sofitel Paris La Défense M ≫, 34 cours Michelet, par bd circulaire sortie Défense 4 ✆ 47 76 44 43, Télex 612189, Fax 47 73 72 74, ☂ – ▯ ⇔ ch ▤ TV ☎ ♿ ⇔ – 🏠 50. AE ⓓ GB. ✻ rest — V 20
Les 2 Arcs R 325 (déj.) sauf dim. et carte 260 à 420 – ☕ 90 – **150 ch** 1200.

Novotel Paris La Défense M, 2 bd Neuilly ✆ 47 78 16 68, Télex 630288, Fax 47 78 84 71, ← – ▯ ▤ TV ☎ ♿ – 🏠 25 à 150. AE ⓓ GB JCB — V 21
R carte environ 150 ⅋, enf. 52 – ☕ 55 – **278 ch** 720/750.

Ibis Paris La Défense M, 4 bd Neuilly ✆ 47 78 15 60, Télex 611555, Fax 47 78 94 16 – ▯ ▤ TV ☎ ♿ – 🏠 120. GB — V 21
R 77/98 ⅋, enf. 43 – ☕ 35 – **284 ch** 455.

XXXX ✿ **Fouquet's Europe,** au CNIT, 2 pl. Défense, 5ᵉ étage ✆ 46 92 28 04, Fax 46 92 28 16 – ▤. AE ⓓ GB JCB. ✻ — V 19
fermé sam. midi et dim. – **R** carte 270 à 430
Spéc. Petits gris des Charentes en meurette, Blanc de Saint-Pierre au fumet de bigorneaux, Tarte aux pommes paysanne et glace vanille.

XXX ✿ **Les Communautés** - Hôtel Sofitel Paris CNIT, 2 pl. Défense ✆ 46 92 10 10, Fax 46 92 10 50 – ▤. AE ⓓ GB JCB — UV 19
fermé sam. et dim. – **R** carte 300 à 420
Spéc. Foie gras chaud aux lentilles, Duo de turbot et barbue aux rattes, Nougat glacé à l'ancienne.

Draveil 91210 Essonne 101 ㊱ – 27 867 h. alt. 55.

Office de Tourisme Parc de l'Hôtel de Ville ✆ 69 03 09 39.

Paris 32 – Arpajon 18 – Évry 5,5.

Arpège M ≫ (rest. prévu), 46 av. Bellevue ✆ 69 42 28 16, Télex 681076, Fax 69 03 94 04 – ▯ TV ☎ ⇔ P – 🏠 30. AE GB
☕ 30 – **33 ch** 270/300.

à Champrosay SE : 3 km par N 448 – ✉ **91210** :

XXX **Bouquet de la Forêt,** rte l'Ermitage ✆ 69 42 56 08, ☂, « A l'orée de la forêt » – P. GB – *fermé 27 juil. au 24 août, lundi et le soir (sauf vend. et sam.)* – **R** carte 235 à 405.

FORD A.M.V., ZI Réveil Matin Ancienne RN 5 Montgeron ✆ 69 40 76 00
RENAULT Gar. du Plateau, 156bis av. de la République à Montgeron ✆ 69 03 28 52
RENAULT Gar. Pouvreau, 50 av. H.-Barbusse ✆ 69 42 22 34

Émerainville 77 S.-et-M. 101 ㉙ – rattaché à Marne-la-Vallée.

Enghien-les-Bains 95880 Val-d'Oise 101 ⑤ 18 G. Ile de France – 10 077 h. alt. 50 – Stat. therm. (fermé janv.) – Casino .

Voir Lac★ – Deuil-la-Barre : chapiteaux historiés★ de l'église N.-Dame NE : 2 km.

18 de Domont Montmorency ✆ 39 91 07 50, N : 8 km.

Office de Tourisme 2 bd Cotte ✆ 34 12 41 15.

Paris 19 – Argenteuil 4,5 – Chantilly 31 – Pontoise 21 – St-Denis 7 – St-Germain-en-Laye 19.

Grand Hôtel M ≫, 85 r. Gén. de Gaulle ✆ 34 12 80 00, Télex 607842, Fax 34 12 73 81, ☂, ⛱ – ▯ ▤ ch TV ☎ P – 🏠 25. AE ⓓ GB — K 25
R 210/450 – ☕ 70 – **48 ch** 980/1100, 3 appart. 1400 – ½ P 770/830.

XXXX ✿✿ **Duc d'Enghien,** au Casino ✆ 34 12 90 00, ≤ lac, 🏠 – ▤. AE ① GB J 25
fermé août, 2 au 10 janv., dim. soir et lundi – **R** 325 (déj.) et carte 460 à 655
Spéc. Langoustines à la vanille et menthe fraîche, Turbot rôti clouté au laurier, Ris de veau rôti jus de persil (oct. à mai).

XX **Aub. Landaise,** 32 bd d'Ormesson ✉ 95880 ✆ 34 12 78 36 – ▤. AE GB J 26
fermé août, dim. soir et merc. – **R** carte 150 à 265.

CITROEN Namont, 150 av. Division Leclerc ✆ 34 12 75 06
OPEL Enghien-Automobile, 211 av. Division Leclerc ✆ 39 89 14 17
PEUGEOT-TALBOT Gar. des 3 Communes, 8 rte de St-Denis à Deuil-la-Barre ✆ 39 83 22 62
RENAULT Succursale, 65/67 av. Division Leclerc à Deuil-la-Barre ✆ 34 12 46 46

Épinay-sur-Seine 93800 Seine-St-Denis 101 ⑮ 18 – 48 762 h. alt. 38.

Paris 14 – Argenteuil 4,5 – Bobigny 12 – Pontoise 21 – St-Denis 5,5.

🏠 **Ibis** M, 1 av. 18-Juin-1940 ✆ 48 29 83 41, Télex 236655, Fax 48 22 93 03, 🏠 – |♦| TV ☎ ♿ 🚗 – 🧑 55. GB L 25
R 91, enf. 39 – ☕ 32 – **91 ch** 310/330.

Ⓜ Piot-Pneu, 123-125 av. Mar.-de-Lattre ✆ 48 41 43 75

Euro-Disney 77 S.-et-M. 101 ⑳ – rattaché à Marne-la-Vallée.

Fontenay-aux-Roses 92260 Hauts-de-Seine 101 ㉕ 22 – 23 322 h.

Paris 8,5 – Boulogne-Billancourt 7,5 – Nanterre 18 – Versailles 15.

🏠 **Climat de France** M, 32 av. J. M. Dolivet ✆ 43 50 02 04, Télex 632183, Fax 46 83 81 20 – |♦| TV ☎ ♿ P – 🧑 50. AE ① GB AH 4
R 88/130 ♁, enf. 46 – ☕ 34 – **58 ch** 330.

CITROEN B.F.A., 98 r. Boucicaut ✆ 46 61 21 75
FORD Mecanoel, 2 r. des Benards angle av. Lombart ✆ 46 61 11 14
RENAULT Beck, 17 av. Jean-Moulin ✆ 43 50 61 90

Fontenay-sous-Bois 94120 Val-de-Marne 101 ⑰ 20 24 – 51 868 h. alt. 102.

Paris 10,5 – Créteil 9,5 – Lagny-sur-Marne 23 – Villemomble 7 – Vincennes 4.

🏠 **Mercure** M, av. Olympiades ✆ 49 74 88 88, Télex 262159, Fax 43 94 17 73, 🏠 – |♦| ⊁ ch ▤ TV ☎ ♿ – 🧑 80. AE ① GB JCB Z 42
R carte 140 à 200 ♁, enf. 45 – ☕ 50 – **133 ch** 550/630.

🏠 **Climat de France,** 18 av. Rabelais ✆ 48 76 21 98, Télex 262629, Fax 48 76 25 96 – TV ☎ ♿ P – 🧑 25. AE GB AA 41
R 85/115 ♁, enf. 36 – ☕ 32 – **59 ch** 300.

X **La Musardière,** 61 av. Mar. Joffre ✆ 48 73 96 13 – ▤. GB AA 42
fermé août, lundi soir, mardi soir et dim. – **R** 138.

Fourqueux 78112 Yvelines 101 ⑫ – 4 053 h.

Paris 25 – Poissy 7 – St-Germain-en-Laye 4 – Versailles 18.

XX **Le Timbalier,** 2 r. Mar. Foch ✆ 39 73 75 75 – AE GB
fermé dim. soir et lundi – **R** 130/200 ♁.

Garches 92380 Hauts-de-Seine 101 ⑬ 22 – 17 957 h. alt. 114.

18 18 (privé) ✆ 47 01 01 85, parc de Buzenval, 60 r. 19-Janvier.

Paris 15 – Courbevoie 8,5 – Nanterre 8 – St-Germain-en-Laye 14 – Versailles 8,5.

X **La Tardoire,** 136 Grande Rue ✆ 47 41 41 59 – GB AB 15
fermé 15 juil. au 19 août, 4 au 14 janv., dim. soir et lundi – **R** 100 (déj.)/160.

CITROEN Gar. Magenta, 4 bd Gén de Gaulle ✆ 47 41 67 36

La Garenne-Colombes 92250 Hauts-de-Seine 101 ⑭ 18 – 21 754 h. alt. 25.

ℹ Syndicat d'Initiative 24 r. E.-d'Orves ✆ 47 85 09 90 – Paris 11,5 – Argenteuil 6 – Asnières-sur-Seine 4,5 – Courbevoie 2 – Nanterre 2 – Pontoise 27 – St-Germain-en-Laye 14.

XX **Aub. du 14 Juillet,** 9 bd République ✆ 42 42 21 79 – AE ① GB T 21
fermé 1er au 17 mai, sam., dim. et fêtes – **R** carte 245 à 390.

XX **La Sartorine,** 23 r. Sartoris ✆ 47 60 14 40, 🏠 – AE ① GB T 21
fermé 14 août au 8 sept., sam. et dim. – **R** 130/290.

XX **Aux Gourmets Landais,** 5 av. Joffre ✆ 42 42 22 86, 🏠 – AE ① GB T 20
fermé 15 août au 15 sept., dim. soir et lundi – **R** 190/200 ♁, enf. 52.

FIAT, LANCIA Lutèce Autom., 86 r. Faidherbe ✆ 47 80 10 10 N ✆ 49 89 80 75
PEUGEOT-TALBOT Succursale, 9 bd National ✆ 47 80 71 67

Gennevilliers 92230 Hauts-de-Seine 101 ⑮ 18 – 44 818 h. alt. 29.

ℹ Office de Tourisme 177 av. G.-Péri (fermé matin) ✆ 47 99 33 92.

Paris 11,5 – Nanterre 11 – Pontoise 23 – St-Denis 4,5 – St-Germain-en-Laye 23.

🏠 **Résidence du Parc** sans rest, 14 r. E. Varlin ✆ 47 92 05 62, Télex 613815, Fax 47 94 04 07 – TV ☎. GB – ☕ 29 – **20 ch** 290/310. P 24

Gentilly **94250** Val-de-Marne 101 ㉕ 24 – 17 093 h. alt. 47.

Paris 6 – Créteil 13.

Saphir Paris Gentilly M, 51 av. Raspail ✆ 47 40 87 87, Fax 47 40 15 88, – ch rest – 35. AE GB – **R** 85/185 – 45 – **86 ch** 450. AF 29

Ibis M, 13 r. Val de Marne ✆ 46 64 19 25, Télex 634802, Fax 45 46 41 52 – – 25 à 100. GB – **R** 99 , enf. 43 – 35 – **296 ch** 350/380. AE 30

Houilles **78800** Yvelines 101 ⑬ 18 – 29 650 h.

Paris 17 – Argenteuil 6 – Maisons-Laffitte 4,5 – Pontoise 21 – St-Germain-en-Laye 10 – Versailles 20.

Le Gambetta, 41 r. Gambetta ✆ 39 68 52 12, Fax 30 86 97 22 – AE GB R 15
fermé dim. soir et lundi – **R** 140 (dîner sauf sam.)/190.

CITROEN Gar. Clement, 28 r. Gambetta ✆ 39 68 74 12

FORD Gar. Farges, 71-73 bd Henri-Barbusse ✆ 39 14 25 25

Issy-les-Moulineaux **92130** Hauts-de-Seine 101 ㉔ 22 – 46 127 h. alt. 37.

Paris 6,5 – Boulogne-Billancourt 3 – Clamart 3,5 – Nanterre 12 – Versailles 16.

Campanile M, 213 r. J.-J. Rousseau ✆ 47 36 42 00, Télex 631246, Fax 47 36 88 93 – – 70. AE GB AD 21
R 85 bc/113 bc, enf. 39 – 29 – **168 ch** 345 – ½ P 287/315.

La Manufacture, 20 espl. Manufacture ✆ 40 93 08 98, Fax 40 93 57 22 – . AE GB
fermé 10 au 24 août, sam. midi et dim. – **R** 190 (déj.) et carte 200 à 280. AD 23

Ivry-sur-Seine **94200** Val-de-Marne 101 ㉖ 24 – 53 619 h. alt. 33.

Paris 7,5 – Créteil 9,5 – Lagny-sur-Marne 28.

Apogia M, 14 bd P. Vaillant-Couturier ✆ 46 71 56 56, Télex 260701, Fax 46 58 36 29 – rest – 100. AE GB JCB AE 34
R 100/140, enf. 50 – 50 – **90 ch** 520/680.

Campanile M, 9 r. R. Villars, Pte d'Ivry ✆ 46 71 00 17, Télex 263966, Fax 46 58 91 00 – – 25. AE GB AE 32
R 85 bc/113 bc, enf. 39 – 29 – **159 ch** 345 – ½ P 287/315.

Joinville-le-Pont **94340** Val-de-Marne 101 ㉗ 24 – 16 657 h. alt. 35.

Office de Tourisme à la Mairie ✆ 42 83 41 16.

Paris 11 – Créteil 6 – Lagny-sur-Marne 23 – Maisons-Alfort 4 – Vincennes 4,5.

Campanile M, 1 allée E. L'Heureux (N 4) ✆ 48 89 89 99, Télex 261664, Fax 48 89 76 49, – . AE GB AE 40
R 85 bc/113 bc, enf. 39 – 29 – **122 ch** 330 – ½ P 279/307.

PEUGEOT-TALBOT Restellini, 49 av. Gén.-Gallieni ✆ 48 86 30 30
RENAULT Girardin, 118 av. Roger Salengro à Champigny-sur-Marne ✆ 48 82 11 05 N ✆ 44 22 52 32
V.A.G Bonnet, 134 R. Salengro à Champigny ✆ 48 81 90 10

Inter Pneu, 33 av. Gén.-de-Gaulle à Champigny-sur-Marne ✆ 48 83 66 67
Piot Pneu, 146 av. R. Salengro à Champigny ✆ 48 81 32 12

Jouy-en-Josas **78350** Yvelines 101 ㉓ 22 **G. Ile de France** – 7 687 h. alt. 87.

Voir Église : la "Diège" ⋆ (statue).

Paris 21 – Arpajon 26 – Évry 29 – Rambouillet 37 – Versailles 7.

Rest. du Château, à la Fondation Cartier, 3 r. Manufacture ✆ 39 56 46 46, Télex 696674, Fax 39 56 05 71, « Dans un parc, exposition permanente d'art contemporain » – . AE GB. AL 14
fermé 27 juil. au 17 août et 21 déc. au 4 janv. – **R** *(fermé dim. sauf le midi de mai à sept., mardi soir, merc. soir, vend. midi, sam. midi et lundi)* 280/380.

Juvisy-sur-Orge **91260** Essonne 101 ㊱ – 11 816 h. alt. 36 – Paris 20 – Évry 8,5 – Longjumeau 9 – Versailles 26.

Occitanie, 2 r. Draveil ✆ 69 21 43 43, Télex 604316, Fax 69 45 53 50 – – 25 à 40. AE GB – **R** *(fermé dim. soir et lundi)* 95/195 – 30 – **29 ch** 280/350.

CITROEN Gd Gar. de l'Essonne, 1 av. Cour de France ✆ 69 21 35 90

PEUGEOT-TALBOT Besse et Guilbaud, 38 av. Cour de France ✆ 69 21 55 33

Le Kremlin-Bicêtre **94270** Val-de-Marne 101 ㉖ 24 – 19 348 h. alt. 69.

Paris 6 – Boulogne-Billancourt 10 – Évry 29 – Versailles 25.

Campanile M, bd Gén.-de-Gaulle ✆ 46 70 11 86, Télex 265328, Fax 46 70 64 47, – – 30 à 150. AE GB AE 31
R 85 bc/113 bc, enf. 39 – 29 – **155 ch** 345 – ½ P 287/315.

Lagny-sur-Marne **77** S.-et-M. 101 ⑳ – rattaché à Marne-la-Vallée.

Levallois-Perret 92300 Hauts-de-Seine 101 ⑮ 18 – 47 548 h. alt. 30.

Paris 8 – Argenteuil 10 – Nanterre 6,5 – Pontoise 30 – St-Germain-en-Laye 18.

Parc M sans rest, 18 r. Baudin ℰ 47 58 61 60, Télex 615488, Fax 47 48 07 92 – GB JCB – ▭ 38 – **51 ch** 285/415. U 23

Champerret-Danton sans rest, 63 r. Danton ℰ 47 57 01 55, Télex 615933, Fax 47 57 54 23 – AE GB – ▭ 30 – **39 ch** 300/350. V 23

Espace Champerret sans rest, 26 r. Louise Michel ℰ 47 57 20 71, Fax 47 57 31 39 – AE GB – ▭ 33 – **36 ch** 345/390. V 24

Splendid'H. sans rest, 75 r. Louise Michel ℰ 47 37 47 03, Fax 47 37 50 01 – AE GB – ▭ 35 – **47 ch** 315/399. V 24

Champagne H. M sans rest, 20 r. Baudin ℰ 47 48 96 00, Télex 614817, Fax 47 58 13 79 – GB – ▭ 27 – **30 ch** 320/370. U 23

Hermès sans rest, 22 r. Baudin ℰ 47 59 96 00, Télex 620308, Fax 47 48 90 84 – GB – ▭ 38 – **33 ch** 330/415. U 23

XXX **La Cerisaie,** 56 r. Villiers ℰ 47 58 40 61 – GB V 23
fermé sam. et dim. – **R** carte 285 à 380.

XX **Le Chou Farci,** 113 r. L. Rouquier ℰ 47 37 13 43 – GB. V 24
fermé 1er au 23 août, lundi soir et dim. – **R** 160/200.

XX **Le Jardin,** 9 pl. Jean Zay ℰ 47 39 54 02 – AE GB U 24
fermé 12 au 18 août, sam. midi et dim. – **R** 150/220.

BMW Pozzi, 114-116 r. A.-Briand ℰ 47 39 46 60
FERRARI, Pozzi, 109. r. A.-Briand ℰ 47 39 96 50 N ℰ 46 42 41 78
FIAT, LANCIA Fiat Auto France, 80/82 quai Michelet ℰ 47 30 50 00
JAGUAR Franco Britannic Autos., 25 r. P.-Vaillant-Couturier ℰ 47 57 50 80 N ℰ 46 42 41 78
JAGUAR Gar. Wilson-Lacour, 116 r. Prés.-Wilson ℰ 47 39 92 50
MERCEDES, MITSUBISHI, PORSCHE Sonauto, 53 r. Marjolin ℰ 47 39 97 40
RENAULT Gar. Redele, 7-9 promenade des Ponts Ctre Eiffel ℰ 47 39 32 00

Central Pneu, 101 r. A.-France ℰ 47 58 56 70
Coudert, 2 r. de Bretagne ℰ 47 37 89 16

Linas 91310 Essonne 101 ㉞ – 4 767 h.

Paris 26 – Arpajon 5,5 – Évry 15 – Montlhéry 0,5.

XX **Escargot de Linas,** 136 av. Div. Leclerc (rte Orléans) ℰ 69 01 00 30, – P. AE GB
fermé 10 au 31 août, lundi soir et dim. – **R** 200 et carte 255 à 405.

Livry-Gargan 93190 Seine-St-Denis 101 ⑱ 20 – 35 387 h. alt. 63.

Office de Tourisme pl. Hôtel de Ville ℰ 43 30 61 60.

Paris 18 – Aubervilliers 13 – Aulnay-sous-Bois 4 – Bobigny 6,5 – Meaux 28 – Senlis 39.

XXX **Aub. St-Quentinoise,** 23 bd République ℰ 43 81 13 08, – AE GB T 45
fermé dim. soir et lundi – **R** carte 250 à 340.

XX **Petite Marmite,** 8 bd République ℰ 43 81 29 15, – GB T 45
fermé 15 août au 1er sept. et merc. – **R** carte 210 à 335, enf. 100.

OPEL Gar. Guiot, 1-3 av. A.-Briand ℰ 43 02 63 31

Bonnet, 4 av. C.-Desmoulins ℰ 43 81 53 13

Longjumeau 91160 Essonne 101 ㉟ – 19 864 h. alt. 72.

Paris 20 – Chartres 69 – Dreux 85 – Évry 16 – Melun 38 – ◆Orléans 111 – Versailles 26.

Relais des Chartreux M, à Saulxier SO : 2 km, sur N 20 ✉ 91160 Longjumeau ℰ 69 09 34 31, Télex 601245, Fax 69 34 57 70, ≤, – rest P – 180. AE GB
R 150/200, enf. 75 – **100 ch** ▭ 350/375 – ½ P 340.

à Saulx-les-Chartreux SO par D 118 – 4 141 h. – ✉ **91160** :

Relais St-Georges M, rte de Montlhéry : 1 km ℰ 64 48 36 40, Télex 603038, Fax 64 48 89 48, ≤, parc, – P – 150. AE GB
fermé mi-juil. à mi-août – **R** 190/450 – ▭ 40 – **40 ch** 380/430.

Climat de France M, av. S. Allendé (D 118) ℰ 64 48 09 00, Télex 600609, Fax 64 48 99 00, – P – 40. AE GB
R 89/130, enf. 38 – ▭ 30 – **54 ch** 295 – ½ P 250.

V.A.G Gar. du Postillon, ZI r. du Canal ℰ 69 09 52 37

La Centrale du Pneu, 5 rte de Versailles ℰ 69 34 11 50

Louveciennes 78430 Yvelines 101 ⑫ ⑬ 18 **G. Ile de France** – 7 446 h. alt. 130.

Paris 22 – St-Germain-en-Laye 5 – Versailles 8.

XX **Aux Chandelles,** 12 pl. Église ℰ 39 69 08 40, – AE GB Y 8
fermé 17 au 30 août, sam. midi et merc. – **R** 160 (déj.) et carte 250 à 340, enf. 90.

RENAULT Gar. de la Princesse, 17 rte de la Princesse ℰ 39 69 81 23

Maisons-Alfort **94700** Val-de-Marne **101** ㉗ **24** – 53 375 h. alt. 35.

Voir Charenton : musée du Pain★ NO : 3,5 km, **G. Ile de France.**

Paris 9,5 – Créteil 4 – Évry 35 – Melun 38.

XX **La Bourgogne,** 164 r. J. Jaurès ☎ 43 75 12 75 – ▤. GB — AG 37
fermé août, sam. et dim. – **R** 205/300.

RENAULT M.A.E.S.A., 8 av. Prof.-Cadiot ☎ 43 76 63 70 **N** ☎ 05 05 15 15
V.A.G Gar. de la Pointe, 65 av. E.-Cossonneau à Noisy-le-Grand ☎ 43 03 30 92
Le Page Pneus, 19 av. G.-Clemenceau ☎ 43 68 14 14
Vaysse, 249 av. de la République ☎ 42 07 36 85

Maisons-Laffitte **78600** Yvelines **101** ⑬ **18** **G. Ile de France** – 22 173 h. alt. 40. **Voir Château★.**

Paris 21 – Argenteuil 10,5 – Mantes-la-Jolie 41 – Poissy 8 – Pontoise 18 – St-Germain-en-L. 9,5 – Versailles 18.

XXX ✿✿ **Le Tastevin** (Blanchet), 9 av. Eglé ☎ 39 62 11 67, Fax 39 62 73 09, ☂, ⛱ – AE ⓓ GB JCB — M 11
fermé 18 août au 10 sept., vacances de fév., lundi soir et mardi – **R** carte 400 à 525
Spéc. Saint-Jacques rôties aux endives (oct. à mars). Ris de veau rôti dans son jus. Millefeuille au caramel et noix (sept. à mars).

XXX ✿✿ **Vieille Fontaine** (Clerc), 8 av. Gretry ☎ 39 62 01 78, ☂, ⛱ – AE ⓓ GB — L 12
fermé 30 juil. au 30 août, dim. et lundi – **R** 230 et carte 400 à 570
Spéc. Terrine de pieds de mouton "Poulette". Langoustines à la vanille et au gingembre. Ris de veau, ail et échalotes confites à la cannelle.

XX **Le Laffitte,** 5 av. St-Germain ☎ 39 62 01 53 – AE GB — M 11
fermé août, dim. soir, mardi soir et merc. – **R** carte 210 à 315.

CITROEN Gar. du Parc, 75 r. de Paris ☎ 39 62 04 78
CITROEN Selier, 4 av. Longueil ☎ 39 62 04 05

Marly-le-Roi **78160** Yvelines **101** ⑫ **18** **G. Ile de France** – 16 741 h. alt. 150 – **Voir Parc★.**

Paris 22 – St-Germain-en-Laye 4 – Versailles 8.

XX **Les Chevaux de Marly** avec ch, 5 pl. Abreuvoir ☎ 39 58 47 61, Fax 39 16 65 56, ☂, ⛱ – ▮ TV ☎. GB – **R** 158/250 bc – ☕ 45 – **8 ch** 360/460. — Y 7

Marne-la-Vallée **77206** S.-et-M. **101** ⑲ ⑳ **24** **G. Ile de France.**

⛳18 de Bussy-St-Georges ☎ 64 66 00 00.

Paris 28 – Meaux 28 – Melun 40.

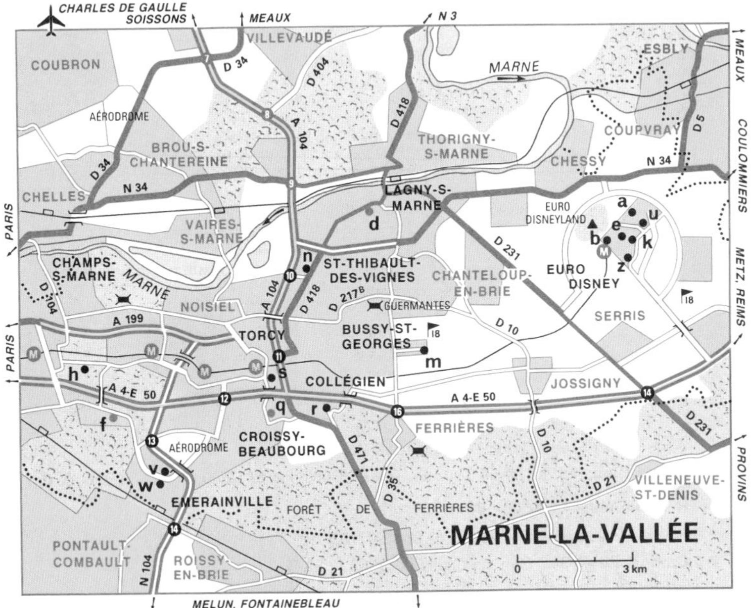

à Bussy-St-Georges – 1 545 h. – ✉ **77600**

Days H. M, 15 av. Golf **(m)** ☎ 64 66 30 30, Télex 693322, Fax 64 66 04 36, – ch TV ☎ ♿ P – 140. AE GB
R 150, enf. 60 – ☕ 55 – **96 ch** 440/650.

à Champs-sur-Marne – 21 611 h. alt. 74 – ✉ **77436**.
Voir Château★ : salon chinois★★ et parc★★ G. Ile de France.

Arcade M, cité Descartes, bd Newton **(h)** ☎ 64 68 00 83, Télex 693702, Fax 64 68 02 60, – TV ☎ ♿ P – 80. AE GB
R 98 – ☕ 35 – **110 ch** 310/340.

à Collégien – 2 331 h. – ✉ **77090**

Novotel M, à l'échangeur de Lagny A 4 **(r)** ☎ 64 80 53 53, Télex 691990, Fax 64 80 48 37, – rest ☎ ♿ P – 130. AE GB
R carte environ 150, enf. 50 – ☕ 52 – **200 ch** 450/490.

à Croissy-Beaubourg – 2 396 h. – ✉ **77183**

L'Aigle d'Or, (q) ☎ 60 05 31 33, Fax 64 62 09 39, – P. AE GB
fermé dim. soir et lundi – **R** 250/450, enf. 150.

à Émerainville – 6 766 h. alt. 108 – ✉ **77184**

Fimotel M, ZI Pariest bd Beaubourg **(v)** ☎ 60 17 88 39, Télex 693274, Fax 64 62 12 34 – TV ☎ ♿ P – 80. AE GB JCB
R 85/150, enf. 36 – ☕ 39 – **80 ch** 350/370 – ½ P 350.

Fimetap M sans rest, Z.I. Pariest r. Emery **(w)** ☎ 60 06 38 34, Fax 60 17 86 05 – TV ☎ ♿ P – 25. AE GB
☕ 36 – **40 ch** 310.

Au Faisan Doré, sur D 406 à Malnoue Emerainville **(f)** ☎ 64 61 71 90, – P. AE GB
fermé 1er au 24 août, dim. soir et lundi – **R** 170/260, enf. 50.

à Euro Disney accès par autoroute A 4 et bretelle Euro-Disney.
Voir Parc Euro Disneyland★★★.

Disneyland M, **(b)** ☎ 60 45 65 00, Fax 60 45 65 33, ≤, « Bel ensemble de style victorien à l'entrée du parc d'attractions », – ch TV ☎ ♿ P. AE GB.
California Grill R carte 300 à 375 – **Inventions R** carte 200 à 250 enf. 60 – ☕ 140 – **479 ch** 1950/2750, 21 appart.

New-York M, **(e)** ☎ 60 45 73 00, Fax 60 45 73 33, ≤, « Espace rappelant l'architecture de Manhattan », – ch rest TV ☎ ♿ P – 1 500. AE GB.
Rainbow Room (dîner dansant) **R** carte 300 à 450 – **Parkside Diner R** 235, enf. 60 – ☕ 110 – **554 ch** 1600/2400, 19 appart.

Newport Bay Club M, **(z)** ☎ 60 45 55 00, Fax 60 45 55 33, ≤, « Évocation du bord de mer de la Nouvelle Angleterre », – ch TV ☎ ♿ P. AE GB.
Cape Cod R 170/350 – **Yacht Club R** 110bc/175bc, enf. 60 – ☕ 60 – **1 093 ch** 1100/1350, 5 appart. 2000.

Séquoia Lodge M, **(k)** ☎ 60 45 51 00, Fax 60 45 51 33, ≤, « Atmosphère d'un hôtel des Montagnes Rocheuses », – ch TV ☎ ♿ P. AE GB. ch
Hunter's Grill R 165 – **Beaver Creek Tavern R** carte 125 à 270, enf. 60 – ☕ 100 – **1 007 ch** 1100/1700, 4 appart. 1900.

Santa Fé M, **(u)** ☎ 60 45 78 00, Fax 60 45 78 33, « Construction évoquant les pueblos du Nouveau Mexique » – ch rest TV ☎ ♿ P. AE GB. ch
La Cantina R carte 110 à 160, enf. 60 – ☕ 60 – **1 000 ch** 750.

Cheyenne M, **(a)** ☎ 60 45 62 00, Fax 60 45 62 33, « Reconstitution d'une petite ville du Far-West » – ch rest TV ☎ ♿ P. AE GB. ch
Chuck Wagon Café R carte 110 à 160, enf. 60 – ☕ 60 – **1 000 ch** 750.

à Lagny-sur-Marne G. Ile de France – 18 643 h. alt. 44 – ✉ **77400**.
Voir Galerie★ du Château de Guermantes S : 3 km par D 35.
Office de Tourisme 5 cour Abbaye ☎ 64 30 68 77.

Egleny, 13 av. Gén. Leclerc **(d)** ☎ 64 30 52 69, Fax 60 07 56 79, – P. AE GB
fermé 4 au 11 mai, 10 au 31 août, 2 au 9 janv., dim. soir et lundi – **R** 230 (déj.)/360.

à St-Thibault-des-Vignes – 4 207 h. – ✉ **77400**

Relais Bleus M, **(n)** ☎ 64 02 02 44, Télex 693908, Fax 64 02 40 70, – TV ☎ ♿ P – 25 à 35. AE GB
R 82/105, enf. 45 – ☕ 35 – **66 ch** 320/410.

à Torcy G. Ile de France – 18 681 h. alt. 98 – ✉ **77200**

Campanile M, 34 r. Gén. de Gaulle **(s)** ☎ 60 17 84 85, Télex 691571, Fax 64 62 06 91, – TV ☎ ♿ P – 150. AE GB
R 85 bc/113 bc, enf. 39 – ☕ 29 – **164 ch** 330 – ½ P 279/307.

CITROEN Yvois, 57 av. Leclerc à St-Thibault-des-Vignes ✆ 64 30 53 67
FORD Gar. Jamin, 34 av. Gén.-Leclerc à Lagny-sur-Marne ✆ 64 30 02 90
MERCEDES Compagnie de l'Est, 57 allée des Frènes à Champs-sur-Marne ✆ 64 68 70 87
PEUGEOT-TALBOT Métin Marne, 2 av. Gén.-Leclerc à Pomponne ✆ 64 30 30 30
PEUGEOT-TALBOT Queillé, 34 r. J.-Le-Paire à Lagny-sur-Marne ✆ 64 30 06 74
PEUGEOT-TALBOT Queille, 127-129 r. Gén.-Leclerc à Lagny-sur-Marne ✆ 64 30 06 74
RENAULT Gar. Brie des Nations, 4-6 av. P.-Mendès-France à Noisiel ✆ 60 05 92 92

La Centrale du Pneu, ZI, 6-8 r. C.-Chappe à Lagny-sur-Marne ✆ 64 30 55 00
Stand Pneus, ZAC le Ru de Nesles à Champs-sur-Marne ✆ 64 28 21 99

Marnes-la-Coquette **92430** Hauts-de-Seine **101** ㉓ **22** **G. Ile de France** – 1 594 h. alt. 136.

Voir Institut Pasteur - musée des Applications de la Recherche★.

Paris 14 – Nanterre 11,5 – St-Germain-en-Laye 12 – Versailles 6,5.

XX **Host. Tête Noire,** 6 pl. Mairie ✆ 47 41 06 28 – AE GB — AC 14
fermé 9 au 27 août, dim. soir et lundi – **R** 200 bc/320 bc, enf. 100.

Massy **91300** Essonne **101** ㉟ **22** – 38 574 h.

Paris 19 – Arpajon 18 – Évry 22 – Palaiseau 2,5 – Rambouillet 40.

Mercure M, 21 av. Carnot (gare T.G.V.) ✆ 69 32 80 20, Télex 681670, Fax 69 32 80 25, – ch TV ☎ & P – 50. AE GB — AS 22
R carte environ 180 , enf. 45 – 50 – **116 ch** 475/485.

CITROEN Massy Automobiles, rte de Chilly ✆ 69 30 27 27
RENAULT Villaines Automobiles, 8 r. de Versailles ✆ 69 30 13 70

La Centrale du Pneu, 12 r. Marcel Paul, ZI La Bombe ✆ 69 20 38 20

Meudon **92190** Hauts-de-Seine **101** ㉔ **22** **G. Ile de France** (plan) – 45 339 h. alt. 100.

Voir Terrasse★ : ★ – Forêt de Meudon★.

Paris 11,5 – Boulogne-Billancourt 4,5 – Clamart 2,5 – Nanterre 15 – Versailles 12.

XXX **Relais des Gardes,** à Bellevue, 42 av. Gallieni ✆ 45 34 11 79 – AE GB JCB — AE 19
fermé 6 août au 6 sept., sam. midi et dim. – **R** 190/290.

XX **Lapin Sauté,** 12 av. Le Corbeiller ✆ 46 26 68 68 – AE GB — AF 19
fermé 31 juil. au 31 août, dim. soir et lundi – **R** 160 et carte 200 à 340.

au sud à Meudon-la-Forêt – ✉ **92360** :

Forest Hill M, 40 av. Mar. de Lattre de Tassigny ✆ 46 30 22 55, Télex 203150, Fax 46 32 16 54, – TV ☎ P – 150. AE GB — AJ18-19
R 98 bc/158 bc, enf. 69 – 55 – **155 ch** 390/550 – ½ P 400/450.

Ibis M, rte Verrières ✆ 45 37 09 09, Télex 632453, Fax 40 94 00 19, – TV ☎ & P – 25. GB – **R** 91/145, enf. 39 – 32 – **64 ch** 330/350. — AH 18

CITROEN Gar. Rabelais, 31 bd Nations-Unies ✆ 46 26 45 50
PEUGEOT-TALBOT Coussedière, 2 bis r. Banès ✆ 46 26 49 06
RENAULT Gar. de l'Orangerie, 16 r. de l'Orangerie ✆ 45 34 27 18

Montmorency **95160** Val-d'Oise **101** ⑤ **G. Ile de France** – 20 920 h. alt. 130 – **Voir** Collégiale St-Martin★ – **Env.** Château d'Écouen★★ : musée de la Renaissance★★ (tenture de David et de Bethsabée★★★).

Paris 19 – Enghien-les-Bains 3,5 – Pontoise 24 – St-Denis 9,5.

Gem H. M, 42 av. Domont ✆ 34 17 00 02, Télex 699886, Fax 34 28 04 71, – TV ☎ & P – 60. AE GB
R carte environ 140 – 36 – **42 ch** 310/340 – ½ P 270.

V.A.G Gar. des Loges, 63 r. des Chesneaux ✆ 39 64 95 78

Montreuil **93100** Seine-St-Denis **101** ⑰ **20** **G. Ile de France** – 94 754 h. alt. 75.

Voir Musée de l'Histoire vivante★.

Office de Tourisme 1 r. Kléber ✆ 42 87 38 09.

Paris 7 – Bobigny 9 – Lagny-sur-Marne 27 – Meaux 40 – Senlis 46.

Confortel M, 15-19 r. Franklin ✆ 48 59 00 03, Télex 651883, Fax 48 59 54 56, – TV ☎ & – 80. AE GB — Y 38
R 79 bc/160 bc, enf. 43 – 35 – **89 ch** 345/480.

Modern'H. sans rest, 8 bd P. Vaillant-Couturier ✆ 42 87 48 35 – . GB — Y 38
25 – **40 ch** 130/250.

XXX **Le Gaillard,** 28 r. Colbert ✆ 48 58 17 37, – P. AE GB — Y 37
fermé août, lundi soir et dim. – **R** 160.

CITROEN Succursale, 224-226 bd A.-Briand ✆ 48 59 64 00
RENAULT Succursale Renault-Montreuil, 57 r. A.-Carrel ✆ 48 51 98 21

Franor, 97 bd de Chanzy ✆ 42 87 39 60
Pneu-Service, 65 r. de St-Mandé ✆ 48 51 93 79

Montrouge 92120 Hauts-de-Seine 101 ㉕ 22 – 38 106 h. alt. 74.

Paris 5 – Boulogne-Billancourt 6,5 – Longjumeau 16 – Nanterre 15 – Versailles 19.

Mercure M, 13 r. F.-Ory ℘ 46 57 11 26, Télex 632978, Fax 47 35 47 61 – ☎ & – 150. AE ⓓ GB JCB AE 27
R carte environ 200, enf. 45 – 55 – **192 ch** 700/880.

CITROEN Verdier-Montrouge, 99 av. Verdier ℘ 46 57 12 00
MERCEDES-BENZ Euro-Gar, 73 av. A.-Briand ℘ 47 35 52 20
RENAULT Colin-Montrouge, 59 av. République ℘ 46 55 26 20

Morangis 91420 Essonne 101 ㉟ – 10 043 h. alt. 76.

Paris 21 – Évry 14 – Longjumeau 4 – Versailles 23.

XXX **Le Sabayon,** 15 r. Lavoisier ℘ 69 09 43 80 – . GB
fermé août, sam. midi, lundi soir et dim. – **R** 180 et carte 300 à 400.

PEUGEOT TALBOT Gar. Grandchamp, av. Ch.-de-Gaulle à Wissous ℘ 69 20 64 42
RENAULT Station Richard, rte de Savigny ℘ 69 09 47 50

Morsang-sur-Orge 91390 Essonne 101 ㊱ – 19 401 h. alt. 75.

Paris 24 – Corbeil-Essonnes 18 – Évry 8,5 – Versailles 30.

XX **La Causette,** 47 bd Gribelette ℘ 60 15 16 85 – AE GB
fermé 30 juil. au 23 août, sam. midi, dim. soir et lundi – **R** 85 (sauf vend. soir et sam. soir)/140, enf. 60.

CITROEN Essauto Diffusion, 91 rte de Corbeil ℘ 69 04 21 68

Nanterre P 92000 Hauts-de-Seine 101 ⑬ 18 G. Ile de France – 84 565 h. alt. 38.

Paris 12 – Beauvais 73 – Rouen 123 – Versailles 14.

XXX **Ile de France,** 83 av. Mar. Joffre ℘ 47 24 10 44, – ⓟ. AE ⓓ GB W 15
fermé août et dim. – **R** 160 et carte 210 à 315.

XX **La Rôtisserie,** 180 av. G. Clemenceau ℘ 46 97 12 11, Fax 46 97 12 09, – GB V 17
fermé dim. – **R** (prévenir) 150.

CITROEN Succursale, 100 av. F. Arago ℘ 47 80 71 20
Mery-Pneus, 9 r. des Carriers ℘ 47 24 77 05
Piot-Pneu, 74 av. V.-Lénine ℘ 47 24 61 01

Neuilly-sur-Seine 92200 Hauts-de-Seine 101 ⑮ 18 G. Ile de France – 61 768 h. alt. 36.

Paris 7,5 – Argenteuil 10 – Nanterre 3,5 – Pontoise 32 – St-Germain-en-Laye 15 – Versailles 17.

L'Hôtel International de Paris M, 58 Bd V. Hugo ℘ 47 58 11 00, Télex 610971, Fax 47 58 75 52, – ch ☎ ⓟ – 120. AE ⓓ GB V 23
R carte 150 à 250 – 75 – **318 ch** 780/1300, 3 appart.

Paris Neuilly M sans rest, 1 av. Madrid ℘ 47 47 14 67, Télex 613170, Fax 47 47 97 42 – ☎. AE ⓓ GB JCB W 21
50 – **74 ch** 555/810, 6 appart. 995.

Jardin de Neuilly sans rest, 5 r. P. Déroulède ℘ 46 24 51 62, Télex 612004, Fax 46 37 14 60 – ☎. AE ⓓ GB. W 23
50 – **30 ch** 700/1200.

Parc Neuilly sans rest, 4 bd Parc ℘ 46 24 32 62, Télex 613689, Fax 46 40 77 31 – ☎. GB U 22
25 – **71 ch** 285/480.

Roule sans rest, 37 bis av. Roule ℘ 46 24 60 09, Fax 40 88 37 89 – ☎. GB W 23
33 – **35 ch** 350/450.

XXX ✿ **Jacqueline Fénix,** 42 av. Ch. de Gaulle ℘ 46 24 42 61 – . AE GB W 23
fermé août, 24 déc. au 2 janv., sam. et dim. – **R** (nombre de couverts limité-prévenir) 330 et carte 310 à 430
Spéc. Vinaigrette de cresson et langoustines aux nouilles "grillotées", Dos de turbotin rôti, Cocotte de pigeon en ravioli de champignons des bois.

XXX ✿ **Truffe Noire** (Jacquet), 2 pl. Parmentier ℘ 46 24 94 14, Fax 46 37 27 02 – GB. W 23
fermé 8 au 31 août, sam. et dim. – **R** 225 et carte 265 à 335
Spéc. Mousseline de brochet beurre blanc, Beuchelle à la tourangelle (sept. à nov.), Gratin de coquilles Saint-Jacques (oct. à mars).

XXX **Focly,** 79 av. Ch. de Gaulle ℘ 46 24 43 36, cuisine chinoise – . AE GB V 21
fermé 9 au 23 août – **R** 105 (déj.) et carte 150 à 250.

XX **Tonnelle Saintongeaise,** 32 bd Vital Bouhot ℘ 46 24 43 15, – GB U 22
fermé 1er au 23 août, 21 déc. au 3 janv., sam. et dim. – **R** carte 190 à 270.

XX **Les Feuilles Libres,** 34 r. Perronet ℘ 46 24 41 41, Fax 46 40 77 61 – AE ⓓ GB V 22
fermé 1er au 20 août, sam. midi et dim. – **R** 150 (déj.)/245 bc.

XX **Jarrasse,** 4 av. Madrid ✆ 46 24 07 56 – AE ⓓ GB — W 21
fermé août et dim. soir – **R** carte 285 à 490.

XX **San Valero,** 209 ter av. Ch. de Gaulle ✆ 46 24 07 87, cuisine espagnole – AE ⓓ GB. ✱ — V 21
fermé 24 déc. au 1er janv., sam. midi, dim. et fériés – **R** 140 (sauf sam.)/190.

XX **Chau'veau,** 59 r. Chauveau ✆ 46 24 46 22 – GB — V 22
fermé août, 22 déc. au 2 janv., sam. midi et dim. – **R** carte 190 à 285.

XX **Carpe Diem,** 10 r. Église ✆ 46 24 95 01 – ▤. ⓓ GB — V 22
fermé 1er au 8 mai, 1er au 27 août, 25 déc. au 2 janv., sam. midi et dim. – **R** (nombre de couverts limité, prévenir) 160 (dîner) et carte 250 à 340.

X **Bistrot d'à Côté Neuilly,** 4 r. Boutard ✆ 47 45 34 55 – AE GB — W 21
fermé 1er au 10 mai, 1er au 15 août, sam. (sauf le soir de sept. à juin) et dim. – **R** 160 et carte 170 à 245.

X **La Catounière,** 4 r. Poissonniers ✆ 47 47 14 33 – ▤. GB — W 22
fermé 1er au 13 mai, 1er août au 2 sept., sam. midi et dim. – **R** 173 bc.

ALFA-ROMEO, FIAT Éts Hottot, 25 r. M.-Michelis ✆ 46 37 14 50
CITROEN Succursale, 124 av. A.-Peretti ✆ 47 47 11 22
VOLVO Actena, 16 r. d'Orléans ✆ 47 47 50 05
Ⓜ Maillot-Pneus, 69 av. Gén.-de-Gaulle ✆ 46 24 33 69

Nogent-sur-Marne

⟨SP⟩ 94130 Val-de-Marne 101 ㉗ 24 **G. Ile de France** – 25 248 h. alt. 56.

ℹ Office de Tourisme 5 av. Joinville (fermé matin) ✆ 48 73 73 97.

Paris 10 – Créteil 8 – Montreuil 4,5 – Vincennes 3,5.

Nogentel, 8 r. Port ✆ 48 72 70 00, Télex 264549, Fax 48 72 86 19, ☂ – |‡| ▣ ☎ – 🔏 25 à 200. AE ⓓ GB — AC 42
Le Panoramic *(fermé août)* **R** carte 280 à 395 – **Le Canotier** grill **R** carte 140 à 255 ♨, enf.60 – ☐ 45 – **60 ch** 450/490.

Campanile, quai du port (Pt de Nogent) ✆ 48 72 51 98, Télex 263592, Fax 48 72 05 09, ☂ – |‡| ▣ ☎ ♿ – 🔏 30. AE GB — AC 42-43
R 85 bc/113 bc, enf. 39 – ☐ 29 – **122 ch** 330 – ½ P 279/307.

PEUGEOT Royal-Nogent-Gar., 44 Gde R. Ch.-de-Gaulle ✆ 48 73 68 90
Ⓜ Technigum Pneus, 2 av. A. Briand à Neuilly-sur-Marne ✆ 43 08 44 11

Orly (Aéroports de Paris)

94310 Val-de-Marne 101 ㉖ 24 – 21 646 h. alt. 89.

✈ ✆ 49 75 15 15.

Paris 15 – Corbeil-Essonnes 18 – Créteil 14 – Longjumeau 12 – Villeneuve-St-Georges 8,5.

Hilton Orly Ⓜ, près aérogare ✉ 94544 ✆ 46 87 33 88, Télex 265971, Fax 49 78 06 75 – |‡| ⇹ ch ▤ ▣ ☎ ♿ Ⓟ – 🔏 300. AE ⓓ GB JCB — AR 31
R 190/250 ♨ – ☐ 90 – **359 ch** 880/1500.

Altéa Paris Orly Ⓜ, N 7, Z.I. Nord ✉ 94547 ✆ 46 87 23 37, Télex 265665, Fax 46 87 71 92 – |‡| ▤ ▣ ☎ ♿ Ⓟ – 🔏 30. AE ⓓ GB
R carte 180 à 290 – ☐ 55 – **193 ch** 620/790.

Aérogare d'Orly Sud :

XX **Le Grillardin,** 3e étage ✉ 94542 ✆ 49 75 78 23, Fax 49 75 36 69, ≤ – ▤. AE ⓓ GB
R (déj. seul.) 180 et carte 190 à 300.

Aérogare d'Orly Ouest :

XXXX **Maxim's,** 2e étage ✉ 94546 ✆ 46 86 87 84, Télex 265247, Fax 46 87 05 39, ≤ – ▤. AE ⓓ GB – *fermé août, sam. et dim.* – **R** (déj. seul.) carte 390 à 530.

XXX **Grill Maxim's,** 2e étage ✉ 94546 ✆ 46 87 16 16, Télex 265247, Fax 46 87 05 39, ≤ – ▤. AE ⓓ GB
R 250 bc et carte 235 à 330.

Voir aussi à ***Rungis***

RENAULT S.A.P.A., Bât. 225, Aérogares ✆ 49 75 25 60

Palaiseau

⟨SP⟩ 91120 Essonne 101 ㉞ 22 – 28 395 h. alt. 80.

Paris 21 – Arpajon 17 – Chartres 70 – Évry 21 – Rambouillet 38.

Novotel Ⓜ, Z.I. de Massy ✆ 69 20 84 91, Télex 601595, Fax 64 47 17 80, ☂, ⛱, ✈ – |‡| ▤ ▣ ☎ ♿ Ⓟ – 🔏 25 à 120. AE ⓓ GB — AS 22
R carte environ 150, enf. 50 – ☐ 49 – **151 ch** 450/480.

I.D.F. Ⓜ, 82 r. Gutenberg, Z.A.E. Le Cardon ✆ 60 11 19 19, Télex 600769, Fax 60 11 05 90 – |‡| ▤ rest ▣ ☎ ♿ Ⓟ – 🔏 250. AE ⓓ GB – **Grill R** 100/125 ♨ – ☐ 50 – **84 ch** 480.

CITROEN Jean-Jaurès-Auto, 33 av. J.-Jaurès ✆ 60 14 09 92
RENAULT Palaiseau Autom., 14 r. E.-Branly ✆ 60 10 61 76
Ⓜ La Centrale du Pneu, 12 r. M.-Paul, ZI de la Bonde ✆ 42 63 23 63

Pantin 93500 Seine-St-Denis 101 ⑯ 20 – 47 303 h. alt. 45.

Paris 7 – Bobigny 4 – Montreuil 6 – St-Denis 7.

Référence H. M, 22 av. J. Lolive ✆ 48 91 66 00, Télex 232900, Fax 48 44 12 17, – ▤ ☎ ♿ – 120. AE GB. rest — V 34
R *(fermé sam., dim. et fériés)* 120/200 – 60 – **122 ch** 520/730, 3 appart. 1340.

Mercure Porte de Pantin M, r. Scandicci ✆ 48 46 70 66, Télex 230742, Fax 48 46 07 90 – ☎ – 25 à 150. AE GB JCB — U34-V34
R carte 150 à 200, enf. 45 – 52 – **129 ch** 615/720, 9 appart. 850.

Confortel M, 96 av. Gén. Leclerc ✆ 48 91 05 51, Fax 48 43 97 35 – ☎ ♿ – 25 à 150. GB — U 35
R 59/120, enf. 37 – 30 – **89 ch** 330/350.

CITROEN Succursale, 68 av. Gén.-Leclerc ✆ 48 44 28 58
RENAULT Succursale, 13 av. Gén.-Leclerc ✆ 49 42 38 38

Maillot Pneus, 160 av. J.-Jaurès ✆ 48 45 25 85
Steier-Pneus, 217 av. J.-Lolive ✆ 48 44 36 80

Le Perreux-sur-Marne 94170 Val-de-Marne 101 ⑱ 24 – 28 477 h. alt. 54.

Office de Tourisme pl. R.-Belvaux ✆ 43 24 26 58.

Paris 16 – Créteil 11,5 – Lagny-sur-Marne 17 – Villemomble 7,5 – Vincennes 6,5.

XXX ✿ **Les Magnolias** (Royant), 48 av. de Bry ✆ 48 72 47 43 – ▤. AE GB — AC 43
fermé 2 au 8 mars, 10 au 23 août, sam. midi et dim. – **R** 280 et carte 300 à 405
Spéc. Ravioli de langoustines au beurre de crustacés, Méli-mélo de ris et rognons de veau au Xérès, Feuilleté au chocolat.

CITROEN S.A.G.A., 131 av. P.-Brossolette, niv. A4 ✆ 43 24 13 50
PEUGEOT-TALBOT Sabrié, 9/15 av. République à Fontenay-sous-Bois ✆ 48 75 06 10
RENAULT Gar. Hoel, 46 av. Bry ✆ 43 24 52 00

RENAULT Rel. des Nations, 258 av. République à Fontenay-sous-Bois ✆ 48 76 42 72 N ✆ 05 05 15 15

Maison du Pneu 94, 103 bd Alsace-Lorraine ✆ 43 24 41 43

Petit-Clamart 92 Hauts-de-Seine 101 ㉔ 22 – alt. 110 – ✉ 92140 Clamart.

Voir Bièvres : Musée français de la photographie★ S : 1 km, **G. Ile de France.**

Paris 16 – Antony 8 – Clamart 5 – Meudon 4 – Nanterre 16 – Sèvres 7,5 – Versailles 8,5.

XX **Au Rendez-vous de Chasse,** 1 av. du Gén. Eisenhower ✆ 46 31 11 95 – ▤. AE GB — AK 19
fermé dim. soir – **R** 100/200, enf. 80.

Pontault-Combault 77340 S.-et-M. 101 ㉙ 24 – 26 804 h. alt. 101.

Paris 27 – Créteil 22 – Lagny-sur-Marne 13 – Melun 34.

Saphir H. M, aire des Berchères sur CD 51 ✆ 64 43 45 47, Télex 693585, Fax 64 40 52 43, – ▤ ☎ ♿ – 150. AE GB
Le Jardin grill **R** 75/145, enf. 50 – **Le Canadel** *(fermé août, sam. et dim.)* **R** 175/240 – 50 – **158 ch** 475/510, 21 appart. 580/850.

Le Port-Marly 78560 Yvelines 101 ⑫ 18 – 4 181 h. alt. 32.

Paris 20 – St Germain-en-Laye 2,5 – Versailles 9,5.

XX **Aub. du Relais Breton,** 27 r. Paris ✆ 39 58 64 33, « Auberge rustique », – AE GB — W 8
fermé 1er au 27 août, dim. soir et lundi – **R** 159/209 bc.

MERCEDES-BENZ Port-Marly Gar., 10 r. St-Germain ✆ 39 58 44 38 N ✆ 88 72 00 94

Le Pré St-Gervais 93310 Seine-St-Denis 101 ⑯ 20 – 15 373 h. alt. 71.

Paris 7,5 – Bobigny 5,5 – Lagny-sur-Marne 36 – Meaux 41 – Senlis 48.

X ✿ **Au Pouilly Reuilly** (Thibault), 68 r. A. Joineau ✆ 48 45 14 59 – AE GB. — V 35
fermé fin juil. au 6 sept., dim. et fêtes – **R** carte 165 à 360
Spéc. Pâté de grenouilles, Rognons de veau dijonnaise, Gibier (saison).

Puteaux 92800 Hauts-de-Seine 101 ⑭ 18 – 42 756 h. alt. 36.

Paris 9,5 – Nanterre 4 – Pontoise 32 – St-Germain-en-Laye 13 – Versailles 16.

Syjac M sans rest, 20 quai de Dion-Bouton ✆ 42 04 03 04, Télex 614164, Fax 45 06 78 69, « Élégante installation » – ☎ – 30. AE GB. — W 20
52 – **33 ch** 510/590, 3 appart., 3 duplex 1100.

Princesse Isabelle M sans rest, 72 r. J. Jaurès ✆ 47 78 80 06, Télex 613923, Fax 47 75 25 20 – ☎. AE GB — W 20
50 – **30 ch** 610.

Le Dauphin M sans rest, 45 r. J. Jaurès ℘ 47 73 71 63, Télex 615989, Fax 47 75 25 20 – W 20
AE GB
35 – **30 ch** 435.

Victoria sans rest, 85 bd R. Wallace ℘ 45 06 55 51, Télex 615295, Fax 40 99 05 97 – W 19
AE GB
35 – **32 ch** 390/520.

Les Gourmandises, 4 r. A. France ℘ 49 00 15 16 – AE GB W 19
fermé sam., dim. et fériés – **R** carte 250 à 350.

La Chaumière, 127 av. Prés. Wilson - rd-pt des Bergères ℘ 47 75 05 46 – AE GB
fermé 10 au 31 août, sam. midi, dim. soir et lundi soir – **R** 130. W 18

Gasnier, 7 bd Richard-Wallace ℘ 45 06 33 63 – AE GB W 20
fermé 26 juin au 4 août, vacances de fév., sam., dim. et fériés – **R** 215 et carte 220 à 350.

Maison André, 20 r. des Fusillés ℘ 47 75 36 31

La Queue-en-Brie 94510 Val-de-Marne 101 ㉙ 24 – 9 897 h. alt. 97.

Paris 22 – Coulommiers 49 – Créteil 13 – Lagny-sur-Marne 20 – Melun 32 – Provins 65.

Climat de France M, av. Hippodrome ℘ 45 94 61 61, Télex 262209, Fax 45 93 32 69 – AH 48
– 25 à 80. GB
R 85/120, enf. 40 – 30 – **56 ch** 280.

Aub. du Petit Caporal, 42 r. Gén. de Gaulle (N 4) ℘ 45 76 30 06 – AE GB AJ 50
fermé août, vacances de fév., mardi soir, merc. soir et dim. – **R** carte 230 à 400.

Le Raincy 93340 Seine-St-Denis 101 ⑱ 20 **G. Ile de France** – 13 478 h. alt. 76.

Voir Eglise N.-Dame ★.

Paris 16 – Bobigny 5,5 – Lagny-sur-Marne 22 – Livry-Gargan 3 – Meaux 31 – Senlis 42.

Chalet des Pins, 13 av. Livry ℘ 43 81 01 19, Fax 43 02 75 42, – AE GB U 45
fermé sam. midi en juil.-août, mardi en juil., lundi en août et dim. soir – **R** 180 et carte 200 à 350.

Ris-Orangis 91130 Essonne 101 ㊱ – 24 677 h. alt. 51.

Paris 30 – Évry 3,5.

Ris H. M sans rest, N 7 ℘ 69 25 81 81, Télex 603608, Fax 69 43 65 55 – AE GB
30 – **50 ch** 259/289.

Roissy-en-France (Aéroports de Paris) 95700 Val-d'Oise 101 ⑧ – 2 054 h. alt. 85.

℘ 48 62 22 80.

Paris 26 – Chantilly 26 – Meaux 36 – Pontoise 38 – Senlis 26.

à Roissy-ville :

Holiday Inn M, allée Verger ℘ 34 29 30 00, Télex 605143, Fax 34 29 90 52, – – 25 à 200. AE GB JCB
R 135/205, enf. 50 – 75 – **240 ch** 760/980.

Altéa, allée Verger ℘ 34 29 40 00, Télex 605205, Fax 34 29 00 18 – – 30 à 160. AE GB JCB
Brasserie R 110/165, enf.53 – 60 – **198 ch** 640/910, 4 appart. 1070.

Ibis M, av. Raperie ℘ 34 29 34 34, Télex 699083, Fax 34 29 34 19 – – 25 à 80. AE GB
R 91, enf. 39 – 34 – **200 ch** 415/470.

dans le domaine de l'aéroport :

Sofitel M, ℘ 48 62 23 23, Télex 230166, Fax 48 62 78 49, , – – 25 à 180. AE GB
Les Valois rest. panoramique *(fermé sam. midi, dim. midi et fériés le midi)(dîner seul. en août)* **R** carte 200 à 370 – **Le Jardin** brasserie (rez-de-chaussée) **R** carte 130 à 220, enf. 58 – 70 – **344 ch** 780/880, 8 appart. 1300.

Novotel M, ℘ 48 62 00 53, Télex 232397, Fax 48 62 00 11 – ch – 25 à 70. AE GB JCB
R carte environ 160, enf. 52 – 52 – **201 ch** 640/690.

dans l'aérogare n° 1 :

Maxim's, ℘ 48 62 16 16, Télex 236356, Fax 48 62 45 96 – AE GB
R (déj. seul.) 250 et carte 280 à 440.

Grill Maxim's, ℘ 48 62 16 16, Télex 236356, Fax 48 62 45 96 – AE GB
R 220 bc et carte 160 à 310.

Romainville 93230 Seine-St-Denis 101 ⑰ 20 – 23 563 h. alt. 118.

Paris 9,5 – Bobigny 3 – St-Denis 11 – Vincennes 4,5.

XXX **Chez Henri,** 72 rte Noisy ✆ 48 45 26 65, Fax 48 91 16 74 – ▤ Ⓟ. GB
fermé 1er au 10 mai, 8 au 25 août, lundi soir, sam. midi, dim. et fériés – **R** carte 250 à 370.

Rosny-sous-Bois 93110 Seine-St-Denis 101 ⑰ 20 – 37 489 h. alt. 81.

Paris 11 – Bobigny 6,5 – Le Perreux-sur-Marne 5 – St-Denis 15.

Sweet H. M, 4 r. Rome ✆ 48 94 33 08, Télex 232098, Fax 48 94 30 05, – ▤ rest TV ☎ & Ⓟ – 25 à 150. AE ⓓ GB X 41
Grand Carré R carte 125 à 215 ♁, enf. 45 – ☐ 47 – **97 ch** 490/520.

Fimotel M, 1 r. Lisbonne ✆ 48 94 78 78, Fax 45 28 83 69 – ch ▤ rest TV ☎ & Ⓟ – 100. AE ⓓ GB. rest W 41
R 105/150 ♁, enf. 40 – ☐ 41 – **100 ch** 390/420.

Piot Pneu, 183 bd Alsace-Lorraine ✆ 45 28 15 96

Rueil-Malmaison 92500 Hauts-de-Seine 101 ⑬ 18 **G. Ile de France** – 66 401 h. alt. 15.

Voir Château de Bois-Préau★ – Buffet d'orgues★ de l'église – Malmaison : musée★★ du château.

Paris 14 – Argenteuil 10,5 – Nanterre 3 – St-Germain-en-Laye 9 – Versailles 11,5.

Cardinal M sans rest, 1 pl. Richelieu ✆ 47 08 20 20, Télex 634001, Fax 47 08 35 84 – TV ☎ & Ⓟ. AE ⓓ GB JCB X 14
☐ 45 – **61 ch** 550/660, 4 duplex.

Arts M sans rest, 3 bd Mar. Joffre ✆ 47 52 15 00, Télex 632328, Fax 47 14 90 19 – TV ☎ &. AE ⓓ GB W 14
fermé 8 au 17 août – ☐ 38 – **32 ch** 460/520.

XXX **El Chiquito,** 126 av. P. Doumer ✆ 47 51 00 53, Fax 47 49 19 61, , produits de la mer, « Jardin » – Ⓟ. AE GB W 15
fermé 14 août au 1er sept., sam. et dim. – **R** carte 325 à 400.

XX **Relais de St-Cucufa,** 114 r. Gén. Miribel ✆ 47 49 79 05, – AE GB Y 13
fermé 9 au 18 août, dim. soir et lundi soir – **R** carte 240 à 355.

XX **Plat d'Étain,** 2 r. Marronniers ✆ 47 51 86 28, – AE GB Y 13
fermé août, dim. soir et lundi – **R** carte 200 à 300.

Rungis 94150 Val-de-Marne 101 ㉖ 24 – 2 939 h. alt. 80 - Marché d'Intérêt National.

Paris 14 – Antony 5 – Corbeil-Essonnes 28 – Créteil 14 – Longjumeau 10,5.

à Pondorly : accès : de Paris, A6 et bretelle d'Orly ; de province, A6 et sortie Rungis

Pullman Orly M, 20 av. Ch. Lindbergh ✉ 94656 ✆ 46 87 36 36, Télex 260738, Fax 46 87 08 48, – ▤ TV ☎ Ⓟ – 25 à 250. AE ⓓ GB AM 29
La Rungisserie R 135/185bc, enf.50 – ☐ 75 – **196 ch** 600/780.

Holiday Inn M, 4 av. Ch. Lindbergh ✉ 94656 ✆ 46 87 26 66, Télex 265803, Fax 45 60 91 25, – ch ▤ TV ☎ & Ⓟ – 50 à 200. AE ⓓ GB JCB AM 29
R 130/180, enf. 55 – ☐ 70 – **168 ch** 795/995.

Ibis M, 1 r. Mondétour ✉ 94656 ✆ 46 87 22 45, Télex 261173, Fax 46 87 84 72, – TV ☎ & Ⓟ – 80. GB AM 29
R 91 ♁, enf. 39 – ☐ 35 – **119 ch** 330.

à Rungis-ville :

XX **Le Charolais,** 13 r. N.-Dame ✆ 46 86 16 42 – AE ⓓ GB AN 30
fermé 10 au 31 août, sam. et dim. – **R** 180 et carte 250 à 480.

Piot-Pneu, 2 r. des Transports, Centre Routier ✆ 46 86 46 01

Vertadier, 88 av. Stalingrad à Chevilly-Larue ✆ 46 87 25 48

Saclay 91400 Essonne 101 ㉓ 22 – 2 894 h. alt. 157.

9 18 de St-Aubin ✆ 69 41 25 19, SO : 2,5 km.

Paris 24 – Arpajon 22 – Chartres 68 – Évry 27 – Rambouillet 31 – Versailles 11,5.

Novotel M, près rd-point Christ de Saclay ✆ 69 41 81 40, Télex 601856, Fax 69 41 01 77, – ch ▤ TV ☎ & Ⓟ – 200. AE ⓓ GB
R carte environ 140 ♁, enf. 50 – ☐ 49 – **134 ch** 450/480.

Dans ce guide

un même symbole, un même caractère,

imprimé en couleur ou en noir, en maigre ou en ***gras****,*

n'ont pas tout à fait la même signification.

Lisez attentivement les pages explicatives.

St-Cloud 92210 Hauts-de-Seine 101 ⑭ 22 **G. Ile de France** – 28 597 h. alt. 60.

Voir Parc★★ (Grandes Eaux★★) – Église Stella Matutina★.

18 18 (privé) ✆ 47 01 01 85 parc de Buzenval à Garches, O : 4 km.

Paris 11,5 – Nanterre 9,5 – Rueil-Malmaison 6,5 – St-Germain 16 – Versailles 10,5.

Villa Henri IV et rest. Le Bourbon, 43 bd République ✆ 46 02 59 30, Télex 631893, Fax 49 11 11 02 – TV ☎ P. AE O GB. rest AB 17
R *(fermé 17 juil. au 17 août, 26 au 31 déc., dim. soir et sam.)* 100/180, enf. 80 – 40 – **36 ch** 420/500.

Quorum et rest. La Désirade M, 2 bd République ✆ 47 71 22 33, Télex 631618, Fax 46 02 75 64, – rest TV ☎ P. AE O GB AB 17
R *(fermé dim.)* 100 bc – 50 – **58 ch** 500/570.

Le Florian, 14 r.Église ✆ 47 71 29 90 – AE O GB AB 18
fermé sam. midi et dim. – **R** carte 225 à 360.

FIAT Eurofugi, 29 r. Pasteur ✆ 46 02 93 24
PEUGEOT-TALBOT St-Cloud-Autom., 147 av. Foch ✆ 47 71 83 80
V.A.G Gar. de St-Cloud, 38 r. Dailly ✆ 46 02 56 20

St-Cyr-l'École 78210 Yvelines 101 ㉒ – 14 829 h. alt. 133.

Paris 26 – Dreux 56 – Rambouillet 26 – St-Germain-en-Laye 13 – Versailles 4.

Aérotel , sans rest, 88 r. Dr Vaillant ✆ 30 45 07 44, Fax 34 60 35 96 – TV ☎ P. GB
29 – **26 ch** 252/350.

RENAULT Gar. de l'Octroi, 28 av. Division-Leclerc ✆ 30 45 00 16
Lantran, 39 r. D.-Casanova ✆ 34 60 60 40
La Centrale du Pneu, 10 av. H.-Barbusse ✆ 30 45 29 72
St-Cyr-Pneu, 86 av. P.-Curie ✆ 34 60 43 80

St-Denis 93200 Seine-St-Denis 101 ⑯ 20 **G. Ile de France** – 89 988 h. alt. 33.

Voir Cathédrale★★★.

Office de Tourisme 2 r. Légion d'Honneur ✆ 42 43 33 55.

Paris 9 – Argenteuil 10,5 – Beauvais 67 – Bobigny 7 – Chantilly 32 – Pontoise 27 – Senlis 41.

Campanile M, 2 quai St-Ouen ✆ 48 20 29 88, Télex 231156, Fax 48 20 11 04 – TV ☎ – 80. AE GB P 28
R 85 bc/113 bc, enf. 39 – 29 – **70 ch** 330.

CITROEN Succursale, 43 bd Libération ✆ 48 20 40 45 N
MERCEDES-BENZ Moderne Autos, 35 bd Carnot ✆ 48 09 24 24
OPEL, GM St-Denis-Nord-Autos, 64 bd M.-Sembat ✆ 48 20 01 86
PEUGEOT-TALBOT Neubauer, 227 bd A.-France ✆ 48 21 60 21
RENAULT Succursale, 93 r. de la Convention à la Courneuve ✆ 48 36 95 06 N ✆ 44 22 76 05
Bertrand Pneus, 29 r. R. Salengro à Villetaneuse ✆ 48 21 20 24
Pegaud et Cie, 16 av. R.-Semat ✆ 48 22 12 14
St-Denis Pneum., 20 bis r. G.-Péri ✆ 48 20 10 77

St-Germain-en-Laye SP 78100 Yvelines 101 ⑫ 18 **G. Ile de France** – 39 926 h. alt. 78.

Voir Terrasse★★ BY – Jardin anglais★ BY – Château★ BZ : musée des Antiquités nationales★★ – Musée du Prieuré★ AZ.

9 18 (privé) ✆ 34 51 75 90, par ④ : 3 km ; 9 9 9 de Fourqueux (privé) ✆ 34 51 41 47, par r. de Mareil AZ.

Office Municipal de Tourisme 38 r. Au Pain ✆ 34 51 05 12.

Paris 23 ③ – Beauvais 75 ① – Chartres 79 ③ – Dreux 63 ③ – Mantes-la-Jolie 34 ④ – Versailles 12 ③.

Plan page suivante

Pavillon Henri IV , 21 r. Thiers ✆ 34 51 62 62, Télex 695822, Fax 39 73 93 73, ≤ Paris et Seine, , – rest TV ☎ P – 200. AE O GB BZ **s**
R carte 190 à 290 – 50 – **42 ch** 500/1300.

La Feuillantine, 10 r. Louviers ✆ 34 51 04 24, Fax 39 21 07 70 – GB AZ **a**
R 130.

au NO par ① : 2,5 km par N 284 et rte des Mares – ✉ 78100 St-Germain-en-Laye :

La Forestière M , 1 av. Prés. Kennedy ✆ 39 73 36 60, Télex 696055, Fax 39 73 73 88, – TV ☎ P – 30. GB JCB
R voir rest. **Cazaudehore** ci-après – 58 – **24 ch** 650/780, 6 appart. 950/1200.

Cazaudehore, 1 av. Prés. Kennedy ✆ 34 51 93 80, Télex 696055, Fax 39 73 73 88, , « Jardin fleuri en forêt » – P. GB JCB
fermé lundi sauf fériés – **R** carte 290 à 440.

CITROEN Ouest-Automobile, 45 rte de Mantes N 13 à Chambourcy par ④ ✆ 39 65 42 00
FORD G.A.O., r. Clos de la Famille à Chambourcy ✆ 39 65 50 00
PEUGEOT-TALBOT Vauban Autom., pl. Vauban par ④ ✆ 30 87 15 15
Relais du Pneu, 22 r. Péreire ✆ 34 51 19 33

ST-GERMAIN EN-LAYE

Bonnenfant (R.A.) . . . . . AZ 3
Marché-Neuf (Pl. du) . . AZ 17
Pain (R. au) . . . . AZ 20
Paris (R. de) . . . . AZ
Poissy (R. de) . . . . AZ 22
Vieux-Marché (R. du) . . AZ 33

Alain (Pl. Jéhan) . . . . . . AY 2
Coches (R. des) . . . . AZ 4
Denis (R. M.) . . . . AZ 5
Detaille (Pl.) . . . . AY 6
Gaulle (Pl. Ch.-de) . . . . BZ 7
Giraud-Teulon (R.) . . . . BZ 9
Gde-Fontaine (R.) . . . . . AZ 10
Gréban (R. R.) . . . . AZ 12
Lattre-de-T. (Av. Mar.-de) BZ 13
Loges (Av. des) . . . . AY 14
Lyautey (R. Mar.) . . . . . . BZ 15
Malraux (Pl. A.) . . . . BZ 16
Mareil (Pl.) . . . . AZ 19
Pologne (R. de) . . . . AY 23
Pontoise (R. de) . . . . AY 25
St-Louis (R.) . . . . BZ 26
Victoire (Pl. de la) . . . . . AY 30
Vieil-Abreuvoir (R. du) . . . AZ 32

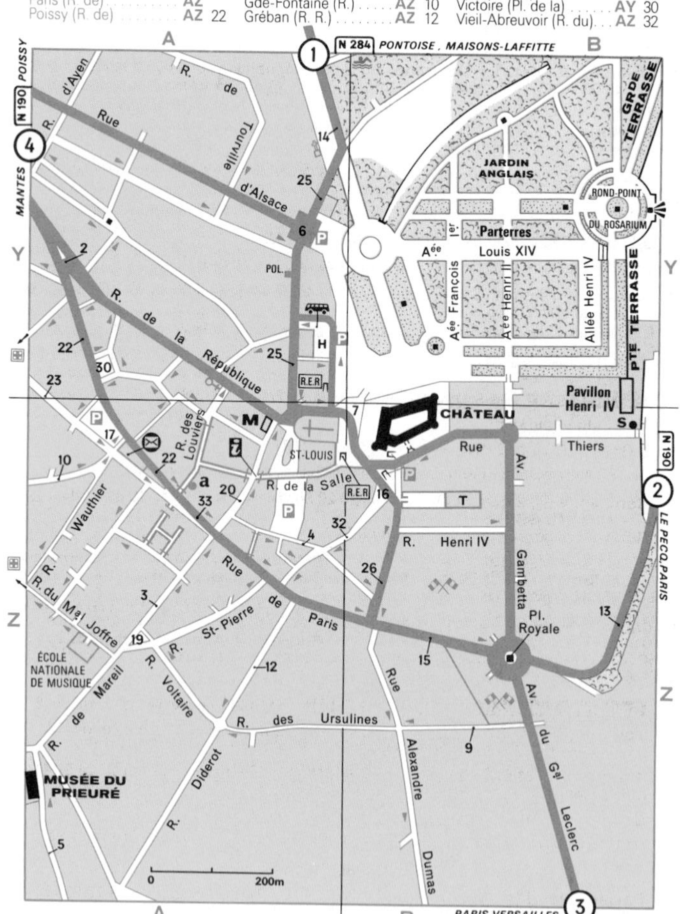

Les plans de villes sont orientés le Nord en haut.

St-Gratien **95210** Val-d'Oise 101 ⑤ 18 – 19 338 h. alt. 53.

Paris 18 – Argenteuil 3,5 – Chantilly 33 – Enghien-les-Bains 2 – Saint-Denis 10 – Saint-Germain-en-Laye 18.

Gem H. M, 54 bd Gare ☎ 39 89 01 11, Fax 34 28 01 39, – ch TV ☎ AE GB
R 95/150, enf. 45 – 42 – **50 ch** 370/420 – ½ P 275. K 23-24

St-Mandé **94160** Val-de-Marne 101 ㉖ 24 **G. Ile de France** – 18 684 h. alt. 50.

Paris 5,5 – Créteil 9,5 – Lagny-sur-Marne 28 – Maisons-Alfort 5 – Vincennes 2.

Le Trinquet, 44 av. Gén. de Gaulle ☎ 43 28 23 93 – AE GB AB 36
fermé dim. soir en juil.-août, mardi soir et merc. – **R** 140/250 bc.

St-Maur-des-Fossés **94100** Val-de-Marne 101 ㉗ 24 – 77 206 h. alt. 39.

Office de Tourisme 34 av. République (fermé août) ☎ 42 83 84 74.

Paris 13 – Créteil 5 – Nogent-sur-Marne 4,5.

XX **Le Jardin d'Ohé,** 29 quai Bonneuil ☎ 48 83 08 26, Fax 48 83 89 00, – GB AJ 42
fermé dim. soir et lundi – **R** 150/220.

XX **Aub. de la Passerelle,** 37 quai de la Pie ☎ 48 83 59 65, Fax 48 89 91 24 – GB AH 41
fermé 20 août au 9 sept., dim. soir et merc. – **R** 185/255.

PORSCHE, MITSUBISHI, CHRYSLER Fast, 102 av. Foch ☎ 48 85 45 55
RENAULT Gar. National, 28 av. République ☎ 42 83 46 40
V.A.G S.M.C.D.A., 48 r. de la Varenne ☎ 48 86 41 42 N ☎ 05 00 24 24

St-Maurice **94410** Val-de-Marne 101 ㉗ 24 – 11 157 h. alt. 33.

Paris 7,5 – Créteil 6,5 – Joinville-le-Pont 3,5 – Maisons-Alfort 2 – Vincennes 7.

Mercure M, 12 r. Mar. Leclerc ☎ 43 75 94 94, Télex 264041, Fax 48 93 21 14 – TV ☎ – 25 à 70. AE GB JCB AE 36
R carte 150 à 220, enf. 48 – 50 – **93 ch** 520/660, 5 duplex 900.

St-Ouen **93400** Seine-St-Denis 101 ⑮ 18 – 42 343 h. alt. 36.

Office de Tourisme pl. République ☎ 40 11 77 36.

Paris 9,5 – Bobigny 11 – Chantilly 34 – Meaux 48 – Pontoise 27 – St-Denis 3.

Sovereign M, 54 quai Seine ☎ 40 12 91 29, Télex 233050, Fax 40 10 89 49 – TV ☎ P – 45. AE GB – **R** 95, enf. 38 – 32 – **104 ch** 330/450. R 28

Fimotel M, 9 r. La Fontaine ☎ 40 12 51 97, Fax 40 12 61 00 – TV ☎ P – 90. AE GB – **R** *(fermé dim.)* 110/170, enf. 38 – 42 – **120 ch** 420/450. U 27

XX **Coq de la Maison Blanche,** 37 bd J. Jaurès ☎ 40 11 01 23, – GB S 28
fermé 1er au 17 août et dim. – **R** carte 210 à 330.

FORD Bocquet, 45-57 av. Michelet ☎ 40 11 13 10
Gar. Michelet, 5 r. Auguste-Rodin ☎ 40 11 85 61
Sté Nouvelle du Pneumatique, 87 bd V.-Hugo ☎ 40 11 08 66
Technigum Pneus, 165 r. Docteur Bauer ☎ 40 11 08 56

St-Thibault-des-Vignes **77** S.-et-M. 101 ⑳ – rattaché à Marne-la-Vallée.

Sartrouville **78500** Yvelines 101 ⑬ 18 – 50 329 h.

Paris 20 – Argenteuil 9 – Maisons-Laffitte 1,5 – Pontoise 20 – St-Germain-en-Laye 7,5 – Versailles 19.

XX **Le Jardin Gourmand,** 109 rte Pontoise ☎ 39 13 18 88 – AE GB M 16
fermé 10 au 30 août et dim. – **R** carte 195 à 300.

C.B. Maintenance, 34 av. Georges-Clemenceau ☎ 39 13 56 18

Savigny-sur-Orge **91600** Essonne 101 ㊱ – 33 295 h. alt. 80.

Paris 22 – Évry 12 – Longjumeau 5 – Versailles 28.

Gd Panorama, 5 r. Mont-Blanc ☎ 69 96 17 61, Fax 69 96 28 82, – TV ☎. AE GB
R *(fermé merc.)* 80/330, enf. 40 – 25 – **25 ch** 195/230.

Sceaux **92330** Hauts-de-Seine 101 ㉕ 22 **G. Ile de France** – 18 052 h. alt. 100 – **Voir** Parc★★ et Musée de l'Ile-de-France★ – L'Hay-les-Roses : roseraie★★ E : 3 km – Châtenay-Malabry : église St-Germain l'Auxerrois★, Maison de Chateaubriand★ SO : 3 km.

Office de Tourisme 68 r. Houdan (fermé matin) ☎ 46 61 19 03.

Paris 10,5 – Antony 3,5 – Bagneux 4 – Corbeil-Essonnes 32 – Nanterre 20 – Versailles 15.

BMW, OPEL Éts Loiseau, 3 r. de la Flèche ☎ 47 02 72 50
Vaysse, 77 r. V. Fayo à Châtenay-Malabry ☎ 46 61 14 18
Vaysse, 30 av. du Gén.-Leclerc à Bourg-la-Reine ☎ 46 65 67 69

Sevran **93270** Seine-St-Denis 101 ⑱ 20 – 48 478 h. alt. 55.

Paris 20 – Bobigny 9 – Meaux 28 – Villepinte 3.

Campanile, r. A. Léonov ☎ 43 84 67 77, Télex 233030, Fax 43 83 27 40 – TV ☎ P – 25. AE GB – **R** 85 bc/113 bc, enf. 39 – 29 – **58 ch** 330 – ½ P 279/307. M 45

Otico, 7 allée du Mar.-Bugeaud ☎ 43 84 36 30

Sèvres **92310** Hauts-de-Seine 101 ㉔ 22 **G. Ile de France** – 21 990 h. alt. 95.

Voir Musée National de céramique★★ – Étangs★ de Ville d'Avray O : 3 km.

Paris 11,5 – Boulogne-Billancourt 2,5 – Nanterre 11 – St-Germain-en-Laye 17 – Versailles 7,5.

Adagio M, 13 Grande Rue ☎ 46 23 20 00, Télex 631286, Fax 46 23 02 32, – ch TV ☎ – 80. AE GB – **R** 95/165 – 55 – **95 ch** 790. AD 18

XX **Aub. Garden,** 24 rte Pavé des Gardes ☎ 46 26 50 50, Fax 46 26 58 58, – GB AF 17
fermé août, vacances de fév., dim. soir, lundi soir et mardi soir – **R** carte 220 à 400.

CITROEN Gar. Pont de Sèvres, ZAC, 2 av. Cristallerie ☎ 45 34 01 93

Stains 93240 Seine-St-Denis 101 ⑯ 20 – 34 879 h. alt. 41.

Paris 14 – Chantilly 29 – Meaux 48 – Pontoise 30 – Senlis 44 – St-Denis 5.

XXX **Chez Bibi,** 41 allée Val du Moulin ✆ 48 26 64 10 – GB L 33
fermé 8 au 30 août, vacances de Noël, sam. et dim. – **R** carte 200 à 310.

Sucy-en-Brie 94370 Val-de-Marne 101 ㉘ 24 – 25 839 h. alt. 96.

Voir Château de Gros Bois★ : mobilier★★ S : 5 km, **G. Ile de France.**

Paris 18 – Créteil 6,5 – Chennevières-sur-Marne 3,5.

quartier les Bruyères SE : 3 km :

Le Tartarin M, carrefour de la Patte d'Oie ✆ 45 90 42 61, – TV ☎ – 40. AE GB
R *(fermé mardi soir, merc. soir, jeudi soir et lundi)* 160/250 – 30 – **11 ch** 295/310. AM 48

XXX **Terrasse Fleurie,** 1 rte Marolles ✆ 45 90 40 07, – P. AE GB AM 48
fermé 3 au 27 août, 21 déc. au 10 janv., mardi et merc. – **R** 160/480.

CITROEN Ruffin-Heitmann, 40 r. de Valenton à Boissy-St-Léger ✆ 45 69 80 81 N ✆ 60 46 34 19
PEUGEOT-TALBOT Éts Paulmier, 89 r. Gén.-Leclerc ✆ 45 90 95 95 N
RENAULT Boissy Autos, 51/53 av. Gén. Leclerc à Boissy-St-Léger ✆ 45 69 96 30 N ✆ 44 02 10 74

Suresnes 92150 Hauts-de-Seine 101 ⑭ 18 **G. Ile de France** – 35 998 h. alt. 42.

Voir Fort du Mont Valérien (Mémorial National de la France combattante).

Paris 12 – Nanterre 4,5 – Pontoise 35 – St Germain-en-Laye 13 – Versailles 13.

Novotel M, 7 r. Port aux Vins ✆ 40 99 00 00, Télex 611909, Fax 45 06 60 06 – TV ☎ – 25 à 80. AE GB X 19
R carte environ 160 – 55 – **109 ch** 620/680.

Atrium M sans rest, 64 bd H. Sellier ✆ 42 04 60 76, Télex 616516, Fax 46 97 71 61 – TV ☎ – 80. AE GB JCB Y 18
50 – **42 ch** 580/800.

Astor M sans rest, 19 bis r. Mt Valérien ✆ 45 06 15 52, Fax 42 04 65 29 – TV ☎. GB X 18
28 – **51 ch** 300.

Ibis M, 6 r. Bourets ✆ 45 06 44 88, Télex 614484, Fax 46 97 08 37, – ch TV ☎ – 30. GB – **R** 91 – 35 – **62 ch** 375/390. X 18

XX **Pont de Suresnes,** 58 r. Pasteur ✆ 45 06 66 56, Fax 45 06 65 09, – P. AE GB Y 18
R carte 200 à 280.

La Centrale du Pneu, 4 r. E. Nieuport ✆ 47 72 43 21

Taverny 95150 Val-d'Oise 101 ④ **G. Ile de France** – 25 151 h. alt. 91.

Voir église★.

Paris 28 – Beauvais 55 – Chantilly 30 – L'Isle Adam 14,5 – Pontoise 12,5.

Campanile, centre commercial les Portes de Taverny ✆ 30 40 10 85, Télex 606050, Fax 30 40 10 87 – TV ☎ P – 25. AE GB
R 77 bc/99 bc, enf. 39 – 28 – **51 ch** 258 – ½ P 234/256.

CITROEN Gar. Vincent Père et Fils, 183 r. d'Herblay ✆ 39 95 44 00
PEUGEOT-TALBOT Gar. des Lignières, 29 r. de Beauchamp ✆ 39 60 13 58
RENAULT Gar. de la Diligence, 75 r. d'Herblay ✆ 39 60 75 68

Torcy 77 S.-et-M. 101 ⑲ – rattaché à Marne-la-Vallée.

Tremblay-en-France 93290 Seine-St-Denis 101 ⑧ 20 – 31 385 h. alt. 63.

Paris 23 – Aulnay-sous-Bois 7,5 – Bobigny 12 – Villepinte 4.

au Tremblay-Vieux-Pays :

XX **Le Cénacle,** 1 r. Mairie ✆ 48 61 32 91, Fax 48 60 43 89 – AE GB H 48
fermé 13 août au 3 sept., 24 déc. au 2 janv., sam. midi, dim. et fériés – **R** 150 (déj.)/290, enf. 90.

Les Ulis 91940 Essonne 101 ㉚ – 27 164 h. alt. 159.

Paris 31 – Arpajon 17 – Évry 27 – Rambouillet 29 – Versailles 19.

Mercure M, Z.A. de Courtaboeuf ✆ 69 07 63 96, Télex 601247, Fax 69 07 92 00, – ch TV ☎ P – 200. AE GB JCB
R 130/160, enf. 45 – 45 – **108 ch** 560/625.

Campanile, Z.A. de Courtaboeuf ✆ 69 28 60 60, Télex 603094, Fax 69 28 06 35, – TV ☎ P – 25. AE GB
R 77 bc/99 bc, enf. 39 – 28 – **50 ch** 258 – ½ P 234/256.

RENAULT S.D.A.O., av. des Tropiques, ZA Courtaboeuf-les-Ulis ✆ 69 07 78 35

Valenton 94460 Val-de-Marne 101 ㉗ 24 – 11 110 h. alt. 84.

Paris 19 – Boissy-St-Léger 4 – Créteil 6,5.

Confortel M, av. Champs St Julien ℘ 43 82 21 31, Télex 263747, Fax 43 82 09 13 – rest – 60. GB AN 39
R 74/120 – 30 – **60 ch** 250/260 – ½ P 406/454.

RENAULT Ferreyra, 166 r. de Paris à Villeneuve-St-Georges ℘ 43 82 04 82 N ℘ 44 60 78 41
RENAULT Boissy Autos, 18 av. de Valenton à Limeil-Brévannes ℘ 45 69 96 30 N ℘ 44 02 10 74
V.A.G Rabes, 21 r. Diderot à Villeneuve-St-Georges ℘ 43 82 17 02
La Centrale du Pneu, 54 av. H. Barbusse ℘ 43 89 06 54

Vanves 92170 Hauts-de-Seine 101 ㉕ 22 – 25 967 h. alt. 47.

Paris 7,5 – Boulogne-Billancourt 4 – Nanterre 13.

Mercure Paris Porte de la Plaine M, r. Moulin ℘ 46 42 93 22, Télex 631628, Fax 46 42 40 64, – – 480. AE GB JCB AD 24
R brasserie 130, enf. 50 – 55 – **391 ch** 665/880.

Parc des Expositions M sans rest, 18 r. E. Baudouin ℘ 45 29 00 68, Fax 45 29 00 78 – . AE GB AD 23
45 – **38 ch** 550/750.

Pavillon de la Tourelle, 10 r. Larmeroux ℘ 46 42 15 59, Fax 46 42 06 27, , – AE GB JCB AE 23
fermé 3 au 31 août, vacances de fév., dim. soir et lundi – **R** 200 et carte 280 à 415, enf. 70.

La Varenne-St-Hilaire 94210 Val-de-Marne 101 ㉘ 24 – alt. 40.

Paris 15 – Chennevières-sur-Marne 2,5 – Lagny-sur-Marne 22 – St-Maur-des-Fossés 2.

La Bretèche, 171 quai Bonneuil ℘ 48 83 38 73, – AE GB AJ 44
fermé vacances de fév., dim. soir et lundi – **R** 160 et carte 225 à 345.

Chez Nous comme chez Vous, 110 av. du Mesnil ℘ 48 85 41 61 – . GB AG 45
fermé août, fév., dim. soir et merc. – **R** 150/525.

Selz-Pneus-Est, 5 av. L.-Blanc ℘ 48 85 27 33

Vaucresson 92420 Hauts-de-Seine 101 ㉓ 22 – 8 118 h. alt. 142.

Voir Etang de St-Cucufa★ NE : 2,5 km, **G. Ile de France.**

Paris 16 – Mantes-la-Jolie 43 – Nanterre 14 – St-Germain-en-Laye 10,5 – Versailles 5.

voir plan de Versailles.

La Poularde, 36 bd Jardy (près autoroute) D 182 ℘ 47 41 13 47, – . AE GB U **a**
fermé août, vacances de fév., dim. soir, mardi soir et merc. – **R** carte 230 à 360.

RENAULT Moriceau, 106 bd République ℘ 47 41 12 40

Vélizy-Villacoublay 78140 Yvelines 101 ㉓ 22 – 20 725 h. alt. 174.

Paris 17 – Antony 13 – Chartres 76 – Meudon 8,5 – Versailles 6.

Holiday Inn M, av. Europe, près centre commercial Vélizy II ℘ 39 46 96 98, Télex 696537, Fax 34 65 95 21, , – ch – 250. AE GB JCB. rest AJ 18
R 175/210, enf. 65 – 75 – **182 ch** 795/995.

Orée du Bois, 2 r. M. Sembat ℘ 39 46 38 40, Fax 30 70 88 67, – AE GB AH 14
fermé août, sam. et dim. – **R** carte 240 à 395.

RENAULT BSE-Vélizy, av. L.-Breguet ℘ 39 46 96 03

Versailles P 78000 Yvelines 101 ㉒ 22 **G. Ile de France** – 87 789 h. alt. 132.

Voir Château★★★ Y – Jardins★★★ (Grandes Eaux★★★ et fêtes de nuit★★★ en été) V – Ecuries Royales★ Y – Trianon★★ V – Musée Lambinet★ Y **M.**

9 18 18 Racing Club de France (privé) ℘ 39 50 59 41, par ③ : 2,5 km.

Office de Tourisme 7 r. Réservoirs ℘ 39 50 36 22.

Paris 20 ① – Beauvais 88 ⑦ – Dreux 60 ⑥ – Évreux 88 ⑦ – Melun 61 ③ – ◆Orléans 121 ③.

Plans pages suivantes

Trianon Palace M , 1 bd Reine ℘ 30 84 38 00, Télex 698863, Fax 39 49 00 77, ←, parc, « Élégant décor début de siècle », , , – ch . AE GB JCB. rest X **r**
R voir rest. **Les Trois Marches** ci-après – 95 – **69 ch** 850/2200, 25 appart.

Pullman Place d'Armes M, 2 av. Paris ℘ 39 53 30 31, Télex 697042, Fax 39 53 87 20 – rest – 150. AE GB JCB Y **a**
R 185/320 – 65 – **146 ch** 690, 6 appart. 1300.

Trianon Hôtel M , 1 bd Reine ℘ 30 84 38 00, Télex 699210, Fax 39 51 57 79, parc, , , – – 400. AE GB JCB. rest X **r**
R 195 – 85 – **97 ch** 850/1050.

VERSAILLES

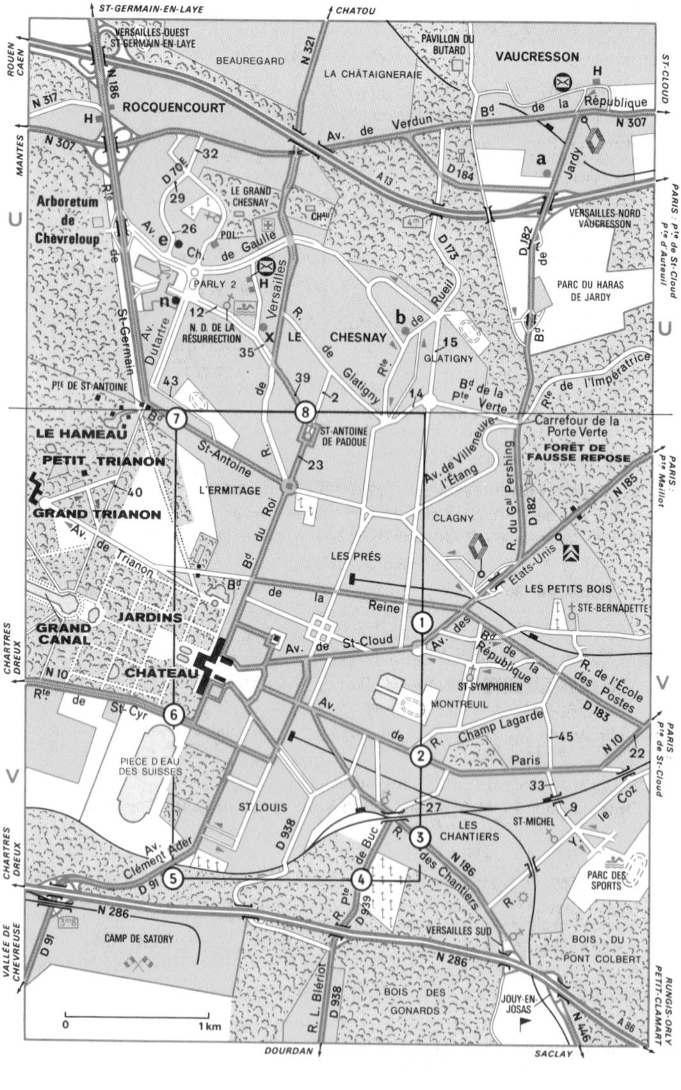

VERSAILLES

Carnot (R.) . . . . Y
Clemenceau
(R. Georges) . . . . Y 7
États-Généraux (R. des) . . Z
Foch (R. du Mar.) . . . . Y
Hoche (R.) . . . . Y

Leclerc (R. du Gén.) . . . . . Z 24
Orangerie (R. de l') . . . . . YZ
Paroisse (R. de la) . . . . . . Y
Royale (R.) . . . . Z
Satory (R. de) . . . . YZ 42
Vieux-Versailles (R. du) . YZ 47

Chancellerie (R. de la) . . . Y 3
Chantiers (R. des) . . . . . . Z 5

Cotte (R. Robert-de) . . . . . Y 10
Europe (Av. de l') . . . . Y 14
Gambetta (Pl.) . . . . Y 17
Gaulle (Av. Gén.-de) . . . . . YZ 19
Indép. Américaine (R.) . . . . Y 20
Mermoz (R. Jean) . . . . Z 27
Nolhac (R. Pierre-de) . . . . . Y 30
Porte de Buc (R.) . . . . Z 34
Rockefeller (Av.) . . . . Y 37

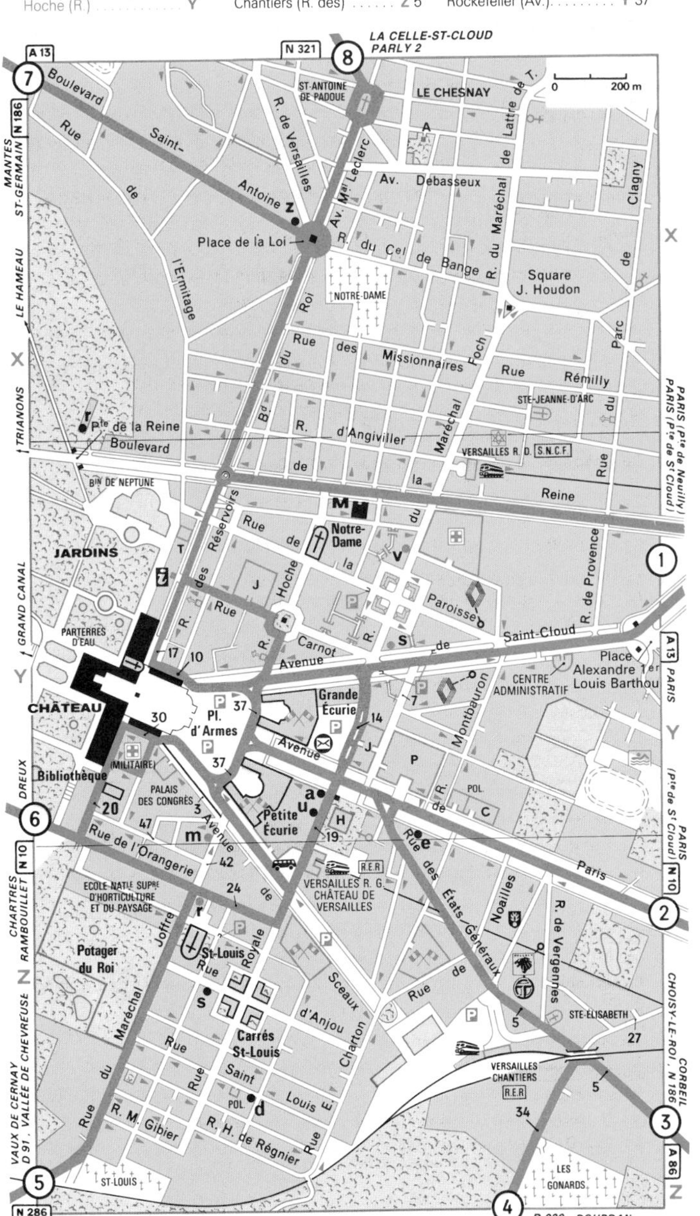

Novotel M, 4 bd St-Antoine au Chesnay ✉ 78150 ☎ 39 54 96 96, Télex 689624, Fax 39 54 94 40 – ch – 25 à 150. AE GB JCB X z
R carte environ 150, enf. 50 – 49 – **103 ch** 510/540.

Mercure M sans rest, r. Marly-le-Roi au Chesnay, face centre commercial Parly II ✉ 78150 ☎ 39 55 11 41, Télex 695205, Fax 39 55 06 22 – . AE GB U e
48 – **78 ch** 495/550.

Résidence du Berry M sans rest, 14 r. Anjou ☎ 39 49 07 07, Télex 689058, Fax 39 50 59 40 – . AE GB Z s
fermé 20 déc. au 5 janv. – 35 – **38 ch** 360/430.

Arcade M sans rest, 4 av. Gén. de Gaulle ☎ 39 53 03 30, Télex 695652, Fax 39 50 06 31 – – 25. AE GB Y u
40 – **85 ch** 360/470.

Urbis M sans rest, av. Dutartre au Chesnay, centre commercial Parly II ✉ 78150 ☎ 39 63 37 93, Télex 689188, Fax 39 55 18 66 – . GB U n
32 – **72 ch** 345/370.

Home St-Louis sans rest, 28 r. St-Louis ☎ 39 50 23 55, Fax 30 21 62 45 – . GB Z d
30 – **27 ch** 265/320.

Paris sans rest, 14 av. Paris ☎ 39 50 56 00, Fax 39 50 21 83 – . AE GB YZ e
32 – **37 ch** 303/346.

XXXX ✿✿ **Les Trois Marches** (Vié), 1 bd Reine ☎ 39 50 13 21, Fax 30 21 01 25, <, – . AE GB. X r
fermé dim. et lundi – **R** 260 (déj.) sauf sam./595 et carte 380 à 600
Spéc. Assiette de foie gras au vin de Maury et à la croque au sel. Turbot au jus de viande. Crème Chiboust caramélisée aux fruits.

XXX ✿ **La Grande Sirène,** 25 r. Mar. Foch ☎ 39 53 08 08, Fax 39 53 37 15 – . AE GB
fermé 1er au 9 mai, 9 au 31 août, dim. et lundi – **R** 148 bc (déj.)/240 Y v
Spéc. Trilogie de canard. Saint-Pierre rôti au jus de veau. Millefeuille aux noix chocolatées.

XXX **Rescatore,** 27 av. St-Cloud ☎ 39 50 23 60, produits de la mer – . AE GB Y s
fermé sam. midi et dim. – **R** 200/375.

XX **Le Chesnoy,** 24 r. Pottier au Chesnay ✉ 78150 ☎ 39 54 01 01 – . AE GB U x
fermé 6 au 27 août, dim. soir et lundi – **R** carte 200 à 290.

XX **Potager du Roy,** 1 r. Mar.-Joffre ☎ 39 50 35 34, Fax 30 21 69 30 – . GB Z r
fermé dim. et lundi – **R** 115/160.

XX **Le Connemara,** 41 rte Rueil au Chesnay ✉ 78150 ☎ 39 55 63 07 – AE GB U b
fermé août, vacances de fév., dim. et lundi – **R** 145.

XX **Le Pot au Feu,** 22 r. Satory ☎ 39 50 57 43 – GB. Y m
fermé août, sam. midi et dim. – **R** 115 et carte 210 à 280.

AUTOBIANCHI-LANCIA Gar. de Versailles, 18/22 r. de Conde ☎ 39 51 06 68
BMW Gar. Lostanlen, 10 r. de la Celle, Le Chesnay ☎ 39 54 75 20
CITROEN Succursale, 124 av. des États-Unis ☎ 30 21 52 53
FIAT Sodiam 78, 15 r. Parc de Clagny ☎ 39 50 64 10
PEUGEOT-TALBOT Gar. de Vergennes, 18 r. de Vergennes ☎ 39 02 27 27
RENAULT Succursale, 12 r. Haussmann ☎ 30 84 60 00 N ☎ (1) 05 05 15 15
RENAULT Succursale, 81 r. de la Paroisse ☎ 30 84 60 00 N ☎ (1) 05 05 15 15
RENAULT Succursale, 46 av. de St-Cloud ☎ 30 84 60 00 N ☎ (1) 05 05 15 15
V.A.G Gd Gar. des Chantiers, 58 r. des Chantiers ☎ 39 50 04 97

La Centrale du Pneu, 77 r. des Chantiers ☎ 30 21 24 25

Le Vésinet 78110 Yvelines 101 ⑬ 18 – 15 945 h. alt. 44.

Paris 18 – Maisons-Laffitte 8,5 – Pontoise 22 – St-Germain-en-Laye 3 – Versailles 14.

Aub. des Trois Marches, 15 r. J. Laurent ☎ 39 76 87 93, Fax 39 76 62 58 – . AE GB V 10
fermé 10 au 16 août – **R** *(fermé dim. soir et lundi)* 130 – 30 – **15 ch** 380/440.

Villejuif 94800 Val-de-Marne 101 ㉖ 22 – 48 405 h. alt. 103.

Paris 8 – Créteil 12 – Orly 8,5 – Vitry-sur-Seine 3.

Campanile, 20 r. Dr Pinel ☎ 46 78 10 11, Télex 260883, Fax 46 77 88 94 – – 50. AE GB AG 29
R 85 bc/113 bc, enf. 39 – 29 – **73 ch** 330 – ½ P 279/307.

La Pneumathèque, 21 r. de Verdun ☎ 46 77 06 06

Villemomble 93250 Seine-St-Denis 101 ⑱ 20 – 26 863 h. alt. 58.

de Rosny-sous-Bois ☎ 48 94 01 81 ; O par N 302 (av. Rosny-sous-Bois) : 3 km.

Paris 14 – Lagny-sur-Marne 16 – Livry-Gargan 4,5 – Meaux 32 – Senlis 44.

XX **Boule d'Or,** 10 av. Gallieni ☎ 48 54 47 26 – GB V 44
fermé 29 juil. au 3 sept., vacances de fév., dim. soir, mardi soir et merc. – **R** carte 145 à 260.

RENAULT Villemomble-Autom., 19 av. de Rosny ☎ 48 94 16 16 N ☎ 05 05 15 15
V.A.G Gar. du Progrès, 25 rte Noisy ☎ 45 28 66 30

Barillet, 19 rte Noisy ☎ 48 54 29 25

Villeneuve-la-Garenne 92390 Hauts-de-Seine 101 ⑮ 20 – 23 824 h. alt. 28.

Paris 10,5 – Nanterre 13 – Pontoise 25 – St-Denis 2,5 – St-Germain-en-Laye 21.

XXX **Les Chanteraines,** av. 8 Mai 1945 ✆ 47 99 31 31, ← – P. AE GB N 27
fermé 15 au 30 août, dim. soir et sam. – **R** 170.

RENAULT Raynal, 16 av. M. Sangnier ✆ 47 94 09 09

Central-Pneu, 23 av. M. Sangnier ✆ 47 98 08 10
La Centrale du Pneu, 8 av. de la Redoute, ZI ✆ 47 94 22 85

Villepinte 93420 Seine-St-Denis 101 ⑧ 20 – 30 303 h. alt. 63.

Paris 22 – Bobigny 10,5 – Meaux 30 – St-Denis 18.

Campanile M, 2 r. J. Fourgeaud ✆ 48 60 35 47, Télex 231773, Fax 48 61 49 33, – TV ☎ ♿ P – 40. AE GB – **R** 78 bc/99 bc, enf. 39 – 28 – **50 ch** 258. K 48

Parc des Expositions Paris Nord II – ✉ 93420 Villepinte :

Ibis M, sortie visiteurs ✆ 48 63 89 50, Télex 233822, Fax 48 63 23 10, – TV ☎ ♿ P – 60. GB – **R** 95 , enf. 39 – 32 – **124 ch** 380. K 44

RENAULT Verdier 4 av. G.-Clemenceau ✆ 48 61 96 65 N ✆ 05 05 15 15

Villiers-le-Bâcle 91190 Essonne 101 ㉝ 22 – 953 h. alt. 151.

Paris 27 – Arpajon 25 – Rambouillet 28 – Versailles 10,5.

XX **La Petite Forge,** ✆ 60 19 03 88 – GB AS 9
fermé 1er au 10 mai, 1er au 23 août, 23 déc. au 2 janv., sam. et dim. – **R** carte 300 à 390.

Villiers-sur-Marne 94350 Val-de-Marne 101 ㉘ 24 – 22 740 h.

Paris 17 – Créteil 12 – Lagny-sur-Marne 16.

Captain H. M, 75 bd Friedberg ✆ 49 30 95 15, Télex 230043, Fax 49 30 17 59 – rest TV ☎ ♿ P – 80. AE GB. rest AC 47
R 78/120 , enf. 39 – 30 – **84 ch** 285/300 – ½ P 250.

Vincennes 94300 Val-de-Marne 101 ⑰ 24 – 42 267 h. alt. 60.

Voir Château★★ – Bois de Vincennes★★ : Zoo★★, Parc floral de Paris★★, Musée des Arts africains et océaniens★, **G. Paris.**

Office de Tourisme 11 av. Nogent ✆ 48 08 13 00.

Paris 6,5 – Créteil 13 – Lagny-sur-Marne 25 – Meaux 46 – Melun 51 – Montreuil 1,5 – Senlis 48.

St-Louis M sans rest, 2 bis r. R. Giraudineau ✆ 43 74 16 78, Fax 43 74 16 49 – TV ☎ – 25. AE GB JCB – 43 – **22 ch** 500/650. AB 37

Daumesnil Vincennes M sans rest, 50 av. Paris ✆ 48 08 44 10, Télex 264644, Fax 43 65 10 94 – TV ☎. AE GB – 30 – **50 ch** 330/390. AB 37

Donjon sans rest, 22 r. Donjon ✆ 43 28 19 17, Fax 49 57 02 04 – TV ☎. GB. AB 37
fermé 24 juil. au 23 août – 30 – **25 ch** 250/350.

X **La Rigadelle,** 26 r. Montreuil ✆ 43 28 04 23 – GB AB 37
fermé août, sam. midi et dim. – **R** (nombre de couverts limité, prévenir) carte 225 à 355.

CITROEN Succursale, 120 av. de Paris ✆ 43 74 12 25
FORD Deshayes, 232 r. de Fontenay ✆ 43 74 97 40

PEUGEOT-TALBOT Sabrié, 3 av. de Paris ✆ 43 28 37 54

Pneu-Service, 12 r. de Fontenay ✆ 43 28 14 79

Viroflay 78220 Yvelines 101 ㉓ 22 – 14 689 h. alt. 115.

Paris 14 – Antony 15 – Boulogne-Billancourt 6,5 – Versailles 4.

XX **Aub.la Chaumière,** 3 av. Versailles ✆ 30 24 48 76, – GB AG 13
fermé dim. soir et lundi – **R** 150 (sauf fêtes) et carte 215 à 370.

AUSTIN-ROVER SOGA Versailles, 189 av. du Gén.-Leclerc ✆ 30 24 06 16
PEUGEOT-TALBOT Gar. de l'Ile de France, 17 av. du Gén.-Leclerc ✆ 30 24 48 42

La Centrale du Pneu, 199 av. Gén.-Leclerc ✆ 30 24 49 96

Viry-Châtillon 91170 Essonne 101 ㊱ – 30 580 h. alt. 36.

Paris 26 – Corbeil-Essonnes 17 – Évry 8 – Longjumeau 8,5 – Versailles 31.

XXX ✿ **La Dariole de Viry** (Richard), 21 r. Pasteur ✆ 69 44 22 40, Fax 69 96 88 87 – . AE GB
fermé 20 juil. au 12 août, 24 déc. au 5 janv., sam. midi et dim. – **R** carte 250 à 360
Spéc. Blinis aux escargots de Bourgogne, Navarin de terre et mer parfumé au curry, Gibier (saison).

RENAULT Come et Bardon, 119 av. Ch.-de-Gaulle ✆ 69 96 91 40 N ✆ 05 05 15 15
SEAT Gar. Marchand, 113 av. Gén.-de-Gaulle ✆ 69 05 38 49

La Centrale du Pneu, 134 rte Nationale 7 ✆ 69 44 30 07

PRINCIPALES MARQUES D'AUTOMOBILES

Constructeurs Français

Alpine-Renault (Sté des Autom.) : 120 r. Thiers, 92109 Boulogne-Billancourt ☏ 46 09 62 36

Citroën : 62 bd Victor-Hugo, 92200 Neuilly ☏ 47 48 41 41
Magasins d'exposition : 42 av. Champs-Élysées, 75008 Paris ☏ 43 59 62 20

Matra Automobile : ZI « Le Chêne Sorcier » CD 161, BP 47, 78340 Les Clayes-sous-Bois ☏ 30 55 82 82

MS-Venturi : Port Launay, 44220 Nantes Coueron ☏ 40 38 50 50

Peugeot-Talbot : siège et services commerciaux : 75 av. Gde-Armée, 75116 Paris ☏ 40 66 55 11
Magasin d'exposition : 136 av. Champs-Élysées, 75008 Paris ☏ 45 62 70 20

Renault : 8 av. Émile-Zola, BP 103, 92109 Boulogne-Billancourt ☏ 41 04 31 31
Magasin d'exposition : 53 av. Champs-Élysées, 75008 Paris ☏ 42 25 54 44

Renault V.I. : 40 rue Pasteur, BP 302, 92156 Suresnes ☏ 40 99 71 11

Importateurs

(Agents en France : demander la liste aux adresses ci-dessous.)

Alfa-Romeo : 41-45 quai Président-Roosevelt, 92130 Issy-les-Moulineaux ☏ 45 54 92 04

Renault DCF : Service Véhicule Haut de Gamme : 120 r. Thiers, 92109 Boulogne-Billancourt ☏ 46 09 54 16

Austin Rover France : (Austin, Land Rover, Morris, Rover) r. Ambroise-Croizat, Zone Ind., 95102 Argenteuil ☏ 39 82 09 22

BMW : 3 av. Ampère, Montigny-le-Bretonneux 78886 St-Quentin-en-Yvelines ☏ 30 43 93 00

Ferrari : Autom. Ch. Pozzi S.A., 109 r. Aristide-Briand, 92300 Levallois ☏ 47 39 96 50

Fiat (Lancia-Autobianchi) : 80/82 quai Michelet, 92532 Levallois-Perret Cedex ☏ 47 30 50 00

Ford : 344 av. Napoléon-Bonaparte, 92506 Rueil-Malmaison Cedex ☏ 47 32 60 00

General-Motors : (Cadillac, Lotus, Opel, GME), 1 à 9 av. du Marais, BP 84, angle quai de Bezons, 95101 Argenteuil Cedex

Honda-France : Parc d'Activité Paris-Est-La Madeleine, BP 46, 77312 Marne-la-Vallée Cedex 2 ☏ 60 05 90 12

Jaguar France : 64 r. Marjolin, 92302 Levallois-Perret ☏ 42 70 82 20

Lada-Skoda : Ets Poch, 10 bd des Martyrs-de-Châteaubriant, 95103 Argenteuil ☏ 34 11 44 44

Maserati : S.A.M.A.F. 53 bd Garibaldi, 75015 Paris ☏ 47 83 33 33

Mazda-Innocenti : Sté France-Motors, ZAC Moimont II, 95670 Marly-la-Ville ☏ 34 72 13 00

Mercedes-Benz : Parc de Rocquencourt, 78150 Le Chesnay ☏ 30 21 06 00
Magasin d'exposition : 118 av. Champs-Élysées, 75008 Paris ☏ 45 62 24 04

Morgan : J. Savoye, 237 bd Pereire, 75017 Paris ☏ 45 74 82 80

Nissan : Sté Richard, Zone d'Activités du Parc de Pissaloup, av. Jean-d'Alembert, BP 123, 78194 Trappes Cedex ☏ 30 69 25 00

Porsche-Mitsubishi-Chrysler : Sonauto, 1 av. du Fief, Z.A. des Béthunes, 95310 St-Ouen l'Aumône ☏ 30 36 91 23

Rolls-Royce, Bentley : Franco-Britannic, 25 r. P.-Vaillant-Couturier, 92300 Levallois-Perret ☏ 47 57 90 24

Saab : 12 r. des Peupliers. Parc d'Activité du Petit Nanterre, 92007 Nanterre ☏ 47 86 72 22

Santana : 77 av. Paul-Vaillant-Couturier, 78390 Bois-d'Arcy ☏ 30 45 16 45

Seat France : 2 et 4 av. de l'Éguillette, 95310 St-Ouen l'Aumône ☏ 30 36 06 00

Toyota France : 3 r. de Normandie, 92600 Asnières ☏ 47 90 62 10

V.A.G. France : 50 bd Malesherbes, 75008 Paris ☏ 42 56 42 82

Volvo Automobiles France SA : 6 bd de l'Oise, 95036 Cergy Pontoise Cedex ☏ 34 20 11 00

Volvo Véhicules Industriels France SA : 114 av. Roger-Salengro, 92360 Chaville ☏ 47 09 40 00

PARS-LÈS-ROMILLY 10 Aube 61 ⑤ – rattaché à Romilly-sur-Seine.

PARTHENAY <SP> **79200** Deux-Sèvres 67 ⑱ **G. Poitou Vendée Charentes** – 10 809 h. alt. 172.

Voir Pont St-Jacques★ Y **B** – Rue de la Vaux-St-Jacques★ Y – Église★ de Parthenay-le-Vieux par ④ : 1,5 km.

18 du Petit Chêne à Mazières ✆ 49 63 28 33, par ④ : 18 km D 743.

Office de Tourisme avec A.C. Palais des Congrès, square R.-Bigot ✆ 49 64 24 24.

Paris 372 ② – Poitiers 51 ② – Bressuire 31 ① – Châtellerault 71 ② – Fontenay-le-Comte 51 ④ – Niort 42 ④ – Thouars 37 ①.

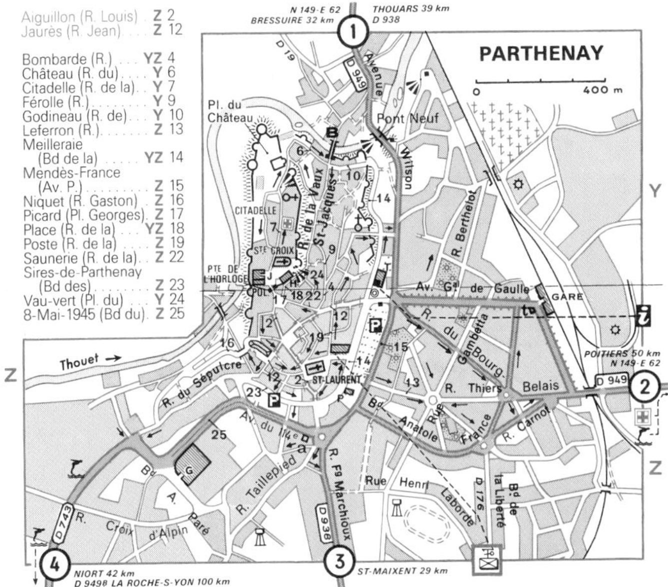

St-Jacques M sans rest, 13 av. 114e R.I. ✆ 49 64 33 33, Fax 49 94 00 69 – ▮ TV ☎ & P – 50. GB JCB Z **a**
☕ 32 – **46 ch** 185/300.

Renotel M, bd Europe par ② : 1 km ✆ 49 94 06 44, Fax 49 64 01 94 – ▮ TV ☎ & P. GB
R 72/200 – ☕ 35 – **41 ch** 250/320 – ½ P 220/250.

Nord avec ch, 86 av. Gén. de Gaulle ✆ 49 94 29 11, Fax 49 64 11 72 – ☎. AE GB Z **t**
fermé 20 déc. au 10 janv. et sam. sauf fériés – **R** 60/200 – ☕ 25 – **10 ch** 230/260.

FORD Gar. Thoron, 52 av. A.-Briand ✆ 49 64 10 91
RENAULT Gâtine Espace Automobiles, 114 av. A.-Briand ✆ 49 94 04 00 N

Coutan-Pneus, pl. Martyrs-de-la-Résistance ✆ 49 94 34 22

PARVILLE 27 Eure 55 ⑯ – rattaché à Évreux.

PAS-DE-L'ÉCHELLE 74 H.-Savoie 74 ⑥ – rattaché à Annemasse.

PASSENANS 39 Jura 170 ④ – rattaché à Poligny.

PAU P **64000** Pyr.-Atl. 85 ⑥ ⑦ **G. Pyrénées Aquitaine** – 82 157 h. alt. 210.

Voir Boulevard des Pyrénées ≤★★★ ABZ – Château★★ : tapisseries★★★ AZ – Musée des Beaux-Arts★ BY **M**.

18 ✆ 59 32 02 33 AVX.

Circuit automobile urbain.

✈ de Pau-Pyrénées : ✆ 59 33 21 29, par ⑥ : 12 km.

Office Municipal de Tourisme pl. Royale ✆ 59 27 27 08 et pl. Monnaie ✆ 59 27 41 24 – A.C. 1 bd Aragon ✆ 59 27 01 94.

Paris 774 ⑥ – ◆Bayonne 107 ⑤ – ◆Bordeaux 194 ⑥ – ◆Toulouse 192 ② – Zaragoza 282 ④.

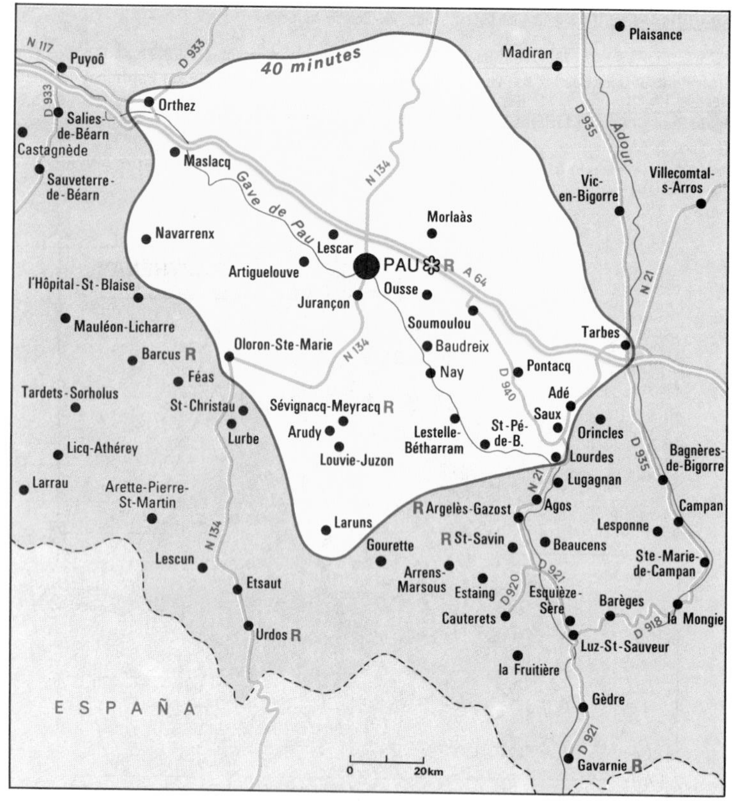

Continental, 2 r. Mar. Foch ℰ 59 27 69 31, Télex 570906, Fax 59 27 99 84 – 200. AE GB JCB BY **e**
R *(fermé sam. soir et dim. de nov. à mars)* 135/270, enf. 85 – 40 – **85 ch** 310/515 – ½ P 330/395.

Paris M sans rest, 80 r. E. Garet ℰ 59 82 58 00, Télex 541595, Fax 59 27 30 20 – TV P. AE GB BY **n**
41 ch 375/475.

de Gramont M sans rest, 3 pl. Gramont ℰ 59 27 84 04, Fax 59 27 62 23 – TV – 40. AE GB AY **t**
30 – **32 ch** 200/390.

Commerce, 9 r. Mar. Joffre ℰ 59 27 24 40, Télex 540193, Fax 59 83 81 74, – TV – 100. AE GB AZ **q**
R *(fermé dim.)* 90/135, enf. 65 – 35 – **51 ch** 230/320 – ½ P 258/273.

Le Navarre M sans rest, 9 av. Gén. Leclerc ℰ 59 30 25 39, Fax 59 02 63 95 – TV P. GB BV **m**
30 – **31 ch** 250/260.

Le Bourbon M sans rest, 12 pl. Clemenceau ℰ 59 27 53 12, Fax 59 82 90 99 – TV. AE GB BY **d**
33 – **33 ch** 240/300.

Montpensier sans rest, 36 r. Montpensier ℰ 59 27 42 72, Fax 59 27 70 95 – TV P. AE GB AY **h**
32 – **22 ch** 200/350.

Roncevaux sans rest, 25 r. L. Barthou ℰ 59 27 08 44, Télex 570849, Fax 59 82 92 79 – TV P. AE GB AZ **f**
35 – **39 ch** 290/330.

Bristol sans rest, 3 r. Gambetta ℰ 59 27 72 98, Télex 573543 – TV P. AE GB JCB BY **z**
30 – **24 ch** 245/314.

PAU

ÉGLISES

Atlantic H. sans rest, 222 av. J. Mermoz ✆ 59 32 38 24, Fax 59 62 40 24 – AE GB JCB AV r
25 – **31 ch** 170/250.

Corona, 71 av. Gén. Leclerc ✆ 59 30 64 77, Fax 59 02 62 64 – rest. AE GB
R *(fermé 20 déc. au 10 janv., vend. soir et sam.)* 75/150, enf. 60 – 25 – **20 ch** 110/260 – 1/2 P 230/270. BV a

Postillon sans rest, 10 cours Camou ✆ 59 32 49 15, Fax 59 92 85 75 – GB AY a
26 – **28 ch** 190/215.

Arcade sans rest, 26 r. Samonzet ✆ 59 83 71 83, Télex 571439, Fax 59 83 82 51 – 40. AE GB BY a
35 – **60 ch** 275/300.

Central sans rest, 15 r. L. Daran ✆ 59 27 72 75, Fax 59 27 33 28 – AE GB BZ t
30 – **28 ch** 111/268.

Chez Pierre (Casau), 16 r. L. Barthou ✆ 59 27 76 86 – AE GB BZ x
fermé 15 au 28 fév., sam. midi et dim. sauf fériés – **R** carte 230 à 350
Spéc. Ravioli de langoustines au curry de Madras. Filet mignon de veau aux morilles et foie gras. Cassoulet béarnais aux haricots de maïs. **Vins** Jurançon, Madiran.

L'Agripaume, 14 r. Latapie ✆ 59 27 68 70 – GB BZ k
fermé 20 juil. au 16 août, sam. midi et dim. soir – **R** 70/220.

Fin Gourmet, face gare ✆ 59 27 47 71, Fax 59 82 96 77 – AE GB AZ v
fermé juil. et lundi – **R** 85/180.

Le Viking (David), 33 bd Tourasse ✆ 59 84 02 91 – AE GB BV s
fermé 16 août au 16 sept., vacances de fév., sam., dim. et fériés – **R** (nombre de couverts limité, prévenir) carte 240 à 340
Spéc. Huîtres chaudes à la nantaise. Filets de sole au coulis de cresson. Tournedos "Sainte Anne". **Vins** Madiran, Pacherenc du Vic-Bilh.

St-Jacques, 9 r. Parlement ✆ 59 27 58 97, Fax 59 27 91 24 – AE GB AZ d
fermé 2 au 15 janv., sam. midi et dim. midi – **Repas** (nombre de couverts limité, prévenir) 98/135.

Pyrénées, pl. Royale ✆ 59 27 07 75 – AE GB AZ s
fermé 2 au 23 août et dim. – **R** 98/170.

à la sortie A 7 par ① : 5 km : – ✉ **64000** Pau :

Mercure, ✆ 59 84 29 70, Télex 541852, Fax 59 84 56 11 – 250. AE GB JCB
R 81 bc/120 bc, enf. 45 – 50 – **92 ch** 405/560 – 1/2 P 285/450.

à Ousse par ② : 9,5 km – ✉ **64320** Idron-Lee-Ousse-Sendets :

Pyrénées, ✆ 59 81 71 51, Fax 59 81 78 47 – 30. AE GB JCB. ch
fermé 15 déc. au 15 janv., sam. soir et dim. de nov. à mai – **R** 74/200, enf. 40 – 26 – **22 ch** 145/310 – 1/2 P 215.

à Jurançon : 2 km – 7 538 h. – ✉ **64110** :

Castel du Pont d'Oly avec ch, 2 av. Rauski par ④ ✆ 59 06 13 40, Fax 59 06 10 53 – GB
R *(fermé dim. soir)* 160/395 – 50 – **6 ch** 350/450 – 1/2 P 500.

Ruffet, 3 av. Ch. Touzet ✆ 59 06 25 13, cadre rustique – AE GB AX e
fermé dim. soir et lundi – **R** carte 200 à 300.

rte de Bayonne par ⑤ : 6 km – ✉ **64230** Lescar :

Novotel, centre commercial ✆ 59 32 17 32, Télex 570939, Fax 59 32 34 98 – 80. AE GB
R carte environ 160, enf. 55 – 50 – **61 ch** 400/450.

à Lescar par ⑤ : 7,5 km – 5 793 h. – ✉ **64230** :

Bilaa sans rest, chemin de Lons : 1,5 km ✆ 59 81 03 00, Télex 541856, Fax 59 81 15 24 – 30. AE GB
fermé 24 déc. au 5 janv. – 30 – **80 ch** 250/310.

à Artiguelouve par ⑤ et D 501 : 10 km – ✉ **64230** :

Alain Bayle, ✆ 59 83 05 08 – AE GB
fermé merc. sauf juil.-août et dim. soir – **R** 98/230.

Aub. Semmarty avec ch, sur D 146 ✆ 59 83 00 12 – GB. ch
R *(fermé dim. soir et lundi)* 80/150 – 22 – **10 ch** 160/200 – 1/2 P 160/180.

rte de Bordeaux par ⑥ : 4 km – ✉ **64000** Pau :

Trinquet sans rest, 66 av. D. Daurat ✆ 59 62 71 23, Fax 59 92 04 51 – AE GB
30 – **32 ch** 230/280.

MICHELIN, Agence régionale, av. Lavoisier, ZI Induspal à Lons par ⑤ ✆ **59 32 56 33**

ALFA-ROMEO Auto Sprint, rte de Bordeaux à Lons ✆ 59 32 05 73
BMW Bochet Maxime, ZA r. B. Palissy à Lescar ✆ 59 81 18 00
CITROEN Domingue, rte de Tarbes BV ✆ 59 02 75 18
CITROEN Gar. Domingues, 11 r. des Entrepreneurs à Billère ✆ 59 62 83 73
CITROEN Gar. Brandam, à Jurançon ✆ 59 06 16 04
FIAT Navarre-Auto, rte de Bayonne à Lescar ✆ 59 81 06 28 N ✆ 05 05 34 28
FORD Petit, rte de Bayonne à Lescar ✆ 59 81 09 17
MERCEDES-BENZ SOPAVIA, 108 rte de Bayonne à Lons ✆ 59 62 64 64
PEUGEOT Sté Paloise Autom., 7 rte de Bayonne à Billère ✆ 59 72 79 70
PEUGEOT Gar. Dubroca, à Jurançon ✆ 59 06 06 52
RENAULT P.P.D.A., rte de Tarbes par ② ✆ 59 92 77 77 N ✆ 05 05 15 15
RENAULT Gar. Bordeau-Lamiou, à Jurançon ✆ 59 06 22 83
RENAULT Gar. des Lilas, 19 av. des Lilas ✆ 59 02 88 11
RENAULT Gar. Barat, rte de Gan à Jurançon par ④ ✆ 59 06 22 09
RENAULT Gar. Layus, 284 bd Cami Salie par ① ✆ 59 02 65 14
V.A.G Éts Lavillauroy, rte de Bayonne à Lescar ✆ 59 81 20 01
VOLVO Gar. Davan, 12 bd Corps-Franc-Pommiès ✆ 59 02 70 20

Baudorre, 171 av. J.-Mermoz à Lons ✆ 59 32 43 85
Central-Pneu, 3 r. Chênes à Billère ✆ 59 32 42 99
Dours Pneus, 16 bis r. d'Étigny ✆ 59 27 20 21
Manaute, r. J.-Lay ZI Indusnor ✆ 59 30 58 50
Toupneu, 9 r. Bordeu ✆ 59 30 30 68

PAUILLAC 33250 Gironde 71 ⑦ G. Pyrénées Aquitaine – 5 670 h. alt. 5.

Voir château Mouton Rothschild* : musée** NO : 2 km.

Paris 557 – ◆ Bordeaux 48 – Arcachon 111 – Blaye 14 – Lesparre-Médoc 20.

Château Cordeillan Bages M, ✆ 56 59 24 24, Télex 573050, Fax 56 59 01 89, – ☎ P. AE GB
fermé 22 déc. au 1er fév. – **R** *(fermé dim. soir et lundi)* 150/270 – 60 – **15 ch** 730/840 – ½ P 680.

France et Angleterre M, 3 quai A. Pichon ✆ 56 59 01 20, Fax 56 59 02 31, – TV ☎ – 25. AE GB
fermé 22 déc. au 7 janv. – **R** *(fermé dim. soir et lundi d'oct. à avril)* 70/170, enf. 40 – 33 – **29 ch** 300/350.

PAULHAGUET 43230 H.-Loire 76 ⑤ ⑥ – 921 h. alt. 551.

Paris 503 – Le Puy-en-Velay 46 – Ambert 55 – Brioude 16 – La Chaise-Dieu 26 – Langeac 14 – St-Flour 64.

Lagrange, ✆ 71 76 60 11, – ☎. GB
fermé 15 sept. au 15 oct. et sam. de nov. à Pâques – **R** 60/150 – 20 – **15 ch** 120/200 – ½ P 250/260.

RENAULT Laurent ✆ 71 76 60 68

La PAULINE 83 Var 84 ⑮ – rattaché à Toulon.

Pour être inscrit au guide Michelin
– pas de piston,
– pas de pot de vin !

PAULX 44270 Loire-Atl. 67 ② – 1 311 h. alt. 17.

Paris 420 – ◆ Nantes 39 – La Roche-sur-Yon 47 – Challans 17.

XXX **Voyageurs,** pl. Église ✆ 40 26 02 26 – AE GB
fermé 7 au 21 sept., 4 au 11 janv., dim. soir et lundi – **R** 170/300, enf. 70.

PAYRAC 46350 Lot 75 ⑱ – 492 h. alt. 320.

Paris 536 – Cahors 48 – Sarlat-la-Canéda 39 – Bergerac 103 – Brive-la-Gaillarde 51 – Figeac 62 – Périgueux 101.

Host. de la Paix, ✆ 65 37 95 15, Télex 521291, Fax 65 37 90 37, – ☎ P – 25. AE GB
fermé 2 janv. au 20 fév. – **R** 70/150 – 26 – **50 ch** 250/290 – ½ P 260.

PÉAULE 56130 Morbihan 63 ⑭ – 2 188 h. alt. 89.

Paris 437 – Ploërmel 47 – Redon 26 – La Roche-Bernard 10 – Vannes 36.

Armor Vilaine, pl. Église ✆ 97 42 91 03 – TV ☎. AE GB
fermé 16 au 30 nov., vacances de fév., dim. soir et lundi sauf fériés et juil.-août – **R** 65/210 – 30 – **21 ch** 210/265 – ½ P 215/265.

Relax sans rest, ✆ 97 42 91 22, – TV ☎. GB.
fermé 1er au 15 sept., 24 déc. au 10 janv., vend. soir et dim. de sept. à mai – 25 – **15 ch** 210/220.

PÉDERNEC 22540 C.-d'Armor 59 ① – 1 633 h. alt. 125.

Paris 494 – St-Brieuc 41 – Carhaix-P. 54 – Guingamp 10 – Lannion 22 – Morlaix 47 – Plouaret 19.

X **Host. du Méné-Bré,** ✆ 96 45 22 33 – AE GB
fermé vacances de fév., vacances de nov., dim. soir (sauf juil.-août) et lundi – **R** 65/185.

RENAULT Gar. Madigou ✆ 96 45 22 51 N

PÉGOMAS 06580 Alpes-Mar. 84 ⑧ 195 ㉞ – 4 618 h. alt. 22.

Paris 902 – Cannes 10 – Draguignan 59 – Grasse 9,5 – ◆Nice 39 – St-Raphaël 38.

Le Bosquet sans rest, quartier du Château par rte Mouans-Sartoux ✆ 93 42 22 87, – cuisinette ☎ Ⓟ.
fermé 7 janv. au 7 fév. – 28 – **18 ch** 150/280, 7 studios 300/370.

L'Écluse, au bord de la Siagne, O : 1,5 km par VO ✆ 93 42 22 55, ≤, , rest. champêtre – AE GB
1er mai-15 sept. – **R** 100/190, enf. 65.

PEILLAC 56220 Morbihan 63 ⑤ – 1 694 h. alt. 65.

Paris 415 – Redon 14 – ◆Rennes 69 – Vannes 44.

Chez Antoine, ✆ 99 91 24 43, – ☎ Ⓟ. AE GB
fermé 26 août au 10 sept., fév. et lundi – **R** 60/198 – 25 – **12 ch** 150/200 – ½ P 170/200.

PEILLON 06440 Alpes-Mar. 84 ⑩ 195 ㉗ **G. Côte d'Azur** – 1 139 h. alt. 376.

Voir Village★ – Fresques★ dans la chapelle des Pénitents Blancs.

Paris 953 – Monaco 27 – Contes 12 – L'Escarène 13 – Menton 36 – ◆Nice 19 – Sospel 35.

Aub. de la Madone Ⓜ, ✆ 93 79 91 17, ≤, , , – ☎ Ⓟ. GB. ch
fermé 25 oct. au 20 déc., 7 au 24 janv. et merc. – **R** 125/300, enf. 80 – 50 – **17 ch** 380/580, 3 appart. 1100 – ½ P 400/560.

PEISEY-NANCROIX 73210 Savoie 74 ⑱ **G. Alpes du Nord** – 521 h. alt. 1 300 – ✉ 73210 Aime.

Office de Tourisme ✆ 79 07 94 28 – Paris 637 – Albertville 55 – Bourg-St-Maurice 15.

Vanoise , à Plan Peisey : 3 km ✆ 79 07 92 19, ≤, , – TV ☎ Ⓟ. GB
20 juin- 15 sept. et 20 déc.-30 avril – **R** 85/100 – 30 – **34 ch** 180/300 – ½ P 235/260.

PÉLUSSIN 42410 Loire 76 ⑩ **G. Vallée du Rhône** – 3 132 h. alt. 410.

Paris 513 – ◆St-Étienne 39 – Annonay 30 – Tournon-sur-Rhône 50 – Vienne 23.

de l'Ancienne Gare avec ch, ✆ 74 87 61 51, Fax 74 87 63 96, – ☎. AE GB. rest
fermé 9 au 16 juil., 2 au 5 janv., vacances de fév., dim. soir et sam. sauf juil.-août – **R** 98/250 – 25 – **7 ch** 160/300 – ½ P 190/220.

PELVOUX (Commune de) 05340 H.-Alpes 77 ⑰ **G. Alpes du Sud** – 335 h. – Sports d'hiver : 1 200/2 300 m 6 – **Voir** Route des Choulières : ≤★★ E.

Paris 709 – Briançon 23 – L'Argentière-la-Bessée 12 – Gap 85 – Guillestre 32.

St-Antoine – alt. 1 260.

Voir Église★ de Vallouise S : 2,5 km.

La Condamine , ✆ 92 23 35 48, ≤, – ☎ Ⓟ. GB. rest
18 avril-2 mai, 1er juin-15 sept. et 20 déc.-1er avril – **R** 70/140 – 30 – **19 ch** 150/240 – ½ P 200/220.

Ailefroide – alt. 1 510.

Env. Pré de Madame Carle : paysage★★ NO : 6 km.

PÉNESTIN 56760 Morbihan 63 ⑭ – 1 394 h. alt. 20.

Voir Pointe du Bile ≤★ S : 5 km, **G. Bretagne.**

Syndicat d'Initiative r. de Tremer ✆ 99 90 37 74.

Paris 457 – La Baule 32 – La Roche-Bernard 18 – Saint Nazaire 40 – Vannes 46.

Loscolo Ⓜ, Pointe de Loscolo SO : 4 km ✆ 99 90 31 90, Fax 99 90 32 14, ≤, , – rest ☎ Ⓟ. GB
11 avril-11 nov. – **R** *(fermé mardi midi et merc. midi sauf du 20 juin au 16 sept.)* 130/340, enf. 90 – 45 – **16 ch** 295/470 – ½ P 317/410.

Cynthia sans rest, Plage de la Mine d'Or SO : 2,5 km ✉ 56760 ✆ 99 90 33 05, ≤ – TV ☎ Ⓟ. AE GB
fermé 1er oct. au 15 oct. – 35 – **11 ch** 245/270.

PENHORS 29 Finistère 58 ⑭ – rattaché à Pouldreuzic.

PEN-LAN (Pointe de) 56 Morbihan 63 ⑭ – rattaché à Muzillac.

PENNEDEPIE 14 Calvados 55 ③ – rattaché à Honfleur.

PENVÉNAN 22710 C.-d'Armor 59 ① – 2 489 h. alt. 70.

Paris 510 – St-Brieuc 59 – Guingamp 32 – Lannion 18 – Perros-Guirec 16 – La Roche-Derrien 9 – Tréguier 7,5.

Crustacé avec ch, ✆ 96 92 67 46 – GB
hôtel : 15 mars-1er oct. et fermé mardi soir et merc. sauf juil.-août – **R** *(fermé 12 au 29 oct., 12 janv. au 5 fév., mardi soir et merc. sauf juil.-août)* 76/280 , enf. 48 – 28 – **6 ch** 160/200 – ½ P 200/220.

RENAULT Gar. Henry ✆ 96 92 65 22

PENVINS 56 Morbihan 63 ⑬ – rattaché à Sarzeau.

PÉRIGNAC 17 Char.-Mar. 71 ⑤ – rattaché à Pons.

PÉRIGNAT-LÈS-SARLIÈVE 63 P.-de-D. 73 ⑭ – rattaché à Clermont-Ferrand.

PÉRIGNY 86 Vienne 68 ⑬ – rattaché à Poitiers.

PÉRIGUEUX P **24000** Dordogne 75 ⑤ **G. Périgord Quercy** – 30 280 h. alt. 86.

Voir Cathédrale St-Front★ : retable★★ dans l'abside BZ – Église St-Étienne de la Cité★ AZ **K** – Quartier du Puy St-Front★ : rue Limogeanne★ BY, escalier★ de la maison Lajoubertie BY **E** – Musée du Périgord★ BY **M**[1].

18 ☎ 53 53 02 35, par ⑤ : 5 km.

Office de Tourisme 26 pl. Francheville ☎ 53 53 10 63 – A.C. 14 r. Wilson ☎ 53 53 35 19.

Paris 494 ① – Agen 139 ③ – Albi 231 ② – Angoulême 87 ⑤ – ◆Bordeaux 121 ④ – Brive-la-Gaillarde 74 ② – ◆Limoges 99 ① – Pau 264 ③ – Poitiers 195 ⑤ – ◆Toulouse 251 ②.

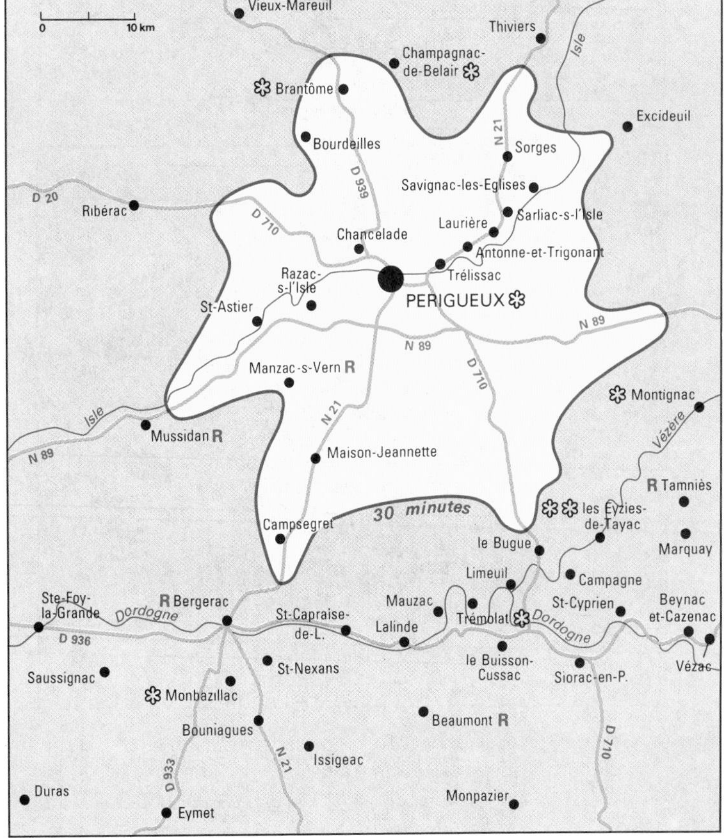

Altéa Francheville M, 21 pl. Francheville ☎ 53 08 25 80, Télex 573382, Fax 53 03 40 91 – ☎ – 100. AE GB AZ **e**
R 110/180 – 50 – **39 ch** 390/530, 3 appart. 690.

Bristol sans rest, 37 r. A. Gadaud ☎ 53 08 75 90, Fax 53 07 00 49 – ☎ P. AE GB AY **u**
fermé 22 déc. au 3 janv. – 35 – **29 ch** 245/335.

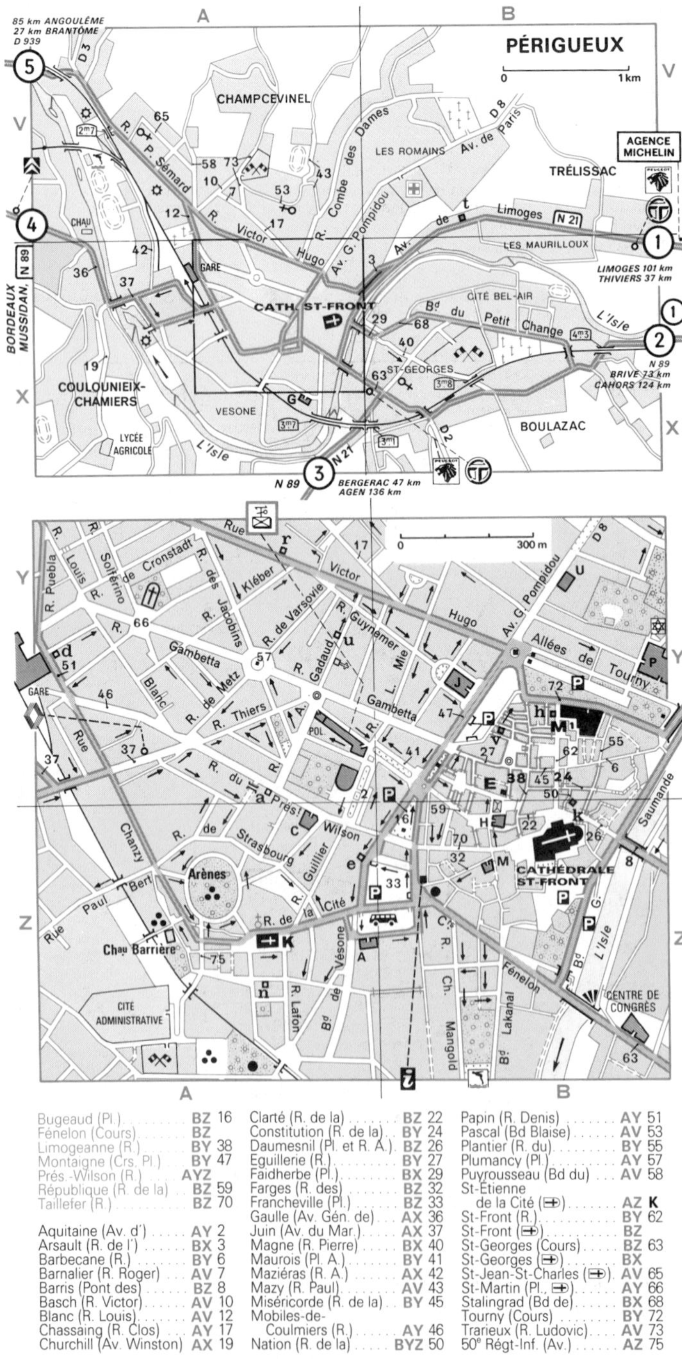

PÉRIGUEUX
0 1 km
85 km ANGOULÊME
27 km BRANTÔME
D 939
CHAMPCEVINEL
LES ROMAINS
Av. de Paris
AGENCE MICHELIN
TRÉLISSAC
Av. de Limoges N 21
LES MAURILLOUX
LIMOGES 101 km
THIVIERS 37 km
R. P. Sémard
R. Victor Hugo
R. Combe des Dames
Av. G. Pompidou
CHAU
GARE
CATH. ST-FRONT
CITÉ BEL-AIR
Bd du Petit Change
L'Isle
N 89
BRIVE 73 km
CAHORS 124 km
BORDEAUX MUSSIDAN N 89
ST-GEORGES
COULOUNIEIX-CHAMIERS
VESONE
BOULAZAC
LYCÉE AGRICOLE
N 21
N 89
BERGERAC 47 km
AGEN 136 km
0 300 m
Rue Victor Hugo
R. Puebla
R. Louis Blanc
R. Solférino
R. de Cronstadt
R. des Jacobins
R. Kléber
R. de Varsovie
R. Guynemer
R. Gadaud
R. L. Mie
Allées de Tourny
Av. G. Pompidou
R. Gambetta
R. de Metz
R. Thiers
POL.
R. du Prés! Wilson
R. de Strasbourg
R. Guillier
R. de la Cité
Rue Chanzy
Rue Paul Bert
Arènes
Chau Barrière
CITÉ ADMINISTRATIVE
R. Lafon
Bd de Vésone
Cours Fénelon
R. Ch. Mangold
Bd Lakanal
Bd G. Saumande
Bd G. L'Isle
CATHÉDRALE ST-FRONT
CENTRE DE CONGRÈS
GARE

Périgord, 74 r. V. Hugo ✆ 53 53 33 63, ⌂, ⌂ – ☎. GB JCB. ✗ ch — AY **r**
fermé 20 oct. au 3 nov. et vacances de fév. ; d'oct. à mars : hôtel fermé vend. et rest. fermé dim. soir et sam. – **R** 65/165 ⅋ – ☐ 32 – **20 ch** 150/290 – ½ P 220/230.

Arcade M sans rest, 33 r. Wilson ✆ 53 09 01 38, Télex 573343, Fax 53 53 60 82 – |♦| TV ☎ ♿ P – 🏛 25. AE GB — AYZ **a**
☐ 35 – **47 ch** 255/280.

Régina sans rest, 14 r. D. Papin ✆ 53 08 40 44, Fax 53 54 72 44 – |♦| ☎. AE GB — AY **d**
☐ 28 – **45 ch** 175/235.

Arènes sans rest, 21 r. Gymnase ✆ 53 53 49 85, Télex 572176, Fax 53 09 69 45 – ☎. AE GB. ✗ — AZ **n**
☐ 25 – **19 ch** 170/280.

XXX ✿ **L'Oison** (Chiorozas), 31 r. St-Front ✆ 53 09 84 02 – ▤. AE ◐ GB — BY **h**
fermé 1ᵉʳ au 20 juil., 16 fév. au 3 mars, dim. soir et lundi – **R** (nombre de couverts limité, prévenir) 170/440
Spéc. Pressé de légumes confits, Mixed-grill de poissons, Perdreau sauvage aux choux (hiver). **Vins** Premières Côtes de Bordeaux.

XXX **Tournepiche,** 2 r. Nation ✆ 53 08 90 76, « Salle du 18ᵉ siècle » – ▤. AE GB — BYZ **k**
fermé lundi soir et dim. – **R** 130/310, enf. 60.

XX **La Flambée,** 2 r. Montaigne ✆ 53 53 23 06 – GB — BY **v**
fermé dim. – **R** 130.

X **Marcel,** 37 av. Michel Grandou ✆ 53 53 13 43 – ▤ P. GB — BV **t**
fermé 20 juil. au 10 août, mardi soir et jeudi soir – **R** 60/140 ⅋, enf. 50.

rte de Limoges par ① : 4 km – ✉ **24000** Périgueux :

Campanile, carrefour Les Parats N 221 ✆ 53 09 00 37, Télex 572705 – TV ☎ ♿ P – 🏛 40. AE GB
R 77 bc/99 bc, enf. 39 – ☐ 28 – **42 ch** 258 – ½ P 234/256.

à Trélissac par ① : 5 km – 6 660 h. – ✉ **24750** :

Climat de France M, ✆ 53 04 36 36, Fax 53 54 08 97 – TV ☎ ♿ P – 🏛 100. AE GB
R 80/120 ⅋, enf. 38 – ☐ 30 – **62 ch** 260.

à Antonne-et-Trigonant par ① : 11 km – ✉ **24420** :

XX **Chandelles** avec ch, ✆ 53 06 05 10, ⌂, ⛱, ⌂, ✗ – ☎ P. AE ◐ GB
fermé 2 janv. au 5 fév., dim. soir de sept. à juin et lundi sauf le soir en juil.-août – **R** 160/420, enf. 65 – ☐ 40 – **7 ch** 280/340 – ½ P 300/380.

à Laurière par ① : 13 km – ✉ **24420** Savignac-les-Églises :

Host. la Charmille, ✆ 53 06 00 45, ⌂, ⌂ – TV ☎ P. AE GB. ✗
fermé fév. – **R** 80/300 – ☐ 30 – **18 ch** 160/260.

à Razac-sur-l'Isle par ④ : 11 km – ✉ **24430** :

Château de Lalande ⟟, NO : 2 km par D 3E et D 3 ✆ 53 54 52 30, Fax 53 07 46 67, ⌂, parc, ⛱ – ☎ P – 🏛 25. AE ◐ GB
15 mars-15 nov. – **R** *(fermé merc. midi hors sais.)* 90/285, enf. 45 – ☐ 35 – **22 ch** 235/380 – ½ P 270/350.

à Chancelade par ⑤ et D 1 : 5,5 km – 3 718 h. – ✉ **24650** :
Voir Abbaye★.

Château des Reynats M ⟟, ✆ 53 03 53 59, Fax 53 03 44 84, parc, ⛱, ✗ – |♦| P – 🏛 100. AE ◐ GB JCB
R *(fermé dim. soir d'oct. à mars)* 130/280, enf. 65 – ☐ 35 – **32 ch** 430/480, 5 appart. – ½ P 385/400.

MICHELIN, Agence, rte de Limoges à Trélissac par ① ✆ 53 03 98 13

BMW Gar. Jessus, 46 r. Chanzy ✆ 53 08 99 30
CITROEN Gar. Deluc, rte de Limoges à Trélissac par ① ✆ 53 03 97 50
CITROEN S.O.V.R.A., 74 av. Gén.-de-Gaulle à Chamiers ✆ 53 08 31 02
FIAT, LANCIA Rebière, 15 cours Fénelon ✆ 53 08 09 44
HONDA Gar. Borie, 156 rte de Bordeaux ✆ 53 53 60 16
MERCEDES-BENZ-TOYOTA Éts Magot, 192 rte de Lyon ✆ 53 02 34 34
OPEL Gar. Pradier, 5 r. A.-Gadaud ✆ 53 53 53 94
PEUGEOT, TALBOT Gar. Serreau, 202 rte de Limoges à Trélissac par ① ✆ 53 08 05 84 N ✆ 53 03 09 49
PEUGEOT-TALBOT Gar. Brout, 18 cours St-Georges ✆ 53 08 28 55 N ✆ 53 03 08 83

RENAULT Sarda, rte de Limoges à Trélissac par ① ✆ 53 02 41 41 N ✆ 53 03 05 14
RENAULT Gar. S.A.R.D.A., 74 av. Maréchal Juin ✆ 53 53 43 43

◍ Barrier, N 21 Les Jalots à Trélissac ✆ 53 53 54 17
Distripneus, rte Périgueux à Marsac-sur-l'Isle ✆ 53 04 13 48
Fontana-Pneus, 4 bis av. H.-Barbusse ✆ 53 08 80 47
Périgord-Pneus, à Trélissac ✆ 53 54 41 27
Réparpneu, ZAE av. L. Suder à Marsac ✆ 53 04 95 52
Réparpneu, 18 r. Gambetta ✆ 53 53 44 14
Réparpneu, 145 bd Petit-Change ✆ 53 53 46 83

La guida cambia, cambiate la guida ogni anno.

PERNES-LES-FONTAINES 84210 Vaucluse 81 ⑫ **G. Provence** – 8 304 h. alt. 90.

Voir Porte Notre-Dame*.

Office de Tourisme pl. du Comtat Venaissin ✆ 90 61 31 04.

Paris 684 – Avignon 24 – Apt 43 – Carpentras 6 – Cavaillon 19.

- **L'Hermitage** sans rest, N : 2 km par D 938 ✆ 90 66 51 41, Fax 90 61 36 41, parc – ☎ – 25. GB
  35 – **20 ch** 240/330.
- **La Pergola,** 214 pl. A. Briand ✆ 90 66 43 43, – AE GB
  fermé 5 au 12 oct., fév., merc. soir et jeudi sauf juil.-août – **R** 130/180, enf. 65.

PÉRONNE 80200 Somme 53 ⑬ **G. Flandres Artois Picardie** – 8 497 h. alt. 56.

Office de Tourisme pl. du Château ✆ 22 84 42 38.

Paris 140 ② – St-Quentin 30 ① – ♦Amiens 51 ② – Arras 47 ① – Doullens 55 ③.

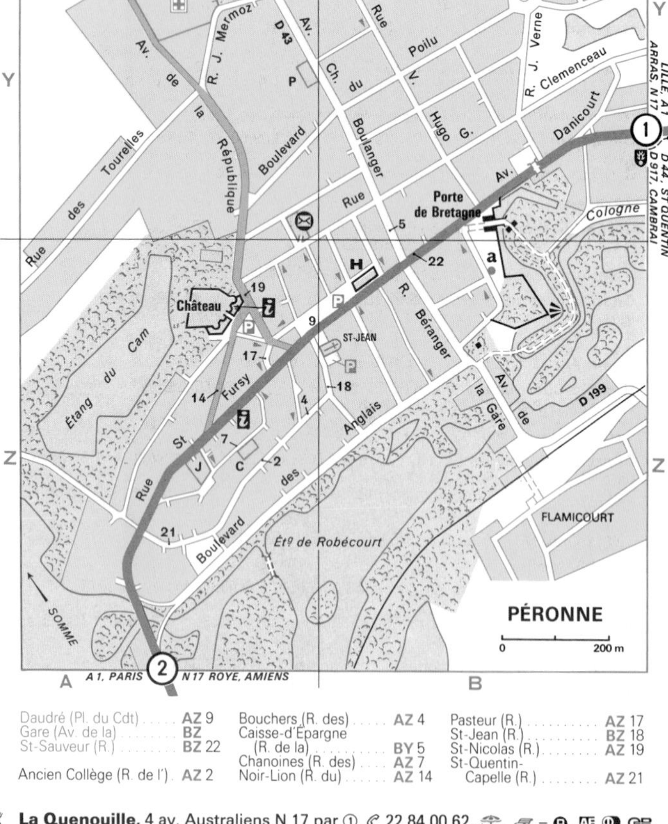

Daudré (Pl. du Cdt) . . . . . **AZ** 9	Bouchers (R. des) . . . . . **AZ** 4	Pasteur (R.) . . . . **AZ** 17
Gare (Av. de la) . . . . **BZ**	Caisse-d'Épargne (R. de la) . . . . **BY** 5	St-Jean (R.) . . . . **BZ** 18
St-Sauveur (R.) . . . . **BZ** 22	Chanoines (R. des) . . . . **AZ** 7	St-Nicolas (R.) . . . . **AZ** 19
Ancien Collège (R. de l') . **AZ** 2	Noir-Lion (R. du) . . . . . . **AZ** 14	St-Quentin-Capelle (R.) . . . . **AZ** 21

- **La Quenouille,** 4 av. Australiens N 17 par ① ✆ 22 84 00 62, , – . AE GB
  fermé 27 avril au 27 mai, dim. soir et lundi – **R** 95/175.
- **Host. des Remparts** avec ch, 21 r. Beaubois ✆ 22 84 01 22, Fax 22 84 31 96, – ☎ – 30. AE GB JCB BZ **a**
  R 160/260 – 30 – **17 ch** 145/300 – ½ P 250/320.

Aire d'Assevillers sur A 1 par ② et D 164^E : 9 km – ✉ 80200 Péronne :

- **Mercure** M, ✆ 22 84 12 76, Télex 140943, Fax 22 85 28 92, , – ch ☎ & – 40 à 120. AE GB
  R 120 , enf. 50 – 50 – **92 ch** 450/560.

CITROEN Gar. de Picardie, av. des Australiens, Mont-St-Quentin par ① ℘ 22 84 00 34
MAZDA, OPEL Gar. du Château, 6 fg de Paris ℘ 22 84 16 56

RENAULT Péronne-Autos., rte de Roisel par ① puis D 6 ℘ 22 83 65 00 ℘ 22 83 71 41

Joncourt-Pneus, 29 fg de Bretagne ℘ 22 84 29 41

PÉROUGES 01800 Ain 74 ② ③ G. Vallée du Rhône (plan) – 851 h. alt. 290.

Voir Cité★★ : place de la Halle★★★.

Paris 451 – ♦Lyon 36 – Bourg-en-Bresse 45 – St-André-de-Corcy 19 – Villefranche-sur-Saône 40.

Ostellerie du Vieux Pérouges, ℘ 74 61 00 88, Télex 306898, Fax 74 34 77 90, « Intérieur vieux bressan », – ☎. GB
fermé janv., jeudi midi et merc. hors saison – **R** 170/390, enf. 95 – ☕ 60 – **13 ch** 700/980.

A l'annexe,
☕ 60 – **13 ch** 390/500.

PERPIGNAN P 66000 Pyr.-Or. 86 ⑲ G. Pyrénées Roussillon – 105 983 h. alt. 37.

Voir Le Castillet★ BY – Loge de mer★ BY **E** – Hôtel de Ville★ BY **H** – Cathédrale★ BCY – Palais des Rois de Majorque★ BCZ – Cabestany : tympan★ de l'église SE : 4 km par D 22 CZ.

9 18 de Saint-Cyprien ℘ 68 21 01 71, par ③ : 15 km.

de Perpignan-Rivesaltes : ℘ 68 61 28 98, par ① : 6 km.

Office Municipal de Tourisme et Accueil de France (Informations et réservations d'hôtels, pas plus de 7 jours à l'avance) Palais des Congrès, pl. A.-Lanoux ℘ 68 66 30 30, Télex 500500 – Comité Départemental du Tourisme Pyrénées Roussillon 7 quai de Lattre-de-Tassigny ℘ 68 34 29 94, Télex 500776 – A.C. 23 bis r. Remparts Villeneuve (bureau provisoire) ℘ 68 34 30 22.

Paris 909 ① – Andorre-la-Vieille 168 ⑥ – Barcelona 187 ⑤ – Béziers 94 ① – ♦Clermont-Ferrand 451 ① – ♦Marseille 313 ① – ♦Montpellier 153 ① – Tarbes 286 ① – ♦Toulouse 206 ①.

Plans pages suivantes

Villa Duflot M, 109 av. V. Dalbiez par ④ puis direction autoroute ℘ 68 56 67 67, Fax 68 56 54 05, parc, « Patio », – ☎ & – 50 à 100. AE GB. ch
R carte 140 à 230 – ☕ 50 – **25 ch** 490/690 – ½ P 450/525.

Park H. et Rest. Chapon Fin M, 18 bd J. Bourrat ℘ 68 35 14 14, Télex 506161, Fax 68 35 48 18 – ☎ & – 70. AE GB CY **y**
R *(fermé 16 au 30 août, 1er au 15 janv. et dim.)* 180/350, enf. 90 – ☕ 38 – **67 ch** 260/500
Spéc. Cristalline de fleur homardine (mars à juil.), Filet de bœuf au foie gras grillé, Bonbon acidulé au jus de la passion. Vins Côtes du Roussillon, Collioure.

Mas des Arcades M, par ④ : 2 km sur N 9 ℘ 68 85 11 11, Télex 500176, Fax 68 85 21 41, – ☎ – 200. GB.
fermé 21 déc. au 5 janv. – **Relais Jacques 1er** *(fermé dim. soir et lundi)* **R** carte 220 à 290, enf. 80 – **L'Aquarium** *(fermé dim. midi et sam.)* **R** carte environ 140 ⅎ enf. 45 – ☕ 40 – **135 ch** 320/450, 3 appart. 750.

Mercure M, 5 cours Palmarole ℘ 68 35 67 66, Télex 506196, Fax 68 35 58 13 – ☎ & – 50. AE GB BY **b**
R (grill) carte environ 120 – ☕ 45 – **55 ch** 425/460, 3 duplex 550/650.

Windsor sans rest, 8 bd Wilson ℘ 68 51 18 65, Télex 500701, Fax 68 51 01 00 – ☎ – 50. AE GB BY **t**
☕ 45 – **52 ch** 300/450, 4 appart. 750.

France et rest. l'Echanson, 16 quai Sadi-Carnot ℘ 68 34 92 81, Télex 506149, Fax 68 34 26 01 – rest ☎ – 50. AE GB. ch BY **r**
R *(fermé dim.)* 100/150 ⅎ, enf. 50 – ☕ 35 – **38 ch** 170/370, 4 appart. 550 – ½ P 205/325.

Kennedy M sans rest, 9 av. P. Cambres ✉ 66100 ℘ 68 50 60 02 – ☎ &. AE GB CZ **k**
☕ 29 – **26 ch** 225/265.

H. de la Loge sans rest, pl. Loge ℘ 68 34 54 84, Télex 506116, Fax 68 34 25 13 – ☎. AE GB BY **e**
☕ 50 – **22 ch** 280/450.

Paris-Barcelone sans rest, pl. Gare ℘ 68 34 42 60 – ☎. AE GB AZ **s**
☕ 25 – **36 ch** 140/260.

Aragon sans rest, 17 av. Brutus ℘ 68 54 04 46 – ☎. GB BZ **n**
☕ 30 – **33 ch** 210/320.

Mondial H. M sans rest, 40 bd Clemenceau ℘ 68 34 23 45, Télex 506184 – ☎. AE GB BY **k**
☕ 30 – **41 ch** 250/300.

Mallorca, 2 r. Fontfroide ℘ 68 34 57 57, Télex 506257, Fax 68 35 49 71 – ☎ & – 120. AE GB BY **n**
Benoit XIII *(fermé dim. soir et lundi)* **R** 120/260 – **Brasserie des Corts R** carte environ 150 ⅎ, enf. 40 – ☕ 30 – **60 ch** 140/260 – ½ P 230/320.

Christina H. sans rest, 50 cours Lassus ℘ 68 35 24 61, Fax 68 35 67 01 – ☎. GB CY **w**
☕ 28 – **37 ch** 140/250.

PERPIGNAN

Alsace-Lorraine (R. d') . . BY 2
Arago (Pl.) . . . . BZ 3
Argenterie (R. de l') . . . . BY 5
Barre (R. de la) . . . . BY 6
Clemenceau (Bd) . . . . . . BY
Louis-Blanc (R.) . . . . BY 34
Marchands (R. des) . . . . BY 35
Mirabeau (R.) . . . . BY 37
Péri (Pl. Gabriel) . . . . BZ 39
Théâtre (R. du) . . . . BZ 46

Bartissol (R. E.) . . . . BY 7
Batelo (Quai F.) . . . . BY 8
Carnot (Quai Sadi) . . . . . BY 20
Castillet (Pl. du) . . . . BY 22
Côte des Carmes (R.) . . . CZ 23
Fabrique d'En Nabot . . . . BY 24
Fontaine-Neuve (R.) . . . . CZ 25
Gambetta (Pl.) . . . . BY 27
Grande-la-Monnaie (R.) . BZ 28
Lattre-de-Tassigny (Quai de) . . . . BZ 32
Loge (R. et pl. de la) . . . . BY 33
Mermoz (Av. J.) . . . . CZ 38
Porte-de-l'Assaut (R.) . . . BZ 40
Remparts-la-Réal (R.) . . . BZ 42
Résistance (Pl. de la) . . . . BY 43
Rigaud (Pl.) . . . . BZ 44
St-Jean (R.) . . . . BY 45
Variétés (pl. des) . . . . . . BY 48
Vauban (Quai) . . . . BY 49
Victoire (Pl. de la) . . . . . . BY 50

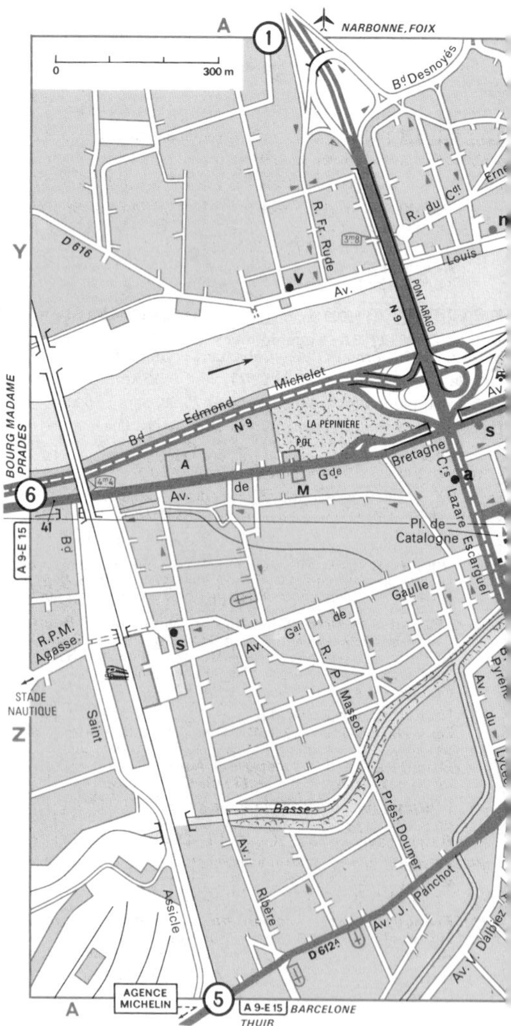

Les principales voies commerçantes figurent en rouge au début de la liste des plans de villes.

Ibis [M], 16 cours Lazare Escarguel ✆ 68 35 62 62, Télex 506270, Fax 68 35 13 38 – 🛗 ▤ TV ☎ ♿ Ⓟ – 🏛 300. AE GB
R 80 ♁, enf. 40 – ☕ 32 – **100 ch** 330. AY **a**

Pyrénées H. sans rest, 122 av. L. Torcatis D 616 ✆ 68 61 19 66 – ☎ Ⓟ. AE GB. ✻
☕ 20 – **22 ch** 120/200. AY **v**

Poste et Perdrix, 6 r. Fabriques Nabot ✆ 68 34 42 53, Fax 68 34 58 20 – 🛗 ☎. AE ⓓ GB
fermé 20 janv. au 20 fév. – **R** *(fermé dim. soir de sept. à juin et lundi)* 75/120 ♁ – ☕ 25 – **38 ch** 110/250 – ½ P 170/220. BY **x**

XXX **Le Bourgogne,** 63 av. Mar. Leclerc ✆ 68 34 96 05 – ▤. AE ⓓ GB AY **s**
fermé 28 juin au 15 juil., 20 au 28 fév., dim. (sauf le midi de sept. à juin) et lundi – **R** 180/290.

XXX **Festin de Pierre,** 7 r. Théâtre ✆ 68 51 28 74 – ▤. AE ⓓ GB BZ **d**
fermé 15 au 30 juin, 15 au 28 fév. mardi soir et merc. – **R** 160.

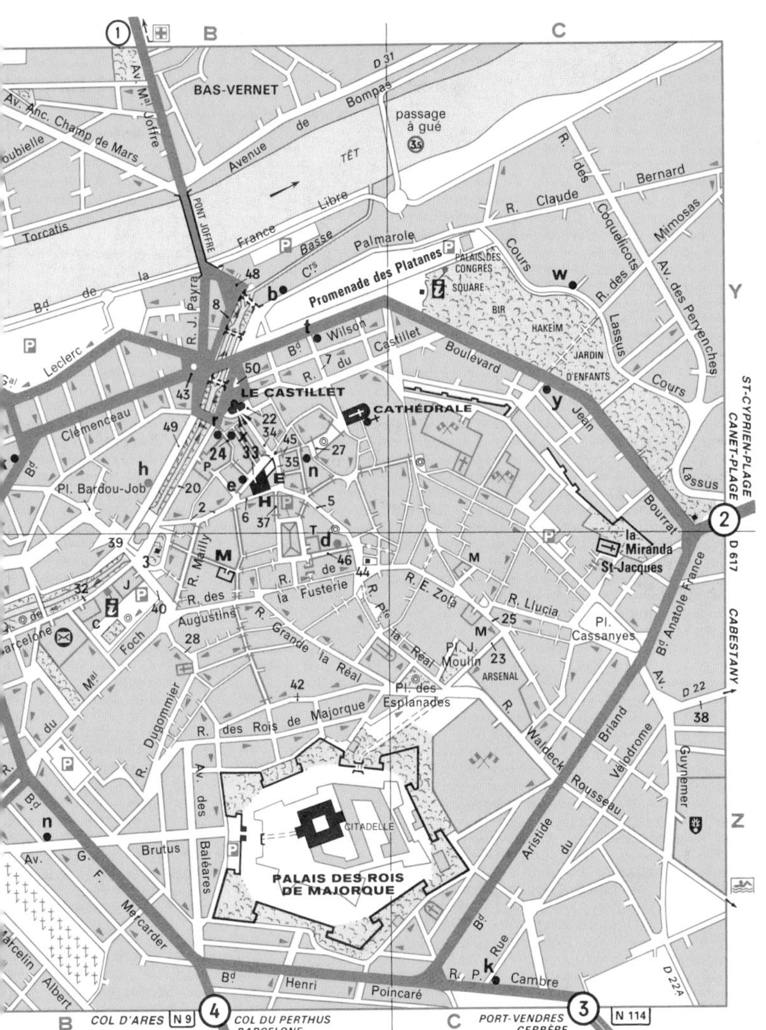

𝕏𝕏 **Les Casseroles en Folie,** 72 av. Torcatis ✆ 68 52 48 03 – ▤. AE ⓓ GB. ✈︎ — AY **n**
fermé dim. soir et lundi sauf fériés – **R** 80/120 ♁.

𝕏 **Brasserie Vauban,** 29 quai Vauban ✆ 68 51 05 10 – ▤. GB — BY **h**
fermé dim. – **R** carte environ 150 ♁.

par ① – ✉ **66600** Rivesaltes :

Novotel Ⓜ, sur N9 : 10 km ✆ 68 64 02 22, Télex 500851, Fax 68 64 24 27, ⛱, ⛱, ⛱ – ⇆ ▤ TV ☎ ♿ Ⓟ – ⛱ 200. AE ⓓ GB
R carte environ 140 ♁, enf. 45 – ☕ 45 – **86 ch** 450.

MICHELIN, Agence, chem. du Mas Juanola Prolonge AZ ✆ 68 54 53 10

ALFA-ROMEO Gar. Chapat, 77 rte de Thuir ✆ 68 34 70 88
BMW Gar. Alart, 20 av. de Grande-Bretagne ✆ 68 34 07 83
CITROEN Tressol-Chabrier, av. Mar.-Juin par ③ ✆ 68 66 26 26
FIAT Perpignan Autom., 210 rte de Prades ✆ 68 54 63 54

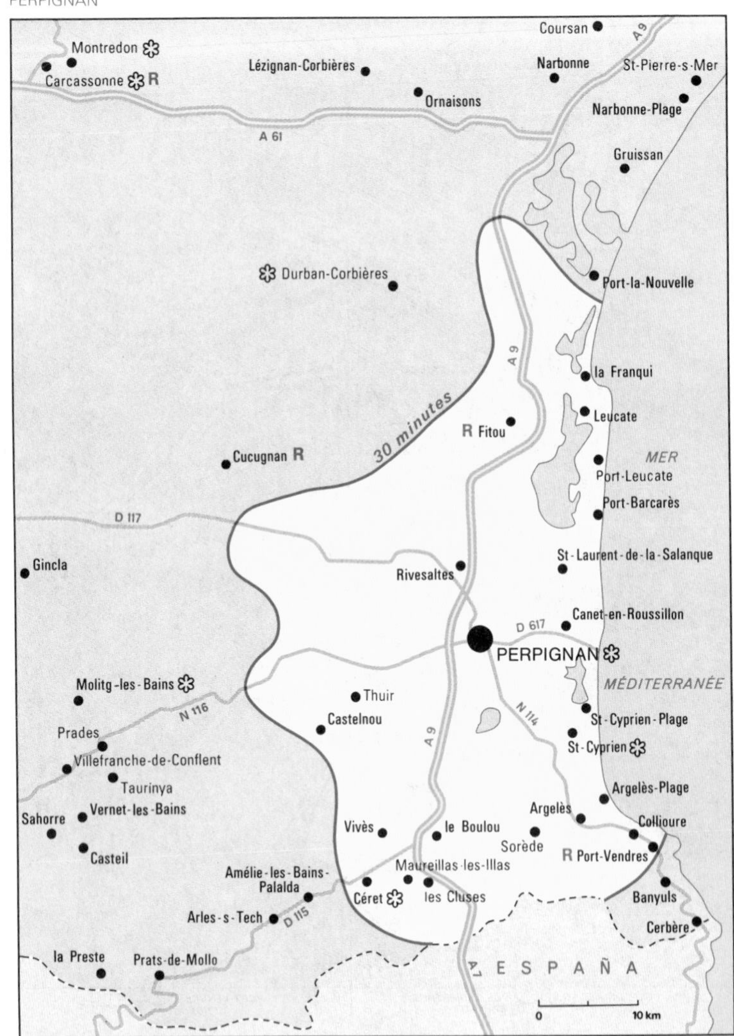

HONDA, PORSCHE-MITSUBISHI Gar. Coll, 83 av. d'Espagne ☎ 68 85 17 25
LANCIA Style Auto, 208 rte de Prades ☎ 68 56 79 02
MAZDA Valauto, 2 bd des Pyrénées ☎ 68 56 96 96
MERCEDES-BENZ Gar. Monopole, 301 av. du Languedoc ☎ 68 61 22 93
NISSAN, VOLVO Nivol, bd Kennedy ☎ 68 50 60 45
OPEL, GM Auto 66, Km 1, rte de Prades ☎ 68 56 79 15
PEUGEOT-TALBOT SCA les Gds Gar. Pyrénéens, N 9 rte du Perthus par ④ ☎ 68 85 14 15
RENAULT Filiale, N 9, Km 3 rte du Perthus par ④ ☎ 68 54 68 55
ROVER Casadessus, 4 bd St-Assiscle ☎ 68 54 03 96

TOYOTA Sudria, rte de Perpignan à Cabestany ☎ 68 50 50 75
V.A.G Europe-Auto, rte de Thuir, ZI 1 km ☎ 68 85 01 92 **N** ☎ 68 61 15 64
Gar. Cuesta, 3 r. A.-Saisset ☎ 68 61 06 51
Gar. Lelong, 148 av. Mar.-Joffre ☎ 68 61 25 80

Ayme-Pneus, 156 av. du Languedoc ZIN ☎ 68 61 26 38
Escoffier Pneus, Km 4, rte de Prades ☎ 68 56 65 34
Figuères, ZI St-Charles ☎ 68 55 23 10
Figuères, 29 r. H.-Bataille ☎ 68 61 20 02
Pagès, ZI St-Charles ☎ 68 54 67 30
Perpignan-Pneu, 18 r. J.-Verne ☎ 68 54 15 21
Piot Pneu, 33 av. V.-Dalbiez ☎ 68 54 57 78
Piot-Pneu, ZI St-Charles ☎ 68 54 30 11

Le PERRAY-EN-YVELINES 78610 Yvelines 60 ⑨ 106 ㉘ – 4 645 h. alt. 180.

Paris 45 – Arpajon 34 – Mantes-la-Jolie 42 – Rambouillet 6 – Versailles 24.

XX **Aub. des Bréviaires,** aux **Bréviaires** : 3,5 km par D 61 ✆ (1) 34 84 98 47, Fax (1) 34 84 65 88, – AE GB
fermé 1er au 15 août, vacances de fév., mardi soir et merc. – **R** 160/240.

XX **Aub. de l'Artoire,** N : 2 km par D 910 ✆ (1) 34 84 97 91, – P. GB
fermé lundi soir et mardi – **R** 150/300.

Le PERRÉON 69460 Rhône 73 ⑨ – 901 h.

Paris 429 – Mâcon 36 – Bourg-en-Bresse 56 – Chaufailles 38 – ♦Lyon 49 – Villefranche-sur-Saône 16.

Château des Loges M, ✆ 74 03 27 12, Fax 74 03 27 60, – TV ☎ P – 60. AE GB
fermé 17 fév. au 10 mars, lundi (sauf hôtel) du 15 juin au 15 sept., dim. soir et lundi du 15 sept. au 15 juin – **R** 120/390 – 40 – **10 ch** 340/450.

Le PERREUX-SUR-MARNE 94 Val-de-Marne 56 ⑪, 106 ⑰ ⑱ – voir à Paris, Environs.

PERRIER 63 P.-de-D. 73 ⑭ – rattaché à Issoire.

PERRIGNY-LÈS-DIJON 21 Côte-d'Or 166 ⑫ – rattaché à Dijon.

Les nouveaux Guides Verts touristiques Michelin, c'est :

– un texte descriptif plus riche,

– une information pratique plus claire,

– des plans, des schémas et des photos en couleurs,

– ... et, bien sûr, une actualisation détaillée et fréquente.

Utilisez toujours la dernière édition.

PERROS-GUIREC 22700 C.-d'Armor 59 ① **G. Bretagne** – 7 497 h. alt. 70 – Casino A.

Voir Nef romane* de l'église B B – Pointe du château ≤* B – Table d'orientation ≤* B E – Sentier des douaniers** A – Chapelle N.-D. de la Clarté* 3 km par ② – Sémaphore ≤* 3,5 km par ②.

de St-Samson ✆ 96 23 87 34, SO : 7 km.

Office de Tourisme et Accueil de France (Informations, change et réservations d'hôtels pas plus de 5 jours à l'avance) 21 pl. Hôtel de Ville ✆ 96 23 21 15, Télex 740637.

Paris 520 – St-Brieuc 69 – Lannion 11 – Tréguier 20.

Plan page suivante

Printania M, 12 r. Bons Enfants ✆ 96 23 21 00, Télex 741431, Fax 96 91 16 36, ≤ mer et les îles, – TV ☎ P. AE GB. A e
fermé 15 déc. au 15 janv. – **R** *(fermé dim. soir du 15 oct. au 31 mars et lundi midi)* 145/280, enf. 80 – 45 – **32 ch** 515/620 – ½ P 440/495.

Marc'Otel M, bd Thalassa ✆ 96 91 22 11, Télex 741892, Fax 96 91 24 78 – TV ☎ . AE GB A x
Les Balandres ✆ 96 91 03 18 *(fermé 15 déc. au 15 fév., dim. midi sauf de sept. à mai et fêtes)* **R** 90/300 – 40 – **49 ch** 460/560 – ½ P 380/405.

Gd H. de Trestraou, bd J. Le Bihan ✆ 96 23 24 05, Télex 741261, Fax 96 23 21 50, ≤ – TV ☎ P. AE GB. rest A t
R 100/200 – 37 – **71 ch** 310/440 – ½ P 332/382.

Le Sphinx M, 67 chemin de la Messe ✆ 96 23 25 42, Fax 96 91 26 13, ≤mer et les îles, – TV ☎ P. GB. B e
1er avril-5 janv. et fermé lundi midi sauf fériés – **R** 115/250, enf. 65 – 40 – **17 ch** 420/450 – ½ P 420/480.

Feux des Iles , 53 bd Clemenceau ✆ 96 23 22 94, Fax 96 91 07 30, ≤, – TV ☎ P. AE GB. B d
fermé 10 janv. à fin fév., dim. soir et lundi (sauf de Pâques à fin sept. et fériés) – **Repas** 115/310 , enf. 78 – 36 – **18 ch** 350/600 – ½ P 390/506.

Les Sternes M sans rest, rd-pt Perros-Guirec par ① ✆ 96 91 03 38, Fax 96 23 13 01 – TV ☎ P. GB
25 – **20 ch** 200/250.

Bon Accueil, 16 r. Landerval ✆ 96 23 25 77, Fax 96 23 12 66, – TV ☎ P. GB.
fermé 2 au 17 oct. (sauf hôtel), 23 déc. au 2 janv. et dim. soir de sept. à Pâques – **R** 80/190 , enf. 60 – 28 – **21 ch** 260/290 – ½ P 300/320. B v

France , 14 r. Rouzig ✆ 96 23 20 27, Télex 741907, Fax 96 91 19 57, ≤, – TV ☎ P. GB. B r
10 avril-5 oct. – **R** 95/140 – 32 – **30 ch** 210/325 – ½ P 260/280.

Port sans rest, sur le port ✆ 96 23 21 79, ≤ – TV ☎. GB. B m
25 – **16 ch** 220/250.

Morgane, 46 av. Casino ✆ 96 23 22 80, Fax 96 23 24 30, , – TV ☎ P. AE GB. rest A n
hôtel : 1er mars-20 oct. ; rest. : 15 mars-20 oct. – **R** 100/150, enf. 50 – 35 – **30 ch** 280/430 – ½ P 300/350.

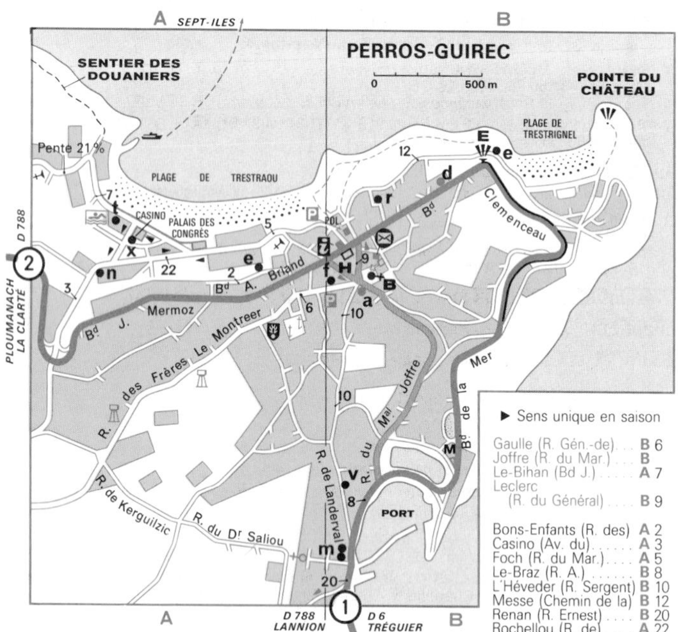

🏨 **Levant,** sur le port ✆ 96 23 20 15, Fax 96 23 36 31, ← – |‡| 📺 ☎. GB — B **m**
R *(fermé janv., vend. soir et dim. soir sauf juil.-août et sam. midi)* 78/200 🍷, enf. 50 – ☕ 29 – **20 ch** 270/300 – ½ P 265.

🏨 **Hermitage** 🐎, 20 r. Frères Le Montréer ✆ 96 23 21 22, 🌳 – ☎ Ⓟ. AE GB. ✗ rest
1er au 10 mai et 28 mai-15 sept. – **R** (résidents seul.) 90/110 – ☕ 27 – **23 ch** 170/268 – ½ P 230/250. — B **f**

XX **Crémaillère,** pl. Église ✆ 96 23 22 08 – AE ⓓ GB — B **a**
fermé 4 au 19 mars, 14 nov. au 3 déc., dim. soir hors sais. et lundi – **R** 79/180, enf. 45.

à Ploumanach par ② : 6 km – ✉ **22700** Perros-Guirec.

Voir Rochers★★ – Parc municipal★★.

🏨 **Europe** sans rest, ✆ 96 91 40 76, Fax 96 91 49 74 – 📺 ☎ ♿ Ⓟ. GB
☕ 37 – **18 ch** 220/280.

🏨 **Parc,** ✆ 96 91 40 80 – 📺 ☎. GB
1er avril-27 sept. – **R** 72/200, enf. 48 – ☕ 26 – **11 ch** 235/260 – ½ P 210/260.

Oratoire sans rest, ✆ 96 91 40 84 – ✗
vacances de printemps-fin sept. – ☕ 22 – **8 ch** 115/185.

XXX ✿ **Rochers** avec ch, ✆ 96 91 44 49, ← – ☎. GB. ✗ rest
15 avril-fin sept. – **R** *(fermé merc. hors sais.)* (nombre de couverts limité, prévenir) 145/405 – ☕ 40 – **15 ch** 285/385 – ½ P 382/430
Spéc. Homard "Justin", Poissons, Crêpes "Nanou".

PEUGEOT TALBOT Gar. de la Clarté, bd Corniche par ② ✆ 96 91 46 23

PERTHES 52 H.-Marne 61 ⑨ – rattaché à St-Dizier.

PERTUIS 84120 Vaucluse 84 ③ **G. Provence** – 15 791 h. alt. 216.

Office de Tourisme pl. Mirabeau ✆ 90 79 15 56.

Paris 748 – Digne-les-Bains 94 – Aix-en-Provence 20 – Apt 35 – Avignon 71 – Cavaillon 44 – Manosque 41 – Salon-de-Provence 41.

Sevan M, rte Manosque E : 1,5 km ✆ 90 79 19 30, Télex 431470, Fax 90 79 35 77, ←, – TV ☎ P – 60 à 120. AE GB. rest
fermé 2 janv. au 15 fév. – **L'Olivier** ✆ 90 79 08 19 *(fermé merc. sauf de juin à août)* **R** 105/250, enf. 95 – 42 – **36 ch** 385/623 – ½ P 412/425.

XX **L'Aubarestièro** avec ch, pl. Garcin ✆ 90 79 14 74 – TV. GB
R 80/200, enf. 50 – 25 – **13 ch** 160/290 – ½ P 178/208.

XX **Le Boulevard,** 50 bd Pecout ✆ 90 09 69 31 – . GB
fermé 3 au 17 août, 4 au 11 janv., dim. soir et merc. – **R** 95/162.

AUSTIN-ROVER Gar. Staiano, D 9 à Sannes ✆ 99 77 75 61
CITROEN Aymard, ZI rte d'Aix ✆ 90 09 62 37
FIAT Moullet, 159 bd J.-B.-Pecout ✆ 90 79 01 70
FORD Novo, ZA du Terre du Fort, rte d'Aix ✆ 90 09 73 33
PEUGEOT-TALBOT Gar. Notre-Dame, à La Tour d'Aigues ✆ 90 07 42 18
RENAULT SEPAL, rte d'Aix-en-Provence ✆ 90 79 09 66
RENAULT Félines, à La Tour d'Aigues ✆ 90 07 40 47 N ✆ 90 07 45 19

Meysson-Pneu, rte d'Aix-en-Provence ✆ 90 79 07 31

Le PERTUISET 42 Loire 76 ⑧ – rattaché à Firminy.

PESMES 70140 H.-Saône 66 ⑭ **G. Jura** – 1 006 h. alt. 210.

Paris 358 – ♦Besançon 38 – ♦Dijon 46 – Dole 25 – Gray 19.

X **France** avec ch, ✆ 84 31 20 05, – TV ☎ P. GB
fermé 20 janv. au 20 fév. – **R** 90/150 – 30 – **10 ch** 165/200 – ½ P 220/250.

CITROEN Gar. Lachat ✆ 84 31 20 02 N

PESSAC 33 Gironde 71 ⑨ – rattaché à Bordeaux.

PETIT-CLAMART 92 Hauts-de-Seine 60 ⑩, 101 ㉔ – voir à Paris, Environs.

La PETITE-PIERRE 67290 B.-Rhin 57 ⑰ **G. Alsace Lorraine** – 623 h. alt. 339.

Paris 434 – ♦Strasbourg 55 – Haguenau 42 – Sarrebourg 32 – Sarreguemines 49 – Sarre-Union 25.

Aux Trois Roses , ✆ 88 70 45 02, Télex 871150, Fax 88 70 41 28, ←, , , , – rest TV ☎ – 30. GB. ch
fermé 3 janv. au 10 fév. – **R** *(fermé dim. soir et lundi)* 80/255 – 58 – **46 ch** 300/520 – ½ P 275/400.

Lion d'Or, ✆ 88 70 45 06, Fax 88 70 45 56, , , – rest TV ☎. AE GB
fermé janv., merc. soir et jeudi – **R** 100/260, enf. 58 – 45 – **40 ch** 220/400 – ½ P 210/330.

Vosges, ✆ 88 70 45 05, Fax 88 70 41 13, ←, , – TV ☎ P – 30. GB. ch
fermé 15 nov. au 20 déc., mardi soir et merc. – **R** 100/280 – 35 – **30 ch** 265/400 – ½ P 250/350.

à l'Étang d'Imsthal SE : 3,5 km par D 178 – ✉ **67290** Wingen-sur-Moder :

Aub. d'Imsthal , ✆ 88 70 45 21, Fax 88 70 40 26, ←, , , – TV ☎ P – 25. AE GB JCB. rest
R *(fermé 20 nov. au 20 déc., lundi soir et mardi)* 80/250 – 45 – **23 ch** 150/560 – ½ P 250/430.

à Graufthal SO : 11 km par D 122 et D 122 – ✉ **67320** Eschbourg :

Vieux Moulin , ✆ 88 70 17 28, ←, , – ☎ P. GB
fermé 3 janv. au 6 fév. – **R** *(fermé lundi soir et mardi)* 43/168 – 22 – **15 ch** 163/313 – ½ P 187/266.

RENAULT Gar. Letscher, à Petersbach ✆ 88 70 45 53 N

Le PETIT-PRESSIGNY 37350 I.-et-L. 68 ⑤ – 394 h. alt. 131.

Paris 285 – Poitiers 72 – Le Blanc 39 – Châtellerault 35 – Châteauroux 71 – ♦Tours 61.

XX ✿ **La Promenade** (Dallais), ✆ 47 94 93 52 – . GB
fermé 21 sept. au 6 oct., 24 au 28 janv., dim. soir et lundi sauf fériés – **R** 98/295
Spéc. Soupe de foie gras à la crème de cèpes (oct. à juin). Cuisse de chevreau rôtie en cocotte (fév. à juin). Gâteau moelleux au chocolat et sorbet cacao.

Le PETIT QUEVILLY 76 S.-Mar. 55 ⑥ – rattaché à Rouen.

La PEYRADE 34 Hérault 83 ⑯ ⑰ – rattaché à Frontignan.

PEYRAT-LE-CHÂTEAU 87470 H.-Vienne 72 ⑲ **G. Berry Limousin** – 1 194 h. alt. 428.

Paris 409 – ♦Limoges 52 – Aubusson 45 – Guéret 54 – Tulle 81 – Ussel 80 – Uzerche 60.

Aub. Bois de l'Étang, ✆ 55 69 40 19, Fax 55 69 42 93, – ☎ P – 40. GB JCB
fermé 21 déc. au 20 janv. et dim. soir de nov. à mars – **R** 73/195, enf. 45 – 27 – **29 ch** 125/250 – ½ P 155/205.

Bellerive, ☎ 55 69 40 67 –
fermé 20 janv. à début mars – **R** *(fermé merc.)* 70/160 – ☕ 25 – **10 ch** 115/155 – ½ P 190.

Voyageurs, ☎ 55 69 40 02 – GB. ch
1er mars-15 oct. – **R** 70/145 – ☕ 27 – **14 ch** 150/230 – ½ P 170/210.

au Lac de Vassivière E : 7 km par D 13 et D 222 – ✉ **87470** Peyrat-le-Château :

La Caravelle, ☎ 55 69 40 97, « Au bord du lac, ← » – ☎ – 25. GB.
10 mars-31 déc. – **R** 150/250 – ☕ 45 – **21 ch** 290/300 – ½ P 340.

Golf du Limousin, ☎ 55 69 41 34, Fax 55 69 49 16, – ☎. GB. rest
22 mars-20 oct. – **R** 72/198 – ☕ 30 – **19 ch** 180/238 – ½ P 193/222.

RENAULT Gar. Ratat-Champétinaud ☎ 55 69 40 11

PEYREHORADE **40300** Landes 78 ⑦ ⑰ **G. Pyrénées Aquitaine** – 3 056 h. alt. 8.

Voir Abbaye d'Arthous★ S : 2 km.

Office de Tourisme promenade Sablot (juil.-août) ☎ 58 73 00 52.

Paris 760 – Biarritz 46 – ♦Bayonne 34 – Cambo-les-Bains 41 – Dax 23 – Oloron-Ste-Marie 63 – Pau 75.

Central M, pl. A. Briand ☎ 58 73 03 22, Télex 571301 – ☎ – 25. AE GB
fermé 1er au 15 mars, 21 au 28 fév., dim. soir et lundi sauf juil.-août – **R** 95/195, enf. 55 – ☕ 38 – **17 ch** 300/320 – ½ P 260.

PEUGEOT-TALBOT Gar. Lannot-Vergé ☎ 58 73 00 29

PEYRELEVADE **19290** Corrèze 72 ⑳ **G. Berry Limousin** – 1 012 h. alt. 840.

Paris 430 – Aubusson 38 – Bourganeuf 46 – ♦Limoges 78 – Tulle 74.

La Cramaillotte, ☎ 55 94 73 73 – ☎. GB
1er avril-8 nov. – **R** *(fermé dim. soir et lundi sauf du 15 juin au 15 sept.)* 80/140 – ☕ 28 – **10 ch** 175/230 – ½ P 195.

RENAULT Gar. du Plateau, ZA ☎ 55 94 71 96 N ☎ 55 94 70 40

PEYRENS **11** Aude 82 ⑳ – rattaché à Castelnaudary.

PEYRUIS **04310** Alpes-de-H.-P. 81 ⑯ **G. Alpes du Sud** – 2 036 h. alt. 405.

Voir Rochers des Mées★ E : 5 km.

Env. Prieuré de Ganagobie★ : mosaïques★★ dans l'église, ←★★ de l'allée des Moines, ←★ de l'allée de Forcalquier S : 10 km.

Paris 732 – Digne 28 – Forcalquier 20 – Manosque 28 – Sisteron 21.

Aub. Faisan Doré, S : 2 km par N 96 ☎ 92 68 00 51, – ☎. AE GB
fermé 15 au 30 déc. – **R** 95/350, enf. 70 – ☕ 40 – **10 ch** 200/280 – ½ P 300.

CITROEN Gar. Milési ☎ 92 68 00 45 N

PÉZENAS **34120** Hérault 83 ⑮ **G. Gorges du Tarn** (plan) – 7 613 h. alt. 20.

Voir Vieux Pézenas★★ : Hôtels de Lacoste★, d'Alfonce★,de Malibran★.

Paris 754 – Montpellier 51 – Agde 22 – Béziers 23 – Lodève 46 – Sète 37.

au NE par N 9, N 113 et D 32 : 11 km – ✉ **34230** Paulhan :

Château de Rieutort, ☎ 67 25 00 61, Fax 67 25 29 92, parc, « Ancienne demeure de maître », – ☎. GB. ch
1er mars-31 oct. – **R** (dîner seul.) (résidents seul.) 90/150 – ☕ 90 – **7 ch** 570/638.

à Nézignan-l'Évêque S : 5 km par N 9 et D 13 – ✉ **34120** Pézenas :

Host. de St-Alban M, 31 rte Agde ☎ 67 98 11 38, Fax 67 98 91 63, ←, – ☎. GB
R 110/160 – ☕ 40 – **14 ch** 300/400 – ½ P 290.

CITROEN Gar. Vidal, N 113, rte d'Agde ☎ 67 98 11 27
PEUGEOT TALBOT Gd Gar. Piscenois, 36 av. de Verdun ☎ 67 98 32 32
RENAULT Occitane-Autos, N 113, rte de Béziers par ② ☎ 67 98 97 73

Gautrand-Pneus, 26 av. de Verdun ☎ 67 98 12 17
Relais du Pneu, rte de Tourbes ☎ 67 98 14 19

PÉZENS **11** Aude 83 ⑫ – rattaché à Carcassonne.

PFAFFENHOFFEN **67350** B.-Rhin 57 ⑱ **G. Alsace Lorraine** – 2 285 h. alt. 170.

Voir Musée de l'Imagerie peinte et populaire alsacienne★.

Paris 460 – ♦Strasbourg 37 – Haguenau 15 – Sarrebourg 51 – Sarre-Union 51 – Saverne 27.

Agneau avec ch, ☎ 88 07 72 38, Fax 88 72 20 24 – ☎. GB.
fermé 20 juil. au 14 août, vacances de fév., dim. soir et lundi sauf fériés – **R** 60/290 – ☕ 30 – **17 ch** 100/220 – ½ P 210/270.

RENAULT Keller ☎ 88 07 71 01

PHALSBOURG 57370 Moselle 57 ⑰ **G. Alsace Lorraine** – 4 189 h. alt. 330.

Syndicat d'Initiative r. Lobau (juin-sept.) ✆ 87 24 29 97.

Paris 436 – ♦Strasbourg 58 – ♦Metz 107 – Sarrebourg 16 – Sarreguemines 51.

Erckmann-Chatrian, pl. d'Armes ✆ 87 24 31 33, Fax 27 81 27 81 – TV ☎ – 30. GB
R *(fermé mardi midi et lundi)* 97/249 – 36 – **18 ch** 195/250 – ½ P 220/280.

Notre-Dame, à Bonne-Fontaine E : 4 km par N 4 et VO ✆ 87 24 34 33, Fax 87 24 24 64, ←, – TV ☎ ♿ P – 80. AE GB
fermé 11 au 29 janv. et vacances de fév. – **R** 75/220 bc – 28 – **34 ch** 220/370 – ½ P 230/280.

Au Soldat de l'An II (Schmitt), 1 rte Saverne ✆ 87 24 16 16, Fax 87 24 18 18 – GB
fermé 16 au 30 nov., 4 au 22 janv., dim. soir et lundi – **R** 270/440, enf. 75
Spéc. Copeaux de foie gras en salade, Empereur en meurette, Gibier (juil. à fév.). **Vins** Gewurztraminer, Muscat.

PEUGEOT Klein, 6 r. 23-Novembre ✆ 87 24 35 36 N ✆ 87 24 24 24

PHILIPPSBOURG 57230 Moselle 57 ⑱ – 504 h. alt. 215.

Paris 452 – ♦Strasbourg 57 – Haguenau 28 – Wissembourg 41.

Tilleul, ✆ 87 06 50 10 – P. AE GB JCB
fermé 7 au 23 sept., 24 janv. au 17 fév., mardi soir et merc. – **R** 58/240, enf. 48.

à l'étang de Hanau NO : 5 km par N 62 et VO – ✉ 57230 Phillppsbourg :.

Voir Étang★, **G. Alsace Lorraine.**

Beau Rivage M, ✆ 87 06 50 32, Fax 87 98 09 05, ←, – TV ☎ ♿ P. GB. ch
fermé nov. – **R** *(fermé merc.)* 90/200, enf. 45 – 30 – **25 ch** 180/340 – ½ P 270.

PICHERANDE 63113 P.-de-D. 73 ⑬ – 491 h. alt. 1 123.

Paris 486 – ♦Clermont-Ferrand 68 – Issoire 47 – Le Mont-Dore 33.

Central Hôtel, ✆ 73 22 30 79 – GB
fermé 1er oct. au 1er déc. – **R** 65/130 – 22 – **18 ch** 70/130 – ½ P 140.

PIERRE-BÉNITE 69 Rhône 74 ⑪ – rattaché à Lyon.

PIERRE-DE-BRESSE 71270 S.-et-L. 170 ③ **G. Bourgogne** – 1 981 h. alt. 202.

Voir Château★.

Paris 357 – Chalon-sur-Saône 39 – Beaune 47 – Dole 33 – Lons-le-Saunier 36.

Poste, face Château ✆ 85 76 24 47 – P. GB
R 80/150, enf. 40 – 22 – **15 ch** 110/210 – ½ P 160/200.

PIERREFITTE-SUR-SAULDRE 41300 L.-et-Ch. 64 ⑳ – 835 h. alt. 130.

Paris 185 – Bourges 56 – Aubigny-sur-Nère 22 – Blois 67 – Salbris 13.

Lion d'Or, ✆ 54 88 62 14, – GB
fermé 2 au 22 sept., lundi et mardi sauf fériés – **R** 120/190.

PIERREFONTAINE-LES-VARANS 25510 Doubs 166 ⑰ – 1 505 h. alt. 694.

Paris 463 – ♦Besançon 52 – Montbéliard 59 – Morteau 32 – Pontarlier 48.

Commerce avec ch, ✆ 81 56 10 50 – ☎ P. GB
fermé 20 déc. au 20 janv., dim. soir et lundi hors sais. – **R** 55/160 – 25 – **10 ch** 100/240 – ½ P 200/230.

Franche-Comté avec ch, ✆ 81 56 12 62, – GB. ch
fermé 15 déc. au 15 janv. et lundi d'oct. à avril – **R** 50/160 – 22 – **7 ch** 110/220 – ½ P 150/160.

PIERRELATTE 26700 Drôme 81 ① – 11 770 h. alt. 60.

Syndicat d'Initiative pl. Champs-de-Mars ✆ 75 04 07 98.

Paris 627 – Bollène 14 – Montélimar 22 – Nyons 47 – Orange 32 – Pont-St-Esprit 16 – Valence 66.

Centre, 6 pl. Église ✆ 75 04 28 59, Fax 75 98 83 29 – TV ☎ P. GB
R voir rest. **Les Recollets** ci-après – 30 – **20 ch** 210/307.

Tricastin sans rest, r. Caprais-Favier ✆ 75 04 05 82 – TV ☎ P. GB
30 – **13 ch** 200/220.

Les Recollets - Hôtel du Centre, 6 pl. Église ✆ 75 96 83 10 – P. AE GB
fermé 4 au 28 août, vacances de fév., vend. soir et sam. – **R** 78/150, enf. 35.

au Sud 4 km sur N 7 :

Motel de Pierrelatte, ✆ 75 04 07 99 – ☎ P. GB. rest
fermé 15 janv. au 15 fév. – **R** 70/180 – 35 – **22 ch** 190/310.

PEUGEOT-TALBOT Gar. du Midi, rte de St-Paul ✆ 75 04 00 27

Jérome-Pneus, quartier Beauregard, N 7 ✆ 75 04 29 76

PILAT (Mont) ★★ **42** Loire **76** ⑨ **G. Vallée du Rhône.**
Voir Crêt de l'Oeillon ※★★★ 15 mn – Crêt de la Perdrix ※★ 15 mn.
Paris 537 – ◆St-Étienne 26.

PILAT-PLAGE **33** Gironde **78** ⑫ – voir à Pyla-sur-Mer.

Le PIN-LA-GARENNE **61** Orne **60** ④ – rattaché à Mortagne-au-Perche.

PINSOT **38** Isère **77** ⑥ – rattaché à Allevard.

PIRIAC-SUR-MER **44420** Loire-Atl. **63** ⑬ **G. Bretagne** – 1 442 h.
Voir Pointe du Castelli ≤★ SO : 1 km.
Paris 467 – ◆Nantes 90 – La Baule 19 – La Roche-Bernard 32 – Saint-Nazaire 32.

Parc Diotis M sans rest, r. Vieux Moulin ☎ 40 23 66 23, Fax 40 23 66 55, – TV ☎ ♿ P AE GB
fermé 4 janv. au 12 fév. et lundi d'oct. à avril sauf vacances scolaires – ☐ 38 – **27 ch** 405/455.

PISSOS **40410** Landes **78** ④ **G. Pyrénées Aquitaine** – 970 h.
Paris 664 – Mont-de-Marsan 55 – Biscarrosse 32 – ◆Bordeaux 75 – Castets 62 – Mimizan 47.

X **Café de Pissos**, ☎ 58 08 90 16, – P. GB
fermé 16 au 30 nov. et merc. sauf juil.-août – **R** 112/220 ₰.

PITHIVIERS ⟨SP⟩ **45300** Loiret **60** ⑳ **G. Châteaux de la Loire** – 9 327 h. alt. 120.
i Office de Tourisme Mail-Ouest Gare Routière ☎ 38 30 50 02.
Paris 82 ① – Fontainebleau 45 ② – ◆Orléans 44 ⑤ – Chartres 72 ⑥ – Châteaudun 75 ⑥ – Montargis 44 ④.

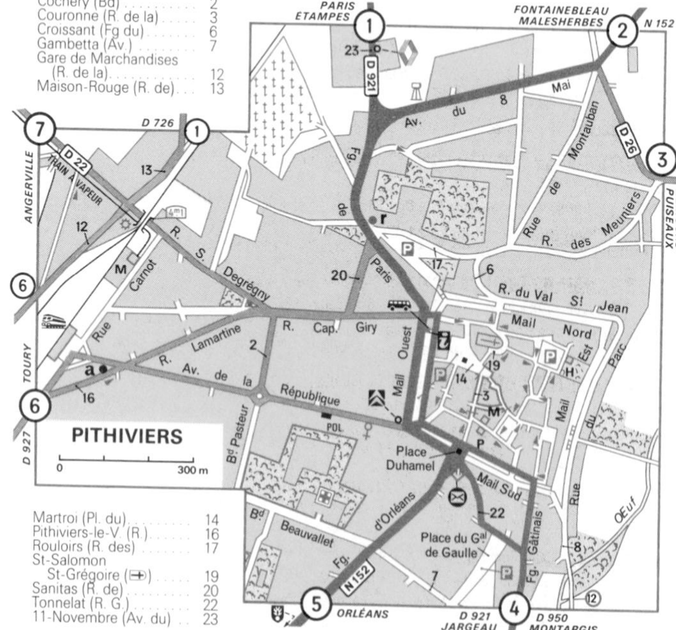

La Chaumière, 77 av. République **(a)** ☎ 38 30 03 61, Fax 38 30 72 65 – TV ☎. GB
R *(fermé lundi)* 65/130 ₰, enf. 55 – ☐ 30 – **8 ch** 205/430 – ½ P 230/250.

XXX **Péché Mignon**, 48 fg Paris **(r)** ☎ 38 30 05 32 – P. GB
fermé 25 juil. au 8 août, 15 janv. au 1er fév., mardi soir, dim. soir et lundi – **R** 140/185.

CITROEN Molvaut, 6 av. République ☎ 38 30 19 22
DATSUN-NISSAN Gar. du Centre, 20 Mail Ouest ☎ 38 30 04 12 N
FIAT Guenier Diffusion Autom., av. du 8 Mai ☎ 38 30 77 77
PEUGEOT, TALBOT Balançon-Malidor, 76 fg d'Orléans par ⑤ ☎ 38 30 21 58

RENAULT Beauce-Gâtinais-Automobiles, av. 11-Novembre ☎ 38 30 28 56
V.A.G Delafoy-Caillette, rte d'Étampes ☎ 38 30 16 05

La Centrale du Pneu, r. Gare-de-Marchandises ☎ 38 30 20 08

PIZAY 69 Rhône 74 ① – rattaché à Belleville.

La PLAGNE 73 Savoie 74 ⑱ **G. Alpes du Nord** – alt. 1 980 – Sports d'hiver : 1 250/3 250 m 9 97 – ✉ **73210** Macot-La-Plagne.

Voir La Grande Rochette ✲★★ (accès par télécabine) – Télécabine de Bellecôte ≤★★ à Plagne-Bellecôte E : 3 km.

Office du Tourisme le Chalet ✆ 79 09 02 01, Télex 980043.

Paris 642 – Albertville 60 – Bourg-St-Maurice 31 – Chambéry 107 – Moûtiers 33.

Graciosa, ✆ 79 09 00 18, Fax 79 09 04 08, ≤ – TV ☎ P. AE GB. rest
juil-août et déc.-mai – **R** 175/210 – 45 – **14 ch** 380/450 – ½ P 450/480.

La PLAINE-SUR-MER 44770 Loire-Atl. 67 ① – 2 104 h. alt. 33.

Paris 446 – ♦Nantes 57 – Pornic 9 – St-Michel-Chef-Chef 6,5 – St-Nazaire 26.

Anne de Bretagne M, au **Port de Gravette** NO : 3 km ✆ 40 21 54 72, Fax 40 21 02 33, ≤, – TV ☎ P – 30 à 150. GB. rest
1er mars-2 nov. – **R** *(fermé lundi sauf le soir du 1er mai au 30 sept. et dim. soir hors sais.)* 110/295, enf. 70 – 35 – **25 ch** 280/400 – ½ P 350/430.

PLAINPALAIS (Col de) 73 Savoie 74 ⑯ – rattaché à La Féclaz.

PLAISANCE 12550 Aveyron 83 ② – 228 h. alt. 253.

Paris 703 – Albi 42 – Millau 70 – ♦Montpellier 167 – Rodez 71.

Les Magnolias avec ch, ✆ 65 99 77 34, – TV ☎. AE GB. rest
15 mars-15 nov. – **Repas** 68/300 – 35 – **6 ch** 240/350 – ½ P 290/315.

PLAISANCE 32160 Gers 82 ③ – 1 657 h. alt. 133.

Paris 754 – Auch 55 – Mont-de-Marsan 61 – Pau 59 – Aire-sur-L'Adour 30 – Condom 58 – Tarbes 44.

La Ripa Alta, ✆ 62 69 30 43, Fax 62 69 36 99 – TV ☎. AE GB
fermé 15 nov. au 15 déc. – **R** *(fermé lundi du 15 sept. au 15 mars)* 80/350, enf. 45 – 35 – **12 ch** 170/480 – ½ P 180/280.

CITROEN Gar. Lenfant ✆ 62 69 32 13

PLANCOËT 22130 C.-d'Armor 59 ⑤ – 2 507 h. alt. 28.

Paris 418 – St-Malo 28 – Dinan 17 – Dinard 21 – St-Brieuc 47.

✿ **Jean-Pierre Crouzil** M avec ch, ✆ 96 84 10 24, Fax 96 84 01 93, « Belle décoration intérieure », – TV ☎ P. GB. ch
fermé 15 au 30 nov., 15 au 31 janv., dim. soir (sauf juil.-août) et lundi – **R** (week-ends prévenir) 195/480, enf. 80 – 65 – **7 ch** 520/650 – ½ P 400/500
Spéc. Huîtres du Trieux chaudes au sabayon de Vouvray. Gratin de sole et homard aux pommes et safran. Gibier (saison).

PEUGEOT-TALBOT Gar. Neute René ✆ 96 84 11 24 Émeraude Pneumatiques ✆ 96 84 11 82

PLAN-DE-LA-TOUR 83120 Var 84 ⑰ – 1 991 h. alt. 69.

Paris 879 – Fréjus 29 – Cannes 65 – Draguignan 36 – St-Tropez 23 – Ste-Maxime 9,5.

Ponte Romano, S : 1,5 km par rte Grimaud ✆ 94 43 70 56, ≤, « Mas provençal dans un joli jardin », – ☎ P. AE GB. rest
mars-oct. – **R** *(fermé lundi sauf du 15 juin au 15 sept.)* (nombre de couverts limité, prévenir) carte 270 à 400, enf. 100 – 60 – **10 ch** 500/900.

Mas des Brugassières sans rest, S : 1,5 km par rte Grimaud ✆ 94 43 72 42, Fax 94 43 00 20, – ☎ P. GB
fermé 1er au 15 nov. et 31 janv. au 14 fév. – 38 – **14 ch** 480/550.

à Courruero S : 3,5 km par rte Grimaud – ✉ **83120** Plan de la Tour :

Parasolis sans rest, ✆ 94 43 76 05, – ☎ P.
20 mars-15 oct. – 35 – **15 ch** 230/420.

PLAN-D'ORGON 13750 B.-du-R. 84 ① – 2 294 h. alt. 70.

Paris 701 – Avignon 21 – Aix-en-Provence 60 – Arles 37 – ♦Marseille 73 – Nîmes 55.

Flamant Rose, rte St-Rémy ✆ 90 73 10 17, Fax 90 73 19 61, – rest TV ☎ P. GB
R *(fermé 1er déc. au 1er mars et merc. midi du 15 oct. au 15 mars)* 48/160, enf. 45 – 35 – **32 ch** 170/380 – ½ P 240/260.

PLAN-DU-VAR 06 Alpes-Mar. 84 ⑲ 195 ⑯ – alt. 141 – ✉ **06670** Levens.

Voir Gorges de la Vésubie★★★ NE – Défilé du Chaudan★★ N : 2 km.

Env. Bonson : site★, ≤★★ de la terrasse de l'église, retable de St-Benoît★ dans l'église NO : 9 km, **G. Côte d'Azur.**

Paris 870 – Antibes 39 – Cannes 49 – ♦Nice 31 – Puget-Théniers 32 – St-Étienne-de-T. 59 – Vence 28.

Cassini, rte Nationale ✆ 93 08 91 03, Fax 93 08 45 48, – ☎. GB
fermé 8 au 24 juin, 2 au 19 janv., dim. soir et lundi – **R** 120/250 – 30 – **20 ch** 160/280 – ½ P 185/240.

PLAPPEVILLE 57 Moselle 57 ⑬ – rattaché à Metz.

PLASCASSIER 06 Alpes-Mar. 84 ⑧ ⑨, 195 ㉔ – rattaché à Grasse.

PLATEAU D'ASSY 74480 H.-Savoie 74 ⑧ **G. Alpes du Nord** – alt. 1 000.

Voir ✻★★★ – Église★ : décoration★★ – Pavillon de Charousse ✻★★ O : 2,5 km puis 30 mn – Lac Vert★ NE : 5 km – **Env.** Plaine-Joux ≤★★ NE : 5,5 km.

ℹ Office de Tourisme av. J.-Arnaud ✆ 50 58 80 52.

Paris 598 – Chamonix 29 – Annecy 80 – Bonneville 40 – Megève 21 – Sallanches 11,5.

Tourisme sans rest, ✆ 50 58 80 54, ≤, – Ⓟ. GB
fermé 15 au 30 juin et lundi hors sais. – ☕ 29 – **15 ch** 110/210.

PEUGEOT-TALBOT Gar. Legon, à Passy ✆ 50 78 33 74

RENAULT Ducoudray, à Chedde Passy ✆ 50 78 33 77

PLÉLAN-LE-GRAND 35380 I.-et-V. 63 ⑤ – 2 566 h. alt. 137.

Paris 384 – ◆ Rennes 35 – Ploërmel 26 – Redon 47.

Bruyères, ✆ 99 06 81 38, – TV ☎ Ⓟ. GB
fermé vacances de fév., dim. soir et lundi d'oct. à mars – **R** 55/150, enf. 43 – ☕ 25 – **18 ch** 100/220 – ½ P 130/185.

PLÉNEUF-VAL-ANDRÉ 22370 C.-d'Armor 59 ④ – 3 600 h. alt. 70 – Casino au Val-André.

Paris 449 – St-Brieuc 29 – Dinan 47 – Erquy 9 – Lamballe 17 – St-Cast 29 – St-Malo 53.

au Val-André O : 2 km, **G. Bretagne** – ✉ 22370 Pléneuf-Val-André.

Voir Pointe de Pléneuf★ N 15 mn – Le tour de la Pointe de Pléneuf ≤★★ N 30 mn.

ℹ Office de Tourisme 1 r. W.-Churchill ✆ 96 72 20 55.

Gd H. du Val André ⛰, r. Amiral Charner ✆ 96 72 20 56, ≤ – ch TV ☎ Ⓟ – 30. GB. ✻ rest
hôtel : 23 mars-12 nov. ; rest. : 11 avril-27 sept. – **R** 120/203, enf. 62 – ☕ 35 – **39 ch** 320/350 – ½ P 350/380.

Clemenceau sans rest, 131 r. Clemenceau ✆ 96 72 23 70 – TV ☎ Ⓟ. GB
fermé 7 au 31 janv. – ☕ 30 – **23 ch** 230/340.

Casino ⛰ sans rest, 10 r. Ch. Cotard ✆ 96 72 20 22 – ☎ Ⓟ. ✻
avril-oct. – ☕ 26 – **15 ch** 130/230.

✿ **La Cotriade** (Le Saout), au port de Piégu : 1 km ✆ 96 72 20 26, ≤ port – GB
fermé 12 au 27 juin, 15 janv. au 15 fév., lundi soir et mardi – **R** (nombre de couverts limité - prévenir) 180/260
Spéc. Homard grillé, "Cotriade", Saint-Pierre à la vapeur de badiane.

Au Biniou, 121 r. Clemenceau ✆ 96 72 24 35 – GB
ouvert vacances de fév., 11 avril-15 déc. et fermé jeudi sauf juil.-août – **R** 78/320, enf. 45.

Mer avec ch, r. Amiral Charner ✆ 96 72 20 44, Fax 96 72 85 72 – Ⓟ. AE GB
fermé 20 nov. au 20 déc., janv. et mardi hors sais. – **R** 89/235, enf. 42 – ☕ 25 – **13 ch** 130/220 – ½ P 225/250.

Annexe Nuit et Jour sans rest, – cuisinette TV ☎ ♿ Ⓟ. GB
☕ 25 – **8 ch** 200/240.

PLÉRIN 22 C.-d'Armor 59 ③ – rattaché à St-Brieuc.

PLESSIS-PICARD 77 S.-et-M. 61 ① ②, 106 ㉝ – rattaché à Melun.

PLESTIN-LES-GRÈVES 22310 C.-d'Armor 58 ⑦ **G. Bretagne** – 3 237 h. alt. 114.

Voir Lieue de Grève★ – Corniche de l'Armorique★ N : 2 km.

ℹ Syndicat d'Initiative à la Mairie (vacances scolaires) ✆ 96 35 61 93.

Paris 530 – ◆ Brest 77 – Guingamp 46 – Lannion 18 – Morlaix 19 – St-Brieuc 77.

Côtes d'Armor ⛰, rte Corniche N : 4 km par D 42 ✆ 96 35 63 11, Fax 96 35 67 04, ≤ – ☎ Ⓟ. AE ⓓ GB
15 avril-30 sept. et vacances de nov. – **R** *(fermé lundi midi)* 95/155 ♁, enf. 65 – ☕ 40 – **20 ch** 210/280 – ½ P 250/280.

PLEURS 51230 Marne 61 ⑥ – 713 h. alt. 93.

Paris 126 – Troyes 52 – Châlons-sur-Marne 48 – Épernay 50 – Sézanne 13 – Vitry-le-François 55.

Paix avec ch, ✆ 26 80 10 14 – TV ☎ Ⓟ. GB
fermé 6 au 27 juil., 20 fév. au 8 mars, dim. soir et lundi – **R** 55/240 ♁ – ☕ 20 – **7 ch** 170 – ½ P 160.

PLÉVEN 22130 C.-d'Armor 59 ⑤ – 578 h. alt. 80.

Voir Ruines du château de la Hunaudaie★ SO : 4 km, **G. Bretagne.**

Paris 431 – Saint Malo 37,5 – Dinan 25 – Dinard 30,5 – Saint Brieuc 38,5.

Manoir de Vaumadeuc ⛰, ✆ 96 84 46 17, Fax 96 84 40 16, « Manoir du 15e siècle dans un parc » – ☎ Ⓟ – 30. ⓓ GB. ✻ rest
R *(ouvert mai-sept. et fermé merc. en mai et le midi sauf sam. et dim.)* (nombre de couverts limité - prévenir) 175, enf. 100 – ☕ 42 – **10 ch** 490/850 – ½ P 420/600.

PLOEMEUR **56270** Morbihan 58 ⑫ – 17 637 h.

18 de Ploemeur-Océan ☏ 97 32 81 82, O par D 162^{E} : 8 km.

Paris 501 – Vannes 63 – Concarneau 49 – Lorient 5,5 – Quimper 66.

Les Astéries M, 1 pl. FFL (près église) ☏ 97 86 21 97, Télex 951573, – – 50. GB. rest
fermé dim. (sauf hôtel) et sam. soir du 15 sept. au 15 juin – **R** 70/110 – 35 – **36 ch** 290/340 – ½ P 260/275.

à Lomener S : 4 km par D 163 – ✉ **56270** Ploemeur :

Le Vivier, ☏ 97 82 99 60, Fax 97 82 88 89, ← – rest AE GB
fermé 1er au 20 janv. – **R** *(fermé dim. soir sauf juil.-août)* 95/320, enf. 65 – 40 – **14 ch** 280/340 – ½ P 350.

PLOEUC-SUR-LIÉ **22150** C.-d'Armor 58 ⑩ – 2 932 h. alt. 210.

Paris 448 – St-Brieuc 22 – Lamballe 26 – Loudéac 24.

Commerce, ☏ 96 42 10 36, – GB
fermé dim. soir du 1er nov. au 1er mars – **R** 60/140 , enf. 45 – 22 – **42 ch** 190/220 – ½ P 190/220.

PLOGOFF **29770** Finistère 58 ⑬ – 1 902 h. alt. 65.

Paris 603 – Quimper 46 – Audierne 10 – Douarnenez 32 – Pont-L'Abbé 42.

Ker-Moor, E : 2,5 km plage du Loch ☏ 98 70 62 06, ← – rest
Pâques-30 sept. – **R** 70/165 – 22 – **20 ch** 120/160 – ½ P 190/200.

PLOMBIÈRES-LES-BAINS **88370** Vosges 62 ⑯ **G. Alsace Lorraine** – 2 084 h. alt. 456 – Stat. therm. (27 avril-3 oct.) – Casino B.

Voir La Feuillée Nouvelle ←★ 5 km par ②.

Office de Tourisme r. Stanislas (fermé matin oct.-avril) ☏ 29 66 01 30.

Paris 372 ④ – Épinal 35 ④ – Belfort 74 ② – Gérardmer 41 ① – Vesoul 55 ② – Vittel 60 ④.

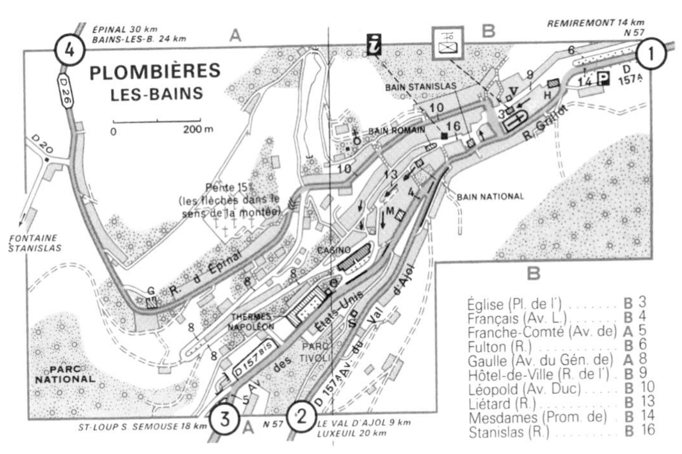

Gd Hôtel, 2 av. États-Unis ☏ 29 66 00 03, – GB — AB **e**
27 avril-30 sept. – **Les Thermes** ☏ 29 66 03 23 **R** 105/190 – 26 – **115 ch** 126/283 – ½ P 170/263.

Modern'H, av. Th. Gautier ☏ 29 66 04 02, ← – AE GB. rest — B **s**
15 avril-15 oct. – **R** 85/170 , enf. 45 – 25 – **48 ch** 165/205 – ½ P 160/175.

Host. Les Rosiers , par ② : 1 km ☏ 29 66 02 66, ←, – GB JCB. rest
fermé 15 déc. au 15 fév. et lundi d'oct. au 1er mai – **R** 85/200, enf. 50 – 28 – **20 ch** 120/220 – ½ P 215/250.

Commerce, r. Hôtel de Ville ☏ 29 66 00 47, – GB — B **v**
1er mai-15 oct. – **R** 72/150 – 24 – **42 ch** 125/170 – ½ P 150/175.

près de la Fontaine Stanislas -A- SO : 4 km – alt. 600 – ✉ **88370** Plombières-les-B. :

Fontaine Stanislas , ☏ 29 66 01 53, ←, « En forêt, jardin » – ch AE GB. rest
1er avril-30 sept. – **R** 85/225, enf. 54 – 28 – **19 ch** 125/270 – ½ P 180/250.

par ④ et D 26 : 3 km – ✉ **88370** Plombières-les-Bains :

XX **Aux Quatre Saisons,** ☎ 29 66 04 92, – **P**. GB
fermé 2 au 31 janv., dim. soir et lundi – **R** 150/215.

PLOMEUR **29120** Finistère 58 ⑭ **G. Bretagne** – 3 272 h. alt. 31.

Paris 574 – Quimper 25 – Douarnenez 34 – Pont-l'Abbé 6.

Ferme du Relais Bigouden M sans rest, à Pendreff, S : 2,5 km par D 57 ☎ 98 58 01 32, – TV ☎ ♿ **P**. GB
fermé janv. – ☕ 30 – **16 ch** 240/280.

XX **Relais Bigouden** M avec ch, ☎ 98 82 04 79, Fax 98 82 09 62, – TV ☎ – 40. GB
fermé janv. – **R** *(fermé dim. soir et lundi midi)* 60/320, enf. 46 – ☕ 30 – **14 ch** 215/245 – ½ P 245/265.

PLOMODIERN **29550** Finistère 58 ⑮ – 1 912 h. alt. 112.

Voir Retables★ de la chapelle Ste-Marie-du-Ménez-Hom N : 3,5 km – Charpente★ de la chapelle St-Côme NO : 4,5 km.

Env. Ménez-Hom ✱★★★ N : 7 km par D 47, **G. Bretagne.**

Paris 559 – Quimper 28 – ♦Brest 28 – Châteaulin 12 – Crozon 23 – Douarnenez 19.

Relais Porz-Morvan sans rest, E : 3 km ☎ 98 81 53 23, – **P**. GB
avril-oct. – ☕ 32 – **12 ch** 270/290.

La Crémaillère, ☎ 98 81 50 10, – . GB
fermé oct., sam. et dim. de nov. à Pâques – **R** 75/150 – ☕ 25 – **26 ch** 170/230 – ½ P 200/260.

PLONÉOUR-LANVERN **29720** Finistère 58 ⑭ – 4 619 h. alt. 75.

Paris 574 – Quimper 18 – Douarnenez 26 – Guilvinec 13 – Plouhinec 20 – Pont-l'Abbé 7.

Mairie, r. J. Ferry ☎ 98 87 61 34, – ☎ **P**. GB
fermé 1er au 20 janv. – **R** 85/340 – ☕ 30 – **18 ch** 150/285 – ½ P 220/265.

Voyageurs, 1 r. J. Jaurès ☎ 98 87 61 35, Fax 98 82 62 82 – TV ☎ **P**. AE GB. ch
fermé nov. et vend. soir du 15 sept. au 30 avril – **R** 65/320, enf. 45 – ☕ 28 – **12 ch** 205/275 – ½ P 270/295.

Ty Didrouz , r. Croas ar Bléon ☎ 98 87 62 30 – TV ☎ **P**. GB.
fermé vacances de Noël – **R** *(fermé vend. soir hors sais.)* 68/240 – ☕ 25 – **11 ch** 210 – ½ P 215.

PLOUBAZLANEC **22** C.-d'Armor 59 ② – rattaché à Paimpol.

PLOUDALMÉZEAU **29830** Finistère 58 ③ – 4 874 h. alt. 50.

Voir Clocher-porche★ de Lampaul-Ploudalmézeau N : 3 km, **G. Bretagne.**

ℹ Office de Tourisme pl. Église (vacances de printemps, 15 juin-15 sept.) ☎ 98 48 11 88.

Paris 611 – ♦Brest 25 – Carhaix-Plouguer 106 – Landerneau 39 – Morlaix 73 – Quimper 95.

XX **Voyageurs** avec ch, pl. Église ☎ 98 48 10 13 – GB
fermé 1er au 15 mars, 3 au 24 nov., dim. soir et lundi – **R** 70/190 – ☕ 25 – **9 ch** 110/160.

à Kersaint O : 4 km par D 168 – ✉ **29840** Porspoder.

Voir Parc de stationnement de Trémazan ←★ NO : 2 km – Route touristique★ NO : 2 km, **G. Bretagne.**

Host. du Castel, ☎ 98 48 63 35 – **P**. AE GB
Pâques-30 sept. et fermé dim. soir et lundi – **R** 90/250 – ☕ 28 – **17 ch** – ½ P 220/285.

PLOUESCAT **29430** Finistère 58 ⑤ **G. Bretagne** – 3 689 h. alt. 33.

ℹ Syndicat d'Initiative r. St Julien (15 juin-août) ☎ 98 69 62 18 et à la Mairie ☎ 98 69 60 13.

Paris 572 – ♦Brest 42 – Brignogan-Plage 15 – Morlaix 34 – Quimper 89 – St-Pol-de-Léon 15.

Caravelle, 20 r. Calvaire ☎ 98 69 61 75, Fax 98 61 92 61 – TV ☎ – 30. AE GB
R *(fermé 18 janv. au 16 fév. et lundi sauf du 1er juil. au 15 sept.)* 60/250 – ☕ 30 – **17 ch** 270 – ½ P 215/225.

Baie du Kernic, rte Brest O : 1,5 km sur D 10 ☎ 98 69 63 41 – ☎ **P**. GB
R *(fermé 1er déc. au 1er mars et lundi hors sais.)* 70/380 – ☕ 30 – **16 ch** 140/300 – ½ P 250/390.

XX **L'Azou** avec ch, r. Gén. Leclerc ☎ 98 69 60 16 – AE GB
fermé 28 sept. au 21 oct., 10 au 20 janv., merc. midi et mardi sauf juil.-août – **R** 70/360 – ☕ 28 – **5 ch** 140/220 – ½ P 240.

CITROEN Rouxel ☎ 98 69 60 03 N ☎ 98 69 83 43
PEUGEOT Gar. Bossard ☎ 98 69 65 26
RENAULT Quillec ☎ 98 69 61 10 N

PLOUFRAGAN **22** C.-d'Armor 59 ③ – rattaché à St-Brieuc.

PLOUGASNOU 29630 Finistère 58 ⑥ G. Bretagne – 3 530 h. alt. 51.

Voir St-Jean du Doigt : Enclos paroissial : trésor★★, église★, fontaine★ SE : 2,5 km – Ste-Barbe ≤★ NO : 2 km – Pointe de Primel★ NO : 4 km puis 30 mn.

🅸 Syndicat d'Initiative r. des Martyrs (fermé après-midi hors saison) ✆ 98 67 31 88.

Paris 546 – ◆Brest 76 – Guingamp 61 – Lannion 34 – Morlaix 17 – Quimper 95.

France sans rest, pl. Église ✆ 98 67 30 15, 🌳 – ☎ 🅿. GB. ※
mars-oct. – ☕ 25 – **21 ch** 150/260.

CITROEN Gar. Moal Frères ✆ 98 67 35 20
RENAULT Gar. Prigent, à Kermébel ✆ 98 72 30 65
RENAULT Gar. Nicolas ✆ 98 67 34 53

PLOUGASTEL-DAOULAS 29470 Finistère 58 ④ G. Bretagne – 11 139 h. alt. 110.

Voir Calvaire★★ – Site★ de la chapelle St-Jean NE : 5 km – Kernisi ※★ SO : 4,5 km.

Env. Pointe de Kerdéniel ※★★ SO : 8,5 km puis 15 mn.

Paris 578 – ◆Brest 10,5 – Morlaix 55 – Quimper 62.

Kastel Roc'h, à l'échangeur de la D 33 ✆ 98 40 32 00, Fax 98 04 25 40, 🌳 – |♦| TV ☎ 🅿 – 🏛 80. AE ⓞ GB JCB
R *(fermé sam. midi et vend.)* 68/135 🍷, enf. 38 – ☕ 35 – **44 ch** 220/250 – ½ P 215.

XXX **Le Chevalier de l'Auberlac'h,** ✆ 98 40 54 56 – AE GB
fermé dim. soir et lundi – **R** 110/190, enf. 65.

CITROEN Gar. du Centre, 2 r. Neuve ✆ 98 40 36 23

PLOUGUERNEAU 29880 Finistère 58 ④ – 5 255 h. alt. 62.

Paris 602 – ◆Brest 26 – Landerneau 31 – Morlaix 63 – Quimper 94.

à la Plage de Lilia NO : 5 km par D 71 :

Castel Ac'h, ✆ 98 04 70 11, ≤ – ☎ ♿ 🅿. AE GB
R 75/200 🍷, enf. 46 – ☕ 30 – **29 ch** 150/245 – ½ P 210/250.

PLOUHARNEL 56 Morbihan 63 ⑪ ⑫ – rattaché à Carnac.

PLOUHINEC 29780 Finistère 58 ⑭ – 4 524 h. alt. 101.

Paris 589 – Quimper 31 – Audierne 4,5 – Douarnenez 18 – Pont-l'Abbé 27.

Ty Frapp, r. de Rozavot ✆ 98 70 89 90, Fax 98 70 81 04 – TV ☎ 🅿. GB. ※ ch
fermé 24 déc. au 31 janv. – **R** *(fermé dim. soir et lundi sauf juil-août)* 102/190 – ☕ 32 – **25 ch** 150/240 – ½ P 230/280.

PLOUIDER 29260 Finistère 58 ④ – 1 818 h. alt. 75.

Paris 578 – ◆Brest 29 – Landerneau 20,5 – Morlaix 45 – Quimper 82 – St-Pol-de-Léon 27.

de la Butte, ✆ 98 25 40 54, Fax 98 25 44 17, ≤, 🌳 – |♦| TV ☎ ♿ 🅿 – 🏛 25. AE ⓞ GB
R 60/310 🍷, enf. 50 – ☕ 37 – **30 ch** 350/400 – ½ P 350.

PLOUIGNEAU 29610 Finistère 58 ⑥ ⑦ – 4 023 h. alt. 160.

Paris 529 – ◆Brest 69 – Carhaix-Plouguer 43 – Guingamp 45 – Huelgoat 34 – Lannion 34 – Morlaix 9 – Quimper 88.

XX **An Ty Korn** avec ch, pl. Église ✆ 98 67 72 72, 🏠, 🌳 – AE ⓞ GB
fermé 15 au 30 oct. (sauf hôtel), dim. soir et lundi de sept. à juin – **R** 60/280 🍷 – ☕ 30 – **7 ch** 150/200 – ½ P 280.

PLOUMANACH 22 C.-d'Armor 59 ① – rattaché à Perros-Guirec.

PLOUNÉRIN 22780 C.-d'Armor 58 ⑦ – 649 h. alt. 186.

Paris 515 – St-Brieuc 61 – Carhaix-Plouguer 43 – Lannion 23 – Morlaix 22.

XXX ✿ **Patrick Jeffroy** avec ch, ✆ 96 38 61 80 – TV ☎ 🅿. GB. ※ ch
fermé 1er au 15 oct., 1er au 15 fév., dim. soir et lundi sauf du 15 juin au 15 sept. – **R** 150/340, enf. 75 – ☕ 40 – **3 ch** 270/300 – ½ P 320/400
Spéc. Bouillie d'avoine poêlée et crêpe de sarrasin. Rouget aux épices et aux mangues (mai à sept.). Figues rôties au ratafia de cassis (mi-août à fin oct.).

PLUGUFFAN 29 Finistère 58 ⑮ – rattaché à Quimper.

Le POËT-LAVAL 26 Drôme 81 ② – rattaché à Dieulefit.

POILHES 34 Hérault 83 ⑭ – rattaché à Capestang.

POILLÉ-SUR-VÈGRE 72350 Sarthe 64 ② – 470 h.

Paris 241 – ◆Le Mans 46 – Angers 75 – La Flèche 36 – Laval 48.

X **Aub. du Cèdre** avec ch, ✆ 43 95 29 09 – GB
R *(fermé dim. soir et lundi)* 70/180 – ☕ 25 – **4 ch** 170/220.

POINCY 77 S.-et-M. 56 ⑬ – rattaché à Meaux.

POINTE voir au nom propre de la pointe.

POINT-SUBLIME 04 Alpes-de-H.-P. 84 ⑥ **G. Alpes du Sud** – alt. 783 – ✉ **04120** Castellane.

Voir ≤★★★ sur Grand Canyon du Verdon 15 mn – Couloir Samson★★ S : 1,5 km – Rougon ≤★ N 2,5 km – Clue de Carejuan★ E : 4 km.

Env. Belvédères SO : de l'Escalès★★★ 9 km, de Trescaïre★★ 8 km, du Tilleul★★ 10 km, des Glacières★★ 11 km, de l'Imbut★★ 13 km.

Paris 796 – Digne 71 – Castellane 18 – Draguignan 53 – Manosque 73 – Salernes 65 – Trigance 13.

Aub. Point Sublime avec ch, ☎ 92 83 60 35, ≤, – ☎ P. GB
1er avril-4 nov. – **R** 72/155, enf. 45 – ☐ 26 – **14 ch** 180/225 – ½ P 195/215.

POINT-SUBLIME 48 Lozère 80 ⑤ **G. Gorges du Tarn** – alt. 861.

Voir ★★★ sur Canyon du Tarn.

Le POIRÉ-SUR-VIE 85170 Vendée 67 ⑬ – 5 326 h. alt. 54.

Paris 434 – La Roche-sur-Yon 14 – Cholet 68 – Nantes 53 – Les Sables-d'Olonne 41.

Centre, ☎ 51 31 81 20, Fax 51 31 88 21, – TV ☎ ♿. AE GB
fermé 15 déc. au 15 janv. – **R** *(fermé vend. soir et dim. soir hors sais.)* 65/210 ♿, enf. 50 – ☐ 27 – **32 ch** 122/292.

CITROEN Gar. Piveteau, 2 r. Écoliers ☎ 51 31 80 42 RENAULT Gar. Bretaudeau ☎ 51 06 45 00
N ☎ 51 31 85 08

POISSON 71 S.-et-L. 69 ⑰ – rattaché à Paray-le-Monial.

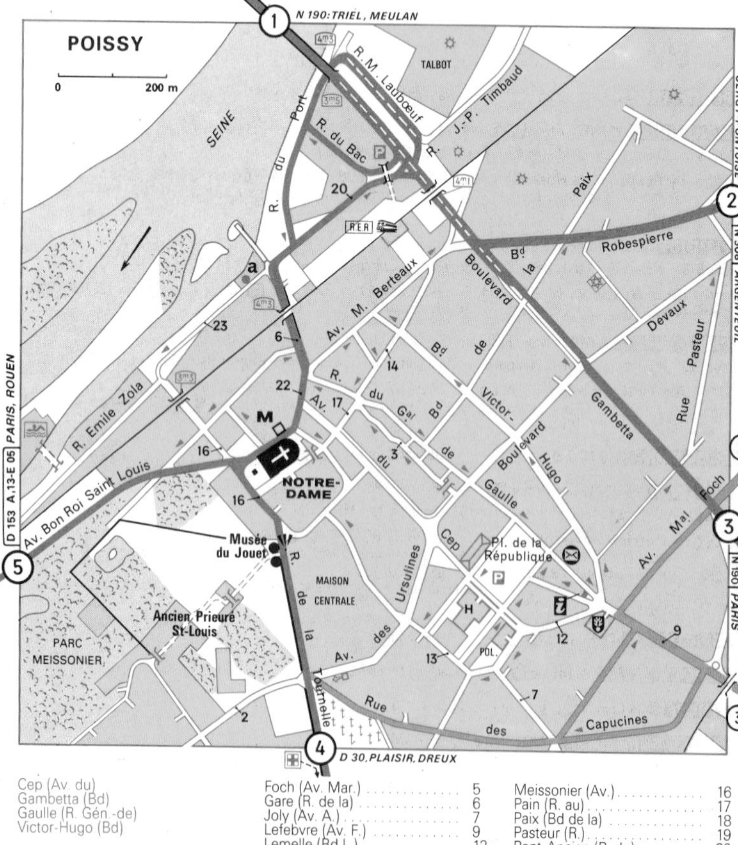

Cep (Av. du)		Foch (Av. Mar.)	5	Meissonier (Av.)	16
Gambetta (Bd)		Gare (R. de la)	6	Pain (R. au)	17
Gaulle (R. Gén.-de)		Joly (Av. A.)	7	Paix (Bd de la)	18
Victor-Hugo (Bd)		Lefebvre (Av. F.)	9	Pasteur (R.)	19
		Lemelle (Bd L.)	12	Pont-Ancien (R. du)	20
Blanche-de-Castille (Av.)	2	Libération (R. de la)	13	St-Louis (R.)	22
Bœuf (R. du)	3	Mary (R. J.-Cl.)	14	14-Juillet (Cours du)	23

MICHELIN

🏨🏨🏨🏨🏨	Luxury	XXXXX
🏨🏨🏨🏨	Top class comfort	XXXX
🏨🏨🏨	Very comfortable	XXX
🏨🏨	Comfortable	XX
🏨	Quite comfortable	X
	Simple comfort	

✿✿✿	Cooking worth a special journey
✿✿	Cooking worth a detour
✿	Very good cooking
Repas	Good meals at moderate prices 100/130
	Breakfast
enf. 55	Children's menu

🏨 X	Menu for less than 75 F

🏨🏨🏨 ... 🏨	Pleasant hotels
XXX ... X	Pleasant restaurants
⋞	Exceptional view
⋞	Interesting or extensive view
	Quiet and secluded situation
	Quiet situation

Meals served in garden or on terrace
Exercise room
Outdoor or indoor swimming pool
Garden – Hotel tennis court

Lift
Non-smoking areas
Air conditioning
External phone in room
Direct dialling
Accessible to the physically handicapped
Car park – Garage
Business conference facilities
Dogs not allowed
AE — American Express – Diners Club
CB JCB — Carte Bancaire – Japan Card Bank

MICHELIN

	Grand luxe	XXXXX
	Grand confort	XXXX
	Très confortable	XXX
	De bon confort	XX
	Assez confortable	X
	Simple mais convenable	

✿✿✿	La table vaut le voyage
✿✿	La table mérite un détour
✿	Une très bonnne table
Repas	Repas soigné à prix modérés 100/130
	Petit déjeuner
enf. 55	Menu enfant

	Menu à moins de 75 F

	Hôtels agréables
XXX ... X	Restaurants agréables
	Vue exceptionnelle
	Vue intéressante ou étendue
	Situation très tranquille, isolée
	Situation tranquille

	Repas au jardin ou en terrasse
	Salle de remise en forme
	Piscine en plein air ou couverte
	Jardin de repos – Tennis à l'hôtel

	Ascenseur
	Non-fumeurs
	Air conditionné
	Téléphone dans la chambre
	Téléphone direct
	Accessible aux handicapés physiques
P	Parking – Garage
	Salles de conférence, séminaire
	Accès interdit aux chiens
AE	American Express – Diners Club
CB JCB	Carte Bancaire – Japan Card Bank

POISSY 78300 Yvelines 55 ⑲ 106 ⑰ 101 ⑪ ⑫ **G. Ile de France** – 36 745 h. alt. 27.

Voir Église N.-Dame★.

Syndicat d'Initiative 132 r. Gén.-de-Gaulle ☏ (1) 30 74 60 65.

Paris 29 ③ – Mantes-la-Jolie 30 ④ – Pontoise 17 ② – Rambouillet 48 ④ – St-Germain-en-Laye 6 ③.

Plan page précédente

XX **Esturgeon,** 6 cours 14-Juillet **(a)** ☏ (1) 39 65 00 04, ≤ – AE ⓓ GB
fermé août, 27 fév. au 5 mars et jeudi – **R** carte 250 à 350.

XX **La Cour-St-Jacques,** 25 av. F. Lefebvre ☏ (1) 30 65 93 00 – GB
R 130/180.

FIAT-LANCIA A.O.P., 29 bd Robespierre ☏ (1) 30 74 02 80
FORD Gar. Gambetta, 45 bd Gambetta ☏ (1) 39 65 17 67
RENAULT Bagros-Heid, 1 r. Pont à Triel-sur-Seine par ① ☏ (1) 39 70 60 29
RENAULT Gar. Pihan, 78 bd Robespierre par ② ☏ (1) 39 65 40 94 N ☏ (1) 39 11 50 00

Marsat-Pneus Poissy-Pneus, 40 bd Robespierre ☏ (1) 39 65 29 09

CONSTRUCTEUR : Talbot, 45 r. J.-P.-Timbaud ☏ **(1) 39 65 40 00**

POITIERS P 86000 Vienne 68 ⑬ ⑭ **G. Poitou Vendée Charentes** – 78 894 h. alt. 116.

Voir Église N.-D.-la-Grande★★ : façade★★★ DY – Église St-Hilaire-le-Grand★★ CZ – Cathédrale★ DZ **B** – Église Ste-Radegonde★ DZ **Q** – Baptistère St-Jean★ DZ – Grande salle★ du Palais de Justice DY **J** – Boulevard Coligny ≤★ BVX – Musée Ste-Croix★★ DZ **M**.

18 de Mignaloux Beauvoir ☏ 49 46 70 27, E : 3 km par D 6 AX ; 9 18 du Haut-Poitou ☏ 49 62 53 62, par ① N 10 : 22 km.

de Poitiers-Biard : T.A.T. ☏ 49 58 28 85 AV.

Office de Tourisme 8 r. Grandes-Écoles ☏ 49 41 21 24 – A.C. 2 r. Claveurier ☏ 49 41 65 27.

Paris 336 ① – Angers 132 ⑦ – ◆Limoges 120 ③ – ◆Nantes 180 ⑥ – Niort 74 ⑤ – ◆Tours 102 ①.

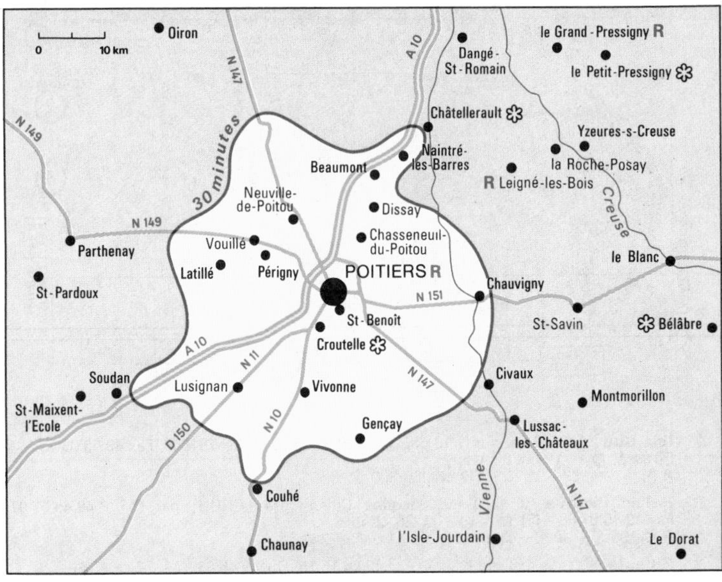

France et rest. Royal Poitou, 215 rte de Paris ☏ 49 01 74 74, Télex 790526, Fax 49 01 74 73, – – 25 à 50. AE ⓓ GB JCB BV **a**
R 90/240 – 32 – **57 ch** 350/440 – ½ P 320/345.

Europe sans rest, 39 r. Carnot ☏ 49 88 12 00, Fax 49 88 97 30, – ⓓ GB CZ **n**
35 – **88 ch** 240/320.

Continental M sans rest, 2 bd Solférino ☏ 49 37 93 93, Télex 793160 – AE ⓓ GB CY **r**
28 – **39 ch** 229/267.

POITIERS

Aérospatiale (R. de l'). **AV** 3
Allende (R. Salvador) . **BX** 5
Blaiserie (R. de la). . . . **AV** 6
Cassette (Rte de la) . . **AX** 12
Coligny (Bd) . . . . **BX** 15
Cueille-Mirebalaise (R.) **AV** 18
Demi-Lune (Carref.) . . . **AV** 22
Fg-Cueille-Mirebalaise (R.). . . . . **AV** 24
Fg-du-Pont-Neuf (R.) . . **BX** 27
Fg-St-Cyprien (R.). . . . . **AX** 28
Fief-de-Grimoire (R.). . . . **AX** 30
Gibauderie (R. de la). . . . **BX** 33
Guynemer (R. G.) . . . . . . **AX** 36
Jacques-Cœur (R.) . . . . . **BX** 42
Maillochon (R. de) . . . . . **AX** 52
Miletrie (R. de la) . . . . . . **BX** 56
Montbernage (R. de) . . . **BV** 58
Montmidi (R. de). . . . . . . **AX** 62
N.-D.-du-Planty (⊞) . . . **BV** 64
Pierre-Levée (R.) . . . . . . **BX** 69
Rataudes (R. des) . . . . . . **AX** 70
Recteur-Pineau (Av.). . . . **BX** 71
St-Cyprien (⊞). . . . . **BX**
St-Paul (⊞) . . . . **BX** 80
Ste-Bernadette (⊞). . . . **AX** 83
Ste-Thérèse (⊞). . . . . . . **AV** 85
Schuman (Av. R.) . . . . . . **BV** 88
Vasles (Rte de) . . . . **AX** 93

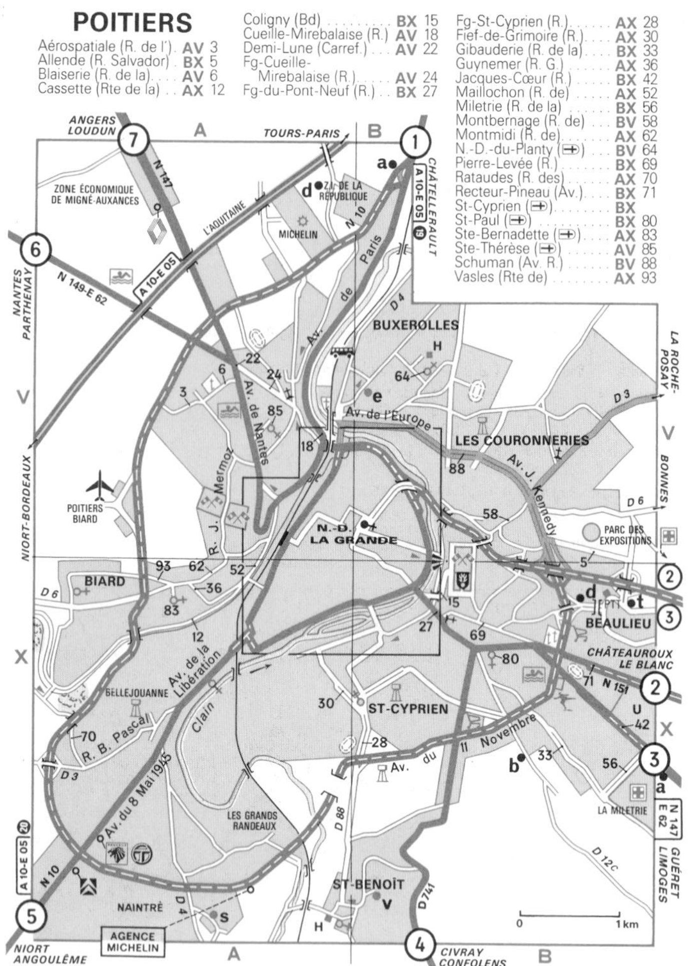

🏨 **Ibis Sud** Ⓜ, S : 3 km sur N 10 par ⑤ ☏ 49 53 13 13, Télex 791556, Fax 49 53 03 73 – 🛗 📺 ☎ ♿ 🅿 – 🏛 30 à 80. GB
R 90 🍷, enf. 39 – ☕ 32 – **117 ch** 250/300.

🏨 **Relais Pictave** Ⓜ, 220 av. Jacques Coeur (près CHRU) par ③ ☏ 49 45 07 07, Fax 49 45 07 08 – 📺 ☎ ♿ 🅿 – 🏛 25. AE GB — BX **a**
R 72/195 🍷 – ☕ 28 – **43 ch** 185/270 – ½ P 198/233.

🏨 **Gibautel** Ⓜ sans rest, rte Nouaillé ☏ 49 46 16 16, Fax 49 46 85 97 – 📺 ☎ ♿ 🅿 – 🏛 30. AE GB — BX **b**
☕ 30 – **36 ch** 220/250.

🏨 **Ibis Beaulieu** Ⓜ, quartier Beaulieu ☏ 49 61 11 02, Télex 790354, Fax 49 01 72 76 – 📺 ☎ ♿ 🅿 – 🏛 40. AE GB JCB — BX **t**
R 69/125 🍷, enf. 40 – ☕ 30 – **47 ch** 240/280 – ½ P 215.

🏨 **Come Inn** Ⓜ, Z.I. République 2 ☏ 49 88 42 42, Fax 49 88 42 44, 🏋 – 📺 ☎ ♿ 🅿 – 🏛 30. GB — AV **d**
R 66/180 – ☕ 30 – **47 ch** 210/230 – ½ P 190.

🏨 **Plat d'Étain** 🐎 sans rest, 7 r. Plat d'Étain ☏ 49 41 04 80 – 📺 ☎ 🚗. AE ⓓ GB — DY **s**
fermé 19 déc. au 9 janv. – ☕ 30 – **24 ch** 150/350.

POITIERS

Carnot (R.) . . . . CZ 9
Cordeliers (R. des) . . . . . DY 17
Gambetta (R.) . . . . DY 31
Grand-Rue . . . . DY
Marché (R. du) . . . . DYZ 54

Abbé-Frémont (Bd) . . . . DY 2
Bouchet (R. Jean) . . . . . . DY 7
Coligny (Bd) . . . . DZ 15
Descartes (R.) . . . . DY 23
Gaulle (Pl. Ch. de) . . . . . . DY 32
Intend.-le-Nain (R.) . . . . . DY 40
Jaurès (R. J.) . . . . DY 44
Jean-de-Berry (Pl.) . . . . . DY 47
Jeanne-d'Arc (Bd) . . . . . . DY 48
Macé (R. Jean) . . . . DY 50
Marne (R. de la) . . . . CY 55
Montierneuf (⊕) . . . . DY
Mouton (R. du) . . . . DY 63
Oudin (R. H.) . . . . DY 67
Riffault (R.) . . . . DY 74
St-Germain (⊕) . . . . DY 79
St-Porchaire (⊕) . . . . DY E
Solférino (Bd) . . . . CY 89
Tison (Bd de) . . . . CZ 92
Verdun (Bd de) . . . . CY 94

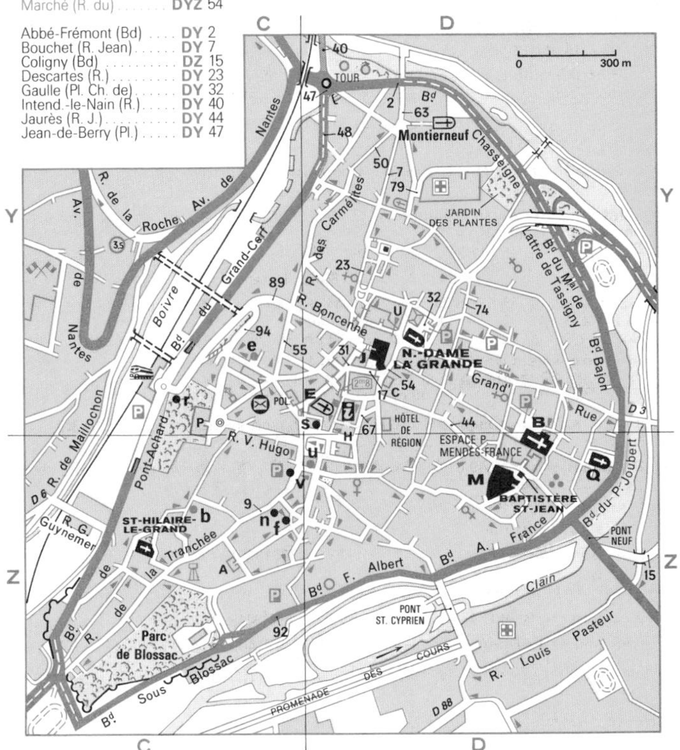

🏨 **Climat de France,** quartier Beaulieu ✆ 49 61 38 75, Télex 792022, Fax 49 44 24 42 – TV ☎ ♿ 🅟 – 🏛 40 à 120. AE GB — BX **d**
R 82/105 🧒, enf. 40 – ☕ 30 – **70 ch** 210/270.

🏨 **Arcade** M sans rest, 15 r. Petit Bonneveau ✆ 49 88 30 42, Télex 793167, Fax 49 55 11 87 – 🛗 TV ☎ ♿ 🅟. AE GB — CZ **f**
☕ 38 – **75 ch** 275/295.

XXX **Maxime,** 4 r. St-Nicolas ✆ 49 41 09 55 – AE GB — DZ **u**
fermé 10 au 20 juil., 10 au 20 août, 5 au 15 janv., sam. et dim. – **R** 98/230.

XXX Jack Rolland, 16 r. Carnot ✆ 49 88 14 41, produits de la mer – ▤ — CZ **v**

XX **St Hilaire,** 65 r. T. Renaudot ✆ 49 41 15 45, « Salle voûtée du 12e siècle » – GB — CZ **b**
fermé 25 juil. au 19 août, lundi midi et dim. – **R** 105/240, enf. 70.

XX **Armes d'Obernai,** 19 r. A. Ranc ✆ 49 41 16 33 – ▤. AE ⓓ GB — CY **e**
fermé 2 au 14 sept., 18 fév. au 8 mars, dim. soir et lundi – **Repas** (nombre de couverts limité - prévenir) 100/220.

XX **Aub. de la Cigogne,** à Buxerolles 20 r. Planty ✉ 86180 Buxerolles ✆ 49 45 61 47, 🌳, 🍽 – AE GB. 🚫 — BV **e**
fermé 3 au 16 août, dim. soir et lundi – **R** 95/175.

*à **St-Benoît*** S : 4 km par D 88 - ABX – 5 843 h. – ✉ **86280** :

XXX **Chalet de Venise** 🐚 avec ch, r. Square ✆ 49 88 45 07, 🌳, 🍽 – ☎ 🅟 – 🏛 25. AE GB. 🚫 ch — BX **v**
fermé 31 août au 14 sept., vacances de fév., dim. soir et lundi – **R** 99/250 – ☕ 28 – **10 ch** 200/240.

XX **A l'Orée des Bois** avec ch, rte Ligugé ☎ 49 57 11 44 – TV ☎ P. GB AX s
hôtel : fermé dim. soir ; rest. : fermé 5 au 20 août, vacances de nov., de fév., dim. soir et lundi – **R** 70/240 ꝸ, enf. 50 – ☐ 25 – **16 ch** 190/325.

à Croutelle échangeur Poitiers-sud, par ⑤ : 6 km sur N 10 – ✉ **86240** :

Mondial M sans rest, ☎ 49 55 44 00, Télex 793376, Fax 49 55 33 49, ≋ – TV ☎ ♿ P – 30. AE ⓓ GB
☐ 30 – **40 ch** 260/465.

XXX ✿ **Pierre Benoist,** ☎ 49 57 11 52, ♨, ☂ – P. AE ⓓ GB
fermé 3 au 13 août et vacances de fév. – **R** (nombre de couverts limité-prévenir) carte 230 à 375
Spéc. Saint-Jacques et huîtres au fumet de Sancerre (oct. à avril), Croustillant de ris de veau, Côtelettes de pigeon et foie gras poêlé. **Vins** Chinon, Haut-Poitou.

à Chasseneuil-du-Poitou par ① : 9 km par N 10 et direction Chasseneuil-centre – 3 002 h. – ✉ **86360** :

Château Clos de la Ribaudière M, près Mairie ☎ 49 52 86 66, Fax 49 52 86 32, parc – TV ☎ ♿ P. AE ⓓ GB
R 135/245 – ☐ 45 – **19 ch** 300/540 – ½ P 400/500.

rte de Paris par ① : 9 km sur N 10 – ✉ **86360** Chasseneuil :

Novotel M, ☎ 49 52 78 78, Télex 791944, Fax 49 52 86 04, ♨, parc, ≋, ✂ – |♦| ⇔ ch ▤ TV ☎ ♿ P – 25 à 300. AE ⓓ GB JCB
R carte environ 160 ꝸ, enf. 50 – ☐ 49 – **89 ch** 385/495.

Mercure Relais de Poitiers, ☎ 49 52 90 41, Télex 790502, Fax 49 52 51 72, ≋, ☂ – |♦| ⇔ ▤ rest TV ☎ P – 25 à 1 000. AE ⓓ GB JCB
R 100/250, enf. 45 – ☐ 47 – **90 ch** 400/530, 6 appart. 540/600.

sur l'aire du Futuroscope N : 10 km par A 10 - sortie Futuroscope – ✉ **86360** Chasseneuil-du-Poitou :

Deltasun M, ☎ 49 49 01 01, Fax 49 49 01 10, ♨, ≋ – |♦| ⇔ ch ▤ rest TV ☎ ♿ P – 60. AE ⓓ GB
R 75/180 ꝸ – ☐ 42 – **75 ch** 275/380 – ½ P 260.

rte de Bordeaux par ⑤ : 7 km – ✉ **86240** Ligugé :

Bois de la Marche M, ☎ 49 53 10 10, Télex 790133, Fax 49 55 32 25, parc, ✂ – |♦| ☎ ♿ P – 50 à 180. AE ⓓ GB
R 90/240 – ☐ 32 – **53 ch** 320/400 – ½ P 320/345.

à Périgny par ⑥ et D 43 : 17 km - – 3 280 h. – ✉ **86190** Vouillé :

Château de Périgny, ☎ 49 51 80 43, Télex 791400, Fax 49 51 90 09, ≤, ♨, parc, ≋, ✂ – |♦| ⇔ ch TV ☎ P – 25 à 100. AE ⓓ GB
fermé 5 janv. au 28 fév. – **R** 145/320, enf. 75 – ☐ 60 – **40 ch** 490/1350, 4 appart. 1350 – ½ P 485/885.

MICHELIN, Agence, 174 av. des Hauts de la Chaume à St-Benoît AX ☎ **49 57 13 59**

BMW Auto Hall, N 10 ZA à Fontaine-le-Comte ☎ 49 53 16 72
CITROEN Diffusion Automobile du Poitou, 157 av. 8-Mai-1945 ☎ 49 53 05 34 N
CITROEN S.E.D.P. Auto, à Croutelle par ⑤ ☎ 49 53 06 14
FORD R. M.-Autom., rte de Saumur à Migné-Auxances ☎ 49 51 69 09
MERCEDES-PORSCHE-MITSUBISHI Poitou Autos Services, rte de Saumur ☎ 49 51 54 63
NISSAN Gar. Bourgoin, 12 r. Torchaise à Vouneuil-sous-Biard ☎ 49 57 10 07
PEUGEOT-TALBOT Sté Com. Automobile du Poitou, 137 av. 8-Mai-1945 ☎ 49 53 04 51
RENAULT S.A.C.O.A., rte de Saumur à Migné-Auxances ☎ 49 51 61 61
ROVER Auto-Sport, N 147 à Migné-Auxances ☎ 49 51 57 57
SEAT Europe Autos, 27 r. des Deux-Communes à Buxerolles ☎ 49 47 77 76
V.A.G Brillant Autom., ZI Demi-Lune, rte de Nantes ☎ 49 58 23 29

Ⓜ Chouteau, r. Moulin à St-Benoît ☎ 49 57 20 77
Perry-Pneus, 27 bd Pont-Joubert ☎ 49 01 83 11
Perry-Pneus, 174 av. 8-Mai-1945 ☎ 49 57 25 82
Tours Pneus Interpneus, 13 bd Jeanne-d'Arc ☎ 49 88 11 92

POIX-DE-PICARDIE 80290 Somme 52 ⑰ G. Flandres Artois Picardie – 2 191 h. alt. 106.

ℹ Office de Tourisme r. St-Denis ☎ 22 90 08 25.

Paris 122 – ◆Amiens 27 – Abbeville 43 – Beauvais 46 – Dieppe 76 – Forges-les-Eaux 43.

Le Cardinal M, ☎ 22 90 08 23, Télex 145379, Fax 22 90 18 61 – TV ☎ – 30 à 100. AE ⓓ GB
R 68/195, enf. 38 – ☐ 30 – **35 ch** 225/250.

à Caulières O : 7 km par N 29 – ✉ **80590** :

XXX **Aub. de la Forge,** ☎ 22 38 00 91, Fax 22 38 08 48 – GB
fermé 11 au 27 août et vacances de fév. – **R** (dim.-prévenir) 120/250 ꝸ, enf. 50.

Les prix Pour toutes précisions sur les prix indiqués dans ce guide, reportez-vous aux pages explicatives.

POLIGNY 39800 Jura 70 ④ G. Jura (plan) – 4 714 h. alt. 327.

Voir Statues★ dans la collégiale – Culée de Vaux★ S : 2 km.

Env. Cirque de Ladoye ≤★★ S : 8 km.

Office de Tourisme cour des Ursulines ✆ 84 37 24 21.

Paris 399 – ◆Besançon 58 – Chalon-sur-Saône 77 – Dole 37 – Lons-le-Saunier 30 – Pontarlier 61.

Paris, 7 r. Travot ✆ 84 37 13 87, – ☎. GB
fermé 2 nov. au 1er fév. – **R** *(fermé mardi midi et lundi sauf juil.-août)* 78/240, enf. 55 – ☕ 28 – **25 ch** 150/300 – ½ P 210/260.

Vallée Heureuse, rte Genève ✆ 84 37 12 13, Fax 84 37 08 75, ≤, , , – TV ☎ P. GB
fermé jeudi midi et merc. sauf vacances scolaires – **R** 120/430 , enf. 90 – ☕ 48 – **10 ch** 400/500 – ½ P 430/480.

Nouvel H. avec ch, 11 av. Gare (rte Dôle) ✆ 84 37 01 80 – TV ☎ P. GB. ch
fermé 31 oct. au 8 nov. et lundi – **R** 68/170 – ☕ 24 – **10 ch** 110/210 – ½ P 194/284.

aux Monts de Vaux SE : 4,5 km par rte de Genève – alt. 560 – ✉ **39800** Poligny.

Voir ≤★.

Host. Monts de Vaux , ✆ 84 37 12 50, Télex 361493, Fax 84 37 09 07, ≤, parc, – TV ☎ P. AE GB
fermé nov., déc., mardi sauf le soir en juil.-août et merc. midi hors sais. – **R** carte 180 à 400 – ☕ 55 – **8 ch** 500/800 – ½ P 550/800.

à Passenans SO : 11 km par N 83 et D 57 – ✉ **39230** :

Revermont , ✆ 84 44 61 02, Fax 84 44 64 83, ≤, , parc, , – ☎ P – 60. GB. rest
fermé 1er janv. au 1er mars, dim. soir et lundi d'oct. à mars – **Repas** 90/250, enf. 50 – ☕ 37 – **28 ch** 200/335 – ½ P 220/288.

à Montchauvrot SO : 13 km sur N 83 – ✉ **39230** Sellières :

La Fontaine, ✆ 84 85 50 02, , – ☎ P – 50. GB
fermé 20 déc. au 1er fév., dim. soir et lundi hors sais. – **R** 80/260, enf. 45 – ☕ 26 – **20 ch** 180/250 – ½ P 220/255.

RENAULT Comte-Automobile ✆ 84 37 24 80 N ✆ 84 82 82 67

Chevassu-Pneus ✆ 84 37 15 67

POLLIAT 01310 Ain 74 ② – 2 025 h. alt. 213.

Paris 415 – Mâcon 25 – Bourg-en-Bresse 10 – ◆Lyon 71 – Villefranche-sur-Saône 52.

Place, ✆ 74 30 40 19 – ☎. GB
fermé 8 au 15 juin, 28 sept. au 12 oct., 4 au 11 janv., lundi (sauf hôtel) et dim. soir – **R** 80/200 – ☕ 27 – **9 ch** 123/265 – ½ P 225/270.

Coq Bressan, ✆ 74 30 40 16 – GB
fermé 16 juin au 3 juil., 14 au 30 oct., merc. soir et jeudi – **R** 75/170.

RENAULT Gar. Guigue ✆ 74 30 41 63

Gar. Subtil ✆ 74 30 40 24

POLMINHAC 15800 Cantal 76 ⑫ – 1 135 h. alt. 650.

Paris 560 – Aurillac 15 – Murat 34 – Vic-sur-Cère 5.

Parasols, N 122 ✆ 71 47 40 10, ≤, – ☎ P. GB
fermé 15 au 30 nov., 2 au 25 janv. et vend. d'oct. à mars – **R** 65/130, enf. 40 – ☕ 25 – **25 ch** 145/185 – ½ P 180/190.

Bon Accueil , près gare ✆ 71 47 40 21, ≤, , – rest ☎ P. GB.
fermé 10 oct. au 1er déc., dim. soir sauf vacances scolaires – **R** 70/120 , enf. 35 – ☕ 25 – **23 ch** 185/230 – ½ P 160/190.

PONS 17800 Char.-Mar. 71 ⑤ G. Poitou Vendée Charentes – 4 412 h. alt. 20.

Voir Donjon★ de l'ancien château – Hospice des Pèlerins★ SO par D 732 – Boiseries★ du château d'Usson 1 km par D 249.

Syndicat d'Initiative Donjon de Pons (15 juin-15 sept.) ✆ 46 96 13 31.

Paris 491 – Royan 42 – Blaye 59 – ◆Bordeaux 95 – Cognac 23 – La Rochelle 92 – Saintes 21.

Aub. Pontoise (Chat), 23 av. Gambetta ✆ 46 94 00 99, Fax 46 91 33 40, – rest TV ☎ . AE GB
fermé 20 déc. au 30 janv., lundi midi du 1er juil. au 15 sept., dim. soir et lundi du 15 sept. au 1er juil. – **R** 155/300 – ☕ 55 – **22 ch** 230/420
Spéc. Homard sauté à l'ail et persil plat, Brochettes de filets de sole en habit de sandre, Lamproie au vin de Bordeaux.

Bordeaux, 1 r. Gambetta ✆ 46 91 31 12, Fax 46 91 22 25, – TV ☎. GB
R 75/100 – ☕ 30 – **15 ch** 180/240 – ½ P 200.

à Pérignac NE : 8 km par rte de Cognac – ✉ **17800** :

La Gourmandière, ✆ 46 96 36 01, , – GB
fermé vacances de fév., dim. soir de sept. à juin et lundi sauf le soir en juil.-août – **R** 95/230.

à Mosnac S : 11 km par rte Bordeaux et D 134 – ✉ **17240** :

Moulin de Marçouze (Bouchet) M, ℘ 46 70 46 16, Télex 793453, Fax 46 70 48 14, parc, « Élégante hostellerie au bord de la Seugne », – TV ☎ ♿ P. AE GB JCB
fermé 17 au 30 nov., fév., merc. midi et mardi du 15 sept. au 15 juin sauf fêtes – **R** 190/400 et carte – 70 – **9 ch** 500/670
Spéc. Tarte aux pommes de terre au saumon fumé, Gigot d'agneau de sept heures, Soufflé chaud au Grand Marnier.

à St-Léger NO : 5 km par N 137 et D 249 – ✉ **17800** :

Le Rustica avec ch, ℘ 46 96 91 75 – P. GB
fermé 19 au 31 oct., 15 au 28 fév., mardi soir et merc. du 15 sept. au 15 juin – **R** 65/280, enf. 40 – 25 – **7 ch** 115/135 – ½ P 150.

FORD Gar. Royer, 15 r. de Bordeaux ℘ 46 91 30 65
PEUGEOT, TALBOT Relais de Saintonge, 7 cours Alsace-Lorraine ℘ 46 91 32 47
RENAULT Menet, 3 r. G. Clemenceau ℘ 46 91 26 30

PONTACQ **64530** Pyr.-Atl. 85 ⑦ – 2 683 h. alt. 365.

Paris 792 – Pau 28 – Laruns 46 – Lourdes 14 – Nay 13 – Oloron-Ste-Marie 50 – Tarbes 19.

Béarn Bigorre, S : 2 km rte Lourdes ✉ 65380 Ossun ℘ 59 53 57 55, – ☎ P. GB
1er avril-20 oct. – **R** 72/117 – 26 – **18 ch** 158/250 – ½ P 170/210.

RENAULT Gar. Pujo ℘ 59 53 50 57 N

PONT-A-MOUSSON **54700** M.-et-M. 57 ⑬ **G. Alsace Lorraine** (plan) – 14 645 h. alt. 181.

Voir Place Duroc★ – Anc. abbaye des Prémontrés★.

Syndicat d'Initiative 52 pl. Duroc ℘ 83 81 06 90 – A.C. 21 bd Ney ℘ 83 81 01 21.

Paris 327 – ◆Metz 27 – ◆Nancy 27 – Toul 48 – Verdun 65.

Bagatelle M, 47 r. Gambetta ℘ 83 81 03 64, Fax 83 81 12 63, – TV ☎ P. AE GB
fermé 20 déc. au 4 janv. – **R** 95/250, enf. 45 – 38 – **18 ch** 290/350 – ½ P 260.

Relais de la Poste, 42 bis r. V. Hugo ℘ 83 81 01 16 – TV ☎. AE GB
R *(fermé sam. midi et dim. soir)* 90/230, enf. 50 – 26 – **18 ch** 210/245 – ½ P 260.

Le Horne, 37 pl. Duroc (1er étage) ℘ 83 81 04 50 – AE GB
fermé lundi soir – **R** 70/150.

à Blénod-lès-Pont-à-Mousson S : 2 km par N 57 – 4 768 h. – ✉ **54700** :

Aub. des Thomas, 100 av. V. Claude ℘ 83 81 07 72, – AE GB
fermé 3 au 23 août, vacances de fév., dim. soir, soirs fériés et lundi – **R** (nombre de couverts limité, prévenir) 130/240.

CITROEN Europ Auto RM, av. des États-Unis ℘ 83 81 01 31
PEUGEOT-TALBOT Gar. André, r. Pont-Mouja, Blénod ℘ 83 81 01 08
Pneu Cella-Dimoff, 111 r. R.-Blum ℘ 83 81 15 35

PONTARION **23250** Creuse 72 ⑨ **G. Berry Limousin** – 350 h. alt. 443.

Paris 379 – Limoges 57 – Aubusson 29 – Bourganeuf 10 – Guéret 24 – Montluçon 78.

Rôtisserie du Thaurion, ℘ 55 64 50 78, – P. GB
fermé 3 nov. au 20 déc. et merc. – **R** 70/220 – 27 – **14 ch** 90/220 – ½ P 160/190.

PONTARLIER SP **25300** Doubs 70 ⑥ **G. Jura** – 18 104 h. alt. 837.

Voir Vitraux modernes★ de l'église St-Bénigne B – Les Rosiers ≤★★ 2 km par ② – Cluse★★ de Pontarlier 4 km par ② – Château de Joux★ 4 km par ②.

Env. Grand Taureau ✻★★ par ② : 11 km – Office de Tourisme 56 r. République ℘ 81 46 48 33.

Paris 467 ③ – ◆Besançon 58 ④ – ◆Basel 177 ① – Beaune 143 ③ – Belfort 127 ④ – Dole 84 ③ – ◆Genève 119 ② – Lausanne 70 ② – Lons-le-Saunier 77 ③ – Neuchâtel 53 ②.

Plan page suivante

Parc sans rest, 1 r. Moulin Parnet ℘ 81 46 85 92 – TV ☎ P. AE GB — A s
29 – **20 ch** 150/300.

Commerce, 18 r. Dr Grenier ℘ 81 39 04 09, Fax 81 46 71 48 – TV ☎ P. AE GB — A u
R 80/180 – 35 – **30 ch** 210/300 – ½ P 230.

Gd H. Poste sans rest, 55 r. République ℘ 81 39 18 12, Fax 81 46 71 48 – TV ☎ AE GB — B r
fermé dim. sauf juil.-août et fév. – 35 – **20 ch** 190/340.

Campanile, par ③ : 1 km ℘ 81 46 66 66, Télex 361835, Fax 81 39 51 56, – TV ☎ ♿ P – 30. AE GB
R 77 bc/99 bc, enf. 39 – 28 – **50 ch** 258 – ½ P 234/256.

Villages H., par ③ : 1 km ℘ 81 46 71 78, Télex 361188, Fax 81 46 67 37 – TV ☎ ♿ P – 60. AE GB
R 60/160 – 28 – **52 ch** 210/240 – ½ P 220/250.

La Gourmandine, 1 av. Armee de l'Est ℘ 81 46 65 89 – GB
fermé merc. – **R** 100/300.

PONTARLIER

République (R. de la) . . AB 32
St-Étienne (R. du Fg) . . . . B
St-Pierre (Pl.) . . . . A 34
Ste-Anne (R.) . . . . AB 35

Arçon (Pl. d') . . . . A 2
Augustins (R. des) . . . . . . B 3
Bernardines (Pl. des) . . AB 4
Bernardines (R. des) . . . . B 6
Capucins (R. des) . . . . . . A 7
Crétin (Pl.) . . . . B 8
Doubs (R. de) . . . . B 9
Ecorces (R. des) . . . . A 12
Gare (R. de la) . . . . AB 13
Halle (R. de la) . . . . A 15
Jeanne-d'Arc (R.) . . . . . . B 17
Marguet (Pl.) . . . . B 24
Marpaud (R.) . . . . A 25
Mathez (R. Jules) . . . . B 26
Moulin Parnet (R. du) . . . A 29
Parc (R. du) . . . . A 30
Remparts (R. des) . . . . . AB 31
Tissot (R.) . . . . AB 37
Vanolles (R. de) . . . . B 38
Vieux-Château (R. du) . . . A 39
Villingen-
Schwenningen (Pl. de) A 40

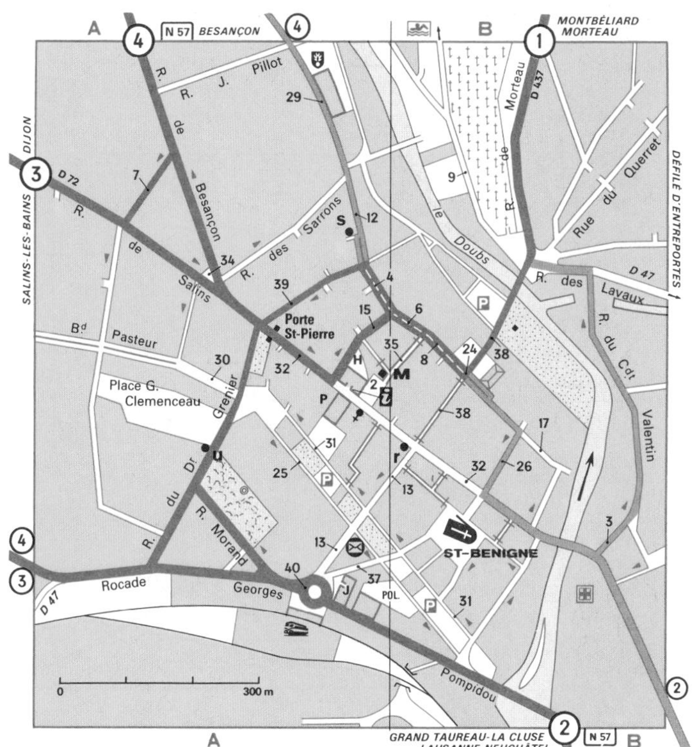

CITROEN SERA, 8 r. Donnet Zedel par ③ ✆ 81 46 54 77
FIAT Gar. Dornier, 55 r. Salins ✆ 81 39 09 85
FORD Gar. Roussillon, 115 rte de Besançon ✆ 81 39 11 68
OPEL, GM Gar. Belle-Rive, 78 r. de Besançon ✆ 81 39 14 42
PEUGEOT, TALBOT Gar. Beau-Site, 29 av. Armée-de-l'Est par ② ✆ 81 39 23 95 N

RENAULT Gar. Deffeuille, r. Fée-Verte ZI par ③ ✆ 81 46 56 55 N ✆ 81 46 91 75
TOYOTA Graber, 73 r. de Besançon ✆ 81 39 17 80

La Maison du Pneu, 3 et 8 bis r. des Lavaux ✆ 81 39 19 01
Pneu Pontissalien, 35 r. Eiffel ✆ 81 39 33 87

☛ *Use this year's Guide.*

PONTAUBAULT **50220** Manche 59 ⑧ – 492 h. alt. 31.

Paris 349 – St-Malo 58 – Avranches 8,5 – Dol-de-Bretagne 35 – Fougères 35 – ◆Rennes 68 – St-Lô 67.

13 Assiettes, N : 1 km sur N 176 ✆ 33 58 14 03, Télex 772173, Fax 33 68 28 41 – TV ☎ P. AE GB
fermé 2 janv. au 15 mars et merc. hors sais. – **R** 70/300, enf. 40 – **34 ch** 180/275 – ½ P 248/268.

rte de Pontorson O : 2,5 km sur N 175 – ✉ **50220** Céaux :

Relais du Mont, ✆ 33 70 92 55, Télex 772425, Fax 33 70 94 57 – TV ☎ ♿ P – 50. GB
fermé 1er au 15 fév. – **R** 72/165, enf. 40 – 29 – **25 ch** 240/260 – ½ P 220/230.

*à **Céaux*** O : 4 km sur D 43 – ✉ **50220** :

🏠 **Au P'tit Quinquin,** ✆ 33 70 97 20 – TV ☎ P. GB
fermé 4 janv. au 10 fév., dim. soir et lundi hors sais. – **R** 68/165 , enf. 39 – ☕ 27 – **20 ch** 140/150 – ½ P 180/220.

PONTAUBERT **89** Yonne **65** ⑯ – rattaché à Avallon.

PONT-AUDEMER **27500** Eure **55** ④ **G. Normandie Vallée de la Seine** – 8 975 h. alt. 9.

Voir Vitraux★ de l'église St-Ouen.

Office de Tourisme pl. Maubert ✆ 32 41 08 21.

Paris 168 ① – ◆Rouen 50 ① – ◆Caen 74 ⑤ – Évreux 68 ② – ◆Le Havre 48 ① – Lisieux 35 ④.

PONT-AUDEMER

Clemencin (R. Paul) 5
Gambetta (R.) 13
Jaurès (R. Jean) 18
République (R. de la) 27
Thiers (R.) 32
Victor-Hugo (Pl.) 35

Canel (R. Alfred) 2
Carmélites (R. des) 3
Cordeliers (R. des) 6
Delaquaize (R. S.) 7
Déportés (R. des) 8
Épée (Impasse de l') 9
Félix-Faure (Quai)
Ferry (R. Jules)
Gaulle (Pl. Général de) 14
Gilain (Pl. Louis) 16
Goulley (Pl. J.)
Joffre (R. Mar.) 20
Kennedy (Pl.)
Leblanc (Quai R.) 21
Maquis-Surcouf (R.) 22
Maubert (Pl.) 23
N.-D. du Pré (R.)
Pasteur (Bd)
Pot-d'Étain (Pl. du) 25
Président-Coty (R. du) 26
Président-Pompidou (Av. du)
Sadi-Carnot (R.)
St-Ouen (Impasse) 29
Seule (Rue de la) 30
Verdun (Pl. de) 34

Les plans de villes sont orientés le Nord en haut.

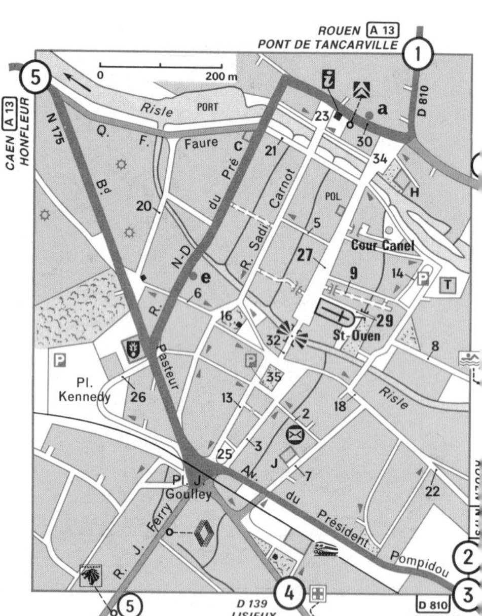

🏨 **Belle Isle sur Risle** , 112 rte Rouen ✆ 32 56 96 22, Télex 306022, Fax 32 42 88 96, « Sur une île, parc », , – TV ☎ P. AE ⓓ GB
R 280/600 – ☕ 60 – **18 ch** 550/1200 – ½ P 680/935.

XXX **La Frégate,** 4 r. La Seüle **(a)** ✆ 32 41 12 03 – AE ⓓ GB
fermé 16 au 29 juil., vacances de fév., mardi soir et merc. – **R** 150/240.

XX **Aub. du Vieux Puits** avec ch, 6 r. N.-D.-du-Pré **(e)** ✆ 32 41 01 48, « Maison normande ancienne, bel intérieur rustique, jardin » – TV ☎ P. GB. ch
fermé 29 juin au 8 juil., 21 déc. au 22 janv., lundi soir et mardi – **R** 275 – ☕ 36 – **12 ch** 210/380.

*à **Campigny*** par ③ et D 29 : 6 km – ✉ **27500** :

🏨 **Le Petit Coq aux Champs** , ✆ 32 41 04 19, Fax 32 56 06 25, , parc, « Chaumière normande dans la campagne », – ☎ P. AE ⓓ GB
fermé 3 au 18 janv. – **R** 180/300, enf. 90 – ☕ 50 – **12 ch** 550/750 – ½ P 625/725.

CITROEN Gar. Roulin, Z.I. r. Gén.-Koening par ② ✆ 32 41 01 56
FIAT Vacher, 16 r. Maquis-Surcouf ✆ 32 41 03 04
FORD Service Auto, 20 rte de Honfleur à St-Germain-Village ✆ 32 41 05 48
NISSAN Gar. Hartog, 7 pl. L.-Gillain ✆ 32 41 04 16
OPEL Gar. des Deux Ponts, 22 r. Notre-Dame-du-Pré ✆ 32 41 00 13
PEUGEOT Delamare, ZI Rocade Sud ✆ 32 41 00 47

RENAULT Sovère, rte d'Honfleur à St-Germain-Village par r. J.-Ferry ✆ 32 41 31 64
RENAULT V.A.S., 13 r. J.-Ferry ✆ 32 41 11 98 N
V.A.G Durfort, 10 rte de Rouen ✆ 32 41 01 57

Marsat Pneus, rte de Bernay à St-Germain-Village ✆ 32 42 15 46
Stat. La Risle, 67 rte de Rouen ✆ 32 41 14 11
Subé-Pneurama, r. Fossés ✆ 32 41 14 89

PONTAULT-COMBAULT **77** S.-et-M. **61** ② ⑩, **101** ㉙ – voir à Paris, Environs.

PONTAUMUR 63380 P.-de-D. 73 ⑬ – 859 h. alt. 538.

Paris 399 – ◆Clermont-Ferrand 42 – Aubusson 46 – Le Mont-Dore 52 – Montluçon 66 – Ussel 56.

Poste, ✆ 73 79 90 15 – TV ☎ – 25. GB. ch
fermé 15 déc. au 1er fév., dim. soir et lundi sauf juil.-août – **Repas** 80/240 – ☕ 30 – **15 ch** 180/250 – ½ P 170/200.

PEUGEOT Thiallier-Comes ✆ 73 79 90 02

PONT-AVEN 29930 Finistère 58 ⑪ ⑯ **G. Bretagne** – 3 031 h. alt. 30.

Voir Promenade au Bois d'Amour★.

Office de Tourisme pl. Hôtel de Ville ✆ 98 06 04 70.

Paris 529 – Quimper 34 – Carhaix-Plouguer 61 – Concarneau 15 – Quimperlé 17 – Rosporden 14.

Ajoncs d'Or, pl. Hôtel de Ville ✆ 98 06 02 06 – TV ☎. GB
fermé 15 nov. au 15 déc., lundi hors sais. et dim. soir – **R** 95/350, enf. 50 – ☕ 30 – **21 ch** 230/260 – ½ P 240/255.

XXX ✿ **Moulin de Rosmadec** (Sébilleau) M avec ch, près pont centre ville ✆ 98 06 00 22, Fax 98 06 18 00, « Ancien moulin sur l'Aven, décor et mobilier bretons » – TV ☎. GB
fermé 14 au 30 oct. et fév. – **R** *(fermé dim. soir du 13 sept. au 15 juin et merc.)* (nombre de couverts limité - prévenir) 160/275 – ☕ 38 – **4 ch** 380/470
Spéc. Homard grillé "Rosmadec", Turbot rôti au coulis de langoustines, Gratin aux fraises des bois (avril-oct.).

rte Concarneau O : 4 km par D 783 – ✉ **29930** Pont-Aven :

XXX ✿ **La Taupinière** (Guilloux), ✆ 98 06 03 12, Fax 98 06 16 46, – ▤ P. AE GB.
fermé 16 au 24 mars, 21 sept. au 22 oct., lundi soir et mardi – **R** (prévenir) 260/460
Spéc. Escalope de foie de canard poêlé et brochettes de moules, Dorade grise aux petites huîtres et oseille, Poire meringuée glace pistache.

PEUGEOT-TALBOT Quénéhervé, à Croissant-Kergoz ✆ 98 06 03 11

PONTCHARRA 38530 Isère 74 ⑯ – 5 824 h. alt. 255.

Voir Château Bayard ✻★ S : 1 km, **G. Alpes du Nord.**

Syndicat d'Initiative 21 r. L.-Gayet ✆ 76 97 68 08.

Paris 565 – ◆Grenoble 39 – Albertville 48 – Chambéry 21.

Climat de France M, rte Grenoble par N 90 ✆ 76 71 91 84, Fax 76 71 99 30, , – TV ☎ ♿ P – 25. AE GB
R 80/130 ♁, enf. 40 – ☕ 30 – **24 ch** 260.

PEUGEOT-TALBOT Belledonne ✆ 76 97 65 36 | RENAULT Technalp Automobiles ✆ 76 97 63 21

PONTCHARTRAIN 78 Yvelines 60 ⑨ 106 ⑯ – alt. 112 – ✉ **78760** Jouars-Pontchartrain.

Isabella ✆ (1) 30 54 10 62, E : 3 km ; des Yvelines ✆ (1) 34 86 48 89, O par N 12 : 13,5 km.

Paris 37 – Dreux 43 – Mantes-la-Jolie 29 – Montfort-l'Amaury 9 – Rambouillet 23 – Versailles 17.

XXX **L'Aubergade,** rte Nationale ✆ (1) 34 89 02 63, Fax (1) 34 89 85 72, , « Beau jardin fleuri, volière » – P. GB
fermé 2 au 26 août, dim. soir hors sais. et lundi – **R** carte 250 à 380.

XX **Le Bistro de Pontchartrain,** 7 rte Pontel RN 12 ✆ (1) 34 89 25 36 – GB
fermé 2 au 25 août, 25 déc. au 5 janv., dim. soir et lundi – **R** 130/175.

à Ste-Appoline E : 3 km sur N 12 – ✉ **78370** Plaisir :

XXX **Maison des Bois,** ✆ (1) 30 54 23 17, , « Demeure rustique, jardin » – P. GB
fermé août, dim. soir et jeudi – **R** carte 205 à 390.

CITROEN Palazzi, 24 rte de Paris ✆ (1) 34 89 02 68

PONT-DE-BARRET 26160 Drôme 77 ⑫ – 453 h. alt. 246.

Paris 610 – Valence 47 – Crest 18 – ◆Grenoble 128 – Montélimar 25.

Savena, ✆ 75 90 17 77, – GB
fermé lundi soir de sept. à mai – **R** 60 bc/140 ♁ – ☕ 35 – **7 ch** 130/180 – ½ P 220.

Le PONT-DE-BEAUVOISIN 38480 Isère 74 ⑭ ⑮ **G. Alpes du Nord** – 2 369 h. alt. 230.

Paris 525 – ◆Grenoble 57 – Chambéry 36 – Bourg-en-Bresse 94 – ◆Lyon 74 – La Tour-du-Pin 19.

Morris, SE : 2 km par D 82 ✆ 76 37 02 05, – P. GB
fermé 15 déc. au 1er fév. et dim. soir hors sais. – **R** 100/240 ♁ – ☕ 30 – **20 ch** 160/310 – ½ P 220/320.

AUSTIN-ROVER, **LADA, SKODA** Gar. Termoz ✆ 76 37 05 60 N ✆ 76 37 21 04
CITROEN Chaboud ✆ 76 37 03 10 N
FORD Angelin-Autom. ✆ 76 37 25 49 N
PEUGEOT-TALBOT Cloppet ✆ 76 37 25 63
RENAULT Autos Isère ✆ 76 37 04 18
Prieur Pneus ✆ 76 37 34 38

PONT-DE-BRAYE 72 Sarthe 64 ⑤ – rattaché à Bessé-sur-Braye.

PONT-DE-BRIQUES 62 P.-de-C. 51 ⑪ – rattaché à Boulogne-sur-Mer.

PONT-DE-BUIS-LES-QUIMERCH **29590** Finistère **58** ⑮ **G. Bretagne** – 3 373 h. alt. 53.

Paris 552 – Quimper 33 – ◆Brest 42 – Châteaulin 9 – Landivisiau 40.

XX **Château du Bot** avec ch, NO : 4,5 km ✆ 98 26 93 90, ≤, « Manoir du 18e siècle dans un parc », – ☎ P. AE GB
fermé fév., dim. soir et lundi – **R** 98/300 – ☐ 50 – **5 ch** 500/600 – ½ P 550/600.

PONT-DE-CHAZEY-VILLIEU **01** Ain **74** ③ – rattaché à Meximieux.

PONT-DE-CHERUY **38230** Isère **74** ⑬ – 4 700 h. alt. 220.

Paris 488 – ◆ Lyon 36 – Belley 55 – Bourgoin-Jallieu 23 – ◆Grenoble 87 – Meximieux 22 – Vienne 42.

Bergeron sans rest, près Église ✆ 78 32 10 08,
fermé 15 au 31 août – ☐ 25 – **16 ch** 105/185.

Le PONT-DE-CLAIX **38** Isère **77** ⑤ – rattaché à Grenoble.

PONT-DE-DORE **63** P.-de-D. **73** ⑮ – rattaché à Thiers.

PONT-DE-L'ARCHE **27340** Eure **55** ⑥ **G. Normandie Vallée de la Seine** – 3 022 h. alt. 24.

Paris 118 – ◆ Rouen 18 – Les Andelys 27 – Elbeuf 12 – Évreux 34 – Gournay-en-Bray 54 – Louviers 11,5.

XX **La Pomme,** aux Damps 1,5 km au bord de l'Eure ✆ 35 23 00 46, – P. GB
fermé 9 au 22 mars, 3 au 28 août, dim. soir, mardi soir et merc. – **R** 110/180.

PONT-DE-L'ISÈRE **26** Drôme **77** ② – rattaché à Valence.

PONT-DE-MENAT **63** P.-de-D. **73** ③ – ✉ **63560** Menat.

Voir Gorges de la Sioule** N et S, **G. Auvergne.**

Paris 373 – ◆ Clermont-Ferrand 49 – Aubusson 82 – Gannat 29 – Montlucon 39 – Riom 34 – St-Pourçain-sur-Sioule 48.

XX **Aub. Maître Henri** avec ch, ✆ 73 85 50 20, – P. GB
fermé merc. – **R** 75/195 – ☐ 25 – **10 ch** 95/195 – ½ P 180.

*Gorges de Chouvigny*** NE par D 915 **G. Auvergne** – ✉ **63560** Menat.

Voir Site* du château de Chouvigny.

XX **Vindrié** avec ch, à 2 km ✆ 73 85 51 48, Fax 73 85 55 24, ≤, – ☎ P. AE GB
fermé janv. et merc. du 1er nov. au 31 mars – **R** 98/270, enf. 55 – ☐ 25 – **12 ch** 195/300 – ½ P 230.

X **Gorges de Chouvigny** avec ch, à 7 km ✉ 03450 Ébreuil ✆ 70 90 42 11, ≤, – ☎ P. GB
fermé vacances de Noël, vacances de fév., mardi soir et merc. hors sais. – **Repas** 85/170, enf. 40 – ☐ 25 – **7 ch** 180/190 – ½ P 230.

Le PONT-DE-PACÉ **35** I.-et-V. **59** ⑯ – rattaché à Rennes.

PONT-DE-PANY **21410** Côte d'Or **166** ⑪ – alt. 290.

Paris 293 – ◆ Dijon 20 – Avallon 86 – Beaune 36 – Saulieu 55.

XX **Pont de Pany,** ✆ 80 23 60 59, Fax 80 23 68 90, – P. AE GB
fermé 2 janv. au 15 fév. et merc. – **R** 82/220, enf. 50.

PONT-DE-POITTE **39130** Jura **170** ⑭ **G. Jura** – 638 h. alt. 439.

Paris 410 – Champagnole 34 – ◆Genève 96 – Lons-le-Saunier 17.

XX **Ain** avec ch, ✆ 84 48 30 16, – rest TV ☎. GB
fermé janv., dim. soir sauf juil.-août et lundi – **Repas** 95/290 – ☐ 30 – **10 ch** 200/300 – ½ P 200/250.

PONT-DE-SALARS **12290** Aveyron **80** ③ – 1 422 h. alt. 690.

Paris 642 – Rodez 23 – Albi 87 – Millau 46 – St-Affrique 56 – Villefranche-de-Rouergue 69.

Voyageurs, ✆ 65 46 82 08, Fax 65 46 89 99 – rest TV ☎ P. AE GB
fermé fév., dim. soir et lundi d'oct. à mai – **Repas** 80 bc/220, enf. 50 – ☐ 27 – **30 ch** 200/290 – ½ P 200/290.

RENAULT Capoulade ✆ 65 46 83 16 N

PONT-DE-SUMÈNE **43** H.-Loire **76** ⑦ – rattaché au Puy-en-Velay.

PONT-DE-VAUX **01190** Ain **170** ⑫ – 1 913 h. alt. 177.

Paris 382 – Mâcon 20 – Bourg-en-Bresse 39 – Lons-le-Saunier 59 – St-Amour 33 – Tournus 20.

Joubert, ✆ 85 30 30 55 – ☎. AE GB
fermé lundi (sauf le soir du 1er juin au 30 sept.) et mardi midi d'oct. à mai – **R** 98/230, enf. 55 – ☐ 30 – **12 ch** 210/260 – ½ P 280.

XXX **Commerce** avec ch, ✆ 85 30 30 56 – ☎ 🚗. AE ⓓ GB JCB. ✂ ch
fermé 23 nov. au 18 déc., mardi et merc. (sauf juil.-août et fêtes) – **R** 130/250, enf. 65 – ☕ 40 – **10 ch** 218/298 – ½ P 270/290.

XX ❀ **Le Raisin** (Chazot) avec ch, ✆ 85 30 30 97 – ▤ rest TV ☎ 🚗. AE ⓓ GB. ✂ ch
fermé 29 juin au 3 juil., 19 au 23 oct., 11 janv. au 5 fév., dim. soir et lundi sauf fériés – **R** 90/285 🍷, enf. 80 – ☕ 30 – **8 ch** 210/270
Spéc. Grenouilles fraîches à la Maître d'Hôtel, Crêpes Parmentier, Volaille de Bresse à la crème. **Vins** Mâcon-Uchizy, Brouilly.

CITROEN Grospellier ✆ 85 30 31 13 N

PONT-D'HÉRAULT 30 Gard 80 ⑯ – rattaché au Vigan.

PONT-D'OUILLY 14690 Calvados 55 ⑪ **G. Normandie Cotentin** – 1 002 h. alt. 81.
Voir Roche d'Oëtre★★ S : 6,5 km.
Paris 235 – ♦Caen 41 – Briouze 24 – Falaise 18 – Flers 20 – Villers-Bocage 36 – Vire 38.

🏠 **Commerce,** ✆ 31 69 80 16, 🍴, 🚫 – TV ☎. GB
fermé 5 au 12 oct., 4 janv. au 5 fév., dim. soir et lundi sauf juil.-août – **R** 60/200 🍷 – ☕ 15 – **16 ch** 120/210 – ½ P 180/250.

à St-Christophe N : 2 km par D 23 – ✉ **14690** Pont d'Ouilly :

XX **Aub. St-Christophe** 🐦 avec ch, ✆ 31 69 81 23, 🍴, 🚫 – ☎ P. AE GB
fermé 19 oct. au 6 nov., 13 fév. au 12 mars, dim. soir et lundi – **R** 83/220, enf. 48 – ☕ 38 – **7 ch** 230 – ½ P 245.

PONT-DU-BOUCHET 63 P.-de-D. 73 ③ – ✉ **63380** Pontaumur.
Paris 391 – ♦Clermont-Ferrand 40 – Pontaumur 12 – Riom 36 – St-Gervais-d'Auvergne 19.

🏠 **La Crémaillère** 🐦, ✆ 73 86 80 07, ≤, 🍴, « Jardin » – TV ☎ P. GB. ✂
fermé 15 déc. au 15 janv., vend. soir et sam. midi hors sais. – **R** 68/190 – ☕ 25 – **16 ch** 180/250 – ½ P 176/220.

PONT-DU-CHAMBON 19 Corrèze 75 ⑩ – rattaché à Marcillac-la-Croisille.

PONT-DU-DOGNON 87 H.-Vienne 72 ⑧ **G. Berry Limousin** – alt. 290 – ✉ **87400** St-Léonard-de-Noblat.
Paris 395 – ♦Limoges 28 – Bellac 51 – Bourganeuf 27 – La Jonchère-St-Maurice 8,5 – La Souterraine 42.

🏠 **Chalet du Lac** 🐦, ✆ 55 57 10 53, ≤ lac – ☎ P – 🎓 50. AE GB
R *(fermé dim. soir)* 90/230, enf. 50 – ☕ 30 – **15 ch** 250/350 – ½ P 250/300.

🏠 **Rallye** 🐦, ✉ 87340 St-Laurent-les-Églises ✆ 55 56 56 11, ≤ lac – ☎ P – 🎓 30. GB. ✂ rest
Pâques-15 oct. et fermé mardi midi et lundi hors sais. – **R** (prévenir) 95/200, enf. 45 – ☕ 32 – **20 ch** 165/280 – ½ P 190/230.

PONT-DU-GARD 30 Gard 80 ⑲ **G. Provence** – alt. 27 – ✉ **30210** Remoulins.
Voir Pont-aqueduc romain★★★ – ℹ Maison du Tourisme (saison) ✆ 66 37 00 02.
Paris 693 – Avignon 26 – Alès 48 – Arles 39 – Nîmes 23 – Orange 37 – Pont-St-Esprit 42 – Uzès 14.

🏠 **Vieux Moulin** 🐦, rive gauche ✆ 66 37 14 35, ≤ Pont du Gard, 🍴 – ☎ P – 🎓 30. AE ⓓ GB
15 mars-15 nov. – **R** 160/210, enf. 65 – ☕ 55 – **14 ch** 290/520 – ½ P 335/450.

🏠 **Le Colombier** 🐦, E : 0,8 km par D 981 (rive droite) ✆ 66 37 05 28, 🍴, 🚫 – TV ☎ 🚗 P. AE ⓓ GB
R 85/160, enf. 50 – ☕ 28 – **10 ch** 190/260 – ½ P 225/250.

à Castillon-du-Gard NE : 4 km par D 19 et D 228 – ✉ **30210** :

🏠 ❀ **Le Vieux Castillon** M 🐦, ✆ 66 37 00 77, Télex 490946, Fax 66 37 28 17, 🍴, patio, « Au coeur d'un village médiéval », 🏊 – 🛗 ▤ TV ☎ P – 🎓 30 à 60. GB
fermé début janv. à début mars – **R** 250/350 – ☕ 70 – **33 ch** 600/1300 – ½ P 680/980
Spéc. Mini carré d'agneau rôti à la purée d'ail, Morue fraîche et ses ravioles de brandade, Ronde des tuiles et glace au miel. **Vins** Costières de Nîmes rouge et blanc.

XX **Serge Lanoix,** ✆ 66 37 05 04, Fax 66 37 25 94 – ⇔ ▤. AE ⓓ GB JCB
fermé 1er au 10 nov., 2 janv. au 2 fév., merc. midi et mardi d'oct. à mars – **R** (nombre de couverts limité, prévenir) 150/380, enf. 85.

à Collias O : 7 km par D 981 et D 112 – ✉ **30210** Remoulins :

🏠 **Host. Le Castellas** 🐦, Grand'rue ✆ 66 22 88 88, Fax 66 22 84 28, 🍴, « Décor original dans une ancienne demeure gardoise », 🏊, 🚫 – ▤ ch TV ☎ P. AE ⓓ GB
fermé 6 janv. au 6 mars – **R** *(fermé merc. d'oct. à mai)* 155/320, enf. 85 – ☕ 50 – **14 ch** 390/570 – ½ P 395/485.

PONT-DU-LOUP 06 Alpes-Mar. 84 ⑨ 195 ㉔ – alt. 300 – ✉ **06490** Tourrette-sur-Loup.
Voir N : Gorges du Loup★★ – Cascade de Courmes★ N : 3 km, **G. Côte d'Azur.**
Paris 922 – Antibes 26 – La Colle-sur-Loup 12 – Coursegoules 19 – Grasse 12 – ♦Nice 28 – Vence 13.

PONTEMPEYRAT 43 H.-Loire 76 ⑦ – alt. 750 – ✉ **43500** Craponne-sur-Arzon.

Paris 526 – Le Puy-en-Velay 43 – Ambert 39 – Montbrison 49 – ♦St-Étienne 55 – Yssingeaux 41.

Mistou ⛰, ☏ 77 50 62 46, Fax 77 50 66 70, « Parc au bord de l'Ance » – TV ☎ P – 40. AE ① GB. rest
19 avril-1er nov. – **R** *(fermé le midi sauf week-ends de sept. à juin)* 135/285, enf. 70 – 37 – **28 ch** 270/420 – ½ P 275/410.

PONT-EN-ROYANS **38680** Isère 77 ③ **G. Alpes du Nord** (plan) – 879 h. alt. 208.

Voir Site★ – Petits Goulets★ SE : 2 km – E : Gorges de la Bourne★★★.

Env. Grottes de Chorance★ : grotte de Coufin★★ E : 11 km puis 30 mn.

Paris 589 – ♦Grenoble 62 – Valence 43 – Die 58 – St-Marcellin 14 – Villard-de-Lans 24.

Bonnard, ☏ 76 36 00 54 – ☎. GB. ch
fermé oct., déc. à fév. et merc. – **R** 78/170 – 27 – **15 ch** 210/250 – ½ P 240.

Le PONTET 84 Vaucluse 81 ⑫ – rattaché à Avignon.

PONT-ÉVÊQUE 38 Isère 74 ⑫ – rattaché à Vienne.

PONT-FARCY **14380** Calvados 59 ⑨ – 487 h. alt. 66.

Paris 301 – St-Lô 25 – ♦Caen 60 – Villedieu-les-Poêles 17 – Villers-Bocage 34 – Vire 18.

Coq Hardi, ☏ 31 68 86 03 – GB
fermé mardi soir et merc. sauf juil.-août – **R** 52/105.

PONTGIBAUD **63230** P.-de-D. 73 ⑬ **G. Auvergne** – 801 h. alt. 672.

Paris 437 – ♦Clermont-Ferrand 24 – Aubusson 65 – Le Mont-Dore 37 – Riom 24 – Ussel 69.

Poste, ☏ 73 88 70 02 – ☎. AE GB
fermé 1er au 12 oct., janv., dim. soir et lundi sauf juil.-août – **R** 65/180 – 28 – **10 ch** 140/190 – ½ P 165/190.

à La Courteix E : 4 km sur D 941B – ✉ **63230** :

L'Ours des Roches, rte Clermont ☏ 73 88 92 80, « Décor original » – P. AE ① GB
fermé dim. soir et lundi sauf fériés – **R** 115/340.

PONTHIERRY 77 S.-et-M. 61 ① 106 ㊹ – alt. 60 – ✉ **77310** St-Fargeau-Ponthierry.

Paris 45 – Fontainebleau 18 – Corbeil-Essonnes 11,5 – Étampes 35 – Melun 10,5.

Aub. du Bas Pringy, à Pringy - N 7 ☏ (1) 60 65 57 75, Fax (1) 60 65 48 57, – P. AE ① GB
fermé août, 23 fév. au 2 mars, lundi soir et mardi sauf fériés – **R** 92/210.

Aub. Cheval Blanc, N 7 ☏ (1) 60 65 70 21 – AE GB
fermé dim. soir – **R** 152/195.

PEUGEOT-TALBOT Gar. des Bordes, 107 av. de Fontainebleau à St-Fargeau ☏ (1) 60 65 71 13 N ☏ (1) 64 09 99 97

RENAULT Gar. Tractaubat, pl. Gén.-Leclerc ☏ (1) 60 65 70 39

PONTIVY SP **56300** Morbihan 58 ⑲ **G. Bretagne** – 13 140 h. alt. 60.

Voir Maisons anciennes★ (rues du Fil, du Pont, du Dr-Guépin Y) – Stival : vitraux★ de la chapelle St-Mériadec NO : 3,5 km par ⑥.

Maison du Tourisme 61 r. Gén.-de-Gaulle ☏ 97 25 04 10.

Paris 458 ② – Vannes 54 ③ – Concarneau 85 ⑤ – Lorient 56 ④ – ♦Rennes 106 ② – St-Brieuc 57 ②.

Plan page suivante

Rohan M sans rest, 90 r. Nationale ☏ 97 25 02 01, Fax 97 25 02 85 – TV ☎ P – 30. AE ① GB — Z u
fermé dim. d'oct. à avril – 38 – **18 ch** 280/380.

Europe, 14 pl. A. Briand ☏ 97 25 11 14, Fax 97 25 48 04, – rest TV ☎ P. AE ① GB. rest — Z b
R *(fermé vacances de fév., dim. soir et lundi hors sais.)* 75/200 – 35 – **20 ch** 250/330 – ½ P 265/290.

Porhoët sans rest, 41 r. Gén. de Gaulle ☏ 97 25 34 88 – TV ☎. GB — Y a
26 – **28 ch** 180/250.

Napoléon sans rest, r. Butte ☏ 97 25 13 58 – . GB. — Y d
fermé fév. et dim. hors sais. – 20 – **14 ch** 120/160.

Gambetta, pl. Gare ☏ 97 25 53 70 – AE ① GB — Z k
fermé 15 au 31 juil., 2 au 16 janv., dim. soir et lundi – **R** 90/170, enf. 35.

CITROEN Gar. Laloge J.C., rte de Vannes par ③ ☏ 97 25 30 56
PEUGEOT-TALBOT Gar. Lainé, rte de Lorient par ④ ☏ 97 25 12 19 N ☏ 97 46 00 00
RENAULT Gar. Centre Bretagne, av. Otages par ⑥ ☏ 97 25 42 88

Piété, 6 r. de Mun et r. Guynemer ☏ 97 25 02 77
Pontivy Pneus Pneu + Armorique, rte de Lorient par ④ ☏ 97 25 41 70

PONTIVY

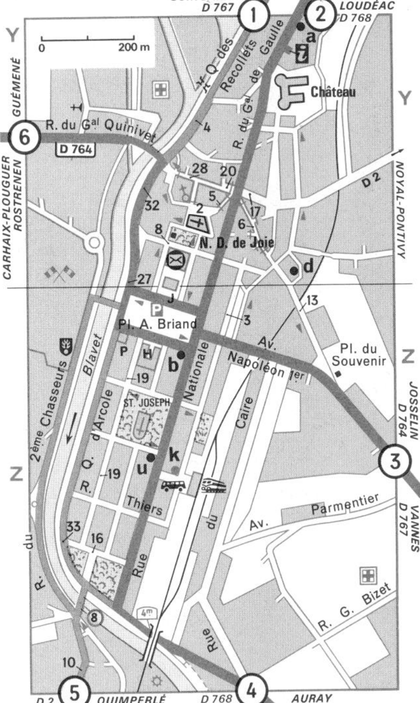

Ne voyagez pas aujourd'hui avec une carte d'hier.

Don't use yesterday's maps for today's journey.

Dans ce guide

un même symbole, un même caractère,
imprimé en couleur ou en noir, en maigre ou en ***gras,***
n'ont pas tout à fait la même signification.
Lisez attentivement les pages explicatives.

PONT-L'ABBÉ **29120** Finistère 58 ⑭ ⑮ **G. Bretagne** – 7 374 h. alt. 4.

Voir Manoir de Kerazan-en-Loctudy★ 3,5 km par ②.

Env. Calvaire★★ de la chapelle N.-D.-de-Tronoën O : 8 km.

Office de Tourisme "Château" (fermé matin vacances de Printemps-mai, juin-sept.) ✆ 98 82 37 99.

Paris 568 ① – Quimper 18 ① – Douarnenez 33 ④.

Plan page suivante

Château de Kernuz, par ③ : 3 km ✆ 98 87 01 59, « Château du 15e siècle dans un parc », – ☎ Ⓟ. GB. rest
1er avril-30 sept. – **R** 100/150 – 35 – **20 ch** 320/350 – ½ P 330.

Bretagne, 24 pl. République ✆ 98 87 17 22, Fax 98 82 39 31 – cuisinette ☎. AE GB. ch A e
fermé 15 janv. au 5 fév. – **R** *(fermé lundi hors sais.)* 95/350, enf. 60 – 32 – **18 ch** 210/310 – ½ P 255/320.

Relais de Ty-Boutic, par ③ : 3 km ✆ 98 87 03 90, Fax 98 87 30 63, – Ⓟ. GB
fermé fin janv. à début mars, lundi en juil.-août, mardi soir et merc. de sept. à juin – **R** 65/300, enf. 55.

L'Enclos de Rosveign, par ① et rte Bénodet : 3 km ✆ 98 87 02 90, – Ⓟ. GB
fermé mardi (sauf juil.-août et fériés) – **R** 125/380, enf. 75.

Voyageurs, 6 quai St-Laurent ✆ 98 87 00 37 – GB B a
fermé 15 au 30 oct., 15 déc. au 15 janv., dim. soir hors sais. et lundi – **R** 75/190.

CITROEN Gar. Chapalain, rte de Plomeur à Kerouan par ③ ✆ 98 87 16 37
PEUGEOT-TALBOT Gar. Chatalen, rte de Quimper à Kermaria par ① ✆ 98 87 29 08 N ✆ 98 98 90 79
RENAULT Gar. de l'Helgoualc'h à Loctudy ✆ 98 87 53 55

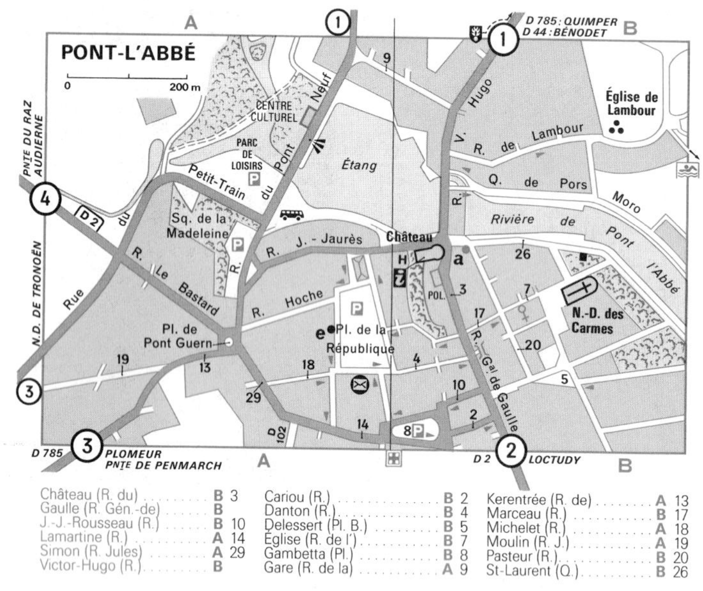

Château (R. du)	B 3	Cariou (R.)	B 2	Kerentrée (R. de)	A 13
Gaulle (R. Gén.-de)	B	Danton (R.)	B 4	Marceau (R.)	B 17
J.-J.-Rousseau (R.)	B 10	Delessert (Pl. B.)	B 5	Michelet (R.)	A 18
Lamartine (R.)	A 14	Église (R. de l')	B 7	Moulin (R. J.)	A 19
Simon (R. Jules)	A 29	Gambetta (Pl.)	B 8	Pasteur (R.)	B 20
Victor-Hugo (R.)	B	Gare (R. de la)	A 9	St-Laurent (Q.)	B 26

Découvrez la France avec les guides Verts Michelin :
24 titres illustrés en couleurs.

PONT-LES-MOULINS **25** Doubs 166 ⑯ – rattaché à Baume-les-Dames.

PONT-L'ÉVÊQUE **14130** Calvados 55 ③ **G. Normandie Vallée de la Seine** – 3 843 h. alt. 16.

de St-Gatien-Deauville ✆ 31 65 19 99, N : 10 km par D 579 et D 74 ; de St-Julien ✆ 31 64 30 30, SE par D 579 : 3 km.

Syndicat d'Initiative à la Mairie ✆ 31 64 12 77.

Paris 195 – ◆Caen 47 – ◆Le Havre 64 – ◆Rouen 77 – Trouville-sur-Mer 11.

Climat de France, Base de loisirs, SE : 2 km par D 48 ✆ 31 64 64 00, Fax 31 64 12 28 – 70. GB
R 78/130, enf. 38 – 30 – **41 ch** 350 – ½ P 225/260.

Aub. de la Touques, pl. Église ✆ 31 64 01 69 – AE GB
fermé 1er au 19 déc., 4 au 29 janv., lundi soir et mardi – **R** 98/160, enf. 55.

à St-Martin-aux-Chartrains NO : 3,5 km sur N 177 – ✉ **14130** Pont-l'Évêque :

Aub. de la Truite, ✆ 31 65 21 64, Fax 31 65 28 78, – AE GB
fermé dim. soir et lundi de sept. à Pâques (sauf vacances scolaires et fériés) – **R** 98/280, enf. 50 **Le Bistrot des Chartrains R** 75 enf.40.

St-André-d'Hébertot rte de Pont-Audemer E : 8 km par N 175 et VO – ✉ **14130** Pont-l'Évêque :

Le Prieuré, ✆ 31 64 03 03, « Prieuré du 13e siècle », – GB. rest
fermé 20 janv. au 6 fév. et merc. – **R** carte 165 à 290 – 40 – **7 ch** 330/620 – ½ P 330/418.

CITROEN Dupuits, 5 r. St-Mélaine ✆ 31 64 01 86

Pont-l'Evêque Pneus, ZI r. P. Gamare ✆ 31 65 00 67

PONT-L'ÉVÊQUE **60** Oise 56 ③ – rattaché à Noyon.

PONTOISE **95** Val-d'Oise 55 ⑳, 106 ⑤ ⑥, 101 ② – voir à Cergy-Pontoise.

PONTONX-SUR-L'ADOUR **40465** Landes 78 ⑥ – 1 887 h. alt. 26.

Paris 730 – Mont-de-Marsan 38 – ◆Bordeaux 141 – Dax 13.

Val Fleuri, au NE : 3 km par N 124 ✆ 58 57 20 75 – GB.
fermé mi-déc. à mi-janv., mardi soir et merc. – **R** carte 135 à 235.

PEUGEOT, TALBOT Davila-Taris ✆ 58 57 20 23

RENAULT Laboudigue-Daugenne ✆ 58 57 20 19

PONTORSON 50170 Manche 59 ⑦ G. Normandie Cotentin – 4 376 h. alt. 18.

Office de Tourisme pl. Église (juin-août) ✆ 33 60 20 65.

Paris 362 – St-Malo 44 – Avranches 22 – Dinan 46 – Fougères 38 – ◆Rennes 57.

Montgomery, r. Couesnon ✆ 33 60 00 09, Télex 171332, Fax 33 60 37 66, « Maison du 16e siècle » – ch TV ☎. AE ⓓ GB
fermé 2 au 20 nov., 4 au 22 janv., 20 fév. au 7 mars, mardi midi et lundi d'oct. à mi-avril – **R** 108/192, enf. 64 – ☕ 41 – **32 ch** 275/420 – ½ P 259/443.

Bretagne, r. Couesnon ✆ 33 60 10 55 – TV ☎. GB
fermé 15 nov. au 1er déc., 3 au 30 janv., mardi midi et lundi – **R** 130/170, enf. 40 – ☕ 35 – **13 ch** 250/380.

Relais Clemenceau, bd Clemenceau ✆ 33 60 10 96 – TV ☎. GB
hôtel : fermé 13 janv. au 15 fév., dim. et lundi du 15 sept. au 19 avril – **R** *(fermé 13 janv. au 15 fév., dim. soir du 19 avril au 31 oct. et lundi)* 55/180, enf. 38 – ☕ 26 – **20 ch** 110/230 – ½ P 165/220.

à Brée NE : 5 km sur N 175 – ✉ 50170 Pontorson :

Sillon de Bretagne avec ch, ✆ 33 60 13 04, Fax 33 70 91 75, – TV ☎ P. AE ⓓ GB. rest
fermé 15 nov. au 1er déc., 5 janv. au 5 fév., lundi soir et mardi – **R** 67/210, enf. 40 – ☕ 30 – **10 ch** 200/250 – ½ P 190/225.

NE 9 km par rte d'Avranches et D 466 – ✉ 50170 Macey :

La Pommeraie, rte Vergoncey ✆ 33 60 19 37, – P. GB
fermé 4 janv. au 15 fév., vend. hors sais. et dim. soir ; ouvert week-ends seul. du 1er oct. au 11 avril – **R** 70/160, enf. 38.

CITROEN Jamin, 14 r. Libération ✆ 33 60 00 29
PEUGEOT-TALBOT Galle-Vettori ✆ 33 60 00 37
RENAULT Gar. Boulaux ✆ 33 60 10 76

PONT-ROYAL 13 B.-du-R. 84 ② – rattaché à Sénas.

PONT-ST-ESPRIT 30130 Gard 80 ⑩ G. Provence (plan) – 9 277 h. alt. 59.

Office de Tourisme r. Vauban ✆ 66 39 44 45.

Paris 642 – Avignon 45 – Alès 61 – Montélimar 37 – ◆Nîmes 61 – Nyons 45.

St-Jean-Baptiste M sans rest, rte Nîmes ✆ 66 39 33 24, Fax 66 39 10 46, – TV ☎ ♿ P. AE ⓓ GB
☕ 40 – **28 ch** 300/400.

PONT-ST-PIERRE 27360 Eure 55 ⑦ G. Normandie Vallée de la Seine – 882 h. alt. 17.

Voir Boiseries★ de l'église – Côte des Deux-Amants ≤★★ SO : 4,5 km puis 15 mn – Ruines de l'abbaye de Fontaine-Guérard★ NE : 3 km.

Paris 106 – ◆Rouen 21 – Les Andelys 18 – Évreux 45 – Louviers 22 – Pont-de-l'Arche 11.

Bonne Marmite avec ch, ✆ 32 49 70 24, Fax 32 48 12 41 – TV ☎ – 25. AE ⓓ GB. ch
fermé 20 juil. au 13 août, 15 fév. au 10 mars, dim. soir de sept. à mars, sam. midi et vend. – **R** 145/315, enf. 98 – ☕ 42 – **9 ch** 325/420 – ½ P 335/360.

Aub. de l'Andelle, ✆ 32 49 70 18 – GB
fermé 16 au 31 août, dim. soir, mardi soir et lundi – **R** 108/245.

CITROEN Gar. Grandserre, à Neuville-Chant-d'Oisel ✆ 35 79 91 91
RENAULT Gar. St-Pierre, ✆ 32 49 70 48
Brunel, Le Petit Nojeon à Fleury-sur-Andelle ✆ 32 49 01 22

PONT-STE-MARIE 10 Aube 61 ⑰ – rattaché à Troyes.

Les PONTS-NEUFS 22 C.-d'Armor 59 ④ – alt. 33 – ✉ 22400 Lamballe.

Paris 442 – St-Brieuc 15 – Carhaix-Plouguer 88 – Erquy 19 – Lamballe 11,5 – Loudéac 43.

Lorand-Barre (Damour), ✆ 96 32 78 71, « Intérieur rustique breton » – AE ⓓ
fermé 1er déc. au 1er mars, dim. soir et lundi – **R** (menu unique)(sur réservation seul.) 500
Spéc. Homard grillé, Filets de sole, Poulet sauté à l'estragon.

Le PORGE 33680 Gironde 78 ① – 1 230 h. alt. 20.

Paris 586 – ◆Bordeaux 47 – Andernos-les-Bains 18 – Lacanau-Océan 24 – Lesparre-Médoc 52.

Vieille Auberge, ✆ 56 26 50 40, « Jardin » – P. GB
fermé 2 nov. au 1er fév., mardi soir hors sais. et merc. sauf le soir en sais. – **Repas** 120/250.

PORNIC 44210 Loire-Atl. 67 ① G. Poitou Vendée Charentes (plan) – 9 815 h. alt. 5 – Casino le Môle.

✆ 40 82 06 69, O : 1 km – Office de Tourisme quai du Cdt L'Herminier ✆ 40 82 04 40.

Paris 438 – ◆Nantes 49 – La Roche-s-Y. 79 – Les Sables-d'O. 94 – St-Nazaire 29.

Alliance M, plage de la source S : 1 km ✆ 40 82 21 21, Télex 710285, Fax 40 82 80 89, ≤, centre de thalassothérapie – rest TV ☎ ♿ P – 25 à 80. AE ⓓ GB. rest
fermé 3 au 23 janv. – **R** rest. pour non-fumeurs 165/250 – ☕ 55 – **88 ch** 485/670.

Relais St-Gilles ⚘, 7 r. F. de Mun ✆ 40 82 02 25 – ☎. GB. ✻ rest
hôtel : 1er avril-10 oct. ; rest. : 10 juin-20 sept. – **R** (dîner seul.) 110 – ☕ 31 – **29 ch** 210/330 – ½ P 230/290.

à Ste-Marie O : 3 km – ✉ **44210** Pornic :

Les Sablons M ⚘, ✆ 40 82 09 14, 🌳, ✕ – TV ☎ P. GB. ✻
R *(fermé dim. soir du 15 sept. au 15 juin)* 105/245, enf. 52 – ☕ 33 – **30 ch** 260/380 – ½ P 295/330.

CITROEN Gar. du Môle, 26 quai Leray ✆ 40 82 00 08
PEUGEOT-TALBOT Route Bleue Autom., rte Bleue ✆ 40 82 00 26
RENAULT Guitteny, 7 r. Gén.-de-Gaulle ✆ 40 82 01 17
V.A.G Gar. de la Côte de Jade, 21 r. des Champs-Francs Prolongée ZI ✆ 40 82 37 00

PORNICHET **44380** Loire-Atl. 63 ⑭ **G. Bretagne** – 8 133 h. alt. 5 – Casino.

Office de Tourisme 3 bd République ✆ 40 61 33 33 et pl. A.-Briand (Pâques-Toussaint) ✆ 40 61 08 92.

Paris 449 – ♦Nantes 72 – La Baule 7 – St-Nazaire 11.

Sud Bretagne M, 42 bd République ✆ 40 61 02 68, Télex 701960, Fax 40 61 73 70, 🌳, « Jolie décoration intérieure », 🏊, 🎾, 🌳, ✕ – 🛗 TV ☎ P – 🏛 40. AE ⓓ GB. ✻ rest
fermé 12 nov. au 12 déc. – **R** 230/450 – ☕ 60 – **27 ch** 450/1200, 3 appart. 1500 – ½ P 550/850.

Charmettes M ⚘, 7 av. Flornoy ✆ 40 11 57 00, Fax 40 61 86 47, 🌳 – TV ☎ ♿ – 🏛 25. GB
R 140/280 – ☕ 35 – **21 ch** 500 – ½ P 400.

Ibis M, 66 bd Océanides ✆ 40 61 52 52, Télex 710384, Fax 40 61 74 74 – 🛗 TV ☎ ♿ – 🏛 50. GB
R 79/119 🍷, enf. 49 – ☕ 37 – **86 ch** 410/650 – ½ P 350/380.

PEUGEOT-TALBOT BSA 2 000, voie express de St-Nazaire RP Villes Babin ✆ 40 61 46 40 N ✆ 40 14 78 46
RENAULT Gar. Hoquy, 5 av. Gén.-de-Gaulle ✆ 40 61 03 12
RENAULT Le Cam, 19 bd République ✆ 40 61 04 10

PORQUEROLLES (Ile de) ★★★ **83400** Var 84 ⑯ **G. Côte d'Azur.**

Accès par transports maritimes.

⛴ depuis **La Tour Fondue** (presqu'île de Giens). En 1991 : 30 juin-août, 20 services quotidiens ; hors saison, 5 à 10 services quotidiens - Traversée 20 mn - 62 F (AR). Renseignements : Transports Maritimes et Terrestres du Littoral Varois ✆ 94 58 21 81 (La Tour Fondue).

⛴ depuis **Cavalaire.** En 1991 : juil.-août, 1 service quotidien ; mai-juin et sept.-10 oct., 3 services hebdomadaires - Traversée 1 h 30 mn - 100 F (AR). Renseignements : S.A. Vildor 15 quai Gabriel Péri ✆ 94 71 01 02 (Le Lavandou).

⛴ depuis **Le Lavandou.** En 1991 : juil.-29 août, 1 service quotidien ; avril-juin et sept.-15 oct., 3 services hebdomadaires - Traversée 50 mn - 100 F (AR). Renseignements : S.A. Vildor 15 quai Gabriel Péri ✆ 94 71 01 02 (Le Lavandou).

⛴ depuis **Toulon.** En 1991 : du 1er juin au 15 sept., 1 à 4 services quotidiens - Traversée 50 mn - 80 F (AR). Renseignements : Trans-Med 2 000 quai Stalingrad ✆ 94 92 96 82 (Toulon).

Aub. des Glycines, ✆ 94 58 30 36, Fax 94 58 35 22, 🌳, « Élégante décoration provençale » – ▤ ch TV ☎
saisonnier – **11 ch.**

✕✕ **Orée du Bois,** ✆ 94 58 30 57, 🌳 – GB
1er mars-6 nov. – **R** 130/280, enf. 60.

à l'Ouest : 3,5 km du port :

Mas du Langoustier, ✆ 94 58 30 09, Fax 94 58 36 02, ≤, 🌳, parc, « ⚘ dans un site boisé près du rivage, 🎾 », ✕ – 🛗 TV ☎ ♿ – 🏛 40. AE ⓓ GB
1er mai-30 oct. – **R** 320/420 – **53 ch** (pension seul.), 4 appart. – P 1024/1485
Spéc. Aïoli, Loup grillé au gros sel, Pain perdu au pamplemousse.

PORS ÉVEN 22 C.-d'Armor 59 ② – rattaché à Paimpol.

PORT-BARCARES 66 Pyr.-Or. 86 ⑩ – rattaché à Barcarès.

PORT-BLANC 22 C.-d'Armor 59 ① **G. Bretagne** – ✉ **22710** Penvénan.

Paris 513 – St-Brieuc 62 – Guingamp 35 – Lannion 20 – Perros-Guirec 17 – Tréguier 10,5.

Iles, ✆ 96 92 66 49 – ☎ P. GB
fermé 1er janv. au 1er mars – **R** 68/120, enf. 45 – ☕ 24 – **25 ch** 140/200 – ½ P 150/200.

Le Rocher ⚘ sans rest, ✆ 96 92 64 97 – ☎ P. ✻
début juin-15 sept. – ☕ 24 – **10 ch** 150/230.

PORT-CAMARGUE 30 Gard 83 ⑱ – rattaché au Grau-du-Roi.

PORT-CROS (Ile de) ** 83400 Var 84 ⑯ ⑰ G. Côte d'Azur.

Accès par transports maritimes.

depuis **Le Lavandou.** En 1991 : avril-20 oct., 2 à 8 services quotidiens ; hors saison, 3 services hebdomadaires - Traversée 45 mn – 85 F (AR) par S.A. Vildor 15 quai Gabriel Péri ☎ 94 71 01 02 (Le Lavandou).

depuis **Cavalaire.** En 1991 : juil.-août, 3 services quotidiens ; mai-juin et sept.-10 oct., 3 services hebdomadaires - Traversée 50 mn – 85 F (AR) par S.A. Vildor 15 quai Gabriel Péri ☎ 94 71 01 02 (Le Lavandou).

depuis le **Port de la Plage d'Hyères.** En 1991 : du 1er avril au 29 sept., 1 à 5 services quotidiens ; du 30 sept. à fév., 4 services hebdomadaires - Traversée 1 h – 73 F (AR). Renseignements : Transports Maritimes et Terrestres du Littoral Varois ☎ 94 58 21 81 (La Tour Fondue).

Le Manoir, ☎ 94 05 90 52, Fax 94 05 90 89, ≤, parc, – ☎. GB.
8 mai-6 oct. – **R** 240/300, enf. 150 – 55 – **27 ch** (1/2 pens. seul.) – 1/2 P 700/1000.

PORT-DE-CARHAIX 29 Finistère 58 ⑰ – rattaché à Carhaix.

PORT-DE-GAGNAC 46 Lot 75 ⑲ – rattaché à Bretenoux.

PORT-DE-LA-MEULE 85 Vendée 67 ⑪ – voir à Yeu (île d').

PORT-DE-LANNE 40300 Landes 78 ⑰ – 665 h. alt. 10.

Paris 757 – Biarritz 35 – Mont-de-Marsan 71 – ♦Bayonne 28 – Dax 20 – Peyrehorade 6,5 – St-Vincent-de-T. 21.

Vieille Auberge avec ch, ☎ 58 89 16 29, Fax 58 89 12 89, , « Cadre ancien, jardin fleuri, petit musée des traditions locales », – ☎ Ⓟ
début juin-fin sept. – **R** *(fermé lundi midi)* 110/175, enf. 55 – 30 – **8 ch** 200/500 – 1/2 P 250/320.

Découvrez la France avec les guides Verts Michelin :

24 titres illustrés en couleurs.

PORT-DONNANT 56 Morbihan 63 ⑪ – voir à Belle-Ile-en-Mer.

PORT-EN-BESSIN 14 Calvados 54 ⑭ **G. Normandie Cotentin** – 2 308 h. alt. 10 – ✉ **14520** Port-en-Bessin-Huppain.

Paris 277 – ♦ Caen 39 – Bayeux 9 – Cherbourg 92.

La Chenevière Ⓜ, S : 1,5 km par D 6 ☎ 31 21 47 96, Télex 171997, Fax 31 21 47 98, , parc, « Demeure du 19e siècle » – ☎ Ⓟ. AE ⓓ GB
15 fév.-15 nov. et fermé mardi midi et lundi d'oct. à avril – **R** 190/290, enf. 85 – 50 – **15 ch** 650/950 – 1/2 P 550/650.

Altéa Ⓜ, sur le Golf O : 2 km par D 514 ☎ 31 22 44 44, Télex 772478, Fax 31 22 36 77, , , – ☎ Ⓟ – 80. GB
hôtel : fermé 4 janv. au 6 fév. ; rest. : fermé mardi et le soir du 15 oct. au 15 mars – **R** 130/180 – 50 – **46 ch** 490/590, 7 duplex 620/780 – 1/2 P 430/445.

RENAULT David, rte de Bayeux ☎ 31 21 72 34 N

Les PORTES-EN-RÉ 17 Char.-Mar. 71 ⑫ – voir à Ré (Ile de).

PORTET-SUR-GARONNE 31 H.-Gar. 82 ⑱ – rattaché à Toulouse.

PORT-GOULPHAR 56 Morbihan 63 ⑪ – voir à Belle-Ile-en-Mer.

PORT-GRIMAUD 83 Var 84 ⑰ **G. Côte d'Azur** – alt. 1 – ✉ **83310** Cogolin.

Voir ≤* de la tour de l'Église oecuménique.

Paris 871 – Fréjus 27 – Brignoles 58 – Hyères 48 – St-Tropez 7 – Ste-Maxime 7 – ♦Toulon 68.

Giraglia Ⓜ, ☎ 94 56 31 33, Télex 470494, Fax 94 56 33 77, ≤ golfe, , , – ☎ – 40. AE ⓓ GB. rest
Pâques-mi-oct. – **R** 235/350, enf. 125 – **48 ch** 1450/1800 – 1/2 P 960/1135.

L'Amandier, entrée cité lacustre ☎ 94 43 48 47, – GB
Pâques-vacances de nov., vacances de Noël et fermé le midi de juil. à sept. et merc. d'oct. à juin – **R** carte 220 à 430.

La Tartane, ☎ 94 56 38 32, ≤, – GB
15 mars-fin oct. – **R** 155/260, enf. 65.

à La Foux S : 2 km sur N 98 – ✉ **83310** Cogolin :

Port Diffa, ☎ 94 56 29 07, , cuisine marocaine – . AE ⓓ.
fermé 6 janv. au 10 avril et lundi d'oct. à juin – **R** carte environ 275.

PORT-HALIGUEN 56 Morbihan 63 ⑫ – rattaché à Quiberon.

PORT-JOINVILLE 85 Vendée 67 ⑪ – voir à Yeu (Ile d').

PORT-LA-NOUVELLE 11210 Aude 86 ⑩ **G. Pyrénées Roussillon** – 4 822 h. alt. 2.

Maison du Tourisme la Jetée ☎ 68 48 00 51.

Paris 872 – ◆ Perpignan 44 – Carcassonne 77 – Narbonne 27 – Quillan 103.

- **Méditerranée,** bd Front de Mer ☎ 68 48 03 08, Télex 500712, Fax 68 48 53 81, ←, – ▮ ▤ TV ☎ – P – 30. AE ⓓ GB
  fermé 5 janv. au 5 fév. – **R** 65/185 , enf. 45 – ☕ 35 – **31 ch** 260/460 – ½ P 270/340.

PEUGEOT TALBOT Gar. Marill, ZI n° 2, 111 r. St-Exupéry ☎ 68 48 04 86

PORT-LEUCATE 11 Aude 86 ⑩ – rattaché à Leucate.

PORT-LOUIS 56290 Morbihan 63 ① **G. Bretagne** – 2 986 h. alt. 10.

Voir Citadelle★★ : musée de la Compagnie des Indes★★, musée de l'Arsenal★.

Paris 495 – Vannes 49 – Auray 29 – Lorient 17 – Pontivy 55 – Quiberon 39 – Quimperlé 38.

- **Commerce,** pl. Marché ☎ 97 82 46 05, Fax 97 82 11 02 – TV ☎. GB
  fermé 25 oct. au 15 nov., 1er au 15 fév., dim. soir et lundi d'oct. à mai – **R** 100/260, enf. 50 – ☕ 28 – **40 ch** 110/315 – ½ P 210/285.

PEUGEOT-TALBOT Gar. Fouillen ☎ 97 82 52 14 RENAULT Gar. de l'Avancée ☎ 97 82 47 85

PORT-MANECH 29 Finistère 58 ⑪ **G. Bretagne** – ✉ **29920** Névez.

Paris 541 – Quimper 43 – Carhaix-Plouguer 70 – Concarneau 18 – Pont-Aven 12 – Quimperlé 29.

- **du Port,** ☎ 98 06 82 17, – ☎. GB.
  Pâques-fin sept. – **R** *(fermé lundi)* 100/195 – ☕ 30 – **35 ch** 240/280 – ½ P 195/295.
- **Ar Moor,** ☎ 98 06 82 48, ← – ☎ P. GB
  avril-sept. – **R** 85/320, enf. 60 – ☕ 30 – **36 ch** 200/320 – ½ P 210/325.

PORT MARLY 78 Yvelines 55 ⑳, 101 ⑫, 106 ⑱ – voir à Paris, Environs.

PORT-MORT 27940 Eure 55 ⑰ 106 ① – 839 h. alt. 16.

Paris 90 – ◆ Rouen 51 – Les Andelys 10,5 – Evreux 33 – Vernon 11.

- XX **Aub. des Pêcheurs,** ☎ 32 52 60 43, Fax 32 52 07 62, , – GB
  fermé août, vacances de fév., lundi soir et mardi – **R** 130/178.

PORT-NAVALO 56 Morbihan 63 ⑫ **G. Bretagne** – alt. 9 – ✉ **56640** Arzon.

Voir Tumulus de Tumiac ✱★ E : 4 km puis 30 mn.

Paris 486 – Vannes 33 – Auray 54 – Lorient 92 – Quiberon 82 – La Trinité-sur-Mer 63.

- XX **Grand Largue,** ☎ 97 53 71 58, ←, – GB
  fermé 20 nov. au 15 déc., janv., lundi midi en juil.-août, lundi soir et mardi hors sais. – **R** 125/295.

au Port du Crouesty E : 2 km – ✉ **56640** Arzon :

- **Miramar** M , ☎ 97 67 68 00, Télex 951859, Fax 97 67 68 99, ←, institut de thalassothérapie, « Architecture originale évoquant un paquebot », , – ▮ ▤ TV ☎ ♿ P – 80. AE ⓓ GB. rest
  La Salle à Manger **R** carte 270 à 430, enf. 130 – **Le Diététique R** 260, enf. 130 – ☕ 95 – **108 ch** 1140/1595, 12 appart. 1800/2500 – ½ P 1100/1250.
- **Au Vieux Safran** M, ☎ 97 53 87 91 – TV ☎ P. GB. rest
  fermé dim. midi en juil.-août, dim. soir et lundi de sept. à juin – **R** 90/180 – ☕ 35 – **26 ch** 330/400.

PORTS 37800 I.-et-L. 68 ④ – 343 h. alt. 43.

Paris 283 – ◆ Tours 50 – Châtellerault 26 – Chinon 33 – Loches 45.

- X **Le Grillon,** Le Bec des Deux Eaux SE : 2 km ☎ 47 65 02 74 – P. GB.
  fermé 1er au 11 juil., 18 sept. au 1er oct., jeudi soir et vend. – **R** 48/220 , enf. 30.

PORT-SUR-SAÔNE 70170 H.-Saône 166 ⑤ – 2 521 h. alt. 261.

Paris 339 – ◆ Besançon 62 – Bourbonne-les-Bains 46 – Épinal 76 – Gray 53 – Jussey 24 – Langres 62 – Vesoul 13.

à Vauchoux S : 3 km par D 6 – ✉ **70170** :

- XXX ✿ **Château de Vauchoux** (Turin), ☎ 84 91 53 55, Télex 361476, Fax 84 91 65 38, « Belle décoration intérieure, parc », , – P. AE ⓓ GB JCB.
  fermé 15 janv. au 28 fév., mardi midi et lundi – **R** 240/420
  Spéc. Panaché de poissons aux crustacés, Rosace de pigeonneau "Edwige Feuillère", Ris de veau "François Parisot". Vins Gy, Champlitte.

PORT-VENDRES 66660 Pyr.-Or. 86 ⑳ **G. Pyrénées Roussillon** – 5 370 h. alt. 25.

Env. Tour Madeloc ✱★★ SO : 8 km puis 15 mn.

Office de Tourisme quai P.-Forgas ☎ 68 82 07 54.

Paris 944 – ◆ Perpignan 31.

La Résidence M, rte Banyuls ✆ 68 82 01 05, Fax 68 82 22 13, ≤, 🏠, 🏊, 🌳 – TV ☎ P. AE ① GB. ✱ rest
fermé 2 janv. au 1er mars – **R** *(fermé sam. midi et merc. du 1er oct. au 19 avril)* 130/240, enf. 70 – ☕ 35 – **18 ch** 300/380 – ½ P 300/340.

St-Elme sans rest, 2 quai P. Forgas ✆ 68 82 01 07 – ☎ 🚗. AE ① GB
☕ 25 – **28 ch** 155/285.

Côte Vermeille, quai Fanal ✆ 68 82 05 71, ≤ – ▤. GB
fermé merc. du 1er oct. au 30 juin – **Repas** 95/185.

Chalut, 8 quai F. Joly ✆ 68 82 00 91 – AE ① GB
fermé janv., dim. soir d'oct à juin et lundi – **R** 70/210 🍷, enf. 45.

L'Archipel, 6 quai Douane ✆ 68 82 07 96, 🏠 – AE ① GB
fermé mars, 26 au 31 oct., mardi soir et merc. hors sais. – **R** 78/195.

PORT-VILLEZ 78 Yvelines 55 ⑱, 106 ② – rattaché à Vernon.

La POTERIE 22 C.-d'Armor 59 ④ – rattaché à Lamballe.

POUANCÉ 49420 M.-et-L. 63 ⑧ **G. Châteaux de la Loire** – 3 279 h. alt. 89.

Syndicat d'Initiative r. de la Porte Angevine (saison) ✆ 41 92 45 86.

Paris 335 – Angers 60 – Ancenis 43 – Châteaubriant 16 – Laval 50 – ♦Rennes 59 – Vitré 46.

Porte Angevine M, rte de Craon ✆ 41 92 68 52, Fax 41 92 47 54 – TV ☎ ♿ P – 🎓 100. GB
fermé 15 au 28 fév., vend. soir et sam. midi d'oct. à mai – **R** 60/180 🍷, enf. 40 – ☕ 23 – **19 ch** 205/235 – ½ P 176/192.

PEUGEOT Gar. Houtin ✆ 41 92 44 12 — RENAULT Gar. des Remparts ✆ 41 92 41 00 N

POUDENAS 47170 L.-et-G. 79 ⑬ – 274 h. alt. 66.

Paris 715 – Agen 44 – Aire-sur-l'Adour 64 – Condom 19 – Mont-de-Marsan 67 – Nérac 17.

✿ **La Belle Gasconne** M avec ch, ✆ 53 65 71 58, ≤, 🏊, 🌳 – ☎ P. AE ① GB
fermé 1er au 15 déc., 1er au 15 janv., dim. soir et lundi hors sais. – **R** (nombre de couverts limité, prévenir) 165/250 – ☕ 45 – **6 ch** 410/540 – ½ P 540/715
Spéc. Salade de foie gras de canard poêlé au caramel de pruneaux, Anguilles au vin de Madiran, Gâteau au chocolat. **Vins** Colombard, Côtes de Duras.

POUGUES-LES-EAUX 58320 Nièvre 69 ③ **G. Bourgogne** – 2 358 h. alt. 192 – Casino .

Syndicat d'Initiative av. Paris (saison) ✆ 86 58 71 15 et à la Mairie (hors saison) ✆ 86 68 85 79.

Paris 228 – Bourges 65 – La Charité-sur-Loire 13 – Clamecy 63 – Corbigny 57 – Nevers 11 – Prémery 24.

Central H., N 7 ✆ 86 68 85 00 – ✱ ch. GB
fermé 15 nov. au 15 déc., 5 au 20 janv., dim. soir et lundi d'oct. à juin – **R** 70/210 🍷, enf. 44 – ☕ 35 – **12 ch** 150/240 – ½ P 230/320.

POUILLON 40350 Landes 78 ⑦ – 2 596 h. alt. 28.

Paris 751 – Biarritz 61 – Mont-de-Marsan 55 – ♦Bayonne 49 – Dax 16 – Orthez 26 – Pau 74.

Aub. Du Pas de Vent avec ch, ✆ 58 98 20 88 – P
fermé lundi – **R** 60/120 🍷 – ☕ 38 – **3 ch** 170/240 – ½ P 280.

PEUGEOT-TALBOT Gar. Garein ✆ 58 98 20 54 — RENAULT Gar. Bacheré ✆ 58 98 20 95

POUILLY-EN-AUXOIS 21320 Côte-d'Or 65 ⑱ **G. Bourgogne** – 1 372 h. alt. 384.

Paris 273 – ♦Dijon 43 – Avallon 66 – Beaune 46 – Montbard 58.

à Chailly-sur-Armançon E : 6,5 km par D 977bis – ✉ **21320** Pouilly-en-Auxois :

Château de Chailly M 🌿, ✆ 80 90 30 30, Télex 352208, Fax 80 90 30 00, 🏠, 🏊, 🌳, 🎾 – 🛗 TV ☎ ♿ P – 🎓 80. AE ① GB JCB
fermé 23 déc. au 31 janv. – **R** 115 **L'Armançon R** carte 260 à 370 – **Le Rubillon R** 115 – ☕ 70 – **42 ch** 900/2200, 3 appart. 3500.

à Ste-Sabine SE : 8 km par N 81, D 977bis et D 970 – ✉ **21320** Pouilly-en-Auxois :

Château de Ste-Sabine M 🌿, ✆ 80 49 22 01, Fax 80 49 20 01, ≤, 🏊, 🌳 – 🛗 TV ☎ P – 🎓 25. GB. ✱
R 150/280 – ☕ 65 – **14 ch** 300/550.

FORD Mr Omont ✆ 80 90 73 21 — V.A.G Jeannin ✆ 80 90 82 11 N — RENAULT Gar. Orset, rte d'Autun à Créancey ✆ 80 90 80 45 N

POUILLY-LE-FORT 77 S.-et-M. 61 ② – rattaché à Melun.

POUILLY-SOUS-CHARLIEU 42720 Loire 73 ⑧ – 2 834 h. alt. 264.

Paris 411 – Roanne 14 – Charlieu 5,5 – Digoin 41 – Vichy 75.

De la Loire, ✆ 77 60 81 36, 🏠 – P. AE GB
fermé 31 août au 11 sept., 2 au 10 janv., 21 fév. au 9 mars, dim. soir et lundi sauf juil.-août – **R** 130/275.

FIAT Gar. Coudert, ✆ 77 60 70 23 N ✆ 77 60 98 33

POUILLY-SUR-LOIRE 58150 Nièvre 65 ⑬ G. Bourgogne – 1 708 h. alt. 177.

Syndicat d'Initiative r. W.-Rousseau (fermé après-midi hors saison) ☎ 86 39 03 75.

Paris 202 – Bourges 57 – Château-Chinon 89 – Clamecy 53 – Cosne-sur-Loire 15 – Nevers 38 – Vierzon 77.

Le Relais Fleuri et rest. Coq Hardi, SE : 0,5 km ☎ 86 39 12 99, Fax 86 39 14 15, « Jardin fleuri et ≤ sur la Loire » – TV ☎ – 50. AE GB
fermé 15 janv. au 15 fév., merc. soir et jeudi d'oct. à Pâques – **R** 98/230, enf. 40 – 32 – **9 ch** 250/270.

Bouteille d'Or, rte Paris ☎ 86 39 13 84 – ☎. GB
fermé 10 janv. au 25 fév., dim. soir et lundi sauf juil.-août – **Repas** 85/260, enf. 55 – 32 – **28 ch** 160/280 – ½ P 230/250.

L'Espérance avec ch, r. Couard ☎ 86 39 07 69, – P. AE GB
fermé 2 au 18 déc. et lundi – **R** 90/140 – 35 – **3 ch** 220.

La Vieille Auberge avec ch, N 7 déviation sud ☎ 86 39 17 98, – P. GB
fermé vacances de fév., mardi soir et merc. hors sais. – **R** 75/185 ♁, enf. 40 – 26 – **3 ch** 160/210 – ½ P 200/300.

à Charenton SE : 2 km sur N 7 – ✉ 58150 Pouilly-sur-Loire :

Relais Grillade (ch. prévues), ☎ 86 69 07 00, Fax 86 69 02 43, – P. AE GB
R 76/150 ♁, enf. 42.

CITROEN Gar. Prulière ☎ 86 39 14 44 N

PEUGEOT Gar. S.A.P.L. ☎ 86 39 14 65 N ☎ 86 39 16 44

POULDREUZIC 29710 Finistère 58 ⑭ – 1 854 h. alt. 56.

Paris 583 – Quimper 25 – Audierne 16 – Douarnenez 17 – Pont-l'Abbé 15.

Moulin de Brénizenec sans rest, rte Audierne : 3 km ☎ 98 91 30 33, ≤, « Jardin » – ☎ P
Pâques-25 sept. – 42 – **10 ch** 360/400.

Ker Ansquer, à Lababan NO : 2 km par D 2 ✉ 29710 Plogastel-St-Germain ☎ 98 54 41 83, sculptures régionales – ☎ P. GB
Pâques-fin sept. – **R** 70/295 – 30 – **11 ch** 280 – ½ P 280.

à Penhors O : 4 km par D 40 – ✉ 29710 Plogastel-St-Germain :

Breiz Armor M, ☎ 98 51 52 53, Télex 941863, Fax 98 51 52 30, ≤, – TV ☎ P – 50. GB
hôtel : 3 avril-11 oct., vacances de Noël et fermé lundi sauf juil.-août – **R** *(14 mars-18 oct., vacances de Noël, weeks-ends en hiver et fermé lundi sauf juil.-août)* 88/368, enf. 60 – 30 – **23 ch** 320 – ½ P 315.

Le POULDU 29 Finistère 58 ⑫ G. Bretagne – ✉ 29360 Clohars-Carnoët.

Office de Tourisme r. Ch.-Filiger (fermé oct.) ☎ 98 39 93 42.

Paris 515 – Quimper 57 – Concarneau 37 – Lorient 24 – Moëlan-sur-Mer 10,5 – Quimperlé 16.

Armen, ☎ 98 39 90 44, Fax 98 39 98 69, – ☎ P. AE GB. rest
25 avril-28 sept. – **R** 75/220, enf. 48 – 40 – **38 ch** 250/400 – ½ P 280/370.

Panoramique M sans rest, au Kérou-plage ☎ 98 39 93 49 – TV ☎ P. GB
11 mars-30 sept. – 36 – **25 ch** 210/320.

Bains, ☎ 98 39 90 11, ≤ – ☎ P. GB. rest
Pâques-25 sept. – **R** 75/280 – 25 – **49 ch** 165/320 – ½ P 225/320.

POULIGNY-NOTRE-DAME 36 Indre 68 ⑲ – rattaché à La Châtre.

Le POULIGUEN 44510 Loire-Atl. 63 ⑭ G. Bretagne – 4 912 h. alt. 4.

18 de La Baule à St-André-des-Eaux ☎ 40 60 46 18, NE : 10 km.

Office de Tourisme Port Sterwitz ☎ 40 42 31 05.

Paris 456 – ◆ Nantes 78 – La Baule 8 – Guérande 8 – St-Nazaire 20.

Voir plan de La Baule

Beau Rivage, 11 r. J. Benoit ☎ 40 42 31 61, Fax 40 42 82 98, ≤, – ☎ P – 35. GB. rest — AZ r
Pâques-fin sept. – **R** 120/180 – 37 – **66 ch** 320 – ½ P 305/345.

Orée du Bois sans rest, r. Mar. Foch ☎ 40 42 32 18 – ☎. GB. — AZ t
35 – **15 ch** 220/255.

Voile d'Or, av. Plage ☎ 40 42 31 68, – AE GB — AZ u
fermé 1er au 15 nov., 1er au 15 fév., lundi (sauf le soir en juil.-août) et dim. soir – **R** 120/290, enf. 70.

TOYOTA Gar. de la Plage ☎ 40 42 31 07

POULLAOUEN 29246 Finistère 58 ⑥ ⑦ – 1 574 h. alt. 164.

Paris 516 – ◆ Brest 76 – Carhaix-Plouguer 10 – Châteaulin 45 – Huelgoat 11 – Landerneau 54 – Morlaix 37.

Argoat sans rest, ☎ 98 93 55 33
fermé 1er au 15 sept., 1er au 15 fév. et jeudi – 18 – **11 ch** 90/145.

Le Louis XIII, ☎ 98 93 54 22 – AE GB
fermé 28 sept. au 14 oct., lundi soir et mardi sauf du 14 juil. au 20 août – **R** 95/200, enf. 45.

POURRAIN **89240** Yonne 65 ④ **G. Bourgogne** – 1 266 h. alt. 262.
Paris 167 – Auxerre 13 – Avallon 59 – Clamecy 42 – Saint-Fargeau 30.

XX **Le Molesme,** E : 2 km par D 965 ✆ 86 41 04 32, 🏠 – **P**. GB
fermé dim. soir et lundi – **R** 110/255.

POURVILLE-SUR-MER **76** S.-Mar. 52 ④ **G. Normandie Vallée de la Seine** – alt. 5 – ✉ **76119** Varengeville-sur-mer.
Paris 172 – Dieppe 7 – Fécamp 61 – Fontaine le Dun 20,5 – ◆Rouen 62 – Saint Valery en Caux 28,5.

X **Au Trou Normand,** ✆ 35 84 59 84 – AE GB
fermé 1er au 23 août, 24 déc. au 4 janv., jeudi soir et dim. – **R** 90/155.

POUZAUGES **85700** Vendée 67 ⑯ **G. Poitou Vendée Charentes** – 5 473 h. alt. 225.
Voir Puy Crapaud ✻** SE : 2,5 km – Bois de la Folie ≤* NO : 1 km.
Env. St-Michel-Mont-Mercure : ✻** de la tour de l'Église NO : 7 km par D 752.
Office de Tourisme cour de la Poste (fermé matin hors saison) ✆ 51 91 82 46 et à la Mairie ✆ 51 57 01 37.
Paris 386 – La Roche-sur-Y. 55 – Bressuire 28 – Chantonnay 21 – Cholet 36 – ◆Nantes 86.

Aub. de la Bruyère 🐦, par rte de Bressuire ✆ 51 91 93 46, Télex 701804, Fax 51 57 08 18, ≤ plaine vendéenne, 🏠, 🏊, 🌳 – 🛗 TV ☎ **P** – 🏛 25 à 100. AE ① GB
R *(fermé dim. soir et lundi du 15 sept. au 15 juin)* 70/205 🍷, enf. 42 – ☕ 32 – **26 ch** 235/365 – ½ P 265/305.

POUZAY **37** I.-et-L. 68 ④ – rattaché à Ste-Maure-de-Touraine.

Le POUZIN **07250** Ardèche 76 ⑳ **G. Vallée du Rhône** – 2 693 h. alt. 95.
Paris 587 – Valence 27 – Avignon 107 – Die 61 – Montélimar 26 – Privas 14.

Avenue, ✆ 75 63 80 43 – TV ☎. AE ① GB
fermé 1er au 10 mai, 14 sept. au 5 oct., 21 déc au 4 janv., dim. (sauf le soir en juil.-août) et sam. midi – **R** 60 🍷 – ☕ 25 – **15 ch** 130/210 – ½ P 140/190.

CITROEN Pheby ✆ 75 63 80 16 **N** ✆ 75 85 95 56 — RENAULT Gar. Combe ✆ 75 85 98 16

PRADES SP **66500** Pyr.-Or. 86 ⑰ **G. Pyrénées Roussillon** – 6 009 h.
Voir Abbaye St-Michel-de-Cuxa* S : 3 km – Village d'Eus* NE : 5 km.
Syndicat d'Initiative r. V.-Hugo ✆ 68 96 27 58.
Paris 953 – ◆Perpignan 43 – Mont-Louis 36 – Olette 16 – Vernet-les-Bains 11,5.

à Taurinya S : 6 km par D 27 – alt. 550 – ✉ **66500** :

XX **Aub. des Deux Abbayes,** ✆ 68 96 49 53, 🏠 – GB
fermé 1er au 10 nov., 30 janv. au 10 fév., mardi soir et merc. – **R** 140/210, enf. 45.

RENAULT Gar. Bosom ✆ 68 96 11 14 — Pneu Service ✆ 68 96 43 23

Le PRADET **83220** Var 84 ⑮ – 9 704 h. alt. 30.
Office de Tourisme pl. Gén.-de-Gaulle ✆ 94 21 71 69.
Paris 847 – ◆Toulon 10 – Draguignan 78 – Hyères 10,5.

Azur 🐦, 163 av. Raimu ✆ 94 21 68 50, Fax 94 08 27 00, 🏠, 🏊 – ▤ ch TV ☎ **P** – 🏛 30. AE GB. ✻
R *(fermé janv., dim. soir et lundi)* 90/200 – ☕ 40 – **22 ch** 350/600.

XXX **Le Stratos,** ✆ 94 21 23 62, Fax 94 21 35 05 – ▤. AE GB
fermé vacances de fév., dim. soir (sauf juil.-août) et lundi – **R** 150/230.

aux Oursinières S : 3 km par D 86 – ✉ **83220** Le Pradet :

L'Escapade M 🐦, ✆ 94 08 39 39, Fax 94 08 31 30, « Jardin fleuri », 🏊 – TV ☎ 🚗 **P**. GB
R *(fermé janv.)* 155/230 – ☕ 45 – **19 ch** 580/950.

PRALOGNAN-LA-VANOISE **73710** Savoie 74 ⑱ **G. Alpes du Nord** – 667 h. alt. 1 404 – Sports d'hiver : 1 460/2 500 m 🚡1 ⛷13 ⛷.
Voir Site* – Parc national de la Vanoise** – La Chollière* SO : 1,5 km puis 30 mn – Mont Bochor ≤* par téléphérique.
Office de Tourisme ✆ 79 08 71 68, Télex 980240.
Paris 636 – Albertville 53 – Chambéry 100 – Moûtiers 26.

Les Airelles M 🐦, les Darbelays, N : 0,8 km ✆ 79 08 70 32, ≤, 🏠 – ☎ 🚗 **P**. GB. ✻ rest
1er juin-26 sept. et 19 déc.-2 mai – **R** 105/150, enf. 45 – ☕ 30 – **22 ch** 285/380 – ½ P 235/330.

Grand Bec, ✆ 79 08 71 10, Fax 79 08 72 22, ≤, 🏠, 🏊, 🌳, 🎾 – 🛗 ☎ **P** – 🏛 30. GB. ✻ rest
5 juin-27 sept. et 19 déc.-23 avril – **R** 100/140, enf. 50 – ☕ 35 – **39 ch** 290/390 – ½ P 270/310.

Capricorne 🐦, ✆ 79 08 71 63, Fax 79 08 76 25, ≤, 🌳 – ☎ **P**. GB. ✻
juin-sept. et mi-déc.-mi-avril – **R** 110/165, enf. 45 – ☕ 33 – **15 ch** 230/360.

Parisien, ✆ 79 08 72 31, ≤, 🌳 – ☎ **P**. GB. ✻ rest
5 juin-20 sept. et 18 déc.-20 avril – **R** 85/130, enf. 50 – **24 ch** ☕ 155/300 – ½ P 190/300.

PRA-LOUP 04 Alpes-de-H.-P. 81 ⑧ – rattaché à Barcelonnette.

PRAMOUSQUIER 83 Var 84 ⑰ – rattaché à Cavalière.

Le PRARION 74 H.-Savoie 74 ⑧ – rattaché aux Houches.

PRATS-DE-MOLLO-LA-PRESTE 66230 Pyr.-Or. 86 ⑱ **G. Pyrénées Roussillon** (plan) – 1 102 h. alt. 745.

Voir Ville haute★ – Office de Tourisme pl. Le Foiral ✆ 68 39 70 83.

Paris 967 – ◆Perpignan 61 – Céret 31.

- **Park H. d'Estamarius** ♨, ✆ 68 39 70 04, ≤, parc, ⛱, 🎾 – ☎ 🅿 – 🏛 70. AE ⓞ GB
  30 avril-30 oct. – **R** 75/135, enf. 35 – ☕ 27 – **85 ch** 150/375 – ½ P 170/275.
- **Touristes,** ✆ 68 39 72 12, ≤, 🌳 – ☎ 🅿. GB
  1er avril-30 oct. – **R** 75/120, enf. 45 – ☕ 25 – **30 ch** 170/225 – ½ P 150/220.
- **Bellevue,** ✆ 68 39 72 48 – ▤ rest 📺 ☎ 🅿. GB
  30 mars-15 nov. et vacances scolaires – **R** 90/180, enf. 45 – ☕ 22 – **18 ch** 130/230 – ½ P 175/250.
- **Costabonne,** Le Foiral ✆ 68 39 70 24 – ☎. GB
  fermé 15 nov. au 15 déc. – **R** 70/115 🍷 – ☕ 24 – **18 ch** 130/200 – ½ P 175/180.
- **Ausseil,** ✆ 68 39 70 36, ⛱ – GB
  R 65/130 🍷 – ☕ 22 – **20 ch** 95/170 – ½ P 140/155.
- **Crémaillère** avec ch, rte La Preste : 2 km par D 115A ✆ 68 39 70 62, 🌳 – 🅿. ✻ ch
  hôtel : ouvert 1er mars-30 sept. ; rest. : fermé 15 au 30 nov. et merc. de nov. à mars – **R** 60/115 🍷 – **4 ch** (pension seul.) – P 182.

à La Preste – Stat. therm. (avril-26 oct.) – ✉ **66230** Prats-de-Mollo-La-Preste :

- **Val du Tech** ♨, ✆ 68 39 71 12, ≤ – 🛗 📺 ☎. GB. ✻ rest
  30 mars-25 oct. – **R** 90/105, enf. 50 – ☕ 28 – **42 ch** 140/280 – ½ P 198/268.
- **Ribes** ♨, ✆ 68 39 71 04, ≤ vallée, 🌳 – ☎ 🅿. ✻ rest
  1er avril-25 oct. – **R** 76/80 🍷 – ☕ 22 – **25 ch** 124/259 – ½ P 156/192.

CITROEN Pagès-Xatart ✆ 68 39 71 34 RENAULT Vial ✆ 68 39 70 23

Le PRAZ 73 Savoie 74 ⑱ – rattaché à Courchevel.

Les PRAZ-DE-CHAMONIX 74 H.-Savoie 74 ⑧ ⑨ – rattaché à Chamonix.

PRAZ-SUR-ARLY 74120 H.-Savoie 74 ⑦ – 922 h. alt. 1 036 – Sports d'hiver : 1 036/2 000 m ⛷14.

Office de Tourisme pl. Mairie ✆ 50 21 90 57.

Paris 601 – Chamonix-Mont-Blanc 40 – Albertville 27 – Chambéry 77 – Megève 4,5.

- **Edelweiss** sans rest, rte Megève ✆ 50 21 93 87, ≤, 🌳 – ☎ 🚗 🅿. GB. ✻
  ☕ 35 – **16 ch** 380/440.
- **Mont Charvin,** ✆ 50 21 90 05, 🌳, 🎾 – ☎ 🅿. GB. ✻ rest
  15 au 30 juin (sans rest.), 1er juil.-fin sept. et vacances de Noël-vacances de printemps – **R** 85/250 – ☕ 33 – **31 ch** 200/310 – ½ P 240/295.
- **Le Cannibal's,** rte Megève : 1 km ✆ 50 21 91 94, ⛱ – 🅿. GB
  fermé 3 au 28 juin, 20 nov. au 15 déc., mardi soir et merc. hors sais. – **R** 105/150 🍷.

FORD Gar. du Crèt du Midi ✆ 50 21 90 30 **N** ✆ 50 21 40 84

PRÉCY-SOUS-THIL 21390 Côte-d'Or 65 ⑰ **G. Bourgogne** – 603 h. alt. 333.

Paris 246 – ◆Dijon 66 – Auxerre 83 – Avallon 39 – Beaune 79 – Montbard 31 – Saulieu 16.

- **Loriot,** ✆ 80 64 56 33, ⛱, 🌳 – 📺 ☎ 🅿. GB
  fermé dim. soir et lundi midi d'oct. à mi-juin – **R** 80/120 – ☕ 35 – **11 ch** 260/280 – ½ P 230.

RENAULT Orset, rte de Semur ✆ 80 64 50 56

PRÉCY-SUR-OISE 60460 Oise 56 ⑪ 106 ⑦ – 3 137 h. alt. 33.

Voir Église★ de St-Leu-d'Esserent NE : 3,5 km, **G. Ile de France.**

Paris 44 – Compiègne 46 – Beauvais 37 – Chantilly 8 – Creil 11 – Pontoise 32 – Senlis 17.

- Le Condor, 14 r. Watteau ✆ 44 27 60 77.

PRÉFAILLES 44770 Loire-Atl. 67 ① – 857 h. alt. 33.

Voir Pointe St-Gildas★ O : 2 km, **G. Poitou Vendée Charentes.**

Office de Tourisme Grande-Rue ((fermé après-midi sauf juin-15 sept.) ✆ 40 21 62 22.

Paris 449 – ◆Nantes 60 – Pornic 12 – St-Brévin-les-Pins 18.

- **La Flottille** Ⓜ, pointe St-Gildas, O : 2 km ✆ 40 21 61 18, Télex 701962, Fax 40 64 51 72, ≤ – ▤ ch 📺 ☎ 🅿. AE ⓞ GB JCB
  R 88/250, enf. 45 – ☕ 37 – **13 ch** 360 – ½ P 400/480.
- **St-Paul,** ✆ 40 21 60 25, Fax 40 64 52 21, ⛱, ⛱, 🌳 – ☎ 🚗 – 🏛 30. AE ⓞ GB
  15 mars-15 nov. – **R** 75/240, enf. 35 – ☕ 25 – **41 ch** 150/240 – ½ P 230/300.

CITROEN Gar. Hamon ✆ 40 21 65 80 **N** ✆ 40 21 65 36

PRÉMERY 58700 Nièvre 65 ⑭ G. Bourgogne – 2 377 h. alt. 237.

Paris 234 – La Charité-sur-Loire 27 – Château-Chinon 56 – Clamecy 40 – Cosne-sur-L. 47 – Nevers 27.

Le P'tit Premery, ✆ 86 68 11 96 – GB
fermé dim. soir, mardi soir, merc. soir, jeudi soir et lundi – **R** 78/128 ₰.

CITROEN Modern. Gar. ✆ 86 68 12 82 RENAULT Caliste ✆ 86 68 10 76

La PRENESSAYE 22 C.-d'Armor 58 ⑳ – rattaché à Loudéac.

Le PRÉ-ST-GERVAIS 93 Seine-St-Denis 56 ⑪, 101 ⑯ – voir à Paris, Environs.

La PRESTE 66 Pyr.-Or. 86 ⑰ – rattaché à Prats-de-Mollo.

PRIAY 01160 Ain 74 ③ – 948 h. alt. 235.

Paris 455 – ♦ Lyon 51 – Bourg-en-Bresse 26 – Nantua 37.

Mère Bourgeois, ✆ 74 35 61 81 – AE GB
fermé 12 nov. au 1er déc., 22 juin au 9 juil., mardi soir et merc. sauf du 9 juil. au 31 août –
R 98/255 ₰, enf. 68.

PRIVAS P 07000 Ardèche 76 ⑲ G. Vallée du Rhône – 10 080 h. alt. 294.

Office de Tourisme 3 r. E.-Reynier ✆ 75 64 33 35.

Paris 601 ② – Valence 41 ② – Alès 104 ④ – Mende 135 ④ – Montélimar 33 ③ – Le Puy 91 ④.

PRIVAS

Champ-de-Mars (Pl. du) . . B 5
Esplanade (Cours de l') . . . B 9
République (R. de la) . . . . B 26

Baconnier (R. L.) . . . . B 2
Bœuf (Pl. des) . . . . A 3
Coux (Av. de) . . . . B 7
Durand (R. H.) . . . . B 10
Faugier (Av. C.) . . . . A 12
Filliat (R. P.) . . . . B 14
Foiral (Pl. du) . . . . A 16
Gaulle (Pl. Ch. de) . . . . . . B 17
Hôtel-de-Ville (Pl. de l') . . . B 18
Mobiles (Bd des) . . . . B 20
Ouvèze (Ch. des) . . . . B 22
Petit-Tournon (Av. du) . . . . B 24
St-Louis (Cours) . . . . A 28
Vanel (Av. du) . . . . B 30

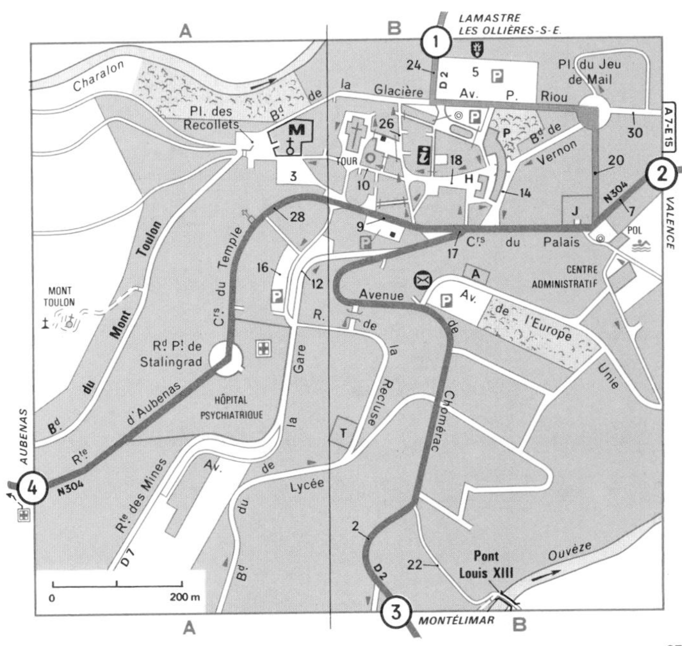

à Alissas par ③ : 5 km – ✉ **07210** :

XX **Lous Esclos,** sur D 2 ✆ 75 65 12 73, 🌳 – ▤ **P**. GB
fermé sam. midi, dim. soir et lundi – **R** 90/150, enf. 40.

au col de l'Escrinet par ④ : 13 km – ✉ **07200** Aubenas :

🏨 **Panoramic Escrinet** 🐌, ✆ 75 87 10 11, Fax 75 87 10 34, ≤ vallée, 🏊, 🌳 – TV ☎ **P**. AE ⓓ GB. ✻ rest
15 mars-16 nov. et fermé dim. soir et lundi midi (sauf du 15 juin au 15 sept. et fériés) – **R** (prévenir) 110/220 – ☕ 35 – **20 ch** 250/450 – ½ P 290/360.

CITROEN Gar. Viazac par ③ ✆ 75 64 31 90 **N**
✆ 75 64 30 86
FORD Privas Automobiles, N 104 à Veyras
✆ 75 64 33 33
PEUGEOT, TALBOT Gds Gar. Midi, N 104 à Coux
par ② ✆ 75 64 23 33

RENAULT Seita, rte de Montélimar par ③
✆ 75 64 33 01
V.A.G Gar. Perrier, ZI rte de Montélimar
✆ 75 64 02 07

Ⓜ R.I.P.A., ZI du Lac ✆ 75 64 05 56

PROVENCHÈRES-SUR-FAVE 88490 Vosges 62 ⑱ **G. Alsace Lorraine** – 733 h. alt. 407.

Paris 399 – Colmar 55 – Épinal 66 – St-Dié 15 – Sélestat 35 – ◆Strasbourg 75.

🏨 **Aub. du Spitzemberg** 🐌, à la Petite Fosse, NO : 7 km par D 45 et voie forestière
➜ ✆ 29 51 20 46, ≤, « Dans la forêt vosgienne », 🌳 – ☎ **P** – 🏨 25. GB
fermé mardi – **R** 62/125 🍷 – ☕ 25 – **9 ch** 220/250 – ½ P 205/215.

PROVINS <SP> 77160 S.-et-M. 61 ④ **G. Champagne** – 11 608 h. alt. 92.

Voir Ville Haute★★ ABY: remparts ★★ AY, tour de César★★ : ≤★ BY , Grange aux Dîmes★ AY **E** – Anges musiciens★★ et vierge★ dans l'église St-Ayoul CZ **D** – Musée du Provinois : collections★ de sculptures et de céramiques ABY **M.**

Env. St-Loup-de-Naud : portail★★ de l'église★ 7 km par ④.

i Office de Tourisme pl. H. de Balzac ✆ (1) 64 00 16 35 et Tour César ✆ (1) 64 00 05 31.

Paris 86 ⑤ – Fontainebleau 55 ④ – Châlons-sur-M. 97 ② – Meaux 63 ⑤ – Melun 47 ⑤ – Sens 46 ④.

PROVINS

Cordonnerie (R. de la)	CZ	24
Friperie (R. de la)	CZ	37
Hugues le Grand (R.)	CZ	43
Leclerc (Pl. du Mar.)	BZ	47
Val (R. du)	BZ	79
Anatole-France (Av.)	BZ	2
Arnoul (R. Victor)	CZ	3
Balzac (Pl. Honoré de)	BZ	4
Bordes (R. des)	CZ	7
Bourquelot (R. Félix)	CY	8
Capucins (R. des)	BZ	12
Champbenoist (Rte de)	CZ	13
Changis (R. de)	CZ	14
Châtel (Pl. du)	AY	18
Chomton (Bd Gilbert)	BYZ	19
Collège (R. du)	BY	23
Courloison (R.)	CY	27
Couverte (R.)	AY	28
Desmarets (R. Jean)	AY	29
Ferté (Av. de la)	CY	33
Fourtier-Masson (R.)	BZ	34
Garnier (R. Victor)	BCZ	39
Gd Quartier Gén. (Bd du)	CZ	42
Jacobins (R. des)	BY	44
Nocard (R. Edmond)	CZ	54
Opoix (R. Christophe)	BZ	57
Palais (R. du)	BYZ	59
Plessier (Bd du Gén.)	CZ	64
Pompidou (Av. G.)	BY	67
Pont-Pigy (R. du)	BZ	68
Prés (R. des)	BY	69
Remparts (Allée des)	AY	72
St-Ayoul (Pl.)	CZ	73
St-Ayoul (✝)	CZ	D
St-Jean (R.)	AY	74
St-Quiriace (Pl. et ✝)	BZ	77
Ste-Croix (✝)	BYZ	
Souvenir (Av. du)	CY	78
Verdun (Av. de)	CY	82
29e Dragons (Pl. du)	CY	84

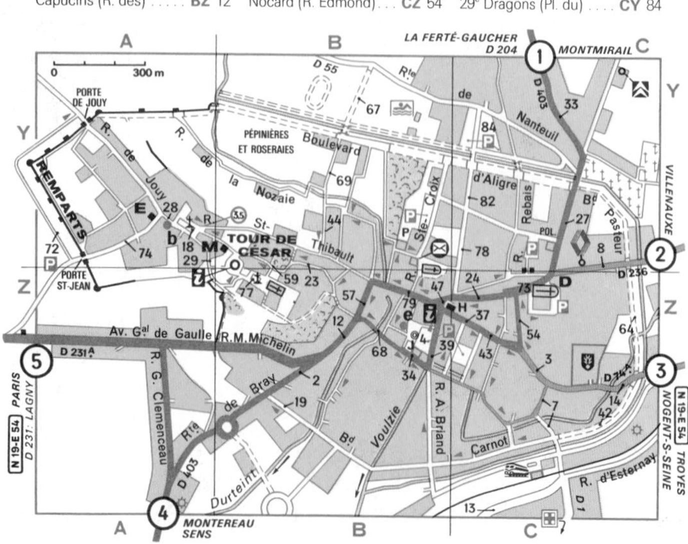

Vieux Remparts M, 3 r. Couverte - Ville Haute ✆ (1) 64 08 94 00, Télex 692260, Fax (1) 60 67 77 22, – – 35. AE GB JCB AY b
R 180/340, enf. 90 – 47 – **25 ch** 380/490 – ½ P 460.

Ibis M, par ⑤ : 1 km rte Paris ✆ (1) 60 67 66 67, Télex 691882, Fax (1) 60 67 86 67 – – 60. GB
R 63/79, enf. 39 – 30 – **51 ch** 270/290.

Le Médiéval, 6 pl. H. de Balzac ✆ (1) 64 00 01 19, – AE GB BZ e
fermé 1er fév. au 1er mars, dim. soir et lundi – **R** 139/178, enf. 55.

CITROEN SPDA, 32 rampe St-Syllas ✆ (1) 64 08 92 70
FORD Auto Sces du Dome, 5 av. A.-France ✆ (1) 64 00 00 95
OPEL Gar. de Champagne, 2 r. A.-Briand ✆ (1) 64 00 04 86
PEUGEOT-TALBOT Autom. de la Brie, 1 av. Voulzie, ZI par rte de Champbenoist CZ ✆ (1) 64 00 11 50
RENAULT Gar. Briard, 19 r. Bourquelot ✆ (1) 64 00 06 66 N ✆ (1) 64 00 09 76

Agricopneu, 11 av. Patton à St-Brice ✆ (1) 64 08 92 55
Erric, à Jutigny ✆ (1) 64 08 62 10
La Centrale du Pneu, 39 r. Courloison ✆ (1) 64 00 03 23

PUGET-THÉNIERS 06260 Alpes-Mar. 81 ⑲ 195 ⑬ ⑭ **G. Alpes du Sud** (plan) – 1 703 h. alt. 410.

Voir Vieille ville★ – Groupe sculpté★ et retable de N.-D-de-Secours★ dans l'église – Statue★ de Maillol.

Env. Entrevaux : Site★★, Ville forte★, ≤★ de la citadelle O : 7 km.

Syndicat d'Initiative (juil.-août) ✆ 93 05 05 05.

Paris 838 – Barcelonnette 96 – Cannes 82 – Digne 88 – Draguignan 95 – Manosque 127 – ♦Nice 63.

Les Acacias, E : 1,5 km sur N 202 ✆ 93 05 05 25, – . AE GB
fermé 1er au 28 janv. et lundi – **R** 70/155, enf. 48.

Cigalon, N 202 ✆ 93 05 06 34 – GB
fermé 8 au 19 juin, 1er au 12 fév., lundi soir et jeudi – **R** 95/135.

CITROEN Casalengo, quartier St-Roch ✆ 93 05 00 25 N

PUGNY-CHATENOD 73 Savoie 74 ⑮ – rattaché à Aix-les-Bains.

PUJAUDRAN 32 Gers 82 ⑦ – rattaché à l'Isle-Jourdain.

PUJOLS 47 L.-et-G. 79 ⑤ – rattaché à Villeneuve-sur-Lot.

PULIGNY-MONTRACHET 21 Côte-d'Or 69 ⑨ – rattaché à Beaune.

PUSEY 70 H.-Saône 166 ⑤ – rattaché à Vesoul.

PUSIGNAN 69330 Rhône 74 ⑫ – 2 720 h. alt. 221.

Paris 481 – ♦Lyon 18 – Montluel 14 – Meyzieu 5 – Pont-de-Chéruy 9.

La Closerie, ✆ 78 04 40 50, – AE GB
fermé 10 au 31 août, vacances de fév., dim. soir et lundi – **R** 125/280.

PUSSY 73 Savoie 74 ⑰ – alt. 750 – ✉ **73260** La Lechère.

Paris 606 – Albertville 24 – Chambéry 70 – Moûtiers 13.

Bellachat, ✆ 79 22 50 87, ≤, – AE GB.
fermé dim. soir – **R** 70/155 – 25 – **7 ch** 200/225 – ½ P 190.

PUTANGES-PONT-ECREPIN 61210 Orne 60 ② **G. Normandie Cotentin** – 1 032 h. alt. 127.

Paris 213 – Alençon 58 – Argentan 19 – Briouze 15 – Falaise 16 – La Ferté-Macé 23 – Flers 32.

Lion Verd, ✆ 33 35 01 86, Fax 33 39 53 32 – . AE GB
fermé 23 déc. au 31 janv. et vend. soir d'oct. à mai – **R** 60/240 – 20 – **20 ch** 100/300 – ½ P 130/250.

PUTEAUX 92 Hauts-de-Seine 55 ⑳, 101 ⑭ – voir à Paris, Environs.

PUTTELANGE-LÈS-THIONVILLE 57570 Moselle 57 ④ – 510 h. alt. 185.

Paris 349 – Luxembourg 23 – ♦Metz 52 – Thionville 22 – Trier 57.

Aub. du Blé d'Or, ✆ 82 51 26 66 – AE GB.
fermé 7 au 24 sept., 2 au 15 janv., sam. midi et lundi – **R** 150/210.

PUY DE DÔME 63 P.-de-D. 73 ⑬ ⑭ **G. Auvergne** – alt. 1 465 – ✉ **63870** Orcines.

Voir Balcon d'orientation ★★★.

Droit d'accès au Sommet du Puy-de-Dôme.

Paris 440 – ♦Clermont-Ferrand 14.

Le PUY-EN-VELAY P **43000** H.-Loire **76** ⑦ **G. Vallée du Rhône** – 21 743 h. alt. 630 – Pèlerinage (15 août).

Voir Site★★★ – La cité épiscopale★★★ BY : Cathédrale★★★ (trésor★★ et cloître★★),Trésor d'Art religieux★★, peinture des Arts Libéraux★ dans la chapelle des Reliques – Chapelle St-Michel d'Aiguilhe★★ AY – Rocher Corneille ≤★ BY – Musée Crozatier : section lapidaire★, dentelles★ AZ **M1** – Espaly St-Marcel : ≤★ du rocher St-Joseph 2 km par ④.

Env. Ruines du château de Polignac★ : ✻★ 6 km par ⑤ – Christ★ dans l'église de Lavoûte-sur-Loire et souvenirs de famille★ dans le château de Lavoûte-Polignac 13 km par ①.

Office de Tourisme pl. du Breuil ☎ 71 09 38 41 et 23 r. Tables (juil.-août) ☎ 71 05 99 02.

Paris 548 ④ – Alès 163 ② – Aurillac 167 ④ – Avignon 203 ② – ◆Clermont-Ferrand 130 ④ – ◆Grenoble 184 ① – ◆Lyon 134 ① – Mende 89 ② – ◆St-Étienne 76 ① – Valence 114 ①.

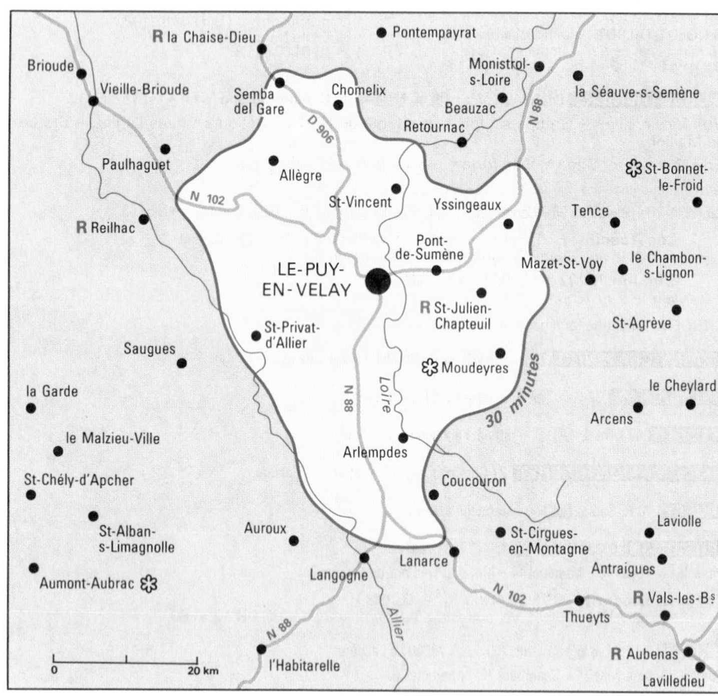

Chris'tel M sans rest, 15 bd A. Clair par D 31 AZ ☎ 71 02 24 44, Télex 990971, Fax 71 02 52 68 – ⎮ ⇌ TV ☎ P – 60. AE ⓓ GB JCB
☐ 40 – **30 ch** 240/360.

Brivas M, à Vals-près-du-Puy par D 31 ☎ 71 05 68 66, Fax 71 05 65 88 – ⎮ TV ☎ ♿ P. AE ⓓ GB JCB
R 90/280 – ☐ 30 – **60 ch** 250/290 – 1/2 P 260.

Parc M sans rest, 4 av. C. Charbonnier ☎ 71 02 40 40, Fax 71 02 18 72 – ⎮ TV ☎. AE ⓓ GB AZ **s**
☐ 35 – **24 ch** 270/355.

Regina M, 34 bd Mar. Fayolle ☎ 71 09 14 71, Télex 990971, Fax 71 02 52 68 – ⎮ TV ☎ – 60. AE ⓓ GB JCB. ✻ rest BZ **d**
R 75/200 – ☐ 35 – **40 ch** 180/360 – 1/2 P 255/295.

Bristol, 7 av. Mar. Foch ☎ 71 09 13 38, Fax 71 09 51 70, – ⎮ ☎ . AE ⓓ GB
fermé vacances de nov. et vacances de fév. – **R** *(fermé dim. soir de nov. à mars et lundi)* 85/150 – ☐ 30 – **37 ch** 195/280 – 1/2 P 190/230. BZ **e**

Licorn'H. M, 25 av. Ch. Dupuy BZ ☎ 71 02 46 22, Télex 393341, Fax 71 02 14 28, – ⎮ TV ☎ ♿ – 240. GB
R 79/96 , enf. 39 – ☐ 36 – **66 ch** 210/280 – 1/2 P 210/240.

LE PUY-EN-VELAY

Aiguière (R. Porte) .... AZ 2
Chaussade (R.) .... BZ
Fayolle (Bd Mar.) .... BZ
Foch (Av. Mar.) .... BZ
Pannessac (R.) .... AY
St-Gilles (R.) .... AZ
St-Louis (Bd) .... AZ

Bouillon (R. du) .... BY 5
Card.-de-Polignac (R.) .. BY 8
Charmarlenc (R. du) .... AY 10
Chênebouterie (R.) .... AY 13
Collège (R. du) .... BZ 17
Consulat (R. du) .... AY 19
Courrerie (R.) .... AZ 20
Crozatier (R.) .... BZ 23
Dr-Chantemesse (Av.) . AY 24
For (Pl. du) .... BY 27
Gambetta (Bd) .... AY 30
Grangevieille (R.) .... AY 32
Martouret (Pl. du) .... ABZ 35
Monteil (Pl. A. de) .... AY 36
Plot (Pl. du) .... AZ 38
République (Bd. de la) .... BY 39
Roche-Taillade (R.) .... AY 42
St-François-Régis (R.) .... BY 43
St-Georges (R.) .... BY 45
St-Jean (R. du Fg) .... BY 46
Séguret (R.) .... AY 48
Tables (Pl. des) .... AY 49
Tables (R. des) .... AY 52
Vallès (R. J.) .... BY 54
Vaneau (R.) .... AY 55

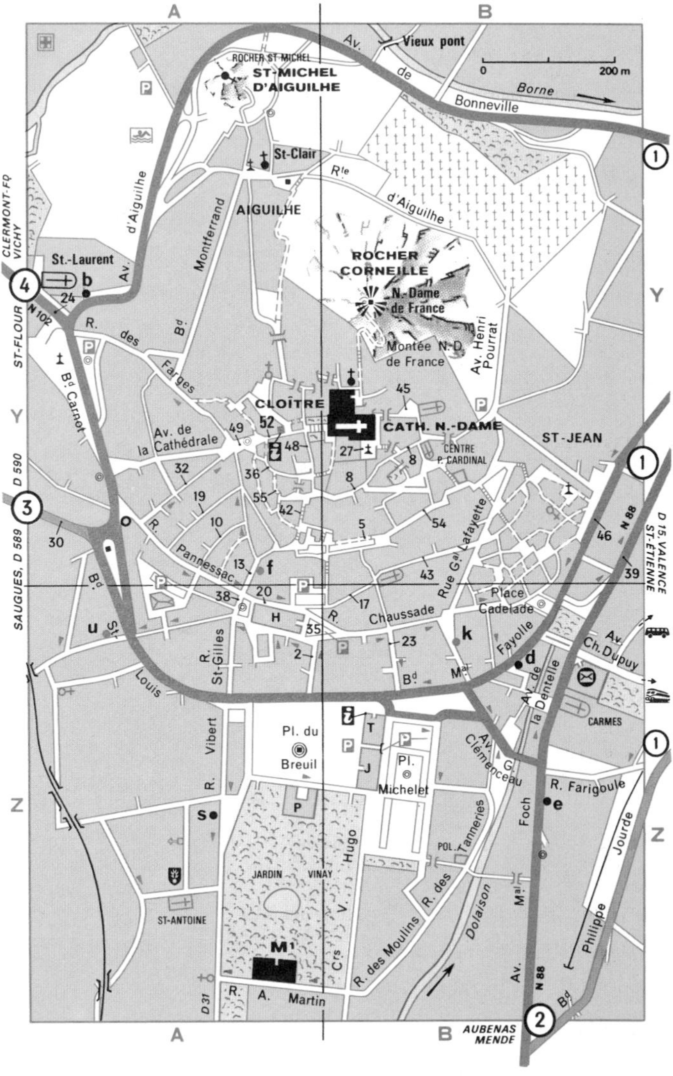

Dans la liste des rues des plans de villes, les noms en rouge indiquent les principales voies commerçantes.

Ibis M, 1 av. Aiguilhe ✆ 71 02 22 22, Télex 392519, Fax 71 09 22 96 – 40. GB AY **b**
R 80 , enf. 40 – 30 – **57 ch** 270/290.

Val Vert, rte Mende par ② : 1,5 km sur N 88 ✆ 71 09 09 30, Fax 71 09 36 49 – GB
fermé 15 déc. au 15 janv. et dim. du 1er nov. à Pâques – **R** (dîner seul.) (résidents seul.) 70/72 – 27 – **26 ch** 160/260 – ½ P 192/228.

Urbis sans rest, 47 bd Mar. Fayolle ✆ 71 09 32 36, Fax 71 09 20 97 – GB
32 – **50 ch** 270/290. BZ

Dyke H. sans rest, 37 bd Mar. Fayolle ✆ 71 09 05 30 – AE GB BZ
30 – **15 ch** 190/250.

Tournayre, 12 r. Chênebouterie ✆ 71 09 58 94 – GB AY **f**
fermé 15 au 30 oct., vacances de fév., lundi hors sais. et dim. soir – **R** 95/280.

Bateau Ivre, 5 r. Portail d'Avignon ✆ 71 09 67 20 – GB BZ **k**
fermé 15 au 30 nov., dim. (sauf juil.-août) et lundi – **R** 100/170.

Lapierre, 6 r. Capucins ✆ 71 09 08 44 – GB AZ **u**
fermé 15 au 30 juin, 1er au 11 oct., 20 déc. au 3 janv., sam. midi et dim. sauf juil.-août – **R** 100/230 .

au Pont de Sumène : 8 km par ①, N 88 et VO – ✉ **43540** Blavozy :

Moulin de Barette , ✆ 71 03 00 88, Télex 393316, Fax 71 03 00 51, parc, , – cuisinette – 50 à 500. GB
fermé 15 déc. au 20 fév., dim. soir et lundi du 1er sept. au 1er mai – **R** 70/230 , enf. 54 – 43 – **30 ch** 250/360, 12 studios 255/450 – ½ P 260/330.

CITROEN Pouderoux, ZI de Corsac à Brives-Charensac par ① ✆ 71 05 44 88
FIAT Gar. Roche, 53 r. Gazelle ✆ 71 05 64 64
FORD Velay-Autom., ZI à Brives-Charensac ✆ 71 09 61 35
OPEL Gar. Trescarte, 26 bd République ✆ 71 05 56 44
PEUGEOT-TALBOT Gd Gar. de Corsac, ZI de Corsac à Brives-Charensac par ① ✆ 71 09 39 55
RENAULT Gd Gar. Velay, ZI de Corsac à Brives-Charensac par ① ✆ 71 02 36 55 N
TOYOTA Escudero, 18 bd République ✆ 71 09 02 81
Gar. Bonnet, 44 bd St-Louis ✆ 71 09 20 59
Gar. du Parc, 6 pl. Cl.-Charbonnier ✆ 71 09 32 03

Chaussende Pneus, ZI de Corsac à Brives-Charensac ✆ 71 02 05 01
Pascal-Pneu, La Chartreuse à Brives-Charensac ✆ 71 09 35 89
R.I.P.A., 44 av. Ch.-Dupuy à Brives-Charensac ✆ 71 02 13 41

PUY-L'ÉVÊQUE 46700 Lot 79 ⑦ G. Périgord Quercy – 2 209 h. alt. 110.

Paris 589 – Cahors 31 – Gourdon 39 – Sarlat-la-Canéda 53 – Villeneuve-sur-Lot 43.

Bellevue, ✆ 65 21 30 70, ≤ vallée du Lot, , , – . AE GB
15 mars-15 nov. et fermé dim. soir et lundi d'oct. à juin – **R** 87/263 , enf. 46 – 30 – **15 ch** 149/249 – ½ P 200/260.

à Touzac O : 8 km par D 8 – ✉ **46700** :

La Source Bleue , ✆ 65 36 52 01, Fax 65 24 65 69, ≤, , « Parc au bord du Lot », – – 25. AE GB JCB
12 avril-1er nov. – **R** *(fermé mardi)* 130/200, enf. 65 – 35 – **12 ch** 250/410 – ½ P 260/360.

à Montcabrier NO : 10 km par D 911, D 68 et D 58 – ✉ **46700** :

Relais de la Dolce M , ✆ 65 36 53 42, , parc, – . AE GB. rest
hôtel : 17 avril-31 oct. ; rest. : 1er juin-30 sept. – **R** 120/190 carte le midi – 30 – **11 ch** 390 – ½ P 345.

à Mauroux SO : 12 km par D 8 et D 5 – ✉ **46700** :

Le Vert avec ch, ✆ 65 36 51 36, , – . AE GB
fermé 1er au 6 mars et 1er déc. au 15 fév. – **R** *(fermé vend. midi et jeudi)* 100/190, enf. 50 – 30 – **7 ch** 240/320 – ½ P 260/300.

FIAT LADA Gar. Foissac ✆ 65 21 30 10
RENAULT Gar. Cros ✆ 65 21 30 49

PUYMIROL 47270 L.-et-G. 79 ⑮ G. Pyrénées Aquitaine – 777 h. alt. 153.

Golf Club d'Espalais ✆ 63 29 04 56, S par D 248 : 13 km.

Paris 636 – Agen 17 – Moissac 32 – Villeneuve-sur-Lot 31.

L'Aubergade (Trama) M , 52 r. Royale ✆ 53 95 31 46, Fax 53 95 33 80, , « Maison du 13e siècle » – ch – 40. AE GB
fermé fév. et lundi du 1er oct. à Pâques sauf fériés – **R** 270/450 et carte, enf. 80 – 90 – **10 ch** 1050/1200 – ½ P 900
Spéc. Lasagne de homard au fumet de truffe,Hamburger de foie gras chaud, Cristalline de pomme verte. **Vins** Buzet, Côtes de Duras.

PUYOO 64270 Pyr.-Atl. 78 ⑦ ⑧ – 1 007 h. alt. 41.

Paris 766 – Pau 59 – Dax 28 – Orthez 11,5 – Peyrehorade 16 – Salies-de-Béarn 8 – Tartas 40.

Voyageurs, N 117 ✆ 59 65 12 83, Fax 59 65 15 42, , – . GB
fermé vacances de Noël, 1er au 15 fév., dim. soir et lundi – **R** 70/160 – 23 – **16 ch** 130/250 – ½ P 120/180.

PUY-ST-VINCENT 05290 H.-Alpes 77 ⑰ – 235 h. alt. 1 390 – Sports d'hiver : 1 400/2 700 m 1 14.

Voir Les Prés ≤★ SE : 2 km, **G. Alpes du Sud.**

Maison du Tourisme Bâtiment Communal ☎ 92 23 35 80, Télex 405948.

Paris 706 – Briançon 20 – Gap 82 – L'Argentière-la-B. 9,5 – Guillestre 29 – Pelvoux (Commune de) 7,5.

Saint-Roch, aux Prés E : 1 km par D 4 ☎ 92 23 32 79, Fax 92 23 45 11, ≤ vallée et montagnes, – TV ☎ P. GB.
14 juin-3 sept. et 15 déc.-15 avril – **R** (self le midi en hiver) 110/200, enf. 68 – ☐ 42 – **15 ch** 295 – ½ P 280/295.

La Pendine, aux Prés E : 1 km par D 4 ☎ 92 23 32 62, ≤, – ☎ P. GB.
20 juin-12 sept. et 15 déc.-15 avril – **R** 78/180, enf. 55 – ☐ 30 – **28 ch** 170/325 – ½ P 210/275.

PYLA-SUR-MER 33115 Gironde 78 ⑫ **G. Pyrénées Aquitaine** – alt. 7.

Office de Tourisme rond-point du Figuier ☎ 56 54 02 22 et Grande Dune de Pyla (juin-sept.) ☎ 56 22 12 85.

Paris 654 – ◆Bordeaux 65 – Arcachon 7,5 – Biscarrosse 33.

Voir plan d'Arcachon agglomération.

Maminotte sans rest, allée Acacias ☎ 56 54 55 73 – ☎. AE GB. AY n
☐ 33 – **12 ch** 310/400.

Moussours, 35 bd Océan ☎ 56 54 07 94, – GB AY
mars-15 nov. et fermé dim. soir et lundi sauf juil.-août – **R** carte 200 à 280.

La Guitoune avec ch, bd Océan ☎ 56 22 70 10, Fax 56 22 14 39, – ☎ P. AE GB
R 125/185 – ☐ 45 – **21 ch** 250/580 – ½ P 495/550. AY g

à Pilat-Plage S : 3 km par D 218 – ✉ 33115 Pyla-sur-Mer.

Voir Dune★★ : ★★.

Oyana, ☎ 56 22 72 59, ≤ bassin, – ☎. GB
hôtel : 1er avril-30 sept. ; rest. : 1er mai-30 sept. et fermé lundi de mai à juil. – **R** 70/110 – ☐ 28 – **17 ch** 255/320 – ½ P 286/298.

Corniche avec ch, ☎ 56 22 72 11, Fax 56 22 70 21, ≤ bassin, – TV ☎. GB
25 mars-30 oct. – **R** *(fermé merc. sauf juil.-août)* 90/150, enf. 50 – ☐ 40 – **15 ch** 220/550 – ½ P 300/460.

QUARRÉ-LES-TOMBES 89630 Yonne 65 ⑯ **G. Bourgogne** – 735 h. alt. 460.

Paris 235 – Auxerre 72 – Avallon 18 – Château-Chinon 46 – Clamecy 48 – ◆Dijon 97 – Saulieu 28.

aux Lavaults : SE : 5 km par D 10 – ✉ 89630 Quarré-les-Tombes :

Aub. de l'Atre, ☎ 86 32 20 79, « Jardin fleuri » – P. AE GB JCB
fermé 26 nov. au 7 déc., 25 janv. au 10 mars, mardi soir et merc. du 10 sept. au 30 juin – **R** (prévenir) 110/255.

Gar. Naulot ☎ 86 32 23 58

QUATRE-ROUTES-D'ALBUSSAC 19 Corrèze 75 ⑨ – alt. 600 – ✉ 19380 St-Chamant.

Voir Roche de Vic ★ S : 2 km puis 15 mn, **G. Berry Limousin.**

Paris 505 – Brive-la-Gaillarde 27 – Aurillac 74 – Mauriac 69 – St-Céré 40 – Tulle 21.

Roche de Vic, ☎ 55 28 15 87, – TV ☎ P. GB
fermé 2 janv. au 28 fév., lundi hors sais. sauf fériés – **R** 65/160, enf. 45 – ☐ 25 – **13 ch** 110/230 – ½ P 190/220.

Aub. Limousine, ☎ 55 28 15 83, – TV ☎ P. AE GB
fermé 1er nov. au 15 déc. et lundi sauf juil.-août – **R** 50/150 – ☐ 30 – **12 ch** 140/200 – ½ P 200/230.

QUÉDILLAC 35290 I.-et-V. 59 ⑮ – 1 018 h. alt. 76.

Paris 392 – ◆Rennes 40 – Dinan 29 – Lamballe 40 – Loudéac 52 – Ploërmel 42.

Relais de la Rance, ☎ 99 06 20 20, Fax 99 06 24 01 – TV ☎ P. AE GB.
fermé 24 déc. au 19 janv. et dim. soir sauf juil.-août – **Repas** 105/450, enf. 60 – ☐ 35 – **13 ch** 195/375.

Les QUELLES 67 B.-Rhin 62 ⑧ – alt. 530 – ✉ 67130 Schirmeck.

Paris 416 – ◆Strasbourg 59 – St-Dié 51 – Senones 37.

Neuhauser, ☎ 88 97 06 81, Fax 88 97 14 29, ≤, – rest ☎ P. AE GB. rest
fermé 15 au 30 nov., 15 au 31 janv. et merc. sauf juil.-août – **R** 125/290 – ☐ 32 – **14 ch** 220/280 – ½ P 240/280.

QUEMIGNY-POISOT 21220 Côte-d'Or 65 ⑲ – 167 h. alt. 397.

Paris 303 – ◆Dijon 26 – Avallon 96 – Beaune 30 – Saulieu 65.

Orée du Bois, ☎ 80 49 78 77 – GB
fermé 15 déc. au 1er fév., dim. soir du 1er oct. au 30 avril et lundi – **R** 75/160, enf. 50.

Le QUESNOY 59530 Nord 53 ⑤ **G. Flandres Artois Picardie** (plan) – 4 890 h. alt. 125.

Voir Fortifications★.

Office de Tourisme r. Mar.-Joffre ☎ 27 49 05 28.

Paris 222 – ♦Lille 68 – Cambrai 33 – Guise 41 – Maubeuge 33 – Valenciennes 16.

✕ **L'Anzac,** 2 r. Weibel ☎ 27 49 27 49 – GB
fermé 1er au 13 juil., 27 janv. au 17 fév., dim. soir et lundi – **R** 70 bc/165 ₰.

CITROEN Lyskawa ☎ 27 49 02 60

RENAULT Lebrun, 74 chemin des Croix ☎ 27 49 08 36

QUESTEMBERT 56230 Morbihan 63 ④ **G. Bretagne** – 5 076 h. alt. 100.

Paris 433 – Vannes 27 – Ploërmel 35 – Redon 33 – ♦Rennes 87 – La Roche-Bernard 24.

✕✕✕✕ ❀❀ **Bretagne** (Paineau) M avec ch, r. St-Michel ☎ 97 26 11 12, Télex 951801, Fax 97 26 12 37, ⁂ – TV ☎ P. AE GB
fermé 3 janv. au 15 fév., dim. soir et lundi sauf juil.-août et fériés – **R** (nombre de couverts limité - prévenir) 270/480 et carte, enf. 100 – ☐ 72 – **11 ch** 580/950 – ½ P 780/980
Spéc. Huîtres en paquets, Suprême de turbot rôti et jus de veau aux épices, Homard rôti entier. **Vins** Muscadet.

CITROEN Gar. Le Ray ☎ 97 26 10 43
RENAULT Gar. Marquer ☎ 97 26 10 41
N ☎ 97 01 67 84

Questembert Pneus ☎ 97 26 67 72

QUETTEHOU 50630 Manche 54 ③ **G. Normandie Cotentin** – 1 395 h.

Syndicat d'Initiative pl. de la Mairie (15 juin-sept.) ☎ 33 43 63 21.

Paris 348 – Cherbourg 26 – Barfleur 10 – St-Lô 65 – Valognes 15.

Demeure du Perron sans rest, ☎ 33 54 56 09, ⁂ – ☎ ♿ P. AE GB
fermé dim. soir du 15 nov. au 15 mars – ☐ 28 – **18 ch** 179/250.

✕✕ **La Chaumière** avec ch, ☎ 33 54 14 94 – TV ☎. GB
fermé merc. – **R** 55/180 ₰ – ☐ 22 – **5 ch** 120/180 – ½ P 150/165.

CITROEN Gar. Godefroy ☎ 33 54 13 50

RENAULT Gar. Dujardin ☎ 33 54 11 44 N

La QUEUE-EN-BRIE 94 Val-de-Marne 61 ① ②, 101 ㉘ ㉙ – voir à Paris, Environs.

QUEYRAC 33 Gironde 171 ⑯ – rattaché à Lesparre-Médoc.

QUIBERON 56170 Morbihan 63 ⑫ **G. Bretagne** – 4 623 h. alt. 11 – Casino .

Voir Côte sauvage★★ NO : 2,5 km.

Office de Tourisme et Accueil de France (Informations et réservations d'hôtels pas plus de 5 jours à l'avance) 7 r. Verdun ☎ 97 50 07 84, Télex 950538.

Paris 504 ① – Vannes 49 ① – Auray 29 ① – Concarneau 100 ① – Lorient 49 ①.

Plan page suivante

Sofitel M ⛭, pointe du Goulvars ☎ 97 50 20 00, Télex 730712, Fax 97 50 07 34, ≤, centre de thalassothérapie, ☒, ⁂, ✂ – ⬍ ✂ TV ☎ ♿ P – 🏛 40. AE ⓓ GB. ✂ rest — B a
fermé janv. – **Thalassa R** 210/250 ₰, enf. 90 – ☐ 75 – **116 ch** 705/1395, 17 appart. – ½ P 750/953

Ker Noyal ⛭, 51 ch. des Dunes ☎ 97 50 08 41, Fax 97 30 58 20, « Jardin fleuri » – ⬍ TV ☎ P – 🏛 40. AE GB. ✂ — B e
1er mars-31 oct. – **R** 170/190 – ☐ 50 – **100 ch** 440/510 – ½ P 450/485.

Roch Priol ⛭, r. Sirènes ☎ 97 50 04 86, Fax 97 30 50 09 – ⬍ TV ☎ P. GB. ✂ rest
fermé déc. et janv. – **R** 89/245 ₰ – ☐ 32 – **51 ch** 200/350 – ½ P 300/320. — B h

Bellevue ⛭, r. Tiviec ☎ 97 50 16 28, Fax 97 30 44 34, ☒, ⁂ – TV ☎ P. GB. ✂ — B d
29 mars-2 nov. – **R** 135/220 – ☐ 45 – **43 ch** 390/600 – ½ P 360/460.

Petite Sirène, 15 bd R. Cassin ☎ 97 50 17 34, ≤ – cuisinette TV ☎ P. GB. ✂
20 mars-5 nov. – **R** *(fermé merc. hors sais.)* 88/270 – ☐ 35 – **14 ch** 290/370, 19 studios 455/780. — B b

Ibis M, r. Marronniers, pointe du Goulvars ☎ 97 30 47 72, Télex 951935, Fax 97 30 55 78, ⛱, ☒ – TV ☎ ♿ P – 🏛 80. GB — B r
R 89/119 ₰, enf. 49 – ☐ 36 – **96 ch** 425/470, 20 duplex 585/720 – ½ P 365.

Neptune, 4 quai de Houat à **Port Maria** ☎ 97 50 09 62, ≤ – ⬍ TV ☎. GB JCB — A p
fermé 20 déc. au 5 fév. et lundi de nov. à Pâques – **R** 75/260, enf. 50 – ☐ 35 – **22 ch** 260/380 – ½ P 290/320.

Gulf Stream M sans rest, bd Chanard ☎ 97 50 16 96, Fax 97 50 35 64, ≤, ⁂ – TV ☎. AE GB — B g
fermé 15 nov. au 1er fév. – **24 ch** ☐ 450/600.

Druides, 6 r. Port Maria ☎ 97 50 14 74, Fax 97 50 35 72 – ⬍ TV ☎. GB. ✂ ch
hôtel : 28 mars-30 sept. ; rest. : 15 avril-30 sept. – **R** 80/190, enf. 45 – ☐ 38 – **31 ch** 280/480 – ½ P 290/390. — A n

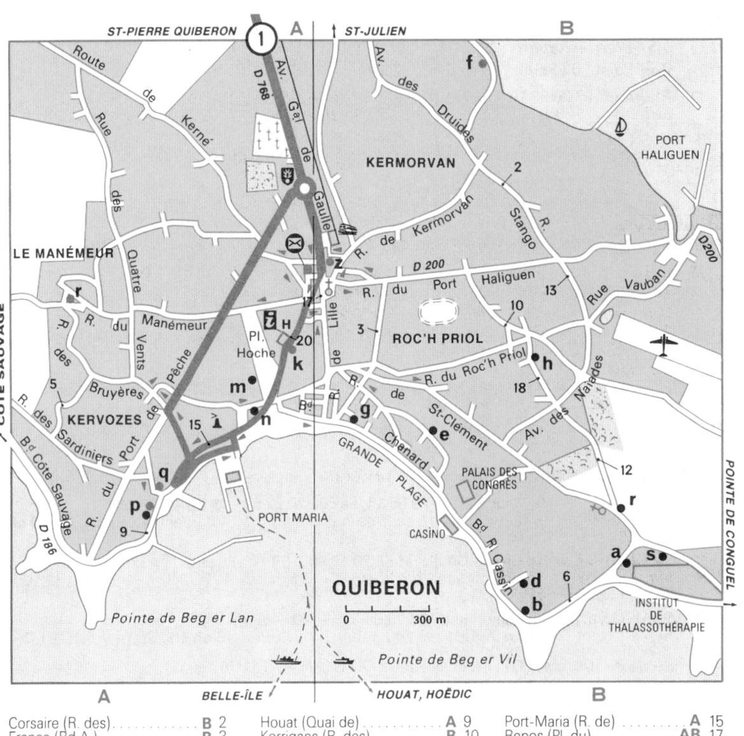

Corsaire (R. des)	**B** 2	Houat (Quai de)	**A** 9	Port-Maria (R. de)	**A** 15
France (Bd A.)	**B** 3	Korrigans (R. des)	**B** 10	Repos (Pl. du)	**AB** 17
Genêts (R. des)	**A** 5	Marronniers (Av. des)	**B** 12	Sirènes (R. des)	**B** 18
Goviro (Bd du)	**B** 6	Peupliers (R. des)	**B** 13	Verdun (R. de)	**A** 20

XX **Le Relax,** 27 bd Castero à la plage de Kermorvan ✆ 97 50 12 84, ≤, 🏖, 🛋 – Ⓟ. ⓓ GB
fermé 23 nov. au 4 déc., 1er janv. au 10 fév., dim. soir et lundi du 15 sept. au 30 juin – **R** 58/160 ₰, enf. 38. B **f**

XX **La Roseraie,** 2 quai Houat à Port-Maria ✆ 97 30 40 83 – AE ⓓ GB A **p**
fermé 3 janv. au 15 fév., merc. midi et mardi sauf du 1er juil. au 15 sept. – **R** 135/190.

XX **Le Taste-Vin,** r. Bons Enfants ✆ 97 30 55 75 – GB B **z**
fermé 8 au 30 janv., mardi midi et lundi sauf juil.-août – **R** carte 270 à 400.

XX **Ancienne Forge,** 20 r. Verdun ✆ 97 50 18 64 – AE GB A **k**
fermé 10 janv. au 15 fév., merc. de sept. à juin et lundi midi en juil.-août – **R** 62/160.

XX **La Goursen,** quai Océan à **Port Maria** ✆ 97 50 07 94 – GB A **q**
avril-nov. et fermé mardi midi en juil.-août, merc. midi et mardi hors sais. – **R** carte 160 à 290.

X **La Chaumine,** à Manémeur ✆ 97 50 17 67 – GB A **r**
19 mars-1er nov. et fermé dim. soir et lundi sauf juil.-août – **R** 135/250, enf. 55.

*à **Port Haliguen*** E : 2 km par D 200 – ✉ **56170** Quiberon :

Europa, ✆ 97 50 25 00, Fax 97 50 39 30, ≤, ₺, 🏊, 🛋 – |$| cuisinette TV ☎ Ⓟ. GB. ✗ rest
1er mars-15 nov. – **R** 130/150, enf. 65 – ☐ 40 – **54 ch** 290/460, 12 studios – 1/2 P 360/420.

*à **St-Julien*** N : 2 km – ✉ **56170** Quiberon :

Baie 🐚 sans rest, ✆ 97 50 08 20 – ☎ Ⓟ. GB
Pâques-30 sept. – ☐ 25 – **19 ch** 180/300.

Au Vieux Logis 🐚, ✆ 97 50 12 20, 🏖 – ☎ Ⓟ. GB. ✗ rest
hôtel : Pâques-fin sept. ; rest. : 1er mai-20 sept. – **R** 65/200, enf. 40 – ☐ 26 – **22 ch** 160/240 – 1/2 P 220/260.

à St-Pierre-Quiberon N : 4,5 km par D 768 – ✉ **56510**.

Voir Pointe du Percho ≤ ★ au NO : 2,5 km.

Plage, ℘ 97 30 92 10, Fax 97 30 99 61, ≤ – |‡| cuisinette TV ☎ P. AE ⓓ GB. ✗ rest
avril-mi-oct. – **R** 90/160, enf. 65 – ☕ 42 – **49 ch** 260/568 – ½ P 270/428.

CITROEN Gar. St-Christophe, 21 av. Gén.-de-Gaulle par ① ℘ 97 50 07 71
PEUGEOT Gar. Le Garrec, 6 av. Gén.-de-Gaulle par ① ℘ 97 50 08 01
RENAULT S.O.D.A.P., 12 av. Gén.-de-Gaulle par ① ℘ 97 50 07 42 N

QUIBERVILLE **76860** S.-Mar. 52 ③ – 429 h. alt. 74.

Paris 182 – Dieppe 18 – ♦Rouen 59 – St-Valery-en-Caux 18.

L'Huitrière, ℘ 35 83 02 96, Fax 35 04 28 23 – TV ☎ P. GB
1er fév.-15 nov. – **R** 120/220 – ☕ 32 – **19 ch** 225/300 – ½ P 235/285.

Les Falaises, ℘ 35 83 04 03, Fax 35 04 28 23 – TV ☎ P. GB
1er fév.-15 nov. – **R** 90/180 – ☕ 32 – **14 ch** 220/270 – ½ P 245/285.

QUIÉVRECHAIN **59** Nord 53 ⑤ – rattaché à Valenciennes.

QUILLAN **11500** Aude 86 ⑦ **G. Pyrénées Roussillon** – 3 818 h. alt. 291.

Voir Défilé de Pierre Lys★ S : 5 km.

☐ Office de Tourisme pl. Gare ℘ 68 20 07 78.

Paris 822 – Foix 61 – Andorre 116 – Carcassonne 52 – Limoux 27 – ♦Perpignan 75 – Prades 61.

Cartier, bd Ch. de Gaulle ℘ 68 20 05 14, Fax 68 20 22 57 – |‡| TV ☎. AE GB
15 mars-15 déc. – **R** *(fermé sam. sauf de mai à sept.)* 77/140 ♂, enf. 42 – ☕ 33 – **30 ch** 217/326 – ½ P 250/280.

La Chaumière, bd Ch. de Gaulle ℘ 68 20 17 90 – TV ☎ ⇔. GB. ✗ ch
fermé 1er déc. au 7 janv. et sam. du 1er janv. au 31 mars – **R** 70/240 ♂, enf. 45 – ☕ 33 – **36 ch** 130/360 – ½ P 190/310.

Pierre Lys, av. Carcassonne ℘ 68 20 08 65, ≤, 🌳 – ☎ P. GB
fermé mi-nov. à mi-déc. – **Repas** 65/240 ♂, enf. 50 – ☕ 30 – **16 ch** 150/250 – ½ P 160/175.

au Sud : 10 km sur D117 (carrefour D117 - D107) – ✉ **11140** Axat :

XX **Rébenty,** ℘ 68 20 50 78 – AE GB
fermé 16 au 30 mars, 28 sept. au 24 oct., dim. soir et lundi – **R** 88/125.

CITROEN Nivet, rte de Carcassonne, N 118 ℘ 68 20 04 27
PEUGEOT-TALBOT Gar. Roosli, 4 bd Ch.-de-Gaulle ℘ 68 20 01 01
RENAULT Gar. Escur, rte de Carcassonne, ZA ℘ 68 20 06 66 N ℘ 68 20 01 79
V.A.G Gar. Dubois, ZA, rte de Carcassonne ℘ 68 20 07 92
Ⓜ Saunier, 65 bd Ch.-de-Gaulle ℘ 68 20 00 49

QUIMPER P **29000** Finistère 58 ⑮ **G. Bretagne** – 59 437 h. alt. 8.

Voir Cathédrale★★ BZ – Grandes fêtes de Cornouaille★ (fin juillet) – Le vieux Quimper★ : Rue Kéréon★ ABY – Jardin de l'Évêché ≤★ BZ **K** – Mont-Frugy ≤★ ABZ – Musées : Beaux-Arts★★ BY **H**, Breton★ BZ **M**, Faïenceries de Quimper★ AX **B** – Descente de l'Odet★★ en bateau 1 h 30.

⛳9 de Quimper et de Cornouaille ℘ 98 56 97 09 ; à la Forêt-Fouesnant par ④ : 17 km ; ⛳9 ⛳18 de l'Odet ℘ 98 54 87 88 par ⑤, D 34 puis D 134 : 12 km.

✈ de Quimper-Pluguffan : ℘ 98 94 01 28, par D 40 : 8 km AX.

🚗 ℘ 98 90 50 50.

☐ Office de Tourisme avec A.C. pl. Résistance ℘ 98 53 04 05.

Paris 557 ③ – ♦Brest 72 ① – Lorient 66 ③ – ♦Rennes 208 ③ – St-Brieuc 130 ① – Vannes 119 ③.

Plan pages suivantes

Griffon et rest. Créach Gwenn M, 131 rte Bénodet ℘ 98 90 33 33, Télex 940063, Fax 98 53 06 67, 🏊, 🌳 – ⇔ ch TV ☎ P – 🏛 30 à 150. AE ⓓ GB JCB
fermé 24 déc. au 2 janv. – **R** *(fermé 20 déc. au 5 janv.)* 90/200 – ☕ 45 – **49 ch** 345/450.

Novotel M, par bd Le Guennec, près centre commercial de Kerdrezec ℘ 98 90 46 26, Télex 941362, Fax 98 53 01 96, 🌳, 🏊 – |‡| ⇔ ch ▤ rest TV ☎ ♿ P – 🏛 200. AE ⓓ GB
R carte environ 160, enf. 50 – ☕ 47 – **92 ch** 400/480.

Tour d'Auvergne, 13 r. Réguaires ℘ 98 95 08 70, Télex 941100, Fax 98 95 17 31 – |‡| TV ☎ P. AE GB — BZ **e**
R *(21 avril-30 sept.)* 150/220, enf. 75 – ☕ 40 – **43 ch** 230/435 – ½ P 353/400.

Gradlon sans rest, 30 r. Brest ℘ 98 95 04 39, Fax 98 95 61 25 – TV ☎. AE ⓓ GB. ✗
fermé 29 déc. au 11 janv. – ☕ 42 – **24 ch** 350/595. — BY **a**

Relais Arcade M sans rest, 21 bis av. gare ℘ 98 90 31 71, Télex 941224, Fax 98 53 09 81, 🌳 – |‡| TV ☎ ♿ P – 🏛 40. AE ⓓ GB — BX **a**
☕ 32 – **63 ch** 250/355.

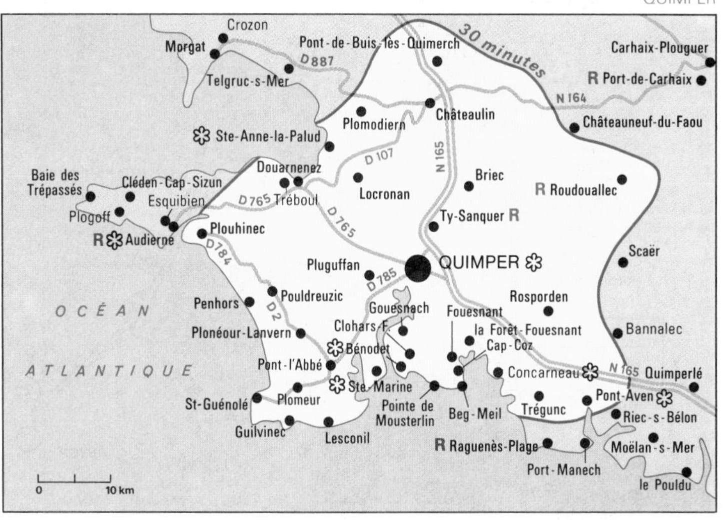

Ibis M, r. G. Eiffel ✆ 98 90 53 80, Télex 940007, Fax 98 52 18 41 – TV ☎ ♿ P – 🏛 60. GB — BV f
R 79 ♨, enf. 39 – ☐ 32 – **72 ch** 270/310 – ½ P 260.

Sapinière sans rest, rte Bénodet par ⑤ : 4 km ✆ 98 90 39 63, Télex 940034, 🎾 – TV ☎ P – 🏛 100. AE ⓓ GB. ✻
fermé 15 sept. au 15 oct. – ☐ 32 – **39 ch** 120/240.

XXX **Les Acacias,** au S: Z.A. Creac'h Gwen ✆ 98 52 15 20, ☂ – P. AE GB
fermé dim. soir et lundi – **R** 155/280.

XXX ✿ **Le Capucin Gourmand** (Conchon), 29 r. Réguaires ✆ 98 95 43 12 – GB — BZ r
fermé 6 au 27 juil., vacances de fév., sam. (sauf le soir d'oct. à mai) et dim. – **R** 200/350
Spéc. Saint-Jacques poêlées au naturel (oct. à mars), Saint-Pierre et pleurotes sautés "framboisine" (mai à oct.), Homard rôti au beurre de corail.

XX **L'Ambroisie,** 49 r. Elie Fréron ✆ 98 95 00 02 – AE ⓓ GB — BY u
fermé lundi soir hors sais. – **R** 99/240, enf. 58.

XX **Fleur de Sel,** 1 quai Neuf ✆ 98 55 04 71 – GB — AX v
fermé 1er au 10 mai, 24 déc. au 7 janv., sam. midi et dim. – **R** 95/150.

à Ty Sanquer : 7 km par ① et D 770 – ✉ **29000** Quimper :

XX **Aub. Ty Coz,** ✆ 98 94 50 02 – ✻ P. GB
fermé 24 avril au 14 mai, 10 sept. au 3 oct., dim. soir et lundi – **Repas** 85/210.

au S : 5 km par ancienne rte de Pont-l'Abbé – ✉ **29700** Pluguffan :

XXX **La Roseraie de Bel Air,** ✆ 98 53 50 80, 🌳 – P. GB
fermé dim. soir et lundi – **R** 240.

à Pluguffan O : 7 km par D 40 AX – 3 238 h. – ✉ **29700** :

La Coudraie 🐌 sans rest, impasse du Stade ✆ 98 94 03 69, 🌳 – TV ☎ P. GB
fermé vacances de Pâques, de nov., de fév., sam. et dim. hors sais. – ☐ 28 – **11 ch** 190/260.

ALFA-ROMEO Jourdain, 36 rte de Bénodet ✆ 98 90 60 64
AUSTIN-ROVER Kemper-Autom., 13 av. Libération ✆ 98 90 18 49
CITROEN S.C.A.F. Diffusion Automobiles, rte de Bénodet à Ménez-Bily par ⑤ ✆ 98 90 33 47 N ✆ 98 90 28 05
FORD Bretagne-Autom., 105 av. de Ty-Bos ✆ 98 90 32 00 N ✆ 98 90 28 05
MERCEDES-BENZ Belléguic, ZI rte de Coray, ✆ 98 90 03 69 N ✆ 98 90 24 24
PEUGEOT-TALBOT Gar. G. Nédélec, 66 rte de Brest ✆ 98 95 42 74
RENAULT Gar. de l'Odet, ZAC de Kernevez rte de Douarnenez par ⑦ ✆ 98 55 29 46
V.A.G Gar. Honoré, KM 4 rte de Rosporden ✆ 98 94 63 00

Ⓜ Bégot Pneus, 79 rte de Brest ✆ 98 95 09 33
Lorans-Pneus Pneu + Armorique, r. O.-de-Serre ZI Hippodrome ✆ 98 53 35 26
Nouveaux Ets CAP, r. Lebon ZI Hippodrome ✆ 98 90 18 87
Simon Pneus, Le Melenec, rte d'Elliant à Ergué-Gabéric ✆ 98 90 17 73

QUIMPER

Astor (R.) AYZ 2
Chapeau-Rouge (R.) AY 9
Kéréon (R.) AY
Kerguélen (Bd de) BZ 23
Parc (R. du) ABZ 34
St-François (R.) BZ 45
St-Mathieu (R.) AZ 47

Bécharles (Av. de) BV 3
Beurre (Pl. au) BY 4
Boucheries (R. des) BY 6
Concarneau (R. de) BX 10
Frugy (R. du) ABX 14
Gare (Av. de la) BX 15
Guéodet (R. du) BY 16
Jacob (Pont Max) AZ 18
Le Hars (R. Th.) BZ 24
Libération (Av. de la) BX 25

Locmaria (Allées) AZ 26
Luzel (R.) BY 28
Mairie (R. de la) BY 29
Moulin-Vert (R. du) AV 30
Pont-l'Abbé (R. de) AX 35
Potiers (Ch. des) BX 37
Poulguinan (Bd de) AX 38
Résistance et du Gén. de Gaulle (Pl. de la) AZ 40

Ronarc'h (R. Amiral) AZ 42
St-Corentin (Pl.) BZ 43
Ste-Catherine (R.) BZ 48
Sallé (R. du) BY 52
Steir (Q. du) AZ 53
Terre-aux-Ducs (Pl.) AY 54
Tourbie (Pl. de la) BY 57
Tour-d'Auvergne (R.) BX 58
Ty-Nay (Rte de) BV 60

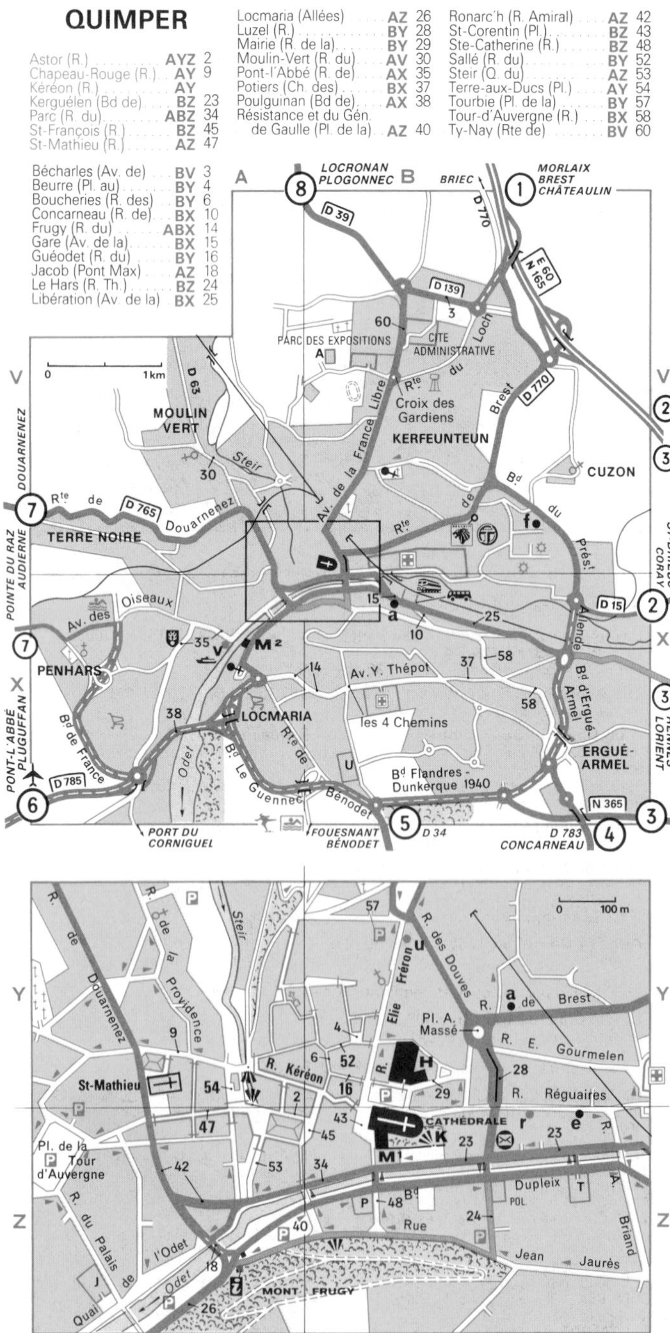

QUIMPERLÉ 29300 Finistère 58 ⑫ ⑰ **G. Bretagne** (plan) – 10 748 h. alt. 35.

Voir Église Ste-Croix★★ – Rue Dom-Morice★.

Office de Tourisme Pont Bourgneuf ✆ 98 96 04 32.

Paris 511 – Quimper 48 – Carhaix-Plouguer 55 – Concarneau 31 – Pontivy 54 – ◆Rennes 162 – St-Brieuc 111 – Vannes 73.

- **Novalis** M sans rest, rte Concarneau : 1,5 km ✆ 98 39 24 00, Fax 98 39 12 10 – TV ☎ ♿ P – 🧑‍🏫 60. AE GB
  ☕ 30 – **25 ch** 220/240.
- XX **Relais du Roch,** S : 2 km par D 49 ✆ 98 96 12 97 – P. GB
  fermé 7 au 15 oct., 2 au 15 janv., dim. soir hors sais. et lundi – **R** 82/350, enf. 40.
- XX **Bistro de la Tour,** 2 r. Dom. Morice ✆ 98 39 29 58 – AE GB
  fermé sam. midi et dim. soir (hors sais.) et lundi – **R** 99/150.
- X **Aub. de Toulfoën** avec ch, S : 3 km par D 49 ✆ 98 96 00 29 – P. AE ⓓ GB. ✻ ch
  fermé 25 sept. au 31 oct., lundi sauf juil.-août – **R** 90/230 – ☕ 28 – **6 ch** 120/340.

CITROEN Gar. Gaudart, rte de Quimper à Roz-Glass ✆ 98 96 20 30
FIAT Central Auto, 22 rte de Lorient ✆ 98 39 08 39
OPEL Auto Service 29, ZAC de Kervidannou ✆ 98 96 14 74
RENAULT Sodiqa, 117 r. de Pont-Aven ✆ 98 39 34 60
V.A.G Gar. Quimperlois, 41 rte de Lorient ✆ 98 39 32 24

Lorans-Pneus Pneu + Armorique, 40 rte de Quimper ✆ 98 96 01 39

QUINCIÉ-EN-BEAUJOLAIS 69430 Rhône 73 ⑨ – 1 059 h. alt. 319.

Paris 422 – Roanne 68 – Beaujeu 6,5 – Bourg-en-Bresse 51 – ◆Lyon 57 – Mâcon 30.

- **Mont-Brouilly,** E : 2,5 km par D 37 ✆ 74 04 33 73, Fax 74 69 00 72, 🌳 – ▤ rest TV ☎ ♿ P – 🧑‍🏫 30. AE GB
  fermé fév., 20 au 28 déc., lundi (sauf le soir d'avril à sept.) et dim. d'oct. à mars – **R** 85/260, enf. 50 – ☕ 35 – **29 ch** 240/300 – ½ P 230/245.
- XX **Aub. du Pont des Samsons,** E : 2,5 km par D 37 ✆ 74 04 32 09, 🏡 – P. GB
  fermé 23 juin au 9 juil., 2 au 21 janv., mardi soir et merc. – **R** 95/195 🍷.

QUINÉVILLE 50310 Manche 54 ③ **G. Normandie Cotentin** – 306 h. alt. 30.

9 de Fontenay en Cotentin ✆ 33 21 44 27 par D 421.

Paris 341 – Cherbourg 35 – Bayeux 73 – St-Lô 58.

- **Château de Quinéville** 🐦, ✆ 33 21 42 67, parc – ☎ ♿ P. AE GB. ✻ rest
  fermé 3 janv. au 31 mars – **R** *(fermé merc. soir et le midi d'oct. à janv.)* 130/180 – ☕ 42 – **20 ch** 360/390 – ½ P 310/325.

QUINSAC 33360 Gironde 75 ⑪ – 1 866 h. alt. 49.

Paris 591 – ◆Bordeaux 13 – Langon 33 – Libourne 33.

- XX **Robinson** 🐦 avec ch, SE : 2 km sur D 10 ✆ 56 21 31 09, ≤, 🏡, 🌳, 🎾 – ☎ P. AE ⓓ GB
  fermé 15 janv. au 15 fév. – **R** 130/185 – ☕ 35 – **5 ch** 300.

QUINSON 04480 Alpes-de-H.-P. 84 ⑤ – 274 h. alt. 370.

Paris 792 – Digne 60 – Aix-en-Provence 75 – Brignoles 44 – Castellane 75.

- **Notre-Dame,** ✆ 92 74 40 01, 🏡, 🏊 – ☎ P. GB. ✻ ch
  ◆ *fermé 1er déc. au 10 mars, dim. soir et lundi de sept. à Pâques* – **R** 75/170, enf. 37 – ☕ 35 – **14 ch** 137/265 – ½ P 197/248.

QUINTIN 22800 C.-d'Armor 59 ⑫ ⑬ **G. Bretagne** – 2 602 h. alt. 179.

Paris 465 – St-Brieuc 19 – Guingamp 30 – Lamballe 35 – Loudéac 31.

- **Commerce,** r. Rochonen ✆ 96 74 94 67 – TV ☎. GB
  ◆ *fermé 17 nov. au 9 déc.* – **R** *(fermé dim. soir et lundi midi sauf juil.-août et fériés)* 65/180 🍷 – ☕ 25 – **13 ch** 140/260 – ½ P 168/223.

PEUGEOT Auto Quintinaise, Les Quartiers à St-Brandan ✆ 96 74 87 96 N ✆ 96 74 83 31
RENAULT Gar. du Gouet, r. de St-Eutrope à St-Brandan ✆ 96 74 83 99

RABASTENS 81800 Tarn 82 ⑨ **G. Pyrénées Roussillon** – 3 825 h. alt. 123.

Voir Chapiteaux★ de l'église N.-D.-du-Bourg.

Syndicat d'Initiative r. A.-Clausade (saison) ✆ 63 33 70 18.

Paris 674 – ◆Toulouse 35 – Albi 40 – Carcassonne 127 – Castres 57 – Lavaur 18 – Montauban 44.

- **Pré Vert,** prom. Lices ✆ 63 33 70 51, 🏡, 🌳 – ☎ P. GB
  fermé déc., dim. soir et lundi midi – **R** 90/170 🍷, enf. 45 – ☕ 27 – **14 ch** 180/300 – ½ P 280/320.

PEUGEOT, TALBOT Bourdet, à Coufouleux ✆ 63 33 71 66
RENAULT Mouisset ✆ 63 33 75 23 N

RABOT 41 L.-et-Ch. 64 ⑨ – rattaché à Lamotte-Beuvron.

RAGUENÈS-PLAGE **29** Finistère 58 ⑪ **G. Bretagne** – ✉ **29139** Névez.

Paris 540 – Quimper 42 – Carhaix-Plouguer 69 – Concarneau 17 – Pont-Aven 11 – Quimperlé 29.

- **Chez Pierre** ⑤, ☎ 98 06 81 06, ⛱, 🌳 – ☎ Ⓟ. GB. ✂ rest
  10 avril-28 sept. et fermé merc. du 17 juin au 16 sept. – **Repas** 95/235, enf. 70 – ☕ 27 – **29 ch** 180/355 – ½ P 215/307.
- **Men Du** ⑤ sans rest, ☎ 98 06 84 22, ≤, 🌳 – ☎ Ⓟ. GB. ✂
  3 avril-29 sept. – ☕ 30 – **14 ch** 240/290.

Le RAINCY **93** Seine-St-Denis 56 ⑪ – voir à Paris, Environs.

RAISMES **59** Nord 53 ④ – rattaché à Valenciennes.

RAMATUELLE **83350** Var 84 ⑰ **G. Côte d'Azur** – 1 945 h. alt. 135.

Voir Col de Collebasse ≤★ S : 4 km.

Paris 878 – Fréjus 36 – Hyères 53 – Le Lavandou 36 – St-Tropez 9,5 – Ste-Maxime 16 – ♦Toulon 73.

- **Le Baou** ⑤, ☎ 94 79 20 48, Télex 462152, Fax 94 79 28 36, ≤ vieux village et mer, ⛱, 🏊, 🌳 – |♦| TV ☎ Ⓟ. AE ⓞ GB. ✂ rest
  1er mars-15 nov. – **R** 260/350 – ☕ 60 – **41 ch** 700/1600.
- **Ferme d'Hermès** ⑤ sans rest, rte l'Escalet, SE : 2,5 km ☎ 94 79 27 80, Fax 94 79 26 86, « Demeure provençale dans le vignoble », 🏊, 🌳 – cuisinette TV ☎ Ⓟ. GB
  1er avril-31 oct. – ☕ 60 – **10 ch** 650/900.

à la Bonne Terrasse E : 5 km par D 93 et rte Camarat – ✉ **83350** Ramatuelle :

- **Chez Camille,** ☎ 94 79 80 38, ≤, produits de la mer – Ⓟ. GB
  1er avril-30 sept. et fermé mardi sauf le soir du 16 juin au 15 sept. – **R** (en saison, prévenir) 160/450.

RAMBOUILLET ⟨SP⟩ **78120** Yvelines 60 ⑧ ⑨ 106 ㉗ ㉘ **G. Ile de France** – 24 343 h. alt. 160.

Voir Boiseries★ du château Z – Parc★ YZ : laiterie de la Reine★ Z **B**, chaumière des coquillages★ Z **E** – Bergerie nationale★ Z – Forêt de Rambouillet★.

⛳ de Maintenon (28) ☎ 37 27 18 09, par ④ : 22 km.

ℹ Office de Tourisme à l'Hôtel de Ville ☎ (1) 34 83 21 21.

Paris 51 ① – Chartres 41 ③ – Etampes 39 ③ – Mantes-la-Jolie 48 ① – ♦Orléans 89 ③ – Versailles 31 ①.

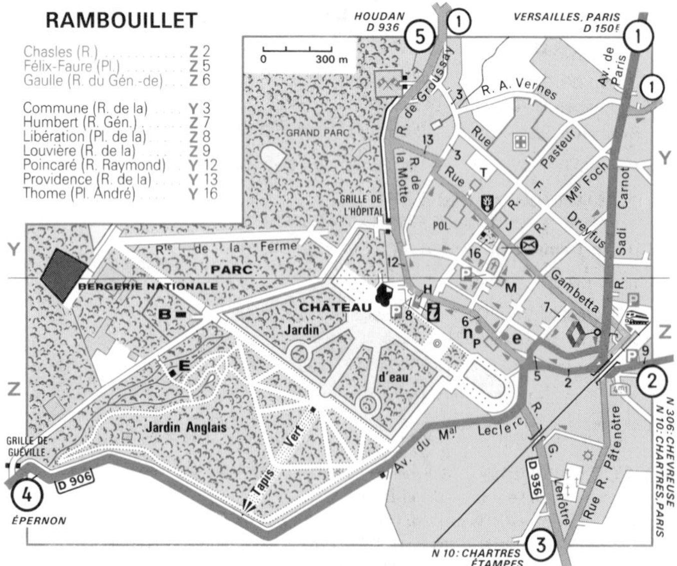

- **Climat de France** M, N 10 par ② ☎ (1) 34 85 62 62, Télex 695645, Fax (1) 30 59 23 57, 🏊, 🎾 – TV ☎ & Ⓟ – 🏛 30. AE GB
  R 80/120 🍷, enf. 38 – ☕ 29 – **67 ch** 225/269.
- La Bonne Étoile sans rest, Le Bel Air N 10 par ③ ☎ (1) 34 85 58 58 – TV ☎ & Ⓟ – 🏛 40
  44 ch.

XX **Cheval Rouge,** 78 r. Gén. de Gaulle ✆ (1) 30 88 80 61, 🏞 – ▤. AE ⓓ GB Z n
fermé 14 juil. au 4 août et dim. soir – **R** 125/200.

X **Poste,** 101 r. Gén. de Gaulle ✆ (1) 34 83 03 01 – AE GB Z e
fermé 4 au 10 janv., dim. soir et lundi sauf fêtes – **R** 112/180 ♂.

aux Chaises par ④ et D 80 : 11 km – ✉ **78120** Rambouillet :

XX **Maison des Champs,** ✆ (1) 34 83 50 19, « Jardin fleuri » – 🅟. AE GB
fermé 3 au 28 août, 1er au 26 fév., lundi soir, mardi soir et merc. – **R** (nombre de couverts limité - prévenir) carte 200 à 280.

BMW SEAT Soravia 27-29 r. Pâtenôtre ✆ (1) 34 85 77 77
CITROEN Van de Maele, r. G.-Lenôtre par ③ ✆ (1) 30 41 81 81
PEUGEOT Préhel, 56 r. Le Nôtre, Le Bel Air par ③ ✆ (1) 30 41 01 70
RENAULT Gar. de la Gare, 9 r. Sadi-Carnot ✆ (1) 30 59 89 42
V.A.G Sofriga, 122 r. de Clairefontaine ✆ (1) 30 41 87 68

RAMONVILLE-ST-AGNE 31 H.-Gar. 82 ⑧ – rattaché à Toulouse.

RANCÉ 01390 Ain 74 ⑩ – 410 h. alt. 282.

Paris 442 – ♦Lyon 33 – Bourg-en-Bresse 42 – Villefranche-sur-Saône 12.

X **Rancé,** ✆ 74 00 81 83, Fax 74 00 87 08 – GB
R 125/260, enf. 65.

RANÇON 87290 H.-Vienne 72 ⑦ **G. Berry Limousin** – 544 h. alt. 217.

Paris 374 – ♦Limoges 38 – Bellac 12 – La Souterraine 33.

X **L'Oie et le Gril,** ✆ 55 68 15 06 – GB
fermé 15 sept. au 15 oct., vacances de fév., mardi soir et merc. – **R** 105.

RANDAN 63310 P.-de-D. 73 ⑤ **G. Auvergne** – 1 429 h. alt. 407.

Voir Villeneuve les Cerfs : pigeonnier★ O : 2 km.

🅑 Syndicat d'Initiative à la Mairie (fermé après-midi) ✆ 70 41 50 02.

Paris 408 – ♦Clermont-Ferrand 39 – Aigueperse 13 – Gannat 18 – Riom 24 – Thiers 29 – Vichy 15.

X **Centre** avec ch, ✆ 70 41 50 23 – GB
✦ *fermé 20 oct. au 1er déc., mardi soir et merc. sauf juil.-août* – **R** 60/180 ♂ – ☕ 25 – **10 ch** 120/150 – ½ P 230/260.

à St-Priest-Bramefant E : 7,5 km par D 59 – ✉ **63310** :

🏨 **Château de Maulmont** 🐎, ✆ 70 59 03 45, Fax 70 59 11 88, ≤, « Château du 19e siècle dans un parc », 🏊 – ☎ – 🏔 50. AE GB
1er avril-30 nov. – **R** 130/270 – ☕ 45 – **27 ch** 280/900 – ½ P 350/795.

CITROEN Elambert ✆ 70 41 51 62
RENAULT Planche ✆ 70 41 56 69

RÂNES 61150 Orne 60 ② **G. Normandie Cotentin** – 1 015 h. alt. 250.

🅑 Syndicat d'Initiative à la Mairie ✆ 33 39 73 87.

Paris 216 – Alençon 40 – Argentan 19 – Bagnoles-de-l'Orne 19 – Falaise 34.

🏨 **St Pierre,** ✆ 33 39 75 14, Fax 33 35 49 23 – ☎ – 🏔 80. AE ⓓ GB
✦ **R** *(fermé vend. soir du 1er nov. au 1er avril)* 65/195 ♂, enf. 52 – ☕ 32 – **12 ch** 225/340 – ½ P 270.

XX **Jean Anne,** ✆ 33 39 75 16 – AE GB
✦ *fermé mardi soir et merc. sauf fériés* – **R** 58/190 ♂.

RANG 25250 Doubs 66 ⑰ – 474 h. alt. 287.

Paris 458 – ♦Besançon 59 – Baume-les-Dames 22 – Belfort 38 – Lure 39 – Montbéliard 27 – Vesoul 52.

X **Moderne** avec ch, ✆ 81 96 32 54 – 🚗 🅟. GB
✦ *fermé 15 au 31 oct., 15 janv. au 7 fév. et lundi* – **R** 50/170 ♂ – ☕ 20 – **10 ch** 90/170 – ½ P 145/190.

RAON-L'ÉTAPE 88110 Vosges 62 ⑦ – 6 780 h. alt. 291.

🅑 Syndicat d'Initiative r. J.-Ferry (mi juin-mi sept.) ✆ 29 41 83 25.

Paris 372 – Épinal 44 – ♦Nancy 64 – Lunéville 34 – Neufchâteau 112 – St-Dié 17 – Sarrebourg 51.

🏨 **Relais Lorraine Alsace** Ⓜ, 31 r. J. Ferry ✆ 29 41 61 93 – TV ☎. AE ⓓ GB
✦ *fermé nov.* – **R** *(fermé lundi)* 65/149 ♂ – ☕ 30 – **10 ch** 190/290 – ½ P 185/230.

RASTEAU 84 Vaucluse 81 ② – rattaché à Vaison-la-Romaine.

RAUZAN 33420 Gironde 75 ⑫ **G. Pyrénées Aquitaine** – 978 h. alt. 100.

Paris 609 – ♦Bordeaux 37 – Bergerac 57 – Libourne 22 – Marmande 45.

XX **La Gentilhommière,** ✆ 57 84 13 42 – 🅟. AE ⓓ GB
fermé 15 au 30 nov. et lundi – **R** 98/230 ♂.

RAZAC-SUR-L'ISLE 24 Dordogne 75 ⑤ – rattaché à Périgueux.

RAZÈS **87640** H.-Vienne 72 ⑧ – 919 h. alt. 436.

Paris 374 – ◆Limoges 27 – Argenton-sur-Creuse 69 – Bellac 33 – Guéret 56.

Familles, ✆ 55 71 03 61, – ℗. ch
fermé 15 nov. au 15 déc. et sam. hors sais. – **R** 55/120 – ☕ 18 – **7 ch** 90/130 – ½ P 140.

RAZ (Pointe du) ★★★ **29** Finistère 58 ⑬ **G. Bretagne** – alt. 72.

Voir ★★.

Paris 608 – Quimper 51 – Douarnenez 37 – Pont-L'Abbé 47.

à La Baie des Trépassés par D 784 et VO : 3,5 km – ✉ **29113** Audierne :

Baie des Trépassés , ✆ 98 70 61 34, ← – ☎ ℗. GB JCB
fermé 5 janv. au 10 fév. – **R** 80/250, enf. 55 – ☕ 30 – **27 ch** 200/306 – ½ P 241/319.

Relais de la Pointe du Van , ✆ 98 70 62 79, ←, – ☎ ♿ ℗. GB JCB
1er avril-30 sept. – **R** snack carte 70 à 130 – ☕ 31 – **25 ch** 228/334 – ½ P 269/304.

RÉ (Ile de) ★ **17** Char.-Mar. 71 ⑫ **G. Poitou Vendée Charentes.**

Accès : par le pont routier (voir à La Rochelle).

Ars-en-Ré – 1 165 h. alt. 3 – ✉ **17590**.

Syndicat d'Initiative pl. Carnot (saison) ✆ 46 29 46 09.

Paris 503 – Fontenay-le-Comte 81 – Luçon 69 – La Rochelle 34.

Le Parasol M , rte St-Clément des Baleines, NO : 0,5 km ✆ 46 29 46 17, – cuisinette TV ☎ ♿ ℗. GB
fermé 15 nov. au 15 déc. et 8 au 20 janv. – **R** *(fermé mardi d'oct. à mars)* 100/169 – ☕ 34 – **9 ch** 320/395 – ½ P 294/330.

Le Martray, Le Martray E : 3 km par D 735 ✆ 46 29 40 04, Fax 46 29 41 19, – TV ☎ ℗. AE ⓓ GB
1er avril-2 nov. – **R** 110/180 – ☕ 35 – **14 ch** 280/350 – ½ P 300/320.

CITROEN Gar. de Beauregard, ✆ 46 29 40 43

La Flotte – 2 452 h. alt. 5 – ✉ **17630**.

Office de Tourisme quai Sénac (fermé matin sauf juin-sept.) ✆ 46 09 60 38.

Paris 486 – Fontenay-le-Comte 65 – Luçon 53 – La Rochelle 18.

✿ **Richelieu** M , ✆ 46 09 60 70, Télex 791492, Fax 46 09 50 59, ←, , , , – TV ☎ ℗ – 60. GB JCB
R *(fermé 5 janv. au 15 fév.)* 210/380 – ☕ 70 – **37 ch** 700/1600, 3 appart. 2500 – ½ P 600/2000
Spéc. Homard grillé au beurre rouge, Langoustines grillées laquées d'épices, Suprême de turbot au jus de truffe. **Vins** Blanc et rouge de Ré.

Hippocampe sans rest, ✆ 46 09 60 68 – ☎
☕ 20 – **18 ch** 87/214.

Le Lavardin, r. H. Lainé ✆ 46 09 68 32 – . GB
fermé 16 nov. au 15 déc. 12 janv. au 15 fév., lundi soir de déc. à mars et mardi du 15 sept. à juin – **R** 150/320.

L'Écailler, 3 quai Senac ✆ 46 09 56 40, – GB
avril-vacances de nov., vacances de Noël et fermé lundi sauf juil.-août – **R** carte 160 à 230 .

PEUGEOT, TALBOT Gar. Chauffour ✆ 46 09 60 25

Les Portes-en-Ré – 660 h. alt. 2 – ✉ **17880**.

9 Trousse Chemise ✆ 46 29 69 37, S par D 101 : 3,5 km.

Syndicat d'Initiative pl. de la Chanterelle ✆ 46 29 52 71.

Paris 510 – Fontenay-le-Comte 89 – Luçon 77 – La Rochelle 42.

Aub. de la Rivière, O : 1 km sur D 101 ✆ 46 29 54 55, , – ℗.

Rivedoux-Plage – 1 163 h. – ✉ **17940**.

Syndicat d'Initiative pl. République (fermé après-midi hors saison) ✆ 46 09 80 62.

Paris 481 – Fontenay-le-Comte 60 – Luçon 48 – La Rochelle 13.

Rivotel M, rte Ste-Marie ✆ 46 09 89 51, Fax 46 09 89 04, ←, , – TV ☎ ♿ ℗. GB
9 avril-5 oct. – **R** brasserie 90/130, enf. 50 – ☕ 38 – **29 ch** 420/700 – ½ P 350/450.

Aub. de la Marée, rte St-Martin ✆ 46 09 80 02, Fax 46 09 88 25, ←, , « Jardin fleuri et piscine » – ch TV ☎. GB
hôtel : 10 avril-12 nov. ; rest. : 22 mai-4 oct. et fermé lundi midi et mardi midi – **R** 150/330, enf. 65 – ☕ 35 – **28 ch** 300/800 – ½ P 320/600.

St-Clément-des-Baleines – 607 h. – ✉ **17590**.

Voir Phare des Baleines ※★ N : 2,5 km.

ℹ Syndicat d'Initiative r. Mairie (fermé après-midi hors saison) ✆ 46 29 24 19.

Paris 506 – Fontenay-le-Comte 84 – Luçon 72 – La Rochelle 37.

XX **Le Chat Botté,** ✆ 46 29 42 09, 🏖, 🌳 – GB
fermé 15 janv. au 20 fév. et merc. du 20 sept. au 20 mai – **R** 95/320.

St-Martin-de-Ré – 2 512 h. alt. 11 – ✉ **17410**.

Voir Fortifications★.

ℹ Office de Tourisme av. V.-Bouthillier ✆ 46 09 20 06.

Paris 490 – La Rochelle 22 – Fontenay-le-Comte 69 – Luçon 57.

🏨 **Le Galion** M sans rest, allée Guyane ✆ 46 09 03 19, Télex 793583, Fax 46 09 13 26, ≤ – TV ☎ ♿ 🚗. AE ⓓ GB
☕ 45 – **31 ch** 460/525.

🏨 **Les Colonnes,** 19 quai Job-Foran ✆ 46 09 21 58, ≤ – TV ☎. GB
fermé 15 déc. au 2 fév. – **R** *(fermé merc.)* 100/250 🍷, enf. 45 – ☕ 37 – **30 ch** 330/400 – ½ P 330/360.

XX **Les Terrasses du Galion,** 3 cours Pasteur ✆ 46 09 08 59, Fax 46 09 13 28, 🏖 – AE GB
fermé merc. soir et jeudi d'oct. à mai – **R** 115/175, enf. 40.

RENAULT Gar. Neveur ✆ 46 09 44 22

Ste-Marie-de-Ré – 1 806 h. – ✉ **17740**.

ℹ Syndicat d'Initiative pl. Antioche ✆ 46 30 22 92.

aux Grenettes O par D 201 et VO : 3 km – ✉ **17740** Ste-Marie-de-Ré :

🏨 **Les Grenettes** M 🐦, ✆ 46 30 22 47, Fax 46 30 24 64, ≤, 🏖, 🌳 – TV ☎ ♿. GB
R *(25 mars-1er nov.)* 95/250, enf. 40 – ☕ 40 – **34 ch** 430/600 – ½ P 325/410.

RÉALMONT **81120** Tarn 83 ① – 2 631 h. alt. 212.

Paris 731 – ◆Toulouse 74 – Albi 19 – Castres 22 – Graulhet 17 – Lacaune 56 – St-Affrique 85.

XXX **Noël** avec ch, r. H. de Ville ✆ 63 55 52 80, 🏖 – TV ☎ – 🏛 50. AE ⓓ GB. ✂
fermé vacances de fév., dim. soir et lundi du 15 sept. au 15 juin – **R** 130/250, enf. 60 – ☕ 25 – **8 ch** 195/300 – ½ P 215/260.

RENAULT Conrazier ✆ 63 55 51 38

REDON SP **35600** I.-et-V. 63 ⑤ **G. Bretagne** – 9 260 h. alt. 12.

Voir Tour★ de l'église St-Sauveur Y.

ℹ Office de Tourisme pl. Parlement ✆ 99 71 06 04.

Paris 411 ① – Châteaubriant 58 ② – ◆Nantes 77 ② – Ploërmel 44 ① – ◆Rennes 65 ① – St-Nazaire 53 ② – Vannes 58 ③.

REDON

Douves (R. des)	YZ	
États (R. des)	Y	12
Grande-Rue	Z	23
Notre-Dame (R.)	Y	32
Victor-Hugo (R.)	Y	50
Bonne-Nouvelle (Bd)	Y	2
Bretagne (Pl. de)	Y	3
Desmars (R. Joseph)	Y	5
Douves (Pont des)	Z	6
Duchesse-Anne (Pl.)	Y	7
Duguay-Trouin (Quai)	Z	8
Duguesclin (R.)	YZ	9
Enfer (R. d')	Z	13
Foch (R. du Mar.)	Y	16
Gare (Av. de la)	Y	17
Gascon (Av. E.)	Y	19
Jeanne-d'Arc (R.)	Z	25
Jeu-de-Paume (R. du)	Z	26
Liberté (Bd de la)	Y	30
Parlement (Pl. du)	Y	31
Plessis (R. du)	Z	33
Port (R. du)	Z	36
Richelieu (R.)	Y	39
St-Nicolas (Pont)	Z	43

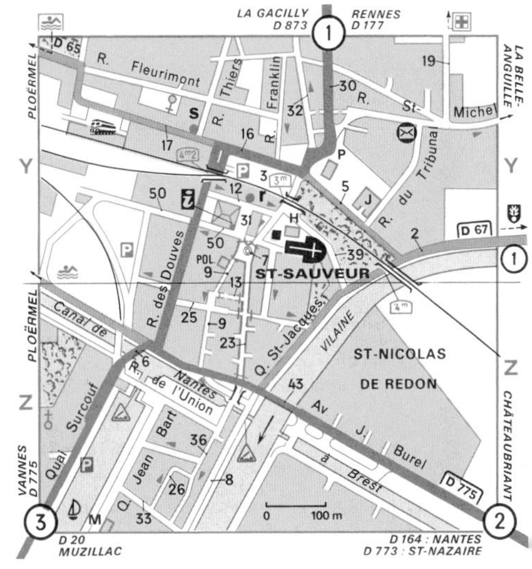

Bel Hôtel Ⓜ sans rest, 42 av. J. Burel à St-Nicolas-de-Redon par ② ✉ 44460 St-Nicolas-de-Redon ✆ 99 71 10 10, Fax 99 72 33 03 – TV ☎ ♿ P. GB
30 – **34 ch** 210/280.

Jean-Marc Chandouineau avec ch, 10 av. Gare ✆ 99 71 02 04, Fax 99 71 08 81 – TV ☎ P. AE GB — Y s
fermé 1 au 13/8, sam. midi et dim. soir du 1/9 au 31/12, dim. soir et sam. du 1/1 au 30/6 sauf fériés – **R** 120/290, enf. 60 – 40 – **7 ch** 290/450.

La Bogue, 3 r. des Etats ✆ 99 71 12 95 – GB — Y r
fermé dim. soir – **R** 98/240.

rte de la Gacilly par ① et D 873 : 3 km – ✉ **35600** Redon :

Moulin de Via, ✆ 99 71 05 16, – P. GB
fermé dim. soir et lundi – **R** 150 bc/350, enf. 70.

rte de Nantes par ② et D 164 – ✉ **44460** St-Nicolas-de-Redon (Loire-Atl.) :

Bonotel, à 3,5 km ✆ 99 72 23 23, Fax 99 72 33 03 – P – 60. GB
R snack *(fermé 21 déc. au 2 janv. et sam. soir)* (dîner seul.) 78/125 – 28 – **32 ch** 159/228 – ½ P 185/220.

Aub. du Poteau Vert, ✆ 99 71 13 12, – P. AE GB
fermé dim. soir, fériés le soir et lundi – **R** 185/295, enf. 80.

ALFA-ROMEO Gar. du Quai Surcouf, 2 quai Surcouf ✆ 99 72 16 97
CITROEN Gar. Vinouze, av. J.-Burel à St-Nicolas-de-Redon (44) par ② ✆ 99 71 00 36
FORD Gar. Rouxel, 8 r. de la Barre ✆ 99 71 17 65
PEUGEOT-TALBOT Gar. Chalme, 8 av. J.-Burel à St-Nicolas-de-Redon (44) par ② ✆ 99 71 08 45 N ✆ 99 71 01 11

V.A.G Gar. Mazarguil, 120 r. de Vannes ✆ 99 71 17 81

Métayer Pneus, ZI Portuaire, rte de Vannes ✆ 99 71 18 50

REICHSFELD 67140 B.-Rhin 62 ⑨ – 295 h. alt. 340.

Paris 434 – ♦Strasbourg 43 – Barr 8 – Sélestat 18 – Molsheim 29 – Villé 13.

Bleesz avec ch, ✆ 88 85 50 61 – P. GB
fermé janv., fév., merc. soir et jeudi – **R** 110/130 – 25 – **8 ch** 210 – ½ P 220.

REICHSTETT 67 B.-Rhin 62 ⑩ – rattaché à Strasbourg.

REILHAC 43 H.-Loire 76 ⑤ – rattaché à Langeac.

REIMS SP 51100 Marne 56 ⑥ ⑯ **G. Champagne** – 180 620 h. alt. 83.

Voir Cathédrale*** BY : Tapisseries** – Basilique St-Remi** CZ : intérieur*** – Palais du Tau** BY **S** – Caves de Champagne* BCX, CZ – Place Royale* BY – Porte Mars* BX **Q** – Hôtel de la Salle* BY **E** – Chapelle Foujita* BX – Bibliothèque* de l'ancien Collège des Jésuites BZ **W** – Musée St-Rémi** BZ **M3** – Musée-hôtel Le Vergeur* BX **M2** – Musée St-Denis* BY **M1** – Centre historique de l'automobile française* CY **M.**

Env. Fort de la Pompelle : casques allemands* 9 km par ③.

18 Reims-Champagne ✆ 26 03 60 14, à Gueux par ⑦ : 9,5 km.

✆ 26 88 50 50.

Office de Tourisme et Accueil de France (Informations et réservations d'hôtels, pas plus de 5 jours à l'avance) 2 r. G.-de-Machault ✆ 26 47 25 69, Télex 840890 – A.C. 7 bd Lundy ✆ 26 47 34 76.

Paris 144 ⑦ – Bruxelles 214 ⑩ – Châlons-sur-Marne 48 ④ – ♦Lille 203 ⑨ – Luxembourg 232 ④.

Plans pages suivantes

✿✿✿ **Boyer "Les Crayères"** Ⓜ, 64 bd Vasnier ✆ 26 82 80 80, Télex 830959, Fax 26 82 65 52, ≤, « Élégante demeure dans un parc », – TV ☎ P. AE GB — CZ a
fermé 21 déc. au 12 janv. – **R** *(fermé mardi midi et lundi)* (nombre de couverts limité - prévenir) carte 450 à 650 – 85 – **16 ch** 990/1690, 3 appart. 1790
Spéc. Pied de porc farci au foie gras, Filet de Saint-Pierre grillé au concassé de tomate et flan de Bouchot, Grenadin de veau de lait au jus de truffe. **Vins** Champagne.

Les Templiers Ⓜ sans rest, 22 r. Templiers ✆ 26 88 55 08, Télex 830088, Fax 26 47 80 60, – TV ☎ ♿ P. AE GB — BX a
75 – **19 ch** 950/1400.

Altéa Champagne Ⓜ, 31 bd P. Doumer ✆ 26 88 53 54, Télex 830629, Fax 26 40 35 51 – cuisinette ch TV ☎ – 30 à 150. AE GB — AY v
Les Ombrages *(fermé sam. midi)* **R** 140/290, enf. 40 – 50 – **115 ch** 430/480, 9 appart.

Liberté Ⓜ, 55 r. Boulard ✆ 26 40 52 61, Télex 841103, Fax 26 47 27 38 – TV ☎ ♿ P – 40. AE GB. rest — AY t
R 150/350 – 45 – **80 ch** 380/410.

Paix, 9 r. Buirette ✆ 26 40 04 08, Télex 830974, Fax 26 47 75 04, – TV ☎ – 50 à 100. AE GB JCB — AY q
R brasserie carte 120 à 200 – 47 – **105 ch** 330/470.

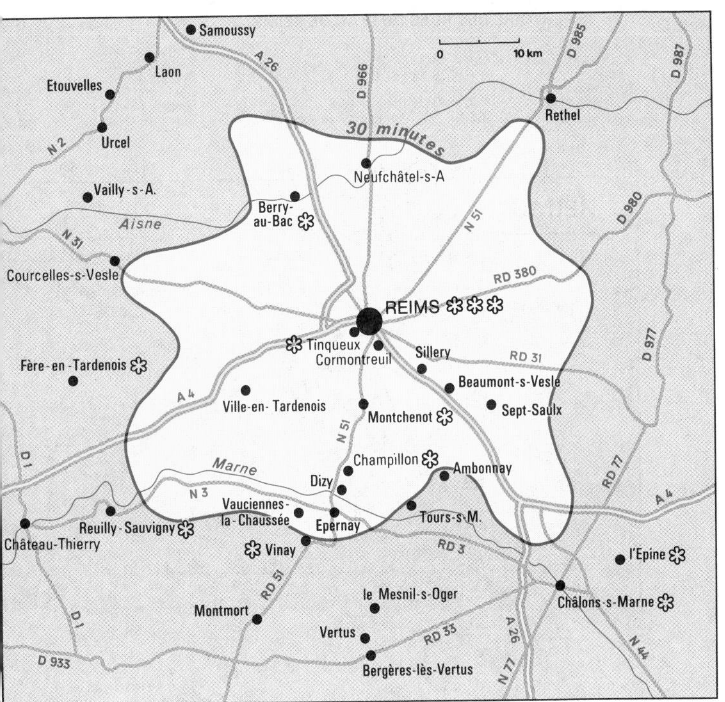

Gd H. du Nord sans rest, 75 pl. Drouet-d'Erlon ☎ 26 47 39 03, Télex 842157, Fax 26 40 92 26 – |♦| TV ☎. AE ⓓ GB — AY **m**
fermé 24 déc. au 6 janv. – ☐ 28 – **50 ch** 255/310.

New H. Europe M sans rest, 29 r. Buirette ☎ 26 47 39 39, Télex 842145, Fax 26 40 14 37 – |♦| TV ☎ ♿ P – 🏛 30. AE ⓓ GB — AY **u**
☐ 45 – **54 ch** 395/445.

Univers, 41 bd Foch ☎ 26 88 68 08, Télex 842120, Fax 26 40 95 61 – |♦| TV ☎ – 🏛 70. AE ⓓ GB — AX **a**
R *(fermé dim. soir)* 95/170 – ☐ 30 – **42 ch** 220/300.

Arcade sans rest, 28 bd Joffre ☎ 26 40 03 24, Télex 842602, Fax 26 88 33 19 – |♦| TV ☎ ♿ – 🏛 60. AE GB — AX **d**
☐ 37 – **94 ch** 300/325.

Bristol sans rest, 76 pl. Drouet d'Erlon ☎ 26 40 52 25, Télex 842155, Fax 26 40 05 08 – |♦| TV ☎. AE ⓓ GB — AY **x**
☐ 26 – **40 ch** 210/280.

Continental sans rest, 93 pl. Drouet-d'Erlon ☎ 26 40 39 35, Télex 830585, Fax 26 47 51 12 – |♦| TV ☎. AE ⓓ GB JCB — AXY **r**
fermé 20 déc. au 4 janv. – ☐ 28 – **56 ch** 240/400.

Crystal 🐌 sans rest, 86 pl. Drouet-d'Erlon ☎ 26 88 44 44, Télex 830485, Fax 26 47 49 28 – |♦| TV ☎. AE GB — AXY **n**
☐ 26 – **29 ch** 180/310.

Campanile-Sud, av. G. Pompidou - Val de Murigny ☎ 26 36 66 94, Télex 830262, Fax 26 49 95 40, 🍽 – TV ☎ ♿ P – 🏛 25. AE GB — V **k**
R 77 bc/99 bc, enf. 39 – ☐ 28 – **60 ch** 258 – ½ P 234/256.

Libergier sans rest, 20 r. Libergier ☎ 26 47 28 46, Fax 26 88 65 81 – TV ☎. GB — AY **e**
☐ 26 – **17 ch** 210/310.

Le Bon Moine, 14 r. Capucins ☎ 26 47 33 64, Fax 26 40 43 87 – TV ☎. GB — AY **b**
fermé 23 déc. au 1er janv. et dim. (sauf hôtel de juil. à oct.) – **R** brasserie 72/139 🍷 – ☐ 29 – **10 ch** 210/295 – ½ P 214/339.

Consuls sans rest, 7 r. Gén. Sarrail ☎ 26 88 46 10, Fax 26 88 66 33 – ▤ TV ☎. AE ⓓ GB — BX **s**
☐ 50 – **28 ch** 380/450.

RÉPERTOIRE DES RUES DU PLAN DE REIMS

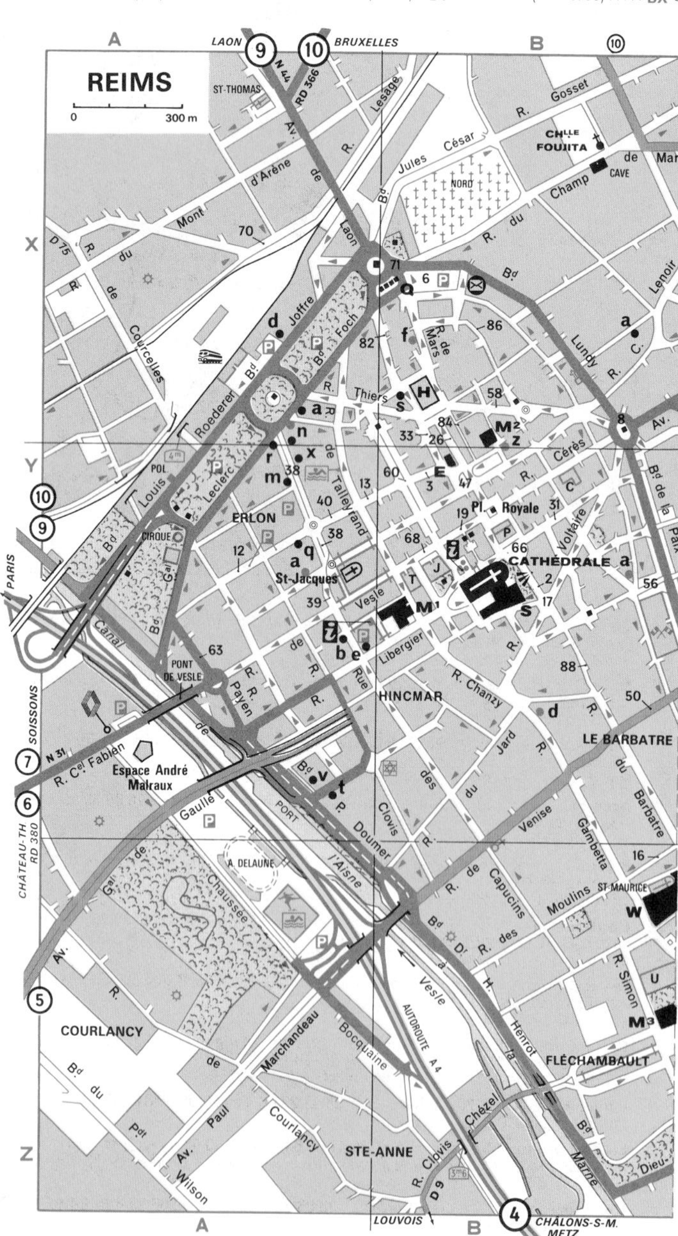

XXX ✿ **Le Florence,** 43 bd Foch ☎ 26 47 12 70, Fax 26 40 07 09, 🏛 – AE ① GB JCB
fermé 2 au 20 août et dim. sauf fêtes – **R** 220/420 AX **n**
Spéc. Pot-au-feu de foie gras. Filet de Saint-Pierre aux truffes. Feuilleté de poires chaudes caramélisées. **Vins** Chouilly, Cumières rouge.

XXX ✿ **Le Chardonnay,** 184 av. Épernay ☎ 26 06 08 60 – AE ① GB V **a**
fermé 8 au 23 août, 24 déc. au 17 janv., sam. midi et dim. – **R** 185/400
Spéc. Terrine de saumon aux huîtres. Homard et melon en aigre-doux (mai à sept.). Filet de sandre au Bouzy. **Vins** Bouzy, Champagne.

XX **Foch,** 37 bd Foch ☎ 26 47 48 22 – AE ① GB AX **a**
fermé vacances de fév., dim. soir et lundi – **R** 150/280.

XX **Continental,** 95 pl. Drouet d'Erlon ☎ 26 47 01 47, Fax 26 40 95 60 – ⇌ AE ① GB JCB
R 94/300. AXY **r**

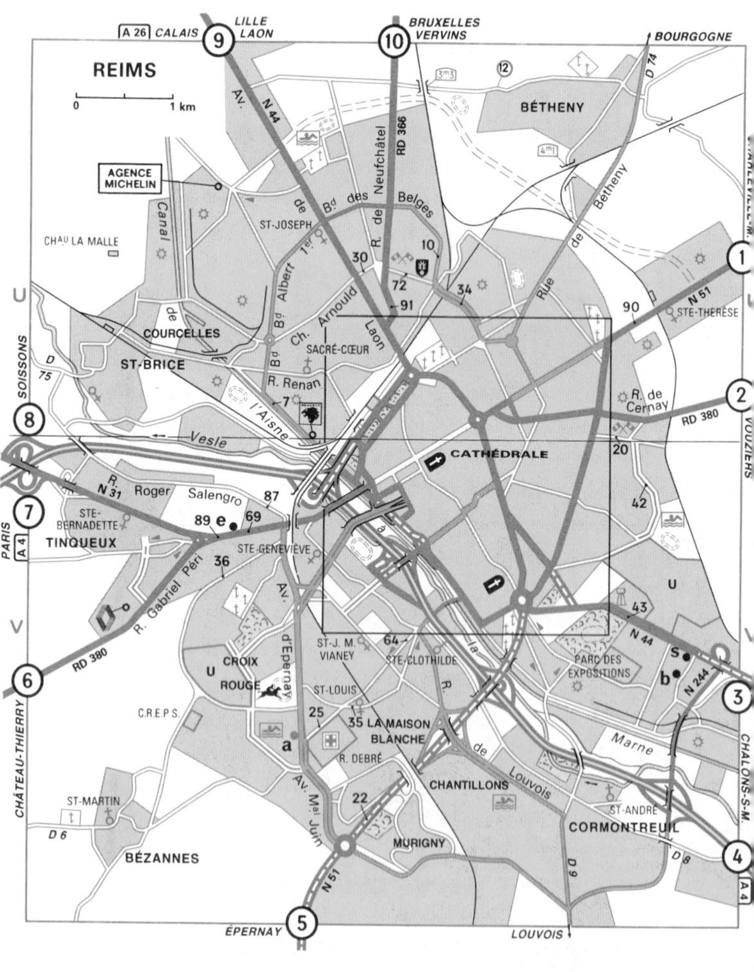

XX **Vonelly-Gambetta** avec ch, 13 r. Gambetta ✆ 26 47 41 64, Fax 26 47 22 43 – TV ☎. AE GB. ✻ rest BY **d**
R *(fermé 27 juil. au 17 août, dim. soir et lundi)* 120/260 – ☕ 25 – **14 ch** 190/230.

XX **Le Vigneron,** pl. P. Jamot ✆ 26 47 00 71, ☂, « Belle collection d'affiches anciennes » – ▤. GB BY **a**
fermé 10 au 23 août, 21 déc. au 4 janv., sam. midi et dim. – **R** (nombre de couverts limité, prévenir) carte 150 à 200.

XX **La Vigneraie,** 14 r. Thillois ✆ 26 88 67 27 – ◑ GB AY **a**
fermé 3 au 24 août, 2 au 7 janv., dim. soir et lundi – **R** (nombre de couverts limité, prévenir) 120/240.

X **Au Petit Comptoir,** 17 r. Mars ✆ 26 40 58 58 – ▤. GB BX **f**
fermé 8 au 24 août, 23 déc. au 13 janv., sam. midi et dim. – **R** carte 150 à 250.

X **Le Forum,** 34 pl. Forum ✆ 26 47 56 87 – GB BXY **z**
fermé 22 déc. au 6 janv., lundi soir et dim. – **R** 105/170 ♘.

rte de Châlons-sur-Marne par ③ : 3 km – ✉ **51100** Reims :

Mercure M, ✆ 26 05 00 08, Télex 830782, Fax 26 85 64 72, ☂, ⛱ – |≡| ⇔ ch TV ☎ ♿ P – 🏛 200. AE ◑ GB V **s**
R carte 140 à 210 ♘, enf. 45 – ☕ 50 – **103 ch** 410/530.

Reflets Bleus, 12 r. G. Voisin ✆ 26 82 59 79, Télex 842121, Fax 26 82 53 92, ☂ – TV ☎ P – 🏛 25. AE GB V **b**
R *(fermé vend. soir, sam. midi en août et dim. soir)* 85/165 – ☕ 35 – **40 ch** 290/390.

à Sillery par ③ et D 8ᴱ : 11 km – ✉ **51500** :

XX **Relais de Sillery,** ✆ 26 49 10 11, Fax 26 49 12 07, ☂, ☘ – GB
fermé fév., dim. soir et lundi – **R** 138/240.

à Cormontreuil par ④ : 4 km – 5 745 h. – ✉ **51350** :

Confortel, Z.A.C de Cormontreuil ✆ 26 82 01 02, Télex 830382, Fax 26 82 74 01 – TV ☎ ♿ P. GB – **R** *(fermé dim.)* 59/120 ♘ – ☕ 27 – **31 ch** 215/230 – ½ P 200.

à Montchenot par ⑤ : 11 km – ✉ **51500** Rilly-la-Montagne :

XXX ✿ **Aub. du Gd Cerf** (Guichaoua), N 51 ✆ 26 97 60 07, Fax 26 97 64 24, ☂, ☘ – P. AE GB – *fermé 2 au 25 août, 5 au 25 fév., dim. soir et merc.* – **R** 180/350
Spéc. Trilogie de salades gourmandes. Feuillantines de Maroilles doux. Gratin de sabayon de Champagne aux fruits rouges. Vins Coteaux champenois.

à Tinqueux O : par ⑦ : 5 km – 10 154 h. – ✉ **51430** :

✿ **L'Assiette Champenoise** (Lallement) M ⛵, 40 av. Paul Vaillant-Couturier ✆ 26 04 15 56, Télex 830267, Fax 26 04 15 69, « Parc », ⛱ – |≡| TV ☎ ♿ P – 🏛 60. AE ◑ GB V **e**
R 300/440 – ☕ 70 – **60 ch** 480/750 – ½ P 700/905
Spéc. Salade de homard au coulis de truffe. Saint-Pierre braisé aux étrilles et petits légumes. Rognon de veau sauté à la crème de ciboulette. Vins Coteaux champenois blanc et rouge.

par autoroute A 4 sortie Tinqueux : 6 km – ✉ **51430** Tinqueux :

Novotel M, ✆ 26 08 11 61, Télex 830034, Fax 26 08 72 05, ☂, ⛱ – ▤ TV ☎ ♿ P – 🏛 180. AE ◑ GB – **R** carte environ 160 ♘, enf. 55 – ☕ 49 – **127 ch** 410/460.

Ibis M, ✆ 26 04 60 70, Télex 842116, Fax 26 84 24 40 – TV ☎ ♿ P – 🏛 60. GB
R *(fermé dim.)* (dîner seul.) 82 ♘, enf. 39 – ☕ 33 – **75 ch** 280/300.

Campanile-Ouest, ZA Sarah Bernhard ✆ 26 04 09 46, Télex 842038, Fax 26 84 25 87, ☂ – TV ☎ ♿ P – 🏛 25. AE GB
R 77 bc/99 bc, enf. 39 – ☕ 28 – **50 ch** 258 – ½ P 234/256.

par autoroute A 4 sortie Tinqueux et rte de Soissons : 7 km – ✉ **51370** St-Brice-Courcelles :

XXX ✿ **La Garenne** (Laplaige), sur N 31 ✆ 26 08 26 62, Fax 26 84 24 13 – P. AE ◑ GB
fermé 3 au 24 août, dim. soir et lundi – **R** 140/350
Spéc. Amusette gourmande. Marmite de turbot au homard et Saint-Jacques. Filet d'agneau aux champignons des bois.

MICHELIN, Agence régionale, Chemin de St-Thierry, ZI des 3 Fontaines à St-Brice-Courcelles U ✆ 26 09 19 32

ALFA-ROMEO Venise Auto, 86 r. de Venise ✆ 26 82 20 02
BMW Héraut, 16 av. de Paris ✆ 26 08 63 68 **N** ✆ 26 04 15 15
FORD Gar. St-Christophe, 35 r. Col.-Fabien ✆ 26 08 24 66
LANCIA Fornage, 397 av. de Laon ✆ 26 09 20 52
PEUGEOT Gds Gar. de Champagne, 16 av. Brébant U ✆ 26 04 95 00 **N** ✆ 26 04 15 15
PORSCHE-MITSUBISHI J.P.M., 57 r. Pasteur, ZAC Neuvillette ✆ 26 09 44 46
RENAULT Succursale, 8 r. Col.-Fabien AY ✆ 26 08 96 50 **N** ✆ 26 02 89 71

V.A.G Gar. du Rhône, 412 av. de Laon ✆ 26 87 13 61

Ⓜ Fischbach Pneu, 2 av. A. Margot La Neuvillette ✆ 26 47 70 52
Leclerc-Pneu, 19 r. Magdeleine ✆ 26 88 20 77
Leclerc-Pneu, ZI Sud-Est bd Val-de-Vesle ✆ 26 05 03 45
Pneumatiques Maltrait-Cunrath, 12 r. Cloître ✆ 26 47 48 47
Reims-Pneus, 27 r. Champ-de-Mars ✆ 26 88 30 15

Périphérie et environs

CITROEN Gar. Ardon, 38 av. Paul Vaillant à Tinqueux ☏ 26 08 96 24
OPEL-GM Reims-Autos, 2 av. R.-Salengro à Tinqueux ☏ 26 08 21 08
RENAULT Gar. Moine, ZI Moulin de l'Écaille à Tinqueux V ☏ 26 08 96 31 🅽 ☏ 26 61 99 99
VOLVO Gar. Delhorbe, 35 av. Nationale, La Neuvillette ☏ 26 09 21 31

REIPERTSWILLER **67340** B.-Rhin 87 ⑬ **G. Alsace Lorraine** – 946 h. alt. 230.

Paris 449 – ◆Strasbourg 56 – Bitche 20 – Haguenau 34 – Sarreguemines 48 – Saverne 34.

La Couronne M ⛰, 13 r. Wimmenau ☏ 88 89 96 21, Fax 88 89 98 22, 🏞 – TV ☎ ♿ P. GB. ✗ ch
fermé 10 fév. au 6 mars, lundi soir et mardi – **R** 80/150 🍷 – ☕ 30 – **17 ch** 130/320 – ½ P 220/260.

Le RELECQ-KERHUON **29** Finistère 58 ④ – rattaché à Brest.

RELEVANT **01** Ain 74 ② – rattaché à Châtillon-sur-Chalaronne.

La REMIGEASSE **17** Char.-Mar. 171 ⑭ – voir à Oléron (Ile d').

REMIREMONT **88200** Vosges 62 ⑯ **G. Alsace Lorraine** – 9 068 h. alt. 400.

Voir Rue Ch.-de-Gaulle★ AB – Crypte★ de l'abbatiale St-Pierre A.

🅸 Office de Tourisme 2 pl. H.-Utard ☏ 29 62 23 70.

Paris 398 ⑤ – Épinal 25 ⑤ – Belfort 71 ② – Colmar 79 ① – ◆Mulhouse 80 ② – Vesoul 66 ④.

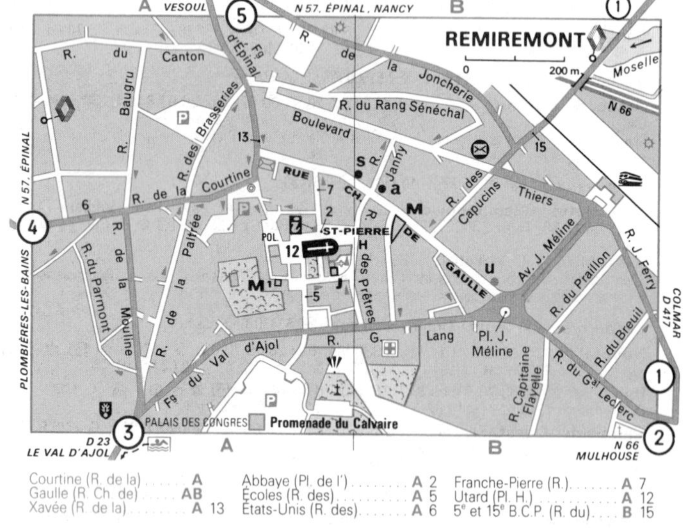

Courtine (R. de la) . . . A
Gaulle (R. Ch. de) . . . AB
Xavée (R. de la) . . . A 13
Abbaye (Pl. de l') . . . A 2
Écoles (R. des) . . . A 5
États-Unis (R. des) . . . A 6
Franche-Pierre (R.) . . . A 7
Utard (Pl. H.) . . . A 12
5e et 15e B.C.P. (R. du) . . . B 15

Poste, 67 r. Ch. de Gaulle ☏ 29 62 55 67 – TV ☎ 🚗. AE ⓓ GB — B a
fermé 17 au 30 août, 18 déc. au 11 janv., vend. soir et sam. hors sais. sauf fêtes – **R** 73/170 🍷 – ☕ 26 – **21 ch** 210/300 – ½ P 204/250.

Cheval de Bronze sans rest, 59 r. Ch. de Gaulle ☏ 29 62 52 24 – cuisinette TV ☎ 🚗 – 🏛 25. AE GB — B s
fermé dim. soir hors sais. – ☕ 26 – **36 ch** 130/300.

Au Fin Gourmet, 113 r. Ch. de Gaulle ☏ 29 23 06 65 – GB — B u
fermé 25 août au 10 sept., 15 au 30 janv., dim. soir et lundi – **R** 85/150 🍷.

Le Clos Heurtebise, chemin Heurtebise par r. Capit. Flayelle ☏ 29 62 08 04, ⛱, 🏞 – P. GB
fermé 11 au 18 janv., dim. soir et lundi – **R** 130/240 🍷.

à Dommartin-lès-Remiremont par ② et D 23 : 4 km – ✉ **88200** :

Le Karélian, ☏ 29 62 44 05 – ⓓ GB
fermé 15 au 30 juil. et dim. soir – **R** 240.

à Fallières par ④ et D 3 : 4 km – ✉ **88200** :

Logis des Prés Braheux, ✆ 29 62 23 67, Fax 29 62 01 40, parc – ☎ ⇔ P. AE GB.
fermé 27 juil. au 3 août et 6 au 13 janv. – **R** *(fermé dim. soir et lundi)* 185/298 – ☕ 36 – **17 ch** 220/340 – ½ P 265/310.

CITROEN Remiremont Anotin, Les Bruyères, rte de Mulhouse par ② ✆ 29 23 29 45 N ✆ 29 23 00 07
PEUGEOT-TALBOT Choux Autom., à St-Étienne-les-Remiremont par ② et D 23 ✆ 29 23 18 28 N
RENAULT Gar. Pierre, rte de St-Etienne ✆ 29 62 55 95

Comptoir du Pneu, 2 r. J.-Ferry ✆ 29 23 23 32
Pneu Villaume, Ranfaing à St-Nabord ✆ 29 62 23 13

REMOULINS 30210 Gard 80 ⑲ ⑳ G. Provence – 1 771 h. alt. 27.

Paris 690 – Avignon 23 – Alès 50 – Arles 36 – Nîmes 20 – Orange 34 – Pont-St-Esprit 39.

Moderne, pl. des Gds Jours ✆ 66 37 20 13, Fax 66 37 01 85 – ▤ TV ☎ ⇔. GB
fermé 24 oct. au 22 nov., vacances de fév., vend. soir d'oct. à mars et sam. sauf juil.-août – **R** 70/140 ♨, enf. 40 – ☕ 30 – **24 ch** 190/290 – ½ P 200/240.

à St-Hilaire-d'Ozilhan NE : 4,5 km par D792 – ✉ **30210** :

L'Arceau M ⛰, ✆ 66 37 34 45, Fax 66 37 33 90, 🏞 – ☎ ♿ P. AE GB
fermé 8 janv. au 15 fév., dim. soir et lundi du 15 oct. au 1er avril – **R** 85/195, enf. 50 – ☕ 35 – **25 ch** 200/300 – ½ P 245/275.

CITROEN Julien et Fils ✆ 66 37 08 31 N ✆ 66 37 04 45
RENAULT S.O.D.E.M. ✆ 66 37 04 25

REMY 60 Oise 56 ② – rattaché à Compiègne.

RENAISON 42370 Loire 73 ⑦ – 2 563 h. alt. 380.

Voir Barrage de la Tache : rocher-belvédère★ O : 5 km, **G. Vallée du Rhône.**

Paris 381 – Roanne 11,5 – Chauffailles 43 – Lapalisse 39 – ♦St-Étienne 88 – Thiers 58 – Vichy 54.

Jacques-Coeur avec ch, ✆ 77 64 25 34, Fax 77 64 43 88, 🏞 – TV ☎. AE ⓓ GB
fermé mi-fév. à mi-mars, lundi sauf juil.-août et dim. – **R** 82/191 ♨ – ☕ 31 – **8 ch** 178/268 – ½ P 218/254.

Central avec ch, ✆ 77 64 25 39 – TV ☎. GB
fermé 22 sept. au 22 oct. et 10 au 25 fév. – **R** *(fermé dim. soir et merc.)* 66/240 ♨, enf. 50 – ☕ 32 – **8 ch** 180/240 – ½ P 150/240.

RENNES P 35000 I.-et-V. 59 ⑰ G. Bretagne – 197 536 h. alt. 30.

Voir Le Vieux Rennes★★ ABY – Palais de Justice★★ BY J – Jardin du Thabor★★ BY – Retable★★ à l'intérieur★ de la cathédrale St-Pierre AY – Musées BY M : de Bretagne★★, des Beaux-Arts★★ – Musée automobile de Bretagne★ 4 km par ② – Ecomusée du pays de Rennes★ VD.

9 9 18 de Rennes-St-Jacques ✆ 99 30 18 18, Chavagne par ⑦ : 6 km ; 18 de la Freslonnière au Rheu ✆ 99 60 84 09, par ⑧ : 7 km.

✈ de Rennes-St-Jacques : ✆ 99 29 60 00, par ⑦ : 7 km.

ℹ Office de Tourisme et Accueil de France (Informations et réservations d'hôtels, pas plus de 5 jours à l'avance) Pont de Nemours ✆ 99 79 01 98, Télex 741218 – A.C. 11 pl. Bretagne ✆ 99 30 89 88.

Paris 347 ③ – Angers 119 ④ – ♦Brest 245 ⑨ – ♦Caen 174 ② – ♦Le Mans 152 ③ – ♦Nantes 108 ⑥.

Plans pages suivantes

Altéa M, 1 r. Cap. Maignan ✆ 99 29 73 73, Télex 730905, Fax 99 30 06 30 – 🛗 ▤ rest TV ☎ – 🏛 30 à 300. AE ⓓ GB JCB. ⛔ rest — ABZ **m**
Le Goëlo *(fermé 23 déc. au 2 janv.)* **R** 100/175, enf. 65 – ☕ 59 – **140 ch** 475/640.

Novotel M, près centre commercial par r. Alma BZ ✆ 99 50 61 32, Télex 740144, Fax 99 32 39 62, 🏞, 🏊, 🌳 – ⛔ ch TV ☎ P – 🏛 25 à 150. AE ⓓ GB — CV **e**
R carte environ 150, enf. 50 – ☕ 48 – **99 ch** 410/450.

Mercure M ⛰ sans rest, r. Paul Louis Courier ✆ 99 78 32 32, Télex 741850, Fax 99 78 33 44 – 🛗 ⛔ TV ☎ ♿ ⇔ – 🏛 30. AE ⓓ GB — BZ **t**
☕ 48 – **104 ch** 440/580.

Anne de Bretagne M sans rest, 12 r. Tronjolly ✆ 99 31 49 49, Télex 741255, Fax 99 30 53 48 – 🛗 TV ☎ ⇔ – 🏛 30. AE ⓓ GB — AZ **q**
☕ 39 – **42 ch** 320/380.

Président sans rest, 27 av. Janvier ✆ 99 65 42 22, Fax 99 65 49 77 – 🛗 TV ☎ ⇔. AE ⓓ GB JCB — BZ **n**
fermé 18 déc. au 4 janv. – ☕ 38 – **34 ch** 290/340.

Central H. sans rest, 6 r. Lanjuinais ✆ 99 79 12 36, Télex 741259, Fax 99 79 65 76 – 🛗 TV ☎ P – 🏛 30 — AY **n**
45 ch.

Sévigné sans rest, 47 av. Janvier ✆ 99 67 27 55, Télex 741058, Fax 99 30 66 10 – 🛗 TV ☎. AE ⓓ GB — BZ **a**
☕ 33 – **46 ch** 230/300.

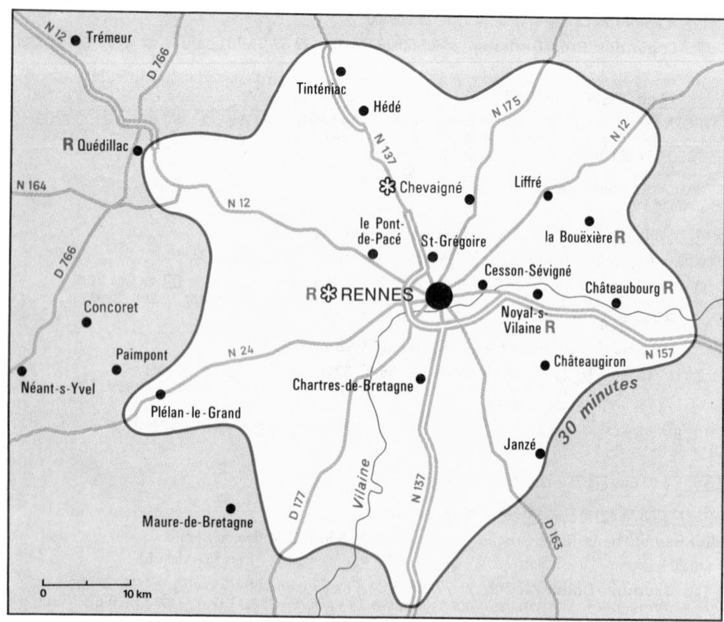

Nemours M sans rest, 5 r. Nemours ☎ 99 78 26 26, Fax 99 78 25 40 – |♦| ⇔ TV ☎. AE GB. ✻ — AZ **s**
☐ 29 – **26 ch** 205/330.

Astrid M sans rest, 32 av. L. Barthou ☎ 99 30 82 38, Fax 99 31 88 55 – |♦| TV ☎ ♿. GB — BZ **u**
☐ 26 – **30 ch** 220/300.

Lanjuinais M sans rest, 11 r. Lanjuinais ☎ 99 79 02 03, Fax 99 79 03 97 – |♦| TV ☎. AE ⓓ GB — AZ **v**
☐ 28 – **33 ch** 200/300.

Brest M sans rest, 15 pl. Gare ☎ 99 30 35 83, Fax 99 30 08 60 – |♦| TV ☎. GB — BZ **e**
☐ 25 – **48 ch** 200/300.

Campanile, par ③ Zone Universitaire de Beaulieu, r. A. de Becquerel ✉ 35700 ☎ 99 38 37 27, Télex 741184, Fax 99 38 27 93, ≤, ☂ – TV ☎ ♿ P – 🏠 25 à 70. AE GB
R 77 bc/99 bc, enf. 39 – ☐ 28 – **42 ch** 258 – 1/2 P 234/256.

Voyageurs sans rest, 28 av. Janvier ☎ 99 31 73 33, Fax 99 30 50 54 – |♦| ☎. AE ⓓ GB JCB. ✻ — BZ **b**
fermé 25 déc. au 7 janv. – ☐ 23 – **34 ch** 140/232.

Angélina sans rest, 1 quai Lamennais ☎ 99 79 29 66, Fax 99 79 61 01 – |♦| TV ☎. AE GB — AY **f**
☐ 27 – **29 ch** 235/300.

Garden-H. sans rest, 3 r. Duhamel ☎ 99 65 45 06, Fax 99 65 02 62 – |♦| TV ☎. AE GB — BZ **r**
☐ 27 – **24 ch** 170/260.

XXXX ✿ **Le Piré** (Angelle) M avec ch, 23 r. Mar. Joffre ☎ 99 79 31 41, Fax 99 79 04 18, ☂ – TV ☎. AE ⓓ GB — ABZ **f**
fermé 15 au 30 août, 23 au 29 déc., sam. midi et dim. – **R** 125 (sauf week-ends)/440 – ☐ 70 – **4 ch** 750/950
Spéc. Brick de foie gras chaud, Turbot rôti aux pommes de terre et au lard, Pigeonneau à l'andouillette de Guémené.

XXX ✿ **Palais** (Tizon), 7 pl. Parlement de Bretagne ☎ 99 79 45 01, Fax 99 79 12 41 – ▤. AE ⓓ GB — BY **e**
fermé 10 au 31 août, 1er au 8 mars, dim. soir et lundi – **R** 130 (sauf vend. soir et sam. soir)/200
Spéc. Lasagne de blé noir et petites sardines, L'agneau de lait de la ferme, Le maingaux rennais. **Vins** Muscadet.

XXX **L'Ouvrée,** 18 pl. Lices ☎ 99 30 16 38 – AE ⓓ GB — AY **z**
fermé sam. midi et lundi – **R** 130/190.

XXX ✿ **Corsaire** (Luce), 52 r. Antrain ✉ 35700 ☎ 99 36 33 69 – AE ⓓ GB — BX **y**
fermé 1er au 19 août, lundi fériés et dim. soir – **R** 98/240, enf. 62
Spéc. Poêlée de langoustines et de foie de canard, Saint-Jacques à la coque (automne-hiver), Queue de bœuf braisée à l'ancienne et son escalope de foie gras.

RENNES

Bourgeois (Bd L.) . . . . . DV 3
Canada (Av. du) . . . . . . CV 6
Churchill (Av. W.) . . . . . CU 12
Combes (Bd. E.) . . . . . . DV 13
Duchesse Anne (Bd de la) . . . . DU 15
Laennec (Bd) . . . . DU 31
Leroux (Bd Oscar) . . . . DV 36
Lorient (R. de) . . . . CU 38
Maginot (Av. du Sergent) . . . . DU 39
Pompidou (Bd G.) . . . . . CV 55
St-Jean-Baptiste de la Salle (Bd) . . . . . CU 70
Strasbourg (Bd de) . . . . DU 83
Vitrée (Bd de) . . . . DU 87
Yser (Bd de l') . . . . CV 88
3-Croix (Bd des) . . . . CU 89

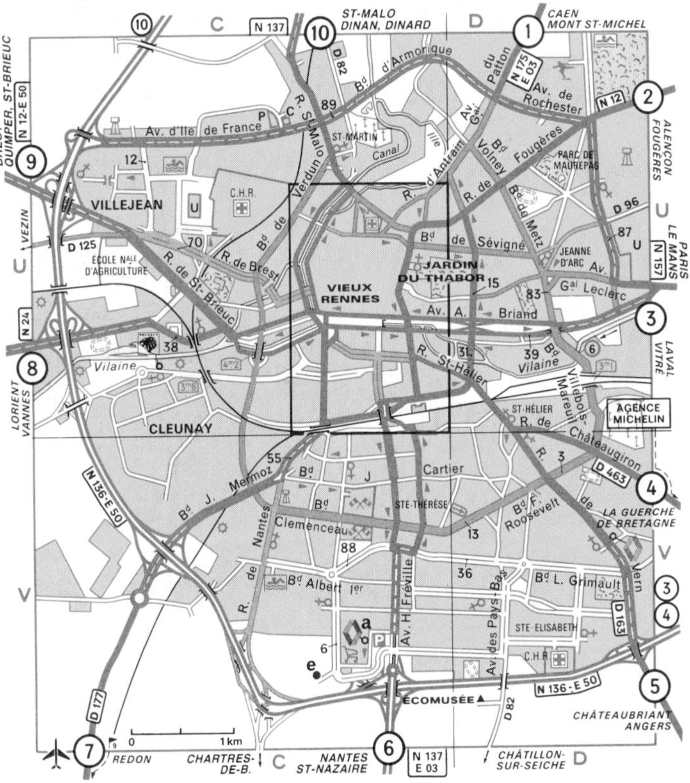

ꭗꭗ **Four à Ban,** 4 r. St-Mélaine ✆ 99 38 72 85 – AE ⓓ GB — ABY **s**
fermé 27 avril au 4 mai, 1er au 21 août, 1er au 7 janv., dim. soir et lundi – **Repas** 98 (sauf sam. soir)/198.

ꭗꭗ **Ti-Koz,** 3 r. St-Guillaume (près cathédrale) ✆ 99 79 33 89, « Vieille maison du 16e siècle, intérieur breton » – AE ⓓ GB — AY **e**
fermé dim. – **Repas** 98/250 ♁.

ꭗꭗ **La Korrigane,** 26 r. Dr F. Joly ✆ 99 30 60 36 – AE ⓓ GB — AZ **u**
fermé 3 au 18 août, sam. midi et dim. soir – **Repas** 90/150.

ꭗꭗ **Escu de Runfao,** 5 r. Chapître ✆ 99 79 73 10 – AE ⓓ GB JCB — AY **a**
fermé 2 au 23 août, 1er au 8 janv., dim. (sauf le midi de sept. à juin) et sam. midi – **R** (nombre de couverts limité, prévenir) 185/250.

ꭗꭗ **Piccadilly Brasserie,** 15 galerie du Théâtre ✆ 99 78 17 17, Télex 741408, Fax 99 79 20 14, ☂ – GB — ABY **k**
R (ouvert jour et nuit) carte 120 à 240 ♁.

ꭗꭗ **Chouin,** 12 r. Isly ✆ 99 30 87 86, poissons et fruits de mer – AE GB — BZ **h**
fermé 1er au 25 août, dim. et lundi – **R** carte 155 à 240.

ꭗꭗ **Le Florian,** 12 r. Arsenal ✆ 99 67 25 35 – GB — AZ **b**
fermé 1er au 8 mai, 15 au 31 août, dim. (sauf le midi de sept. à juin) et sam. midi – **R** 90/290.

ꭗ **Petit Sabayon,** 16 r. Trente ✆ 99 35 02 04 – AE GB — AZ **t**
fermé 12 juil. au 3 août, vacances de fév., sam. midi, dim. et fériés – **R** 92/130 ♁.

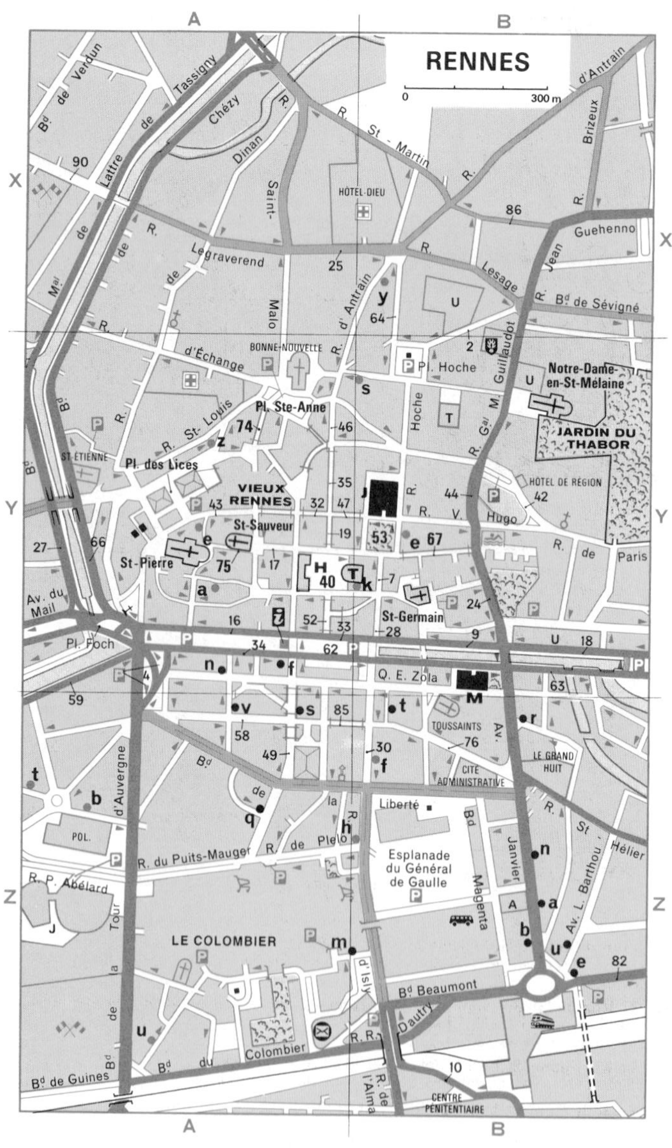

Du-Guesclin (R.) . . . . . . AY 17
Estrées (R. d') . . . . . . AY 19
Jaurès (R. Jean) . . . . . . BY 28
Joffre (R. Mar.) . . . . . . BZ 30
La-Fayette (R.) . . . . . . AY 32
Le-Bastard (R.) . . . . . . AY 35
Liberté (Bd de la) . . . . ABZ
Monnaie (R. de la) . . . . AY 43
Motte-Fablet (R.) . . . . . AY 46
Nationale (R.) . . . . . . ABY 47
Nemours (R. de) . . . . . . AZ 49
Orléans (R. d') . . . . . . AY 52
Palais (Pl. du) . . . . . . BY 53
Vasselot (R.) . . . . . . AZ 85

Borderie (R. de la) . . . . BXY 2
Bretagne (Pl. de) . . . . . AY 4
Cavell (R. Edith) . . . . . BY 7
Châteaubriand (Quai) . . . BY 9
Châtillon (R. de) . . . . . BZ 10
Duguay-Trouin (Quai) . . . AY 16
Dujardin (Quai) . . . . . . AY 18
Gambetta (R.) . . . . . . BY 24
Hôtel-Dieu (R. de l') . . . AX 25
Ille-et-Rance (Quai) . . . AY 27
Lamartine (Quai) . . . . . ABY 33
Lamennais (Quai) . . . . . AY 34
Mairie (Pl. de la) . . . . . AY 40
Martenot (R.) . . . . . . BY 42

Motte (Cont. de la) . . . . BY 44
Poullain-Duparc (R.) . . . AZ 58
Prévalaye (Q. de la) . . . AY 59
République (Pl. de la) . . AY 62
Richemont (Q. de) . . . . BY 63
Robien (R. de) . . . . . . BX 64
St-Cast (Quai) . . . . . . AY 66
St-Georges (R.) . . . . . BY 67
St-Michel (R.) . . . . . . AY 74
St-Sauveur (R.) . . . . . AY 75
St-Thomas (R.) . . . . . . BZ 76
Solférino (Bd) . . . . . . BZ 82
Vincennes (R. de) . . . . . BX 86
41e-d'Infanterie (R.) . . . AX 90

à St-Grégoire N : 5,5 km par D 82 CU – 5 809 h. – ✉ **35760** :

Otelinn Ⓜ, 6 av. St-Vincent ✆ 99 68 76 76, Fax 99 68 83 01, – TV ☎ ♿ P – 30. AE ① GB
R 62/151 ♁, enf. 46 – ☐ 30 – **51 ch** 248/268 – ½ P 202.

à Chevaigné par ① : 12 km par N 175 – ✉ **35250** :

XX ✿ **La Marinière** (Lejeune), rte Mont-St-Michel ✆ 99 55 74 64, – P. AE ① GB
fermé 25 oct. au 8 nov., 28 fév. au 15 mars, dim. soir et lundi – **R** 125/310
Spéc. Coquilles Saint-Jacques (oct. à avril), Poissons et crustacés, Agneau de pré-salé.

à Cesson-Sévigné par ③ : 6 km – 12 708 h. – ✉ **35510** :

Germinal , 9 cours de la Vilaine, au bourg ✆ 99 83 11 01, Fax 99 83 45 16, ≤, , « Ancien moulin sur la Vilaine » – TV ☎ P – 25. GB. rest
fermé 1er au 21 août et 23 déc. au 6 janv. – **R** *(fermé dim.)* 85 (sauf vend. soir et sam. soir)/250 – ☐ 45 – **20 ch** 220/350.

Floréal Ⓜ , N 157, Z.A. La Rigourdière ✆ 99 83 82 82, Télex 740600, Fax 99 83 89 62 – rest TV ☎ ♿ P – 80. GB
R *(fermé dim.)* 60/125 ♁ – ☐ 30 – **48 ch** 250/280 – ½ P 220/275.

Ibis, N 157, Z.A. La Rigourdière ✆ 99 83 93 93, Télex 740321, Fax 99 83 89 63 – TV ☎ ♿ P – 25. GB
R 83 ♁, enf. 39 – ☐ 32 – **76 ch** 270/310.

XX **Aub. de la Hublais,** 28 r. Rennes - N 157 ✆ 99 83 11 06 – P. AE GB
fermé 17 au 31 août, dim. soir et lundi – **R** 82/250.

à Noyal-sur-Vilaine par ③ : 12 km – 4 089 h. – ✉ **35530** :

XX **Host. les Forges** avec ch, ✆ 99 00 51 08, Fax 99 00 62 02 – TV ☎ P – 25. AE ① GB
fermé 15 au 28 fév., 10 au 16 août, dim. soir, lundi et soirs fériés – **Repas** 110/190 – ☐ 35 – **11 ch** 210/300.

à Chantepie par ④ : 5 km – 5 898 h. – ✉ **35135** :

Relais Bleus, Z.I. Sud-Est ✆ 99 32 34 34, Télex 741466, Fax 99 53 57 26 – TV ☎ ♿ P – 25. GB
R 66/95 ♁, enf. 45 – ☐ 30 – **50 ch** 214.

à Chartres-de-Bretagne par ⑥ : 10 km – 5 543 h. – ✉ **35131** :

Chaussairie Ⓜ sans rest, sur ancienne rte de Nantes ✆ 99 41 14 14, Fax 99 41 33 44 – TV ☎ ♿ P – 30. AE ① GB
☐ 30 – **33 ch** 220/280.

au Pont-de-Pacé par ⑨ : 10 km – ✉ **35740** Pacé :

XX **La Griotte,** ✆ 99 60 62 48, Fax 99 60 26 84, – AE ① GB
fermé 24 juil. au 28 août, 14 au 28 fév., dim. soir, mardi soir et merc. – **R** 110/235, enf. 80.

MICHELIN, Agence régionale, Z.I. de Chantepie, r. Veyettes par ④ ✆ 99 50 72 00

ALFA-ROMEO, HONDA Guénée, 21 r. de Brest ✆ 99 59 24 02
BMW-ROVER J.-Huchet, 316 rte de St-Malo ✆ 99 25 06 06 N ✆ 99 59 12 43
CITROEN Succursale-Ouest, 4 r. Breillou ZI Sud-Est à Chantepie par ④ ✆ 99 53 15 15 N ✆ 99 50 70 56
FIAT Sobredia, 9 r. de Paris à Cesson-Sévigné ✆ 99 83 40 00
FORD Gar. de l'Europe, 73 av. Mail ✆ 99 59 01 52
FORD Gar. de Sévigné, 73 r. de Rennes à Cesson-Sévigné ✆ 99 83 19 19
JAGUAR-SAAB Gar. du Mail, 17 r. Doyen Leroy ✆ 99 59 12 24
LANCIA Scadia, 9 r. de Paris à Cesson-Sévigné ✆ 99 83 80 00
MERCEDES-BENZ Delourmel-Autom., 9 r. Cerisaie, ZI à St-Grégoire ✆ 99 38 10 10 N ✆ 88 72 00 94
OPEL Prost Automobiles, 17 r. Doyen Leroy ✆ 99 33 03 03
PEUGEOT Sourget, 14 r. J.-Valles CU ✆ 99 31 01 55
PEUGEOT-TALBOT Filiale, rte de Paris, Cesson-Sévigné par ③ ✆ 99 83 16 06 N ✆ 99 24 13 14

RENAULT Succursale, rte de Fougères, lieu-dit les Longs-Champs par ② ✆ 99 38 41 41 N ✆ 05 05 15 15
RENAULT Goupil, av. Joseph Jan à Bruz par ⑥ ✆ 99 52 61 13
RENAULT Gar. Coulon, 147 r. de Vern DV ✆ 99 50 57 56
RENAULT Succursale, Centre Alma, r. du Bosphore CV a ✆ 99 51 50 22 N ✆ 05 05 15 15
RENAULT Gar. Louyer, 1 av. des Peupliers à Cesson-Sévigné ✆ 99 83 40 30
TOYOTA Gar. Defrance, 98 rte de Lorient ✆ 99 59 11 66
V.A.G Floc, 53 bis r. de Rennes à Cesson-Sévigné ✆ 99 83 94 94 N ✆ 99 59 12 43
VOLVO Defrance Automobile, 40 av. Sergent-Maginot ✆ 99 67 21 11

Chrono Pneus, 82 r. St-Hélier ✆ 99 65 52 77
Fresnel-Pneus, 70 av. Mail ✆ 99 59 35 29
Vallée Pneus r. Charmilles à Cesson-Sévigné ✆ 99 53 77 77
Vallée Pneus, ZI rte de Lorient, 67 r. Manoir-de-Servigné ✆ 99 59 13 47
Vallée-Pneus, 58 r. Poulain-Duparc ✆ 99 30 57 55

RETHEL ⟨SP⟩ 08300 Ardennes 56 ⑦ **G. Champagne** – 7 923 h. alt. 76.

Paris 182 – Charleville-Mézières 40 – ♦Reims 38 – Laon 59 – Verdun 106.

Moderne, pl. Gare ✆ 24 38 44 54, Télex 842898 – TV ☎ – 100. AE GB JCB. ch
fermé 23 déc. au 3 janv. – **R** 80/160, enf. 50 – 28 – **23 ch** 135/255 – ½ P 180/230.

CITROEN Rethel-Automobiles, ZI du Foirail ✆ 24 38 19 89
FIAT Sodine Auto, 37 av. Gambetta ✆ 24 38 44 18
FORD S.R.A., r. Achille-Berquet ✆ 24 38 19 48
PEUGEOT-TALBOT Dachy Auto Loisirs, r. Comtesse, ZI de Pargny ✆ 24 38 51 88 N
RENAULT Centre-Auto-Rethélois, r. Sucrerie ✆ 24 38 19 20
V.A.G Charpentier, ZI de Pargny, r. de Bitburg ✆ 24 38 49 15

Fischbach-Pneu, ZI de Pargny, r. de Bastogne ✆ 24 38 01 70

RETHONDES 60 Oise 56 ③, 106 ⑪ – rattaché à Compiègne.

RETJONS 40120 Landes 79 ⑫ – 313 h. alt. 98.

Paris 679 – Mont-de-Marsan 29 – Aire-sur-l'Adour 45 – Auch 104 – Langon 53 – Marmande 70.

Host. Landaise avec ch, S : 1,5 km sur D 932 ✆ 58 93 36 33, Fax 58 93 35 36, , parc – TV ☎ P. GB
fermé 16 au 26 juin, 2 au 12 janv., lundi soir et mardi sauf juil.-août – **R** 68/280, enf. 45 – 28 – **6 ch** 150/280 – ½ P 246/346.

RETOURNAC 43130 H.-Loire 76 ⑦ **G. Vallée du Rhône** – 2 270 h. alt. 509.

Voir Gorges de la Loire★ NE et O – Église★ de Chamalières-sur-Loire O : 5 km.

Paris 569 – Le Puy-en-Velay 30 – ♦St-Étienne 50 – Ambert 58 – Monistrol-sur-Loire 21 – Yssingeaux 14.

Univers, ✆ 71 59 40 06, – ☎. GB. rest
fermé 1er au 22 oct. et merc. du 1er nov. au 15 mai – **R** 50/130, enf. 36 – 25 – **11 ch** 110/190 – ½ P 139/179.

PEUGEOT TALBOT Gar. Durand, av. Gare ✆ 71 59 20 83

REUILLY-SAUVIGNY 02 Aisne 56 ⑮ – rattaché à Château-Thierry.

REVARD (Mont) 73 Savoie 74 ⑮ **G. Alpes du Nord** – alt. 1 538 – Sports d'hiver : 1 300/1 550 m 5 – ✉ 73100 Aix-les-Bains.

Voir ★★★.

Accès : d'Aix-les-Bains par ② et D 913 : 21 km.

Paris 561 – Annecy 50 – Aix-les-Bains 22 – Chambéry 26 – Trévignin 15.

Chalet Bouvard , ✆ 79 54 00 80, ← – P. AE GB. rest
1er juin-1er oct. et 15 déc.-vacances de printemps – **R** 80/150, enf. 50 – **30 ch** 130/260 – ½ P 230/260.

Quatre Vallées, ✆ 79 54 00 43, ← lac et montagnes, – P. GB
fermé 15 nov. au 15 déc. et mardi sauf vacances scolaires – **R** (déj. seul.) 70/180, enf. 45.

REVEL 31250 H.-Gar. 82 ⑳ **G. Gorges du Tarn** – 7 520 h. alt. 210.

Syndicat d'Initiative pl. Philippe-VI-de-Valois ✆ 61 83 50 06.

Paris 747 – ♦Toulouse 50 – Carcassonne 44 – Castelnaudary 20 – Castres 27 – Gaillac 60.

Midi, 34 bd Gambetta ✆ 61 83 50 50, – TV ☎. AE GB
R *(fermé 11 nov. au 9 déc., dim. soir et lundi midi de nov. à mars)* 90/240, enf. 50 – 25 – **22 ch** 150/300 – ½ P 160/220.

Le Lauragais, 25 av. Castelnaudary ✆ 61 83 51 22, , « Intérieur rustique », – P. AE GB
R 100/380, enf. 60.

à St-Ferréol SE : 3 km par D 629 – ✉ 31350.

Voir Bassin de St-Ferréol★.

Hermitage sans rest, ✆ 61 83 52 61, ←, – TV ☎ P. AE GB
1er mars-23 oct. et 3 nov.-15 déc. – 25 – **14 ch** 160/240.

CITROEN Fabre, 6 av. Gare ✆ 61 83 53 37
PEUGEOT Baylet, 29 av. de Castres ✆ 61 83 54 10
RENAULT D.S.A., 58 rte de Castres ✆ 61 27 65 33 N

Taquipneu, rte de Castelnaudary ✆ 61 83 50 09

REVIGNY-SUR-ORNAIN 55800 Meuse 56 ⑲ – 3 528 h.

Paris 210 – Bar-le-Duc 17 – Saint-Dizier 30 – Vitry-le-François 33.

Les Agapes, 7 r. A. Maginot ✆ 29 70 56 00 – AE GB
fermé 20 juil. au 20 août, 24 déc. au 2 janv., sam. midi, dim. soir et lundi – **R** (nombre de couverts limité, prévenir) 145/210.

RÉVILLE 50760 Manche 54 ③ – 1 205 h. alt. 9.

Voir La Pernelle ✻★★ du blockhaus O : 3 km – Pointe de Saire : blockhaus ≤★ SE : 2,5 km, **G. Normandie Cotentin.**

Paris 355 – Cherbourg 31 – Carentan 43 – St-Lô 71 – Valognes 21.

Au Moyne de Saire avec ch, ☏ 33 54 46 06 – ☎ Ⓟ. GB. ch
fermé dim. soir hors sais. – **R** 78/190, enf. 39 – ☕ 28 – **11 ch** 130/230 – ½ P 185/225.

REY 30 Gard 80 ⑯ – rattaché au Vigan.

REZÉ 44 Loire-Atl. 67 ③ – rattaché à Nantes.

Le RHIEN 70 H.-Saône 166 ⑦ – rattaché à Ronchamp.

RHINAU 67860 B.-Rhin 62 ⑩ – 2 286 h. alt. 159.

Paris 516 – ◆Strasbourg 36 – Marckolsheim 25 – Molsheim 40 – Obernai 26 – Sélestat 25.

✿ **Au Vieux Couvent** (Albrecht), ☏ 88 74 61 15, Fax 88 74 89 19 – GB
fermé 6 au 17 juil., 26 au 30 oct., 28 déc. au 8 janv., mardi et merc. – **R** 110/400
Spéc. Symphonie de ravioli sauce homardine, Ficelle à l'alsacienne, Pommes caramélisées et truffes glacées. **Vins** Riesling, Pinot noir.

CITROEN Gar. du Rhin ☏ 88 74 60 59

RIANS 83560 Var 84 ④ – 2 720 h. alt. 455.

Syndicat d'Initiative (saison) ☏ 94 80 33 37 et à la Mairie (hors saison) ☏ 94 80 30 23.

Paris 775 – ◆Marseille 70 – Aix-en-Provence 32 – Avignon 98 – Draguignan 69 – Manosque 32 – ◆Toulon 79.

Esplanade, ☏ 94 80 31 12, ≤ – ☎
fermé sam. hors sais. – **R** 62/135, enf. 35 – ☕ 25 – **9 ch** 140/200 – ½ P 150/180.

RENAULT Sepulveda, N 561, quartier St-Esprit ☏ 94 80 30 78 N ☏ 94 80 36 92

Avant de prendre la route,
consultez 36.15 MICHELIN sur votre Minitel :
votre meilleur itinéraire,
le choix de votre hôtel, restaurant, camping,
des propositions de visites touristiques.

RIBEAUVILLÉ SP 68150 H.-Rhin 62 ⑱ ⑲ **G. Alsace Lorraine** – 4 774 h. alt. 240.

Voir Tour des Bouchers★ A – Hunawihr : Centre de réintroduction des cigognes★ S : 3 km par ④.

Office de Tourisme Grand'Rue ☏ 89 73 62 22.

Paris 433 ⑤ – Colmar 15 ③ – Gérardmer 61 ④ – ◆Mulhouse 57 ④ – St-Dié 42 ⑤ – Sélestat 12 ②.

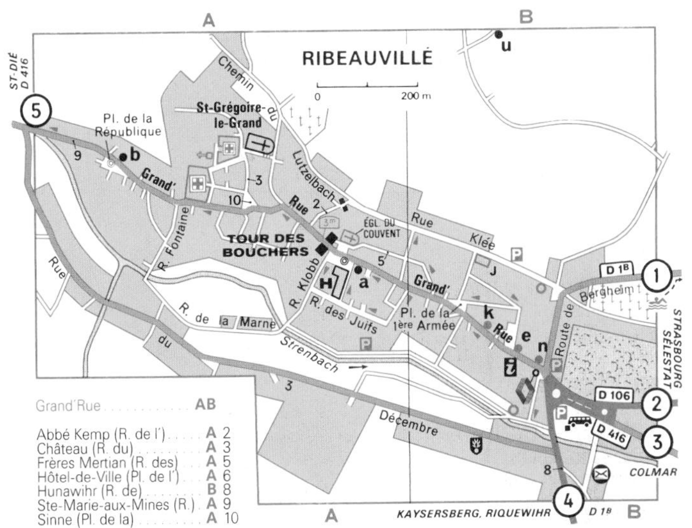

Clos St-Vincent, NE : 1,5 km par VO ℘ 89 73 67 65, Télex 871377, Fax 89 73 32 20, « Dans le vignoble dominant la plaine d'Alsace, ‹ », – GB B u
mi-mars-mi-nov. – **R** *(fermé mardi et merc.)* 270 – **12 ch** 595/840, 3 appart. 1155.

Le Ménestrel M sans rest, 27 av. Gén. de Gaulle par ④ ℘ 89 73 80 52, Fax 89 73 32 39, ‹, – 30. AE GB
fermé 15 fév. au 15 mars – 50 – **29 ch** 390/480.

Tour sans rest, 1 r. Mairie ℘ 89 73 72 73 – GB. A a
fermé janv. et fév. – 30 – **35 ch** 250/400.

Cheval Blanc, 122 Gd'rue ℘ 89 73 61 38, Fax 89 73 37 03 – GB A b
fermé 25 nov. au 25 janv. – **R** *(fermé lundi)* 90/180, enf. 42 – 26 – **25 ch** 160/230 – ½ P 180/210.

XXX ✿ **Les Vosges** (Matter) M avec ch, 2 Gd'rue ℘ 89 73 61 39, Fax 89 73 34 21 – AE GB. ch B e
fermé 15 fév. au 15 mars, mardi midi et lundi sauf du 1er juil. au 31 oct. – **R** 160/370 – 50 – **18 ch** 255/390 – ½ P 310/355
Spéc. Foie gras cuit au torchon, Sandre farci à la mousse de tourteau, Gibier (saison). **Vins** Riesling, Tokay Pinot gris.

XX **Haut-Ribeaupierre,** 1 rte Bergheim ℘ 89 73 62 64 – AE GB B n
fermé mardi de déc. à juin et merc. – **R** 130/320.

X **Wistub Züm Pfifferhüs,** 14 Gd'rue ℘ 89 73 62 28 – GB. B k
fermé 1er au 18 mars, 24 juin au 10 juil., merc. et jeudi sauf fériés – **R** (prévenir) carte 105 à 220.

rte de Ste Marie-aux-Mines par ⑤ : 4 km :

La Pépinière, ℘ 89 73 64 14, Fax 89 73 88 78, ‹, – 30. GB
Pâques-30 nov. – **R** *(fermé merc. midi et mardi)* 150/360, enf. 60 – 32 – **19 ch** 200/350 – ½ P 325/345.

CITROEN Gar. Wickersheim, à Hunawihr par ④ ℘ 89 73 62 02
RENAULT Gar. Jessel ℘ 89 73 61 33 N

Rauchen bei Tisch verändert den Geschmack und stört die Nachbarn. Denken Sie im Restaurant daran.

RIBÉRAC 24600 Dordogne 75 ④ G. Périgord Quercy – 4 118 h. alt. 68.

Syndicat d'Initiative pl. Gén.-de-Gaulle (fermé après-midi sauf 15 avril-15 oct.) ℘ 53 90 03 10.
Paris 507 – Périgueux 38 – Angoulême 56 – Barbezieux 58 – Bergerac 51 – Libourne 68 – Nontron 51.

France, r. M. Dufraisse ℘ 53 90 00 61, – 40. AE GB JCB
fermé 5 au 27 janv., vend. soir et sam. midi du 15 nov. au 28 fév. – **R** 60/150, enf. 40 – 25 – **20 ch** 160/220 – ½ P 155/195.

CITROEN Lafargue ℘ 53 90 05 38
PEUGEOT-TALBOT Fargeout ℘ 53 90 01 09 N
RENAULT D.A.P. ℘ 53 90 19 19
Périgord Pneus ℘ 53 90 05 06

Les RICEYS 10340 Aube 61 ⑰ – 1 421 h. alt. 175.

Paris 203 – Troyes 46 – Bar-sur-Aube 52 – Châtillon-sur-Seine 32 – St-Florentin 57 – Tonnerre 39.

XX **Le Magny** M avec ch, ℘ 25 29 38 39 – GB
fermé 1er au 10 sept., 20 janv. au 15 fév., mardi soir et merc. – **R** 65/185 – 20 – **7 ch** 170/200 – ½ P 165/180.

RENAULT Mme Roy ℘ 25 29 30 33

RICHELIEU 37120 I.-et-L. 68 ③ G. Poitou Vendée Charentes – 2 223 h. alt. 53.

Office de Tourisme Grande Rue (Pâques-sept.) ℘ 47 58 13 62.
Paris 296 – Tours 62 – Châtellerault 30 – Chinon 21 – Loudun 19.

Puits Doré, ℘ 47 58 10 59, – GB
fermé 15 déc. au 31 janv. et sam. du 1er oct. au 31 mars – **R** 75/170, enf. 39 – 24 – **17 ch** 134/305 – ½ P 176/225.

RICHEMONT 57270 Moselle 57 ③ ④ – 1 769 h. alt. 174.

Paris 325 – Metz 22 – Briey 18 – Longwy 44 – Rombas 8,5 – Thionville 9 – Verdun 71.

XX **L'Ornelle,** D 953 ℘ 87 71 24 10 – AE GB
fermé dim. soir et lundi – **R** 85/280.

RIEC-SUR-BÉLON 29340 Finistère 58 ⑪ ⑯ – 4 014 h. alt. 48.

Syndicat d'Initiative pl. Église (fermé après-midi hors saison) ℘ 98 06 97 65.
Paris 523 – Quimper 40 – Carhaix-Plouguer 60 – Concarneau 19 – Quimperlé 13.

Aub. de Kerland M, SE : 3 km par D 24 ℘ 98 06 42 98, ‹, « Dans un parc dominant le Bélon » – 80. GB
fermé fév. – **R** *(fermé dim. soir et lundi midi d'oct. à Pâques)* 195/320, enf. 95 – 45 – **17 ch** 390/530 – ½ P 435/505.

RIEUPEYROUX 12240 Aveyron 80 ① – 2 348 h. alt. 718.

Paris 669 – Rodez 37 – Albi 54 – Carmaux 38 – Millau 92 – Villefranche-de-Rouergue 23.

Commerce, ✆ 65 65 53 06, – ☎ Ⓟ. GB
fermé 16 déc. au 19 janv., dim. soir de sept. à juin, lundi midi sauf juil.-août et lundi soir de nov. à fév. – **R** 60/180 ♨, enf. 40 – ☕ 28 – **26 ch** 120/250 – ½ P 190/210.

RENAULT Gar. Costes ✆ 65 65 54 15

RIEZ 04500 Alpes de H.P. 81 ⑯ **G. Alpes du Sud** – 1 707 h – **Voir** Baptistère★ – Echassier fossile★ au musée "Nature en Provence" – Mont St-Maxime ※★ NE : 2 km.

ℹ Syndicat d'Initiative pl. de la Colonne (juin-sept.) ✆ 92 77 81 81.

Paris 769 – Brignoles 63 – Castellane 58 – Digne-les-Bains 41 – Manosque 33 – Salernes 46.

Carina ⛰ sans rest, rte Quinson ✆ 92 77 85 43 – TV ☎ Ⓟ. GB.
15 mars-15 nov. – ☕ 28 – **30 ch** 230/300.

PEUGEOT Gar. Arnoux ✆ 92 77 80 15
RENAULT Gar. Marchandy ✆ 92 77 80 60
Gar. Oberti ✆ 92 77 80 16

RIGNAC 12390 Aveyron 80 ① – 1 668 h. alt. 500.

Paris 657 – Rodez 27 – Aurillac 88 – Figeac 39 – Villefranche-de-Rouergue 28.

Marre, ✆ 65 64 51 56, – ☎ Ⓟ. GB
fermé vacances de Pâques, de Noël et dim. sauf juil.-août – **R** 50/130 ♨, enf. 45 – ☕ 24 – **16 ch** 90/180 – ½ P 130/180.

Delhon, ✆ 65 64 50 27 – ☎. GB
fermé dim. soir et sam. de mi-oct. à début juin – **R** 55 bc/100 bc – ☕ 18 – **18 ch** 80/160 – ½ P 125/140.

RIGNY 70 H.-Saône 166 ⑭ – rattaché à Gray.

RILLÉ 37340 I.-et-L. 64 ⑬ – 275 h. alt. 82.

Paris 275 – ◆Tours 37 – Angers 73 – Chinon 40 – Saumur 38.

Logis du Lac ⛰, O : 2 km par D 49 ✆ 47 24 66 61, ≤, – ☎ ♿ Ⓟ. AE GB
fermé fév. et mardi sauf de juin à sept. – **R** 70/130 – ☕ 35 – **7 ch** 225 – ½ P 195.

RILLIEUX-LA-PAPE 69 Rhône 74 ⑪ ⑫ – rattaché à Lyon.

RILLY-SUR-LOIRE 41150 L.-et-Ch. 64 ⑯ – 321 h. alt. 65.

Paris 203 – ◆Tours 38 – Amboise 13 – Blois 21 – Montrichard 18.

Château de la Hte Borde, rte Blois : 1,5 km ✆ 54 20 98 09, Fax 54 20 97 16, , « Parc » – ☎ – 🏕 35. GB. ch
fermé 15 déc. au 15 janv. – **R** *(fermé dim. soir et lundi du 15 mars au 15 nov., sam. et dim. du 15 nov. au 15 mars)* 72/156, enf. 50 – ☕ 29 – **18 ch** 134/270 – ½ P 200/275.

Aub. des Voyageurs, ✆ 54 20 98 85 – ☎ Ⓟ. GB
1er mars-15 nov. et fermé merc. sauf de juin à sept. – **R** 75/170 ♨, enf. 50 – ☕ 28 – **16 ch** 270 – ½ P 240.

RIMBACH-PRÈS-GUEBWILLER 68500 H.-Rhin 62 ⑱ – 223 h. alt. 563.

Paris 469 – ◆Mulhouse 26 – Belfort 54 – Cernay 15 – Colmar 33 – Guebwiller 11 – Thann 25.

Aigle d'Or ⛰, ✆ 89 76 89 90, – ☎ 🚗. AE GB
fermé 24 fév. au 23 mars, 1er au 4 déc. et lundi d'oct. à juin – **R** 50/160 ♨, enf. 45 – ☕ 20 – **21 ch** 82/185 – ½ P 150/180.

RIOM ⟨SP⟩ 63200 P.-de-D. 73 ④ **G. Auvergne** – 18 793 h. alt. 353.

Voir Église N.-D.-du-Marthuret★ : Vierge à l'Oiseau★★★ – Maison des Consuls★ **B** – Hôtel Guimoneau★ **D** – Ste-Chapelle★ du Palais de Justice **L** – Cour★ de l'Hôtel de Ville **H** – Musées : Auvergne★ **M**1, Mandet★ **M**2 – Mozac : chapiteaux★★, trésor★★ de l'église★ 2 km par ④ – Marsat : Vierge noire★★ dans l'église SO : 3 km par D 83.

Env. Châteaugay : donjon★ du château et ※★ 7,5 km par ③ – Volvic : coulée de lave★ dans la maison de la pierre 7 km par ④ – Ruines du château de Tournoël★★ : ※★ 8 km par ④.

ℹ Office de Tourisme 16 r. Commerce ✆ 73 38 59 45.

Paris 412 ① – ◆Clermont-Fd 15 ③ – Montluçon 73 ① – Moulins 82 ① – Thiers 41 ② – Vichy 39 ①.

Plan page suivante

Le Pacifique, rte Paris : 1 km par ① ✆ 73 38 15 65, Fax 73 38 94 90 – TV ☎ Ⓟ. GB
fermé 20 déc. au 10 janv. – **R** *(fermé lundi hors sais.)* 70/130 – ☕ 30 – **16 ch** 190/260.

Mikégé sans rest, 40 pl. J.-B. Laurent **(s)** ✆ 73 38 04 12, Fax 73 38 05 08 – TV ☎ 🚗. GB
fermé 20 déc. au 10 janv. – ☕ 25 – **15 ch** 190/280.

La Caravelle sans rest, 21 bd République **(b)** ✆ 73 38 31 90, Fax 73 33 11 30 – TV ☎ Ⓟ. AE GB
☕ 24 – **27 ch** 110/235.

Lyon sans rest, 107 fg La Bade par ② ✆ 73 38 07 66, – ☎ Ⓟ.
fermé 1er au 17 mai et 30 août au 13 sept. – ☕ 20 – **15 ch** 90/145.

RIOM

Commerce (R. du) 5
Horloge (R. de l') ....
Hôtel-de-Ville (R. de l') 13
St-Amable (R.) 27

Bade (Fg de la) 2
Chabrol (R.) 3
Châtelguyon (Av. de) 4
Croisier (R.) 6
Daurat (R.) 7
Delille (R.) 8
Fédération (Pl. de la) 10
Hôtel-des-Monnaies (R. de l') 12
Laurent (Pl. J.-B.) 14
Layat (Fg de) 15
Libération (Av. de la) 16
Madeline (Av. du Cdt) 17
Marthuret (R. du) 18
Martyrs-de-la-Résistance (Pl. des) 19
Menut (Pl. Marinette) 20
Pré-Madame
(Promenade du) 21
République (Bd de la) 22
Reynouard (Av. J.) 23
Romme (R. G.) 26
St-Louis (R.) 29
Taules (Carrefour des) 30

Le Guide change,
changez de guide tous les ans.

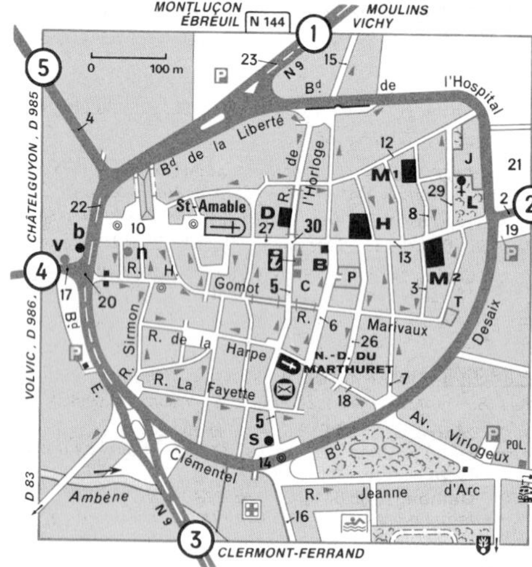

XXX **Les Petits Ventres,** 6 r. A. Dubourg **(n)** ✆ 73 38 21 65 – AE GB
fermé 24 août au 9 sept., 16 au 22 nov., vacances de fév., dim. soir (sauf juil.-août), sam. midi et lundi – **R** 100/270.

XX **Le Magnolia,** 11 av. Cdt Madeline **(v)** ✆ 73 38 08 25 – GB
fermé 15 juil. au 7 août, lundi midi et dim. – **R** 65/180.

rte de Marsat SO : 2,5 km par D 83 – ✉ **63200** Riom :

XX **Moulin de Villeroze,** ✆ 73 38 58 23, Fax 73 38 92 26, – AE GB
fermé dim. soir et lundi – **R** 140/320.

PEUGEOT-TALBOT Clermontoise-Auto, 81 av. de Clermont par av. Libération ✆ 73 38 23 05
RENAULT Gaudoin, ZA à Mozac par ④ ✆ 73 38 20 76

Poughon Pneu Plus, 10 r. A.-Faucon ✆ 73 38 18 72

RIORGES **42** Loire **73** ⑦ – rattaché à Roanne.

RIOZ **70190** H.-Saône **166** ⑮ – 883 h. alt. 264.

Paris 424 – ♦Besançon 23 – Belfort 76 – Gray 46 – Vesoul 23 – Villersexel 37.

Logis Comtois, ✆ 84 91 83 83, – ☎ ⓟ. GB
fermé 15 déc. au 31 janv. – **R** *(fermé dim. soir et lundi midi)* 68/130 – ☕ 25 – **27 ch** 140/240 – ½ P 200/240.

RENAULT Pernin ✆ 84 91 82 10

RIQUEWIHR **68340** H.-Rhin **62** ⑱ ⑲ **G. Alsace Lorraine** (plan) – 1 075 h. alt. 300.

Voir Village★★★.

Office de Tourisme r. 1ère-Armée (vacances scolaires, mars-nov.) ✆ 89 47 80 80.

Paris 437 – Colmar 12 – Gérardmer 59 – Ribeauvillé 4 – St-Dié 46 – Sélestat 16.

Le Riquewihr M sans rest, rte Ribeauvillé ✆ 89 47 83 13, Fax 89 47 99 76, ← – TV ☎ ⓟ. AE ⓓ GB
☕ 36 – **49 ch** 215/290.

H. Le Schoenenbourg M, r. Piscine ✆ 89 49 01 11, Fax 89 47 95 88, ←, – TV ☎ ♿ ⓟ. GB
R voir rest. **Aub. Le Schoenenbourg** ci-après – ☕ 41 – **43 ch** 325/490 – ½ P 409.

Couronne M sans rest, 5 r. Couronne ✆ 89 49 03 03, Fax 89 49 01 01 – TV ☎ ⓟ. GB
☕ 36 – **38 ch** 255/550.

A L'Oriel M sans rest, 3 r. Ecuries Seigneuriales ✆ 89 49 03 13, Fax 89 47 92 87 – TV ☎. AE ⓓ GB
☕ 35 – **13 ch** 320/390.

XXX ✿ **Aub. Le Schoenenbourg** (Kiener), r. Piscine ✆ 89 47 92 28, Fax 89 47 89 84, – ⓟ. GB
R 150/325
Spéc. Ravioles d'escargots. Duo de saumons tièdes à la crème de raifort et choucroute. Suprême de faisan en chevreuil (1er oct. au 15 déc.). **Vins** Tokay-Pinot gris.

XX **Le Sarment d'Or** M avec ch, 4 r. Cerf ✆ 89 47 92 85, Fax 89 47 99 23, « Maison du 17e siècle » – TV ☎. GB. ✻ ch
hôtel : fermé 4 janv. au 8 fév. ; rest. : fermé 29 juin au 6 juil., 4 janv. au 8 fév., dim. soir et lundi – **R** 92/260 ♂, enf. 40 – ☐ 36 – **10 ch** 280/420 – ½ P 326/396.

XX **Au Petit Gourmet,** 5 r. 1e Armée ✆ 89 47 98 77, Fax 89 49 04 56, « Cadre typiquement alsacien » – AE GB
fermé 13 janv. au 1er mars, mardi hors sais. et lundi – **R** 180/270.

X **A l'Arbalétrier,** r. Écuries Seigneuriales ✆ 89 49 01 21 – ▤. AE ⓓ GB
fermé 25 au 30 juin, 2 au 31 janv., mardi soir et merc. – **R** 85/230 ♂, enf. 45.

à Zellenberg E : 1 km sur D 1B – ✉ **68340** :

Au Riesling M, ✆ 89 47 85 85, Fax 89 47 92 08, ← – |‡| ☎ ♿ P. AE GB. ✻
fermé 1er janv. au 15 fév., lundi midi du 1er mai au 1er nov., dim. soir et lundi du 1er nov. au 1er mai – **R** 95/200 ♂ – ☐ 35 – **36 ch** 135/380 – ½ P 280.

XXX ✿ **Maximilien** (Eblin), ✆ 89 47 99 69 – P. AE GB
fermé 27 juil. au 10 août, 2 au 21 janv., dim. soir et lundi – **R** 185/355 ♂
Spéc. Petit baeckeofe d'escargots à l'ail, Civet de carpe au rouge de Zellenberg, Moëlleux au chocolat amer.

RISCLE 32400 Gers 82 ② – 1 778 h. alt. 105.
Paris 741 – Mont-de-Marsan 48 – Aire-sur-l'Adour 17 – Auch 70 – Condom 60 – Mirande 53 – Pau 60 – Tarbes 53.

Paix, ✆ 62 69 70 14 – ☎
fermé 27 août au 6 sept. et 8 au 30 oct. – **R** 53/130 ♂ – ☐ 15 – **16 ch** 80/130 – ½ P 150.

à Termes d'Armagnac NE : 8,5 km par D 935 et D 3 – ✉ **32400** :

Relais de la Tour, ✆ 62 69 22 77, ⛱, ✻ – ☎. AE GB
fermé fév., dim. soir et lundi – **R** 60/190 – ☐ 22 – **11 ch** 190/210 – ½ P 190/215.

CITROEN Coulom ✆ 62 69 70 08
PEUGEOT-TALBOT Laffargue ✆ 62 69 72 61
RENAULT Gar. Bressac ✆ 62 69 73 80

RIS-ORANGIS 91 Essonne 61 ①, 101 ㊱ – voir à Paris, Environs.

RIVA-BELLA 14 Calvados 55 ② – voir à Ouistreham-Riva-Bella.

RIVALET 63 P.-de-D. 73 ⑭ – rattaché à St-Nectaire.

RIVE-DE-GIER 42800 Loire 73 ⑲ **G. Vallée du Rhône** – 15 623 h. alt. 242.
Paris 497 – ◆Lyon 37 – ◆St-Étienne 21 – Montbrison 54 – Roanne 106 – Thiers 128 – Vienne 26.

XXX **Host. Renaissance** avec ch, 41 r. A. Marrel ✆ 77 75 04 31, 余, ⛱ – ☎ P. AE ⓓ GB
fermé dim. soir et lundi – **R** 180/500 – ☐ 65 – **6 ch** 270/450.

à Ste-Croix-en-Jarez SE : 10 km par D 30 – ✉ **42800** :

X **Le Prieuré** avec ch, ✆ 77 20 20 09 – TV ☎. AE ⓓ GB. ✻
fermé fév. et lundi – **R** 65/200 – ☐ 28 – **4 ch** 240/260 – ½ P 235/280.

CITROEN Bellon, 9 r. J.-Guesde ✆ 77 75 00 39
OPEL Putinier, 18 av. Mar.-Juin ✆ 77 75 02 30
PEUGEOT-TALBOT Boutin, 44 r. Cl.-Drivon ✆ 77 75 04 22 N

RIVEDOUX-PLAGE 17 Char.-Mar. 71 ⑫ – voir à Ré (Ile de).

RIVESALTES 66600 Pyr.-Or. 86 ⑨ ⑲ **G. Pyrénées Roussillon** – 7 110 h. alt. 29.
Env. Fort de Salses** N : 11 km – ✈ de Perpignan-Rivesaltes : ✆ 68 61 28 98 : 4 km.
ℹ Syndicat d'Initiative r. L.-Rollin ✆ 68 64 04 04 – Paris 901 – ◆Perpignan 10 – Narbonne 56 – Quillan 67.

Alta Riba, av. Gare ✆ 68 64 01 17, Fax 68 64 60 91 – |‡| TV ☎ ♿ ⇔ P. ⓓ GB JCB
R 65/160 ♂, enf. 45 – ☐ 30 – **52 ch** 170/250.

Tour de l'Horloge, 11 r. A. Barbès (près église) ✆ 68 64 05 88, Fax 68 64 66 67 – TV ☎ ⇔. GB
fermé 15 au 30 nov., 30 janv. au 15 fév., dim. soir et lundi midi sauf juil.-août – **R** 68/100 ♂, enf. 35 – ☐ 28 – **17 ch** 130/210 – ½ P 180/300.

CITROEN Galabert, 13 av. Gambetta ✆ 68 64 07 67
RENAULT Gar. Sales, 68 bd Arago ✆ 68 64 15 73

RIVIÈRE-SUR-TARN 12640 Aveyron 80 ④ – 757 h. alt. 379.
Paris 652 – Mende 71 – Millau 12 – Rodez 65 – Sévérac-le-Château 28.

Le Clos d'Is, ✆ 65 59 81 40, 余, ⛱ – P. GB
R 62/150 ♂ – ☐ 25 – **22 ch** 100/170 – ½ P 240/290.

RENAULT Gar. Vayssière ✆ 65 59 80 05

La RIVIÈRE-THIBOUVILLE 27 Eure 55 ⑮ – alt. 72 – ✉ **27550** Nassandres.
Paris 139 – ◆Rouen 48 – Bernay 15 – Évreux 35 – Lisieux 38 – Le Neubourg 15 – Pont-Audemer 33.

XX **Soleil d'Or** avec ch, ✆ 32 45 00 08, 余, ⛱ – TV ☎ P. GB
fermé 19 fév. au 13 mars, dim. soir et merc. hors sais. – **R** 89/215 – ☐ 32 – **12 ch** 160/280.

PEUGEOT-TALBOT Gar. Chaise, N 13 à Nassandres ✆ 32 45 00 33 N

ROANNE <SP> **42300** Loire 73 ⑦ **G. Vallée du Rhône** – 41 756 h. alt. 279.

Env. Belvédère de Commelle-Vernay ≤★ : 7 km au S par quai Sémard BV.

de Champlong à Villerest ℘ 77 69 70 60, par ④.

Office de Tourisme du Roannais cours République ℘ 77 71 51 77 – A.C. pl. Mar. de Lattre de Tassigny ℘ 77 72 08 91.

Paris 391 ⑥ – Bourges 199 ⑥ – Chalon-sur-Saône 136 ① – ♦Clermont-Ferrand 107 ④ – ♦Dijon 193 ① – ♦Lyon 87 ③ – Montluçon 140 ⑥ – ♦St-Étienne 84 ③ – Valence 186 ③ – Vichy 72 ⑥.

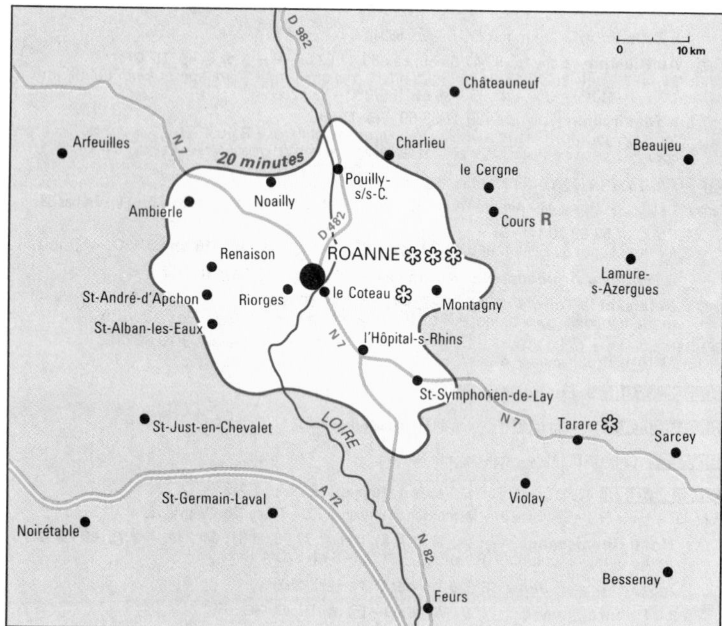

⚐⚐⚐⚐ ✿✿✿ **Troisgros** M, pl. Gare ℘ 77 71 66 97, Télex 307507, Fax 77 70 39 77, « Élégant décor contemporain », – | – AE GB JCB — CX **r**
fermé vacances de fév., mardi soir et merc. – **R** (nombre de couverts limité - prévenir) 470/600 et carte 430 à 620, enf. 130 – ☐ 95 – **14 ch** 700/1200, 6 duplex 1400/2000
Spéc. Crème de cuisses de grenouilles en champignonnade. Halicot de pigeonneau au basilic. Filet de boeuf poché au bouillon de pot-au-feu et râpé de raifort. **Vins** Pouilly-Fuissé, Côte Roannaise.

Grand Hôtel sans rest, 18 cours République ℘ 77 71 48 82, Télex 300573, Fax 77 70 42 40 – | – 100. AE GB — CX **f**
fermé 2 au 17 août et 24 déc. au 2 janv. – ☐ 36 – **34 ch** 210/375.

Terminus sans rest, face gare ℘ 77 71 79 69, Fax 77 72 90 26 – | . GB — CX **f**
☐ 26 – **55 ch** 175/260.

Campanile, 38 r. Mâtel ℘ 77 72 72 73, Télex 307591, Fax 77 72 77 61, – – 30. AE GB — BV **n**
R 77 bc/99 bc, enf. 39 – ☐ 28 – **50 ch** 258 – ½ P 234/256.

XXX **L'Astrée,** 17 bis cours République ℘ 77 72 74 22 – GB — CX **f**
fermé 27 juil. au 20 août, 23 déc. au 6 janv., sam. et dim. – **R** 110/300, enf. 80.

XX **Côté Jardin,** 10 r. Benoît Malon ℘ 77 72 81 88 – AE GB — CY **u**
R 78/220.

au Coteau (rive droite de la Loire) – 7 469 h. – ✉ **42120** Le Coteau :

Artaud, 133 av. Libération ℘ 77 68 46 44, Fax 77 72 23 50 – – 150. GB JCB
fermé 26 juil. au 13 août (sauf hôtel) et dim. sauf fêtes – **R** 90/320 – ☐ 30 – **25 ch** 220/380. — BV **e**

Ibis M, 53 bd Ch. de Gaulle, ZI Le Coteau - BV ℘ 77 68 36 22, Télex 300610, Fax 77 71 24 99, – – 25 à 70. AE GB JCB
R 79/95, enf. 39 – ☐ 32 – **67 ch** 270/310.

ROANNE

Alsace-Lor. (Av.) . . . CY 2
Anatole-France (R.) CY 3
Foch (R. Mar.) . . . CDY
Gaulle (R. Ch.-de) . . CY 18
Jaurès (R. Jean) . . CDY

Benoît (Bd C.) . . . . . BV 5
Cadore (R. de) . . . . CX 7
Carnot (R.) . . . . BV 8
Clemenceau (Pl.) . . DX 10
Clermont (R. de) . . . CY 12
Dourdein (R. A.) . . . AV 14
Edgar-Quinet (Bd) . BV 15
Gaulle (Av. Ch.-de) . AV 16
Gaulle (Bd Ch.-de) . BV 17
Hoche (R.) . . . . AV 19
Hôtel-de-Ville (Pl.) . DY 20
Joffre (Bd Mar.) . . . BV 21
Lattre-de-T. (Pl. de) CX 22
Libération (Av. de la) DY 23
Loire (Levée de la) . DY 24
Marne (Av. de la) . . BV 26
Renaison (Levée du) DY 28
République (Av.) . . BV 30
République (Crs) . CXY 32
Roche (R. A.) . . . . . DX 34
Semard (Q. P.) . . . . AV 35
Thiers (Bd de) . . . . AV 36
Thomas (Bd A.) . . . AV 38
Vachet (R. J.) . . . . . AV 40
Villemontais (R. de) AV 42

MOULINS LAPALISSE
MÂCON DIGOIN
PARC DES SPORTS
LES MARAIS
RENAISON
R. P. Semard
R. Denis Papin
R. Cuvier
Av. de Paris
R. de Charlieu
Q. du Canal
Bd du Canal
Bd d'Oudan
ILE BERTHIER
STE-ANNE
R. Mulsant
R. St. Alban
R. Giraud
HALLE DES SPORTS
Sampaix
LOIRE
Rhins
LE COTEAU
THIERS
ST-ÉTIENNE LYON
THIZY
D 504
D 482
D 9
D 31
D 53
N 7
0 1 km

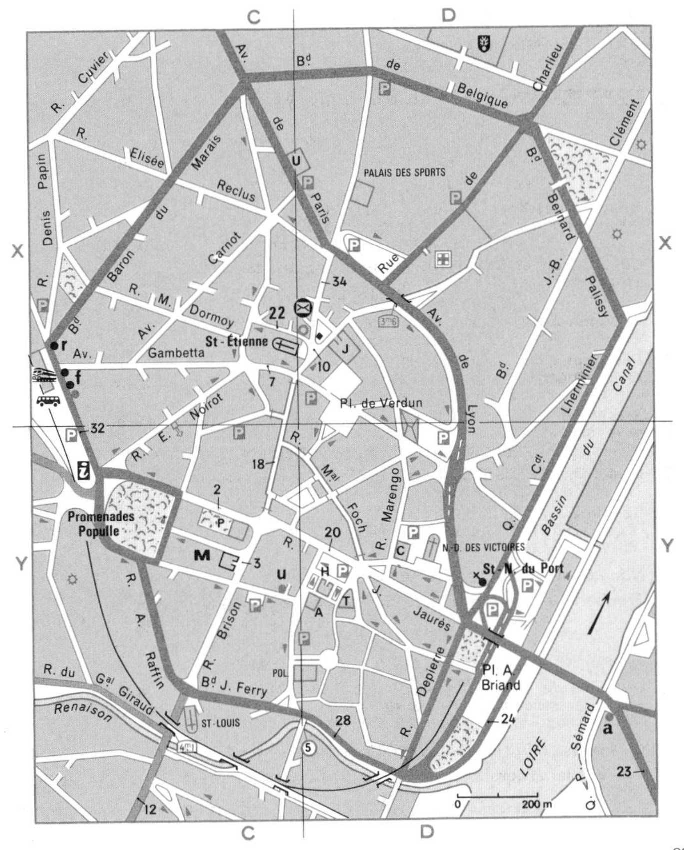

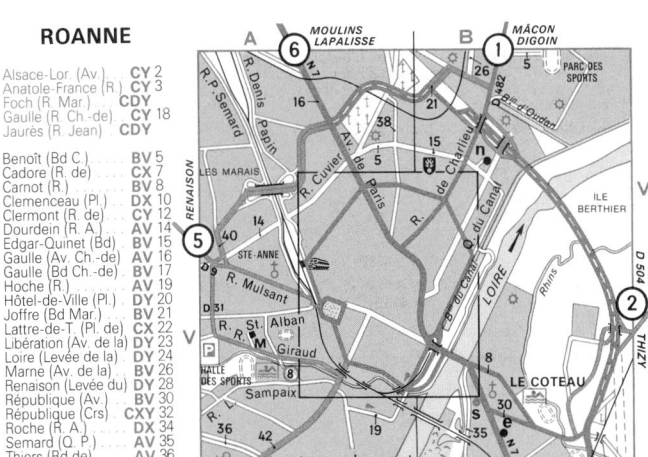

XXX ✿ **Aub. Costelloise** (Alex), 2 av. Libération ✆ 77 68 12 71 – GB DY a
fermé 5 au 11 mai, 4 au 25 août, 29 déc. au 6 janv., dim. et lundi – **R** 110/320
Spéc. Salade de langoustines et viennoise de ris de veau, Saumon à la vinaigrette d'herbes, Assiette de fruits frais et son baba. **Vins** Côte Roannaise.

XX **Ma Chaumière,** 3 r. St-Marc ✆ 77 67 25 93 – GB BV s
fermé août, dim. soir et lundi – **R** 89/190.

à Riorges O : 3 km par D 31 – AV – 9 868 h. – ✉ **42153** :

XXX **Le Marcassin** avec ch, rte St-Alban-les-Eaux ✆ 77 71 30 18, – TV ☎. AE GB. ch
fermé 31 juil. au 23 août et 15 au 28 fév. – **R** *(fermé dim. soir et sam.)* 100/285 – ☕ 28 – **10 ch** 200/260 – ½ P 200/230.

par ③ rte de Lyon : 6 km – ✉ **42120** Roanne :

Primevère M, N 7 ✆ 77 62 84 84, Fax 77 62 02 09, – TV ☎ ♿ P – 30. GB
R 71/95 , enf. 39 – ☕ 30 – **41 ch** 230/250.

par ⑥ rte de St-Germain : 7 km – ✉ **42640** St-Germain-l'Espinasse :

Relais de Roanne, ✆ 77 71 97 35, Fax 77 70 88 15, – rest TV ☎ P – 40. AE ⓓ GB
R 75/270 – ☕ 32 – **30 ch** 210/290 – ½ P 220.

VOLVO Gd Gar. Gobelet, 54 av. Gambetta ✆ 77 72 30 22

Ⓜ Comptoir Roannais C/c, bd C.-Benoit ✆ 77 72 47 33

Périphérie et environs

BMW Gar. Barberet, 36 bd Ch.-de-Gaulle - Le Coteau ✆ 77 70 42 22
CITROEN Lagoutte, 212 av. de la Libération au Coteau par ③ ✆ 77 67 00 22 N ✆ 77 72 41 77
MERCEDES SOGEMO, Aiguilly, D 482 à Vougy ✆ 77 72 26 22
PEUGEOT-TALBOT SAGG, rte de Paris, Riorges N 7 par ⑥ ✆ 77 44 88 00

V.A.G Gar. Route Bleue, 29 bd Étines ZI ✆ 77 67 34 00

Ⓜ Comptoir du Pneu, 4 pl. Église, Le Coteau ✆ 77 67 05 15
Piot-Pneu, 47 bd Ch.-de-Gaulle, ZI, Le Coteau ✆ 77 70 04 44

ROCAMADOUR **46500** Lot 75 ⑱ ⑲ **G. Périgord Quercy** (plan) – 627 h. alt. 210.

Voir Site★★★ – Remparts ★★★ – Tapisseries★ dans l'Hôtel de Ville – Vierge noire★ dans la chapelle Notre-Dame – Musée-trésor Francis-Poulenc★ – Féerie du rail : maquette★.

ℹ Office de Tourisme à la Mairie (avril-oct.) ✆ 65 33 62 59.

Paris 539 – Cahors 56 – Brive-la-Gaillarde 54 – Figeac 45 – Gourdon 32 – St-Céré 29 – Sarlat-la-C. 51.

Beau Site et Notre Dame, ✆ 65 33 63 08, Télex 520421, Fax 65 33 65 23, ←, , « Bel aménagement intérieur » – ☎ P. AE ⓓ GB JCB
1er avril-11 nov. – **R** 92/230, enf. 49 – ☕ 42 – **47 ch** 260/420 – ½ P 296/370.

du Château et Relais Amadourien , rte du Château : 1,5 km ✆ 65 33 62 22, Télex 521871, Fax 65 33 69 00, , , , – TV ☎ ♿ P – 80. AE GB
1er avril-8 nov. – **R** 68/250 – ☕ 30 – **84 ch** 215/400 – ½ P 298/338.

Belvédère, à l'Hospitalet ✆ 65 33 63 25, Fax 65 33 69 25, ←Rocamadour, – TV ☎ P. GB – *25 mars-6 nov.* – **R** 60/230, enf. 45 – ☕ 30 – **19 ch** 225/330.

Panoramic, à l'Hospitalet ✆ 65 33 63 06, Télex 533784, Fax 65 33 69 26, ←, – TV ☎ P. AE ⓓ GB – *14 fév.-4 nov.* – **R** *(fermé vend. hors sais. sauf vacances scolaires)* 63/200, enf. 46 – ☕ 30 – **21 ch** 199/250 – ½ P 214/239.

Ste-Marie , ✆ 65 33 63 07, Fax 65 33 69 08, ←, , « Terrasse avec vue agréable » – ☎ P. GB
1er avril-20 oct. – **R** 56/300, enf. 39 – ☕ 29 – **22 ch** 160/250 – ½ P 230/260.

Lion d'Or, ✆ 65 33 62 04, Fax 65 33 72 54 – ☎ P. GB
11 avril-2 nov. – **R** 55/200, enf. 39 – ☕ 30 – **35 ch** 200/250 – ½ P 240/260.

XX **Bellevue** avec ch, (à l'annexe -13 ch ← Rocamadour) à l'Hospitalet ✆ 65 33 62 10, Fax 65 33 65 61, – ☎ P. AE ⓓ GB – *mars-nov. et fermé merc. hors sais. sauf vacances scolaires* – **R** 80/300 – ☕ 31 – **20 ch** 150/260.

NE : 2,5 km par D 673 – ✉ **46500** Rocamadour :

Troubadour , ✆ 65 33 70 27, , , – rest TV ☎ P. GB
15 mars-15 nov. – **R** (dîner seul.)(résidents seul.) 85/140, enf. 43 – ☕ 32 – **10 ch** 270/340 – ½ P 260/300.

à la Rue NE : 6 km par D 673, N 140 et VO – ✉ **46500** Rocamadour :

Domaine de la Rhue sans rest, ✆ 65 33 71 50, Télex 521274, Fax 65 33 72 48, ←, « Mobilier ancien », , – ☎ P. GB
10 avril-3 nov. – ☕ 40 – **12 ch** 360/560.

O : 4 km par D 673 et VO – ✉ **46500** Rocamadour :

Les Vieilles Tours , ✆ 65 33 68 01, Fax 65 33 68 59, , parc, – ☎ P. GB. rest
15 avril-2 nov. – **R** (dîner seul.) 105/155, enf. 50 – ☕ 45 – **17 ch** 205/520 – ½ P 235/348.

Gar. Sirieys ✆ 65 33 63 15

La ROCHE-BERNARD 56130 Morbihan 63 ⑭ G. Bretagne – 766 h. alt. 30.

Voir Pont*.

18 de la Bretesche ✆ 40 88 30 03, SE : 11 km.

Paris 439 – ♦ Nantes 70 – Ploërmel 59 – Redon 27 – St-Nazaire 35 – Vannes 40.

Deux Magots, ✆ 99 90 60 75, Fax 99 90 87 87 – TV ☎. GB. ✗
fermé 23 au 30 juin (sauf hôtel), 15 déc. au 15 janv., dim. soir du 15 sept. au 30 juin et lundi – **R** 80/340 – ☕ 30 – **15 ch** 280/480.

Bretagne sans rest, ✆ 99 90 60 65 – ☎ P. GB. ✗
Pâques-nov. et fermé sam. sauf juil.-août – ☕ 28 – **13 ch** 270/330.

XXXX ✿✿ **Aub. Bretonne** (Thorel) avec ch, ✆ 99 90 60 28, Fax 99 90 85 00 – |‡| TV ☎ ♿ 🚗. GB
fermé 12 nov. au 3 déc., 8 au 21 janv., vend. midi et jeudi – **R** 250/450 et carte – ☕ 55 – **11 ch** 350/850
Spéc. Bouillon d'asperges et truffe de Saint-Jacques (oct. à avril), Homard rôti au jus, Les délices de Solange.

XX **Aub. Rochoise,** ✆ 99 90 77 37 – GB
fermé lundi soir et mardi sauf juil.-août – **R** 78/200.

à Camoël SO : 10 km par D 774 et rte de Pénestin – ✉ **56130**.

Voir Pointe du Scal* NO : 5 km.

La Vilaine, ✆ 99 90 01 55 – ☎ P. GB
R *(fermé mardi hors sais.)* 85/200, enf. 60 – ☕ 28 – **24 ch** 210/300 – ½ P 250/320.

CITROEN Gar. Biton ✆ 99 90 61 11

RENAULT Gar. Priour, ZA des Métairies, rte de St-Dolay ✆ 99 90 71 90 **N** ✆ 99 90 72 92

La ROCHE-CANILLAC 19320 Corrèze 75 ⑩ – 186 h. alt. 460.

Paris 511 – Brive-la-Gaillarde 48 – Argentat 16 – Aurillac 71 – Mauriac 52 – St-Céré 56 – Tulle 27 – Ussel 60.

Aub. Limousine, ✆ 55 29 12 06, Fax 55 29 27 03, 🏊 – ☎ P. GB. ✗ rest
Pâques-30 sept. – **R** 85/200, enf. 50 – ☕ 30 – **52 ch** 130/275 – ½ P 170/245.

ROCHECORBON 37 I.-et-L. 64 ⑮ – rattaché à Tours.

ROCHEFORT SP 17300 Char.-Mar. 71 ⑬ G. Poitou Vendée Charentes – 25 561 h. alt. 5 – Stat. therm. (10 fév.-19 déc.).

Voir Maison de Loti* BZ **B** – Musée d'Art et d'histoire* BZ **M1** – Echillais : façade* de l'église 4,5 km par ③.

Accès Pont de Martrou. Péage en 1991 : auto 30 F (AR 45 F), voiture et caravane 45 F. Renseignements : Régie d'Exploitation des Ponts ✆ 46 83 01 01.

ℹ Office de Tourisme av. Sadi-Carnot ✆ 46 99 08 60.

Paris 467 ① – La Rochelle 34 ④ – Royan 40 ③ – ♦Limoges 208 ② – Niort 60 ① – Saintes 36 ②.

Plan page suivante

La Corderie Royale M 🔇, r. Audebert (près Corderie Royale) ✆ 46 99 35 35, Télex 792283, Fax 46 99 78 72, ≤, 🏞, « Ancienne artillerie royale au bord de la Charente », 🏋, 🏊, 🌳 – |‡| ▤ rest TV ☎ ♿ P – 🏛 40 à 120. AE ⓓ GB — BY **h**
R 110/180, enf. 60 – ☕ 45 – **50 ch** 425/575, 3 appart. 800 – ½ P 360/525.

Fimotel Remparts M, aux Thermes ✆ 46 87 12 44, Fax 46 83 92 62 – |‡| TV ☎ ♿ P – 🏛 30 à 70. AE ⓓ GB — BY **s**
R 78/95 🍷, enf. 36 – ☕ 34 – **73 ch** 325/350 – ½ P 285.

Le Paris, 27 av. La Fayette ✆ 46 99 33 11, Fax 46 99 77 34 – |‡| ▤ rest TV ☎ – 🏛 40. GB
R *(fermé 24 déc. au 15 janv. et dim.)* 85/180 🍷, enf. 56 – ☕ 28 – **38 ch** 220/315 – ½ P 215/280. — BZ **d**

Roca-Fortis sans rest, 14 r. République ✆ 46 99 26 32, 🌳 – TV ☎. GB — BY **v**
fermé 26 déc. au 9 janv. – ☕ 25 – **16 ch** 170/250.

des Vermandois M sans rest, 33 r. E. Combes ✆ 46 87 09 87 – TV ☎. GB — BZ **r**
fermé 20 déc. au 2 janv. – ☕ 30 – **11 ch** 230/260, 5 appart. 280.

Arcade M, 1 r. Bégon ✆ 46 99 31 31, Télex 791695, Fax 46 87 24 09 – |‡| ⇆ rest TV ☎ ♿ P – 🏛 30. AE GB. ✗ rest — BY **n**
R snack 60/75 🍷 – ☕ 32 – **44 ch** 250/275 – ½ P 195.

Lafayette sans rest, 10 av. Lafayette ✆ 46 99 03 31 – ☎. GB — BZ **u**
☕ 28 – **23 ch** 130/210.

XX **Tourne-Broche,** 56 av. Ch. de Gaulle ✆ 46 99 20 19 – AE GB — BZ **e**
fermé 1er au 12 juil., 5 au 12 janv., dim. soir et lundi – **Repas** 71/285 🍷, enf. 60.

par ③ : 3 km rte de Royan avant pont de Martrou – ✉ **17300** Rochefort :

La Belle Poule, ✆ 46 99 71 87, 🏞, 🌳 – TV ☎ P – 🏛 25. AE ⓓ GB
fermé dim. soir hors sais. – **R** 70/152 – ☕ 28 – **21 ch** 240/270 – ½ P 235.

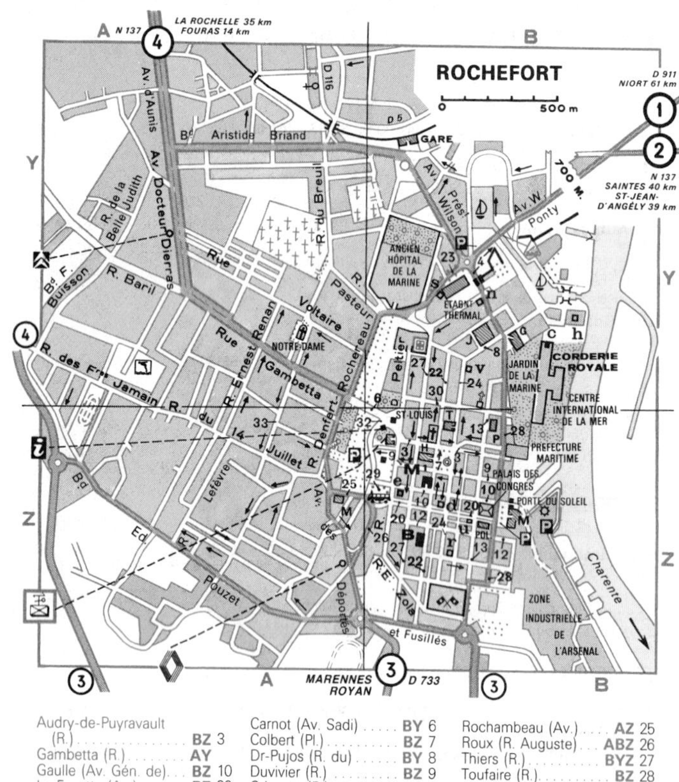

*à **Soubise*** par ③, pont de Martrou (péage) et D 238E : 8,5 km – ✉ **17780**.

Voir Croix hosannière★ de Moëze SO : 3,5 km.

XXX **Le Soubise** avec ch, ✆ 46 84 92 16, Fax 46 84 91 35, – ☎ **P**. GB
fermé 5 au 25 oct., 16 au 31 janv., dim. soir et lundi sauf juil.-août et fériés – **R** (en sais. prévenir) 100/165 – ☐ 29 – **23 ch** 150/330 – ½ P 270/360.

ALFA-ROMEO Gar. l'Empereur, 32 av. Wilson ✆ 46 99 24 06
CITROEN Rochefort Autom., 46/48 av. Dr Dieras ✆ 46 87 41 55
FORD Gar. Zanker, 76 r. Gambetta ✆ 46 87 07 55
PEUGEOT-TALBOT S.O.C.A.R., 58 av. 11-Novembre par ③ ✆ 46 99 02 76
RENAULT Peyronnet, av. Fusillés-et-Déportés ✆ 46 87 36 20 **N** ✆ 46 68 76 16

ROVER Gar. Central, 31 av. Lafayette ✆ 46 99 00 65

Moyet Pneus, 80 r. Grimaux ✆ 46 99 02 67
Moyet-Pneus, ZC de la Fraternité à Tonnay-Charente ✆ 46 99 01 13

ROCHEFORT-DU-GARD 30650 Gard **80** ⑳ – 4 107 h. alt. 97.

Voir Sanctuaire de N.-D. de Grâce : terrasse ≤★ NE : 2 km, **G. Provence.**

Paris 681 – Avignon 12 – Alès 62 – Arles 45 – Nîmes 33 – Orange 24 – Remoulins 12.

Mas de la Rouvette, NE : 1 km sur D 976 ✆ 90 31 73 11, – ☎ **P** – 50. GB. ch
fermé 30 janv. au 1er mars et mardi – **R** 90/170, enf. 45 – ☐ 35 – **15 ch** 180/220 – ½ P 240.

OCHEFORT-EN-TERRE 56220 Morbihan 63 ④ **G. Bretagne** – 645 h. alt. 52.
oir Site★ – Maisons anciennes★.
ris 424 – Ploërmel 33 – Redon 25 – ◆Rennes 78 – La Roche-Bernard 25 – Vannes 34.

XXX **Host. Lion d'Or,** ℘ 97 43 32 80, Fax 97 43 30 12, « Maison du 16ᵉ siècle » – GB
fermé 14 janv. au 10 fév., dim. soir et lundi sauf juil.-août – **R** 110/260, enf. 50.

XX **Vieux Logis,** ℘ 97 43 31 71 – GB
fermé mars, dim. soir et lundi – **R** 110/280.

OCHEFORT-EN-YVELINES 78730 Yvelines 60 ⑨ 106 ㊶ **G. Ile de France** – 783 h. alt. 113.
oir Site★ – Vaisseau★ de l'église de St-Arnoult-en-Yvelines NE : 3,5 km.
ris 50 – Chartres 42 – Dourdan 8 – Étampes 25 – Rambouillet 15 – Versailles 33.

XX **La Brazoucade,** 51 r. Guy le Rouge ℘ (1) 30 41 49 09 – Ⓟ. AE GB JCB
fermé 19 août au 2 sept., 26 fév. au 18 mars, mardi soir et merc. – **R** 140 (sauf sam. midi)/185.

XX **L'Escu de Rohan,** 15 r. Guy le Rouge ℘ (1) 30 41 31 33 – AE GB
fermé dim. soir et lundi sauf fériés – **R** 120/250.

ROCHEFORT-MONTAGNE 63210 P.-de-D. 73 ⑬ – 948 h. alt. 850.
ris 455 – ◆Clermont-Ferrand 31 – Aubusson 79 – Mauriac 79 – Le Mont-Dore 19 – Ussel 51.

Centre, ℘ 73 65 82 10, – .
fermé 15 au 25 juin, 6 au 31 oct., sam. et dim. sauf hôtel en saison – **R** 65/90 – 21 – **14 ch** 100/175 – ½ P 130/160.

ITROEN Clermont ℘ 73 65 82 17 N
EUGEOT-TALBOT Lassalas ℘ 73 65 82 70
RENAULT Gar. Bony, Massagettes RN 89 à St-Pierre-Roche ℘ 73 65 83 24

ROCHEFORT-SUR-NENON 39 Jura 166 ⑭ – rattaché à Dôle.

La ROCHEFOUCAULD 16110 Charente 72 ⑭ **G. Poitou Vendée Charentes** (plan) – 3 448 h. alt. 85.
Voir Château★.
Syndicat d'Initiative Halle aux Grains pl. Gourville (juin-sept.) ℘ 45 63 07 45.
aris 441 – Angoulême 22 – Confolens 41 – ◆Limoges 81 – Nontron 37 – Ruffec 39.

Vieille Auberge, 13 fg La Souche ℘ 45 62 02 72, Fax 45 63 01 88 – TV ☎ – 25. AE GB. ch
R 53/195 , enf. 30 – 26 – **33 ch** 130/260 – ½ P 155/220.

Auberivières, rte Mansle ℘ 45 63 10 10 – TV ☎ Ⓟ. GB. ch
fermé dim. – **R** 60/150 – 28 – **10 ch** 180/200 – ½ P 165/175.

CITROEN Bordron ℘ 45 62 01 41
RENAULT Cyclope ℘ 45 63 03 91 N ℘ 45 63 94 95

ROCHEGUDE 26 Drôme 81 ② – rattaché à Orange.

La ROCHE-GUYON 95780 Val-d'Oise 55 ⑱ 106 ② ③ **G. Ile de France** – 561 h. alt. 14.
Voir Bords de la Seine ≤★ – Route des Crêtes★ : ≤★★ N : 3 km.
Paris 77 – ◆Rouen 75 – Évreux 41 – Gisors 30 – Mantes-la-Jolie 17 – Pontoise 46 – Vernon 12.

La ROCHE-L'ABEILLE 87 H.-Vienne 72 ⑰ – rattaché à St-Yrieix-la-Perche.

ROCHE-LEZ-BEAUPRÉ 25 Doubs 166 ⑮ – rattaché à Besançon.

La ROCHELLE P 17000 Char.-Mar. 171 ⑫ **G. Poitou Vendée Charentes** – 71 094 h. alt. 7 – Casino X.
Voir Vieux Port★★ Z – Tour de la Lanterne★ : ★★ Z **B** – Le quartier ancien★★ : Hôtel de Ville★ Z **H**, Hôtel de la Bourse★ Z **C**, Maison Henri II★ Y **K**, Porte de la Grosse Horloge★ Z **F**, Rues du Palais★ Z, Chaudrier★ Y, du Minage (arcades★) Y, des Merciers★ Y, de l'Escale★ Z – Tour St-Nicolas★ Z **D** – Plan-relief★ (tour de la Chaîne) Z **E** – Parc Charruyer★ Y – Musées : Histoire naturelle★★ Y **M1**, d'Orbigny★ Y **M4**, Beaux-Arts★ Y **M3**, du Nouveau Monde★ Y **M2**.
18 de la Prée ℘ 46 01 24 42, par D 104 : 11 km.
Accès par le Pont de l'île de Ré par ⑤. **Péage** en 1991 : auto (AR) 110 F (saison) 60 F (hors saison), camion 115 à 335 F, moto 30 F, vélo 10 F, gratuit pour piétons.
Renseignements par Régie d'Exploitation des Ponts ℘ 46 42 61 48.
de la Rochelle-Laleu : T.A.T. ℘ 46 42 18 27, NO : 4,5 km X.
Office de Tourisme et Accueil de France (Informations et réservations d'hôtels, pas plus de 5 jours à l'avance) quartier du Gabut, pl. Petite Sirène ℘ 46 41 14 68, Télex 791661.
Paris 470 ② – Angoulême 141 ③ – ◆Bordeaux 182 ④ – ◆Nantes 140 ② – Niort 63 ②.

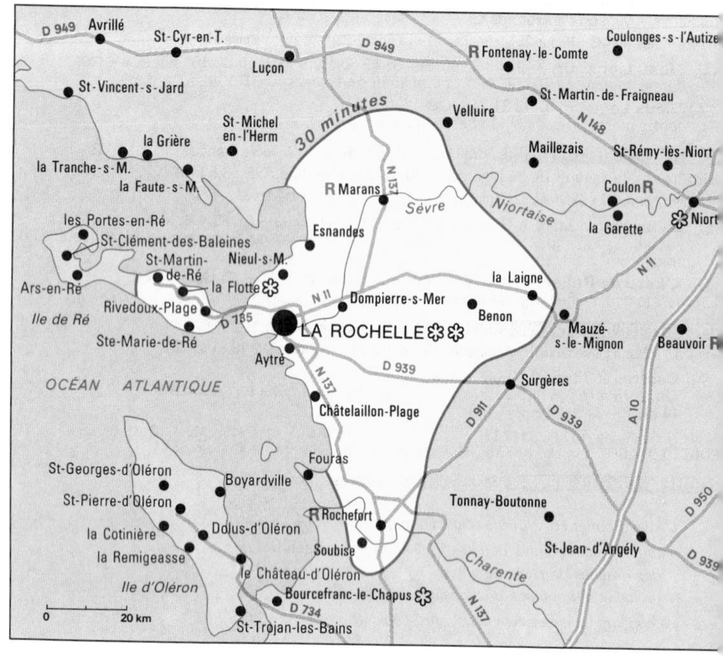

Novotel [M], av. Porte Neuve ☎ 46 34 24 24, Télex 793371, Fax 46 34 58 32, – ch [TV] ☎ – 60. AE GB
R carte environ 150, enf. 50 – 50 – **94 ch** 430/550. Y

Les Brises [M] sans rest, chemin digue Richelieu (av. P. Vincent) ☎ 46 43 89 37 Fax 46 43 27 97, « Terrasse en bordure de mer et ≤ les îles » – ☎ GB
45 – **48 ch** 400/580. X c

France-Angleterre et Champlain sans rest, 20 r. Rambaud ☎ 46 41 34 66, Télex 790717, Fax 46 41 15 19, « Ancien hôtel particulier avec agréable jardin » – [TV] ☎ – 40. AE GB
42 – **37 ch** 280/430, 4 appart. 540. Y b

Monnaie [M] sans rest, 3 r. Monnaie ☎ 46 50 65 65, Télex 793434, Fax 46 50 63 19, « Demeure du 17e siècle » – [TV] ☎ – 30. AE GB
48 – **32 ch** 450/560, 4 appart. 790. Z z

L'Océanide [M], quai L. Prunier ☎ 46 50 61 50, Télex 791735, Fax 46 41 24 31, ≤ – [TV] ☎ – 200. AE GB
R 95/140, enf. 46 – 48 – **123 ch** 390/495 – ½ P 345/360. Z e

Mercure Yachtman [M], 23 quai Valin ☎ 46 41 20 68, Télex 790762, Fax 46 41 81 24, – ch [TV] ☎ – 80. AE GB
R *(fermé fév. et lundi hors sais.)* 98/200, enf. 45 – 48 – **45 ch** 430/510 – ½ P 395. Z r

Trianon et Plage, 6 r. Monnaie ☎ 46 41 21 35, Fax 46 41 95 78, – [TV] ☎. AE GB. rest
fermé 22 déc. au 1er fév. – **R** *(fermé vend. du 15 oct. au 15 mars)* 87/170, enf. 58 – 35 – **25 ch** 275/365 – ½ P 305/340. Z b

St-Jean d'Acre et rest. Au Vieux Port [M], 4 pl. Chaîne ☎ 46 41 73 33, Télex 790913, Fax 46 41 10 01, – [TV] ☎ – 35. AE GB JCB
R 92/140, enf. 78 – 40 – **70 ch** 320/600 – ½ P 360/390. Z f

St-Nicolas [M] sans rest, 13 r. Sardinerie ☎ 46 41 71 55, Télex 793075, Fax 46 41 70 46 – [TV] ☎ – 25. AE GB
33 – **80 ch** 350/380. Z d

Le Rochelois [M] sans rest, 66 bd W. Churchill ☎ 46 43 34 34, Fax 46 42 10 37, ≤ les îles, – cuisinette [TV] ☎ – 25. GB
38 – **36 ch** 240/350. X d

Urbis [M] sans rest, 4 r. L. Vieljeux ☎ 46 50 68 68, Télex 791726 – [TV] ☎. GB Z v
32 – **77 ch** 330.

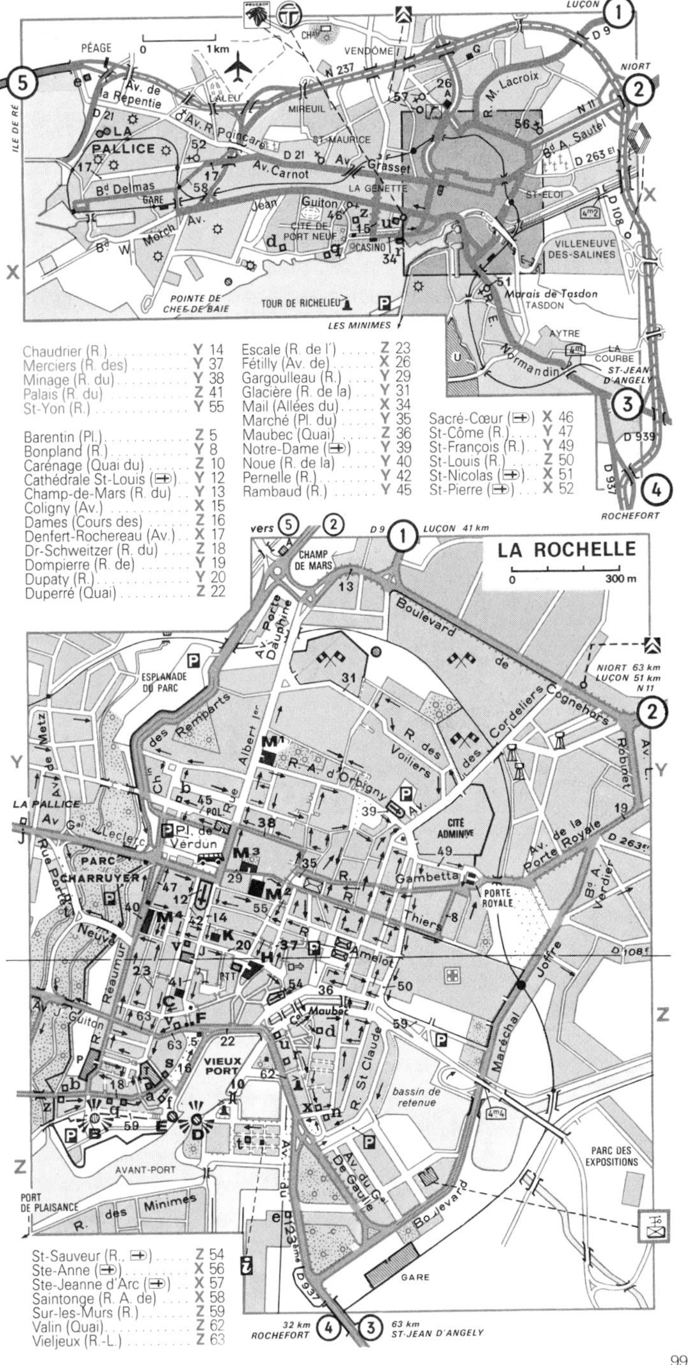

Chaudrier (R.) .... Y 14
Merciers (R. des) .... Y 37
Minage (R. du) .... Y 38
Palais (R. du) .... Z 41
St-Yon (R.) .... Y 55

Barentin (Pl.) .... Z 5
Bonpland (R.) .... Y 8
Carénage (Quai du) .... Z 10
Cathédrale St-Louis (⊞) .... Y 12
Champ-de-Mars (R. du) .... Y 13
Coligny (Av.) .... X 15
Dames (Cours des) .... Z 16
Denfert-Rochereau (Av.) .... X 17
Dr-Schweitzer (R. du) .... Z 18
Dompierre (R. de) .... Y 19
Dupaty (R.) .... Y 20
Duperré (Quai) .... Z 22

Escale (R. de l') .... Z 23
Fétilly (Av. de) .... X 26
Gargoulleau (R.) .... Y 29
Glacière (R. de la) .... Y 31
Mail (Allées du) .... X 34
Marché (Pl. du) .... Y 35
Maubec (Quai) .... Z 36
Notre-Dame (⊞) .... Y 39
Noue (R. de la) .... Y 40
Pernelle (R.) .... Y 42
Rambaud (R.) .... Y 45

Sacré-Cœur (⊞) .... X 46
St-Côme (R.) .... Y 47
St-François (R.) .... Y 49
St-Louis (R.) .... Z 50
St-Nicolas (⊞) .... X 51
St-Pierre (⊞) .... X 52

St-Sauveur (R., ⊞) .... Z 54
Ste-Anne (⊞) .... X 56
Ste-Jeanne d'Arc (⊞) .... X 57
Saintonge (R. A. de) .... X 58
Sur-les-Murs (R.) .... Z 59
Valin (Quai) .... Z 62
Vieljeux (R.-L.) .... Z 63

Le Manoir sans rest, 8 bis av. Gén. Leclerc ✆ 46 67 47 47, Fax 46 67 38 92 – TV ☎. GB Y j
33 – **18 ch** 320/420.

Ibis, pl. Cdt de la Motte Rouge ✆ 46 41 60 22, Télex 791431, Fax 46 41 93 47 – |♦| TV ☎ ♿ – 40. GB Z n
R 69 ꝑ, enf. 39 – 32 – **76 ch** 330 – ½ P 410.

Terminus sans rest, 11 pl. Cdt de la Motte Rouge ✆ 46 50 69 69, Fax 46 41 73 12 – TV ☎ GB Z x
30 – **30 ch** 220/290.

Tour de Nesle M sans rest, 2 quai L. Durand ✆ 46 41 05 86, Fax 46 41 95 17, ← – |♦| TV ☎. AE ⓓ GB Z u
28 – **28 ch** 220/320.

Le Savary sans rest, 2 r. Alsace-Lorraine ✆ 46 34 83 44, Fax 46 43 83 44, – TV ☎ P. AE ⓓ GB. X z
30 – **33 ch** 230/270.

XXXX ✿✿ **Richard Coutanceau,** plage de la Concurrence ✆ 46 41 48 19, Fax 46 41 99 45, ← – ▤. AE ⓓ GB X
fermé lundi du 15 sept. au 15 juin et dim. – **R** 200/420 et carte, enf. 100
Spéc. Tartare de langoustines en fine gelée aux huîtres. Daurade royale croustillée aux fins aromates. Homard breton rôti aux légumes croquants (avril à nov.). **Vins** Haut-Poitou, Mareuil.

XXX ✿ **La Marmite** (Marzin), 14 r. St-Jean du Pérot ✆ 46 41 17 03, « Cadre élégant » – ▤ AE ⓓ GB Z a
fermé merc. hors sais. – **R** 170/360, enf. 110
Spéc. Mouclade rochelaise (juin à déc.). Homard au Sauternes. Aile de raie aux ravioles et à l'échalote. **Vins** Haut-Poitou, Mareuil.

XXX **Serge,** 46 cours des Dames ✆ 46 41 18 80, Fax 46 41 95 76, – AE ⓓ GB Z s
R 110/220.

XX **Les Quatre Sergents,** 49 r. St Jean du Pérot ✆ 46 41 35 80, Fax 46 41 95 64, décor de jardin d'hiver – ▤. AE ⓓ GB Z q
fermé dim. soir et lundi – **R** carte 145 à 250 ꝑ, enf. 39.

XX **L'Ecaille Rochelaise,** quartier Gabut pl. Coureauleurs 1er étage ✆ 46 41 03 00, ←, – ▤. GB Z
fermé oct., dim. soir et lundi de sept. à juin – **R** 95/180.

XX **Toque Blanche,** 39 r. St-Jean du Pérot ✆ 46 41 60 55 – ▤. AE ⓓ GB Z c
fermé sam. midi – **R** 92/260.

XX **L'Entracte,** 22 r. St Jean du Pérot ✆ 46 50 62 60 – ▤. GB Z a
fermé dim. – **R** 140/160.

XX **Le Claridge,** 1 r. Admyrauld ✆ 46 50 64 19 – AE GB Y v
fermé sam. midi et dim. – **R** 98/150 ꝑ, enf. 45.

X **La Galathée,** 45 r. St-Jean du Pérot ✆ 46 41 17 06 – AE GB Z c
fermé mardi soir et merc. sauf juil.-août – **R** 70/135, enf. 40.

X **Parc,** 38 r. Th. Renaudot ✆ 46 34 15 58 – AE GB X u
fermé dim. soir et lundi – **R** 75/180 ꝑ.

X **Assiette St-Jean,** 18 r. St-Jean du Pérot ✆ 46 41 75 75 – GB Z a
fermé sam. midi et dim. – **R** (nombre de couverts limité, prévenir) 90.

à Dompierre-sur-Mer par ② : 8 km – 3 627 h. – ✉ **17139** :

XX **Aub. du Vieux Noyer** avec ch, ✆ 46 35 31 32, , – TV P. ⓓ GB
fermé 15 nov. au 1er déc. et 15 fév. au 1er mars – **R** *(fermé dim. soir et lundi d'oct. à mai)* 115/250 – 38 – **5 ch** 270/290 – ½ P 350/410.

à Aytré par ④ : 5 km – 7 786 h. – ✉ **17440** :

XXX **La Maison des Mouettes,** bd Plage ✆ 46 44 29 12, ←, , – P. AE ⓓ GB JCB
fermé lundi sauf juil.-août et fêtes – **R** 110/298.

au Pont de l'Ile de Ré : 7 km – ✉ **17000** La Rochelle :

XXX **Le Pavillon,** ✆ 46 42 62 62, ← – P. ⓓ GB
fermé 15 au 30 nov., 15 au 28 fév., dim. soir (sauf du 16 juin au 16 sept.) et lundi – **R** 140/175.

X **Bistrot du Belvédère,** ✆ 46 42 62 62, ←, – P. ⓓ GB X
fermé 1er au 15 nov., 1er au 15 fév., dim. soir et lundi du 30 sept. au 15 juin – **R** 65/145 enf. 42.

à Nieul-sur-Mer NO : 7 km par D 105 – 4 957 h. – ✉ **17137** :

XX **Le Nalbret,** rte Lauzières ✆ 46 37 81 56, – P. GB
fermé 1er au 15 oct., 1er au 15 fév., dim. soir et lundi soir – **R** 90 (sauf week-ends)/290 enf. 50.

AUSTIN-ROVER L.G.A ZAC Beaulieu à Puilboreau ✆ 46 67 45 45
BMW Cormier, ZAC de Beaulieu à Puilboreau ✆ 46 68 04 77 N ✆ 46 67 56 26
CITROEN S.O.R.D.A., 99 bd de Cognehors ✆ 46 27 19 68 N ✆ 46 27 16 06
CITROEN Gar. Bretonnier, 8 r. Trompette ✆ 46 34 79 79
FIAT Gar. Lenoir, 170 r. E.-Normandin ✆ 46 44 46 24
FORD Porte Dauphine Autom., 2 à 12 av. Porte-Dauphine ✆ 46 67 51 11

MERCEDES-BENZ S.A.V.I.A., centre commercial de Beaulieu à Puilboreau ✆ 46 67 54 22 N ✆ 88 72 10 94
OPEL-SAAB Gar. Laporte, 178 av. E.-Normandin ✆ 46 44 46 66
PEUGEOT-TALBOT Brenuchot, 1 av. Guiton ✆ 46 34 87 82
PEUGEOT-TALBOT Brenuchot, ZAC de Beaulieu à Puilboreau ✆ 46 67 36 44
RENAULT Gar. Chataignier, ZAC Villeneuve Salines, r. J.-P.-Sartre ✆ 46 44 01 00 N ✆ 46 68 76 85

V.A.G Comptoir Autom.-Rochelais, 141 av. E.-Normandin ✆ 46 44 30 47

Moyet Pneus, N 137 à Angoulins ✆ 46 56 80 94
Moyet-Pneus, 31 av. de Rompsay ✆ 46 27 08 00
Moyet-Pneus, 46 bd André-Sautel ✆ 46 27 05 89
Perry Pneus, 153 bd A.-Sautel ✆ 46 34 85 71
Perry-Pneu 9 r. St-Louis ✆ 46 41 13 20

La ROCHE-MAURICE 29 Finistère 58 ⑤ – rattaché à Landerneau.

La ROCHE-POSAY 86270 Vienne 68 ⑤ **G. Poitou Vendée Charentes** – 1 444 h. alt. 73 – Stat. therm. – Casino.

du Connétable ✆ 49 86 20 21.

Office de Tourisme cours Pasteur ✆ 49 86 20 37.

Paris 316 – Poitiers 60 – Le Blanc 29 – Châteauroux 77 – Châtellerault 23 – Loches 48 – ♦Tours 82.

St-Roch M, ✆ 49 86 21 03, Fax 49 86 21 69, – GB. rest
fermé 19 déc. au 24 janv. – **R** 78/178, enf. 48 – 20 – **37 ch** 230/340 – ½ P 255.

Europe sans rest, ✆ 49 86 21 81, – GB
6 avril-17 oct. – 19 – **31 ch** 130/200.

Esplanade, ✆ 49 86 20 48 – GB
1er mars-30 nov. – **R** 60/200, enf. 35 – 20 – **35 ch** 110/180 – ½ P 150/200.

Host. St Louis, ✆ 49 86 20 54 – GB
10 mars-20 oct. – **R** 68/190, enf. 40 – 23 – **20 ch** 190/230 – ½ P 160/200.

*The new **Michelin Green Tourist Guides** offer:*
- *more detailed descriptive texts,*
- *practical information,*
- *town plans, local maps and colour photographs,*
- *frequent fully revised editions.*

Always make sure you have the latest edition.

Les ROCHES-DE-CONDRIEU 38370 Isère 74 ⑪ – 1 836 h. alt. 153.

Paris 502 – ♦Lyon 42 – Annonay 36 – ♦Grenoble 101 – Rive-de-Gier 22 – Vienne 12.

Bellevue, ✆ 74 56 41 42, – 30. GB
fermé 3 au 14 août, 8 fév. au 5 mars, mardi midi d'avril à sept., dim. soir d'oct. à mars et lundi – **R** (dim. et fêtes prévenir) 110/300 – 32 – **18 ch** 180/310.

PEUGEOT-TALBOT, RENAULT Capellaro ✆ 74 56 41 32

La ROCHE-SUR-FORON 74800 H.-Savoie 74 ⑥ **G. Alpes du Nord** – 7 116 h. alt. 547.

Office de Tourisme pl. Andrevetan ✆ 50 03 36 68.

Paris 555 – Annecy 32 – Thonon-les-Bains 42 – Bonneville 8,5 – ♦Genève 25.

Les Afforets sans rest, r. Egalité ✆ 50 03 35 01, Fax 50 25 82 47 – – 60. AE GB
30 – **28 ch** 225/265.

Le Foron M sans rest, N 203 ✆ 50 25 82 76, Fax 50 25 81 54 – AE GB
27 – **26 ch** 220/280.

La Renaissance, av. Ch. de Gaulle ✆ 50 03 13 13, – AE GB
fermé dim. hors sais. – **R** 56/190, enf. 50.

à Amancy E : 2,5 km – ✉ **74800** :

Le Marie-Jean (Signoud), rte Bonneville ✆ 50 03 33 30 – AE GB
fermé 1er au 24 août, 22 au 28 fév., dim. soir et lundi – **R** 200/270
Spéc. Rognonnade de lapereau aux aubergines, Cassoulet de grenouilles et langoustines, Escalope de ris de veau et rognons. **Vins** Chignin, Mondeuse.

PEUGEOT-TALBOT Lemuet, RN 203 à Amancy ✆ 50 25 96 08

Piot-Pneu, av. L.-Rannard ✆ 50 03 10 46

La ROCHE-SUR-YON P 85000 Vendée 67 ⑬ ⑭ **G. Poitou Vendée Charentes** – 45 219 h. alt. 74.

de la Domangère ✆ 51 07 60 15, par ④, D 746 puis D 85 : 8 km.

Office de Tourisme Galerie Bonaparte, pl. Napoléon ✆ 51 36 00 85, Télex 700747 – A.C. 17 r. Lafayette ✆ 51 36 24 60.

Paris 415 ② – Cholet 64 ② – ♦Nantes 69 ① – Niort 88 ③ – La Rochelle 72 ③.

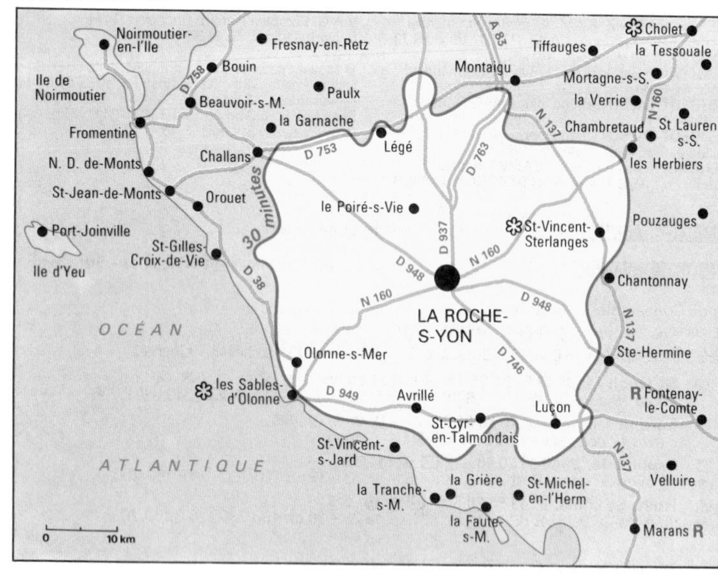

Napoléon sans rest, 50 bd A. Briand **(r)** ☎ 51 05 33 56, Fax 51 62 01 69 – TV ☎ – 60. AE ⓓ GB
fermé 20 déc. au 3 janv. – ☕ 36 – **26 ch** 260/370.

Le Vincennes Ⓜ sans rest, 81 bd Mar. Leclerc **(s)** ☎ 51 62 73 22, Fax 51 37 45 85 – cuisinette TV ☎. AE ⓓ GB
☕ 25 – **21 ch** 190/270.

L'Halbran, 86 r. de Gaulle **(t)** ☎ 51 07 08 09 – GB
fermé 31 juil. au 25 août, 25 déc. au 3 janv., sam. midi et dim. – **R** 93/310 ♨.

Rivoli, 31 bd A.-Briand **(a)** ☎ 51 37 43 41 – AE GB
fermé 10 au 23 août, 7 au 21 fév., sam. soir et dim. – **R** 85/170.

rte de Nantes par ① : 2 km – ✉ **85000** La Roche-sur-Yon :

Campanile, ☎ 51 37 27 86, Télex 701766, – TV ☎ ♿ P – 30 AE GB
R 77 bc/99 bc, enf. 39 – ☕ 28 – **42 ch** 258 – ½ P 234/256.

rte de Cholet par ② : 5 km – ✉ **85000** La Roche-sur-Yon :

Aub. de Noiron, ☎ 51 37 05 34 – P. AE ⓓ GB JCB
fermé 14 au 20 sept., vacances de fév., dim. soir et lundi sauf fériés – **R** 80/270, enf. 35.

à l'Est par ③, D 948 et D 80 : 5 km :

Logis de la Couperie sans rest, ☎ 51 37 21 19, – ☎ P AE GB
☕ 32 – **7 ch** 185/370.

au Sud par ③, D 746 et D 85 : 8 km – ✉ **85000** La Roche-sur-Yon :

Domaine de la Domangère Ⓜ, ☎ 51 07 60 15, Fax 51 07 64 09, ≤, « Parc, golf 18 trous », – TV ☎ ♿ P – 35. AE ⓓ GB
R *(fermé dim. soir)* 135/175 – ☕ 45 – **19 ch** 290/540 – ½ P 360/470.

ALFA-ROMEO Gar. Barteau, rte de Nantes à Mouillon-le-Captif ☎ 51 62 01 04
BMW Gar. Napoléon, 4 rte de Nantes, ZI Nord ☎ 51 37 36 27 N ☎ 51 36 19 40
CITROEN Guénant-Auto, rte de Nantes par ① ☎ 51 62 29 64
FIAT Gar. Hermouet, 46 av. Alienor d'Aquitaine ☎ 51 62 22 22
FORD Gar. Baudry, bd Lavoisier ☎ 51 36 22 35
OPEL Gar. des Jaulnières, rte d'Aubigny ZA des Jaulnières ☎ 51 05 36 74
PEUGEOT-TALBOT Sorin, 17 bd Sully par rte de Nantes par ① ☎ 51 37 08 15 N ☎ 51 36 90 36
RENAULT Gd Gar. Moderne, rte de Nantes par ① ☎ 51 45 18 18 N ☎ 51 36 94 27
SEAT N.A.S.A. rte de Nantes ☎ 51 37 31 23 N ☎ 51 37 34 56
V.A.G Tixier, RN 160 rte des Sables, Les Clouzeaux ☎ 51 05 19 33

Chouteau, r. du Commerce, ZI Sud ☎ 51 36 07 15
Le Pneu Yonnais, rte de Nantes, ZI Nord ☎ 51 37 05 77

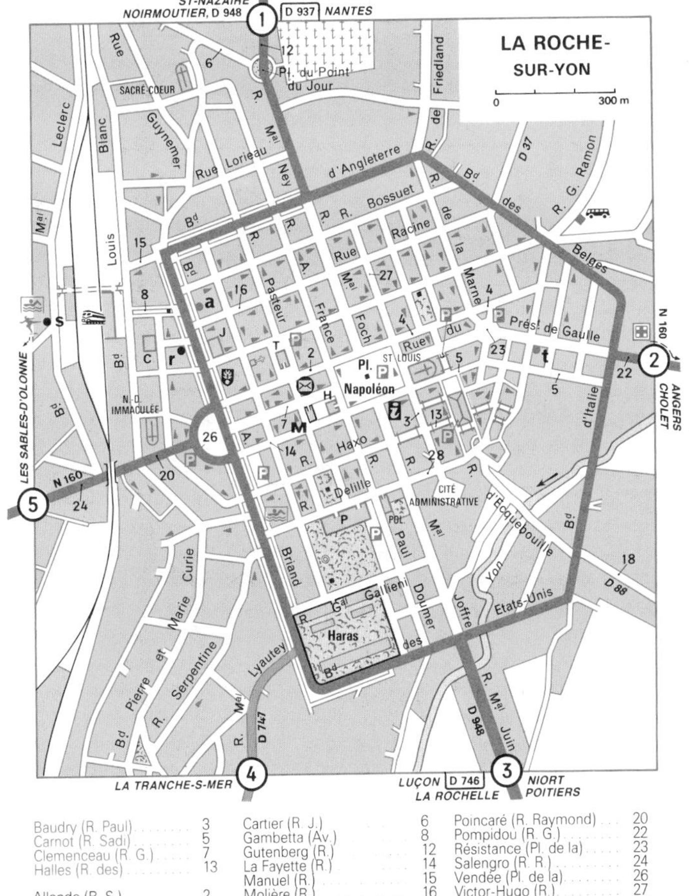

Baudry (R. Paul) . . . 3
Carnot (R. Sadi) . . . 5
Clemenceau (R. G.) . . . 7
Halles (R. des) . . . 13

Allende (R. S.) . . . 2
Berthelot (R. M.) . . . 4
Cartier (R. J.) . . . 6
Gambetta (Av.) . . . 8
Gutenberg (R.) . . . 12
La Fayette (R.) . . . 14
Manuel (R.) . . . 15
Molière (R.) . . . 16
Moulin Rouge (R. du) . . . 18
Poincaré (R. Raymond) . . . 20
Pompidou (R. G.) . . . 22
Résistance (Pl. de la) . . . 23
Salengro (R. R.) . . . 24
Vendée (Pl. de la) . . . 26
Victor-Hugo (R.) . . . 27
93e R.I (R. du) . . . 28

ROCHETAILLÉE **42100** Loire **166** ② – alt. 780.
Paris 524 – ♦Saint-Étienne 8 – Annonay 43,5 – Le Puy-en-Velay 78.

✗ **Le Coissou,** ✆ 77 32 88 48, ≤ – AE ⓓ GB
fermé août, dim. soir et merc. – **R** 95/250, enf. 42

La ROCHETTE **73110** Savoie **74** ⑯ – 3 124 h. alt. 347.
Voir Vallée des Huiles★ NE, **G. Alpes du Nord.**
Paris 573 – ♦Grenoble 47 – Albertville 41 – Allevard 9 – Chambéry 29.

✗ **Parc** avec ch, ✆ 79 25 53 37, ⛱, 🚗 – Ⓟ. AE ⓓ GB
fermé sam. du 1er sept. au 15 déc. et dim. soir du 15 déc. au 30 juin – **R** 75/180 – ☕ 32 – **12 ch** 140/190 – ½ P 185/200.

CITROEN Gar. Fachinger ✆ 79 25 52 73 FORD Gar. Blanchin ✆ 79 25 50 28 **N**

La RODERIE **44** Loire-Atl. **67** ③ – rattaché à Bouaye.

RODEZ P 12000 Aveyron 80 ② G. Gorges du Tarn – 24 701 h. alt. 632.

Voir Clocher★★★ de la cathédrale N.-Dame★★ BY – Musée Fenaille★ BZ **M1**.

✈ de Rodez-Marcillac : T.A.T. ✆ 65 42 20 30, par ③ : 10 km.

ℹ Office de Tourisme pl. Foch ✆ 65 68 02 27.

Paris 633 ③ – Albi 78 ② – Alès 206 ① – Aurillac 93 ① – Brive-la-Gaillarde 156 ③ – ◆Clermont-Ferrand 215 ① – Montauban 132 ③ – Périgueux 217 ③ – ◆Toulouse 156 ②.

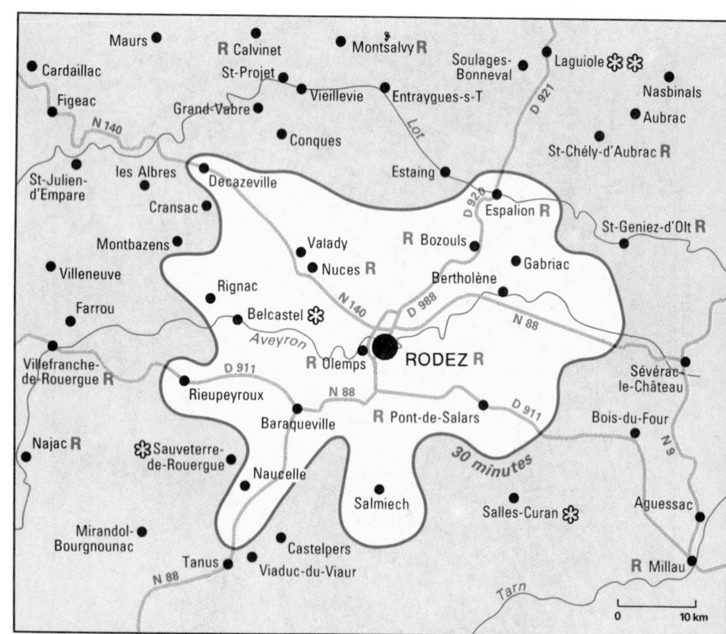

🏨 **Tour Maje** M sans rest, bd Gally ✆ 65 68 34 68, Fax 65 68 27 56 – |♦| TV ☎ – 🏛 30. AE ⓓ GB — BZ **s**
☐ 32 – **45 ch** 250/350.

🏨 **Biney** 🐦 sans rest, 7 bd Gambetta ✆ 65 68 01 24, Fax 65 68 50 45 – |♦| TV ☎. ⓓ GB — BY **k**
fermé 21 déc. au 6 janv. – ☐ 30 – **28 ch** 190/250.

🏨 **Concorde**, 12-14 r. Béteille ✆ 65 68 31 61 – |♦| TV ☎ ♿. AE GB — BY **a**
✦ **R** 65/140 🍷 – ☐ 25 – **28 ch** 140/270 – ½ P 190/250.

🏨 **Midi**, 1 r. Béteille ✆ 65 68 02 07 – |♦| TV ☎ Ⓟ. GB — AY **b**
✦ *fermé 15 déc. au 15 janv.* – **R** *(fermé sam. soir et dim. sauf de juin à sept.)* 65/100 🍷 – ☐ 28 – **33 ch** 130/230 – ½ P 140/200.

🏨 **Clocher** 🐦 sans rest, 4 r. Séguy ✆ 65 68 10 16, Fax 65 68 64 27 – |♦| ☎. GB — BY **d**
☐ 24 – **25 ch** 130/270.

✗✗ **St-Amans**, 12 r. Madeleine ✆ 65 68 03 18 – ▤. GB — BZ **v**
fermé 10 fév. au 10 mars, dim. soir et lundi – **Repas** 120/280.

rte d'Espalion par ① et D 988 : 3 km – ✉ **12850** Onet-le-Château :

🏨 **Bowling** M, ✆ 65 67 08 15, Fax 65 67 43 32, 🍽 – |♦| TV ☎ Ⓟ. AE GB
R *(fermé 24 déc. au 2 janv. et lundi midi)* 80/150 🍷 – ☐ 30 – **38 ch** 250/280 – ½ P 190/200.

rte de Marcillac-Vallon N : 3,5 km par D 901 AX – ✉ **12850** Onet-le-Château :

🏨 **Host. de Fontanges** M 🐦, ✆ 65 42 20 28, Télex 521142, Fax 65 42 82 29, parc, 🏌, 🏊, 🎾 – TV ☎ Ⓟ – 🏛 100. AE ⓓ GB
fermé 1er au 8 janv. – **R** *(fermé dim. soir de nov. à Pâques)* 99/300 – ☐ 40 – **41 ch** 380/450, 4 appart. 550 – ½ P 350/400.

à Olemps par ② et D 653 : 3 km – 3 032 h. – ✉ **12510** :

🏨 **Les Peyrières** M 🐦, ✆ 65 68 20 52, 🍽, 🏊 – TV ☎ ♿ Ⓟ. GB JCB. 🚫 ch
Repas *(fermé dim. soir et lundi midi sauf juil.-août)* 90/250 🍷, enf. 70 – ☐ 36 – **50 ch** 290/330 – ½ P 215/280.

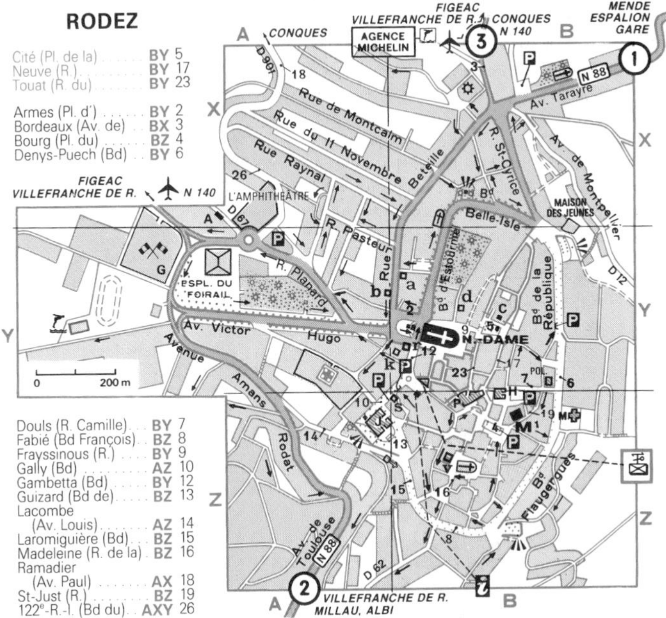

par ③ : 2 km – ✉ 12000 Rodez :

Campanile, Rd-Pt St-Félix ☏ 65 42 97 08, Télex 533662, – [TV] ☎ ♿ [P] – 25. AE GB
R 77 bc/99 bc, enf. 39 – 28 – **50 ch** 258 – ½ P 234/256.

rte de Rignac NO : 4,5 km par N 140 - X – ✉ 12000 Rodez :

Parc St-Joseph Le Régent [M], parc St Joseph ☏ 65 67 03 30, , « Parc ombragé » – [TV] ☎ ♿ [P] – 80. AE ◑ GB
R *(fermé dim. soir du 1er nov. au 1er avril et lundi)* 140/300, enf. 50 – 45 – **19 ch** 300/330 – ½ P 295.

MICHELIN, Agence, r. des Artisans, ZA de Bel Air par ③ ☏ **65 42 17 88**

ALFA-ROMEO Gar. Fabre, 21 rte de Séverac à Onet-le-Château ☏ 65 67 07 02
BMW Gar. Escat, rte de Decazeville ☏ 65 42 84 21
CITROEN Rouergue Automobiles, rte d'Espalion à Sébazac-Concourès par ① ☏ 65 46 96 50
FIAT Gar. ADS, rte de Decazeville la Gineste ☏ 65 42 20 11
FORD Boutonnet, La Gineste, rte de Decazeville ☏ 65 42 20 12
MERCEDES, OPEL Gar. Benoit, La Primaube à Luc ☏ 65 71 48 31
PEUGEOT-TALBOT Caussignac et Guiet, rte de Conques par ③ ☏ 65 42 20 18
RENAULT Gge Fabre-Rudelle, rte d'Espalion à Onet-le-Château par ① ☏ 65 67 04 10 [N]
V.A.G Gar. Besset et Jean, ZA Bel-Air ☏ 65 42 20 14

Central-Pneu, Parc St-Marc rte Espalion à Onet-le-Château ☏ 65 67 16 11
Escoffier-Pneus, ZI de la Prade à Onet-le-Château ☏ 65 67 07 43
Tout Pour le Pneu, 40 r. Béteille ☏ 65 68 01 13

ROGNAC 13340 B.-du-R. [84] ② – 11 099 h. alt. 24.
Paris 747 – ◆Marseille 27 – Aix-en-Provence 24 – Martigues 26 – Salon-de-Provence 25.

Cadet Roussel avec ch, au Nord sur N 113 ☏ 42 87 00 33, – rest [TV] ☎ [P]. GB
fermé sam. soir et dim. – **R** 60/95 – 23 – **13 ch** 140/230 – ½ P 170/200.

Host. Royal Provence avec ch, au Sud sur N 113 ☏ 42 87 00 27, ←, – [TV] ☎ [P]. AE ◑ GB – *fermé 18 juil. au 16 août, 2 au 8 janv., lundi soir (sauf hôtel) et dim. soir* – **R** 75/220, enf. 65 – 30 – **10 ch** 190/220 – ½ P 180/200.

Chapus Pneus, 71 av. Ambroise Croizat à Berre l'Étang ☏ 42 85 40 14

ROGNES 13840 B.-du-R. [84] ③ **G. Provence** – 3 450 h. alt. 353 – **Voir** Retables★ dans l'église.
Paris 737 – ◆Marseille 49 – Aix-en-Provence 19 – Cavaillon 37 – Manosque 52 – Salon-de-Provence 23.

Les Olivarelles, NO : 6 km par D 543, D 66D et VO ☏ 42 50 24 27, – [P]. GB
fermé 1er au 6 sept., vacances de nov., de fév., dim. soir et lundi sauf fériés – **Repas** (déj. seul. en janv. et fév. sauf vend. et sam.) (prévenir) 90/250, enf. 60.

ROGNY-LES-SEPT-ÉCLUSES 89220 Yonne 65 ② G. Bourgogne – 725 h. alt. 148.

Paris 145 – Auxerre 60 – Gien 24 – Montargis 33.

X **Aub. des Sept Ecluses** avec ch, ✆ 86 74 52 90 – ☎. AE GB
fermé 15 janv. au 15 fév., 15 au 30 sept., lundi soir et mardi – **R** 120/200 – ☐ 30 – **7 ch** 190 – ½ P 270.

ROHAN 56580 Morbihan 58 ⑲ G. Bretagne – 1 604 h.

Paris 443 – Vannes 52 – Lorient 72 – Pontivy 17 – Quimperlé 87.

XX **L'Eau d'Oust,** rte de Loudéac ✆ 97 38 91 86, 🏡 – GB
fermé mars, dim. soir et lundi – **Repas** 68/205.

RENAULT Gar. des Vallées ✆ 97 38 98 98

ROISSY-EN-FRANCE 95 Val-d'Oise 56 ⑪, 101 ⑧ – voir à Paris, Environs.

ROMAGNE-SOUS-MONTFAUCON 55110 Meuse 56 ⑩ – 193 h. alt. 230.

Voir Cimetière américain, **G. Alsace Lorraine.**

Paris 234 – Bar-le-Duc 79 – Ste-Menehould 39 – Verdun 37 – Vouziers 35.

XX **Aub. du Coq Gaulois,** ✆ 29 85 14 24 – AE GB. ✂
fermé 14 au 30 sept., 18 au 28 fév., dim. soir et lundi – **R** 60/200 🍷, enf. 40.

ROMAINVILLE 93 Seine-St-Denis 56 ⑪, 101 ⑰ – voir à Paris, Environs.

ROMANÈCHE-THORINS 71570 S.-et-L. 74 ① G. Vallée du Rhône – 1 710 h. alt. 187.

Paris 408 – Mâcon 16 – Chauffailles 48 – ♦Lyon 56 – Villefranche-sur-Saône 23.

Maritonnes, près gare ✆ 85 35 51 70, Télex 351060, Fax 85 35 58 14, « Parc fleuri, ⛱ » – TV ☎ P – 🏛 30. AE ⓓ GB
fermé mi-déc. à fin janv., dim. soir hors sais., mardi midi et lundi – **R** 190/350 – ☐ 50 – **20 ch** 380/480.

ROMANS-SUR-ISÈRE 26100 Drôme 77 ② G. Vallée du Rhône – 32 734 h. alt. 167.

Voir Tentures★★ de l'église St-Barnard BY – Musée de la Chaussure★ CY **M** – Musée diocésain d'Art sacré★ à Mours-St-Eusèbe, 4 km par ①.

ℹ Office de Tourisme Le Neuilly, pl. J.-Jaurès ✆ 75 02 28 72.

Paris 561 ⑤ – Valence 18 ④ – Die 74 ④ – ♦Grenoble 79 ② – ♦St-Étienne 94 ⑤ – Vienne 71 ⑤.

Plan page suivante

Cendrillon sans rest, 9 pl. Carnot ✆ 75 02 83 77 – ☎. AE ⓓ GB — AZ **s**
☐ 20 – **28 ch** 150/245.

Magdeleine sans rest, 31 av. P. Sémard ✆ 75 02 33 53 – TV ☎. GB — AZ **e**
fermé dim. sauf juil.-août – ☐ 25 – **16 ch** 170/250.

XX **Parc,** 6 av. Gambetta par ② ✆ 75 70 26 12, 🏡, 🌳 – AE GB
fermé dim. soir – **R** 130/280.

XX **Ponton,** 40 pl. Jacquemart ✆ 75 02 29 91, 🏡 – AE GB — BY **t**
fermé 15 au 28 juil., 3 au 19 janv. et lundi soir – **R** 110/180 🍷, enf. 60.

XX **La Fourchette,** 8 r. Solférino ✆ 75 02 12 94, 🏡 – GB — CY **d**
fermé 1er au 14 août, 2 au 10 janv., dim. soir d'oct à juin et lundi – **R** 95/270.

à Bourg-de-Péage AZ – 9 248 h. alt. 126 – ✉ **26300** :

Yan's M sans rest, ✆ 75 72 44 11, Fax 75 02 66 75, ⛱, 🌳 – TV ☎ P – 🏛 25. AE GB — AZ **u**
☐ 35 – **25 ch** 250/350.

XX **Astier,** à Pizançon par ③ : 2 km par N 532 ✆ 75 70 06 27 – GB
fermé 31 juil. au 14 août et mardi en hiver – **R** 120/190.

à l'Est : par ② et N 92 : 4 km – ✉ **26750** St-Paul-lès-Romans :

Karene H. M sans rest, ✆ 75 05 12 50, Fax 75 05 25 17, ⛱, 🌳 – TV ☎ ♿ P – 🏛 30. AE ⓓ GB
fermé 24 déc. au 2 janv. – ☐ 32 – **24 ch** 250/300.

à Granges-les-Beaumont par ⑤ : 6 km – ✉ **26600** :

XXX ✿ **Les Cèdres** (Bertrand), ✆ 75 71 50 67, 🏡, ⛱, 🌳 – P. GB
fermé 7 au 27 sept., vacances de fév., jeudi soir et lundi – **R** (nombre de couverts limité, prévenir) 155/270, enf. 60
Spéc. Médaillon de homard en salade, Ragoût de lotte aux ravioles de Romans, Noisette de cerf sauce Grand Veneur (saison). **Vins** Crozes-Hermitage blanc, Hermitage rouge.

XX **Lanaz** avec ch, ✆ 75 71 50 56, 🌳 – ☎ P. GB
fermé 1er au 10 mai, 17 août au 6 sept. et sam. – **R** 73/180 🍷, enf. 35 – ☐ 21 – **7 ch** 154/189 – ½ P 155.

ROMANS-SUR-ISÈRE BOURG-DE-PÉAGE

Cordeliers (Côtes des)	CY	
Faure (Pl. M.)	BY	
Mathieu-de-la-Drôme (R.)	CY	18
Clerc (R. des)	CY	4
Clérieux (R. Fg-de)	AZ	6
Ecosserie (R. de l')	BY	8
Fontaine-des-Cordeliers (R.)	CY	10
Guillaume (R.)	AZ	12
Herbes (Pl. aux)	BY	14
Jacquemart (Côte)	BY	15
Jacquemart (R.)	AZ	16
Massenet (Pl.)	CY	17
Merlin (R.)	CY	20
Mouton (R. du)	BY	22
Palestro (R.)	AZ	24
Perrot-de-Verdun (Pl.)	BY	26
Sabaton (R.)	CY	28
Ste-Marie (R.)	CY	29
Semard (R. P.)	AZ	30
Trois-Carreaux (R)	CY	32
Victor-Hugo	AZ	34

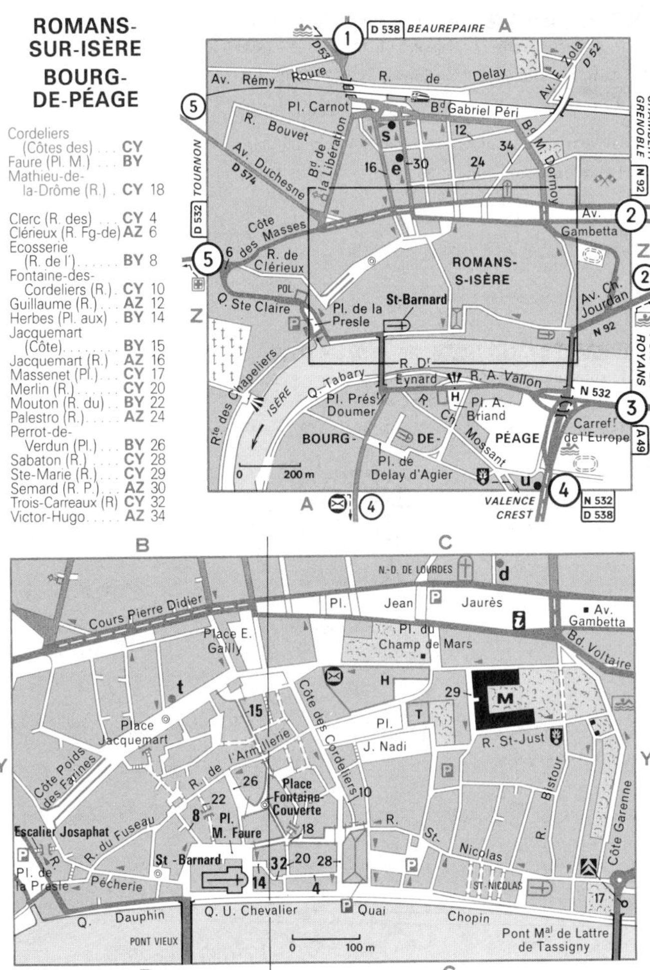

à St-Paul-lès-Romans par ② : 8 km – ✉ **26750** :

XX **La Malle Poste,** ℘ 75 45 35 43 – ▤. AE ⓓ GB
fermé 25 août au 10 sept., dim. soir et lundi – **R** 180/300, enf. 50.

CITROEN Romans-Automobiles, pl. Massenet CY ℘ 75 70 00 66
PEUGEOT-TALBOT Gar. des Dauphins, ZI, N 92 par ② ℘ 75 70 24 66

Ⓜ Dorcier, 41 cours P.-Didier ℘ 75 02 24 64
Drom Pneus, à Bourg-de-Péage ℘ 75 02 49 31
Piot-Pneu, ZI, N 92 ℘ 75 70 45 67

ROMBAS **57120** Moselle **57** ③ – **10 844** h. alt. 173.
Paris 316 – ◆Metz 20 – Briey 15 – Thionville 19 – Verdun 63.

🏠 **Europa,** 19 r. Clemenceau à **Clouange** ✉ 57120 Rombas ℘ 87 67 07 88 – ☎ Ⓟ. AE ⓓ GB – *fermé 9 juil. au 2 août, vend. soir et sam. midi* – **R** 80/125 🍼 – ☕ 18,50 – **18 ch** 135/210.

ROMENAY **71470** S.-et-L. **69** ⑳ – **1 566** h. alt. 204.
Paris 378 – Mâcon 35 – Bourg-en-Bresse 36 – Chalon-sur-Saône 43 – Louhans 18.

XX **Aub. la Maillardière,** D 975 ℘ 85 40 31 25 – Ⓟ. GB
fermé merc. sauf fériés – **R** 79/185, enf. 60.

ROMILLY-SUR-SEINE 10100 Aube 61 ⑤ – 15 557 h. alt. 75.

Paris 124 – Châlons-s.-Marne 73 – Nogent-sur-S. 18 – Sens 60 – Sézanne 26 – Troyes 38.

Aub. de Nicey M, 24 r. Carnot ☎ 25 24 10 07, Fax 25 24 47 01, – – AE ⓓ GB
fermé dim. soir – **R** 68/210 – 35 – **12 ch** 290/350.

à Pars-lès-Romilly S : 3 km par D 440 rte de Marcily-le-Hayer – ✉ 10100 :

Host. Le Bourdeau, ☎ 25 24 34 93 – P. AE ⓓ GB.
fermé 8 au 23 août, 20 au 28 fév., dim. soir et merc. – **R** 70/200.

CITROEN Garnerot, 126 r. A.-Briand N 19 ☎ 25 24 79 48
FORD Gar. D'Agostino, 6 r. E.-Zola ☎ 25 24 71 58
PEUGEOT-TALBOT Lesaffre, rond-point Val-Thibault ☎ 25 24 74 45
RENAULT Cadot, 1/3 bd Robespierre ☎ 25 24 85 77
V.A.G Gar. Rocca, RN 19 - 64 ter av. Diderot ☎ 25 24 90 42

La Centrale du Pneu, 223 r. A.-Briand ☎ 25 24 79 40

ROMORANTIN-LANTHENAY SP 41200 L.-et-Ch. 64 ⑱ **G. Châteaux de la Loire** – 17 865 h. alt. 88.

Voir Maisons anciennes* **B** – Vues des ponts* – Musée de Sologne* **H.**

Office de Tourisme pl. Paix ☎ 54 76 43 89.

Paris 203 ① – Bourges 71 ③ – Blois 40 ⑤ – Châteauroux 68 ③ – ♦Orléans 67 ① – ♦Tours 91 ④ – Vierzon 34 ③.

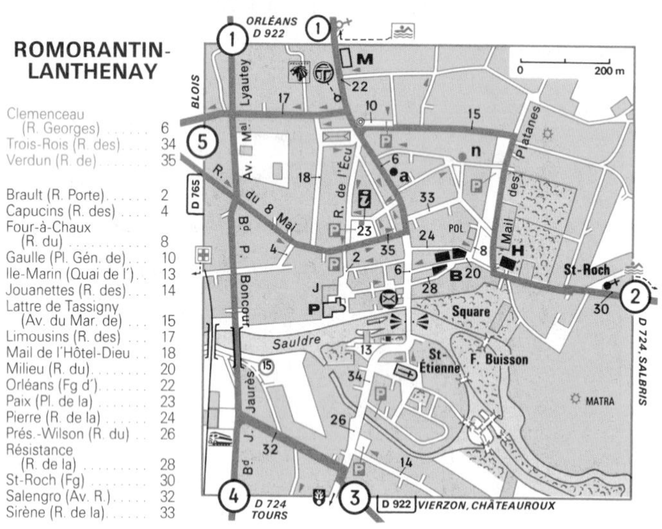

Gd H. Lion d'Or M, 69 r. Clemenceau **(a)** ☎ 54 76 00 28, Télex 750990 Fax 54 88 24 87, « Belle décoration intérieure, patio fleuri » – TV ☎ P – 50. AE ⓓ GB JCB
fermé début janv. à mi-fév. – **R** (nombre de couverts limité - prévenir) 350 (déj.)/600 et cart – 100 – **13 ch** 600/1700, 3 appart. 2000
Spéc. Cuisses de grenouilles à la rocambole, Langoustines rôties à la poudre d'épices douces, Fraises confites au vin rouge (avril à sept.). **Vins** Bourgueil, Vouvray.

Le Lanthenay avec ch, à **Lanthenay** par ① 2,5 km, pl. Église ☎ 54 76 09 19 Fax 54 76 72 91, – TV ☎. GB
fermé 23 au 30 sept., mi-fév. à mi-mars, lundi (sauf hôtel) et dim. soir – **R** 98/260, enf. 65 – 22 – **10 ch** 240/270 – ½ P 240.

Le Colombier avec ch, 18 pl. Vieux Marché **(n)** ☎ 54 76 12 76, – TV ☎ P. GB
fermé mi-janv. à mi-fév. – **R** 95, enf. 60 – 28 – **10 ch** 230/290 – ½ P 235/250.

La Cabrière, 30 av. Villefranche par ③ ☎ 54 76 38 94 – GB
fermé dim. soir et lundi – **R** 63 (sauf sam. soir)/200, enf. 35.

FORD Girard, 86 fg d'Orléans par ① ☎ 54 76 11 01
PEUGEOT-TALBOT Hureau, 14 fg d'Orléans ☎ 54 76 01 98
RENAULT Gar. de Paris, 12-14 av. de Paris par fg d'Orléans ☎ 54 76 06 68 N ☎ 54 95 00 83

RONCE-LES-BAINS **17** Char.-Mar. **71** ⑭ **G. Poitou Vendée Charentes** – ✉ **17390** La Tremblade.

ℹ Syndicat d'Initiative pl. Brochard (fermé après-midi hors saison) ✆ 46 36 06 02.

Paris 500 – Royan 26 – Marennes 10 – Rochefort 30 – La Rochelle 64.

Le Grand Chalet, 2 av. La Cèpe ✆ 46 36 06 41, ≤ île d'Oléron, – ☎ Ⓟ. GB. rest
15 fév.-15 nov. et fermé mardi – **R** 140/250 – ☕ 30 – **28 ch** 220/280 – ½ P 255/290.

RONCHAMP **70250** H.-Saône **66** ⑦ – 3 088 h. alt. 353.

Voir Chapelle★★, **G. Jura.**

Paris 393 – ♦Besançon 95 – Belfort 20 – Lure 12 – Luxeuil-les-Bains 31 – Vesoul 44.

Le Ronchamp sans rest, rte de Belfort ✆ 84 20 60 35, Fax 84 63 58 46, – TV ☎ Ⓟ. GB
☕ 25 – **21 ch** 195/250.

au Rhien N : 3 km – ✉ **70250** Ronchamp :

Rhien Carrer avec ch, ✆ 84 20 62 32, Fax 84 63 57 08, – TV ☎ ♿ Ⓟ. GB
R 50/200 ♨, enf. 30 – ☕ 25 – **22 ch** 110/200 – ½ P 150/235.

à Champagney E : 4,5 km par D 4 – 3 283 h. – ✉ **70290** :

Commerce, ✆ 84 23 13 24, – ☎ Ⓟ. AE ⓓ GB
fermé 1er au 15 fév. – **R** *(fermé lundi hors sais.)* 65/220 ♨ – ☕ 25 – **25 ch** 150/230 – ½ P 190/240.

ROQUEBRUN **34460** Hérault **83** ⑭ **G. Gorges du Tarn** – 550 h. alt. 89.

Paris 777 – ♦Montpellier 97 – Béziers 29 – Lodève 63 – Narbonne 46 – St-Pons 37.

Petit Nice avec ch, ✆ 67 89 64 27, ≤,
R 85 bc/220 bc – ☕ 25 – **8 ch** 180/250 – ½ P 210/240.

Come districarsi nei sobborghi di Parigi?
Utilizzando la **carta stradale** *Michelin n.* **101**
e le **piante** *n.* **17-18**, **19-20**, **21-22**, **23-24** *: chiare, precise ed aggiornate.*

ROQUEBRUNE-CAP-MARTIN **06190** Alpes-Mar. **84** ⑩ **195** ㉘ **G. Côte d'Azur** – 12 376 h. alt. 69.

Voir Village perché★★ : rue Moncollet★, ✻★★ du donjon★ – Cap Martin ≤★★ X – ≤★★ de l'hôtel Vistaëro SO : 4 km.

ℹ Office Municipal de Tourisme 20 av. P.-Doumer ✆ 93 35 62 87.

Paris 956 – Monaco 8,5 – Menton 5,5 – Monte-Carlo 7 – ♦Nice 24.

Plans : voir à Menton.

Vista Palace M, Grande Corniche O : 4 km par ③ et D 2564 ✆ 93 35 01 50, Télex 461021, Fax 93 35 18 94, « ≤ Monaco et la côte », – ▤ TV ☎ ♿ Ⓟ – 50 à 120. AE ⓓ GB. rest
R 310/500 – ☕ 95 – **63 ch** 1200/2500, 5 appart. – ½ P 1090/1590.

Victoria sans rest, 7 prom. Cap-Martin ✆ 93 35 65 90, Télex 461655, Fax 93 28 27 02, ≤ – ▤ TV ☎. AE ⓓ GB. AX **k**
fermé 10 nov. au 15 déc. – ☕ 34 – **32 ch** 380/480.

Alexandra sans rest, 93 av. W. Churchill ✆ 93 35 65 45, Fax 93 57 96 51, ≤ – ▤ TV ☎ Ⓟ. AE ⓓ GB AX **a**
fermé 15 nov. au 15 déc. – ☕ 36 – **40 ch** 340/680.

Westminster, 14 av. L. Laurent, quartier Bon Voyage par ③ : 3 km ✆ 93 35 00 68, Fax 93 28 88 50, ≤, « Jardin en terrasses » – ☎. GB.
hôtel : 15 fév.-25 oct. et 25 déc.-7 janv. ; rest. : 15 fév.-4 oct. – **R** (dîner seul.) (résidents seul.) 70/120 – ☕ 25 – **31 ch** 234/334 – ½ P 225/295.

Reine d'Azur M sans rest, 29 prom. Cap-Martin ✆ 93 35 76 84, Fax 93 28 02 91, – cuisinette ☎. AE GB AX **d**
fermé 10 nov. au 2 déc. – ☕ 30 – **32 ch** 270/450.

Regency sans rest, 98 av. J. Jaurès par ③ : 2,5 km ✆ 93 35 00 91, Fax 93 28 99 55, ≤ – ☎. GB.
fermé 11 nov. au 26 déc. – ☕ 25 – **12 ch** 212/284.

Roquebrune, 100 av. J. Jaurès par ③ (corniche inférieure) ✆ 93 35 00 16, Fax 93 28 98 36, ≤, – AE ⓓ GB JCB
fermé 10/03 au 20/03, 15/11 au 15/12, le midi (sauf week-ends) du 1/6 au 15/9, jeudi midi et merc. du 16/9 au 31/5 – **R** (prévenir) 360.

Hippocampe, av. W. Churchill ✆ 93 35 81 91, ≤ baie et littoral, – AE GB
fermé 4 au 25 mai, oct., 5 au 24 janv., le soir du 15 sept. au 30 juin et lundi – **R** (nombre de couverts limité, prévenir) 190/340. AX **h**

Au Grand Inquisiteur, (accès à pied) r. Château, au village par ③ : 3,5 km ✆ 93 35 05 37, « Salle rustique voûtée » – ▤. GB.
fermé 23 mars au 3 avril, 12 nov. au 25 déc., le midi de mai à oct. et lundi – **R** (prévenir) 135/230.

XX **Sporting du Cap,** 48 av. W.-Churchill ✆ 93 35 63 07, 余, ≤ baie et littoral – AE GB
fermé merc. du 1er oct. au 31 mars – **R** 170/340 AX

XX **Le Corail,** 7 prom. du Cap ✆ 93 41 37 69, ≤, 余, cuisine vietnamienne et chinoise – ▤ AE ⓪ GB AX
fermé 15 nov. au 15 déc. et lundi – **R** 88

XX **Deux Frères** avec ch, pl. 2 Frères, au village par ③ : 3,5 km ✆ 93 28 99 00 Fax 93 28 99 10, 余 – TV ☎. AE GB
fermé 1er nov. au 7 déc. – **R** *(fermé vend. midi et jeudi)* carte 180 à 340 – **10 ch** ⊒ 380/490

CITROEN Gar. de Carnolès, 159 av. de Verdun ✆ 93 35 77 85

ROQUEBRUNE-SUR-ARGENS 83520 Var 84 ⑦ G. Côte d'Azur – 10 389 h. alt. 29.

Voir N.-D.-de-Piété : ≤★ de la chapelle S : 1 km.

Paris 867 – Fréjus 11,5 – Brignoles 58 – Cannes 44 – Draguignan 21 – Ste-Maxime 21.

🏨 **Bullotel** M sans rest, N 7 ✆ 94 45 41 06, Fax 94 81 60 21, parc, 🏊 – TV ☎ ♿ P – 🏛 35. AE GB JCB
⊒ 28 – **26 ch** 280/360, 16 duplex 580.

ROQUEFAVOUR 13 B.-du-R. 84 ② ③ – ✉ 13122 Ventabren.

Voir Aqueduc★, G. Provence.

Paris 753 – ♦Marseille 29 – Aix-en-Provence 13 – Martigues 36 – Salon-de-Provence 27.

🏨 **Arquier** 🐌, ✆ 42 24 20 45, Fax 42 24 29 52, ≤, 余, 🌳 – TV ☎ P – 🏛 30. GB. ✗
fermé 31 janv. au 4 mars, dim. soir et lundi – **R** 190/270, enf. 60 – ⊒ 37 – **16 ch** 140/300 – ½ P 240/278.

Ferienreisen wollen gut vorbereitet sein.
Die Straßenkarten und Führer von Michelin
geben Ihnen Anregungen und praktische Hinweise zur Gestaltung Ihrer Reise :
Streckenvorschläge, Auswahl und Besichtigungsbedingungen
der Sehenswürdigkeiten, Unterkunft, Preise ... u. a. m.

ROQUEFORT 40120 Landes 79 ⑪ ⑫ G. Pyrénées Aquitaine – 1 821 h. alt. 75.

Paris 686 – Mont-de-Marsan 22 – Agen 91 – Aire-sur-l'Adour 38 – Auch 99 – Langon 60.

🏨 **Le Colombier** 🐌, ✆ 58 45 50 57, 余, 🏊, 🌳 – ☎ P. GB
✦ **R** 60/150 ♂, enf. 40 – ⊒ 20 – **17 ch** 70/180 – ½ P 150/170

PEUGEOT-TALBOT Pallas ✆ 58 45 50 25
RENAULT Gar. Duboscq ✆ 58 45 50 67
RENAULT Gar. Duparc, à Sarbazan ✆ 58 45 66 52
Gar. Masion ✆ 58 45 50 68 N ✆ 58 44 83 27

ROQUEFORT-LES-PINS 06330 Alpes-Mar. 84 ⑨ – 4 714 h. alt. 175.

ℹ Syndicat d'Initiative pl. Jean-Civatte (saison) ✆ 93 09 66 16

Paris 917 – ♦Nice 22 – Cannes 17 – Grasse 13.

🏨 **Aub. du Colombier** 🐌, ✆ 93 77 10 27, Fax 93 77 07 03, ≤, 余, parc, 🏊, 🎾 – TV ☎ P – 🏛 30. AE ⓪ GB
fermé 10 janv. au 10 fév. – **R** *(fermé mardi d'oct. à mars)* 150/180, enf. 110 – ⊒ 50 – **18 ch** 270/650 – ½ P 340/545.

ROQUEFORT-SUR-SOULZON 12250 Aveyron 80 ⑭ G. Gorges du Tarn – 789 h. alt. 630.

Voir Caves de Roquefort★ – Rocher St-Pierre ≤★.

Paris 678 – Lodève 64 – Millau 24 – Rodez 80 – St-Affrique 11,5 – Le Vigan 76.

🏨 ✿ **Grand Hôtel** (Lenfant), ✆ 65 59 90 20 – ☎ P. AE ⓪ GB
1er avril-15 oct. et fermé dim. soir et lundi sauf juil.-août – **R** 140/300 – ⊒ 48 – **15 ch** 280/380
Spéc. Pavé de saumon croustillant au Roquefort. Blanc de sandre aux écailles de pomme de terre. Jambonnette de volaille truffée aux morilles. **Vins** Costières de Nîmes, Coteaux du Languedoc.

La ROQUE-GAGEAC 24250 Dordogne 75 ⑰ G. Périgord Quercy – 447 h. alt. 150.

Voir Site★★.

Paris 535 – Brive-la-Gaillarde 65 – Sarlat-la-Canéda 12 – Cahors 54 – Fumel 54 – Lalinde 45 – Périgueux 69.

🏨 **Belle Étoile,** ✆ 53 29 51 44, ≤, 余 – ☎ 🚗. GB. ✗ ch
Pâques-15 oct. – **R** 100/300 – ⊒ 30 – **17 ch** 250/290 – ½ P 260/280.

🏨 **Gardette,** ✆ 53 29 51 58, 余 – ☎ P. GB. ✗
12 avril-15 oct. – **Repas** 110/250 – ⊒ 28 – **15 ch** 170/300 – ½ P 250/290.

XX **Plume d'Oie** M avec ch, ✆ 53 29 57 05 – TV ☎. GB. ✗ ch
fermé 16/3 au 10/4, 15/11 au 15/12, lundi midi et sam. midi en juil.-août, dim. soir et lundi de sept. à juin – **R** 145/225, enf. 85 – ⊒ 45 – **4 ch** 350/380 – ½ P 320/380.

rte de Vitrac SE : 4 km par D 703 – ✉ **24250** Domme :

🏨 **Le Périgord** M 🐌, ✆ 53 28 36 55, Fax 53 28 38 73, parc, 🏊, 🎾 – ▤ rest ☎ P – 🏛 200. AE GB
15 mars-15 nov. – **R** 100/300, enf. 40 – ⊒ 35 – **40 ch** 240/320 – ½ P 270/320.

ROQUEMAURE 30150 Gard 81 ⑪ ⑫ **G. Provence** – 4 647 h. alt. 19.

Paris 670 – Avignon 19 – Alès 71 – Bagnols-sur-Cèze 20 – Nîmes 46 – Orange 11 – Pont-St-Esprit 30.

Château de Cubières, ✆ 66 82 64 28, Fax 66 82 60 04, « Demeure du 18e siècle, parc » – ☎ Ⓟ – 30
fermé 18 fév. au 9 mars et 15 au 30 nov. – **R** *(fermé 15 fév. au 1er mars, 15 au 30 nov., merc. midi et mardi hors sais.)* 150/260, enf. 75 – ☕ 34 – **17 ch** 240/350.

à St-Géniès-de-Comolas E : 3 km par D 980 – ✉ 30150 :

Château Correnson, ✆ 66 50 30 21, Fax 66 50 42 66, ←, parc, « Demeure provençale du 18e siècle », – TV ☎ ♿ Ⓟ. AE ① GB. rest
fermé 15 nov. au 7 déc. et 7 au 15 janv. – **R** *(fermé dim. soir et lundi d'oct. à mai)* 150/300, enf. 80 – ☕ 40 – **17 ch** 350/700 – ½ P 350/500.

La ROQUETTE-SUR-SIAGNE 06550 Alpes-Mar. 84 ⑧ – 3 642 h. alt. 58.

Paris 904 – Cannes 9,5 – Draguignan 61 – Grasse 10 – Nice 37 – St-Raphaël 41.

Chasseurs sans rest, quartier St-Jean ✆ 93 47 19 96 – cuisinette Ⓟ.
☕ 28 – **20 ch** 190/230, 3 studios.

ROSAY 78 Yvelines 55 ⑱, 106 ⑮ – rattaché à Mantes-la-Jolie.

ROSBRUCK 57 Moselle 57 ⑯ – rattaché à Forbach.

ROSCOFF 29680 Finistère 58 ⑥ **G. Bretagne** (plan) – 3 711 h. alt. 7.

Voir Église N.-D.-de-Kroaz-Batz★ Y – Aquarium Ch. Pérez★ Y.

Maison du Tourisme 46 r. Gambetta ✆ 98 61 12 13.

Paris 565 ① – ◆ Brest 65 ① – Landivisiau 27 ① – Morlaix 27 ① – Quimper 99 ①.

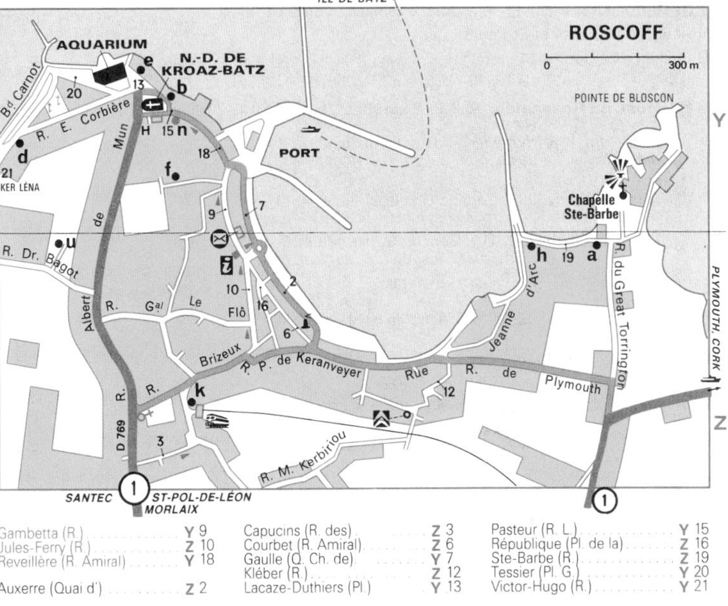

Gambetta (R.) Y 9
Jules-Ferry (R.) Z 10
Reveillère (R. Amiral) Y 18

Auxerre (Quai d') Z 2
Capucins (R. des) Z 3
Courbet (R. Amiral) Z 6
Gaulle (Q. Ch. de) Y 7
Kléber (R.) Z 12
Lacaze-Duthiers (Pl.) Y 13
Pasteur (R. L.) Y 15
République (Pl. de la) Z 16
Ste-Barbe (R.) Z 19
Tessier (Pl. G.) Y 20
Victor-Hugo (R.) Y 21

Brittany, bd Ste Barbe ✆ 98 69 70 78, Télex 940397, Fax 98 61 13 29, ←, – TV ☎ Ⓟ – 40. AE GB. rest Z **a**
15 mars-10 nov. – **R** *(fermé lundi midi)* 148/260 – ☕ 48 – **25 ch** 340/780 – ½ P 380/460.

Gulf Stream, r. Marquise de Kergariou ✆ 98 69 73 19, ←, – TV ☎ Ⓟ. AE GB.
15 mars-15 oct. – **R** 140/320 – ☕ 38 – **32 ch** 355/395 – ½ P 340/470.

Talabardon, pl. Église ✆ 98 61 24 95, Fax 98 61 10 54, ≤ – |≑| TV ☎ P. AE ⓓ GB
15 fév.-15 nov. – **R** *(fermé dim. soir)* 120/270, enf. 70 – ☕ 40 – **39 ch** 270/480 – ½ P 345/385. Y

Armen Le Triton sans rest, r. Dr Bagot ✆ 98 61 24 44, Fax 98 69 77 97, ⁂, ✂ – |≑| TV ☎ P. AE GB Z
fermé 4 janv. au 15 fév. – ☕ 32 – **45 ch** 230/350.

Thalasstonic M, av. V. Hugo ✆ 98 29 20 20, Fax 98 61 22 73, ≤, ⁂ – |≑| TV ☎ ♿ P AE GB. ✻ rest
fermé 4 janv. au 13 fév. – **R** 130 – ☕ 35 – **50 ch** 365/450 – ½ P 360/385.

Urbis-Le Corsaire sans rest, pl. Église ✆ 98 61 22 61, Télex 941659, Fax 98 61 11 94, – |≑| TV ☎ ♿. GB Y
☕ 35 – **40 ch** 280/330.

Les Tamaris sans rest, r. Édouard Corbière ✆ 98 61 22 99, Fax 98 68 85 18, ≤ – |≑| TV ☎ GB Y
1er avril-31 oct. – ☕ 30 – **27 ch** 220/300.

La Résidence sans rest, r. des Johnies ✆ 98 69 74 85, ⁂ – |≑| ☎. GB Y
☕ 32 – **31 ch** 210/270.

Bellevue, r. Jeanne d'Arc ✆ 98 61 23 38, Fax 98 61 11 80, ≤ – TV ☎. GB. ✻ rest
fermé 15 nov. au 20 déc. et 15 janv. au 15 mars – **R** *(fermé merc. d'oct. à juin)* 100/280, enf. 60 – ☕ 32 – **18 ch** 220/350 – ½ P 280/330. Z

Régina, r. Ropartz Morvan ✆ 98 61 23 55, Fax 98 61 10 89 – |≑| TV ☎ P. AE GB. ✻ rest
15 mars-30 oct. – **R** 82/235, enf. 45 – ☕ 35 – **50 ch** 340 – ½ P 270/280. Z

XXX **Le Temps de Vivre,** pl. Église ✆ 98 61 27 28 – AE GB. ✻
fermé dim. soir sauf juil.-août et lundi – **R** 98/288.

XX **Chardons Bleus** avec ch, 4 r. A. Réveillère ✆ 98 69 72 03 – ☎. GB Y
fermé déc., janv. et jeudi sauf juil.-août – **R** 74/200, enf. 50 – ☕ 32 – **10 ch** 220/280 – ½ P 240/270.

CITROEN Gar. Scouarnec, r. J.-Bara ✆ 98 61 23 05

ROSHEIM 67560 B.-Rhin 62 ⑨ G. Alsace Lorraine – 4 016 h. alt. 194.

Voir Église St-Pierre et St-Paul★.

ℹ Syndicat d'Initiative à la Mairie (fermé matin sauf 15 juin-15 oct.) ✆ 88 50 75 38.

Paris 484 – ◆Strasbourg 27 – Erstein 19 – Molsheim 7,5 – Obernai 6 – Sélestat 31.

Host. du Rosenmeer M, NE : 2 km sur D 75 ✆ 88 50 43 29, Fax 88 49 20 57, ⁂ – TV ☎ P – 🏔 25. GB
fermé janv. – **R** *(fermé dim. soir et lundi de nov. à Pâques)* 98/350 -**Winstub** *(fermé janv., dim. soir et lundi de nov. à Pâques)* **R** carte 100 à 190 – ☕ 35 – **19 ch** 210/360 – ½ P 290/310.

XX **Aub. du Cerf,** 120 r. Gén. de Gaulle ✆ 88 50 40 14 – GB
fermé 1er au 15 fév., dim. soir et lundi – **R** 80/210.

X **La Petite Auberge,** 41 r. Gén. de Gaulle ✆ 88 50 40 60 – GB
fermé 24 juin au 3 juil., mardi soir de nov. à mai et merc. – **R** 95/250.

PEUGEOT-TALBOT Gar. Jost, ✆ 88 50 40 53 N

La ROSIÈRE 73 Savoie 74 ⑱ ⑲ G. Alpes du Nord – alt. 1 820 – Sports d'hiver : 1 850/2 650 m 1 14 – ✉ 73700 Bourg-St-Maurice.

Altiport ✆ **79 06 83 40.**

ℹ Office de Tourisme (15 déc.-12 mai) ✆ 79 06 80 51.

Paris 663 – Albertville 76 – Bourg-St-Maurice 23 – Chambéry 124 – Chamonix-Mont-Blanc 58 – Val-d'Isère 32.

Relais Petit St-Bernard, ✆ 79 06 80 48, ≤ montagnes, ⁂ – ☎ P. GB
15 juin-15 sept. et 15 déc.-30 avril – **R** 80/90, enf. 50 – ☕ 35 – **19 ch** (½ pens. seul) – ½ P 280/320.

Les ROSIERS **49350** M.-et-L. 64 ⑫ **G. Châteaux de la Loire** – 2 204 h. alt. 24.

Syndicat d'Initiative pl. Mail (juin-sept.) ✆ 41 51 90 22.

Paris 300 – Angers 31 – Baugé 27 – Bressuire 65 – Cholet 62 – La Flèche 46 – Saumur 18.

XXX ✿ **Jeanne de Laval** (Augereau) avec ch, rte Nationale ✆ 41 51 80 17, Fax 41 38 04 18, « Jardin fleuri » – rest TV ☎ P. AE ① GB. ✻ rest
fermé 7 janv. au 15 fév. et lundi sauf fériés – **R** (nombre de couverts limité - prévenir) 170 (déj.)/380, enf. 80 – ☐ 48 – **4 ch** 350/650 – ½ P 500/650
Spéc. Foie gras de canard au torchon, Poissons de Loire au beurre blanc, Ecrevisses pattes rouges à la bordelaise (saison). **Vins** Anjou, Saumur-Champigny.

Annexe Ducs d'Anjou 🏨 ⑤ sans rest, ✆ 41 51 80 17, Fax 41 38 04 18, parc – TV ☎ P. AE ① GB
☐ 48 – **8 ch** 400/480.

XX **La Toque Blanche,** O : 0,5 km par D 952 ✆ 41 51 80 75 – ▤. GB
fermé 28 août au 5 sept., 10 au 23 fév., dim. soir, mardi soir et merc. – **Repas** (prévenir) 81/200, enf. 70.

XX **Val de Loire** avec ch, pl. Église ✆ 41 51 80 30 – TV ☎. GB
fermé 1er fév. au 15 mars, dim. soir et lundi sauf juil.-août – **R** 65/165 ♁, enf. 45 – ☐ 23 – **10 ch** 140/240 – ½ P 210/270.

ROSNY-SOUS-BOIS **93** Seine-St-Denis 56 ⑪, 101 ⑰ – voir à Paris, Environs.

ROSPORDEN **29140** Finistère 58 ⑯ **G. Bretagne** – 6 485 h. alt. 118.

Voir Clocher★ de l'église.

Syndicat d'Initiative r. Ernest Prévost (juil.-août) ✆ 98 59 27 26.

Paris 538 – Quimper 24 – Carhaix-Plouguer 47 – Châteaulin 46 – Concarneau 14 – Quimperlé 26.

🏨 **Bourhis** M, pl. Gare ✆ 98 59 23 89, Télex 941808 – ⇅ TV ☎ ♿. AE ① GB
fermé dim. soir et lundi du 30 sept. au 1er juin – **R** 170/390, enf. 50 - **Grill Le Jardin** *(fermé dim. et fêtes)* **R** 45/120 ♁ – ☐ 42 – **27 ch** 350 – ½ P 260/350.

🏨 **Gai Logis,** rte Quimper ✆ 98 59 22 38, ⇌ – TV ☎ P. GB. ✻ rest
fermé 15 fév. au 15 mars, 1er au 8 oct. et sam. du 15 sept. au 15 juin – **R** 70/280 ♁ – ☐ 28 – **17 ch** 140/280 – ½ P 170/250.

PEUGEOT-TALBOT Monfort, rte de Concarneau ✆ 98 59 22 72

RENAULT Castrec, 1 r. Gare ✆ 98 59 20 25

ROTHÉNEUF **35** I.-et-V. 59 ⑥ – rattaché à St-Malo.

Prices

For notes on the prices quoted in this Guide, see the explanatory pages.

ROUBAIX **59100** Nord 51 ⑥ ⑯ **G. Flandres Artois Picardie** – 97 746 h. alt. 22.

Voir Chapelle d'Hem★ : vitraux★★ 5 km par ⑥ voir plan de Lille KS **B**.

⛳9 des Flandres (privé) ✆ 20 72 20 74, par ⑦ : 8 km ; ⛳18 du Sart (privé) ✆ 20 72 02 51, par ⑦ : 5 km ; ⛳18 de Brigode à Villeneuve-d'Ascq ✆ 20 91 17 86, par ⑦ : 6 km ; ⛳18 ⛳18 de Bondues ✆ 20 23 20 62, par D 9 : 8 km AX.

Office de Tourisme 78 bd Gal-Leclerc ✆ 20 65 31 90 – A.C. 42 r. Mar.-Foch ✆ 20 73 92 80.

Paris 230 ⑦ – ♦Lille 13 ⑦ – Kortrijk 22 ② – Tournai 19 ⑤.

Plan page suivante

🏨 **Gd Hôtel Altéa,** 22 av. J. Lebas ✆ 20 73 40 00, Télex 132301, Fax 20 73 22 42 – ⇅ ⊁ ch TV ☎ – 🏛 30 à 100. AE ① GB. ✻ rest — BY **r**
R 80/110 – ☐ 45 – **92 ch** 350/490 – ½ P 340/390.

🏨 **Ibis** M, bd Mar. Leclerc ✆ 20 45 00 00, Télex 131471, Fax 20 73 59 31 – ⇅ TV ☎ ♿ ⇔ – 🏛 25. GB — BY **e**
R 79 ♁, enf. 39 – ☐ 31 – **94 ch** 280/300.

XXX **Le Caribou,** 8 r. Mimerel ✆ 20 70 87 08 – P. GB. ✻ — BY **u**
fermé vacances de printemps, 10 juil. à fin août, vacances de nov., le soir (sauf vend. et sam.) et sam. midi – **R** 190/300.

XX **Chez Charly,** 127 r. J. Lebas ✆ 20 70 78 58 – GB. ✻ — AX **a**
fermé 21 avril au 3 mai, août et dim. sauf fêtes – **R** (déj. seul.) 100/180.

à Lys-lez-Lannoy par ⑤ et D 206 : 5 km – 12 300 h. – ✉ **59390** :

XX **Aub. de la Marmotte,** 5 r. J.-B. Lebas ✆ 20 75 30 95 – P. GB
fermé août, vacances de fév., le soir (sauf jeudi, vend. et sam.) et sam. midi – **R** 85/300. — plan de Lille LS **f**

AUSTIN-ROVER Gar. Devernay, 17 r. Mar.-Foch ✆ 20 73 07 27
PEUGEOT-TALBOT V.L.D., 196 bd Gambetta CY ✆ 20 73 91 00
RENAULT Succursale, 55 r. Mar.-Foch BY ✆ 20 99 43 00

Crépy Pneus, 29 r. de l'Ouest ✆ 20 70 98 02
Prévost, 29 r. V.-Hugo ✆ 20 75 53 79
Réform Pneus, 76 r. Carnot à Wattrelos ✆ 20 02 79 19

au-dessus voir plan de Tourcoing

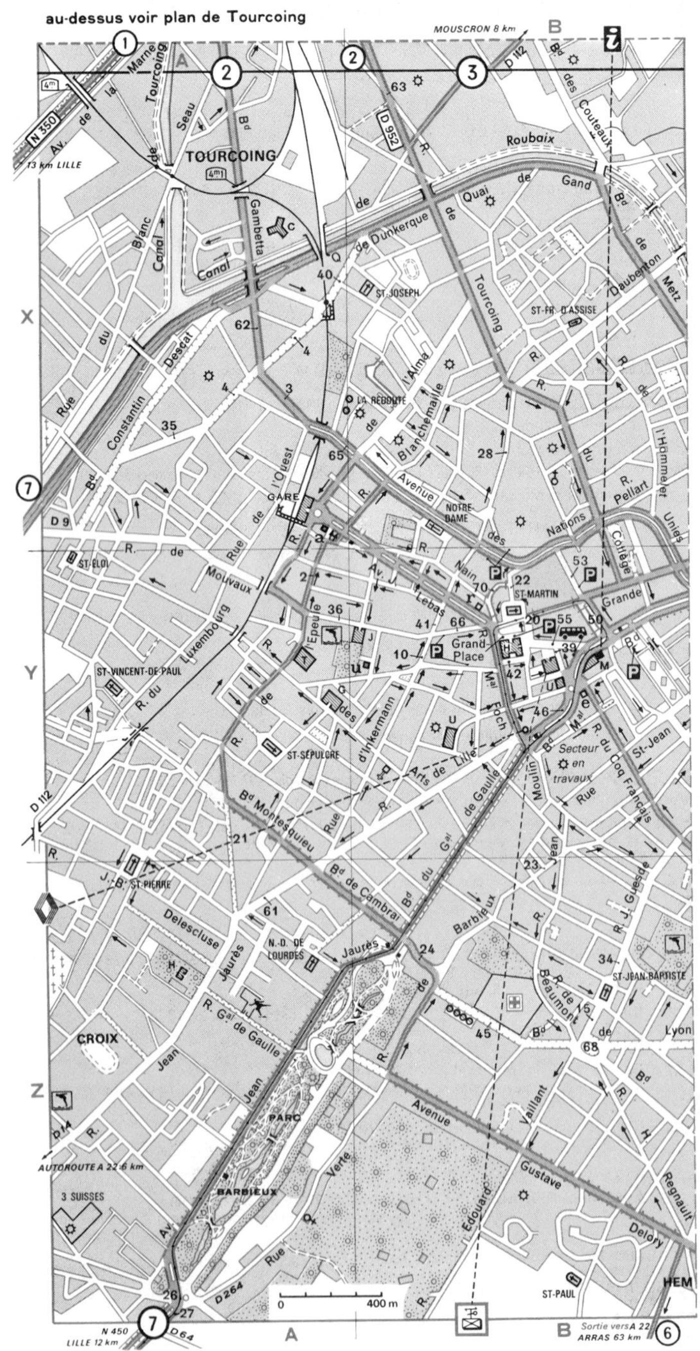

ROUBAIX

Epeule (R. de l') AY
Grand-Place BY
Grande-Rue BCY
Lannoy (R. de) CZ
Lebas (Av. J.) BY
Motte (R. Pierre) BY 55
Sarrail
(R. du Général) BY 66

Alger (R. d') CX
Alma (R. de l') ABX
Alouette (R. de l') AY 2
Alsace (R. d') AX 3
Armentières (Bd d') AX 4
Arts (R. des) ABY
Avelghem (R. d') CX 8
Barbieux (R. de) BZ
Beaumont (R. de) BZ
Beaurepaire (Bd de) CY
Belfort (Bd de) CY
Blanchemaille (R. de) BX

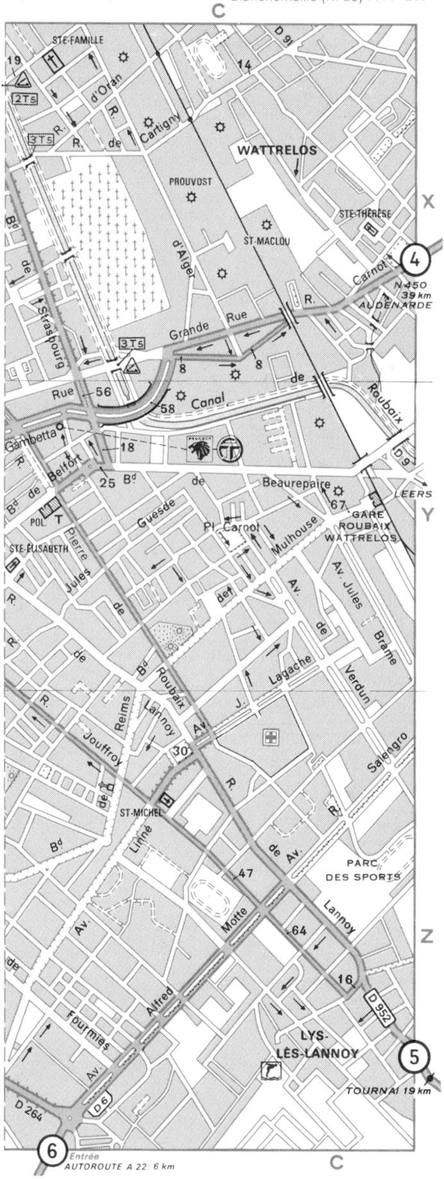

Blanc-Seau (R. du) AX
Bois (R. du) BY 10
Brame (Av. Jules) CY
Cambrai (Bd de) ABZ
Carnot (Pl.) CY
Carnot (R.) CX
Cartigny (R. de) CX
Castermant (R. Ch.) CX 14
Cateau (Bd du) BZ 15
Chemin Vert (R. du) CZ 16
Collège (R. du) BXY
Colmar (Bd de) CY 18
Constantine (R. de) CX 19
Contour St-Martin BY 20
Coq Français (R. du) BY
Courbet (R. Amiral) AYZ 21
Couteaux (Bd des) BX
Curé (R. du) BY 22
Daguessau (R.) BZ 23
Daubenton (R.) BX
Delescluse (R. J.-B.) AYZ
Delory (Av. Gustave) ABZ
Descat (Bd Constantin) AX
Douai (Bd de) BZ 24
Dunkerque (Q. de) ABX
Faidherbe (Pl. du Gén.) CY 25
Fer à Cheval (Carr. du) AZ 26
Flandre (Av. de) AZ 27
Fosse-aux-Chênes (R.) BX 28
Foch (R. Mar.) BY
Fourmies (Bd de) BCZ
Fraternité (Pl. de la) CZ 30
Gambetta (Bd) BCY
Gambetta (Bd)
TOURCOING AX
Gand (Quai de) BX
Gaulle (Bd du Gén. de) BY
Gaulle (R. Gén. de) AZ
Goujon (R. Jean) BZ 34
Gounod (R. Ch.) AX 35
Grand chemin (R. du) ABY 36
Guesde (R. Jules) BCYZ
Halle (R. de la) BY 39
Halluin (Bd) ABX 40
Hommelet (R. de l') BX
Hospice (R. de l') BY 41
Hôtel-de-Ville (R. de l') BY 42
Inkermann (R. d') ABY
Jaurès (Av. J.) AZ
Jaurès (R. J.) CROIX AZ
Jouffroy (R.) CZ
Lacordaire (Bd) BZ 45
Lagache (Av. J.) CYZ
Leclerc (Bd Mar.) BY 46
Leconte-Baillon (R.) CZ 47
Liberté (Pl. de la) BY 50
Lille (R. de) BY
Linné (Av.) CZ
Luxembourg (R. du) AY
Lyon (Bd de) BCZ
Marne (Av. de la)
TOURCOING AX
Metz (Bd de) BX
Monnet (R. Jean) BY 53
Montesquieu (Bd) AY
Motte (Av. Alfred) CZ
Moulin (R. Jean) BYZ
Mouvaux (R. de) AXY
Mulhouse (Bd de) CY
Nadaud (R.) CY 56
Nain (R.) BY
Nyckès (Pont) CY 58
Oran (R. d') CX
Ouest (R. de l') AX
Pellart (R.) BX
Prof. Langevin (R. du) AZ 61
Regnault (R. Henri) BZ
Reims (Bd de) CZ
République (Bd de la) AX 62
Roubaix (R. Pierre de) CY
Roubaix (R. de)
TOURCOING BX 63
Rousseau (R. J.-J.) CZ 64
St-Jean (R.) BY
St-Vincent-de-Paul (R.) ABX 65
Salengro (Av. R.) CZ
Sévigné (R. de) CY 67
Strasbourg (Bd de) CX
Tourcoing (R. de) BX
Travail (Pl. du) BZ 68
Vaillant (R. Ed.) BZ
Verdun (Av. de) CY
Verte (R.) AZ
Vieil abreuvoir (R. du) BY 70

ROUDOUALLEC **56110** Morbihan 58 ⑯ – 772 h. alt. 169.

Paris 521 – Quimper 34 – Carhaix-Plouguer 25 – Concarneau 36 – Lorient 58 – Vannes 109.

✕ **Bienvenue,** ☏ 97 34 50 01 – Ⓟ. GB
✦ *fermé lundi soir et mardi sauf juil.-août* – **Repas** 60/199.

ROUEN 🅿 **76000** S.-Mar. 55 ⑥ **G. Normandie Vallée de la Seine** – 102 723 h. alt. 10.

Voir Cathédrale★★★ EY – Le Vieux Rouen★★★ DEXY : ✻★★ du beffroi DY, Église St-Ouen★★ FX, Église★★ et Aître★★ St-Maclou FY, Palais de Justice★★ DEX **J**, Rue du Gros Horloge★★ DEY 39, Rue St-Romain★★ EY 57, Place du Vieux-Marché★ DX 65, Verrière★★ de l'église Ste-Jeanne d'Arc DX **K**, Rue Ganterie★ EX, Rue Damiette★ FY 28, Rue Martainville★ FGY, Église St-Godard★ EX **S**, Demeure★ (musée de l'Education) FY **M5** – Vitraux★ de l'église St-Patrice DX **F** – Musées: Beaux-Arts★★ EX **M1**, Le Secq des Tournelles★★ EX **M2**, Céramique★★ EX **M4**, Antiquités★★ FVX **M3** – Côte Ste-Catherine ✻★★★ B, 3,5 km – Bonsecours : ✻★★ du calvaire et ≤★★ du monument à Jeanne d'Arc B **N**, 3 km – Canteleu ≤★ de la terrasse de l'église A, 4 km – Route d'accès au Centre Universitaire A **R** ✻★★ par rue Chasselièvre AB 23.

Env. St-Martin de Boscherville : anc. abbatiale St-Georges★★, 11 km par ⑦.

⛳18 ☏ 35 76 38 65, près Mont-St-Aignan, N : 4 km AB.

Circuit automobile de Rouen-les-Essarts 13 km par ⑥.

Bacs: de Dieppedalle : renseignements ☏ 35 36 20 81 ; du Petit-Couronne ☏ 35 32 40 21.

🅸 Office de Tourisme et Accueil de France (Informations, change et réservations d'hôtels pas plus de 5 jours à l'avance) 25 pl. Cathédrale ☏ 35 71 41 77, Télex 770940 – A.C. 46 r. Gén.-Giraud ☏ 35 71 44 89.

Paris 137 ⑥ – ♦Amiens 114 ① – ♦Caen 122 ⑥ – ♦Calais 209 ① – ♦Le Havre 86 ⑧ – ♦Lille 230 ① – ♦Le Mans 194 ⑥ – ♦Rennes 297 ⑥ – ♦Tours 273 ⑥.

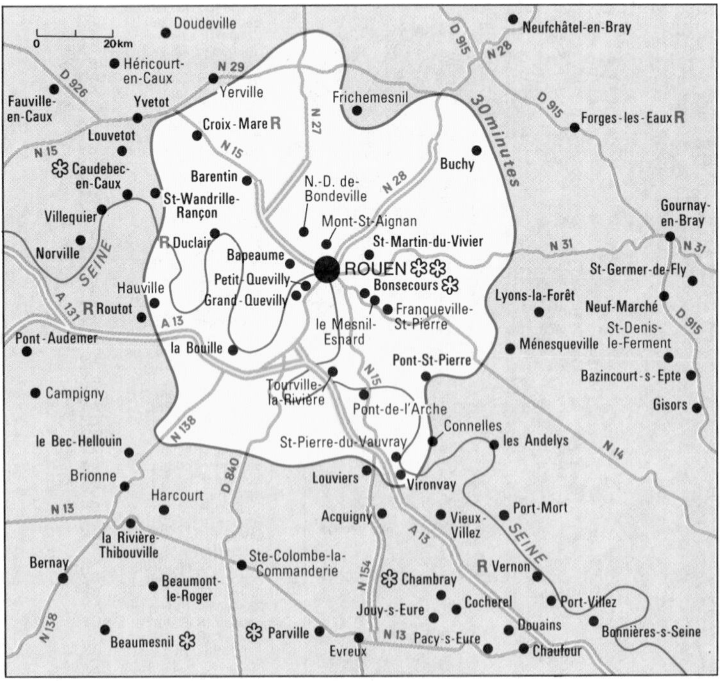

Altéa Champ de Mars Ⓜ, av. A. Briand ☏ 35 52 42 32, Télex 172242, Fax 35 08 15 06 – 🛗 ⇌ ch 📺 ☎ ♿ 🚗 Ⓟ – 🏛 160. AE ⓞ GB JCB — GZ **j**
R *(fermé sam. midi et dim.)* 105/350 – ☕ 50 – **136 ch** 450/550, 3 appart. 950.

Pullman Albane Ⓜ 🔇, r. Croix de Fer ☏ 35 52 69 52, Télex 180949, Fax 35 89 41 46 – 🛗 ▤ rest 📺 ☎ 🚗 – 🏛 50. AE ⓞ GB — EY **f**
R *(fermé dim.)* 90/210 🍷 – ☕ 50 – **125 ch** 550/680, 4 appart. 990 – ½ P 445/535.

ROUEN

Alliés (Av. des) . . . . **A** 2
Ango (R. Jean) . . . . **A** 4
Béthencourt (Quai de) . **A** 6
Bonsecours (Rte de) . . . **B** 7
Brossolette (Bd) . . . . **A** 9
Bruyères (Rd-Pt des) . . . **A** 13
Caen (Av. de) . . . . **AB** 15
Canteleu (Rte de) . . . . . **A** 18
Carnot (Av.) . . . . **A** 21
Chasselièvre (R.) . . . . . . **AB** 23
Clères (Chemin de) . . . . . **B** 24
Corneille (R. Pierre) . . . . . **B** 25
Corniche (Rte de la) . . . . . **B** 26
Elbeuf (R. d') . . . . **B** 34
Havre (Rte du) . . . . **A** 35
Jaurès (Av. Jean) . . . . **A** 36
Jaurès (Bd Jean) . . . . **A** 37
Leclerc-de-Hautecloque (Av. du Gén.) . . . . **A** 38
Lesseps (Bd F.) . . . . **A** 39
Mont-Riboudet (Av. du) . **A** 42
Pène (R. Annie-de) . . . . . **B** 44
Pitres (Chemin de) . . . . . . **B** 45
Renard (R. du) . . . . **AB** 48
Rondeaux (Av. Jean) . . . . **A** 50
Roosevelt (Bd Franklin) . . **A** 51
Ste-Lucie (Rd-Pt) . . . . **A** 52
Siegfried (Bd André) . . . . **A** 53
Sotteville (R. de) . . . . **B** 54
Val-d'Eauplet (R. du) . . . . . **B** 55
Verdun (Bd de) . . . . **A** 56
11-Novembre (Bd du) . . . **A** 57
14-Juillet (Av. du) . . . . . . **B** 58

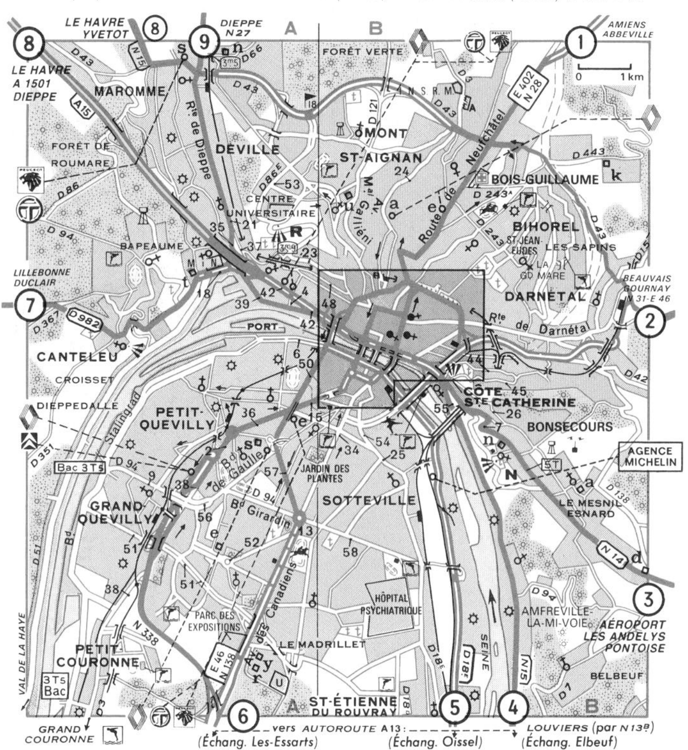

Dieppe et rest. Le Quatre Saisons, pl. B. Tissot ✆ 35 71 96 00, Télex 180413, Fax 35 89 65 21 – |≑| TV ☎. AE ⓓ GB JCB — EV **z**
R 135/195 – ☐ 35 – **42 ch** 395/560 – ½ P 405.

Colin's M sans rest, 15 r. Pie ✆ 35 71 00 88, Télex 771770, Fax 35 70 75 94 – |≑| TV ☎ ♿ ⟹ – 🔔 30 à 60. AE ⓓ GB — DX **h**
☐ 50 – **48 ch** 495/650.

Versan M sans rest, 3 r. Thiers ✆ 35 70 22 00, Fax 35 70 22 60 – |≑| TV ☎ ♿. AE ⓓ GB — FX **s**
☐ 40 – **34 ch** 290/395.

Ibis Rouen Centre M, 56 quai G. Boulet ✆ 35 70 48 18, Télex 771393, Fax 35 71 68 95, ☂ – |≑| TV ☎ ♿ P – 🔔 30 à 70. GB — CX **a**
R 69/110 bc, enf. 40 – ☐ 32 – **88 ch** 300/310.

Urbis St-Sever M sans rest, 44 r. Amiral Cécille ✆ 35 63 27 27, Télex 172399, Fax 35 63 27 11 – |≑| TV ☎ ♿ ⟹. GB — CZ **m**
☐ 32 – **81 ch** 280/310.

Québec sans rest, 18 r. Québec ✆ 35 70 09 38, Télex 771530 – |≑| TV ☎. AE GB JCB — EY **q**
fermé 23 déc. au 3 janv. – ☐ 28 – **38 ch** 150/305.

Astrid sans rest, pl. Gare ✆ 35 71 75 88, Télex 771351, Fax 35 88 53 25 – |≑| TV ☎. AE ⓓ GB — EV **s**
☐ 33 – **40 ch** 220/320.

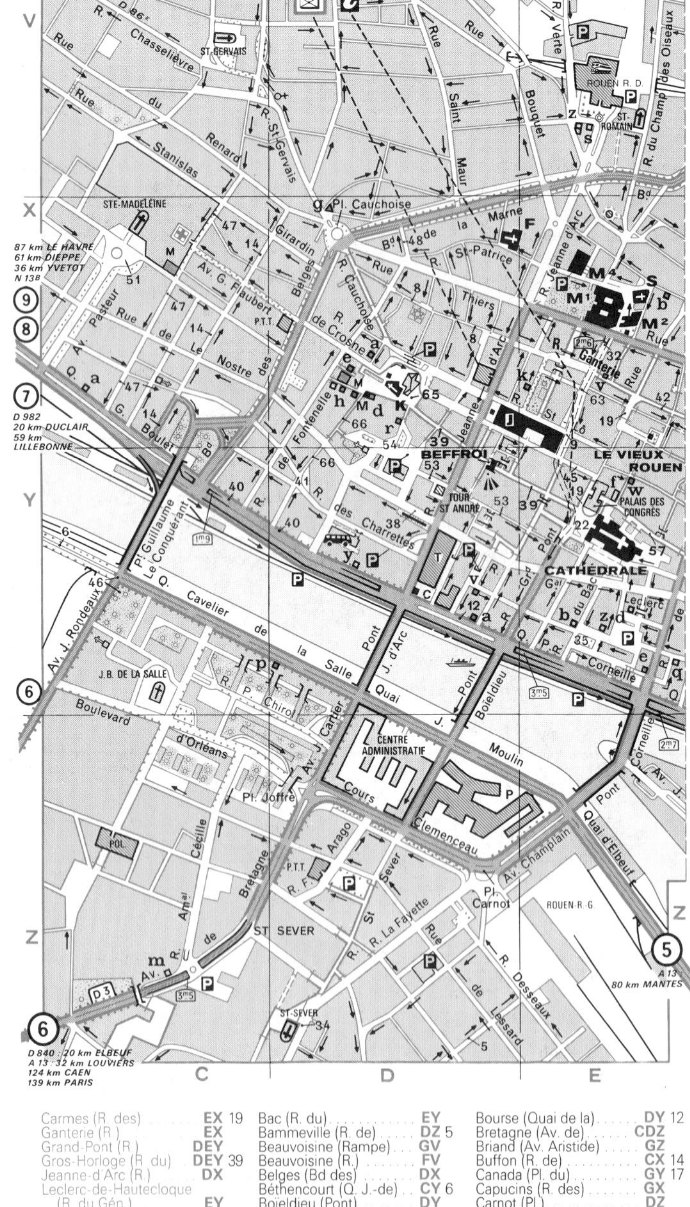

Carmes (R. des)	**EX**	19
Ganterie (R.)	**EX**	
Grand-Pont (R.)	**DEY**	
Gros-Horloge (R. du)	**DEY**	39
Jeanne-d'Arc (R.)	**DX**	
Leclerc-de-Hautecloque (R. du Gén.)	**EY**	
République (R. de la)	**EFY**	
Vieux-Marché (Pl. du)	**DX**	65
Adam (R. Édouard)	**GY**	
Alsace-Lorraine (R. d')	**FY**	3
Amiens (R. d')	**GY**	
Arago (R. François)	**DZ**	
Augustins (R. des)	**FY**	4
Bac (R. du)	**EY**	
Bammeville (R. de)	**DZ**	5
Beauvoisine (Rampe)	**GV**	
Beauvoisine (R.)	**FV**	
Belges (Bd des)	**DX**	
Béthencourt (Q. J.-de)	**CY**	6
Boïeldieu (Pont)	**DY**	
Bonsecours (Rte de)	**GZ**	7
Bons-Enfants (R. des)	**DX**	8
Boudin (R. Eugène)	**EXY**	9
Bouilhet (R. Louis)	**HV**	
Boulet (Quai Gaston)	**CX**	
Boulingrin (Pl. du)	**GX**	
Bouquet (R.)	**EV**	
Bourg-l'Abbé (R.)	**FX**	10
Bourse (Quai de la)	**DY**	12
Bretagne (Av. de)	**CDZ**	
Briand (Av. Aristide)	**GZ**	
Buffon (R. de)	**CX**	14
Canada (Pl. du)	**GY**	17
Capucins (R. des)	**GX**	
Carnot (Pl.)	**DZ**	
Carrel (R. Armand)	**FY**	
Cartier (Av. Jacques)	**DZ**	
Cathédrale (Pl. de la)	**EY**	22
Cauchoise (Pl. et R.)	**DX**	
Cavelier-de-la-Salle (Q.)	**CDY**	
Cecile (R. Amiral)	**CZ**	
Champ-des-Oiseaux (R.)	**EV**	
Champlain (Av.)	**DEZ**	

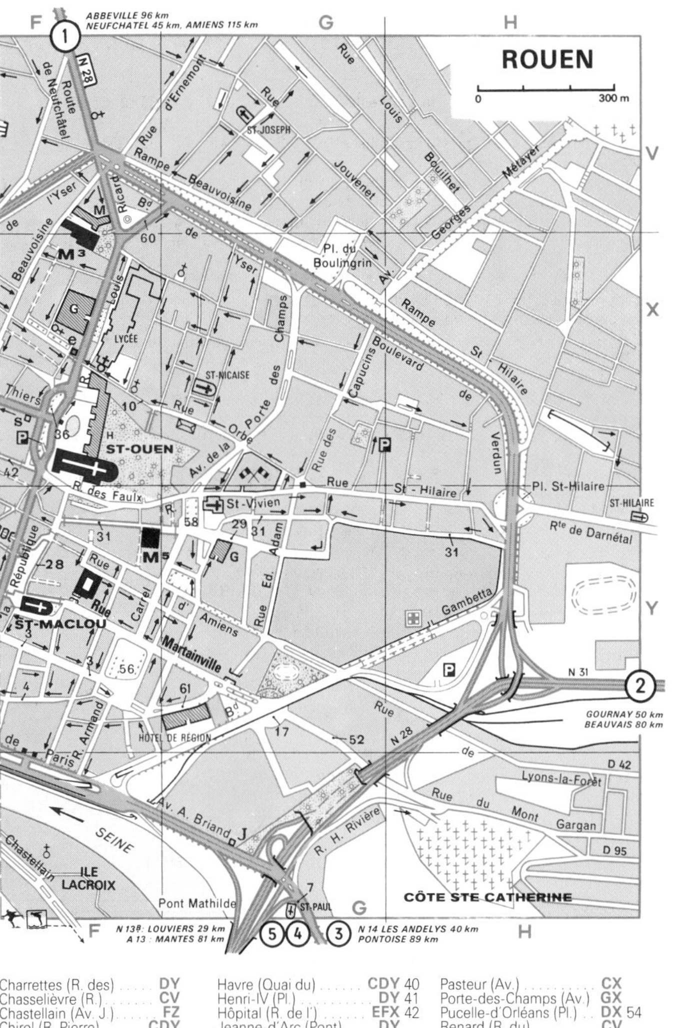

Charrettes (R. des) ..... DY
Chasselièvre (R.) CV
Chastellain (Av. J.) ..... FZ
Chirol (R. Pierre) ..... CDY
Clemenceau (Cours) ..... DZ
Corneille (Quai Pierre) ..... EY
Corneille (Pont) ..... EZ
Crosne (R. de) ..... DX
Damiette (R.) ..... FY 28
Darnétal (Rte de) ..... HY
Desseaux (R.) ..... EZ
Dr-Blanche (R.) ..... GY 29
Eau-de-Robec (R.) ..... FHY 31
Écureuil (R. de l') ..... EX 32
Elbeuf (Quai d') ..... EZ
Elbeuf (R. d') ..... DZ 34
Ernemont (R. d') ..... GV
Faulx (R. des) ..... FY
Flaubert (Av. G.) CX
Fontenelle (R. de) ..... DX
Gaillardbois (Pl. du) ..... EY 35
Gambetta (Bd) ..... HY
Gaulle (Pl. Gén.-de) ..... FX 36
Girardin (R. Stanislas) CV
Giraud (R. Gén.) ..... DY 38
Guillaume-le-Conquérant (Pont) ..... CY
Havre (Quai du) ..... CDY 40
Henri-IV (Pl.) ..... DY 41
Hôpital (R. de l') ..... EFX 42
Jeanne-d'Arc (Pont) ..... DY
Joffre (Pl.) ..... DZ
Jouvenet (R.) ..... GV
Juifs (R. aux) ..... EY 45
Lafayette (R.) ..... DZ
Lattre-de-T. (Pl. Mar. de) ..... CY 46
Lecat (R. de) ..... CX 47
Lemery (R. de) ..... DX 48
Le-Nostre (R. de) CX
Lessard (R. de) ..... DEZ
Lyons-la-Forêt (R. de) ..... HY
Madeleine (Pl. de la) ..... CX 51
Marne (Bd de la) ..... DX
Martainville (R.) ..... FGY
Martainville (R. du Fg) ..... GY 52
Mathilde (Pont) ..... GZ
Métayer (Av. Georges) ..... HV
Mont-Gargan (R. du) ..... HZ
Moulin (Quai Jean) ..... DEZ
Neufchâtel (Rte de) ..... FV
Orbe (R.) ..... GX
Orléans (Bd d') ..... CZ
Ours (R. aux) ..... DEY 53
Paris (Quai de) ..... EFZ
Pasteur (Av.) CX
Porte-des-Champs (Av.) ..... GX
Pucelle-d'Orléans (Pl.) ..... DX 54
Renard (R. du) CV
Ricard (R. Louis) ..... FVX
Rivière (R. Henri) ..... GZ
Rondeaux (Av. Jean) ..... CY
St-Gervais (R.) ..... DV
St-Hilaire (Pl.) ..... HY
St-Hilaire (Rampe) ..... HX
St-Hilaire (R.) ..... HXY
St-Lô (R.) ..... EX
St-Marc (Pl.) ..... FY 56
St-Maur (R.) ..... DV
St-Patrice (R.) ..... DX
St-Romain (R.) ..... EY 57
St-Sever (R.) ..... DZ
St-Vivien (Pl.) ..... GY 58
St-Vivien (R.) ..... GY
Ste-Marie (R.) ..... FX 60
Schuman (R. Robert) ..... GY 61
Socrate (R.) ..... EX 63
Thiers (R.) ..... DFX
Verdun (Bd de) ..... HX
Verte (R.) ..... EV
Vieux-Palais (R. du) ..... DXY 66
Yser (Bd de l') ..... FV

Viking sans rest, 21 quai Havre ✆ 35 70 34 95, Télex 770092, Fax 35 89 97 12 – ☎. GB — DY y
☕ 30 – **38 ch** 265/330.

Vieille Tour sans rest, 42 pl. Haute Vieille Tour ✆ 35 70 03 27 – ☎. AE GB
☕ 22 – **23 ch** 140/290. — EY d

Gaillardbois sans rest, 12 pl. Gaillardbois ✆ 35 70 34 28, Télex 771135 – ☎ — EY z
22 ch.

Lisieux sans rest, 4 r. Savonnerie ✆ 35 71 87 73 – ☎. GB — EY b
fermé 19 déc. au 3 janv. – ☕ 25 – **30 ch** 190/340.

XXXX ✿✿ **Gill** (Tournadre), 9 quai Bourse ✆ 35 71 16 14, Fax 35 71 96 91 – ▤. GB JCB — DY a
fermé vacances de fév., dim. (sauf le midi du 1er oct. au 30 avril), lundi et fériés – **R** 350/450 et carte
Spéc. Daube froide d'aiguillette et foie gras de canard, Pigeon à la rouennaise, Millefeuille.

XXX **Les Nymphéas,** 9 r. Pie ✆ 35 89 26 69, 🏞 – AE GB — DX h
fermé 17 août au 7 sept., 4 au 18 janv., dim. soir et lundi – **R** 160/240.

XXX **Couronne,** 31 pl. Vieux Marché ✆ 35 71 40 90, « Maison normande du 14e siècle » – AE GB — DX d
R 195/270.

XXX ✿ **L'Écaille** (Tellier), 26 rampe Cauchoise ✆ 35 70 95 52 – ▤. GB — DVX g
fermé 1er au 24 août, sam. midi, dim. soir et lundi – **R** 140/290
Spéc. Queues de langoustines au Pineau des Charentes, Bouillabaisse de la Manche, Croustillant de pommes au Calvados.

XXX ✿ **Le Beffroy** (Mme Engel), 15 r. Beffroy ✆ 35 71 55 27, Cadre normand – GB — EX b
fermé dim. soir et lundi – **R** 155/275
Spéc. Timbale de homard, Gibier (saison), Canard à la rouennaise.

XXX **Aub. du Vieux Carré,** 34 r. Ganterie ✆ 35 71 67 70, 🏞 – GB — EX v
fermé 14 au 25 juil., dim. (sauf le midi de sept. à juil.) et lundi – **R** 110/220.

XXX **P'tits Parapluies,** 2 pl Rougemare ✆ 35 88 55 26, Fax 35 70 24 31 – AE GB — FX e
fermé 1er au 15 août, vacances de fév., lundi midi et dim. – **R** 160/220.

XX **Reverbère,** 5 pl. République ✆ 35 07 03 14 – AE GB — EY e
fermé 3 au 23 août, 2 au 9 janv. et dim. – **R** 190 bc/295 bc.

XX **Dufour,** 67 r. St-Nicolas ✆ 35 71 90 62, « Cadre vieux normand » – AE GB — EY w
fermé 1er au 21 août, dim. soir et lundi en juil. – **R** 150/220.

XX **L'Orangerie,** 2 r. T. Cormeille ✆ 35 98 16 03, « Salle voûtée » – AE GB — DX e
R 95/160.

XX **Le Rouennais,** 5 r. Pie ✆ 35 07 55 44 – GB — DX h
fermé dim. soir du 15 sept. au 15 juin – **R** 98/220, enf. 75.

XX **Au Bois Chenu,** 23 pl. Pucelle d'Orléans ✆ 35 71 19 54 – AE GB JCB — DX r
fermé 24 août au 2 sept., 19 au 29 janv., mardi soir et merc. – **R** 92/198, enf. 55.

X **Pascaline,** 5 r. Poterne ✆ 35 89 67 44 – GB — EX k
R 95/125 🍷, enf. 28.

X **Marine,** 42 quai Cavelier de la Salle ✉ 76100 ✆ 35 73 10 01 – GB — DY p
fermé dim. soir et sam. – **R** 150.

X **La Marmite,** 3 r. Florence ✆ 35 71 75 55 – GB — DX a
fermé dim. sauf fériés et sam. midi – **R** 95/260, enf. 50.

X **La Vieille Auberge,** 37 r. St-Étienne-des-Tonneliers ✆ 35 70 56 65 – GB — DY v
fermé 1er au 20 juil., vacances de fév. et lundi – **R** 69/162.

à Mont-St-Aignan N : 3 km – 19 961 h. – ✉ **76130** :

XXX **Pascal Saunier,** 12 r. Belvédère ✆ 35 71 61 06, Fax 35 89 90 87, ←, 🏞, – P. GB — B u
fermé 27 juil. au 13 août, vacances de fév., dim. soir et lundi – **R** 220/380.

à St-Martin-du-Vivier par ① : 8 km – ✉ **76160** :

La Bertelière M 🐦, ✆ 35 60 44 00, Télex 172327, Fax 35 61 56 63, 🏞, – ☎ ♿ P – 🏛 200. AE GB — B k
R *(fermé sam. midi et dim. soir)* 160/240 – ☕ 45 – **44 ch** 450/510 – ½ P 450.

à Bonsecours par ③ : 3,5 km – 6 898 h. – ✉ **76240** :

XXX ✿ **La Butte** (Hervé), 69 rte Paris ✆ 35 80 43 11, 🏞, « Coquette auberge normande » – AE GB — B n
fermé août, vacances de Noël, dim. et lundi – **R** 200/320
Spéc. Salade tiède de homard au beurre de truffe, Poêlée de poires et foie gras, Noix de ris de veau braisée à la crème de sariette.

au Mesnil-Esnard par ③ : 6 km – 6 092 h. – ✉ **76240** :

St-Léonard 🐦, pl. Église ✆ 35 80 16 88, 🏞 – ☎ P. GB — B a
R *(fermé dim. soir du 1er nov. au 31 mars)* 90/180 – ☕ 28 – **13 ch** 200/220 – ½ P 250/275.

à Franqueville-St-Pierre par ③ et N 14 : 9 km – 4 230 h. – ✉ **76520** :

Otelinn M, ✆ 35 79 00 99, Télex 172262, Fax 35 79 88 13, – TV ☎ ♿ P – 50. GB JCB B **d**
R *(fermé dim. soir)* 78/180 ♁, enf. 40 – ☕ 29 – **40 ch** 255/275 – ½ P 225/245.

Le Vert Bocage, rte Paris ✆ 35 80 14 74 – TV ☎ P. GB
R *(fermé dim. soir et lundi du 1er oct. au 31 mars)* 95/210 – ☕ 26 – **19 ch** 230/270.

au Parc des Expositions par ⑥ et N 138 : 6 km – ✉ **76800** St-Étienne-du-Rouvray :

Novotel M, ✆ 35 66 58 50, Télex 180215, Fax 35 66 15 56, – ch ▤ rest TV ☎ ♿ P – 200. AE ⓓ GB A **y**
R carte environ 150, enf. 50 – ☕ 50 – **134 ch** 430/485.

Ibis M, ✆ 35 66 03 63, Télex 771014, Fax 35 66 62 55 – TV ☎ ♿ P – 30 à 140. AE ⓓ GB JCB A **r**
R 79 ♁, enf. 39 – ☕ 30 – **108 ch** 275/295.

au Grand Quevilly SO : 5,5 km près Parc des Expositions – 27 658 h. – ✉ **76120** :

Soretel M, av. Provinces ✆ 35 69 63 50, Télex 180743, Fax 35 69 42 28 – TV ☎ P – 120. AE ⓓ GB A **e**
R *(fermé sam. midi et dim. soir)* 85/165 ♁ – ☕ 38 – **45 ch** 300/355 – ½ P 270/300.

au Petit Quevilly SO : 3 km – 22 600 h. – ✉ **76140** :

XXX **Les Capucines,** 16 r. J. Macé ✆ 35 72 62 34, Fax 35 03 23 84, – P. AE ⓓ GB A **s**
fermé dim. soir et soirs fériés – **R** 160/300.

à Bapeaume-lès-Rouen NO : 3 km – ✉ **76820** :

XX **Vieux Moulin,** 3 r. S. Lecoeur ✆ 35 36 39 59, Fax 35 36 02 56 – P. AE ⓓ GB A **t**
R 99/300, enf. 60.

à Notre-Dame-de-Bondeville par ⑨ : 7,5 km – 7 584 h. – ✉ **76960** :

XX **Les Elfes** avec ch, ✆ 35 74 36 21 – GB A **n**
fermé vacances de fév., mardi soir, merc. soir et dim. soir – **R** 95/185, enf. 40 – ☕ 19 – **7 ch** 115/165.

MICHELIN, Agence régionale, 24 bd Industriel à Sotteville-lès-Rouen B ✆ **35 73 63 73**

BMW S.R.D.A., 122 r. de Constantine ✆ 35 98 33 77
FORD Gar. Guez, 135 r. Lafayette ✆ 35 72 76 84
LADA, SKODA Le Bastard, 135 r. de Constantine ✆ 35 98 54 68
MERCEDES-BENZ Autotechnic, 99 r. de Constantine ✆ 35 88 16 88 N
NISSAN S.E.R.A., 32 av. de Caen ✆ 35 63 01 10
OPEL-GM S.N.O.A., 31 av. de Caen ✆ 35 72 11 63
PEUGEOT-TALBOT S.I.A. de Normandie, 71/73 av. de Caen A **e** ✆ 35 72 24 84
PEUGEOT-TALBOT S.I.A. de Normandie, 116 av. Mont-Riboudet A ✆ 35 89 81 44
RENAULT Succursale, 200 r. de Constantine A ✆ 35 88 21 21 N ✆ (1) 05 05 15 15
V.A.G Blet, 90 av. Mont-Riboudet ✆ 35 88 45 45 N ✆ 35 88 03 88
Olivier Autos, 118 bis av. Mont-Riboudet ✆ 35 70 84 24

A.M.C.-Pneus, 110 r. d'Elbeuf ✆ 35 72 70 90
Ansselin-Pneus, 55 av. de Caen ✆ 35 62 00 24
Blard Pneus Center, 46 r. de Lillebonne ✆ 35 71 72 97
CAP, Hangar n° 10 quai de Lesseps ✆ 35 07 08 99
Marsat-Pneus Normandie-Pneus, 28 r. F.-Arago pl. Emmurées ✆ 35 72 32 38

Périphérie et environs

CITROEN Succursale Normandie, centre commercial de Bois-Cany au Grand-Quevilly A ✆ 35 69 77 77 N ✆ 35 74 11 26
FIAT Albion-Auto, r. Canal à Bapeaume ✆ 35 74 46 74
FIAT Gar. Pillet, 128 av. J.-Jaurès au Petit-Quevilly ✆ 35 72 96 96
PEUGEOT-TALBOT Bossart Autos, 94 r. Martyrs-de-la-Résistance à Maromme A **s** ✆ 35 74 22 83
RENAULT Succursale, 20 pl. Chartreux au Petit-Quevilly A ✆ 35 73 01 73 N ✆ 05 05 15 15
RENAULT Gar. Landel, 1 871 rte de Neufchâtel à Bois-Guillaume B **e** ✆ 35 61 17 14
RENAULT Gar. du Chemin de Clères, 138 chemin de Clères à Bois-Guillaume B **a** ✆ 35 71 22 70
RENAULT Renault, Bois Cany au Grand Quévilly ✆ 35 69 30 60
ROVER Rédélé-Autom., 1 r. Chevreul au Petit-Quevilly ✆ 35 73 24 02
V.A.G Blet, centre commercial du Bois-Cany au Grand-Quevilly ✆ 35 69 69 45 N ✆ 35 88 03 88
V.A.G Socap, 164 r. de Paris au Mesnil-Esnard ✆ 35 80 15 55 N ✆ 35 73 39 56

Regnier, 18 av. J.-Jaurès au Petit-Quevilly ✆ 35 72 67 01
Rouen-Pneus, r. Cateliers ZI Madrillet à St-Étienne-du-Rouvray ✆ 35 65 34 13
Réparpneu, 141/143 pl. A.-Briand à Maromme ✆ 35 74 27 69
S.R.C.-Pneus, bd Industriel à Sotteville-lès-Rouen ✆ 35 72 50 90
SITEC, 51 à 59 bd 11-Novembre, Le Petit Quevilly ✆ 35 72 16 06
Subé-Pneurama, r. Chesnaie, St-Étienne-du-Rouvray ✆ 35 65 24 53

ROUFFACH 68250 H.-Rhin 62 ⑲ G. Alsace Lorraine – 4 303 h. alt. 204.

Paris 458 – Colmar 15 – ♦Basel 60 – Belfort 55 – Guebwiller 10,5 – ♦Mulhouse 27 – Thann 26.

Château d'Isenbourg , ✆ 89 49 63 53, Télex 880819, Fax 89 78 53 70, ←, – TV ☎ ♿ P – 30. GB JCB
fermé 10 janv. au 9 mars – **R** 250/350 – ☕ 120 – **37 ch** 700/1300, 3 appart. 1700 – ½ P 730/1030.

A la Ville de Lyon, r. Poincaré ✆ 89 49 65 51, Fax 89 49 76 67 – TV ☎ P – 40. AE GB
fermé 9 au 29 mars – **R** voir rest. **Philippe Bohrer** ci-après – ☐ 35 – **43 ch** 245/330 – ½ P 265

XX ✿ **Philippe Bohrer,** r. Poincaré ✆ 89 49 62 49 – AE GB
fermé 9 au 29 mars et lundi – **R** 98/340 ₰, enf. 75.
Spéc. Escalope de foie de canard poêlée. Pied de cochon rôti en crépinette aux lentilles vertes. Fondant glacé à la chicorée et au craquelin

à Bollenberg SO : 6 km par N 83 et VO – ✉ **68250** Westhalten :

Bollenberg sans rest, ✆ 89 49 62 47, Télex 880896, Fax 89 49 77 66, ≤, – TV ☎ ♿ P – 60. AE GB
fermé 22 déc. au 15 janv. – ☐ 65 – **50 ch** 280/350.

XX **Vieux Pressoir,** ✆ 89 49 60 04, Fax 89 49 76 16, « Décor alsacien » – P. AE GB
fermé 21 déc. au 15 janv. – **R** 140/390 ₰

CITROEN Sauter ✆ 89 49 61 46
FORD Habermacher ✆ 89 49 60 08 N

ROUFFIAC-TOLOSAN 31 H.-Gar. 82 ⑧ – rattaché à Toulouse.

ROUFFILLAC 24 Dordogne 75 ⑱ – ✉ **24370** Carlux.
Paris 534 – Brive-la-Gaillarde 49 – Sarlat-la-Canéda 16 – Gourdon 18.

Cayre, ✆ 53 29 70 24, – ☎ P. GB
fermé oct. – **R** 67/210 – ☐ 29 – **18 ch** 231/347 – ½ P 263.

ROUGÉ **44660** Loire-Atl. 63 ⑦ – 2 167 h. alt. 80.
Paris 352 – Châteaubriant 9,5 – Laval 66 – ♦Rennes 47.

Koste Ar C'Hoad, ✆ 40 28 84 18 – P. AE GB
R *(fermé 9 au 16 août, 25 déc. au 1er janv. et dim.)* (dîner pour résidents seul.) 60 ₰, enf. 30 – ☐ 20 – **15 ch** 90/200 – ½ P 160.

Le ROUGET **15290** Cantal 76 ⑪ – 910 h. alt. 606.
Paris 597 – Aurillac 24 – Figeac 41 – Laroquebrou 15 – St-Céré 38 – Tulle 79.

Voyageurs, ✆ 71 46 10 14 – ☎ P
R 55/150 ₰ – ☐ 18 – **38 ch** 150/200 – ½ P 150/170.

CITROEN Gar. Fau ✆ 71 46 11 03 N
PEUGEOT-TALBOT Gar. Lajarrige ✆ 71 46 15 63
RENAULT Gar. Montimart ✆ 71 46 15 47

ROUGIVILLE 88 Vosges 62 ⑰ – rattaché à St-Dié.

ROULLET 16 Charente 72 ⑬ – rattaché à Angoulême.

ROUMAZIÈRES-LOUBERT **16270** Charente 72 ⑤ – 3 002 h. alt. 223.
Paris 424 – Angoulême 48 – Chabanais 13 – Confolens 16 – ♦Limoges 59 – Nontron 54 – Ruffec 36.

Commerce M, av. Gare ✆ 45 71 21 38, – ☎ P – 50. AE GB
R 75/250 ₰, enf. 38 – ☐ 30 – **18 ch** 120/350 – ½ P 250/310.

PEUGEOT-TALBOT Gar. Voisin ✆ 45 71 21 27

Les ROUSSES **39220** Jura 70 ⑮ ⑯ **G. Jura** – 2 840 h. alt. 1 120 – Sports d'hiver : 1 120/1 680 m 40.
Voir Gorges de la Bienne ★ O : 3 km.
9 les Mélèzes à Chapelle-des-Bois (25) ✆ 81 69 21 82 ; N : 24 km par N 5 puis D 18.
B Office de Tourisme ✆ 84 60 02 55.
Paris 466 – ♦Genève 47 – Gex 29 – Lons-le-Saunier 66 – Nyon 25 – St-Claude 32.

✿ **France** (Petit) M, ✆ 84 60 01 45, – TV ☎ P – 30. AE GB
fermé 9 juin au 3 juil. et 16 nov. au 11 déc. – **R** 128/380 ₰ – ☐ 80 – **33 ch** 330/435 – ½ P 310/395
Spéc. Filet de Saint-Pierre au coulis de pois verts. Mignon de veau et sa fricassée d'abats. Tête de veau à la Dalex. **Vins** Arbois blanc, Pupillin rouge.

La Redoute (Annexe M TV -7 ch), ✆ 84 60 00 40, Fax 84 60 04 59 – P – 30. GB
fermé 18 au 30 nov. – **R** 80/200, enf. 50 – ☐ 30 – **26 ch** 250/350 – ½ P 265/280.

Relais des Gentianes, ✆ 84 60 50 64, Fax 84 60 04 58, – TV ☎. AE GB
fermé lundi du 15 avril au 15 juin et du 15 sept. au 15 déc. – **R** 98/260 – ☐ 35 – **14 ch** 295/320 – ½ P 315.

Chamois, à Noirmont N : 2 km ✆ 84 60 01 48, ≤ – P. GB
fermé vend. soir et sam. de nov. au 15 déc. – **R** 75/200 ₰, enf. 35 – ☐ 28 – **12 ch** 200/295 – ½ P 250.

des Rousses, ✆ 84 60 00 02, – TV ☎. GB
ouvert mai, 15 juin-30 sept., 15 déc.-15 avril et fermé merc. hors sais. – **R** 68/84 ₰, enf. 37 – ☐ 26 – **13 ch** 150/210 – ½ P 190/220.

à la Cure SE : 2,5 km – ✉ **39220** Les Rousses :

XX **Arbez,** ✆ 84 60 02 20 – GB.
fermé 10 nov. au 10 déc., lundi soir et mardi hors sais. – **R** 80/180, enf. 50.

OPEL Gar Michelin P. ✆ 84 60 51 46
RENAULT Gar. des Neiges ✆ 84 60 02 54 N

ROUSSILLON 84220 Vaucluse 81 ⑬ **G. Provence** (plan) – 1 165 h. alt. 390.

Voir Site★ du village★.

Office de Tourisme pl. de la Poste (avril-oct.) ☏ 90 05 60 25.

Paris 725 – Apt 11,5 – Avignon 45 – Bonnieux 10,5 – Carpentras 36 – Cavaillon 26 – Sault 32.

Mas de Garrigon ⛰, N : sur D 2 : 3 km par C 7 ☏ 90 05 63 22, Fax 90 05 70 01, ≤ le Luberon, 🏠, 🏊 – ⇝ rest TV ☎ P. AE ① GB. ✻ rest
R *(fermé 16 nov. au 27 déc., dim. soir et lundi)* (prévenir) 155/295 – ☕ 65 – **7 ch** 680 – ½ P 650/790.

Résidence des Ocres ⛰ sans rest, rte Gordes ☏ 90 05 60 50 – TV 🚗 P. GB
fermé 17 nov. au 21 déc. et 13 janv. au 15 fév. – ☕ 36 – **16 ch** 250/315.

David, Place de la Poste ☏ 90 05 60 13, ≤ falaises et vallée, 🏠 – ① GB
fermé 25 nov. au 18 déc., 3 fév. au 8 mars, lundi et mardi sauf fériés – **R** (week-ends et fêtes prévenir) 120 bc/300 🍷, enf. 50.

La Tarasque, ☏ 90 05 63 86, ≤ – ⇝. AE ① GB
fermé 15 fév. au 15 mars et merc. – **R** (prévenir) 185/270.

Val des Fées, ☏ 90 05 64 99 – ① GB. ✻
1er mars-30 nov. et fermé merc. hors sais. et jeudi – **R** 89/145.

ROUSSILLON 38150 Isère 77 ① – 7 365 h.

Paris 511 – Annonay 27 – ♦Grenoble 87 – ♦Saint-Étienne 68 – Tournon-sur-Rhône 42 – Vienne 20.

Europa, rte Valence ☏ 74 86 28 84, Fax 74 86 15 11 – |♦| ▤ ch ☎ P. GB
R (dîner seul.) (résidents seul.) 60 🍷 – ☕ 28 – **26 ch** 170/210 – ½ P 165.

Le Médicis M sans rest, r. F. Léger à Roussillon ☏ 74 86 22 47, Fax 74 86 48 05 – TV ☎ 🚗 P – 🏛 60. AE GB
☕ 25 – **15 ch** 180/250.

CITROEN Drisar-Autom., N 7, Salaise-sur-Sanne ☏ 74 86 04 20
CITROEN Pleynet, 5 r. Puits-sans-Tour à Péage-de-Roussillon ☏ 74 86 20 12
PEUGEOT-TALBOT Bourget, 79 av. G.-Péri ☏ 74 86 23 38
Dorcier, RN 7 quartier La Prat à Chanas ☏ 74 84 28 73
Piot-Pneu, N 7 ZI à Salaise-sur-Sanne ☏ 74 29 42 62

ROUTOT 27350 Eure 54 ⑲ **G. Normandie Vallée de la Seine** – 1 043 h. alt. 145.

Voir La Haye-de-Routot : ifs millénaires★ N : 4 km.

Paris 152 – ♦Rouen 34 – Bernay 44 – Évreux 68 – ♦Le Havre 57 – Pont-Audemer 18.

L'Écurie, ☏ 32 57 30 30 – GB
fermé 1er au 8 août, mi janv. à mi fév., merc. soir, dim. soir et lundi – **Repas** 95 (sauf sam. soir)/225.

CITROEN Gar. Bocquier ☏ 32 57 30 48
PEUGEOT-TALBOT Gar. Lefieux ☏ 32 57 31 23

ROUVRAY 21530 Côte-d'Or 65 ⑰ – 601 h. alt. 396.

Voir Église de Ste-Magnance : tombeau★ NO : 3,5 km, **G. Bourgogne.**

Paris 229 – Avallon 18 – ♦Dijon 83 – Saulieu 20.

Axeal M, N 6 ☏ 80 64 79 79, Télex 352234, Fax 80 64 79 56, 🏠 – TV ☎ ♿ P – 🏛 30. AE ① GB
R grill 75 🍷, enf. 36 – ☕ 28 – **26 ch** 250/330 – ½ P 350/390.

ROUVRES-EN-XAINTOIS 88500 Vosges 62 ⑭ – 337 h. alt. 318.

Paris 347 – Épinal 40 – Lunéville 57 – Mirecourt 7,5 – ♦Nancy 54 – Neufchâteau 32 – Vittel 16.

Burnel, au village ☏ 29 65 64 10, Fax 29 65 68 88, 🏋, 🏠 – TV ☎ ♿ P. AE GB
R *(fermé 20 au 31 déc. et dim. soir hors sais.)* 74/230 🍷 – ☕ 35 – **18 ch** 150/250 – ½ P 180/220.

ROUVRES-LA-CHÉTIVE 88 Vosges 62 ⑬ – rattaché à Neufchâteau.

ROYAN 17200 Char.-Mar. 71 ⑮ **G. Poitou Vendée Charentes** – 16 837 h. alt. 20 – Casino Royan Pontaillac A.

Voir Front de mer★ C – Église N.-Dame★ B E – Corniche★ et Conche★ de Pontaillac A.

⛳18 de Royan Côte de Beauté ☏ 46 23 16 24, par ④ : 7 Km.

Bac: pour la Pointe de Grave : renseignements ☏ 56 09 60 84.

Office de Tourisme Palais des Congrès ☏ 46 38 65 11, Télex 790441 et pl. Poste ☏ 46 05 04 71.

Paris 506 ① – ♦Bordeaux 120 ② – Périgueux 172 ② – Rochefort 40 ⑤ – Saintes 40 ①.

Plans pages suivantes

Novotel M ⛰, Bd Carnot - Conche du Chay ☏ 46 39 46 39, Télex 793270, Fax 46 39 46 46, ≤ Mer, 🏠, centre de thalassothérapie, 🏊 – |♦| ▤ TV ☎ ♿ 🚗 – 🏛 120. AE ① GB JCB A b
R carte environ 160 🍷, enf. 55 – ☕ 55 – **83 ch** 460/620.

Family Golf H. M sans rest, 28 bd Garnier ☏ 46 05 14 66, ≤ Pointe de Grave – |♦| TV ☎ P. GB C m
Pâques-30 sept. – ☕ 35 – **33 ch** 340/450.

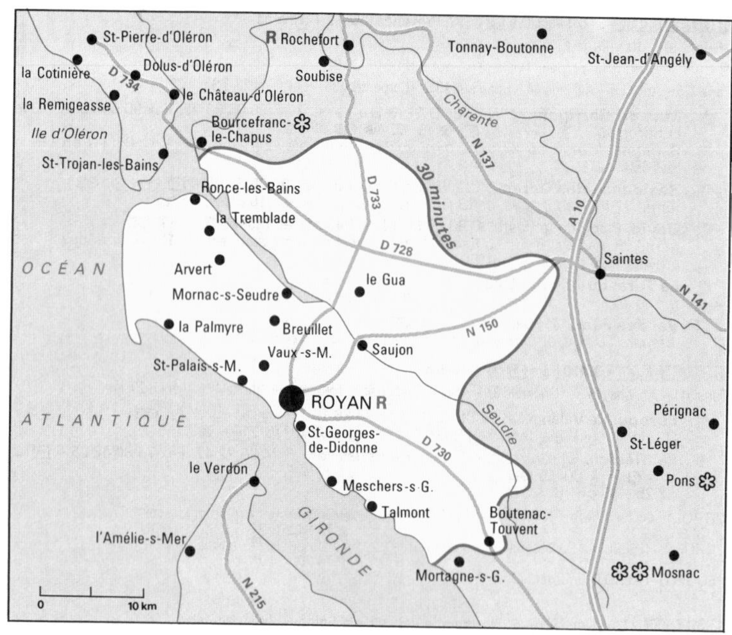

Beau Rivage sans rest, 9 façade Foncillon ✆ 46 39 43 10, Fax 46 38 22 50, ≤ – ▮ TV ☎. GB. ✗ – ☕ 32 – **22 ch** 300/390. B **z**

Beauséjour, 32 av. Grande Conche ✆ 46 05 09 40, – TV ☎. GB C **e**
hotel : fermé dim. d'oct. à mars; rest. : fermé le midi d'oct. à Pâques – **R** 92/105 – ☕ 28 – **14 ch** 235/305 – ½ P 243/278.

Bleuets, 21 façade Foncillon ✆ 46 38 51 79 – TV ☎. GB. ✗ B **a**
R *(fermé 15 déc. au 15 janv., vend., sam. et dim. hors sais.)* (dîner seul.) 90 – ☕ 28 – **16 ch** 244/315 – ½ P 240/260.

Corinna sans rest, 5 r. Amazones ✆ 46 39 82 53 – ☎ P. ✗ A **d**
15 avril-fin sept. – ☕ 26 – **14 ch** 230/250.

Saintonge sans rest, 14 r. Gambetta ✆ 46 05 78 24 – TV ☎. GB B **b**
☕ 29 – **14 ch** 160/360.

Vialard sans rest, 23 bd A.-Briand ✆ 46 05 84 22 – TV ☎. GB B **p**
☕ 30 – **23 ch** 145/260.

Trois Marmites, 37 av. Ch. Regazzoni ✆ 46 38 66 31, – AE ① GB B **r**
fermé dim. soir et lundi d'oct. à juin sauf vacances scolaires – **R** 135/230.

Le Chalet, 6 bd La Grandière ✆ 46 05 04 90 – ▤. AE GB C **u**
fermé fév. et merc. sauf juil.-août – **R** 98/185, enf. 45.

Rest. le France, 2 r. Gambetta ✆ 46 05 17 41 – AE GB B **h**
fermé dim. soir et lundi sauf juil.-août – **R** 80/175 ♨, enf. 48.

Relais de la Mairie, 1 r. Chay ✆ 46 39 03 15 – ▤. AE ① GB A **k**
fermé 12 nov. au 2 déc., vacances de fév., dim. soir hors sais. et mardi – **Repas** 65 (sauf fêtes)/150 ♨, enf. 40.

La Coraline, 102 av. Semis ✆ 46 05 51 34 – GB C **x**
fermé vacances de fév. et jeudi – **R** 125/280.

à Pontaillac :

Gd H. de Pontaillac sans rest, 195 av. Pontaillac ✆ 46 39 00 44, ≤, – ▮ TV ☎ . GB – *1er mai-30 sept.* – ☕ 40 – **40 ch** 350/480. A **u**

Miramar sans rest, 173 av. Pontaillac ✆ 46 39 03 64, Fax 46 39 23 75, ≤ – TV ☎. AE ① GB A **n**
vacances de printemps-30 oct. – ☕ 39 – **27 ch** 298/380.

Résidence de Saintonge et rest Pavillon Bleu , allée des Algues ✆ 46 39 00 00, Fax 46 39 07 00 – TV ☎ ♿ P. GB. ✗ rest A **q**
10 avril-30 sept. – **R** 65/180 – ☕ 37 – **40 ch** 200/330 – ½ P 310/340.

Bellevue sans rest, 122 av. Pontaillac ✆ 46 39 06 75, ≤ – TV ☎ P. GB A **f**
1er mars-1er nov. – ☕ 30 – **18 ch** 220/315.

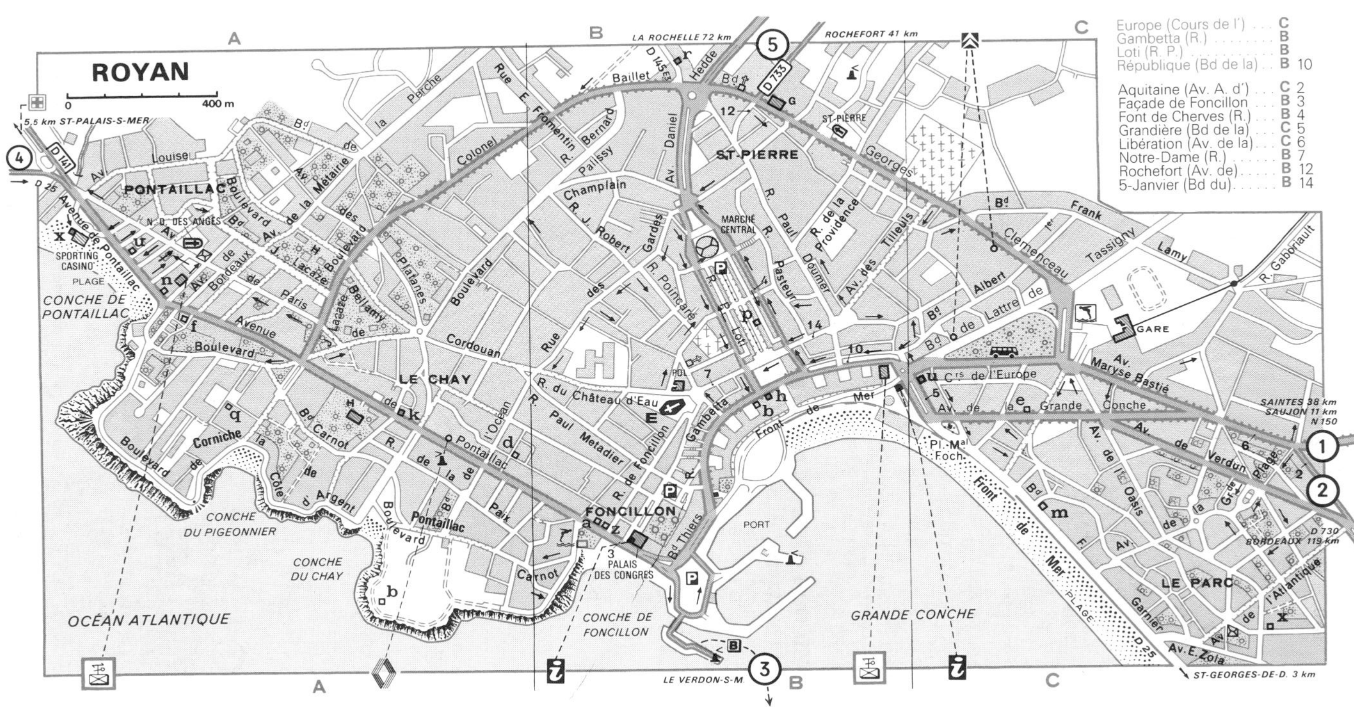
ROYAN
0
400 m
Europe (Cours de l') . . . C
Gambetta (R.) . . . . B
Loti (R. P.) . . . . B
République (Bd de la) . . B 10
Aquitaine (Av. A. d') . . . C 2
Façade de Foncillon . . . B 3
Font de Cherves (R.) . . . B 4
Grandière (Bd de la) . . . C 5
Libération (Av. de la) . . . C 6
Notre-Dame (R.) . . . . . . B 7
Rochefort (Av. de) . . . . . B 12
5-Janvier (Bd du) . . . . . . B 14
LA ROCHELLE 72 km
ROCHEFORT 41 km
5,5 km ST-PALAIS-S-MER
SAINTES 38 km
SAUJON 11 km
N 150
D 730
BORDEAUX 119 km
ST-GEORGES-DE-D. 3 km
LE VERDON-S-M.
PONTAILLAC
ST-PIERRE
LE CHAY
FONCILLON
LE PARC
MARCHÉ CENTRAL
GARE
PORT
SPORTING CASINO
PLAGE
PALAIS DES CONGRES
CONCHE DE PONTAILLAC
CONCHE DU PIGEONNIER
CONCHE DU CHAY
CONCHE DE FONCILLON
GRANDE CONCHE
OCÉAN ATLANTIQUE

XX **La Jabotière,** près Casino ✆ 46 39 91 29, ≤ – AE ⓓ GB A x
fermé 2 au 29 déc., 2 au 31 janv., dim. soir et lundi sauf juil.-août – **R** 160/300, enf. 80.

rte de St-Palais par ④ : 3,5 km – ✉ **17640** Vaux-sur-Mer :

Résidence de Rohan sans rest, conche de Nauzan ✆ 46 39 00 75, Fax 46 38 29 99, ≤, « Villas dans un parc dominant la plage », – TV ☎ Ⓟ. GB
20 mars-15 nov. – ☕ 42 – **41 ch** 400/630.

X **La Biche au Bois** avec ch, D 25 ✆ 46 39 01 52, – ☎. GB.
15 fév.-30 sept – **R** *(fermé jeudi du 15 fév. au 31 mai)* 50/148 , enf. 33 – ☕ 22 – **12 ch** 225/245 – ½ P 213/223.

à Vaux-sur-Mer par ④ et D 141 : 4,5 km – 3 054 h. – ✉ **17640** :

XX **Logis de Mélisandre** avec ch, av. Malakoff - D 141 ✆ 46 38 46 00, , – rest ☎ Ⓟ. GB
fermé 2 au 31 janv., dim. soir et lundi d'oct. à avril – **R** 115/210 – ☕ 30 – **10 ch** 200/240 – ½ P 290/299.

BMW Gar. Bienvenue, 43 av. M.-Bastié ✆ 46 05 01 62
CITROEN Casagrande, 24 bd de Lattre-de-Tassigny ✆ 46 05 04 26
CITROEN Corpron, 20 bd Clemenceau ✆ 46 05 07 66
FORD Gar. Zanker, 11 r. Notre-Dame ✆ 46 05 69 87
MERCEDES-BENZ, Thomas, Zone Commerciale, 74 av. Louis Bouchet ✆ 46 05 05 49
NISSAN Gar. Cassagnau, 44 av. Mar.-Leclerc ✆ 46 05 01 66
PEUGEOT-TALBOT Gar. Richard, Zone Commerciale, rte de Saintes par ① ✆ 46 05 03 55 N ✆ 46 05 24 24
RENAULT Gar. du Chay, 75 av. de Pontaillac ✆ 46 38 48 88

Moyet-Pneus, 50 bd de Lattre-de-Tassigny ✆ 46 05 54 24
Royan-Pneus, av. Libération ✆ 46 05 46 93

ROYAT 63130 P.-de-D. 73 ⑭ G. Auvergne – 3 950 h. alt. 456 – Stat. therm. (avril-oct.).

Voir Église St-Léger★ A.

9 18 des Volcans à Orcines ✆ 73 62 15 51, par ③ : 9 km ; 9 de Charade ✆ 73 35 73 09, SO : 6 km par ②, D 5 et D 5[F].

Circuit automobile de montagne d'Auvergne.

Office de Tourisme pl. Allard ✆ 73 35 81 87.

Paris 429 ① – ◆Clermont-Fd 3,5 ① – Aubusson 87 ③ – La Bourboule 45 ③ – Le Mont-Dore 41 ②.

Accès et sorties : voir plan de Clermont-Ferrand.

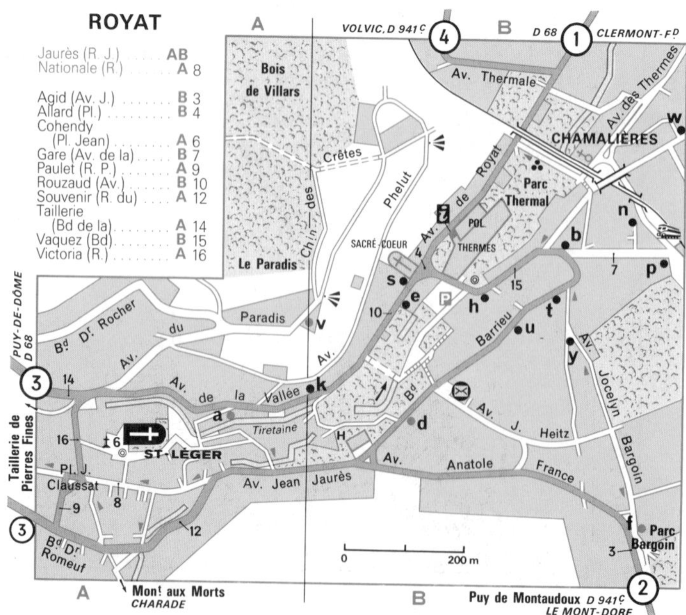

Métropole, bd Vaquez 73 35 80 18, Fax 73 35 66 67 – . GB. rest — B **h**
3 mai-27 sept. – **R** 150/190 – 38 – **74 ch** 280/570, 5 appart. 860 – P 330/540.

Royal H. St-Mart, av Gare 73 35 80 01, – . GB — B **n**
3 mai-27 sept. – **R** 115/240 – 30 – **61 ch** 220/400 – ½ P 210/370.

Richelieu, av. A. Rouzaud 73 35 86 31 – . GB. rest — B **e**
1er avril-10 oct. – **R** 99 – 27 – **60 ch** 170/400 – ½ P 228/360.

Barrieu M, 1 bd Barrieu 73 35 82 50 – . GB — B **t**
1er avril-30 oct. – **R** 80/120 – 26 – **30 ch** 250/315 – P 270/300.

Univers, av. Gare 73 35 81 28, Fax 73 35 66 79 – . GB. rest — B **p**
1er mai-5 oct. – **R** 95/120 – 26 – **44 ch** 135/280 – P 250/300.

Castel H., pl. Dr Landouzy 73 35 80 14 – . — B **b**
avril-oct. – **R** 72/95 – 25 – **57 ch** 110/265 – P 250/330.

Athena sans rest, av. A. Rouzaud 73 35 80 32 – . AE GB JCB — B **s**
25 – **24 ch** 210/320.

Le Chatel, av. Vallée 73 35 82 78 – . GB — B **k**
1er avril-25 oct. – **R** 85/140, enf. 52 – 29 – **25 ch** 210/280 – P 283/367.

Chalet Camille, bd Barrieu 73 35 80 87, – . GB. rest — B **u**
hôtel : fermé nov. et 1er au 15 fév. ; rest. : fermé 1er nov. au 31 janv. – **R** 70/100, enf. 35 – 25 – **22 ch** 190/230 – ½ P 200/300.

Cottage, av. Jocelyn Bargoin 73 35 82 53, – . rest — B **y**
début avril-30 sept. – **R** 68/92 – 19 – **35 ch** 120/230 – P 215/252.

XXX **Le Paradis,** av. Paradis 73 35 85 46, , « Demeure surplombant Royat et Clermont » – . AE GB — AB **v**
fermé 1er au 10 oct., 1er au 22 janv., dim. soir et lundi – **R** 140/260, enf. 60.

XXX **Belle Meunière** avec ch, av. Vallée 73 35 80 17, – . AE GB
fermé 15 au 30 nov., 10 au 28 fév., dim. soir, et mardi – **R** 135/380, enf. 60 – 35 – **6 ch** 200/280 – ½ P 260/275. — A **a**

XX **La Pépinière** avec ch, av. Pasteur par bd Dr Romeuf 73 35 81 19, Fax 73 35 94 23 – rest . GB
hôtel : ouvert 4 avril-20 oct. ; rest. : fermé 1er nov. au 15 déc. mardi du 15 déc. au 30 mars et lundi – **R** 125/195 – 27 – **21 ch** 105/162 – ½ P 180/227.

XX **L'Hostalet,** bd Barrieu 73 35 82 67 – GB — B **d**
fermé 1er janv. au 31 mars, dim. soir, mardi midi et lundi – **R** 110 bc/185.

XX **L'Oasis,** 31 av. Bargoin 73 35 82 79, – GB — B **f**
fermé fév., dim. soir et lundi sauf fériés – **R** 80/160, enf. 60.

CITROEN Gar. Boyer, 50 av. Thermes, à Chamalières 73 37 71 57

RENAULT Valleix, 57 bd Gambetta, à Chamalières B 73 93 11 43

In this Guide,
a symbol or a character, printed in black or another colour
*in light or **bold** type,*
does not have the same meaning.
Please read the explanatory pages carefully.

ROYE 80700 Somme 52 ⑳ **G. Flandres Artois Picardie** – 6 333 h. alt. 88.
Paris 111 ⑤ – Amiens 43 ⑥ – Compiègne 37 ⑤ – Arras 75 ⑦ – St-Quentin 44 ②.

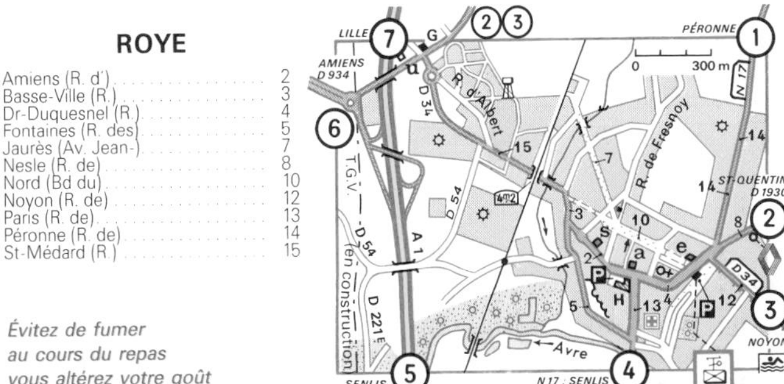

Motel des Lions M, rte Rosières **(u)** 22 87 20 61, Télex 140586, Fax 22 87 24 83 – – 130. AE GB
R *(fermé 24 au 31 déc.)* 85/160 – 40 – **43 ch** 280/320 – ½ P 230.

XXX ⊛ **La Flamiche,** pl. H. de Ville **(a)** ✆ 22 87 00 56 – AE ⓓ GB
fermé 7 au 15 juil., 22 déc. au 11 janv., dim. soir et lundi – **R** 190/395
Spéc. Flamiche aux poireaux (sept. à mai). Pressé d'anguille de Somme aux girolles. Colvert des marais au jus et gâteau de blettes (mi-juil. à fin janv.).

XXX **Host. Croix d'Or,** 123 rte Paris **(b)** ✆ 22 87 11 57, – **P**. AE ⓓ GB
fermé 6 au 27 août, vacances de fév., mardi soir et merc. – **R** carte 160 à 400.

XX **Central et rest. Florentin** avec ch, 36 r. Amiens **(s)** ✆ 22 87 11 05 – rest. GB
fermé 3 au 11 mars, 31 août au 8 sept., 23 déc. au 5 janv., dim. soir et lundi – **Repas** 85/200 – 20 – **8 ch** 120/180.

XX **Nord** avec ch, pl. République **(e)** ✆ 22 87 10 87 – . GB
fermé 15 au 30 juil., 5 au 28 fév., mardi soir et merc. sauf fériés – **R** 90/250 – 25 – **7 ch** 160/225.

CITROEN Gar. François, 20 r. du Fg St-Nicolas à Nesle par ② ✆ 22 88 25 47
RENAULT Péronne Automobile Roye, 10 r. de Nesle ✆ 22 87 07 88

Fischbach Pneu, 12 r. de Péronne ✆ 22 87 11 03

ROZAY-EN-BRIE 77540 S.-et-M. 61 ③ **G. Ile de France** – 2 380 h. alt. 103.

Paris 60 – Coulommiers 19 – Meaux 38 – Melun 29 – Provins 31 – Sézanne 58.

Les 3 Épis M sans rest (rest. prévu), 2 av. Épi (près N 4) ✆ (1) 64 25 65 25, Fax (1) 64 25 70 04 – TV ☎ ♿ **P**. AE ⓓ GB
35 – **55 ch** 270/300.

XX **France** avec ch, ✆ (1) 64 25 77 57 – ☎. AE ⓓ GB
fermé lundi(sauf hôtel) et dim. soir – **R** 135/185 – 32 – **10 ch** 145/245.

RENAULT Gar. Mirat ✆ (1) 64 25 60 54

Le ROZIER 48150 Lozère 80 ④ ⑤ **G. Gorges du Tarn** – 157 h. alt. 390.

Voir Terrasses du Truel ≤★ E : 3,5 km – NE : Gorges du Tarn★★★ – **Env.** Chaos de Montpellier-le-Vieux★★★ S : 11,5 km – Corniche du Causse Noir ≤★★ SE : 13 km puis 15 mn.

Syndicat d'Initiative ✆ 65 62 60 89.

Paris 640 – Mende 62 – Florac 62 – Millau 21 – Sévérac-le-Château 28 – Le Vigan 72.

Gd H. Muse et Rozier M , à **la Muse** (D 907) rive dte du Tarn ✉ 12720 Peyreleau (Aveyron) ✆ 65 62 60 01, Fax 65 62 63 88, ≤, , « Au bord de l'eau », – TV ☎ **P** – 45. AE ⓓ GB
1er mars-30 nov. – **R** 155/320 – 48 – **35 ch** 430/550 – ½ P 400/460.

Voyageurs, ✆ 65 62 60 09 – ☎. AE GB.
1er mars-1er oct. et vacances de nov. – **R** 85/150 , enf. 48 – 30 – **29 ch** 220/390 – ½ P 220/260.

Doussière sans rest, ✆ 65 62 60 25 – GB
Pâques - 11 nov. – 25 – **20 ch** 120/200.

RUBELLES 77 S.-et-M. 61 ② – rattaché à Melun.

RUCH 33350 Gironde 75 ⑬ – 509 h. alt. 75.

Voir Moulin de Labarthe★ SO : 4 km, **G. Pyrénées Aquitaine.**

Paris 558 – ◆Bordeaux 45 – Bergerac 55 – Libourne 26 – La Réole 26.

Château Lardier, NE : 2 km par D 232 et VO ✆ 57 40 54 11, – ☎ **P**. GB
4 mars-15 nov. et fermé dim. soir et lundi du 30 sept. au 15 juin – **R** 80/250 , enf. 40 – 28 – **9 ch** 200/300 – ½ P 240/300.

RUE 80120 Somme 52 ⑥ **G. Flandres Artois Picardie** – 2 942 h. alt. 10.

Voir Chapelle du St-Esprit★.

Paris 190 – ◆Amiens 68 – Abbeville 24 – Berck-Plage 22 – Le Crotoy 8,5.

Lion d'Or M, r. Barrière ✆ 22 25 74 18, Fax 22 25 66 63 – TV ☎. GB. ch
fermé 8 déc. au 8 janv. et dim. soir hors sais. sauf fêtes – **R** 70/150, enf. 52 – 32 – **16 ch** 230/320 – ½ P 220/240.

RENAULT Dupont Frères, RD 940 à Quend ✆ 22 27 46 08

RUEIL-MALMAISON 92 Hauts-de-Seine 55 ⑳, 101 ⑬ – voir à Paris, Environs.

RUFFIAC 47 L.-et-G. 79 ⑬ – rattaché à Casteljaloux.

RUFFIEUX 73310 Savoie 74 ⑤ – 540 h. alt. 296.

Paris 518 – Annecy 38 – Aix-les-Bains 18 – Bellegarde-sur-Valserine 36 – Bourg-en-Bresse 87 – ◆Lyon 112.

Château de Collonges , ✆ 79 54 27 38, Télex 319144, ≤, , parc, – rest TV ☎ **P**. AE ⓓ GB. rest
fermé 5 janv. au 12 fév., mardi midi et lundi du 15 sept. au 15 juin et lundi midi du 15 juin au 15 sept. – **R** 180/400, enf. 80 – 60 – **7 ch** 640/770 – ½ P 550/655.

RUGY 57 Moselle 57 ④ – rattaché à Metz.

RUMILLY 74150 H.-Savoie 74 ⑤ G. Alpes du Nord – 9 991 h. alt. 345.

Paris 533 – Annecy 16 – Aix-les-Bains 20 – Bellegarde-sur-Valserine 37 – Belley 45 – ◆Genève 51.

XX **L'Améthyste,** 27 r. Pont-Neuf ✆ 50 01 02 52 – GB
fermé 20 juil. au 17 août, sam. midi et lundi – **R** 120/350, enf. 85.

à Sales N : 3 km par D 16 – ✉ **74150** :

X **La Salière,** ✆ 50 01 48 70, 斧 – ℗. GB
fermé 18 août au 3 sept., mardi soir et merc. – **R** 100/140.

à Moye NO : 4 km par D 231 – ✉ **74150** :

Relais du Clergeon ≫, ✆ 50 01 23 80, ≤, 斧, 🐕 – ☎ ℗ – 🏛 50. ⓓ GB. ✻ ch
fermé 31 août au 6 sept., vacances de nov., 20 janv. au 20 fév., dim. soir et lundi – **R** 70/250, enf. 42 – ☐ 29 – **19 ch** 140/325 – ½ P 190/280.

CITROEN Gar. Lacrevaz, 7 r. J.-Béard ✆ 50 01 11 75
PEUGEOT-TALBOT Gar. Central, rte d'Aix-les-Bains ✆ 50 01 41 81 🅽 ✆ 50 01 01 64
RENAULT Desvignes, 3 r. J.-Béard ✆ 50 01 10 83

RUNGIS 94 Val-de-Marne 61 ①, 101 ㉕ ㉖ – voir à Paris, Environs.

RUOMS 07120 Ardèche 80 ⑨ G. Provence – 1 858 h. alt. 120.

Voir Défilé★ NO : 2,5 km – Gorges de la Beaume★ O : 4 km – Auriolles : Promenade★ à Labeaume SO : 4 km puis 30 mn.

Paris 655 – Alès 54 – Aubenas 24 – Pont-St-Esprit 54.

Savel, ✆ 75 39 60 02, 斧, parc, 🐕 – TV ☎ ℗. GB
R 85/185 🍷, enf. 35 – ☐ 25 – **15 ch** 220/280 – ½ P 225/275.

XX **Terrasses de l'Ardèche,** rte de l'Argentière : 1 km ✆ 75 39 74 34, 斧 – AE GB
1er mars-29 nov. et fermé mardi soir et merc. de sept. à avril – **R** 85/155, enf. 57.

rte des Vans - D 111 – ✉ **07120** Ruoms :

Château de Sampzon ≫, 4 km et VO ✆ 75 39 67 14, ≤, 斧, 🐕 – ☎ ℗. ⓓ GB. ✻ rest
1er mars-31 oct. – **R** 90/160 – ☐ 32 – **12 ch** 280/340 – ½ P 280.

La Chapoulière, à 3,5 km ✆ 75 39 65 43, 斧 – ☎ ℗. GB. ✻ ch
1er avril-30 oct. et fermé lundi sauf juil.-août – **R** 80/150, enf. 40 – ☐ 30 – **11 ch** 180/270 – ½ P 200/225.

domaine du Rouret près Grospierres, SO : 13 km par D 111 – ✉ **07120** Ruoms :

Le Caleou M ≫, ✆ 75 93 60 00, Télex 345478, Fax 75 93 97 46, ≤, 斧, « Parc ombragé et complexe de loisirs », Ⅎ6, ⛱, 🏊, ✻ – |¢| ▤ TV ☎ ♿ ℗ – 🏛 200. AE ⓓ GB. ✻
1er avril-23 oct. – **R** 150/200 – ☐ 50 – **118 ch** 560/660 – ½ P 500.

CITROEN Dupland ✆ 75 39 61 23 🅽 ✆ 75 39 61 94
RENAULT Bouschon ✆ 75 39 61 08 🅽

RUPT-SUR-MOSELLE 88360 Vosges 62 ⑯ ⑰ – 3 470 h. alt. 425.

Paris 410 – Épinal 37 – Lure 37 – Luxeuil-les-Bains 30 – Remiremont 12 – Le Thillot 11.

XX **Centre** avec ch, r. Église ✆ 29 24 34 73, Fax 29 24 45 26 – TV ☎ 🚗 ℗. AE ⓓ GB JCB
fermé 5 au 26 janv., dim. soir et lundi sauf vacances scolaires – **R** 95/290 🍷 – ☐ 27 – **11 ch** 120/310 – ½ P 170/240.

RUYNES-EN-MARGERIDE 15320 Cantal 76 ⑭ ⑮ – 605 h. alt. 914.

Paris 528 – Aurillac 86 – Langeac 44 – Le Puy 87 – St-Chély-d'Apcher 31 – St-Flour 13.

Moderne, ✆ 71 23 41 17, 🐕 – ☎ ℗ – 🏛 50. AE ⓓ GB
début mars-début oct. – **R** 52/120 🍷, enf. 40 – ☐ 25 – **33 ch** 115/160 – ½ P 160/180.

RENAULT Brun ✆ 71 23 42 31

Les SABLES-D'OLONNE ⟨SP⟩ 85100 Vendée 67 ⑫ G. Poitou Vendée Charentes – 15 830 h. alt. 4 – Casinos de la plage AZ, Casino des Sports CY.

Voir Le Remblai★ BCZ.

ℹ Office Municipal de Tourisme et Accueil de France (Informations, change et réservations d'hôtels, pas plus de 5 jours à l'avance) r. Mar.-Leclerc ✆ 51 32 03 28 et pl. Navarin (juil.-août).

Paris 452 ② – La Roche-sur-Yon 37 ② – Angoulême 216 ④ – Cholet 101 ② – ◆Nantes 94 ② – Niort 110 ④ – Poitiers 182 ④ – Rochefort 128 ④ – La Rochelle 89 ④.

Plan page suivante

Atlantic H. M, 5 prom. Godet ✆ 51 95 37 71, Télex 710474, Fax 51 95 37 30, ≤, 🏊 – |¢| ▤ rest TV ☎ – 🏛 30. AE ⓓ GB JCB — BY **e**
R *(fermé 15 nov. au 15 déc. et vend. d'oct. à avril)* 98/220 – ☐ 45 – **30 ch** 330/698 – ½ P 486/554.

Roches Noires M sans rest, 12 prom. G. Clemenceau ✆ 51 32 01 71, Télex 710474, ≤ – |¢| TV ☎ ♿. AE ⓓ GB JCB — BY **s**
☐ 40 – **37 ch** 326/598.

LES SABLES-D'OLONNE

Bisson (R.) BZ 8
Guynemer (R.) CZ
Halles (R. des) BZ 29
H.-de-Ville (R. de l') BZ
Nationale (R.) CZ

Travot (R.) BZ 60

Anjou (Av. d') BY 2
Aquitaine (Av. de l') CY 3
Arago (Bd) BY 4
Baudry (R. P.) BY 5
Bauduère (R. de la) CZ 6
Beauséjour (R.) BY 7
Briand (Av. A.) CY 9
Caisse-d'Epargne (R.) BZ 10

Castelnau (Bd de) BY 12
Château-d'Olonne (Av.) CY 13
Collineau (Pl. du Gén.) BZ 14
Commerce (Pl. du) AZ 15
Coty (Av. R.) CY 16
Dingler (Quai) AZ 18
Dr-Canteleau (R. du) AY 19
Dr-Schweitzer (R. du) CY 22
Doumer (Av. P.) CY 23
Fricaud (R. D.) BY 24

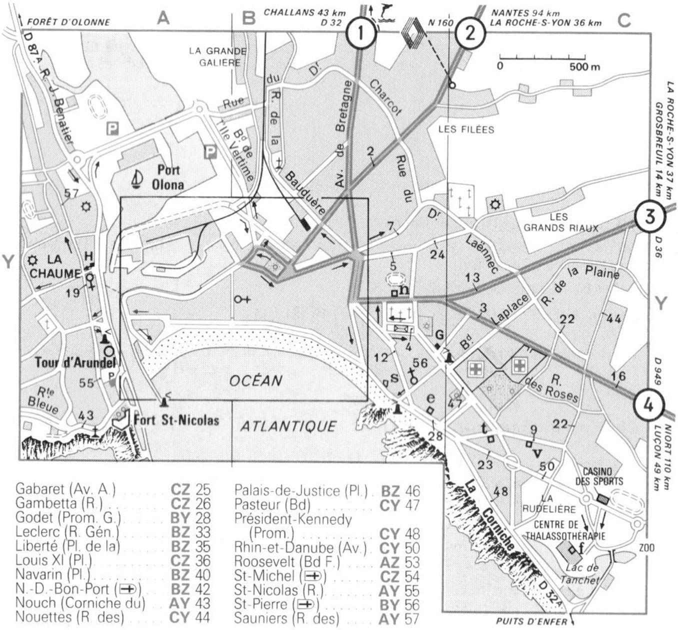

Gabaret (Av. A.) CZ 25
Gambetta (R.) CZ 26
Godet (Prom. G.) BY 28
Leclerc (R. Gén.) BZ 33
Liberté (Pl. de la) BZ 35
Louis XI (Pl.) CZ 36
Navarin (Pl.) BZ 40
N.-D.-Bon-Port (⊕) BZ 42
Nouch (Corniche du) AY 43
Nouettes (R. des) CY 44

Palais-de-Justice (Pl.) BZ 46
Pasteur (Bd) CY 47
Président-Kennedy (Prom.) CY 48
Rhin-et-Danube (Av.) CY 50
Roosevelt (Bd F.) AZ 53
St-Michel (⊕) CZ 54
St-Nicolas (R.) AY 55
St-Pierre (⊕) BY 56
Sauniers (R. des) AY 57

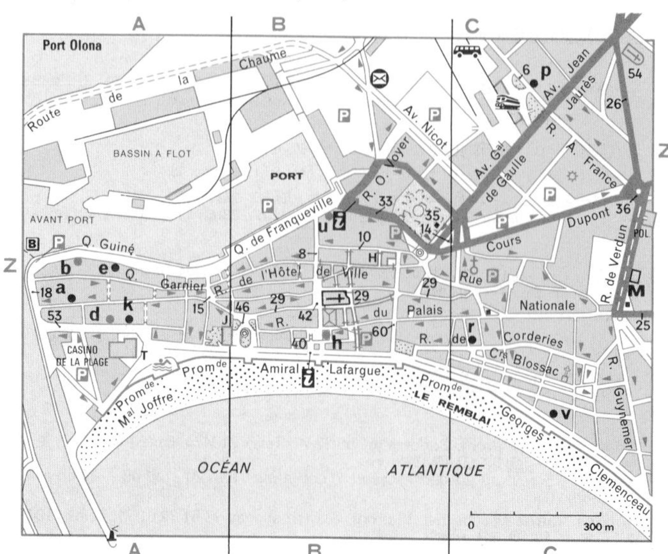

Arundel, 8 bd F. Roosevelt ☏ 51 32 03 77, Télex 701755, Fax 51 32 86 28 – ascenseur ch TV ☎ – 30. AE GB. rest AZ **k**
fermé 15 déc. au 15 janv., dim. soir et lundi d'oct. à mars sauf fêtes – **R** *(fermé dim. soir et lundi du 15 sept. au 1er juin sauf fériés)* 147/220 – 43 – **42 ch** 350/600 – ½ P 370/450.

Les Hirondelles, 44 r. Corderies ☏ 51 95 10 50, Fax 51 32 31 01 – ☎ ♿ P. GB CZ **r**
hôtel : 1er avril-6 nov. ; rest. : 1er mai-20 sept. – **R** (résidents seul.) 85/120 – 30 – **60 ch** 280/330 – ½ P 270.

Chêne Vert, 5 r. Bauduère ☏ 51 32 09 47, Fax 51 21 23 65 – ascenseur TV ☎. GB CZ **p**
fermé 19 sept. au 12 oct., 12 déc. au 4 janv., sam. (sauf hôtel) d'oct. à mars et dim. d'oct. à juin – **R** 45/120, enf. 34 – 26 – **33 ch** 210/280 – ½ P 215/245.

Antoine, 60 r. Napoléon ☏ 51 95 08 36 – TV ☎. GB. AZ **a**
hôtel : 15 fév.-5 nov. ; rest. : 15 avril-30 sept. – **R** (dîner seul.) 100/130 – 28 – **19 ch** 230/300 – ½ P 235/285.

Calme des Pins, 43 av. A. Briand ☏ 51 21 03 18 – ascenseur ☎ ♿ P. GB CY **v**
hôtel : Pâques-30 sept. ; rest. : 1er mai-30 sept. et fermé lundi soir – **R** 70/120 – 30 – **51 ch** 120/180 – ½ P 190/290.

Alizé H. sans rest, 78 av. A. Gabaret ☏ 51 32 44 90, Fax 51 21 49 59 – TV ☎. GB. BY **n**
fermé 20 déc. au 10 janv. et dim. du 1er oct. au 30 avril – 25 – **24 ch** 170/260.

Merle Blanc sans rest, 59 av. A. Briand ☏ 51 32 00 35, – ☎ CY **t**
15 mars-30 sept. – 23 – **23 ch** 95/240.

XXX ✿ **Beau Rivage** (Drapeau) avec ch, 40 prom. G. Clemenceau ☏ 51 32 03 01, Fax 51 32 46 48, ≤ – TV ☎. AE GB JCB CZ **v**
fermé 5 au 15 oct., 21 déc. au 21 janv., dim. soir et lundi sauf fêtes de fin sept. à fin mai – **R** 180/450, enf. 100 – 38 – **12 ch** 280/550 – ½ P 470/575
Spéc. Farandole de fruits de mer, Poularde des Pêcheurs, Homard au Chardonnay. Vins Muscadet-sur-lie.

XX **Le Navarin,** pl. Navarin ☏ 51 21 11 61, ≤, – . GB BZ **h**
fermé 1er au 15 oct., dim. soir et lundi de sept. à juin – **R** 175 bc/260.

XX **Au Capitaine,** 5 quai Guiné ☏ 51 95 18 10 – AE GB AZ **e**
fermé fév., dim. soir et lundi du 1er sept. au 30 juin – **R** 65/250.

XX **Le Clipper,** 19 bis quai Guiné ☏ 51 32 03 61 – GB AZ **b**
fermé 27 nov. au 5 déc., 4 fév. au 4 mars, merc. (sauf le soir en juil-août) et mardi soir – **R** 63/175.

XX **La Calypso,** 6 quai Franqueville ☏ 51 21 31 57 – . AE GB BZ **u**
fermé janv. et lundi sauf juil.-août – **R** 98/185, enf. 55.

X **Théâtre,** 20 bd F. Roosevelt ☏ 51 32 00 92 – . GB AZ **d**
15 fév.-30 sept. et fermé mardi soir, merc. de mars à fin juin et lundi du 1er au 15 sept. – **R** 55/155.

au Lac de Tanchet par la Corniche : 2,5 km – ✉ **85100** Les Sables d'Olonne :

Mercure M, ☏ 51 21 77 77, Télex 700739, Fax 51 21 77 80, ≤, , centre de thalassothérapie, – ascenseur ch rest TV ☎ ♿ P – 120. AE GB. rest CY **f**
fermé 29 déc. au 20 janv. – **R** 140/170, enf. 50 – 56 – **100 ch** 560/645.

CITROEN Olonne Sce Autom., av. du Pas du Bois au Château-d'Olonne par ④ ☏ 51 21 36 36
PEUGEOT-TALBOT Olonauto, ZAC le Pas du Bois, au Château-d'Olonne par ④ ☏ 51 21 06 18
TOYOTA Gar. des Olonnes, av. R.-Coty, au Château-d'Olonne par ④ ☏ 51 32 01 63 N ☏ 51 21 27 27

V.A.G Gar. Tixier, La Mouzinière, au Château-d'Olonne ☏ 51 32 41 04

Pneus Sablais, 14 av. J.-Jaurès ☏ 51 32 03 92

SABLES-D'OR-LES-PINS 22 C.-d'Armor 59 ④ G. Bretagne – ✉ 22240 Fréhel.

18 ☏ 96 41 42 57, SE.
Paris 436 – St-Malo 45 – Dinan 45 – Dol-de-Bretagne 60 – Lamballe 27 – St-Brieuc 39 – St-Cast 20.

Voile d'Or, ☏ 96 41 42 49, ≤, – TV ☎ P. GB. ch
15 mars-15 nov. et fermé mardi midi et lundi hors sais. sauf vacances scolaires – **Repas** 84/290, enf. 48 – 34 – **18 ch** 175/332 – ½ P 244/330.

Manoir St-Michel sans rest, à la Carquois, E : 1,5 km par D 34 ☏ 96 41 48 87, Fax 96 41 41 55, « Jardin et plan d'eau » – ☎ ♿ P. GB
Pâques-vacances de nov. – 35 – **17 ch** 250/480, 3 duplex 495/700.

Bon Accueil, ☏ 96 41 42 19, Fax 96 41 57 59, – ascenseur ☎ ♿ P. GB. rest
17 avril-30 sept. – **R** 70/150, enf. 50 – 30 – **38 ch** 285/340 – ½ P 257/282.

Morgane sans rest, ☏ 96 41 46 90, – ☎ P. GB.
15 avril-30 sept. – 37 – **20 ch** 275/400.

Diane sans rest, ☏ 96 41 42 07, – ☎ P. GB
17 avril-30 sept. – 30 – **29 ch** 180/340.

Pins, ☏ 96 41 42 20, – P. GB
5 mars-27 sept. – **R** 65/165, enf. 46 – 30 – **22 ch** 200/250 – ½ P 245/285.

à Pléhérel-plage E : 3,5 km par D 34 – ✉ 22240 Fréhel :

Plage et Fréhel ✈, ✆ 96 41 40 04, ≤, 🌳 – ☎ 🅿. GB. ✂ rest
1er avril-1er oct. et 25 oct.-13 nov. et fermé mardi d'avril à mai sauf vacances de printemps – **R** 72/186 – ☕ 28 – **27 ch** 140/300 – ½ P 183/243.

Gar. Hamon ✆ 96 41 42 48

SABLÉ-SUR-SARTHE 72300 Sarthe 64 ① G. Châteaux de la Loire – 12 178 h. alt. 27.

Office de Tourisme pl. R.-Elizé ✆ 43 95 00 60.

Paris 257 – ◆ Le Mans 58 – Angers 64 – La Flèche 26 – Laval 43 – Mayenne 60.

Grill de Sablé, 9 av. Ch. de Gaulle ✆ 43 95 30 53, Télex 723808, 🍽, 🌳 – TV ☎ ♿ 🅿 – 🏛 30. GB
R 68/89 🍷, enf. 35 – ☕ 25 – **39 ch** 220 – ½ P 203.

Escu du Roy avec ch, 20 r. L. Legludic (près Eglise) ✆ 43 95 90 31 – ☎. GB
fermé oct., dim. soir et vend. – **R** 75/190 🍷 – ☕ 40 – **12 ch** 180/250.

à Solesmes NE : 3 km par D 22 – ✉ 72300.

Voir Statues des "Saints de Solesmes"★★ dans l'église abbatiale★ (chant grégorien) – Pont ≤★.

Grand Hôtel M, ✆ 43 95 45 10, Télex 722903, Fax 43 95 22 26, 🏋, 🌳 – 🛗 TV ☎ – 🏛 60. AE ⓓ GB
fermé fév. et dim. soir du 1er nov. au 31 mars – **R** 130/300, enf. 60 – ☕ 45 – **34 ch** 400/480 – ½ P 330/370.

SE : 3 km rte de La Flèche – ✉ 72300 Sablé-sur-Sarthe :

Aster, ✆ 43 92 28 96, Fax 43 95 22 26 – TV ☎ ♿ 🅿. GB
R *(fermé dim. soir)* 65/98, enf. 35 – ☕ 28 – **30 ch** 179 – ½ P 155.

CITROEN Gar. Alteam, rte du Mans ✆ 43 95 06 51
PEUGEOT Sablé Autom., r. de la Briquetterie ✆ 43 92 55 55
RENAULT Centr. Auto Tuilerie, rte du Mans ✆ 43 95 55 67 N

Perry-Pneus, RN ZA rte de la Flèche ✆ 43 92 20 35

Découvrez la France avec les guides Verts Michelin :
24 titres illustrés en couleurs.

SABRES 40630 Landes 78 ④ G. Pyrénées Aquitaine – 1 096 h. alt. 78.

Voir Ecomusée★ de Marquèze NO : 4 km.

Paris 683 – Mont-de-Marsan 36 – Arcachon 92 – ◆Bayonne 111 – ◆Bordeaux 94 – Mimizan 40.

Aub. des Pins ✈, ✆ 58 07 50 47, Fax 58 07 56 74, 🍽, parc – TV ☎ ♿ 🅿 – 🏛 60. GB. ✂
fermé janv., dim. soir et lundi hors sais. – **R** 85/380, enf. 65 – ☕ 38 – **26 ch** 250/600 – ½ P 260/340.

SACHÉ 37190 I.-et-L. 64 ⑭ G. Châteaux de la Loire – 868 h.

Paris 262 – ◆ Tours 23 – Azay-le-Rideau 6 – Chinon 25.

Aub. du XIIe siècle, ✆ 47 26 88 77, 🍽, 🌳 – AE GB
fermé mi-janv. à mi-fév. et merc. – **R** 180/350.

SACLAY 91 Essonne 60 ⑩, 101 ㉓ – voir à Paris, Environs.

SAHORRE 66 Pyr.-Or. 86 ⑰ – rattaché à Vernet-les-Bains.

SAIGNES 15240 Cantal 76 ② G. Auvergne – 1 009 h. alt. 500.

Paris 489 – Aurillac 79 – ◆Clermont-Ferrand 89 – Mauriac 27 – Le Mont-Dore 56 – Ussel 37.

Relais Arverne, ✆ 71 40 62 64, 🌳 – ☎ 🅿. AE GB
fermé 1er au 15 oct., fév., vend. soir et dim. soir – **R** 55/165 🍷, enf. 40 – ☕ 20 – **11 ch** 130/180 – ½ P 132/162.

CITROEN Gar. Brigoux, rte d'Auzer ✆ 71 40 62 11 N

RENAULT Gar. Tribout, av. Gare ✆ 71 40 61 11

SAILLAGOUSE 66800 Pyr.-Or. 86 ⑯ G. Pyrénées Roussillon – 825 h. alt. 1 305.

Voir Gorges du Sègre★ E : 2 km.

Syndicat d'Initiative (fermé matin) ✆ 68 04 72 89.

Paris 886 – Font-Romeu 12 – Bourg-Madame 9 – Mont-Louis 12 – ◆Perpignan 92.

Planes (La Vieille Maison Cerdane), ✆ 68 04 72 08, Fax 68 04 75 93 – 🛗 TV ☎ ♿. AE GB
fermé 15 oct. au 20 déc. – **R** 95/250, enf. 60 – ☕ 28 – **20 ch** 160/220 – ½ P 210/230.

Planotel M ✈ sans rest, ✆ 68 04 72 08, Fax 68 04 75 93, ≤, 🏊, 🌳 – TV ☎ 🅿. AE GB
1er juin-30 sept. et vacances scolaires – **R** voir H. **Planes** – ☕ 28 – **20 ch** 180/250.

à Llo E : 3 km par D 33 – alt. 1412 – ✉ **66800**.

Voir Site★.

Aub. Atalaya 🐦, ☎ 68 04 70 04, Fax 68 04 01 29, ≤, 🌳, « Jolie auberge rustique », 🏊 – 📺 ☎ 🚗. GB. ✂ rest
fermé 5 nov. au 20 déc. – **R** *(fermé mardi midi et lundi hors sais.)* 140/170 – ☕ 46 – **13 ch** 450/530 – ½ P 415/455.

à Eyne NE : 8 km par N 116 et D 29 – alt. 1 600 – ✉ **66800** :

Aub. d'Eyne 🐦, ☎ 68 04 71 12, ≤, 🌳, « Jolie auberge rustique », 🌲 – ☎ 🚗 **P**. AE ⓓ GB
fermé 15 au 30 nov. – **R** *(fermé lundi sauf vacances scolaires)* 155/185, enf. 65 – ☕ 45 – **11 ch** 460 – ½ P 370.

à Super-Eyne NE : 10 km – alt. 1 750 – ✉ **66800** Saillagouse :

Roc Blanc M 🐦, ☎ 68 04 72 72, ≤ forêt et vallée – ☎. AE GB
fermé 15 avril au 1er juin et 30 sept. au 15 déc. – **R** 85/145, enf. 50 – ☕ 34 – **23 ch** 200/315 – ½ P 205/260.

CITROEN Éts Rougé ☎ 68 04 70 55

RENAULT Gar. Domenech ☎ 68 04 70 30 N

SAINS-DU-NORD 59177 Nord 53 ⑥ **G. Flandres Artois picardie** – 3 219 h. alt. 240.

Paris 208 – St-Quentin 68 – Avesnes-sur-Helpe 8,5 – Fourmies 10,5 – Guise 40 – Hirson 24 – ♦Lille 101 – Vervins 33.

Centre avec ch, r. Léo Lagrange ☎ 27 59 15 02 – **P**. GB
fermé 16 août au 1er sept., 14 fév. au 1er mars, dim. soir, soirs fériés et vend. – **R** 60 bc/135 🍷 – ☕ 22 – **7 ch** 170/190 – ½ P 190.

ST-AFFRIQUE 12400 Aveyron 80 ⑬ **G. Gorges du Tarn** (plan) – 7 798 h. alt. 329.

i Office de Tourisme bd Verdun (avril-août) ☎ 65 99 09 05.

Paris 681 – Albi 82 – Castres 92 – Lodève 66 – Millau 27 – Rodez 79.

Moderne, à la gare ☎ 65 49 20 44, Fax 65 49 36 55 – 📺 ☎ ♿. AE GB
hôtel : fermé 20 déc. au 20 janv. ; rest. : fermé 5 au 11 oct. et 20 déc. au 20 janv. – **R** 92/250 🍷 – ☕ 30 – **28 ch** 250/390 – ½ P 223/286.

Tilleuls sans rest, à la gare ☎ 65 99 07 24 – ☎. GB
☕ 29 – **18 ch** 120/210.

CITROEN Bousquet, 29 bd V.-Hugo ☎ 65 49 30 15
PEUGEOT-TALBOT Pujol, 36 bd É.-Borel ☎ 65 49 21 09
PEUGEOT-TALBOT Martin, av. J.-Bourgougnon ☎ 65 99 01 42

Ⓜ Maury, rte de Vabres, Le Vern ☎ 65 99 06 83
Vaygalier-Maison du Pneu, 7 bd de Verdun ☎ 65 49 01 23

ST-AGRÈVE 07320 Ardèche 76 ⑨ ⑲ **G. Vallée du Rhône** (plan) – 2 762 h. alt. 1 050.

Voir Mont Chiniac ≤★★.

i Syndicat d'Initiative à la Mairie (juin-1er oct., vacances scolaires) ☎ 75 30 15 06.

Paris 581 – Le Puy-en-Velay 52 – Aubenas 66 – Lamastre 20 – Privas 71 – ♦St-Étienne 69 – Yssingeaux 34.

L'Arraché sans rest, ☎ 75 30 10 12, 🏊 – ☎. GB
fermé mardi d'oct. à avril – ☕ 25 – **10 ch** 200/240.

Faurie sans rest, ☎ 75 30 11 60, 🌲 – 🚗 **P**
juin-fin sept. – ☕ 25 – **30 ch** 105/230.

Boissy-Teyssier, ☎ 75 30 12 43
fermé 20 sept. au 20 oct. – **R** 70/125 🍷 – ☕ 30 – **11 ch** (½ pens. seul.) – ½ P 170/200.

Cévennes, ☎ 75 30 10 22, 🌳 – ☎. GB. ✂ rest
fermé 1er au 30 nov. et merc. du 15 sept. au 15 juin sauf vacances scolaires – **R** 75/190 🍷 – ☕ 28 – **10 ch** 140/280 – ½ P 200/240.

PEUGEOT, TALBOT Chazallet ☎ 75 30 12 23

RENAULT Gar. Chareyron ☎ 75 30 14 12 N

ST-AIGNAN 41110 L.-et-Ch. 64 ⑰ **G. Châteaux de la Loire** (plan) – 3 672 h. alt. 84.

Voir Crypte★★ de l'église★.

i Office de Tourisme (juil.-août) ☎ 54 75 22 85.

Paris 220 – ♦Tours 60 – Blois 39 – Châteauroux 65 – Romorantin-Lanthenay 32 – Vierzon 57.

Clos du Cher M 🐦 sans rest, le Boeuf Couronné, N : 1 km ✉ 41140 Noyers-sur-Cher ☎ 54 75 00 03, Fax 54 75 03 79, parc – 📺 ☎ ♿ **P**. AE ⓓ GB. ✂
1er mars-15 nov. – ☕ 55 – **10 ch** 390/540.

Gd H. St-Aignan, ☎ 54 75 18 04, ≤ – ☎ 🚗 **P** – 🏛 25. AE GB
fermé 16 au 24 nov. 14 fév. au 1er mars , dim. soir et lundi de nov. à mars – **R** 70/170 🍷, enf. 65 – ☕ 24 – **23 ch** 85/290 – ½ P 170/290.

Gare avec ch, à la gare de Noyers N : 2 km sur D 675 ✉ 41140 Noyers-sur-Cher ☎ 54 75 16 38 – **P**. GB. ✂ ch
fermé 5 janv. au 5 fév., dim. soir et lundi sauf fériés – **R** 58/190 🍷 – ☕ 25 – **10 ch** 100/125 – ½ P 170/190.

PEUGEOT-TALBOT Gar. Danger, La Croix-Michel ☎ 54 75 19 72

RENAULT Touraine Sologne Autom., à Seigy ☎ 54 75 40 18 N ☎ 54 75 42 36

ST-ALBAN-DE-MONTBEL 73 Savoie 74 ⑮ – rattaché à Aiguebelette-le-Lac.

ST-ALBAN-LES-EAUX 42370 Loire 73 ⑦ – 843 h. alt. 470.

Paris 387 – Roanne 12 – Lapalisse 45 – Montbrison 58 – ◆St-Étienne 85 – Thiers 49 – Vichy 60.

XX **St-Albanais,** ✆ 77 65 84 23 – GB
fermé 1er au 15 août, vacances de fév., mardi soir et merc. – **R** 65/220, enf. 40.

ST-ALBAN-SUR-LIMAGNOLE 48120 Lozère 76 ⑮ – 1 928 h. alt. 950.

Paris 549 – Mende 41 – Le Puy-en-Velay 75 – Espalion 74 – St-Chély-d'Apcher 13 – Sévérac-le-Château 84.

Relais St Roch M, Château de la Chastre ✆ 66 31 55 48, Fax 66 31 53 26, – TV ☎ P. GB
fermé 1er déc. au 15 mars – **R** 88/158, enf. 68 – ☐ 38 – **10 ch** 260/420 – ½ P 278/339.

Centre, ✆ 66 31 50 04 – ☎. AE GB
fermé 2 au 31 janv., dim. soir et lundi du 15 oct. au 15 avril – **R** 75/150 – ☐ 30 – **20 ch** 100/220 – ½ P 125/180.

ST-AMAND-MONTROND SP 18200 Cher 69 ① ⑪ **G. Berry Limousin** – 11 937 h. alt. 162.

Voir Ancienne abbaye de Noirlac** 4 km par ⑥.

Env. Château de Meillant** 8 km par ①.

Office de Tourisme pl. République ✆ 48 96 16 86.

Paris 288 ⑤ – Bourges 44 ⑤ – Châteauroux 66 ⑤ – Montluçon 49 ④ – Moulins 77 ③ – Nevers 70 ③.

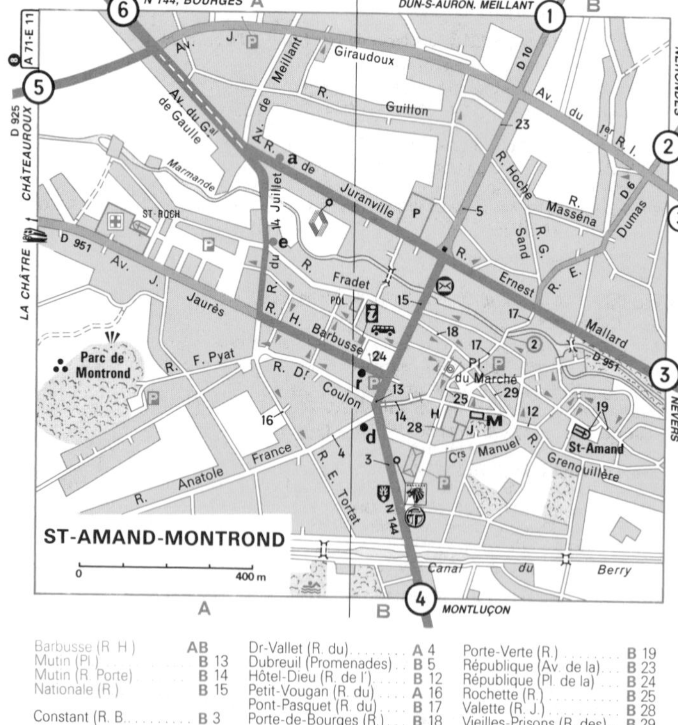

Barbusse (R. H.)	AB	Dr-Vallet (R. du)	A 4	Porte-Verte (R.)	B 19
Mutin (Pl.)	B 13	Dubreuil (Promenades)	B 5	République (Av. de la)	B 23
Mutin (R. Porte)	B 14	Hôtel-Dieu (R. de l')	B 12	République (Pl. de la)	B 24
Nationale (R.)	B 15	Petit-Vougan (R. du)	A 16	Rochette (R.)	B 25
		Pont-Pasquet (R. du)	B 17	Valette (R. J.)	B 28
Constant (R. B.)	B 3	Porte-de-Bourges (R.)	B 18	Vieilles-Prisons (R. des)	B 29

L'Amandois M, 7 r. H. Barbusse ✆ 48 63 72 00, Fax 48 96 77 11 – TV ☎ ♿ P. AE GB
R 70/130, enf. 40 – ☐ 33 – **27 ch** 250/290. B **r**

Le Noirlac M, rte Bourges par ⑦ : 1,5 km ✆ 48 96 80 80, Fax 48 96 63 88, – TV ☎ ♿ P – 70. AE GB
R *(fermé dim. soir de nov. à avril)* 75/175, enf. 40 – ☐ 30 – **44 ch** 235/275 – ½ P 450.

Poste, 9 r. Dr Vallet ✆ 48 96 27 14 – TV ☎ P. GB B **d**
fermé 28 nov. au 12 janv. et lundi d'oct. à juin sauf fériés – **R** 98/220 – ☐ 30 – **22 ch** 230/280.

XX **Croix d'Or** avec ch, 28 r. 14-Juillet ✆ 48 96 09 41 – ☎. GB A e
fermé 15 janv. au 1er fév., vend. soir et sam. midi hors sais. sauf fêtes – **R** 78/270, enf. 40 – ☕ 30 – **15 ch** 150/260.

X **Boeuf Couronné,** 86 r. Juranville ✆ 48 96 42 72 – P. GB A a
fermé 29 juin-13 juil., 2 au 23 janv., mardi soir et merc. – **Repas** 80/200, enf. 40.

à Bruère-Allichamps par ⑥ : 8,5 km – ✉ **18200** :

Les Tilleuls, rte Noirlac ✆ 48 61 02 75, 🌳 – ☎ P. GB. ✗ ch
fermé 21 au 31 déc., dim. soir du 12 nov. au 1er mars et lundi – **R** 90/190 🍷 – ☕ 26 – **12 ch** 150/205 – ½ P 195/235.

FORD Gar. Marembert, 94 av. Gén.-de-Gaulle ✆ 48 96 26 93
PEUGEOT-TALBOT Charbonnier, 15 r. B.-Constant ✆ 48 96 10 07 N ✆ 05 44 24 24
RENAULT Gar. Centre, 45 r. Juranville ✆ 48 96 05 89 N ✆ 48 57 54 97
B.V.A., 33 rte de Lignières à Orval par D 951 ✆ 48 96 09 16 N ✆ 48 96 23 15
Godignon Pneu +, 99 av. Gén.-de-Gaulle ✆ 48 96 11 21

ST-AMAND-SUR-FION 51 Marne 61 ⑧ – rattaché à Vitry-le-François.

ST-AMANS-SOULT 81 Tarn 83 ⑫ – rattaché à Mazamet.

ST-AMBROIX 30500 Gard 80 ⑧ – 3 517 h. alt. 151.

Office de Tourisme pl. Ancien Temple (fermé après-midi hors saison) ✆ 66 24 33 36.

Paris 690 – Alès 18 – Aubenas 56 – Mende 107.

à St-Brès N : 1,5 km par D 904 – ✉ **30500** :

Aub. St-Brès M, ✆ 66 24 10 79, 🌳, 🏊 – TV ☎ P. GB
fermé 2 au 30 nov., dim. soir et lundi d'oct. à juin – **R** 95/250 🍷, enf. 50 – ☕ 35 – **9 ch** 170/220 – ½ P 220/245.

Thomas-Pneus ✆ 66 24 17 91

ST AMOUR 39160 Jura 170 ⑬ – 2 200 h. alt. 253.

Paris 405 – Mâcon 48 – Bourg-en-Bresse 29 – Chalon-sur-Saône 68 – Lons-le-Saunier 33 – Tournus 43.

XX **Fred et Martine,** r. Bresse ✆ 84 48 71 95 – AE O GB
fermé vacances de fév., dim. soir et lundi – **R** 90/250.

XX **Commerce,** pl. Chevalerie ✆ 84 48 73 05 – GB
fermé 15 déc. au 30 janv., dim. soir du 1er oct. au 30 juin et lundi sauf le soir du 1er juil. au 30 sept. – **R** 85/200 🍷.

RENAULT Gar. Comas ✆ 84 48 73 52

ST-AMOUR-BELLEVUE 71570 S.-et-L. 74 ① – 492 h. alt. 306.

Paris 403 – Mâcon 11 – Bourg-en-B. 47 – ◆Lyon 65 – Villefranche-sur-Saône 32.

XX **Chez Jean Pierre,** ✆ 85 37 41 26, 🌳 – GB
fermé fév., merc. soir et jeudi – **R** 90/190 🍷.

ST-ANDRÉ-D'APCHON 42370 Loire 73 ⑦ **G. Vallée du Rhône** – 1 720 h. alt. 417.

Paris 383 – Roanne 11 – Lapalisse 41 – Montbrison 59 – ◆St-Étienne 86 – Thiers 56 – Vichy 56.

XXX **Lion d'Or** avec ch, ✆ 77 65 81 53 – AE O GB JCB
fermé dim. soir – **R** 95/280 🍷 – ☕ 32 – **6 ch** 190/255 – ½ P 225/245.

ST-ANDRÉ-DE-CORCY 01390 Ain 74 ② – 2 547 h. alt. 297.

Paris 453 – ◆Lyon 27 – Bourg-en-Bresse 38 – Meximieux 21 – Villefranche-sur-Saône 21.

à St-Marcel N : 3 km par N 83 – ✉ **01390** :

XX **La Colonne,** ✆ 72 26 11 06 – GB
fermé 20 déc. au 30 janv., lundi soir et mardi sauf fériés – **R** 95/220, enf. 50.

ST-ANDRÉ-DE-CUBZAC 33240 Gironde 71 ⑧ – 6 341 h. alt. 30.

Paris 558 – ◆Bordeaux 24 – Angoulême 92 – Blaye 25 – Jonzac 63 – Libourne 21 – Saintes 94.

à St Gervais NO : 3,5 km par N 137 et D 151E – ✉ **33240** :

XX **Au Sarment,** ✆ 57 43 44 73, 🌳 – AE O GB
fermé 15 août au 9 sept., vacances de fév., dim. soir et merc. – **R** 95/195, enf. 65.

à Gueynard NE : 8 km sur N 10 – ✉ **33240** St-André-de-Cubzac :

X **Le Girondin** avec ch, ✆ 57 68 71 32, Fax 57 68 04 04, 🌳 – TV ☎ P. GB
fermé mi-déc. à mi-janv., dim. soir et lundi sauf août – **R** 51/170 🍷, enf. 38 – ☕ 28 – **10 ch** 190.

CITROEN Darroman, RN 10 ✆ 57 43 06 49
FORD Gar. de l'Europe, 168 RN ✆ 57 43 03 95
OPEL Gar. Abbadie, 25 RN 10 ✆ 57 43 01 42
PEUGEOT, TALBOT Gar. Cluzeau, RN 10 ✆ 57 43 10 77

ST-ANDRÉ-D'HÉBERTOT 14 Calvados 55 ④ – rattaché à Pont-l'Évêque.

ST-ANDRÉ-LES-ALPES **04170** Alpes-de-H.-P. 81 ⑱ **G. Alpes du Sud** – 794 h. alt. 894.

Syndicat d'Initiative pl. M.-Pastorelli (15 juin-15 sept.) ✆ 92 89 02 39.

Paris 792 – Digne 43 – Castellane 21 – Colmars 28 – Manosque 82 – Puget-Théniers 45.

- **Le Colombier** ⛰, à La Mûre, rte Allos : 2,5 km ✆ 92 89 07 11, Fax 92 89 10 45, ≤, – ch TV ☎ P. GB. rest
  fermé 15 nov. au 25 déc. et merc. de nov. à avril – **R** 110/145 – ☕ 32 – **22 ch** 225/330.
- **Monge** sans rest, ✆ 92 89 01 06, – ☎ P. GB.
  ☕ 35 – **25 ch** 140/240.
- **Clair Logis,** rte Digne ✆ 92 89 04 05, ≤, – ☎ P. AE GB. rest
  fermé 12 nov. au 10 janv. – **R** 59/150, enf. 40 – ☕ 30 – **12 ch** 160/230 – ½ P 195/220.
- **Gd. H. Parc** avec ch, ✆ 92 89 00 03, – ☎ P.
  fermé 1ᵉʳ déc. au 1ᵉʳ fév. et vend. soir hors sais. – **R** 110/230, enf. 50 – ☕ 35 – **12 ch** 110/260 – ½ P 210/290.

ST-ANDRÉ-LES-VERGERS **10** Aube 61 ⑯ – rattaché à Troyes.

ST-ANTHÈME **63660** P.-de-D. 73 ⑰ **G. Vallée du Rhône** – 880 h. alt. 940 – Sports d'hiver : 1 200/1 410 m 3 .

Paris 510 – ♦St-Étienne 50 – Ambert 22 – ♦Clermont-Ferrand 97 – Montbrison 24.

- **Voyageurs,** ✆ 73 95 40 16 – TV ☎. GB
  fermé 1ᵉʳ nov. au 19 déc., 4 au 31 janv., dim. soir et lundi du 15 sept. au 30 juin – **R** 50/158 – ☕ 22 – **30 ch** 123/245 – ½ P 160/255.

  à Raffiny S par D 261 : 5 km – ✉ **63660** St Romain :
- **Pont de Raffiny,** ✆ 73 95 49 10 – ☎ P. GB
  fermé janv., lundi (sauf hôtel) et dim. soir du 15 sept. au 1ᵉʳ juil. – **Repas** 75/150, enf. 50 – ☕ 25 – **12 ch** 165/210 – ½ P 180.

ST-ANTOINE **05** H.-Alpes 77 ⑰ – rattaché à Pelvoux (Commune de).

ST-ANTOINE **38160** Isère 77 ③ **G. Vallée du Rhône** – 873 h. alt. 350.

Voir Abbatiale★.

Paris 563 – Valence 44 – ♦Grenoble 64 – Romans sur Isère 25 – St Marcellin 12.

- XXX **Aub. de l'Abbaye,** Mail de l'Abbaye ✆ 76 36 42 83 – . AE GB
  fermé 6 au 31 janv., lundi soir et mardi – **R** 110/320, enf. 70.

ST-ANTOINE **29** Finistère 58 ⑥ – rattaché à Morlaix.

ST-ANTONIN-DU-VAR **83510** Var 84 ⑥ – 405 h. alt. 220.

Paris 843 – Cannes 77 – Draguignan 20 – ♦Marseille 93 – ♦Toulon 73.

- XX **Lou Cigaloun** ⛰ avec ch, ✆ 94 04 42 67, ≤, – ☎ P. GB
  fermé 10 au 31 oct., 1ᵉʳ au 28 fév. et mardi – **R** 84/260 , enf. 50 – ☕ 33 – **8 ch** 230/300 – ½ P 232/267.

ST-ANTONIN-NOBLE-VAL **82140** T.-et-G. 79 ⑲ **G. Périgord Quercy** – 1 867 h. alt. 129.

Voir Ancien hôtel de ville★ – Gorges de l'Aveyron★ par route de corniche★★ (D 115ᴮ) SO : 3,5 km.

Office de Tourisme à la Mairie ✆ 63 30 63 47.

Paris 642 – Cahors 55 – Albi 51 – Montauban 40 – Villefranche de Rouergue 41.

- Viollet-le-Duc ⛰, pl. Halle ✆ 63 68 21 00, – TV ☎
  11 ch.

RENAULT Gar. Blatger ✆ 63 30 61 42

ST-ASTIER **24110** Dordogne 75 ⑤ **G. Périgord Quercy** – 4 780 h. alt. 140.

Paris 512 – Périgueux 18 – Bergerac 46.

- XX **Pomme d'Amour,** 7 pl. Église ✆ 53 07 29 00, – GB
  fermé 23 août au 10 sept., 20 au 29 déc., 14 fév. au 1ᵉʳ mars, dim. soir et lundi – **R** 140/195, enf. 50.

RENAULT Gar. Seaut ✆ 53 54 06 75

ST-AUBAN **04** Alpes-de-H.-P. 81 ⑯ – rattaché à Château-Arnoux.

ST-AUBIN-SUR-MER **14750** Calvados 55 ① **G. Normandie Cotentin** – 1 526 h. alt. 7.

Office de Tourisme Digue Favereau (vacances scolaires, juin-sept.) ✆ 31 97 30 41.

Paris 256 – ♦Caen 18 – Arromanches-les-Bains 18 – Bayeux 27 – Cabourg 31.

- **Clos Normand,** ✆ 31 97 30 47, Fax 31 96 46 23, ≤, – ☎ P. GB
  15 avril-5 oct. – **R** 92/250, enf. 56 – ☕ 30 – **29 ch** 270/315 – ½ P 275/320.
- **St-Aubin,** ✆ 31 97 30 39, Fax 31 97 41 56, ≤ – ☎ P. GB
  fermé 15 au 24 nov., janv., dim. soir et lundi sauf de mai à sept. – **R** 110/270, enf. 50 – ☕ 35 – **26 ch** 240/300 – ½ P 250/300.

ST-AULAIRE **19** Corrèze 75 ⑧ – rattaché à Objat.

ST-AUNÈS **34** Hérault 83 ⑦ – rattaché à Montpellier.

ST-AVÉ **56** Morbihan 63 ③ – rattaché à Vannes.

ST-AVOLD **57500** Moselle 57 ⑮ **G. Alsace Lorraine** – 16 533 h. alt. 230.

Voir Groupe sculpté* dans l'église St-Nabor.

Office de Tourisme à la Mairie ✆ 87 91 30 19.

Paris 371 – ◆Metz 42 – Haguenau 112 – Lunéville 74 – ◆Nancy 71 – Saarbrücken 30 – Sarreguemines 28 – ◆Strasbourg 123 – Thionville 68 – Trier 96.

Novotel M, sur N 33 (échangeur A 32) ✆ 87 92 25 93, Télex 860966, Fax 87 92 02 47, « A l'orée de la forêt », – ch rest TV ☎ ♿ P – 30 à 200. AE GB
R carte environ 150 , enf. 50 – 45 – **61 ch** 380/420.

Europe, 7 r. Altmayer ✆ 87 92 00 33, Fax 87 92 01 23, – TV ☎ P – 50. AE GB
R *(fermé sam. midi et dim.)* 150/250 – 45 – **34 ch** 350/390 – ½ P 440/460.

Le Neptune, à la piscine ✆ 87 92 27 90 – P. AE GB JCB
fermé 15 août au 5 sept., 2 au 10 janv., sam. midi, dim. soir et lundi – **R** 165/365.

au NO par D 72 et D 25[D] : 5 km – ✉ **57740** Longeville-lès-St-Avold :

Moulin d'Ambach, ✆ 87 92 18 40 – P. AE GB
fermé 5 au 28 juil., vacances de fév., lundi soir et mardi – **R** 99/250 , enf. 45.

CITROEN Gar. Rein, 65 r. Gén.-Mangin ✆ 87 91 23 57
FORD Gar. Schwaller, r. du 27-Novembre ✆ 87 92 05 09
RENAULT Moselle Automobile, 67 av. Patton ✆ 87 91 83 83 N
V.A.G Gar. Jacob, 7 r. Moulin ✆ 87 92 00 57
Leclerc-Pneu, 10 r. Mar.-Foch ✆ 87 92 24 68

ST-AYGULF **83370** Var 84 ⑱ 195 ㉝ **G. Côte d'Azur** – alt. 15.

Office de Tourisme pl. Poste ✆ 94 81 22 09.

Paris 878 – Fréjus 6 – Brignoles 68 – Draguignan 33 – St-Raphaël 8 – Ste-Maxime 14.

Catalogne sans rest, ✆ 94 81 01 44, Fax 94 81 32 42, – TV ☎ P. AE GB.
Pâques-15 oct. – 38 – **32 ch** 400/500.

Plein Soleil M sans rest, ✆ 94 81 09 57, – TV ☎ P. AE GB
12 ch 600/950.

ST-BEAUZEIL **82150** T.-et-G. 79 ⑯ – 120 h. alt. 138.

Paris 624 – Agen 35 – Cahors 56 – Montauban 63 – Villeneuve-sur-Lot 23.

Château de l'Hoste , rte Agen (D 656) ✆ 63 95 25 61, Fax 63 95 25 50, ≤, , parc, – TV ☎ ♿ P. GB
fermé 5 oct. au 4 nov., 18 fév. au 10 mars, dim. soir et lundi d'oct. à avril – **R** 130/240 – 40 – **32 ch** 200/400 – ½ P 270.

ST-BENOIT **01300** Ain 74 ⑭ – 488 h. alt. 210.

Paris 501 – Belley 17 – Bourg-en-Bresse 70 – ◆Lyon 71 – La Tour-du-Pin 22 – Vienne 70 – Voiron 41.

Billiemaz, au pont d'Evieu SO : 2,5 km ✆ 74 39 72 56, – P. AE GB
fermé 1er au 19 sept., mardi soir et merc. – **R** 60/190 , enf. 50.

ST-BENOIT **86** Vienne 68 ⑬ ⑭ – rattaché à Poitiers.

ST-BENOIT-SUR-LOIRE **45730** Loiret 64 ⑩ **G. Châteaux de la Loire** – 1 880 h. alt. 100.

Voir Basilique** (chant grégorien).

Paris 129 – ◆Orléans 35 – Bourges 92 – Châteauneuf-sur-Loire 10 – Gien 31 – Montargis 43.

Labrador sans rest, ✆ 38 35 74 38, Fax 38 35 78 33, – TV ☎ ♿ P. AE GB
fermé 1er janv. au 15 fév. – 33 – **45 ch** 150/360.

ST-BERTRAND-DE-COMMINGES **31510** H.-Gar. 85 ⑳ **G. Pyrénées Aquitaine** – 217 h. alt. 446.

Voir Site** – Cathédrale* : boiseries**, cloître** et trésor* – Basilique Saint-Just* de Valcabrère NE : 2 km.

Paris 811 – Bagnères-de-Luchon 33 – Lannemezan 25 – St-Gaudens 17 – Tarbes 61 – ◆Toulouse 107.

L'Oppidum M , r. Poste ✆ 61 88 33 50 – TV ☎ ♿ P. AE GB
fermé 20 nov. au 20 déc. et merc. du 15 oct. au 15 avril sauf vacances scolaires – **R** 75/160 – 33 – **14 ch** 210/320 – ½ P 210/245.

ST-BOIL **71940** S.-et-L. 170 ⑪ – 377 h. alt. 230.

Paris 362 – Chalon-sur-Saône 24 – Cluny 27 – Montceau-les-Mines 34 – Mâcon 50.

Aub. Cheval Blanc avec ch, ✆ 85 44 03 16, – GB. ch
fermé 15 fév. au 15 mars et merc. – **R** 101/168 – 35 – **4 ch** 170/190.

ST-BONNET-DE-JOUX 71220 S.-et-L. 69 ⑱ – 845 h. alt. 382.

Voir Château de Chaumont★ NO : 3 km.

Env. Butte de Suin ※★★ SE : 7 km puis 15 mn, **G. Bourgogne.**

Paris 362 – Mâcon 48 – Chalon-sur-Saône 53 – Charolles 14 – Montceau-les-Mines 31.

XX **Val de Joux** avec ch, ☏ 85 24 72 39 – ☏. GB
fermé 1er janv. au 15 fév., dim. soir d'oct. à mai et lundi – **R** 75/190 ♂, enf. 50 – ☕ 25 – **5 ch** 120/220 – ½ P 180/210.

ST-BONNET-EN-CHAMPSAUR 05500 H.-Alpes 77 ⑯ **G. Alpes du Nord** – 1 371 h. alt. 1 025.

Env. ≤★★ du col du Noyer O : 13,5 km.

🅸 Syndicat d'Initiative r. Maréchaux ☏ 92 50 02 57.

Paris 652 – Gap 15 – ♦Grenoble 90 – La Mure 52.

La Crémaillère ⛰, ☏ 92 50 00 60, ≤, 🌳 – TV ☏ P. GB. ✱ rest
1er avril-30 sept. – **R** 80/210, enf. 52 – ☕ 28 – **21 ch** 240/270 – ½ P 220/250.

à Laye : S : 6 km par N 85 – ✉ 05500 :

X **Laiterie du Col Bayard,** ☏ 92 50 50 06, 🌂, préparations à base de fromages – AE GB
fermé nov., le soir (sauf week-ends) et lundi sauf vacances scolaires – **R** 68/180 bc, enf. 55.

PEUGEOT-TALBOT Champsaur-Autom. ☏ 92 50 52 33 N
RENAULT Gar. Piot, à La Fare-en-Champsaur ☏ 92 50 53 80
Gar. Central, ☏ 92 50 52 52

ST-BONNET-LE-CHÂTEAU 42380 Loire 76 ⑦ **G. Vallée du Rhône** – 1 687 h. alt. 870.

Voir Chevet de la collégiale ≤★ – Chemin des Murailles★.

Paris 536 – ♦Saint Étienne 35 – Ambert 43 – Montbrison 32,5 – Le Puy en Velay 65.

X **La Calèche,** 7 r. F. Valette ☏ 77 50 15 58 – GB
fermé 8 au 15 sept., 5 au 27 janv., mardi (sauf le midi en août) et lundi soir – **R** 75/220.

ST-BONNET-LE-FROID 43290 H.-Loire 76 ⑨ – 180 h. alt. 1 127.

Paris 561 – Le Puy-en-Velay 56 – Valence 68 – Aubenas 86 – Annonay 26 – ♦St-Étienne 51 – Tournon-sur-Rhône 51 – Yssingeaux 30.

XXX ✿ **Aub. des Cimes** (Marcon) M avec ch, ☏ 71 59 93 72, Fax 71 59 93 40, 🌳 – ▤ ch TV ☏ P. ⓓ GB
Pâques-15 nov. et fermé lundi midi en juil.-août, dim. soir et merc. hors sais. – **R** 125/400 – ☕ 55 – **6 ch** 280/380 – ½ P 380/450
Spéc. Gelée de lapereau à l'hydromel, "Trifolles" farcies, Menu aux champignons (saison). **Vins** Crozes-Hermitage, Viognier.

ST-BRÈS 30 Gard 80 ⑧ – rattaché à St-Ambroix.

ST-BRÉVIN-LES-PINS 44250 Loire-Atl. 67 ① – 8 688 h. alt. 8 – Casino à St-Brévin-l'Océan.

Pont de St-Nazaire : Péage en 1991 : auto 22 à 30 F (conducteur et passagers compris), auto et caravane 38 F, camion et véhicule supérieur à 1,5 t : 38 à 95 F, moto 5 F (gratuit pour vélos et piétons) – Tarifs spéciaux pour les résidents de la Loire Atlantique.

🅸 Office de Tourisme 10 r. Église (saison) ☏ 40 27 24 32 et pl. Ouessant (saison) ☏ 40 27 24 33.

Paris 443 – ♦Nantes 56 – Challans 59 – Noirmoutier-en-l'Ile 77 – Pornic 18 – St-Nazaire 13.

Estuaire M sans rest, parc d'activités de la Guerche, SE : 1 km ☏ 40 27 39 40, Fax 40 64 40 98 – ☏ ♿ P – 🎤 30. GB
☕ 25 – **25 ch** 225/300.

à Mindin N : 3 km – ✉ 44250 St-Brévin-les-Pins :

La Boissière ⛰, ☏ 40 27 21 79, 🌂, 🌳 – ☏ P. GB
1er avril-1er oct. – **R** 80/190 – ☕ 30 – **22 ch** 285/390 – ½ P 290/390.

XX **Débarcadère** avec ch, ☏ 40 27 20 53, ≤, 🌳 – ☏ P. AE GB
fermé 1er déc. au 15 janv. – **R** *(fermé dim. soir et sam. sauf juil.-août)* 100/150 – ☕ 30 – **14 ch** 200/300 – ½ P 230/260.

FIAT Gar. des Pins, 168 av. R.-Poincaré ☏ 40 27 21 25
RENAULT Gar. Clisson, Parc d'Activité de la Guerche ☏ 40 27 20 07 N

Some useful weights and measures

1 kilogram (1,000 grams) = 2.2 lb.

1 kilometer (1,000 meters) = 0.621 mile

10° C = 50° F   21° C = 70° F

1 liter = 1 ¾ pints   10 liters = 2.62 U.S. gals.

ST-BRIAC-SUR-MER 35800 I.-et-V 59 ⑤ – 1 825 h. alt. 19.

Syndicat d'Initiative 49 Grande Rue (vacances de Printemps, 15 juin-15 sept.) ☏ 99 88 32 47.

Paris 407 – Saint Malo 15,5 – Dinan 23 – Dol de Bretagne 31,5 – Lamballe 41,5 – Saint Brieuc 63 – Saint-Cast-le-Guildo 21.

Marc'Otel M, bd de la Houle ☏ 99 88 00 63, Fax 99 88 08 27, – TV ☎ ♿ P – 25 à 100. AE GB
R *(fermé 15 déc. au 15 fév.)* 90/190, enf. 65 – 40 – **40 ch** 450/500 – ½ P 375/400.

à ***Lancieux*** SO : 2 km par D 786 – ✉ 22770 :

Bains M sans rest, 20 r. Poncel ☏ 96 86 31 33, Fax 96 86 22 85, – cuisinette TV ☎ ♿ P. GB
fermé janv. et fév. – 35 – **12 ch** 340/480.

ST-BRICE-EN-COGLÈS 35460 I.-et-V. 59 ⑱ – 2 484 h. alt. 105.

Paris 339 – St Malo 61 – Avranches 35 – Fougères 15 – ◆Rennes 43.

Lion d'Or, r. Chateaubriand ☏ 99 98 61 44, – ☎ P. GB
R 50/150 – 22 – **27 ch** 105/200 – ½ P 150/200.

FORD Gar. Guerinel ☏ 99 98 61 27 N ☏ 99 98 67 67

Ask your bookseller for the catalogue of Michelin publications.

ST-BRIEUC P 22000 C.-d'Armor 59 ③ **G. Bretagne** – 44 752 h. alt. 99.

Voir Cathédrale★ AY – Tertre Aubé ≤★ BV.

Env. Pointe du Roselier★ NO : 8,5 km par D 24 BV.

18 des Ajoncs d'Or ☏ 96 71 90 74.

de St-Brieuc : ☏ 96 94 95 00, 10 km par ①.

☏ 96 94 50 50.

Office de Tourisme 7 r. St-Gouéno ☏ 96 33 32 50 – A.C. 6 pl. Duguesclin ☏ 96 33 16 20.

Paris 453 ② – ◆Brest 143 ① – ◆Caen 226 ② – Cherbourg 252 ② – Dinan 59 ② – Lorient 114 ③ – Morlaix 83 ① – Quimper 130 ③ – ◆Rennes 101 ② – St-Malo 74 ②.

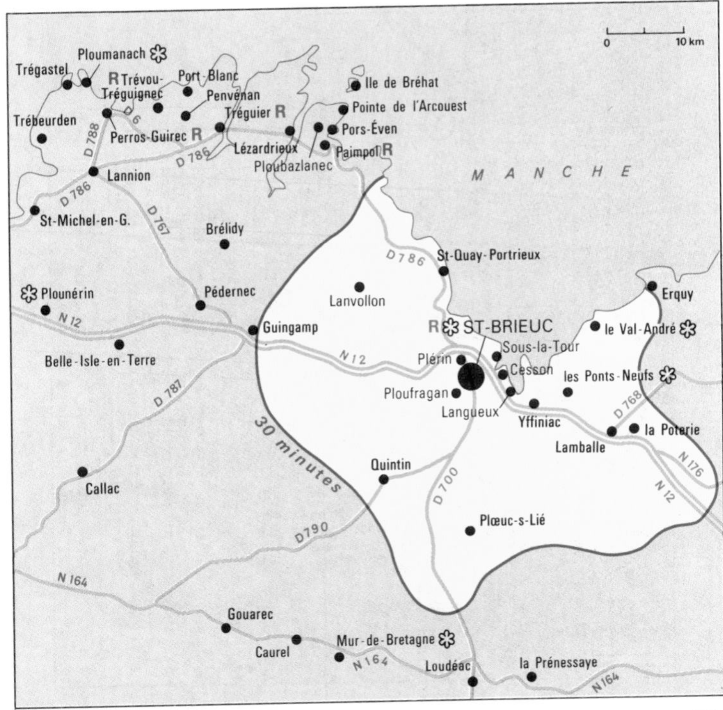

ST-BRIEUC

Chapitre (R. du) .... AZ 3
Charbonnerie (R.) .... AY 4
Glais-Bizoin (R.) .... ABY 20
Jouallan (R.) .... AY 26
St-Gilles (R.) .... AY 43
St-Guillaume (R.) .... BZ 46

Abbé-Garnier (R.) .... AX 2
Commune (Bd de la) .... BY 12
Corderie (R. de la) .... AX 13
Ferry (R. Jules) .... AX 16
Gambetta (Bd) .... AV 17
Hérault (Bd) .... AV 23
Le Gorrec (R.P.) .... AZ 28
Libération (Av. de la) .... BZ 29
Lycéens-Martyrs (R.) .... AZ 32

Martray (Pl. du) .... AY 33
Plélo (Bd de) .... BV 34
Quinquaine (R.) .... AY 38
Résistance (Pl. de la) .... AY 39
Rohan (R. de) .... AYZ 40
St-Gouéno (R.) .... AY 44
Victor-Hugo (R.) .... BX 50
3-Frères-Le Goff (R.) .... AY 52
3-Frères-Merlin (R.) .... AY 53

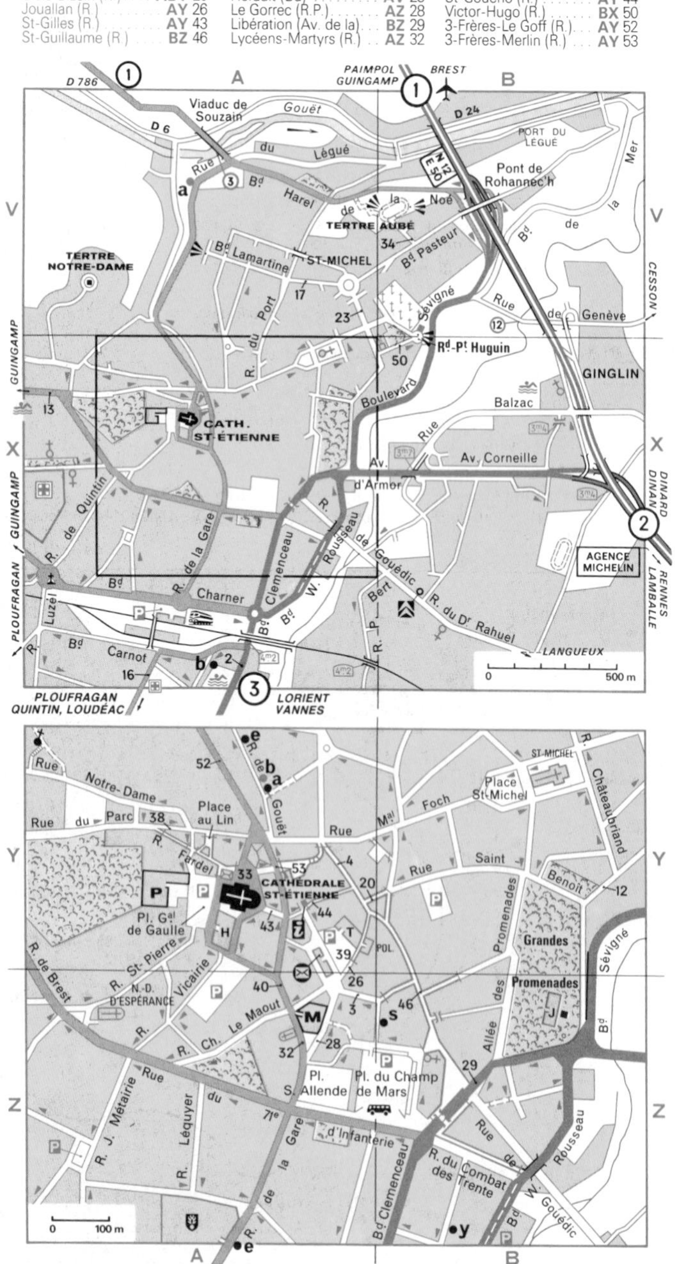

De Clisson M sans rest, 36 r. Gouët ✆ 96 62 19 29, Fax 96 61 06 95, – ☎ . GB. AY e
☕ 32 – **24 ch** 250/375.

Ker Izel sans rest, 20 r. Gouët ✆ 96 33 46 29, Télex 741811, Fax 96 61 86 12 – ☎ . GB. AY a
☕ 30 – **22 ch** 220/280.

Champ de Mars M sans rest, 13 r. Gén. Leclerc ✆ 96 33 60 99, Fax 96 33 60 05 – ☎ . AE GB BZ s
fermé 26 déc. au 2 janv. – ☕ 28 – **21 ch** 210/260.

Quai des Etoiles M sans rest, 51 r. Gare ✆ 96 78 69 96, Fax 96 78 69 90 – ☎ . AE GB AZ e
☕ 35 – **38 ch** 225/260.

Pignon Pointu sans rest, 16 r. J.-J. Rousseau ✆ 96 33 02 39 – ☎ . GB. BZ y
☕ 25 – **17 ch** 160/280.

St-Georges sans rest, 1 ter r. Robien ✆ 96 94 24 06 – AX b
fermé 24 déc. au 2 janv. et dim. hors sais. – ☕ 16 – **26 ch** 110/175.

XXX **Aux Pesked,** 59 r. Légué ✆ 96 33 34 65, ← – . AE GB JCB AV a
fermé 6 au 20 août, vacances de Noël, de fév., sam. midi, dim. soir et lundi – **R** 80/295 bc, enf. 75.

XX **Amadeus,** 22 r. Gouët ✆ 96 33 92 44 – GB AY b
fermé lundi midi et dim. – **Repas** 85/260, enf. 50.

à Plérin N : 3 km – 12 108 h. – ✉ **22190** :

Chêne Vert, échangeur St-Laurent-de-la-Mer ✆ 96 74 63 20, Télex 741323, Fax 96 74 75 49 – cuisinette ☎ – 50. AE GB
R *(fermé 23 déc. au 4 janv., dim. sauf le soir en juil.-août et sam. midi en juil.-août)* 70/160 , enf. 40 – ☕ 32 – **65 ch** 250/280 – ½ P 240.

XXX **Relais des Rosaires,** échangeur Plérin-les-Rosaires, rte Rosaires ✆ 96 74 54 55 – . AE GB
fermé merc. du 1er sept. au 30 juin et mardi soir – **R** 98/245.

à Sous-la-Tour NE : 3 km par Port Légué et D 24 BV – ✉ **22190** Plérin :

XX ✿ **La Vieille Tour** (Hellio), ✆ 96 33 10 30 – GB
fermé 1er au 10 sept., 2 au 18 janv., dim. soir et lundi sauf fériés – **R** (nombre de couverts limité, prévenir) 120/340
Spéc. Saint-Jacques au jus vert (nov. à mars). Homard breton aux petits légumes. Spécialités du Pâtissier en deux services.

XX Pierre Deschamps "Au Printania", ✆ 96 33 27 36, ←.

à Cesson E : 3 km par r. Genève BV – ✉ **22000** :

XXX **Croix Blanche,** 61 r. Genève ✆ 96 33 16 97, – AE GB
fermé dim. soir et lundi – **R** 89/215, enf. 70.

XX **Le Quatre Saisons,** 61 chemin Courses ✆ 96 33 20 38, , – GB
fermé dim. soir et lundi – **R** 97/350.

à Langueux SE : 4 km par r. Dr Rahuel BX – 5 938 h. – ✉ **22360** :

Pomme d'Or, ✆ 96 61 12 10, Télex 950766, Fax 96 61 53 12 – ☎ – 50 à 120. AE GB
R *(fermé dim. midi)* 55/170 – ☕ 30 – **46 ch** 240/275 – ½ P 220.

Campanile, ✆ 96 33 65 66, Télex 741665, Fax 96 33 86 87 – ☎ – 25. AE GB
R 77 bc/99 bc, enf. 39 – ☕ 28 – **42 ch** 258 – ½ P 234/256.

à Yffiniac par ② : 8 km – 3 510 h. – ✉ **22120** :

La Baie M, aire de repos N 12 ✆ 96 72 64 10, Télex 741107, Fax 96 72 71 55 – ☎ – 100. AE GB
R 72/165 , enf. 40 – ☕ 40 – **42 ch** 245 – ½ P 235/305.

rte de Vannes par ③ : 3 km – ✉ **22950** Trégueux :

Climat de France M, rd-pt Brézillet ✆ 96 78 44 55, Fax 96 78 27 74 – ☎ – 30. AE GB
R 77/110 , enf. 37 – ☕ 28 – **44 ch** 245 – ½ P 213.

à Ploufragan SO : 5 km par r. Luzel AX – 10 583 h. – ✉ **22440** :

Beaucemaine , ✆ 96 78 05 60 – ☎ . GB. rest
fermé 21 déc. au 4 janv. – **R** *(fermé dim. soir)* 70/100 – ☕ 20 – **25 ch** 135/270.

rte de Guingamp par r. Corderie AX ***13*** :

XX **Le Buchon,** à Trémuson : 8 km ✉ 22440 ✆ 96 94 85 84 – GB
fermé 15 au 30 oct., 10 au 25 fév. et sam. – **R** 78/300.

MICHELIN, Agence, ZAC de la Hazaie à Langueux par ② ✆ 96 33 44 61

ALFA-ROMEO Gar. Boscher, ZI la Hazaie à Trégueux ✆ 96 61 21 74
BMW Chaudet Automobiles, ZI de Douvenant, r. Landes ✆ 96 33 20 42
CITROEN S.A.V.R.A., 101 r. Gouédic ✆ 96 33 24 05 🅽 ✆ 96 33 44 07
FIAT Générale Autom. de l'Ouest, 2 av. L.-Aragon ✆ 96 94 01 20 🅽 ✆ 96 33 44 07
MERCEDES Hamon Autom., 1 r. Gay Lussac ✆ 96 33 33 45
OPEL Gar. Hamon, 19 bd de l'Atlantique ✆ 96 94 43 59
PEUGEOT-TALBOT Gds Gar. des Côtes-d'Armor, 65 r. Chaptal, ZI par ② ✆ 96 33 04 24 🅽 ✆ 96 01 91 77
RENAULT S.B.D.A., r. Monge, ZI par r. de Gouédic BX ✆ 96 33 66 28 🅽 ✆ 96 34 39 41
RENAULT Monfort, 28 r. Vallée à Plérin par ① ✆ 96 74 52 61
V.A.G Sélection Auto, 14 r. Chaptal ✆ 96 33 18 48

Andrieux Pneu + Armorique, 6 r. de Paris ✆ 96 33 17 50
Desserrey-Pneu + Armorique, 2 r. Ampère ✆ 96 60 46 65
Vallée Pneus, ZAC r. Lecuyer à Plérin par ① ✆ 96 74 70 56

ST-CALAIS **72120** Sarthe 64 ⑤ **G. Châteaux de la Loire** (plan) – 4 063 h. alt. 105.

Voir Façade★ de l'église N.-Dame.

Office de Tourisme pl. Hôtel de Ville ✆ 43 35 82 95.

Paris 187 – ◆Le Mans 45 – Châteaudun 58 – Nogent-le-Rotrou 54 – ◆Orléans 96 – ◆Tours 66.

Angleterre, r. Guichet ✆ 43 35 00 43 – ☎ Ⓟ. AE GB
fermé dim. soir et lundi – **R** 68/155 ♁, enf. 50 – ☕ 23 – **13 ch** 150/210 – ½ P 140/165.

CITROEN Costes, rte du Mans ✆ 43 35 00 59
CITROEN Parisse, rte du Mans ✆ 43 35 01 26
FORD Daguenet, rte de Vendôme ✆ 43 35 05 51 🅽 ✆ 43 35 03 59
PEUGEOT-TALBOT Trottier, 19 r. de l'Image ✆ 43 35 01 52 🅽 ✆ 43 35 19 90
RENAULT Gar. Ribault, av. Gén.-de-Gaulle ✆ 43 35 00 98

Un conseil Michelin :

pour réussir vos voyages, préparez-les à l'avance.

Les cartes et guides Michelin, vous donnent toutes indications utiles sur : itinéraires, visite des curiosités, logement, prix, etc.

ST-CANNAT **13760** B.-du-R. 84 ② **G. Provence** – 3 918 h. alt. 210.

Paris 736 – ◆Marseille 46 – Aix-en-Provence 16 – Apt 39 – Cavaillon 36 – Salon-de-Provence 19.

Aub. St-Cannat, ✆ 42 57 20 22, 🍴 – GB
fermé merc. – **R** 78/130, enf. 48.

ST-CAPRAISE-DE-LALINDE **24** Dordogne 75 ⑮ – rattaché à Lalinde.

ST-CAST-LE-GUILDO **22380** C.-d'Armor 59 ⑤ **G. Bretagne** – 3 093 h. alt. 45.

Voir Pointe de St-Cast ≤★★ – Pointe de la Garde ≤★★ – Pointe de Bay ≤★ S : 5 km.

18 de Pen Guen ✆ 96 41 91 20, S : 4 km.

Office de Tourisme pl. Gén.-de-Gaulle ✆ 96 41 81 52.

Paris 424 – St-Malo 34 – Avranches 88 – Dinan 34 – Fougères 100 – St-Brieuc 51.

Dunes, r. Primauguet ✆ 96 41 80 31, Fax 96 41 85 34, 🌳, 🎾 – TV ☎ Ⓟ. GB. ✱
1er avril-5 nov. et fermé dim. soir et lundi en oct. – **R** 120/360 – ☕ 32 – **27 ch** 240/320 – ½ P 300/330.

Arcades, r. Piétonne ✆ 96 41 80 50, Fax 96 41 77 34 – |ascenseur| TV ☎. AE ⓓ GB
1er avril-1er nov. – **R** 75/165 ♁, enf. 35 – ☕ 32 – **32 ch** 315/445 – ½ P 290/360.

Bon Abri, r. Sémaphore ✆ 96 41 85 74 – ☎ Ⓟ. GB
hôtel : vacances de printemps et 28 mai-8 sept. ; rest. : 1er juin-8 sept. – **R** 92/116, enf. 50 – ☕ 23 – **40 ch** 136/200 – ½ P 175/207.

Le Biniou, à Pen-Guen S : 1,5 km ✆ 96 41 94 53, ≤ – Ⓟ. GB
15 mars-11 nov. et fermé mardi (sauf du 15 juin au 15 sept. et vacances scolaires) – **Repas** 95/330, enf. 60.

PEUGEOT-TALBOT Gar. Depagne, 13 bd Vieuxville ✆ 96 41 86 67
Gar. des Dunes, bd Vieuxville ✆ 96 41 84 26

ST-CÉRÉ **46400** Lot 75 ⑲ ⑳ **G. Périgord Quercy** (plan) – 3 760 h. alt. 152.

Voir Site★ – Tapisseries de Jean Lurçat★ au casino – Atelier-musée Jean Lurçat★ – Château de Montal★★ O : 3 km.

Env. Cirque d'Autoire★ : ≤★★ par Autoire (site★) O : 8 km.

Office de Tourisme pl. République (fermé matin oct.-mai) ✆ 65 38 11 85.

Paris 543 – Brive-la-Gaillarde 54 – Aurillac 65 – Cahors 74 – Figeac 42 – Tulle 61.

Trois Soleils de Montal Ⓜ 🌿, O : 2 km par D 673 ✆ 65 38 20 61, Fax 65 38 30 66, 🍴, Fб, 🏊, 🌳, 🎾 – TV ☎ ♿ Ⓟ – 🏛 70. GB. ✱ rest
R *(fermé lundi soir du 1er nov. au 15 mars)* 201/275, enf. 80 – ☕ 45 – **26 ch** 300/400 – ½ P 390.

Le Coq Arlequin, bd Dr Roux ✆ 65 38 02 13, Fax 65 38 37 27, – TV ☎ P. GB. rest
R 100/280, enf. 60 – 40 – **26 ch** 180/550 – ½ P 300/365.

France M, av. F. de Maynard ✆ 65 38 02 16, Fax 65 38 02 98, , , – TV ☎ P. GB. rest
1er mars-1er nov. et fermé dim. soir et lundi sauf juil.-août – **Repas** 100/240, enf. 60 – 38 – **22 ch** 250/340 – ½ P 280/340.

du Touring sans rest, pl. République ✆ 65 38 30 08, Fax 65 38 18 67 – ☎. GB
fermé 15 oct. au 1er nov. – 28 – **28 ch** 200/260.

XXX **Ric** avec ch, rte Leyme par D 48 : 2 km ✆ 65 38 04 08, Fax 65 38 00 14, <, , , – TV ☎ P. GB
fermé 1er fév. au 3 mars et lundi (sauf juil.-août et fêtes) – **R** 100/230 – 38 – **6 ch** 300 – ½ P 320/350.

MERCEDES-V.A.G. Payrot, av. F.-de-Maynard ✆ 65 38 01 07

Meublat, rte de Monteil ✆ 65 38 16 54

ST-CERGUES 74140 H.-Savoie 70 ⑯ ⑰ – 2 337 h. alt. 615.

Paris 549 – Thonon-les-Bains 20 – Annecy 54 – Annemasse 9 – Bonneville 25 – ◆Genève 16.

France, ✆ 50 43 50 32, Fax 50 94 66 45, – TV ☎ P – 40. GB
fermé 27 avril au 4 mai, 17 oct. au 23 nov., dim. soir et lundi du 13 sept. au 16 juin – **R** 95/220, enf. 50 – 28 – **21 ch** 135/260 – ½ P 175/230.

ST-CERNIN 15310 Cantal 76 ② G. Auvergne – 1 164 h. alt. 767.

Voir Boiseries★ de l'église St-Louis – Paris 532 – Aurillac 21 – Brive-la-Gaillarde 121 – Mauriac 33.

Tilleuls , ✆ 71 47 60 73, < – ☎ P
fermé oct. – **R** 68/95 – 21 – **11 ch** 115/155 – ½ P 150/170.

ST-CÉZAIRE-SUR-SIAGNE 06780 Alpes-Mar. 84 ⑧ G. Côte d'Azur – 2 182 h. alt. 475.

Voir Site★ – Point de vue★ – Grottes de St-Cézaire★ NE : 4 km.

Syndicat d'Initiative à la Mairie (vacances scolaires) ✆ 93 60 84 30.

Paris 910 – Cannes 32 – Castellane 62 – Draguignan 57 – Grasse 16 – ◆Nice 50.

X **Aub. Puits d'Amon** avec ch, ✆ 93 60 28 50 – rest. GB
fermé 1er au 10 juin, 29 sept. au 5 oct., fin janv. au 15 fév., dim. soir et lundi sauf du 14 juil. à fin août – **R** 130/220 – 35 – **5 ch** 220/250 – ½ P 220.

X **La Petite Auberge** avec ch, ✆ 93 60 26 60, – GB
fermé mi-déc. à mi-janv., lundi soir et mardi sauf juil.-août – **R** 70/145 – 26 – **6 ch** 105/145 – ½ P 158.

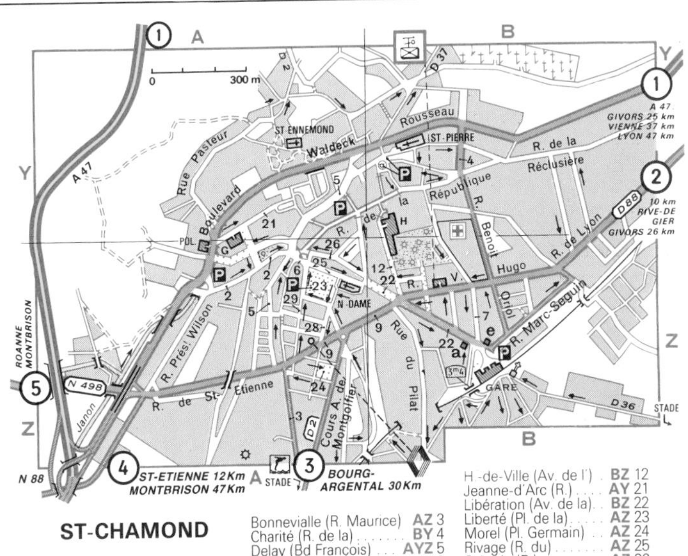

ST-CHAMOND

Alsace-Lorraine (R.)	AZ 2
Montgolfier (Crs A. de)	AZ
République (R. de la)	BY
Bonnevialle (R. Maurice)	AZ 3
Charité (R. de la)	BY 4
Delay (Bd François)	AYZ 5
Dorian (Pl.)	AZ 6
Dugas-Montbel (R.)	BZ 7
Gambetta (R.)	ABZ 9
H.-de-Ville (Av. de l')	BZ 12
Jeanne-d'Arc (R.)	AY 21
Libération (Av. de la)	BZ 22
Liberté (Pl. de la)	AZ 23
Morel (Pl. Germain)	AZ 24
Rivage (R. du)	AZ 25
Sabotin (R.)	AZ 26
Timbaud (R. P.)	AZ 28
Trois-Frères (R. des)	AZ 29

ST-CHAMOND 42400 Loire 73 ⑲ G. Vallée du Rhône – 38 878 h. alt. 375.

Paris 512 ① – ◆St-Étienne 11 ④ – Feurs 50 ④ – ◆Lyon 52 ① – Montbrison 43 ④ – Vienne 41 ①.

Plan page précédente

XX **Ambassadeurs** avec ch, 28 av. Libération ☎ 77 22 85 80 – TV ☎. AE ⓓ GB
hôtel : fermé 8 au 16 août ; rest. : fermé 1er au 23 août, vacances de fév., vend. soir et sam. – **R** 75/410 , enf. 50 – ☕ 24 – **19 ch** 120/300. BZ **a**

XX **Chemin de Fer** avec ch, 27 av. Libération ☎ 77 22 00 15 – ☎. GB BZ **e**
fermé 1er au 9 mai, 1er au 12 août, vend. soir et sam. – **R** 55 bc/260 , enf. 45 – ☕ 24 – **11 ch** 110/160 – ½ P 160.

à l'Horme par ② : 3 km – 4 689 h. – ✉ **42152** :

Vulcain sans rest, ☎ 77 22 17 11 – |‡| TV ☎ 🚗 **P**. AE GB
☕ 31 – **30 ch** 205/352.

FORD Martinez, 10 r. St-Étienne ☎ 77 22 03 69
PEUGEOT-TALBOT I.C.A.R. Vallée du Gier, sortie autoroute St-Julien par ② ☎ 77 31 42 42
RENAULT Fonsala-Autom., bd Fonsala par ② ☎ 77 22 22 98
RENAULT Varenne, 26 r. Gambetta ☎ 77 22 02 58
V.A.G Quinson-Tardy 14 rte de St-Étienne ☎ 77 22 03 17
Quiblier, 38 r. V.-Hugo ☎ 77 22 03 75
Hall du Pneu, 8 pl. G.-Morel ☎ 77 22 28 96

ST-CHARTIER 36 Indre 68 ⑲ – rattaché à La Châtre.

ST-CHÉLY-D'APCHER 48200 Lozère 76 ⑮ – 4 570 h. alt. 1 000.

Office de Tourisme pl. 19-Mars-1962 ☎ 66 31 03 67.

Paris 551 – Aurillac 109 – Mende 46 – Le Puy-en-Velay 80 – Millau 102 – Rodez 97 – St-Flour 35.

Jeanne d'Arc, 49 av. Gare ☎ 66 31 00 46, Fax 66 31 28 85, – TV ☎ 🚗. GB.
R 70/170 – ☕ 25 – **15 ch** 160/220 – ½ P 190/230.

à La Garde N : 9 km par D 4 – ✉ **48200** Albaret-Ste-Marie :

Rocher Blanc (Annexe), N 9 ☎ 66 31 90 09, Fax 66 31 93 67, , – TV ☎ **P**. GB
15 mars-15 nov. – **R** *(fermé dim. soir hors sais.)* 74/190 – ☕ 30 – **18 ch** 180/240 – ½ P 210/260.

Terrisson-Pneus, Croix des Anglais, N 9 ☎ 66 31 23 93

ST-CHÉLY-D'AUBRAC 12470 Aveyron 80 ③ ④ – 547 h. alt. 800 – Sports d'hiver à Brameloup : 1 200/1 388 m 9 .

Paris 589 – Rodez 52 – Espalion 20 – Mende 75 – St-Flour 72 – Séverac-le-Château 60.

Voyageurs-Vayrou, ☎ 65 44 27 05 – GB. ch
18 avril-30 sept. et fermé sam. sauf juil.-août – **Repas** 62/150 – ☕ 22 – **13 ch** 150/190 – ½ P 170.

ST-CHÉRON 91530 Essonne 60 ⑩ – 4 082 h. alt. 75.

Paris 43 – Fontainebleau 61 – Chartres 52 – Dourdan 9 – Étampes 17 – ◆Orléans 87 – Rambouillet 28 – Versailles 36.

à St-Évroult S : 1,5 km par V 6 – ✉ **91530** St-Chéron :

XX **Aub. de la Cressonnière,** ☎ (1) 64 56 60 55, , – GB
fermé 1er au 15 mars, 15 au 30 sept., dim. soir et lundi – **R** 135/200.

CITROEN Tige, 13 rte de Rambouillet ☎ (1) 64 56 50 37
PEUGEOT Gar. du Gueraud, 35 av. de Dourdan ☎ (1) 64 56 63 53
RENAULT P.O.G. Auto, r. P. Payenneville ☎ (1) 64 56 50 42

ST-CHRISTAU 64 Pyr.-Atl. 85 ⑥ – voir à Lurbe-St-Christau.

ST-CHRISTOL-LÈS-ALÈS 30 Gard 80 ⑱ – rattaché à Alès.

ST-CIERS-DE-CANESSE 33710 Gironde 71 ⑧ – 713 h. alt. 45.

Paris 548 – ◆Bordeaux 45 – Blaye 8 – Jonzac 50 – Libourne 41.

au N : 2 km par D 250 et D 135E – ✉ **33710** St-Ciers-de-Canesse :

La Closerie des Vignes M , Village Arnauds ☎ 57 64 81 90 – TV ☎ ♿ **P**. GB
fermé 1er au 10 oct. (sauf hôtel), 24 déc. au 2 janv. et fév. – **R** (fermé mardi midi) 110/145 – ☕ 30 – **9 ch** 330 – ½ P 280.

ST-CIRGUES-DE-JORDANNE 15590 Cantal 76 ② ⑫ – 199 h. alt. 800.

Paris 582 – Aurillac 17 – Murat 45 – St-Simon 11.

Tilleuls, ☎ 71 47 92 19, ←, , , , – TV ☎ 🚗 **P** – 25. ⓓ GB
Pâques-vacances de nov. – **R** 60/190 , enf. 35 – ☕ 25 – **17 ch** 170/250 – ½ P 200/220.

ST-CIRGUES-EN-MONTAGNE 07510 Ardèche 76 ⑱ – 361 h. alt. 1044.

Paris 572 – Le Puy-en-Velay 53 – Aubenas 42 – Privas 72 – Langogne 32.

Parfum des Bois, ☎ 75 38 93 93 – TV ☎ **P**. GB
fermé 2 au 23 nov. – **R** 85/230, enf. 35 – ☕ 45 – **24 ch** 220/320 – ½ P 230/260.

ST-CIRGUES-LA-LOUTRE 19220 Corrèze 75 ⑩ – 230 h. alt. 460.

Voir Tours de Merle★★ SO : 4 km, **G. Berry Limousin.**

Paris 519 – Argentat 20 – Aurillac 47 – Mauriac 38 – Pleaux 17 – St-Céré 50 – Tulle 52.

ST-CIRQ-LAPOPIE 46330 Lot 79 ⑨ **G. Périgord Quercy** – 187 h. alt. 137.

Voir Site★★ – Vestiges de l'ancien château ⩽★★ – Le Bancourel ⩽★.

Paris 592 – Cahors 25 – Figeac 43 – Villefranche-de-Rouergue 37.

- **La Pélissaria** ⑤, ℘ 65 31 25 14, ⩽, – ☎. GB
  1er avril-15 nov. – **R** *(fermé jeudi)* (dîner seul.) carte 150 à 200 – ☕ 45 – **7 ch** 370/440.
- XX **Aub. du Sombral "Aux Bonnes Choses"** M ⑤ avec ch, ℘ 65 31 26 08, – ☎. GB
  1er avril-15 nov. et fermé mardi soir et merc. sauf vacances scolaires – **Repas** 95/275 – ☕ 40 – **8 ch** 320/400.

ST-CLAIR 83 Var 84 ⑯ – rattaché au Lavandou.

Entrez à l'hôtel ou au restaurant le Guide à la main,
vous montrerez ainsi qu'il vous conduit là en confiance.

ST-CLAUDE ⟨SP⟩ 39200 Jura 170 ⑮ **G. Jura** – 12 704 h. alt. 434.

Voir Site★★ – Cathédrale St-Pierre★ : stalles★★ Z – Place Louis-XI ⩽★ Z – Exposition de pipes et diamants Z **E** – Gorges du Flumen★ par ②.

Env. Route de Morez (D 69) ⩽★★ 7 km par ① – Crêt Pourri ✻★ E : 6 km puis 30 mn par D 304 Z.

Office de Tourisme 1 av. Belfort ℘ 84 45 34 24 – A.C. r. St-Blaise ℘ 84 45 67 57.

Paris 453 ③ – Annecy 83 ② – Bourg-en-Bresse 72 ③ – ♦Genève 61 ② – Lons-le-Saunier 56 ③.

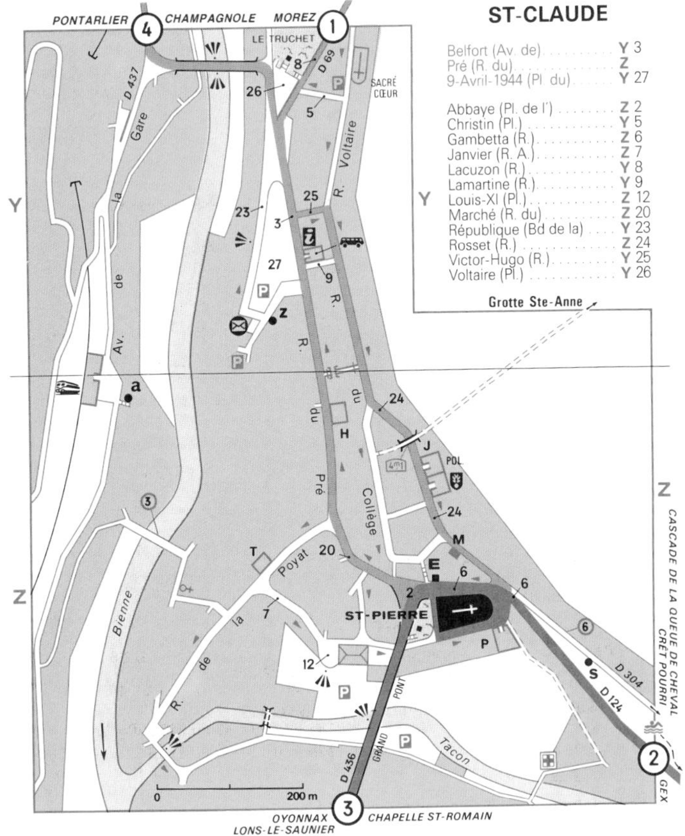

🏨 **St-Hubert** M, pl. St-Hubert ✆ 84 45 10 70, Fax 84 45 64 76 – ⬍ ⇝ ch TV ☎. GB Z **s**
hôtel : fermé 20 déc. au 1er janv. – **R** *(fermé 6 au 13 oct., 20 déc. au 8 janv., dim. sauf le soir en juil.-août et lundi midi)* 86/250, enf. 45 – ☕ 29 – **30 ch** 215/390 – ½ P 230/250.

🏨 **Jura H.** sans rest, 40 av. Gare ✆ 84 45 24 04, Fax 84 45 58 10 – TV ☎ 🚗. GB Z **a**
☕ 24 – **23 ch** 175/280.

🏨 **Poste** sans rest, 1 r. Reybert ✆ 84 45 52 34 – ☎. GB Y **z**
☕ 20 – **15 ch** 120/200.

par ② et D 290 : 3 km – ✉ **39200** St-Claude :

🏨 **Joly** 🐦, au Martinet (près camping) ✆ 84 45 12 36, Fax 84 41 02 49, ≤, 🌳, parc – ☎ P. AE GB
fermé 5 au 31 janv., vend. soir et sam. midi sauf du 1er juil. au 30 sept. – **R** 110/180 – ☕ 30 – **15 ch** 170/290 – ½ P 240/270.

à Villard-St-Sauveur par ② et D 290 : 5 km – alt. 580 – ✉ **39200** St-Claude :

🏨 **Au Retour de la Chasse** 🐦, ✆ 84 45 44 44, Fax 84 45 13 95, ≤, 🎾 – cuisinette TV ☎ – 🏛 30. AE ⓓ GB
fermé 20 au 30 déc., dim. soir et lundi du 20 sept. au 15 juin sauf vacances scolaires – **R** 100/300 – ☕ 30 – **16 ch** 140/330 – ½ P 230/300.

CITROEN Duchène, 21 rte Valfin par ④ ✆ 84 45 12 07
FIAT Gar. de Genève, 11 r. Lt-Froidurot ✆ 84 45 21 01
FORD Gar. Grenard, 23 r. Carnot ✆ 84 45 06 48 N ✆ 84 45 10 56
PEUGEOT, TALBOT Gar. Carnot, ZA d'Étables, rte de Lyon par ③ ✆ 84 45 11 07
RENAULT Lacuzon-Autom., 21 r. Carnot par ③ ✆ 84 45 12 03 N ✆ 05 05 15 15
V.A.G Central Gar., 6 r. Voltaire ✆ 84 45 01 52

Ⓜ Jura-Pneu, 28 r. Collège ✆ 84 45 15 37
Tessaro-Pneus, r. Plan d'Acier, ZI ✆ 84 45 12 74

Avec votre guide Rouge utilisez la carte et le guide Vert Michelin : ils sont inséparables.

ST-CLÉMENT-DES-BALEINES 17 Char.-Mar. 71 ⑫ – voir à Ré (île de).

ST-CLOUD 92 Hauts-de-Seine 55 ⑳, 101 ⑭ – voir à Paris, Environs.

ST-CÔME-ET-MARUEJOLS 30 Gard 80 ⑮ – rattaché à Nîmes.

ST-CYBRANET 24250 Dordogne 75 ⑰ – 310 h. alt. 79.
Paris 538 – Cahors 51 – Sarlat-la-Canéda 15 – Fumel 47 – Gourdon 20 – Lalinde 48 – Périgueux 72.

✗ **Relais Fleuri** avec ch, ✆ 53 28 33 70, 🌳 – P. GB. ⇝ ch
15 avril-31 oct. – **R** 90/250 – ☕ 35 – **7 ch** 110/180 – ½ P 200/240.

ST-CYPRIEN 24220 Dordogne 75 ⑯ **G. Périgord Quercy** – 1 593 h. alt. 72.
Paris 534 – Périgueux 55 – Sarlat-la-Canéda 20 – Bergerac 54 – Cahors 68 – Fumel 51 – Gourdon 37.

🏨 **L'Abbaye** 🐦, ✆ 53 29 20 48, Télex 572720, Fax 53 29 15 85, 🌳, 🏊, 🌲 – TV ☎ P. AE ⓓ GB
1er mai-15 oct. – **R** 135/300, enf. 55 – ☕ 45 – **25 ch** 350/650 – ½ P 340/510.

🏨 **Terrasse,** ✆ 53 29 21 69, 🌳 – TV ☎. GB
mars-nov. et fermé dim. soir et lundi en mars et oct. – **R** 95/215, enf. 55 – ☕ 31 – **17 ch** 190/345 – ½ P 220/330.

RENAULT Castillon-Veyssière ✆ 53 29 20 23

Ⓜ Sarladaise du Pneu ✆ 53 29 23 21

ST-CYPRIEN 66750 Pyr.-Or. 86 ⑳ **G. Pyrénées Roussillon** – 6 892 h. alt. 6 – Casino.
⛳9 ⛳18 ✆ 68 21 01 71, N : 1 km.
🅸 Office de Tourisme parking Nord du Port ✆ 68 21 01 33.
Paris 921 – ◆Perpignan 16 – Céret 30 – Port-Vendres 21.

🏨 **Belvédère** 🐦, r. P. Benoit ✆ 68 21 05 93, ≤ – ☎ P. GB
◆ *hôtel : 1er juin-30 sept. ; rest. : 6 juin-28 sept. –* **R** (dîner seul.) (résidents seul.) 70/160 🍷 – ☕ 25 – **30 ch** 260/290 – ½ P 270.

à St-Cyprien-Plage NE : 3 km par D 22 – ✉ **66750** St-Cyprien :

🏨 **Le Mas d'Huston** M 🐦, au golf ✆ 68 21 01 71, Télex 500834, Fax 68 21 11 33, ≤, 🌳, « Parc », 🏊, 🎾 – ⬍ ▤ TV ☎ ♿ P – 🏛 120. AE ⓓ GB. ⇝ rest
fermé 30 nov. au 18 déc. et fév. – **R** 145/195 – **50 ch** ☕ 510/740 – ½ P 465.

🏨 **Mar i Sol,** r. Rodin ✆ 68 21 00 17, ≤ – ⬍ ☎ ♿. GB
fermé janv. et merc. de nov. à avril – **R** 85/135 – ☕ 27 – **43 ch** 240/270 – ½ P 240/260.

🏨 **Ibis** M sans rest, au port ✆ 68 21 30 30, Télex 500459, Fax 68 21 28 32, ≤ – ⬍ TV ☎ ♿ P. GB
☕ 30 – **34 ch** 270/320.

✗✗ **Le Plaisance,** quai A.-Rimbaud ✆ 68 21 14 34, ≤, 🌳 – GB
fermé 3 janv. au 4 fév., dim. soir et lundi du 1er oct. au 15 juin – **R** 130/190, enf. 65.

à St-Cyprien-Sud : 3 km – ✉ **66750** St-Cyprien :

L'Ile de la Lagune M, 68 21 01 02, Fax 68 21 06 28, – 60. AE GB
fermé 3 janv. au 17 fév. – **L'Almandin R** 160/340 – 55 – **18 ch** 700/800, 4 appart. 1050 – ½ P 595/710
Spéc. Blinis aux anchois de Collioure à la tapenade, Fricassée de supions aux poireaux, Soufflé chaud à la lavande.

PEUGEOT Gar. des Albères 68 21 02 44 RENAULT Gar. Vandellos 68 21 05 47

ST-CYR-EN-TALMONDAIS **85540** Vendée 71 ⑪ – 274 h. alt. 36.
Voir Collections d'art★ du château de la Court d'Aron E : 1 km, **G. Poitou Vendée Charentes.**
Paris 441 – La Rochelle 29 – La Roche-sur-Yon 29 – Luçon 13 – Les Sables-d Olonne 36 – La Tranche-sur-Mer 16.

Aub. de la Court d'Aron, 51 30 81 80, – P.

RENAULT Gar. Thuaud 51 30 80 56 N 51 30 86 80

ST-CYR-L'ÉCOLE **78** Yvelines 60 ⑩, 101 ㉒ – voir à Paris, Environs.

ST-DALMAS-DE-TENDE **06** Alpes-Mar. 84 ⑩ ⑳ 195 ⑧ ⑨ – alt. 696 – ✉ **06430** Tende.
Voir Gorges de Bergue★ S : 3 km, **G. Côte d'Azur.**
Paris 882 – Fontan 7 – ♦Nice 73 – Sospel 33.

Le Prieuré M (Centre d'Aide par le Travail), 93 04 75 70, Fax 93 04 71 58, – P – 50. AE GB
fermé vacances de fév. – **R** 70/220, enf. 48 – 32 – **16 ch** 310.

ST-DALMAS-VALDEBLORE **06** Alpes-Mar. 84 ⑲, 195 ⑥ – voir à Valdeblore.

ST-DENIS **93** Seine-St-Denis 56 ⑪, 101 ⑯ – voir à Paris, Environs.

ST-DENIS-D'ANJOU **53290** Mayenne 64 ① **G. Châteaux de la Loire** – 1 278 h. alt. 38.
Paris 267 – Angers 44 – ♦Le Mans 68 – Sablé-sur-Sarthe 10,5.

Aub. Roi René avec ch, 43 70 52 30, Fax 43 70 58 75, – P. AE GB
fermé fév., dim. soir et lundi sauf juil. et août – **R** 90/250 – 50 – **3 ch** 300/400 – ½ P 240/390.

La Calèche avec ch, 43 70 61 00 – GB
fermé 15 au 30 oct., 10 au 16 fév., dim. soir et mardi sauf juil.-août – **R** 63/155, enf. 40 – 30 – **8 ch** 180/220 – ½ P 205/240.

ST-DENIS-D'AUTHOU **28480** E.-et-L. 60 ⑯ – 380 h.
Paris 130 – Chartres 43 – Dreux 59 – Mortagne-au-Perche 44 – Nogent-le-Rotrou 14.

Relais d'Authou, 37 49 40 32, – GB
fermé 2 au 10 sept., fév. et merc. – **R** 170 bc/250.

ST-DENIS-DE-L'HÔTEL **45** Loiret 64 ⑩ – rattaché à Jargeau.

ST-DENIS-LE-FERMENT **27** Eure 55 ⑧ – 405 h. alt. 65.
Paris 82 – ♦Rouen 55 – Beauvais 42 – Évreux 67 – Gisors 7,5 – Mantes la Jolie 50.

Auberge de l'Atelier, 32 55 24 00, – P. GB
fermé 15 au 31 juil., dim. soir et lundi – **R** 90/195.

ST-DENIS-SUR-LOIRE **41** L.-et-Ch. 64 ⑦ – rattaché à Blois.

ST-DENIS-SUR-SARTHON **61420** Orne 60 ② – 971 h. alt. 196.
Paris 203 – Alençon 11,5 – Argentan 40 – Domfront 49 – Falaise 63 – Flers 59 – Mayenne 49.

La Faïencerie, 33 27 30 16, parc – P. GB
Pâques-fin oct. – **R** (dîner seul) 95 – 35 – **18 ch** 180/350 – ½ P 350.

RENAULT Gar. Poirier 33 27 30 32

ST-DIDIER-DE-LA-TOUR **38** Isère 74 ⑭ – rattaché à La Tour-du-Pin.

ST-DIÉ SP **88100** Vosges 62 ⑰ **G. Alsace Lorraine** – 22 635 h. alt. 343.
Voir Cathédrale★ B – Cloître gothique★ B **S.**
Office de Tourisme 31 r. Thiers 29 56 17 62.
Paris 389 ③ – Colmar 57 ① – Épinal 50 ② – Belfort 123 ① – ♦Mulhouse 99 ① – ♦Strasbourg 89 ①.

Plan page suivante

Ibis M, 5 quai Jeanne d'Arc 29 55 43 44, Télex 850165, Fax 29 55 49 15 – P – 45. GB B **a**
R 79, enf. 39 – 32 – **49 ch** 280/300 – ½ P 255.

Vosges et Commerce sans rest, 57 r. Thiers 29 56 16 21, Fax 29 55 48 71 – – 40. AE GB A **r**
24 – **30 ch** 120/290.

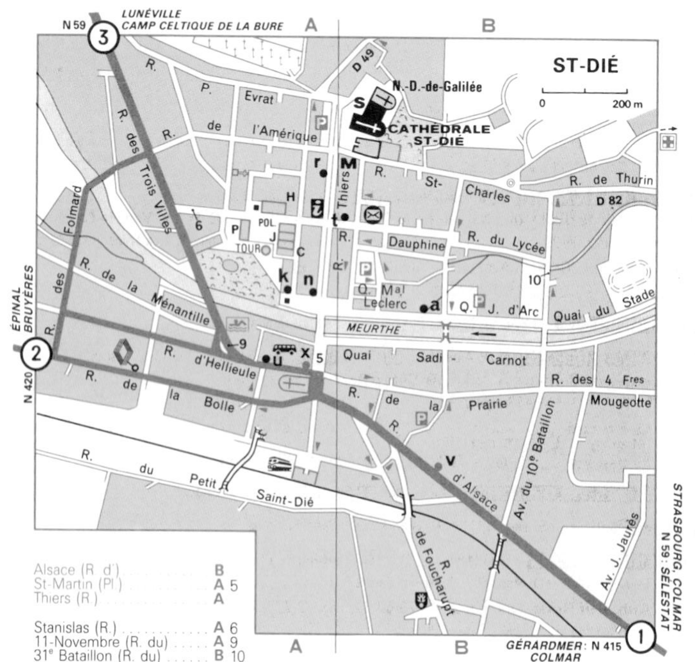

France sans rest, 1 r. Dauphine ☎ 29 56 32 61, Fax 29 55 45 48 – TV ☎ 🚗. AE ⓓ GB
☕ 25 – **11 ch** 220/250. — B **t**

Parc sans rest, 5 r. J.-J. Baligan ☎ 29 56 36 54 – TV ☎. GB
☕ 24 – **7 ch** 200/240. — A **k**

Globe sans rest, 2 quai de Lattre de Tassigny ☎ 29 56 13 40 – ☎ – 🏛 30. AE GB
fermé vacances de nov. et dim. du 1er janv. au 28 fév. – ☕ 23 – **18 ch** 100/300. — A **n**

Tétras, 4 r. Hellieule ☎ 29 56 10 12 – AE GB
fermé dim. soir et sam. – **R** 100/175. — A **x**

Voyageurs avec ch, 22 r. Hellieule ☎ 29 56 21 56 – TV ☎. GB — A **u**
R *(fermé 19 juil. au 11 août, 20 déc. au 5 janv., dim. soir et lundi)* 100/160 🍷 – ☕ 25 – **10 ch** 130/170 – ½ P 160/180.

Moderne M avec ch, 64 r. Alsace ☎ 29 56 11 71, Fax 29 56 45 06 – TV ☎ P. GB. ✻
fermé 15 au 30 juin (sauf hôtel), 20 déc. au 5 janv., vend. soir et sam. sauf juil-août – **R** 70/165 🍷 – ☕ 26 – **10 ch** 210/360 – ½ P 179/203. — B **v**

*à **Rougiville*** O : 6 km par ② – ✉ **88100** St-Dié :

Le Haut Fer 🐦, ☎ 29 55 03 48, Fax 29 55 23 40, ←, 🏊, 🎾 – TV ☎ P – 🏛 60. AE GB
fermé 1er au 28 janv., dim. soir et lundi hors sais. – **R** 60/180 🍷 – ☕ 25 – **16 ch** 240/270 – ½ P 203/208.

FORD Gar. Thouzet, rte de Raon ☎ 29 56 23 30
PEUGEOT-TALBOT Gar. Autos Vincent, 134 r. d'Alsace par ① ☎ 29 56 68 37 N ☎ 29 56 33 91
RENAULT Éts Husson, 52 r. Bolle ☎ 29 56 28 57 N ☎ 29 56 60 70

Ⓜ Pneu Villaume, RN 59 rte de Raon ☎ 29 56 14 18
Pneus et Services D.K., 126 r. d'Alsace ☎ 29 56 11 34

ST-DISDIER 05250 H.-Alpes 77 ⑮ G. Alpes du Nord – 157 h. alt. 1028.

Voir Défilé de la Souloise★ N.

Paris 642 – Gap 44 – ♦Grenoble 73 – La Mure 34.

Aub. La Neyrette 🐦, ☎ 92 58 81 17, ←, 🏠, 🌳 – ☎ P. AE ⓓ GB
fermé 1er oct. au 15 déc. – **R** 90/170 – ☕ 25 – **10 ch** 210/250 – ½ P 230.

ST-DIZIER 52100 H.-Marne 61 ⑨ **G. Champagne** – 33 552 h. alt. 146.

Env. Lac du Der-Chantecoq** 11 km au SO par D 384.

de Combles-en-Barrois ☎ 29 45 16 03, par ① : 23 km.

Office de Tourisme Pavillon du Jard ☎ 25 05 31 84.

Paris 207 ⑤ – Bar-le-Duc 24 ① – Chaumont 75 ③ – ◆Nancy 100 ② – Troyes 85 ④ – Vitry-le-F. 29 ⑤.

ST-DIZIER

Gambetta (R.) .... B 8
Liberté (Pl. de la) .... B 12
République (Av. de la) ... A

Alsace-Lorraine (Av. d') .. B 3
Anatole-France (R.) ...... B 4
Briand (Pl. A.) .... A 6
Gaulle (Pl. du Gén. de) .. B 9
Giros (R. E.) .... B 10

Pasteur (Av.) .... B 13
République (Pl. de la) ... A 14
Tanneurs (R. des) .... B 15
Vergy (Pont de) .... A 16
Victor-Hugo (Av.) .... B 18

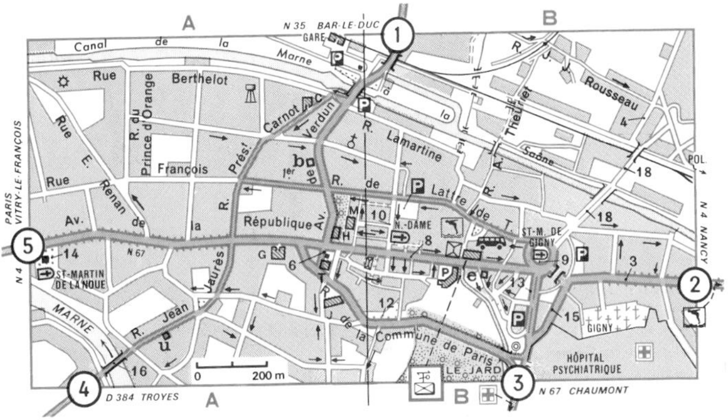

Soleil d'Or Ⓜ, rte Bar-le-Duc par ① : 2 km ☎ 25 05 68 22, Télex 840946, Fax 25 56 37 77, – ▯ ▭ ☎ ♿ Ⓟ – 🏛 100. AE ⓞ GB
R *(fermé sam. midi et dim. soir)* 79/129 🍷 – ▭ 36 – **64 ch** 294/466 – ½ P 215.

Gambetta Ⓜ, 62 r. Gambetta ☎ 25 56 52 10, Télex 842365, Fax 25 56 39 47 – ▯ ▤ rest ▭ ☎ ♿ 🚗 Ⓟ – 🏛 250. AE ⓞ GB — B **e**
– **R** *(fermé dim. soir et fériés le soir du 15 sept. au 15 juin)* 65/125 🍷, enf. 50 – ▭ 30 – **63 ch** 220/360 – ½ P 220/270.

Picardy sans rest, 15 av. Verdun ☎ 25 05 09 12, – ▭ ☎ Ⓟ. GB — A **b**
▭ 22 – **12 ch** 110/185.

La Gentilhommière, 29 r. J. Jaurès ☎ 25 56 32 97 – ⓞ GB. — A **u**
fermé 5 au 20 août, sam. midi, dim. soir et lundi soir – **R** 98/265.

à Perthes par ⑤ : 10 km – ✉ 52100 :

La Cigogne Gourmande avec ch, ☎ 25 56 40 29 – ▤ rest ▭. AE GB
fermé juil. – **R** (nombre de couverts limité - prévenir) 80/290, enf. 60 – ▭ 30 – **6 ch** 185/280.

ALFA ROMEO Champagne Autom., 28 r. Vergy ☎ 25 05 39 37
AUTOBIANCHI, LANCIA Gar. Stabile, 776 bis av. République ☎ 25 05 40 22
CITROEN Gar. Fontaine, 34 av. R.-Salengro par ⑤ ☎ 25 05 20 68
FORD Dynamic-Motors, rte de Bar-le-Duc ☎ 25 56 03 98
OPEL Gar. Masson, 92 bis r. E.-Renan ☎ 25 56 19 81
PEUGEOT-TALBOT C.A.B., 6 av. Parchim ☎ 25 56 19 72 N ☎ 80 61 52 71

RENAULT Fogel, 20 av. des États-Unis par ② ☎ 25 56 19 79 N ☎ 25 94 91 82
V.A.G Auto Hall 52, 2 bis rte de Bar-le-Duc ☎ 25 05 09 90

Barrois-Pneus, rte de Bar-le-Duc, Bettancourt-la-Ferrée ☎ 25 05 19 16
Saunier-St-Dizier-Pneu, 111 r. E.-Renan ☎ 25 05 23 54

ST-DONAT-SUR-L'HERBASSE 26260 Drôme 77 ② **G. Vallée du Rhône** – 2 658 h. alt. 210.

Paris 550 – Valence 31 – ◆Grenoble 86 – Hauterives 19 – Romans-sur-Isère 13 – Tournon-sur-Rhône 16.

Chartron Ⓜ avec ch, ☎ 75 45 11 82, – ▭ ☎ Ⓟ. AE ⓞ GB
fermé 17 août au 5 sept., 4 au 16 janv., lundi soir (sauf juil.-août) et mardi – **R** 98/390 – ▭ 40 – **7 ch** 250/320 – ½ P 280.

ST-DOULCHARD 18 Cher 69 ① – rattaché à Bourges.

ST-DYÉ-SUR-LOIRE 41500 L.-et-Ch. 64 ⑦ ⑧ **G. Châteaux de la Loire** – 895 h. alt. 75.

Paris 172 – ◆Orléans 49 – Beaugency 21 – Blois 16 – Romorantin-Lanthenay 43.

Manoir Bel Air , ☎ 54 81 60 10, Fax 54 81 65 34, ≤, , parc – ☎ 🚗 Ⓟ – 🏛 25 à 40. GB. rest
fermé 15 janv. au 20 fév. – **R** 120/200, enf. 48 – ▭ 30 – **40 ch** 220/680 – ½ P 320/340.

SAINTE voir après la nomenclature des Saints.

ST-ELOY-LES-MINES **63700** P.-de-D. 73 ③ – 4 721 h. alt. 500.

Paris 363 – ◆ Clermont-Ferrand 59 – Guéret 84 – Montluçon 29 – Moulins 70 – Vichy 57.

Le St-Joseph M, r. J. Jaurès ☎ 73 85 21 50, Fax 73 85 47 73 – TV ☎ & P – 25. AE GB
R 60/180 ♨, enf. 40 – ☕ 25 – **30 ch** 180/220 – ½ P 180/210.

CITROEN Gar. Mercier, 1 r. J.-Jaurès ☎ 73 85 03 68
PEUGEOT-TALBOT Gar. Heurtault et Wroblewski, rte des Nigonnes ☎ 73 85 03 92
PEUGEOT-TALBOT Gar. St-Christophe, 112 r. J.-Jaurès ☎ 73 85 06 60
RENAULT Gar. Gidel, RN 144 "La Boule" ☎ 73 85 06 83 N ☎ 73 85 16 16

ST-EMILION **33330** Gironde 75 ⑫ **G. Pyrénées Aquitaine** – 2 799 h. alt. 102.

Voir Site★ – Église monolithe★ – Cloître des Cordeliers★ – ≤★ de la tour du château du Roi.

Office de Tourisme pl. Créneaux ☎ 57 24 72 03.

Paris 545 – ◆ Bordeaux 37 – Bergerac 57 – Langon 48 – Libourne 8 – Marmande 60.

✿ **Host. Plaisance** (Quilain) M, pl. Clocher ☎ 57 24 72 32, Télex 573032, Fax 57 74 41 11, ≤, – ▤ ☎. AE ⓓ GB
fermé janv. – **R** 132/272 – ☕ 47 – **10 ch** 470/755
Spéc. Salade de foie gras de canard aux artichauts, Mignon de bœuf bordelaise, Voiture de desserts.

Logis des Remparts sans rest, r. Guadet ☎ 57 24 70 43, Fax 57 74 47 44, – TV ☎ P. GB. ✂
fermé 21 déc. au 31 janv. – ☕ 45 – **15 ch** 290/550.

Palais Cardinal, pl. 11 Novembre 1918 ☎ 57 24 72 39, , – TV ☎ . GB JCB. ✂ ch
1er avril-31 déc. – **R** *(fermé merc.)* 98/175 – ☕ 39 – **17 ch** 295/350.

Aub. de la Commanderie sans rest (ouverture en juin), r. Cordeliers ☎ 57 24 70 19 – ☎. GB. ✂
fermé déc. à mars – ☕ 30 – **15 ch** 180/290.

XX **Francis Goullée,** r. Guadet ☎ 57 24 70 49, Fax 57 74 47 96 – GB
fermé 1er au 20 août, dim. soir et lundi – **R** 110/200 ♨.

XX **Le Tertre,** r. Tertre de la Tente ☎ 57 74 46 33 – GB
fermé 15 nov. au 4 janv., dim. soir et merc. du 4 janv. au 1er juin – **R** 120/280.

X **Clos du Roy,** 12 r. Petite Fontaine ☎ 57 74 41 55 – GB
fermé 2 au 19 mars, dim. soir et merc. – **R** 100/260.

O : 5 km sur D 670 – ✉ **33330** St-Emilion :

Otelinn M, ☎ 57 51 52 05, Fax 57 51 66 37, , , , – TV ☎ & P – 30. AE ⓓ GB
R 85/250, enf. 45 – ☕ 32 – **50 ch** 260 – ½ P 240/360.

RENAULT Vallade ☎ 57 24 72 68

ST-ESTEBEN **64640** Pyr.-Atl. 85 ③ **G. Pyrénées Aquitaine** – 391 h. alt. 139.

Paris 789 – Biarritz 39 – ◆Bayonne 33 – Orthez 53 – Pau 93 – St-Jean-Pied-de-Port 28.

XX **Chez Onésime,** ☎ 59 29 65 51, « Cadre rustique », – P. GB. ✂
fermé 15 nov. au 15 déc. et merc. – **R** 130/230.

ST-ÉTIENNE P **42000** Loire 73 ⑲ 76 ⑨ **G. Vallée du Rhône** – 199 396 h. alt. 517.

Voir Musée d'Art moderne★★ T **M** – Musée d'Art et d'Industrie : Armes★ Z **M.**

Env. Guizay ≤★★ S : 10 km V.

✈ de St-Étienne-Bouthéon : Air Inter ☎ 77 36 56 10, par ⑤ : 15 km.

Office de Tourisme pl. Roannelle ☎ 77 25 12 14 – A.C. du Forez 9 r. Gén. Foy ☎ 77 32 55 99.

Paris 520 ① – ◆Clermont-Ferrand 147 ④ – ◆Grenoble 149 ① – ◆Lyon 60 ① – Valence 118 ②.

Plan page suivante

Altéa Parc de l'Europe M, r. Wuppertal SE du plan, par cours Fauriel ✉ 42100 ☎ 77 25 22 75, Télex 300050, Fax 77 41 14 81, – ▤ rest TV ☎ P – 50 à 200. AE ⓓ GB U **a**
La Ribandière *(fermé 24 déc. au 3 janv., sam. midi et dim.)* **R** 170/280, enf. 70 – ☕ 52 – **120 ch** 420/600.

Albatros M, face au golf ☎ 77 41 41 00, Fax 77 38 28 16, ≤, , – TV ☎ & P – 25 à 50. AE GB
R 95/260 – ☕ 48 – **44 ch** 390/480, 3 appart. 650.

Midi sans rest, 19 bd Pasteur ✉ 42100 ☎ 77 57 32 55, Télex 300012, Fax 77 59 11 43 – TV ☎ . AE ⓓ GB V **e**
fermé août – ☕ 33 – **33 ch** 260/345.

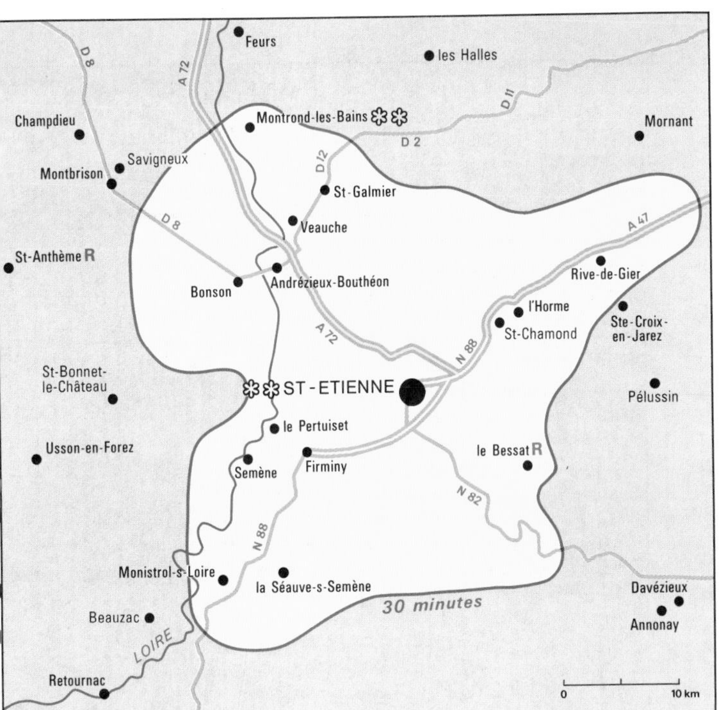

Terminus du Forez, 31 av. Denfert-Rochereau ✆ 77 32 48 47, Télex 307191, Fax 77 34 03 30 – |♦| ⋡ ch ▤ rest TV ☎ P – 🚶 60. AE ⓓ GB — Y h
R 75/160, enf. 55 – ☕ 44 – **66 ch** 245/365.

Astoria ⛰ sans rest, r. H. Déchaud SE du plan par cours Fauriel ✉ 42100 ✆ 77 25 09 56, Télex 307237, Fax 77 25 58 28 – |♦| ⋡ TV ☎ P – 🚶 30. AE ⓓ GB JCB — U d
☕ 30 – **33 ch** 270/320.

Primevère M, 77 r. Montat ✆ 77 21 12 21, Télex 651530, Fax 77 41 57 28 – |♦| TV ☎ ♿ 🚗 – 🚶 80. GB — U s
R 55/95 ♁, enf. 39 – ☕ 30 – **71 ch** 235/255 – ½ P 192/202.

Urbis M sans rest, 35 av. Denfert-Rochereau ✆ 77 37 90 90, Fax 77 38 47 65 – |♦| ▤ TV ☎ ♿ 🚗. AE GB JCB — Y a
☕ 32 – **88 ch** 275/300.

Ibis M, 35 pl. Massenet, NO du plan par bd Thiers ou A 72 ✆ 77 93 31 87, Télex 307340, Fax 77 93 71 29 – |♦| TV ☎ ♿ 🚗 P – 🚶 120. AE GB JCB — T u
R 79/95, enf. 39 – ☕ 32 – **85 ch** 275/310.

Carnot sans rest, 11 bd J. Janin ✆ 77 74 27 16, Fax 77 74 25 79 – |♦| TV ☎ P. GB — X e
☕ 29 – **24 ch** 165/270.

Cheval Noir sans rest, 11 r. F. Gillet ✆ 77 33 41 72, Fax 77 37 79 19 – |♦| TV ☎. AE ⓓ GB — Y k
fermé août – ☕ 26 – **45 ch** 150/300.

XXX ✿✿ **Pierre Gagnaire,** 3 r. G. Teissier (transfert prévu en mai : 7 r. Richelandière) ✆ 77 37 57 93, Fax 77 32 70 58 – ⋡. AE ⓓ GB — Y e
fermé 9 au 20 août, 2 au 10 janv., lundi midi et dim. – **R** 270 (déj.)/595 et carte, enf. 90
Spéc. Attereaux de crêtes de coq et tourte de volaille aux noix. Pomme Macaire et boudin noir. Soupe soufflée au chocolat et parfait à la pistache. **Vins** Condrieu, Côtes du Forez.

XXX **Clos des Lilas,** 28 r. Virgile SE du plan par cours Fauriel ✉ 42100 ✆ 77 25 28 13, Fax 77 41 58 91, ☂ – GB — V p
fermé août, vacances de fév., dim. soir, mardi soir et lundi – **R** 175/370, enf. 60.

XXX **Le Chantecler,** 5 cours Fauriel ✉ 42100 ✆ 77 25 48 55, Fax 77 37 62 75 – AE ⓓ GB — Z q
fermé sam. (sauf le soir d'oct. à avril) et dim. en été – **R** 135/185.

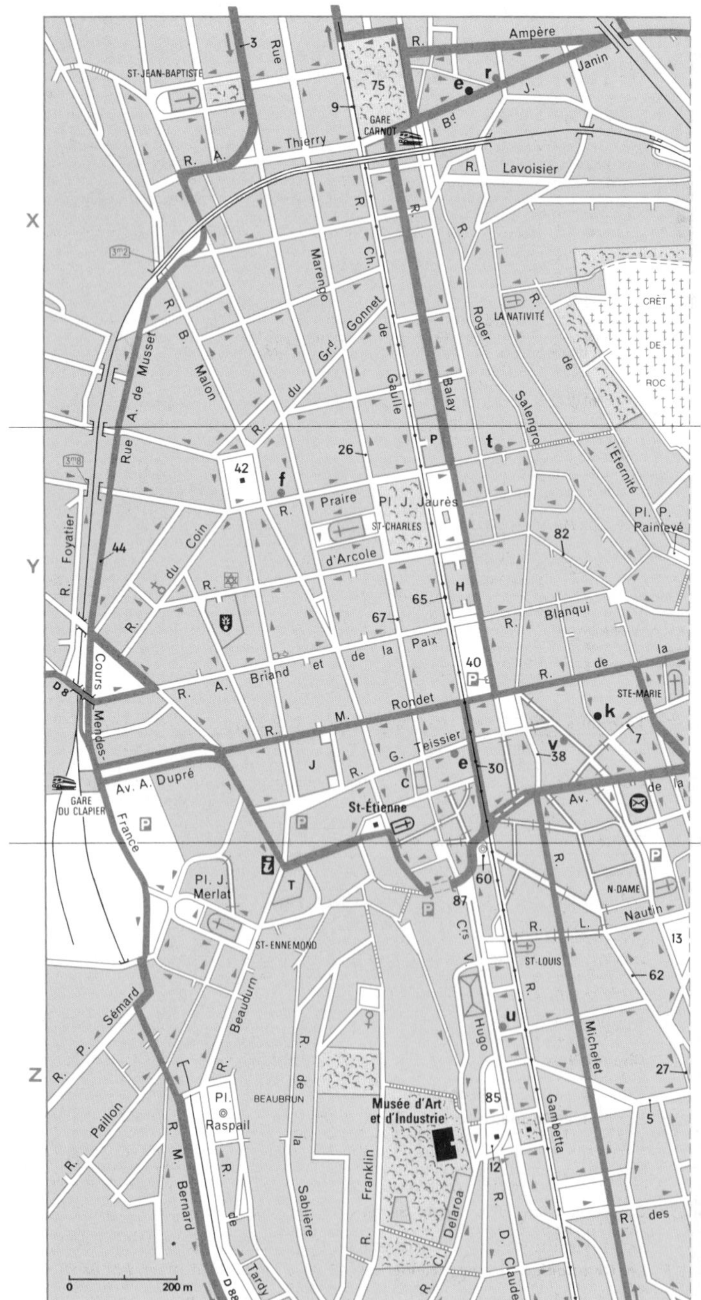

Ampère
Janin
J.
Bd
R.
Rue
3
ST-JEAN-BAPTISTE
75
9
GARE CARNOT
Thierry
R. A.
R. Lavoisier
X
R. Ch.
R.
R.
Marengo
Gonnet
R. du Grd.
de Gaulle
Balay
Roger
Salengro
R. de l'Éternité
LA NATIVITÉ
CRÊT DE ROC
Rue A. de Musset
R. B. Malon
42
f
26
P
t
R. Praire
Pl. J. Jaurès
ST-CHARLES
d'Arcole
Pl. P. Painlevé
82
Y
R. Foyatier
44
R. du Coin
R.
R.
H
65
67
R. Blanqui
R. A. Briand et de la Paix
40
R. de la
STE-MARIE
k
7
Cours Mendes-France
D 8
R. A.
R. M. Rondet
R. G. Teissier
v
38
e
30
J
R.
C
Av. A. Dupré
GARE DU CLAPIER
St-Étienne
Av. de la
R.
N-DAME
Nautin
R. L.
13
Pl. J. Merlat
T
60
87
Crs V. Hugo
ST-ENNEMOND
ST-LOUIS
R.
62
u
R. P. Sémard
R. Beaubrun
R. de la Sablière
Michelet
Gambetta
Z
R. Paillon
Pl. Raspail
BEAUBRUN
R. Franklin
Musée d'Art et d'Industrie
85
12
27
5
R. M. Bernard
R. de Tardy
Cl. Delaroa
R. D. Claude
R. des
D 88
0
200 m

ST-ÉTIENNE

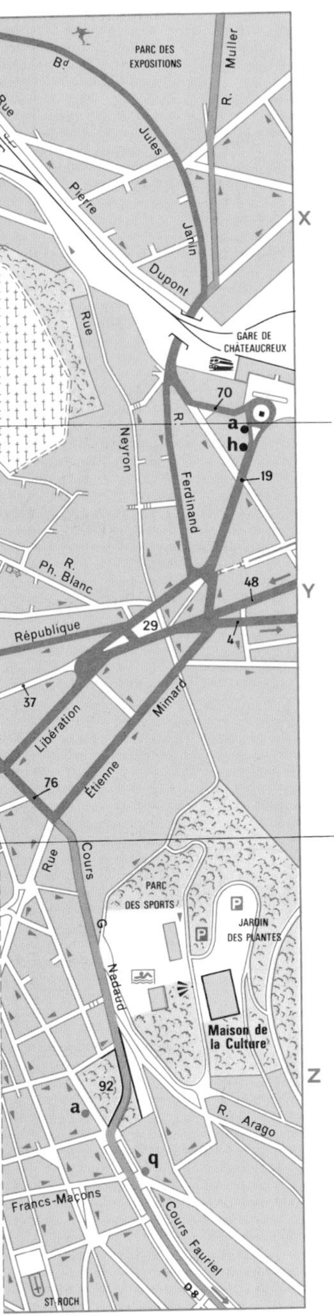

Street	Square	No.
Bérard (R. P.)	Y	7
Foy (R. Gén.)	Y	30
Gambetta (R.)	Z	
Gaulle (R. Ch.-de)	X	
Gervais (R. E.)	Y	37
Grand-Moulin (R. du)	Y	38
Hôtel-de-Ville (Pl. de l')	Y	40
Libération (Av. de la)	Y	
Michelet (R.)	Z	
Peuple (Pl. du)	Z	60
Président-Wilson (R.)	Y	65
République (R. de la)	Y	
Résistance (R. de la)	Y	67

Street	Square	No.
Albert-1er (Bd)	X	3
Alliés (R. des)	Y	4
Ampère (R.)	X	
Arago (R.)	Z	
Arcole (R. d')	Y	
Badouillère (R. de la)	Z	5
Balay (R.)	X	
Beaubrun (R.)	Z	
Bergson (R.)	X	9
Bernard (R. M.)	Z	
Blanc (R. Ph.)	Y	
Blanqui (R.)	Y	
Bouchard (Crs J.)	Z	12
Briand et de la Paix (R. A.)	Y	
Chavanelle (Pl.)	Z	
Claude (R. D.)	Z	
Coin (R. du)	Y	
Delaroa (R. Cl.)	Z	
Denfert-Rochereau (Av.)	Y	19
Dormoy (R. M.)	Y	26
Dupont (R. P.)	X	
Dupré (Av. A.)	Y	
Éternité (R. de l')	XY	
Fauriel (Cours)	Z	
Ferdinand (R.)	XY	
Fougerolle (R.)	Z	27
Fourneyron (Pl.)	Y	29
Foyatier (R.)	Y	
Francs-Maçons (R. des)	Z	
Franklin (R.)	Z	
Grand-Gonnet (R. du)	XY	
Jacquard (Pl.)	Y	42
Janin (Bd J.)	X	
Jaurès (Pl. J.)	Y	
Krumnow (Bd F.)	Y	44
Lavoisier (R.)	X	
Malon (R. B.)	X	
Marengo (R.)	X	
Mendès-France (Crs)	YZ	
Merlat (Pl. J.)	Z	
Mimard (R. E.)	YZ	
Montat (R. de la)	Y	48
Muller (R.)	X	
Musset (Bd A.-de)	XY	
Nadaud (Crs G.)	Z	
Nautin (R. L.)	Z	
Neyron (R.)	XY	
Paillon (R.)	Z	
Painlevé (Pl. P.)	Y	
Pointe-Cadet (R.)	Z	62
Praire (R.)	Y	
Raspail (Pl.)	Z	
Rivière (R. du Sergent)	X	70
Rondet (R. M.)	Y	
Sablière (R. de la)	Z	
Sadi-Carnot (Pl.)	X	75
Salengro (R. R.)	XY	
Sauzéa (R. H.)	Y	76
Sernard (R. P.)	Z	
Servet (R. M.)	Y	82
Tardy (R. de)	Z	
Teissier (R.)	Y	
Thierry (R. A.)	X	
Thomas (Pl. A.)	Z	85
Ursules (Pl. des)	Z	87
Victor-Hugo (Crs)	Z	
Villebœuf (Pl.)	Z	92

Les cartes Michelin sont constamment tenues à jour.

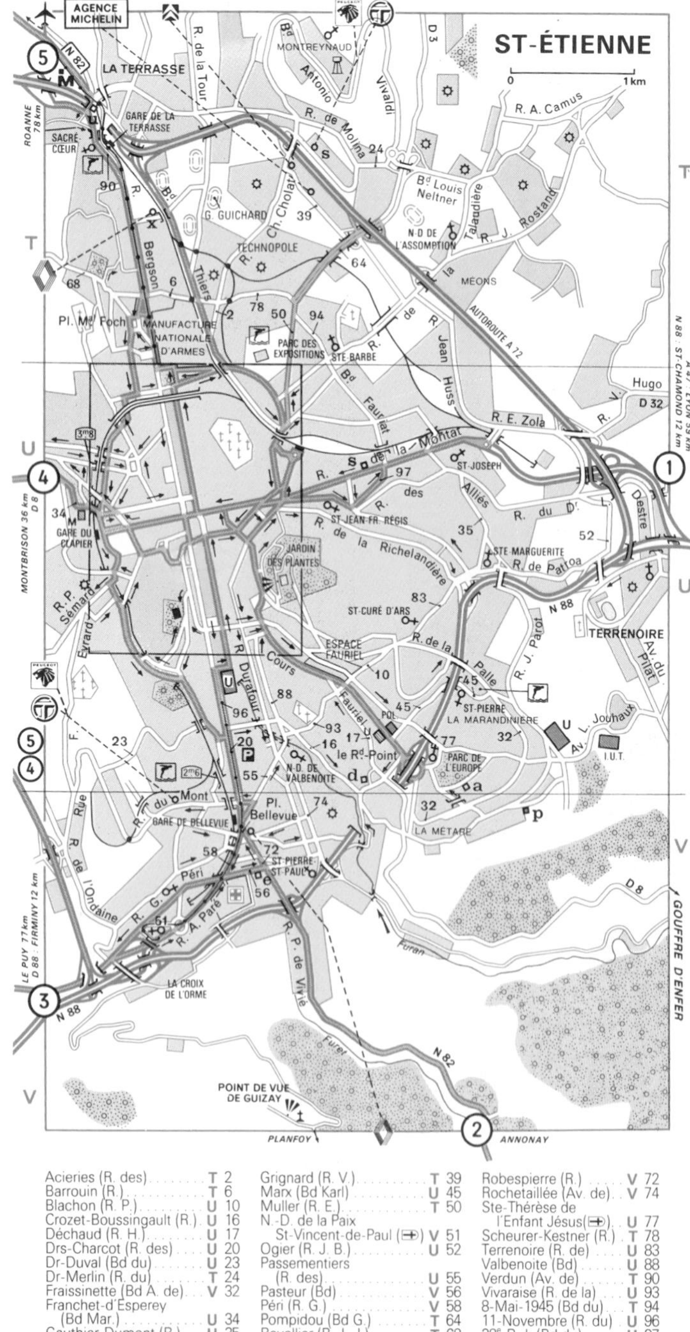
ST-ÉTIENNE
0
1 km
AGENCE MICHELIN
LA TERRASSE
GARE DE LA TERRASSE
SACRÉ-CŒUR
ROANNE 78 km
N 82
MONTREYNAUD
Bd Antonio Vivaldi
R. de la Tour
R. de Molina
R. A. Camus
Bd Louis Neltner
Taladière
R. J. Rostand
N-D DE L'ASSOMPTION
G. GUICHARD
TECHNOPOLE
R. Ch. Cholat
Bd Thiers
R. Bergson
Pl. Mal Foch
MANUFACTURE NATIONALE D'ARMES
PARC DES EXPOSITIONS
STE-BARBE
MÉONS
AUTOROUTE A 72
R. de la R. Jean Huss
Bd Fauriat
R. E. Zola
Hugo
D 32
A 47 : LYON 59 km
N 88 : ST-CHAMOND 12 km
ST-JOSEPH
R. de la Montat
R. des Alliés
R. du Dr L. Destre
ST-JEAN-FR. RÉGIS
R. de la Richelandière
STE-MARGUERITE
R. de Pattoa
JARDIN DES PLANTES
MONTBRISON 36 km
D 8
GARE DU CLAPIER
R. P. Sémard
Évrard
ST-CURÉ D'ARS
N 88
TERRENOIRE
Av. du Pilat
ESPACE FAURIEL
R. de la Palle
R. J. Parot
Cours Fauriel
R. Dürafour
ST-PIERRE LA MARANDINIÈRE
Av. L. Jouhaux
I.U.T.
POL.
le Rd-Point
N.-D. DE VALBENOITE
PARC DE L'EUROPE
R. du Mont
GARE DE BELLEVUE
Pl. Bellevue
LA MÉTARE
Rue R. de l'Ondaine
R. G. Péri
ST-PIERRE ST-PAUL
R. A. Paré
R. P. de Vivié
D 8
Furan
GOUFFRE D'ENFER
LE PUY 77 km
D 88 : FIRMINY 12 km
LA CROIX DE L'ORME
Furet
N 82
POINT DE VUE DE GUIZAY
PLANFOY
ANNONAY

XX **André Barcet,** 19 bis cours V. Hugo ☎ 77 32 43 63 – ▤. AE ⓓ GB — Z u
fermé merc. – **R** 160/310.

XX **Le Bouchon,** 7 r. Robert ☎ 77 32 93 32 – ▤. AE ⓓ GB. ✂ — Y t
fermé 12 juil. au 4 août, 20 au 27 déc., dim. sauf le midi d'oct. à Pâques et sam. midi – **R** 120/340.

XX **Evohé,** 10 PL. Villeboeuf ☎ 77 32 70 22, Fax 77 93 20 65 – AE GB — Z a
fermé 27 juil. au 23 août et dim. sauf fêtes – **R** 150/190.

XX **Praire,** 14 r. Praire ☎ 77 37 85 74, Fax 77 25 17 10, produits de la mer – AE GB — Y f
fermé 1er au 18 mai, 8 au 24 août, dim. (sauf le midi du 1er oct. au 30 avril), sam. midi et lundi midi – **R** carte 200 à 370.

XX **Le Régency,** 17 bd J. Janin ☎ 77 74 27 06 – GB — X r
fermé août, sam. et dim. – **R** 140/255.

X **Le Gratin,** 30 r. St-Jean ☎ 77 32 32 60 – AE ⓓ GB — Y v
fermé 15 juil. au 8 août, sam. midi, dim. soir et lundi – **R** 110/185 ₰.

MICHELIN, Agence Régionale, ZI de Montreynaud, 9 r. V.-Grignard T ☎ **77 74 22 88**

ALFA-ROMEO Gar. de la Rue Balay, 40 r. Balay ☎ 77 32 62 89
CITROEN Citroën, 1 r. V.-Grignard T ☎ 77 74 91 77 N ☎ 77 37 22 64
FIAT Autorama 42, ZI de Montreynaud, r. J.-Neyret ☎ 77 79 08 45
FORD E.D.A., ZI de Montreynaud, 17-19 r. G.-Delory ☎ 77 74 42 44
LADA, SKODA Biosca, 25 r. D.-Claude ☎ 77 32 91 95
MERCEDES-BENZ SALTA, 82 r. Marengo ☎ 77 74 57 77
OPEL St-Étienne Autom., 50 rue D.-Claude ☎ 77 32 50 25
PEUGEOT-TALBOT Boniface, ZI de Montreynaud, 13-15 r. G.-Delory T **s** ☎ 77 74 74 66 N ☎ 77 88 34 94
PEUGEOT-TALBOT Boniface, 24 à 28 r. Mont V ☎ 77 57 17 37 N ☎ 77 88 34 94
RENAULT Succursale, 5 r. C.-Oddé T **x** ☎ 77 43 49 49 N
RENAULT Bellevue-Autom.-Granet, 1 r. Thimonier V ☎ 77 57 28 28
V.A.G Gar. Rocle, rte de l'Étrat à St-Priest-en-Jarez ☎ 77 74 26 44
V.A.G Gar. Rocle, 80 r. Dr-Charcot ☎ 77 59 11 00
V.A.G Gar. Rocle, 6 r. E.-Mimard ☎ 77 25 40 28
Gar. de Fourneyron, 10 pl. Fourneyron ☎ 77 32 56 02

Ⓜ Briday-Pneus, 36 r. Montat ☎ 77 33 06 20
Fournier Automobile, 2 r. de la Michalière ☎ 77 57 25 13
Métifiot, ZI de Montreynaud, 12 r. V.-Grignard ☎ 77 79 06 03
Pastourel, 2 r. J.-Snella ☎ 77 74 42 66
Piot-Pneu, 22 r. J.-Neyret ☎ 77 33 06 81

Repas 100/130 Repas soignés à prix modérés.

ST-ÉTIENNE-DE-BAÏGORRY

64430 Pyr.-Atl. 85 ③ **G. Pyrénées Aquitaine** – 1 565 h. alt. 162.

Voir Église St-Etienne★.

ℹ Syndicat d'Initiative pl. Église ☎ 59 37 47 28.

Paris 820 – Biarritz 53 – Cambo-les-Bains 31 – Pau 114 – St-Jean-Pied-de-Port 11.

Arcé ⑤, ☎ 59 37 40 14, Fax 59 37 40 27, ≤, 帚, « Terrasse au bord de l'eau », 🏊, 🌳, 🎾 – TV ☎ ℗. GB
mi-mars-mi-nov. – **R** 100/220, enf. 70 – ☕ 45 – **20 ch** 475/630, 7 appart. 630/950 – ½ P 350/500.

Cortéa, E : 1,5 km sur D 15 ☎ 59 37 41 89, ≤, 帚, 🌳 – ☎ ℗. ⓓ GB. ✂ ch
fermé 15 nov. au 28 mars – **R** 125/225, enf. 75 – ☕ 38 – **20 ch** 280/400 – ½ P 320/400.

ST-ÉTIENNE-DE-FURSAC

23 Creuse 72 ⑧ – rattaché à La Souterraine.

ST-ÉTIENNE-LES-ORGUES

04230 Alpes-de-H.-P. 81 ⑮ **G. Alpes du Sud** – 1 091 h. alt. 697.

ℹ Syndicat d'Initiative à la Mairie ☎ 92 76 02 57.

Paris 736 – Digne 46 – Forcalquier 17 – Sault 47 – Sisteron 30.

St Clair ⑤, S : 2 km par D 13 ☎ 92 73 07 09, ≤, 帚, 🏊, 🌳 – ⇆ rest ▤ rest ☎ ℗. GB. ✂ ch
fermé 20 nov. au 3 fév. – **R** 95/140, enf. 60 – ☕ 35 – **27 ch** 199/371 – ½ P 207/296.

ST-FARGEAU

89170 Yonne 65 ③ **G. Bourgogne** – 1 884 h. alt. 193.

Voir Château★.

Paris 173 – Auxerre 44 – Cosne-sur-Loire 32 – Gien 41 – Montargis 53.

Relais du Château, promenade Grillon ☎ 86 74 01 75, Fax 86 74 09 73 – TV ☎ ♿ – 🏛 40. AE GB
fermé 15 janv. au 15 fév. – **R** 78/280 bc ₰, enf. 60 – ☕ 30 – **24 ch** 210/250 – ½ P 220.

FORD Ciechelski, 7 av. Grande-Demoiselle ☎ 86 74 01 39 N
PEUGEOT-TALBOT Chambrillon, promenade du Grillon ☎ 86 74 08 20 N

ST-FÉLIX

74540 H.-Savoie 74 ⑮ **G. Alpes du Nord** – 1 356 h. alt. 368.

Paris 542 – Annecy 18 – Aix-les-Bains 14 – Rumilly 9.

Relais des Deux Savoies, ☎ 50 60 90 02, 帚, 🏊, 🌳 – ▤ rest ☎ ℗ – 🏛 50. AE ⓓ GB
fermé 10 janv. à début fév. et merc. – **R** 160/320, enf. 80 – ☕ 45 – **20 ch** 250/650.

ST-FÉLIX-LAURAGAIS 31540 H.-Gar. 82 ⑲ **G. Pyrénées Roussillon** – 1 177 h. alt. 327.

Voir Site*.

Paris 740 – ♦Toulouse 42 – Auterive 45 – Carcassonne 57 – Castres 36 – Gaillac 61.

Aub. du Poids Public, ☎ 61 83 00 20, Fax 61 83 86 21, ≤, – TV ☎ – 25. AE GB
fermé janv. et dim. soir d'oct. à avril – **Repas** 120/300, enf. 85 – ☐ 38 – **13 ch** 240/290 – ½ P 260/285.

ST-FERRÉOL 31 H.-Gar. 82 ⑳ – rattaché à Revel.

ST-FIRMIN 05800 H.-Alpes 77 ⑯ **G. Alpes du Nord** – 408 h. alt. 900.

Paris 645 – Gap 31 – Corps 11 – ♦Grenoble 75 – La Mure 36 – St-Bonnet-en-Champsaur 18.

Alpes, ☎ 92 55 20 02, ≤, – ☎. AE GB JCB
R 65/160 , enf. 55 – ☐ 25 – **26 ch** 200/300 – ½ P 180/200.

au Séchier E : 4 km – alt. 900 – ✉ **05800** St-Firmin :

Loubet , ☎ 92 55 21 12, ≤, –
15 juin-30 sept. – **R** 47/175 – ☐ 21 – **23 ch** 135/243 – ½ P 165/236.

ST-FLORENTIN 89600 Yonne 61 ⑮ **G. Bourgogne** – 6 433 h. alt. 105.

Voir Vitraux* de l'église **E.**

Office de Tourisme 10 r. Terrasse ☎ 86 35 11 86.

Paris 162 ④ – Auxerre 33 ③ – Troyes 51 ① – Chaumont 137 ② – ♦Dijon 162 ② – Sens 42 ④.

ST-FLORENTIN

Grande-Rue 5
St-Martin (R.) 15

Avant (R. du Fg-d') 2
Dilo (Pl.) 3
Dilo (R. du Fg) 4
Guimbarde (R. de la) 6
Halle (Pl. de la) 7
Landrecies (Fg) 9
Leclerc (R. Gén.) 10
Montarmance (R.) 12
Pont (R. du) 13
Rempart (R. Basse-du) 14
St-Martin (R. du Fg) 17

Une réservation confirmée par écrit est toujours plus sûre.

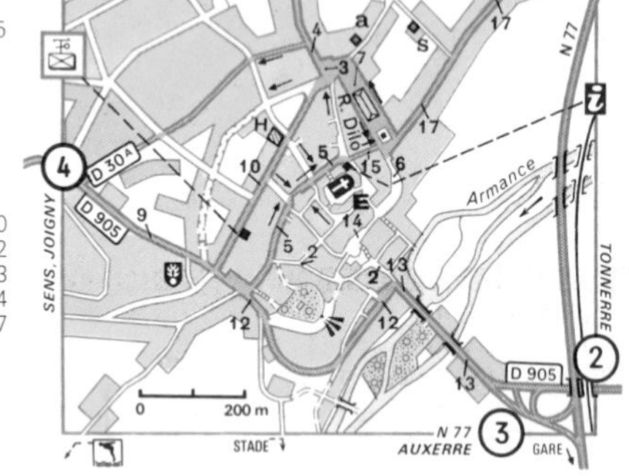

Tilleuls , 3 r. Decourtive **(s)** ☎ 86 35 09 09, – TV ☎ . GB. rest
fermé vacances de fév., dim. soir et lundi – **R** 110/210 – ☐ 35 – **10 ch** 220/300.

XXX ✿ **Grande Chaumière** (Bonvalot) M avec ch, 3 r. Capucins **(a)** ☎ 86 35 15 12, Fax 86 35 33 14, , « Jardin fleuri » – TV ☎ . AE GB. ch
fermé 1er au 8 sept., 20 déc. au 17 janv. et merc. hors sais. – **R** 190/450 – ☐ 45 – **10 ch** 300/550 – ½ P 480/580
Spéc. Huîtres chaudes safranées aux quenelles de volaille, Suprême de turbot au Chablis, Poitrine de volaille au beurre de citron et foie gras. **Vins** Epineuil, Irancy.

à Neuvy-Sautour par ① : 7 km – ✉ **89570** :

XX **Dauphin,** ☎ 86 56 30 01 – . GB
fermé 1er au 15 janv. et lundi – **R** 70/240 , enf. 40.

CITROEN Gar. Bleu, rte de Troyes ☎ 86 35 12 52 N ☎ 86 35 32 49
OPEL-TOYOTA Gar. Moderne, M. Roy, 17 pl. Dilo ☎ 86 35 02 50
PEUGEOT-TALBOT Gar. de l'Europe, av. 8-Mai par ④ ☎ 86 35 06 05

ST-FLORENT-LE-VIEIL 49410 M.-et-L. 63 ⑲ **G. Châteaux de la Loire** – 2 511 h. alt. 16.

Voir Tombeau* dans l'église – Esplanade ≤*.

Office de Tourisme à la Mairie ☎ 41 72 62 32.

Paris 336 – Angers 42 – Ancenis 15 – Châteaubriant 67 – Château-Gontier 63 – Cholet 37 – Laval 92.

Host. de la Gabelle, ☎ 41 72 50 19, Fax 41 72 54 38, ≤ – TV ☎. AE GB JCB. rest
fermé 30 oct. au 3 nov. et 23 déc. au 3 janv. – **R** 70/250 , enf. 40 – **20 ch** ☐ 200/300 – ½ P 220/260.

PEUGEOT-TALBOT Gar. Alloyer ☎ 41 72 50 07

ST-FLOUR <SP> **15100** Cantal 76 ④ ⑭ **G. Auvergne** – 7 417 h. alt. 881.

Voir Site★★ – Cathédrale★ B – Brassard★ dans le musée de la Haute Auvergne B **H** – Plateau de la Chaumette : calvaire ⩜★ S : 3 km par D 40 puis 30 mn.

Office Municipal de Tourisme 2 pl. Armes ✆ 71 60 22 50.

Paris 517 ① – Aurillac 73 ④ – Issoire 64 ① – Millau 138 ② – Le Puy 109 ① – Rodez 115 ③.

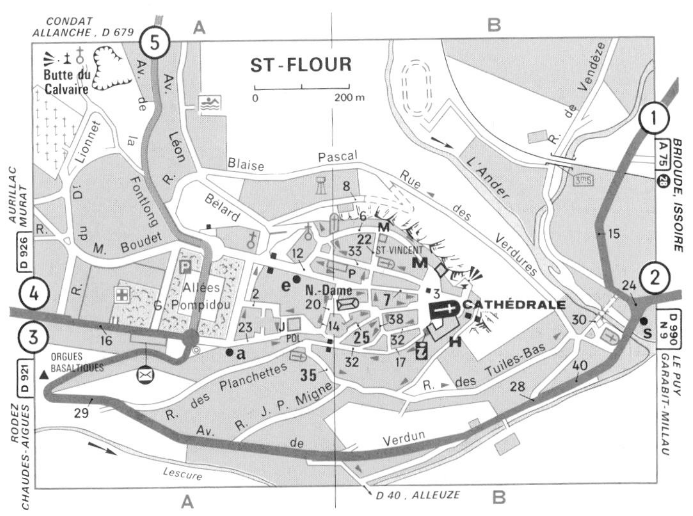

Armes (Pl. d') B 3	Cardinal Bernet (R. du) B 8	Odilon de Mercœur (Place) B 28
Breuil (R. du) B 7	Collégiale (R. de la) A 14	Orgues (Av. des) A 29
Collège (R. du) A 12	Delorme (Av. du Cdt) B 15	Pont-Vieux (R. du) B 30
Lacs (R. des) A 23	Dr Mallet (Av. du) A 16	Rollandie (R. de la) B 32
Liberté (Pl. de la) B 24	Frauze (R. de la) B 17	Sorel (R.) B 33
Marchande (R.) B 25	Halle aux Bleds (Pl. de la) AB 20	Tuiles-Haut (R. des) B 35
Agials (R. des) A 2	Jacobins (R. des) B 22	Traversière (R.) B 38
Belloy (R. de) B 6		11-Novembre (Av. du) B 40

Ville basse :

L'Étape M (Annexe 11 ch), 18 av. République par ② ✆ 71 60 13 03, Fax 71 60 48 05 – AE GB JCB
R *(fermé dim. soir et lundi hors sais. sauf fériés)* 86/250, enf. 50 – 34 – **34 ch** 295/340 – ½ P 240/250.

Les Messageries et rest. Nautilus, 23 av. Ch. de Gaulle ✆ 71 60 11 36, Fax 71 60 03 45, GB
fermé vend. du 1er nov. à Pâques – **Repas** 76/350, enf. 55 – 30 – **17 ch** 190/375 – ½ P 230/315.

St-Jacques, 6 pl. Liberté ✆ 71 60 09 20, Fax 71 60 33 81, GB B **s**
fermé 11 nov. au 5 janv., vend. de nov. à Pâques et sam. midi – **R** 80/200 – 33 – **28 ch** 220/350 – ½ P 230/270.

Nouvel H. Bonne Table, av. République par ② ✆ 71 60 05 86, Fax 71 60 41 60 – GB
12 avril-1er nov. – **R** 65/150, enf. 42 – 30 – **48 ch** 200/330 – ½ P 200/240.

Aub. La Providence, 1 r. Château d'Alleuze ✆ 71 60 12 05 – AE GB.
fermé vacances de nov., dim. soir et lundi midi du 1er oct. au 1er juin – **R** 80/180 ♨ – 28 – **10 ch** 220/250 – ½ P 240/250.

L'Eventail, 9 av. République par ② ✆ 71 60 14 07, Fax 71 60 46 39 –
4 juin-20 sept. – **R** 65/96 – 24 – **23 ch** 135/175 – ½ P 158/180.

Ville haute :

Europe, 12 cours Ternes ✆ 71 60 03 64, Fax 71 60 03 45, ⇐ vallée – GB A **a**
Repas 70/230, enf. 55 – 30 – **45 ch** 220/330 – ½ P 180/275.

Gd H. Voyageurs, 25 r. Collège ✆ 71 60 34 44, Fax 71 60 00 21 – GB A **e**
1er avril-1er nov. – **R** 85/210, enf. 50 – 28 – **31 ch** 140/310 – ½ P 180/280.

CITROEN Gar. Bardoux, 47 av. République par ② ✆ 71 60 12 39
FIAT Gar. des Orgues, av. de Verdun ✆ 71 60 34 76
FORD Saint Flour Autles, Les Rosiers, rte de Clermont ✆ 71 60 21 25
OPEL LADA Gar. Universel, 1 r. M.-Boudet ✆ 71 60 09 64

PEUGEOT-TALBOT Montplain-Autom. av. Lioran, ZI Montplain par ④ ✆ 71 60 02 43
N ✆ 71 60 18 85
RENAULT Berthet, av. République par ② ✆ 71 60 01 81
SEAT-ALFA-ROMEO Teissedre, ZI Montplain, rte d'Aurillac ✆ 71 60 20 66 N ✆ 71 60 10 35

ST-FRANÇOIS-LONGCHAMP **73130** Savoie **74** ⑰ **G. Alpes du Nord** – 236 h. alt. 1450 – Sports d'hiver : 1 415/2 525 m ⛷17.

Paris 615 – Albertville 61 – Chambéry 73 – Moûtiers 36 – St-Jean-de-Maurienne 24.

Station Haute : Longchamp – alt. 1 610 – ✉ **73130** La Chambre.

Office de Tourisme (saison) ✆ 79 59 10 56, Télex 309951.

Cheval Noir, ✆ 79 59 10 88, ≤, 🌳 – ☎ 🅟. GB. ✗ rest
28 juin-30 août et 22 déc.-19 avril – **R** 90/155, enf. 50 – ☕ 30 – **20 ch** 320/585, 7 duplex 600/780 – ½ P 275/345.

ST-GALMIER **42330** Loire **73** ⑱ **G. Vallée du Rhône** – 4 272 h. alt. 400 – Casino.

Voir Vierge du Pilier★ et triptyque★ dans l'église.

Office Municipal du Tourisme avec A.C. bd Sud ✆ 77 54 06 08.

Paris 501 – ◆St-Étienne 23 – ◆Lyon 59 – Montbrison 23 – Montrond-les-B. 10,5 – Roanne 60.

La Charpinière M ⛱, ✆ 77 54 10 20, Télex 307194, Fax 77 54 18 79, 🌳, parc, 🏋, 🏊, 🎾 – TV ☎ 🅟 – 🏛 60. AE ⓓ GB. ✗ rest
R 80/215 – ☕ 36 – **34 ch** 385/630 – ½ P 320/335.

Le Forez, 6 r. Didier Guetton ✆ 77 54 00 23, Fax 77 54 07 49 – TV ☎. GB
fermé 15 au 31 juil., 15 au 28 fév. et dim. soir – **R** 62/350, enf. 49 – ☕ 30 – **18 ch** 180/346 – ½ P 180/200.

Poste, r. Maurice André ✆ 77 54 00 30, ≤ – AE ⓓ GB
fermé 3 au 14 août, 18 janv. au 5 fév., merc. soir et jeudi – **R** (dim. prévenir) 78/250.

Voyageurs avec ch, pl. Hôtel de Ville ✆ 77 54 00 25 – 🚗. GB
fermé 1er au 25 août, 1er au 20 janv., dim. soir (sauf hôtel), vend. soir et sam. – **R** 69/165 🍷 – ☕ 25 – **11 ch** 135/215 – ½ P 200/250.

CITROEN Gar. Brosse ✆ 77 54 00 13
PEUGEOT-TALBOT Morel ✆ 77 54 00 92
RENAULT Gar. Pailleux ✆ 77 54 06 71

ST-GAUDENS <SP> **31800** H.-Gar. **86** ① **G. Pyrénées Aquitaine** – 11 266 h. alt. 405.

Voir Boulevards Jean-Bepmale et des Pyrénées ≤★ Z.

Office de Tourisme pl. Mas-St-Pierre ✆ 61 89 15 99.

Paris 785 ② – Bagnères-de-Luchon 47 ④ – Auch 74 ① – Foix 87 ② – Lourdes 83 ⑤ – Tarbes 63 ⑤ – ◆Toulouse 89 ②.

ST-GAUDENS

République (R. de la) Y 14
Thiers (R.) Y 15
Victor-Hugo (R.) Z

Boulogne (Av. de) Y 2
Foch (Av. Mar.) Z 3
Fossés (R. des) Y 4
Isle (Av. de l') Y 5
Jaurès (Pl. Jean) YZ 6
Joffre (Av. Mar.) Z 7
Leclerc (R. Gén.) Y 8
Mathe (R.) Y 9
Palais (Pl. du) Y 10
Pasteur (Bd) Y 12
Pyrénées (Bd des) Z 13
Toulouse (Av. de) Y 16

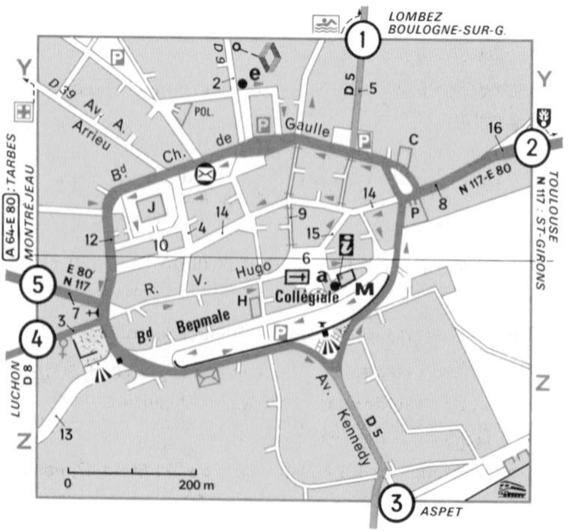

Les guides Rouges, les guides Verts et les cartes Michelin sont complémentaires. Utilisez-les ensemble.

Commerce, av. Boulogne ✆ 61 89 44 77, Fax 61 95 06 96 – 🛗 ▤ ch TV ☎ ♿. AE GB. ✗ Y e
fermé 25 déc. au 31 janv. – **R** 85/200 🍷, enf. 50 – ☕ 30 – **50 ch** 170/360 – ½ P 250/350.

Esplanade sans rest, 7 pl. Mas St-Pierre ✆ 61 89 15 90 – 🛗 ☎. GB Z a
☕ 28 – **12 ch** 160/240.

à Villeneuve-de-Rivière par ⑤ : 6 km – ✉ 31800 :

Host. des Cèdres ⑤, ☎ 61 89 36 00, Fax 61 88 31 04, parc, – ☎ Ⓟ. GB
R *(fermé déc., dim. soir et lundi midi du 15 nov. au 15 avril)* 230/410 – ☐ 55 – **24 ch** 390/670 – ½ P 395/535.

CITROEN G.A.M., av. de Toulouse par ② ☎ 61 95 13 69
FORD SORVA, rte Nat. 117 à Landorthe ☎ 61 89 23 79
PEUGEOT, TALBOT Comet, N 117 à Landorthe par ② ☎ 61 89 60 00
RENAULT S.I.A.C., 14 av. de Boulogne ☎ 61 89 54 00

V.A.G Gar. du Circuit, N 117 "La Garenne" ☎ 61 95 37 37

Central-Pneu, 47 bd Ch.-de-Gaulle ☎ 61 89 11 24
Comptoir du Pneu, 162 av. de Toulouse ☎ 61 89 28 25
Pyrénées Pneus, rte Nat. 117 à Villeneuve-de-Rivière ☎ 61 95 58 58

ST-GÉLY-DU-FESC 34 Hérault 83 ⑦ – rattaché à Montpellier.

ST-GÉNIÈS-DE-COMOLAS 30 Gard 80 ⑳ – rattaché à Roquemaure.

ST-GENIEZ-D'OLT 12130 Aveyron 80 ④ **G. Gorges du Tarn** – 1 988 h. alt. 420.

Syndicat d'Initiative les Cloîtres (saison) ☎ 65 70 43 42.

Paris 627 – Rodez 47 – Espalion 26 – Florac 93 – Mende 69 – Séverac-le-Château 24.

France, ☎ 65 70 42 20, Fax 65 47 41 38 – ☎ – 80. GB
15 mars-15 nov. – **Repas** 60/170, enf. 42 – ☐ 26 – **42 ch** 126/235 – ½ P 170/210.

Poste ⑤, ☎ 65 47 43 30, Fax 65 47 42 75, – ☎ Ⓟ. GB
fermé 30 nov. au 20 fév., dim. soir et lundi de fin sept. à début mai – **R** 85/150, enf. 48 – ☐ 32 – **50 ch** 170/260.

RENAULT Fages ☎ 65 70 41 40
RENAULT Gar. Crespo ☎ 65 47 52 89

ST-GENIS-POUILLY 01630 Ain 170 ⑮ – 5 696 h. alt. 450.

Paris 523 – Bellegarde-sur-Valserine 26 – Bourg-en-Bresse 95 – ◆Genève 11 – Gex 10.

Motel International, SO : 2 km sur D 984 ☎ 50 42 02 72, ←, – cuisinette ☎ Ⓟ – 100. AE GB. rest
fermé lundi midi et dim. – **R** 70/225 – ☐ 22 – **44 ch** 185/280, 52 studios 230/280.

XXX **La Menthe Sauvage,** 1 pl. Fontaine ☎ 50 42 20 50 – AE GB
fermé 11 juil. au 3 août, 19 déc. au 4 janv., sam. midi et dim. – **R** 180/250.

XX **Auberge Charaux,** SO : 2 km sur D 984 ☎ 50 42 29 38, ←, – Ⓟ. AE GB
fermé 2 au 17 août, vacances de fév., dim. soir et lundi – **R** 120/280.

CITROEN Gar. du Centre ☎ 50 42 10 03 N ☎ 50 42 06 19
RENAULT Pelletier ☎ 50 42 12 91

Pneu 01 ☎ 50 42 07 85

ST-GEORGES-DE-DIDONNE 17110 Char.-Mar. 71 ⑮ **G. Poitou Vendée Charentes** – 4 705 h. alt. 10.

Voir Pointe de Vallières* – Forêt et pointe de Suzac* S : 3 km.

Office de Tourisme bd Michelet ☎ 46 05 09 73.

Paris 505 – Royan 3 – Blaye 89 – ◆Bordeaux 125 – Jonzac 58 – La Rochelle 75.

Printemps ⑤, 7 av. Pelletan ☎ 46 05 14 65 –
hôtel : fermé 20 sept. au 15 oct.; rest. : ouvert Pâques à fin sept. – **R** (résidents seul.) – ☐ 25 – **12 ch** 190 – ½ P 205.

Colinette ⑤, 16 av. Gde Plage ☎ 46 05 15 75, – ☎. GB. rest
hôtel : 15 fév.-3 nov. ; rest. : Pâques-30 sept. et fermé dim. soir, lundi hors sais. – **R** 58/136, enf. 38 – ☐ 24 – **28 ch** 120/205 – ½ P 165/204.

Bégonias, pl. Michelet ☎ 46 05 08 13, – GB.
avril-fin sept. – **R** 70/140, enf. 32 – ☐ – **21 ch** 200/250.

Floréal ⑤, 10 allée Repos ☎ 46 05 08 12, Fax 46 06 30 70, – Ⓟ. GB
fermé janv. – **R** 75/95, enf. 30 – ☐ 25 – **18 ch** 140/220 – ½ P 210/230.

FORD Augeraud ☎ 46 05 07 50
RENAULT Saint-Georges Automobiles ☎ 46 05 08 14 N

ST-GEORGES-DE-RENEINS 69830 Rhône 74 ① – 3 509 h. alt. 222.

Paris 420 – Mâcon 31 – Bourg-en-Bresse 43 – Chauffailles 47 – ◆Lyon 40 – Villefranche-sur-Saône 9.

Sables, r. Saône ☎ 74 67 64 08 – Ⓟ
fermé janv. et dim. sauf hôtel en sais. – **R** (dîner seul.) 69/103 – ☐ 22 – **18 ch** 110/175.

XX **Host. St-Georges,** N 6 ☎ 74 67 62 78 – GB
fermé 1er au 25 août, 20 déc. au 6 janv. dim. soir en hiver, mardi soir et merc. – **R** 95/218.

ST-GEORGES-D'ESPÉRANCHE 38790 Isère 74 ⑫ – 2 221 h. alt. 400.

Paris 496 – ◆Lyon 35 – Bourgoin-Jallieu 21 – ◆Grenoble 78 – Vienne 21.

XX **Le Castel,** ☎ 74 59 18 45, – GB
fermé 26 août au 15 sept., 8 au 20 janv., mardi et merc. – **R** 98/320.

RENAULT Gar. Berthon ☎ 74 59 02 09 N ☎ 74 59 19 66

ST-GEORGES-LA-POUGE 23250 Creuse 72 ⑩ – 328 h. alt. 565.

Paris 384 – Limoges 69 – Aubusson 21 – Bourganeuf 21 – Guéret 29 – Montluçon 71.

Domaine des Mouillères, N : 2 km par D 3 et VO ℘ 55 66 60 64, ≤, « Dans la campagne limousine », – ☎ ⓟ. GB. ✻ ch
20 mars-1er oct. – **R** (résidents seul.) carte environ 150 – ☕ 35 – **7 ch** 190/350 – ½ P 250/330.

ST-GEORGES-SUR-LOIRE 49170 M.-et-L. 63 ⑲ ⑳ **G. Châteaux de la Loire** – 3 101 h. alt. 20.

Voir Château de Serrant★★ NE : 2 km.

Paris 312 – Angers 18 – Ancenis 33 – Châteaubriant 54 – Château-Gontier 54 – Cholet 46.

XX **Relais d'Anjou**, r. Nationale ℘ 41 39 13 38, – AE GB
fermé 2 au 13 juil., 2 au 18 janv., dim. soir, mardi soir et lundi – **R** 95/270.

X **Tête Noire**, r. Nationale ℘ 41 39 13 12 – GB. ✻
fermé 1er au 14 août, vacances de fév., vend. soir et sam. – **R** 98/200.

ST-GERMAIN-DE-JOUX 01130 Ain 74 ④ ⑤ – 465 h. alt. 515.

Paris 488 – Bellegarde-sur-Valserine 11 – Belley 63 – Bourg-en-Bresse 59 – Nantua 13 – St-Claude 33.

Reygrobellet, N 84 ℘ 50 59 81 13 – TV ☎ ⓟ. GB. ✻ ch
fermé 20 au 30 mars, 23 au 29 juin, 5 oct. au 4 nov., dim. soir sauf juil.-août et lundi – **R** 95/240 – ☕ 27 – **10 ch** 210/280 – ½ P 215/240.

ST-GERMAIN-DES-VAUX 50440 Manche 54 ① – 489 h. alt. 67.

Voir Baie d'Ecalgrain★★ S : 3 km – Port de Goury★ NO : 2 km.

Env. Nez de Jobourg★★ S : 7,5 km puis 30 mn – ≤★★ sur anse de Vauville SE : 9,5 km par Herqueville, **G. Normandie Cotentin.**

Paris 388 – Cherbourg 27 – Barneville-Carteret 48 – Nez-de-Jobourg 6,5 – St-Lô 104.

XX **Moulin à Vent**, ℘ 33 52 75 20, – ⓟ. GB
fermé sam. midi, dim. soir et lundi – **R** 85, enf. 40.

PEUGEOT-TALBOT Troude, à Beaumont-Hague ℘ 33 52 70 12

RENAULT Lecocq, à Beaumont ℘ 33 52 76 58 N ℘ 33 52 73 16

ST-GERMAIN-DE-TALLEVENDE 14 Calvados 59 ⑨ – rattaché à Vire.

ST-GERMAIN-DU-BOIS 71330 S.-et-L. 170 ③ **G. Bourgogne** – 1 856 h. alt. 210.

Paris 368 – Chalon-sur-Saône 31 – Dole 50 – Lons-le-Saunier 31 – Mâcon 70 – Tournus 41.

X **Host. Bressane** avec ch, ℘ 85 72 04 69 – ⓟ. GB
fermé 3 au 9 sept., 18 déc. au 10 janv., dim. soir (sauf juil.- août) et vend. – **R** 55/130, enf. 36 – ☕ 20 – **9 ch** 95/220 – ½ P 150/185.

ST-GERMAIN-DU-CRIOULT 14 Calvados 59 ⑩ – rattaché à Condé-sur-Noireau.

ST-GERMAIN-DU-PLAIN 71370 S.-et-L. 170 ② ⑫ – 1 698 h. alt. 192.

Paris 352 – Chalon-sur-Saône 15 – Bourg-en-Bresse 62 – Lons-le-Saunier 50 – Tournus 21.

Poste sans rest, ℘ 85 47 31 56 – ☎. GB
☕ 22 – **9 ch** 110/300.

ST-GERMAIN-EN-LAYE 78 Yvelines 55 ⑲ ⑳, 101 ⑫ – voir à Paris, Environs.

ST-GERMAIN-LAVAL 42260 Loire 73 ⑰ **G. Vallée du Rhône** – 1 510 h. alt. 430.

Syndicat d'Initiative à la Mairie ℘ 77 65 41 30.

Paris 419 – Roanne 34 – L'Arbresle 68 – Montbrison 29 – ◆St-Étienne 66 – Thiers 53 – Vichy 86.

X **Touristes** avec ch, ℘ 77 65 41 08 – GB
fermé fév. et mardi sauf juil.-août – **R** 54/190 – ☕ 20 – **12 ch** 92/200 – ½ P 170/195.

PEUGEOT-TALBOT Rambaud ℘ 77 65 41 09 N

ST-GERMAIN-L'HERM 63630 P.-de-D. 73 ⑯ – 533 h. alt. 1 000.

Paris 484 – ◆ Clermont-Ferrand 66 – Ambert 28 – Brioude 32 – Le Puy 67 – ◆St-Étienne 103.

France, ℘ 73 72 00 27, – AE GB. ✻ rest
fermé 30 sept. au 8 nov. – **R** 60/130 – ☕ 21 – **25 ch** 80/160 – ½ P 160/180.

ST-GERMER-DE-FLY 60850 Oise 55 ⑧ ⑨ **G. Flandres Artois Picardie** – 1 585 h. alt. 101.

Voir Église★ – ≤★ de la D 129 SE : 4 km.

Paris 92 – ◆ Rouen 57 – Les Andelys 40 – Beauvais 27 – Gisors 20 – Gournay-en-Bray 7,5.

XX **Aub. de l'Abbaye**, ℘ 44 82 50 73 – GB
fermé 16 au 31 août, 7 au 28 janv., dim. soir (sauf fêtes), mardi soir et merc. – **R** 102/150, enf. 58.

ST-GERVAIS 33 Gironde 75 ⑪ – rattaché à St-André-de-Cubzac.

ST-GERVAIS-D'AUVERGNE 63390 P.-de-D. 73 ③ G. Auvergne – 1 419 h. alt. 725.

Syndicat d'Initiative à la Mairie ✆ 73 85 71 53.

Paris 379 – ◆Clermont-Ferrand 53 – Aubusson 73 – Gannat 42 – Montluçon 46 – Riom 38 – Ussel 83.

Castel H. 1904 ✆ 73 85 70 42, – TV ☎ P. GB.
15 mars-15 nov. – **R** 110/250, enf. 65 **Comptoir à Moustaches** (bistrot) **R** 45/70 enf. 65 – ☕ 35 – **17 ch** 230/250 – ½ P 210/220.

Relais d'Auvergne, rte Châteauneuf ✆ 73 85 70 10 – ☎ P. GB. rest
R 63/135, enf. 42 – ☕ 24 – **19 ch** 95/200 – ½ P 140/180.

ST-GERVAIS-LA-FORÊT 41 L.-et-Ch. 64 ⑦ – rattaché à Blois.

ST-GERVAIS-LES-BAINS 74170 H.-Savoie 74 ⑧ G. Alpes du Nord – 5 124 h. alt. 807 – Stat. therm. (4 mai-21 nov.) – Sports d'hiver : 1 400/2 350 m 3 34.

Env. Route du Bettex★★★ 8 km par ③ puis D 43 – Le Planey ★★ S : 10,5 km par D 43 – Site★★ de St-Nicolas-de-Véroce S : 9 km par D 43 – Le Plateau de la Croix ★★ S : 12 km par D 43.

✆ 50 66 50 50.

Office de Tourisme av. Mont-Paccard ✆ 50 78 22 43, Télex 385607.

Paris 598 ⑤ – Annecy 80 ⑤ – Bonneville 40 ⑤ – Chamonix 23 ① – Megève 11 ③ – Morzine 56 ⑤.

Carlina M, r. Rosay **(w)** ✆ 50 93 41 10, Fax 50 93 56 26, ←, – TV ☎ P. AE GB.
15 juin-30 sept. et 20 déc.-15 avril – **R** 180 – ☕ 42 – **34 ch** 345/450 – ½ P 445/470.

Val d'Este, pl. Église **(b)** ✆ 50 93 65 91, Fax 50 78 38 50, ← – ☎. AE GB
R ✆ *50 78 25 79 (fermé 2 nov. au 15 déc. et merc. en mai, juin, sept., oct.)* 92/168 – ☕ 40 – **14 ch** 300/420 – ½ P 310/360.

L'Adret sans rest, chemin La Mollaz **(d)** ✆ 50 93 50 60, ← –
1er juin-26 sept. et 20 déc.-Pâques – ☕ 26 – **15 ch** 155/310.

Edelweiss sans rest, chemin du Vorassay par ② **(u)** ✆ 50 93 44 48, ← – ☎ P. GB
☕ 29 – **14 ch** 166/291.

au Bettex SO : 8 km par D 43 ou par télécabine, station intermédiaire – alt. 1 400 – ✉ 74170 St-Gervais-les-Bains

Arbois-Bettex M ✆ 50 93 12 22, Fax 50 93 14 42, ← Massif Mt-Blanc, – TV ☎ P. GB. rest
1er juil.-6 sept. et 20 déc.-15 avril – **R** 95/150 – ☕ 40 – **33 ch** 390/860 – ½ P 440/580.

Flèche d'Or ✆ 50 93 11 54, ← Massif Mt-Blanc, – ☎. GB
juil.-août et Noël-Pâques – **R** 75/130 – ☕ 32 – **16 ch** 300/370 – ½ P 270/420.

au Mont d'Arbois par télécabine – ✉ 74190 Le Fayet :

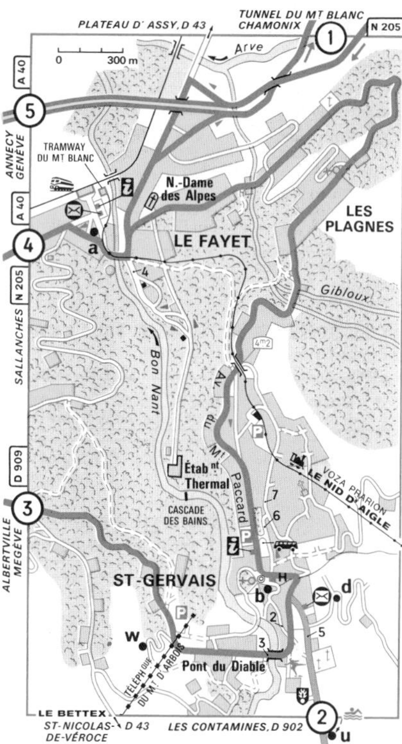

Chez la Tante à la station supérieure (accès pietonnier) ✆ 50 21 31 30, « exceptionnel de la chaîne des Aravis au Mt-Blanc » – rest. GB
1er juil.-15 sept. et 20 déc.-13 mai – **R** (self au déj.) 140/165, enf. 55 – ☕ 28 – **25 ch** 230/330 – ½ P 355/395.

FORD Tuaz ✆ 50 78 30 75

Le Fayet – alt. 567 – ✉ **74190**.

Syndicat d'Initiative r. de la Poste ✆ 50 93 64 64.

La Chaumière, av. Genève **(a)** ✆ 50 93 60 10, Fax 50 78 37 23 – AE GB JCB
fermé 17 avril au 2 mai et 20 oct. au 2 déc. – **R** 95/250, enf. 55 – 35 – **22 ch** 280/360 – ½ P 320/380.

ST-GILLES 30800 Gard 83 ⑨ **G. Provence** (plan) – 11 304 h. alt. 7.

Voir Façade** et crypte* de l'église – Vis de St-Gilles*.

Syndicat d'Initiative pl. F.-Mistral ✆ 66 87 33 75.

Paris 728 – ♦Montpellier 56 – Aigues-Mortes 36 – Arles 17 – Beaucaire 25 – Lunel 31 – Nîmes 19.

Cours, 10 av. F. Griffeuille ✆ 66 87 31 93, Fax 66 87 31 83, – AE GB
fermé 18 déc. au 15 fév. – **R** 43/132, enf. 34 – 26 – **34 ch** 120/255 – ½ P 148/220.

La Rascasse, 16 av. F. Griffeuille ✆ 66 87 42 96 – GB
fermé fév., mardi soir hors sais. et merc. – **R** 65/100.

rte d'Arles E : 3,5 km – ✉ **13200** Arles :

Les Cabanettes M, ✆ 66 87 31 53, Télex 480451, Fax 66 87 35 39, – 30. AE GB JCB
fermé 25 janv. au 1er mars – **R** 130/260, enf. 75 – 45 – **29 ch** 405/485 – ½ P 370.

PEUGEOT TALBOT Crumière, 71 bd Gambetta ✆ 66 87 31 25

Ayme Pneus, rte de Nîmes ✆ 66 87 08 30

ST-GILLES-CROIX-DE-VIE 85800 Vendée 67 ⑫ **G. Poitou Vendée Charentes** – 6 296 h. alt. 6.

18 St-Jean-de-Monts ✆ 51 58 82 73, N par D 38 : 20 km ; 18 des Fontenelles ✆ 51 54 13 94, E par D 6 : 11 km.

Office de Tourisme forum du Port de Plaisance, bd Égalité ✆ 51 55 03 66.

Paris 457 – La Roche-sur-Yon 43 – Challans 20 – Cholet 99 – ♦Nantes 78 – Les Sables-d'Olonne 30.

Embruns, 16 bd Mer ✆ 51 55 11 40, Fax 51 55 11 20, – GB. ch
fermé 15 nov. au 15 déc., dim. soir et lundi d'oct. à avril – **R** 90/240, enf. 60 – 40 – **15 ch** 200/400 – ½ P 320/450.

Bourrine de Riez, sur la Corniche, O : 2 km ✉ 85270 St-Hilaire-de-Riez ✆ 51 55 01 83, Fax 51 55 52 31 – AE GB
1er mars-11 nov., fermé lundi soir et mardi sauf juil.-août – **R** 90/200.

CITROEN Goillandeau, rte des Sables, Km 3 à Givrand ✆ 51 55 89 94
PEUGEOT-TALBOT EL.ME.CA., 2 r. Pasteur ✆ 51 55 10 19

RENAULT Gar. Raffin, à le Fenouiller ✆ 51 55 84 92

ST-GINGOLPH 74500 H.-Savoie 170 ⑱ **G. Alpes du Nord** – 677 h. alt. 385.

Syndicat d'Initiative à la Mairie ✆ 50 76 72 28.

Paris 595 – Thonon-les-Bains 26 – Annecy 100 – Évian-les-Bains 17 – Montreux 21.

National, ✆ 50 76 72 97, – AE GB.
fermé 20 oct. au 20 nov., vacances de fév., mardi soir et merc. hors sais. – **R** 95/190, enf. 65 – 29 – **14 ch** 160/300 – ½ P 220/260.

Ducs de Savoie avec ch, ✆ 50 76 73 09, Fax 50 76 74 31, – GB
fermé mi-janv. à mi-fév., lundi et mardi hors sais. – **R** 130/285, enf. 80 – 29 – **12 ch** 170/235 – ½ P 255/300.

ST-GIRONS SP 09200 Ariège 86 ③ – 6 596 h. alt. 391.

Voir St-Lizier : Cloître* de la cathédrale N : 2 km, **G. Pyrénées Aquitaine.**

Office de Tourisme pl. A.-Sentein ✆ 61 66 14 11, Télex 533336.

Paris 795 ① – Foix 44 ② – Auch 119 ① – St-Gaudens 43 ① – ♦Toulouse 99 ①.

Plan page suivante

Eychenne, 8 av. P. Laffont ✆ 61 66 20 55, Fax 61 96 07 20, « Bel aménagement intérieur », – rest – 35. AE GB B **a**
fermé 22 déc. au 1er fév., dim. soir et lundi du 1er nov. au 31 mars sauf fériés – **R** 116/292 – 41 – **48 ch** 155/480 – ½ P 240/373
Spéc. Foie de canard aux raisins, Confit de canard aux cèpes, Soufflé au Grand Marnier. **Vins** Madiran, Pacherenc du Vic Bilh.

Mirouze, 19 av. Gallieni ✆ 61 66 12 77, – GB A **v**
fermé 22 déc. au 1er janv. – **R** 72/140 – 27 – **24 ch** 100/250 – ½ P 150/210.

à Lorp-Sentaraille par ① : 4 km – ✉ **09190** St-Lizier :

Horizon 117, ✆ 61 66 26 80, Fax 61 66 26 08, – 25. AE GB JCB
fermé nov., sam. midi et dim. soir hors sais. – **R** 75/205, enf. 45 – 31 – **20 ch** 220/300 – ½ P 220/275.

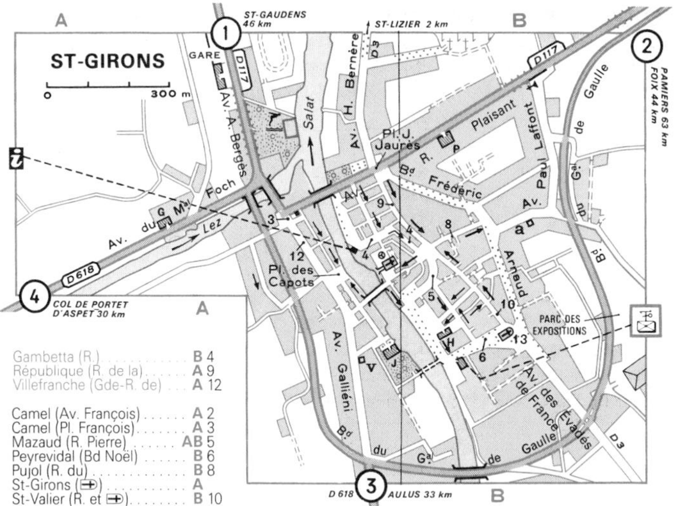

CITROEN Sté Autom. du Couserans, av. Résistance, l'Arial par ③ ✆ 61 66 34 45
PEUGEOT SEGAC, rte de Toulouse à St-Lizier par ① ✆ 61 66 31 00
RENAULT Austria-Autos, rte de Toulouse à St-Lizier par ① ✆ 61 66 32 32 **N** ✆ 61 96 09 09

Central Pneu, 77 rte de Foix ✆ 61 66 44 10
Central Pneu, Chantereine, St-Lizier ✆ 61 66 00 81
Reynes, 48 bd F.-Arnaud ✆ 61 66 07 53

ST-GOBAIN **02410** Aisne 56 ④ **G. Flandres Artois Picardie** – 2 321 h. alt. 200.

Voir Forêt★★.

Paris 131 – St-Quentin 30 – Compiègne 52 – La Fère 7,5 – Laon 20 – Noyon 30 – Soissons 30.

✕ **Parc,** ✆ 23 52 80 58, 🏛, 🌳 – **P**. GB
fermé 15 juil. au 14 août, dim. soir et lundi – **R** 90/170.

ST-GRATIEN **95** Val-d'Oise 55 ⑳ – voir à Paris, Environs.

ST-GRÉGOIRE **35** I.-et-V. 59 ⑰ – rattaché à Rennes.

ST-GUÉNOLÉ **29** Finistère 58 ⑭ **G. Bretagne** – ✉ **29760** Penmarch.

Voir Musée préhistorique★ – ≤★★ du phare d'Eckmühl★ S : 2,5 km – Église★ de Penmarch SE : 3 km – Pointe de la Torche ≤★ NE : 4 km.

ℹ Office de Tourisme pl. J.-Ferry ✆ 98 58 81 44.

Paris 582 – Quimper 33 – Douarnenez 42 – Guilvinec 8 – Plonéour-Lanvern 16 – Pont-l'Abbé 14.

🏨 **Sterenn** M 🔇, rte phare Eckmühl ✆ 98 58 60 36, Fax 98 58 71 28, ≤ pointe de Penmarch – TV ☎ **P**. AE GB. ✗
12 avril-11 oct. et fermé merc. (sauf vacances de printemps et du 10 juin au 23 sept.) – **R** 80/320, enf. 50 – ☕ 35 – **16 ch** 320/380 – ½ P 340/370.

🏨 **Héol** M, r. L. Le Lay ✆ 98 58 71 71, Fax 98 58 64 02, ≤, 🏊, 🌳 – TV ☎ **P**. GB
18 avril-30 sept. et fermé lundi sauf juil.-août – **R** voir **H. Sterenn** – ☕ 35 – **18 ch** 250/420 – ½ P 290/385.

🏨 **Mer,** 184 r. F. Péron ✆ 98 58 62 22 – TV ☎. GB. ✗ rest
fermé 15 janv. au 28 fév., dim. soir et lundi hors sais. – **R** 100/250 – ☕ 35 – **15 ch** 235/300 – ½ P 315/350.

🏨 **Les Ondines** 🔇, rte phare d'Eckmühl ✆ 98 58 74 95 – ☎. GB
1er avril-3 janv. et fermé dim. d'oct. à déc. – **R** voir H. **Sterenn** – ☕ 28 – **16 ch** 200/260.

ST-GUIRAUD **34** Hérault 83 ⑤ – rattaché à Clermont-l'Hérault.

ST-HENRI **46** Lot 79 ⑧ – rattaché à Cahors.

ST-HILAIRE-D'OZILHAN **30** Gard 80 ⑲ – rattaché à Remoulins.

ST-HILAIRE-DU-HARCOUËT 50600 Manche 59 ⑨ G. Normandie Cotentin – 4 489 h. alt. 83.

Office de Tourisme pl. Église (saison) ☏ 33 49 15 27 et à la Mairie (hors saison) ☏ 33 49 10 06.

Paris 290 – Alençon 99 – Avranches 27 – ◆Caen 98 – Fougères 28 – Laval 66 – St-Lô 69.

La Résidence sans rest, rte Fougères ☏ 33 49 10 14, Fax 33 49 53 70 – TV ☎ P – 80 GB
fermé 24 déc. au 4 janv. – 28 – **25 ch** 220/320.

Cygne, rte Fougères ☏ 33 49 11 84, Télex 171445, Fax 33 49 53 70 – TV ☎ – 60. AE ① GB
fermé 23 déc. au 4 janv. et vend. soir du 15 nov. au 31 mars – **R** 68/170, enf. 39 – 29 – **20 ch** 175/270 – ½ P 225/270.

CITROEN Gar. Ledebt-Aubril, 77 r. de Paris ☏ 33 49 10 89
FORD Gar. Lerbourg ☏ 33 49 12 56
OPEL Gar. Lemaréchal-Lelandais, 98 r. de Paris ☏ 33 49 21 90
PEUGEOT-TALBOT Gar. Lemonnier, rte de Paris ☏ 33 49 24 90
RENAULT Gar. Boulaux, 64 r. de Paris ☏ 33 49 20 71
Gar. Blouin-Dupont, 101 r. République ☏ 33 49 11 41
Gar. Garnier, 126 r. de Mortain ☏ 33 49 12 02

ST-HILAIRE-DU-ROSIER 38840 Isère 77 ③ – 1 731 h. alt. 201.

Paris 581 – Valence 38 – ◆Grenoble 61 – Romans-sur-Isère 19 – St-Marcellin 8,5.

XXX ✿ **Bouvarel** avec ch, à St-Hilaire-gare, S : 4 km ☏ 76 64 50 87, Fax 76 64 58 47, « Jardin fleuri », – ☎ P. AE ① GB
fermé 11 au 25 janv., dim. soir et lundi hors sais. – **R** 195/450 – 60 – **14 ch** 310/370 – ½ P 510/540
Spéc. Ravioles, Saint-Jacques poêlées au foie gras et champignons des bois (saison), Poulet sauté aux écrevisses (saison). **Vins** Chante-Alouette, Saint-Joseph.

ST-HILAIRE-LE-CHÂTEAU 23250 Creuse 72 ⑨ ⑩ – 296 h. alt. 459.

Paris 380 – ◆Limoges 63 – Aubusson 25 – Bourganeuf 14 – Guéret 31 – Montluçon 81.

XX **du Thaurion** avec ch, ☏ 55 64 50 12, – TV ☎ P. AE ① GB. rest
fermé 20 au 27 déc., 1er janv. au 1er mars et merc. du 1er oct. au 1er mai – **R** 70/380 – 38 – **10 ch** 180/250 – ½ P 275.

ST-HILAIRE-PETITVILLE 50 Manche 54 ⑬ – rattaché à Carentan.

ST-HILAIRE-ST-FLORENT 49 M.-et-L. 64 ⑫ – rattaché à Saumur.

ST-HILAIRE-ST-MESMIN 45 Loiret 64 ⑨ – rattaché à Orléans.

ST-HIPPOLYTE 25190 Doubs 166 ⑱ G. Jura – 1 128 h. alt. 380.

Voir Site★.

Syndicat d'Initiative à la Mairie ☏ 81 96 53 75.

Paris 488 – ◆Besançon 89 – ◆Basel 94 – Belfort 47 – Montbéliard 29 – Pontarlier 72.

Le Bellevue, rte Maîche ☏ 81 96 51 53, Télex 360397 – TV ☎ P. AE GB
fermé vacances de nov., 2 au 8 janv., vend. soir et sam. midi d'oct. à mars – **R** 75/320, enf. 50 – 32 – **15 ch** 150/255 – ½ P 160/220.

ST-HIPPOLYTE 68590 H.-Rhin 62 ⑲ G. Alsace Lorraine – 1 078 h. alt. 250.

Env. Château du Haut-Koenigsbourg★★ : ★★ NO : 8 km.

Paris 433 – Colmar 20 – Ribeauvillé 7 – St-Dié 41 – Sélestat 9 – Villé 17.

Aux Ducs de Lorraine, ☏ 89 73 00 09, Fax 89 73 05 46, <, « Aile récente avec ch. de grand confort », – TV ☎ P – 25 à 40. GB. ch
fermé 30 nov. au 15 déc. et 10 janv. au 1er mars – **R** *(fermé dim. soir et lundi)* 110/310 – 50 – **38 ch** 400/700, 4 appart. 1100 – ½ P 440/580.

Parc, ☏ 89 73 00 06, Fax 89 73 04 30, – TV ☎ P. AE ① GB. ch
R *(fermé lundi)* 80/250 carte le dim. – 35 – **20 ch** 150/380 – ½ P 200/300.

La Vignette, ☏ 89 73 00 17, Fax 89 73 05 69 – ☎. GB. ch
fermé 16 déc. au 15 fév. et jeudi – **R** 85/245 – 25 – **16 ch** 150/240 – ½ P 180/225.

ST-HIPPOLYTE 63 P.-de-D. 73 ④ – rattaché à Châtelguyon.

ST-HONORAT (Ile) ★★ 06 Alpes-Mar. 84 ⑨ 195 ㉟ ㊴ G. Côte d'Azur.

Voir Ancien monastère fortifié★ : <★★ – Tour de l'île★★.

Accès par transports maritimes.

depuis **Golfe-Juan et Juan-les-Pins** (escale à l'Ile Ste Marguerite). Pâques à début oct., 3 à 4 services quotidiens - Traversée 45 mn – Tarifs se renseigner : Transports Maritimes Cap d'Antibes, Port de Golfe Juan ☏ 93 63 81 31 (Golfe-Juan).

depuis **Cannes** (escale à l'Ile Ste Marguerite). En 1991 : en saison, 15 départs quotidiens ; hors saison, 6 départs quotidiens - Traversée 30 mn – 40 F (AR) par Cie Esterel-Chanteclair, gare maritime des Iles ☏ 93 39 11 82 (Cannes).

ST-HONORÉ-LES-BAINS 58360 Nièvre 69 ⑥ **G. Bourgogne** – 754 h. alt. 302 – Stat. therm. (30 mars-sept.) – Casino.

Office de Tourisme pl. F.-Bazot (mai-sept.) ☎ 86 30 71 70.

Paris 306 – Château-Chinon 27 – Luzy 22 – Moulins 68 – Nevers 69 – St-Pierre-le-Moutier 66.

Aub. du Pré Fleuri, ☎ 86 30 74 96, – TV ☎ P. AE GB
fermé vacances de fév., dim. soir et lundi de nov. à mars – **R** 85/168, enf. 60 – ☐ 28 – **9 ch** 280/300 – P 280/310.

ST-IGNACE (Col de) 64 Pyr.-Atl. 85 ② – rattaché à Ascain.

ST-JACQUES 06 Alpes-Mar. 84 ⑧ – rattaché à Grasse.

ST-JACQUES-DES-BLATS 15800 Cantal 76 ③ – 352 h. alt. 991.

Paris 543 – Aurillac 32 – Brioude 73 – Issoire 90 – St-Flour 41.

Le Griou M, ☎ 71 47 06 25, ←, – ☎ P. GB
fermé 15 oct. au 20 déc. – **R** 60/150, enf. 42 – ☐ 27 – **20 ch** 150/270 – ½ P 175/215.

Touristes (annexe ☎), ☎ 71 47 05 86, – P. GB. rest
fermé 10 oct. au 20 déc. – **R** 65/125, enf. 40 – ☐ 24 – **20 ch** 130/190 – ½ P 150/185.

ST-JACUT-DE-LA-MER 22750 C.-d'Armor 59 ⑤ **G. Bretagne** – 797 h. alt. 8.

Voir Pointe du chevet ←★ : 2 km.

Env. Château d'eau de Ploubalay ✵★★ SE : 9 km.

Syndicat d'Initiative r. du Châtelet (15 juin-15 sept.) ☎ 96 27 71 91.

Paris 416 – St-Malo 24 – Dinan 25 – Dol-de-B. 40 – Lamballe 39 – St-Brieuc 60 – St-Cast 16.

Vieux Moulin , ☎ 96 27 71 02, – ☎ P. GB.
Pâques-oct. – **R** (dîner seul.) (½ pens. seul.) 130/150 – ☐ 35 – **29 ch** (½ pens. seul.) – ½ P 250/280.

ST-JAMES 50240 Manche 59 ⑧ **G. Normandie Cotentin** – 2 976 h. alt. 110.

Voir Cimetière américain.

Paris 346 – St-Malo 58 – Avranches 19 – Fougères 22 – ♦Rennes 59 – St-Lô 78.

Normandie, pl. Bagot ☎ 33 48 31 45 – TV ☎. AE GB
fermé 24 déc. au 11 janv. – **R** *(fermé vend. soir du 15 nov. au 1er mars)* 63/200, enf. 50 – ☐ 26 – **14 ch** 185/260, 4 appart. – ½ P 240/270.

ST-JEAN 31 H.-Gar. 82 ⑧ – rattaché à Toulouse.

ST-JEAN-AUX-BOIS 60 Oise 56 ② ③ – rattaché à Compiègne.

ST-JEAN-CAP-FERRAT 06230 Alpes-Mar. 84 ⑩ 195 ㉗ **G. Côte d'Azur** – 2 248 h. alt. 20.

Voir Fondation Ephrussi-de-Rothschild★★ **M** : site★★, musée Ile de France★★, jardins★ – Phare ✵★★ – Pointe de St-Hospice ←★ de la chapelle.

Office de Tourisme av. D.-Semeria ☎ 93 76 08 90.

Paris 942 ④ – ♦Nice 10,5 ④ – Menton 26 ③.

Plan page suivante

✿ **Bel Air-Cap-Ferrat** M , bd Gén. de Gaulle au **Cap Ferrat (a)** ☎ 93 76 00 21, Télex 470184, Fax 93 76 04 52, ←, « Vaste parc, , en bordure de mer, , funiculaire privé » – TV ☎ P – 70. AE GB JCB. rest
R 420/520 **Club Dauphin** à la piscine **R** (déj. seul.) 280, enf. 120 – **48 ch** ☐ 2900/4400, 11 appart.
Spéc. Croustillant de scampi, Daurade royale en écailles de pommes de terre, Tarte au fenouil confit.

✿ **Voile d'Or** M , au port **(f)** ☎ 93 01 13 13, Télex 470317, Fax 93 76 11 17, ← port et golfe, , – TV ☎ – 25
1er mars-31 oct. – **R** 380/480 – ☐ 95 – **50 ch** 910/3200, 5 appart.
Spéc. Buissonnière de filets de rougets à l'huile d'olive, Royale de loup Saint-Jeannoise, Agneau cuit rosé en croûte. Vins Côtes de Provence.

Panoramic sans rest, av. Albert 1er **(s)** ☎ 93 76 00 37, Télex 970807, Fax 93 76 15 78, ← Cap et golfe, – TV ☎ P. AE GB
fermé 5 nov. au 19 déc. – ☐ 45 – **20 ch** 340/635.

Brise Marine sans rest, av. J. Mermoz **(x)** ☎ 93 76 04 36, Fax 93 76 11 49, ← Cap et golfe, – TV ☎. GB
1er fév.-fin oct. – ☐ 50 – **16 ch** 560/615.

Belle Aurore, av. D. Seméria **(r)** ☎ 93 76 04 59, Fax 93 76 15 10, , – TV ☎ P. AE GB
R *(mai-15 oct.)* 160/250 – ☐ 43 – **19 ch** 430/580 – ½ P 443/493.

Clair Logis sans rest, av. Centrale **(b)** ☎ 93 76 04 57, Fax 93 76 11 85, « Parc » – ☎ P. AE GB
fermé 1er nov. au 15 déc. – ☐ 40 – **16 ch** 260/560.

La Bastide , av. Albert 1er **(s)** ☎ 93 76 06 78, ←, – P. AE GB
fermé 1er nov. au 22 déc. – **R** 160 – ☐ 25 – **14 ch** 230/260 – ½ P 240/280.

ST-JEAN-CAP-FERRAT

Les flèches noires indiquent les sens uniques supplémentaires l'été

Albert-1er (Av.)	2
Centrale (Av.)	3
États-Unis (Av. des)	5
Gaulle (Bd Gén. de)	6
Grasseuil (Av.)	7
Libération (Bd)	9
Mermoz (Av. J.)	12
Passable (Ch. de)	13
Phare (Av. du)	14
St-Jean (Pont)	16
Sauvan (Bd H.)	17
Semeria (Av. D.)	18
Verdun (Av. de)	20
Vignon (Av. C.)	21

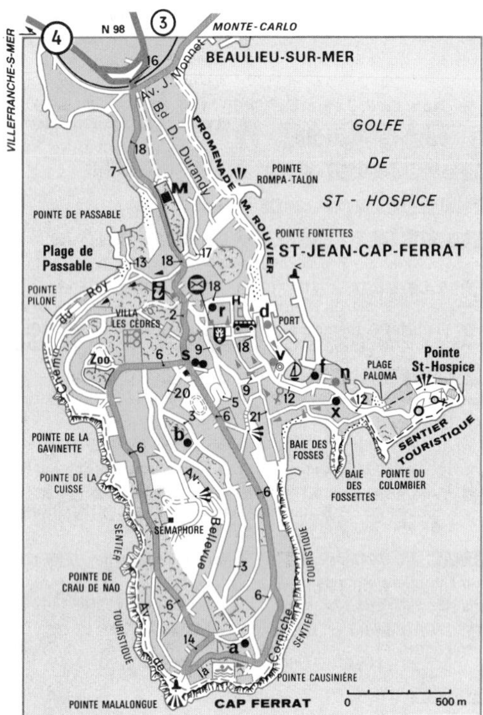

XXX ✿ **Le Provençal** (Jouteux), av. D. Semeria **(v)** ℘ 93 76 03 97, Fax 93 76 05 39, 🏠, « Décor élégant, ≤ port et golfe » – GB
fermé fév., dim. soir et lundi d'oct. à avril – **R** carte 450 à 600
Spéc. Fond d'artichaut violet au homard, Saint-Pierre en feuille de figue, Les cinq desserts. **Vins** Bellet, Côtes de Provence.

XX **Le Sloop,** au nouveau port **(d)** ℘ 93 01 48 63, 🏠 – AE ⓓ GB
fermé 15 nov. au 20 déc. et merc. hors sais. – **R** 155.

XX **Capitaine Cook,** av. J. Mermoz **(n)** ℘ 93 76 02 66, 🏠 – GB
fermé 15 nov. au 15 janv., lundi midi et jeudi – **R** 130/160.

ST-JEAN (Col) 04 Alpes-de-H.-P. 81 ⑦ – rattaché à La Seyne.

Les plans de villes sont orientés le Nord en haut.

ST-JEAN-D'ANGÉLY ⟨SP⟩ 17400 Char.-Mar. 71 ③ ④ **G. Poitou Vendée Charentes** – 8 060 h. alt. 30.

ℹ Syndicat d'Initiative square Libération (fermé matin hors saison) ℘ 46 32 04 72.

Paris 444 ② – La Rochelle 63 ④ – Royan 70 ③ – Angoulême 64 ② – Cognac 35 ③ – Niort 47 ① – Saintes 34 ⑤.

Plan page suivante

🏠 **Paix,** 4 allées Aussy ℘ 46 32 00 93, Fax 46 32 08 74 – TV ☎ ♿ 🚗 P – 25 à 100. AE GB — B **a**
R 65/150 – 25 – **39 ch** 110/230 – ½ P 120/180.

🏠 **Place,** pl. Hôtel de Ville ℘ 46 32 01 44, 🏠 – TV ☎. GB — B **u**
R *(fermé dim. soir hors sais.)* 60/150 – 27 – **10 ch** 190/270 – ½ P 235.

XX **Le Scorlion,** 8 r. Gallérand ℘ 46 32 52 61 – GB — B **e**
fermé mai, sept., dim. soir et lundi – **R** 130 (sauf sam. soir)/310, enf. 60.

CITROEN Gar. Delaleau, ZI de la Sacristinerie par ② ℘ 46 32 44 44
MERCEDES-BENZ S.A.V.I.A., ZI du Point-du-Jour n° 2 ℘ 46 59 03 03 N ℘ 88 72 00 94
PEUGEOT, TALBOT Nouraud-Amy, ZI, 27 av. Point-du-Jour par ② ℘ 46 59 09 09

RENAULT SAGA, rte de Saintes par ③ ℘ 46 32 40 22 N ℘ 46 97 32 51
V.A.G Gar. Drevet, 19 fg Taillebourg ℘ 46 32 01 74

Pneu-équipement Pneu +, ZI av. Point-du-Jour ℘ 46 32 12 43

ST-JEAN-D'ANGÉLY

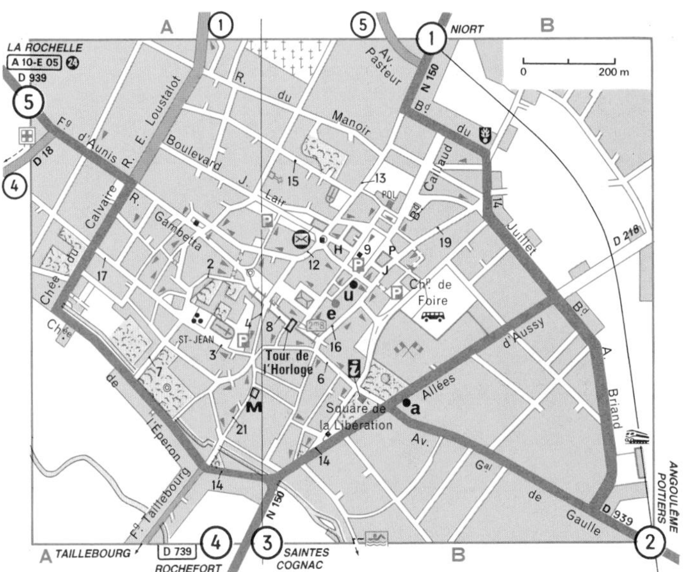

ST-JEAN-D'ARVEY 73230 Savoie 74 ⑮ ⑯ – 1 182 h. alt. 578.

Paris 552 – ♦Grenoble 61 – Albertville 55 – Annecy 44 – Chambéry 9 – Les Déserts 5,5.

Therme ⋟, ℘ 79 28 40 33, ≤, 🅟 – **P**. GB. ✗
1er fév.-31 oct. – **R** 72/100 – ⊡ 22 – **25 ch** 125/160 – ½ P 165/170.

ST-JEAN-D'ASSÉ 72380 Sarthe 60 ⑬ – 1 021 h. alt. 68.

Paris 214 – ♦Le Mans 17 – Alençon 32 – La Ferté-Bernard 61 – Mamers 33.

La Petite Auberge, rte Nationale ℘ 43 25 25 15, – **P**. GB
fermé juil., dim. soir et lundi – **R** 59/170 ♂.

CITROEN Gar. Bardet ℘ 43 25 25 23

ST-JEAN-DE-BLAIGNAC 33420 Gironde 75 ⑫ – 405 h. alt. 34.

Paris 594 – ♦Bordeaux 36 – Bergerac 54 – Libourne 15 – La Réole 29.

Aub. St-Jean, ℘ 57 74 95 50 – AE ⓓ GB
fermé lundi en hiver – **R** 90/250 ♂, enf. 45.

ST-JEAN-DE-BOISEAU 44 Loire-Atl. 67 ③ – rattaché à Nantes.

ST-JEAN-DE-BOURNAY 38440 Isère 74 ⑫ – 3 764 h. alt. 500.

Paris 514 – ♦Lyon 46 – Bourgoin-Jallieu 17 – ♦Grenoble 67 – Vienne 23.

Nord, ℘ 74 58 52 25 – ☎ **P**. GB
R *(fermé mardi)* 95/240 – ⊡ 35 – **19 ch** 220/350.

CITROEN Bouvard ℘ 74 58 51 60 RENAULT Brissaud ℘ 74 58 71 76 N

ST-JEAN-DE-BRAYE 45 Loiret 64 ⑨ – rattaché à Orléans.

ST-JEAN-DE-CHEVELU 73170 Savoie 74 ⑮ – 485 h. alt. 310.

Paris 528 – Annecy 49 – Aix-les-Bains 15 – Bellegarde-sur-V. 61 – Belley 21 – Chambéry 20 – La Tour-du-Pin 43.

La Source ⋟, S : 3,5 km par rte du Col du Chat ℘ 79 36 80 16, ≤, – ☎ ♿ **P**. ✗ ch
R 90/210, enf. 65 – ⊡ 40 – **14 ch** 140/280 – ½ P 190/280.

ST-JEAN-DE-LA-BLAQUIÈRE 34 Hérault 83 ⑤ – rattaché à Lodève.

ST-JEAN-DE-LIER **40380** Landes 78 ⑥ – 309 h. alt. 13.

Paris 735 – Mont-de-Marsan 36 – Castets 28 – Dax 18 – Montfort-en-Chalosse 11,5 – Orthez 39.

Cantelutz ⚲, ☎ 58 57 21 94, ⚘ – Ⓟ – 🏃 25. ✂ rest
fermé 1er déc. au 15 janv. – **R** 58/145 – ☕ 24 – **12 ch** 92/176 – ½ P 144/172.

ST-JEAN-DE-LOSNE **21170** Côte-d'Or 170 ③ **G. Bourgogne** – 1 342 h. alt. 184.

Syndicat d'Initiative av. Gare d'Eau (avril-sept., fermé matin sauf juil.-août) ☎ 80 29 05 48 et à la Mairie (hors saison) ☎ 80 29 05 44.

Paris 344 – ◆Dijon 33 – Auxonne 19 – Dole 22 – Genlis 20 – Gray 53 – Lons-le-Saunier 63.

Aub. de la Marine, à Losne ☎ 80 29 05 11 – ☎. AE ⓞ GB
fermé 20 déc. au 25 janv. et lundi – **R** carte 100 à 160 – ☕ 26 – **24 ch** 160/250 – ½ P 150/200.

PEUGEOT-TALBOT Gaillard ☎ 80 29 05 53 **N**

ST-JEAN-DE-LUZ **64500** Pyr.-Atl. 85 ② **G. Pyrénées Aquitaine** – 13 031 h. alt. 3 – Casino BY.

Voir Église St-Jean-Baptiste★★ AZ **B** – Maison de l'Infante★ AZ **D** – Corniche basque★★ par ④ – Sémaphore de Socoa ≤★★ 5 km par ④.

18 de la Nivelle ☎ 59 47 18 99, S : 1 km ; 18 de Chantaco ☎ 59 26 14 22, par ② : 2,5 km.

Office de Tourisme pl. Mar.-Foch ☎ 59 26 03 16.

Paris 793 ① – Biarritz 16 ① – ◆Bayonne 21 ① – Pau 128 ① – San-Sebastián 33 ③.

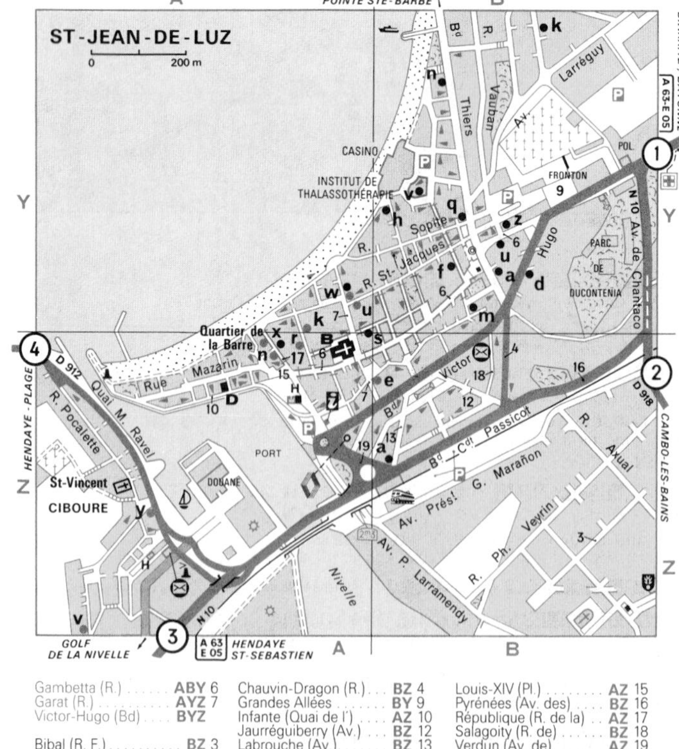

Gambetta (R.) ABY 6	Chauvin-Dragon (R.) BZ 4	Louis-XIV (Pl.) AZ 15
Garat (R.) AYZ 7	Grandes Allées BY 9	Pyrénées (Av. des) BZ 16
Victor-Hugo (Bd) BYZ	Infante (Quai de l') AZ 10	République (R. de la) AZ 17
	Jaurréguiberry (Av.) BZ 12	Salagoity (R. de) BZ 18
Bibal (R. F.) BZ 3	Labrouche (Av.) BZ 13	Verdun (Av. de) AZ 19

Hélianthal Ⓜ, pl. M. Ravel ☎ 59 51 51 60, Télex 573415, Fax 59 51 51 54, ⚕, institut de thalassothérapie – ⎈ ▤ TV ☎ ♿ Ⓟ – 🏃 350. AE ⓞ GB. ✂ rest BY **v**
R 175 – ☕ 65 – **94 ch** 700/960 – ½ P 610/635.

Chantaco, face au golf par ② : 2 km ☎ 59 26 14 76, Télex 540016, Fax 59 26 35 97, ≤, ⚕, « Élégant intérieur », ⛱, ⚘ – TV ☎ Ⓟ. AE ⓞ GB JCB. ✂ rest
avril-nov. – **R** 245/320, enf. 125 – ☕ 75 – **20 ch** 750/1500, 4 appart. 1750 – ½ P 900/1100.

Grand Hôtel M, 43 bd Thiers ✆ 59 26 35 36, Télex 571810, Fax 59 51 19 91, ≤, 🍴, 🚲, 🏊 – |‡| ▤ TV ☎ 🚗 – 🚪 50. AE ⓓ GB. ✗ rest BY **n**
avril-oct. – **R** 190/240, enf. 120 – ☕ 100 – **43 ch** 1040/1470, 3 appart. 1250.

Parc Victoria 🐦 sans rest (rest. prévu en 92), 5 r. Cépé ✆ 59 26 78 78, Fax 59 26 78 08, « Décor élégant », 🏊, 🌳 – |‡| TV ☎ ♿ Ⓟ. AE GB
fermé janv. et fév. – **12 ch** ☕ 750/1250.

La Réserve 🐦, rd-pt Ste-Barbe N : 2 km par bd Thiers ✆ 59 26 04 24, Fax 59 26 11 74, ≤, 🍴, parc, 🏊, 🎾 – cuisinette TV ☎ ♿ 🚗 Ⓟ – 🚪 30. AE ⓓ GB
R 150/220, enf. 100 – ☕ 50 – **60 ch** 500/700 – ½ P 500/550.

La Devinière sans rest, 5 r. Loquin ✆ 59 26 05 51, « Bel aménagement intérieur », 🌳 – ☎. GB. ✗ BY **f**
☕ 50 – **8 ch** 500/600.

Madison sans rest, 25 bd Thiers ✆ 59 26 35 02, Fax 59 51 14 76 – |‡| TV ☎. AE ⓓ GB
☕ 35 – **25 ch** 260/400. BY **q**

Gd H. Poste sans rest, 83 r. Gambetta ✆ 59 26 04 53, Fax 59 26 42 14 – TV ☎. AE ⓓ GB BY **z**
☕ 33 – **34 ch** 320/385.

Les Goëlands 🐦, 4 et 6 av. Etcheverry ✆ 59 26 10 05, 🌳 – ☎ Ⓟ. AE GB. ✗ rest BY **k**
R *(Pâques-fin sept.)* (résidents seul.) 100, enf. 45 – ☕ 32 – **35 ch** 185/336 – ½ P 365/380.

Continental sans rest, 15 av. Verdun ✆ 59 26 01 23 – |‡| TV ☎. AE ⓓ GB BZ **a**
fermé nov. et déc. – ☕ 35 – **21 ch** 320/375.

Petit Trianon sans rest, 56 bd V. Hugo ✆ 59 26 11 90 – TV ☎. GB. ✗ BY **d**
15 janv.-15 oct. et fermé dim. hors sais. – ☕ 35 – **30 ch** 200/400.

Ohartzia sans rest, 28 r. Garat ✆ 59 26 00 06, 🌳 – TV ☎. GB. ✗ AY **w**
☕ 35 – **18 ch** 250/350.

Villa Bel Air, Promenade J. Thibaud ✆ 59 26 04 86, Fax 59 26 62 34, ≤ – |‡| ▤ rest TV ☎ Ⓟ. GB. ✗ rest BY **h**
hôtel : 15 avril-15 nov. ; rest. : 1er juin-30 sept. – **R** 110/120 – ☕ 32 – **23 ch** 320/400 – ½ P 317/342.

La Fayette et rest. Kayola, 20 r. République ✆ 59 26 17 74, Fax 59 51 11 78, 🍴 – TV ☎. AE ⓓ GB AZ **x**
R 95/200 🍷, enf. 42 – ☕ 40 – **18 ch** 250/350.

Agur sans rest, 96 r. Gambetta ✆ 59 26 21 55 – TV ☎. AE ⓓ GB. ✗ BY **u**
15 mars-15 nov. – ☕ 28 – **19 ch** 305/400.

Atherbea sans rest, 10 bd Thiers ✆ 59 26 14 14 – TV ☎. GB BY **a**
30 mars-25 nov. – ☕ 28 – **17 ch** 280/320.

Trinquet-Maïtena, 42 r. Midi ✆ 59 26 05 13 – ☎. GB BY **m**
R 90 bc/110 bc, enf. 55 – **13 ch** ☕ 245/330 – ½ P 240/270.

XX **Aub. Kaïku,** 17 r. République ✆ 59 26 13 20, 🍴, « Maison du 16e siècle » – AE GB
fermé 12 nov. au 22 déc., lundi midi du 15 juin au 15 sept. et merc. en hiver – **R** carte 150 à 300. AZ **x**

XX **Le Tourasse,** 25 r. Tourasse ✆ 59 51 14 25 – ▤. AE GB AZ **r**
fermé mi-janv. à mi-fév., mardi soir et merc. d'oct. à fin mai – **R** carte 190 à 300.

XX Léonie, 6 r. Garat ✆ 59 26 37 10 BZ **e**
R (1er étage).

XX **Taverne Basque,** 5 r. République ✆ 59 26 01 26, 🍴 – AE ⓓ GB AZ **n**
fermé fin janv. au 1er mars, merc. soir et jeudi sauf juil.-août – **R** 100/280, enf. 50.

X **Petit Grill Basque,** 4 r. St-Jacques ✆ 59 26 80 76 – ⓓ GB AY **u**
fermé 20 déc. au 20 janv. et vend. – **Repas** 80/130.

X **Le Patio,** 10 r. Abbé Onaindia ✆ 59 26 99 11 – AE GB AYZ **s**
R 98/170, enf. 58.

X **Ramuntcho,** 24 r. Garat ✆ 59 26 03 89 – AE GB AY **w**
fermé 11 nov. au 1er fév. et lundi d'oct. à juin – **R** 85/160 🍷, enf. 40.

X **Vieille Auberge,** 22 r. Tourasse ✆ 59 26 19 61 – GB AY **k**
12 avril-11 nov. et fermé mardi midi en juil.-août, mardi soir et merc. hors sais. – **R** 69/119.

FORD Autos-Durruty, ZI de Layatz ✆ 59 26 45 94
RENAULT Gar. Lamerain, Zone de Layatz, N 10 par ① ✆ 59 26 37 07 N ✆ 59 93 48 07
RENAULT Gar. Lamerain, 4 bd V.-Hugo ✆ 59 26 04 02 N ✆ 59 93 48 07

V.A.G Gar. de l'Avenir, 13 av. Errepira à Ciboure ✆ 59 47 26 56

Ⓜ Côte Basque Pneus, ZI de Jalday ✆ 59 26 45 81

Ciboure AZ du plan – 5 849 h. – ✉ **64500** .

Voir Chapelle N.-D. de Socorri : site★ 5 km par ③.

Lehen Tokia 🐦, chemin Achotazetta ✆ 59 47 18 16, Fax 59 47 38 04, ≤, 🍴, ambiance guest house, « Villa basque "art déco" », 🌳 – TV ☎. GB. ✗
1er avril-31 oct., 15 déc.-5 janv. et vacances scolaires – **R** (sur réservation seul.) 150/200 – ☕ 50 – **6 ch** 500/750.

XX **Chez Mattin,** 63 r. E. Baignol ☎ 59 47 19 52 – AE GB. ✻ AZ **v**
fermé janv., fév. et lundi – **R** carte 165 à 220.

XX ✿ **Chez Dominique** (Piron), 15 quai M. Ravel ☎ 59 47 29 16, ☂, produits de la mer – AE GB
fermé fév., dim. soir et lundi d'oct. à juin – **R** carte 190 à 375 AZ **y**
Spéc. Ravioli de langoustines à l'estragon, Filets de rouget à la fondue de tomates, Quenelles de chocolat amer.

par rte de la Corniche par ④ : 3 km – ✉ **64122** Urrugne :

XX **Aub. de la Corniche,** ☎ 59 47 30 23, ≤ Océan et Pyrénées, ☂, ☂ – ℗
fermé janv. et lundi – **R** 90.

ST-JEAN-DE-MAURIENNE

SP **73300** Savoie 77 ⑦ **G. Alpes du Nord** – 9 439 h. alt. 546.

Voir Ciborium★ et stalles★ de la cathédrale AY – ℹ Office de Tourisme pl. Cathédrale ☎ 79 64 03 12.

Paris 617 ① – Albertville 63 ① – Chambéry 73 ① – ♦Grenoble 104 ① – Torino 134 ②.

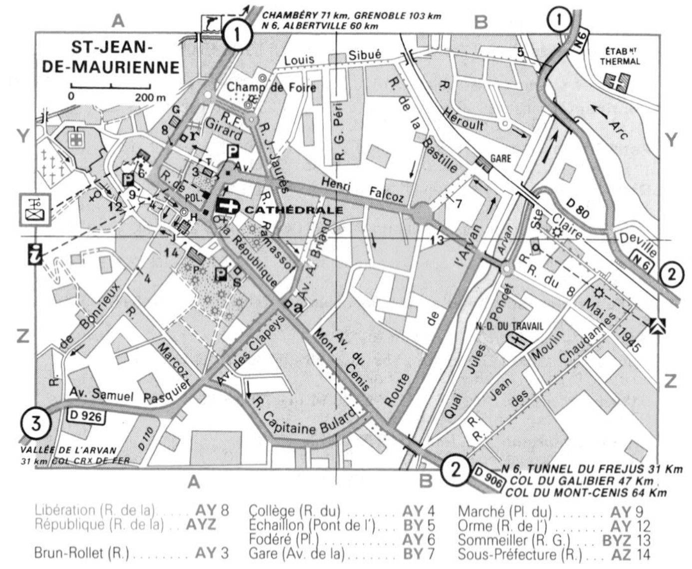

Libération (R. de la) . . . . AY 8
République (R. de la) . . AYZ
Brun-Rollet (R.) . . . . AY 3
Collège (R. du) . . . . AY 4
Échaillon (Pont de l') . . . BY 5
Fodéré (Pl.) . . . . AY 6
Gare (Av. de la) . . . . BY 7
Marché (Pl. du) . . . . AY 9
Orme (R. de l') . . . . AY 12
Sommeiller (R. G.) . . . BYZ 13
Sous-Préfecture (R.) . . . AZ 14

🏨 **St Georges** sans rest, 334 r. République ☎ 79 64 01 06 – TV ☎ ℗. AE ⓓ GB
☕ 30 – **22 ch** 180/240. AZ **s**

🏨 **Europe et rest. Le Délice,** 15 av. Mt Cenis ☎ 79 64 00 21, Fax 79 83 21 81 – ⎍ ✕ ch
TV ☎ ℗. ⓓ GB – **R** 68/100 ♧ – ☕ 25 – **27 ch** 160/220 – ½ P 220/240. AZ **a**

🏨 **Bernard,** 136 r. Libération ☎ 79 64 01 53 – ☎. GB AY **r**
fermé nov. et lundi sauf juil.-août – **R** 62/190 ♧ – ☕ 30 – **15 ch** 105/195 – ½ P 140/180.

ALFA ROMEO FIAT LANCIA D.D.A., ZI les Plans, rte de Villargondran ☎ 79 64 00 51
CITROEN Deléglise, quai J.-Poncet ☎ 79 64 03 00 **N**
PEUGEOT-TALBOT Alpettaz, ZI Les Plans par ② ☎ 79 64 13 88 **N** ☎ 79 59 60 22

RENAULT Duverney, ZI le Parquet ☎ 79 64 12 33 **N** ☎ 79 59 60 22
V.A.G Jean Lain, ZI Le Parquet ☎ 79 64 26 63

Ⓟ Piot-Pneu, pl. Champ-de-Foire ☎ 79 64 05 74

ST-JEAN-DE-MONTS

85160 Vendée 67 ⑪ **G. Poitou Vendée Charentes** – 5 959 h. alt. 8 – Casino La Pastourelle – ⛳18 ☎ 51 58 82 73, O : 2,5 km.

ℹ Office de Tourisme Palais des Congrès, 67 esplanade de la Mer ☎ 51 58 00 48, Télex 711391 et 4 r. Plage (15 juin-15 sept., fermé après-midi sauf juil.-août) ☎ 51 58 02 21.

Paris 453 – La Roche-sur-Yon 56 – Cholet 99 – ♦Nantes 72 – Noirmoutier 33 – Les Sables-d'O. 47.

🏨 **Altéa** M ♨, av. Pays de Monts ☎ 51 59 15 15, Télex 701893, Fax 51 59 91 03, ≤, ☂, ⛱, ☂ – ⎍ TV ☎ ♿ ℗. AE ⓓ GB
8 mars-mi-nov. – **R** 150/160, enf. 70 – ☕ 49 – **44 ch** 490/615 – ½ P 450/483.

🏨 **L'Espadon,** 8 av. Forêt ☎ 51 58 03 18, Fax 51 59 16 11 – ⎍ ☎ ♿ ℗. AE ⓓ GB
R *(fermé 15 nov. au 1er mars)* 90/170, enf. 50 – ☕ 28 – **60 ch** 220/310 – ½ P 250/295.

Robinson, 28 bd Gén. Leclerc ✆ 51 58 21 01, Fax 51 58 88 03, – ☎ P. AE O GB
fermé 30 nov. au 1er fév. – **R** 66/210, enf. 55 – ☐ 30 – **66 ch** 160/260 – ½ P 205/250.

Tante Paulette, 32 r. Neuve ✆ 51 58 01 12, – . AE O GB. ✻
1er mars-début nov. – **R** 70/290, enf. 45 – ☐ 25 – **36 ch** 195/255.

La Cloche d'Or, 26 av. Tilleuls ✆ 51 58 00 58 – ☎. GB. ✻ rest
15 avril-fin sept. – **R** 76/145, enf. 38 – ☐ 30 – **24 ch** 200/320 – ½ P 230/280.

Le Richelieu avec ch, 8 av. Oeillets ✆ 51 58 06 78 – TV ☎. AE GB. ✻ ch
1er mars-15 nov. – **R** 95/260, enf. 35 – ☐ 30 – **8 ch** 260/270 – ½ P 290.

Jacques Rondeau, 9 av. Forêt ✆ 51 58 02 66 – AE GB
fermé lundi, mardi et merc. d'oct. à fév. – **R** 92/148.

sur D 38 (rte N.-D. de Monts) : 3 km – ✉ **85160** St-Jean-de-Monts :

La Quich'Notte, ✆ 51 58 62 64, « Bourrine aménagée » – P. AE GB
15 fév-15 sept. et fermé lundi sauf juil.-août – **R** 89/189, enf. 35.

à Orouet SE : 7 km – ✉ **85160** St-Jean-de-Monts :

Aub. de la Chaumière, D 38 ✆ 51 58 67 44, Fax 51 98 89 12, , – rest ☎ &
P. AE O GB. ✻ rest
15 avril-30 sept. – **R** 98/220, enf. 55 – ☐ 30 – **29 ch** 200/360 – ½ P 250/350.

EUGEOT, TALBOT Gar. Besseau ✆ 51 58 88 88

RENAULT Gar. Vrignaud, 30 et 35 rte de Challans ✆ 51 58 26 74 N

ST-JEAN-DE-REBERVILLIERS 28 E.-et-L. 60 ⑦ – rattaché à Châteauneuf-en-Thymerais.

ST-JEAN-DE-SIXT 74450 H.-Savoie 74 ⑦ **G. Alpes du Nord** – 852 h. alt. 956.

/oir Défilé des Étroits★ NO : 3 km.

Office de Tourisme ✆ 50 02 70 14.

'aris 577 – Annecy 29 – Chamonix-Mont-Blanc 78 – Bonneville 22 – La Clusaz 3 – ♦Genève 48.

Beau Site ⚘, ✆ 50 02 24 04, ≤, , – ☎ P. GB. ✻ rest
20 juin-début sept. et 20 déc.-10 avril – **R** 70/130 – ☐ 26 – **20 ch** 180/285 – ½ P 200/240.

ST-JEAN-DES-OLLIÈRES 63520 Puy-de-Dôme 73 ⑮ – 363 h. alt. 685.

'aris 459 – ♦Clermont-Ferrand 42 – Ambert 40 – Billom 16 – Issoire 28 – Thiers 34.

L'Archou ⚘ avec ch, ✆ 73 70 92 00 – AE GB
fermé janv., dim. soir d'oct. à mars et jeudi soir – **R** 90/180, enf. 50 – ☐ 25 – **7 ch** 140/200 – ½ P 180/210.

ST-JEAN-DU-BRUEL 12230 Aveyron 80 ⑮ **G. Gorges du Tarn** – 820 h. alt. 520.

Env. Gorges de la Dourbie★★ NE : 10 km.

Paris 695 – ♦Montpellier 98 – Le Caylar 26 – Lodève 44 – Millau 41 – Rodez 107 – St-Affrique 48 – Le Vigan 36.

Midi-Papillon ⚘, ✆ 65 62 26 04, Fax 65 62 12 97, ≤, , – ☎ P. GB
11 avril-11 nov. – **Repas** 65/178 ♂, enf. 47 – ☐ 21 – **19 ch** 71/177 – ½ P 157/201.

ST-JEAN-DU-DOIGT 29228 Finistère 58 ⑥ **G. Bretagne** – 661 h. alt. 15.

Voir Enclos paroissial : trésor★★, église★, fontaine★.

Paris 546 – ♦Brest 77 – Guingamp 62 – Lannion 34 – Morlaix 17 – Quimper 96.

Le Ty Pont, ✆ 98 67 34 06, – ☎. GB
Pâques-fin oct. et fermé dim. soir et lundi sauf du 15 juin au 15 sept. – **R** 58/215 – ☐ 23 – **32 ch** 105/192 – ½ P 160/185.

ST-JEAN-DU-GARD 30270 Gard 80 ⑰ **G. Gorges du Tarn** – 2 441 h. alt. 189.

Voir Musée des Vallées Cévenoles★.

Paris 688 – Alès 27 – Florac 53 – Lodève 92 – ♦Montpellier 73 – Nîmes 59 – Le Vigan 50.

Aub. du Péras, rte Anduze ✆ 66 85 35 94, Fax 66 52 30 32, – ☎ P. AE O GB
mars-nov. – **R** 56/186, enf. 30 – ☐ 28 – **10 ch** 268/290 – ½ P 238.

PEUGEOT, TALBOT Rossel ✆ 66 85 30 32

ST-JEAN-EN-ROYANS 26190 Drôme 77 ③ **G. Alpes du Nord** – 2 895 h. alt. 253.

Office de Tourisme Pavillon du Tourisme ✆ 75 48 61 39.

Paris 589 – ♦Grenoble 68 – Valence 43 – Die 63 – Romans-sur-Isère 27 – St-Marcellin 20 – Villard-de-Lans 33.

Castel Fleuri M, pl. Champ de Mars ✆ 75 47 58 01, ≤, , parc – TV ☎ P. GB
fermé 15 au 22 juin, 23 nov. au 6 déc., 3 au 8 fév., dim. soir et lundi du 15 sept. au 30 juin – **R** 75/200, enf. 55 – ☐ 35 – **10 ch** 190/240 – ½ P 180/190.

au col de la Machine SE : 11 km – alt. 1 010.

Voir Combe Laval★★★.

du Col ⚘, ✆ 75 48 26 36, Fax 75 48 29 12, ≤, – ☎ P. GB
fermé 12 nov. au 15 déc. – **R** 85/135 ♂, enf. 45 – ☐ 32 – **16 ch** 140/240 – ½ P 170/240.

FIAT Gar. Royannais ✆ 75 48 66 86
PEUGEOT-TALBOT Lyonne ✆ 75 48 60 18 N

RENAULT Usclard ✆ 75 47 55 39 N ✆ 75 47 53 92

ST-JEAN-LES-DEUX-JUMEAUX 77660 S.-et-M. 56 ⑬ – 1 152 h.

Paris 61 – Château-Thierry 38 – Meaux 11 – Melun 62 – Senlis 49.

XX **Le Beau Rivage,** 72 r. Pasteur ✆ (1) 64 35 75 75, 🏞 – GB
fermé 5 janv. au 5 fév., dim. soir et lundi de sept. à mai – **R** 135/390.

ST-JEAN-LE-THOMAS 50530 Manche 59 ⑦ – 398 h. alt. 25.

Paris 348 – St-Lô 61 – St-Malo 82 – Avranches 16 – Granville 16 – Villedieu-les-Poeles 30.

🏨 **Bains,** ✆ 33 48 84 20, 🏊, 🌳 – ☎ 🅟. AE ⓓ GB
11 avril-6 nov. et fermé merc. du 30 sept. au 6 nov. – **R** 67/178, enf. 45 – ☕ 29 – **31 c**
153/270 – ½ P 193/265.

ST-JEANNET 06640 Alpes-Mar. 84 ⑨ 195 ㉕ ㉖ G. Côte d'Azur – 3 188 h. alt. 400.

Voir Site★ – ≤★.

Paris 934 – ◆Nice 22 – Antibes 24 – Cannes 34 – Grasse 33 – St-Martin-Vésubie 58 – Vence 8.

🏨 **Fontaine du Peyron** Ⓜ, ✆ 93 24 75 20, Fax 93 24 75 15, 🏞 – 🛗 ⇔ ch 📺 ☎ ♿ 🅟
GB
fermé dim. soir et lundi – **R** 85/135 🍷, enf. 40 – ☕ 30 – **20 ch** 190/275 – ½ P 210/290.

XX **Aub. St.-Jeannet** avec ch, ✆ 93 24 90 06, ≤, 🏞 – 📺 ☎. AE ⓓ GB. ✻ ch
fermé janv. et lundi sauf juil.-août – **R** 100/200, enf. 65 – ☕ 40 – **9 ch** 180/280 – ½ P 25(
300.

X **Chante Grill,** ✆ 93 24 90 63, 🏞 – GB
fermé 15 nov. au 15 déc. et lundi sauf le soir en juil.-août – **R** 98/155, enf. 65.

ST-JEAN-PIED-DE-PORT 64220 Pyr.-Atl. 85 ③ G. Pyrénées Aquitaine – 1 432 h. alt. 163.

Voir Trajet des pèlerins★.

ℹ Syndicat d'Initiative pl. Ch.-de-Gaulle ✆ 59 37 03 57.

Paris 825 ③ – Biarritz 57 ③ – ◆Bayonne 53 ③ – Dax 85 ① – Oloron-Ste-Marie 69 ① – Pau 98 ① – San-Sebas
tián 97 ③.

ST-JEAN-PIED-DE-PORT

Citadelle (R. de la)	3
Espagne (R. d')	4
Gaulle (Pl. Ch.-de)	10
Eyhéraberry (Allée d')	5
Floquet (Pl.)	6
France (Porte de)	7
Lasse (Rte de)	12
Pont Neuf	13
Renaud (Av.)	14
St-Jacques (Ch. de)	15
St-Jacques (Porte)	16
St-Michel (Rte de)	18
Ste-Eulalie (Rue)	19
11-Novembre (R. du)	21

Demandez chez le libraire le catalogue des publications Michelin.

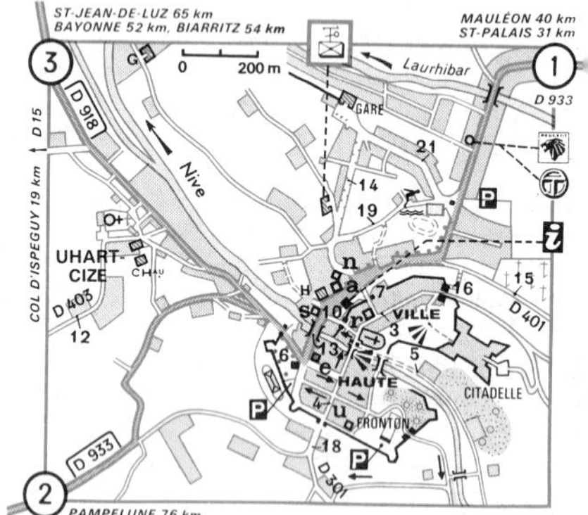

🏨 ✿✿ **Pyrénées** (Arrambide), pl. Ch. de Gaulle **(a)** ✆ 59 37 01 01, Télex 570619,
Fax 59 37 18 97, ≤, 🏞, 🏊, 🌳 – 🛗 ▤ rest 📺 ☎ 🚗 🅟 – 🎪 30. AE GB. ✻
fermé 20 nov. au 22 déc., 5 au 28 janv., lundi soir de nov. à mars et mardi (sauf fériés) du 15 sept. au 30 juin – **R** (dim. et saison - prévenir) 200/450 et carte – ☕ 60 – **20 ch** 500/1000 –
½ P 550/680

Spéc. Petits poivrons farcis à la morue, Saumon frais de l'Adour grillé (mars à août), Pigeon rôti aux ravioles de cèpes
Vins Jurançon, Irouléguy.

🏨 **Continental** sans rest, 3 av. Renaud **(n)** ✆ 59 37 00 25, Fax 59 37 27 81 – 🛗 ☎ 🅟. AE GB
✻
Pâques-30 nov. – ☕ 40 – **22 ch** 280/390.

🏨 **Central,** pl. Ch. de Gaulle **(s)** ✆ 59 37 00 22, Télex 573443, Fax 59 37 27 79, 🏞 – ☎. AE
ⓓ GB JCB. ✻
fermé 22 déc. au 8 fév. – **R** 98/210, enf. 58 – ☕ 38 – **14 ch** 270/380 – ½ P 350/380.

🏨 **Ramuntcho,** r. France **(r)** ✆ 59 37 03 91, 🏞 – 📺 ☎. ⓓ GB
fermé 20 nov. au 26 déc. – **R** *(fermé merc. sauf vacances scolaires)* 75/105, enf. 55 – ☕ 40
– **17 ch** 270/395 – ½ P 240/295.

🏨 **Plaza Berri** 🐚 sans rest, av. Fronton **(u)** ✆ 59 37 12 79, ≤ – ☎. ✻
☕ 30 – **8 ch** 185/250.

🏨 **Haïzpea** 🐚, à Uhart-Cize 1,5 km par D 403 ✆ 59 37 05 44, ≤, parc – ☎ 🅟. ✻ ch
1er juin-1er oct. – **R** (résidents seul.)(½ pens. seul.) – **10 ch** (½ pens. seul.) – ½ P 230/280.

XX **Ipoutchaïnia** avec ch, à **Ascarat** O : 1,5 km par D 15 59 37 02 34, – .
fermé 15 nov. au 15 déc. – **R** 65/130, enf. 45 – 30 – **12 ch** 160/190 – ½ P 190/200.

XX **Etche Ona** avec ch, pl. Floquet **(e)** 59 37 01 14 – . ch
fermé 5 nov. au 21 déc. et vend. sauf vacances scolaires – **R** 98/230 – 32 – **5 ch** 190/300 – ½ P 290/320.

à Aincillé par ① et D 18 : 7 km – **64220** :

Pecoïtz , 59 37 11 88, ←, –
fermé janv., fév. et vend. – **R** 70/180, enf. 48 – 25 – **16 ch** 140/200 – ½ P 160/200.

à Estérençuby S : 8 km par D 301 – **64220** :

Artzaïn-Etchéa , S : 3 km par D 301 59 37 11 55, Fax 59 37 20 16, ← –
fermé 18 nov. au 22 déc. et merc. du 1er nov. à début mai – **R** 92/180, enf. 60 – 35 – **22 ch** 166/247 – ½ P 183/247.

Sources de la Nive , S : 4 km par VO 59 37 10 57, ← –
fermé janv. et mardi – **R** 50/150, enf. 40 – 25 – **28 ch** 120/180 – ½ P 175.

PEUGEOT, TALBOT Gar. des Pyrénées 59 37 00 81

ST-JEOIRE **74490** H.-Savoie 74 ⑦ – 2 209 h. alt. 588.
Paris 561 – Chamonix-Mont-Blanc 56 – Thonon-les-Bains 42 – Annecy 55 – Bonneville 17 – •Genève 31 – Megève 40 – Morzine 30.

Alpes, 50 35 80 33, , , – . GB
fermé 5 au 22 mai, 15 oct. au 15 déc. et lundi hors sais. sauf vacances scolaires – **R** 65/250, enf. 55 – 25 – **20 ch** 120/240 – ½ P 195/270.

ST-JOACHIM **44720** Loire-Atl. 63 ⑮ **G. Bretagne** – 3 994 h.
Voir Tour de l'île de Fédrun* O : 4,5 km – Promenade en chaland**.
Paris 440 – •Nantes 62 – Redon 41 – St-Nazaire 16 – Vannes 61.

XX **Aub. du Parc** avec ch, Ile de Fedrun 40 88 53 01, « Chaumière briéronne », – . AE GB. ch
fermé 21 déc. au 2 mars, dim. soir et lundi sauf juil.-août – **R** 100/270, enf. 70 – 35 – **3 ch** 180/220 – ½ P 260/280.

ST-JORIOZ **74410** H.-Savoie 74 ⑥ – 4 178 h. alt. 467.
Syndicat d'Initiative (fermé matin hors saison) 50 68 61 82.
Paris 546 – Annecy 9,5 – Albertville 36 – Megève 51.

Manoir Bon Accueil , à **Epagny** : 2,5 km par D 10 A 50 68 60 40, Fax 50 68 94 84, , , , – – 30. GB. rest
fermé 20 déc. au 20 janv. – **R** *(fermé dim. soir du 20 sept. au 20 avril)* 110/200, enf. 60 – 40 – **28 ch** 300/470 – ½ P 310/460.

Semnoz, à **Monnetier** O : 1,5 km par D 10 A 50 68 60 28, Fax 50 68 98 38, , , – . AE GB. rest
1er mai-10 oct. – **R** 90/150 – 35 – **50 ch** 280/350 – ½ P 300/350.

ST-JULIEN **56** Morbihan 63 ⑫ – rattaché à Quiberon.

ST-JULIEN-CHAPTEUIL **43260** H.-Loire 76 ⑦ **G. Vallée du Rhône** – 1 664 h. alt. 821.
Voir Site*.
Env. Montagne du Meygal* : Grand Testavoyre ** NE : 14 km puis 30 mn.
Syndicat d'Initiative à la Mairie (juil.-août) 71 08 77 70.
Paris 568 – Le Puy-en-Velay 20 – Lamastre 53 – Privas 87 – St-Agrève 32 – Yssingeaux 16.

Barriol, av. J. Romain 71 08 70 17, Fax 71 08 74 19 – . AE GB.
fermé 5 nov. au 25 janv., dim. soir et lundi sauf du 15 juin au 15 sept. – **R** 65/180, enf. 48 – 35 – **16 ch** 115/245 – ½ P 150/210.

XX **Vidal,** 71 08 70 50 – AE GB
fermé janv., fév., lundi soir et mardi sauf juil.-août – **Repas** 100 (sauf sam. soir)/320, enf. 60.

PEUGEOT-TALBOT Gar. Abrial 71 08 72 20 N
RENAULT Gar. de Chapteuil 71 08 72 79 N 71 08 72 79

ST-JULIEN-DE-JORDANNE **15** Cantal 76 ② – alt. 920 – **15590** Mandailles-St-Julien.
Voir Vallée de Mandailles**, **G. Auvergne.**
Paris 544 – Aurillac 24 – Mauriac 54 – Murat 37.

Touristes, 71 47 94 71, ←, – . AE GB
vacances de printemps-1er oct., vacances de Noël, de fév. et dim. midi en hiver – **R** 75/120 – 25 – **18 ch** 90/190 – ½ P 180/200.

ST-JULIEN D'EMPARE **12** Aveyron 79 ⑩ – rattaché à Figeac.

ST-JULIEN-DU-VERDON 04170 Alpes-de-H.-P. 81 ⑱ **G. Alpes du Sud** – 94 h. alt. 914.

Voir Clue de Vergons★ E : 2 km – Lac de Castillon★.

Paris 800 – Digne 51 – Castellane 13 – Puget-Théniers 37.

- **Le Pidanoux,** ✆ 92 89 05 87, ⩽, – **P**. GB
  R 80/120, enf. 40 – ☕ 30 – **18 ch** 140/280 – ½ P 210/280.

ST-JULIEN-EN-CHAMPSAUR 05500 H.-Alpes 77 ⑯ – 252 h. alt. 1 140.

Paris 659 – Gap 17 – ◆Grenoble 95 – La Mure 57 – Orcières 20.

- **Les Chenêts**, ✆ 92 50 03 15, – ☎ . GB
  hôtel : fermé 1er nov. au 20 déc. ; rest. : fermé 30 sept. au 20 déc. – **R** 78/130 – ☕ 27 – **19 ch** 250/260 – ½ P 260/270.

ST-JULIEN-EN-GENEVOIS 74160 H.-Savoie 74 ⑥ – 7 922 h. alt. 461.

18 Country Club de Bossey ✆ 50 43 75 25.

Paris 528 – Annecy 34 – Thonon-les-Bains 45 – Bonneville 35 – ◆Genève 9 – Nantua 55.

- **Savoie H.** sans rest, av. L. Armand ✆ 50 49 03 55, Fax 50 49 06 23 – TV ☎ **P**. AE GB
  ☕ 28 – **20 ch** 250/285.
- **Le Soli** M sans rest, r. Mgr Paget ✆ 50 49 11 31, Fax 50 35 14 64 – TV ☎ **P**. AE GB
  fermé 23 déc. au 3 janv. – ☕ 33 – **27 ch** 200/270.
- XXX **Diligence et Taverne du Postillon,** av. Genève ✆ 50 49 07 55 – . AE GB JCB
  fermé 2 au 24 août, 24 déc. au 11 janv., dim. (sauf le midi de sept. à juin) et lundi – **R** (brasserie) 120, enf. 55 - **Taverne** (sous-sol) **R** 220/350, enf. 130.

au Sud par N 201 – ✉ 74350 Cruseilles :

- **H. Rey,** au Col du Mont Sion : 9,5 km ✆ 50 44 13 29, Fax 50 44 05 48, ⩽, , parc, – TV ☎ **P**. GB. ch
  fermé 22 oct. au 13 nov. et 4 au 25 janv. – **Clef des Champs** ✆ 50 44 13 11 *(fermé vend. midi et jeudi sauf du 1er au 20 août)* **R** 94/295 – ☕ 33 – **31 ch** 295/322 – ½ P 276/301.

OPEL Leclerc et Maréchal, rte d'Annecy ✆ 50 49 28 31
PEUGEOT-TALBOT Megevand, 3 r. Platière ✆ 50 49 28 33
RENAULT Rond-Point-Auto, rte d'Annemasse ✆ 50 49 07 35

ST-JUNIEN 87200 H.-Vienne 72 ⑥ **G. Berry Limousin** – 10 604 h. alt. 179.

Voir Collégiale★ Y **B**.

Office de Tourisme pl. Champ-de-Foire ✆ 55 02 17 93.

Paris 412 ① – ◆Limoges 30 ① – Angoulême 73 ③ – Bellac 34 ① – Confolens 28 ③ – Ruffec 69 ③.

ST-JUNIEN

Dumas (R. Lucien) . . . . Y 8
J.-J. Rousseau (R.) . . . . Y 12
Mocquet (Pl. Guy) . . . . Y 16
Péri (R. Gabriel) . . . . Y 17

Anatole-France (Av.) . . . . . Y
Bastié (Av. Maryse) . . . . . . Z 2
Blanc (Bd Louis) . . . . Y 3
Blanqui (Fg Auguste) . . . . . Z 4
Brossolette (Bd) . . . . Y 6
Cachin (Bd Marcel) . . . . . . Y
Carnot (Av.) . . . . Y
Corot (Av.) . . . . Y 7
Defaye (R.) . . . . Y
Estienne-d'Orves (Av. d') . . . . Z
Flaubert (Av. G.) . . . . YZ
Gagarine (Av. Youri) . . . . Y
Gaillard (Fg) . . . . Z 10
Liebknecht (Fg) . . . . Y 13
Michels (Pl. Ch.) . . . . Z 15
Pérucaud (R. H.) . . . . Y 19
République (Bd de la) . . . . Y 20
Rigaud (R. Junien) . . . . Y
Roche (Pl. Auguste) . . . . . . Y 21
Roche (Av. Victor) . . . . Z
Vaillant-Couturier (R. Paul) . . . . Z 23
Victor-Hugo (Bd) . . . . Y
Vignerie (Av. L.) . . . . Y
Voltaire (Av.) . . . . Y 24

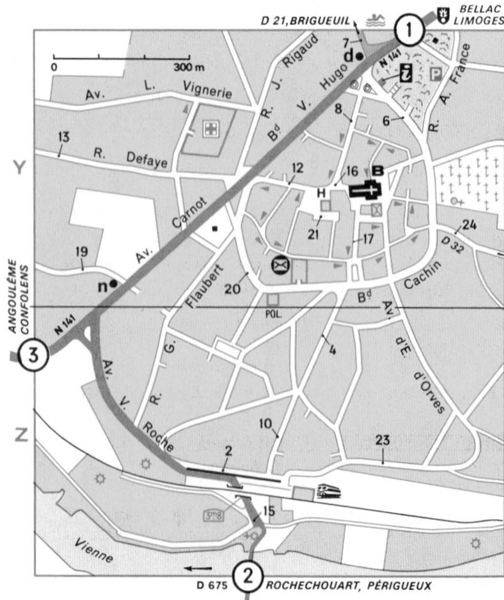

Les plans de villes sont orientés le Nord en haut.

Relais de Comodoliac M, 22 av. Sadi-Carnot ✆ 55 02 27 26, Télex 590336, Fax 55 02 68 79, – TV ☎ & P – 40. AE O GB — Y n
fermé dim. soir du 1er nov. au 28 fév. – **R** 105/265, enf. 60 – 30 – **28 ch** 185/310.

Bœuf Rouge, 57 bd V. Hugo ✆ 55 02 31 84, Fax 55 02 62 40, – TV ☎ & P – 25. AE GB — Y d
R 70/198 , enf. 45 – 30 – **30 ch** 200/300 – ½ P 255/280.

au pont à la Planche par ① et D 675 : 5 km – ✉ **87200** St-Junien :

Rendez-vous des Chasseurs avec ch, ✆ 55 02 19 73 – rest P. GB
fermé 15 oct. au 1er nov., 15 fév. au 1er mars, dim. soir (sauf hôtel) et vend. – **R** 65/210 , enf. 40 – 22 – **7 ch** 130/170 – ½ P 160/220.

CITROEN Gar. Vigier, Le Pavillon par ① ✆ 55 02 31 29 N
PEUGEOT-TALBOT Europ Gar., 4 av. d'Oradour-sur-Glane par ① ✆ 55 02 16 28
RENAULT St-Junien-Autos, 49 av. d'Oradour-sur-Glane par ① ✆ 55 02 38 37 N ✆ 55 06 57 51
Pneus et C/c, 1 r. de Montrozier ✆ 55 02 14 57

ST-JUST 01 Ain 74 ③ – rattaché à Bourg-en-Bresse.

ST-JUST-EN-CHEVALET 42430 Loire 73 ⑦ – 1 422 h. alt. 654.

Paris 395 – Roanne 30 – L'Arbresle 86 – Montbrison 47 – ♦St-Étienne 84 – Thiers 29 – Vichy 50.

Poste, r. Thiers ✆ 77 65 01 42, – O GB
fermé 23 au 31 mars, 22 déc. au 5 janv., dim. soir et mardi soir du 1er nov. au 30 avril – **R** 66/200 , enf. 40 – 35 – **15 ch** 150/200 – ½ P 180.

Londres avec ch, pl. Rochetaillée ✆ 77 65 02 42 – GB
fermé vacances de printemps, de nov., de fév., vend. soir et sam. sauf juil.-août – **R** 80/200 – 26 – **8 ch** 115/130 – ½ P 170/190.

PEUGEOT, TALBOT Chaux ✆ 77 65 04 13 N
Gar. Dulac, à Juré ✆ 77 62 54 13

ST-LAMBERT 78 Yvelines 60 ⑨ 106 ㉙ 101 ㉑ **G. Ile de France** – 382 h. alt. 120 – ✉ **78470** St-Lambert-des-Bois.

Voir Vestiges de l'abbaye de Port-Royal des Champs★ NO : 1,5 km.

Paris 37 – Rambouillet 22 – Versailles 14.

✿ **Les Hauts de Port Royal** (Poirier), D 91 ✆ (1) 30 44 10 21, Fax (1) 30 66 44 10, , « Jardin » – P. AE GB
fermé dim. soir et lundi – **R** carte 270 à 410
Spéc. Aumonières de saumon aux huîtres chaudes (hiver), Feuilleté de homard à l'Indienne, Noix de ris de veau et foie de veau aux écrevisses (saison).

ST-LAMBERT-DES-LEVEES 49 M.-et-L. 64 ⑫ – rattaché à Saumur.

ST-LARY-SOULAN 65170 H.-Pyr. 85 ⑲ **G. Pyrénées Aquitaine** – 1 108 h. alt. 830 – Sports d'hiver : 1 680/2 450 m 2 29.

Office de Tourisme r. Principale ✆ 62 39 50 81, Télex 520360.

Paris 863 – Bagnères-de-Luchon 44 – Arreau 11,5 – Auch 103 – St-Gaudens 64 – Tarbes 69.

Altéa Cristal Parc M , ✆ 62 99 50 00, Télex 532916, Fax 62 99 50 10, ←, , – rest TV ☎ & P – 120. AE O GB
Les Délices R 140/250 , enf. 45 – 50 – **65 ch** 500/630 – ½ P 470.

Motel de la Neste , ✆ 62 39 42 79, ← – TV ☎ P. GB. ch
1er juin-30 sept. et 20 déc.-30 avril – **R** 65/160 , enf. 39 – 36 – **21 ch** 220/270 – ½ P 220/250.

Mir, ✆ 62 39 40 03, – ☎. AE GB.
15 mai-30 sept. et 1er déc.-15 avril – **R** (dîner seul.) 100/190, enf. 35 – 30 – **26 ch** 130/290 – ½ P 250/290.

La Pergola sans rest, ✆ 62 39 40 46, ←, – ☎ P.
juin-15 oct. et 15 déc.-30 avril – 24 – **14 ch** 120/240.

Andredena , ✆ 62 39 43 59, ←, , – ☎ P. O GB.
15 mai-8 oct. et 20 déc.-15 avril – **R** (résidents seul) carte environ 150 – 35 – **15 ch** 240/275 – ½ P 235/265.

Pons "Le Dahu", ✆ 62 39 43 66, – P. AE GB. rest
R 49/75 – 22 – **31 ch** 150/220 – ½ P 140/180.

à Vielle-Aure N : 1,5 km sur D 19 – alt. 800 – ✉ **65170** :

Aurélia , ✆ 62 39 56 90, , , – ☎ P. GB.
fermé 1er oct. au 15 déc. – **R** 65/140 – 30 – **18 ch** 220 – ½ P 230.

à Espiaube NO : 11 km par D 123 et VO – alt. 1 600 – ✉ **65170** St-Lary-Soulan :

La Sapinière , ✆ 62 98 44 04, ← – ☎ P. AE GB
15 déc.-15 avril – **R** carte 80 à 150 – 27 – **16 ch** 200/290 – ½ P 260.

RENAULT Gar. Celotti, ✆ 62 39 40 39

ST-LATTIER **38840** Isère 77 ③ – 1 028 h. alt. 179.

Paris 576 – Valence 33 – ♦Grenoble 67 – Romans-sur-Isère 15 – St-Marcellin 15.

- **Lièvre Amoureux** ⛰, ✆ 76 64 50 67, Télex 308534, Fax 76 64 31 21, ⛱, « Jardin fleuri, ⛱ », ✂ – ☎ P. AE ⓓ GB
  fermé 15 déc. au 20 janv., dim. soir et lundi d'oct. à avril – **R** 150/250, enf. 65 – ☕ 45 – **14 ch** 320/420 – ½ P 425.
- **Brun,** Les Fauries, N 92 ✆ 76 64 54 76, ⛱ – ☎ P. GB
  R 95/180 ⛫ – ☕ 25 – **11 ch** 155/180 – ½ P 165.
- XX **Aub. Viaduc** ⛰ avec ch, N 92 ✆ 76 64 51 65, Fax 76 64 30 93, ⛱, ⛱, ⛱ – TV ☎ P. GB
  fermé 2 au 28 déc. et merc. – **R** 150/360 – ☕ 55 – **6 ch** 450 – ½ P 500.

ST-LAURENT-DE-LA-SALANQUE **66250** Pyr.-Or. 86 ⑳ – 7 186 h. alt. 4.

Env. Fort de Salses★★ NO : 9 km, **G. Pyrénées Roussillon.**

☐ Syndicat d'Initiative pl. Gambetta (saison) ✆ 68 28 31 03.

Paris 898 – ♦Perpignan 14 – Elne 22 – Narbonne 60 – Quillan 79 – Rivesaltes 10.

- **Commerce,** bd Révolution ✆ 68 28 02 21 – ▤ rest ☎ ⛟ – 🏊 25. GB. ✂
  fermé 23 oct. au 16 nov., vacances de fév., dim. soir et lundi sauf juil.-août – **R** 78/170 – ☕ 26 – **14 ch** 172/220 – ½ P 190/209.
- **Aub. du Pin,** rte Perpignan ✆ 68 28 01 62, ⛱ – ☎ P. GB
  fermé janv., dim. soir et lundi sauf juil.-août – **R** 100/150 – ☕ 24 – **19 ch** 175/190 – ½ P 195/205.

CITROEN Gar. Formenty, ✆ 68 28 01 08 N
PEUGEOT-TALBOT Gar. Balouet, ✆ 68 28 32 73
RENAULT Gar. Tarrius, ✆ 68 28 14 67 N ✆ 68 61 95 55
RENAULT Billes, Z.A. ✆ 68 28 54 54

ST-LAURENT-DE-MURE **69720** Rhône 74 ⑫ – 4 513 h. alt. 252.

Paris 487 – ♦Lyon 19 – Pont-de-Chéruy 16 – La Tour-du-Pin 37 – Vienne 27.

- **Host. Le St-Laurent,** ✆ 78 40 91 44, Fax 78 40 45 41, ⛱, parc – TV ☎ P. AE ⓓ GB
  fermé dim. soir, fériés le soir et sam. – **R** 80/250 ⛫ – ☕ 30 – **30 ch** 240/350.

ST-LAURENT-DES-AUTELS **49270** M.-et-L. 67 ④ – 1 510 h. alt. 93.

Paris 358 – ♦Nantes 33 – Ancenis 10 – Cholet 41 – Clisson 26.

- XX **Cheval Blanc,** ✆ 40 83 90 05 – GB
  fermé 5 au 19 août, dim. soir et merc. – **R** 79/260.

ST-LAURENT-DU-PONT **38380** Isère 77 ⑤ **G. Alpes du Nord** – 4 061 h. alt. 416.

Voir Gorges du Guiers Mort★★ SE : 2 km – Site★ de la Chartreuse de Curière SE : 4 km.

Paris 546 – ♦Grenoble 32 – Chambéry 29 – La Tour-du-Pin 40 – Voiron 15.

- XX **La Blache,** av. Gare ✆ 76 55 29 57, ⛱ – P. GB
  fermé 16 au 30 août, vacances de fév. et lundi – **R** 107/210.

RENAULT Gar. Montagnat-Giraud ✆ 76 55 21 03

ST-LAURENT-DU-VAR **06700** Alpes-Mar. 84 ⑨ 195 ㉖ **G. Côte d'Azur** – 24 426 h. alt. 17.

Voir Corniche du Var★ N.

☐ Maison du Tourisme rte du Bord de Mer Port-St-Laurent ✆ 93 07 68 58.

Paris 925 – ♦Nice 9 – Antibes 15 – Cagnes-sur-Mer 6 – Cannes 25 – Grasse 28 – Vence 14.

Voir plan de NICE Agglomération.

- XX **Le Centurion,** au port ✆ 93 07 99 10 – ▤. AE GB
  fermé 15 oct. au 15 nov., dim. soir et merc. sauf juil.-août – **R** 115/290.

ST-LAURENT-EN-GRANDVAUX **39150** Jura 70 ⑮ **G. Jura** – 1 781 h. alt. 908.

Paris 446 – Champagnole 22 – Lons-le-Saunier 46 – Morez 12 – Pontarlier 60 – St-Claude 30.

- **Commerce,** ✆ 84 60 11 41, ⛱ – TV ☎ ⛟. GB
  fermé 10 au 26 mai, 11 nov. au 20 déc., dim. soir et lundi de sept. à juin sauf vacances de fév. – **R** 95/150 ⛫ – ☕ 26 – **13 ch** 140/250.

ST-LAURENT-EN-ROYANS **26190** Drôme 77 ③ – 1 330 h. alt. 312.

Paris 589 – ♦Grenoble 68 – Valence 43 – Romans-sur-Isère 27 – St-Marcellin 20 – Villard-de-Lans 29.

- X **Bérard** avec ch, ✆ 75 48 61 13, ⛱ – GB
  ✦ *fermé janv., dim. soir, lundi soir et mardi sauf juil.-août* – **R** 75/170 ⛫ – ☕ 25 – **8 ch** 100/140 – ½ P 180.

RENAULT Gar. Magnan ✆ 75 48 65 38 N

ST-LAURENT-NOUAN **41220** L.-et-Ch. 64 ⑧ **G. Châteaux de la Loire** – 3 399 h. alt. 89.

18 des Bordes ✆ 54 87 72 13, à 6 km.

Paris 160 – ♦Orléans 30 – Beaugency 8,5 – Blois 27.

Relais des Sapins, D 951 ✆ 54 87 70 71, Fax 54 87 21 99, – – ✆ – 80. AE GB
R 60/160, enf. 40 – 30 – **42 ch** 240/300 – ½ P 225/340.

ST-LAURENT-SUR-SÈVRE **85290** Vendée 67 ⑤ **G. Poitou Vendée Charentes** – 3 247 h. alt. 125.

Paris 362 – Angers 70 – La Roche-sur-Yon 57 – Bressuire 35 – Cholet 12 – ♦Nantes 63.

Hermitage, r. Jouvence ✆ 51 67 83 03, Fax 51 67 84 11, – ✆. GB
fermé 1er au 15 août, 14 au 28 fév. et sam. hors sais. – **R** 68/150, enf. 45 – 27 – **16 ch** 180/260 – ½ P 230/250.

à La Trique N : 1 km – ✉ **85290** Mortagne-sur-Sèvre :

Baumotel La Chaumière avec ch, ✆ 51 67 80 81, Télex 701758, Fax 51 67 82 87, , parc, « Atmosphère originale évoquant l'époque de la Vendée Militaire », – ✆. AE GB
fermé 8 au 15 fév. – **R** 98/290, enf. 59 – 39 – **23 ch** 290/490 – ½ P 290/480.

ST-LÉGER 17 Char.-Mar. 71 ⑤ – rattaché à Pons.

ST-LÉGER-EN-YVELINES **78610** Yvelines 60 ⑧ ⑨ 106 ㉗ – 1 074 h. alt. 150.

Paris 54 – Dreux 34 – Mantes-la-Jolie 37 – Montfort-l'Amaury 7,5 – Rambouillet 11 – Versailles 32.

Gros Billot, ✆ (1) 34 86 30 11, Fax (1) 34 86 35 08, – ✆ – 30. AE GB
fermé 15 juil. au 6 août, 23 au 30 déc., dim. soir et lundi – **R** 150/250 – 25 – **19 ch** 170/260.

Die im Michelin-Führer
verwendeten Zeichen und Symbole haben –
*dünn oder **fett** gedruckt, in einer Kontrastfarbe oder schwarz –*
jeweils eine andere Bedeutung.
Lesen Sie daher die Erklärungen aufmerksam durch.

ST-LÉGER-LES-MÉLÈZES **05260** H.-Alpes 77 ⑯ **G. Alpes du Nord** – 182 h. alt. 1 260 – Sports d'hiver : 1 260/2 001 m 14.

Paris 674 – Gap 21 – Grenoble 105.

Ecureuil, ✆ 92 50 40 49, Fax 92 50 71 64, ←, , – ✆. GB. rest
1er juil.-1er sept. et 26 déc.-10 avril – **R** 90/180, enf. 55 – 30 – **40 ch** 230/260 – ½ P 230/250.

ST-LÉONARD-DE-NOBLAT **87400** H.-Vienne 72 ⑱ **G. Berry Limousin** – 5 024 h. alt. 346.

Voir Église★ : clocher★★.

18 de la Porcelaine ✆ 55 31 10 69, O par D 941 puis VC : 14 km.

Office de Tourisme r. R.-Salengro (fermé matin) ✆ 55 56 25 06.

Paris 402 – ♦Limoges 19 – Aubusson 67 – Brive-la-Gaillarde 92 – Guéret 62.

Gd St Léonard, rte Clermont ✆ 55 56 18 18, Fax 55 56 98 32 – ✆. AE GB
fermé 1er au 7 juin, 15 déc. au 15 janv., et lundi sauf le soir du 15 juin au 15 sept. – **R** 105/270 – 40 – **13 ch** 230/260 – ½ P 250/280.

Modern avec ch, 6 bd A. Pressmann ✆ 55 56 00 25 – ✆. GB
fermé 19 au 25 oct., 31 janv. au 2 mars, lundi sauf le soir de juil. à sept. et dim. soir d'oct. à juin – **R** 110/250, enf. 65 – 32 – **8 ch** 240/260 – ½ P 178/250.

à la gare de Brignac NO : 10 km par D 941 et D 124 – ✉ **87400** St-Léonard-de-Noblat :

Beau Site , ✆ 55 56 00 56, , parc – ✆. GB
fin mars-mi-déc. et fermé lundi midi et vend. soir sauf de juil. à sept. – **R** 100/225, enf. 55 – 38 – **11 ch** 225/315 – ½ P 225/245.

CITROEN Gar. MBA, 21 av. Champ Mars ✆ 55 56 04 53

PEUGEOT-TALBOT Gar. Ducros, rte de Bujaleuf ✆ 55 56 17 17

ST-LÉONARD-DES-BOIS **72590** Sarthe 60 ⑫ **G. Normandie Cotentin** – 497 h. alt. 98.

Voir Alpes Mancelles★.

Syndicat d'Initiative à la Mairie ✆ 43 33 28 10.

Paris 212 – Alençon 19 – ♦Le Mans 49 – Fresnay-sur-Sarthe 12 – Laval 75 – Mayenne 46.

Touring H. M , ✆ 43 97 28 03, Télex 722006, Fax 43 97 07 72, ←, « Jardin au bord de la Sarthe », , – ✆ – 25 à 80. AE GB JCB. rest
fermé 15 nov. au 15 fév., vend. soir et sam. sauf fériés du 15 oct. au 15 mars – **R** (dim. prévenir) 98/225, enf. 55 – 40 – **35 ch** 265/405 – ½ P 255/325.

ST-LÔ P 50000 Manche 54 ⑬ **G. Normandie Cotentin** – 21 546 h. alt. 14.

Voir Haras★ B – Syndicat d'Initiative 2 r. Havin ✆ 33 05 02 09.

Paris 303 ② – ◆Caen 65 ② – Cherbourg 78 ⑦ – Fougères 98 ⑤ – Laval 136 ⑤ – ◆Rennes 133 ⑤.

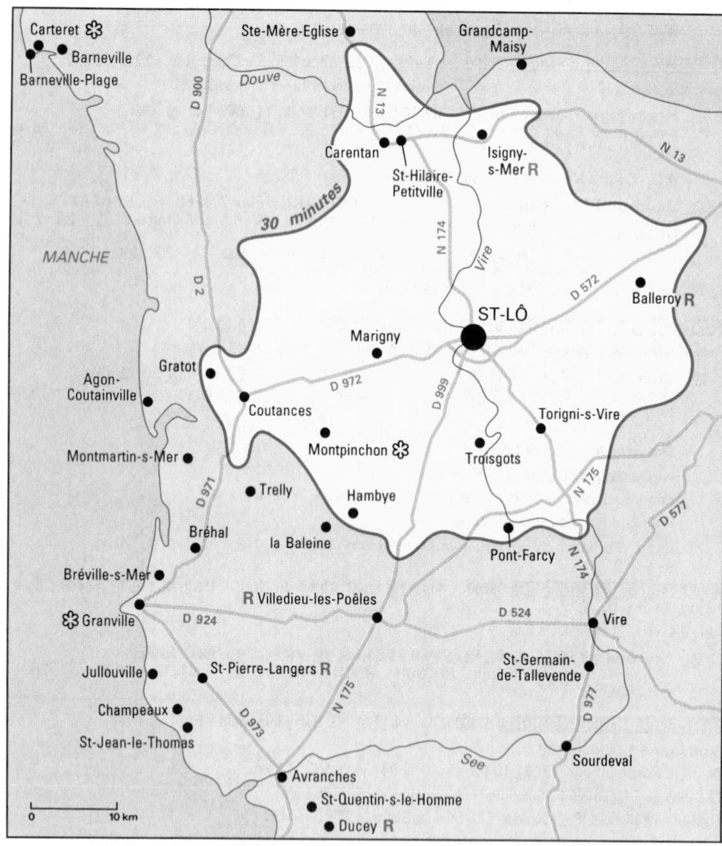

Le Marignan, pl. Gare ✆ 33 05 15 15, – TV ☎ – 60. AE ⓓ GB — A **s**
fermé 13 au 28 fév., vend. soir et sam. midi – **R** 110/345 – 28 – **18 ch** 130/290 – ½ P 230/250.

Urbis M sans rest, 1 av. Briovère ✆ 33 05 10 84, Télex 772504, Fax 33 56 46 92, ≤, – TV ☎ – 90 à 80. GB — A **s**
32 – **36 ch** 260/290.

Voyageurs, 5 av. Briovère ✆ 33 05 08 63, Télex 170753, Fax 33 05 14 34, – ch TV ☎. AE ⓓ GB — A **s**
fermé 15 déc. au 15 janv., lundi (sauf hôtel) et dim. soir sauf juil.-août – **R** 70/200, enf. 50 – 35 – **15 ch** 180/340 – ½ P 240/280.

Armoric sans rest, 15 r. Marne ✆ 33 05 61 32 – TV ☎. AE GB — A **a**
19 – **20 ch** 190/260.

Régence sans rest, 18 r. St-Thomas ✆ 33 05 50 80, Fax 33 05 30 61 – TV ☎. GB — A **u**
20 – **14 ch** 120/195.

XXX **La Gonivière,** rd-pt 6 Juin (1er étage) ✆ 33 05 15 36 – AE ⓓ GB — A **r**
fermé vacances de fév. et sam. midi – **R** 95/240.

au Calvaire par ② et D 972 : 7 km – ✉ **50810** St-Pierre-de-Semilly :

XXX **Les Glycines,** ✆ 33 05 02 40, Fax 33 56 29 32, – P. AE GB
fermé fin juil. au 13 août, vacances de fév., sam. midi et merc. – **R** 118/288, enf. 50.

ST-LÔ

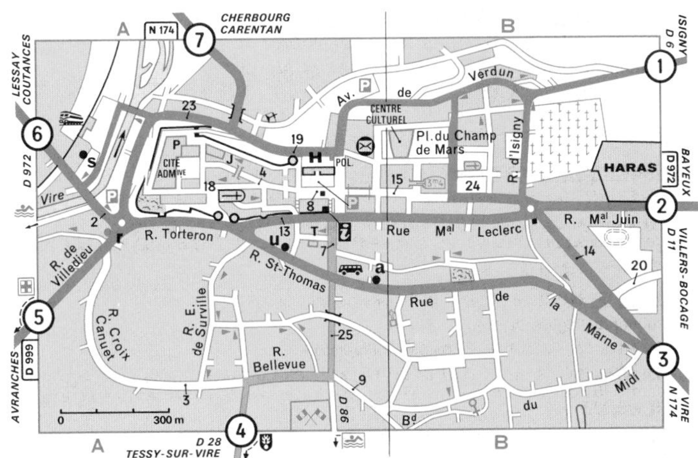

Z.A. La Chevalerie par ③ : 4 km – ✉ **50000** St-Lô :

Ibis Ⓜ, ☎ 33 57 78 38, Télex 171669, Fax 33 55 27 67, 🏞, 🏊 – TV ☎ ♿ Ⓟ – 🏠 100. GB
R 81 🍷, enf. 40 – ☕ 32 – **48 ch** 260/290.

ALFA ROMEO SEAT Manche Alfa, rte de Coutances à Agneaux ☎ 33 05 19 34
CITROEN DI.CO.MA., ZA la Chevalerie par ④ ☎ 33 57 48 30
FORD Manche Auto Services, 700 av. de Paris ☎ 33 05 39 39
NISSAN Gar. Dessoude, Zone Delta ☎ 33 05 30 52
PEUGEOT-TALBOT Éts Duval, av. de Paris par ② ☎ 33 57 04 50 N ☎ 33 06 25 84
RENAULT Briocar, ZAC La Chevalerie par ③ ☎ 33 05 04 04 N

ROVER Gar. Fair Play, rte de Bayeux ☎ 33 72 09 09
V.A.G Gar. Lebon, Zone Delta - rte de Bayeux ☎ 33 72 07 95
Gar. Marie, 164 rte de Tessy ☎ 33 57 12 98

Ⓜ Central Pneu, 1 r. Fontaine-Venise ☎ 33 57 52 37
La Chevalerie Pneus, r. J.-Vallés ZI la Chevalerie ☎ 33 57 43 44
Ledoyen Pneus, 559 av. de Paris ☎ 33 57 73 04
Schmitt-pneus, 290 av. de Paris ☎ 33 57 40 57

ST-LOUIS 68300 H.-Rhin 66 ⑩ – 19 547 h. alt. 225.

Paris 486 – ♦Mulhouse 34 – Altkirch 27 – ♦Basel 5 – Belfort 72 – Colmar 62 – Ferrette 23.

Berlioz sans rest, r. Henner ☎ 89 69 74 44, Fax 89 70 19 17 – |‡| TV ☎ 🚗 Ⓟ. AE GB
fermé 1er au 10 janv. – ☕ 30 – **20 ch** 200/290.

Europe sans rest, 2 r. Huningue ☎ 89 69 73 55 – |‡| ☎. AE ⓓ GB
fermé 25 déc. au 2 janv. – ☕ 42 – **35 ch** 190/350.

A la Ville de Mulhouse, 105 r. Mulhouse ☎ 89 69 17 77 – GB
fermé mardi et merc. – **R** 70/129 🍷.

à Huningue E : 2 km par D 469 – 6 252 h. – ✉ **68330** :

Tivoli, 15 av. Bâle ☎ 89 69 73 05, Télex 881113, Fax 89 67 82 44 – |‡| ▤ TV ☎ Ⓟ – 🏠 30. GB
R *(fermé 1er au 25 août, 24 déc. au 6 janv., sam. midi et dim.)* 130/380 🍷 – ☕ 40 – **44 ch** 260/400 – ½ P 250/300.

à Village-Neuf NE : 3 km par N 66 et D 21 – ✉ **68300** :

Mayer, 2 r. St-Louis ☎ 89 67 11 15 – Ⓟ. GB
fermé 29 juil. au 20 août, 20 déc. au 5 janv., dim. soir de juil. à mars et lundi – **R** 210/360 🍷.

à Hésingue O : 4 km par D 419 – ✉ **68220** :

Au Boeuf Noir, ☎ 89 69 76 40 – GB
fermé 3 au 17 août, vacances de fév., sam. midi et dim. – **R** 250/340.

à l'Aéroport de Bâle-Mulhouse NO : 5 km par N 66 et D 12 : voir ***Bâle***

CITROEN Flury, 11 r. du Rhône ✆ 89 69 13 02
FORD Sax-Autom., 10 r. Prés ✆ 89 67 47 94
OPEL-GM Gar. Feldbauer, 20 r. Prés ✆ 89 69 22 26
PEUGEOT, TALBOT Gar. Ledy, pl. de l'Europe ✆ 89 69 80 35 N

RENAULT Gar. Bader, 81 av. Gén.-de-Gaulle ✆ 89 69 00 15 N ✆ 05 05 15 15

Pneus et Services D. K., 65 r. Gén.-de-Gaulle ✆ 89 69 81 08

ST-LOUIS-DE-MONTFERRAND 33440 Gironde 71 ⑧ – 1 808 h. alt. 3.

Paris 571 – ◆Bordeaux 14 – Blaye 45 – Libourne 36 – St-André-de-Cubzac 17.

Relais du Marais avec ch, ✆ 56 77 41 19 – P. GB.
fermé 18 juil. au 16 août, 24 déc. au 4 janv., sam. soir et dim. – **R** 95 bc/150 bc – 20 – **5 ch** 120/150 – ½ P 195/225.

ST-LOUP 03 Allier 69 ⑭ – rattaché à Varennes-sur-Allier.

ST-LOUP-SUR-SEMOUSE 70800 H.-Saône 66 ⑥ – 4 677 h. alt. 245.

Paris 354 – Épinal 43 – Bourbonne-les-Bains 48 – Gray 82 – Remiremont 30 – Vesoul 35 – Vittel 58.

Trianon, pl. J.-Jaurès ✆ 84 49 00 45, Fax 84 94 22 34, – TV ☎. GB
fermé fév. et sam. midi de sept. à mai – **R** 68/220 – 28 – **13 ch** 190/250 – ½ P 210/230.

FORD Gar. Dormoy ✆ 84 49 02 46

ST-LYPHARD 44410 Loire-Atl. 63 ⑭ **G. Bretagne** – 2 889 h. alt. 12.

Voir Clocher de l'église ✻★★.

Paris 449 – ◆Nantes 71 – La Baule 16 – Redon 38 – St-Nazaire 21.

Le Nézil, SO : 3 km par D 47 ✆ 40 91 41 41, « Chaumière briéronne », – P. GB
fermé 15 nov. au 3 déc., 1er au 17 fév., mardi soir sauf du 1er juil. au 15 sept. et merc. – **R** 110/200.

à Bréca S : 6 km par D 47 et VO – ✉ 44410 St-Lyphard :

Aub. de Bréca, ✆ 40 91 41 42, , « Chaumière briéronne dans un jardin fleuri » – P. AE GB
10 avril-1er nov. et fermé dim. soir et jeudi sauf juil.-août – **R** 98/145, enf. 55.

ST-MACAIRE 33 Gironde 79 ② – rattaché à Langon.

ST-MACAIRE-EN-MAUGES 49450 M.-et-L. 67 ⑤ – 5 543 h. alt. 96.

Paris 355 – Angers 61 – Ancenis 39 – Cholet 11,5 – ◆Nantes 48.

La Gâtine, ✆ 41 55 30 23 – TV ☎. GB.
fermé 17 juil. au 12 août – **R** *(fermé dim. soir et lundi)* 70/210 – 25 – **15 ch** 99/210.

ST-MACLOU 27210 Eure 55 ④ – 458 h. alt. 114.

Paris 177 – Bolbec 31 – Évreux 77 – ◆Le Havre 45 – Honfleur 15 – Pont-Audemer 9.

La Crémaillère avec ch, ✆ 32 41 17 75 – GB
fermé 6 au 20 mars, 1er au 21 oct., merc. soir et jeudi – **R** 63/210 – 28 – **7 ch** 120/230 – ½ P 160/230.

ST-MAIME 04 Alpes-de-H.-Pr 81 ⑮ – rattaché à Manosque.

ST-MAIXENT-L'ÉCOLE 79400 Deux-Sèvres 68 ⑫ **G. Poitou Vendée Charentes** (plan) – 6 893 h. alt. 65.

Voir Église abbatiale★.

18 du Petit Chêne à Mazières ✆ 49 63 28 33, O par D 6 : 20 km.

Office de Tourisme Porte Châlon ✆ 49 05 54 05.

Paris 384 – Poitiers 51 – Angoulême 99 – Niort 23 – Parthenay 29.

Logis St Martin M, chemin Pissot ✆ 49 05 58 68, Fax 49 76 19 93, ≤, , parc, « Demeure du 17e siècle » – TV ☎ P – 25. AE GB
fermé janv. et lundi du 1er sept. au 31 mars – **R** 98/140 – 45 – **9 ch** 300/380 – ½ P 335/375.

Lika M, rte Niort ✆ 49 05 63 64, Fax 49 05 53 63, , – rest TV ☎ P – 30. GB
fermé 23 déc. au 6 janv., sam. soir et dim. soir de fin sept. à mars – **R** 65/140 – 28 – **19 ch** 200/220.

à Soudan E : 7,5 km par N 11 – ✉ 79800 :

L'Orangerie, ✆ 49 06 56 06, – ☎ P. AE GB.
fermé 31 déc. au 5 fév. et dim. du 15 nov. à mars – **R** *(fermé dim. sauf le midi d'avril au 14 nov.)* 85/180, enf. 38 – 35 – **9 ch** 160/190.

PEUGEOT-TALBOT Gar. Courtois, 87 r. Clemenceau ✆ 49 76 13 42
RENAULT Gar. Mouzin, 13 av. Wilson ✆ 49 05 50 72

Moinet Pneus, 12 av. de Blossac ✆ 49 05 50 22

ST-MALO <SP> **35400** I.-et-V. 59 ⑥ **G. Bretagne** – 48 057 h. alt. 8 – Casino AXY.

Voir Site★★★ – Remparts★★★ DZ – Château★★ DZ : musée de la ville★ **M**, Tourelles de guet ☼★★, Quic-en-Groigne★ DZ **E** – Fort national★ : ⩽★★ 15 mn AX – Vitraux★ de la cathédrale St-Vincent DZ – Usine marémotrice de la Rance : digue ⩽★ S : 4 km.

✈ de Dinard-Pleurtuit-St-Malo : T.A.T. ✆ 99 46 15 76, par ③ : 14 km.

ℹ Office de Tourisme esplanade St-Vincent ✆ 99 56 64 48.

Paris 400 ③ – Alençon 177 ③ – Avranches 64 ③ – Dinan 29 ③ – ♦Rennes 69 ③ – St-Brieuc 75 ③.

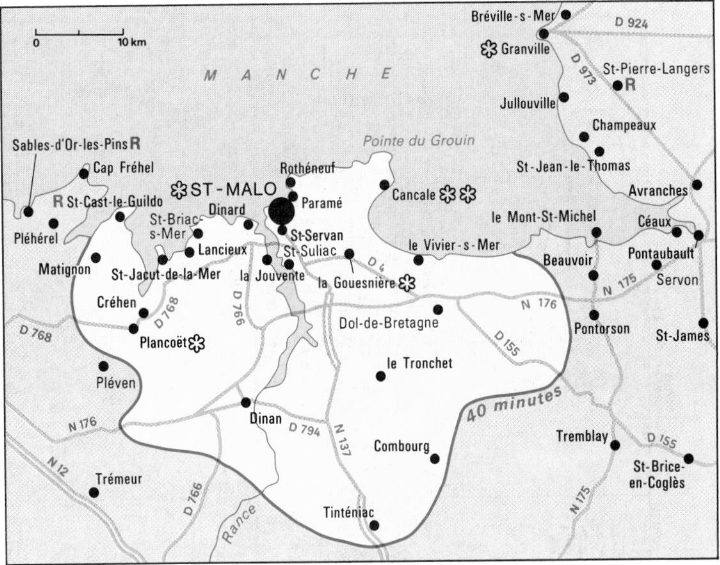

Intra muros :

Central et rest. la Frégate, 6 Gde rue ✆ 99 40 87 70, Fax 99 40 47 57 – 🛗 TV ☎ 🚗 – 🏛 25. AE ⓓ GB — DZ **n**
R *(fermé 15 janv. au 15 fév., et dim. soir du 15 nov. au 15 mars)* 120/180, enf. 70 – ☕ 40 – **48 ch** 390/650 – ½ P 365/430.

La Cité M sans rest, 26 r. Ste-Barbe ✆ 99 40 55 40, Télex 741714, Fax 99 40 10 04 – 🛗 TV ☎ ♿ 🚗. AE ⓓ GB — DZ **v**
☕ 35 – **41 ch** 340/480.

Ajoncs d'Or sans rest, 10 r. Forgeurs ✆ 99 40 85 03, Fax 99 40 80 70 – 🛗 TV ☎. AE ⓓ GB — DZ **a**
fermé 12 nov. au 16 déc. – ☕ 40 – **22 ch** 360/460.

Quic en Groigne sans rest, 8 r. d'Estrées ✆ 99 40 86 81, Fax 99 40 11 64 – TV ☎ 🚗. GB. 🐕 — DZ **u**
☕ 35 – **15 ch** 250/350.

Bristol Union sans rest, 4 pl. Poissonnerie ✆ 99 40 83 36 – 🛗 TV ☎. GB — DZ **r**
fermé 16 nov. au 31 janv. – ☕ 28 – **27 ch** 205/315.

Louvre sans rest, 2 r. Marins ✆ 99 40 86 62, Fax 99 40 86 93 – 🛗 ☎. GB — DZ **f**
1er mars-20 nov., vacances de Noël et de fév. – ☕ 30 – **45 ch** 190/285.

Brochet sans rest, 1 r. Corne de Cerf ✆ 99 56 30 00 – 🛗 TV ☎. GB. 🐕 — DZ **q**
1er mai-1er nov. – ☕ 30 – **22 ch** 215/315.

Palais sans rest, 8 r. Toullier ✆ 99 40 07 30 – 🛗 TV ☎. AE GB — DZ **k**
fermé 22 déc. au 5 fév. – ☕ 33 – **18 ch** 200/340.

✕✕ ✿ **A la Duchesse Anne** (Thirouard), 5 pl. Guy La Chambre ✆ 99 40 85 33, Fax 99 40 00 28, 🏖 – GB. 🐕 — DZ **e**
fermé déc., janv. et merc. – **R** carte 190 à 300
Spéc. Foie gras de canard, Homard grillé "Duchesse Anne", Tarte Tatin (oct. à mai).

✕✕ **Delaunay,** 6 r. Ste Barbe ✆ 99 40 92 46 – AE GB — DZ **x**
fermé 9 au 30 mars, 9 au 30 nov., mardi midi (sauf juil.-août) et lundi – **R** carte 170 à 320.

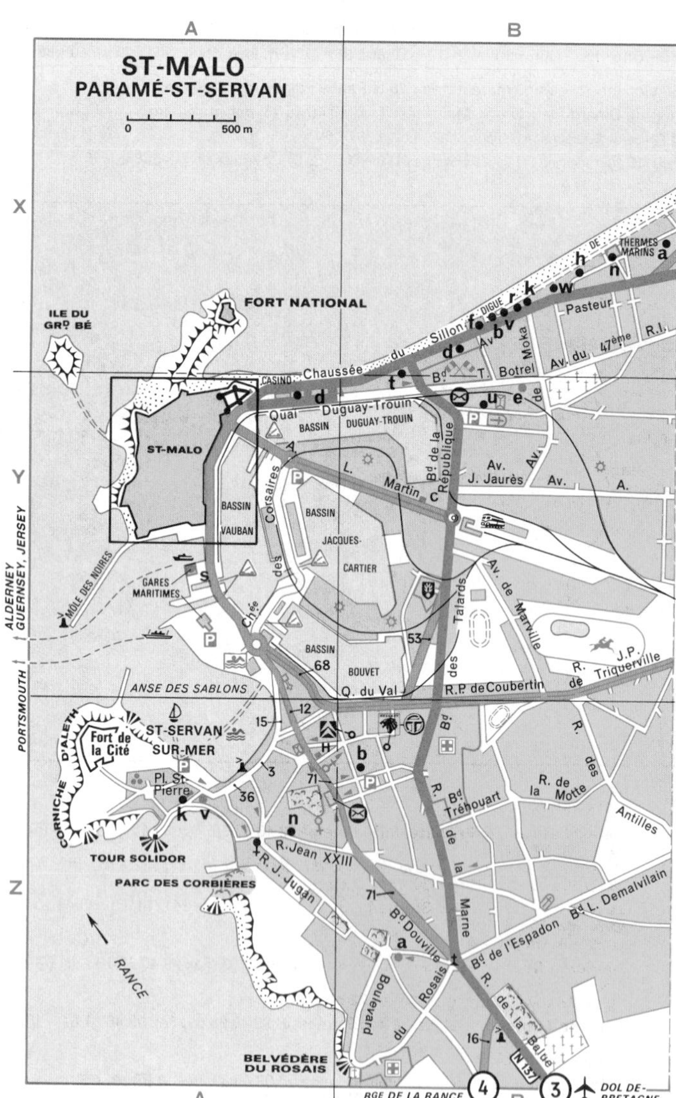

Noguette avec ch, 9 r. Fosse ✆ 99 40 83 57 – TV ☎. GB. rest — DZ **y**
fermé 6 nov. au 17 déc. – **R** *(fermé dim. soir sauf juil.-août et lundi)* 62/240 – 28 – **12 ch** 170/275 – ½ P 215/265.

Gilles, 2 r. Pie qui boit ✆ 99 40 97 25 – GB — DZ **t**
fermé 16 au 28 nov., 1er au 13 fév., dim. soir hors sais. et jeudi – **R** 98/160.

St-Malo Est et Paramé – ✉ **35400** St-Malo :

Gd. H. Thermes et rest. Cap Horn M, aux Thermes marins, 100 bd Hébert ✆ 99 40 75 75, Télex 740184, Fax 99 40 76 00, ≤, centre de thalassothérapie, – rest TV ☎ – 25 à 80. AE GB. rest — BX **n**
R 185/280 – 55 – **182 ch** 300/1180, 7 appart. 860/2100 – ½ P 555/935.

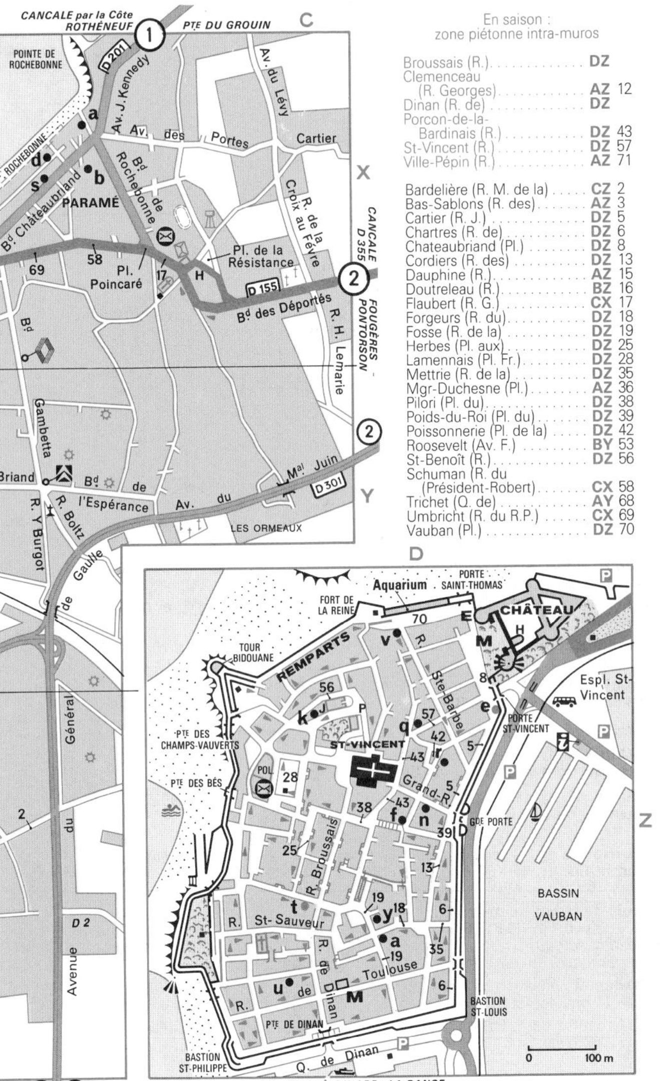

Mercure M sans rest, 2 chaussée Sillon ☎ 99 56 84 84, Télex 740583, Fax 99 56 45 73, ← – |♦| ⇆ TV ☎ ♿ 🚗 – 🏛 50. AE ⓓ GB JCB — AY **d**
☐ 47 – **70 ch** 520/710.

La Villefromoy M ⛭ sans rest, 7 bd Hébert ☎ 99 40 92 20, Fax 99 56 79 49, 🏔 – TV ☎ ♿ P. AE ⓓ GB — CX **s**
20 mars-13 nov. – ☐ 44 – **21 ch** 360/560.

Gd H. Courtoisville ⛭, 69 bd Hébert ☎ 99 40 83 83, Fax 99 40 57 83, 🏔 – |♦| ⇆ ch TV ☎ ♿ 🚗 P. GB. ✱ rest — BX **a**
début mars-mi-nov. – **R** 110/180 – ☐ 40 – **47 ch** 400/550 – ½ P 360/440.

Alexandra ⛭ sans rest, 138 bd Hébert ☎ 99 56 11 12, ← – TV ☎. AE ⓓ GB JCB — BX **h**
☐ 40 – **15 ch** 310/540.

Brocéliande sans rest, 43 chaussée Sillon ☎ 99 56 86 60, ← – TV ☎ P. GB. BX **v**
fermé 1er au 26 déc. – ☐ 38 – **10 ch** 430.

Beaufort M sans rest, chaussée Sillon ☎ 99 40 99 99, Fax 99 40 99 62, ← – TV ☎. GB. BX **b**
☐ 39 – **21 ch** 390/620.

Alba sans rest, 17 r. Dunes ☎ 99 40 37 18, Fax 99 40 96 40, ← – TV ☎ P. GB. BX **w**
fermé 15 nov. au 15 déc. et 5 janv. au 10 fév. – ☐ 45 – **20 ch** 350/520.

Digue sans rest, 49 chaussée Sillon ☎ 99 56 09 26, Télex 730736, Fax 99 56 41 65, ← – TV ☎. AE GB BX **r**
13 mars-14 nov. – ☐ 35 – **53 ch** 300/500.

Mascotte, 76 chaussée Sillon ☎ 99 40 36 36, Télex 741560, Fax 99 40 18 78, – ch TV ☎ – 60. AE GB BX **d**
R (dîner seul.)(résidents seul.) 90 – ☐ 38 – **88 ch** 330/540, 12 duplex – ½ P 323/368.

Chateaubriand sans rest, 8 bd Hébert ☎ 99 56 01 19, ← – TV ☎ P. GB. CX **d**
fermé 15 nov. au 20 déc. et 10 janv. au 6 fév. – ☐ 26 – **23 ch** 250/400.

Urbis sans rest, 58 chaussée Sillon ☎ 99 40 57 77, Télex 741968, Fax 99 40 57 78 – TV ☎. GB BXY **t**
☐ 35 – **60 ch** 320/445.

Ambassadeurs sans rest, 11 chaussée Sillon ☎ 99 40 26 26, Fax 99 40 12 86, ← – TV ☎. AE GB. BX **f**
☐ 35 – **20 ch** 330/440.

Eden sans rest, 1 r. Étang ☎ 99 40 23 48, Fax 99 40 55 86 – TV ☎ P. AE GB CX **b**
mars-15 nov. – ☐ 28 – **27 ch** 185/280.

Jersey sans rest, 53 chaussée Sillon ☎ 99 56 10 41, ← – TV ☎ P. GB. BX **k**
fermé 15 nov. au 15 fév. – ☐ 30 – **19 ch** 230/350.

Océan sans rest, plage Rochebonne ☎ 99 56 48 48 – ☎. GB CX **a**
15 mars-15 nov. – ☐ 28 – **25 ch** 180/300.

Arméric sans rest, 5 bd La Tour d'Auvergne ☎ 99 40 52 00 – TV ☎. GB BY **u**
fermé 20 déc. au 3 janv. – ☐ 26 – **15 ch** 170/230.

XXX **Robert Abraham,** 4 chaussée Sillon ☎ 99 40 50 93, Fax 99 40 19 19, ← – AE GB JCB
fermé 15 janv. au 28 fév., dim. soir et lundi sauf juil.-août – **R** 180/330, enf. 90. AY **d**

XX **La Confiance,** 22 bd T. Botrel ☎ 99 40 90 16 – AE GB BY **e**
fermé dim. soir hors sais. – **R** 105/180.

St-Malo Sud et St-Servan-sur-Mer – ✉ **35400** St-Malo.

Voir Corniche d'Aleth ←★★ AZ – Parc des Corbières ←★ AZ – Belvédère du Rosais ★ AZB B - Tour Solidor★ AZ : musée du Cap Hornier★, ←★.

Valmarin M sans rest, 7 r. Jean XXIII ☎ 99 81 94 76, Fax 99 81 30 03, « Élégante malouinière du 18e siècle, parc » – TV ☎ P. AE GB AZ **n**
fermé mi-nov. à mi-déc. et 5 janv. à mi-fév. – ☐ 45 – **10 ch** 460/610.

La Korrigane M sans rest, 39 r. Le Pomellec ☎ 99 81 65 85, « Demeure ancienne au confort raffiné », – TV ☎. AE GB BZ **b**
15 mars-15 nov. – ☐ 50 – **10 ch** 400/600.

Manoir de la Grassinais M, quartier La Grassinais S : 3 km par av. Gén. de Gaulle CZ ☎ 99 81 33 00, Fax 99 81 60 90 – TV ☎ P. GB
fermé dim. soir du 15 nov. au 15 mars – **R** *(fermé 15 au 30 nov., 8 au 28 fév., dim. soir hors sais., mardi midi en sais. et lundi)* 95/160 – ☐ 30 – **29 ch** 250/320 – ½ P 280.

La Rance M sans rest, 15 quai Sébastopol (port Solidor) ☎ 99 81 78 63, ← – TV ☎. GB
☐ 38 – **11 ch** 340/450. AZ **k**

Ibis M, centre com. La Madeleine S : 3 km par av. Gén. de Gaulle CZ ☎ 99 82 10 10, Télex 730626, Fax 99 82 35 74 – TV ☎ P – 60. GB
R 85, enf. 39 – ☐ 32 – **73 ch** 320/360 – ½ P 270.

XXX **Métairie de Beauregard,** par ③ et rte Château Malo ☎ 99 81 37 06, – P. AE GB
fermé janv. et fév. – **R** 150/180.

XX **Les Écluses,** gare maritime de la Bourse ☎ 99 56 81 00, ← – P. GB AY **s**
fermé dim. soir, lundi sauf juil.-août et fériés – **R** 89/165, enf. 45.

XX **St-Placide,** pl. Poncel ☎ 99 81 70 73 – GB. BZ **a**
fermé 1er au 10 juin, 1er au 15 oct., mardi midi et sam. midi en saison, mardi soir et merc. hors sais. – **R** 98/174, enf. 55.

X **L'Atre,** 7 espl. Cdt Menguy (port Solidor) ☎ 99 81 68 39, ← – AE GB. AZ **v**
fermé 15 déc. au 15 janv., le soir en déc.-janv., mardi hors sais. et merc. – **R** 120.

à Rothéneuf par ① : 3 km – ✉ **35400**.

Voir Manoir de Jacques Cartier★.

Terminus sans rest, 16 r. Goélands ☎ 99 56 97 72 – TV ☎ P. GB
fermé 12 nov. au 28 déc., 6 janv. au 15 fév. et mardi du 15 fév. à Pâques – ☐ 27 – **30 ch** 180/259.

ALFA ROMEO, VOLVO Gar. Surcouf, centre commercial la Découverte, av. Gén.-Patton ℘ 99 81 61 74
CITROEN Gar. Côte d'Émeraude, 131 bd Gambetta ℘ 99 81 66 69 **N** ℘ 99 82 08 97
CITROEN Gar. de l'Hôtel de Ville, 25 r. Georges-V ℘ 99 81 62 13
FORD Carrosserie Malouine, 65 av. Gén.-de Gaulle ℘ 99 81 92 15
NISSAN Gar. de la Rance, 12 bd de la Rance ℘ 99 81 89 83
PEUGEOT TALBOT Goibert, 3 r. E.-Brouard ℘ 99 81 60 77
PEUGEOT-TALBOT Dutan, ZAC la Madeleine, N 137 par ③ ℘ 99 82 77 77 **N** ℘ 99 24 18 90
RENAULT Gar. Malouins, 61 bd Gambetta ℘ 99 56 11 02 **N** ℘ 99 82 94 09
V.A.G Gar. du Gd St-Malo, ZAC la Grassinais r. Gén.-de-Gaulle ℘ 99 81 58 60

Service Pneus Conan, 16 r. de la Marne ℘ 99 81 20 93
Vallée-Pneu, 49 quai Duguay-Trouin ℘ 99 56 74 74

ST-MANDÉ **94** Val-de-Marne 56 ⑪, 101 ㉖ – voir à Paris, Environs.

ST-MARC **44** Loire-Atl. 63 ⑭ – rattaché à St-Nazaire.

ST-MARCEL **01** Ain 74 ② – rattaché à St-André-de-Corcy.

ST-MARCEL **36** Indre 68 ⑰ ⑱ – rattaché à Argenton-sur-Creuse.

ST-MARCEL **71** S.-et-L. 69 ⑨ – rattaché à Chalon-sur-Saône.

ST-MARCELLIN **38160** Isère 77 ③ **G. Vallée du Rhône** – 6 696 h. alt. 281.

Office de Tourisme av. Collège ℘ 76 38 53 85.

Paris 565 – ◆Grenoble 52 – Valence 44 – Die 72 – Vienne 71 – Voiron 36.

Savoyet-Serve (annexe [M]), 16 bd Gambetta ℘ 76 38 04 17 – rest – 35 à 50. GB
fermé dim. soir – **Repas** 78/240 – 30 – **60 ch** 120/350 – ½ P 235/335.

XXX **La Tivollière,** Château du Mollard ℘ 76 38 21 17, – **P**. AE GB
fermé dim. soir et lundi – **R** 135/300.

CITROEN Gar. Costaz, 16 av. des Alpes ℘ 76 38 09 25
FORD Giraud, 4 rte de Romans ℘ 76 38 07 06
OPEL Lascoumes, 27 av. de Provence ℘ 76 38 12 34 **N** ℘ 76 38 33 48
PEUGEOT-TALBOT Cuzin, rte de Chatte ℘ 76 38 25 90

Mouren, 19 av. de Provence ℘ 76 38 01 14

ST-MARS-LA-JAILLE **44540** Loire-Atl. 63 ⑱ – 2 114 h. alt. 28.

Paris 332 – ◆Nantes 54 – Ancenis 18 – Angers 51 – Châteaubriant 28.

XXX **Relais St-Mars,** 1 r. Industrie ℘ 40 97 00 13 – AE GB
fermé 3 au 10 août, dim. soir et soirs fériés – **R** 90/250, enf. 60.

ST-MARTIN-AUX-CHARTRAINS **14** Calvados 55 ③ – rattaché à Pont-l'Évêque.

ST-MARTIN-BELLE-ROCHE **71118** S.-et-L. 170 ⑪ – 1 150 h. alt. 200.

Paris 390 – Mâcon 10 – Cluny 31 – St-Amour 49 – Tournus 23.

XX **Port St-Nicolas,** en bordure de Saône ℘ 85 36 00 86, ≤, – **P**. GB
fermé 2 au 31 janv., mardi soir et merc. – **R** 100/220.

ST-MARTIN-BELLEVUE **74** H.-Savoie 74 ⑥ – rattaché à Annecy.

ST-MARTIN-D'ARMAGNAC **32110** Gers 82 ② – 205 h. alt. 120.

Paris 735 – Mont-de-Marsan 51 – Agen 93 – Aire-sur-l'Adour 20 – Auch 69 – Tarbes 60.

X **Aub. du Bergerayre** avec ch, ℘ 62 09 08 72, – **P**. GB
fermé 15 janv. au 15 fév. – **R** *(fermé merc.)* 80 bc/200 bc, enf. 40 – 30 – **14 ch** 260/380 – ½ P 235/295.

ST-MARTIN-D'AUXIGNY **18110** Cher 65 ⑪ – 1 909 h. alt. 208.

Paris 229 – Bourges 16 – Bonny-sur-Loire 61 – Gien 62 – ◆Orléans 105 – Salbris 41 – Vierzon 29.

St-Georges, D 940 ℘ 48 64 50 14, Fax 48 64 13 67 – **P** – 30. GB
fermé 16 au 22 juil., 24 janv. au 22 fév. et dim. soir de nov. à mars – **Repas** 85/185, enf. 65 – 35 – **10 ch** 148/340 – ½ P 190/265.

CITROEN Pinet ℘ 48 64 50 21
RENAULT Fachaux ℘ 48 64 50 26

ST-MARTIN-DE-BELLEVILLE **73440** Savoie 74 ⑰ **G. Alpes du Nord** – 2 341 h. alt. 1 450 – Sports d'hiver : 1 400/3 200 m 6.

Paris 629 – Albertville 45 – Chambéry 92 – Moûtiers 19.

XX **La Bouitte,** à St-Marcel SE : 2 km ℘ 79 08 96 77, – **P**. AE GB
5 juil.-8 sept., 20 déc.-1er mai et fermé mardi en été – **R** 150/410, enf. 65.

ST-MARTIN-DE-CRAU **13310** B.-du-R. 83 ⑩ – 11 040 h. alt. 18.

Paris 724 – ◆ Marseille 73 – Arles 16 – Martigues 39 – St-Rémy-de-Pr. 19 – Salon-de-Pr. 23.

Aub. des Épis, 13 av. Plaisance ℘ 90 47 31 17, – TV ☎ P. GB
fermé 1er fév. au 8 mars, dim. soir et lundi d'oct. à Pâques – **R** 90/170, enf. 55 – ☕ 30 – **11 ch** 230 – ½ P 255/260.

Crau-Pneus, 20 Zone du Cabrau ℘ 90 47 00 74

ST-MARTIN-DE-FRAIGNEAU **85** Vendée 171 ① – rattaché à Fontenay-le-Comte.

ST-MARTIN-DE-LA-PLACE **49160** M.-et-L. 64 ⑫ – 1 129 h. alt. 25.

Voir Château de Boumois★ SE : 3 km, **G. Châteaux de la Loire.**

Paris 287 – Angers 38 – Baugé 28 – La Fléche 46 – Les Rosiers 7,5 – Saumur 7,5.

XX **Cheval Blanc** avec ch, ℘ 41 38 42 96, Fax 41 38 42 52 – ☎. GB. ✻ rest
fermé 2 janv. au 5 fév., dim. soir et lundi sauf de juil. à sept. – **R** 95/250, enf. 60 – ☕ 29 – **8 ch** 205/360 – ½ P 270/300.

ST-MARTIN-DE-LONDRES **34380** Hérault 83 ⑥ **G. Gorges du Tarn** – 1 623 h. alt. 187.

Paris 784 – ◆ Montpellier 25 – Le Vigan 37.

XXX **Les Muscardins,** 19 rte Cévennes ℘ 67 55 75 90, Fax 67 55 70 28 – AE ⓓ GB
fermé fév., mardi midi et lundi sauf juil.-août et fériés – **R** 160/350, enf. 70.

ST-MARTIN-DE-RÉ **17** Char.-Mar. 171 ⑫ – voir à Ré (Ile de).

ST-MARTIN-DE-VALAMAS **07310** Ardèche 76 ⑲ – 1 386 h. alt. 550.

Env. Ruines de Rochebonne★ : site★★ E : 7 km, **G. Vallée du Rhône.**

Syndicat d'Initiative r. Poste (saison) ℘ 75 30 47 72.

Paris 595 – Aubenas 59 – Le Cheylard 9,5 – Lamastre 30 – Privas 58 – Le Puy 67 – St-Agrève 14.

PEUGEOT-TALBOT Saroul et Volle ℘ 75 30 44 09 N ℘ 75 30 53 62

RENAULT Gar. Mounier Frères ℘ 75 30 44 97 N

ST-MARTIN-DU-FAULT **87** H.-Vienne 72 ⑦ – rattaché à Limoges.

ST-MARTIN-DU-LAC **71** S.-et-L. 73 ⑦ – rattaché à Marcigny.

ST-MARTIN-DU-TOUCH **31** H.-Gar. 82 ⑦ – rattaché à Toulouse.

ST-MARTIN-DU-VAR **06670** Alpes-Mar. 84 ⑨ 195 ⑯ – 1 869 h. alt. 122.

Paris 875 – ◆ Nice 26 – Antibes 34 – Cannes 44 – Puget-Théniers 37 – St-Martin-V. 39 – Vence 23.

XXXX ✿✿ **Jean-François Issautier,** S : 3 km sur N 202 ℘ 93 08 10 65, Fax 93 29 19 73 – ▤ P. AE ⓓ GB
fermé 2 au 12 nov., mi-fév. à mi-mars, dim. sauf le midi du 28 juin au 6 sept. et lundi – **R** (nombre de couverts limité, prévenir) 250 (déj. sauf sam.)/400 et carte
Spéc. Courgette de Gattières et sa fleur farcie, Marinière de poissons de roche aux aromates, Rognon de veau rôti entier au vin de Bandol. **Vins** Bellet blanc, Bandol.

ST-MARTIN-DU-VIVIER **76** S.-Mar. 55 ⑦ – rattaché à Rouen.

ST-MARTIN-EN-BRESSE **71620** S.-et-L. 69 ⑩ – 1 603 h. alt. 192.

Paris 354 – Chalon-sur-Saône 17 – Beaune 36 – ◆Dijon 70 – Dôle 52 – Lons-le-Saunier 49.

Au Puits Enchanté, ℘ 85 47 71 96 – ☎ P. GB JCB. ✻ rest
fermé 31 août au 6 sept., 13 au 26 janv., vacances de fév., dim. soir et mardi – **Repas** 85/190, enf. 50 – ☕ 29 – **14 ch** 130/230 – ½ P 180/240.

ST-MARTIN-LA-GARENNE **78** Yvelines 55 ⑱, 106 ③ – rattaché à Mantes.

ST-MARTIN-LA-MÉANNE **19320** Corrèze 75 ⑩ – 362 h. alt. 485.

Voir Barrage du Chastang★ SE : 5 km, **G. Berry Limousin.**

Paris 510 – Brive-la-Gaillarde 54 – Aurillac 68 – Mauriac 50 – St-Céré 52 – Tulle 33 – Ussel 58.

Voyageurs, ℘ 55 29 11 53, – TV ☎. GB
fermé 2 au 31 janv., dim. soir et lundi hors sais. – **R** 75/175 ♿, enf. 36 – ☕ 24 – **8 ch** 210/290 – ½ P 200/230.

ST-MARTIN-LE-BEAU **37270** I.-et-L. 64 ⑮ **G. Châteaux de la Loire** – 2 427 h. alt. 56.

Paris 232 – ◆Tours 19 – Amboise 9,5 – Blois 43 – Loches 27.

XX **La Treille** avec ch, ℘ 47 50 67 17 – TV ☎. GB
fermé 15 sept. au 8 oct., vacances de fév., dim. soir et lundi hors sais. – **R** 65/280 – **8 ch** ☕ 200/250 – ½ P 215/230.

ST-MARTIN-LE-GAILLARD **76260** S.-Mar. 52 ⑤ **G. Normandie Vallée de la Seine** – 279 h.

Paris 167 – ◆Amiens 88,5 – Dieppe 25,5 – Eu 11,5 – Neufchâtel en Bray 33,5 – ◆Rouen 79.

XX **Moulin du Becquerel,** NO : 1,5 km sur D 16 ℘ 35 86 74 94, , « Dans la campagne », – P. GB
fermé 1er fév. au 1er mars et lundi sauf juil.-août – **R** 180/240.

ST-MARTIN-LE-VINOUX 38 Isère 77 ⑤ – rattaché à Grenoble.

ST-MARTIN-VÉSUBIE 06450 Alpes-Mar. 84 ⑲ 195 ⑥ **G. Côte d'Azur** (plan) – 1 041 h. alt. 960.
Voir Venanson : ≤★, fresques★ de la chapelle St-Sébastien S : 4,5 km.
Env. Le Boréon★★ (cascade★) N : 8 km – Vallon de la Madone de Fenestre★ et cirque★★ NE : 12 km.
Syndicat d'Initiative pl. F.-Faure (saison) ✆ 93 03 21 28.
Paris 858 – Antibes 73 – Barcelonnette 116 – Cannes 83 – Digne 155 – Menton 66 – ♦Nice 65.

- **Aub. St-Pierre** M sans rest, ✆ 93 03 30 40, ≤, – TV ☎ ♿ P. GB.
  mi-mai-mi sept. – 40 – **20 ch** 400/550.
- Edward's et Châtaigneraie sans rest, ✆ 93 03 21 22, « Parc » – ☎ P
  saisonnier – **35 ch.**

ST-MATHIEU (Pointe de) 29 Finistère 58 ③ – rattaché au Conquet.

ST-MAUR-DES-FOSSÉS 94 Val-de-Marne 101 ㉗ – voir à Paris, Environs.

ST-MAURICE 94 Val-de-Marne 56 ⑪, 101 ㉖ ㉗ – voir à Paris, Environs.

ST-MAURICE-LES-CHARENCEY 61190 Orne 60 ⑤ – 442 h. alt. 204.
Paris 133 – Alençon 58 – L'Aigle 17 – Mortagne-au-Perche 22 – Verneuil 17.

- XX **Le Gué Hamel,** N 12 ✆ 33 25 61 17, – P. GB JCB
  fermé mardi – **Repas** 90/120.

PEUGEOT Houssay ✆ 33 25 62 55 — RENAULT Gar. Soret ✆ 33 25 72 55 N

ST-MAURICE-SUR-MOSELLE 88560 Vosges 166 ⑧ **G. Alsace Lorraine** – 1 615 h. alt. 549 – Sports d'hiver au Ballon d'Alsace : 900/1 250 m 3 et à la Tête du Rouge Gazon 5.
Env. Ballon d'Alsace ★★★ 9,5 km au Sud par D 465 puis 30 mn.
Syndicat d'Initiative au Chalet (juil.-août) ✆ 29 25 12 34 et à la Mairie ✆ 29 25 11 21.
Paris 415 – Épinal 57 – ♦Mulhouse 51 – Belfort 39 – Bussang 3,5 – Thann 31 – Le Thillot 7.

- **Au Pied des Ballons,** ✆ 29 25 12 54, ≤, , – TV ☎ P. GB
  fermé 4 nov. au 4 déc. et lundi midi hors sais. – **R** 64/265 – 27 – **12 ch** 160/230, 10 chalets – ½ P 200/230.

CITROEN Gar. Vuillemin ✆ 29 25 11 23 N

ST-MAXIMIN 30 Gard 80 ⑲ – rattaché à Uzès.

ST-MAXIMIN-LA-STE-BAUME 83470 Var 84 ④ ⑤ **G. Provence** – 9 594 h. alt. 303.
Voir Basilique★★ – Ancien couvent royal★.
Sainte-Baume à Nans-les-Pins ✆ 94 78 60 12, S par N 560 : 9 km.
Syndicat d'Initiative Hôtel de Ville ✆ 94 78 00 09.
Paris 792 – Aix-en-Pr. 43 – Brignoles 20 – Draguignan 77 – ♦Marseille 50 – Rians 23 – ♦Toulon 55.

- **Plaisance** M sans rest, 20 pl. Malherbe ✆ 94 78 16 74 – TV ☎ . AE GB.
  fermé 15 au 30 janv. – 38 – **10 ch** 290/390.
- **France,** av. Albert 1er ✆ 94 78 00 14, Fax 94 59 83 80, , – TV ☎ P. GB
  R *(fermé 16 nov. au 14 déc. et lundi du 1er oct. au 1er avril)* 105/215, enf. 70 – 30 – **27 ch** 270/310 – ½ P 260.
- XX **Chez Nous,** bd J. Jaurès ✆ 94 78 02 57, – AE GB
  fermé 20 déc. au 20 janv. et merc. sauf juil.-août et fêtes – **R** 95/230, enf. 60.

FORD STP Sce Autos, chemin du Moulin ✆ 94 78 00 89 N ✆ 94 78 89 28
RENAULT Diffusion Auto Provençale, RN 7 ✆ 94 78 01 04
Gérard-Pneus, ZI N 7 ✆ 94 78 14 49

ST-MÉDARD 46 Lot 79 ⑦ – rattaché à Catus.

ST-MÉDARD-EN-JALLES 33 Gironde 171 ⑨ – rattaché à Bordeaux.

ST-MICHEL-DE-MAURIENNE 73140 Savoie 77 ⑦ – 2 919 h. alt. 712.
Paris 621 – Albertville 72 – Briançon 69 – Chambéry 84 – Modane 17 – St-Jean-de-Maurienne 14.

- **Alpes,** r. Gén. Férrié ✆ 79 56 51 22, Fax 79 59 21 61, – ☎ P. AE GB
  fermé 1er au 10 oct., 1er au 10 janv. et merc. du 15 sept. au 30 juin – **R** 75/140 – 25 – **22 ch** 110/260 – ½ P 200/250.
- **Savoy H.,** r. Gén. Ferrié ✆ 79 56 55 12 – ☎ . AE GB
  fermé oct., dim. soir et lundi midi sauf juil.-août – **R** 85/170, enf. 50 – 30 – **18 ch** 120/250 – ½ P 200/250.

CITROEN Gar. Gros ✆ 79 56 53 61 N — Gar. Juillard ✆ 79 56 55 85 N ✆ 79 56 61 30

ST-MICHEL-DES-ANDAINES 61 Orne 60 ① – rattaché à La Ferté-Macé.

ST-MICHEL-EN-L'HERM 85580 Vendée 171 ⑪ G. Poitou Vendée Charentes – 1 999 h. alt. 8.
Paris 448 – La Rochelle 47 – La Roche-sur-Yon 47 – Luçon 15 – Les Sables-d'Olonne 53.

Central, pl. Abbaye ☏ 51 30 20 24, – **P**. AE ① GB
fermé lundi sauf juil.-août – **R** 60/125 ♂, enf. 40 – ☐ 22 – **28 ch** 130/215 – ½ P 185/220.

CITROEN Sourdonnier ☏ 51 30 23 09

ST-MICHEL-SUR-LOIRE 37 I.-et-L. 64 ⑭ – rattaché à Langeais.

ST-MIHIEL 55300 Meuse 57 ⑫ G. Alsace Lorraine (plan) – 5 367 h. alt. 226.
Voir Sépulcre★★ dans l'église St-Étienne – Pâmoison de la Vierge★ dans l'église St-Michel.
⛳ du Lac de Madine ☏ 29 89 56 00 à la base de Loisirs ; à Heudicourt-sous-les-Côtes par D 901.
🅸 Office de Tourisme pl. J.-Bailleux ☏ 29 89 06 47 – A.C. 25 r. Carnot ☏ 29 89 10 97.
Paris 286 – Bar-le-Duc 33 – ◆Metz 59 – ◆Nancy 59 – Toul 48 – Verdun 35.

à Heudicourt-sous-les-Côtes NE : 15 km par D 901 et D 133 – ✉ **55210**.
Voir Butte de Montsec : ✵★★, monument★ S : 13 km.

Lac de Madine (annexe cuisinette), ☏ 29 89 34 80, Fax 29 89 39 20, – TV ☎ **P**. GB
fermé janv. et lundi d'oct. à avril – **R** 68/225 ♂, enf. 50 – ☐ 27 – **48 ch** 240/300 – ½ P 240/270.

Knutti, 8 pl. du Quartier Colson Blaise ☏ 29 90 27 05

ST-NAZAIRE SP 44600 Loire-Atl. 63 ⑮ G. Bretagne – 64 812 h. alt. 11.
Voir Base de sous-marins★ et sortie sous-marine du port★ BZ – Terrasse panoramique★ BZ **B** – Pont routier de St-Nazaire-St-Brévin★.
✈ de St-Nazaire-Montoir-La Baule : T.A.T. ☏ 40 90 15 89, NE : 8 km BY.
Pont de St-Nazaire : Péage en 1991 : auto 22 à 30 F (conducteur et passagers compris), auto et caravane 38 F, camion et véhicule supérieur à 1,5 t : 38 à 95 F, moto 5 F (gratuit pour vélos et piétons) – Tarifs spéciaux pour les résidents de la Loire Atlantique.
🅸 Office de Tourisme pl. F.-Blancho ☏ 40 22 40 65 – A.C. 33 r. Gén.-de-Gaulle ☏ 40 01 99 82.
Paris 439 ① – ◆Nantes 61 ① – La Baule 12 ② – ◆Rennes 118 ① – Vannes 75 ③.

Plan page suivante

Berry M, 1 pl. Gare ☏ 40 22 42 61, Télex 700952, Fax 40 22 45 34 – |‡| TV ☎. AE ① GB JCB — AY **r**
R 69/198 ♂ – ☐ 45 – **29 ch** 250/450 – ½ P 280/370.

Europe sans rest, 2 pl. Martyrs de la Résistance ☏ 40 22 49 87, Fax 40 66 23 28 – TV ☎ **P**. AE ① GB — AY **e**
☐ 27 – **39 ch** 160/450.

Bretagne sans rest, 7 av. République ☏ 40 66 55 66 – |‡| TV ☎. AE ① GB — AZ **b**
fermé 19 déc. au 4 janv. – ☐ 30 – **32 ch** 160/260.

Dauphin sans rest, 33 r. J. Jaurès ☏ 40 66 59 61, Fax 40 01 87 63 – TV ☎. AE GB — AY **u**
☐ 25 – **21 ch** 155/250.

Touraine sans rest, 4 av. République ☏ 40 22 47 56, – ☎. AE ① GB — AZ **a**
☐ 22 – **18 ch** 99/199.

XXX **Bon Accueil** avec ch, 39 r. Marceau ☏ 40 22 07 05, Fax 40 19 01 58 – TV ☎. AE ① GB
fermé en juil. – **R** *(fermé dim.)* 120/280, enf. 45 – ☐ 29 – **10 ch** 280/320. — AZ **n**

XX **L'An II,** 2 r. Villebois-Mareuil ☏ 40 00 95 33 – GB — AZ **h**
R 79/238.

XX **Moderne,** 46 r. Anjou ☏ 40 22 55 88 – AE ① GB — AZ **m**
fermé dim. soir et lundi – **R** 70/160, enf. 50.

XX **Trou Normand,** 60 r. Paix ☏ 40 22 46 24 – GB — AY **f**
fermé dim. soir et lundi – **R** 64/198 ♂.

X **Le Quimperlé,** 7 r. 28-Février 1943 ☏ 40 22 53 12 – AE ① GB — BZ **d**
fermé août, dim. soir et lundi – **R** 69/155, enf. 45.

rte de Trignac par ① : 3 km – ✉ **44570** Trignac :

Ibis M, ZAC de la Fontaine Aubrun ☏ 40 90 39 39, Télex 701231, Fax 40 90 19 49, – TV ☎ ♿ **P** – 40. GB
R 81/120 ♂, enf. 39 – ☐ 32 – **45 ch** 270/310.

rte de Pornichet par ② : 3 km – ✉ **44600** St-Nazaire :

Parc sans rest, 27 rte Côte d'Amour (D 92) par ② ☏ 40 70 56 74, Fax 40 53 15 71 – TV ☎ **P**. GB
fermé 22 déc. au 6 janv. – ☐ 30 – **32 ch** 220/280.

à St-Marc par ② et D 292 : 8 km – ✉ **44600** St-Nazaire :

Plage ⛲, ☏ 40 91 99 01, Fax 40 91 92 00, ≤ – TV ☎ **P**. GB. ✗ rest
fermé 2 au 18 janv. – **R** *(fermé dim. soir et lundi hors sais.)* 75/240 – ☐ 29 – **33 ch** 200/300 – ½ P 242/335.

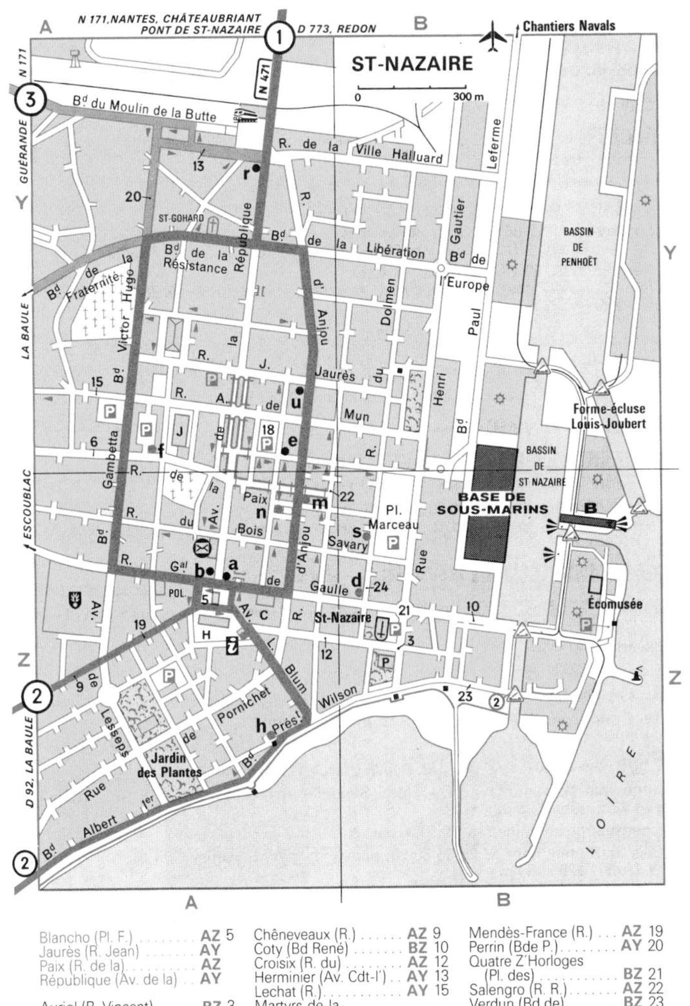

Blancho (Pl. F.) .... AZ 5	Chêneveaux (R.) ...... AZ 9	Mendès-France (R.) ... AZ 19
Jaurès (R. Jean) .... AY	Coty (Bd René) .... BZ 10	Perrin (Bde P.) .... AY 20
Paix (R. de la) .... AZ	Croisix (R. du) .... AZ 12	Quatre Z'Horloges (Pl. des) .... BZ 21
République (Av. de la) .. AY	Herminier (Av. Cdt-l') .. AY 13	Salengro (R. R.) .... AZ 22
Auriol (R. Vincent) ..... BZ 3	Lechat (R.) .... AY 15	Verdun (Bd de) .... BZ 23
Briand (R. Aristide) ..... AY 6	Martyrs-de-la-Résistance (Pl. des) . AY 18	28-Février-1943 (R. du) . BZ 24

CITROEN SONADIB, Étoile du Matin voie express Pornichet par ② ☎ 40 53 40 40 🅽 ☎ 40 70 21 60
PEUGEOT-TALBOT S.I.N.A., rte de la Côte d'Amour par ② ☎ 40 53 34 77 🅽 ☎ 40 95 30 81
RENAULT Centre-Auto de l'Étoile, voie express St-Nazaire-Pornichet par ② ☎ 40 70 35 07 🅽 ☎ 05 05 15 15

RENAULT Jarsalé, La Torse à Montoir de Bretagne par ① ☎ 40 90 02 78

Clinic Pneu Pneu + Nord Ouest, 18-22 bd Hôpital ☎ 40 70 07 19
Picaud-Pneus, 210 rte Côte d'Amour ☎ 40 70 00 39
SOFRAP, 20 r. H.-Gautier ☎ 40 66 15 15

ST-NAZAIRE-EN-ROYANS 26190 Drôme 77 ③ G. Alpes du Nord – 531 h. alt. 175.

Paris 580 – ◆Grenoble 63 – Pont-en-Royans 9 – Romans-sur-Isère 18 – St-Marcellin 14 – Valence 34.

XX **Rome** M avec ch, ☎ 75 48 40 69, ← – TV ☎ 🚗 P – 🚶 25. AE ⓓ GB
fermé 20 au 30 juin, 20 oct. au 20 nov., dim. soir et lundi sauf juil.-août – **R** 87/210 – ☕ 25 – **9 ch** 170/210 – ½ P 190/210.

X **Rest. du Royans,** ☎ 75 48 40 84 – GB
fermé 9 au 17 juin, 28 sept. au 28 oct., merc. sauf juil.-août et mardi soir – **R** 95/210, enf. 40.

ST-NAZAIRE-LE-DÉSERT **26340** Drôme 81 ③ – 168 h. alt. 580.

Paris 631 – Valence 68 – Die 38 – Nyons 39.

- **Aub. du Désert** ⛰, ✆ 75 27 51 43, Fax 75 27 52 33, 🏡 – ☎ 🅿. GB
  fermé 12 au 30 nov. et fév. – **R** *(fermé mardi du 1er oct. au 31 mars)* 80/170, enf. 45 – ☕ 30 – **9 ch** 195/260 – ½ P 195/230.

ST-NECTAIRE **63710** P.-de-D. 73 ⑭ **G. Auvergne** (plan) – 664 h. alt. 760 – Stat. therm. (3 avril-15 oct.).

Voir Église★★ : trésor★★ – Puy de Mazeyres ✳★ E : 3 km puis 30 mn.

ℹ Office de Tourisme Anciens Thermes (15 mai-sept.) ✆ 73 88 50 86.

Paris 459 – ◆Clermont-Ferrand 41 – Issoire 24 – le Mont-Dore 25.

- **Le Savoy,** ✆ 73 88 50 28 – 🛗 ☎. ✗ rest
  mi-mai-30 sept. – **R** carte environ 100 – ☕ 26 – **32 ch** 200/230 – P 220/250.
- **Paix,** ✆ 73 88 50 20 – ☎ 🅿. AE ⦿ GB
  fermé mars, 1er nov. au 15 déc., merc. soir et jeudi hors sais. – **R** 78/190 – ☕ 35 – **27 ch** 174/220 – ½ P 250/270.

à Rivalet E : 7 km sur D 996 – ✉ **63320** Montaigut-le-Blanc :

- XX **Le Rivalet** avec ch, ✆ 73 96 73 92, Fax 73 96 27 49 – TV ☎ 🅿. GB
  fermé 2 janv. au 1er fév., lundi (sauf juil.-août et vacances scolaires) et mardi midi – **R** 90/210, enf. 35 – ☕ 28 – **7 ch** 185/210 – ½ P 215/230.

ST-NEXANS **24** Dordogne 75 ⑮ – rattaché à Bergerac.

ST-NICOLAS-DES-EAUX **56** Morbihan 63 ② **G. Bretagne** – ✉ **56930** Pluméliau.

Paris 465 – Vannes 48 – Lorient 48 – Pontivy 14 – Quimperlé 47.

- **Vieux Moulin,** ✆ 97 51 81 09, 🏡 – TV ☎ 🅿. GB
  ◆ *fermé fév., dim. soir et lundi du 15 sept. au 15 mai* – **R** 65/157 🍷 – ☕ 28 – **10 ch** 183/259 – ½ P 220/241.

ST-NICOLAS-LA-CHAPELLE **73** Savoie 74 ⑦ – rattaché à Flumet.

ST-NIZIER-DU-MOUCHEROTTE **38250** Isère 77 ④ **G. Alpes du Nord** – 575 h. alt. 1 160 – Sports d'hiver : 1 160/1 250 m ⛷2 ⛷.

Voir Belvédère ✳★★.

ℹ Syndicat d'Initiative ✆ 76 53 40 60.

Paris 579 – ◆Grenoble 17 – Villard-de-Lans 18.

- **Le Concorde,** ✆ 76 53 42 61, ≤ – ☎ 🅿. GB. ✗ ch
  ◆ *fermé 25 oct. au 20 déc.* – **R** 74/152 🍷 – ☕ 27 – **31 ch** 177/250 – ½ P 185/207.

ST-OMER SP **62500** P.-de-C. 51 ③ **G. Flandres Artois Picardie** – 14 434 h. alt. 21.

Voir Cathédrale N.-Dame★★ AZ **E** – Hôtel Sandelin et musée★★ AZ **K** – Anc. chapelle des Jésuites★ AZ **F** – Jardin public★ AZ.

Env. Ascenseur des Fontinettes★ 5,5 km par ②.

⛳18 du Bois de Ruminghem ✆ 21 85 30 33, par ⑤ ; ⛳9 ⛳18 A. St-Omer Golf Club ✆ 21 38 59 90, par ⑤ N 42 et D 225 : 15 km.

ℹ Office de Tourisme bd P.-Guillain ✆ 21 98 70 00.

Paris 256 ② – ◆Calais 46 ⑤ – Abbeville 87 ④ – ◆Amiens 111 ② – Arras 75 ⑤ – Béthune 43 ④ – Boulogne-sur-Mer 49 ⑤ – Dunkerque 40 ① – Ieper 54 ② – ◆Lille 67 ②.

Plan page suivante

- **Bretagne,** 2 pl. Vainquai ✆ 21 38 25 78, Télex 133290, Fax 21 93 51 22 – 🛗 TV ☎ 🅿 – 🏛 80. AE ⦿ GB — BY **r**
  Le Best *(fermé 13 au 26 août, 2 au 12 janv., dim. soir, soirs de fêtes et sam.)* **R** 185 bc – **Maëva** grill *(fermé 20 déc. au 1er janv., sam. soir et lundi)* **R** 71 bc – ☕ 30 – **76 ch** 220/400.
- **St-Louis,** 25 r. Arras ✆ 21 38 35 21, Fax 21 38 57 26 – TV ☎ ♿ 🚗 🅿. GB — BZ **s**
  ◆ **R** 62/120 🍷 – ☕ 28 – **30 ch** 155/265.
- **Ibis** M, 2 r. H. Dupuis ✆ 21 93 11 11, Télex 135206, Fax 21 93 11 11 – 🛗 ⚡ ch TV ☎ ♿ 🅿. GB — AZ **v**
  R 79 🍷, enf. 39 – ☕ 32 – **66 ch** 262/310.
- XX **Le Cygne,** 8 r. Caventou ✆ 21 98 20 52 – GB — AZ **e**
  ◆ *fermé sam. midi hors sais. et mardi* – **R** 72/180.

à Hallines par ④ et D 211 : 6 km – ✉ **62570** :

- XXX **Host. St Hubert** ⛰ avec ch, ✆ 21 39 77 77, Fax 21 93 00 86, « Demeure 19e siècle, parc avec rivière » – TV ☎ 🚗 🅿. ⦿ GB
  fermé dim. soir et lundi – **R** 170/290 – ☕ 40 – **9 ch** 350/800.

à Tilques par ⑤, N 42, N 43 et VO : 6 km – ✉ **62500** :

- **Château Tilques** ⛰, ✆ 21 93 28 99, Télex 133360, Fax 21 38 34 23, ≤, « Parc et lac », 🎾 – TV ☎ ♿ 🅿 – 🏛 25 à 150. AE ⦿ GB. ✗
  R *(fermé sam. midi)* 195/300, enf. 50 – ☕ 55 – **52 ch** 405/800.

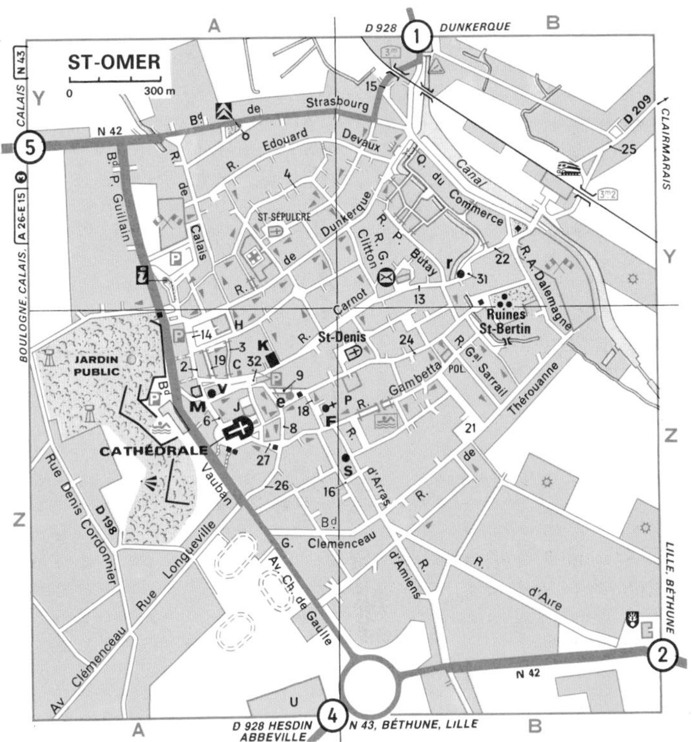

Arras (R. d')	**BZ**	Bonhomme (Pl.)	**AZ** 2	Griffon (R. du)	**ABZ** 16
Calais (R. de)	**AY**	Courteville (R.)	**AY** 4	Perpignan (Pl. de)	**BZ** 21
Clouteries (R. des)	**AZ** 3	Dupuis (R. Henri)	**AZ** 6	Ringot (R. François)	**BY** 22
Dunkerque (R. de)	**ABY**	Écusserie (rue de l')	**AZ** 8	St-Bertin (R.)	**BZ** 24
Epeers (R. des)	**AZ** 9	Faidherbe (R.)	**BY** 13	St-Martin (R. de)	**BY** 25
Lycée (R. du)	**AZ** 18	Foch (Pl. Mar.)	**AZ** 14	Ste-Croix (R. de)	**AZ** 26
Martel (R. Louis)	**AZ** 19	Gaîté (R. de la)	**BY** 15	Sithieu (Pl.)	**AZ** 27
Victor-Hugo (Pl.)	**AZ** 32			Vainquai (Pl. du)	**BY** 31

BMW Lengaigne, 42 av. Joffre ✆ 21 98 50 00
CITROEN Gar. Boulant, 35 r. J.-Derheims ✆ 21 38 20 88 N ✆ 21 98 42 13
FORD Gar. de l'Europe, centre commercial Maillebois à Longuenesse ✆ 21 38 00 95 N ✆ 21 98 42 13
LANCIA Dassonneville, 144 r. Léon Blum à Wizernes ✆ 21 93 34 04
MAZDA Gar. Rebergue, 25 rte de Calais à St-Martin-au-Laërt ✆ 21 38 01 41
OPEL-GM Gar. Lemoine, ZI Fort Maillebois à Longuenesse ✆ 21 38 11 87
PEUGEOT-TALBOT Damide, r. St-Adrien, prolongée à Longuenesse ✆ 21 98 04 44 N
RENAULT Gar. Audomarois, rte d'Arques à Longuenesse par ② ✆ 21 38 25 77 N
ROVER Gar. Molmy, 83 av. L.-Blum à Longuenesse ✆ 21 38 12 07
V.A.G Gar. Delattre, rte Nationale de Calais à Salperwick ✆ 21 93 68 37

Equipneu, r. Lobel, ZI, Arques ✆ 21 38 42 43
Equipneu, 35 bis bd de Strasbourg ✆ 21 88 58 34
Fischbach Pneu, 16 bis r. Pasteur ✆ 21 38 43 66

ST-OMER-EN-CHAUSSÉE **60860** Oise 55 ⑨ – 1 092 h. alt. 101.

Paris 89 – Compiègne 72 – Aumale 34 – Beauvais 13 – Breteuil 29 – Gournay-en-Bray 28 – Poix 233.

XX **Aub. de Monceaux,** aux Monceaux S : 1 km sur D 901 ✆ 44 84 50 32, « Cadre rustique » – P. GB
fermé 3 au 13 août, janv., merc. soir et jeudi – **R** (dim. prévenir) 160/250, enf. 70.

ST-OUEN **93** Seine-St-Denis 55 ⑳, 101 ⑮ – voir à Paris, Environs.

ST-OUEN-L'AUMÔNE **95** Val-d'Oise 55 ⑳, 106 ⑥, 101 ② – rattaché à Cergy Pontoise.

ST-OUEN-LES-VIGNES **37** I.-et-L. 64 ⑯ – rattaché à Amboise.

ST-PALAIS **64120** Pyr.-Atl. 85 ④ **G. Pyrénées Aquitaine** – 2 055 h. alt. 51.

Syndicat d'Initiative pl. Hôtel de Ville ℘ 59 65 71 78.

Paris 792 – Biarritz 60 – ◆Bayonne 54 – Dax 54 – Pau 72 – St-Jean-Pied-de-Port 31.

Trinquet, ℘ 59 65 73 13, Fax 59 65 83 84 – TV ☎. GB. ch
fermé 20 avril au 10 mai, 20 sept. au 10 oct., dim. soir et lundi du 1er sept. au 15 juil. – **R** 68/230 ₰, enf. 45 – ☕ 24 – **12 ch** 230/270 – ½ P 210.

ST-PALAIS-SUR-MER **17420** Char.-Mar. 71 ⑮ **G. Poitou Vendée Charentes** – 2 736 h. alt. 15.

Voir La Grande Côte★★ NO : 3 km.

18 de Royan Côte de Beauté ℘ 46 23 16 24, N : 3 km.

Syndicat d'Initiative Résidence St-Palais (fermé après-midi nov.-fév.) ℘ 46 23 11 09.

Paris 514 – Royan 5,5 – La Rochelle 78.

Primavera ⑤, rte Gde Côte NO : 2 km ℘ 46 23 20 35, Fax 46 23 28 78, ≤, « Élégantes villas 1900 dans un parc face à la mer », ⑤, ✗ – |$| TV ☎ ℗ – 30. GB. ch
fermé 1er au 24 déc. et vacances de fév. – **R** *(fermé mardi soir et merc. du 1er oct. au 31 mars)* 110/220, enf. 50 – ☕ 42 – **46 ch** 250/500 – ½ P 300/405.

Résidence Frivole ⑤ sans rest, 10 av. Platin ℘ 46 23 25 00, Fax 46 23 20 25, – ☎. AE ⓓ GB
15 avril-6 oct. et 23 oct.-3 nov. – ☕ 42 – **11 ch** 280/390.

Plage, ℘ 46 23 10 32, Fax 46 23 41 28, ⅏, ⑤ – TV ☎. GB. rest
fermé déc. et janv. – **R** 85/255, enf. 45 – ☕ 38 – **29 ch** 240/310 – ½ P 295/345.

à la plage de Nauzan SE : 1,5 km par rte Royan – ✉ **17420** St-Palais-sur-Mer :

Téthys ⑤, ℘ 46 23 33 61, ≤, – TV ☎ ℗. GB
1er juin-15 sept. – **R** 70/190, enf. 40 – ☕ 32 – **23 ch** 273/294 – ½ P 294/326.

CITROEN Gar. Valz ℘ 46 23 10 53

ST-PANCRACE **06** Alpes-Mar. 84 ⑨ – rattaché à Nice.

ST-PARDOUX **63440** P.-de-D. 73 ④ – 363 h. alt. 600.

Paris 383 – ◆Clermont-Ferrand 39 – Aubusson 92 – Montluçon 49 – Vichy 39.

Bon Accueil, ℘ 73 97 40 02 – ℗. AE ⓓ GB
fermé 10 oct. au 10 nov. et sam. – **R** 65/140 ₰ – ☕ 20 – **10 ch** 120/190 – ½ P 160/200.

RENAULT Malleret ℘ 73 97 40 94

ST-PARDOUX **79310** Deux-Sèvres 68 ⑪ – 1 202 h. alt. 195.

Paris 380 – Poitiers 54 – Fontenay-le-Comte 47 – Niort 33 – Parthenay 11 – St-Maixent-l'École 24.

Voyageurs, ℘ 49 63 40 11 – GB
fermé vacances de fév. et lundi sauf fêtes – **R** 60/190 ₰, enf. 50.

CITROEN Guérin ℘ 49 63 40 06

ST-PARDOUX-LA-CROISILLE **19320** Corrèze 75 ⑩ – 173 h. alt. 520.

Paris 477 – Brive-la-Gaillarde 50 – Aurillac 81 – Mauriac 45 – St-Céré 68 – Tulle 28 – Ussel 51.

Beau Site ⑤, ℘ 55 27 79 44, ≤, parc, ⑤, ✗ – ☎ ℗ – 60. GB. rest
1er mai-4 oct. – **R** 105/240, enf. 45 – ☕ 32 – **32 ch** 190/250 – ½ P 198/259.

ST-PATERNE-RACAN **37370** I.-et-L. 64 ④ **G. Châteaux de la Loire** – 1 449 h. alt. 67.

Voir Vierge à l'Enfant★ dans l'église.

Paris 252 – ◆Tours 30 – Angers 91 – Blois 79 – ◆Le Mans 53.

Centre, pl. République ℘ 47 29 21 37 – TV ☎. GB
fermé 20 déc. au 10 janv. et vend. soir hors sais. – **R** 70/160 ₰, enf. 36 – ☕ 25 – **13 ch** 155/222 – ½ P 173.

ST-PATRICE **37** I.-et-L. 64 ⑬ 67 ⑩ – 593 h. alt. 39 – ✉ **37130** Langeais.

Paris 272 – ◆Tours 34 – Angers 75 – Chinon 27 – Saumur 33.

Château de Rochecotte M, ℘ 47 96 91 28, Fax 47 96 90 59, ≤, « Jardin à la française, parc » – TV ☎ ℗ – 40. AE ⓓ GB
fermé fév. – **R** carte 250 à 350 – ☕ 50 – **20 ch** 550/850, 4 appart. 1100 – ½ P 475/615.

ST-PAUL **04520** Alpes-de-H.-P. 81 ⑧ ⑨ **G. Alpes du Sud** – 198 h. alt. 1 470.

Voir Pont du Châtelet★★ NE : 4,5 km.

Paris 751 – Barcelonnette 23 – Briançon 65.

ST-PAUL **06570** Alpes-Mar. 84 ⑨ 195 ㉕ **G. Côte d'Azur** – 2 903 h. alt. 150.

Voir Site★ – Remparts★ – Fondation Maeght★★.

Office de Tourisme Maison Tour, r. Grande ℘ 93 32 86 95.

Paris 926 – ◆Nice 18 – Antibes 16 – Cagnes-sur-Mer 7 – Cannes 26 – Grasse 21 – Vence 4.

Le Saint-Paul M, 86 r. Grande ☎ 93 32 65 25, Fax 93 32 52 94, « Élégante décoration intérieure » – ascenseur ch TV ☎ ♿. AE ① GB
fermé 6 janv. au 28 fév. – **R** *(fermé jeudi midi et merc.)* 250/375 – ☕ 70 – **15 ch** 450/1700, 3 appart. – ½ P 1050/1550.

La Colombe d'Or, ☎ 93 32 80 02, Télex 970607, Fax 93 32 77 78, « Peintures modernes, cadre "vieille Provence" piscine et jardin romain » – ch TV ☎ P. AE ① GB
fermé 5 nov. au 18 déc. – **R** carte 220 à 485 – ☕ 45 – **15 ch** 1010, 10 appart. 1210 – ½ P 790.

par route de la Colle et des Hauts de St-Paul :

✿ **Mas d'Artigny** M, ☎ 93 32 84 54, Télex 470601, Fax 93 32 95 36, « Luxueux ensemble hôtelier, ≤, piscine, tennis, parc » – ascenseur ch TV ☎ P – 80 à 250. GB
R 290/395 – ☕ 95 – **53 ch** 850/1760, 29 appart. 2350/2580 – ½ P 805/1260
Spéc. Salade gourmande aux queues de langoustines, Sauté de filets de rougets aux senteurs du midi, Canon d'agneau poêlé à l'ail doux et basilic.. **Vins** Côtes de Provence.

Messugues M sans rest, quartier Gardettes, imp. Messugues ☎ 93 32 53 32, Fax 93 32 94 15, « Belle piscine », – ascenseur ☎ ♿ P. AE ① GB
1er avril-30 nov. – ☕ 40 – **15 ch** 400/550.

sur la route de la Colle, D 7 :

Le Hameau sans rest, ☎ 93 32 80 24, Télex 970846, Fax 93 32 55 75, ≤, « Jardin en terrasses », piscine – ☎ P. AE ①
fermé 16 nov. au 22 déc. et 8 janv. au 15 fév. – ☕ 45 – **14 ch** 340/485.

Climat de France , ☎ 93 32 94 24, Télex 470167, Fax 93 32 91 07, piscine – TV ☎ P. AE GB.
R 98/160 ₰, enf. 60 – ☕ 60 – **19 ch** 360/500 – ½ P 345/370.

XXX La Corbeille, ☎ 93 32 80 13, Fax 93 32 99 03, – P.

ST-PAUL-CAP-DE-JOUX

81220 Tarn 82 ⑩ – 924 h. alt. 158.
Paris 709 – ♦Toulouse 51 – Albi 49 – Castres 23 – Montauban 72.

à Viterbe NO par D 112 et D 143 : 7 km – ✉ **81220** :

XX **Marroniers,** ☎ 63 70 64 96, ≤, – AE ① GB.
fermé 15 au 30 oct., 1er au 15 mars, mardi soir d'oct. à mars et merc. – **R** 94/170, enf. 40.

ST-PAUL-DES-LANDES

15250 Cantal 76 ⑪ – 1 105 h. alt. 540.
Paris 587 – Aurillac 12 – Figeac 63 – Laroquebrou 12 – Mauriac 56 – St-Céré 52 – Tulle 74.

Voyageurs, ☎ 71 46 30 05 – P
R 45/120 ₰ – ☕ 25 – **10 ch** 130/150 – ½ P 165.

RENAULT Gar. Nangeroni ☎ 71 46 30 01 N

ST-PAUL-DE-VARCES

38 Isère 77 ④ – rattaché à Grenoble.

ST-PAUL-EN-BORN

40200 Landes 78 ④ ⑭ – 597 h. alt. 15.
Paris 680 – Mont-de-Marsan 75 – Arcachon 58 – ♦Bordeaux 91 – Castets 55 – Labouheyre 21 – Mimizan 7.

L'Écureuil, ☎ 58 07 41 16 – ☎ P – **16 ch.**

ST-PAUL-LE-JEUNE

07460 Ardèche 80 ⑧ – 862 h. alt. 255.
Voir Banne : ruines de la citadelle ≤★ N : 5 km, **G. Provence.**
Paris 675 – Alès 30 – Aubenas 44 – Pont-St-Esprit 53 – Vallon-Pont-d'Arc 28 – Villefort 37.

XX **Moderne** avec ch, ☎ 75 39 82 75 – GB
fermé fév. et merc. – **R** 85/160, enf. 50 – ☕ 25 – **11 ch** 95/160 – ½ P 190.

ST-PAUL-LÈS-ROMANS

26 Drôme 77 ③ – rattaché à Romans-sur-Isère.

ST-PAUL-TROIS-CHATEAUX

26130 Drôme 81 ① **G. Vallée du Rhône** – 6 789 h. alt. 90.
Voir Cathédrale★.
Env. Barry ≤★★ S : 8 km.
Office de Tourisme r. République ☎ 75 96 61 29.
Paris 632 – Montélimar 28 – Nyons 38 – Orange 33 – Vaison-la-Romaine 34 – Valence 71.

L'Esplan M, pl. l'Esplan ☎ 75 96 64 64, Fax 75 04 92 36, « Décor contemporain » – ascenseur ch TV ☎. AE ① GB
R *(fermé 20 déc. au 3 janv. et dim. du 15 nov. au 15 mars)* 98/420 ₰, enf. 49 – ☕ 32 – **36 ch** 260/480 – ½ P 275/325.

XX **La Chapelle,** ☎ 75 96 60 88, – GB
fermé 22 déc. au 10 janv., dim. et lundi – **R** 130/290.

ST-PÉ-DE-BIGORRE

65270 H.-Pyr. 82 ⑫ **G. Pyrénées Aquitaine** – 1 296 h. alt. 333.
Paris 802 – Pau 32 – Laruns 41 – Lourdes 11 – Pontacq 15 – Tarbes 30.

Pyrénées, ☎ 62 41 80 08 – – **42 ch.**

ST-PÉE-SUR-NIVELLE **64310** Pyr.-Atl. 85 ② – 3 463 h. alt. 30.

Paris 791 – Biarritz 17 – ◆Bayonne 19 – Cambo-les-Bains 18 – Pau 126 – St-Jean-de-Luz 13.

Nivelle, ✆ 59 54 10 27, Fax 59 54 19 82 – ☎ P – 60. AE GB
fermé janv., fév. et lundi hors sais. – **R** 100/150 – ☐ 35 – **30 ch** 240/320 – ½ P 240/320.

à Ibarron O : 1,5 km – ✉ **64310** Ascain :

XX **Fronton** avec ch, ✆ 59 54 10 12, – AE ⓓ GB
fermé fév., mardi soir et merc. soir hors sais. – **R** 125/230, enf. 55 – ☐ 28 – **8 ch** 235/320 - ½ P 230/250.

O : 4 km par rte de St-Jean-de-Luz et D 307 – ✉ **64310** Ascain :

Aub. Basque sans rest, ✆ 59 54 10 15, ←, « Jardin ombragé » – ☎ P. GB.
Pâques-début oct. – ☐ 28 – **19 ch** 245/286.

ST-PÉRAY **07130** Ardèche 77 ⑪ ⑫ – 5 886 h. alt. 128.

Voir Ruines du château de Crussol : site★★★ et ←★★ SE : 2 km.

Env. Saint-Romain-de-Lerps ☀★★★ NO : 9,5 km par D287, **G. Vallée du Rhône.**

Syndicat d'Initiative 45 r. République ✆ 75 40 46 75.

Paris 566 – Valence 5 – Lamastre 36 – Privas 39 – Tournon-sur-Rhône 14.

Pôle 2000 M sans rest, rte Granges-lès-Valence ✆ 75 40 55 56, Fax 75 40 29 72 – TV ☎
♿ P. AE ⓓ GB
☐ 27 – **25 ch** 210/235.

à Cornas N : 2 km par N 86 – ✉ **07130** :

X **Ollier,** ✆ 75 40 32 17, – ▤. GB
fermé 12 août au 2 sept., vacances de fév., lundi soir et jeudi soir d'oct. à mars, mardi soir et merc. – **Repas** 85/180, enf. 50.

à Soyons S : 7 km par N 86 – ✉ **07130** :

Domaine de la Musardière M, ✆ 75 60 83 55, Télex 346387, Fax 75 60 85 21, , parc, ⛱, – ▤ ch ☎ P – 30. AE ⓓ GB JCB
fermé 20 déc. au 10 janv. – **R** 150/400 – ☐ 80 – **20 ch** 500/1000, 4 appart. 2000 – ½ P 600/800.

ST-PÈRE **89** Yonne 65 ⑮ ⑯ – rattaché à Vézelay.

ST-PHILIBERT **56** Morbihan 63 ⑫ – rattaché à La Trinité-sur-Mer.

ST-PIERRE-DE-BOEUF **42520** Loire 77 ① – 1 174 h. alt. 155.

Paris 512 – Annonay 24 – ◆Lyon 52 – ◆St-Étienne 55 – Tournon-sur-Rhône 40 – Vienne 22.

XX **La Diligence,** ✆ 74 87 12 19 – ▤ P. AE GB
fermé 14 juil. au 4 août., dim. soir et lundi sauf fériés – **R** 100/280.

ST-PIERRE-DE-CHARTREUSE **38380** Isère 77 ⑤ **G. Alpes du Nord** – 650 h. alt. 888 – Sports d'hiver : 900/1 800 m 1 13 .

Voir Terrasse de la Mairie ←★ – Prairie de Valombré ←★ sur couvent de la Grande Chartreuse O : 4 km – Site★ de Perquelin E : 3 km – La Correrie : musée Cartusien★ du couvent de la Grande Chartreuse NO : 3,5 km – Décoration★ de l'église de St-Hugues-de-Chartreuse S : 4 km.

Office de Tourisme ✆ 76 88 62 08.

Paris 555 – ◆Grenoble 29 – Belley 66 – Chambéry 40 – La Tour-du-Pin 51 – Voiron 26.

Beau Site, ✆ 76 88 61 34, Fax 76 88 64 69, ←, ⛱ – cuisinette ☎ – 30. GB
fermé 15 oct. au 15 déc., dim. soir et lundi hors sais. – **R** 90/180, enf. 50 – ☐ 35 – **31 ch** 300/380 – ½ P 285/325.

XX **Aub. Atre Fleuri** avec ch, S : 3 km sur D 512 ✆ 76 88 60 21, , – ☎ P. GB
fermé 22 au 28 juin, vacances de nov. au 16 déc., mardi soir et merc. hors sais. – **R** 70/190, enf. 50 – ☐ 22 – **8 ch** 170/190 – ½ P 240/250.

au Col du Cucheron N : 3,5 km par D 512 – Sports d'hiver au Planolet : 1 050/1 500 m 7 – ✉ **38380** St-Laurent-du-Pont :

X **Chalet H. du Cucheron** avec ch, ✆ 76 88 62 06, Fax 76 88 65 43, ←, – P. AE ⓓ GB. rest
fermé 15 oct. au 26 déc. et mardi sauf vacances scolaires – **R** 85/162 , enf. 47 – ☐ 25 – **7 ch** 115/180 – ½ P 180/210.

ST PIERRE D'ENTREMONT **73670** Savoie 74 ⑮ **G. Alpes du Nord** – 294 h. alt. 640.

Voir Cirque de St-Même★★ SE : 4,5 km – Gorges du Guiers Vif★★ et Pas du Frou★★ O : 5 km – Château du Gouvernement★ : ←★ SO : 3 km.

Syndicat d'Initiative de la Vallée des Entremont ✆ 79 65 81 90.

Paris 551 – ◆Grenoble 46 – Belley 59 – Chambéry 25 – Les Echelles 11,5 – ◆Lyon 100.

Le Grand Som, ✆ 79 65 80 22, ≤ – ☎ ♿. GB
fermé 20 oct. au 20 déc., mardi soir et merc. sauf vacances scolaires – **R** 80/180 ꟾ – ☕ 30 – **20 ch** 220/260 – ½ P 230/270.

H. du Château de Montbel, ✆ 79 65 81 65 – |‡| ☎ ⇔. GB. ✈
fermé fin oct. à début déc., dim. soir et lundi hors sais. – **R** 75/160, enf. 50 – ☕ 27 – **15 ch** 150/220 – ½ P 190/230.

ST-PIERRE-DES-CORPS 37 I.-et-L. 64 ⑮ – rattaché à Tours.

ST-PIERRE-DES-NIDS 53370 Mayenne 60 ② – 1 595 h. alt. 184.

Paris 207 – Alençon 15 – Argentan 43 – Domfront 48 – Laval 79 – Mayenne 48.

Dauphin avec ch, rte Alençon ✆ 43 03 52 12, Fax 43 03 55 49, ⛱ – TV ☎ P. GB. ✈
fermé 19 août au 2 sept., vacances de fév. et merc. – **Repas** 85/255 ꟾ – ☕ 32 – **9 ch** 135/275 – ½ P 235.

ST-PIERRE-D'OLÉRON 17 Char.-Mar. 71 ⑬ – voir à Oléron (Ile d').

ST-PIERRE-DU-VAUVRAY 27 Eure 55 ⑰ – rattaché à Louviers.

ST-PIERRE-EN-FAUCIGNY 74 H.-Savoie 74 ⑦ – rattaché à Bonneville.

ST-PIERRE-LANGERS 50530 Manche 59 ⑦ – 357 h. alt. 41.

Paris 344 – Saint-Lô 64 – Saint-Malo 82,5 – Avranches 16 – Granville 10,5.

Le Jardin de l'Abbaye, Croix Barrée ✆ 33 48 49 08 – P. GB
fermé 1er au 15 oct., fév., dim. soir (sauf juil.-août) et lundi – **Repas** 88/250.

ST-PIERRE-LE-MOUTIER 58240 Nièvre 69 ③ **G. Bourgogne** – 2 091 h. alt. 214.

Syndicat d'Initiative à la Mairie ✆ 86 37 42 09.

Paris 263 – Bourges 71 – Moulins 31 – Autun 111 – Château-Chinon 86 – Montluçon 75 – Nevers 23.

Vieux Puits sans rest, près Eglise ✆ 86 37 41 96 – TV ☎ ⇔. GB
fermé 12 au 26 janv. – ☕ 28 – **11 ch** 220/240.

La Vigne M avec ch, rte Decize ✆ 86 37 41 66, Fax 86 37 28 90, ⛱, parc – TV ☎ ♿ P. GB
fermé 5 fév. au 5 mars, dim. soir du 15 oct. au 15 mars et merc. (sauf hôtel) – **R** (dim. et fêtes prévenir) 99/239 – ☕ 40 – **12 ch** 250/300 – ½ P 260/350.

CITROEN Gar. Belli, pl. Jeanne-d'Arc ✆ 86 37 40 60
PEUGEOT-TALBOT St-Pierroise Rép. Auto, rte de Moulins ✆ 86 37 40 74 N ✆ 86 37 46 99
RENAULT Gar. Garnaud, 32 r. Cdt-Leiffeit ✆ 86 37 42 50 N

ST-PIERRE-LÈS-AUBAGNE 13 B.-du-R. 84 ⑭ – rattaché à Aubagne.

ST-PIERREMONT 88700 Vosges 62 ⑥ – 167 h. alt. 257.

Paris 357 – ◆Nancy 53 – Luneville 24 – St-Dié 39 – ◆Strasbourg 112.

Relais Vosgien avec ch, ✆ 29 65 02 46, Fax 29 65 02 83, ⛱, ⛱ – ⇆ rest TV ☎ ♿ ⇔ P – 🏔 35. GB
R 62/220, enf. 35 – ☕ 27 – **14 ch** 170/260 – ½ P 280/320.

ST-PIERRE-QUIBERON 56 Morbihan 63 ⑪ ⑫ – rattaché à Quiberon.

ST-PIERRE-SUR-MER 11560 Aude 83 ⑭ **G. Pyrénées Roussillon.**

Paris 847 – ◆Perpignan 81 – Carcassonne 77 – Narbonne 23.

Floride, au port ✆ 68 49 81 31, ⛱ – AE ① GB
fermé 2 au 31 janv., dim. soir et lundi sauf juil.-août – **R** 85/350, enf. 40.

ST-POL-DE-LÉON 29250 Finistère 58 ⑥ **G. Bretagne** – 7 261 h. alt. 41.

Voir Clocher** de la chapelle du Kreisker* : ✻** de la tour – Ancienne cathédrale* – Rocher Ste-Anne : ≤* dans la descente.

Office de Tourisme pl. de l'Évêché ✆ 98 69 05 69.

Paris 558 – ◆Brest 61 – Brignogan Plages 30,5 – Morlaix 20 – Roscoff 5.

France, r. Minimes ✆ 98 29 14 14, Fax 98 29 10 57, ⛱ – TV ☎ P – 🏔 60. AE GB
R 70/250 – ☕ 30 – **20 ch** 300/350 – ½ P 220/240.

Caroff Pneus, 26 r. de Brest ✆ 98 69 08 87

ST-POL-SUR-TERNOISE 62130 P.-de-C. 51 ⑬ – 5 215 h. alt. 87.

Paris 208 – ◆Calais 93 – Abbeville 56 – Arras 37 – Béthune 29 – Boulogne-sur-Mer 80 – Doullens 28 – St-Omer 53.

H. Lion d'Or, 68 r. Hesdin ✆ 21 03 12 93, Télex 133001, Fax 21 03 24 17, ⛱ – ☎. GB. ✈ ch
fermé 24 déc. au 5 janv. et dim. (sauf hôtel de Pâques au 1er nov.) – **R** (dîner seul.) carte 85 à 135 ꟾ – ☕ 25 – **35 ch** 100/250 – ½ P 200/250.

XX **Rest. Lion d'Or** avec ch, 74 r. Hesdin ✆ 21 03 10 44, Fax 21 41 47 87 – TV ☎. AE GB
R 76/198 ♃, enf. 45 – ☕ 32 – **10 ch** 200/260.

CITROEN Gar. St-Christophe, 171 r. de Hesdin ✆ 21 03 46 46
OPEL GME Martinage, rte Nationale à St-Michel-sur-Ternoise ✆ 21 41 01 54 N
RENAULT Bailleul, 184 r. Béthune ✆ 21 03 06 55 N
Leroux Fils, r. d'Hesdin à Ramecourt ✆ 21 41 18 88

ST-PONS-DE-THOMIÈRES 34220 Hérault 83 ⑬ G. Gorges du Tarn – 2 566 h. alt. 301.

Voir Grotte de la Devèze★ SO : 5 km.

Syndicat d'Initiative pl. Foirail ✆ 67 97 06 65.

Paris 771 – Béziers 50 – Carcassonne 61 – Castres 51 – Lodève 74 – Narbonne 57 – St-Affrique 86.

Château de Ponderach ⑤, S : 1,2 km par rte Narbonne ✆ 67 97 02 57, Fax 67 97 29 75, ≤, parc – ☎ P – 25. AE GB
1er avril-15 oct. – **R** 165/350, enf. 80 – ☕ 75 – **11 ch** 295/475 – ½ P 396/552.

au Nord : 10 km sur D 907 – ✉ 34220 St-Pons :

XX **Aub. du Cabaretou** avec ch, ✆ 67 97 02 31, ≤ vallée et montagne, – TV P. AE GB. rest
fermé 3 nov. au 31 janv., dim. soir et lundi du 15 sept. au 1er avril – **R** 90/300, enf. 60 – ☕ 3 – **9 ch** 145/260 – ½ P 210/250.

ST-POURÇAIN-SUR-SIOULE 03500 Allier 69 ⑭ G. Auvergne – 5 159 h. alt. 237.

Voir Église Ste-Croix★ AY**B** – Musée de la Vigne et du Vin★ AY **M.**

Syndicat d'Initiative bd L.-Rollin ✆ 70 45 32 73.

Paris 323 ① – Moulins 31 ① – Montluçon 59 ⑤ – Riom 50 ③ – Roanne 79 ② – Vichy 27 ③.

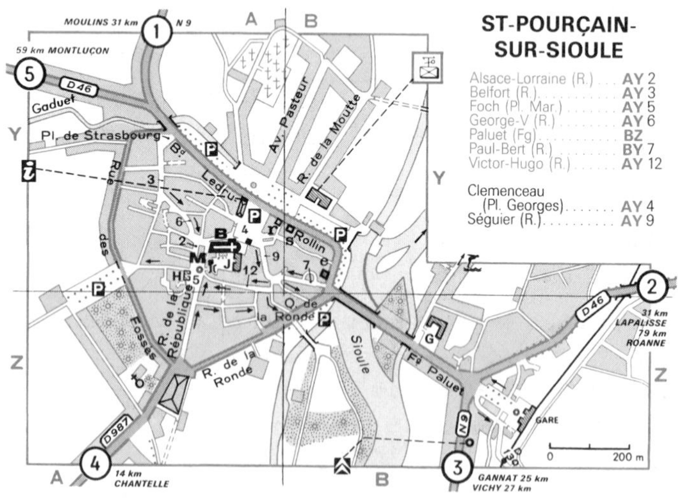

Chêne Vert, bd Ledru-Rollin ✆ 70 45 40 65, Fax 70 45 68 50, – TV ☎ – 80. AE GB — ABY **s**
fermé dim. soir hors sais. – **R** *(fermé 18 au 31 janv., dim. soir et lundi hors sais.)* 90/200, enf. 40 – ☕ 37 – **32 ch** 370.

Le Club sans rest, r. Chêne Vert ✆ 70 45 43 18 – GB — AY **r**
fermé 15 mai au 1er juin et 13 nov. au 7 déc. – ☕ 26 – **12 ch** 90/245.

X **Host. des Cours,** bd Ledru-Rollin ✆ 70 45 31 92 – GB — BY **e**
fermé 15 au 30 juin, merc. soir et jeudi – **R** 75/175 ♃.

CITROEN Gar. Poubeau, 53 rte de Gannat ✆ 70 45 33 99 N
FORD Gaulmin, 7 pl. Liberté ✆ 70 45 37 39
PEUGEOT-TALBOT Gar. Orpelière, 39/41 rte de Montmarault par ⑤ ✆ 70 45 51 36
Moulins Pneus, 1 r. Gare ✆ 70 45 59 15

Des pneus mal gonflés s'usent vite, tiennent moins bien la route, sont moins confortables. Respectez les pressions recommandées.

ST-PREST **28** E.-et-L. 60 ⑧ – rattaché à Chartres.

ST-PRIEST **69** Rhône 74 ⑫ – rattaché à Lyon.

ST-PRIEST-EN-JAREZ **42** Loire 73 ⑲ – rattaché à St-Étienne.

ST-PRIEST-BRAMEFANT **63** P.-de-D. 73 ⑤ – rattaché à Randan.

ST-PRIEST-TAURION **87480** H.-Vienne 72 ⑧ **G. Berry Limousin** – 2 506 h. alt. 240.

Env. Ambazac : chasse★★ et dalmatique★ dans l'église N : 9 km par D 44.

Paris 395 – ♦Limoges 14 – Bellac 45 – Bourganeuf 34 – La Souterraine 53.

Relais du Taurion, ✆ 55 39 70 14, – ☎ Ⓟ. GB. ✻
fermé 15 déc. au 15 janv., dim. et lundi sauf juil.-août – **R** 90/170 – ☐ 30 – **12 ch** 100/230 – ½ P 170/230.

ST-PRIVAT-D'ALLIER **43460** H.-Loire 76 ⑯ – 430 h. alt. 800.

Paris 541 – Le Puy-en-Velay 23 – Brioude 54 – Cayres 21 – Langogne 52 – St-Chély-d'Apcher 57 – St-Flour 72.

Vieille Auberge, ✆ 71 57 20 56 – ☎. GB
fermé fév. et lundi d'oct. à mars – **R** 82/145 ♁, enf. 40 – ☐ 24 – **23 ch** 110/170 – ½ P 135/155.

ST-PROJET-DE-CASSANIOUZE **15** Cantal 76 ⑪ ⑫ – alt. 220 – ✉ **15340** Calvinet.

Paris 619 – Aurillac 46 – Rodez 47 – Entraygues-sur-Truyère 19 – Figeac 38 – Villefranche-de-R. 62.

Pont, ✆ 71 49 94 21, ≤, parc – ☎. AE ⓓ GB
10 avril-2 nov. – **R** 75/170 ♁ – ☐ 27 – **17 ch** 125/190 – ½ P 160/210.

Planen Sie Ihre Fahrtroute in Frankreich mit der
Michelin-Karte Nr. 911 „FRANCE – Grands Itinéraires"
Sie ersehen daraus
– die Kilometerzahl Ihrer Strecke
– Ihre Fahrzeit
– die Zonen mit Staus und die Entlastungsstrecken
– die Lage der Tag und Nacht geöffneten Tankstellen
Sie fahren billiger und sicherer.

ST-QUAY-PORTRIEUX **22410** C.-d'Armor 59 ③ **G. Bretagne** – 3 018 h. alt. 60 – Casino .

⛳18 des Ajoncs d'Or ✆ 96 71 90 74, O : 7 km.

⛴ pour **Jersey.** En 1991 : Pâques-sept., 1 à 2 services quotidiens - Traversée 1 h 45 mn - 264 F (AR dans la journée) par Emeraude Lines Gare Maritime ✆ 96 70 49 46 (St-Quay-Portrieux).

ℹ Office de Tourisme et Accueil de France (Informations, change et réservations d'hôtels pas plus de 5 jours à l'avance) 17 bis r. Jeanne-d'Arc ✆ 96 70 40 64, Télex 950702.

Paris 471 – St-Brieuc 19 – Étables-sur-Mer 2,5 – Guingamp 28 – Lannion 53 – Paimpol 26.

Ker Moor Ⓜ, 13 r. Prés. le Sénécal ✆ 96 70 52 22, Fax 96 70 50 49, ≤ côte et mer, – |♦| TV ☎ Ⓟ – 50. AE ⓓ GB. ✻ rest
fermé 20 déc. au 20 janv. et dim. du 11 nov. au 15 mars – **R** 95/370 – ☐ 50 – **29 ch** 360/860 – ½ P 470/520.

Gerbot d'Avoine, bd Littoral ✆ 96 70 40 09 – TV ☎ Ⓟ. GB
fermé 23 nov. au 14 déc., 4 au 25 janv., dim. soir et lundi hors sais. – **R** 70/245 ♁, enf. 45 – ☐ 30 – **20 ch** 160/320 – ½ P 210/300.

Mouton Blanc, 52 quai République ✆ 96 70 58 44, ≤ – GB
fermé 12 nov. au 13 déc., 11 fév. au 2 mars, mardi soir et merc. – **R** 100/140.

CITROEN Gar. du Port, 46 quai République ✆ 96 70 40 70

ST-QUENTIN ‹SP› **02100** Aisne 53 ⑭ **G. Flandres Artois Picardie** – 60 644 h. alt. 74.

Voir Basilique★ BY – Pastels de Quentin de La Tour★★ au musée Lécuyer AY **M**[1].

⛳9 à Mesnil-St-Laurent ✆ 23 68 19 48, SE par ③ D 12 : 10 km.

ℹ Office de Tourisme espace St-Jacques, 14 r. Sellerie ✆ 23 67 05 00 – A.C. 14 r. Alsace ✆ 23 62 30 34.

Paris 142 ⑤ – ♦Amiens 74 ⑥ – Charleroi 118 ③ – ♦Lille 109 ① – ♦Reims 95 ③ – Valenciennes 79 ①.

Plan page suivante

✿ **Gd Hôtel et rest. Président** Ⓜ, 6 r. Dachery ✆ 23 62 69 77, Télex 140225, Fax 23 62 53 52 – |♦| TV ☎ ♿ Ⓟ – 40. AE ⓓ GB JCB BZ **n**
R *(fermé 28 juil. au 24 août, 24 déc. au 1er janv., dim. soir et lundi)* 195/330 – ☐ 60 – **24 ch** 420/600
Spéc. Tartare d'anguille fumée (oct. à janv.), Waterzoï de Saint-Jacques à la "Jenlain" (oct. à avril), Canette fumée au foie gras rôti aux épices douces.

Diamant Ⓜ, 14 pl. Basilique ✆ 23 64 19 19, Télex 145886, Fax 23 62 69 36 – |♦| cuisinette TV ☎ ♿. AE ⓓ GB ABZ **r**
R *(fermé dim. soir)* 100/220 ♁, enf. 45 – ☐ 40 – **50 ch** 320/385.

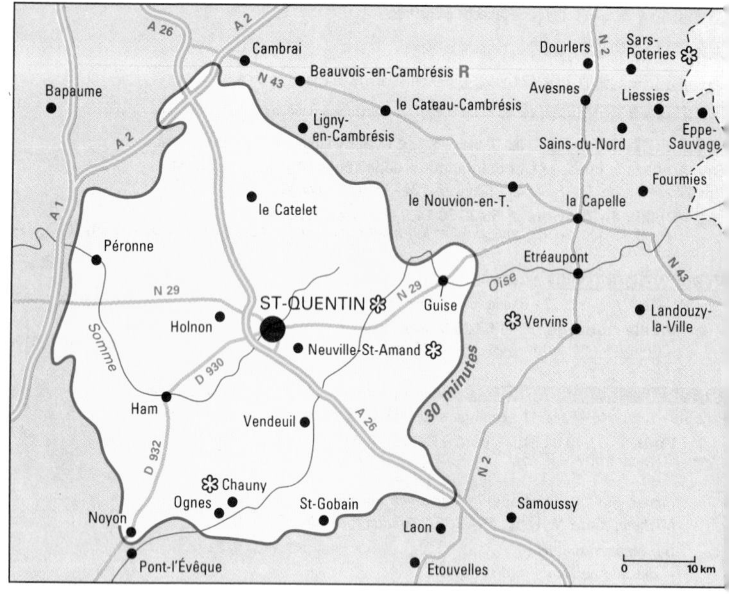

Mémorial sans rest, 8 r. Comédie ✆ 23 09 20 09, Fax 23 67 25 50 – TV ☎ P. AE ⓓ GB JCB
AZ b
☐ 34 – **19 ch** 280/390.

Paix et Albert 1er, 3 pl. 8-Octobre ✆ 23 62 77 62, Télex 140225, Fax 23 62 53 52 – |‡| TV ☎ P – 🏛 50. AE ⓓ GB JCB
BZ a
Le Brésilien R 80/160, enf. 60 – **Le Carnotzet R** 80/160, enf. 60 – ☐ 30 – **82 ch** 140/300.

France et Angleterre sans rest, 28 r. E. Zola ✆ 23 62 13 10, Télex 140986, Fax 23 62 63 44 – TV ☎ 🚗. AE GB
AZ d
☐ 24 – **28 ch** 155/250.

à ***Neuville-St-Amand*** SE : 3 km par r. Gén. Leclerc et D 12 – ✉ **02100** :

XXX ✿ **Le Château** (Meiresonne) 🐎 avec ch, ✆ 23 68 41 82, Fax 23 68 46 02, parc – TV ☎ P – 🏛 30. AE ⓓ GB. 🐕 ch
fermé 1er au 23 août, 24 au 31 déc., vacances de fév., dim soir et sam. – **R** (prévenir) 170/330 – ☐ 45 – **6 ch** 320/380
Spéc. Mousse de saumon aux poireaux, Ris de veau à la crème de morilles, Tournedos à la moelle et vin rouge de Champagne.

par ⑥ et N 29 : 2 km – ✉ **02100** St-Quentin :

Campanile M, ✆ 23 09 21 22, Télex 150596, Fax 23 67 49 55 – TV ☎ ♿ P – 🏛 50. AE GB
R 77 bc/99 bc, enf. 39 – ☐ 28 – **40 ch** 258 – ½ P 234/256.

à ***Holnon*** par ⑥ et N 29 : 6 km – ✉ **02760** :

XX Pot d'Étain, ✆ 23 09 61 46, ⛱, 🐕 – P.

MICHELIN, Agence, ZAC La Vallée par ⑥ ✆ 23 64 17 44

CITROEN Sté Ciale Auto Picardie "S.C.A.P." ZI r. Gérard-Philipe à Gauchy par ④ ✆ 23 08 68 00
FIAT P.P.B Automobiles, 92 av. Fusillés-Fontaine-Notre-Dame ✆ 23 68 19 87
MERCEDES Gar. des Champs-Elysées, 174 r. Kennedy ✆ 23 62 37 80
PEUGEOT-TALBOT Center-Auto, 418 rte de Paris par ⑤ ✆ 23 62 34 23
RENAULT Gueudet, ZAC La Vallée, r. A.-Parmentier par ⑥ ✆ 23 67 47 47 N ✆ 23 08 04 82
SAAB Hubault 4, r. Charles Linne - ZAC la Vallée ✆ 23 64 81 82
SEAT Lesot Automobiles, 23 bd Henri-Martin ✆ 23 67 14 15

V.A.G Gar. du Cambrésis, 98 r. A.-Dumas ✆ 23 62 45 43
VOLVO Éts Lesot, 52 av. Faidherbe ✆ 23 62 29 41

Ⓜ Joncourt-Pneus, 51 ter av. Gén.-de-Gaulle ✆ 23 06 67 67
Pneus-Lepilliez-Dubois, 3 pl. Basilique ✆ 23 62 33 30
Pneus-Lepilliez-Dubois, 155 r. de Fayet ✆ 23 62 33 30
Pneus-Lepilliez-Dubois, ZI r. de Picardie à Gauchy ✆ 23 62 33 30

ST-QUENTIN

Croix-Belle-Porte (R.) . . AY 6
États-Généraux (R. des) AY 8
Hôtel-de-Ville (Pl. de l'). AZ 17
Isle (R. d') . . . . BZ
Lyon (R. de) . . . . BZ 24
Raspail (R.) . . . . AY
Sellerie (R. de la) . . . . . . BZ 33
Zola (R. Émile) . . . . AZ

Basilique (Pl. de la) . . ABY 2
Brossolette (R. Pierre) . . AZ 3
Canonniers (R. des) . . . AZ 4
Danton (R.) . . . . BZ 7
Faidherbe (Av.) . . . . AZ 10
Fontaine (R.) . . . . AZ 12
Gaulle (Av. Gén. de) . . . BZ 13
Gouvernement (R. du) . BY 15
Lafayette (Pl.) . . . . AY 20
Leclerc (R. Gén.) . . . . . . BZ 21
Lécuyer (R.) . . . . AY 22
Le Sérurier (R.) . . . . AY 23
Marché-Franc (Pl. du) . . . . BZ 25
Mulhouse (R. de) . . . . . BY 26
Péri (R. Gabriel) . . . . AZ 27
Picard (R. Ch.) . . . . BY 28
Pompidou (R. G.) . . . . . . AY 29
Prés. J.-F.-Kennedy (R. du) . . . . AY 30
St-André (R.) . . . . AY 32
Sous-Préfecture (R. de la) . . . . BZ 34
Thomas (R. A.) . . . . AY 36
Toiles (R. des) . . . . BZ 37
Verdun (Bd) . . . . AZ 38
Voltaire (R.) . . . . AZ 39
8-Octobre (Pl. du) . . . . . BZ 41

ST-QUENTIN-EN-YVELINES 78 Yvelines 60 ⑨ 106 ㉙ 101 ㉑.

Coignières 60 ⑨ 106 ㉘ – 4 157 h. alt. 169 – ✉ **78310** – Paris 37 – St-Quentin-en-Yvelines 6,5.

Primevère M, 1 r. Prévenderie ✆ (1) 34 61 00 90, Télex 651530, Fax (1) 34 61 15 87 – ▮ TV ☎ ♿ P – 🏊 35. GB
R 71/95 ♨, enf. 39 – ☕ 30 – **76 ch** 250 – ½ P 190.

XXX ✿ **Aub. du Capucin Gourmand** (Lebrault), N 10 ✆ (1) 34 61 46 06, Fax (1) 34 61 73 46, ☂ – P. AE ① GB JCB
fermé dim. sauf fériés – **R** 230 et carte 290 à 450
Spéc. Nage de homard et Saint-Jacques aux petits légumes (saison), Sandre rôti au vieux vin de Bourgogne, Pigeon au jus de truffe.

XXX **Aub. d'Angèle,** N 10 ✆ (1) 34 61 64 62, ☂ – P. GB
fermé dim. soir et lundi – **R** 150/315.

ALFA ROMEO Yvelines Automobiles, 24 RN 10 ✆ (1) 30 69 98 90
CITROEN Gar. Collet, 21 RN 10 ✆ (1) 30 50 11 30
LADA G.A.B., 117 RN 10 ✆ (1) 34 61 43 03
PEUGEOT Coignières Automobiles, 2 r. Fresnel ZI Pariwest ✆ (1) 34 82 03 30

Ⓜ La Centrale du Pneu, 109-115 N 10 ✆ (1) 34 61 47 37

Maurepas 60 ⑨ 106 ㉘ – 19 718 h. alt. 170 – ✉ **78310**.

des Yvelines ℘ (1) 34 86 48 89 NO par D 13, D 155 et N 12 : 21 km.

Paris 35 – St-Quentin-en-Yvelines 4,5.

Mercure M, N 10 ℘ (1) 30 51 57 27, Télex 695427, Fax (1) 30 66 70 14, – ch – 150. AE GB
R carte environ 160 ♪, enf. 45 – 50 – **91 ch** 460/530.

Montigny-le-Bretonneux 60 ⑨ 106 ㉙ – 31 687 h. alt. 163 – ✉ **78180**.

Club National ℘ (1) 30 43 36 00, E par D 36 et D 912 : 8 km.

Paris 30 – St-Quentin-en-Yvelines 3,5.

Campanile M, 2 pl. Ovale (quartier gare) ℘ (1) 30 57 49 50, Télex 689589, Fax (1) 30 44 27 37 – – 30. AE GB
R 85 bc/113 bc, enf. 39 – 29 – **108 ch** 330 – ½ P 279/307.

Fimotel M, r. J.-P. Timbaud ℘ (1) 34 60 50 24, Télex 699235, Fax (1) 30 58 28 67 – – 45. AE GB
R 68/105, enf. 36 – 39 – **81 ch** 335/345.

CITROEN S.C.A.O., 11 av. Prés, ZAS ℘ (1) 30 43 99 51
FIAT SODIAM, 1 r. Nicolas Copernic à Guyancourt ℘ (1) 30 43 39 39
PEUGEOT-TALBOT SOVEDA, RN 286 ℘ (1) 30 45 09 42
V.A.G M.B.A., ZAS 10 av. des Prés ℘ (1) 30 44 12 12

Trappes 60 ⑨ 101 ㉑ – 30 878 h. – ✉ **78190**.

Paris 31 – Longjumeau 32 – Rambouillet 21 – Versailles 10,5.

Confortel, r. G. Monmousseau ℘ (1) 30 66 39 66, Télex 689443, Fax (1) 30 66 03 53 – – 60. GB
R 83 bc/102 ♪, enf. 37 – 30 – **68 ch** 249/349.

AUTOBIANCHI-FIAT-LANCIA 78 Automobiles, 33 av. Paul-Vaillant-Couturier ℘ (1) 30 51 48 36
PEUGEOT-TALBOT Ets Trujas, ZI 5 av. Roger-Hennequin ℘ (1) 30 50 34 09
RENAULT Succursale, 2-4 av. Roger-Hennequin ZI ℘ (1) 30 62 43 19 N ℘ (1) 05 05 15 15

Voisins-le-Bretonneux 60 ⑨ 106 ㉙ – 11 220 h. alt. 165 – ✉ **78960**.

Paris 32 – St-Quentin-en-Yvelines 6.

Port Royal sans rest, 20 r. H. Boucher ℘ (1) 30 44 16 27, Fax (1) 30 57 52 11, – . GB
27 – **36 ch** 230/270.

Le Relais de Voisins M, av. Grand-Pré ℘ (1) 30 44 11 55, Fax (1) 30 44 02 04, – – 40. GB
R 75/140 – 32 – **54 ch** 260/350.

au golf national E : 2 km par D 36 – ✉ **78114** Magny-les-Hameaux :

Novotel St-Quentin Golf National M, ℘ (1) 30 57 65 65, Télex 695378, Fax (1) 30 57 65 00, ←, – ch – 200. AE GB JCB
R carte environ 150 ♪, enf. 50 – 52 – **131 ch** 470/550.

RENAULT Gar. Nodarian, 34 r. H. Boucher ℘ (1) 30 43 74 99

Se cercate un albergo tranquillo,
oltre a consultare le carte dell'introduzione,
rintracciate nell'elenco degli esercizi quelli con il simbolo .

ST-QUENTIN-SUR-LE-HOMME 50 Manche 59 ⑧ – rattaché à Avranches.

ST-RAMBERT-D'ALBON 26140 Drôme 77 ① – 4 176 h. alt. 144.

Paris 518 – Annonay 19 – La Côte-St-André 42 – St-Vallier 11,5 – Tournon-sur-Rhône 27 – Valence 49 – Vienne 28.

Croix d'Or avec ch, r. Nationale ℘ 75 31 00 35 – . AE GB
fermé dim. – **R** *(fermé 15 sept. au 1er oct., 24 déc. au 2 janv., 15 fév. au 1er mars)* 59/152, enf. 38 – 27 – **11 ch** 140/300 – ½ P 180/220.

CITROEN Gar. Cochard ℘ 75 31 01 74

ST-RAPHAËL 83700 Var 84 ⑧ 195 ㉝ **G. Côte d'Azur** – 26 616 h. alt. 6 – Casino Z.

Voir Collection d'amphores★ dans le musée archéologique Y **M**.

de Valescure ℘ 94 82 40 46, NE par D 37 : 6 km.

Maison du Tourisme avec A.C. r. W.-Rousseau ℘ 94 95 16 87.

Paris 875 ③ – Fréjus 3 – Aix-en-Provence 119 ③ – Cannes 39 ④ – ◆Marseille 132 ③ – ◆Toulon 93 ③.

Accès et sorties : voir plan de Fréjus.

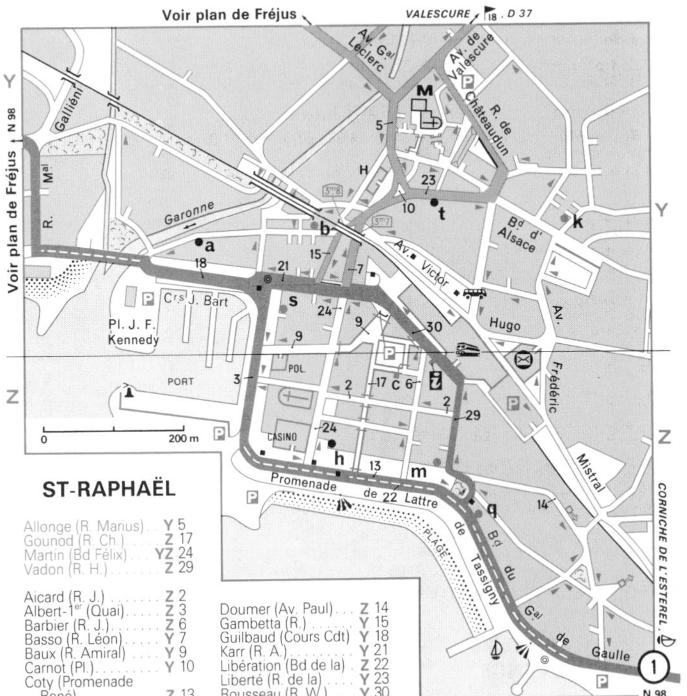

Excelsior, 193 bd F. Martin ☏ 94 95 02 42, Fax 94 95 33 82, ←, 🍽 – |⇕| ▤ TV ☎. AE ⊙ GB – **R** 100/160 ♁ – ☕ 50 – **36 ch** 450/700, 3 appart. 650 – ½ P 410/510.

Epulias M sans rest, 56 r. Liberté ☏ 94 95 53 21, Fax 94 95 61 05 – |⇕| ▤ TV ☎. AE GB ☕ 50 – **40 ch** 385/510. — Y **t**

Provençal sans rest, 197 r. Garonne ☏ 94 95 01 52, Fax 94 83 92 61 – ☎. GB. ✗ *fermé janv.* – ☕ 28 – **28 ch** 190/270. — Y **a**

La Voile d'Or, 1 bd Gén. de Gaulle ☏ 94 95 17 04, ←, 🍽 – ▤. AE ⊙ GB — Z **q**
fermé 12 nov. au 17 déc., mardi midi et merc. midi en juil.-août, mardi soir et merc. hors sais. – **R** 170/265.

L'Orangerie, prom. R. Coty ☏ 94 83 10 50, 🍽 – AE ⊙ GB — Z **m**
fermé lundi sauf le soir en juil.-août, mardi midi en juil.-août et dim. soir de sept. à juin – **R** 96/128.

Pastorel, 54 r. Liberté ☏ 94 95 02 36, 🍽 – AE ⊙ GB — Y **t**
fermé dim. soir (sauf juil.-août) et lundi – **R** (dîner seul. en août) 160/195.

Sirocco, 35 quai Albert 1er ☏ 94 95 39 99, ←, 🍽 – ▤. AE ⊙ GB JCB — Y **s**
fermé 15 nov. au 15 déc. – **R** 105/285.

Le Tisonnier, 70 r. Garonne ☏ 94 95 28 51 – ✗. AE ⊙ GB — Y **b**
fermé mi-déc. à mi-janv. et merc. hors sais. – **R** 110/240.

L'Aristocloche, 15 bd St Sébastien ☏ 94 95 28 36 – ▤. AE ⊙ — Y **k**
fermé 14 au 29 juin, dim. et lundi – **R** carte 155 à 230.

au NE : 5 km par D 37 et rte Golf – ✉ **83700** St-Raphaël :

Latitudes M 🌿, av. Golf ☏ 94 82 42 42, Télex 970671, Fax 94 44 61 37, ←, 🍽, parc, 🏋, 🏊, 🎾 – |⇕| ▤ TV ☎ ♿ Ⓟ – 🏛 180. AE GB. ✗
R carte 135 à 190, enf. 60 – ☕ 50 – **89 ch** 695/955, 6 appart. 995/1255 – ½ P 645.

H. Golf de Valescure M 🌿, ☏ 94 82 40 31, Télex 461085, Fax 94 82 41 88, ←, 🍽, parc, 🏊, 🎾 – |⇕| ▤ ch TV ☎ ♿ Ⓟ – 🏛 40 à 60. AE ⊙ GB. ✗ rest
fermé 25 nov. au 20 déc. et 10 au 31 janv. – **R** 175 – **40 ch** ☕ 490/860 – ½ P 445/545.

San Pedro M 🌿, av. Col. Brooke ☏ 94 83 65 69, Fax 94 40 57 20, 🍽, parc, 🏊 – |⇕| ▤ ch TV ☎ Ⓟ. AE ⊙ GB. ✗ rest
fermé 20 janv. au 10 fév. – **R** *(fermé dim. soir et lundi du 15 sept. au 15 juin)* 170/300 – ☕ 60 – **28 ch** 550/690.

à Boulouris par ① : 5 km – ✉ **83700** St-Raphaël :

La Potinière M, ☎ 94 95 21 43, Fax 94 95 29 10, parc, – TV ☎ P. AE O GB
R *(fermé jeudi midi du 1er oct. au 31 mai)* 108/195 – ☕ 45 – **29 ch** 425/650 – ½ P 366/478.

au Dramont par ① : 6 km – ✉ **83700** St-Raphaël :

Sol e Mar, rte Corniche d'Or ☎ 94 95 25 60, Fax 94 83 83 61, ← Ile d'Or et cap du Dramont, – TV ☎ P. GB
11 avril-15 oct. – **R** 137/205 – ☕ 45 – **47 ch** 470/620 – ½ P 410/520.

FORD Gar. Vagneur, 142 av. Valescure ☎ 94 95 42 78 N ☎ 94 53 86 32

ST-REMÈZE **07700** Ardèche 80 ⑨ – 454 h. alt. 369.

Voir Aven de Marzal★★ S : 4 km, **G. Provence.**

Paris 644 – Alès 62 – Aubenas 40 – Montélimar 34 – Orange 50 – Privas 64.

Le Terroir, ☎ 75 04 15 02 – GB
15 mars-11 nov. et fermé lundi midi en juil.-août, mardi soir et merc. hors sais. – **Repas** (nombre de couverts limité, prévenir) 110/210, enf. 50.

ST-RÉMY **21** Côte-d'Or 65 ⑦ – rattaché à Montbard.

ST-RÉMY **71** S.-et L. 69 ⑨ – rattaché à Chalon-sur-Saône.

ST-RÉMY **79** Deux-Sèvres 71 ① – rattaché à Niort.

ST-RÉMY-DE-PROVENCE **13210** B.-du-R. 81 ⑫ **G. Provence** – 9 340 h. alt. 60.

Voir Hôtel de Sade : dépôt lapidaire★ Y **B** – Cloître★ de l'ancien monastère de St-Paul-de-Mausole par ③ – Les Antiques★★ : Mausolée★★, Arc municipal★, Ruines de Glanum★ 1 km par ③.

Env. ✻★★ de la Caume 7 km par ③.

Office de Tourisme pl. J.-Jaurès ☎ 90 92 05 22.

Paris 705 ① – Avignon 19 ① – Arles 24 ④ – ♦Marseille 86 ② – Nîmes 41 ④ – Salon-de-Pr. 37 ②.

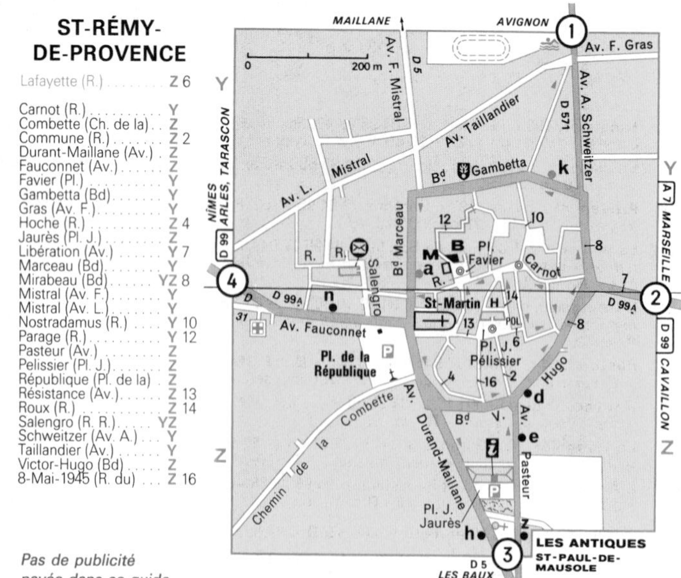

Pas de publicité payée dans ce guide.

Host. du Vallon de Valrugues M, chemin Canto Cigalo par ② ☎ 90 92 04 40, Télex 431677, Fax 90 92 44 01, ←, « Terrasse fleurie au bord de la piscine », – TV ☎ P. AE O GB. rest
fermé 2 janv. au 28 fév. – **R** 190 (déj.)/380, enf. 100 – ☕ 85 – **41 ch** 740/890, 12 appart. – ½ P 830/915
Spéc. Panier du maraîcher à l'effeuillé de morue douce, Rouget parfumé au basilic, Selle d'agneau aux senteurs des garrigues. **Vins** Coteaux d'Aix-en-Provence-Les-Baux-de-Provence.

Château des Alpilles M, O : 2 km par D 31 ☎ 90 92 03 33, Télex 431487, Fax 90 92 45 17, « Demeure du 19e siècle dans un parc », – 25. AE GB JCB
hôtel : 1er avril-15 nov. et 20 déc.-4 janv. ; rest. : 15 juin-15 sept. – **R** snack (dîner seul.)(résidents seul.) carte 160 à 250, enf. 70 – 62 – **15 ch** 710/930, 4 appart. 1350.

Les Antiques sans rest, 15 av. Pasteur ☎ 90 92 03 02, Fax 90 92 50 40, « Beaux salons, parc », – AE GB Z e
12 avril-20 oct. – 50 – **27 ch** 330/450.

Château de Roussan, rte Tarascon par ④ : 2 km ☎ 90 92 11 63, Télex 431169, Fax 90 92 37 32, <, « Demeure du 18e siècle dans un parc » – AE GB
fermé 5 nov. au 20 déc. – **R** *(fermé 5 nov. au 15 mars, merc. et le midi sauf dim.)* carte environ 200 – 60 – **18 ch** 360/750 – ½ P 365/560.

Canto Cigalo sans rest, chemin Canto Cigalo par ② ☎ 90 92 14 28, Fax 90 92 18 56, – GB.
début mars-début-nov. – 35 – **20 ch** 245/305.

Castelet des Alpilles, pl. Mireille ☎ 90 92 07 21, Fax 90 92 52 03, – AE GB Z h
hôtel : 1/4-6/11 ; rest. : 8/4-31/10 et fermé lundi (sauf le soir du 15/7 au 30/9) et mardi midi sauf fériés – **R** 115/225, enf. 75 – 40 – **18 ch** 305/420 – ½ P 325/400.

Mas des Carassins sans rest, 1 chemin Gaulois par ③ ☎ 90 92 15 48, <, – GB.
15 mars-15 nov. – 41 – **10 ch** 340/480.

Van Gogh sans rest, 1 av. J. Moulin par ② ☎ 90 92 14 02, – GB.
1er mars-15 nov. – 29 – **18 ch** 260/300.

Soleil sans rest, 35 av. Pasteur ☎ 90 92 00 63, Fax 90 92 61 07, – AE GB. Z z
1er mars-15 nov. – 33 – **18 ch** 230/320.

Cheval Blanc sans rest, 6 av. Fauconnet ☎ 90 92 09 28 – GB Z n
25 – **22 ch** 200/300.

Acacia, rte Maillane ☎ 90 92 13 43, – GB
R *(fermé lundi d'oct. à juin sauf fêtes)* 70/135, enf. 50 – 28 – **12 ch** 200/255 – ½ P 210/230.

Arts, 30 bd Victor-Hugo ☎ 90 92 08 50 – AE GB Z d
hôtel : fermé 1er au 12 nov., 30 janv. au 1er mars et merc. d'oct. au 3 mars – **R** *(fermé 30 oct. au 2 mars et merc.)* 93/170, enf. 70 – 32 – **17 ch** 158/280 – ½ P 250/292.

Marceau, 13 bd Marceau ☎ 90 92 37 11 – AE GB Y a
fermé 15 au 31 janv., jeudi midi et merc. – **R** 165/265.

Jardin de Frédéric, 8 bd Gambetta ☎ 90 92 27 76 – GB Y k
fermé merc. – **R** 150/190.

au NE : 1 km par rte de Noves – ✉ **13210** St-Rémy-de-Provence :

L'Amandière sans rest, av. Th. Aubanel ☎ 90 92 41 00, Fax 90 92 48 38 –
35 – **26 ch** 235/315.

à Verquières par ②, D 30 et D 29 : 11 km – ✉ **13670** :

Croque Chou (Ravoux), pl. Eglise ☎ 90 95 18 55,
fermé lundi et mardi sauf fêtes – **R** (prévenir) 175/265
Spéc. Galantine de gigot d'agneau aux senteurs de Provence, Daurade royale à la fondue de fenouil et au vin des Alpilles, Filet mignon de lapin à la sauge. **Vins** Coteaux des Baux, Côtes du Rhône.

par ④ et rte des Baux D 27 : 4,5 km – ✉ **13210** St-Rémy-de-Provence :

Domaine de Valmouriane M, ☎ 90 92 44 62, Télex 431169, Fax 90 92 37 32, – ch AE GB. rest
fermé 6 janv. au 6 fév. – **R** *(fermé mardi midi et lundi)* 170/380, enf. 90 – 60 – **12 ch** 900/1250 – ½ P 725/900.

au Mas-Blanc-des-Alpilles O : 7 km par ④ – ✉ **13150** :

Mistral M sans rest, ☎ 90 49 02 28 – GB
25 – **11 ch** 210/220.

La Rode, ☎ 90 49 07 21, – GB
fermé 12 au 20 nov., fév., le soir du 1er nov. au 15 mars (sauf sam.), dim. soir et lundi – **R** 130.

à Maillane NO : 7 km par D 5 – ✉ **13910** :

Oustalet Maïanen avec ch, ☎ 90 95 74 60, – cuisinette GB. ch
15 mars-15 oct. – **R** *(fermé dim. soir et lundi)* 98/200, enf. 70 – 30 – **4 ch** 250.

CITROEN Gar. des Alpilles, rte de Tarascon, av. Gleize par ④ ☎ 90 92 09 34

FORD Merklen, ZA ☎ 90 92 01 24

Utilisez le guide de l'année.

ST-RÉMY-LÈS-CHEVREUSE 78470 Yvelines 60 ⑨ ⑩ 106 ㉙ 101 ㉜ – 5 589 h. alt. 73.

Voir Chevreuse : site★, vallée de Chevreuse★, O : 3 km.

Env. Château de Breteuil★, SO : 8 km, G. Ile de France.

de Chevry ☎ (1) 60 12 40 33, SE : 4,5 km.

Paris 37 – Chartres 60 – Longjumeau 21 – Rambouillet 21 – Versailles 14.

XX ✿ **La Cressonnière** (Toulejbiez), 46 r. de Port Royal, direction Milon ☎ (1) 30 52 00 41, – AE GB
fermé 17 août au 7 sept., vacances de fév., dim. soir de nov. à avril, mardi et merc. – **R** 180/280
Spéc. Saint-Jacques poêlées au parfum des bois (oct. à avril). Cassolette de homard et filet de sole à la ciboulette. Aiguillettes de caneton bachiques.

TOYOTA Gar. du Claireau ☎ (1) 30 52 41 00

ST-RÉMY-SUR-DUROLLE 63550 P.-de-D. 73 ⑥ G. Auvergne – 2 033 h. alt. 650.

Voir Calvaire ✳★ 15 mn.

Paris 441 – ◆Clermont-Ferrand 51 – Chabreloche 12 – Thiers 7.

XX **Vieux Logis** avec ch, N : 3,5 km sur D 201 ☎ 73 94 30 78, ≤, – Ⓟ. GB
fermé 20 août au 7 sept., 15 au 28 fév., dim. soir et lundi – **R** 90/150 – ☕ 19 – **4 ch** 150.

ST-RESTITUT 26130 Drôme 81 ① G. Vallée du Rhône – 947 h. alt. 150.

Voir Décoration★ de l'église – Belvédère ≤★ 3 km par D59^A puis 15 mn.

Env. Clansayes ≤★★ N : 8 km.

Paris 635 – Bollène 9 – Montélimar 30 – Nyons 37 – Valence 75.

Aub. des Quatre-Saisons ⑤, ☎ 75 04 71 88, Fax 75 04 70 88, , « Maisons romanes aménagées en hostellerie », – TV ☎. AE ① GB JCB
fermé 3 au 31 janv. – **R** *(fermé sam. midi)* 130/195 – ☕ 45 – **10 ch** 290/460 – ½ P 330/385.

ST-ROMAIN-D'AY 07 Ardèche 76 ⑩ – rattaché à Satillieu.

ST-ROMAIN-DE-LERPS 07 Ardèche 77 ⑪ – rattaché à St-Péray.

ST-ROMAIN-EN-GAL 69 Rhône 74 ⑪ – rattaché à Vienne (Isère).

ST-ROMAIN-EN-VIENNOIS 84 Vaucluse 81 ③ – rattaché à Vaison-la-Romaine.

ST-ROMAIN-SUR-CHER 41 L.-et-Ch. 64 ⑰ – 1 236 h. alt. 90 – ✉ 41140 Noyers-sur-Cher.

Paris 214 – ◆Tours 64 – Blois 33 – Montrichard 23 – Romorantin-Lanthenay 31.

XX **St-Romain,** ☎ 54 71 71 10 – Ⓟ. GB
fermé 28 sept. au 19 oct., dim. soir et lundi sauf juil.-août – **R** 62/198 ꝸ.

ST-ROMAN-DE-BELLET 06200 Alpes-Mar. 84 ⑨.

Paris 942 – ◆Nice 15 – Antibes 32 – Cannes 42 – Grasse 45 – Levens 19 – Vence 23.

XX Aub. de Bellet, ☎ 93 37 83 84 – Ⓟ.

ST-ROME-DE-CERNON 12490 Aveyron 80 ⑬ ⑭ – 871 h. alt. 110.

Paris 671 – Lodève 56 – Millau 17 – Rodez 73 – St-Affrique 10 – Le Vigan 69.

Commerce, ☎ 65 62 33 92 –
fermé 30 oct. au 8 nov., 20 déc. au 4 janv. et 20 fév. au 10 mars – **R** 85/135 ꝸ – ☕ 25 – **13 ch** 115/150 – ½ P 140/170.

ST-SALVADOUR 19 Corrèze 75 ⑨ – rattaché à Seilhac.

ST-SAMSON-DE-LA-ROQUE 27680 Eure 55 ④ – 271 h. alt. 72.

Voir Phare de la Roque ✳★ N : 2 km, G. Normandie Vallée de la Seine.

Paris 185 – Beuzeville 12 – Bolbec 23 – Évreux 81 – ◆Le Havre 38 – Honfleur 21 – Pont-Audemer 13.

XXX **Relais du Phare,** ☎ 32 57 61 68, , – AE ① GB
fermé lundi soir et mardi – **R** 170/220.

ST-SATUR 18 Cher 65 ⑫ – rattaché à Sancerre.

ST-SAUD-LACOUSSIÈRE 24470 Dordogne 72 ⑯ – 951 h. alt. 340.

Paris 453 – Brive-la-Gaillarde 96 – Châlus 22 – ◆Limoges 58 – Nontron 16 – Périgueux 57.

Host. St-Jacques ⑤, ☎ 53 56 97 21, , « Terrasse et jardin fleuris », , – ☎ Ⓟ. GB
début avril-mi-oct. et fermé dim. soir et lundi – **R** *(ouvert dim. midi et fériés en hiver)* 110/200 – ☕ 40 – **22 ch** 280/480 – ½ P 270/400.

ST-SAUVES D'AUVERGNE 63 P.-de-D. 73 ⑬ – rattaché à La Bourboule.

ST-SAUVEUR-LES-BAINS 65 H.-Pyr. 85 ⑱ – rattaché à Luz-St-Sauveur.

ST-SAVIN 65 H.-Pyr. 85 ⑰ – rattaché à Argelès-Gazost.

ST-SAVIN **86310** Vienne 68 ⑮ **G. Poitou Vendée Charentes** – 1 089 h. alt. 83.

Voir Église abbatiale★★ : Peintures murales★★★ – Pont-Vieux ≤★.

Paris 349 – Poitiers 44 – Le Blanc 19.

France, pl. République ✆ 49 48 19 03, Fax 49 48 97 07 – TV ☎ P. GB
R 65/180 – 25 – **10 ch** 200/240 – ½ P 180/200.

ST-SAVINIEN **17350** Char.-Mar. 71 ④ **G. Poitou Vendée Charentes** – 2 340 h. alt. 15.

Env. Château de la Roche Courbon★ et Jardins★ : ≤★★ SO : 10 km.

Office de Tourisme r. Bel Air ✆ 46 90 21 07.

Paris 458 – Rochefort 28 – La Rochelle 59 – St-Jean-d'Angély 15 – Saintes 15 – Surgères 30.

CITROEN Gar. Roy ✆ 46 90 21 12 N — RENAULT Gar. Garnier ✆ 46 90 20 24

ST-SÉBASTIEN-SUR-LOIRE **44** Loire-Atl. 67 ③ – rattaché à Nantes.

ST SEINE L'ABBAYE **21440** Côte-d'Or 65 ⑲ **G. Bourgogne** – 326 h. alt. 451.

Paris 290 – ♦Dijon 28 – Autun 74 – Châtillon-sur-Seine 57 – Montbard 47.

Poste, ✆ 80 35 00 35, Fax 80 35 07 64, – P. GB
1er mars-15 nov. – **R** 70/185, enf. 35 – 30 – **22 ch** 140/300 – ½ P 195/265.

ST-SERNIN-SUR-RANCE **12380** Aveyron 80 ⑫ **G. Gorges du Tarn** – 563 h. alt. 290.

Paris 713 – Albi 50 – Cassagnes-Bégonhès 57 – Castres 75 – Lacaune 30 – Rodez 82 – St-Affrique 32.

Carayon, ✆ 65 99 60 26, Fax 65 99 69 26, ≤, – ☎ P. AE GB
fermé dim. soir et lundi de nov. à mars – **Repas** 64/270, enf. 49 – 30 – **43 ch** 169/329 – ½ P 199/299.

CITROEN Gar. Bardy ✆ 65 99 61 61

ST-SERVAN-SUR-MER **35** I.-et-V. 59 ⑥ – voir à St-Malo.

ST-SEVER **40500** Landes 78 ⑥ **G. Pyrénées Aquitaine** – 4 536 h. alt. 102.

Voir Chapiteaux★ de l'église.

Office de Tourisme pl. Tour-du-Sol ✆ 58 76 34 64.

Paris 726 – Mont-de-Marsan 16 – Aire-sur-l'Adour 31 – Dax 47 – Orthez 37 – Pau 68 – Tartas 23.

✿ **Relais du Pavillon,** au N : 2 km D 933 ✆ 58 76 20 22, – TV ☎ P – 30. AE GB
fermé dim. soir d'oct. à mars – **R** 100/260 – 40 – **14 ch** 220/300 – ½ P 315/330
Spéc. Foie de canard en terrine, Salade de homard et Saint-Jacques aux cèpes, Escalopes de foie de canard grillées. **Vins** Tursan, Madiran.

PEUGEOT Junca, 24 r. du Castallet ✆ 58 76 02 95 — RENAULT Gar. Cazenave, 27 r. du Castallet ✆ 58 76 00 19

STS-GEOSMES **52** H.-Marne 66 ③ – rattaché à Langres.

ST-SORLIN-D'ARVES **73530** Savoie 77 ⑥ ⑦ **G. Alpes du Nord** – 291 h. alt. 1 550.

Voir Site★ de l'église de St-Jean-d'Arves SE : 2,5 km.

Env. Col de la Croix de Fer ✳★★ O : 7,5 km puis 15 mn – Col du Glandon ≤★ puis Combe d'Olle★★ O : 10 km.

Paris 637 – Albertville 83 – Le Bourg-d'Oisans 49 – Chambéry 93 – St-Jean-de-Maurienne 20.

Chardon Bleu, ✆ 79 59 71 47, ≤, – ☎ P. GB.
1er juil.-31 août et 15 déc.-15 avril – **R** 85/120, enf. 55 – 27 – **28 ch** 170/210 – ½ P 240/260.

ST-SULIAC **35430** I.-et-V 59 ⑥ – 802 h. alt. 20.

Paris 395 – Saint Malo 12 – Dinan 19 – Dol de Bretagne 20 – Lamballe 56 – ♦Rennes 61 – Saint Cast le Guildo 36.

XX **La Grève,** ✆ 99 58 33 83, ≤, – GB
fermé 3 au 23 nov., 11 au 31 janv., dim. soir et lundi sauf juil.-août – **R** 90/120, enf. 60.

ST-SULPICE **81370** Tarn 82 ⑨ – 4 354 h. alt. 91.

Paris 687 – ♦Toulouse 29 – Albi 48 – Castres 53 – Montauban 42.

XX **Aub. de la Pointe,** ✆ 63 41 80 14, Fax 63 41 90 24, ≤, – P. AE GB
fermé 23 oct. au 6 nov., mardi soir et merc. sauf de juil. à sept. – **R** 90/170, enf. 50.

CITROEN Graniti, ✆ 63 40 01 70 — RENAULT Gomez ✆ 63 41 80 57 N

ST-SULPICE-SUR-LÈZE **31410** H.-Gar. 82 ⑰ – 1 423 h. alt. 198.

Paris 730 – ♦Toulouse 34 – Auterive 13 – Foix 53 – St-Gaudens 61.

XX **La Commanderie,** ✆ 61 97 33 61, – GB
fermé 22 sept. au 7 oct. et 4 au 26 fév. – **R** 85/260, enf. 50.

ST SYMPHORIEN **72480** Sarthe 60 ⑫ – 469 h.

Paris 227 – ♦Le Mans 26 – Alençon 51 – Laval 62 – Mayenne 52.

XX **Relais de la Charnie** avec ch, ✆ 43 20 72 06, Fax 43 20 70 59, – TV ☎. GB. ch
fermé fév., dim. soir et lundi – **R** 75/190, enf. 55 – **14 ch** 200/300 – ½ P 220/300.

ST-SYMPHORIEN-DE-LAY **42470** Loire 73 ⑧ – 1 489 h. alt. 480.

Paris 409 – Roanne 18 – ◆Lyon 69 – Montbrison 54 – ◆St-Étienne 74 – Thizy 20.

NE par N 7 et D 26 : 1,5 km – ✉ **42470** St-Symphorien-de-Lay :

XX **Aub. des Terrasses,** ✆ 77 64 72 87, ←, 🍽 – P. GB
fermé 3 au 10 août, 4 janv. au 1er fév., dim. soir et lundi – **R** 66/145.

ST-THÉGONNEC **29410** Finistère 58 ⑥ **G. Bretagne** – 2 139 h. alt. 112.

Voir Enclos paroissial★★.

Env. Enclos paroissial★★ de Guimiliau SO : 7,5 km.

Paris 550 – ◆Brest 48 – Châteaulin 50 – Landivisiau 12 – Morlaix 12 – Quimper 70 – St-Pol-de-Léon 28.

XXX **Aub. St-Thégonnec** M avec ch, ✆ 98 79 61 18, Fax 98 62 71 10, 🌳, 🍽 – TV ☎ ♿. AE ① GB. ✻ rest
fermé 20 déc. au 20 janv., dim. soir et lundi du 15 sept. au 15 juin – **Repas** 88/195, enf. 70 – ☕ 32 – **20 ch** 220/330 – ½ P 290/330.

ST-THIBAULT **18** Cher 65 ⑫ ⑬ – rattaché à Sancerre.

ST-THIBAULT-DES-VIGNES **77** S.-et-M. 56 ⑫ – voir à Paris, Environs (Marne-la-Vallée).

ST-TROJAN-LES-BAINS **17** Char.-mar. 171 ⑭ – voir à Oléron (Ile d').

ST-TROPEZ **83990** Var 84 ⑰ **G. Côte d'Azur** – 5 754 h. alt. 5.

Voir Musée de l'Annonciade★★ Z – Port★ YZ – Môle Jean Réveille ←★ Y – Citadelle★ Y : ←★ des remparts, ✻★★ du donjon – Chapelle Ste-Anne ←★ S : 4 km par av. P. Roussel Z.

🅸 Office de Tourisme Gare Routière ✆ 94 97 41 21 et quai J.-Jaurès ✆ 94 97 45 21.

Paris 876 – Fréjus 34 – Aix-en-Provence 119 – Brignoles 63 – Cannes 70 – Draguignan 48 – ◆Toulon 71.

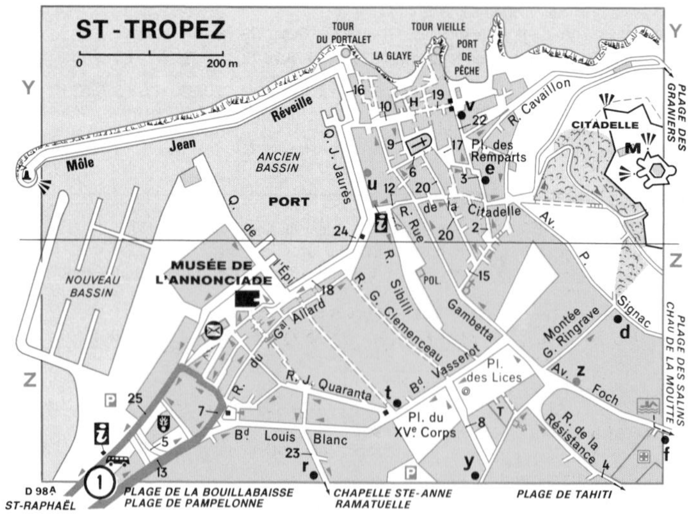

En saison : zone piétonne dans la vieille ville

Aire-du-Chemin (R.) Y 2
Aumale (Bd d') Y 3
Belle-Isnarde (Ch. de la) Z 4
Blanqui (Pl. Auguste) Z 5
Clocher (R. du) Y 6
Croix-de-Fer (Pl. de la) Z 7
Grangeon (Av.) Z 8
Guichard (R. du Cdt) Y 9
Hôtel-de-Ville (Pl. de l') Y 10
Laugier (R. V.) Y 12
Leclerc (Av. Général) Z 13
Miséricorde (R.) Z 15
Mistral (Quai Frédéric) Y 16
Ormeau (Pl. de l') Y 17
Péri (Quai Gabriel) Z 18
Ponche (R. de la) Y 19
Portail-Neuf (R. du) YZ 20
Remparts (R. des) Y 22
Roussel (Av. Paul) Z 23
Suffren (Quai) Y 24
11-Novembre (Av. du) Z 25

🏨 **Byblos** M 🐕, av. P. Signac ✆ 94 97 00 04, Télex 470235, Fax 94 97 40 52, ←, 🌳, « Demeures provençales richement meublées », 🏊, 🍽 – 🛗 ▤ TV ☎ 🚗 P – 🏛 50. AE ① GB Z **d**
13 mars-18 oct. – **Les Arcades R** carte 270 à 400 – ☕ 96 – **70 ch** 1570/2260, 37 appart. 2730/4500.

✿ **Résidence de la Pinède** M, à la plage de la Bouillabaisse par ① : 1 km ℘ 94 97 04 21, Télex 470489, Fax 94 97 73 64, ≤ – 25. AE GB. rest
mars-oct. – **R** carte 450 à 620 – 95 – **35 ch** 1600/2500, 6 appart. 2900/4000 – ½ P 1150/1650
Spéc. Fins ravioli de saumon fumé, Tronçon de turbot cuit au naturel, Palet or au chocolat et noisettes.

Domaine de l'Astragale M, par ① : 1,5 km, chemin de la Gassine ℘ 94 97 48 98, Fax 94 97 16 01 – 35. AE GB JCB
mi-mars-oct. – **R** carte 280 à 400 – 90 – **34 ch** 1800/2400.

La Bastide de St Tropez M, rte Carles : 1 km par av. P. Roussel - Z ℘ 94 97 58 16, Télex 461275, Fax 94 97 21 71 – ch. AE GB
L'Olivier *(fermé 6 au 31 janv., mardi midi et lundi du 8 oct. au 14 avril)* **R** carte 230/330 – 100 – **20 ch** 1900/2500, 6 appart. 3200 – ½ P 1270/1570.

Résidence des Lices sans rest, av. A. Grangeon ℘ 94 97 28 28 –. GB Z y
Pâques-1er nov. et 26 déc.-5 janv. – 50 – **41 ch** 550/1250.

Le Yaca sans rest, 1 bd Aumale ℘ 94 97 11 79, Télex 462140, Fax 94 97 58 50 –. AE GB JCB Y e
1er avril-15 oct. – 70 – **22 ch** 900/1800.

La Ponche, pl. Révelin ℘ 94 97 02 53, Fax 94 97 78 61 –. AE GB Y v
mars-fin oct. – **R** 200 – 60 – **19 ch** 375/1300.

Lou Troupelen sans rest, chemin des Vendanges ℘ 94 97 44 88 –. GB. Z f
10 avril-1er nov. – 42 – **44 ch** 290/460.

Palmiers sans rest, 26 bd Vasserot ℘ 94 97 01 61, Télex 970941, Fax 94 97 10 02 –. GB Z t
35 – **23 ch** 350/550.

Lou Cagnard sans rest, av. P. Roussel ℘ 94 97 04 24 – Z r
fermé 15 nov. au 4 janv. – 32 – **19 ch** 220/380.

✿ **Le Chabichou** (Rochedy), av. Foch ℘ 94 54 80 00, Fax 94 97 11 28 –. AE GB JCB Z z
18 avril-mi-oct. et fermé le midi en juil.-août – **R** 220/570
Spéc. Carbonara de homard breton, Grillade de foie gras de canard, Mousse au chocolat chaud. **Vins** Gassin.

Le Girelier, au port ℘ 94 97 03 87, ≤ –. AE GB Y u
fermé 1er janv. au 15 mars et jeudi (sauf le soir en juil.-août) – **R** 170.

au SE : par av. Foch - Z – 83990 St-Tropez :

Levant M sans rest, à 2,8 km ℘ 94 97 33 33, Fax 94 97 76 13, « Jardin » –. AE GB
11 avril-11 oct. – 48 – **28 ch** 675/800.

La Tartane M, à 3 km ℘ 94 97 21 23, Fax 94 97 09 16, « Jardin » – ch. AE GB
hôtel : 22 mars-5 nov. ; rest : 1er avril-30 sept. et fermé mardi – **R** (déj. seul.) 120/220 – 65 – **12 ch** 700/890.

La Barlière M sans rest, à 1,5 km ℘ 94 97 41 24, Fax 94 97 73 40 –. GB – *fermé 10 janv. au 1er fév.* – 60 – **22 ch** 500/800.

Pré de la Mer sans rest, à 2,5 km ℘ 94 97 12 23, « Jardin » – cuisinette. GB.
25 avril-30 sept. – 50 – **12 ch** 600/950.

La Bastide des Salins sans rest, à 4 km ℘ 94 97 24 57, Fax 94 54 89 03, ≤, « Jardin » – cuisinette. AE GB
Pâques-1er nov. – 80 – **15 ch** 900/1600.

au SE : par r. de la Résistance et rte de Tahiti - Z

Château de la Messardière M, à 2 km 83990 St-Tropez ℘ 94 56 76 00, Télex 461150, Fax 94 56 76 01, ≤ baie et plages, parc, « Château du 19e s. et demeures provençales décorées avec raffinement » – 200. AE GB
hôtel : 1er avril-15 oct. ; rest. : 1er juin-15 oct. – **R** carte 390 à 540 – 100 – **72 ch** 1500/2800, 10 appart.

La Mandarine M, à 0,5 km 83990 St-Tropez ℘ 94 97 21 00, Télex 970461, Fax 94 97 33 67, ≤ – ch. AE GB
9 avril-mi-oct. – **R** carte 240 à 400 – **38 ch** 1400/2100, 4 duplex 2800 – ½ P 785/1110.

St-Vincent M, à 4 km 83350 Ramatuelle ℘ 94 97 36 90, Fax 94 54 80 37, ≤ –. GB
hôtel : 4 avril-15 oct. ; rest. : 15 mai-15 sept. – **R** grill carte 150 à 250 – **20 ch** 880/1090.

La Figuière M, à 4 km 83350 Ramatuelle ℘ 94 97 18 21, Fax 94 97 68 48 – ch. GB JCB
10 avril-4 oct. – **R** grill carte 210 à 250 – **45 ch** 500/950.

St-André sans rest, à 4 km 83350 Ramatuelle ℘ 94 97 21 54, Fax 94 97 37 80 –. GB.
Pâques-30 sept. – 50 – **29 ch** 480/700.

La Garbine M sans rest, à 4 km ✉ 83350 Ramatuelle ☎ 94 97 11 84, Fax 94 97 34 18 ≤, piscine, jardin, tennis – climatisation TV ☎ P. AE O GB JCB
mars-oct. et 27 déc.-20 janv. – ☕ 50 – **20 ch** 550/950.

La Ferme d'Augustin sans rest, à 4 km ✉ 83350 Ramatuelle ☎ 94 97 23 83 Télex 462809, Fax 94 97 40 30, ≤, jardin – ascenseur ☎ P. GB
10 avril-15 oct. – ☕ 60 – **34 ch** 480/920, 3 appart. 1650.

par ① et D 93 rte de Ramatuelle – ✉ **83350** Ramatuelle :

Les Bouis M sans rest, à 6 km ☎ 94 79 87 61, Fax 94 79 85 20, ≤ mer, piscine, jardin – climatisation TV ☎ P. GB
Pâques-15 oct. – ☕ 60 – **15 ch** 950.

Les Bergerettes M, à 5 km ☎ 94 97 40 22, Fax 94 97 37 55, ≤, terrasse, parc, piscine – climatisation ch TV ☎ P. AE GB. rest
hôtel : Pâques-oct. ; rest. : mai-oct. – **R** grill carte 160 à 250 – ☕ 70 – **29 ch** 820/950.

Deï Marres sans rest, à 3 km ☎ 94 97 26 68, Fax 94 97 62 76, ≤, piscine, jardin, tennis – TV ☎ P. AE O GB.
15 mars-30 oct. – ☕ 42 – **22 ch** 600/1100.

XXX **Aub. des Vieux Moulins** avec ch, à 4 km ☎ 94 97 17 22, terrasse – TV ☎ P. AE GB
1er mars-31 oct. – **R** *(dîner seul. en juil.-août)* 350 – ☕ 60 – **5 ch** 600.

par ① quartier Trézain : 3 km – ✉ **83990** St-Tropez :

Les Capucines sans rest, ☎ 94 97 70 05, Fax 94 97 55 85, piscine, jardin – TV ☎ P. AE O GB JCB
1er avril-15 oct. – ☕ 48 – **24 ch** 490/950.

Treizain sans rest, ☎ 94 97 70 08, Fax 94 97 67 25, ≤, piscine, jardin – climatisation TV ☎. AE O GB
15 avril-15 oct. – **17 ch** ☕ 450/900.

par ① et rte de Gassin : 3,5 km – ✉ **83990** St-Tropez :

Mas de Chastelas, ☎ 94 56 09 11, Télex 462393, Fax 94 56 11 56, ≤, terrasse, parc « Ancienne magnanerie », piscine, tennis – TV ☎ P
20 ch, 10 appart.

CITROEN Azzena, à Gassin par ① ☎ 94 56 10 38

ST-VAAST-LA-HOUGUE **50550** Manche 54 ③ **G. Normandie Cotentin** – 2 134 h. alt. 4.

golf 9 de Fontenay-en-Cotentin ☎ 33 21 44 27, S : 16 km.

Syndicat d'Initiative quai Vauban (avril-sept.) ☎ 33 54 41 37.

Paris 351 – Cherbourg 29 – Carentan 39 – St-Lô 67 – Valognes 17.

France et Fuchsias, ☎ 33 54 42 26, Fax 33 43 46 79, terrasse, jardin – TV ☎. AE O GB. ch
fermé 5 janv. au 23 fév. et lundi sauf vacances scolaires – **R** 70/220 enf. 48 – ☕ 35 – **32 ch** 165/360 – ½ P 190/300.

La Granitière, ☎ 33 54 58 99, Fax 33 20 34 91, jardin – rest ☎ P. O GB. rest
fermé 15 janv. au 15 mars, lundi et mardi hors sais. – **R** (dîner seul. pour résidents seul.) 85/135, enf. 45 – ☕ 35 – **10 ch** 250/450 – ½ P 245/395.

ST-VALÉRIEN **89150** Yonne 61 ⑬ – 1 666 h. alt. 165.

Paris 112 – Fontainebleau 48 – Auxerre 65 – Nemours 32 – Sens 15.

X **Aub. du Gatinais**, ☎ 86 88 62 78 – GB
fermé mardi soir et merc. – **R** 200/350 bc.

PEUGEOT-TALBOT Gar. Février ☎ 86 88 61 05

ST-VALÉRY-EN-CAUX **76460** S.-Mar. 52 ③ **G. Normandie Vallée de la Seine** – 4 595 h. alt. 8 – Casino.

Voir Falaise d'Aval ≤* O : 15 mn.

Office de Tourisme pl. Hôtel de Ville (transfert prévu) ☎ 35 97 00 63.

Paris 196 – Bolbec 42 – Dieppe 34 – Fécamp 32 – ♦Rouen 59 – Yvetot 30.

Altéa M, av. Clemenceau ☎ 35 97 35 48, Télex 172308, Fax 35 97 65 40, ≤ – ascenseur TV ☎ & P – 100. AE O GB. rest
R 80/150, enf. 55 – ☕ 49 – **145 ch** 295/470, 4 appart. 610.

Terrasses, à la plage ☎ 35 97 11 22, ≤ – TV ☎. O GB
fermé 20 déc. au 31 janv. et merc. sauf juil.-août – **R** 135/195 – ☕ 32 – **12 ch** 230/350 – ½ P 300/330.

Bains, pl. Marché ☎ 35 97 04 32 – TV ☎. AE GB
fermé mardi du 15 sept. au 1er avril – **R** (brasserie) 65/140 – ☕ 25 – **16 ch** 200/300.

XX **Port**, quai d'Amont ☎ 35 97 08 93, ≤ – GB
fermé 8 au 27 déc., dim. soir sauf juil.-août et lundi – **R** 115/198.

X **Pigeon Blanc**, près vieille église ☎ 35 97 90 22 – GB
fermé 1er au 7 fév., 1er au 21 oct., dim. soir et lundi – **R** 65/115.

CITROEN Soudé ☎ 35 97 01 88 RENAULT Gar. Dupuis rte de Neville ☎ 35 97 08 44

ST-VALLIER 26240 Drôme 77 ① G. Vallée du Rhône – 4 115 h. alt. 138.

Paris 530 – Valence 31 – Annonay 20 – ♦St-Étienne 61 – Tournon-sur-Rhône 16 – Vienne 39.

XXX **Terminus et rest. Albert Lecomte** M avec ch, 116 av. J. Jaurès, rte Lyon ✆ 75 23 01 12, Fax 75 23 38 82 – ▤ TV ☎ . AE ① GB
fermé 8 au 26 août, vacances de fév., dim. soir et lundi – **R** 145/380, enf. 80 – ☕ 50 – **10 ch** 260/370.

XX **Voyageurs**, 2 av. J. Jaurès ✆ 75 23 04 42 – ▤. AE ① GB
fermé 31 mai au 23 juin – **Repas** 75/230, enf. 60.

PEUGEOT-TALBOT Gar. de l'Europe ✆ 75 23 02 65
RENAULT Martin-Nave ✆ 75 23 13 34
N ✆ 75 84 29 61
Gar. Trouiller ✆ 75 23 07 78

ST-VALLIER-DE-THIEY 06460 Alpes-Mar. 84 ⑧ 195 ㉓ G. Côte d'Azur – 1 536 h. alt. 724.

Voir Pas de la Faye ≤** NO : 5 km – Col de la Lèque ≤* SO : 5 km.

ℹ Syndicat d'Initiative pl. du Tour ✆ 93 42 78 00.

Paris 853 – Cannes 28 – Castellane 51 – Draguignan 59 – Grasse 12 – ♦Nice 47.

Le Préjoly, ✆ 93 42 60 86, Fax 93 42 67 80, , – TV ☎. AE GB
fermé déc. et janv. – **R** *(fermé mardi sauf juil.-août)* 100/195 – ☕ 35 – **17 ch** 200/350 – ½ P 280/360.

Relais Impérial, ✆ 93 42 60 07, Fax 93 42 66 21, – TV ☎. AE ① GB
fermé 15 nov. au 20 déc. – **R** 98/190, enf. 60 – ☕ 32 – **30 ch** 270/360 – ½ P 266/310.

ST-VÉRAN 05350 H.-Alpes 77 ⑲ G. Alpes du Sud – 257 h. alt. 2 040 : la plus haute commune d'Europe – Sports d'hiver : 1 785/2 800 m 15 .

Voir Village**.

ℹ Syndicat d'Initiative ✆ 92 45 82 21.

Paris 737 – Briançon 51 – Guillestre 32.

Chateaurenard M , ✆ 92 45 85 43, ≤ vallée et montagnes, – TV ☎ P. GB. rest
fermé 30 oct. au 18 déc. – **R** carte environ 140, enf. 55 – ☕ 32 – **20 ch** 330 – ½ P 265/285.

Grand Tétras , ✆ 92 45 82 42, ≤, – ☎. GB
6 juin-13 sept. et 19 déc.-25 avril – **R** 65/98 , enf. 38 – ☕ 32 – **21 ch** 204/315 – ½ P 233/284.

ST-VÉRAND 71570 S.-et-L. 74 ① – 191 h. alt. 300.

Paris 404 – Mâcon 12 – Bourg-en-Bresse 48 – ♦Lyon 66 – Villefranche-sur-Saône 33.

X **Aub. St-Vérand** avec ch, ✆ 85 37 16 50, , – P. GB
hôtel : fermé 1er déc. au 31 janv. et lundi soir de nov. à mars – **R** *(fermé 1er déc. au 6 janv. et lundi)* 70/110 , enf. 45 – ☕ 25 – **11 ch** 130/200 – ½ P 180/200.

ST-VIANCE 19 Corrèze 75 ⑧ – rattaché à Brive-la-Gaillarde.

ST-VIATRE 41 L.-et-Ch. 64 ⑲ – rattaché à Nouan-le-Fuzelier.

ST-VICTOR-DES-OULES 30 Gard 80 ⑲ – rattaché à Uzès.

ST-VINCENT 43800 H.-Loire 76 ⑦ – 806 h.

Paris 548 – Le Puy-en-Velay 17 – La Chaise-Dieu 35 – ♦Saint-Étienne 72.

XX **La Renouée**, à Cheyrac, N par D 103 ✆ 71 08 55 94 – GB.
fermé 14 au 22 sept., mi-janv. à fév., lundi (sauf juil.-août) et dim. soir – **R** 98/185, enf. 50.

ST-VINCENT-DE-MERCUZE 38660 Isère 77 ⑤ – 1 060 h. alt. 300.

Voir Château du Touvet* S : 3 km, G. Alpes du Nord.

Paris 571 – ♦Grenoble 31 – Belley 63 – Chambéry 27 – La Tour-du-Pin 74.

XX **Aub. St-Vincent** avec ch, ✆ 76 08 46 97, Fax 76 08 49 55, – ▤ rest TV ☎ P. AE GB
fermé 21 au 30/4, 1er au 10/9, 26/10 au 6/11, 2 au 7/1, merc.(sauf hôtel) et dim. soir d'oct. à avril – **R** 90/350, enf. 50 – ☕ 40 – **15 ch** 250/320 – ½ P 300.

RENAULT Gar. Gherardi ✆ 76 08 42 04

ST-VINCENT-DE-TYROSSE 40230 Landes 78 ⑰ – 5 075 h. alt. 23.

Paris 744 – Biarritz 40 – Mont-de-Marsan 72 – ♦Bayonne 25 – Dax 24 – Pau 95 – Peyrehorade 24.

Côte d'Argent sans rest, rte Hossegor ✆ 58 77 02 16, – TV ☎ P. AE ① GB JCB
☕ 25 – **23 ch** 220/250.

Twickenham, av. Gare ✆ 58 77 01 60, Fax 58 77 95 15, , , – TV ☎ P – 40. GB
R *(fermé dim. soir du 1er oct. à fin mai)* 80/180 - **L'Amphitryon** *(ouvert juin à fin sept.)* **R** carte 200 à 280 – ☕ 25 – **30 ch** 240/260 – ½ P 260/280.

XXX ⊛ **Le Hittau** (Dando), ✆ 58 77 11 85, 🏠, « Ancienne bergerie dans un jardin fleuri » – P. AE ⦾ GB
fermé 3 fév. au 15 mars, lundi (sauf le soir en juil.-août) et dim. soir de sept. à juin – **R** 150/380
Spéc. Foie chaud de canard au vinaigre de Xerès, Escalopines de canard au poivre vert, Pigeon rôti à l'ail doux confit. **Vins** Jurançon, Madiran.

XX **Les Gourmets,** N10 ✆ 58 77 16 97, 🏠 – GB
➜ *fermé vacances de Noël, mardi soir et merc. sauf juil.-août* – **R** 60/160 ♁, enf. 45.

RENAULT Darrigade ✆ 58 77 03 33 N — Comptoir Landais Pneu ✆ 58 77 00 88

ST-VINCENT-DU-LOROUËR 72150 Sarthe 64 ④ – 724 h. alt. 85.

Voir Forêt de Bercé★, **G. Châteaux de la Loire.**

Paris 210 – ◆Le Mans 32 – La Flèche 51 – ◆Tours 59 – Vendôme 54.

XX **Aub. L'Hermitière,** sources Hermitière, SO : 5 km par D 304, D 137 et VO
➜ ✆ 43 44 84 45, 🏠, « Pavillon forestier », 🌳 – P. AE ⦾ GB
15 mars-3 nov. et fermé lundi soir et mardi – **R** 75/205.

ST-VINCENT-STERLANGES 85110 Vendée 67 ⑮ – 550 h. alt. 65.

Paris 402 – La Roche-sur-Yon 33 – Cholet 46 – ◆Nantes 67 – Niort 63 – Poitiers 124.

XX ⊛ **Lionel Guilbaud,** ✆ 51 40 23 17, ⛱, 🌳 – P. AE ⦾ GB
fermé 1er au 15 mars, 1er au 15 oct. et mardi soir – **R** 115 bc/330
Spéc. Soufflé de homard et sa crème de morilles, Turbot rôti au lard et à l'ail nouveau, Tartes "bonne femme" aux fruits de saison.

ST-VINCENT-SUR-JARD 85520 Vendée 67 ⑪ **G. Poitou Vendée Charentes** – 658 h. alt. 10.

ℹ Syndicat d'Initiative le Bourg (juil.-août) ✆ 51 33 62 06.

Paris 449 – La Rochelle 34 – La Roche-sur-Yon 33 – Challans 68 – Luçon 32 – Les Sables-d'Olonne 22.

🏨 **Océan** 🔇, S : 1 km (près maison de Clemenceau) ✆ 51 33 40 45, ⛱ – ☎ P. GB
➜ *15 fév.-15 nov. et fermé jeudi hors sais.* – **R** 70/185 ♁ – ☕ 28 – **38 ch** 150/380 – ½ P 240/320.

🏨 **Chabosselières** sans rest, rte Jard ✆ 51 33 43 32, 🌳 – ☎ P. GB
18 avril-30 sept. et fermé mardi – ☕ 24 – **10 ch** 215/230.

X **Chalet St Hubert** avec ch, rte Jard ✆ 51 33 40 33, 🌳 – ☎ P. GB
➜ *fermé 15 nov. au 15 déc., dim. soir et lundi du 15 sept. au 15 juin* – **R** 65/260, enf. 40 – ☕ 22 – **10 ch** 200 – ½ P 192.

ST-VIT 25410 Doubs 166 ⑭ ⑮ – 3 774 h. alt. 251.

Paris 390 – ◆Besançon 17 – Dole 28 – Gray 39 – Pontailler-sur-Saône 36 – Salins-les-Bains 35.

XX **Le Tisonnier,** E : 5 km rte Besançon ✆ 81 58 50 01, Fax 81 58 63 46, 🏠 – P. AE GB
fermé lundi – **R** 95/225 ♁, enf. 45.

ST-VRAIN 91770 Essonne 60 ⑩ 106 ㊸ – 2 307 h. alt. 60.

Voir Parc animalier et de loisirs ★, **G. Ile de France.**

Paris 41 – Fontainebleau 38 – Corbeil-Essonnes 16 – Étampes 20 – Melun 29.

XX **Host. de St-Caprais** avec ch, r. St-Caprais ✆ (1) 64 56 15 45, 🏠, 🌳 – AE GB
fermé 15 juil. au 8 août – **R** *(fermé dim. soir et lundi)* 138/175, enf. 75 – ☕ 30 – **5 ch** 270 – ½ P 250.

ST-WANDRILLE-RANÇON 76490 S.-Mar. 55 ⑤ **G. Normandie Vallée de la Seine** – 1 151 h. alt. 25.

Voir Abbaye★ (chant grégorien).

Paris 167 – ◆Rouen 31 – Barentin 17 – Duclair 11,5 – Lillebonne 19 – Yvetot 15.

XX **Aub. Deux Couronnes,** ✆ 35 96 11 44, « Maison normande ancienne » – AE GB
fermé 7 au 25 sept., dim. soir et lundi – **R** 115/140 ♁, enf. 54.

ST-YORRE 03 Allier 73 ⑤ – rattaché à Vichy.

ST-YRIEIX-LA-PERCHE 87500 H.-Vienne 72 ⑰ **G. Berry Limousin** – 7 558 h. alt. 369.

Voir Collégiale du Moûtier★.

ℹ Office de Tourisme 6 r. Plaisances (saison) ✆ 55 75 94 60 et à la Mairie (hors saison) ✆ 55 75 00 04.

Paris 436 – ◆Limoges 39 – Brive 60 – Périgueux 62 – Rochechouart 52 – Tulle 70.

XX **Host. Tour Blanche** avec ch, 74 bd Hôtel de Ville ✆ 55 75 18 17, Fax 55 08 23 11 – TV ☎ P. ⦾ GB
fermé 14 fév. au 14 mars et merc. du 1er oct. au 15 avril sauf fêtes – **R** 76/215 ♁, enf. 45 – ☕ 24 – **11 ch** 175/240 – ½ P 195/200.

à la Roche l'Abeille NE : 12 km par D 704 et 17A – ✉ **87800** :

🏨 ⊛⊛ **Moulin de la Gorce** (Bertranet) 🔇, S : 2 km par D 17 ✆ 55 00 70 66, Fax 55 00 76 57, <, « En bordure d'étang, parc » – TV ☎ P. AE ⦾ GB
fermé 4 janv. au 2 fév., dim. soir et lundi du 16 sept. au 30 avril – **R** 180/450 et carte, enf. 140 – ☕ 65 – **9 ch** 400/650 – ½ P 750/800
Spéc. Oeufs brouillés aux truffes en coque, Marinade de bar et saumon à la crème de caviar, Lièvre à la royale (15 oct. au 31 déc.).

:ITROEN Gar. Texier-Bouzat, av. de Périgueux ✆ 55 75 00 30
:ENAULT Saint-Yrieix Autom., rte de Limoges ✆ 55 75 90 80 N ✆ 55 08 18 18

V.A.G Faurel, 9 bis bd Hôtel de Ville ✆ 55 75 10 70

Pneus et Caoutchouc, 3 av. de Limoges ✆ 55 08 14 98

STE-ADRESSE 76 S.-Mar. 55 ③ – rattaché au Havre.

STE-ANNE-D'AURAY 56400 Morbihan 63 ② G. Bretagne – 1 630 h. alt. 34.

/oir Trésor★ de la basilique – Pardon (26 juil.).

'aris 477 – Vannes 15 – Auray 6,5 – Hennebont 30 – Locminé 27 – Lorient 40 – Quimperlé 55.

Croix Blanche, ✆ 97 57 64 44, Fax 97 57 50 60, 🌳, 🌲 – ⇔ rest TV ☎ P. AE ⓓ GB. ✱ ch
fermé janv., dim. soir et lundi du 1er oct. au 30 avril – **R** 65/215, enf. 47 – ☕ 33 – **23 ch** 205/325 – ½ P 216/273.

Le Myriam 🌿 sans rest, ✆ 97 57 70 44, Fax 97 57 50 61 – |⇕| TV ☎ P
fin avril-fin sept. – ☕ 23 – **30 ch** 230/260.

Paix, ✆ 97 57 65 08 – ☎
hôtel : 18 avril-30 sept. et fermé lundi soir et mardi ; rest. : 7 mars-30 sept. et fermé lundi soir et mardi – **R** 57/120 – ☕ 22 – **24 ch** 130/180.

L'Auberge avec ch, ✆ 97 57 61 55, 🌳 – P. GB
fermé 5 au 19 oct., 5 au 26 janv., mardi soir et merc. – **Repas** 70 (sauf sam. soir)/290, enf. 55 – ☕ 20 – **7 ch** 96/185 – ½ P 138/175.

RENAULT Gar. Josset ✆ 97 57 64 13 N ✆ 97 57 74 30

STE-ANNE-LA-PALUD (Chapelle de) 29 Finistère 58 ⑭ G. Bretagne – alt. 65 – ✉ 29127 Plonevez-Porzay.

Voir Pardon (fin août).

Paris 566 – Quimper 25 – ◆Brest 39 – Châteaulin 19 – Crozon 35 – Douarnenez 16 – Plomodiern 11,5.

✿ **Plage** 🌿, à la plage ✆ 98 92 50 12, Télex 941377, Fax 98 92 56 54, ≤, ⛱, 🌲, ✱ – |⇕| ▤ rest TV ☎ P – 🏛 30. AE ⓓ GB. ✱ rest
début avril-15 oct. – **R** 190/380 – ☕ 62 – **26 ch** 550/880, 4 appart. 1250 – ½ P 580/800
Spéc. Homard et langouste, Poissons du marché, Mascotte de poires au caramel.

STE-CÉCILE-LES-VIGNES 84290 Vaucluse 81 ② – 1 927 h. alt. 106.

Paris 650 – Avignon 47 – Bollène 12 – Nyons 26 – Orange 16 – Vaison-la-Romaine 22.

Le Relais M 🌿 avec ch, ✆ 90 30 84 39, Fax 90 30 81 79, ⛱, 🌲 – ▤ TV ☎ ♿ P. GB
R *(fermé 3 au 17 mars, 6 au 20 oct., dim. soir et lundi)* 140/260, enf. 50 – ☕ 49 – **12 ch** 480/850.

Comtat-Pneus ✆ 90 30 88 11

STE-COLOMBE 84 Vaucluse 81 ⑬ – rattaché à Bédoin.

STE-COLOMBE-LA-COMMANDERIE 27110 Eure 55 ⑯ – 546 h.

Paris 122 – ◆Rouen 42,5 – Bernay 31,5 – Évreux 19 – Louviers 27 – Verneuil sur Avre 44,5.

Aub. des Templiers, R N 13 ✆ 32 35 40 04 – AE ⓓ GB
fermé 20 août au 9 sept., vacances de fév., mardi soir et merc. d'avril à oct. – **R** *(fermé le soir sauf vend., sam. et dim. du 1er nov. au 31 mars)* 85/125, enf. 50.

STE-CROIX 01 Ain 74 ② – rattaché à Montluel.

STE-CROIX-AUX-MINES 68160 H.-Rhin 62 ⑱ – 1 932 h. alt. 314.

Voir Vallée de la Liepvrette★ E, G. Alsace Lorraine.

Paris 416 – Colmar 38 – Ribeauvillé 23 – St-Dié 25 – Sélestat 18.

Central avec ch, ✆ 89 58 73 27 – ☎. AE GB. ✱ ch
fermé 15 au 30 juin, 15 au 28 fév., dim. soir et lundi – **R** 95/300 ♁ – ☕ 30 – **9 ch** 130/250.

STE-CROIX-EN-JAREZ 42 Loire 73 ⑲ – rattaché à Rive-de-Gier.

STE-ÉNIMIE 48210 Lozère 80 ⑤ G. Gorges du Tarn (plan) – 473 h. alt. 470.

Env. ≤★★ sur le canyon du Tarn S : 6,5 km par D 986.

Office de Tourisme à la Mairie ✆ 66 48 53 44.

Paris 624 – Mende 27 – Florac 27 – Meyrueis 29 – Millau 56 – Sévérac-le-Château 46 – Le Vigan 82.

Burlatis 🌿 sans rest, ✆ 66 48 52 30 – ☎. GB. ✱
1er mai-1er oct. et fermé lundi en mai et juin – ☕ 26 – **18 ch** 245/315.

STE-FEYRE 23 Creuse 72 ⑩ – rattaché à Guéret.

STE-FOY 71 S.-et-L. 73 ⑧ – rattaché à Marcigny.

STE-FOY-LA-GRANDE 33220 Gironde 75 ⑬ ⑭ G. Périgord Quercy – 2 745 h. alt. 20.

Syndicat d'Initiative r. République ✆ 57 46 03 00.

Paris 557 ⑤ – Périgueux 71 ① – ◆Bordeaux 65 ⑤ – Langon 58 ④ – Marmande 44 ③.

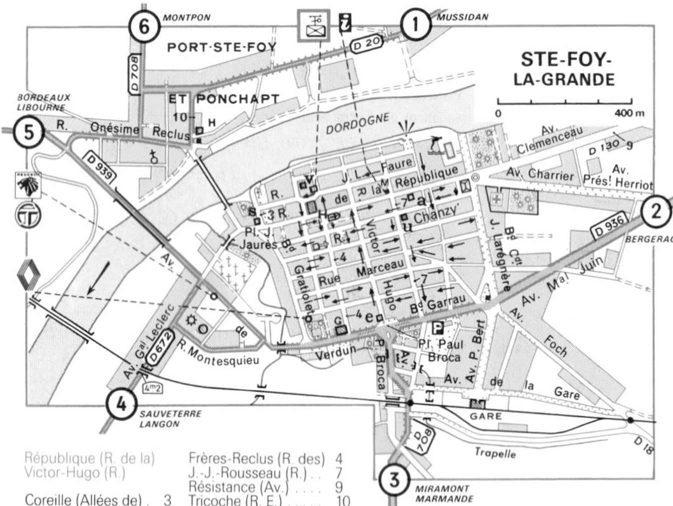

Gd Hôtel, r. République **(a)** ✆ 57 46 00 08, Fax 57 46 50 70, – TV ☎ . AE GB rest
R *(fermé 1er au 15 fév. et mardi)* 80/200, enf. 35 – ☕ 30 – **18 ch** 180/280.

Victor Hugo, r. V. Hugo **(e)** ✆ 57 46 18 03 – TV ☎ . AE ① GB
fermé 1er au 15 sept., vacances de fév., lundi midi et dim. – **R** brasserie carte 70 à 160 – ☕ 25 – **12 ch** 180/250.

Boule d'Or, pl. J. Jaurès **(s)** ✆ 57 46 00 76, – ☎ . AE ① GB JCB.
fermé 1er au 14 sept., 21 déc. au 15 fév. et lundi sauf juil.-août – **R** 65/170, enf. 40 – ☕ 22 – **24 ch** 160/230 – ½ P 150/200.

Vieille Auberge avec ch, r. Pasteur **(v)** ✆ 57 46 04 78 – GB
fermé 9 au 23 juin, 23 nov. au 14 déc., dim. soir et lundi – **R** 70/228 , enf. 45 – ☕ 25 – **7 c** 125/160.

L'Amuse Bouche, 36 r. J.-J. Rousseau **(u)** ✆ 57 46 55 76 – GB
fermé 15 janv. au 15 fév., dim. soir et lundi – **R** (nombre de couverts limité, prévenir) 85/18 (sauf dim.), dîner à la carte.

AUSTIN, JAGUAR, ROVER, TRIUMPH Letellier, 5 pl. Broca ✆ 57 46 15 85
PEUGEOT-TALBOT A.C.A.L., à Pineuilh ✆ 57 46 33 10
RENAULT Daniel, 26 bd Gratiolet ✆ 57 46 01 63
Service du Pneu, à Port-Ste-Foy ✆ 53 24 76 00

STE-FOY-TARENTAISE 73640 Savoie 74 ⑲ G. Alpes du Nord – 643 h. alt. 1 051.

Paris 647 – Albertville 65 – Chambéry 111 – Moûtiers 37 – Val-d'Isère 19.

Le Monal M, ✆ 79 06 90 07, Fax 79 06 94 72 – ☎. AE GB. rest
fermé 10 mai au 20 juin et 25 oct. au 25 nov. – **R** 90/130 , enf. 35 – ☕ 32 – **24 ch** 110/300 ½ P 230/245.

STE-GEMME-MORONVAL 28 E.-et-L. 60 ⑦, 106 ㉕ – rattaché à Dreux.

STE-GENEVIÈVE-SUR-ARGENCE 12420 Aveyron 76 ⑬ – 1 143 h. alt. 800.

Env. Barrage de Sarrans** N : 8 km, **G. Gorges du Tarn.**

Paris 570 – Aurillac 59 – Chaudes-Aigues 37 – Espalion 47 – Mende 114.

Voyageurs, ✆ 65 66 41 03, – . GB
fermé 20 sept. au 10 oct., dim. soir et sam. de nov. à juin – **R** 60/180 – ☕ 20 – **17 c** 95/180 – ½ P 180/220.

STE-HERMINE 85210 Vendée 67 ⑮ – 2 285 h. alt. 30.

Paris 418 – La Roche-sur-Yon 34 – Fontenay-le-Comte 22 – ◆Nantes 90 – Les Sables-d'Olonne 63.

Relais de la Marquise avec ch, ✆ 51 27 30 11 – . GB
fermé 1er au 8 mars, 30 août au 6 sept., 24 au 31 janv., dim. soir sauf juil.-août et lundi – **R** 60/170, enf. 42 – ☕ 20 – **10 ch** 110/180 – ½ P 120/150.

STE-LIVRADE-SUR-LOT **47110** L.-et-G. 79 ⑤ – 5 938 h. alt. 53.

Voir Fongrave : retable★ de l'église O : 5 km, **G. Pyrénées Aquitaine.**

Syndicat d'Initiative av. R.-Bouchon (saison) ✆ 53 01 45 88 et à la Mairie (hors saison) ✆ 53 01 04 76.

Paris 604 – Agen 29 – Marmande 41 – Nérac 51 – Tonneins 24 – Villeneuve-sur-Lot 9,5.

Midi, ✆ 53 01 00 32, Fax 53 88 10 22 – cuisinette rest ☎. AE ⓓ GB JCB
2 mai-15 déc. – **R** 66/170, enf. 35 – ☕ 20 – **23 ch** 160/260 – ½ P 180/230.

FORD Mandelli 890 r. Tour-de-Ville ✆ 53 01 04 61 HONDA Boudou, bd du Nord ✆ 53 01 02 09

STE-MARGUERITE (Ile) ★★ **06** Alpes-Mar. 84 ⑨ 195 ㉟ ㊴ **G. Côte d'Azur** – ✉ **06400** Cannes.

Voir Forêt★★ – ≤★ de la terrasse du Fort-Royal.

Accès par transports maritimes.

depuis **Cannes**. En 1991 : en saison, 15 départs quotidiens ; hors saison, 6 départs quotidiens - Traversée 15 mn - 35 F (AR) par Cie Esterel-Chanteclair, gare maritime des Iles ✆ 93 39 11 82 (Cannes).

depuis **Golfe-Juan et Juan-les-Pins.** Pâques à oct., 3 à 4 départs quotidiens - Traversée 30 mn – Tarifs se renseigner : Transports Maritimes Cap d'Antibes, Port de Golfe Juan ✆ 93 63 81 31 (Golfe Juan).

STE-MARIE **44** Loire-Atl. 67 ① – rattaché à Pornic.

STE-MARIE-AUX-MINES **68160** H.-Rhin 87 ⑯ **G. Alsace Lorraine** – 5 767 h. alt. 374.

Tunnel de Ste-Marie-aux-Mines. Péage aller simple : autos 15,50 F, camions 31 à 62 F, motos 9,50 F - Renseignements par S.A.P.R.P. ✆ 29 51 21 71.

Paris 414 – Colmar 34 – Saint-Dié 23 – Sélestat 22.

Aux Mines d'Argent, r. Dr Weisgerber ✆ 89 58 55 75 – GB
fermé 27 août au 13 sept., 10 au 27 fév., mardi soir et merc. – **R** 78/210 ₰.

CITROEN Gar. Vogel, ✆ 89 58 74 73 PEUGEOT Gar. Moeglen, ✆ 89 58 70 40

STE-MARIE-DE-CAMPAN **65** H.-Pyr. 85 ⑲ – alt. 857 – ✉ **65710** Campan.

Env. ✻★★★ du col d'Aspin SE : 13 km, **G. Pyrénées Aquitaine.**

Paris 828 – Bagnères-de-Luchon 60 – Pau 74 – Arreau 24 – Bagnères-de-Bigorre 12 – Luz-St-Sauveur 35 – Tarbes 34.

Chalet H., NO : 1 km sur D 935 ✆ 62 91 85 64, ≤, , , – ☎ **P**. GB. ✻ rest
fermé 10 au 28 mai et 4 nov. au 19 déc. – **R** 65/130, enf. 50 – ☕ 22 – **25 ch** 154/268 – ½ P 169/233.

à Campan NO : 6,5 km par D 935 **G. Pyrénées Aquitaine** – ✉ **65710**.

Voir Vallée de Gripp★ S.

Beauséjour, ✆ 62 91 75 30 – ☎
fermé 15 nov. au 15 déc. – **R** 50/145 ₰ – ☕ 22 – **20 ch** 95/155 – ½ P 145/165.

STE-MARIE-DE-RÉ **17** Char.-Mar. 71 ⑫ – voir à Ré (Ile de).

STE-MARIE-DE-VARS **05** H.-Alpes 77 ⑱ – rattaché à Vars.

STES-MARIES-DE-LA-MER – voir après Saintes.

STE-MARINE **29** Finistère 58 ⑮ **G. Bretagne** – ✉ **29120** Pont-l'Abbé.

Paris 561 – Quimper 19 – Bénodet 5,5 – Concarneau 26 – Pont-l'Abbé 9,5.

✿ **L'Agape** (Le Guen), ✆ 98 56 32 70 – **P**. AE GB
fermé mardi soir et merc. sauf juil.-août – **R** 140/240
Spéc. Les agapes de poissons marinés au jus dru, Galette de turbot au jus de viande, Jardinière de homard.

STE-MAURE **10** Aube 61 ⑯ – rattaché à Troyes.

STE-MAURE-DE-TOURAINE **37800** I.-et-L. 68 ④ ⑤ **G. Châteaux de la Loire** – 3 983 h. alt. 72.

Syndicat d'Initiative r. du Château (juil.-août) ✆ 47 65 66 20.

Paris 271 – ◆Tours 37 – Le Blanc 69 – Châtellerault 35 – Chinon 33 – Loches 31 – Thouars 71.

Host. Hauts de Ste-Maure M, av. Ch. de Gaulle ✆ 47 65 50 65, Fax 47 65 60 24, , – TV ☎ ♿ **P** – 80. GB
fermé dim. soir et lundi midi d'oct. à avril – **R** 98/150, enf. 45 – ☕ 40 – **22 ch** 320/420 – ½ P 300/380.

Gueulardière avec ch, av. Ch. de Gaulle ✆ 47 65 40 71 – TV ☎ **P**. GB. ✻ rest
fermé 15 au 30 nov., 15 au 31 janv., dim. soir de nov. à fév. et lundi – **R** 80/220, enf. 55 – ☕ 32 – **16 ch** 180/260.

Veau d'Or avec ch, r. Dr Patry ✆ 47 65 40 41 – ☎ **P**. GB
fermé fév., mardi soir et merc. – **R** 80/200 ₰ – ☕ 25 – **11 ch** 150/200 – ½ P 210.

près échangeur autoroute A 10 O : 2,5 km sur D 760 – ✉ **37800** Noyant-de-Touraine :

La Ciboulette, ✆ 47 65 84 64, – **P**. AE GB
R 145/260 ₰, enf. 50.

à Pouzay SO : 8 km – ✉ **37800** :

✗ **Gardon Frit,** ℘ 47 65 21 81, 余 – GB
fermé 3 au 18 mars, 22 au 30 sept., mardi et merc. – **R** 86/190 ⅄, enf. 28.

CITROEN Bou, à Noyant ℘ 47 65 82 18 **N** ℘ 47 65 43 80
CITROEN Gar. Rico, 78 av. Gén.-de-Gaulle ℘ 47 49 12 12
PEUGEOT-TALBOT Saint-Aubin ℘ 47 65 40 85 **N**
RENAULT Blain ℘ 47 65 41 13 **N**

STE-MAXIME 83120 Var 84 ⑰ G. Côte d'Azur – 10 015 h. – Casino A.

Voir Sémaphore ✻★ N : 1,5 km.

⛳ de Beauvallon ℘ 94 96 16 98, par ③ : 4 km.

ℹ Office de Tourisme avec A.C. promenade S.-Lorière ℘ 94 96 19 24, Télex 970080.

Paris 877 ① – Fréjus 20 ② – Aix-en-Provence 120 ① – Cannes 56 ② – Draguignan 34 ① – ♦Toulon 75 ③.

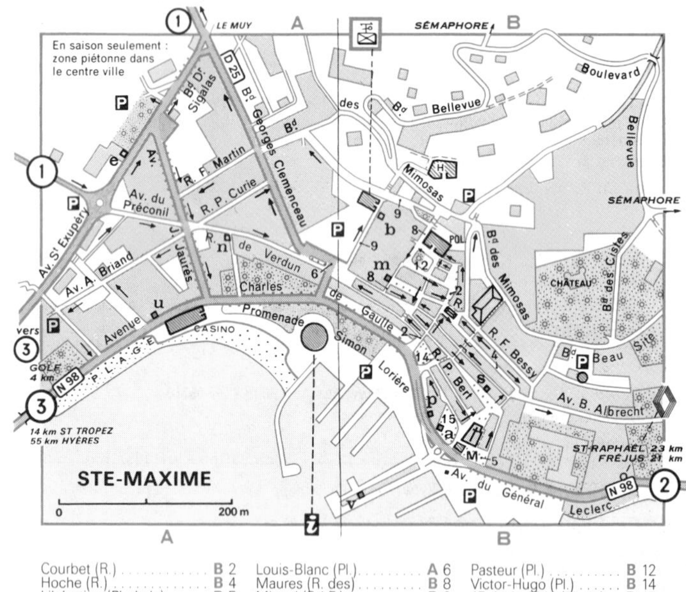

Courbet (R.) . . . . . . B 2
Hoche (R.) . . . . . . B 4
Libération (Pl. de la) . . . . . . B 5
Louis-Blanc (Pl.) . . . . . . A 6
Maures (R. des) . . . . . . B 8
Mistral (Bd F.) . . . . . . B 9
Pasteur (Pl.) . . . . . . B 12
Victor-Hugo (Pl.) . . . . . . B 14
15-Août-1944 (Pl. du) . . B 15

Playamaxime M 🐎, quartier les Myrtes, la Croisette par ③ ℘ 94 96 56 50, Fax 94 43 94 42, ≤, 余, ⅍, ⛱, ⛱, 🌳 – 🛗 ▤ TV ☎ ♿ P – 🏛 80 à 150. AE ⓓ GB. ⚫ rest
R 130/150 – ☐ 60 – **126 ch** 635/1600 – ½ P 610/920.

Belle Aurore M, La Croisette par ③ ℘ 94 96 02 45, Fax 94 96 63 87, « En bordure de mer, ≤, plage, ⛱ » – TV ☎ P. AE ⓓ GB
hôtel : mi-mars-11 nov. ; rest. : mi-mars-fin sept. – **R** 220/380 – ☐ 70 – **17 ch** 650/1600 – ½ P 800/1300.

Calidianus M 🐎, quartier de la Croisette par ③ : 1 km ℘ 94 96 23 21, Fax 94 49 12 10, ≤, ⛱, 🌳, ✕ – TV ☎ P. AE GB. ⚫
fermé 7 janv. au 10 fév. – **R** 130/150 – ☐ 50 – **33 ch** 750/890.

Petit Prince M sans rest, 11 av. St-Exupéry ℘ 94 96 44 47, Fax 94 49 03 38 – 🛗 ▤ TV ☎ ♿ P. AE ⓓ GB A **e**
fermé 6 janv. au 2 fév. – ☐ 45 – **29 ch** 380/750.

Poste, 7 bd F. Mistral ℘ 94 96 18 33, 余, ⛱ – 🛗 ☎. AE ⓓ GB. ⚫ rest B **b**
hôtel : 1er avril-25 oct. ; rest. : 25 mai-25 sept. – **R** 130/175 – ☐ 40 – **24 ch** 400/570 – ½ P 390/500.

Les Santolines sans rest, La Croisette par ③ ℘ 94 96 31 34, Fax 94 49 22 12, « Jardin fleuri », ⛱, 🌳 – TV ☎ P. GB
15 avril-15 oct. – ☐ 42 – **12 ch** 450/490.

Muzelle-Montfleuri 🐎, av. Montfleuri par ② ℘ 94 96 19 57, ≤, 余, 🌳 – 🛗 TV ☎ P. GB
15 mars-15 oct. – **R** 147/230 – ☐ 47 – **31 ch** 310/525 – ½ P 325/450.

La Croisette 🐴, bd Romarins par av. St-Exupéry, r. G. Pompidou et bd Hortensias ☎ 94 96 17 75, Fax 94 96 52 40, ⛱, 🌳 – 🛗 ☎ 🅿. GB
fermé 5 nov. au 15 déc. et 5 janv. au 1er mars – **R** *(fermé le midi sauf sam. et dim.)* 98/180 – ☕ 45 – **17 ch** 490/690.

Chardon Bleu sans rest, r. Verdun ☎ 94 96 02 08 – 📺 ☎. AE GB — A n
☕ 36 – **25 ch** 320/550.

XXX **L'Amiral,** galerie marchande du port ☎ 94 43 99 36, ≤ port et golfe, ⛱ – ▤. AE GB
fermé 15 nov. au 15 déc., dim. soir et lundi hors sais. – **R** 180. — B v

XX **L'Esquinade,** av. Ch. de Gaulle ☎ 94 96 01 65, produits de la mer – ◑ GB — B p
fermé 3 nov. au 20 déc. et merc. sauf juil.-août – **R** carte 170 à 290.

X **Sans Souci,** r. P. Bert ☎ 94 96 18 26, ⛱ — B s
15 mars-15 oct. et fermé mardi en avril et mai – **R** 92/120.

X **L'Hermitage,** av. Ch. de Gaulle ☎ 94 96 17 77, ⛱, produits de la mer – GB — B a
R 155.

X **Sarrazin,** pl. Colbert ☎ 94 96 10 84, ⛱ – GB — B m
fermé début janv. à début fév. et mardi sauf le soir en juil.-août – **R** (dîner seul. en juil.-août) 110/200.

X **Le Dauphin,** av. Ch. de Gaulle ☎ 94 96 31 56 – GB — A u
fermé 15 nov. au 15 janv., mardi soir et merc. d'oct. à juin – **R** (nombre de couverts limité, prévenir) 80/185 🍷.

à La Nartelle par ② : 4 km – ✉ 83120 Ste-Maxime :

Host. Vierge Noire sans rest, ☎ 94 96 33 11, 🏊, 🌳 – ☎ 🅿. GB
fin mars-mi-oct. – ☕ 47 – **11 ch** 450/550.

Plage sans rest, ☎ 94 96 14 01, ≤ – ☎ 🅿. GB
18 avril-1er oct. – ☕ 30 – **18 ch** 260/400.

RENAULT Gar. de l'Arbois, av. Gén.-Leclerc ☎ 94 96 14 03

Planen Sie Ihre Fahrtroute in Frankreich mit der
Michelin-Karte Nr. **911** *„FRANCE – Grands Itinéraires"*
Sie ersehen daraus
- *die Kilometerzahl Ihrer Strecke*
- *Ihre Fahrzeit*
- *die Zonen mit Staus und die Entlastungsstrecken*
- *die Lage der Tag und Nacht geöffneten Tankstellen*

Sie fahren billiger und sicherer.

STE-MENEHOULD

SP 51800 Marne **56** ⑲ **G. Champagne** – 5 177 h. alt. 139.

Voir ≤★ du "château".

🅸 Office de Tourisme 15 pl. Gén.-Leclerc (fermé matin sept.-juin) ☎ 26 60 85 83.

Paris 220 – Bar-le-Duc 50 – Châlons-sur-Marne 45 – ♦Reims 78 – Verdun 46 – Vitry-le-François 52.

Cheval Rouge, 1 r. Chanzy ☎ 26 60 81 04 – 📺 ☎. AE ◑ GB
fermé dim. soir (sauf hôtel) et lundi de sept. à 30 avril – **Repas** 80/200 🍷 – ☕ 30 – **16 ch** 230/280 – ½ P 260/280.

à Florent-en-Argonne NE : 7,5 km par D 85 – ✉ 51800 :

Le Jabloire M 🐴 sans rest, ☎ 26 60 82 03 – 📺 ☎ 🅿. AE GB. ✱
☕ 32 – **12 ch** 250/380.

XX **Aub. la Menyère,** ☎ 26 60 93 70, ⛱, « Maison du 16e s. » – GB
fermé 18 août au 10 sept., 15 au 28 fév., dim. soir et lundi – **R** carte 175 à 255 🍷, enf. 45.

à l'Est par N 3 et D 2 : 13 km – ✉ 55120 Futeau :

XXX **L'Orée du Bois** 🐴 avec ch, ☎ 29 88 28 41, Fax 29 88 24 52, ≤, 🌳 – 📺 ☎ 🅿. GB
fermé janv., dim. soir et mardi sauf de mai à sept. – **R** 105/320, enf. 80 – ☕ 40 – **7 ch** 250/340 – ½ P 365.

PEUGEOT-TALBOT Crochet Frères, rte de Châlons ☎ 26 60 84 78 **N**

RENAULT Roudier, rte de Châlons ☎ 26 60 80 80

STE-MÈRE-ÉGLISE

50480 Manche **54** ③ **G. Normandie Cotentin** – 1 556 h.

Paris 324 – Cherbourg 37 – Bayeux 56 – St-Lô 41.

Le Sainte-Mère M, rte Caen ☎ 33 21 00 30, Fax 33 41 38 40 – 🛗 📺 ☎ ♿ 🅿 – 🏛 70. AE ◑ GB
R 65/140, enf. 36 – ☕ 26 – **42 ch** 220/250.

RENAULT Gar. Lecathelinais, r. Gén.-de-Gaulle ☎ 33 41 43 09

STE-MONTAINE

18 Cher **64** ⑳ – rattaché à Aubigny-sur-Nère.

SAINTES <SP> **17100** Char.-Mar. **71** ④ **G. Poitou Vendée Charentes** – 25 874 h. alt. 8.

Voir Vieille ville★ AZ – Arènes★ Y – Église St-Eutrope : église inférieure★ AZ **D** – Abbaye aux Dames : église abbatiale★ BZ – Arc de Germanicus★ BZ **F** – Musée des Beaux-Arts★ AZ **M2**.

Louis-Rouyer-Guillet ✆ 46 74 27 61, N 150 par ② : 5 km.

Office de Tourisme Villa Musso, 62 cours National ✆ 46 74 23 82.

Paris 470 ⑧ – Royan 40 ⑦ – ◆Bordeaux 115 ⑥ – Niort 73 ⑧ – Poitiers 138 ⑧ – Rochefort 36 ⑨.

SAINTES

Alsace-Lorraine (R.) . **AZ** 3
Gambetta (Av.) . . . . **BZ**
National (Cours) . . . **AZ**

Allende (Av. Salvador) . . . . **Y** 2
Arc de Triomphe (R.) . . . **BZ** 4
Bassompierre (Pl.) . **BZ** 5
Berthonnière (R.) . . **AZ** 7
Blair (Pl.) . . . . **AZ** 9
Bois d'Amour (R.) . . **AZ** 10
Bourignon (R.) . . . . . . **Y** 12
Brunaud (R. A.) . . . . **AZ** 13
Clemenceau (R.) . . . **AZ** 15
Denfert-Rochereau (R.) . . **BZ** 16
Dufaure (Av. J.) . . . . . **Y** 18
Foch (Pl. Mar.) . . . . **AZ** 20
Jacobins (R. des) . . **AZ** 25
Jean (R. du Doc.) . . . . **Y** 27
Kennedy (Av. J.-F.) . . . **Y** 31
Lacurie (R.) . . . . **Y** 33
Leclerc (Crs Mar.) . . . **Y** 34
Lemercier (Cours) . . **AZ** 35
Marne (Av. de la) . . **BZ** 37
Mestreau (R. F.) . . . **BZ** 38
Monconseil (R.) . . . **AZ** 39
République (Quai) . **AZ** 41
St-Eutrope (R.) . . . . **AZ** 42
St-François (R.) . . . . **AZ** 43
St-Macoult (R.) . . . . **AZ** 45
St-Pierre (R.) . . . . **AZ** 46
St-Vivien (Pl.) . . . . **AZ** 47
Victor-Hugo (R.) . . . . **AZ** 49

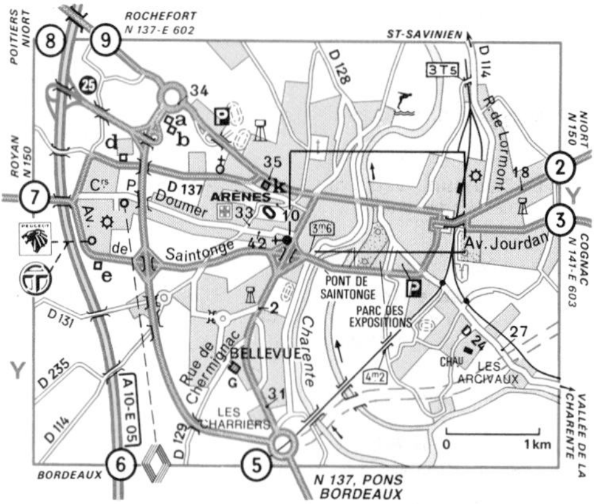

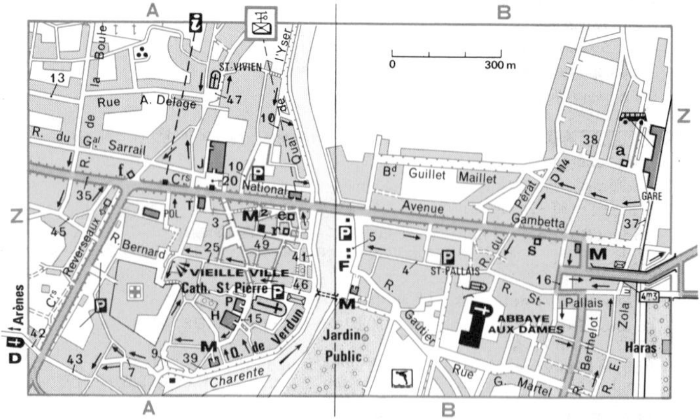

Relais du Bois St-Georges Ⓜ, r. Royan (D 137) ✆ 46 93 50 99, Télex 790488, Fax 46 93 50 99, ≤, « Dans un parc avec étang », – ch TV ☎ ♿ Ⓟ – 70. GB Y **d**
R 155, enf. 100 – ☕ 65 – **30 ch** 290/980, 3 appart. 1500 – ½ P 500/600.

Commerce Mancini, r. Messageries ✆ 46 93 06 61, Télex 791012, Fax 46 92 23 37 – TV ☎. AE ⓓ GB AZ **e**
R *(fermé sam. midi et dim. d'oct. à mars)* 130/350 – ☕ 35 – **32 ch** 190/380, 6 appart. 420.

Trois Sapins Ⓜ sans rest, rte Rochefort ✆ 46 74 42 70 – TV ☎ ♿ Ⓟ. ⓓ GB. Y **a**
☕ 26 – **36 ch** 220/300.

Bosquets Ⓜ sans rest, 107 cours Mar. Leclerc ✆ 46 74 04 47, – TV ☎ Ⓟ. GB JCB Y **b**
fermé 23 déc. au 4 janv. – ☕ 27 – **35 ch** 210/260.

Messageries sans rest, r. Messageries ℘ 46 93 64 99, Fax 46 92 14 34 – TV ☎ . GB AZ r
30 – **35 ch** 210/250.

Avenue M sans rest, **114 av. Gambetta** ℘ 46 74 05 91 – TV ☎ P – 50. GB BZ s
fermé 23 déc. au 5 janv. – 26 – **15 ch** 162/260.

Motel de Voiville M, av. Saintonge ℘ 46 97 20 40, Télex 793548, Fax 46 92 22 54, – TV ☎ P – 50. AE GB Y e
R *(fermé dim. soir et sam. midi)* 60/125, enf. 42 – 35 – **36 ch** 235 – ½ P 220/240.

Terminus sans rest, 2 r. J. Moulin ℘ 46 74 35 03, Fax 46 97 24 47 – TV ☎. AE GB BZ a
fermé 24 déc. au 15 janv. – 27 – **30 ch** 190/345.

Bleu Nuit M sans rest, 1 r. Pasteur ℘ 46 93 01 72 – ☎ . AE GB AZ f
24 – **35 ch** 150/225.

XXX **Logis Santon,** 54 cours Genêt ℘ 46 74 20 14, – P. AE GB Y k
fermé 15 au 31 oct., dim. soir et lundi – **R** 220 bc/350 bc.

X **Brasserie Louis,** 116 av. Gambetta ℘ 46 74 16 85 – GB BZ s
R *(fermé lundi)* 59/158, enf. 48.

CITROEN Ardon, rte de Bordeaux par ⑤ ℘ 46 93 37 22 N ℘ 46 93 28 07
FIAT Dufour, 20 av. S.-Allende à Bellevue ℘ 46 93 12 04
FORD S.A.V.I.A.L. Automobiles, ZI des Charriers, rte de Bordeaux ℘ 46 93 43 44
PEUGEOT-TALBOT Guerry, av. de Saintonge, ZI, rte de Royan ℘ 46 93 48 33
RENAULT Bagonneau, ZI, 137 cours P.-Doumer ℘ 46 92 35 35 N ℘ 46 97 32 36

V.A.G Basty, 41 av. de la Marne ℘ 46 92 01 44

Moyet-Pneus, 14 r. Gauthier ℘ 46 74 26 86
Moyet-Pneus, ZI Ormeau de Pied 22 r. Chem. Ferré ℘ 46 95 02 60
Perry Pneus, ZI de l'Ormeau de Pied, rte Clos Fleuri ℘ 46 93 11 03
Pneus Plus Ouest, D. 137 ZI de l'Ormeau de Pied ℘ 46 94 08 18

STE-SABINE 21 Côte-d'Or 65 ⑱ – rattaché à Pouilly-en-Auxois.

STE-SAVINE 10 Aube 61 ⑯ – rattaché à Troyes.

STE-SÉVÈRE-SUR-INDRE 36160 Indre 68 ⑲ ⑳ G. Berry Limousin – 939 h. alt. 307.
Paris 316 – Châteauroux 50 – La Châtre 15 – Guéret 46 – Montluçon 59.

Ecu de France, ℘ 54 30 52 72 – GB
fin mars-oct. et fermé jeudi – **R** 60/130 – 24 – **7 ch** 100/230 – ½ P 140/270.

STES-MARIES-DE-LA-MER 13460 B.-du-R. 83 ⑲ G. Provence (plan) – 2 232 h. alt. 1.
Voir Église★ – Pèlerinage des Gitans★★ (24 et 25 mai).
Office de Tourisme av. Van Gogh ℘ 90 47 82 55.
Paris 764 – ♦Montpellier 61 – Aigues-Mortes 32 – Arles 38 – ♦Marseille 129 – ♦Nîmes 53 – St-Gilles 34.

Galoubet sans rest, rte Cacharel ℘ 90 97 82 17, Fax 90 97 71 20, ≤, – TV ☎ P. GB.
– fermé 10 janv. au 15 fév. – 35 – **20 ch** 300/400.

Mas des Rièges sans rest, par rte Cacharel et VO : 1 km ℘ 90 97 85 07, ≤, , – TV ☎ P. AE GB.
25 mars-3 nov. – 36 – **17 ch** 380/480.

Le Fangassier sans rest, rte Cacharel ℘ 90 97 85 02 – .
20 mars-20 oct. – 24 – **20 ch** 195/257.

Mirage sans rest, ℘ 90 97 80 43, Fax 90 97 72 22, – ☎. GB.
20 mars-10 oct. – 25 – **27 ch** 230/250.

Lou Marquès sans rest, ℘ 90 97 82 89, Fax 90 97 72 24 – ☎. GB.
avril-oct. – 26 – **14 ch** 204/244.

Méditerranée sans rest, ℘ 90 97 82 09 – ☎.
fermé 11 nov. au 20 déc. et 6 janv. au 10 fév. – 24 – **14 ch** 160/260.

XXX **Brûleur de Loups,** ℘ 90 97 83 31, ≤ – AE GB
15 mars-11 nov. et fermé merc. sauf août et sept. – **R** 130/225, enf. 80.

XX **Hippocampe** avec ch, ℘ 90 97 80 91, – GB
15 mars-8 nov. et fermé mardi sauf du 7 juil. au 2 oct. – **R** 120/238 – 26 – **4 ch** 326/510.

X **Impérial,** ℘ 90 97 81 84, – GB
10 avril-11 nov. et fermé mardi d'oct. à juin – **R** 105/160, enf. 62.

au Nord : rte Arles D 570 – 13460 Stes-Maries-de-la-Mer :

Mas du Tadorne M, à 2,5 km et VO ℘ 90 97 93 11, Télex 403700, Fax 90 97 71 04, , , – ch TV ☎ P. AE GB. rest
fermé 5 janv. au 5 mars – **R** *(fermé mardi du 5 mars au 5 mai)* 150/220 – 60 – **15 ch** 800/1200, 4 duplex 1200 – ½ P 570.

Annexe Mas-Sainte-Hélène , ℘ 90 97 83 29, Fax 90 97 89 28, ≤ – TV ☎ P. AE GB JCB. rest
fermé 1er mars au 4 avril – **15 ch** 680 – ½ P 550.

Pont des Bannes, à 1 km ℘ 90 97 81 09, Télex 403222, Fax 90 97 89 28, , « Cabanes de gardians dans les marais », , – ☎ P – 25. AE GB JCB. rest
4 avril-4 janv. – **R** 225/320, enf. 80 – **25 ch** 860 – ½ P 640.

Aub. Cavalière , à 1 km 90 97 88 88, Télex 403761, Fax 90 97 84 07, – – 25. AE GB JCB
R *(fermé lundi hors sais. sauf fériés)* 100/300, enf. 70 – 50 – **18 ch** 550/980 – ½ P 600/700.

L'Étrier Camarguais , à 2 km et VO 90 97 81 14, Fax 90 97 88 11, – – 35 à 100. AE GB JCB
1er avril-1er nov. – **R** 180/250 – 50 – **27 ch** 540 – ½ P 490.

Le Boumian , à 1,5 km 90 97 81 15, Télex 403222, – – 50. AE GB
fermé 12 nov. au 20 déc. – **R** 210/300, enf. 80 – **28 ch** 490/530 – ½ P 440/460.

Mas des Roseaux sans rest, à 1 km 90 97 86 12, ≤, –
15 avril-30 sept. – **12 ch** 650.

Pont de Gau avec ch, à 5 km 90 97 81 53, Fax 90 97 98 54, – AE GB
fermé 5 janv. au 22 fév. et merc. du 15 oct. à Pâques sauf vacances scolaires – **Repas** 95/250 – 30 – **9 ch** 235 – ½ P 298.

rte du Bac du Sauvage NO – ✉ **13460** Stes-Maries-de-la-Mer :

Mas de la Fouque M, 4 km par D 38 et chemin privé 90 97 81 02, Télex 403155, Fax 90 97 96 84, ≤, , parc, « dans la Camargue », – AE GB
fermé 4 janv. au 20 mars – **R** *(fermé mardi sauf fêtes)* 240/375 – 75 – **13 ch** 1200/2260 – ½ P 900/1100.

L'Estelle M sans rest, 4 km par D 38 90 97 89 01, – – 50. AE GB
fermé 13 nov. au 19 déc. et 6 janv. au 24 mars – 55 – **17 ch** 600/640.

Clamador sans rest, 4 km par D 38 90 97 84 26, Fax 90 97 93 38, ≤, – AE GB
1er avril-15 oct. – 31 – **20 ch** 316/372.

au Nord : 7 km par D 85A – ✉ **13460** Stes-Maries-de-la-Mer :

Mas du Clarousset par chemin privé, 90 97 81 66, Fax 90 97 88 59, – AE GB JCB. rest
fermé 15 nov. au 15 déc. – **R** *(fermé dim. soir et lundi)* 270/350 – 50 – **10 ch** 730/750 – ½ P 675.

Host. Mas Calabrun sans rest, 90 97 83 23, – AE GB
31 mars- 31 oct. – 50 – **26 ch** 420/550.

Les SAISIES **73620** Savoie 74 ⑰ **G. Alpes du Nord** – Sports d'hiver : 1 650/1 950 m 24 .

Voir Signal de Bisanne ** O : 5 km.

Le Calgary M , 79 38 98 38, Fax 79 38 98 00, ≤, , , – – 25. AE GB. rest
27 juin-5 sept. et 12 déc.-10 mai – **R** 125/260 – 50 – **35 ch** 420/540, 5 duplex 570/675 – ½ P 460/560.

SAÏX **81** Tarn 83 ① – rattaché à Castres.

SALBRIS **41300** L.-et-Ch. 64 ⑲ **G. Châteaux de la Loire** – 6 083 h. alt. 112.

18 de Rivaulde 54 97 21 85, E par D 724 : 1 km.

Paris 188 – Bourges 50 – Blois 64 – Montargis 101 – ♦Orléans 64 – Vierzon 23.

Parc, 10 av. Orléans 54 97 18 53, Télex 751164, Fax 54 97 24 34, parc – AE GB. ch
R 140/255, enf. 70 – 35 – **27 ch** 200/430 – ½ P 260/350.

Domaine de Valaudran M , SO : 1,5 km par D 724 54 97 20 00, Fax 54 97 12 22, , parc – – 25 à 60. AE GB JCB
R 95/250, enf. 70 – 55 – **36 ch** 390/550 – ½ P 400.

La Sauldraie, 81 av. Orléans 54 97 17 76, , parc – GB
fermé 14 au 24 sept., lundi (sauf hôtel) et dim. soir du 24 sept. au 31 mars – **R** 90/200, enf. 55 – 40 – **11 ch** 200/280.

Dauphin avec ch, 57 bd République 54 97 04 83, , – AE GB
fermé dim. soir et lundi – **R** 88/220 , enf. 50 – 30 – **10 ch** 150/250 – ½ P 195/235.

Clé des Champs, rte Orléans 54 97 14 15, – AE GB
fermé 4 mars au 1er avril, 16 au 20 sept., jeudi soir d'oct. à avril, dim. soir et merc. – **R** 67/165 , enf. 42.

CITROEN Gar. Vincent, 41 bd République 54 97 16 46

PEUGEOT Gar. Deniau, 70 bd de la République, 54 97 00 42 N 54 97 23 97

ALERS 15410 Cantal 76 ② G. Auvergne (plan) – 439 h. alt. 951.

oir Grande-Place★★ – Église★ – Esplanade de Barrouze ≤★.

ris 519 – Aurillac 42 – Brive-la-Gaillarde 109 – Mauriac 20 – Murat 43.

Le Bailliage M, ☎ 71 40 71 95, ... – TV ☎ P. AE GB
fermé 15 nov. au 1er fév. – **Repas** 60/150 – 30 – **30 ch** 190/350 – ½ P 240/270.

Le Gerfaut M sans rest, rte Puy Mary, NE : 1 km par D 680 ☎ 71 40 75 75, ≤, ... – cuisinette TV ☎ P. AE GB
fermé 15 nov. au 30 janv. – 30 – **21 ch** 245/305, 4 studios 395.

Remparts (annexe M -13 ch), ☎ 71 40 70 33, Fax 71 40 75 32, ≤ Monts du Cantal – TV ☎. GB
fermé 20 oct. au 18 déc. – **Repas** 60/130, enf. 35 – 28 – **31 ch** 240/300 – ½ P 195/260.

Les Templiers, r. Couvent ☎ 71 40 71 35 – AE GB
fermé 15 nov. au 30 janv. – **R** 61/130, enf. 38.

au Theil SO : 6 km par D 35 et D 37 – ✉ 15140 St-Martin-Valmeroux :

Host. de la Maronne M, ☎ 71 69 20 33, Fax 71 69 28 22, ≤, « Jardin fleuri », ... – rest ☎ P. AE GB. rest
12 avril-5 nov. – **R** (fermé le midi sauf dim.) 200/280 – 50 – **25 ch** 330/470 – ½ P 330/395.

ITROEN Gar. Moderne ☎ 71 40 70 80 N   RENAULT Gar. Roux ☎ 71 40 72 04 N

SALES 74 H.-Savoie 74 ⑤ – rattaché à Rumilly.

SALÈVE (Mont) ★★ 74 H.-Savoie 74 ⑥ G. Alpes du Nord – alt. 1 380 au Grand Piton, 1 184 à la table d'orientation des Treize Arbres ★★ (13 km SO d'Annemasse par ④, D 41 puis 15 mn).

aris 540 – Annecy 31 – Thonon-les-Bains 45 – Bellegarde-sur-Valserine 46 – Bonneville 34.

Dusonchet, à la Croisette - Alt. 1 176 ✉ 74560 Monnetier-Mornex ☎ 50 94 52 04, ≤, ... – ☎ P. GB.
fermé 25 oct. au 10 déc., dim. soir (sauf hôtel) et merc. – **R** 75/130 – 26 – **10 ch** 170/260 – ½ P 210/220.

Benutzen Sie den Hotelführer des laufenden Jahres.

SALIES-DE-BÉARN 64270 Pyr.-Atl. 78 ⑧ G. Pyrénées Aquitaine – 4 974 h. alt. 45 – Stat. therm. (fév.-déc.).

d'Hélios ☎ 59 38 37 59, 2 km par ① rte d'Orthez.

Office de Tourisme 1 bd St-Guily ☎ 59 38 00 33.

Paris 770 ③ – Pau 62 ① – ♦Bayonne 57 ③ – Dax 36 ① – Orthez 15 ① – Peyrehorade 19 ③.

SALIES-DE-BÉARN

Coustère (R. Élysée) 4
Jardin-Public (Cours du) 8
Jeanne d'Albret (Pl.) 10
St-Vincent (R.) 24

Bains (R. des) 2
Bignot (Pl. du) 3
Drs-Foix (Av. des) 5
Gare (Av. de la) 7
Laclabote (R.) 13
Lanabère (Bd du Gén.) 15
Leclerc (Av. du Mar.) 16
Martinâa (R.) 18
Pécaut (Av. Félix) 19
Pyrénées (Av. des) 21
St-Martin (R.) 23
Tannerie (R. de la) 26
Temple (Pl. du) 27
Toulet (R. Paul-Jean) 28

Pour aller loin rapidement, utilisez les cartes Michelin des pays d'Europe à 1/1 000 000.

du Golf M sans rest, par ① : 1 km ☎ 59 65 02 10, Fax 59 38 05 84, ≤, ... – TV ☎ P. GB JCB
15 avril-15 oct. – 45 – **33 ch** 250/300.

Larquier, r. Salines **(r)** ☎ 59 38 10 43, Fax 59 65 04 09, ... – P.
1er avril-1er oct. – **R** 76/120 – 22 – **20 ch** 100/170.

Terrasse, r. Loumé **(e)** ☎ 59 38 09 83, ... – GB
R 60/135.

à Castagnède SO : 8 km par D 17, D 27 et VO – ✉ **64270** :

La Belle Auberge avec ch, ✆ 59 38 15 28, – . GB. ch
fermé 16 déc. au 31 janv. – **R** *(fermé dim. soir sauf juil.-août)* 55/95 – 20 – **8 ch** 155/1
– ½ P 200/210.

RENAULT Gar. Hourdebaigt ✆ 59 38 06 19 N

SALIGNAC-EYVIGUES **24590** Dordogne 75 ⑰ **G. Périgord Quercy** – 964 h. alt. 299.
Paris 520 – Brive-la-Gaillarde 35 – Sarlat-la-Canéda 17 – Cahors 81 – Périgueux 68.

La Terrasse, ✆ 53 28 80 38 – ☎. GB. rest
18 avril-1er nov. – **R** *(fermé sam. midi hors sais.)* 80/190, enf. 55 – 35 – **14 ch** 210/350
½ P 220/270.

NO : 2,5 km par D 62B et VO – ✉ **24590** Salignac-Eyvigues :

La Meynardie, ✆ 53 28 85 98, Fax 53 28 82 79, – . GB
fermé 12 au 22 nov., 1er janv. à mi-fév., lundi midi en juil.-août et merc. hors sais.
Repas 72/260.

SALINS-LES-BAINS **39110** Jura 170 ⑤ **G. Jura** (plan) – 3 629 h. alt. 331 – Stat. therm. (6 avril-28 nov.)
Casino.

Voir Site★ – Fort Belin★ – Fort St-André★ O : 4 km par D 94.

Syndicat d'Initiative pl. Salines ✆ 84 73 01 34.

Paris 408 – ◆Besançon 42 – Dole 40 – Lons-le-Saunier 52 – Poligny 24 – Pontarlier 44.

Gd H. Bains, pl. Alliés ✆ 84 37 90 50, Fax 84 37 96 80 – ☎ – 40. AE GB
fermé 4 au 31 janv. et dim. soir du 1er oct. au 31 mai – **R** 90/255, enf. 55 – 33 – **31 c**
205/370 – ½ P 220/270.

rte de Champagnole S : 3 km par D 467 – ✉ **39110** Salins-les-Bains :

Aub. le Val d'Héry, ✆ 84 73 06 54, Fax 84 73 06 51, – GB
fermé 1er janv. au 15 fév., dim. soir et lundi de sept. à juin – **R** 150/350.

CITROEN-FORD Gar. Salinois ✆ 84 73 08 63 N
PEUGEOT-TALBOT Vurpillot ✆ 84 73 05 45 N
RENAULT Gar. Vieille-Girardet ✆ 84 73 11 56

SALLANCHES **74700** H.-Savoie 74 ⑧ **G. Alpes du Nord** – 12 767 h. alt. 554.

Voir ★★ sur le Mt-Blanc – Chapelle de Médonnet : ★★ – Cascade d'Arpenaz★ N : 5 km.

Office de Tourisme 31 quai Hôtel de Ville ✆ 50 58 04 25.

Paris 586 – Chamonix 26 – Annecy 69 – Bonneville 29 – Megève 10 – Morzine 43.

Host. Prés du Rosay (Perrin) M, rte du Rosay ✆ 50 58 06 15, Fax 50 58 48 70,
, – ☎ – 25. AE GB. rest
R *(fermé dim. soir sauf du 10 juil. au 20 août)* 170/360, enf. 70 – 60 – **15 ch** 380/480
½ P 400
Spéc. Duo de foie gras de canard, Omble chevalier (saison), Grand dessert. **Vins** Bugey, Mondeuse.

La Crémaillère M, 1,5 km par ancienne rte Combloux ✆ 50 58 32 50, Télex 385398
Fax 50 93 74 16, chaîne Mt-Blanc, – ☎ – 25 à 50. AE GB JCB
R 95/285, enf. 48 – 45 – **43 ch** 290/435 – ½ P 335/425.

Les Sorbiers et rest. Les Darblots, 17 r. docteur Bonnefoy ✆ 50 58 01 22
Fax 50 58 39 55, parc, – ☎ – 30. AE GB
R *(fermé dim. soir du 1er oct. au 15 déc. et du 1er avril au 15 juin)* 100/300, enf. 60 – 32
30 ch 210/357 – ½ P 268/294.

Mont-Blanc sans rest, 8 r. Mont Blanc ✆ 50 58 12 47 – ☎. AE GB
fermé 1er au 15 oct. – 26 – **24 ch** 120/250.

Bernard Villemot, 57 r. Dr Berthollet ✆ 50 93 74 82 – AE GB
fermé 5 au 19 nov., 8 au 29 janv., dim. soir et lundi – **R** (dîner seul du 15 juin a
15 sept.) 140/250, enf. 70.

à Cordon SO : 4 km par D 113 – alt. 871 – Sports d'hiver : 1 050/1 600 m 6 – ✉ **74700** :

Chamois d'Or, ✆ 50 58 05 16, Fax 50 93 72 96, chaîne Mt-Blanc, , , ,
☎ – 25. AE GB
1er juin-15 sept. et 20 déc.-15 avril – **R** 125/260, enf. 100 – 45 – **30 ch** 320/550
½ P 320/450.

Roches Fleuries, ✆ 50 58 06 71, Fax 50 47 82 30, chaîne Mt-Blanc, , ,
☎ . AE GB. rest
26 avril-27 sept. et 20 déc.-10 avril – **R** 130/280, enf. 98 – 48 – **28 ch** 320/495
½ P 295/460.

Le Cordonant M, ✆ 50 58 34 56, chaîne Mt-Blanc, – ☎ . GB. rest
fermé 4 au 15 mai et 26 sept. au 20 déc. – **R** 95/160 – 35 – **16 ch** 260/300 – ½ P 260/280

Solneige, ✆ 50 58 04 06, chaîne Mt-Blanc, – ☎ . GB
fermé 20 sept. au 20 déc. – **R** 85/130 – 25 – **29 ch** 197/244 – ½ P 202/227.

Les Rhodos ⛰, ✆ 50 58 13 54, ≤ chaîne Mt-Blanc – ☎ 🅿. GB. ✂ rest
1er juin-20 sept. et 20 déc.-20 avril – **R** 70/130 – ☐ 30 – **30 ch** 170/220 – ½ P 180/220.

Le Perron ⛰, ✆ 50 58 11 18, ≤ Mt-Blanc – ☎ 🅿. GB. ✂ rest
fermé 15 au 30 nov. – **R** 85/125 ⅓ – ☐ 30 – **14 ch** 230/270 – ½ P 225/235.

Le Planet ⛰, ✆ 50 58 04 91, ≤ chaîne Mt-Blanc, ☂ – ☎ 🅿. AE GB
25 mai-20 sept. et 24 déc.-20 avril – **R** 58/125 ⅓ – ☐ 30 – **35 ch** 160/220 – ½ P 195/225.

Quatre Saisons, ✆ 50 58 04 40, ≤, ☂, ☘ – TV ☎ 🅿. GB. ✂ rest
fermé 15 avril au 1er mai, 20 oct. au 20 déc. et lundi en oct. – **R** 85/120 – ☐ 26 – **15 ch** 180/210 – ½ P 195/220.

CITROEN Gar. Greffoz, 1 222 av. de Genève ✆ 50 58 20 49
FIAT Gar. St-Martin, rte de Passy, St-Martin-sur-Arve ✆ 50 58 41 88
FORD Gar. des Alpes, av. A.-Lasquin ✆ 50 58 14 44
PEUGEOT-TALBOT Gar. de Warens, 842 av. de Genève ✆ 50 58 11 32
RENAULT Alpautomobiles, 2 374 av. de Genève ✆ 50 93 71 62
SEAT Gar. des Aravis, 999 rte du Fayet ✆ 50 58 24 75
V.A.G MERCEDES-BENZ Gar. des Fontanets, 850 rte de Chamonix ✆ 50 58 36 44 N ✆ 50 21 00 27

Dhoomun Centre du Pneu, ZI sortie autoroute ✆ 50 58 47 45

SALLES-ARBUISSONNAS-EN-BEAUJOLAIS 69 Rhône 73 ⑨ G. Vallée du Rhône – 507 h. alt. 343 – ✉ 69460 Salles Arbuissonnas.

Paris 428 – Mâcon 38 – Bourg-en-Bresse 50 – Chauffailles 46 – ♦Lyon 42 – Villefranche-sur-Saône 11.

Host. St-Vincent, ✆ 74 67 55 50, Fax 74 67 58 86, ☂, ⛱, ☘, ✂ – TV ☎ ♿ 🅿 – 🏛 100. GB
fermé dim. soir et lundi du 6 oct. au 1er avril – **R** 130/280 ⅓, enf. 55 – ☐ 35 – **15 ch** 260/400 – ½ P 325.

La Benoite, ✆ 74 67 52 93, ☂ – GB
fermé 1er au 15 mars, 28 juil. au 14 août, mardi soir et merc. – **R** 78/160 ⅓, enf. 50.

CITROEN Gar. du Chapitre, à Fond-de-Salles ✆ 74 67 54 09

SALLES-CURAN 12410 Aveyron 80 ⑬ – 1 277 h. alt. 833.

Paris 653 – Rodez 38 – Albi 77 – Millau 37 – St-Affrique 41.

✿ **Host. du Lévézou** (Bouviala) ⛰, ✆ 65 46 34 16, Fax 65 46 01 19, ☂, Demeure du 14e siècle, ☘ – ☎ 🅿. AE ⓓ GB
Pâques-15 oct. et fermé dim. soir et lundi sauf du 15 juin au 15 sept. – **R** (dim.et fêtes prévenir) 120/350 – ☐ 35 – **26 ch** 120/350 – ½ P 250/330
Spéc. Salade de ris d'agneau aux poireaux croquants, Poêlée d'escargots aux cèpes, Râble de lapereau grillé. **Vins** Faugères.

Les SALLES-SUR-VERDON 83630 Var 84 ⑥ G. Alpes du Sud – 154 h. alt. 503.

Paris 786 – Digne-les-Bains 58 – Brignoles 54 – Draguignan 48 – Manosque 59 – Moustiers-Ste-Marie 13.

Aub. des Salles ⛰, ✆ 94 70 20 04, Fax 94 70 21 78, ≤, ☘ – ☎ 🅿. GB
15 mars-15 nov. – **R** 85/205, enf. 40 – ☐ 30 – **22 ch** 220/290 – ½ P 250/285.

Le Verdon sans rest, ✆ 94 70 20 02, Fax 94 84 23 00, ≤ – ☎. GB. ✂
1er mars-31 oct. et fermé vend. hors sais. – ☐ 30 – **19 ch** 260/370.

SALMIECH 12120 Aveyron 80 ⑫ – 671 h. alt. 605.

Paris 655 – Rodez 23 – Albi 65 – Millau 65.

du Céor, ✆ 65 46 70 13, ☂, ☘ – GB
mars-15 oct., vacances de nov., de Noël, de fév. et fermé merc. sauf juil.-août – **R** 55 bc/185 ⅓ – ☐ 20 – **29 ch** 125/175 – ½ P 150/200.

SALON-DE-PROVENCE 13300 B.-du-R. 84 ② G. Provence – 34 054 h. alt. 82.

Voir Château de l'Empéri : musée★★ BYZ.

Env. Table d'orientation de Lançon ≤★★ 12 km par ② puis 15 mn.

⛳9 de l'École de l'Air (privé) ✆ 90 53 90 90, par ② : 3 km.

ℹ Office de Tourisme avec A.C. 56 cours Gimon ✆ 90 56 27 60.

Paris 723 ① – ♦Marseille 50 ② – Aix-en-Pr. 37 ② – Arles 39 ③ – Avignon 46 ① – Nîmes 70 ③.

Plan page suivante

Midi sans rest, 518 allées Craponne par ② ✆ 90 53 34 67, Fax 90 53 37 41 – 🛗 TV ☎ 🅿. AE GB
fermé 28 déc. au 3 janv. – ☐ 30 – **27 ch** 190/270.

Angleterre sans rest, 98 cours Carnot ✆ 90 56 01 10, Fax 90 56 71 75 – TV ☎ – 🏛 50. AE ⓓ GB JCB. ✂ AY **b**
☐ 28 – **27 ch** 210/280.

Vendôme sans rest, 34 r. Mar. Joffre ✆ 90 56 01 96 – ☎. AE ⓓ GB. ✂ BY **v**
☐ 25 – **23 ch** 180/240.

Sélect-H. ⛰ sans rest, 35 r. Suffren ✆ 90 56 07 17 – TV ☎. GB. ✂ AY **s**
☐ 22 – **19 ch** 130/210.

SALON-DE-PROVENCE

Carnot (Cours)	AY 4
Crousillat (Pl.)	BY 12
Frères-Kennedy (R. des)	AY
Gimon (Cours)	BZ
Victor-Hugo (Cours)	BY 38
Ancienne Halle (Pl.)	BY 2
Capucins (Bd des)	BZ 3
Centuries (Pl. des)	BY 6
Clemenceau (Bd Georges)	AY 7
Coren (Bd Léopold)	AY 8
Craponne (Allées de)	BZ 10
Farreyroux (Pl.)	BZ 13
Ferrage (Pl. de la)	BZ 14
Fileuses-de-Soie (R. des)	AY 15
Gambetta (Pl.)	BZ 18
Horloge (R. de l')	BY 20
Ledru-Rollin (Bd)	AY 22
Massenet (R.)	AY 23
Médicis (Pl. C. de)	BZ 24
Mistral (Bd Frédéric)	BY 26
Moulin d'Isnard (R.)	BY 27
Nostradamus (Bd)	AY 28
Pasquet (Bd Louis)	BZ 30
Pelletan (Cours Camille)	AY 32
République (Bd de la)	AT 33
Raynaud-d'Ursule (R.)	BZ 34
St-Laurent (Square)	BY 35
St-Michel (R.)	BY 36

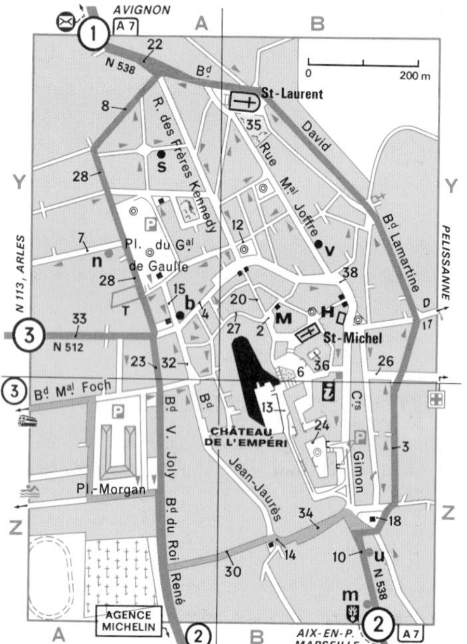

XXX **Le Mas du Soleil** [M] avec ch, 38 chemin St-Côme ✆ 90 56 06 53, Fax 90 56 21 52 – AE GB — AY r
fermé dim. soir et lundi – **R** 190/370 – ☐ 48 – **10 ch** 480/850.

XX **Craponne,** 146 allées Craponne ✆ 90 53 23 92, – GB — BZ m
fermé 6 au 31 juil., 23 déc. au 3 janv., merc. soir, dim. soir et lundi – **R** 85/172, enf. 63.

XX **Le Poêlon,** 71 allées Craponne ✆ 90 53 31 38 – GB — BZ u
fermé 1er au 15 août, 1er au 15 janv., dim. de juin à sept. et merc. d'oct. à mai – **R** 110.

au NE : 5 km par D 17 BY puis D 16 – ⊠ **13300** Salon-de-Provence :

✿ **Abbaye de Sainte-Croix** ✆ 90 56 24 55, Télex 401247, Fax 90 56 31 12, parc, – P – 30 à 150. AE GB JCB. rest
1er mars-1er nov. – **R** *(fermé lundi midi)* 210/500, enf. 120 – ☐ 90 – **19 ch** 600/1030, 5 appart. 1820 – ½ P 695/935
Spéc. Gâteau de courgettes et saumon mariné, Gigotin de lotte pané aux truffes, Roulade de lapereau à l'anchois. Vins Coteaux d'Aix-en-Provence, Bandol.

rte de Pélissanne : SE : 2 km par ② – ⊠ **13300** Salon-de-Provence :

Ibis [M], ✆ 90 42 23 57, Télex 441591, Fax 90 42 10 17, – P – 30. AE GB
R 79, enf. 39 – ☐ 32 – **60 ch** 270/310 – ½ P 235.

à la Barben SE : 8 km par ②, N 572 et D 22E – ⊠ **13330** :

XX **Touloubre,** ✆ 90 55 16 85, – P. GB
fermé 16 au 30 nov., 22 fév. au 8 mars, dim. soir et lundi – **R** 120/240, enf. 65.

sur Autoroute A7 - Aire de Lançon SE : 11 km par ② – ⊠ **13680** Lançon :

Mercure [M], ✆ 90 42 87 11, Télex 440183, Fax 90 42 88 71, ch – P – 50. AE GB
R carte environ 150, enf. 45 – ☐ 50 – **98 ch** 395/500.

au Sud : 4 km par ②, intersection N 113 et D 70 – ⊠ **13300** Salon-de-Provence :

Revotel sans rest, ✆ 90 42 00 05 – P
38 ch.

au SO : 5 km par ②, N 113 et D 19 – ⊠ **13250** Cornillon :

Devem de Mirapier [M] ✆ 90 55 99 22, Fax 90 55 86 14, parc, – P – 25 à 50. AE GB. rest
fermé 15 déc. au 20 janv. sam. et dim. d'oct. à mars – **R** 158/208, enf. 80 – ☐ 45 – **16 ch** 375/600 – ½ P 500/530.

ALFA ROMEO HONDA A B Autom., Parc d'Activités Quintin la Gandonne ✆ 90 53 55 07
CITROEN Gar. Chabert, 306 av. Michelet par ③ ✆ 90 53 26 36
FORD Ets Cardona, rte de Miramas, quart. des Aires de la Dime ✆ 90 42 17 80
PEUGEOT Blanc, rte de Miramas par ③ ✆ 90 56 23 71

RENAULT S.A.P.A.S., 666 bd Roi-René AZ ✆ 90 42 13 13 N

Bues-Pneus, quartier Crau-Sud déviation N 113 ✆ 90 53 30 40
Omnica, bd Roi-René ✆ 90 53 15 75
Pyrame, 411 bd Roi-René ✆ 90 53 30 38

Les SALVAGES **81** Tarn 83 ① – rattaché à Castres.

SALVAGNY **74** H.-Savoie 74 ⑧ – rattaché à Samoëns.

Le SAMBUC **13** B.-du-R. 83 ⑩ – alt. 2 – ✉ **13200** Arles.
Paris 763 – Arles 24 – ◆Marseille 90 – Stes Maries-de-la-Mer 49.

Longo Maï, ✆ 90 97 21 91, – cuisinette ☎. GB
fermé fév. et le midi sauf week-ends – **R** 95/115, enf. 45 – ☕ 32 – **16 ch** 217/335 – ½ P 230/289.

SAMOËNS **74340** H.-Savoie 74 ⑧ **G. Alpes du Nord** – 2 148 h. alt. 720 – Sports d'hiver : 800/2 500 m 2 15.

Voir Place du Gros Tilleul★ – Jardin alpin Jaysinia★.

Env. La Rosière ≤★★ N : 6 km – Cascade du Rouget★★ S : 10 km – Cirque du Fer à Cheval★★ E : 13 km.

Office de Tourisme ✆ 50 34 40 28, Télex 385924.

Paris 584 – Chamonix-Mont-Blanc 61 – Thonon-les-Bains 59 – Annecy 71 – Bonneville 30 – Cluses 21 – ◆Genève 68 – Megève 46 – Morzine 29.

Neige et Roc, ✆ 50 34 40 72, Fax 50 34 14 48, ≤, – cuisinette ☎ – 25. GB. rest
1er juin-20 oct. et 19 déc.-20 avril – **R** 90/150 – ☕ 40 – **32 ch** 400, 18 studios – ½ P 280/360.

Glaciers, ✆ 50 34 40 06, Télex 319261, Fax 50 34 16 75, ≤, – ☎ AE GB. rest
15 juin-15 sept. et 26 déc.-1er avril – **R** 90/150, enf. 60 – ☕ 35 – **50 ch** 285/350 – ½ P 315/365.

Gai Soleil, ✆ 50 34 40 74, Fax 50 34 10 78, ≤, – ☎. GB. rest
15 juin-13 sept. et 20 déc.-12 avril – **R** 75/170, enf. 60 – ☕ 35 – **24 ch** 300 – ½ P 300.

Edelweiss, NO : 1,5 km par rte Planpraz ✆ 50 34 41 32, ≤ montagnes – ☎. GB. rest
15 juin-15 sept. et 22 déc.-15 avril – **R** 90/180, enf. 50 – ☕ 34 – **20 ch** 220/280 – ½ P 250/300.

La Licorne, E : 1 km par rte d'été du col de Joux Plane ✆ 50 34 98 80 – GB
R 115/170.

à Morillon O : 4,5 km – ✉ **74440** :

Le Sauvageon, SE : 1,5 km par D 255 et VO ✆ 50 90 10 25, Fax 50 90 13 08, ≤, – ☎. GB. rest
R *(fermé dim. soir et lundi du 15 avril au 1er juil. et du 1er sept. au 20 déc.)* 90/190, enf. 50 – ☕ 30 – **20 ch** 150/260 – ½ P 240/265.

Morillon, ✆ 50 90 10 32, Fax 50 90 70 08, ≤, (été), – ☎. AE GB.
15 juin-10 sept. et 15 déc.-15 avril – **R** 75/120, enf. 40 – ☕ 30 – **25 ch** 190/250 – ½ P 230/300.

à Verchaix O : 6 km par D 907 – ✉ **74440** :

Chalet Fleuri, au village ✆ 50 90 10 11, ≤, – rest
1er juin-30 sept. et 20 déc.-10 avril – **R** 76/130, enf. 45 – ☕ 26 – **30 ch** 135/165 – ½ P 170/190.

Rouge Gorge, D 907 ✆ 50 90 16 77 – GB
fermé 15 au 30 juin, 15 au 30 nov., dim. soir et lundi sauf fév. et août – **R** 98/195.

à Salvagny SE : 9 km par D 907 et D 29 – ✉ **74740** Sixt-Fer-à-Cheval :

Le Petit Tetras, ✆ 50 34 42 51, Fax 50 34 12 02, ≤, – ☎. GB. rest
1er mai-20 sept. et 20 déc. -31 mars – **R** 85/180, enf. 52 – ☕ 35 – **26 ch** 190/300 – ½ P 300/320.

CITROEN Gar. Central ✆ 50 34 43 82 N

SAMOIS-SUR-SEINE **77920** S.-et-M. 61 ② 106 ㊻ **G. Ile de France** – 1 916 h. alt. 84.

Voir Ensemble★ (quai, île du Berceau) – Tour Dénecourt ✳★ SO : 5 km.

Paris 63 – Fontainebleau 9 – Melun 14 – Montereau-Faut-Yonne 21.

Host. Country Club , quai F.-D. Roosevelt ☏ (1) 64 24 60 34, Fax (1) 64 24 80 76, ←, ☂, ✂ – TV ☎ P – 30. GB. ch
fermé 23 déc. au 2 janv., dim. soir et lundi – **R** 135/210, enf. 55 – ☕ 35 – **16 ch** 250/340 – ½ P 260/320.

XXX **Maison de Champgosier,** à Samois-le-haut ☏ (1) 64 24 60 71, Fax (1) 64 24 80 93, ☂, – AE GB
fermé fév., lundi soir et mardi – **R** 150 (sauf week-ends)/190.

XX **Le Surcouf,** ☏ (1) 64 24 60 47, ☂ – GB
fermé 12 au 27 nov. et dim. soir de nov. à mars – **R** 85/165.

SAMOUSSY **02** Aisne 56 ⑤ – rattaché à Laon.

Promeneurs, campeurs, fumeurs,
Soyez prudents!
Le feu est le plus terrible ennemi de la forêt.

SANARY-SUR-MER **83110** Var 84 ⑭ **G. Côte d'Azur** – 14 730 h. alt. 20.

Voir Chapelle N.-D.-de-Pitié ←★ **B** – Site★ de N.-D.-de-Pépiole 5 km par ③.

Maison du Tourisme Jardins de la Ville ☏ 94 74 01 04.

Paris 827 ① – ◆ Toulon 12 ② – Aix-en-Provence 70 ① – La Ciotat 29 ① – ◆Marseille 54 ①.

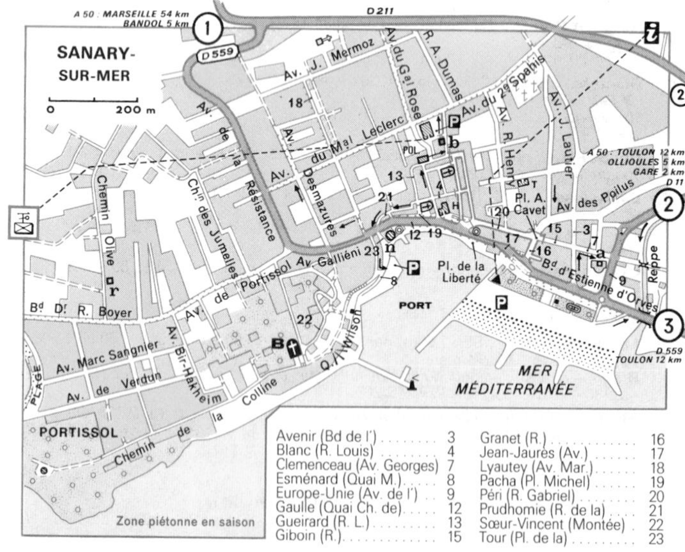

Gd H. des Bains, bd d'Estienne d'Orves **(a)** ☏ 94 74 13 47, Télex 430677, Fax 94 88 14 02, ←, – TV ☎ P. AE GB
R *(fermé lundi d'oct. à mars)* 120/230, enf. 54 – ☕ 54 – **30 ch** 365/495 – ½ P 385/430.

Tour, quai Gén. de Gaulle **(n)** ☏ 94 74 10 10, Fax 94 74 69 49, ←, ☂ – ☎. AE GB
R *(fermé 1er déc. au 10 janv. et mardi hors sais.)* 120/200 – ☕ 35 – **26 ch** 240/350 – ½ P 265/285.

Synaya , chemin Olive **(r)** ☏ 94 74 10 50, – ☎ P. GB. rest
15 mars-31 oct. – **R** (résidents seul.) – ☕ 28 – **11 ch** 190/230 – ½ P 175/210.

XX **Relais de la Poste,** pl. Poste **(b)** ☏ 94 74 22 20 – . AE GB
fermé 15 au 30 nov., 10 au 25 fév., dim. soir et lundi sauf juil.-août – **R** 165/250, enf. 80.

XX **Le Castel** M avec ch, rte Bandol : 3,5 km ☏ 94 29 82 98, Fax 94 32 53 32, ←, ☂ – TV ☎ P. AE GB. ch
fermé 2 au 31 janv. et dim. soir du 1er oct. au 30 avril – **R** 132/230 – ☕ 30 – **9 ch** 250/345 – ½ P 305/330.

SANCERRE 18300 Cher 65 ⑫ **G. Berry Limousin** – 2 059 h. alt. 312.

Voir Site★ – Esplanade de la porte César ≤★★ – Tour des Fiefs ✻★ – Carrefour D 923 et D 7 ≤★★ O : 4 km.

18 du Sancerrois ✆ 48 54 11 22 par ① puis D 955 : 4 km.

Syndicat d'Initiative à l'Hôtel de Ville ✆ 48 54 00 26 et Nouvelle Place (juin-sept.) ✆ 48 54 08 21.

Paris 197 ① – Bourges 47 ③ – La Charité-sur-Loire 25 ② – Salbris 70 ③ – Vierzon 66 ③.

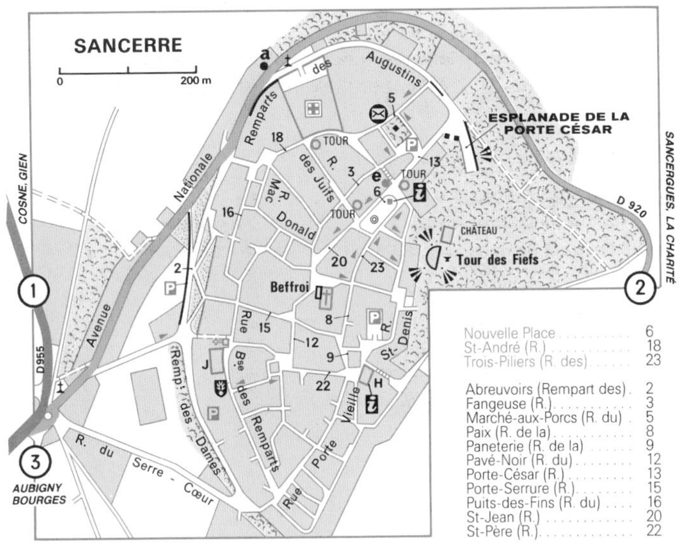

Panoramic M, rempart des Augustins **(a)** ✆ 48 54 22 44, Télex 783433, Fax 48 54 39 55, ≤, 🏊 – 🛗 TV ☎ ♿ – 🎪 80. AE GB
Tasse d'Argent ✆ 48 54 01 44 *(fermé 2 au 30 janv. et merc. de nov. à mars)* **R** 90/270, enf. 47 – ☕ 30 – **55 ch** 240/320 – ½ P 260/320.

XXX **La Tour,** pl. Halle **(e)** ✆ 48 54 00 81 – AE GB
fermé lundi soir et mardi sauf juil.-août – **R** 110/310, enf. 65.

à St-Satur par ① : 3 km – ✉ **18300** :

Verger Fleuri 🐎, 22 r. Basse des Moulins ✆ 48 54 31 82, Fax 48 54 38 42, 🍽, 🌳 – TV ☎ **P**. AE GB
fermé 2 au 15 janv. – **R** *(fermé lundi soir et mardi)* 80/175 – ☕ 32 – **11 ch** 240/280 – ½ P 200/220.

Le Laurier, 29 r. Commerce ✆ 48 54 17 20 – TV ☎. GB
fermé 15 au 30 nov., fév., dim. soir et lundi – **R** 70/250 🍷, enf. 50 – ☕ 30 – **8 ch** 100/260 – ½ P 140/260.

à St-Thibault par ① et D 4 : 4 km – ✉ **18300** Sancerre :

XX **L'Étoile,** quai Loire ✆ 48 54 12 15, ≤, 🍽 – **P**
10 mars-15 nov. et fermé merc. sauf juil.-août – **R** 105/320.

X L'Auberge avec ch, 37 r. J. Combes ✆ 48 54 13 79, 🍽
5 ch.

CITROEN Gar. Declomesnil, à St-Satur par ① ✆ 48 54 11 34
PEUGEOT-TALBOT Gar. Cotat-Mulhausen, par ③ ✆ 48 54 00 62
RENAULT Bonlieu, rte de Bourges par ③ ✆ 48 54 12 82 N ✆ 48 54 32 91
RENAULT Gar. Pinglot, à St-Satur par ① ✆ 48 54 11 59

SANCOINS **18600** Cher 69 ③ **G. Berry Limousin** – 3 634 h. alt. 206.

Syndicat d'Initiative r. M.-Lucas (juin-sept.) ✆ 48 74 65 85.

Paris 297 – Bourges 53 – Moulins 48 – Montluçon 69 – Nevers 32 – St-Amand-Montrond 38.

Parc sans rest, r. M. Audoux ✆ 48 74 56 60 – ☎ 🚗 **P**. ✻
fermé 2 au 16 janv. – ☕ 22 – **11 ch** 160/220.

CITROEN Central Gar., 2 bis r. M.-Audoux ✆ 48 74 50 42 **N**

SANCY (Puy de) **63** P.-de-D. 73 ⑬ – voir ressources hôtelières au **Mont-Dore.**

SAND **67230** B.-Rhin 62 ⑩ – 941 h. alt. 143.

Paris 502 – ♦ Strasbourg 29 – Barr 13 – Erstein 7,5 – Molsheim 25 – Obernai 14 – Sélestat 20.

Host. La Charrue , ✆ 88 74 42 66, Fax 88 74 12 02 – TV ☎ **P**. AE GB. ✻
fermé 20 au 30 juil., 21 au 27 déc., 24 fév. au 9 mars, dim. soir et lundi – **R** 95/160 – ☕ 30 – **26 ch** 230 – ½ P 220.

SANDARVILLE **28** E.-et-L. – rattaché à Bailleau-le-Pin.

SANGUINET **40460** Landes 78 ③ **G. Pyrénées Aquitaine** – 1 695 h. alt. 24.

Paris 648 – ♦ Bordeaux 59 – Arcachon 26 – Belin-Beliet 25 – Mimizan 39 – Mont-de-Marsan 92.

Les Eaux qui Rient , au lac ✆ 58 78 61 15, ←, – AE. ✻ rest
hôtel : 15 mars-15 nov. ; rest. : 17 mars-30 nov. – **R** 100/130 – ☕ 26 – **11 ch** 240 – ½ P 225.

SAN-PEIRE-SUR-MER **83** Var 84 ⑰ ⑱ – rattaché aux Issambres.

Antes de ponerse en carretera, consulte el ***mapa Michelin***
nº **911** *"FRANCIA - Grandes Itinerarios".*
En él encontrará :
– distancias kilométricas,
– duraciones medias de los recorridos,
– zonas de "atascos" e itinerarios alternativos,
– gasolineras abiertas durante las 24 horas del dia...
Su viaje será más económico y seguro.

SANTENAY **41190** L.-et-Ch. 64 ⑥ – 229 h. alt. 115.

Paris 199 – ♦ Tours 43 – Amboise 24 – Blois 17 – Château-Renault 17 – Herbault 5 – Vendôme 28.

Union, ✆ 54 46 11 03 – **P**. GB. ✻
fermé fév., dim. soir et lundi – **R** 60/220 , enf. 45 – ☕ 26 – **5 ch** 220 – ½ P 220.

Le SAPPEY-EN-CHARTREUSE **38700** Isère 77 ⑤ **G. Alpes du Nord** – 762 h. alt. 940 – Sports d'hiver au Sappey et au Col de Porte : 1 000/1 700 m 12 .

Env. Charmant Som ✻★★★ NO : 9 km puis 1 h.

Paris 584 – ♦ Grenoble 13 – Chambéry 52 – St-Pierre-de-Chartreuse 14 – Voiron 38.

Skieurs , ✆ 76 88 80 15, Fax 76 88 85 76, ←, , , – TV ☎ **P** – 50. GB
fermé 31 mars au 2 mai et 27 oct. au 27 déc. – **R** *(fermé dim. soir et lundi sauf vacances scolaires)* 118/260 – ☕ 40 – **18 ch** 200/310.

Le Pudding, ✆ 76 88 80 26, – GB. ✻
fermé 20 nov. au 10 déc., dim. soir et lundi – **Repas** 125/295, enf. 65.

SARCEY **69490** Rhône 73 ⑨ – 690 h. alt. 358.

Paris 458 – Roanne 53 – ♦ Lyon 33 – Tarare 11,5 – Villefranche-sur-Saône 22.

Chatard M , ✆ 74 26 85 85, Fax 74 26 89 99, , , , – TV ☎ & **P** – 30. GB
fermé 2 au 10 janv. – **R** 140/200, enf. 50 – ☕ 40 – **38 ch** 200/300 – ½ P 200/245.

SARE **64310** Pyr.-Atl. 85 ② **G. Pyrénées Aquitaine** – 2 054 h. alt. 70.

Paris 799 – Biarritz 25 – Cambo-les-Bains 19 – Pau 134 – St-Jean-de-Luz 13 – St-Pée-sur-Nivelle 8.

Arraya, ✆ 59 54 20 46, Fax 59 54 27 04, , « Cadre rustique basque, jardin » – TV ☎ **P**. AE GB. ✻ ch
1er mai-2 nov. – **R** 150/230, enf. 60 – ☕ 50 – **20 ch** 450/550 – ½ P 420/490.

Pikassaria , S : 2 km par VO ✆ 59 54 21 51, ←, – ☎ **P**. GB
22 mars-15 nov. et fermé merc. d'oct. à juin – **R** 85/155, enf. 62 – ☕ 25 – **37 ch** 185/265 – ½ P 200.

SARLAT-LA-CANÉDA ⟨SP⟩ **24200** Dordogne **75** ⑰ **G. Périgord Quercy** – 9 909 h. alt. 145.

Voir Vieux Sarlat★★ : place des Oies★ Y, rue des Consuls★ Y, hôtel Plamon★ Y **E**, hôtel de Malleville★ Y **B**, maison de La Boétie★ Z **D** – Musée-aquarium★ Y **M**[1].

Env. Décor★ et mobilier★ du château de Puymartin NO : 7 km par ④.

de Rochebois à Vitrac ✆ 53 28 18 01, par ③ : 6 km.

Office de Tourisme pl. Liberté ✆ 53 59 27 67 et av. Gén.-de-Gaulle (juil.-août) ✆ 53 59 18 87.

Paris 522 ① – Brive-la-Gaillarde 52 ① – Bergerac 74 ③ – Cahors 62 ③ – Périgueux 66 ④.

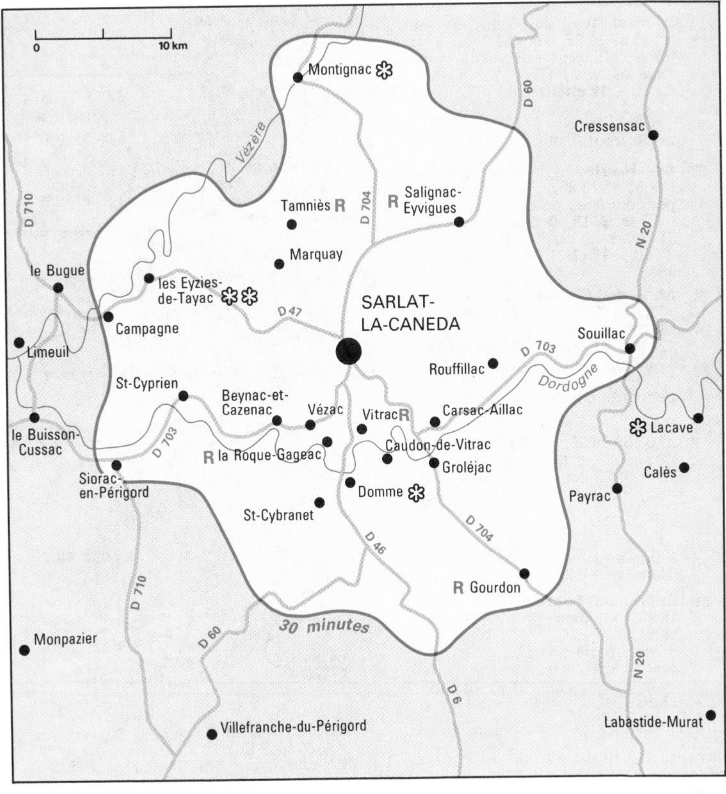

de Selves M sans rest, 21 av. de Selves ✆ 53 31 50 00, Fax 53 31 23 52, ⊡, – ▮ ▤ ▢ ☎ ♿ – 30. AE ⓓ GB — Y **v**
fermé mi-janv. à mi-fév. – ☐ 35 – **40 ch** 320/420.

La Madeleine, 1 pl. Petite Rigaudie ✆ 53 59 10 41, Fax 53 31 03 62, – ▮ ▤ ch ▢ ☎. AE ⓓ GB — Y **e**
hôtel : 16 mars-11 nov. ; rest. : 30 mars-11 nov. – **R** 130/295, enf. 65 – ☐ 41 – **19 ch** 275/355, 3 appart. 420 – ½ P 335/404.

St Albert et Montaigne (annexe M), pl. Pasteur ✆ 53 59 01 09, Fax 53 59 19 99 – ▮ ▤ rest ▢ ☎ – 25. AE ⓓ GB. ✂ ch — Z **n**
fermé lundi (sauf hôtel) et dim. soir du 2 nov. au 3 avril – **R** 108/220 – ☐ 38 – **61 ch** 220/300 – ½ P 260/300.

La Couleuvrine, 1 pl. Bouquerie ✆ 53 59 27 80, Fax 53 31 26 83 – ▮ ☎. AE ⓓ GB
fermé 15 au 30 nov. et 10 au 31 janv. – **R** 95/190, enf. 56 – ☐ 32 – **26 ch** 190/340 – ½ P 225/300. — Y **d**

Salamandre sans rest, r. Abbé Surguier ✆ 53 59 35 98, Télex 571587, Fax 53 31 22 32, – ▢ ☎. AE ⓓ GB. ✂ — Z **s**
☐ 30 – **30 ch** 300/360.

Compostelle sans rest, 18 av. Selves ✆ 53 59 08 53 – TV ☎. GB Y r
11 avril-11 nov. – ☕ 32 – **12 ch** 230/270.

Mas del Pechs M 🐦, Les Pechs, E : 1,5 km par VO ✆ 53 31 12 11, 🪑 – TV ☎ ♿ P. AE ⦿ GB
R (résidents seul.) 70/180 🍷, enf. 50 – ☕ 30 – **14 ch** 270/300 – ½ P 225/250.

Marcel avec ch, 8 av. Selves ✆ 53 59 21 98 – ☎. GB Y a
15 fév.-15 nov. – **R** *(fermé lundi sauf juil.-août)* 65/210 🍷, enf. 40 – ☕ 30 – **12 ch** 180/240 – ½ P 190/220.

au Sud par ② et C 1 : 2 km :

La Hoirie 🐦, ✆ 53 59 05 62, Fax 53 31 13 90, ⛱, « Maisons périgourdines dans un parc », 🏊 – TV ☎ P. AE ⦿ GB. 🚫 rest
15 mars-12 nov. – **R** 130/280 – ☕ 50 – **15 ch** 320/520 – ½ P 360/460.

Mas de Castel 🐦 sans rest, ✆ 53 59 02 59, 🏊, 🪑 – ☎ P. AE ⦿ GB. 🚫
12 avril-11 nov. – ☕ 28 – **13 ch** 190/340.

par route des Eyzies, ④ : 3 km :

Host. Meysset 🐦, ✆ 53 59 08 29, Fax 53 28 47 61, ≤, ⛱, parc – ☎ P. AE ⦿ GB
25 avril-10 oct. – **R** *(fermé merc. midi)* 165/250 – ☕ 50 – **22 ch** 375/448, 4 appart. 685 – ½ P 400/440.

à Carsac-Aillac par ② et D 704 : 9 km – ✉ **24200** :

Relais du Touron 🐦, ✆ 53 28 16 70, ⛱, parc, 🏊 – ☎ P. GB. 🚫 rest
hôtel : 16 mars-14 nov. ; rest. : 1er avril-14 nov. et fermé mardi midi, merc. midi et jeudi – **R** 85 – ☕ 36 – **12 ch** 320/355 – ½ P 258/291.

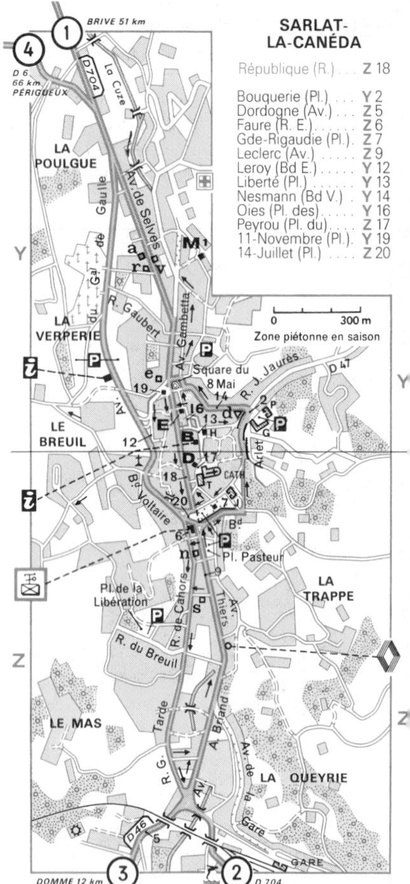

CITROEN Sarlat-Autos, rte de Vitrac par ③ ✆ 53 59 10 64
FIAT-LANCIA-AUTOBIANCHI Lacombe, 23 bis av. de Selves ✆ 53 59 00 93
FORD Fournet, rte de Vitrac ✆ 53 59 05 23 N ✆ 53 59 07 35
OPEL Marchese, 13 bis r. A.-Briand ✆ 53 59 37 67

PEUGEOT-TALBOT S.M.A.S., av. Dordogne par ③ ✆ 53 59 10 75 N ✆ 53 31 90 91
RENAULT Robert, 33 av. Thiers ✆ 53 59 35 21

Sarladaise du Pneu, ZI de Madrazés ✆ 53 31 08 59
Service du Pneu, rte du Lot ✆ 53 59 00 33

SARLIAC-SUR-L'ISLE 24420 Dordogne 75 ⑥ – 798 h. alt. 102.

Paris 483 – Périgueux 14 – Brive-la-Gaillarde 65 – ♦Limoges 88.

Chabrol 🐦, ✆ 53 07 83 39, ⛱ – GB. 🚫
fermé sept. et lundi sauf de juin à août – **R** 65/220 🍷 – ☕ 25 – **10 ch** 100/200.

SARRAS 07370 Ardèche 77 ① – 1 837 h. alt. 134.

Voir De la D 506 coup d'oeil★★ sur le défilé de St-Vallier★ S : 5 km, **G. Vallée du Rhône.**

Paris 531 – Valence 33 – Annonay 19 – ♦Lyon 71 – ♦St-Étienne 59 – Tournon-sur-Rhône 16.

Vivarais, ✆ 75 23 01 88, ⛱ – ☎ P
fermé 1er fév. au 10 mars et mardi – **R** 70/170 🍷 – ☕ 25 – **10 ch** 140/205.

Commerce, ✆ 75 23 03 88 – 🚗. GB. 🚫 ch
fermé 11 oct. au 16 nov., dim. soir et lundi midi – **R** 60/110 🍷 – ☕ 18 – **11 ch** 90/170.

SARREBOURG <SP> **57400** Moselle 62 ⑧ **G. Alsace Lorraine** – 13 311 h. alt. 250.

Voir Vitrail★ dans la chapelle des Cordeliers **B**.

ℹ Office de Tourisme Chapelle des Cordeliers ✆ 87 03 11 82.

Paris 426 ④ – ◆Strasbourg 72 ② – Épinal 85 ④ – Lunéville 53 ④ – ◆Metz 93 ④ – St-Dié 68 ④ – Sarreguemines 53 ①.

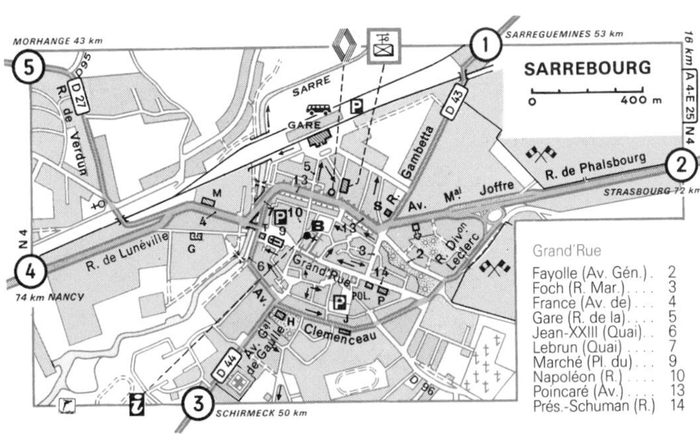

Les Cèdres Ⓜ, par ③ et chemin d'Imling : 3 km ✆ **87 03 55 55, Télex 861533, Fax 87 03 66 33**, – 📺 ☎ ♿ – 100. AE GB
fermé 3 au 16 août, 23 déc. au 5 janv., sam. midi et dim. soir – **R** 65/196 – ☕ 35 – **44 ch** 300/330 – ½ P 245.

✕✕ ✿ **Mathis,** 7 r. Gambetta **(s)** ✆ 87 03 21 67 – GB
fermé 27 juil. au 13 août, 2 au 8 janv., dim. soir, mardi soir et lundi sauf fériés le midi – **R** 165/350 ♂
Spéc. Foie gras cuit au torchon, Suprême de sandre beurre blanc, Gibier (saison). **Vins** Sylvaner, Riesling.

CITROEN Gar. Oblinger, N 4 par ④ ✆ 87 23 89 56
FIAT Europ'Auto, ZA rte de Niderviller ✆ 87 03 22 12
FORD Gar. du Deux Sarres, pl. de la Gare ✆ 87 03 32 60
PEUGEOT-TALBOT Sarrebourg-Auto, N 4, à Imling par ④ ✆ 87 23 89 66 **N** ✆ 87 03 23 23

RENAULT Billiar, 25 av. Poincaré ✆ 87 23 22 22
V.A.G Gar. Lett Automobiles, rte de Hesse ✆ 87 03 14 02

Kautzmann, 5 r. Dr-Schweitzer ✆ 87 03 23 53
Pneus et Services D.K., voie A.-Malraux ✆ 87 03 21 87

No se ponga en camino sin conocer la duración de su viaje.
El mapa Michelin nº **911** *es "el mapa para ganar tiempo".*

SARREGUEMINES <SP> **57200** Moselle 57 ⑯ ⑰ **G. Alsace Lorraine** – 23 117 h. alt. 220.

Voir Musée : jardin d'hiver★★, collection de céramiques★ BY **M**.

ℹ Office de Tourisme r. Maire-Massing ✆ 87 98 80 81.

Paris 396 ③ – ◆Strasbourg 105 ② – Colmar 151 ② – Épinal 137 ② – Karlsruhe 138 ① – Lunéville 92 ② – ◆Metz 68 ③ – ◆Nancy 89 ② – St-Dié 120 ② – Saarbrücken 18 ③.

Plan page suivante

Alsace et Rôtisserie Ducs de Lorraine, 10 r. Poincaré ✆ **87 98 44 32, Fax 87 98 43 79,** – 📺 ☎ – 30. AE ⓓ GB JCB. ABY **r**
R *(fermé dim. soir)* 90/295 ♂ - **La Taverne R** carte environ 160 ♂, enf. 35 – ☕ 37 – **28 ch** 285/350.

Deux Étoiles sans rest, 4 r. Gén. Crémer ✆ 87 98 46 32 – ☎. GB AY **a**
☕ 22 – **18 ch** 130/235.

✕ **Laroche,** 3 pl. Gare ✆ 87 98 03 23 – GB ABZ **x**
fermé 11 juil. au 1er août, 23 déc. au 8 janv., vend. soir et sam. – **R** 65/180 ♂.

*à **Woelfling-lès-Sarreguemines*** par ① et rte de Bitche : 11 km – ✉ **57200** :

✕✕ **Pascal Dimofski,** N 62 ✆ 87 02 38 21, – . AE ⓓ GB
fermé 23 sept. au 8 oct., vacances de fév., lundi soir et mardi – **R** 160/330 ♂, enf. 65.

*à **Neufgrange*** au S par D 919 BZ : 3 km – ✉ **57910** :

✕✕✕ **Aub. du Grillon,** 1 r. Tuilerie ✆ 87 98 43 60 – . AE ⓓ GB
fermé 26 juil. au 17 août, dim. soir et lundi – **R** 110/340, enf. 80.

SARREGUEMINES

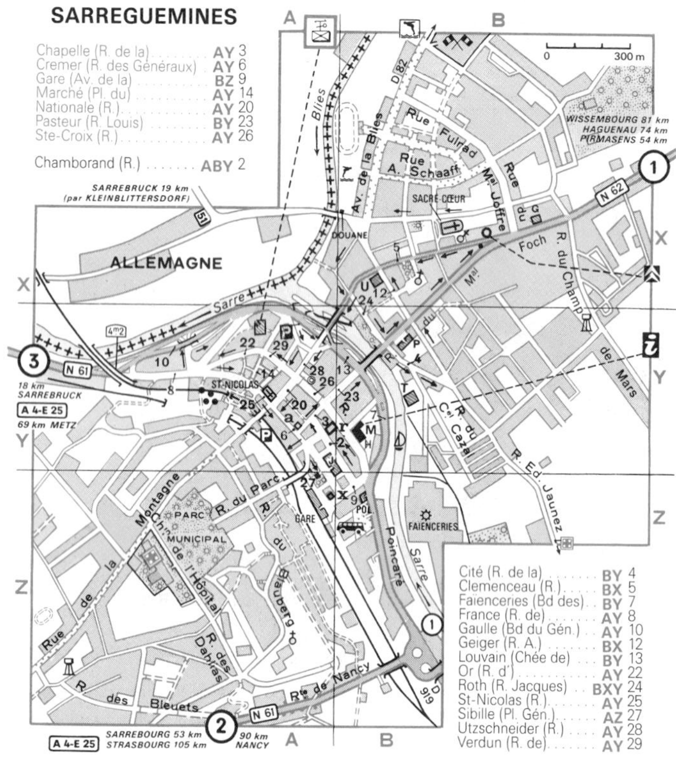

par ③ : 2 km – ✉ **57200** Sarreguemines :

XXX ✿ **Aub. St-Walfrid** (Schneider), rte Grosbliederstroff ✆ 87 98 43 75, Fax 87 95 76 75, 🏞, 🚭 – **P**. GB
fermé 1er au 15 août, 1er au 15 janv., dim. et lundi – **R** 250/350 🍷
Spéc. Jambon fumé à l'ancienne. Filet de rascasse aux petits légumes et poivrons doux. Escalope de chevreuil Grand Veneur (juin à janv.). **Vins** Côtes de Toul gris et rouge.

XXX **Vieux Moulin,** 135 r. France ✆ 87 98 22 59 – **P**. GB
fermé 15 août au 3 sept., mardi et merc. – **R** 110/320 🍷.

BMW Gar. Haas, ZI r. des Frères Lumière ✆ 87 95 06 26 **N** ✆ 87 95 25 31
CITROEN Gar. Herber, 79 r. Clemenceau ✆ 87 98 84 81
FORD Salon de l'Auto, 29 r. Poincaré ✆ 87 98 49 30
NISSAN Bang Sarreguemines, 17 av. Gare ✆ 87 95 63 93
OPEL S.A.M.A., à Grosbliederstroff ✆ 87 98 10 04

PEUGEOT-TALBOT Derr, r. Gutenberg ZI par ① ✆ 87 95 67 94
RENAULT Gar. Rebmeister, ZI r. Frères-Lumière par ① ✆ 87 95 10 88 **N** ✆ 05 05 15 15
V.A.G Gd Gar. Niederlender, 1 A rte de Nancy ✆ 87 98 54 78

Ⓦ APS, ZI r. Gutenberg ✆ 87 98 16 00
Relais du Pneu, 120 av. Foch ✆ 87 95 18 24

SARRE-UNION 67260 B.-Rhin 57 ⑰ – 3 159 h. alt. 240.

Paris 409 – ◆Strasbourg 83 – Lunéville 71 – ◆Metz 81 – ◆Nancy 77 – St-Avold 38 – Sarreguemines 24.

🏠 **Au Cheval Noir,** r. Phalsbourg ✆ 88 00 12 71, Fax 88 00 19 09 – TV ☎ **P** – 🏊 80. AE ⓪ GB. ✂ ch
fermé 1er au 21 oct. – **R** *(fermé lundi)* 50/250 🍷 – ☕ 30 – **20 ch** 95/225.

SE : 9 km par N 61 – ✉ **67320** Berg :

🏠 **Relais du Kirchberg** M, N 61 ✆ 88 00 60 60, Fax 88 00 76 45, ← – TV ☎ **P**. GB
fermé vacances de fév. – **R** 70/138 🍷 – ☕ 35 – **10 ch** 150/280, 5 duplex 320 – ½ P 190/280.

CITROEN Gar. Stutzmann ✆ 88 00 10 70 **N**

Ⓦ Weiss-Pneus, à Diemeringen ✆ 88 00 42 60

SARS-POTERIES 59216 Nord 53 ⑥ G. Flandres Artois Picardie – 1 496 h. alt. 176.

Voir Musée du Verre★.

Paris 218 – St-Quentin 77 – Avesnes-sur-Helpe 10 – Charleroi 43 – ◆Lille 105 – Maubeuge 16.

H. Fleuri sans rest, ☏ 27 61 62 72, – ☎ P. GB.
fermé 22 déc. au 6 janv. – ☕ 30 – **11 ch** 170/275.

XXX ✿ **Auberge Fleurie** (Lequy), ☏ 27 61 62 48, Fax 27 59 32 16 – P. AE ⓓ GB
fermé 21 au 31 août, 15 janv. à début fév., dim. soir et lundi sauf fériés – **R** (nombre de couverts limité - prévenir) 150/300
Spéc. Huîtres chaudes au curry, Blanc de sandre au vieux genièvre de Houlle, Agneau de lait rôti (déc. à mai).

SARTROUVILLE 78 Yvelines 55 ⑳, 106 ⑱ – voir à Paris, Environs.

SARZEAU 56370 Morbihan 63 ⑬ G. Bretagne – 4 972 h. alt. 21.

Voir Ruines★ du château de Suscinio SE : 3,5 km – Presqu'île de Rhuys★.

18 Kerver ☏ 97 45 30 09, O par D 780 : 7 km.

Syndicat d'Initiative Bâtiment des Trinitaires, r. G.-de-Gaulle (fermé après-midi hors saison) ☏ 97 41 82 37.

Paris 475 – Vannes 22 – ◆Nantes 110 – Redon 62.

à St-Colombier NE : 4 km par D 780 – ✉ 56370 Sarzeau :

X **Le Tournepierre,** ☏ 97 26 42 19 – GB
fermé 15 au 30 nov., dim. soir et lundi hors sais. – **R** 130/250, enf. 65.

à Penvins SE : 7 km par D 198 – ✉ 56370 Sarzeau :

Mur du Roy, ☏ 97 67 34 08, ←, – ☎ ♿ P
fermé janv., lundi soir (sauf hôtel) et mardi sauf juil.-août – **R** 95/180 – ☕ 31 – **10 ch** 245/275 – ½ P 244/258.

à la Grée-Penvins SE : 7,5 km par D 198 – ✉ 56370 Sarzeau :

XXX **Espadon,** ☏ 97 67 34 26, Fax 97 67 38 43, « Auberge rustique » – P. AE ⓓ GB JCB
fermé 15 au 30 janv., dim. soir et lundi du 11 nov. à Pâques – **Repas** 99/320, enf. 70.

CITROEN Clinchard, rte de St-Gildas ☏ 97 41 81 23 RENAULT Pépion, 17 r. Venetes ☏ 97 41 84 12

SASSENAGE 38 Isère 77 ④ – rattaché à Grenoble.

SASSETOT-LE-MAUCONDUIT 76540 S.-Mar. 52 ⑫ – 944 h. alt. 80.

Paris 204 – Bolbec 28 – Fécamp 15 – ◆Rouen 63 – St-Valéry-en-Caux 20 – Yvetot 27.

XX **Relais des Dalles,** près château ☏ 35 27 41 83, , « Jardin fleuri » – AE GB JCB
fermé 23 nov. au 11 déc., mardi soir et merc. sauf juil.-août – **R** (dim. prévenir) 113/190.

SATHONAY-CAMP 69 Rhône 74 ⑫ – rattaché à Lyon.

SATILLIEU 07290 Ardèche 76 ⑨ – 1 818 h. alt. 476.

Paris 548 – Valence 47 – Annonay 13 – Lamastre 37 – Privas 87 – St-Vallier 20 – Tournon-sur-Rhône 30 – Yssingeaux 53.

Julliat-Roche, ☏ 75 34 95 86, , – rest TV ☎ . AE ⓓ GB
fermé dim. soir hors sais. – **R** 75/168 – ☕ 30 – **10 ch** 200/300 – ½ P 200/260.

à St-Romain-d'Ay NE : 4,5 km par D 578^A et D 6 – ✉ 07290 :

XX **Régis Poinard** avec ch, ☏ 75 34 42 01, Fax 75 34 48 23, , , , – ☎. GB. ch
hôtel : fermé 1er janv. au 30 mars, dim. soir et lundi ; rest. : fermé 15 janv. au 20 fév., dim. soir et lundi – **R** 120/280 – ☕ 30 – **8 ch** 230/260 – ½ P 250.

SAUGUES 43170 H.-Loire 76 ⑯ G. Auvergne – 2 089 h. alt. 960.

Syndicat d'Initiative à la Mairie (juil.-15 sept.) ☏ 71 77 84 46.

Paris 537 – Le Puy-en-Velay 44 – Brioude 50 – Mende 72 – St-Chély-d'Apcher 36 – St-Flour 51.

La Terrasse, ☏ 71 77 83 10 – ☎. GB. rest
fermé 14 au 21 oct., 2 janv. au 1er fév. et lundi hors sais. – **R** 72/198, enf. 40 – ☕ 27 – **17 ch** 150/250 – ½ P 160/181.

SAUJON 17600 Char.-Mar. 71 ⑮ – 4 891 h. alt. 5 – Stat. therm..

Syndicat d'Initiative pl. Ch.-de-Gaulle ☏ 46 02 83 77.

Paris 495 – Royan 12 – ◆Bordeaux 117 – Marennes 25 – Rochefort 33 – La Rochelle 67 – Saintes 28.

Commerce, r. Saintonge ☏ 46 02 80 50, – ☎ P. GB
15 mars-15 déc. et fermé dim. soir et lundi hors sais. – **R** 75/145 – ☕ 27 – **19 ch** 144/278 – ½ P 215/285.

au Gua N : 6 km par D 1 – ✉ 17600 :

Moulin de Châlons, Châlons O : 1 km rte Royan ☏ 46 22 82 72, Fax 46 22 91 07, , parc, « Ancien moulin à marée du 18e siècle » – ☎ P. AE ⓓ GB
8 mai-20 sept. et fermé merc. midi et mardi sauf juil.-août – **R** 140/380, enf. 55 – ☕ 52 – **14 ch** 350/480 – ½ P 395/456.

XX **La Galiote** avec ch, Châlons O : 1 km rte Royan ☏ 46 22 81 94, 余 – ☎ 🅿. GB
fermé 1er au 15 oct., merc. soir et jeudi hors sais. – **R** 120/220, enf. 39 – ☕ 30 – **10 ch** 140/290 – ½ P 220/255.

CITROEN Central Gar. ☏ 46 02 80 25

SAULCE-SUR-RHÔNE 26270 Drôme 77 ⑪ – 1 443 h. alt. 103.

Paris 591 – Valence 31 – Crest 22 – Montélimar 18 – Privas 25.

La Capitelle 🔇, à Mirmande SE : 3 km ☏ 75 63 02 72, Fax 75 63 02 50, <, 余, « Demeure ancienne » – ☎. ◑ GB. ✻ rest
fermé 15 nov. au 15 janv., merc. midi et mardi – **R** 142/195, enf. 58 – ☕ 40 – **10 ch** 420 – ½ P 292/392.

Clutier, aux Reys de Saulce S : 1 km sur N 7 ☏ 75 63 00 22, Fax 75 63 12 60, 余, 🏊, 🌳 – ▤ rest 📺 ☎ 🚗 🅿 – 🎪 50. GB
fermé 13 au 20 oct., 19 déc. au 20 janv., dim. soir hors sais. et lundi – **R** 65/180 🍷, enf. 50 – ☕ 23 – **20 ch** 180/300 – ½ P 200/260.

SAULCHOY 62870 P.-de-C. 51 ⑫ – 260 h. alt. 13.

Paris 216 – ◆Calais 84 – Abbeville 31 – Arras 77 – Berck-sur-Mer 22 – Doullens 43 – Hesdin 17 – Montreuil 16.

XX **Val d'Authié**, ☏ 21 90 30 20, 余 – GB. ✻
fermé jeudi d'oct. à avril sauf fériés – **R** 75 bc/150 🍷.

SAULGES 53340 Mayenne 60 ⑪ **G. Normandie Cotentin** – 333 h. alt. 80.

Paris 248 – ◆Le Mans 51 – Château-Gontier 36 – La Flèche 46 – Laval 35 – Mayenne 42.

Ermitage M 🔇, ☏ 43 90 52 28, Télex 723405, Fax 43 90 56 61, 余, 🚲, 🏊, 🌳 – 📺 ☎ ♿ 🅿 – 🎪 60. AE ◑ GB
fermé 10 fév. au 1er mars, dim. soir et lundi du 1er oct. au 31 mars – **R** 90/280, enf. 60 – ☕ 40 – **35 ch** 260/390 – ½ P 280/380.

SAULIEU 21210 Côte-d'Or 65 ⑰ **G. Bourgogne** – 2 917 h. alt. 514.

Voir Basilique St-Andoche★ – Le Taureau★ par Pompon.

ℹ Maison du Tourisme r. d'Argentine ☏ 80 64 00 21.

Paris 249 ① – ◆Dijon 73 ② – Autun 41 ④ – Avallon 38 ① – Beaune 64 ② – Clamecy 76 ①.

SAULIEU

Marché (R. du) 17

Abattoir (R. de l') 2
Argentine (R. d') 3
Bertin (R. J.) 4
Collège (R. du) 6
Courtépée (R.) 7
Foire (R. de la) 8
Gambetta (R.) 10
Gare (Av. de la) 12
Gaulle (Pl. Ch. de) 14
Grillot (R.) 15
Sallier (R.) 18
Tanneries (R. des) 20
Vauban (R.) 21

Les localités citées dans le guide Michelin sont soulignées de rouge sur les cartes Michelin à 1/200 000.

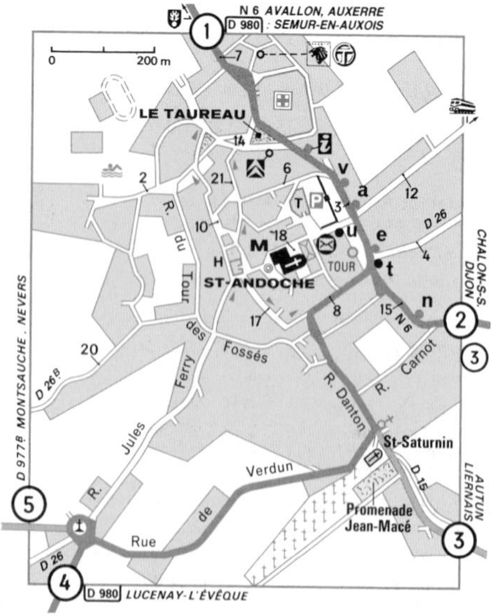

N 6 AVALLON, AUXERRE
D 980 : SEMUR-EN-AUXOIS
LE TAUREAU
ST-ANDOCHE
CHALON-S-S. DIJON
AUTUN LIERNAIS
D 977B MONTSAUCHE, NEVERS
D 980 LUCENAY-L'ÉVÊQUE
St-Saturnin
Promenade Jean-Macé

Côte d'Or (Loiseau) M 🔇, 2 r. Argentine (e) ☏ 80 64 07 66, Télex 350778, Fax 80 64 08 92, « Élégante hostellerie », 🌳 – ⇆ rest 📺 ☎ 🚗 – 🎪 25. AE ◑ GB
fermé 2 au 13 mars, 23 nov. au 17 déc., mardi midi et lundi du 1er nov. au 31 mars – **R** 390/690 et carte 500 à 850, enf. 90 – ☕ 90 – **16 ch** 260/600, 4 appart., 3 duplex
Spéc. Jambonnettes de grenouilles à la purée d'ail, Sandre à la fondue d'échalote sauce au vin rouge, Blanc de volaille au foie gras chaud et aux truffes. **Vins** Chablis, Savigny-les-Beaune.

Poste, 1 r. Grillot **(t)** ✆ 80 64 05 67, Télex 350540, Fax 80 64 10 82 – ▤ rest TV ☎ P – 40. AE ① GB
R 138/298, enf. 60 – ☕ 33 – **48 ch** 170/455 – ½ P 320/380.

Tour d'Auxois, square A. Dumaine **(u)** ✆ 80 64 13 30, – P. GB
fermé 14 au 22 juin, 4 au 12 oct., 5 janv. au 4 fév., dim. soir et lundi – **R** 75/140, enf. 50 – ☕ 22 – **20 ch** 90/170.

Borne Impériale avec ch, 16 r. Argentine **(v)** ✆ 80 64 19 76, – ☎ P. GB
fermé 15 nov. au 15 déc., mardi soir et merc. – **R** 98/260 bc, enf. 65 – ☕ 35 – **7 ch** 180/260.

Aub. du Relais avec ch, 8 r. Argentine **(a)** ✆ 80 64 13 16, Fax 80 64 08 33 – AE GB
R 95/195 bc, enf. 62 – ☕ 28 – **5 ch** 200/240 – ½ P 215/260.

Vieille Auberge avec ch, 17 r. Grillot **(n)** ✆ 80 64 13 74 – P. GB
fermé 1er déc. au 15 janv., mardi soir et merc. sauf du 15 juil. au 1er sept. – **R** 68/160 – ☕ 28 – **6 ch** 100/250.

CITROEN Gar. de l'Étape ✆ 80 64 17 99
RENAULT S.C.A.S.A., par ② ✆ 80 64 03 45 N
Gar. Moderne, ✆ 80 64 08 08

SAULT 84390 Vaucluse 81 ⑭ G. Alpes du Sud – 1 206 h. alt. 765.

Env. Gorges de la Nesque★★ : belvédère★★ SO : 11 km par D 942 – Mont Ventoux ※★★★ NO : 26 km.

Office de Tourisme av. Promenade (saison) ✆ 90 64 01 21.

Paris 718 – Digne 90 – Aix-en-Provence 82 – Apt 31 – Avignon 65 – Carpentras 40 – Gap 102.

Deffends, rte St-Trinit ✆ 90 64 01 41, ←, – TV ☎ P
10 ch.

Albion sans rest, ✆ 90 64 06 22 – ☎. GB
1er avril-31 oct. – ☕ 30 – **10 ch** 240/260.

à Aurel N : 5 km par D 942 – ✉ 84390 :

Relais du Ventoux, ✆ 90 64 00 62 – GB
1er mars-30 nov. et fermé vend. – **R** 85/125, enf. 40 – ☕ 30 – **14 ch** 135/190 – ½ P 220/240.

RENAULT Gar. de la Lavande ✆ 90 64 02 41

SAULX-LES-CHARTREUX 91 Essonne 60 ⑩, 101 ㉞ – voir à Paris, Environs (Longjumeau).

SAULZET-LE-CHAUD 63 P.-de-D. 73 ⑭ – rattaché à Ceyrat.

SAUMUR SP 49400 M.-et-L. 64 ⑫ G. Châteaux de la Loire – 30 131 h. alt. 30.

Voir Château★★ : musée d'Arts décoratifs★★, musée du Cheval★, tour du Guet ※★ BZ – Église N.-D.-de-Nantilly★ : tapisseries★★ BZ – Vieux quartier★ BY : Hôtel de ville★ H, Tapisseries★ de l'église St-Pierre – Musée de la Cavalerie★ AY **M**[1] – Musée des Blindés★ AY **M**[2].

18 de Loudun (86) ✆ 49 98 78 06, par ③ : 18,5 km.

Office de Tourisme et Accueil de France (Informations, change et réservations d'hôtels pas plus de 5 jours à l'avance) avec A.C. pl. Bilange ✆ 41 51 03 06, Télex 722386.

Paris 310 ① – Angers 49 ⑥ – Châtellerault 77 ③ – Cholet 67 ③ – ♦Le Mans 97 ① – Poitiers 91 ③ – ♦Tours 66 ①.

Plan page suivante

Loire M, r. Vieux Port ✆ 41 67 22 42, Télex 723279, Fax 41 67 88 80, ←, – ▤ rest TV ☎ – 25 à 100. AE ① GB JCB — BY **g**
R 95/180 – ☕ 45 – **45 ch** 375/630 – ½ P 330/380.

H. St-Pierre sans rest, 8 r. Haute-St-Pierre ✆ 41 50 33 00, Fax 41 50 38 68 – TV ☎. AE ① GB JCB. — BY **b**
fermé 1er au 20 fév. – ☕ 45 – **14 ch** 280/650.

Anne d'Anjou sans rest, 32 quai Mayaud ✆ 41 67 30 30, Fax 41 67 51 00, ←, « Ancien hôtel particulier du 18e siècle » – TV ☎ P – 50. AE ① GB JCB. — BY **e**
fermé 23 déc. au 3 janv. – ☕ 42 – **50 ch** 245/600.

Roi René M, 94 av. Gén. de Gaulle ✆ 41 67 45 30, Télex 723266, Fax 41 67 74 59 – TV ☎ – 30. AE GB — BX **a**
hôtel : fermé 24 déc. au 5 janv. – **R** *(fermé 16 nov. au 15 janv., sam. midi et dim. du 15 janv. au 15 mars)* 95/250, enf. 50 – ☕ 30 – **38 ch** 235/325 – ½ P 255.

Central sans rest, 23 r. Daillé ✆ 41 51 05 78, Fax 41 67 82 35 – TV ☎. AE GB — BY **d**
☕ 27 – **27 ch** 210/270.

Nouveau Terminus sans rest, 15 av. David d'Angers (face gare) ✆ 41 67 31 01, Fax 41 67 34 03 – TV ☎. AE GB
fermé 20 déc. au 20 janv. – ☕ 29 – **39 ch** 190/270.

Londres sans rest, 48 r. Orléans ✆ 41 51 23 98, Fax 41 51 12 63 – ☎ P. AE ① GB — ABY **x**
fermé vend. de déc. à mars – ☕ 25 – **27 ch** 180/270.

Croix Verte, 49 r. Rouen par ① ✆ 41 67 39 31, Fax 41 67 74 98 – ☎ P. ① GB JCB
fermé 27 oct. au 3 nov., 23 déc. au 5 janv., dim. soir et lundi du 3 nov. au 31 mars – **R** 60/180, enf. 46 – ☕ 23 – **18 ch** 110/200.

SAUMUR

Beaurepaire (R.) . . . . AY
Bilange (Pl. de la) . . . . . . BY 2
Gaulle (Av. Général de) . . BX
Leclerc (R. du Mar.) . . . . AZ

Orléans (R. d') . . . . ABY
Portail-Louis (R. du) . . . BY 10
Roosevelt (R. Fr.) . . . . . BY 13
St-Jean (R.) . . . . BY 15

Cadets (Ponts des) . . . . BX 3
Dr-Bouchard (R. du) . . . AZ 4

Dupetit-Thouars (Pl.) . . . BZ 5
Fardeau (R.) . . . . AZ 6
Nantilly (R. de) . . . . BZ 7
Poitiers (R. de) . . . . AZ 9
République (Pl. de la) . . BY 12
St-Pierre (Pl.) . . . . BY 16
Tonnelle (R. de la) . . . . . BY 17

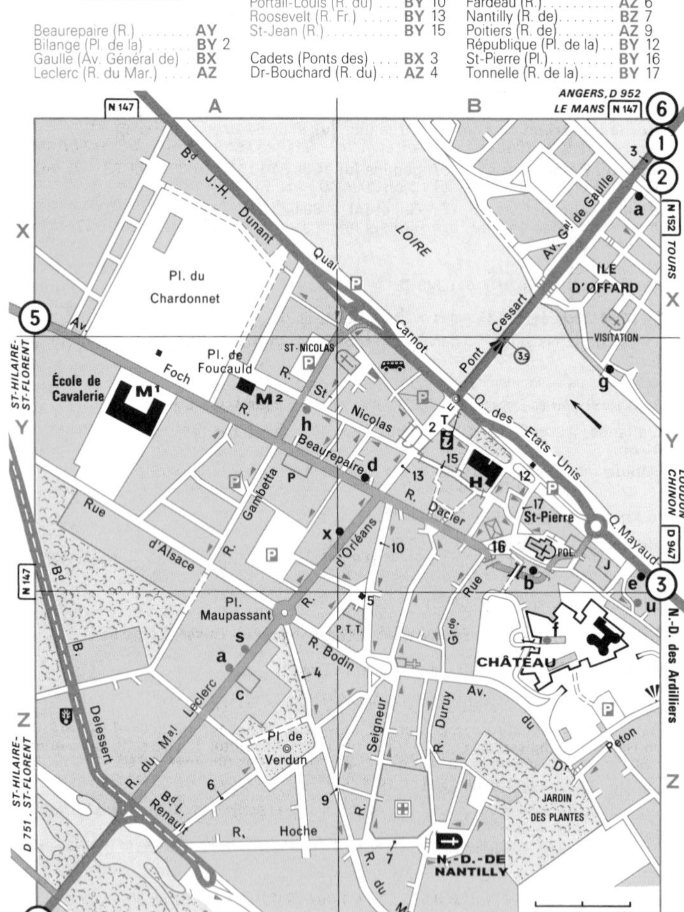

XXX **Délices du Château,** cour du château ✆ 41 67 65 60, Fax 41 67 74 60, 余 – P. AE ⓓ GB — BZ **f**
fermé début déc. à début janv., dim. soir et lundi d'oct. à mai – **R** 165/300.

XXX **Les Menestrels,** 11 r. Raspail ✆ 41 67 71 10 – AE ⓓ GB — BZ **u**
fermé 2 au 14 janv., dim. (sauf le soir en sais.) et lundi midi – **R** 155/320, enf. 65.

XX **Les Chandelles,** 71 r. St-Nicolas ✆ 41 67 20 40 – AE ⓓ GB — AY **h**
fermé 26 oct. au 9 nov., 17 au 27 déc., jeudi midi hors sais. et merc. – **R** 110/290.

XX **L'Escargot,** 30 r. Mar. Leclerc ✆ 41 51 20 88 – AE GB — AZ **s**
fermé janv. et merc. de sept. à juin – **R** 70/155, enf. 30.

X **La Croquière,** 42 r. Mar. Leclerc ✆ 41 51 31 45 – GB — AZ **a**
fermé 30 janv. au 8 fév., dim. soir et lundi – **R** 70/150.

à St-Lambert-des-Levées par ① : 2,5 km – ✉ **49400** Saumur :

Chéops M, N 147 ✆ 41 67 17 18, Fax 41 67 18 85, 余 – TV ☎ ♿ P – 🏃 40. AE ⓓ GB JCB
R *(fermé dim. soir du 1er oct. au 31 mars)* 75/240 ♨, enf. 42 – ☕ 35 – **40 ch** 255/295, 12 duplex 340/380 – ½ P 235.

à Bagneux par ④ : 3 km – ✉ **49400** Saumur :

Campanile, ✆ 41 50 14 40, Télex 722709, Fax 41 38 35 36 – 📺 ☎ ♿ 🅿 – 🏫 40. AE GB
R 77 bc/99 bc, enf. 39 – ☕ 28 – **43 ch** 258 – ½ P 234/256.

à St-Hilaire-St-Florent par ⑤ et D 751 : 3 km – ✉ **49400** Saumur.

Voir École nationale d'Équitation★.

Clos des Bénédictins Ⓜ, ✆ 41 67 28 48, Fax 41 67 13 71, ≤, terrasse, piscine, jardin – ▤ rest 📺 ☎ ♿ 🅿. AE GB. rest
fermé 10 janv. au 28 fév. – **R** 178, enf. 85 – ☕ 45 – **23 ch** 260/360 – ½ P 330/390.

à Chênehutte-les-Tuffeaux par ⑤ et D 751 : 8 km – ✉ **49350** Gennes :

Le Prieuré, ✆ 41 67 90 14, Télex 720379, Fax 41 67 92 24, ≤, « Site boisé dominant la Loire, parc, piscine », tennis – 📺 ☎ 🅿 – 🏫 50. AE GB JCB
fermé3 janv. au 8 mars – **R** 250/400, enf. 130 – ☕ 70 – **33 ch** 525/1350 – ½ P 610/1050.

CITROEN Jolly, bd Mar.-Juin par bd J.-H.-Dunant
AX ✆ 41 50 41 01
PEUGEOT-TALBOT Guillemet Automobiles, 103 r. Pont-Fouchard à Bagneux par ④ ✆ 41 50 11 33 N ✆ 41 50 24 24
PEUGEOT-TALBOT Gar. Guillemet, 5 r. de Rouen par ① ✆ 41 67 48 68 N ✆ 41 50 24 24

RENAULT Gar. Renard, r. A.-Pottier à Allonnes par ① ✆ 41 52 00 12 N

Godelu-Pneus, rte de Cholet à Distré ✆ 41 50 17 96
Soréval, 1 bd L.-Renault ✆ 41 51 08 46

SAUSSET-LES-PINS **13960** B.-du-R. 84 ⑫ G. Provence – 5 541 h. alt. 11.

Syndicat d'Initiative bd Ch.-Roux (saison) ✆ 42 45 16 34 et à la Mairie ✆ 42 44 51 51.

Paris 772 – ◆Marseille 34 – Aix-en-Provence 43 – Martigues 12 – Salon-de-Provence 50.

Paradou-Méditerranée Ⓜ, sur le port ✆ 42 44 76 76, Fax 42 44 78 48, ≤, terrasse, piscine – ascenseur ▤ 📺 ☎ ♿ 🅿 – 🏫 40. AE GB
R *(fermé sam. midi du 1er oct. au 1er mai)* 160/250 – ☕ 45 – **40 ch** 380/450 – ½ P 320/360.

XXX **Les Girelles,** ✆ 42 45 26 16, ≤, terrasse – AE GB
fermé 1er fév. au 5 mars, dim. soir et lundi – **R** 150/230, enf. 80.

XX **Plage** Ⓜ avec ch, ✆ 42 45 06 31, Fax 42 45 12 65, ≤, piscine – ▤ rest 📺 ☎. AE GB
R carte 220 à 320 – ☕ 40 – **11 ch** 240/350 – ½ P 300.

Restaurants, die sorgfältig zubereitete, preisgünstige Mahlzeiten anbieten, sind durch das Zeichen ◆ kenntlich gemacht.

SAUSSIGNAC **24240** Dordogne 75 ⑭ – 378 h. alt. 123.

Paris 568 – Périgueux 66 – Bergerac 19 – Libourne 49 – Ste-Foy-la-Grande 11.

A Saussignac, ✆ 53 27 92 08, terrasse – ☎ – 🏫 40. GB
fermé vacances de fév., dim. soir et lundi soir du 1er oct. au 1er mai – **R** 95/150, enf. 60 – ☕ 25 – **17 ch** 160/240 – ½ P 160/200.

SAUTERNES **33210** Gironde 79 ① G. Pyrénées Aquitaine – 589 h.

Paris 628 – ◆Bordeaux 48 – Bazas 18 – Langon 9,5.

XX **Le Saprien,** ✆ 56 76 60 87, terrasse – 🅿. AE GB
fermé 15 au 30 nov., 15 fév. au 7 mars, lundi sauf juil.-août et dim. soir – **R** 97/197, enf. 68.

SAUTRON **44** Loire-Atl. 67 ③ – rattaché à Nantes.

SAUVETERRE **30150** Gard 81 ⑪ – 1 378 h. alt. 28.

Paris 674 – Avignon 12 – Alès 74 – Nîmes 49 – Orange 14 – Pont-St-Esprit 34 – Villeneuve-lès-Avignon 7,5.

XXX **La Crémaillère,** rte Avignon : 1 km ✆ 66 82 55 05, Fax 66 82 52 58, terrasse, jardin – ▤ 🅿. AE GB
fermé dim. soir et lundi sauf fériés. – **R** 140/275, enf. 70.

SAUVETERRE-DE-BÉARN **64390** Pyr.-Atl. 85 ④ G. Pyrénées Aquitaine – 1 366 h. alt. 67.

Voir Site★ – ≤★★ du vieux pont.

Syndicat d'Initiative à la Mairie ✆ 59 38 50 17.

Paris 786 – Pau 62 – ◆Bayonne 56 – Dax 45 – Mont-de-Marsan 73 – Oloron-Ste-Marie 41.

CITROEN Serres ✆ 59 38 50 21 N

RENAULT Bidegain ✆ 59 38 52 52

SAUVETERRE-DE-COMMINGES **31510** H.-Gar. 86 ① – 730 h. alt. 480.

Paris 795 – Bagnères-de-Luchon 35 – Lannemezan 28 – St-Gaudens 9,5 – Tarbes 61 – ◆Toulouse 100.

Host. des 7 Molles, à Gesset S : 3 km par D 9 ✆ 61 88 30 87, Télex 533359, Fax 61 88 36 42, ≤, terrasse, parc, piscine, tennis – ascenseur 📺 ☎ 🅿 – 🏫 30. AE ① GB
fermé fin oct. à mi-déc. et mi-janv. à fin mars – **R** 160/260, enf. 90 – ☕ 65 – **17 ch** 520/650 – ½ P 580/620.

SAUVETERRE-DE-ROUERGUE 12800 Aveyron 80 ① G. Gorges du Tarn – 888 h. alt. 460.

Voir Place centrale★.

Paris 665 – Rodez 33 – Albi 54 – Millau 88 – St-Affrique 82 – Villefranche-de-Rouergue 43.

- **Aub. du Sénéchal** (Truchon) ⑤, ✆ 65 47 05 78, Fax 65 47 02 65, – ☎. AE GB
  1er avril-31 oct. et fermé dim. soir et lundi (sauf juil.-août) – **R** 140/400 – ☐ 60 – **14 ch** 240/280 – ½ P 300
  Spéc. Petits gris au bouillon d'anis sauvage. Noisette de filet de boeuf au vin d'épices. Nougat glacé à la réglisse. **Vins** Marcillac, Entraygues.

SAUVIGNY-LES-BOIS 58160 Nièvre 69 ④ – 1 591 h. alt. 220.

Paris 249 – Autun 95 – Decize 27 – Nevers 9,5.

- XX **Moulin de l'Etang**, ✆ 86 37 10 17, – Ⓟ. GB
  fermé 4 au 25 janv., merc. soir et lundi – **R** 98/220, enf. 35.

SAUX 65 H.-Pyr. 85 ⑧ – rattaché à Lourdes.

SAUXILLANGES 63490 P.-de-D. 76 ⑮ G. Auvergne – 1 109 h. alt. 448.

Voir Pic d'Usson ✳★ SO : 4 km.

Paris 465 – ◆ Clermont-Ferrand 47 – Ambert 44 – Issoire 12 – Thiers 46 – Vic-le-Comte 19.

- X **Chalut** avec ch, ✆ 73 96 80 71 – ⇐. GB
  fermé 16 au 20 juin, 8 au 22 sept., 1er au 15 fév., dim. soir et lundi – **R** 50/210 ß, enf. 40 – ☐ 25 – **6 ch** 140/200 – ½ P 150/180.

Le SAUZE 04 Alpes-de-H.-P. 81 ⑧ – rattaché à Barcelonnette.

SAUZON 56 Morbihan 63 ⑪ – voir à Belle-Ile-en-Mer.

Europe — Si le nom d'un hôtel figure en petits caractères demandez, à l'arrivée, les conditions à l'hôtelier.

SAVERNE

Grand' Rue . . . . . AB

Clés (R. des) . . . . . B 3
Églises (R. des) . . . . . B 8
Gare (R. de la) . . . . . A 13
Bouxwiller (R. de) . . . . . B 2
Côte (R. de la) . . . . . A 5
Dettwiller (R. de) . . . . . B 6
Foch (R. Mar.) . . . . . A 12
Gaulle (Pl. Gén. de) . . . . . B 14
Joffre (R. Mar.) . . . . . B 16
Pères (R. des) . . . . . B 17
Poincaré (R.) . . . . . A 20
Poste (R. de la) . . . . . B 22
19-Novembre (R. du) . . . . . A 23

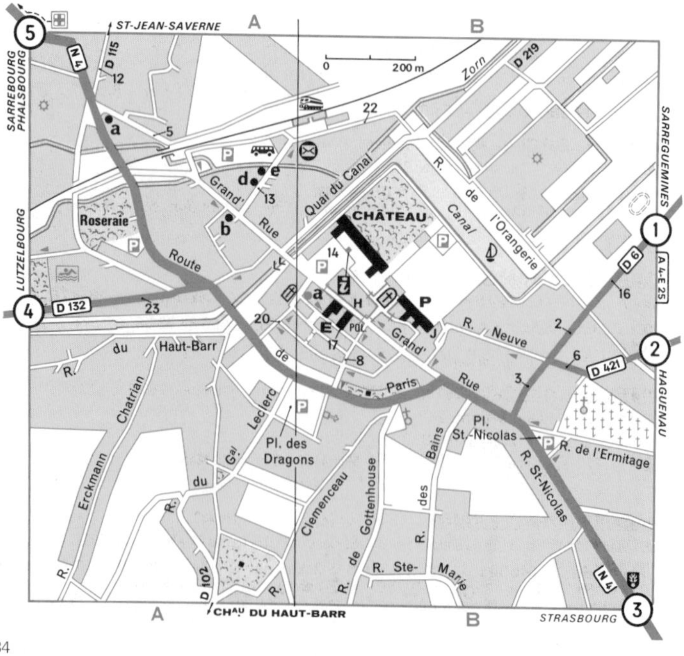

ST-JEAN-SAVERNE — SARREBOURG PHALSBOURG — LUTZELBOURG — SARREGUEMINES — A 4-E 25 — HAGUENAU — STRASBOURG — CHÂU DU HAUT-BARR

CHÂTEAU — Roseraie — Grand' Rue — Quai du Canal — R. de l'Orangerie — Route de Paris — R. du Haut-Barr — R. Chatrian — R. Erckmann — R. du Gal Leclerc — Pl. des Dragons — R. Clemenceau — R. de Gottenhouse — R. des Bains — R. Ste-Marie — R. Neuve — Pl. St-Nicolas — R. St-Nicolas — R. de l'Ermitage — Zorn — N 4 — D 115 — D 132 — D 219 — D 6 — D 421 — D 102

SAVERNE ⟨SP⟩ 67700 B.-Rhin 57 ⑱ G. Alsace Lorraine – 10 278 h. alt. 210.

Voir Château★ : façade★★ B – Maisons anciennes★ B E – St-Jean-Saverne : chapelle St-Michel★, ≤★ N : 4,5 km par D 115 puis 30 mn A – Château du Haut-Barr★ : ≤★★ SO : 5 km par D 102 puis D 171 A – Vallée de la Zorn★ O.

Office de Tourisme Château des Rohan ☎ 88 91 80 47.

Paris 447 ① – ◆Strasbourg 39 ③ – Lunéville 82 ⑤ – St-Avold 81 ① – Sarreguemines 62 ①.

Plan page précédente

Chez Jean, 3 r. Gare ☎ 88 91 10 19, Fax 88 91 27 45 – TV ☎ – 40. AE GB. – *fermé 22 déc. au 8 janv. et vacances de fév.* – **R** 98/320 – **Winstub** *(fermé dim. soir et lundi sauf juil.-août)* **R** carte 125 à 210 – ☕ 36 – **27 ch** 290/320 – ½ P 290/300. A d

Geiswiller, 17 r. Côte ☎ 88 91 18 51, Télex 890901, Fax 88 71 15 36 – TV ☎ P. AE GB. rest A a
R *(fermé 20 juil. au 10 août, 23 déc. au 3 janv., lundi midi et dim. hors sais.)* 85/270 – ☕ 45 – **40 ch** 190/380.

Europe sans rest, 7 r. Gare ☎ 88 71 12 07, Fax 88 71 11 43 – TV ☎ ♿. AE GB A e
☕ 34 – **29 ch** 230/330.

Bœuf Noir, 22 Gd'rue ☎ 88 91 10 53, Fax 88 71 02 26 – TV ☎ P. GB A b
fermé 1er au 21 juil., 24 déc. au 2 janv., dim soir et mardi – **Repas** 88/185 – ☕ 30 – **12 ch** 165/250 – ½ P 215/250.

Zum Staeffele, 1 r. Poincaré ☎ 88 91 63 94 – AE GB. B a
fermé 8 au 14 juin, 7 au 20 oct., 11 au 24 janv., sam. midi, dim. soir et lundi – **R** 165/195.

FORD Saverne-Autos, 40 rte de Paris ☎ 88 91 12 55
OPEL Gar. Diemer, 32 r. Ermitage ☎ 88 91 19 00 N
RENAULT Billiar, 116 r. St-Nicolas par ③ ☎ 88 91 22 22 N ☎ 88 57 72 25

Wallior, rte de Saverne à Steinbourg ☎ 88 91 17 52 N

Pneus et Services D.K., 26 r. Ermitage ☎ 88 91 18 22

SAVIGNAC-LES-ÉGLISES 24420 Dordogne 75 ⑥ – 853 h. alt. 111.

Paris 477 – Périgueux 21 – Brive-la-Gaillarde 63 – ◆Limoges 80.

LeParc M (École hôt. sup. d'application), ☎ 53 05 07 60, Fax 53 05 39 65, parc, – ch TV ☎ P – 50. AE GB
R *(ouvert juil.-août et fermé lundi et le midi sauf dim. et fériés)* 190/300, enf. 80 – ☕ 55 – **11 ch** 480 – ½ P 470/540.

SAVIGNEUX 42 Loire 73 ⑰ – rattaché à Montbrison.

SAVIGNIES 60 Oise 55 ⑨ – rattaché à Beauvais.

SAVIGNY-LÈS-BEAUNE 21 Côte-d'Or 69 ⑨ – rattaché à Beaune.

SAVIGNY-SUR-CLAIRIS 89150 Yonne 61 ⑬ – 236 h. alt. 165.

Paris 119 – Auxerre 53 – Nemours 42 – Sens 22.

Host. du Château de Clairis , N : 1 km par D 103 ☎ 86 86 30 01, Fax 86 86 39 40, parc, « Château du 19e siècle dans un complexe de loisirs » – TV ☎ P – 70. AE GB JCB
fermé 22 déc. au 8 janv. et dim. soir du 30 nov. au 31 janv. – **R** 195/275, enf. 70 – ☕ 40 – **23 ch** 427/449.

RENAULT Gar. Chapuis ☎ 86 86 33 48

SAVIGNY-SUR-ORGE 91 Essonne 61 ①, 101 ㉟ ㊱ – voir à Paris, Environs.

SAVINES-LE-LAC 05160 H.-Alpes 81 ⑦ G. Alpes du Sud – 759 h. alt. 810.

Voir Forêt de Boscodon★★ SE : 15 km – Office de Tourisme ☎ 92 44 20 44.

Paris 695 – Gap 28 – Barcelonnette 45 – Briançon 60 – Digne 83 – Guillestre 32 – Sisteron 73.

Flots Bleus, ☎ 92 44 20 89, ≤, – ☎ P. GB
hôtel : Pâques-20 oct. et fermé dim. et lundi sauf de mai à sept. – **R** *(Pâques-20 sept. et fermé dim. soir et lundi sauf de mai à sept.)* 120/195 – ☕ 35 – **21 ch** 265/350 – ½ P 280/310.

Eden Lac, ☎ 92 44 20 53, Fax 92 44 29 17, ≤, – TV ☎ P. AE GB
1er mars-16 nov. et 16 déc.-10 janv. – **R** 69/165, enf. 40 – ☕ 34 – **23 ch** 260/320 – ½ P 270/310.

Relais Fleuri, ☎ 92 44 20 32, ≤, – . GB
20 avril-30 sept. et fermé lundi hors sais. – **R** 88/250, enf. 50.

SCAER 29390 Finistère 58 ⑯ – 5 555 h. alt. 185.

Paris 529 – Quimper 34 – Carhaix-Plouguer 36 – Châteaulin 44 – Concarneau 28 – Pontivy 65.

Brizeux, 56 r. J. Jaurès ☎ 98 59 40 59 – AE GB
fermé 23 déc. au 1er fév. – **R** *(fermé dim. soir et lundi hors sais.)* 75/255, enf. 38 – ☕ 28 – **16 ch** 120/210 – ½ P 180/215.

Ster Pneus ☎ 98 59 44 62

SCEAUX 92 Hauts-de-Seine 60 ⑩, 101 ㉕ – voir à Paris, Environs.

SCEAUX-SUR-HUISNE 72160 Sarthe 60 ⑭ ⑮ – 472 h. alt. 93.
Paris 172 – ◆ Le Mans 32 – La Ferté-Bernard 11,5 – Nogent-le-Rotrou 33 – St-Calais 33 – Vibraye 16.

XX **Aub. Panier Fleuri,** N 23 ✆ 43 93 40 08 – GB
fermé mardi soir et merc. – **R** 62/170.

SCHIRMECK 67130 B.-Rhin 62 ⑧ **G. Alsace Lorraine** – 2 167 h. alt. 317.
Voir Vallée de la Bruche★ N et S.
Syndicat d'Initiative Hôtel de Ville ✆ 88 97 00 02.
Paris 405 – ◆ Strasbourg 48 – ◆Nancy 97 – St-Dié 41 – Saverne 45 – Sélestat 44.

La Rubanerie ⛰, à la Claquette SO : 2 km ✆ 88 97 01 95, Fax 88 47 17 34, « Jardin » – TV ☎ ♿ P. AE ⓓ GB. ✻ rest
R *(fermé dim.)* 130/250 – ☐ 44 – **16 ch** 260/365 – ½ P 290/320.

à Barembach NE : 1,5 km – ✉ **67130** :

Château de Barembach ⛰, 5 r. Mar. de Lattre de Tassigny ✆ 88 97 97 50, Fax 88 47 17 19, 🏠, 🌳 – TV ☎ P – 🏛 30. AE ⓓ GB. ✻ rest
fermé 18 au 26 déc. et 6 au 31 janv. – **R** 185/400, enf. 65 – ☐ 55 – **15 ch** 385/825 – ½ P 478/653.

CITROEN Gar. Beraud, à la Broque ✆ 88 97 05 43

La SCHLUCHT (Col de) 88 Vosges 62 ⑱ **G. Alsace Lorraine** – alt. 1 139 – Sports d'hiver : 1 100/1 300 m ⛷7 ⛷.
Voir Route des Crêtes★★★ N et S – Le Hohneck ✻★★★ S : 5 km.
Paris 427 – Colmar 37 – Épinal 60 – Gérardmer 14 – Guebwiller 45 – St-Dié 36 – Thann 43.

Collet, au Collet : 2 km sur rte Gérardmer ✉ 88400 Gérardmer, ✆ 29 60 09 57, Fax 29 60 08 77, ≤, 🏠 – TV ☎ P. AE ⓓ GB
fermé 11 nov. au 20 déc. – **R** 90/200 ♁, enf. 48 – ☐ 40 – **23 ch** 220/330 – ½ P 200/330.

SCHWEIGHOUSE-SUR-MODER 67 B.-Rhin 57 ⑲ – rattaché à Haguenau.

La SÉAUVE-SUR-SEMÈNE 43470 H.-Loire 76 ⑧ – 1 074 h. alt. 735.
Paris 544 – Le Puy-en-Velay 52 – ◆St-Étienne 26.

Source, ✆ 71 61 03 79, ≤ – ☎ 🚗 P. GB
R 57/120 ♁, enf. 35 – ☐ 18 – **19 ch** 120/180 – ½ P 180/200.

SEBOURG 59 Nord 53 ⑤ – rattaché à Valenciennes.

Le SECHIER 05 H.-Alpes 77 ⑯ – rattaché à St-Firmin.

SECLIN 59113 Nord 51 ⑯ **G. Flandres Artois Picardie** – 12 281 h. alt. 26.
Voir Cour★ de l'hôpital – Paris 211 – ◆Lille 13 – Lens 28 – Tournai 32 – Valenciennes 44.

XX **Aub. du Forgeron** avec ch, 17 r. Roger Bouvry ✆ 20 90 09 52, Fax 20 32 70 87, 🏠 – TV ☎ P – 🏛 25. AE GB
fermé 1er au 21 août, 24 déc. au 2 janv., sam. soir (sauf hôtel) et dim. sauf fêtes – **R** 100/190 – ☐ 38 – **19 ch** 250/450 – ½ P 240/290.

RENAULT Gar. Wacrenier, bd Hentges ✆ 20 90 12 32 N ✆ 28 40 35 44
V.A.G Gar. Mallet, 187 r. Gén.-de-Gaulle à Templemars ✆ 20 95 90 07
Fischbach-Pneu, ZI A ✆ 20 90 65 54

SEDAN 08200 Ardennes 53 ⑲ **G. Champagne** – 21 667 h. alt. 157.
Voir Château fort★ BY.
Office de Tourisme parking du Château (fermé matin 16 sept.-14 mars) ✆ 24 27 73 73.
Paris 244 ② – Charleville-Mézières 24 ② – Châlons-sur-Marne 112 ② – Liège 149 ① – Luxembourg 118 ① – ◆Metz 150 ① – Namur 108 ① – ◆Reims 100 ② – Thionville 134 ① – Verdun 79 ①.

Plan page suivante

Europe, 5 pl. Gare ✆ 24 27 18 71, Fax 24 29 32 00 – 🛗 TV ☎ P – **20 ch.** AZ **e**

XX **Au Bon Vieux Temps,** 3 pl. Halle ✆ 24 29 03 70 – AE ⓓ GB BYZ **r**
fermé 24 janv. au 2 mars, dim. soir et lundi sauf fériés – **R** 115/340.

à Bazeilles par ① : 3 km – ✉ **08140** :

Château de Bazeilles M ⛰, ✆ 24 27 09 68, Télex 842867, Fax 24 27 64 20, parc – TV ☎ ♿ P. GB
R voir rest. **L'Orangerie** ci-après – ☐ 32 – **19 ch** 300/340 – ½ P 270

Aub. du Port ⛰, bord de Meuse : 1 km au sud de Bazeilles ✉ 08450 Remilly-Aillicourt ✆ 24 27 13 89, Télex 840279, Fax 24 26 70 82, 🏠, 🌳 – TV ☎ P – 🏛 25. AE ⓓ GB
fermé 18 déc. au 10 janv., sam. midi du 1er sept. au 30 juin et dim. soir – **R** 85/380 ♁ – ☐ 35 – **20 ch** 220/250.

XXX **L'Orangerie,** ✆ 24 27 52 11 *fermé 2 au 8 mars, 1er au 25 août, dim. soir et lundi* **R** 95/260, enf. 65.

SEDAN

Armes (Pl. d') . . . . BY 3
Carnot (R.) . . . . BY 6
Gambetta (R.) . . . . BY 12
Halle (Pl. de la) . . . . BY 15
Leclerc (Av. du Mar.) . . BY 24
Ménil (R. du) . . . . BY 30

Alsace-Lorraine (Pl. d') . BZ 2
Calonne (Pl.) . . . . BY 5
Crussy (Pl.) . . . . BY 8
Écossais (Bd des) . . . . . BY 9
Fleuranges (R. de) . . . . AY 10
Goulden (Pl.) . . . . BY 14
Harcourt (Pl. d') . . . . . . BY 17
Jardin (Bd du Gd) . . . . . BY 18
La Rochefoucauld (R. de) BY 20
Lattre-de-Tassigny (Bd Mar.-de) . . . . AZ 21
Law (Bd) . . . . BY 23
Margueritte (Av. du G.) ABY 26
Martyrs-de-la-Résistance (Av. des) . AY 27
Pasteur (Av.) . . . . AZ 32
Promenoir-des-Prêtres . BY 33
Rochette (Bd de la) . . . . BY 35
Rovigo (R.) . . . . BY 36
Strasbourg (R. de) . . . . . BZ 39
Turenne (Pl.) . . . . BY 41
Vesseron-Lejay (R.) . . . AY 42
Wuidet-Bizot (R.) . . . . . BZ 44
30-Floréal (Bd du) . . . . . BY 45

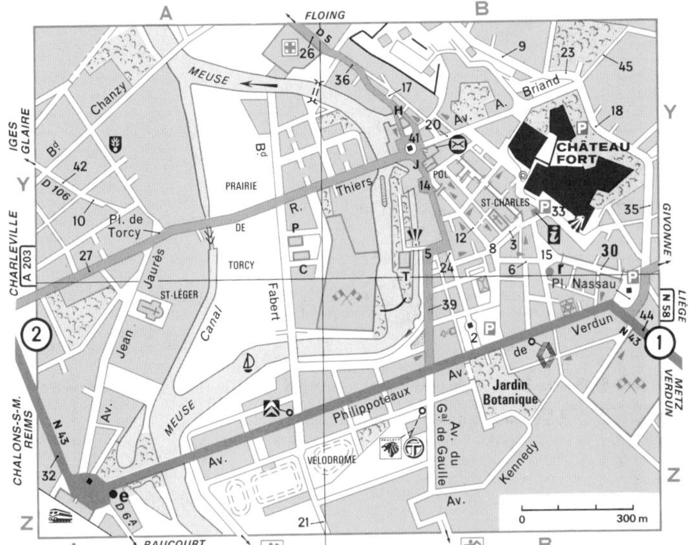

CITROEN Gar. Froussart, 40 av. Philippoteaux ☎ 24 59 78 58 N ☎ 24 33 40 35
OPEL-GM Gar. St-Christophe, 1 av. Philippoteaux ☎ 24 27 17 89
PEUGEOT-TALBOT S.I.S.A., 6 av. Gén.-de-Gaulle ☎ 24 27 13 25

RENAULT Ardennes-Autos, 19 av. de Verdun ☎ 24 27 35 40 N
V.A.G Poncelet, 2 pl. de Torcy ☎ 24 27 01 01

Pneu-Station, 45 av. Ch.-de-Gaulle, Balan ☎ 24 27 44 22

SÉES **61500** Orne 60 ③ **G. Normandie Cotentin** (plan) – 4 547 h. alt. 188.

Voir Cathédrale★ : choeur et transept★★ – Forêt d'Ecouves★★ SO : 5 km.

Syndicat d'Initiative pl. Gén.-de-Gaulle ☎ 33 28 74 79.

Paris 187 – Alençon 22 – L'Aigle 41 – Argentan 22 – Domfront 65 – Mortagne-au-Perche 33.

Normandy Garden H. sans rest, 12 r. Ardrillers ☎ 33 27 98 27, – TV ☎. GB
25 – **24 ch** 150/220.

Dauphin M avec ch, 31 pl. Halles ☎ 33 27 80 07, Fax 33 27 42 05 – TV ☎. AE GB
fermé 16 au 22 nov., vacances de fév., dim. soir et lundi d'oct. à mai – **R** 100/350, enf. 70 – 42 – **6 ch** 270/330 – ½ P 300.

Cheval Blanc avec ch, 1 pl. St-Pierre ☎ 33 27 80 48 – TV ☎. GB.
fermé 15 oct. au 15 nov., vacances de fév., jeudi soir en sais., sam. hors sais. et vend. sauf le midi hors sais. – **R** 63/160, enf. 38 – 25 – **9 ch** 190/250 – ½ P 155/185.

à Macé : 5,5 km par rte d'Argentan et D 303 – ✉ **61500** :

Ile de Sées, ☎ 33 27 98 65, Fax 33 28 41 22, , parc, – TV ☎ – 30. GB.
fermé 15 janv. au 15 fév., dim. soir et lundi – **R** 99/190, enf. 55 – 31 – **16 ch** 270/290 – ½ P 290.

CITROEN Gar. Hugeron, 60 r. République ☎ 33 27 80 13
PEUGEOT Gar. Portila ZI la Croix Ragaine ☎ 33 27 93 76 N

RENAULT Gar. Herouin, rte de Mortagne ☎ 33 27 84 10 N ☎ 33 27 94 30

La guida cambia, cambiate la guida ogni anno.

SÉEZ 73700 Savoie 74 ⑱ – 1 662 h. alt. 904.

Syndicat d'Initiative ☎ 79 41 00 15.

Paris 638 – Albertville 56 – Aosta 83 – Bourg-St-Maurice 3 – Chambéry 102 – Val-d'Isère 28.

Malgovert, ☎ 79 41 00 41, – ☎ P. AE. *15 juin-30 sept., 20 déc.-20 avril, vacances scolaires et week-ends* – **R** 85/95 – ☐ 28 – **20 ch** 160/270 – ½ P 200/240.

Belvédère, E : 11 km par N 90 ✉ 73700 Bourg-St-Maurice ☎ 79 41 00 40 – P. GB *1er juil.-6 sept. et vacances de Noël-vacances de printemps* – **R** 68/140, enf. 26 – ☐ 27 – **27 ch** 228/262 – ½ P 219/246.

SEGOS 32 Gers 82 ② – rattaché à Aire-sur-l'Adour.

SEGRÉ <SP> 49500 M.-et-L. 63 ⑨ **G. Châteaux de la Loire** – 6 434 h. alt. 31.

Voir Château de la Lorie★ SE : 2 km.

Syndicat d'Initiative 3 r. Capitaine Hautecloque (juin-sept.) ☎ 41 92 86 83.

Paris 308 – Ancenis 45 – Angers 36 – Châteaubriant 40 – Laval 53 – ◆Rennes 84 – Vitré 59.

Open H., rte Aviré (près rocade) ☎ 41 61 19 19, Fax 41 61 13 99 – TV ☎ & P – 25. GB **R** 60/94 , enf. 38 – ☐ 26 – **20 ch** 235/245 – ½ P 275.

La Corvette, 37 quai Tribunal ☎ 41 61 06 94 – AE GB *fermé janv., dim. soir et lundi sauf fêtes* – **R** 62/156 .

au Bourg-d'Iré SO : 10 km par D 775 et D 219 – ✉ 49780 :

Château La Douve , ☎ 41 61 54 54, Fax 41 61 59 29, ←, , « Château du 19e siècle dans un parc », – TV ☎ & P – 70. AE GB. rest **R** 130/280, enf. 60 – ☐ 50 – **17 ch** 600/1200 – ½ P 450/750.

CITROEN Gar. Bellanger, 34 r. Lamartine ☎ 41 92 23 11

PEUGEOT Gar. Chesneau, à Ste-Gemme-d'Andigne ☎ 41 92 22 52

SÉGURET 84 Vaucluse 81 ② – rattaché à Vaison-la-Romaine.

SÉGUR-LES-VILLAS 15300 Cantal 76 ③ – 318 h. alt. 1 000.

Paris 529 – Aurillac 67 – Allanche 12 – Condat 18 – Mauriac 56 – Murat 18 – St-Flour 42.

Santoire, à La Carrière du Monteil de Ségur S : 4 km sur D 3 ☎ 71 20 70 68, Fax 71 20 73 44, ←, – TV ☎ P – 40. GB **R** 68/150 , enf. 45 – ☐ 30 – **30 ch** 160/190, 16 studios 240 – ½ P 210/230.

SEICHES-SUR-LE-LOIR 49140 M.-et-L. 64 ① – 2 248 h. alt. 28.

Paris 273 – Angers 21 – Château-Gontier 41 – Château-la-Vallière 52 – La Flèche 27 – Saumur 48.

à Matheflon N : 2 km par VO – ✉ 49140 Seiches-sur-le-Loir :

Host. St-Jacques , ☎ 41 76 20 30, Fax 41 76 61 51, – ☎ P. GB *hôtel : ouvert 15 mars-2 nov. et fermé dim. et lundi en avril et oct.* – **R** *(fermé 2 au 15 nov., fév., lundi sauf le soir de mai à sept. et dim. soir d'oct. à avril)* 62/180 , enf. 35 – ☐ 21 – **10 ch** 105/215 – ½ P 150/210.

SEIGNELAY 89250 Yonne 65 ⑤ **G. Bourgogne** – 1 538 h. alt. 126.

Paris 170 – Auxerre 16 – Chablis 25 – Joigny 21 – Nogent-sur-S. 76 – St-Florentin 20 – Tonnerre 38.

Commerce, ☎ 86 47 71 21 – GB *fermé août, dim. (sauf hôtel) et lundi* – **R** 47/85 – ☐ 18 – **9 ch** 85/140.

SEILHAC 19700 Corrèze 75 ⑨ – 1 540 h. alt. 490.

Paris 468 – Brive-la-Gaillarde 32 – Aubusson 101 – ◆Limoges 71 – Tulle 15 – Uzerche 15.

Relais des Monédières, à Montargis de Seilhac SE : 1 km ☎ 55 27 04 74, parc, – TV ☎ . GB *fermé 15 déc. au 15 janv.* – **R** 65/165 – ☐ 26 – **19 ch** 170/245 – ½ P 190/220.

à St-Salvadour NE : 8 km par D 940, D 44 et D 173E – ✉ 19700 :

Ferme du Léondou, ☎ 55 21 60 04 – P. GB *fermé 15 au 30 nov., 15 fév. au 15 mars et merc. sauf le midi en juil.-août* – **R** 58/225 .

SEILLANS 83440 Var 84 ⑦ 195 ㉒ **G. Côte d'Azur** – 1 793 h. alt. 366.

Voir N.-D. de l'Ormeau : retable★★ SE :1 km.

Syndicat d'Initiative Le Valat ☎ 94 76 85 91.

Paris 892 – Castellane 56 – Draguignan 30 – Fayence 7,5 – Grasse 31 – St-Raphaël 42.

France et rest. Clariond , ☎ 94 76 96 10, Télex 970530, Fax 94 76 89 20, ←, , , – TV ☎ P. AE GB *fermé 5 janv. au 5 fév. et merc. hors sais.* – **R** 180/230, enf. 80 – ☐ 38 – **28 ch** 370/450 – ½ P 380/420.

Aub. Mestre Cornille, ☎ 94 76 87 31, – AE GB *fermé 15 nov. au 8 déc., 26 janv. au 9 fév., mardi midi et lundi sauf du 1er juin au 31 août* – **R** 190/310.

SEIX 09140 Ariège 86 ③ G. Pyrénées Aquitaine – 806 h. alt. 510.

Voir Vallée du Haut Salat★ S.

Paris 813 – Foix 61 – Ax-les-Thermes 75 – St-Girons 18.

Aub. des Deux Rivières avec ch, au **pont de la Taule** S : 5 km ☎ 61 66 83 57, – GB
fermé 1er au 15 oct. et lundi de sept. à mai sauf fériés – **R** 70/140 , enf. 30 – ☐ 20 – **15 ch** 100/170 – ½ P 120/160.

Die Stadtpläne sind eingenordet (Norden = oben).

SÉLESTAT <SP> 67600 B.-Rhin 62 ⑲ G. Alsace Lorraine – 15 538 h. alt. 182.

Voir Vieille ville★ : église Ste-Foy★ BY, église St-Georges★ BY, Bibliothèque humaniste★ BY **M** – Volerie des Aigles : démonstrations de dressage★ au château de Kintzheim : 5 km par ④ puis 30 mn.

Env. Ebermunster : intérieur★★ de l'église abbatiale, 9 km par ①.

Office de Tourisme La Commanderie, bd Gén.-Leclerc ☎ 88 92 02 66, Télex 870581.

Paris 434 ① – Colmar 22 ③ – Gérardmer 65 ③ – St-Dié 43 ⑤ – ◆Strasbourg 47 ①.

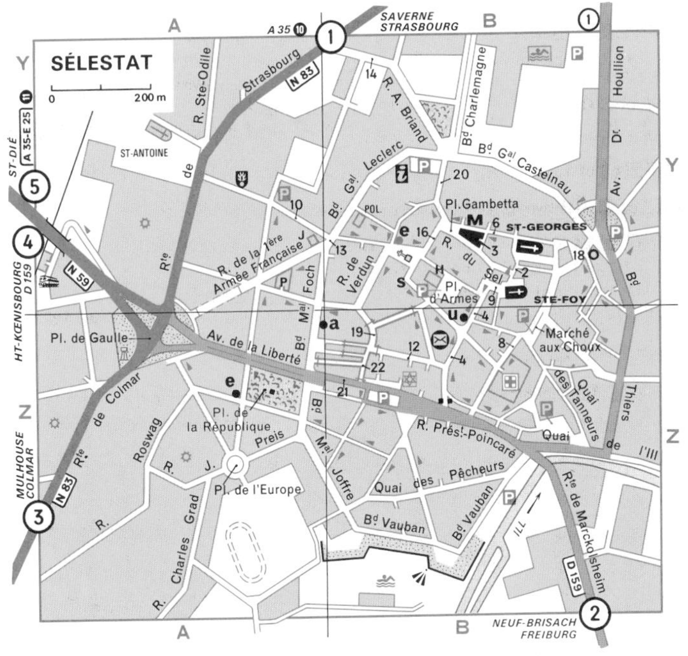

Chevaliers (R. des) . . . **BYZ** 4	Bibliothèque (R. de la) . **BY** 3	Schwilgué (R.) . . . . **BY** 14
Hôpital (R. de l') . . . . . **BZ** 8	Église (R. de l') . . . . . . **BY** 6	Serruriers (R. des) . . . **BY** 16
Prés.-Poincaré (R. du) . . **BZ**	Marché Vert (R. du) . . . **BY** 9	Strasbourg (Pl. Pte de) . **BY** 18
4e-Zouaves (R. du) . . . . **BZ** 21	Paix (R. de la) . . . . **AY** 10	Victoire (Pl. de la) . . . . **BZ** 19
Babil (R. du) . . . . **BY** 2	Sainte-Barbe (R.) . . . . . **BZ** 12	Vieux Marché aux Vins . **BY** 20
	Schaal (Pl. du Gén.) . . **ABY** 13	17-Novembre (R. du) . . **BZ** 22

Host. de l'Abbaye la Pommeraie M, 8 av. Mar. Foch ☎ 88 92 07 84, Fax 88 92 08 71, – AE GB — ABZ **a**
R *(fermé dim.)* carte 230 à 350 – ☐ 90 – **10 ch** 600/950, 4 duplex 1700.

Aub. des Alliés M, 39 r. Chevaliers ☎ 88 92 09 34, Fax 88 92 12 88 – ch rest TV ☎. GB — BZ **u**
fermé 15 janv. au 15 fév. – **R** *(fermé dim. soir et lundi)* 138/225 – ☐ 55 – **19 ch** 280/360 – ½ P 330.

Vaillant, pl. République ☎ 88 92 09 46, Télex 871244, Fax 88 82 95 01, – TV ☎. GB. rest — AZ **e**
R *(Pâques-fin oct. et fermé lundi midi et dim. sauf juil.-août)* 100/250 – ☐ 40 – **47 ch** 240/380 – ½ P 265/320.

XXX ❀ **Edel,** 7 r. Serruriers ✆ 88 92 86 55, Fax 88 92 87 26, 🏡 – AE ⓓ GB BY
fermé 27 juil. au 18 août, 21 déc. au 6 janv., dim. soir, mardi soir et merc. – **R** 180/420 🍷 enf. 90
Spéc. Foie gras frais de canard, Blanc de sandre au Riesling, Mousse au kirsch. **Vins** Tokay-Pinot gris, Klevner.

XX **Vieille Tour,** 8 r. Jauge ✆ 88 92 15 02, Fax 88 92 19 42 – GB BY
fermé 3 au 21 juil., dim. soir et lundi – **R** 180/320 🍷.

à Baldenheim E : 8,5 km par D 21 - BY - et D 209 – ✉ **67600** :

XXX ❀ **La Couronne,** r. Sélestat ✆ 88 85 32 22, Fax 88 85 36 27 – Ⓟ. GB
fermé 28 juil. au 6 août, 3 au 10 janv., dim. soir et lundi sauf fériés – **R** 150/380 🍷
Spéc. Foie gras de canard, Strudel de cuisses de grenouilles, Noisettes de chevreuil à la forestière (saison). **Vins** Riesling, Tokay-Pinot gris.

BMW, **MAZDA** Gar. Walter, 33 rte de Ste-Marie-aux-Mines à Châtenois ✆ 88 82 07 22
CITROEN Gar. Ménétré, 89 rte de Strasbourg par ① ✆ 88 92 08 42
FIAT Gar. Ligner, 24 rte de Sélestat à Châtenois ✆ 88 82 05 20
PEUGEOT-TALBOT Sélestat Autom., 109 rte de Colmar par ③ ✆ 88 82 28 28

RENAULT Centre Alsace Autom., ZI Nord, r. Westrich par ① ✆ 88 92 88 77 🅽 ✆ 88 92 40 57
V.A.G Gar. Michel, 2 r. Grenchen ZI Nord ✆ 88 57 44 44

Ets Kautzmann, 28 rte de Colmar ✆ 88 92 38 00
Pneus et Services D.K., 95 rte de Colmar ✆ 88 92 14 95

SELLES-SUR-CHER **41130** L.-et-Ch. 64 ⑱ **G. Châteaux de la Loire** – 4 751 h. alt. 70.
ℹ Syndicat d'Initiative à la Mairie (15 juin-15 sept.) ✆ 54 97 40 19.
Paris 223 – Blois 41 – ◆Orléans 100 – Romorantin-Lanthenay 19 – St-Aignan 16 – Valençay 14.

🏠 **Lion d'Or,** 14 pl. Paix ✆ 54 97 40 83, 🏡 – TV ☎ Ⓟ. GB
fermé 1er au 7 oct., 1er au 21 fév., dim. soir et lundi sauf du 1er juin au 1er sept. – **R** 130/230 enf. 35 – ☕ 35 – **10 ch** 210/250 – ½ P 205/240.

SELONNET **04** Alpes-de-H.-P. 81 ⑦ – rattaché à Seyne.

SEMBADEL **43** H.-Loire 76 ⑥ – rattaché à La Chaise-Dieu.

SEMBLANÇAY **37360** I.-et-L. 64 ⑭ – 1 489 h. alt. 107.
Paris 247 – ◆Tours 15 – Angers 100 – Blois 74 – ◆Le Mans 67.

🏠 **Mère Hamard,** pl. Eglise ✆ 47 56 62 04, 🏡 – ☎ Ⓟ. AE ⓓ GB
fermé vacances de nov., de fév., dim. soir et lundi du 15 oct. à Pâques – **Repas** 97/220, enf. 60 – ☕ 33 – **9 ch** 172/235 – ½ P 230/240.

SEMÈNE **43** H.-Loire 76 ⑧ – rattaché à Aurec-sur-Loire.

SEMNOZ (Montagne du) **74** H.-Savoie 74 ⑥ ⑯ **G. Alpes du Nord** – ✉ **74000** Annecy.
Voir Crêt de Châtillon ✳★★★ **(accès par D 41** : d'Annecy 20 km ou du col de Leschaux 14 km, puis 15 mn).
Paris 555 – Annecy 18 – Aix-les-Bains 40 – Albertville 61 – Chambéry 57.

sur D 41 – ✉ **74000** Annecy :

Semnoz Alpes 🐦, au sommet, alt. 1 704 ✆ 50 01 23 17, ≤ Mont-Blanc, 🏡 – ☎ Ⓟ. AE GB. ✻ rest
15 mai-30 sept. et 20 déc.-vacances de printemps – **R** 70/165, enf. 48 – ☕ 30 – **16 ch** 130/260 – ½ P 200/260.

Rochers Blancs 🐦, près du sommet, alt. 1 650 ✆ 50 01 23 60, ≤, 🏡 – Ⓟ. GB
15 mai-30 sept. et 1er déc.-30 avril – **R** 65/190 🍷, enf. 40 – ☕ 30 – **25 ch** 160/270 – ½ P 185/220.

SEMUR-EN-AUXOIS **21140** Côte-d'Or 65 ⑰ ⑱ **G. Bourgogne** – 4 545 h. alt. 290.
Voir Site★ – Église N.-Dame★ – Pont Joly ≤★.
ℹ Maison du Tourisme avec A.C. 2 pl. Gaveau ✆ 80 97 05 96.
Paris 247 ③ – ◆Dijon 71 ③ – Auxerre 84 ③ – Avallon 35 ③ – Beaune 81 ③ – Montbard 18 ①.

Plan page suivante

🏨 **Host. d'Aussois** Ⓜ 🐦, rte Saulieu par ③ ✆ 80 97 28 28, Télex 350759, Fax 80 97 34 56, ≤, 🏡, 🏊 – TV ☎ ♿ Ⓟ – 🏛 40. AE ⓓ GB JCB
R *(fermé 3 au 18 janv.)* 90/180 🍷 – ☕ 35 – **43 ch** 290/500 – ½ P 280/300.

🏨 **Lac** 🐦, au lac de Pont E : 3 km par D 103B ✆ 80 97 11 11 – ☎ Ⓟ. ⓓ GB. ✻ ch
fermé 15 déc. au 1er fév., dim. soir et lundi sauf juil.-août – **R** 85/155 🍷 – ☕ 32 – **23 ch** 150/300 – ½ P 290/320.

🏨 **Cymaises** 🐦 sans rest, 7 r. Renaudot **(u)** ✆ 80 97 21 44, Fax 80 97 18 23, 🏡 – ☎ Ⓟ. GB
fermé 22 oct. au 1er nov. et 18 fév. au 7 mars – ☕ 27 – **18 ch** 200/280.

🏠 **Côte d'Or, (b)** ✆ 80 97 03 13, Fax 80 97 29 83 – TV ☎ 🚗. AE GB
fermé 22 nov. au 18 janv., dim. soir de janv. à avril et merc. – **R** 90/210, enf. 50 – ☕ 30 – **14 ch** 200/320 – ½ P 230/320.

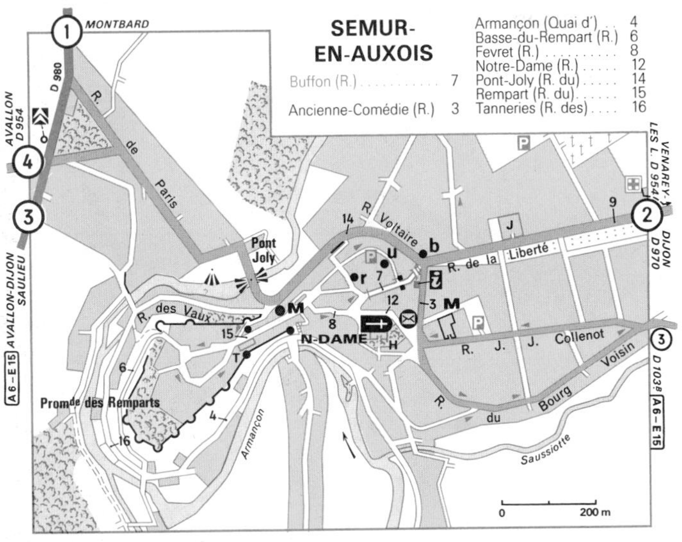

¥ **Gourmets,** r. Varenne **(r)** ☏ 80 97 09 41, ☂ – AE GB
fermé 1er au 7 juin, déc., lundi soir (sauf juil.-août) et mardi – **R** 80/200 ♁.

CITROEN Éts Martin ☏ 80 97 07 89
PEUGEOT-TALBOT Cremer, par ② ☏ 80 96 61 23
N ☏ 80 49 63 72

Pignon ☏ 80 97 07 18

SÉNAS **13560** B.-du-R. 84 ② – 5 113 h. alt. 95.

Paris 713 – Avignon 35 – Aix-en-Provence 48 – ♦Marseille 61 – St-Rémy-de-Pr. 24 – Salon-de-Pr. 12.

¥¥ **Luberon** avec ch, N 7 ☏ 90 57 20 10, ☂ – ⇆ ☎. AE GB
fermé dim. soir – **R** 65/150 ♁ – ☕ 25 – **7 ch** 130/230 – ½ P 160/180.

à Pont-Royal SE : 9 km par rte Aix-en-Provence – ✉ **13370** Mallemort :

Moulin de Vernègues, N 7 ☏ 90 59 12 00, Télex 401645, Fax 90 59 15 90, ☂, parc, ⛱, ✂ – TV ☎ P – 🏛 50 à 100. AE ⊙ GB
R 300/400, enf. 120 – ☕ 60 – **34 ch** 750/1150 – ½ P 800/1100.

SENLIS SP **60300** Oise 56 ⑪ ⑫ 106 ⑧ ⑨ **G. Ile de France** – 14 439 h. alt. 76.

Voir Cathédrale N.-Dame★★ BY – Vieilles rues★ ABY – Place du Parvis★ BY – Église St-Frambourg★ BY **B** – Jardin du Roy ≤★ AY – Forêt d'Halatte★ 5 km par ① – Butte d'Aumont ✳★ 4,5 km par ⑥ puis 30 mn.

Env. Parc Astérix★ S : 12 km par autoroute A1.

9 18 de Morfontaine (privé) ☏ 44 54 68 27, par ④ : 10 km.

Office de Tourisme pl. Parvis-Notre-Dame ☏ 44 53 06 40.

Paris 50 ③ – Compiègne 32 ③ – ♦Amiens 90 ③ – Arras 132 ③ – Beauvais 52 ⑥ – ♦Lille 173 ③ – Mantes-la-Jolie 88 ⑤ – Meaux 37 ③ – Soissons 59 ③.

Plan page suivante

Host. de la Porte Bellon, 51 r. Bellon ☏ 44 53 03 05, Fax 44 53 29 94, ☂, ☂ – TV ☎. GB. ✂ ch BY **t**
fermé 20 déc. au 10 janv. – **R** 105/189 – ☕ 30 – **19 ch** 140/390 – ½ P 205/305.

¥¥ **Scaramouche,** 4 pl. N.-Dame ☏ 44 53 01 26, Fax 44 53 46 14, ☂ – AE ⊙ GB BY **r**
fermé 16 au 23 août, vacances de fév. et merc. – **R** 180/400.

¥¥ **Les Gourmandins,** 3 pl. Halle ☏ 44 60 94 01 – GB AY **d**
fermé 5 au 25 août, lundi soir et mardi sauf fêtes – **R** 210/310.

¥¥ **Aub. La Mitonnée,** 93 r. Moulin St-Tron N : 1,5 km par r. Moulin Rieul ☏ 44 53 10 05 – GB
fermé dim. soir et lundi – **R** 185.

¥¥ **Vieille Auberge,** 8 r. Long Filet ☏ 44 60 95 50, ☂ – AE GB AY **a**
fermé 23 déc. au 5 janvier, dim. soir et lundi – **R** 120/165.

par ③ sur N 324 : 2 km – ✉ **60300** Senlis :

Ibis M, ☏ 44 53 70 50, Télex 140101, Fax 44 53 51 93 – TV ☎ ♿ P – 🏛 100. GB
R 75/95 ♁, enf. 39 – ☕ 32 – **92 ch** 300/340 – ½ P 236/257.

SENLIS

Halle (Pl. de la) . . . . . . BY 12

Apport-au-Pain (R.) . . AY 2

Boutteville (Cours) . . . . BY 5
Gaulle (Av. Gén.-de) . . . BY 9
Henri-IV (Pl.) . . . . AY 13
Leclerc (Av. Gén.) . . . . BY 15
Moulin Rieul (R. du) . . . BY 16

Parvis (Pl. du) . . . . BY 18
Poterne (R. de la) . . . . . BZ 24
Ste-Geneviève (R.) . . . . BZ 25
Vernois (Av. F.) . . . . AY 29
Villevert (R. de) . . . . BY 32

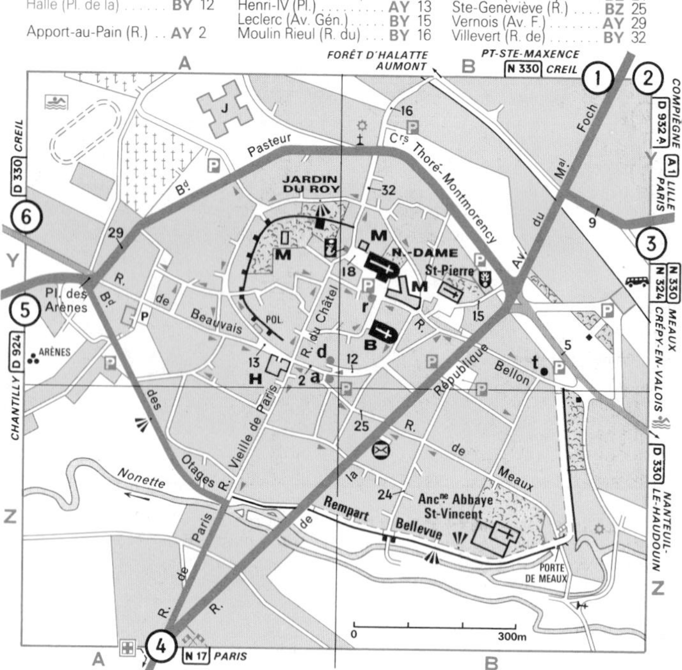

à Mont l'Évêque SE : 4 km par D 330 – ✉ **60300** :

XX **Poivre et Sel,** 26 r. Meaux ✆ **44 60 94 99** – GB
fermé 3 au 24 août, 21 déc. au 6 janv., dim. soir et lundi – **R** 95/145, enf. 50.

CITROEN Bernard Therasse Automobiles, angle av. E.-Audibert/F.-Louat par ③ ✆ 44 60 00 01
PEUGEOT-TALBOT Safari-Senlis, 56 av. de Creil par ⑥ ✆ 44 53 16 46
RENAULT S.A.C.L.I., 64 av. Gén.-de-Gaulle par ③ ✆ 44 53 08 18 N

SENNECEY-LÈS-DIJON 21 Côte-d'Or 66 ⑫ – rattaché à Dijon.

SENON 55230 Meuse 57 ② **G. Alsace Lorraine** – 205 h. alt. 231.
Paris 297 – ◆Metz 54 – Longuyon 20 – Verdun 26.

XX **La Tourtière,** ✆ 29 85 98 30 – AE GB
fermé 28 août au 10 sept., 21 au 28 fév., mardi soir et merc. – **R** 64/250 ♁.

SENONCHES 28250 E.-et-L. 60 ⑥ – 3 171 h. alt. 220.
Paris 116 – Chartres 37 – Dreux 34 – Mortagne-au-Perche 41 – Nogent-le-Rotrou 33.

XX **Forêt** avec ch, pl. Champ de Foire ✆ 37 37 78 50, Fax 37 37 74 98, – TV ☎. AE GB
fermé fév. – **R** *(fermé merc.)* 65/170 ♁ – ☕ 22 – **13 ch** 160/300 – ½ P 190/380.

XX **Pomme de Pin** avec ch, r. M. Cauty ✆ 37 37 76 62, Fax 37 37 86 61, – TV ☎. AE GB
fermé 22 juil. au 5 août, 26 déc. au 18 janv., dim. soir et lundi – **R** 83/240 ♁ – ☕ 30 – **11 ch** 200/270 – ½ P 200/235.

CITROEN Gar. Central, 39 r. Peuret ✆ 37 37 71 18
PEUGEOT-TALBOT Blondeau, 20 r. Michel Cauty ✆ 37 37 70 82

SENONES 88210 Vosges 62 ⑦ **G. Alsace Lorraine** – 3 157 h. alt. 340.
Env. Route de Senones au col du Donon★ NE : 20 km.
Paris 386 – Épinal 56 – ◆Strasbourg 76 – Lunéville 48 – Saint-Dié 20.

X **Au Bon Gîte,** ✆ 29 57 92 46 – GB
fermé 15 août au 1er sept., lundi soir et merc. soir – **Repas** 90/140 ♁, enf. 38.

SENS ⟨SP⟩ **89100** Yonne 61 ⑭ **G. Bourgogne** – 27 082 h. alt. 69.

Voir Cathédrale★★ – Trésor★★ – Musée et palais synodal★ **M.**

Office de Tourisme pl. J.-Jaurès ✆ 86 65 19 49.

Paris 119 ⑥ – Fontainebleau 54 ⑥ – Auxerre 58 ③ – Châlons-sur-Marne 134 ① – ◆Dijon 206 ③ – Meaux 102 ⑥ – Montargis 53 ④ – ◆Reims 149 ① – Soissons 158 ⑥ – Troyes 61 ②.

SENS

Cornet (Av. Lucien) 9
Déportés-et-de-la-Résistance (R. des)
Grande-Rue 15
République (Pl. de la) 27
République (R. de la) 28
Alsace-Lorraine (R. d') 2
Chambonas (Cours) 8
Cousin (Square J.) 10
Foch (Bd Mar.) 12
Garibaldi (Bd des) 13
Leclerc (R. du Gén.) 19
Maupeou (Bd de) 21
Moulin (Quai J.) 23

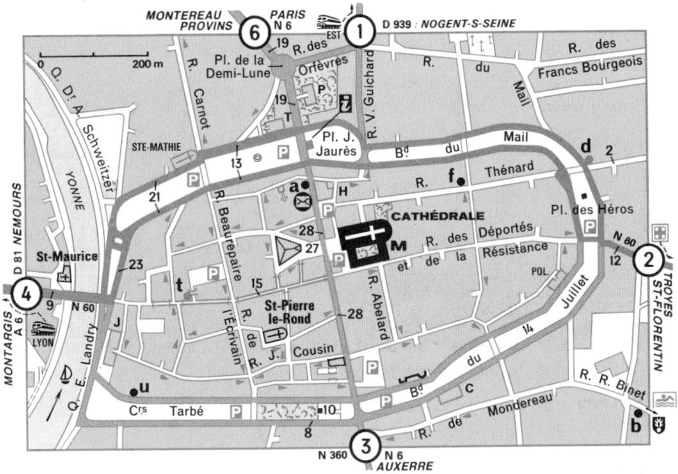

🏨 **Paris et Poste,** 97 r. République **(a)** ✆ 86 65 17 43, Télex 801831, Fax 86 64 48 45, 🏡, « Salle à manger rustique bourguignon » – ⇝ rest ▤ rest TV ☎ 🚗 – 🏛 30. AE ⓓ GB JCB
R 165/330 – ☕ 44 – **26 ch** 380/580, 4 appart. 700 – ½ P 370/430.

🏨 **Virginia** M, par ② rte de Troyes : 3 km ✆ 86 64 66 66, Télex 801869, Fax 86 65 75 11, 🏡 – TV ☎ ♿ P – 🏛 50. AE ⓓ GB
R grill *(fermé dim. soir)* 85/130, enf. 55 – ☕ 30 – **100 ch** 200/250 – ½ P 195/215.

🏨 **Relais Arcade** sans rest, 9 cours Tarbé **(u)** ✆ 86 64 26 99, Télex 801654, Fax 86 64 46 29 – ⇕ TV ☎ ♿ P – 🏛 25. AE ⓓ GB
☕ 32 – **44 ch** 250/300.

🏨 **H. Résidence R. Binet** sans rest, 20 r. R. Binet **(b)** ✆ 86 95 21 50 – ⇕ TV ☎ P. GB
☕ 23 – **33 ch** 130/275.

🏨 **Brennus** sans rest, 21 r. Trois Croissants **(f)** ✆ 86 64 04 40, Télex 802717, Fax 86 65 44 10 – TV ☎ ♿ – 🏛 30. AE ⓓ GB
fermé 19 au 27 déc. – ☕ 35 – **30 ch** 210/310.

XXX **La Madeleine,** 1 r. Alsace-Lorraine **(d)** ✆ 86 65 09 31, Fax 86 95 37 41 – ▤. ⓓ GB
fermé 2 au 17 août, soirs de fêtes, dim. soir et lundi – **R** 130/450, enf. 60.

XX **Aub. de la Vanne,** 176 av. de Senigallia par ③ ✆ 86 65 13 63, Fax 86 65 90 85, 🏡, « Terrasse au bord de l'eau », 🏡 – P. AE GB
fermé 28 août au 4 sept., 18 déc. au 7 janv., jeudi soir et vend. – **R** 80/218.

XX **Clos des Jacobins,** 49 Gde rue **(t)** ✆ 86 95 29 70 – ▤. AE GB
fermé 15 au 31 août, 23 déc. au 3 janv., 15 au 28 fév., dim. soir, mardi soir et merc. – **R** (prévenir) 135/270.

XX **La Potinière,** 51 r. Cécile de Marsangis ✆ 86 65 31 08, « Terrasse au bord de l'eau » – GB
fermé 22 fév. au 3 mars, lundi soir et mardi – **R** (prévenir) 140/260.

à Soucy par ① : 7 km – ✉ **89100** :

XX **Aub. du Regain** avec ch, ✆ 86 86 64 62, 🏡 – GB
fermé 24 août au 14 sept., 15 au 28 fév., dim. soir et lundi – **R** 95/220, enf. 70 – ☕ 22 – **6 ch** 130/200 – ½ P 170/220.

à Malay-le-Petit par ② : 8 km – ✉ **89100** :

XX **Aub. Rabelais** avec ch, ✆ 86 88 21 44, 斋 – **P**. GB. ✗ ch
fermé 1er au 15 oct., 15 janv. au 1er fév., merc. soir et jeudi – **R** 100/220 – ☐ 35 – **7 ch** 135/175.

à Subligny par ④ : 7 km sur N 60 – ✉ **89100** :

XX **Haie Fleurie,** ✆ 86 88 84 44, 斋 – **P**. GB
fermé dim. soir, merc. soir et jeudi – **R** 170/220.

X **Relais de Subligny,** ✆ 86 88 83 22, 斋, 🐎 – **P**. GB
fermé lundi du 1er sept. au 30 avril, dim. soir et merc. soir – **R** 130/195, enf. 50.

à Villeneuve-la-Dondagre SO : 12 km par N 60 et D 63 – ✉ **89150** :

Castel Boname M ⛰, ✆ 86 86 04 10, Fax 86 86 08 80, 斋, parc, ⛱, 🐎, 🎾 – TV ☎ ♿ **P**. GB
fermé 18 janv. au 24 fév. – **R** 140/340 – ☐ 45 – **13 ch** 550/650 – ½ P 415/485.

à Villeroy par ④ : 6 km – ✉ **89100** :

XXX **Relais de Villeroy** M avec ch, ✆ **86 88 81 77,** 🐎 – TV ☎ **P**. AE ⓓ GB
fermé 20 déc. au 10 janv., dim. soir et lundi – **R** 130/320 – ☐ 32 – **8 ch** 220/260.

BMW Éts Berni, 13 av. Lörrach ✆ 86 65 70 90 N ✆ 86 65 19 97
CITROEN Gd Gar. de l'Yonne, rte de Lyon par ③ ✆ 86 65 12 92
HONDA Gar. de la Vanne, 184 rte de Lyon ✆ 86 65 00 37
PEUGEOT-TALBOT S.E.G.A.M., 16 bd Kennedy, par ③ ✆ 86 65 19 12
RENAULT Sté Senonaise d'Autom., carrefour Ste-Colombe N 6 à St-Denis-les-Sens par ⑥ ✆ 86 65 18 33 N ✆ 86 96 72 31
RENAULT Gar. Martineau, 11 rte de Nogent à Thorigny-sur-Oreuse par ① ✆ 86 88 42 03 N

Ⓜ La Centrale du Pneu, 105 r. Gén.-de-Gaulle ✆ 86 65 24 33
Serdin Pneus, 78 rte de Paris ✆ 86 65 26 03
Sovic, 18 bd Kennedy ✆ 86 65 25 05

Rauchen bei Tisch verändert den Geschmack und stört die Nachbarn.
Denken Sie im Restaurant daran.

SEPT-SAULX **51400** Marne 56 ⑰ – 484 h. alt. 96.
Paris 167 – ♦ Reims 23 – Châlons-sur-Marne 28 – Épernay 31 – Rethel 46 – Vouziers 58.

Cheval Blanc ⛰, ✆ 26 03 90 27, Télex 830885, Fax 26 03 97 09, 斋, 🐎, 🎾 – TV ☎ **P** AE ⓓ GB JCB
fermé mi-janv. à mi-fév. – **R** 180/380 – ☐ 50 – **18 ch** 340/650, 7 appart. 580/1200 – ½ P 570/980.

SÉREILHAC **87620** H.-Vienne 72 ⑰ – 1 614 h. alt. 312.
Paris 415 – ♦ Limoges 20 – Châlus 15 – Confolens 50 – Nontron 49 – Périgueux 78 – St-Yrieix-la-P. 35.

Motel des Tuileries ⛰, aux Betoulles NE : 2 km sur N 21 ✆ 55 39 10 27, 斋, 🐎 – TV ☎ **P** – 🏛 25. GB
fermé 11 au 24 nov., 11 au 31 janv., dim. soir et lundi sauf juil.-août – **R** (dim. prévenir) 68/250, enf. 40 – ☐ 25 – **10 ch** 230/260 – ½ P 230/260.

XXX ✿ **La Meule** (Mme Jouhaud) avec ch, N 21 ✆ 55 39 10 08, Fax 55 39 19 66 – TV ☎ **P** – 🏛 30. AE ⓓ GB JCB
fermé 6 au 26 janv., dim. soir et mardi de nov. à Pâques – **R** 210/360 – ☐ 50 – **10 ch** 290/460
Spéc. Escalope de foie gras poêlée, Filet de bar aux épices, Tarte au chocolat.

SEREZIN-DU-RHÔNE **69360** Rhône 74 ⑪ – 2 257 h. alt. 164.
Paris 478 – ♦ Lyon 18 – ♦ Grenoble 103 – Rive-de-Gier 23 – La Tour-du-Pin 53 – Vienne 18.

La Bourbonnaise, ✆ 78 02 80 58, Télex 301456, Fax 78 02 17 39, 斋, 🐎 – TV ☎ **P** – 🏛 30. AE ⓓ GB
R 115/285, enf. 75 - **Grill R** 85, enf. 39 – ☐ 30 – **41 ch** 169/269 – ½ P 220/275.

SERRABONE **66** Pyr.-Or. 86 ⑱ **G. Pyrénées Roussillon.**
Voir Le Prieuré★★.

SERRAVAL **74230** H.-Savoie 74 ⑰ – 430 h. alt. 763.
Paris 566 – Annecy 30 – Albertville 26 – Bonneville 41 – Faverges 10 – Megève 41 – Thônes 10.

Tournette, ✆ 50 27 50 13, ≤, 斋, 🐎 – TV ☎ 🚗 **P**. GB
fermé 20 oct. au 20 nov. et mardi hors sais. – **R** 80/95 – ☐ 28 – **18 ch** 140/300 – ½ P 180/270.

SERRE-CHEVALIER **05240** H.-Alpes 77 ⑱ **G. Alpes du Sud** – Sports d'hiver : 1 350/2 830 m 🚡7 ⛷58 ⛷.
Voir ✳★★.
De Chantemerle : Paris 672 – Briançon 6 – Gap 94 – ♦ Grenoble 111 – Col du Lautaret 22.

à Chantemerle – alt. 1 350 – ✉ **05330** St-Chaffrey.

Voir Col de Granon ❋★★ N : 12 km.

Office de Tourisme ✆ 92 24 71 88, Télex 400152.

Plein Sud M ⑤ sans rest, ✆ **92 24 17 01, Fax 92 24 10 21**, ≤, ⛱, 🌳 – TV ☎ P. GB. ✂
20 juin-20 sept. et 19 déc.-19 avril – ☕ 45 – **42 ch** 290/460.

La Balme M ⑤, ✆ **92 24 01 89, Fax 92 24 07 74**, ≤, 🌳 – TV ☎ 🚗 P. AE ⓓ GB
début juin-fin sept. et début déc.-fin avril – **R** snack (dîner seul.) 117 – **25 ch** ☕ 380/460.

La Fourchette, ✆ **92 24 06 66** – GB
15 juin-15 oct. et 15 déc.-15 avril – **R** 88/158, enf. 38.

à Villeneuve-la-Salle – alt. 1 452 – ✉ **05240** La-Salle-les-Alpes.

Voir Eglise St-Marcellin★ de La-Salle-les-Alpes.

Office de Tourisme ✆ 92 24 71 88, Télex 400152.

Vieille Ferme ⑤, ✆ **92 24 76 44**, ≤, 🏡, « Belle salle voûtée, rôtisserie », 🌳 – ☎ P. GB. ✂ rest
15 déc.-20 avril et 15 juin-16 sept. – **R** *(fermé lundi)* (dîner seul.) 170/250 🍷 – ☕ 42 – **30 ch** 412/528.

Christiania, ✆ **92 24 76 33, Fax 92 24 83 82**, ≤, 🌳 – TV ☎ P. GB. ✂ rest
20 juin-6 sept. et 5 déc.-2 mai – **R** 90/150, enf. 40 – ☕ 35 – **24 ch** 290/390 – ½ P 255/350.

Aub. Ensoleillée ⑤ avec ch, ✆ **92 24 74 04**, 🏡 – ☎. GB
15 juin-15 sept. et 10 déc.-30 avril – **R** 90/165 🍷 – ☕ 28 – **8 ch** 170/260 – ½ P 240/280.

au Monetier-les-Bains – alt. 1 470 – ✉ **05220** :

Aub. du Choucas M ⑤, ✆ **92 24 42 73, Fax 92 24 51 60**, « Salle voûtée ancienne » – cuisinette ⇆ ch ☎. GB
fermé 2 nov. au 15 déc. – **R** *(fermé dim. soir et lundi soir du 26 avril au 14 juin et du 1er oct. au 2 nov. et le midi sauf dim.)* 199/360, enf. 89 – ☕ 59 – **8 ch** 520/680, 4 studios 950/1150 – ½ P 495.

Europe ⑤, ✆ **92 24 40 03, Fax 92 24 52 17** – ☎. AE ⓓ GB
1er juin-30 sept. et 1er déc.-30 avril – **R** 80/120 – ☕ 35 – **31 ch** 330/350 – ½ P 300/320.

Bergerie ⑤, ✆ **92 24 41 20** – AE GB
15 juin-15 sept. et 20 déc.-vacances de printemps – **R** 75/100 🍷, enf. 45 – ☕ 28 – **12 ch** 140/245 – ½ P 210/265.

CITROEN Gar. Puy et Dovetta, à St-Chaffrey ✆ 92 24 00 07

OPEL Gar. du Téléphérique, à St-Chaffrey ✆ 92 24 01 65 N

SERRE-PONÇON (Barrage et Lac de) ★★ 05 H.-Alpes 81 ⑦ G. Alpes du Sud.

Voir Belvédère★★.

SERRES 05700 H.-Alpes 81 ⑤ G. Alpes du Sud – 1 106 h. alt. 663.

Syndicat d'Initiative pl. du Lac ✆ 92 67 00 67.

Paris 677 – Gap 41 – Die 65 – ♦Grenoble 107 – La Mure 80 – Manosque 84 – Nyons 64.

Fifi Moulin ⑤, ✆ **92 67 00 01, Fax 92 67 07 56**, ⛱, 🌳 – ☎ 🚗. AE ⓓ GB
16 mars-30 nov. et fermé merc. sauf du 1er juin au 30 sept. – **R** 95/158 – ☕ 30 – **25 ch** 240/260 – ½ P 252/262.

CITROEN Gar. du Buech ✆ 92 67 00 28 N

PEUGEOT-TALBOT Gonsolin ✆ 92 67 03 60 N ✆ 92 67 04 26

RENAULT Keyser, 4 av. M.-Meyère ✆ 92 67 00 11 N

SERRIÈRES 07340 Ardèche 77 ① G. Vallée du Rhône – 1 154 h. alt. 139.

Syndicat d'Initiative quai J.-Roche (juil.-août) ✆ 75 34 06 01.

Paris 519 – Annonay 16 – Privas 90 – Rive-de-Gier 40 – ♦St-Étienne 55 – Tournon-sur-Rhône 32 – Vienne 28.

Schaeffer avec ch, ✆ **75 34 00 07**, 🏡 – ▤ ch TV ☎ 🚗 P. GB
fermé 1er au 29 janv., lundi soir et mardi sauf juil.-août – **R** 120/295 – ☕ 30 – **12 ch** 140/280 – ½ P 280/360.

Parc, ✆ **75 34 00 08**, 🏡 – GB
fermé 1er au 10 oct., dim. soir en hiver et lundi – **R** 125/220.

à l'Ouest : 5 km par N 82 et VO – ✉ **07340** Serrières :

Coq Hardi, ✆ **75 34 83 56**, 🏡 – ⓓ GB
fermé 14 au 20 sept., 23 au 29 nov., lundi soir et mardi – **R** 90/230.

V.A.G Gar. Gines ✆ 75 34 02 25 N ✆ 75 59 13 16

SERVON 50170 Manche 59 ⑧ – 202 h. alt. 36.

Paris 355 – Saint Malo 51 – Avranches 15 – Dol de Bretagne 28 – Saint Lô 73.

Aub. du Terroir ⑤ avec ch, ✆ **33 60 17 92, Fax 33 60 41 72**, 🏡, 🌳, 🎾 – TV ☎ P. GB
fermé 15 janv. au 15 fév. – **R** *(fermé merc.)* 85/250, enf. 38 – ☕ 30 – **9 ch** 180/220 – ½ P 180/200.

SERVOZ 74310 H.-Savoie 74 ⑧ **G. Alpes du Nord** – 619 h. alt. 815.

Voir Gorges de la Diosaz★ : chutes★★ E : 1 km.

Syndicat d'Initiative Le Bouchet, pl. Église (saison) ☏ 50 47 21 68.

Paris 600 – Chamonix-Mont-Blanc 14 – Annecy 82 – Bonneville 42 – Megève 23 – St-Gervais-les-Bains 11,5.

Chamois sans rest, ☏ 50 47 20 09, Fax 40 47 24 87, ←, – TV ☎ P. GB
fermé 16 nov. au 5 déc. – ☐ 32 – **7 ch** 220/270.

Sauvageonne, ☏ 50 47 20 40, Fax 50 47 22 22, ←, – ☎ P. GB.
10 avril-30 sept. et 15 déc.-23 mars – **R** *(fermé jeudi hors sais.)* 68/140, enf. 48 – ☐ 32 – **10 ch** 220/265 – ½ P 225/230.

SESSENHEIM 67770 B.-Rhin 57 ⑳ 87 ③ **G. Alsace Lorraine** – 1 542 h. alt. 103.

Paris 494 – ◆Strasbourg 35 – Haguenau 18 – Wissembourg 36.

A L'Agneau, sur D 468 ☏ 88 86 95 55 – P. GB
fermé 3 au 20 août, dim. soir et lundi – **R** carte 190 à 280.

SÈTE 34200 Hérault 83 ⑯ **G. Gorges du Tarn** – 41 510 h. alt. 6.

Voir Circuit★ du Mt-St-Clair ★★ 1,5 km, AZ.

Office de Tourisme 60 Grand'Rue Mario-Roustan ☏ 67 74 71 71.

Paris 791 ③ – ◆Montpellier 30 ③ – Béziers 54 ② – Lodève 68 ③.

Plan page suivante

Grand Hôtel, 17 quai Mar. de Lattre de Tassigny ☏ 67 74 71 77, Télex 480225, Fax 67 74 29 27 – ch TV ☎ – 40. AE GB AY t
hôtel : fermé 21 déc. au 5 janv. – **La Rotonde** ☏ 67 46 12 20 *(fermé 3 au 23 fév.)* **R** 145/215 – ☐ 33 – **43 ch** 250/480, 4 appart..

Régina sans rest, 6 bd D. Casanova ☏ 67 74 31 41 – TV ☎. AE GB AY u
☐ 25 – **20 ch** 150/250.

Hippocampe sans rest, 3 r. Longuyon ☏ 67 74 51 14 – ☎. GB BY s
☐ 25 – **20 ch** 140/220.

Hermann Facélina, 14 quai L. Suquet ☏ 67 74 34 74 – . AE GB ABY a
fermé 30 août au 15 sept., 16 fév. au 3 mars, dim. soir et lundi – **R** carte 265 à 385, enf. 50.

Les Saveurs Singulières, 5 quai Ch. Lemaresquier ☏ 67 74 14 41 – . AE GB.
fermé le midi en juil.-août, dim. soir et lundi de sept. à juin – **R** 175/350. BZ b

La Palangrotte, rampe P. Valéry ☏ 67 74 80 35, produits de la mer – . AE GB AZ r
fermé 7 janv. au 7 fév., dim. soir et lundi du 1er oct. au 1er juin – **R** 140/320, enf. 100.

Le Chalut, 38 quai M. Licciardi ☏ 67 74 81 52, produits de la mer – AZ f
fermé mi-déc. à début fév. et merc. – **R** 90/130.

Rest. Alsacien, 25 r. P. Sémard ☏ 67 74 77 94 – . GB BY e
fermé juil., 23 déc. au 3 janv., dim. soir et lundi – **R** carte 160 à 300.

sur la Corniche par ② : 2 km :

Impérial sans rest, pl. É. Herriot ☏ 67 53 28 32, Télex 480046, Fax 67 53 37 49 – TV ☎ P – 30. AE GB
☐ 35 – **40 ch** 250/690.

Les Terrasses du Lido M, rond-point Europe ☏ 67 51 39 60, Fax 67 53 26 96, , – rest TV ☎ P – 25. AE GB
fermé 27 janv. au 29 fév. – **R** *(fermé dim. soir et lundi sauf juil.-août)* 130/280, enf. 80 – ☐ 50 – **10 ch** 360/450 – ½ P 400/500.

Joie des Sables, plage de la Corniche ☏ 67 53 11 76, – TV ☎ P – 40. AE GB. ch
R *(fermé 31 oct. au 31 janv., dim. soir et lundi du 1er fév. au 30 juin et lundi midi du 1/7 au 15/10)* 95/140, enf. 50 – ☐ 30 – **25 ch** 310 – ½ P 280.

Sables d'Or sans rest, pl. É. Herriot ☏ 67 53 09 98 – TV ☎. AE GB.
☐ 28 – **30 ch** 222/306.

Les Tritons sans rest, bd Joliot-Curie ☏ 67 53 03 98, Fax 67 53 38 31, – TV ☎ P. AE GB
☐ 28 – **36 ch** 215/295.

La Corniche, pl. É. Herriot ☏ 67 53 03 30, – GB
fermé 10 janv. au 28 fév., dim. soir d'oct à mai et lundi – **R** 90/260.

FIAT Sète-Autom., 46 quai Bosc ☏ 67 74 36 66
MERCEDES MAZDA Sadler, 9 quai Vauban ☏ 67 74 60 52
OPEL France-Auto, ZI des Eaux Blanches ☏ 67 48 48 61
PEUGEOT Automobiles Sètoises, 81 bd C. Blanc par ② ☏ 67 51 33 51
RENAULT Sète-Exploitation-Autos, ZI des Eaux Blanches par ④ ☏ 67 48 79 79

Comptoir Méridional du C/c, 1005 rte de Montpellier ☏ 67 48 80 50
Escoffier-Pneus, 73 parc Aquatechnique ☏ 67 51 07 00
Guittard, 2 quai L.-Pasteur ☏ 67 74 08 91
Martinez-Pneus, 24 quai République ☏ 67 74 93 61

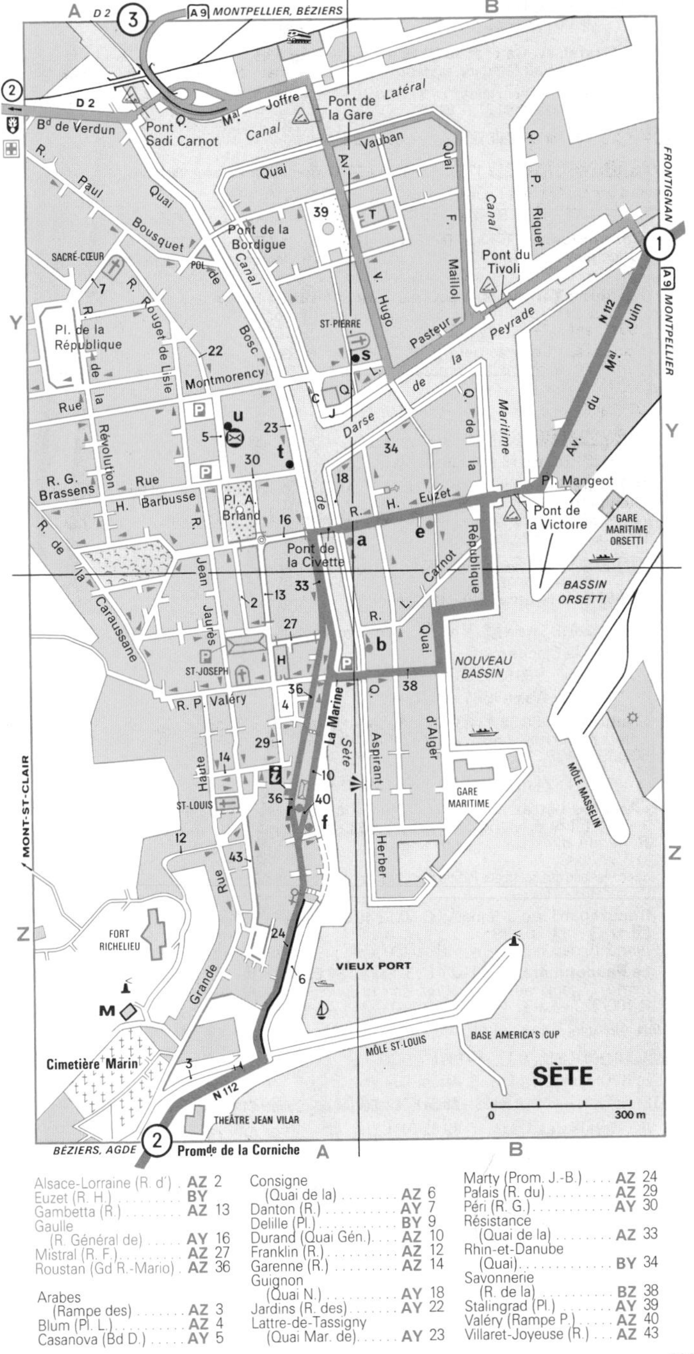

Alsace-Lorraine (R. d') . AZ 2
Euzet (R. H.) . . . . BY
Gambetta (R.) . . . . AZ 13
Gaulle
(R. Général de) . . . . . AY 16
Mistral (R. F.) . . . . AZ 27
Roustan (Gd R.-Mario) . AZ 36

Arabes
(Rampe des) . . . . AZ 3
Blum (Pl. L.) . . . . AZ 4
Casanova (Bd D.) . . . . . AY 5

Consigne
(Quai de la) . . . . AZ 6
Danton (R.) . . . . AY 7
Delille (Pl.) . . . . BY 9
Durand (Quai Gén.) . . . . AZ 10
Franklin (R.) . . . . AZ 12
Garenne (R.) . . . . AZ 14
Guignon
(Quai N.) . . . . AY 18
Jardins (R. des) . . . . AY 22
Lattre-de-Tassigny
(Quai Mar. de) . . . . . . AY 23

Marty (Prom. J.-B.) . . . . AZ 24
Palais (R. du) . . . . AZ 29
Péri (R. G.) . . . . AY 30
Résistance
(Quai de la) . . . . AZ 33
Rhin-et-Danube
(Quai) . . . . BY 34
Savonnerie
(R. de la) . . . . BZ 38
Stalingrad (Pl.) . . . . AY 39
Valéry (Rampe P.) . . . . . AZ 40
Villaret-Joyeuse (R.) . . . AZ 43

SEURRE 21250 Côte-d'Or 69 ⑩ 170 ② G. Bourgogne – 2 728 h. alt. 181.

Paris 337 – Chalon-sur-Saône 38 – Beaune 27 – ♦Dijon 42 – Dole 30.

Le Castel, av. Gare ✆ 80 20 45 07, – ☎ P. GB
fermé 2 janv. au 6 fév. et lundi du 1er nov. au 1er mai – **R** 95/270 – ☐ 28 – **20 ch** 145/250.

CITROEN Gar. Milan, à Labruyère ✆ 80 21 05 78
CITROEN Gar. François ✆ 80 21 12 84
PEUGEOT-TALBOT Gar. Fuant ✆ 80 20 41 46 N

SEVENANS 90 Ter.-de-Belf. 166 ⑧ – rattaché à Belfort.

SÉVÉRAC-LE-CHÂTEAU 12150 Aveyron 80 ④ G. Gorges du Tarn – 2 486 h. alt. 750.

Syndicat d'Initiative r. des Douves (15 juin-août) ✆ 65 47 67 31.

Paris 623 – Mende 65 – Rodez 50 – Alès 153 – Espalion 46 – Florac 73 – Millau 30 – St-Flour 107.

Commerce, ✆ 65 71 61 04, Fax 65 47 66 01 – ☎. AE ⓓ GB
fermé janv., dim. du 1er oct. au 1er mai et sam. soir sauf vacances scolaires – **R** 60/250, enf. 38 – ☐ 26 – **21 ch** 260/300 – ½ P 230.

Moderne Terminus, à Sévérac-gare ✆ 65 47 64 10 – ☎. GB
Pâques -fin sept. et fermé vend. soir et sam. (sauf juil.-août) et lundi en juil.-août – **R** 55/150, enf. 40 – ☐ 35 – **22 ch** 160/247 – ½ P 145/200.

Causses, à Sévérac-gare ✆ 65 71 60 15 – P. GB
fermé oct., lundi midi et dim. sauf juil.-août – **R** 60/120, enf. 38 – ☐ 30 – **13 ch** 110/180 – ½ P 135/170.

PEUGEOT Gar. Delmas, Lapanouse ✆ 65 47 62 17

SÉVIGNACQ-MEYRACQ 64260 Pyr.-Atl. 85 ⑥ – 437 h. alt. 469.

Paris 797 – Pau 23 – Lourdes 40 – Oloron-Ste-Marie 20.

Bains de Secours avec ch, NE : 3,5 km par D 934 et VO ✆ 59 05 62 11, « Cadre champêtre » – ☎ P. AE GB. rest
fermé dim. soir et lundi – **Repas** (prévenir) 75/140 dîner à la carte – ☐ 35 – **7 ch** 200/250 – ½ P 250.

SEVRAN 93 Seine-St-Denis 56 ⑪, 101 ⑱ – voir à Paris, Environs.

SÈVRES 92 Hauts-de-Seine 60 ⑩, 101 ㉔ – voir à Paris, Environs.

SÉVRIER 74320 H.-Savoie 74 ⑥ G. Alpes du Nord – 2 980 h. alt. 456.

Voir Musée de la Cloche★.

Office de Tourisme ✆ 50 52 40 56.

Paris 542 – Annecy 5,5 – Albertville 40 – Megève 55.

Eramotel, ✆ 50 52 43 83, – ☎ P – 30. GB. rest
hôtel : fermé nov. ; rest. : ouvert 1er fév.-30 sept. – **R** (dîner seul.) 98/138 – ☐ 30 – **18 ch** 300/395 – ½ P 325/400.

à Letraz N : 2 km sur N 508 – ✉ 74320 Sévrier :

Aub. de Létraz (Collon) M, ✆ 50 52 40 36, Télex 309801, Fax 50 52 63 36, ←, – ☎ P – 25 à 80. AE ⓓ GB
R *(fermé dim. soir et lundi midi d'oct. à fin mai)* 210/420 – ☐ 50 – **24 ch** 505/915 – ½ P 396/608
Spéc. Assiette des gourmets, Palette de poissons du lac (fév. à mi-oct.), Pigeon en ballotine chaude au foie gras. Vins Seyssel, Pinot de Savoie.

Beauregard, rte d'Annecy ✆ 50 52 40 59, Télex 370679, Fax 50 52 44 71, ←, – ☎ P – 30. GB
fermé 15 déc. au 15 janv. – **R** 72/180, enf. 56 – ☐ 29 – **33 ch** 275/330 – ½ P 266/300.

La Fauconnière, ✆ 50 52 41 18, Fax 50 52 63 33, – ☎ P. GB.
fermé 1er janv. au 7 fév., dim. soir et lundi midi du 16 sept. au 14 juin (sauf fériés) – **R** 100/220 – ☐ 32 – **20 ch** 230/270 – ½ P 245/265.

CITROEN Alp'Auto ✆ 50 52 41 44

SEWEN 68290 H.-Rhin 166 ⑧ – 539 h. alt. 500.

Voir Lac d'Alfeld★ O : 4 km, G. Alsace Lorraine.

Paris 431 – Épinal 76 – ♦ Mulhouse 38 – Altkirch 38 – Belfort 32 – Colmar 64 – Thann 24 – Le Thillot 27.

Au Relais des Lacs, ✆ 89 82 01 42, ←, – ☎ P – 35. AE ⓓ GB
fermé 25 août au 12 sept., 6 janv. au 7 fév., mardi soir et merc. hors sais. – **R** 90/192 – ☐ 38 – **13 ch** 170/250 – ½ P 210/260.

Vosges, E : 0,5 km ✆ 89 82 00 43, ←, – ☎ P. AE ⓓ GB
fermé 11 nov. au 22 déc., dim. soir et jeudi sauf juil.-août – **R** 80/230, enf. 50 – ☐ 28 – **20 ch** 220/240 – ½ P 220/240.

SEYNE 04140 Alpes-de-H.-P. 81 ⑦ G. Alpes du Sud – 1 222 h. alt. 1 200 – Sports d'hiver : 1 348/1 800 m 9.

Voir Col du Fanget ←★ SO : 5 km.

Syndicat d'Initiative pl. Armes (vacances scolaires) ✆ 92 35 11 00.

Paris 719 – Digne 41 – Gap 45 – Barcelonnette 41 – Briançon 102 – Guillestre 74.

Au Vieux Tilleul, SE : 1,5 km par D 7 et VO ✆ 92 35 00 04, ←, patinoire, – ☎ P. AE GB. rest
Pâques-10 oct. – **R** 80/200, enf. 54 – ☐ 34 – **18 ch** 240/330 – ½ P 260/330.

à Selonnet NO : 4 km par D 900 – ✉ **04460** :

Relais de la Forge M, ✆ 92 35 16 98 – ☎ P. AE GB
fermé 16 nov. au 14 déc. et lundi sauf vacances scolaires – **R** 70/160, enf. 38 – ☐ 25 – **15 ch** 145/240 – ½ P 175/210.

au col St-Jean au N : 12 km par D 900 – alt. 1 333 – Sports d'hiver : 1 300/2 400 m 15 – ✉ **04140** Seyne :

Espace M, ✆ 92 35 37 00, Fax 92 35 14 93, ← – ☎ – 45. AE GB
R 82/220 – ☐ 32 – **45 ch** 160/260 – ½ P 250/270.

Les Alisiers, S : 1 km par D 207 ✆ 92 35 30 88 – GB
fermé 25 sept. au 25 oct. et mardi sauf vacances scolaires – **R** 58/170, enf. 34.

La SEYNE-SUR-MER 83500 Var 84 ⑮ G. Côte d'Azur – 59 968 h. alt. 1.

Voir ←★ de la terrasse du fort Balaguier E : 3 km.

Office de Tourisme pl. L.-Rollin ✆ 94 94 73 09 et esplanade des Rablettes (saison).

Paris 833 – ♦Toulon 7 – Aix-en-Provence 76 – La Ciotat 35 – ♦Marseille 60.

Moderne sans rest, 2 r. L. Blum ✆ 94 94 86 68, Fax 94 87 05 34 – TV ☎. AE GB
☐ 30 – **26 ch** 170/300.

Aubergade, 20 r. Faidherbe ✆ 94 94 81 95 – ▤. GB
fermé 4 au 31 août, dim. et lundi – **R** 130/190, enf. 45.

à Fabrégas S : 4 km par D 18 et VO – ✉ **83500** La Seyne-sur-Mer :

Chez Daniel "rest. du Rivage", ✆ 94 94 85 13, produits de la mer – P
fermé fév. et merc. hors sais. – **R** 220/350.

CITROEN SANDRA, quartier Berthe, rte de Sanary ✆ 94 94 71 90
PEUGEOT TALBOT S.O.T.R.A., av. E.-d'Orves, q. Bregaillon ✆ 94 94 18 95
RENAULT La Seyne Autom., D 26, camp Laurent, bretelle-autoroute ✆ 94 94 19 55
Auto Sce 83, Centre Commercial Mammouth ✆ 94 30 13 87
Aude, 105 av. Gambetta ✆ 94 87 09 38
Vulcanisation Seynoise, 2 r. Mabily ✆ 94 94 83 48

SEYNOD 74 H.-Savoie 74 ⑥ – rattaché à Annecy.

SEYSSEL 74910 H.-Savoie 74 ⑤ G. Jura – 1 630 h. alt. 258.

Office de Tourisme Maison du Pays ✆ 50 59 26 56.

Paris 519 – Annecy 34 – Aix-les-B. 31.

Rhône, rive droite ✉ 01420 ✆ 50 59 20 30, ←, – . AE GB
fermé 3 au 24 janv., dim. soir et lundi du 15 sept. au 15 juin – **R** 115/240, enf. 45 – ☐ 35 – **10 ch** 150/290 – ½ P 220/270.

dans le Val du Fier S : 3 km par D 991 et D 14 G. Alpes du Nord – ✉ **74910** Seyssel.

Voir Val de Fier★.

Rôt. du Fier, ✆ 50 59 21 64, « Jardin fleuri », – P. GB.
fermé 1er au 12 sept., 2 au 5 janv., mardi soir et merc. – **R** 135/260, enf. 80.

CITROEN Gar. Rossi ✆ 50 59 21 85 N

SÉZANNE 51120 Marne 61 ⑤ G. Champagne – 5 829 h. alt. 137.

Syndicat d'Initiative pl. République (saison) ✆ 26 80 51 43.

Paris 113 – Troyes 60 – Châlons-sur-Marne 57 – Meaux 79 – Melun 87 – Sens 78.

Ménil sans rest, 42 bis r. Parisot-Dufour ✆ 26 81 41 11 – TV ☎ P. GB
fermé dim. – ☐ 23 – **9 ch** 196.

Croix d'Or, 53 r. Notre-Dame ✆ 26 80 61 10, Fax 26 80 65 20 – TV ☎ P. AE GB
fermé 2 au 17 janv. et lundi sauf de juil. à sept. – **R** 60/360 – ☐ 30 – **13 ch** 130/240 – ½ P 280/300.

Relais Champenois, 157 r. Notre-Dame ✆ 26 80 58 03, Fax 26 81 35 32 – rest TV ☎. AE GB
fermé 21 déc. au 3 janv., vacances de fév. vend. soir (sauf juil.-août) et dim. soir – **R** 85/220, enf. 50 – ☐ 35 – **14 ch** 170/320 – ½ P 225.

Soleil, 17 r. Paris ✆ 26 80 63 13, Fax 26 80 67 92 – AE GB
fermé 12 nov. au 3 déc., 28 fév. au 7 mars, mardi soir et merc. – **R** 68/240, enf. 38.

CITROEN Petit Vissuzaine, av. J.-Jaurès ✆ 26 80 50 02
PEUGEOT-TALBOT Gar. Notre-Dame, ZI, rte de Troyes ✆ 26 80 71 01
RENAULT S.C.A.T., ZI, rte de Troyes ✆ 26 80 57 31
Fischbach-Pneu, carrefour N 4 Fontainebleau ✆ 26 80 57 78

SIERCK-LES-BAINS **57480** Moselle 57 ④ **G. Alsace Lorraine** – 1 825 h. alt. 202.
Voir ≤★ du château fort.
Paris 355 – ♦Metz 45 – Luxembourg 32 – Thionville 17 – Trier 52.

XXX **La Vénerie,** ✆ 82 83 72 41, 余, parc, « Cadre élégant » – P. ◑ GB
fermé 21 janv. au 1er mars, merc. soir et lundi – **R** 128/235.

à ***Montenach*** SE : 3,5 km sur D 956 – ✉ **57480** :

X **Aub. de la Klauss,** ✆ 82 83 72 38 – GB
fermé 24 déc. au 8 janv. et lundi – **R** 95/180 ₰.

à ***Manderen*** E : 7 km par N 153 et D 64 – ✉ **57480** :

XX **Au Relais du Château Mensberg** ⑤ avec ch, ✆ 82 83 73 16, 余, 🌳 – P. AE ◑ GB
R 55/230 ₰, enf. 35 – ☕ 28 – **4 ch** 170/200 – ½ P 160.

SIERENTZ **68510** H.-Rhin 166 ⑩ – 2 106 h.
Paris 473 – ♦Mulhouse 15 – Altkirch 18 – ♦Basel 18 – Belfort 58 – Colmar 51.

XX Aub. St-Laurent, 1 r. Fontaine ✆ 89 81 52 81, Fax 89 81 67 08 – P.

PEUGEOT TALBOT Gar. Bissel ✆ 89 81 50 00

SIGNY-L'ABBAYE **08460** Ardennes 53 ⑰ **G. Champagne** – 1 422 h. alt. 206.
Paris 205 – Charleville-Mézières 29 – Hirson 38 – Laon 71 – Rethel 23 – Rocroi 30 – Sedan 50.

XX **Aub. de l'Abbaye** avec ch, ✆ 24 52 81 27 – TV ☎. GB
fermé 2 janv. au 28 fév., merc. soir et jeudi – **R** 68/140 ₰ – ☕ 22 – **10 ch** 150/300 – ½ P 160/230.

CITROEN Gar. Thomassin, rte de Rethel ✆ 24 52 80 24
RENAULT Turquin ✆ 24 52 81 37

SILLERY **51** Marne 56 ⑰ – rattaché à Reims.

SINARD **38650** Isère 77 ⑭ – 494 h. alt. 790.
Paris 599 – ♦Grenoble 30 – Monestier-de-Clermont 5 – La Mure 35 – Vizille 26.

au sud : 8 km par D 110 – ✉ **38650** Sinard :

🏨 **Château d'Herbelon** ⑤, ✆ 76 34 02 03, Fax 76 34 05 44, ≤, 余, 🌳 – TV ☎ P. GB
✻ ch
fermé 2 janv. au 28 fév., lundi soir (sauf rest.) et mardi de sept. à mai – **R** 95/155, enf. 55 – ☕ 32 – **9 ch** 285/410 – ½ P 280/340.

☞ *Die auf den* ***Michelin-Karten*** *im Maßstab 1 : 200 000 rot unterstrichenen Orte sind in diesem Führer erwähnt.*
Nur eine neue Karte gibt Ihnen die aktuellsten Hinweise.

SION **54** M.-et-M. 62 ④ **G. Alsace Lorraine** – alt. 497 – ✉ **54330** Vézelise.
Voir ✻★ du calvaire – Signal de Vaudémont ✻★★ (monument à Barrès) S : 2,5 km.
Paris 322 – ♦Nancy 35 – Épinal 50 – Toul 38 – Vittel 33.

🏠 **Notre Dame** ⑤, ✆ 83 25 13 31, Fax 83 25 16 12, ≤, 🌳 – ☎ P. GB
15 mars-15 nov. – **R** 75/120 ₰ – ☕ 28 – **15 ch** 115/210 – ½ P 175/205.

SIORAC-EN-PÉRIGORD **24170** Dordogne 75 ⑯ **G. Périgord Quercy** – 904 h. alt. 77.
Paris 547 – Périgueux 57 – Sarlat-la-Canéda 28 – Bergerac 46 – Cahors 67.

🏨 **Aub. Petite Reine,** S : 1 km sur D 710 ✆ 53 31 60 42, Fax 53 31 69 60, 🏊, 🎾 – ☎ P – 🎤 50. GB. ✻ ch
17 avril-31 oct. – **R** 90/175 ₰, enf. 39 – ☕ 35 – **39 ch** 240/270 – ½ P 240/300.

SISTERON **04200** Alpes-de-H.-P. 81 ⑤ ⑥ **G. Alpes du Sud** – 6 594 h. alt. 482.
Voir Site★★ – Citadelle★ : ≤★ – Église Notre-Dame★.
ℹ Office de Tourisme à l'Hôtel de Ville ✆ 92 61 12 03.
Paris 711 ① – Digne-les-Bains 39 ② – Barcelonnette 97 ① – Carpentras 105 ② – Gap 49 ① – ♦Grenoble 141 ①.

Plan page suivante

🏨 **Gd H. du Cours** sans rest, pl. Église **(r)** ✆ 92 61 04 51, Télex 405923, Fax 92 61 41 73 – 🛗 TV ☎ 🚗. AE ◑ GB JCB
1er mars-30 nov. et fermé sam. et dim. en nov. – ☕ 35 – **50 ch** 210/410.

🏨 **Touring Napoléon,** 22 av. Libération par ② ✆ 92 61 00 06, Fax 92 61 01 19 – ☎ P. AE ◑ GB
R *(fermé lundi midi d'oct. à mai)* 55/150, enf. 40 – ☕ 30 – **28 ch** 160/290 – ½ P 175/235.

X **Becs Fins,** 16 r. Saunerie **(a)** ✆ 92 61 12 04 – AE ◑ GB JCB
fermé 14 au 22 juin, 15 janv. au 15 fév., mardi soir et merc. sauf juil.-août – **R** 85/240, enf. 48.

SISTERON

Droite (R.)
Provence (R. de) 26
Saunerie (R.)

Arcades (R. des) 2
Arène (Av. Paul) 3
Basse des Remparts (R.) ... 4
Bourg-Reynaud (Pl.) ... 5
Citadelle (Chemin de la) ......
Combes (R. des) 6
Cordeliers (R. des) 8
Deleuze (R.) 9
Dr-Robert (Pl. du) 10
Font-Chaude (R.) 12
Gaulle (Pl. Gén. de) 13
Glissoir (R. du) 14
Horloge (Pl. de l') 15
Libération (Av. de la) 16
Longue-Androne (R.) .. 18
Marres (Chemin des) 19
Melchior-Donnet (Cours) 20
Mercerie (R.) 22
Moulin (Av. Jean) 23
Porte-Sauve (R.) 24
Poteries (R. des) 25
République (Pl. de la) 28
Ste-Ursule (R.) 29
Tivoli (Pl. du) 30
Verdun (Allée de) 32

Si vous êtes retardé sur la route, dès 18 h, confirmez votre réservation par téléphone, c'est plus sûr... et c'est l'usage.

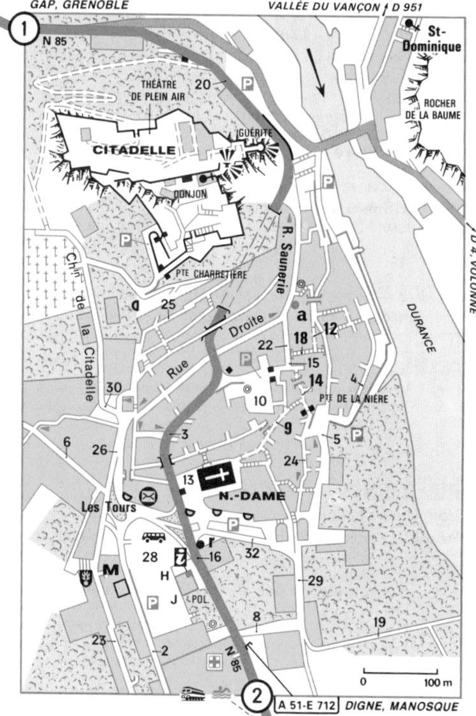

ALFA-ROMEO, TOYOTA Alpes-Sud-Autom., av. Libération ☎ 92 61 01 64 **N** ☎ 92 61 24 64
FIAT Gar. Moderne, rte de Marseille ☎ 92 61 03 17 **N** ☎ 92 61 39 90
MERCEDES Diffusion-Auto-Grandes-Alpes, ZI de Proviou-Sud ☎ 92 61 06 66
OPEL Espitallier, 1 av. J.-Jaurès ☎ 92 61 07 09

RENAULT Gar. Meyer, rte de Gap par ①
☎ 92 61 43 77
V.A.G Rocca, ZI de Proviou Sud RN 75
☎ 92 61 46 61 **N** ☎ 92 62 45 23

Ayme-Pneus, av. Libération ☎ 92 61 08 15

SIX-FOURS-LES-PLAGES **83140** Var 84 ⑭ **G. Côte d'Azur** – 28 957 h. alt. 30.

Voir Fort de Six-Fours ※★ N : 2 km – Presqu'île de St-Mandrier★ : ※★★ E : 5 km – ※★★ du cimetière de St Mandrier-sur-Mer E : 4 km.

Env. Chapelle N.-D.-du-Mai ※★★ S : 6 km – **B** Syndicat d'Initiative plage de Bonnegrâce ☎ 94 07 02 21 et au Brusc quai St-Pierre (juil.-août) ☎ 94 34 03 88.

Paris 833 – ◆Toulon 17 – Aix-en-Provence 77 – La Ciotat 35 – ◆Marseille 60.

Clos des Pins M, 101 bis r. République ☎ 94 25 43 68, Fax 94 07 63 07, – TV ☎ & P – 45 à 150. AE GB
R *(fermé dim. soir et lundi sauf juil.-août)* 72 , enf. 38 – 32 – **34 ch** 200/305 – ½ P 210/255.

XXX **Aub. St-Vincent,** rd-pt Pont du Brusc ☎ 94 25 70 50, Fax 94 25 54 64, – P. AE GB JCB
fermé dim. soir hors sais. et lundi (sauf le soir en sais.) – **R** 149/199.

XX **Verdi,** rd-pt Pont du Brusc ☎ 94 25 50 95, Fax 94 25 54 64, , cuisine italienne, – P. AE GB JCB
fermé dim. soir hors sais. et lundi (sauf le soir en sais.) – **R** 105/170.

XX **Le Dauphin,** 36 square Bains ☎ 94 07 61 58, – GB
fermé 6 au 26 janv. – **R** 98/260.

à la Plage de Bonnegrâce NO : 3 km par rte de Sanary – ✉ **83140** Six-Fours-les-Plages :

Ile Rose, ☎ 94 07 10 56, ≤, – TV ☎ P. AE GB
fermé 12 au 30 nov., dim. soir et lundi du 1er déc. à Pâques – **R** 75/185 – 28 – **23 ch** 175/280 – ½ P 220/260.

au Brusc S : 4 km – ✉ **83140** Six-Fours-les-Plages :

Excurs. à l'île des Embiez★ : Fondation océanographique Ricard★ : ≤ ★★, en bateau 12 mn.

Parc ⚘, 112 r. Bondil ☎ 94 34 00 15, 🌳 – ☎ 🅟. GB. ✱
hôtel : 4 avril-5 oct. ; rest. : 4 avril-30 sept. – **R** *(fermé dim. hors sais.)* 111 – ☕ 29 – **18 ch** 200/310 – ½ P 240/275.

XX **St-Pierre - Chez Marcel,** ☎ 94 34 02 52, 🌳, produits de la mer – AE ⓓ GB JCB
fermé janv., mardi soir et merc. du 15 sept. au 15 juin – **R** 260.

XX **Mont-Salva,** chemin Mont Salva ☎ 94 34 03 93, 🌳, 🌳 – 🅟. AE GB
fermé 2 au 31 mars, 16 au 24 nov., lundi soir et mardi sauf juil.-août – **R** 102/192, enf. 52.

Mendez Pneus, 454 av. Mar.-Juin ☎ 94 74 70 80 — Paulhiac, 1745 av. Mer ☎ 94 07 41 07

SIZUN **29450** Finistère 58 ⑤ **G. Bretagne** – 1 728 h. alt. 113.

Voir Enclos paroissial★ – Bannières★ dans l'église de Locmélar N : 5 km.

Office de Tourisme pl. Abbé-Broch (15 juin-15 sept.) ☎ 98 68 88 40.

Paris 548 – ♦Brest 37 – Carhaix-Plouguer 44 – Châteaulin 33 – Landerneau 15 – Morlaix 33 – Quimper 57.

Voyageurs (annexe ⚘), ☎ 98 68 80 35 – ☎ ♿ 🅟. GB
fermé 11 sept. au 4 oct. et sam. soir de nov. à début mars – **R** 52/105 ♁ – ☕ 25 – **28 ch** 120/220 – ½ P 140/190.

CITROEN Gar. Jegou ☎ 98 68 80 47 — RENAULT Dolou ☎ 98 68 80 38 **N**

SOCHAUX **25600** Doubs 166 ⑧ **G. Jura** – 4 419 h. alt. 318.

Voir Musée Peugeot★ AX.

Paris 483 – ♦Besançon 84 – ♦Mulhouse 52 – Audincourt 8 – Belfort 16 – Montbéliard 4,5.

Voir plan de Montbéliard agglomération.

Campanile, r. Collège ☎ 81 95 23 23, Télex 361036, Fax 81 32 21 49, 🌳 – TV ☎ ♿ 🅟. AE GB
R 77 bc/99 bc, enf. 39 – ☕ 28 – **62 ch** 258 – ½ P 256.

XXX **Luc Piguet,** 9 r. Belfort ☎ 81 95 15 14, Fax 81 95 51 21, 🌳 – 🅟. AE ⓓ GB — BY
fermé 2 au 7 janv., dim. soir et lundi – **R** 105/360.

CONSTRUCTEUR : S.A. des Automobiles Peugeot, ☎ 81 91 83 42

Write us...
If you have any comments on the contents of this Guide.
Your praise as well as your criticisms will receive careful consideration and, with your assistance, we will be able to add to our stock of information and, where necessary, amend our judgments.

Thank you in advance!

SOISSONS ⟨SP⟩ **02200** Aisne 56 ④ **G. Flandres Artois Picardie** – 29 829 h. alt. 55.

Voir Anc. Abbaye de St-Jean-des-Vignes★★ AZ – Intérieur★★ de la Cathédrale★ AY – Musée de l'anc. abbaye de St-Léger★ BY **M**.

Office de Tourisme 1 av. Gén.-Leclerc ☎ 23 53 08 27.

Paris 101 ⑥ – Compiègne 38 ⑦ – ♦Amiens 103 ⑦ – Arras 133 ⑦ – Laon 35 ② – ♦Lille 168 ① – Meaux 61 ⑥ – ♦Reims 56 ③ – St-Quentin 59 ① – Senlis 59 ⑥.

Plan page suivante

Les Lions, rte Reims par ③ : 3 km ☎ 23 73 29 83, Télex 140568, Fax 23 73 49 60 – TV ☎ 🅟 – 🏛 50. AE ⓓ GB
R 90/140 ♁ – ☕ 39 – **28 ch** 260/310 – ½ P 260.

Lion Rouge, 1 r. G. Alliaume ☎ 23 53 31 52 – 🛗 TV ☎ 🅟. GB — BZ e
R *(fermé sam. et dim.)* 70/180 ♁ – ☕ 30 – **26 ch** 160/290 – ½ P 160/270.

XX **Avenue,** 35 av. Gén. de Gaulle ☎ 23 53 10 76 – GB — BZ v
fermé août, vacances de fév., lundi soir et dim. – **R** 95/220 ♁.

FIAT S.E.V.A., 94 av. de Compiègne ☎ 23 53 31 63
FORD Europ Auto, 55 av. Gén.-de-Gaulle ☎ 23 59 03 29
MERCEDES-BENZ Idoine, 3 av. de Compiègne ☎ 23 53 04 41 **N**
OPEL S.D.A., 10 av. de Compiègne ☎ 23 53 10 69
PEUGEOT-TALBOT Gar. des Lions, 57 av. Gén.-de-Gaulle BZ ☎ 23 74 52 03
RENAULT Larminaux, rte de Reims par ③ ☎ 23 73 34 34 **N** ☎ 23 72 10 64
TOYOTA Gar. Central, 7 r. St-Jean ☎ 23 53 27 57
V.A.G Veltour Automobiles, 96 bd Jeanne-d'Arc ☎ 23 53 59 59
VOLVO Ile-de-France-Autom., 34 r. C.-Desmoulins ☎ 23 53 30 72

Auto Pneu Savart, 7 av. de Laon ☎ 23 59 42 31
Fischbach-Pneu, 60 av. de Compiègne ☎ 23 53 25 76
Hurand Pneu, r. de Croizy ☎ 23 59 61 40

SOISSONS

Collège (R. du) . . . . . . AY 5
Commerce (R. du) . . . BY 6
St-Christophe (R.) . . . AY 33
St-Martin (R.) . . . . BY 35

Arquebuse (R. de l') . . BZ 2
Château-Thierry (Av.) . BZ 4
Compiègne (Av.) . . . . . AY 8
Desmoulins (Bd C.) . . . BZ 12
Gambetta (Bd L.) . . . . . BY 14
Intendance (R. de l') . . BY 15
Leclerc (Av. Gén.) . . . . . BZ 22
Marquigny (Pl. F.) . . . . . BY 23
Paix (R. de la) . . . . BY 24
Panleu (R. de) . . . . AY 25
Prés. Kennedy (Av.) . . . AZ 26
Quinquet (R.) . . . . ABY 28
Racine (R.) . . . . BZ 29
République (Pl. de la) . . . . BZ 30
St-Antoine (R.) . . . . BY 31
St-Christophe (Pl.) . . . AY 32
St-Jean (R.) . . . . AZ 34
St-Quentin (R.) . . . . BY 36
St-Rémy (R.) . . . . AY 37
Strasbourg (Bd de) . . . BY 38
Villeneuve (R. de) . . . . BZ 39

SOLESMES 72 Sarthe 64 ① ② – rattaché à Sablé-sur-Sarthe.

SOLLIÈS-TOUCAS 83210 Var 84 ⑮ – 3 439 h. alt. 99.

Paris 833 – ◆Toulon 18 – Bandol 35 – Brignoles 32.

XX **Le Sassandra,** ☎ 94 28 80 38, – AE ① GB
fermé 2 nov. au 4 déc., dim. soir et lundi sauf juil.-août et fêtes – **R** 135/280, enf. 70.

SOLLIÈS-VILLE 83210 Var 84 ⑮ **G. Côte d'Azur** – 1 895 h. alt. 228.

Voir ≤★ de l'esplanade de la Montjoie.

Paris 842 – ◆Toulon 15 – Brignoles 37 – Draguignan 70 – ◆Marseille 79.

XX **L'Amourié,** pl. J. Aicard ☎ 94 33 74 72 – GB
fermé 1er au 10 juil., 6 fév. au 2 mars, merc. soir et jeudi – **R** 95/200, enf. 45.

Les prix Pour toutes précisions sur les prix indiqués dans ce guide, reportez-vous aux pages explicatives.

SOMMIÈRES 30250 Gard 83 ⑧ **G. Gorges du Tarn** (plan) – 3 250 h. alt. 34.

Office de Tourisme quai Frédéric Goussorgues ✆ 66 80 99 30.

Paris 739 – ◆Montpellier 30 – Aigues-Mortes 29 – Alès 42 – Lunel 13 – Nîmes 26 – Le Vigan 63.

XX **L'Olivette,** 11 r. Abbé Fabre ✆ 66 80 97 71 – AE ① GB
fermé 1er au 13 juin, 4 au 25 janv. et merc. – **R** 95/205, enf. 45.

Bourrel-Pneus, rte de Saussines ✆ 66 80 91 31

SONNAZ 73 Savoie 74 ⑮ – rattaché à Chambéry.

SOORTS-HOSSEGOR 40 Landes 78 ⑰ – rattaché à Hossegor.

SOPHIA-ANTIPOLIS 06 Alpes-Mar. 84 ⑨ – rattaché à Valbonne.

SORÈDE 66690 Pyr.-Or. 86 ⑲ **G. Pyrénées Roussillon** – 2 160 h. alt. 64.

Syndicat d'Initiative r. de l'Église ✆ 68 89 31 17.

Paris 936 – ◆Perpignan 23 – Amélie-les-Bains-Palada 30 – Argelès-sur-Mer 6,5 – Le Boulou 15.

St-Jacques sans rest, 45 r. St-Jacques ✆ 68 89 00 60, ←, – ☎ P
1er mars-1er nov. – ☐ 30 – **15 ch** 240.

X **Salamandre,** 3 rte Laroque ✆ 68 89 26 67 – AE ① GB
fermé 1 au 24/3, 12 au 26/10, 4/1 au 28/2, dim. soir et lundi sauf le soir en juil.-août – **R** 108, enf. 40.

SORGES 24420 Dordogne 75 ⑥ **G. Périgord Quercy** – 1 074 h. alt. 178.

Syndicat d'Initiative Maison de la Truffe (fermé matin) ✆ 53 05 90 11.

Paris 474 – Périgueux 24 – Brantôme 24 – ◆Limoges 79 – Nontron 37 – Thiviers 14 – Uzerche 70.

Aub. de la Truffe, sur N 21 ✆ 53 05 02 05, Fax 53 05 39 27, , , – TV ☎ P – 30. AE GB
R *(fermé lundi de nov. à mars)* 65/240, enf. 50 – ☐ 30 – **27 ch** 190/280 – ½ P 215/250.

Mairie, ✆ 53 05 02 11 – rest ☎ P. AE GB
fermé mars, 15 nov. au 15 déc., 15 janv. au 15 fév., dim. soir (sauf juil.-août) et lundi – **R** 95/350 – ☐ 30 – **8 ch** 190/280.

SORGUES 84700 Vaucluse 81 ⑫ – 17 236 h. alt. 30.

Paris 677 – Avignon 11 – Carpentras 16 – Cavaillon 29 – Orange 18.

Davico, ✆ 90 39 11 02 – TV ☎. GB. ch
fermé 15 au 31 août (sauf hôtel), 21 déc. au 12 janv. et dim. sauf hôtel du 1er juin au 15 août – **R** 100/205, enf. 56 – ☐ 35 – **30 ch** 215/310 – ½ P 230/275.

à Entraigues-sur-Sorgues E : 4,5 km par D 38 – 5 788 h. – ✉ **84300** :

Parc, rte Carpentras ✆ 90 83 62 43, Fax 90 83 29 11, parc, – TV ☎ P – 30. GB.
R *(fermé dim. soir et lundi)* 80/140 – ☐ 29 – **30 ch** 240/290 – ½ P 300/350.

Le Béal, ✆ 90 83 17 22, – TV ☎. ① GB
R *(fermé 28 déc. au 5 janv., sam. midi)* 95/195, enf. 50 – ☐ 25 – **21 ch** 156/230 – ½ P 190/250.

CITROEN Gar. Rolland, 224 rte d'Orange ✆ 90 83 30 04
PEUGEOT-TALBOT Sorgues Automobiles, ZAC Fournalet 2 ✆ 90 83 02 44

Gar. Lan, 21 rte de Carpentras à Entraigues-sur-Sorgues ✆ 90 83 18 73

Manu-Pneus, Village d'Entreprises Ero ✆ 90 39 66 89

SOSPEL 06380 Alpes-Mar. 84 ⑳ 195 ⑱ **G. Côte d'Azur** – 2 592 h. alt. 349.

Voir Retable de l'Immaculée Conception★ dans l'église St-Michel – Route★ du col de Brouis ←★ N – Vallée de la Bévera★ et gorges de Piaon★★ NO : 4 km.

Paris 971 – Menton 15 – ◆Nice 39.

Aub. Provençale , rte col de Castillon : 1,5 km ✆ 93 04 00 31, ←, – ☎ P
fermé 11 nov. au 11 déc. – **R** *(fermé jeudi midi d'oct. à mars)* 80/160 – ☐ 30 – **9 ch** 70/275 – ½ P 205/315.

PEUGEOT-TALBOT Rey-Autos-Bévéza-Roya ✆ 93 04 01 24

SOTTEVILLE-SUR-MER 76740 S.-Mar. 52 ③ – 365 h. alt. 47.

Paris 200 – Dieppe 25 – Fontaine le Dun 9,5 – ◆Rouen 59 – Saint Valery en Caux 11.

XX **Les Embruns,** ✆ 35 97 77 99 – GB
fermé 28 sept. au 5 oct., 26 janv. au 16 fév., dim. soir et lundi sauf juil.-août – **R** 115/170.

SOUBISE 17 Char.-Mar. 71 ⑬ ⑭ – rattaché à Rochefort.

SOUCY 89 Yonne 61 ⑭ – rattaché à Sens.

SOUDAN 79 Deux-Sèvres 68 ⑫ – rattaché à St-Maixent-l'École.

SOUESMES 41300 L.-et-Ch. 64 ⑳ – 1 135 h. alt. 127.

Paris 192 – Bourges 48 – Aubigny-sur-Nère 21 – Blois 75 – Cosne-sur-Loire 61 – Gien 51 – Salbris 11.

Aub. Croix Verte, ✆ 54 98 83 70 – 🅟
fermé 1er au 15 fév., 1er au 15 sept., dim. soir et lundi – **R** 70/120 🍷 – ☕ 25 – **19 ch** 100/160.

SOUILLAC 46200 Lot 75 ⑱ **G. Périgord Quercy** (plan) – 3 459 h. alt. 104.

Voir Anc. église abbatiale : bas-relief "Isaïe"★★, revers du portail★ – Musée de l'Automate★.

⛳ du Mas del Teil ✆ 65 37 01 48, N par D 15 : 8 km.

🅘 Office de Tourisme bd L.-J. Malvy ✆ 65 37 81 56.

Paris 522 – Brive-la-Gaillarde 37 – Sarlat-la-Canéda 29 – Cahors 63 – Figeac 67 – Gourdon 27.

Les Granges Vieilles 🐦, rte Sarlat O : 1,5 km ✆ 65 37 80 92, 🍽, parc – ☎ 🅟. GB. ✂
fermé 2 janv. au 15 fév. – **R** 80/250 – ☕ 33 – **11 ch** 280/440 – ½ P 303/383.

Vieille Auberge Ⓜ, pl. Minoterie ✆ 65 32 79 43, Télex 533715, Fax 65 32 65 19, 🏋, 🏊, 🍽 – 📺 ☎ 🚗 – 🏛 60. AE ⓓ GB JCB
fermé lundi soir et mardi du 1er nov. à Pâques – **R** 125/200, enf. 55 – ☕ 32 – **20 ch** 220/300 – ½ P 250/320.

Le Quercy sans rest, 1 r. Récège ✆ 65 37 83 56, Fax 65 37 07 22, 🏊, 🍽 – ☎ 🚗. GB
15 mars-6 déc. – ☕ 30 – **25 ch** 220/270.

Gd Hôtel, 1 allée Verninac ✆ 65 32 78 30, Fax 65 32 66 34, 🍽 – |♦| ▤ rest 📺 ☎. AE GB
1er avril-31 oct. et fermé merc. sauf de juin à sept. – **R** 68/220 – ☕ 28 – **30 ch** 200/320 – ½ P 220/280.

Puy d'Alon sans rest, av. J.-Jaurès ✆ 65 37 89 79, Fax 65 32 69 10, 🍽 – 📺 ☎ 🚗. GB
☕ 33 – **11 ch** 228/310.

Ambassadeurs, 12 av. Gén. de Gaulle ✆ 65 32 78 36 – ☎ 🚗. GB
fermé 20 déc. au 20 janv. – **R** 76/200, enf. 50 – ☕ 29 – **28 ch** 200/290 – ½ P 185/215.

Périgord, 31 av. Gén. de Gaulle ✆ 65 32 78 28, Fax 65 32 75 28, 🍽 – ☎ 🚗 🅟. GB
fermé 10 janv. au 20 fév. – **R** *(fermé dim. soir et lundi midi)* 65/140, enf. 40 – ☕ 28 – **34 ch** 160/270 – ½ P 150/220.

Le Redouillé, 28 av. de Toulouse ✆ 65 37 87 25 – ▤ 🅟. AE GB
fermé merc. – **R** 90/320, enf. 60.

Aub. du Puits avec ch, 5 pl. Puits ✆ 65 37 80 32, 🍽 – ☎. GB. ✂ ch
fermé nov., déc., dim. soir et lundi hors sais. – **R** 65/230 – ☕ 28 – **16 ch** 125/240 – ½ P 165/225.

PEUGEOT-TALBOT Gar. Cadier, rte de Sarlat ✆ 65 37 82 72
RENAULT Sanfourche, rte de Sarlat ✆ 65 32 73 03 🅝 ✆ 65 32 76 61

Ⓜ Pneus-Service, 19 av. J.-Jaurès ✆ 65 37 81 88

SOULAC-SUR-MER 33780 Gironde 171 ⑯ **G. Pyrénées Aquitaine** – 2 790 h. alt. 8 – Casino de la Plage.

🅘 Office de Tourisme r. Plage ✆ 56 09 86 61.

Paris 516 – Royan (bac) 10 – Arcachon 140 – ♦Bordeaux 95 – Lesparre-Médoc 29.

à l'Amélie-sur-Mer SO : 4,5 km par VO – ✉ 33780 Soulac-sur-Mer :

Pins 🐦, ✆ 56 09 80 01, Télex 571398, Fax 56 73 60 39, 🍽, 🍽 – ☎ 🅟. GB. ✂ ch
fermé 1er janv. au 15 mars, dim. soir et vend. d'oct. à mars – **R** 105/200 🍷, enf. 50 – ☕ 35 – **34 ch** 245/360 – ½ P 250/350.

RENAULT Gar. Merlin ✆ 56 09 80 44

SOULAGES-BONNEVAL 12 Aveyron 76 ⑬ – rattaché à Laguiole.

SOUMOULOU 64420 Pyr.-Atl. 85 ⑦ – 1 022 h. alt. 296.

Paris 782 – Pau 17 – Lourdes 25 – Nay 15 – Pontacq 10,5 – Tarbes 23.

Bearn, ✆ 59 04 60 09, Fax 59 04 63 33, 🍽 – 📺 ☎ 🅟 – 🏛 25. AE ⓓ GB
fermé 5 janv. au 10 fév., dim. soir et lundi d'oct. au 10 juil. – **R** 70/195 – ☕ 35 – **14 ch** 230/310 – ½ P 225/239.

RENAULT Gar. Grimaud, à Espoey ✆ 59 04 65 17 🅝

SOUPPES-SUR-LOING 77460 S.-et-M. 61 ⑫ – 4 851 h. alt. 69.

Paris 89 – Fontainebleau 26 – Melun 42 – Montargis 24 – ♦Orléans 84 – Sens 44.

France Ⓜ, av. Mar. Leclerc (N 7) ✆ (1) 64 29 81 88, Fax (1) 64 29 82 21, 🍽, ✂ – 📺 ☎ ♿ 🅟 – 🏛 60. AE ⓓ GB
fermé 10 au 25 août – **R** *(fermé dim. soir et lundi)* 95/155, enf. 45 – ☕ 35 – **27 ch** 180/300 – ½ P 290.

La Cassolette, r. P. Rollin (face gare) ✆ (1) 64 29 88 77 – GB
fermé vacances de fév., jeudi soir du 15 oct. au 15 mars, dim. soir et lundi – **R** 85/168.

RENAULT Souppes Autom., Gar. Cornut, 115 av. Mar.-Leclerc ✆ 64 29 70 32 🅝

Le SOUQUET 40 Landes 78 ⑤ – ✉ **40260** Castets.

Paris 702 – Mont-de-M. 53 – ♦Bordeaux 113 – Castets 12 – Mimizan 39 – St-Julien-en-Born 19 – Tartas 26.

Paris-Madrid ⑤, ✆ 58 89 60 46, ⛱, ⛱, ⛱, 🎾 – ☎ Ⓟ. GB. ⛔
1er mars-31 oct. – **R** *(fermé lundi midi sauf juil.-août)* 98/180, enf. 50 – ☕ 28 – **16 ch** 220/300 – ½ P 280/300.

SOURDEVAL **50150** Manche 59 ⑨ – 3 211 h. alt. 220.

Voir Vallée de la Sée★ O, **G. Normandie Cotentin.**

Paris 269 – St-Lô 53 – Avranches 37 – Domfront 29 – Flers 30 – Mayenne 63 – St-Hilaire-du-Harcouët 24 – Vire 13.

Le Temps de Vivre, pl. Rex ✆ 33 59 60 41 – Ⓟ. GB
fermé 30 juin au 7 juil., vacances de fév. et lundi – **R** 45/115 ♂, enf. 31.

PEUGEOT-TALBOT Gar. Postel ✆ 33 59 60 35 **N**

SOUSCEYRAC **46190** Lot 75 ⑳ – 1 064 h. alt. 559.

Paris 555 – Aurillac 48 – Cahors 91 – Figeac 40 – Mauriac 73 – St-Céré 17.

Au Déjeuner de Sousceyrac avec ch, ✆ 65 33 00 56, ⛱ – TV. GB
fermé fév., dim. soir et lundi sauf juil.-août – **Repas** 100/190, enf. 65 – ☕ 30 – **10 ch** 140/200 – ½ P 240.

SOUS-LA-TOUR **22** C.-d'Armor 59 ③ – rattaché à St-Brieuc.

SOUSMOULINS **17** Char.-Mar. 71 ⑦ – rattaché à Montendre.

SOUSTONS **40140** Landes 78 ⑯ – 5 283 h. alt. 5.

Voir Étang de Soustons★ O : 1 km, **G. Pyrénées Aquitaine.**

9 18 de la Côte d'Argent ✆ 58 48 54 65 NO par D 652 puis D 117 : 18 km.

Maison du Tourisme "La Grange de Labouyrie" ✆ 58 41 52 62.

Paris 738 – Biarritz 47 – Mont-de-Marsan 77 – Castets 22 – Dax 26 – St-Vincent-de-Tyrosse 13.

La Bergerie ⑤, av. Lac ✆ 58 41 11 43, « Demeure landaise dans un parc » – ☎ Ⓟ. GB. ⛔
1er mars-15 nov. – **R** (résidents seul.) (dîner seul.) – ☕ 38 – **12 ch** 250/350 – ½ P 320/350.

Château Bergeron ⑤, r. du Vicomte ✆ 58 41 58 14, parc – ☎ Ⓟ. GB. ⛔
mars-15 nov. – **R** (résidents seul.) (dîner seul.) – ☕ 38 – **16 ch** 250/350 – ½ P 320/350.

Pavillon Landais ⑤, av. Lac ✆ 58 41 14 49, Fax 58 41 26 03, ≤, ⛱, « Au bord du lac », ⛱, ⛱, 🎾 – TV ☎ ♿ Ⓟ – 🏛 80. AE ⓓ GB
fermé janv. – **R** *(fermé dim. soir et lundi de nov. à Pâques)* 150/220 – ☕ 35 – **28 ch** 240/450 – ½ P 300/370.

Host. du Marensin, pl. Sterling ✆ 58 41 15 16 – GB. ⛔ ch
fermé nov. – **R** *(fermé sam. sauf juil.-août)* 52/140 ♂ – ☕ 20 – **14 ch** 155/200 – ½ P 169/192.

CITROEN Lartigau, 12 av. Mar.-Leclerc ✆ 58 41 14 80
PEUGEOT-TALBOT Desbieys, 7 r. d'Aste ✆ 58 41 10 57
PEUGEOT-TALBOT Gar. Bouyrie, 6 av. Gén.-de-Gaulle ✆ 58 41 51 75

La SOUTERRAINE **23300** Creuse 72 ⑧ **G. Berry Limousin** – 5 459 h. alt. 366.

Voir Église★.

Syndicat d'Initiative pl. Gare (fermé après-midi hors saison) ✆ 55 63 10 06.

Paris 345 – ♦Limoges 57 – Bellac 40 – Châteauroux 74 – Guéret 34.

Porte Saint-Jean, r. Bains ✆ 55 63 03 83, Fax 55 63 77 27 – TV ☎. AE ⓓ GB. ⛔ rest
R 76 (sauf week-ends)/190 ♂, enf. 39 – ☕ 33 – **32 ch** 179/295 – ½ P 190/270.

à St-Étienne-de-Fursac S : 11 km par D 1 – ✉ **23290** :

Nougier, ✆ 55 63 60 56, Fax 55 63 65 47, ⛱ – TV ☎ 🚗. ⓓ GB
fermé 1er déc. au 28 fév., lundi midi en juil.-août, dim. soir et lundi du 1er sept. au 30 juin sauf fêtes – **R** 98/240, enf. 55 – ☕ 35 – **12 ch** 250/380 – ½ P 250/290.

CITROEN Chambraud ✆ 55 63 08 89
PEUGEOT TALBOT Gar. Laville, 7 av. République ✆ 55 63 06 50
G.P. Pneus, bd de Belmont ✆ 55 63 78 23
Pneus et Caoutchouc, Anc. Éts Rousseau, 22 à 26 r. de Lavaud ✆ 55 63 00 25

SOUVIGNY **03210** Allier 69 ⑭ **G. Auvergne** – 2 024 h. alt. 242.

Voir Prieuré St-Pierre★★ – Calendrier★★ dans l'église-musée St-Marc.

Paris 298 – Moulins 12 – Bourbon-l'Archambault 14 – Montluçon 63.

Aub. des Tilleuls, ✆ 70 43 60 70 – GB
fermé 2 au 20 janv., vend. soir du 1er nov. à Pâques, dim. soir et lundi – **R** 110/205, enf. 55.

SOUVIGNY-EN-SOLOGNE **41600** L.-et-Ch. 64 ⑩ – 440 h. alt. 143.

aris 145 – ◆Orléans 37 – Gien 42 – Lamotte-Beuvron 14 – Montargis 63.

XX **Perdrix Rouge,** ✆ 54 88 41 05, « Jardin » – GB
fermé 24 fév. au 17 mars, 31 août au 8 sept., 21 déc. au 5 janv., lundi sauf le midi d'avril à oct. et mardi – **Repas** (dim. et fêtes prévenir) 78/300.

XX **Aub. Croix Blanche** avec ch, ✆ 54 88 40 08 – ☎ Ⓟ. GB
◆ *fermé fin janv. à mi-mars, mardi soir et merc.* – **R** 70/235 – ☕ 35 – **9 ch** 180/300 – ½ P 200/250.

ENAULT Gar. Paret ✆ 54 88 43 18

SOYONS **07** Ardèche 77 ⑪ ⑫ – rattaché à St-Péray.

SPEZET **29540** Finistère 58 ⑯ – 2 038 h. alt. 111.

Voir Chapelle N.-D.-du-Crann★ : vitraux★★ S : 1 km, **G. Bretagne.**

Syndicat d'Initiative à la Mairie ✆ 98 93 80 03.

aris 520 – Carhaix-Plouguer 15 – Châteaulin 32 – Concarneau 46 – Pontivy 67 – Quimper 42.

STAINS **93** Seine-St-Denis 56 ⑪, 101 ⑯ – voir à Paris, Environs.

STAINVILLE **55500** Meuse 62 ① – 380 h. alt. 209.

aris 228 – Bar-le-Duc 18 – Commercy 35 – Joinville 35 – Neufchâteau 69 – St-Dizier 20 – Toul 57.

XX ✿ **La Petite Auberge,** ✆ 29 78 60 10 – AE ⓓ GB
fermé 18 juil. au 13 août, dim. soir, vend. soir et sam. – **R** (nombre de couverts limité - prévenir) 145/240
Spéc. Escalope de saumon à l'oseille, Filet de boeuf aux pleurotes. Gâteau au chocolat. **Vins** Côtes de Toul gris et rouge.

X **La Grange** avec ch, ✆ 29 78 60 15, 余, 🚗 – 🚗. GB
fermé janv. et mardi soir de nov. à mars – **R** 100/180 – ☕ 30 – **9 ch** 170/240 – ½ P 280.

STEENBECQUE **59189** Nord 51 ④ – 1 553 h.

aris 239 – ◆Calais 66 – Arras 58 – Dunkerque 49 – ◆Lille 53.

X **Aub. de la Belle Siska,** rte St-Venant E : 4 km sur D 916 ✆ 28 43 61 77 – Ⓟ. GB
fermé dim. soir et lundi – **R** 85/210.

STEINBRUNN-LE-BAS **68** H.-Rhin 166 ⑩ – rattaché à Mulhouse.

STELLA-PLAGE **62** P.-de-C. 51 ⑪ – rattaché au Touquet.

STIRING-WENDEL **57** Moselle 57 ⑥ – rattaché à Forbach.

STRASBOURG P **67000** B.-Rhin 62 ⑩ **G. Alsace Lorraine** – 252 338 h. Communauté urbaine 429 880 h alt. 140.

Voir Cathédrale*** : horloge astronomique*, ≤* CX - ≤* de la rue Mercière CX **53** – Cité ancienne*** BCX : la Petite France** BX, Rue du Bain-aux-Plantes** BX **7**, Place de la Cathédrale* CX **17**, Maison Kammerzell* CX **e**, Palais Rohan* CX, Cour du Corbeau* CX **18**, Ponts couverts* BX **B**, Place Kléber* CV **53** – Barrage Vauban ✳** BX **D** – Mausolée** dans l'église St-Thomas CX **E** – Hôtel de Ville* CV **H** – Palais de l'Europe* DU – Orangerie* DEU – Église St-Pierre-le-Vieux : panneaux peints*, scènes de la Passion* BVX – Promenades sur l'Ill et les canaux* CX – Musées : Oeuvre N.-Dame*** CX **M1**, musées** au palais Rohan CX, Alsacien** CX **M2**, Historique* CX **M3** – Visite du port* en bateau CY.

9 9 9 à Illkirch-Graffenstaden (privé) ☎ 88 66 17 22 FS ; 18 de la Wantzenau à Wantzenau ☎ 88 96 37 73, N par D 468 : 12 km.

✈ de Strasbourg-International : Air France ☎ 88 68 86 21, par D 392 : 12 km FR.

🚘 ☎ 88 22 50 50.

ℹ Office de Tourisme et Accueil de France (Informations et réservations d'hôtels, pas plus de 5 jours à l'avance) Palais des Congrès, av. Schutzenberger ☎ 88 37 67 68, Télex 870860 ; 10 pl. Gutenberg ☎ 88 32 57 07 et pl. Gare ☎ 88 32 51 49 – Bureau d'Accueil, Pont Europe (Opération de change) ☎ 88 61 39 23 – A.C. 5 av. Paix ☎ 88 36 04 34.

Paris 490 ① – ◆Basel 145 ③ – Bonn 360 ③ – ◆Bordeaux 915 ① – Frankfurt 218 ③ – Karlsruhe 81 ③ – ◆Lille 525 ① – Luxembourg 223 ① – ◆Lyon 485 ④ – Stuttgart 157 ③.

Plans : Strasbourg p. 2 à 6

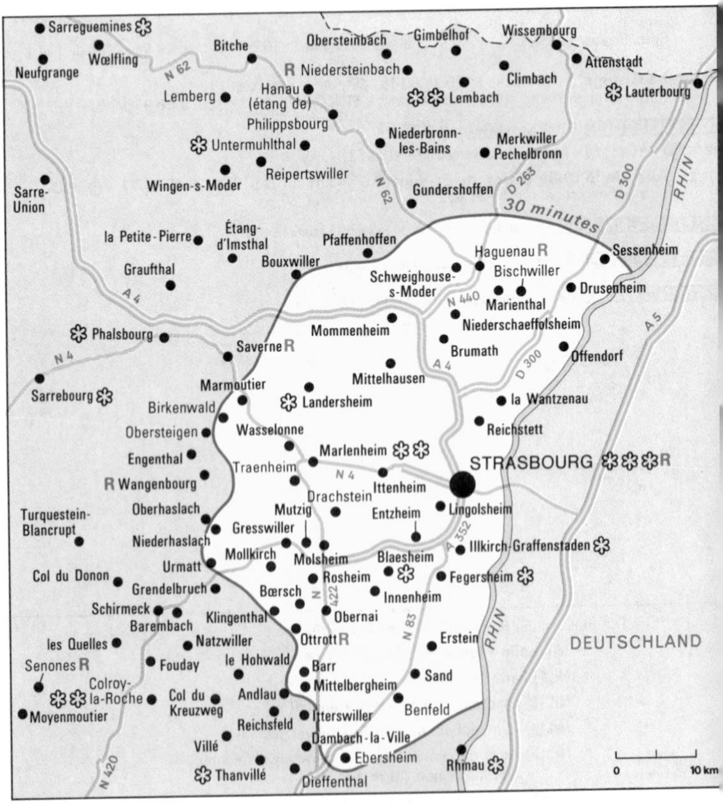

Routes enneigées

Pour tous renseignements pratiques, consultez les cartes Michelin **« Grandes Routes »** 918, 919, 915 ou 989.

Hilton M, av. Herrenschmidt ✆ 88 37 10 10, Télex 890363, Fax 88 36 83 27, – cuisinette ch – 30 à 350. AE GB. rest CT e
La Maison du Boeuf *(fermé 18 juil. au 16 août, 20 fév. au 7 mars, sam. et dim.)* **R** carte 270 à 420 – **Le Jardin R** carte 150 à 260, enf. 75 – 80 – **241 ch** 870/970, 5 appart. – ½ P 690/965.

Sofitel M, pl. St-Pierre-le-Jeune ✆ 88 32 99 30, Télex 870894, Fax 88 32 60 67, patio – ch – 120. AE GB JCB CV s
L'Alsace Gourmande ✆ 88 75 11 10 **R** 139/150 – 75 – **158 ch** 725/835, 5 appart.

Holiday Inn M, 20 pl. Bordeaux ✆ 88 37 80 00, Télex 890515, Fax 88 37 07 04, – ch – 50 à 600. AE GB JCB CT n
La Louisiane R 170/365, enf. – 70 – **170 ch** 780/950.

Régent Contades M sans rest, 8 av. Liberté ✆ 88 36 26 26, Télex 890641, Fax 88 37 13 70, – AE GB JCB CV f
fermé 23 déc. au 2 janv. – 70 – **36 ch** 700/1200, 8 appart. 1350/1800.

Nouvel H. Maison Rouge sans rest, 4 r. Francs-Bourgeois ✆ 88 32 08 60, Télex 880130, Fax 88 22 43 73, « Belle décoration et mobilier ancien » – – 40. AE GB CX g
52 – **140 ch** 365/520.

Terminus-Plaza, 10 pl. Gare ✆ 88 32 87 00, Télex 870998, Fax 88 32 16 46 – – 60. AE GB JCB BV m
R *(fermé 24 déc. au 10 janv.)* 160 - **La Brasserie R** 90 – 50 – **66 ch** 260/570, 12 appart. 640/700 – ½ P 350/480.

Monopole-Métropole sans rest, 16 r. Kuhn ✆ 88 32 11 94, Télex 890366, Fax 88 32 82 55, « Décor alsacien et contemporain » – . AE GB JCB BV p
fermé Noël au Jour de l'An – 35 – **94 ch** 340/540.

Europe sans rest, 38 r. Fossés des Tanneurs ✆ 88 32 17 88, Télex 890220, Fax 88 75 65 45, « Maison alsacienne à colombages » – . GB JCB BX g
32 – **60 ch** 290/445.

Novotel M, quai Kléber ✆ 88 22 10 99, Télex 880700, Fax 88 22 20 92, – – 30 à 200. AE GB BV k
R carte environ 150, enf. 50 – 49 – **97 ch** 500/560.

Mercure M sans rest, 25 r. Thomann ✆ 88 75 77 88, Télex 880955, Fax 88 32 08 66 – . AE GB CV a
52 – **98 ch** 515/650.

Gd Hôtel sans rest, 12 pl. Gare ✆ 88 32 46 90, Télex 870011, Fax 88 32 16 50 – – 25. AE GB BV m
65 – **80 ch** 360/660.

France M sans rest, 20 r. Jeu des Enfants ✆ 88 32 37 12, Télex 890084, Fax 88 22 48 08 – – 30. AE GB BV v
47 – **66 ch** 360/580.

des Rohan sans rest, 17 r. Maroquin ✆ 88 32 85 11, Télex 870047, Fax 88 75 65 37 – . AE GB CX u
50 – **36 ch** 300/555.

Cathédrale M sans rest, 12 pl. Cathédrale ✆ 88 22 12 12, Télex 871054, Fax 88 23 28 00 – – 25. AE GB JCB CX n
45 – **32 ch** 420/700, 3 duplex 700.

Royal M sans rest, 3 r. Maire Kuss ✆ 88 32 28 71, Télex 871067, Fax 88 23 05 39, – – 40. AE GB JCB. BV e
49 – **52 ch** 295/455.

Forum H. M, 50 rte Bischwiller à Schiltigheim ✉ 67300 ✆ 88 62 55 55, Télex 871253, Fax 88 62 66 02, – – 120 CT s
85 ch.

Villa d'Est M sans rest, 12 r. J. Kablé ✆ 88 36 69 02, Télex 870669, Fax 88 37 13 71, – – 25. AE GB CU s
fermé 22 déc. au 2 janv. – 50 – **48 ch** 400/580.

Dragon M sans rest, 2 r. Écarlate ✆ 88 35 79 80, Télex 871102, Fax 88 25 78 95 – . GB. CX d
48 – **30 ch** 400/560.

Hannong sans rest, 15 r. 22-Novembre ✆ 88 32 16 22, Télex 890551, Fax 88 22 63 87 – – 30. AE GB BV a
fermé 23 au 30 déc. – 45 – **72 ch** 350/488.

Princes sans rest, 33 r. Geiler ✆ 88 61 55 19, Fax 88 41 10 92 – . AE GB
34 – **43 ch** 340/405. DV n

Saint-Christophe sans rest, 2 pl. Gare ✆ 88 22 30 30, Télex 880136, Fax 88 32 17 11 – . AE GB JCB BV t
fermé Noël au Jour de l'An – 35 – **70 ch** 230/330.

RÉPERTOIRE DES RUES DE STRASBOURG

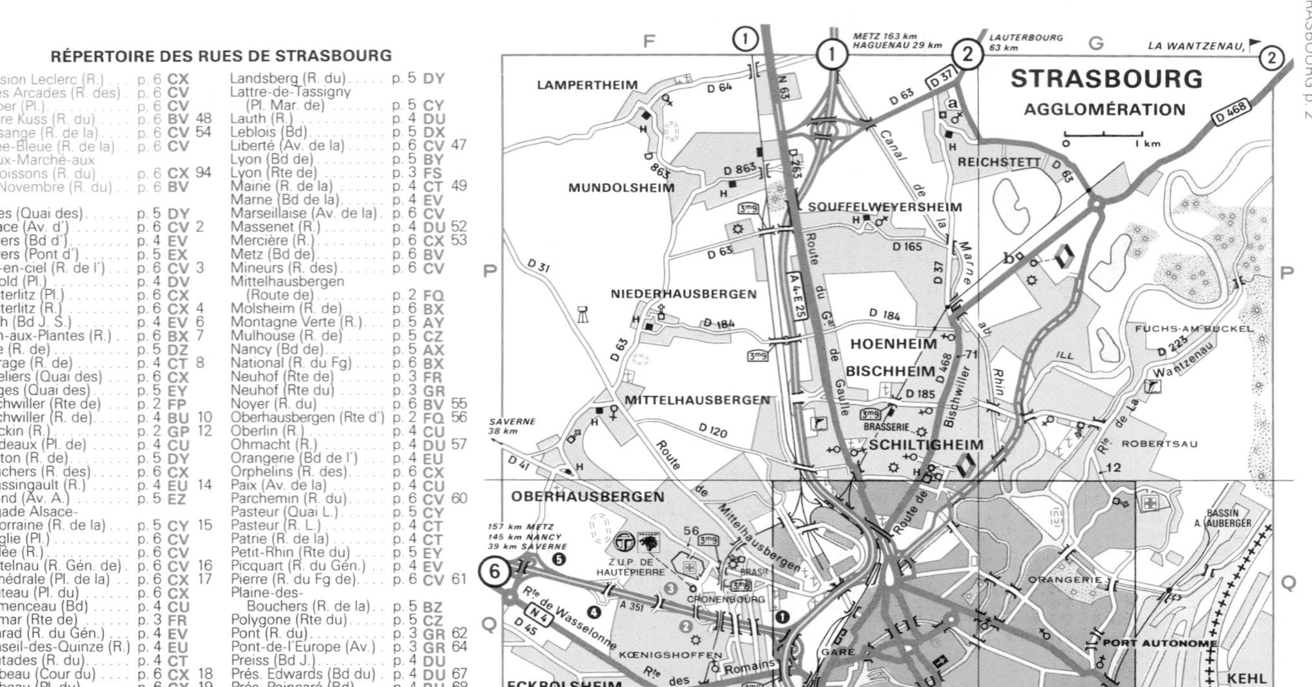

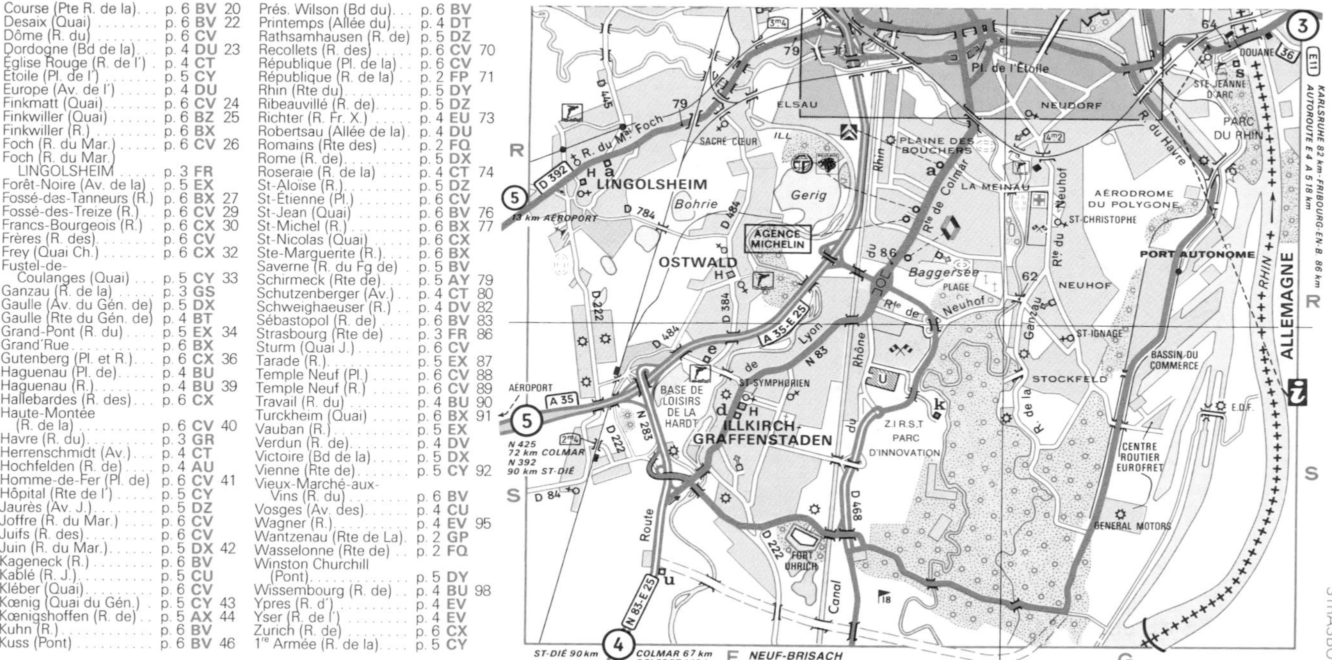

Course (Pte R. de la)	p. 6	**BV**	20
Desaix (Quai)	p. 6	**BV**	22
Dôme (R. du)	p. 6	**CV**	
Dordogne (Bd de la)	p. 4	**DU**	23
Église Rouge (R. de l')	p. 4	**CT**	
Étoile (Pl. de l')	p. 5	**CY**	
Europe (Av. de l')	p. 4	**DU**	
Finkmatt (Quai)	p. 6	**CV**	24
Finkwiller (Quai)	p. 6	**BZ**	25
Finkwiller (R.)	p. 6	**BX**	
Foch (R. du Mar.)	p. 6	**CV**	26
Foch (R. du Mar.) LINGOLSHEIM	p. 3	**FR**	
Forêt-Noire (Av. de la)	p. 5	**EX**	
Fossé-des-Tanneurs (R.)	p. 6	**BX**	27
Fossé-des-Treize (R.)	p. 6	**CV**	29
Francs-Bourgeois (R.)	p. 6	**CX**	30
Frères (R. des)	p. 6	**CV**	
Frey (Quai Ch.)	p. 6	**CX**	32
Fustel-de-Coulanges (Quai)	p. 5	**CY**	33
Ganzau (R. de la)	p. 3	**GS**	
Gaulle (Av. du Gén. de)	p. 5	**DX**	
Gaulle (Rte du Gén. de)	p. 4	**BT**	
Grand-Pont (R. du)	p. 5	**EX**	34
Grand'Rue	p. 6	**BX**	
Gutenberg (Pl. et R.)	p. 6	**CX**	36
Haguenau (Pl. de)	p. 4	**BU**	
Haguenau (R.)	p. 4	**BU**	39
Hallebardes (R. des)	p. 6	**CX**	
Haute-Montée (R. de la)	p. 6	**CV**	40
Havre (R. du)	p. 3	**GR**	
Herrenschmidt (Av.)	p. 4	**CT**	
Hochfelden (R. de)	p. 4	**AU**	
Homme-de-Fer (Pl. de)	p. 6	**CV**	41
Hôpital (Rte de l')	p. 5	**CY**	
Jaurès (Av. J.)	p. 5	**DZ**	
Joffre (R. du Mar.)	p. 6	**CV**	
Juifs (R. des)	p. 6	**CV**	
Juin (R. du Mar.)	p. 5	**DX**	42
Kageneck (R.)	p. 6	**BV**	
Kablé (R. J.)	p. 5	**CU**	
Kléber (Quai)	p. 6	**CV**	
Kœnig (Quai du Gén.)	p. 5	**CY**	43
Kœnigshoffen (R. de)	p. 5	**AX**	44
Kuhn (R.)	p. 6	**BV**	
Kuss (Pont)	p. 6	**BV**	46
Prés. Wilson (Bd du)	p. 6	**BV**	
Printemps (Allée du)	p. 4	**DT**	
Rathsamhausen (R. de)	p. 5	**DZ**	
Recollets (R. des)	p. 6	**CV**	70
République (Pl. de la)	p. 6	**CV**	
République (R. de la)	p. 2	**FP**	71
Rhin (Rte du)	p. 5	**DY**	
Ribeauvillé (R. de)	p. 5	**DZ**	
Richter (R. Fr. X.)	p. 4	**EU**	73
Robertsau (Allée de la)	p. 4	**DU**	
Romains (Rte des)	p. 2	**FQ**	
Rome (R. de)	p. 5	**DX**	
Roseraie (R. de la)	p. 4	**CT**	74
St-Aloïse (R.)	p. 5	**DZ**	
St-Étienne (Pl.)	p. 6	**CV**	
St-Jean (Quai)	p. 6	**BV**	76
St-Michel (R.)	p. 6	**BX**	77
St-Nicolas (Quai)	p. 6	**CX**	
Ste-Marguerite (R.)	p. 6	**BX**	
Saverne (R. du Fg de)	p. 5	**BV**	
Schirmeck (Rte de)	p. 5	**AY**	79
Schutzenberger (Av.)	p. 4	**CT**	80
Schweighaeuser (R.)	p. 4	**DV**	82
Sébastopol (R. de)	p. 6	**BV**	83
Strasbourg (Rte de)	p. 3	**FR**	86
Sturm (Quai J.)	p. 6	**CV**	
Tarade (R.)	p. 5	**EX**	87
Temple Neuf (Pl.)	p. 6	**CV**	88
Temple Neuf (R.)	p. 6	**CV**	89
Travail (R. du)	p. 4	**BU**	90
Turckheim (Quai)	p. 6	**BX**	91
Vauban (R.)	p. 5	**EX**	
Verdun (R. de)	p. 4	**DV**	
Victoire (Bd de la)	p. 5	**DX**	
Vienne (Rte de)	p. 5	**CY**	92
Vieux-Marché-aux-Vins (R. du)	p. 6	**BV**	
Vosges (Av. des)	p. 4	**CU**	
Wagner (R.)	p. 4	**EV**	95
Wantzenau (Rte de La)	p. 2	**GP**	
Wasselonne (Rte de)	p. 2	**FQ**	
Winston Churchill (Pont)	p. 5	**DY**	
Wissembourg (R. de)	p. 4	**BU**	98
Ypres (R. d')	p. 4	**EV**	
Yser (R. de l')	p. 4	**EV**	
Zurich (R. de)	p. 6	**CX**	
1re Armée (R. de la)	p. 5	**CY**	

STRASBOURG
500 m
HAGUENAU 32 km
LAUTERBOURG 63 km
LA WANTZENAU 12 km
A 4-E 25
D 468
A 350
A 351
ROBERTSAU
ST-LOUIS
Boecklin
Route de La Wantzenau
Rue
Canal de la Marne
ILL
TERRAIN D'EXPOSITION
Allée du Printemps
ASSEMBLÉE EUROPÉENNE
PALAIS DE L'EUROPE
PALAIS DES DROITS DE L'HOMME
Bassin de l'Ill
Av. de l'Europe
ORANGERIE
Rue Lauth
PALAIS DE LA MUSIQUE ET DES CONGRÈS
Av. Herrenschmidt
Pl. de Bordeaux
Kablé
Jacques
ÉCOLE MILITAIRE
Clemenceau
R. Oberlin
CONTADES
Av. de la Paix
Bd J. Preiss
Allée de la Robertsau
Bd de l'Orangerie
Verdun
Boulevard de la Marne
R. du Conseil des Quinze
d'Ypres
Rue du Gal Conrad
Remparts
des Remparts
Gal Picquart
d'Anvers
ST-BERNARD
ST-MAURICE
Avenue de la
JARDIN BOTANIQUE
Pl. Arnold
Pl. de la République
des Vosges
voir détails page suivante
PL. KLÉBER
Pl. de Haguenau
Bd du Prést Wilson
de Metz
GARE CENTRALE
Fosse des Remparts
Rue de la Patrie
R. du Contades
R. L. Pasteur
Route de Bischwiller
R. de l'Église Rouge
Canal de dérivation
STE-HÉLÈNE
Rte du Gal de Gaulle
MARCHÉ GARE
Rue de Hochfelden
CENTRAL
CIMre MILITAIRE
d'Oberhausbergen
Rte
ST-FLORENT
POL
T.D.F.
A
B
C
D
E
T
U
V

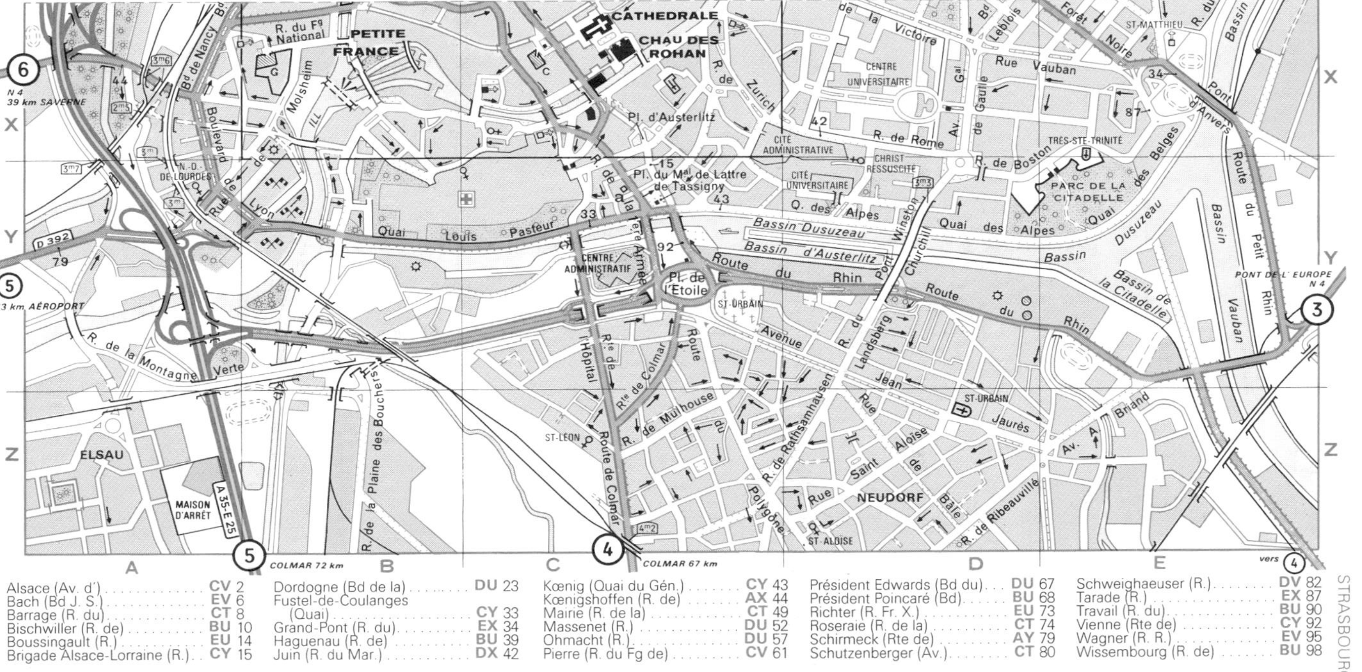

Alsace (Av. d') CV 2	Dordogne (Bd de la) DU 23	Kœnig (Quai du Gén.) CY 43	Président Edwards (Bd du) DU 67	Schweighaeuser (R.) DV 82
Bach (Bd J. S.) EV 6	Fustel-de-Coulanges (Quai) CY 33	Kœnigshoffen (R. de) AX 44	Président Poincaré (Bd) BU 68	Tarade (R.) EX 87
Barrage (R. du) CT 8	Grand-Pont (R. du) EX 34	Mairie (R. de la) CT 49	Richter (R. Fr. X.) EU 73	Travail (R. du) BU 90
Bischwiller (R. de) BU 10	Haguenau (R. de) BU 39	Massenet (R.) DU 52	Roseraie (R. de la) CT 74	Vienne (Rte de) CY 92
Boussingault (R.) EU 14	Juin (R. du Mar.) DX 42	Ohmacht (R.) DU 57	Schirmeck (Rte de) AY 79	Wagner (R. R.) EV 95
Brigade Alsace-Lorraine (R.) CY 15		Pierre (R. du Fg de) CV 61	Schutzenberger (Av.) CT 80	Wissembourg (R. de) BU 98

STRASBOURG

Rue	Carré	N°
Alsace (Av. d')	CV	2
Arc-en-ciel (R. de l')	CV	3
Austerlitz (R. d')	CX	4
Bains-aux-Plantes (R. du)	BX	7
Castelnau (R. Général de)	CV	16
Cathédrale (Pl. de la)	CX	17
Corbeau (Cour du)	CX	18
Corbeau (Pl. du)	CX	19
Course (Petite Rue de la)	BV	20
Desaix (Quai)	BV	22
Finkmatt (Quai)	CV	24
Finkwiller (Quai)	BX	25
Foch (R. du Mar.)	CV	26
Fossé-des-Tanneurs (R. du)	BX	27
Fossé-des-Treize (R. du)	CV	29
Francs-Bourgeois (R. des)	CX	30
Frey (Quai Ch.)	CX	32
Gutenberg (Pl. et R.)	CX	36
Haute-Montée (R.)	CV	40
Homme de fer (Pl.)	CV	41
Kuss (Pont)	BV	46
Liberté (Av. de la)	CV	47
Maire Kuss (R. du)	BV	48
Mercière (R.)	CX	53
Mésange (R. de la)	CV	54
Noyer (R. du)	BV	55
Paix (Av. de la)	CV	58
Parchemin (R. du)	CV	60
Pierre (R. du Fg de)	CV	61
Recollets (R. des)	CV	70
St-Jean (Quai)	BV	76
St-Michel (R.)	BX	77
Sébastopol (R. de)	BV	83
Temple Neuf (Pl.)	CV	88
Temple Neuf (R.)	CV	89
Turckheim (Quai)	BX	91
Vieux-Marché-aux-Poissons (R. du)	CX	94
1re Armée (R.)	CX	99

Attention : restriction de circulation prévue en 1992

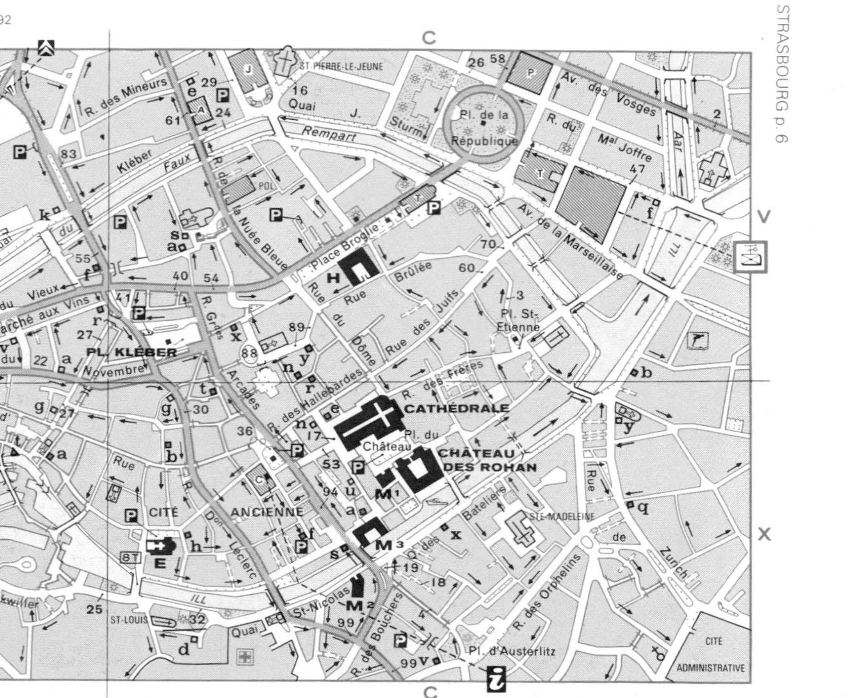

La Dauphine sans rest, 30 r. 1e Armée ☎ 88 36 26 61, Télex 880766, Fax 88 35 50 07 – CY a
fermé 23 déc. au 2 janv. – ☐ 38 – **45 ch** 395/460.

Relais de Strasbourg sans rest, 4 r. Vieux Marché aux Vins ☎ 88 32 80 00, Télex 871353, Fax 88 23 08 85 – 150 BV n
☐ 45 – **72 ch** 320/360.

Aux Trois Roses M sans rest, 7 r. Zürich ☎ 88 36 56 95, Fax 88 35 06 14, – AE GB. CX y
☐ 42 – **33 ch** 270/445.

Urbis M sans rest, 18 r. fg National ☎ 88 75 10 10, Télex 871107, Fax 88 75 79 60 – GB BVX u
☐ 32 – **98 ch** 320/340.

Pax, 24 r. Fg National ☎ 88 32 14 54, Télex 880506, Fax 88 32 01 16, – 25 à 100. AE GB JCB BVX u
fermé 25 déc. au 1er janv. – **R** *(fermé dim. de nov. à mars)* 85/175 – ☐ 32 – **119 ch** 285/305.

Continental sans rest, 14 r. Maire Kuss ☎ 88 22 28 07, Télex 880881, Fax 88 32 22 25 – AE GB JCB BV s
☐ 35 – **48 ch** 287/330.

Rhin sans rest, 8 pl. Gare ☎ 88 32 35 00, Télex 880466, Fax 88 23 51 92 – 30. GB BV d
fermé 20 déc. au 5 janv. – ☐ 30 – **61 ch** 170/350.

Vendôme sans rest, 9 pl. Gare ☎ 88 32 45 23, Télex 890850, Fax 88 32 23 02 – AE GB BV b
☐ 30 – **48 ch** 240/320.

Couvent du Franciscain sans rest, 18 r. Fg de Pierre ☎ 88 32 93 93, Fax 88 75 68 46 – GB CV e
fermé 21 déc. au 5 janv. – ☐ 30 – **43 ch** 235/260.

XXXX ✿✿✿ **Le Crocodile** (Jung), 10 r. Outre ☎ 88 32 13 02, Fax 88 75 72 01 – AE GB JCB CV x
fermé 7 juil. au 3 août, 24 déc. au 4 janv., dim. et lundi – **R** 380/580 et carte 370 à 550
Spéc. Foie d'oie poêlé à la brunoise et zestes de citron. Homard aux vermicelles blonds. Lièvre à la royale (oct. à janv.). **Vins** Riesling, Tokay-Pinot gris.

XXX ✿✿ **Buerehiesel** (Westermann), dans le parc de l'Orangerie ☎ 88 61 62 24, Fax 88 61 32 00, « Belle demeure alsacienne dans le parc » – AE GB JCB
fermé 12 au 26 août, 22 déc. au 5 janv., 16 fév. au 1er mars, mardi sauf midi du 1er avril au 31 oct. et merc. – **R** 320/510 et carte, enf. 100 EU a
Spéc. Schniederspäetle et cuisses de grenouilles poêlées au cerfeuil. Matelote de poissons d'eau douce en raviole au Riesling. Cuisses et dos de lapereau rôtis. **Vins** Chasselas, Riesling.

XXX **Maison Kammerzell et H. Baumann** M avec ch, 16 pl. Cathédrale ☎ 88 32 42 14, Télex 891012, Fax 88 23 03 92, « Belle maison alsacienne du 16e siècle » – ch – 120. AE GB CX e
R 190/260, enf. 80 – ☐ 50 – **9 ch** 420/630.

XXX **Valentin Sorg,** 6 pl. Homme de Fer (14e étage) ☎ 88 32 12 16, Fax 88 32 40 62, Strasbourg – AE GB BV r
fermé 10 au 31 août, vacances de fév., lundi midi et dim. – **R** 200/400.

XXX **Maison des Tanneurs dite "Gerwerstub",** 42 r. Bain aux Plantes ☎ 88 32 79 70, « Vieille maison alsacienne au bord de l'Ill » – AE GB BX t
fermé 12 au 28 juil., 21 déc. au 25 janv., dim. et lundi – **R** carte 170 à 280.

XXX **Zimmer,** 8 r. Temple Neuf ☎ 88 32 35 01, Fax 88 32 42 28, – AE GB CV y
fermé 3 au 23 août, sam. midi et dim. – **R** 130/380.

XXX **Estaminet Schloegel,** 19 r. Krutenau ☎ 88 36 21 98 – GB CX q
fermé 14 au 29 juil., 23 déc. au 6 janv., dim. et lundi – **R** 180/270.

XX ✿ **Julien,** 22 quai Bateliers ☎ 88 36 01 54, Fax 88 35 40 14 – AE GB CX x
fermé 1er au 23 août, 24 déc. au 4 janv., sam. et dim. – **R** carte 270 à 340
Spéc. Duo croustillant de saumon en millefeuille. Tian d'agneau au romarin à l'ail confit. Feuilleté de pommes tièdes. **Vins** Riesling, Tokay-Pinot-gris.

XX **Zeyssolff,** 8 pl. Austerlitz ☎ 88 35 55 75 – AE GB CX v
fermé 3 au 17 août, dim. soir et lundi sauf fériés – **R** 135/280.

XX **Au Gourmet Sans Chiqué,** 15 r. Ste Barbe ☎ 88 32 04 07, Fax 88 22 42 40 – AE GB CX b
fermé 2 au 25 août, 2 au 11 fév., lundi midi et dim. – **R** 240/320.

XX **La Vieille Enseigne,** 9 r. Tonneliers ☎ 88 32 58 50, Fax 88 75 63 80 – AE GB CX f
fermé sam. midi et dim. – **R** 240/290.

XX **Buffet Gare,** pl. Gare ☎ 88 32 68 28, Fax 88 32 88 34 – AE GB BV
L'Argentoratum R 90/140, enf.30 – **L'Assiette R** 66, enf.30.

XX **Bec Doré,** 8 quai Pêcheurs ☎ 88 35 39 57 – AE GB CV b
fermé lundi et mardi – **R** 150, enf. 50.

XX **Au Bœuf Mode,** 2 pl. St-Thomas ☎ 88 32 39 03, (spéc. : viandes) – AE GB JCB CX h
fermé dim. – **R** 160/200.

XX **La Cambuse,** 1 r. Dentelles ✆ 88 22 10 22, « Joli décor bateau » – GB. ✻ BX
fermé 19 avril au 5 mai, 9 au 25 août, 20 déc. au 5 janv., dim. et lundi – **R** (préver carte 195 à 310 ♁.

XX **Au Romain,** 6 r. Vieux Marché aux Grains ✆ 88 32 08 54, Télex 871036, Fax 88 23 51 6 – AE ⓓ GB CX
fermé 23 déc. au 1er janv., dim. soir et lundi – **R** 88/200 ♁.

X **Ami Schutz,** 1 r. Ponts Couverts ✆ 88 32 76 98, Fax 88 32 38 40, – ✻. AE GB BX
fermé 24 déc. au 31 déc. – **R** 155/179 bc ♁.

X **A l'Ancienne Douane,** 12 r. Douane ✆ 88 32 42 19, Télex 870155, Fax 88 22 45 64, brasserie – AE ⓓ GB CX
fermé 4 au 17 janv. – **R** 62/150 ♁, enf. 45.

X **Au Rocher du Sapin,** 6 r. Noyer ✆ 88 32 39 65, spécialités alsaciennes – GB BV
fermé 1er au 15 août, lundi soir et dim. – **Repas** carte 55 à 145 ♁.

Les winstubs : Dégustation de vins et cuisine du pays, ambiance typiquement als- cienne

X **Zum Strissel,** 5 pl. Gde Boucherie ✆ 88 32 14 73, Fax 88 32 70 24, cadre rustique – GB CX
fermé 5 au 29 juil., 27 fév. au 9 mars, dim. et lundi – **R** 54/106 ♁, enf. 40.

X **S'Burjerstuewel (Chez Yvonne),** 10 r. Sanglier ✆ 88 32 84 15 – GB CVX
fermé 12 juil. au 13 août, 22 déc. au 2 janv., lundi midi et dim. – **R** (prévenir) carte 125 215 ♁.

X **Le Clou,** 3 r. Chaudron ✆ 88 32 11 67 – ▤. GB CV
fermé 15 au 31 août, 1er déc. au 7 janv. et dim. – **R** (dîner seul.) carte 150 à 270 ♁.

à Reichstett : N du plan par D 468 et D 37 : 7 km – 4 640 h. – ✉ **67116** :

Paris Ⓜ, sur D 63 ✆ 88 20 00 23, Fax 88 20 30 60, – ▤ rest TV ☎ P – 45. GB
fermé 10 au 30 août et Noël au Jour de l'An – **R** *(fermé vend. soir et sam.)* 80/220 ♁ – 3 – **17 ch** 240/290 – ½ P 280.

Aigle d'Or sans rest, ✆ 88 20 07 87, Fax 88 81 83 75 – TV ☎. AE ⓓ GB FP
34 – **18 ch** 230/330.

au Nord-Est d'Hoenheim par D 468 : 7 km – ✉ **67800** Hoenheim :

East Hôtel Ⓜ sans rest, rte Wantzenau ✆ 88 81 02 10, Fax 88 81 40 93 – TV ☎ ♿ P – 30. AE GB GP
25 – **32 ch** 275.

à La Wantzenau NE du plan par D 468 : 12 km – 4 394 h. – ✉ **67610** :

Hôtel Le Moulin Ⓜ sans rest, S : 1,5 km par D 468 ✆ 88 96 27 83, Fax 88 96 68 32 ≤, « Ancien moulin sur un bras de l'Ill », – TV ☎ P. AE GB
fermé 24 déc. au 2 janv. – **R** voir rest. **Au Moulin** ci-après – 40 – **19 ch** 275/375.

A la Gare sans rest, 32 r. Gare ✆ 88 96 63 44 – TV ☎ P. GB
fermé 27 juil. au 9 août – 25 – **18 ch** 180/250.

XXX **Relais de la Poste** Ⓜ avec ch, 21 r. Gén. de Gaulle ✆ 88 96 20 64, Fax 88 96 36 84, – ▤ TV ☎ ♿ P. AE ⓓ GB
fermé 23 déc. au 15 janv. – **R** *(fermé sam. midi)* 250/380 ♁ – 50 – **17 ch** 300/500 – ½ P 550.

XXX **A la Barrière,** 3 rte Strasbourg ✆ 88 96 20 23, Fax 88 96 25 59, – P. AE ⓓ GB JCB
fermé 6 au 27 août, vacances de fév., mardi soir et merc. – **R** (dim. prévenir) 195/250 ♁.

XXX **Zimmer,** 23 r. Héros ✆ 88 96 62 08 – AE ⓓ GB
fermé 12 juil. au 4 août, 24 janv. au 8 fév., dim. soir et lundi – **R** 130/320.

XX **Rest. Au Moulin** - Hôtel Au Moulin, S : 1,5 km par D 468 ✆ 88 96 20 01, Fax 88 96 68 32, « Jardin fleuri » – ✻ ▤ P. AE ⓓ GB
fermé 29 juin au 23 juil., 4 au 18 janv., merc., dim. et fériés le soir – **R** 140/340, enf. 80.

XX **Schaeffer,** 1 quai Bateliers ✆ 88 96 20 29, – P. AE ⓓ GB
fermé 13 au 31 juil., 21 déc. au 8 janv., dim. soir et lundi – **R** 135/240 ♁.

X **Pont de l'Ill,** 2 r. Gén. Leclerc ✆ 88 96 29 44, Fax 88 96 21 18, – ▤. AE GB
fermé 15 août au 10 sept., vacances de fév., merc. soir et sam. midi – **R** 90/180 ♁.

au pont de l'Europe

Altéa Pont de l'Europe Ⓜ, ✆ 88 61 03 23, Télex 870833, Fax 88 60 43 05, – TV ☎ P – 100 à 350. AE ⓓ GB JCB GR s
Le Liseron R 79/180 ♁ enf. 55 – 53 – **88 ch** 430/465.

à Illkirch-Graffenstaden par ④ et N 83 : 5 km – 22 307 h. – ✉ **67400** :

Alsace Ⓜ, 187 rte Lyon ✆ 88 66 41 60, Télex 870706, Fax 88 67 04 64, – TV ☎ P – 60. GB FS d
fermé 27 juil. au 23 août, et 23 déc. au 3 janv. – **R** *(fermé sam. midi et dim.)* 65/160 ♁ – 30 – **40 ch** 270/290 – ½ P 230.

XX ✿ **Au Foyer des Pêcheurs** (Sohn), chemin du Routoir, 1,2 km ✆ 88 66 14 85, – Ⓟ. AE GB. FS k
fermé 10 au 28 août, 1er au 7 fév., dim. soir et lundi – **R** (nombre de couverts limité, prévenir) carte 275 à 365
Spéc. Presskoff de ris de veau et homard, Dos de sandre rôti aux pommes boulangères, Galette de pigeonneau au foie d'oie poêlé.

près de l'échangeur de Colmar A 35 10 km - FS

Novotel M, ✉ 67400 Illkirch-Graffenstaden ✆ 88 66 21 56, Télex 890142, Fax 88 67 21 63, , , ch – ▤ rest TV ☎ ♿ Ⓟ – 25 à 120. AE ⓓ GB FS u
R carte environ 150 , enf. 50 – 47 – **76 ch** 385/425.

Mercure M, ✉ 67540 Ostwald ✆ 88 67 32 00, Télex 890277, Fax 88 67 11 26, , – ▤ rest TV ☎ ♿ Ⓟ – 25 à 150. AE ⓓ GB FS e
R 100 , enf. 45 – 52 – **98 ch** 410/530.

à Fegersheim par ④ : 13 km – 3 953 h. – ✉ **67640** :

Aub. Au Chasseur, 19 r. Liberté ✆ 88 64 03 78, Fax 88 64 05 49, – ▤ rest TV ☎ Ⓟ. AE ⓓ GB
fermé 1er au 22 août – **R** *(fermé vend. soir et sam.)* 53/280 – 28 – **24 ch** 245 – ½ P 204.

XXX ✿ **La Table Gourmande** (Reix), 43 rte Lyon ✆ 88 68 53 54, Fax 88 64 94 95 – AE ⓓ GB
fermé 2 au 18 août, vacances de fév., dim. soir et lundi – **R** (prévenir) 190/370
Spéc. Bouchée à la Reine de ris de veau et lapereau, Fricassée de grenouilles et escargots, Dos de sandre poêlé et "fleischnecke" de pied de veau. **Vins** Sylvaner, Kaefferkopf.

à Entzheim par ⑤ et D 392 : 12 km – ✉ **67960** :

Père Benoit, 34 rte Strasbourg ✆ 88 68 98 00, Télex 880378, Fax 88 68 64 56, , – TV ☎ ♿ Ⓟ – 30. GB. rest
R *(fermé 15 au 30 juin, Noël au Jour de l'An et dim.)* 90/150 – 30 – **60 ch** 250/360.

à Lingolsheim O : 4,5 km – 16 480 h. – ✉ **67380** :

Ramses M sans rest, 59 r. Mar. Foch ✆ 88 76 11 00, Télex 870045, Fax 88 77 39 31 – TV ☎ ♿ Ⓟ – 30. AE ⓓ GB. FR a
35 – **41 ch** 310/330.

à Ittenheim par ⑥ : 12,5 km – ✉ **67117** :

Au Boeuf, ✆ 88 69 01 42, Fax 88 69 08 28, – ▤ rest TV ☎ Ⓟ. GB.
fermé 1er au 14 juil., 3 au 23 janv., jeudi soir du 15 sept. au 1er juil. (sauf hôtel) et lundi – **R** 70/165 – 25 – **11 ch** 230/290 – ½ P 230.

MICHELIN, Agence régionale, 9 r. Livio, Strasbourg-Meinau FR ✆ 88 39 39 40

ALFA ROMEO Gar. Boulevards, 42 bd d'Anvers ✆ 88 61 10 38 N ✆ 88 76 50 50
BMW Gar. Le Building Socoma, 27-29 r. de Wasselonne ✆ 88 75 37 53
CITROEN Succursale, 200 rte de Colmar FR a ✆ 88 79 99 10
CITROEN Gar. Astoria, 46 av. des Vosges CU ✆ 88 35 27 04
FIAT-LANCIA Gar. des Halles, 60 r. Marché-Gare ✆ 88 28 26 10
FORD Gar. Sengler, 59 r. Jean Giraudoux ✆ 88 30 00 75 N ✆ 88 84 08 40
MERCEDES Kroely, 17 r. Fossé-des-Treize ✆ 88 32 31 31 N
PEUGEOT Gar. Werle, 4 rte de Paris à Ittenheim par ⑥ ✆ 88 69 00 20
PEUGEOT-TALBOT Strasbourg Hautepierre Autom., av. P.-Corneille FQ ✆ 88 28 90 28 N ✆ 88 76 50 50
PEUGEOT-TALBOT Strasbourg Meinau Autom., 270 rte de Colmar FR ✆ 88 79 46 46 N ✆ 88 64 01 70
PEUGEOT-TALBOT Gar. du Quinze, 1 pl. Albert 1er EV ✆ 88 61 52 19
RENAULT Succursale, ZAC Hautepierre r. Peguy FQ ✆ 88 30 85 30 N ✆ 05 05 15 15
RENAULT Gar. Wernert, 67 r. Boecklin ET ✆ 88 31 11 25
SAAB K 67, 15 r. du Fossé des Treize ✆ 88 22 40 50 N
VOLVO Bergmann, 48 rte de l'Hôpital ✆ 88 34 29 51

Kautzmann, 280 rte de Colmar ✆ 88 79 99 20
Louis, 24 r. Mar.-Lefebvre ✆ 88 39 02 93
Metzger, 34 r. Fg-de-Pierre ✆ 88 32 39 20
Vulca-Moderne, 15/17 r. Saglio ✆ 88 39 03 54

Périphérie et environs

RENAULT Succursale, 4 rte de Strasbourg à Illkirch-Graffenstaden FR ✆ 88 40 82 40 N ✆ 05 05 15 15
RENAULT Gar. Simon, 1 r. Pompiers à Schiltigheim FP ✆ 88 33 62 22
RENAULT Simon, av. Énergie à Bischeim GP ✆ 88 83 56 42
V.A.G Gd Gar. du Polygone, N 83 à Illkirch-Graffenstaden ✆ 88 66 66 99
V.A.G Gd Gar. du Polygone, 33 rte de Brumath à Hoenheim ✆ 88 83 76 40

Metzger, 121 r. Gén.-Leclerc à Ostwald ✆ 88 30 22 72
PAD, 1 r. Hoelzel à Illkirch-Graffenstaden ✆ 88 66 21 30
Pneus et Services D.K, 2 rte de Strasbourg à Illkirch-Graffenstaden ✆ 88 39 21 10
Vulcastra, 58 rte de Brumath à Souffelweyersheim ✆ 88 20 22 75

SUBLIGNY 89 Yonne 61 ⑭ – rattaché à Sens.

SUC-AU-MAY 19 Corrèze 72 ⑲ G. Berry Limousin.
Voir ※*** 15 mn.

SUCÉ-SUR-ERDRE 44 Loire-Atl. 63 ⑰ – rattaché à Nantes.

SUCY-EN-BRIE 94 Val-de-Marne 61 ①, 101 ㉘ – voir à Paris, Environs.

SULLY-SUR-LOIRE 45600 Loiret 65 ① **G. Châteaux de la Loire** – 5 806 h. alt. 119.
Voir Château★ : charpente★★.
℘ 38 36 52 08, par ⑥ : 4 km.
Office Municipal de Tourisme pl. Gén.-de-Gaulle ℘ 38 36 23 70.
Paris 140 ① – ◆Orléans 41 ① – Bourges 85 ④ – Gien 26 ① – Montargis 41 ① – Vierzon 79 ④.

SULLY-SUR-LOIRE

Grand-Sully (R. du) . . 6
Porte-de-Sologne (R.) . . 12

Abreuvoir (R. de l') . . 2
Champ-de-Foire (Bd du) 3
Chemin-de-Fer (R. du) 4
Jeanne-d'Arc (Bd) . . 7
Maronniers (R. des) 9
Porte-Berry (R.) 10
St-François (R. du Fg) 15
St-Germain (R. du Fg) 16

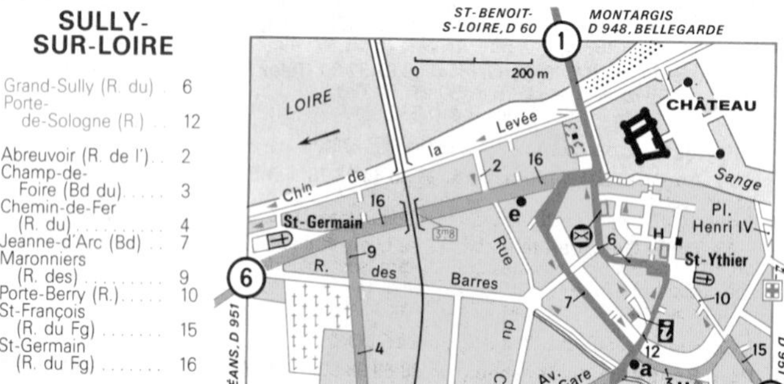

Utilisez le guide de l'année.

Poste, 11 r. Fg St-Germain **(e)** ℘ 38 36 26 22, – TV ☎ – 40. AE GB
R 96/155 – ☐ 30 – **27 ch** 180/240 – ½ P 210.

Pont de Sologne, r. Porte de Sologne **(a)** ℘ 38 36 26 34 – TV ☎. GB
R 90/200 – ☐ 28 – **29 ch** 120/270 – ½ P 150/225.

XXX **Host. Grand Sully** avec ch, bd Champ de Foire **(u)** ℘ 38 36 27 56, Fax 38 36 44 54 – TV ☎ AE GB
R *(fermé 2 au 22 janv., dim. soir et lundi en hiver)* 140/350 – ☐ 38 – **10 ch** 280/350.

aux Bordes par ①, D 948 et D 961 : 6 km – ✉ **45460** :

X **La Bonne Étoile**, rte Gien ℘ 38 35 52 15 – GB
fermé 14 au 25 sept., fév., dim. soir et lundi – **R** 68/168 ♂, enf. 35.

SUPER-BESSE 63 P.-de-D. 73 ⑬ – rattaché à Besse-en-Chandesse.

SUPER-LIORAN 15 Cantal 76 ③ – rattaché au Lioran.

SUPER-SAUZE 04 Alpes-de-H.-P. 81 ⑧ – rattaché à Barcelonnette.

Le SUQUET 06 Alpes-Mar. 84 ⑲ 195 ⑯ – alt. 400 – ✉ **06450** Lantosque.
Paris 884 – Levens 17 – ◆Nice 45 – Puget-Théniers 46 – Roquebillière 10,5 – St-Martin-Vésubie 20.

Aub. Bon Puits M, ℘ 93 03 17 65, – TV ☎
fermé 15 déc. à mars et mardi hors sais. – **R** 90/140, enf. 70 – ☐ 28 – **10 ch** 200/300 – ½ P 260/280.

SURESNES 92 Hauts-de-Seine 55 ⑳, 101 ⑭ – voir à Paris, Environs.

SURGÈRES 17700 Char.-Mar. 71 ③ **G. Poitou Vendée Charentes** – 6 049 h. alt. 25.
Voir Église Notre-Dame★.
Syndicat d'Initiative angle r. Gambetta/Audry-de-Puyravault (mai-oct.) ℘ 46 07 20 02.
Paris 441 – La Rochelle 34 – Niort 34 – Rochefort 26 – St-Jean-d'Angély 29 – Saintes 45.

XX **Vieux Puits**, 6 r. P. Bert ℘ 46 07 50 83 – GB
fermé 1er au 15 mars, 15 au 30 sept., dim. soir et jeudi – **R** 95/165.

X **Ronsard** avec ch, pl. Château ℘ 46 07 00 63 – TV ☎. GB.
R *(fermé 29 juin au 14 juil., 21 au 31 déc., vend. soir et dim. soir)* 78/138 ♂ – ☐ 25 – **11 ch** 145/215 – ½ P 143/168.

CITROEN Gar. Dupont, 9 rte de La Rochelle ℘ 46 07 01 71
FORD Gar. Thomer, 36 av. St-Pierre ℘ 46 07 10 98
PEUGEOT TALBOT Gar. Glénaud, 1 r. Brillouet ℘ 46 07 01 16

SURVILLIERS-ST-WITZ 95470 Val-d'Oise 56 ⑪ 106 ⑧ – 3 661 h. alt. 140.

Paris 35 – Compiègne 47 – Chantilly 14 – Lagny-sur-Marne 30 – Luzarches 10 – Meaux 32 – Pontoise 39 – Senlis 14.

Mercure M, sur D 10 près échangeur A1 Survilliers ✆ (1) 34 68 28 28, Télex 605917, Fax (1) 34 68 22 81, – rest TV ☎ Ⓟ – 25 à 180. AE GB JCB
R 100 bc/150, enf. 45 – 50 – **115 ch** 450/560.

Novotel M, sur D 16 par échangeur A1 Survilliers ✆ (1) 34 68 69 80, Télex 605910, Fax (1) 34 68 64 94, – ch rest TV ☎ Ⓟ – 150. AE GB
R carte environ 160, enf. 52 – 49 – **79 ch** 435/500.

SURY-AUX-BOIS 45530 Loiret 65 ① – 433 h.

Paris 109 – ◆ Orléans 40 – Châteauneuf-sur-Loire 16 – Gien 44 – Montargis 30 – Pithiviers 27.

Domaine de Chicamour, S : 3,5 km N 60 ✆ 38 59 35 42, Fax 38 59 30 43, « Château du 19e siècle dans un parc », – ☎ Ⓟ. GB. rest
1er mars-30 nov. – **R** 90/200 – 45 – **12 ch** 310/345 – ½ P 350.

SUZE-LA-ROUSSE 26790 Drôme 81 ② **G. Provence** – 1 422 h. alt. 129.

Paris 646 – Avignon 60 – Bollène 7,5 – Nyons 28 – Orange 20 – Valence 85.

Relais du Château M, ✆ 75 04 87 07, ←, – TV ☎ Ⓟ – 80. AE GB. rest
fermé 15 déc. au 15 janv. – **R** 80/180, enf. 45 – 27 – **36 ch** 240/310 – ½ P 245/270.

TAILLECOURT 25 Doubs 166 ⑧ – rattaché à Audincourt.

TAIN-L'HERMITAGE TOURNON-SUR-RHÔNE

Jaurès (Av. J.)	BC	Juventon (Av. M.)	B 19
Beaucaire (Av. de)	B 2	Michel (R.)	C 21
Dumaine (R. A.)	B 6	Peala (R. J.)	B 24
Faure (R. G.)	B 13	Prés.-Roosevelt (Av.)	C 29
Gare (Av. de la)	B 15	Souvenir-Français (Av. du)	C 32
Grande Rue	B 16		

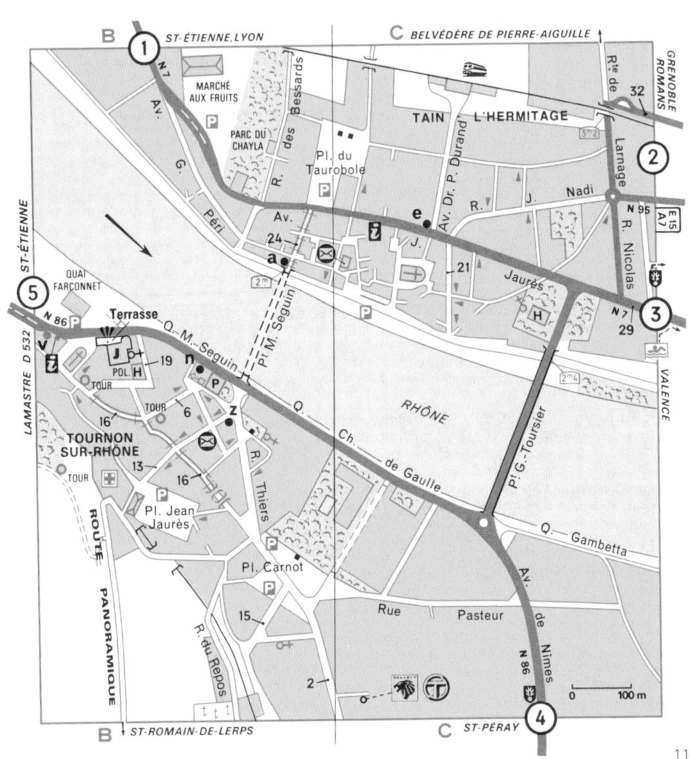

TAIN-TOURNON 77 ① ② **G. Vallée du Rhône.**

Voir Route panoramique*** B.

🅸 voir à Tain-l'Hermitage et à Tournon.

Paris 547 ② – ◆Grenoble 99 ② – Le Puy 106 ⑤ – ◆St-Étienne 75 ① – Valence 18 ② – Vienne 59 ②.

Plan page précédente

Tain-l'Hermitage **26** Drôme – 5 003 h. alt. 124 – ✉ **26600**.

Voir Belvédère de Pierre-Aiguille* N : 4 km par D 241.

🅸 Office de Tourisme 70 av. J.-Jaurès ☎ 75 08 06 81.

Mercure Ⓜ, 1 av. P. Durand ☎ 75 08 65 00, Télex 345573, Fax 75 08 66 05, 🍽, 🏊 – |ቑ| ⊁ ▤ 📺 ☎ ♿ Ⓟ – 🏛 50. AE ⓓ GB JCB C **e**
R 120/260, enf. 50 – ☕ 52 – **48 ch** 390/510 – ½ P 340/490.

Deux Coteaux sans rest, 18 r. J. Péala ☎ 75 08 33 01 – 📺 ☎ 🚗. AE GB B **a**
fermé 1er au 22 fév., – ☕ 26 – **22 ch** 151/275.

XXX **Reynaud** Ⓜ avec ch, par ③ rte Valence ☎ 75 07 22 10, Fax 75 08 03 53, ≤, 🌳 – ☎ Ⓟ. AE ⓓ GB
fermé 15 au 28 août, 2 au 22 janv., dim. soir et lundi – **R** 160/320, enf. 60 – ☕ 60 – **10 ch** 350/500.

rte de Romans par ② : 4 km – ✉ **26600** Tain-l'Hermitage :

L'Abricotine 🔇, ☎ 75 07 44 60, 🌳 – ☎ Ⓟ. GB
fermé 20 nov. au 10 déc. et dim. de nov. à mars – **R** (dîner seul.) (résidents seul.) 55/65 – ☕ 28 – **10 ch** 248/278.

Tournaire-Pneus, 8 av. Prés.-Roosevelt ☎ 75 08 28 97

Tournon-sur-Rhône <SP> **07** Ardèche – 9 546 h. – ✉ **07300**.

Voir Terrasses* du château B.

🅸 Office de Tourisme Hôtel Tourette ☎ 75 08 10 23.

Les Amandiers Ⓜ sans rest, 13 av. de Nîmes ☎ 75 07 24 10, Télex 346971 – |ቑ| 📺 ☎ ♿ Ⓟ – 🏛 25. AE ⓓ GB
☕ 30 – **25 ch** 260/315.

Paris sans rest, pl. S. Mallarmé ☎ 75 08 01 11 – |ቑ| 📺 ☎ 🚗. AE ⓓ GB B **z**
1er mars-fin oct. – ☕ 35 – **21 ch** 250/350.

XX **Château** avec ch, 12 quai M. Seguin ☎ 75 08 60 22, Télex 345156, Fax 75 07 02 95, ≤ – 📺 ☎ 🚗 – 🏛 50. AE ⓓ GB B **n**
R 105/320, enf. 55 – ☕ 35 – **14 ch** 280/350 – ½ P 210/260.

CITROEN Gélibert, quai Farconnet par ⑤ ☎ 75 08 01 33

PEUGEOT-TALBOT Fournier, r. V.-d'Indy C ☎ 75 08 11 22

TALENCE **33** Gironde 171 ⑨ – rattaché à Bordeaux.

TALLOIRES **74290** H.-Savoie 74 ⑥ **G. Alpes du Nord** – 1 287 h. alt. 447.

Voir Site*** – Site** de l'Ermitage St-Germain* E : 4 km.

⛳18 du lac d'Annecy ☎ 50 60 12 89, NO : 1 km.

🅸 Office Municipal de Tourisme ☎ 50 60 70 64.

Paris 550 – Annecy 12 – Albertville 33 – Megève 49.

✿✿ **Aub. du Père Bise** 🔇, bord du lac ☎ 50 60 72 01, Télex 385812, Fax 50 60 73 05, ≤, 🍽, « Repas sous l'ombrage face au lac, parc », 🎾 – |ቑ| 📺 ☎ Ⓟ. AE ⓓ GB
fermé 16 mars au 1er avril, 16 nov. au 13 fév. et mardi midi – **R** 450/680 et carte, enf. 180 – ☕ 85 – **25 ch** 1000/1800, 9 appart. – ½ P 1200/1600

Spéc. Gratin de queues d'écrevisses (saison), Tatin de pommes de terre au foie d'oie et truffes, Poularde de Bresse braisée.

L'Abbaye 🔇, ☎ 50 60 77 33, Télex 385307, Fax 50 60 78 81, ≤, 🍽, « Abbaye bénédictine du 17e siècle, terrasse et jardin ombragés », 🏋, 🎾 – ☎ Ⓟ – 🏛 25. AE ⓓ GB. 🚫
fermé 15 déc. au 15 janv. – **R** *(fermé dim. soir et lundi midi du 15 oct. au 1er mai)* 240/395, enf. 80 – ☕ 55 – **27 ch** 770/1380 – ½ P 660/995.

Le Cottage 🔇, ☎ 50 60 71 10, Télex 309454, Fax 50 60 77 51, 🍽, « Terrasse ombragée, ≤ », 🌳 – |ቑ| 📺 ☎ Ⓟ – 🏛 30. AE ⓓ GB. 🚫 rest
Pâques-15 oct. – **R** 180/300, enf. 110 – ☕ 60 – **35 ch** 650/1100 – ½ P 500/790.

Les Prés du Lac Ⓜ 🔇 sans rest, ☎ 50 60 76 11, Télex 309288, Fax 50 60 73 42, ≤, « Parc au bord du lac », 🎾 – 📺 ☎ Ⓟ. AE ⓓ GB
7 fév.-4 nov. – ☕ 65 – **9 ch** 785/1050, 3 appart..

Lac 🔇, ☎ 50 60 71 08, Télex 309274, Fax 50 60 72 99, ≤, 🍽, 🏊, 🌳 – |ቑ| 📺 ☎ Ⓟ. AE ⓓ GB JCB
hôtel : 25 mai-7 oct. ; rest. : 1er juin-30 sept. – **R** 170/220, enf. 80 – ☕ 45 – **43 ch** 310/810 – ½ P 525/590.

Hermitage 🔇, chemin de la cascade d'Angon ☎ 50 60 71 17, Télex 385196, Fax 50 60 77 85, ≤ lac et montagnes, 🍽, parc, 🏊, 🎾 – |ቑ| 📺 ☎ Ⓟ – 🏛 50. AE ⓓ GB. 🚫
1er fév.-1er nov. – **R** 160/420, enf. 65 – **34 ch** ☕ 420/695 – ½ P 445/645.

Beau Site ⛰, ☎ 50 60 71 04, Fax 50 60 79 22, ≤, « Jardin », ⛱, 🎾 – ⬍ TV ☎ P. AE ⓞ GB. ✂ rest
15 mai-12 oct. – **R** 145/160, enf. 80 – ☕ 47 – **29 ch** 350/850 – ½ P 370/625.

La Charpenterie, ☎ 50 60 70 47, Fax 50 60 79 07, 🏠 – ⬍ TV ☎. AE ⓞ GB
fermé 1er déc. au 31 janv. – **R** 90/180, enf. 45 – ☕ 35 – **18 ch** 350/390 – ½ P 290/360.

XX **Villa des Fleurs** ⛰ avec ch, ☎ 50 60 71 14, Fax 50 60 74 06, 🏠, 🌳 – TV ☎ P. GB
fermé 15 nov. au 15 déc., 15 janv. au 15 fév., dim. soir et lundi – **R** 135/295 – ☕ 42 – **7 ch** 300/420 – ½ P 350/380.

à Angon S : 2 km par D 909a – ✉ 74290 Veyrier-du-Lac :

Les Grillons ⛰, ☎ 50 60 70 31, Fax 50 60 72 19, ≤, 🌳 – TV ☎ P. GB. ✂ rest
1er avril-12 nov. – **R** 90/160, enf. 50 – ☕ 35 – **34 ch** 220/360, 4 appart. 480 – ½ P 260/320.

La Bartavelle ⛰, ☎ 50 60 70 68, 🏠
20 mai-20 sept. – **R** (dîner seul.) carte 115 à 180 – ☕ 30 – **9 ch** 180/221 – ½ P 190/221.

TALMONT 17120 Char.-Mar. 71 ⑮ **G. Poitou Vendée Charentes** – 83 h. alt. 23.

Voir Site★ de l'église Ste-Radegonde★.

Paris 501 – Royan 16 – Blaye 66 – La Rochelle 90 – Saintes 35.

XX **L'Estuaire** avec ch, au Caillaud ☎ 46 90 43 85, ≤, 🌳 – P. GB. ✂ ch
1er avril-25 sept. et fermé mardi soir et merc. sauf juil.-août – **R** 82/175 – ☕ 22 – **7 ch** 140/180 – ½ P 157/185.

TALMONT-ST-HILAIRE 85440 Vendée 67 ⑬ **G. Poitou Vendée Charentes** – 4 409 h. alt. 5.

Paris 445 – Luçon 36 – La Roche-sur-Yon 30 – Les Sables-d'Olonne 13.

rte de la plage du Veillon SO par D 949 et D 4A : 7 km – ✉ 85440 Talmont-St-Hilaire :

X **St-Hubert** avec ch, ☎ 51 22 24 04, 🏠 – ☎. GB
fermé 7 au 23 oct., janv., mardi soir et merc. – **R** 70/230, enf. 45 – ☕ 25 – **10 ch** 190/250 – ½ P 190/210.

CITROEN Gar. Le Biller, 615 av. des Sables ☎ 51 90 60 21

LA TAMARISSIÈRE 34 Hérault 83 ⑮ – rattaché à Agde.

TAMNIÈS 24620 Dordogne 75 ⑰ – 313 h. alt. 193.

Paris 513 – Brive-la-Gaillarde 54 – Périgueux 57 – Sarlat-la-Canéda 14 – Les Eyzies-de-Tayac 12.

Laborderie ⛰, ☎ 53 29 68 59, Fax 53 29 65 31, ≤, 🏠, parc, 🏊 – ☎ P. GB. ✂ rest
4 avril-1er nov. – **Repas** 105/255 – ☕ 30 – **32 ch** 260/450 – ½ P 260/350.

TANCARVILLE (Pont routier de) ★ 76430 S.-Mar. 55 ④ **G. Normandie Vallée de la Seine** – 1 326 h. alt. 48.

Voir ≤★ sur estuaire.

Péage en 1991 : auto 9 à 11 F (conducteur et passagers compris), remorque 2,50 F, camion de 14 à 30 F, gratuit pour piétons et deux-roues.

Paris 176 – ♦Caen 81 – ♦Le Havre 28 – Pont-Audemer 20 – ♦Rouen 58.

XXX **Marine** M avec ch, au pied du pont D 982 ☎ 35 39 77 15, Fax 35 38 03 30, ≤ pont suspendu et la Seine, 🏠, 🌳 – TV ☎ P. GB. ✂ ch
fermé 15 juil. au 10 août, vacances de fév., lundi (sauf hôtel) et dim. soir – **R** 140/280 – ☕ 45 – **8 ch** 280/400 – ½ P 320/450.

TANINGES 74440 H.-Savoie 74 ⑦ **G. Alpes du Nord** – 2 791 h. alt. 640.

ℹ Office de Tourisme av. Thézières ☎ 50 34 25 05.

Paris 573 – Chamonix-Mont-Blanc 50 – Thonon-les-Bains 48 – Annecy 60 – Bonneville 19 – Cluses 10 – ♦Genève 55 – Megève 35 – Morzine 18.

XX **La Crémaillère,** à Flérier SO : 1 km ☎ 50 34 21 98, 🏠, 🌳 – P. AE ⓞ GB
fermé 2 janv. au 2 fév., dim. soir et merc. du 15 sept. au 30 juin – **R** 100/200.

RENAULT Gar. Delfante ☎ 50 34 20 71 N

TANUS 81190 Tarn 80 ⑪ – 464 h. alt. 440.

Paris 678 – Rodez 46 – Albi 32 – Millau 101 – St-Affrique 66.

XX **Voyageurs** avec ch, ☎ 63 76 30 06, 🌳 – TV ☎ 🚗. GB
fermé 1er au 8 nov., vacances de fév. et vend. soir sauf juil.-août – **R** 75/260, enf. 40 – ☕ 35 – **14 ch** 210/260 – ½ P 250/270.

TAPONAS 69 Rhône 73 ⑩ – rattaché à Belleville.

TARARE 69170 Rhône 73 ⑨ **G. Vallée du Rhône** – 10 720 h. alt. 375.

ℹ Office de Tourisme pl. Madeleine ☎ 74 63 06 65.

Paris 469 – Roanne 41 – ♦Lyon 45 – Montbrison 58 – Villefranche-sur-Saône 33.

Git'Otel, E par N 7 : 1,5 km ✉ 69490 Pontcharra-sur-Turdine ☎ 74 63 44 01, 🏠 – TV ☎ P – 🏛 40. AE ⓞ GB
fermé 23 déc. au 4 janv. – **R** *(fermé dim.)* 63/220 🍷, enf. 35 – ☕ 30 – **34 ch** 210/280.

XXX ✿ **Jean Brouilly,** 3 ter r. Paris ☏ 74 63 24 56, Fax 74 05 05 48, ⛱, parc – Ⓟ. AE ⓓ GB
fermé 9 au 18 août, 3 au 12 janv., dim. et lundi sauf fêtes – **R** 140/360
Spéc. Dodeline de pigeonneau à la lie de vin, Brochet et homard en pochouse, Assiette aux trois chocolats.

CITROEN Central Gar., 28 r. République ☏ 74 63 06 10
FORD Beylier, 17 r. Serroux ☏ 74 63 05 41 N
PEUGEOT-TALBOT Dubois, N 7 ☏ 74 63 03 80 N
RENAULT Laurent, rte de Valsonne ☏ 74 63 04 07
RENAULT Gar. Vericel, 46-48 av. Ed.-Herriot ☏ 74 63 15 92
RENAULT Gar. du Mortier, RN 7 à Pontcharra-sur-Turdine ☏ 74 05 73 08

Ⓜ Pneumatech, bd de la Turdine ☏ 74 63 44 00

TARASCON **13150** B.-du-R. 81 ⑪ **G. Provence** – 10 826 h. alt. 9.
Voir Château★★ : ☀★★ Y – Église Ste-Marthe★ Y.
ℹ Office de Tourisme 59 r. Halles ☏ 90 91 03 52.
Paris 708 ⑥ – Avignon 22 ① – Arles 17 ③ – ♦Marseille 96 ③ – Nîmes 25 ⑤.

TARASCON

Halles (R. des) .... YZ
Mairie (Pl. de la) .... Y 15
Monge (R.) .... Y
Pelletan (R. E.) ...... Z 19
Proudhon (R.) ...... Z 20
Victor-Hugo (Bd) .... Z

Aqueduc (R. de l') .... Y 2
Berrurier (Pl. Colonel) ...... Z 3
Blanqui (R.) .... Z 4
Briand (Crs Aristide) ..... Z 5
Château (Bd du) .... Y 6
Château (R. du) .... Y 7
Hôpital (R. de l') .... Z 9
Jaurès (R. Jean) .... Y 12
Jeu-de-Paume (R. du) .... YZ 14
Millaud (R. Ed.) .... YZ 16
Mistral (R. Frédéric) ...... Z 18
Raffin (R.) .... Y 23
République (Av. de la) .... Z 24
Salengro (Av. R.) .... Y 25

Le Guide change, changez de guide tous les ans.

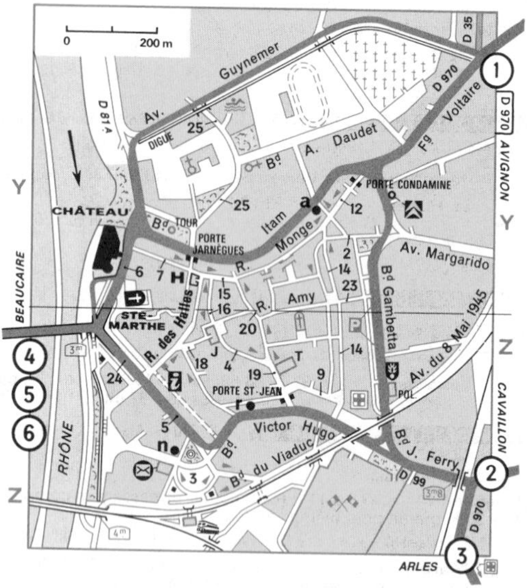

🏨 **Provence** sans rest, 7 bd V. Hugo ☏ 90 91 06 43, Fax 90 43 58 13 – TV ☎. AE ⓓ GB
fermé 21 déc. au 5 janv. et vend. du 1er nov. au 1er mars – ☕ 55 – **11 ch** 350/390. Z **r**

🏨 **Échevins et rest. Mistral,** 26 bd Itam ☏ 90 91 01 70 – |☰| ▤ rest ☎ ♿ 🚗. GB
hôtel : fermé janv. et dim. de nov. à Pâques ; rest. : fermé janv., fév., sam. midi, dim. soir et lundi midi – **R** 85/120 – ☕ 30 – **39 ch** 220/280. Y **a**

🏨 **Terminus,** pl. Col. Berrurier ☏ 90 91 18 95 – ☎ 🚗. AE ⓓ GB Z **n**
fermé 12 fév. au 12 mars, sam. midi et merc. – **R** 75/130 🍷 – ☕ 28 – **24 ch** 160/210 – ½ P 160/190.

CITROEN Gar. Chabas, 8 bd Gambetta ☏ 90 91 12 71 N ☏ 90 91 15 55

Ⓜ Tarascon-Pneus, 1 pl. E.-Combe ☏ 90 91 54 36

TARASCON-SUR-ARIÈGE **09400** Ariège 86 ④ ⑤ **G. Pyrénées Roussillon** – 3 533 h. alt. 474.
Voir Grotte de Niaux★★ (dessins préhistoriques) SO : 4 km.
ℹ Office de Tourisme pl. 19 Mars 1962 ☏ 61 05 63 46.
Paris 796 – Foix 16 – Ax-les-Thermes 26 – Lavelanet 28.

🏨 **Confort** sans rest, quai A. Sylvestre ☏ 61 05 61 90 – ☎ 🚗 Ⓟ. GB
☕ 25 – **14 ch** 155/215.

CITROEN Gar. du Stade ☏ 61 05 89 20

TARBES P **65000** H.-Pyr. 85 ⑧ **G. Pyrénées Aquitaine** – 47 566 h. alt. 304.

Voir Jardin★ et Musée Massey (musée international des Hussards★ AB **M**).

de Laloubère ✆ 62 96 11 14, par ③ : 3 km.

de Tarbes-Ossun-Lourdes : ✆ 62 32 92 22, par ④ : 9 km.

✆ 62 37 50 50.

Syndicat d'Initiative 3 cours Gambetta ✆ 62 51 30 31.

Paris 794 ① – Pau 42 ⑤ – ◆Bordeaux 214 ① – Lourdes 19 ④ – ◆Toulouse 152 ②.

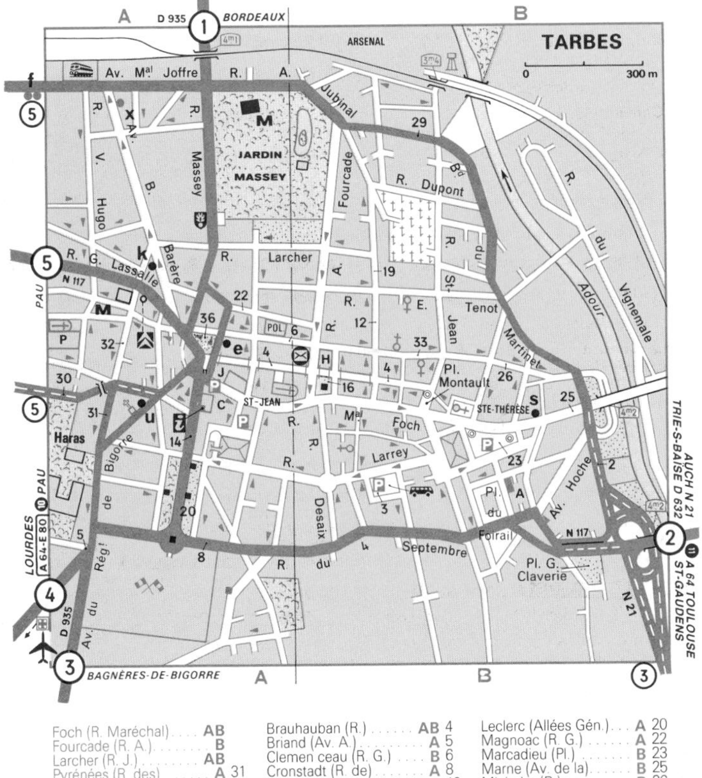

Foch (R. Maréchal) .... AB
Fourcade (R. A.) .... B
Larcher (R. J.) .... AB
Pyrénées (R. des) .... A 31
Ramond (R.) .... A 32
Verdun (Pl. de) .... A 36

Adour (Quai de l') .... B 2
Bois (Pl. aux) .... B 3

Brauhauban (R.) .... AB 4
Briand (Av. A.) .... A 5
Clemenceau (R. G.) .... B 6
Cronstadt (R. de) .... A 8
Deville (R.) .... B 12
Gambetta (Cours) .... A 14
Jaurès (Pl. Jean) .... B 16
Joffre (Av. Mar.) .... A 18
Laporte (R. H.) .... B 19

Leclerc (Allées Gén.) .... A 20
Magnoac (R. G.) .... A 22
Marcadieu (Pl.) .... B 23
Marne (Av. de la) .... B 25
Michelet (R.) .... B 26
Parmentier (Pl.) .... B 28
Péreire (R.) .... B 29
Pradeau (Prom. du) .... A 30
St-Frai (R. Mairie) .... B 33

Président, rte Lourdes par ⑥ ✆ 62 93 98 40, Télex 530522, Fax 62 93 64 19, ≤, – – 80. AE GB JCB
Le Toit de Bigorre (au 9e étage) **R** 100/150 enf. 50 – 35 – **57 ch** 275/380.

Foch sans rest, 18 pl. Verdun ✆ 62 93 71 58, Fax 62 93 34 59 – . AE GB — A **e**
fermé 24 déc. au 1er janv. et dim. – 35 – **30 ch** 265/350.

Henri IV sans rest, 7 av. B. Barère ✆ 62 34 01 68, Fax 62 93 71 32 – . AE GB — A **k**
35 – **24 ch** 260/300.

Climat de France M, bd Altenkirchen ✆ 62 93 49 34, Télex 533760, – . AE GB
R 88/140 , enf. 51 – 27 – **44 ch** 260.

Blason sans rest, 26 r. Régt de Bigorre ✆ 62 34 48 88 – . GB — A **u**
20 – **15 ch** 145/170.

Marne sans rest, 4 av. Marne ✆ 62 93 03 64 – . AE GB — B **s**
24 – **26ch** 160/270.

XX **L'Isard** avec ch, 70 av. Mar. Joffre ✆ 62 93 06 69, 🏠 – 📺 ☎. AE GB. ✻ — A f
R *(fermé dim. soir et sam.)* 60/200 – ☕ 25 – **8 ch** 150/200 – ½ P 150/200.

XX **Toup' Ty,** 86 av. B. Barère ✆ 62 93 32 08 – GB — A x
fermé 25 juil. au 25 août, dim. soir et lundi – **R** 80/180 🍷, enf. 50.

XX **Panier Fleuri,** 74 av. Joffre ✆ 62 93 10 80 – ▤. AE ⓓ GB — A f
fermé 5 au 31 juil., lundi soir et mardi – **R** 69/150, enf. 45.

rte d'Auch par ② – ✉ **65800** Aureilhan :

XX **La Patte d'Oie,** à 1,5 km ✆ 62 36 40 52 – Ⓟ. AE ⓓ GB
fermé dim. soir et lundi soir – **R** 120/198, enf. 110.

XX **Relais d'Orleix,** à 4 km ✆ 62 36 28 99 – Ⓟ. AE ⓓ GB
fermé dim. soir et lundi – **R** 98/145, enf. 40.

rte de Lourdes (par Juillan) par ④ :

🏨 **Campanile,** à 4 km ✉ 65310 Odos ✆ 62 93 83 20, Télex 530571 – 📺 ☎ ♿ Ⓟ. AE GB
R 77 bc/99 bc, enf. 39 – ☕ 28 – **42 ch** 258 – ½ P 234/256.

XX **L'Aragon** avec ch, à 4 km ✉ 65290 Juillan ✆ 62 32 07 07, Fax 62 32 92 50, 🏠 – 📺 ☎ Ⓟ – 🏛 25. AE ⓓ GB
fermé 20 déc. au 16 janv. et lundi d'oct. à mai – **R** 110/350, enf. 50 – ☕ 32 – **11 ch** 210/320 – ½ P 225/260.

à l'Aéroport par ④ : 9 km – ✉ **65290** Juillan :

XXX **La Caravelle,** (1er étage) ✆ 62 32 99 96, Fax 62 32 05 25, ≤ Pyrénées – ▤. AE ⓓ GB JCB
fermé 13 au 29 juil., 4 au 27 janv., dim. soir et lundi – **R** 155/250.

rte de Pau par ⑤ : 6 km – ✉ **65420** Ibos :

🏨 **La Chaumière du Bois** Ⓜ 🐦, ✆ 62 90 03 51, Fax 62 90 05 33, 🏠, parc, 🏊 – 📺 ☎ ♿ Ⓟ – 🏛 25. GB
R *(fermé dim. soir et lundi)* 80/135, enf. 50 – ☕ 32 – **23 ch** 260/360 – ½ P 290.

CITROEN Garoby, 23r. Lassalle ✆ 62 93 31 36
FORD C.-Fabre, bd Kennedy ✆ 62 51 15 11
NISSAN Raoux, bd Kennedy ✆ 62 93 28 97
V.A.G Gar. Tolsan, rte de Pau ✆ 62 34 35 83

Ⓜ Central-Pneu, 1 bd Mar.-de-Lattre-de-Tassigny ✆ 62 34 74 96
Dours, 13 bis cours de Reffye ✆ 62 93 01 84
Saliot, 10 r. Clément ✆ 62 34 52 01

Périphérie et environs

BMW Tarbes-Auto, rte de Pau à Ibos ✆ 62 90 06 00
CITROEN T.D.A., 28 rte de Lourdes à Odos par ④ ✆ 62 93 94 95 🅽 ✆ 62 93 72 55

PEUGEOT-TALBOT Benoît, rte de Pau à Ibos par ⑤ ✆ 62 90 09 00
RENAULT Pyrénées-Autom., rte de Lourdes à Odos par ④ ✆ 62 34 38 83 🅽 ✆ 62 51 11 00

TARDETS-SORHOLUS 64470 Pyr.-Atl. 85 ⑤ – 704 h. alt. 216.

Paris 821 – Pau 62 – Mauléon-Licharre 13 – Oloron-Ste-Marie 27 – St-Jean-Pied-de-Port 52.

XX **Pont d'Abense** 🐦 avec ch, à Abense-de-Haut ✆ 59 28 54 60, 🏠, « Jardin fleuri » – ☎ Ⓟ. GB. ✻
fermé 20 nov. au 10 janv. et jeudi hors sais. – **R** 68/200 🍷, enf. 50 – ☕ 30 – **12 ch** 150/250 – ½ P 200/220.

PEUGEOT Gar. Larragneguy ✆ 59 28 53 21
Gar. Carrère ✆ 59 28 53 59

TARGASONNE 66 Pyr.-Or. 86 ⑯ – rattaché à Font-Romeu.

TARNAC 19170 Corrèze 72 ⑳ G. Berry Limousin – 403 h. alt. 700.

Paris 441 – ◆ Limoges 66 – Aubusson 48 – Bourganeuf 43 – Eymoutiers 24 – Tulle 62 – Ussel 46.

🏨 **Voyageurs** 🐦, ✆ 55 95 53 12, Fax 55 95 40 07 – ▤ rest 📺 ☎. GB. ✻ rest
fermé 20/12 au 10/1, vacances de fév., dim. soir et lundi d'oct. à mai sauf vacances scolaires et fêtes – **Repas** 78/150, enf. 55 – ☕ 28 – **17 ch** 136/220 – ½ P 191/231.

TASSIN-LA-DEMI-LUNE 69 Rhône 73 ⑳ – rattaché à Lyon.

TAULÉ 29670 Finistère 58 ⑥ – 2 796 h. alt. 90.

Paris 546 – ◆ Brest 61 – Morlaix 7,5 – Quimper 80 – St-Pol-de-Léon 13.

🏨 **Relais des Primeurs,** à la gare N : 1,5 km ✆ 98 67 11 03, 🏠 – 📺 ☎ Ⓟ. GB. ✻ ch
fermé sept., vend. soir et sam. midi sauf juil.-août – **R** 60/170 🍷, enf. 42 – ☕ 24 – **16 ch** 135/230 – ½ P 210/235.

TAURINYA 66 Pyr.-Or. 86 ⑱ – rattaché à Prades.

TAUSSAT 33148 Gironde 78 ②.

Paris 629 – ◆ Bordeaux 48 – Andernos-les-Bains 4 – Arcachon 36.

🏨 **Plage,** ✆ 56 82 06 01, 🏠 – ☎ Ⓟ. GB
R *(Pâques-fin oct.)* 65/95, enf. 45 – ☕ 28 – **15 ch** 180/240 – ½ P 180/220.

TAVEL 30126 Gard 81 ⑪ – 1 439 h. alt. 80.
Paris 678 – Avignon 15 – Alès 68 – Nîmes 39 – Orange 21 – Pont-St-Esprit 33 – Roquemaure 9.

XXX **Aub. de Tavel** avec ch, ✆ 66 50 03 41, ⛱, ⛱ – TV ☎. AE ① GB JCB
fermé 15 janv. au 28 fév. et mardi du 15 oct. au 15 mai – **R** 115/230, enf. 75 – ☕ 60 – **11 ch** 400/460 – ½ P 305/390.

X **Host. du Seigneur** avec ch, ✆ 66 50 04 26 – GB
fermé 1er déc. au 15 janv. et jeudi – **R** 87/126 🍷 – ☕ 26 – **7 ch** 160/250.

TAVERNY 95 Val-d'Oise 55 ⑳, 101 ④ – voir à Paris, Environs.

TAVERS 45 Loiret 64 ⑧ – rattaché à Beaugency.

Le TEIL 07400 Ardèche 80 ⑩ **G. Vallée du Rhône** – 7 779 h. alt. 73.
Voir Baptistère★ de l'église de Mélas.
ℹ Office de Tourisme pl. P.-Sémard "Les Sablons" ✆ 75 49 10 46.
Paris 611 – Valence 50 – Aubenas 36 – Montélimar 6 – Privas 31.

XX **L'Ardéchois,** N 86 sortie Sud ✆ 75 49 21 39 – GB
fermé 15 juil. au 14 août, dim. soir et lundi soir – **R** 85/210.

Le TEILLEUL 50640 Manche 59 ⑨ – 1 433 h. alt. 205.
Paris 272 – Avranches 44 – Domfront 20 – Fougères 36 – Mayenne 38 – St-Lô 77.

Clé des Champs, E : 1 km sur N 176 ✆ 33 59 42 27 – TV ☎ 🚗 P. AE ① GB
fermé 4 fév. au 10 mars et dim. soir d'oct. à mars – **R** 70/170 🍷 – ☕ 31 – **20 ch** 120/275 – ½ P 200/260.

RENAULT Gar. Bonsens ✆ 33 59 40 28

TELGRUC-SUR-MER 29560 Finistère 58 ⑭ – 1 811 h. alt. 80.
Paris 569 – Quimper 41 – Châteaulin 22 – Douarnenez 32.

XX **Aub. du Gerdann,** E : 2 km sur D 887 ✆ 98 27 78 67, 🌳 – P. GB. ✗
fermé 5 au 27 oct., fév., lundi soir (sauf juil.-août) et mardi – **R** 72/220, enf. 39.

TEMPLERIE 35 I.-et-V. 59 ⑲ – rattaché à Fougères.

Le-TEMPLE-SUR-LOT 47110 Lot-et-Gar. 79 ⑤ – 933 h. alt. 43.
Paris 609 – Agen 33 – ♦Bordeaux 129 – Duras 50 – Fumel 42 – Miramont-de-Guyenne 32.

Host. du Plantié 🐦, NO : 3 km par D 911 et D 13 ✆ 53 84 37 48, Fax 53 84 76 32, parc, ⛱ – ☎ P. AE ① GB
R *(fermé 1er au 12 fév.)* 90/200 🍷, enf. 60 – ☕ 38 – **10 ch** 320/360 – ½ P 280.

TENCE 43190 H.-Loire 76 ⑧ **G. Vallée du Rhône** – 2 788 h. alt. 840.
ℹ Office de Tourisme pl. Chatiagne ✆ 71 59 81 99.
Paris 569 – Le Puy-en-Velay 45 – Lamastre 38 – ♦St-Étienne 51 – Yssingeaux 19.

Gd H. Placide, av. Gare ✆ 71 59 82 76, Fax 71 65 44 46, 🌳 – TV ☎ P. GB
fermé 15 nov. au 10 fév., dim. soir et lundi hors sais. – **R** 110/350 – ☕ 38 – **17 ch** 290/380 – ½ P 330/340.

PEUGEOT Gar. Bachelard, ✆ 71 59 80 20 N ✆ 71 59 83 30

TENDE 06430 Alpes-Mar. 84 ⑳ **G. Côte d'Azur** – 2 089 h. alt. 816.
⛳9 de Vievola ✆ 93 04 61 02, N par N 204 : 4,5 km.
Paris 878 – Cuneo 45 – Menton 52 – ♦Nice 77 – Sospel 37.

Centre sans rest, ✆ 93 04 62 19 – GB
fermé nov. – **17 ch** ☕ 145/200.

TENDU 36 Indre 68 ⑱ – rattaché à Argenton-sur-Creuse.

TERMES D'ARMAGNAC 32 Gers 82 ② – rattaché à Riscle.

TERMIGNON 73500 Savoie 77 ⑧ **G. Alpes du Nord** – 367 h. alt. 1 300.
Paris 664 – Albertville 110 – Chambéry 120 – Col du Lautaret 76 – Modane 17 – St-Jean-de-Maurienne 48.

Doron, ✆ 79 20 50 44 – 🚗 P
20 juin-10 sept. et vacances scolaires – **R** 72/80 🍷, enf. 45 – ☕ 22 – **15 ch** 120/150.

TERTENOZ 74 H.-Savoie 74 ⑰ – rattaché à Faverges.

TESSÉ-LA-MADELEINE 61 Orne 60 ① – rattaché à Bagnoles-de-l'Orne.

La TESSOUALE 46 M.-et-L. 67 ⑤ ⑥ – rattaché à Cholet.

La TESTE 33260 Gironde 78 ② ⑫ – 20 331 h. alt. 5.
⛳18 ✆ 56 54 44 00, O : 2 km ; ⛳9 ⛳18 de Gujan-Mestras ✆ 56 66 86 36, S par N 250 puis D 652 : 6 km.
ℹ Office de Tourisme pl. J.-Hameau et pl. Marché (juil.-août) ✆ 56 66 45 59.
Paris 648 – ♦Bordeaux 59 – Andernos-les-Bains 35 – Arcachon 3,5 – Belin-Beliet 43 – Biscarrosse 33.

Aub. Basque ⑤, 36 r. Mar. Foch ☎ 56 66 26 04, – ☎. GB
fermé 1er oct. au 1er déc. – **R** (fermé dim. soir et lundi du 1er déc. au 15 juin) 66/155 – ☐ 26 – **12 ch** 225/315 – ½ P 235/286.

Chez Diégo, Centre Captal La Teste ☎ 56 54 44 32, Fax 56 54 28 20, – AE ⓓ GB
fermé 10 au 27 déc. – **R** 90/125 carte le dim..

CITROEN S.A.C.A., RN 650, entrée d'Arcachon ☎ 56 54 86 01
PEUGEOT-TALBOT Estrade, ZI, bd Industrie ☎ 56 54 14 69 N ☎ 05 44 24 24
RENAULT Gar. de la Côte, 36 bis av. Gén.-de-Gaulle ☎ 56 66 31 98
Central Pneu, 62 av. Gén.-Leclerc ☎ 56 54 81 16

TÉTEGHEM 59 Nord 51 ④ – rattaché à Dunkerque.

Le TEULET 19 Corrèze 75 ⑳ – ✉ 19430 Mercoeur.
Paris 540 – Aurillac 31 – Argentat 24.

Relais du Teulet, ☎ 55 28 71 09, Fax 55 28 74 39, – ☎ P. AE ⓓ GB
fermé sam. du 1er nov. à Pâques – **R** 60/150 – ☐ 22 – **10 ch** 120/180 – ½ P 160.

THANN ⟨SP⟩ 68800 H.-Rhin 166 ⑨ **G. Alsace Lorraine** (plan) – 7 751 h. alt. 340.
Voir Collégiale St-Thiébaut★★ – Office de Tourisme 6 pl. Joffre ☎ 89 37 96 20.
Paris 458 – ◆ Mulhouse 20 – Belfort 32 – Colmar 41 – Épinal 85 – Guebwiller 20.

Kléber, 39 r. Kléber ☎ 89 37 13 66, Fax 89 37 39 67, – TV ☎ ♿ P. GB. rest
R (fermé 1er au 20 juil., 24 déc. au 5 janv., sam. midi et dim. sauf fériés) 65/250 – ☐ 40 – **26 ch** 125/270 – ½ P 220.

FIAT, LANCIA Boeglin, 64 rte de Mulhouse, Vieux-Thann ☎ 89 37 04 03 N
PEUGEOT-TALBOT Jeker, 16 rte de Roderen par D 103 et D 35 ☎ 89 37 81 72

THANNENKIRCH 68590 H.-Rhin 62 ⑲ **G. Alsace Lorraine** – 336 h. alt. 510.
Voir Route★ de Schaentzel (D 48¹) N : 3 km – Paris 430 – Colmar 24 – St-Dié 39 – Sélestat 15.

Touring, ☎ 89 73 10 01, Fax 89 73 11 79, ≤ – ☎ P. GB. rest
19 avril-1er nov. – **R** 88/180, enf. 45 – ☐ 32 – **48 ch** 232/339 – ½ P 258/298.

Aub. la Meunière, ☎ 89 73 10 47, Fax 89 73 12 31, – ☎ P. AE GB
15 mars-15 nov. – **R** 90/180, enf. 40 – ☐ 20 – **14 ch** 240/300 – ½ P 205/230.

THANVILLÉ 67 B.-Rhin 62 ⑲ – rattaché à Villé.

Le THEIL 15 Cantal 76 ② – rattaché à Salers.

THEIX 56 Morbihan 63 ③ – rattaché à Vannes.

THEIZÉ 69620 Rhône 73 ⑨ – 915 h. alt. 490.
Paris 446 – ◆ Lyon 35 – Chauffailles 51 – Roanne 65 – Tarare 23 – Villefranche-sur-Saône 12.

Espérance, près église ☎ 74 71 22 26, ≤ – AE ⓓ GB
fermé 20 sept. au 20 oct., mardi soir et merc. – **R** (du 20 sept. au 30 avril ouvert seul. dim. midi et sam.) 90/130 – ☐ 20 – **9 ch** 85/120.

THÈMES 89 Yonne 61 ⑭ – ✉ 89410 Cézy.
Paris 139 – Auxerre 33 – La Celle-St-Cyr 4 – Joigny 6,5 – Montargis 52 – Sens 25.

P'tit Claridge avec ch, ☎ 86 63 10 92, Fax 86 63 01 34, – TV ☎ P. AE ⓓ GB
fermé 1er au 15 sept., 1er au 15 fév., dim. soir et lundi – **R** 90/260 – ☐ 30 – **13 ch** 90/200 – ½ P 180/280.

THÉOULE-SUR-MER 06590 Alpes-Mar. 84 ⑧ 195 ㉞ **G. Côte d'Azur** – 1 216 h.
Office de Tourisme résidence Corniche, av. Lerins ☎ 93 49 28 28 et av. Miramar (juil.-août) ☎ 93 75 48 48.
Paris 901 – Cannes 11 – Draguignan 58 – ◆ Nice 42 – St-Raphaël 29.

Gd Hôtel sans rest, ☎ 93 49 96 04 – ☎. GB.
1er avril-5 oct. – ☐ 35 – **24 ch** 310/450.

THÉRONDELS 12600 Aveyron 76 ⑬ – 505 h. alt. 960.
Paris 568 – Aurillac 47 – Chaudes-Aigues 47 – Espalion 63 – Murat 45 – Rodez 87 – St-Flour 50.

Miquel M, ☎ 65 66 02 72, – TV ☎ P. GB
fermé janv. et lundi sauf le midi du 15 juin au 30 sept. – **R** 50/230 – ☐ 28 – **22 ch** 180/200 – ½ P 200.

THÉSÉE 41140 L.-et-Ch. 64 ⑰ **G. Châteaux de la Loire** – 1 074 h. alt. 68.
Paris 218 – ◆ Tours 52 – Blois 37 – Châteauroux 73 – Montrichard 10,5 – Romorantin-Lanthenay 39 – Vierzon 64.

Host. Moulin de la Renne, ☎ 54 71 41 56, – P. GB
fermé mi-janv. à mi-mars, dim. soir et lundi hors sais. – **R** 85/199, enf. 48 – ☐ 30 – **15 ch** 134/262 – ½ P 171/232.

La Mansio avec ch, ☎ 54 71 40 07 – AE GB
fermé janv., mardi soir et merc. hors sais. – **R** 55/110 – ☐ 26 – **9 ch** 165 – ½ P 180.

THIBERVILLE **27230** Eure 55 ⑭ – 1 610 h. alt. 169.

aris 161 – Bernay 13 – Brionne 23 – Évreux 57 – Lisieux 17 – Orbec 16 – Pont-Audemer 26.

Levrette, ✆ 32 46 80 22 – Ⓟ
7 ch.

THIÉBLEMONT-FARÉMONT **51** Marne 61 ⑨ – rattaché à Vitry-le-François.

THIERS SP **63300** P.-de-D. 73 ⑯ **G. Auvergne** – 14 832 h. alt. 436.

Voir Site★★ – Le Vieux Thiers★ : Maison du Pirou★ YZ **E** – Terrasse du Rempart ✻★ Y – Rocher le Borbes ≤★ S : 3,5 km par D 102.

Office de Tourisme pl. Pirou ✆ 73 80 10 74.

aris 436 ③ – ◆Clermont-Ferrand 44 ② – Bourg-en-Bresse 180 ① – Chalon-sur-Saône 190 ① – Issoire 57 ② – ◆Lyon 131 ① – Le Puy-en-Velay 125 ② – Roanne 59 ① – ◆St-Étienne 107 ① – Vichy 34 ③.

THIERS

Nationale (R.) **Y** 15	Coutellerie (R. de la) **Z** 8	Bourg (R. du) **Y** 2
Pirou (R. du) **Y** 16	Dr.-Dumas (R. A.) **Y** 9	Conchette (R.) **Y** 5
Terrasse du Rempart **Y** 18	Duchasseint (Pl.) **Y** 10	Grenette (R.) **Z** 14
Clermont (R. de) **Z** 3	Grammonts (R. des) **Y** 12	
Chabot (R. M.) **Z** 4	Voltaire (Av.) **Z** 20	
	4-Septembre (Av. du) **Z** 22	

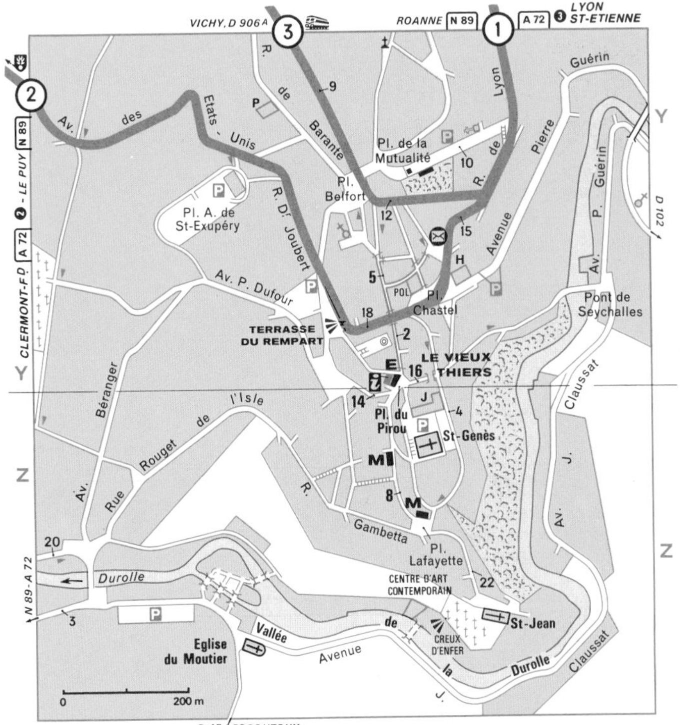

rte de Clermont par ② : 5 km sur N 89 – ✉ **63300** Thiers :

Parc de Geoffroy M, ✆ 73 80 58 88, Fax 73 51 36 28, ≤, parc, – ▮ TV ☎ & Ⓟ – 60. AE ① GB JCB. rest
fermé 24 déc. au 31 janv., lundi midi et dim. – **R** 160/380 – 50 – **31 ch** 320/450.

Fimotel M, ✆ 73 80 64 40, Télex 392000, Fax 73 80 27 83 – ▮ TV ☎ & Ⓟ – 30. AE ① GB
R 76/95 , enf. 36 – 34 – **40 ch** 275/290 – ½ P 225.

à Pont-de-Dore par ② : 6 km par N 89 – ✉ **63920** Peschadoires :

Éliotel Ⓜ, rte Maringues ✆ 73 80 10 14, – TV ☎ Ⓟ. GB.
fermé 24 au 30 août, 20 déc. au 4 janv., sam. midi et dim. soir – **R** 78/132 – 30 – **13 ch** 260.

Mère Dépalle Ⓜ avec ch, ✆ 73 80 10 05 – TV ☎ Ⓟ. GB
fermé 19 déc. au 3 janv., dim. soir et sam. du 1er oct. au 1er avril – **R** 95/245 – 32 – **10 ch** 260/300.

CITROEN Sauvagnat, Gar. des Molles, 57 av. L.-Lagrange par ② ✆ 73 80 67 66
FORD Dugat, 50 av. L.-Lagrange ✆ 73 80 50 22
PEUGEOT-TALBOT Thiers-Autom., 52 av. L.-Lagrange par ② ✆ 73 80 57 54 N ✆ 73 51 08 32
RENAULT Ricoux, ZI du Felet par ② ✆ 73 80 55 10
V.A.G Gar. Perron, 79 av. L.-Lagrange ✆ 73 80 20 49

Estager-Pneu, Zone des Molles, av. L.-Lagrange ✆ 73 80 15 97

THIÉZAC **15450** Cantal 76 ⑫ ⑬ **G. Auvergne** – 693 h. alt. 805.

Voir Pas de Compaing★ NE : 3 km.

Syndicat d'Initiative à la Mairie ✆ 71 47 01 21.

Paris 549 – Aurillac 26 – Murat 23 – Vic-sur-Cère 6.

Casteltinet Ⓜ, ✆ 71 47 00 60, ←, – TV ☎ Ⓟ. GB. rest
1er mai-15 oct. et 21 déc.-vacances de printemps – **R** 85/240, enf. 45 – 28 – **23 ch** 220/300 – ½ P 215/225.

Elancèze (annexe Belle Vallée 14 ch), ✆ 71 47 00 22, Fax 71 47 02 08, ← – ☎ Ⓟ. GB
fermé 12 nov. au 23 déc. – **Repas** 75/165 – 28 – **41 ch** 175/235 – ½ P 180/220.

Le THILLOT **88160** Vosges 66 ⑧ **G. Alsace Lorraine** – 4 246 h. alt. 500.

Paris 403 – Belfort 44 – Colmar 73 – Épinal 48 – ◆Mulhouse 57 – St-Dié 63 – Vesoul 64.

au Ménil NE : 3,5 km par D 486 – alt. 525 – ✉ **88160** Le Thillot :

Les Sapins , ✆ 29 25 02 46, – ☎ Ⓟ. GB. rest
fermé 12 nov. au 20 déc. – **R** 85/160 , enf. 55 – 23 – **24 ch** 195/215 – ½ P 205/230.

au col des Croix SO : 4 km par D 486 – alt. 678 – ✉ **88160** Le Thillot :

Perce-Neige, ✆ 29 25 02 63 – TV ☎ Ⓟ. GB
fermé 10 nov. au 20 déc. – **R** 85/180 – 30 – **16 ch** 140/230 – ½ P 190/220.

RENAULT Gar. du Centre, 20 av. de Verdun ✆ 29 25 01 17 N

THIONVILLE SP **57100** Moselle 57 ③ ④ **G. Alsace Lorraine** – 39 712 h. alt. 155.

Voir Château de la Grange★ par ① : 2 km.

Office de Tourisme 16 r. Vieux-Collège ✆ 82 53 33 18.

Paris 335 ③ – ◆ Metz 30 ③ – Luxembourg 35 ⑥ – ◆Nancy 81 ③ – Trier 70 ② – Verdun 82 ③.

Plan page suivante

Saint-Hubert Ⓜ sans rest, 2 r. Convention ✆ 82 51 84 22, Fax 82 53 99 61 – TV ☎ . AE GB JCB — BZ **s**
35 – **45 ch** 240/300.

Parc sans rest, 10 pl. République ✆ 82 82 80 80, Fax 82 82 71 82 – TV ☎. AE GB — AZ **e**
35 – **42 ch** 210/295.

Concorde avec ch, 6 pl. Luxembourg (14e étage) ✆ 82 53 83 18, Télex 861338, Fax 82 53 40 41, Thionville – TV ☎. AE GB — BY **a**
R *(fermé 1er au 15 août, 1er au 8 janv. et dim. soir)* 185/310 – 45 – **25 ch** 280/330.

Noël, 2 r. Gén. de Castelnau ✆ 82 82 88 22, Fax 82 34 04 15, – Ⓟ. AE GB — AZ **d**
fermé dim. soir et lundi sauf fériés – **R** carte 260 à 400.

à Yutz par ② : 2 km – 13 920 h. – ✉ **57110** :

Campanile, 57 rte de Thionville ✆ 82 56 10 10, Télex 861306, Fax 82 56 71 96, – TV ☎ Ⓟ – 35. AE GB
R 77 bc/99 bc, enf. 39 – 28 – **50 ch** 258 – ½ P 234/256.

au Crève-Coeur : NO par allée de la Libération et allée Bel Air - AY – ✉ **57100** Thionville :

Horizon , 50 rte Crève Coeur ✆ 82 88 53 65, Télex 860870, Fax 82 34 55 84, ←, , – TV ☎ Ⓟ. AE GB. rest
fermé janv. et sam. midi – **R** 215/335 – 56 – **10 ch** 520/720 – ½ P 440/600.

Aub. Crève-Coeur, ✆ 82 88 50 52, – Ⓟ. AE GB
fermé dim. soir et lundi soir – **R** 128/250 .

ALFA-ROMEO François Automobiles, 40 r. de Verdun ✆ 82 88 09 08
CITROEN DM Autos, 36 rte d'Esch-sur-Alzette par ⑥ ✆ 82 88 10 15 N ✆ 82 53 32 46
FORD Central Auto, r. Digue et 62 rte de Metz ✆ 82 82 42 01
PEUGEOT-TALBOT Gar. Moderne, 10 av. de Douai ✆ 82 53 30 08 N
ROVER Gar. du Fort, rte de Yutz, Percée Sud ✆ 82 56 11 74
V.A.G Gar. Diettert, rte de Metz 2-4 allée du Château de Gassion ✆ 82 34 34 34 N ✆ 82 53 32 46

Leclerc-Pneu, boucle du Ferronnier ZI du Linkling 2 ✆ 82 88 43 28

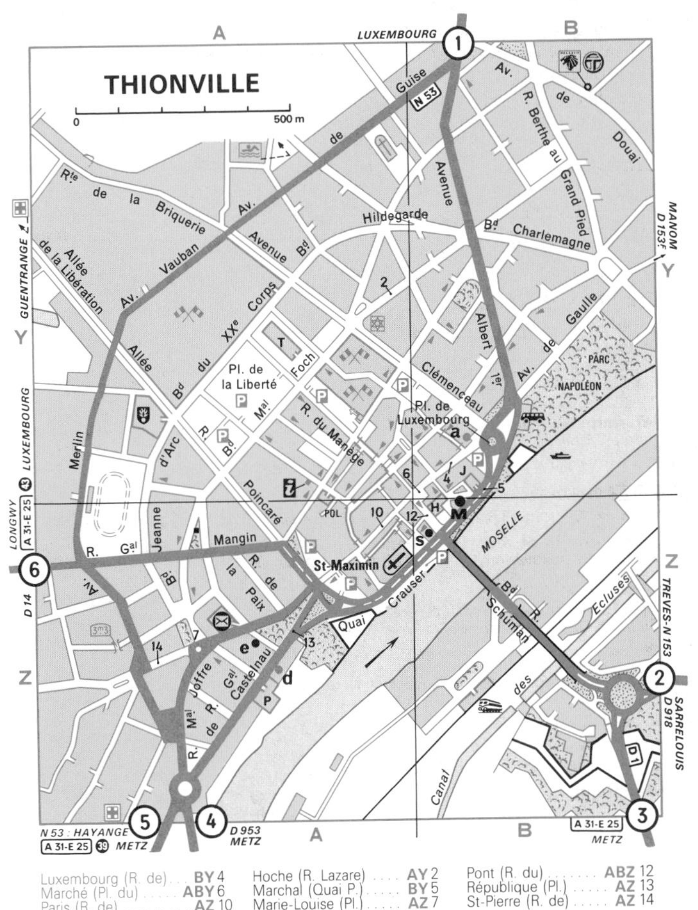

Luxembourg (R. de) . . . **BY** 4	Hoche (R. Lazare) . . . . **AY** 2	Pont (R. du) . . . . **ABZ** 12
Marché (Pl. du) . . . . . **ABY** 6	Marchal (Quai P.) . . . . **BY** 5	République (Pl.) . . . . . **AZ** 13
Paris (R. de) . . . . **AZ** 10	Marie-Louise (Pl.) . . . . **AZ** 7	St-Pierre (R. de) . . . . . **AZ** 14

Périphérie et environs

BMW Gar. Burlet, 27 rte de Verdun à Terville ☏ 82 88 58 83
PEUGEOT-TALBOT Gar. de la Fensch, 14 r. de Verdun à Florange par ⑤ ☏ 82 58 46 21 **N**
RENAULT Gd Gar. de la Moselle, 25 r. de Verdun à Terville par ⑤ ☏ 82 88 49 60 **N** ☏ 05 05 15 15

Becker Pneus, 22 rte de Metz à Florange ☏ 82 88 45 45
Pneu Jacque, 39 B Ferronnier, ZI Linkling à Terville ☏ 82 88 44 89

THIVARS **28** E.-et-L. 60 ⑰, 106 ㊲ – rattaché à Chartres.

THIVIERS **24800** Dordogne 75 ⑥ **G. Périgord Quercy** – 3 590 h. alt. 253.

Syndicat d'Initiative pl. Mar.-Foch ☏ 53 55 12 50.

Paris 459 – Périgueux 34 – Brive-la-Gaillarde 74 – ◆Limoges 64 – Nontron 31 – St-Yrieix-la-Perche 32.

France et Russie sans rest, 51 r. Gén. Lamy ☏ 53 55 17 80, – ☎ **P**. AE
45 – **11 ch** 220/350.

CITROEN Beaufils ☏ 53 55 00 74
PEUGEOT-TALBOT Boucher ☏ 53 55 00 86 **N**
RENAULT Gar. Joussely ☏ 53 55 01 24

Maury-Pneus ☏ 53 55 17 11

THIZY 89420 Yonne 65 ⑥ ⑦ – 145 h. alt. 303.

Voir Montréal : stalles★ et retable★ de l'église S : 5 km, **G. Bourgogne.**

Paris 217 – Auxerre 54 – Avallon 16 – Montbard 26 – Tonnerre 42.

- **L'Atelier** avec ch, ☏ 86 32 11 92, – ☎ Ⓟ. GB. ch
  15 mars-15 nov. et fermé merc. et jeudi sauf fériés – **R** 110/220 – 40 – **8 ch** 210/350 – ½ P 265/315.

THOIRETTE 39240 Jura 170 ⑭ – 427 h. alt. 292.

Paris 459 – Bourg-en-Bresse 33 – Lons-le-Saunier 52 – Nantua 19 – Oyonnax 16 – St-Claude 39.

- **Source,** SO : 1 km sur D 936 ☏ 74 76 80 42 – Ⓟ. GB
  fermé 12 au 30 oct., 1er au 21 janv., dim. soir et lundi du 15 sept. au 15 juin – **R** 70/170, enf. 40 – 22 – **10 ch** 120/200 – ½ P 150/165.

PEUGEOT-TALBOT Gar. Sottil ☏ 74 76 83 53 N ☏ 74 76 83 95

THOIRY 01710 Ain 74 ⑤ – 3 015 h.

Paris 523 – Bellegarde-sur-Valserine 25 – Bourg-en-Bresse 94 – Gex 13.

- ✿ **Les Cépages** (Delesderrier), ☏ 50 20 83 85, – . GB
  fermé 13 au 27 juil., 22 fév. au 8 mars, dim. soir et lundi – **R** 200/330
  Spéc. Fondant de foie de canard et blanc de poularde, Râble de lapereau au Stilton et Porto, Mousse glacée à la nougatine.
- **Marmite Gourmande,** ☏ 50 41 25 30 – GB
  fermé 27 juil. au 13 août, 24 déc. au 4 janv., merc. soir, dim. soir et lundi – **R** 115/180.

PEUGEOT Gar. Pecora ☏ 50 41 20 91

THOISSEY 01140 Ain 74 ① – 1 306 h. alt. 175.

Paris 412 – Mâcon 16 – Bourg-en-Bresse 33 – Chauffailles 52 – ♦Lyon 57 – Villefranche-sur-Saône 24.

- ✿ **Chapon Fin et rest. Paul Blanc**, ☏ 74 04 04 74, Télex 305728, Fax 74 04 94 51, « Élégante installation », – ☎ Ⓟ. AE GB
  fermé début janv. à début fév. et mardi sauf le soir de juil. à sept. – **R** 230/420, enf. 85 – 48 – **25 ch** 240/650
  Spéc. Raviole d'écrevisses au beurre de nage (juin à déc.), Rouelle de sole au saumon fumé, Fricassée de volaille de Bresse aux morilles à la crème. **Vins** Saint-Véran, Morgon.

CITROEN Delorme, à St-Didier-sur-Chalaronne ☏ 74 04 03 26 N

THOLLON 74500 H.-Savoie 170 ⑱ **G. Alpes du Nord** – 533 h. alt. 992 – Sports d'hiver : 1 000/1 960 m 1 17.

Voir Pic de Mémise ★★ 30 mn.

Syndicat d'Initiative ☏ 50 70 90 01.

Paris 588 – Thonon-les-Bains 18 – Annecy 93 – Évian-les-Bains 12.

- **Bon Séjour**, ☏ 50 70 92 65, , – ☎ Ⓟ. GB
  fermé 1er nov. au 20 déc. – **R** 95/200 – 30 – **22 ch** 190/270 – ½ P 250/270.
- **Les Gentianes,** au télécabine E : 2 km ☏ 50 70 92 39, Fax 50 70 95 51, ≤ lac et montagnes – Ⓟ. AE GB
  1er juin-25 sept. et 20 déc.-25 avril – **R** 65/170 – 30 – **22 ch** 250/330 – ½ P 280/290.

THOLONET 13 B.-du-R. 84 ③ – rattaché à Aix-en-Provence.

Le THOLY 88530 Vosges 62 ⑰ – 1 541 h. alt. 600.

Voir Grande Cascade de Tendon★ NO : 5 km, **G. Alsace Lorraine.**

Syndicat d'Initiative à la Mairie ☏ 29 61 81 18.

Paris 405 – Épinal 33 – Bruyères 21 – Gérardmer 10 – Remiremont 17 – St-Amé 11 – St-Dié 37.

- **Gérard,** ☏ 29 61 81 07, Fax 29 61 87 06, ≤, , – rest ☎ Ⓟ – 25. AE GB. rest
  fermé oct. – **R** *(fermé sam. hors sais.)* 60/140 – 25 – **23 ch** 150/240 – ½ P 230/240.
- **Grande Cascade,** NO : 5 km sur D 11 ☏ 29 33 21 08, Fax 29 66 37 17, ≤ – ☎ Ⓟ. AE GB JCB
  fermé 17 au 25 déc. – **R** 65/200 – 27 – **34 ch** 140/310 – ½ P 160/250.

THOMERY 77 S.-et-M. 61 ⑫ – rattaché à Fontainebleau.

THONES 74230 H.-Savoie 74 ⑦ **G. Alpes du Nord** – 4 619 h. alt. 626.

Voir Vallée de Manigod★★ S : 3 km.

Office de Tourisme pl. Avet ☏ 50 02 00 26.

Paris 556 – Annecy 20 – Albertville 36 – Bonneville 31 – Faverges 20 – Megève 40.

- **Nouvel H. Commerce,** r. Clefs ☏ 50 02 13 66 – ☎ . GB JCB
  fermé 1er au 13 mai et 26 oct. au 2 déc. – **Repas** *(fermé lundi hors sais.)* 68/295, enf. 48 – 34 – **25 ch** 190/370 – ½ P 220/295.
- **Hermitage,** av. Vieux Pont ☏ 50 02 00 31 – ☎ Ⓟ. GB.
  fermé 1er au 10 mai et 20 oct. au 15 nov. – **R** 55/140, enf. 40 – 25 – **45 ch** 90/190 – ½ P 140/170.

THONON-LES-BAINS ⟨SP⟩ **74200** H.-Savoie **170** ⑰ **G. Alpes du Nord** – 29 677 h. alt. 426 – Stat. therm. (2 janv.-30 déc.).

Voir Les Belvédères★★ ABY – Voûtes★ de l'église St-Hippolyte AY – Domaine de Ripaille★ N : 2 km AY.

Env. Gorges du Pont du Diable★★ 15 km par ②.

ℹ Office de Tourisme pl. Marché ✆ 50 71 55 55.

Paris 569 ③ – Annecy 74 ③ – Chamonix-Mont-Blanc 99 ③ – ◆Genève 33 ④.

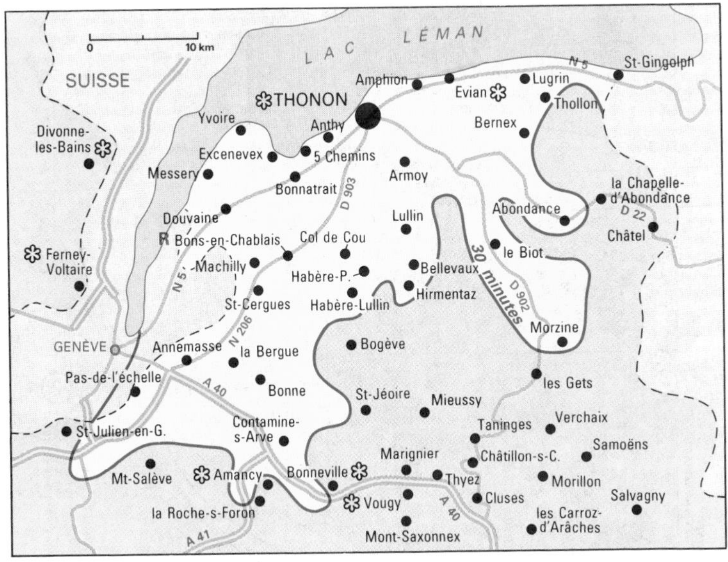

Savoie et Léman (École hôtelière), 2 bd Corniche ✆ 50 71 13 80, Télex 385905, Fax 50 71 16 14, ←, – |♦| TV ☎ ♿ P. AE ① GB JCB. ✗ rest — AY **n**
fermé vacances de printemps, sept., vacances de nov., de Noël, de fév., sam. soir, dim. et fériés – **R** 130/300, enf. 60 – **35 ch** ☕ 312/420 – ½ P 280/304.

Arc en Ciel [M] sans rest, 18 pl. Crête ✆ 50 71 90 63, Fax 50 26 27 47, , , – cuisinette TV ☎ ♿ P – 80. AE ① GB. ✗ — BZ **k**
☕ 37 – **40 ch** 280/410.

Duché de Savoy, 43 av. Gén.-Leclerc ✆ 50 71 40 07, Fax 50 71 14 00, – TV ☎ . AE ① GB — AY **a**
fermé 4 oct. au 8 nov. – **R** 100/240 , enf. 60 – ☕ 29 – **15 ch** 230/300 – ½ P 260/290.

Alpazur H. sans rest, 8 av. Gén. Leclerc ✆ 50 71 37 25, ←, – |♦| ☎. GB. ✗ — AY **q**
fermé 1er déc. au 31 janv. – ☕ 30 – **26 ch** 160/250.

Trianon du Léman , av. Corzent ✆ 50 71 25 78, Fax 50 26 51 26, ←, , , – ☎ P. GB. ✗ ch — AY **s**
11 avril-25 sept. – **R** 90/260, enf. 55 – ☕ 32 – **16 ch** 280/340 – ½ P 220/320.

Villa des Fleurs sans rest, 4 av. Jardins ✆ 50 71 11 38, – TV ☎ P. AE GB. ✗ — BZ **d**
1er mars-30 sept. – ☕ 30 – **11 ch** 240/320.

Climat de France [M], rte Geneve par ④ : 3 km ✆ 50 70 36 70, Télex 319017, Fax 50 70 31 05, .– TV ☎ ♿ P – 40. AE GB
R 92/160 , enf. 48 – ☕ 32 – **48 ch** 280/320 – ½ P 250/280.

Ibis [M], 2 ter av. Evian ✆ 50 71 24 24, Télex 309934, Fax 50 71 87 76, – |♦| TV ☎ ♿ – 30. GB — BY **a**
R 83/85 , enf. 40 – ☕ 33 – **67 ch** 300/350 – ½ P 250/295.

A l'Ombre des Marronniers, 17 pl. Crête ✆ 50 71 26 18 – ☎. AE GB. ✗ — BZ **t**
R *(fermé nov., dim. soir et lundi du 1er oct. au 15 mai)* 70/190 , enf. 45 – ☕ 27 – **20 ch** 145/250 – ½ P 192/232.

XXX ✿ **Le Prieuré** (Plumex), 68 Gde rue ✆ 50 71 31 89, « Belle décoration intérieure » – AE ① GB — AY **f**
fermé lundi (sauf le soir en juil.-août) et dim. soir – **R** 180/350
Spéc. Tomate farcie aux escargots, Omble chevalier rôti au jus de veau (saison), Marquise aux trois chocolats. Vins Marin, Ripaille.

THONON-LES-BAINS

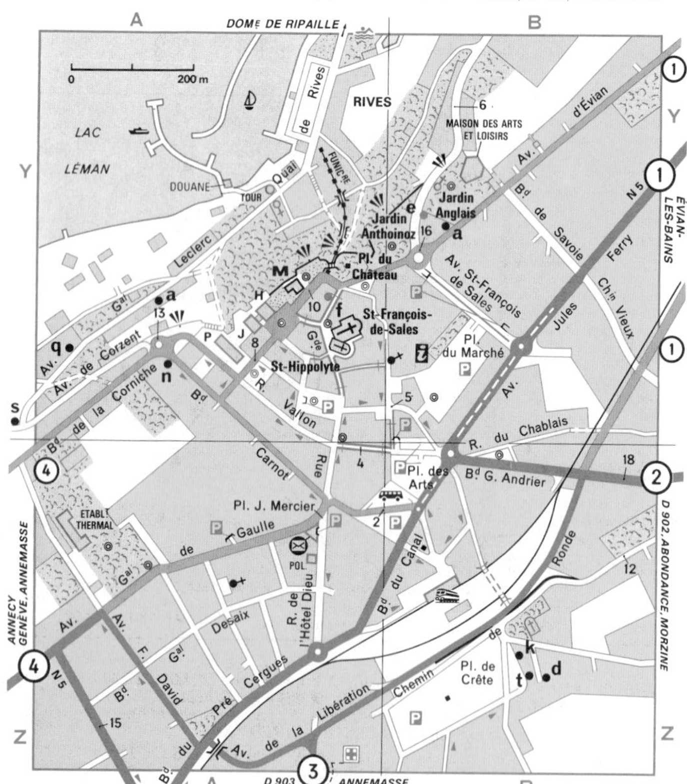

XX **Clos Savoyard,** 50 av. Genève par ④ : 2 km ✆ 50 70 44 03, – AE ⑧ GB
fermé lundi soir et mardi – **R** 110/320.

X **Le Scampi,** 1 av. Léman ( ) ✆ 50 71 10 04, <, – AE GB — BY **e**
R carte 170 à 270.

à Armoy SE : 7 km par ② et D 26 – alt. 620 – ✉ **74200** :

Carlina , ✆ 50 73 94 94, Fax 50 70 58 56, <, , – P – 60. AE GB
R 95/200, enf. 50 – 30 – **17 ch** 240/250 – ½ P 250/260.

A l'Écho des Montagnes, ✆ 50 73 94 55, Fax 50 70 54 07, – P. GB
fermé 10 déc. au 6 fév. – **R** *(fermé dim. soir et lundi sauf de juin à sept.)* 88/200 – 28 – **47 ch** 165/240 – ½ P 210/225.

à Anthy-sur-Léman par ④ : 6 km par N 5 et D 33 – ✉ **74200** Thonon-les-Bains :

Aub. d'Anthy, ✆ 50 70 35 00, Fax 50 70 40 90 – . AE ⑧ GB
fermé 12 au 18 oct., 15 fév. au 15 mars, dim. soir et mardi soir sauf juil.-août – **R** 135/170, enf. 65 – 30 – **7 ch** 220/265 – ½ P 190/224.

aux Cinq Chemins par ④ : 7 km – ✉ **74200** Thonon-les-Bains :

des Cinq Chemins, ✆ 50 72 63 45, Fax 50 72 30 69, , – P – 25. GB JCB
fermé 22 déc. au 17 janv., 9 au 23 juin, dim. soir et lundi midi de sept. à juin – **R** 72/147 , enf. 45 – 31 – **30 ch** 220/330 – ½ P 240/285.

à Bonnatrait par ④ : 9 km **G. Alpes** – ✉ **74140** Douvaine :

Hôtellerie Château de Coudrée ⑤, ℘ 50 72 62 33, Télex 309047, Fax 50 72 57 28, « Château médiéval dans un parc au bord du lac », – ☎ **P** – 40 à 100. AE ⓓ GB JCB
27 avril-31 oct. – **R** 180/360 – ☐ 70 – **19 ch** 790/1740 – ½ P 720/1200.

ALFA-ROMEO, LANCIA Gar. Grillet, av. de Senevulaz ℘ 50 71 37 43
CITROEN Sadal, RN 5 à Anthy ℘ 50 70 12 12
FORD Gar. de Thuyset, 16 av. Prés-Verts ℘ 50 71 31 50
MAZDA Gar. de la Source, 5 chemin de Morcy ℘ 50 71 39 78 **N** ℘ 50 26 27 99
OPEL Gar. Ricaud, av. Abattoirs ℘ 50 71 02 11
PEUGEOT-TALBOT Lemuet-Automobiles, RN 5 Croisée d'Anthy à Anthy-sur-Léman par ④ ℘ 50 70 34 58 **N**
RENAULT Florin, ZI Marclaz par ④ ℘ 50 26 74 00 **N** ℘ 50 87 90 66
SEAT Espace Automobile, ZA les 5 Chemins à Margencel ℘ 50 72 51 43
V.A.G Alp'gge, 21 av. de la Fontaine Couverte ℘ 50 71 17 64

Pneus-Service, av. Clos de la Forge, Tully ℘ 50 71 45 23
Quiblier-Pneus, 3 av. de Drance ℘ 50 71 38 72

THORAME-HAUTE-GARE 04170 Alpes-de-H.-P. 81 ⑱ – alt. 1 014.

Paris 803 – Digne 54 – Beauvezer 11,5 – Castellane 32 – Colmars 17 – Manosque 93 – Puget-Th. 51.

Gare, ℘ 92 89 02 54, ≤, – ☎. GB
fermé 15 oct. au 20 déc. – **R** 65/150 ♁ – ☐ 25 – **15 ch** 168/258 – ½ P 180/226.

THORENC 06 Alpes-Mar. 81 ⑲ 195 ㉓ – alt. 1 250 – ✉ **06750** Andon.

Voir Col de Bleine ≤★★ N : 4 km, **G. Alpes du Sud.**

Paris 838 – Castellane 36 – Draguignan 65 – Grasse 40 – ♦Nice 57 – Vence 41.

Voyageurs ⑤, ℘ 93 60 00 18, ≤, – ☎ **P**. GB
1er fév.-31 oct. et fermé jeudi hors sais. – **R** 89/145, enf. 65 – ☐ 30 – **14 ch** 140/300 – ½ P 250/300.

THORIGNÉ-SUR-DUÉ 72 Sarthe 60 ⑭ – rattaché à Connerré.

Le THORONET 83 Var 84 ⑥ – 1 163 h. alt. 142 – ✉ **83340** Le Luc.

Voir Abbaye du Thoronet★★ O : 4,5 km, **G. Côte d'Azur.**

Paris 844 – Brignoles 25 – Draguignan 20 – St-Raphaël 46 – ♦Toulon 62.

THOUARCÉ 49380 M.-et-L. 64 ⑪ – 1 546 h. alt. 29.

Paris 318 – Angers 27,5 – Cholet 42,5 – Saumur 37.

Relais de Bonnezeaux, rte Angers : 1 km ℘ 41 54 08 33, ≤ – **P**. GB
fermé 15 au 31 déc., 15 au 28 fév. et merc. – **R** 95/230, enf. 58.

RENAULT Gar. Coraboeuf, ZA rte de Faye d'Anjou ℘ 41 54 16 02

THOUARS 79100 Deux-Sèvres 67 ⑧ G. Poitou Vendée Charentes (plan) – 10 905 h. alt. 87.

Voir Façade★★ de l'église St-Médard★ – Site★ – Maisons anciennes★.

Office de Tourisme avec A.C. 17 pl. St-Médard ℘ 49 66 17 65.

Paris 328 – Angers 68 – Bressuire 29 – Châtellerault 69 – Cholet 57 – La Roche-sur-Yon 111.

Château, rte Parthenay ℘ 49 96 12 60, ≤ – TV ☎ **P**. GB. ch
fermé dim. soir – **R** 58/175 ♁ – ☐ 28 – **20 ch** 195/220.

Le Relais sans rest, N : 3 km par rte Saumur ℘ 49 66 29 45 – TV ☎ **P**. GB.
☐ 20 – **15 ch** 170/190.

Clos St Médard M avec ch, 14 pl. St-Médard ℘ 49 66 66 00, ≤, – TV ☎. AE GB JCB
fermé 10 au 23 août, vacances de fév., dim. soir et lundi – **R** 125/190, enf. 55 – ☐ 35 – **4 ch** 230/260 – ½ P 320/400.

CITROEN Papin, 56 av. V.-Leclerc ℘ 49 66 21 45
RENAULT Salvra, 41 bd P.-Curie ℘ 49 66 21 78 **N** ℘ 49 94 70 42

Thouars-Pneus, 24-26 pl. Lavault ℘ 49 66 06 52

THOURON 87140 H.-Vienne 72 ⑦ – 431 h. alt. 374.

Paris 385 – ♦ Limoges 21 – Bellac 22 – Guéret 77.

Pomme de Pin M ⑤ avec ch, étang de Tricherie NE : 2,5 km par VO ℘ 55 53 43 43, – ☎. GB
fermé 1er au 15 juin, janv., mardi midi et lundi – **R** 99/240, enf. 45 – ☐ 25 – **4 ch** 220/280 – ½ P 250.

THUEYTS 07330 Ardèche 76 ⑱ G. Vallée du Rhône (plan) – 945 h. alt. 462.

Voir Coulée basaltique★.

Syndicat d'Initiative pl. Champ-de-Mars ℘ 75 36 46 79.

Paris 612 – Le Puy-en-Velay 71 – Privas 45.

Marronniers, ℘ 75 36 40 16, ⁂, ⛱, ⁂ – ☎ Ⓟ. GB. ✻ rest
fermé 20 déc. au 5 mars et lundi d'oct. à avril – **R** 78/170, enf. 50 – ☐ 26 – **19 ch** 160/235 – P 220/250.

Platanes, N 102 ℘ 75 93 78 66, ⁂ – |‡| ▤ rest ▣ ☎ ⇔ Ⓟ. GB
fermé 6 nov. au 15 fév. – **R** 70/180 ♁, enf. 45 – ☐ 25 – **30 ch** 130/240 – ½ P 190/230.

Les THUILES 04 Alpes-de-H.-P. 81 ⑧ – rattaché à Barcelonnette.

THUIR 66300 Pyr.-Or. 86 ⑲ – 6 638 h. alt. 99.
Paris 921 – Céret 23 – ◆Perpignan 14 – Prades 32.

XX **La Gibecière,** 4 pl. Gén. de Gaulle ℘ 68 53 12 54, ⁂ – AE GB
fermé 1er au 10 mars, 5 au 11 oct., fév., dim. soir et lundi hors sais. – **R** 70/180 ♁, enf. 40.

THURY-HARCOURT 14220 Calvados 55 ⑪ **G. Normandie Cotentin** – 1 803 h. alt. 46.
Voir Parc et jardins du château★ – Boucle du Hom★ NO : 3 km.
18 de Clécy-Cantelou ℘ 31 69 72 72, S par D 562 et D 133A : 11 km.
Office de Tourisme pl. St-Sauveur (Ascension-15 sept.) ℘ 31 79 70 45.
Paris 261 – ◆Caen 27 – Condé-sur-Noireau 19 – Falaise 27 – Flers 31 – St-Lô 54 – Vire 45.

XX **Relais de la Poste** avec ch, ℘ 31 79 72 12, Fax 31 39 53 55, ⁂, ⁂ – ☎ Ⓟ. AE GB
fermé 2 janv. au 1er fév., dim. soir et lundi du 15 nov. au 15 fév. – **R** 130/300 – ☐ 40 – **11 ch** 240/600 – ½ P 350/410.

à Goupillières N : 8,5 km par D 6 et D 212 – ✉ **14210** :

XX **Aub. du Pont de Brie** ⑤ avec ch, Halte de Grimbosq E : 1,5 km par D 171 ℘ 31 79 37 84, Fax 31 79 87 22, ← – ☎ Ⓟ. GB. ✻
fermé 12 au 26 nov., 2 au 20 janv., merc. du 1er sept. au 1er juil. et dim. soir du 1er nov. au 15 mars – **R** 85/210, enf. 40 – ☐ 28 – **10 ch** 130/300 – ½ P 230/300.

THYEZ 74300 H.-Savoie 74 ⑦ – 4 109 h. alt. 497.
Paris 568 – Chamonix-Mont-Blanc 46 – Thonon-les-Bains 52 – Annecy 51 – Bonneville 10 – Cluses 6 – Megève 31 – Morzine 29.

Savoyard, D 19 ℘ 50 98 60 54, ←, ⁂, ⁂ – Ⓟ. ✻
R 75/130 ♁ – ☐ 13 – **25 ch** 190/200 – ½ P 190.

ALFA-ROMEO, MERCEDES Gar. Vallée de l'Arve ℘ 50 98 41 16

FIAT Arve Automobiles ℘ 50 34 08 50

TIFFAUGES 85130 Vendée 67 ⑤ **G. Poitou Vendée Charentes** – 1 208 h. alt. 72.
Paris 371 – La Roche-sur-Yon 55 – ◆Nantes 49 – Cholet 20 – Clisson 19 – Montaigu 16.

La Barbacane M ⑤ sans rest, pl. Église ℘ 51 65 75 59, Fax 51 65 71 91, ⛱, ⁂ – ▣ ☎ ♿ ⇔. GB
☐ 26 – **16 ch** 235/315.

TIGNES 73320 Savoie 74 ⑲ **G. Alpes du Nord** – 2 005 h. alt. 2 100 – Sports d'hiver : 1 550/3 460 m 9 44.
Voir Site★★ – Barrage★★ NE : 5 km – Panorama de la Grande Motte★★ SO.
9 9 ℘ 79 06 37 42 (℘ 79 06 34 66 hors saison), S : 2 km – **Altiport** ℘ **79 06 46 06, E : 3 km.**
Office de Tourisme au Lac ℘ 79 06 15 55, Télex 980030.
Paris 665 – Albertville 83 – Bourg-St-Maurice 30 – Chambéry 129 – Val-d'Isère 13.

Campanules ⑤, ℘ 79 06 34 36, ← – |‡| ▣ ☎. GB. ✻ rest
1er juil.-31 août et 15 nov.-15 mai – **R** 135 – ☐ 50 – **36 ch** 460/640 – ½ P 480/500.

Aiguille Percée ⑤, ℘ 79 06 52 22, Fax 79 06 35 69, ← – |‡| ▣ ☎. GB. ✻ rest
1er nov.-4 mai – **R** 150 – ☐ 48 – **38 ch** 610 – ½ P 450/500.

Terril Blanc, ℘ 79 06 32 87, Fax 79 06 58 17, ←, ⁂ – ▣ ☎ Ⓟ. GB
6 juil.-25 août et 20 déc.-1er mai – **R** 100/120, enf. 70 – ☐ 50 – **26 ch** 420/520 – ½ P 440/470.

Paquis ⑤, ℘ 79 06 37 33, Fax 79 06 36 59, ← – |‡| ▣ ☎. GB. ✻ rest
8 juil.-31 août et 1er nov.-8 mai – **R** 90/120, enf. 75 – ☐ 45 – **39 ch** 300/600 – ½ P 400/430.

Neige et Soleil, ℘ 79 06 32 94, Fax 79 06 33 18, ←, ⁂ – ▣ ☎. GB. ✻ rest
1er nov.-10 mai – **R** 115/150 – **26 ch** ☐ 360/550 – ½ P 270/450.

au Val Claret SO : 2 km – ✉ **73320** Tignes.
Office de Tourisme (15 nov.-12 mai) ℘ 79 06 50 09.

Ski d'Or M ⑤, ℘ 79 06 51 60, Télex 306254, Fax 79 06 45 49, ← –, Fō |‡| ▣ ☎. GB JCB
1er déc.-1er mai – **R** 225 – **22 ch** (½ pens. seul.) – ½ P 1050.

Curling ⑤ sans rest, ℘ 79 06 34 34, Télex 309605, Fax 79 06 46 14, ← – |‡| ▣ ☎. AE ⓓ GB
4 juil.-30 août et 24 oct.-12 mai – **35 ch** ☐ 680/780.

Vanoise ⑤, ℘ 79 06 31 90, Fax 79 06 37 06, ←, ✻ – |‡| ▣ ☎. ⓓ GB JCB
R *(fermé 15 mai au 1er nov.)* 115/160, enf. 65 – **21 ch** ☐ 320/525 – ½ P 390/460.

Nevada ⑤, ℘ 79 06 50 33, Fax 79 06 45 04, ← – ▣ ☎. AE GB. ✻ rest
R *(27 juin-29 août et 14 nov.-2 mai)* (résidents seul.) 150 – **28 ch** ☐ 380/520 – ½ P 420/460.

aux Boisses NE : 5 km – alt. 1 810 – ✉ **73320** Tignes :

Mélèzes, ✆ 79 06 40 02, ←, 🏔 – ☎ 🅿. 🚫
20 déc.-30 avril – **R** 85/125, enf. 45 – **18 ch** ☕ 200/370 – ½ P 240/280.

TIL-CHÂTEL **21120** Côte-d'Or **166** ⑫ **G. Bourgogne** – 768 h. alt. 284.

Paris 310 – ♦ Dijon 26 – Châtillon-sur-Seine 75 – Dole 61 – Gray 42 – Langres 41.

Poste Ⓜ, ✆ 80 95 03 53 – ☎ 🚗. GB. 🚫 ch
fermé 24/10 au 2/11, 24/12 au 4/1, 20/2 au 8/3, sam. sauf le soir du 1/5 au 31/10 et dim. soir du 1/11 au 30/4 – **R** 60/150 – ☕ 22 – **9 ch** 180/260 – ½ P 170/200.

TILLÉ **60** Oise **52** ⑰ – rattaché à Beauvais.

TILQUES **62** P.-de-C. **51** ③ – rattaché à St-Omer.

TINQUEUX **51** Marne **56** ⑥ – rattaché à Reims.

TINTÉNIAC **35190** I.-et-V. **59** ⑯ **G. Bretagne** – 2 163 h. alt. 56.

Voir Château de Montmuran★ et église des Iffs★ SO : 5 km.

Paris 373 – ♦ Rennes 28 – St-Malo 39 – Avranches 62 – Dinan 22 – Dol-de-Bretagne 29 – Fougères 53.

Voyageurs avec ch, ✆ 99 68 02 21, 🌳 – ☎ 🅿. AE ⓓ GB
fermé 14 déc. au 18 janv., dim. soir et lundi – **R** 98/185 🍷, enf. 45 – ☕ 28 – **15 ch** 160/250 – ½ P 185/250.

Repas 100/130 Repas soignés à prix modérés.

TOCQUEVILLE-SUR-EU **76910** S.-Mar. **52** ⑤ – 156 h. alt. 84.

Paris 175 – ♦ Amiens 91 – Dieppe 17 – Eu 13 – Neufchâtel-en-Bray 41 – ♦Rouen 81 – Le Tréport 11,5.

Le Quatre Pain, près église ✆ 35 86 75 40 – 🚫
fermé 11 au 25 nov., dim. soir et lundi – **R** 100/200.

TONNAY-BOUTONNE **17380** Char.-Mar. **171** ③ **G. Poitou Vendée Charentes** – 1 088 h. alt. 24.

Paris 454 – La Rochelle 52 – Niort 52 – Rochefort 21 – Saintes 27 – St-Jean-d Angély 18.

Le Prieuré 🐎, ✆ 46 33 20 18, 🌳 – TV ☎ 🅿. GB
R 150 – ☕ 45 – **15 ch** 270/500 – ½ P 335/400.

Beau Rivage, ✆ 46 33 20 01
fermé 28 mars au 4 avril, 18 sept. au 17 oct. et lundi – **R** 67/170 🍷, enf. 45 – ☕ 25 – **7 ch** 130/230 – ½ P 150/200.

TONNEINS **47400** L.-et-G. **79** ④ – 9 334 h. alt. 39.

ℹ Office de Tourisme 3 bd Charles-de-Gaulle ✆ 53 79 22 79.

Paris 615 – Agen 41 – ♦Bordeaux 107 – Nérac 39 – Villeneuve-sur-Lot 34.

Castel Ferron 🐎, rte Marmande ✆ 53 84 59 99, Fax 53 84 09 55, 🏔, parc, 🏊 – TV ☎ 🅿 – 🎪 25 à 60. GB
R *(fermé déc. à fév., sam. soir et dim.)* 150/300 – ☕ 42 – **17 ch** 350/480 – ½ P 320/380.

Fleurs sans rest, ✆ 53 79 10 47, Fax 53 79 46 37 – TV ☎ 🅿. GB
☕ 26 – **27 ch** 145/230.

CITROEN Sovat, rte de Bordeaux ✆ 53 79 02 16
PEUGEOT-TALBOT Garonne-Auto, rte de Bordeaux ✆ 53 79 14 75 N
RENAULT Dupouy, rte de Bordeaux ✆ 53 84 50 84 N

Ⓜ Delapierre, 46 bd M.-Dormoy ✆ 53 79 02 85
Villeneuve Pneus, bd Sébastopol ✆ 53 84 53 52

TONNERRE **89700** Yonne **65** ⑥ **G. Bourgogne** – 6 008 h. alt. 145.

Voir Ancien hôpital : charpente★ et Mise au tombeau★.

ℹ Office de Tourisme pl. Marguerite-de-Bourgogne ✆ 86 55 14 48.

Paris 198 ③ – Auxerre 35 ③ – Châtillon-sur-Seine 48 ② – Joigny 55 ① – Montbard 46 ② – Troyes 60 ①.

Plan page suivante

✿✿ **Abbaye St-Michel** Ⓜ 🐎, r. St-Michel, sud du plan, ✆ 86 55 05 99, Télex 801356, Fax 86 55 00 10, ←, « Ancienne abbaye du 10e siècle dans un parc fleuri », 🎾 – TV ☎ 🅿. AE ⓓ GB
fermé 1er janv. au 7 fév., mardi midi et lundi du 1er nov. au 30 avril – **R** 300/600 et carte – ☕ 85 – **9 ch** 750/1350, 5 appart. 2250
Spéc. Feuilleté de foie gras à la rhubarbe. Barbue à la ciboulette et oignons confits. Tête de veau aux simples du potager. **Vins** Epineuil, Irancy.

Host. Mont Sarra Ⓜ, par ② et rte Dijon : 2 km ✆ 86 54 41 41, Fax 86 54 48 28 – ▤ rest TV ☎ ♿ 🅿 – 🎪 40. GB
R 90/210 – ☕ 35 – **40 ch** 205/280 – ½ P 230.

TONNERRE

Hôpital (R. de l') 9
Hôtel-de-Ville (R. de l') 12
St-Pierre (R.) 23

Campenon (R. Gén.) 2
Colin (R. Armand) 3
Fontenilles (R. des) 4
Fosse-Dionne (R. de la) 6
Garnier (R. Jean) 7
Pompidou (Av. G.) 14
Pont (R. du) 16
République (Pl. de la) 17
St-Michel (R.) 18
St-Nicolas (R.) 20

Dans la liste des rues des plans de ville, les noms en rouge indiquent les principales voies commerçantes.

Les plans de villes sont orientés le Nord en haut.

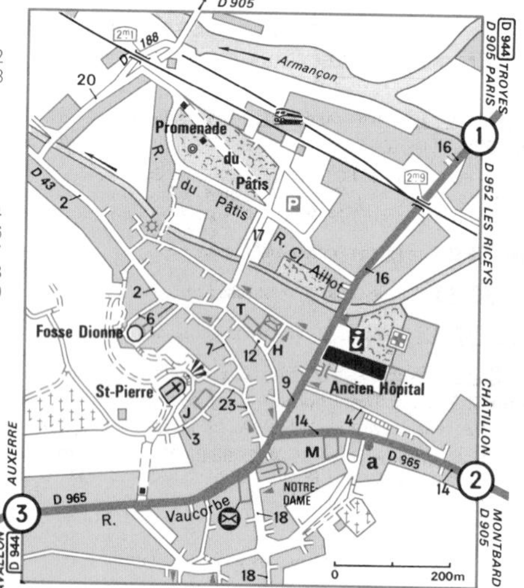

XX **Le Saint Père,** 2 av. G. Pompidou **(a)** ✆ 86 55 12 84, 𝌆 – GB
fermé 1er au 16 mars, 12 sept. au 5 oct., mardi soir, merc. soir, jeudi soir de nov. à mars, dim. soir et lundi – **R** 103/235 ♁.

CITROEN Gar. Viard, rte de Paris par ① ✆ 86 55 08 12 **N** ✆ 25 70 02 96
OPEL Gar. Maupois, 86 bis r. G.-Pompidou par ② ✆ 86 55 14 11
PEUGEOT-TALBOT Hérault-Autos, 22 r. Chevalier-d'Éon par ① ✆ 86 55 08 98

RENAULT Perrot, rte de Paris par ① ✆ 86 55 15 89 **N** ✆ 05 05 15 15
V.A.G Gar. Lambert, 61 r. Vaucorbe ✆ 86 55 01 48

SOVIC, r. G.-Pompidou ✆ 86 55 16 29

TORCY **71** S.-et-L. **69** ⑧ – rattaché au Creusot.

TORCY **77** S.-et-M. **56** ⑫, **101** ⑳ – Voir à Paris, Environs (Marne-la-Vallée).

TORIGNI-SUR-VIRE **50160** Manche **54** ⑭ **G. Normandie Cotentin** – 2 659 h. alt. 89.
Paris 296 – St-Lô 14 – ♦Caen 55 – Villedieu-les-Poêles 33 – Vire 25.

XX **Aub. Orangerie,** ✆ 33 56 70 64 – AE GB
fermé fév., dim. soir et lundi – **R** 65/115 ♁, enf. 48.

CITROEN Lemoine ✆ 33 56 71 53 **N**

TORNAC **30** Gard **80** ⑰ – rattaché à Anduze.

TOUCY **89130** Yonne **65** ④ **G. Bourgogne** – 2 590 h. alt. 202.
i Syndicat d'Initiative pl. Frères-Genêt (15 juin-15 sept. après-midi seul.) ✆ 86 44 15 66.
Paris 158 – Auxerre 23 – Avallon 68 – Clamecy 45 – Cosne-sur-Loire 53 – Joigny 29 – Montargis 61.

X **Lion d'Or,** r. L. Cormier ✆ 86 44 00 76 – GB
fermé 1er au 15 déc., dim. soir et lundi – **R** 90/180.

CITROEN Degret ✆ 86 44 11 99

RENAULT Gar. Massot ✆ 86 44 14 63

TOUËT-SUR-VAR **06710** Alpes-Mar. **81** ⑲ ⑳ **195** ⑭ **G. Alpes du Sud** – 342 h. alt. 350.
Voir Gorges inférieures du Cians★★ N : 2 km.
Env. Villars-sur-Var : Mise au tombeau★★ du retable du maître-autel★, retable de l'Annonciation★ dans l'église E : 8,5 km – Gorges supérieures du Cians★★★ N : 13 km.
Paris 848 – ♦Nice 53 – Puget-Théniers 10 – St-Étienne-de-Tinée 63 – St-Martin-Vésubie 56.

X **Chasseurs,** ✆ 93 05 71 11, 𝌆 – AE ⓓ GB
fermé fév. et mardi – **R** 105/179 ♁, enf. 40.

TOUL <SP> **54200** M.-et-M. 62 ④ **G. Alsace Lorraine** – 17 281 h. alt. 220.

Voir Cathédrale St-Étienne★★ et cloître★ BZ – Église St-Gengoult★ et cloître★★ BZ – Façade★ de l'ancien palais épiscopal BZ **H** – Musée municipal★ : salle des malades★ BY **M.**

Office de Tourisme parvis Cathédrale ☏ 83 64 11 69 – A.C. 7 r. Michatel ☏ 83 43 08 27.

Paris 283 ⑤ – ◆ Nancy 23 ② – Bar-le-Duc 59 ⑤ – ◆Metz 74 ① – St-Dizier 76 ⑤ – Verdun 83 ①.

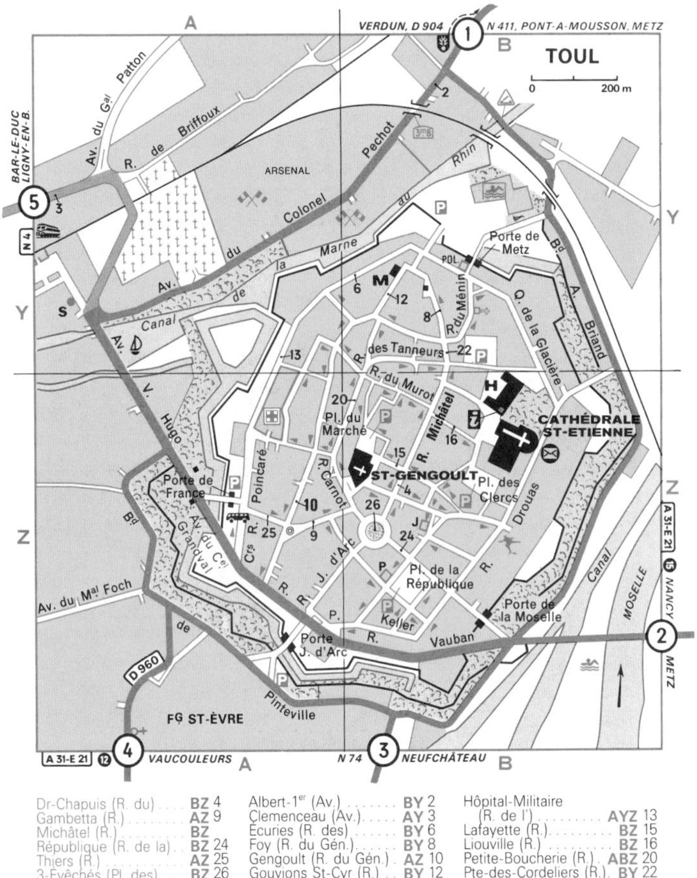

Dr-Chapuis (R. du) .... **BZ** 4	Albert-1er (Av.) .... **BY** 2	Hôpital-Militaire (R. de l') .... **AYZ** 13
Gambetta (R.) .... **AZ** 9	Clemenceau (Av.)..... **AY** 3	Lafayette (R.)......... **BZ** 15
Michâtel (R.) .... **BZ**	Écuries (R. des) ...... **BY** 6	Liouville (R.) .... **BZ** 16
République (R. de la) .. **BZ** 24	Foy (R. du Gén.)...... **BY** 8	Petite-Boucherie (R.). **ABZ** 20
Thiers (R.) .... **AZ** 25	Gengoult (R. du Gén.) . **AZ** 10	Pte-des-Cordeliers (R.). **BY** 22
3-Évêchés (Pl. des).... **BZ** 26	Gouvions St-Cyr (R.) .. **BY** 12	

XX **La Belle Époque,** 31 av. V. Hugo ☏ 83 43 23 71 – GB AY **s**
fermé 1er au 10 mai, 10 au 31 août, sam. midi et dim. – **R** (nombre de couverts limité - prévenir) 92/195.

à la Z. I. Croix de Metz par ① et rte Villey-St-Etienne : 6 km – ✉ **54200** Toul :

XXX ✿ **Le Dauphin** (Vohmann), ☏ **83 43 13 46, Fax 83 64 37 01,** – **P**. GB
fermé 2 au 17 août, vacances de fév., dim. soir et lundi – **R** 210/320, enf. 80
Spéc. Oursinade de Saint-Jacques (oct. à avril), Foie gras rôti entier aux pommes de terre, Feuillantine tout chocolat. **Vins** Côtes de Toul.

CITROEN Michel, N 411 ZI Croix-d'Argent par ① ☏ 83 43 08 61
PEUGEOT-TALBOT Mathiot-Meny, av. 1ère-Armée-Française, rte de Troyes par ④ ☏ 83 43 00 74
RENAULT Frémont, rte de Paris à Écrouves par ⑤ ☏ 83 43 11 92 **N** ☏ 83 43 43 20
V.A.G Gar. St-Martin, 13 av. du Gén.-Leclerc à Dommartin-les-Toul ☏ 83 64 55 05

TOULON P 83000 Var 84 ⑮ **G. Côte d'Azur** – 167 619 h. alt. 1.

Voir Rade★★ – Corniche du Mont Faron★★ : ≤★ BCU – Vieille ville★ FY : Atlantes★ de l'ancien hôtel de ville FY **F**, Musée naval★ EY **M** – Port★.

Env. Tour Beaumont (Mémorial du Débarquement★ et ✻★★★) au Nord – Baou de 4 Oures ✻★★ NO : 7 km par D 62 AU et D 262 – Mont Caume ✻★★ NO : 15 km par D 62 AU – Fort de la Croix-Faron ≤★ N : 7 km CU.

✈ de Toulon-Hyères : ☎ 94 38 57 57, par ① : 21 km – 🚗 ☎ 94 91 50 50.

⛴ pour la Corse (3 mars-11 nov.) : Société Nationale Corse-Méditerranée (S.N.C.M.), 21 et 49 av. Infanterie de Marine ☎ 94 41 25 76 FZ.

🛈 Office de Tourisme et Accueil de France (Informations et réservations d'hôtels, pas plus de 5 jours à l'avance) 8 av. Colbert ☎ 94 22 08 22, Télex 400479 et pl. Albert-1er, hall gare SNCF ☎ 94 62 73 87, Télex 430307 – A.C. 1 av. H.-Dunant ☎ 94 93 01 18.

Paris 837 ④ – Aix-en-Provence 80 ④ – Cannes 121 ① – ♦Marseille 64 ④ – ♦Nice 150 ①.

RÉPERTOIRE DES RUES DU PLAN DE TOULON

Alger (R. d') FY
Audéoud (R.) CV 4
Clemenceau (Av. G.) GXY
Hoche (R.) FY
Jaurès (R. Jean) EFX
Lafayette (Cours) FY
Landrin (R. P.) FXY
Pastoureau (R. H.) FX 55
Seillon (R. H.) FY 74
Strasbourg (Bd de) FX
XVe-Corps (Av. du) AV 85

Abel (Bd J.-B.) CV
Albert-1er (Pl.) EX
Anatole-France (R.) EXY
Armaris (Bd des) CV
Armes (Pl. d') EX
Baron (R. M.) GZ
Baudin (R.) FY
Bazeilles (Bd de) BV 6
Berthelot (R.) FX 7
Besagne (Av. de) FGY 8
Bianchi (Bd) AU
Bidouré (Pl. M.) AV 9
Bir-Hakeim (Rd-Pt) GY
Blache (Pl. N.) GX
Blum (Pl. L.) DX
Bonaparte (Rd-Pt) GZ
Boucheries (R. des) FY 10
Bozzo (Av. L.) GX
Briand (Av. A.) AV
Brosset (Bd Gén.) AV 11
Brunetière (R. F.) FY 12
Carnot (Av. L.) DX
Cathédrale (Traverse de la) FY 13
Chalucet (R.) EX
Charcot (Q. J.) AV 14
Churchill (Av. W.) DX 15
Clappier (R. V.) FX
Colbert (Av.) FX
Collet (Av. Amiral) DX
Corderie (R. de la) EXY
Cuzin (Av. F.) CV 19
Dardanelles (Av. des) DX
Daudet (R. Alphonse) GX 20
Delpech (R.) GX
Démocratie (Bd de la) GX
Dr-Barrois (R.) CU
Dr-Fontan (R.) AU 21
Escartefigue (Bd M.) BCU
Esclangeon (R. V.) BCU 22
Estienne-d'Orves (Av. d') AV, DX 23
Fabié (R. F.) FGX
Faron (Bd du) BU
Farrère (Av. Cl) CV 24
Foch (Av. Mar.) DX
Forbin (Av.) CV 25
Forgentier (Ch. de) AU
Fort-Rouge (Ch. du) AU 26
Gambetta (Pl.) FY 27
Garibaldi (R.) FY 28
Gasquet (Av. J.) CV
Gaulle (Corniche Gén.-de) CV
Gouraud (Av. Gén.) AU 30

Grenier (Q. E.) AU 31
Grignan (Bd) BV
Guillemard (R. R.) DX
Herriot (Av. E.) AV 32
Huile (Pl. à l') FY 35
Inf.-de-Marine (Av. de l') FZ
Infernet (R. Cdt) GZ
Jacquemin (Bd E.) AU 36
Jaujard (R. Amiral) GZ
Joffre (Bd Mar.) CV
Juin (Av. Mar.) CV, GY 37
Lattre-de-T. (Av. Mar.) GZ
Le-Chatelier (Av. A.) AU
Lebon (R. Ph.) GX
Leclerc (Av. Gén.) EX
Le Bellegou (Av. E.) GZ
Lesseps (Bd F. de) GX

Liberté (Pl. de la) FX
Lices (Ch. des) GX
Lorgues (R. de) FXY
Loti (Av. P.) CV
Loubière (Ch. de la) GX
Louis-Blanc (Pl.) FY 39
Louvois (Bd) EFX
Lyautey (Av. Mar.) DX
Macé (Pl.) AU 40
Marceau (Av.) CV
Marchant (Av. Cdt) GX
Méridienne (R.) FY 41
Michelet (Bd J.) CV 42
Micholet (Av. V.) EY 43
Mistral (Littoral F.) CV 44
Monsenergue (Pl. Ingénieur-gén.) EY 45
Moulin (Av. J.) EX 48

Altéa Tour Blanche [M] ☸, au pied du téléphérique du Mont Faron ✉ 83200 ☎ 94 24 41 57, Télex 400347, Fax 94 22 42 25, ≤ Toulon et la rade, 🍴, ⛱, 🌳 – |‡| ▤ TV ☎ ♿ P – 🏛 60 à 200. AE ⓓ GB — BU **a**
R 150 – ☕ 50 – **92 ch** 410/670.

Alliance [M], av. Rageot de la Touche ☎ 94 92 00 21, Télex 404723, Fax 94 62 08 15, 🍴, ⛱ – |‡| ▤ TV ☎ ♿ 🚗 P – 🏛 100. AE GB — DX **b**
R 100 – ☕ 45 – **81 ch** 380/430 – ½ P 360.

Palais [M], Centre Mayol ☎ 94 03 83 83, Fax 94 03 83 55 – |‡| ⇔ ch ▤ TV ☎ ♿ 🚗 – 🏛 400. AE GB — FY **d**
R 130/180 – ☕ 45 – **150 ch** 305/515 – ½ P 345/505.

Gd Hôtel sans rest, 4 pl. Liberté ☎ 94 22 59 50, Télex 430048 – |‡| TV ☎ 🚗. AE ⓓ GB — FX **k**
☕ 48 – **45 ch** 375/480.

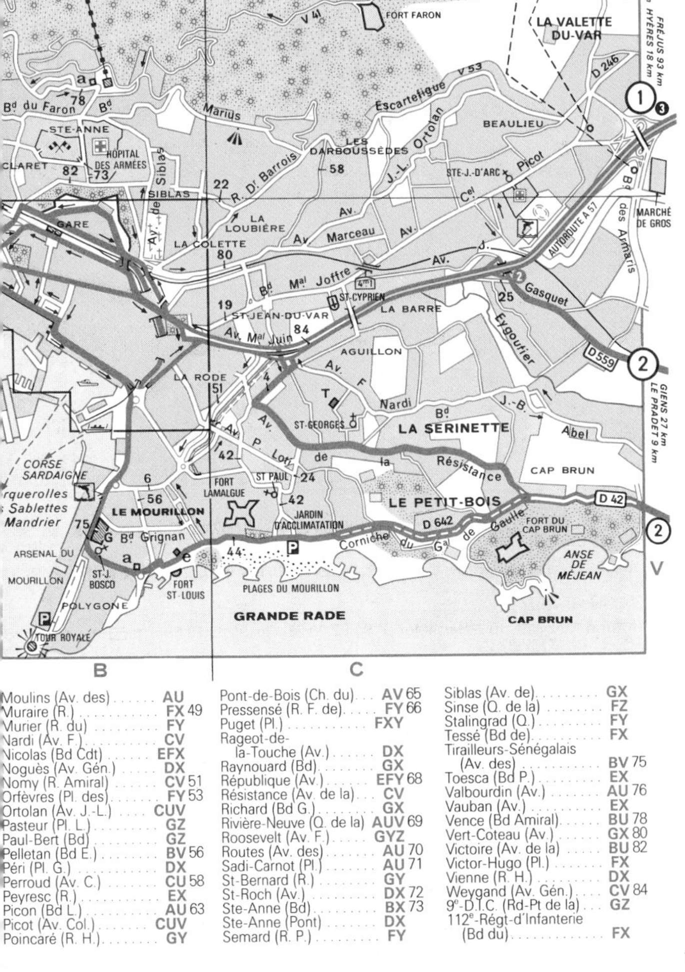

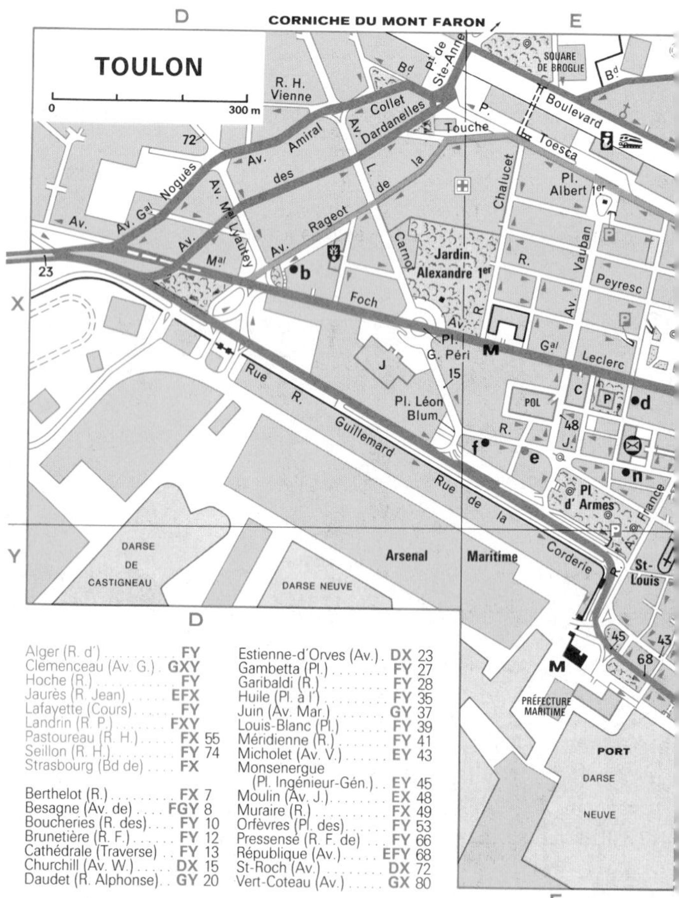

Nouvel H. sans rest, 224 bd Tessé ✆ 94 89 04 22, Fax 94 92 13 06 – |♦| ▤ TV ☎. AE GB
☕ 25 – **29 ch** 160/295. FX **f**

Acanthid M sans rest, 21 av. Colbert ✆ 94 09 10 63, Fax 94 09 20 62 – |♦| ▤ TV ☎. AE ⓓ GB
☕ 25 – **38 ch** 180/270. FX **a**

Dauphiné sans rest, 10 r. Berthelot ✆ 94 92 20 28, Fax 94 62 16 69 – |♦| TV ☎. AE ⓓ GB
☕ 26 – **57 ch** 220/270. FX **s**

St-Nicolas sans rest, 49 r. J. Jaurès ✆ 94 91 02 28, Fax 94 92 32 59 – |♦| TV ☎. AE ⓓ GB
☕ 29 – **40 ch** 196/286. EX **n**

Le Jaurès sans rest, 11 r. J. Jaurès ✆ 94 92 83 04 – TV ☎. AE GB
fermé 21 au 27 déc. – ☕ 20 – **16 ch** 120/170. EX **f**

XX Bistro des Princes, 449 av. Franklin Roosevelt ✆ 94 42 45 31 – ▤ ZG **e**

XX **La Ferme,** 6 pl. L. Blanc ✆ 94 41 43 74 – ▤. AE GB. ✻
R 144/274. FY **u**

XX **Au Sourd,** 10 r. Molière ✆ 94 92 28 52, , produits de la mer – GB
fermé juil., dim. et lundi – **R** 140. FX **w**

X **Le Dauphin,** 21 bis r. J. Jaurès ✆ 94 93 12 07 – ▤. GB
fermé 1er au 16 août, sam. midi, dim. et fériés – **R** 135/195. EX **e**

X **Pascal "chez Mimi",** 83 av. de la République ✆ 94 92 79 60, cuisine tunisienne – GB
fermé lundi – **R** carte 115 à 175. FY **z**

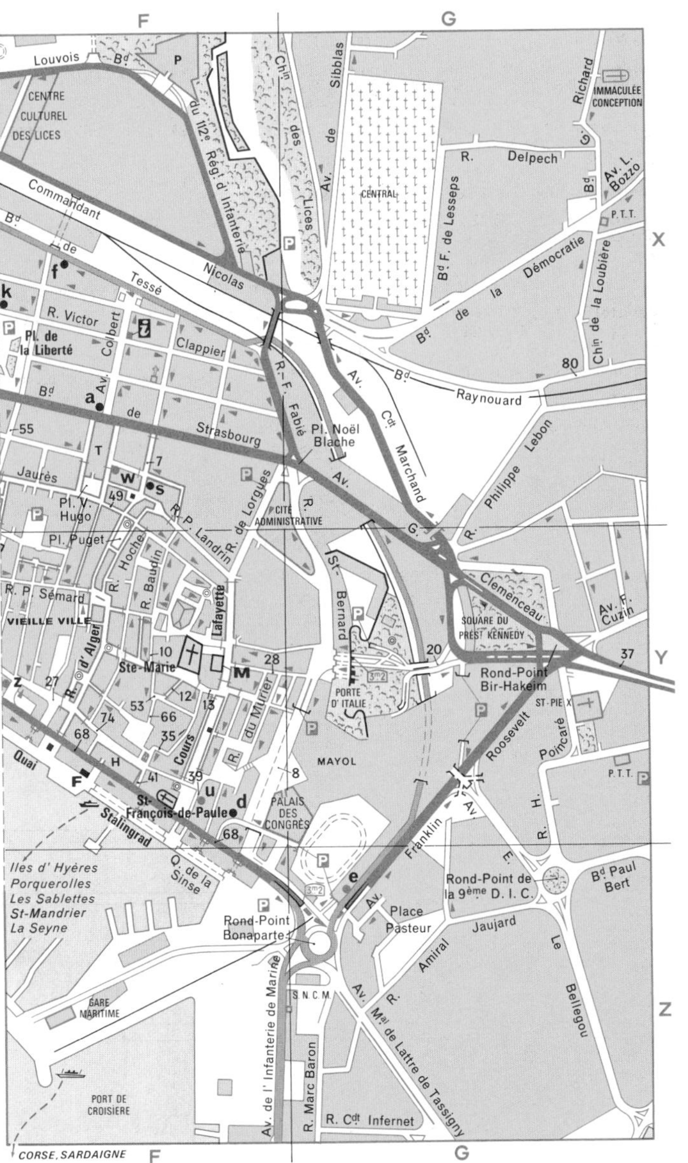

au Mourillon – ✉ **83000** Toulon.

Voir Tour royale ※★.

Corniche, 17 littoral F. Mistral ☎ 94 41 35 12, Fax 94 41 24 58, ≤, 余 – 阁 ▤ ch TV ☎. AE ⓓ GB — BV **a**
R *(fermé dim. soir sauf juil.-août et lundi)* 160/380 – **Le Bistrot** *(fermé lundi midi du 1er sept. au 30 juin et dim.)* **R** carte environ 200 – ☕ 40 – **18 ch** 350/490, 4 appart. 580.

XX **Gros Ventre,** 279 littoral F. Mistral ☎ 94 42 15 42, 余 – AE ⓓ GB — BV **e**
fermé 20 au 24 déc., jeudi midi et merc. – **R** 132/205 🍼, enf. 58.

à la Valette-du-Var par ① : 7 km – 20 687 h. – ✉ 83160 :

Yan's H. Ⓜ, échangeur La Valette-nord, Z.A. des Espaluns ☎ 94 08 38 08 Fax 94 08 48 60, – ▤ TV ☎ ♿ Ⓟ – 30. AE ⓓ GB
R *(fermé sam. soir et dim.)* 79/120 – 35 – **42 ch** 315/345 – ½ P 233.

Campanile, échangeur La Valette-nord, Z.A. des Espaluns ☎ 94 21 13 01, Télex 430978 – ▤ rest TV ☎ ♿ Ⓟ – 25. AE GB
R 77 bc/99 bc, enf. 39 – 28 – **50 ch** 258 – ½ P 234/256.

à La Pauline par ① et N 98 : 10 km – ✉ 83130 La Garde :

Gardotel Ⓜ, ☎ 94 75 82 25, Fax 94 08 42 98, – ▤ rest TV ☎ ♿ Ⓟ – 30. AE ⓓ GB
R 88/108, enf. 48 – 40 – **41 ch** 290/320 – ½ P 308.

au Camp-Laurent par ④ autoroute A50 sortie Ollioules : 7,5 km – ✉ 83500 La Seyne :

Novotel Ⓜ, ☎ 94 63 09 50, Télex 400759, Fax 94 63 03 76, – ▤ TV ☎ ♿ Ⓟ – 40 à 150. AE ⓓ GB
R carte environ 160, enf. 50 – 46 – **86 ch** 398/418.

Campanile, ✉ 83140 Six-Fours-les-Plages ☎ 94 63 30 30, Télex 404545 – ▤ rest TV ☎ ♿ Ⓟ – 25
49 ch.

MICHELIN, Agence, 1824 av. Col.-Picot à La-Valette-du-Var CU ☎ **94 27 01 67**

ALFA-ROMEO St-Roch-auto-Sport, 8 av. Gén.-Pruneau ☎ 94 42 53 08
OPEL Champ-de-Mars Autom., Palais Réaltor, pl. Champ-de-Mars ☎ 94 41 74 21
PEUGEOT-TALBOT Gds Gar. du Var, bd Armaris Ste-Musse Aut. Toulon-Est CU ☎ 94 23 90 55 N ☎ 94 08 10 20
ROVER Autorex, 13 av. Gén.-Pruneau ☎ 94 41 18 14

Aude, chemin Belle-Visto ☎ 94 24 27 60
Escoffier-Pneus, 704 av. Col.-Picot ☎ 94 20 20 63
Marcel-Pneus, 126 r. Dr-Gibert ☎ 94 42 41 42
Pasero, 26 bd L.-Bourgeois ☎ 94 36 20 01

Périphérie et environs

BMW Bavaria-Motors, ZAC des 4 Chemins RN 98 à La Garde ☎ 94 08 03 94
CITROEN SOCA, av. A.-Citröen à La Valette-du-Var par ① ☎ 94 21 90 90
FIAT D.I.A.T., La Coupiane à La Valette-du-Var ☎ 94 27 17 41
FORD Gar. d'Azur, av. Université à La Valette-du-Var ☎ 94 21 04 00 N ☎ 94 21 11 83
LANCIA Gar. Cuzin, ZAC des 4 Chemins à la Garde ☎ 94 08 49 49
RENAULT Succursale, ZAC les Espaluns à La Valette-du-Var par ① ☎ 94 61 50 50 N ☎ 05 05 15 15
V.A.G Gar. Foch, 1 allée des 4 Chemins à la Garde ☎ 94 08 44 55 N

Aude, Les Espaluns, r. Bertholet à La Valette-du-Var ☎ 94 21 58 02
Mendez-Pneus, 101 av. Ed.-Herriot, L'Escaillon ☎ 94 24 54 25
Piot-Pneu, Domaine Ste-Claire, r. P.-et-M.-Curie à La Valette-du-Var ☎ 94 23 23 46
Pneu Leca, ZI Toulon Est à la Garde ☎ 94 75 83 97

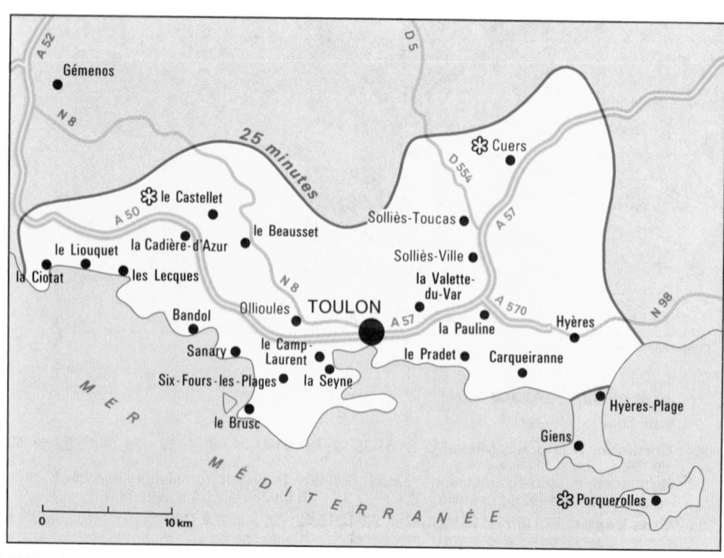

TOULOUSE P 31000 H.-Gar. 82 ⑧ **G. Pyrénées Roussillon** – 358 688 h. alt. 146.

Voir Basilique St-Sernin★★★ FX – Les Jacobins★★ : vaisseau de l'église★★★ FY – Hôtel d'Assézat★ FY **B** – Cathédrale★ GY – Capitole★ FY – Tour d'escalier★ de l'hôtel de Bernuy FY **S** – Musées : Augustins★★ (sculptures★★★) GY **M1**, Histoire naturelle★★ GY **M2**, St-Raymond★★ FX **M3**, Paul Dupuy★ GZ **M4** – 18 (privé) ✆ 61 73 45 48, S : 10 km par D 4 BV; 18 de Toulouse Palmola (privé) ✆ 61 84 20 50, par ③ : 24 km ; 18 18 de Toulouse-Seilh ✆ 61 42 59 30, par ⑪ sur D 2 : 15,5 km ; 18 9 de la Ramée ✆ 61 07 09 09, SO : 10 km par D 50 AV.

✈ de Toulouse-Blagnac : ✆ 61 42 44 00 AT – 🚗 ✆ 61 62 50 50.

ℹ Office de Tourisme et Accueil de France (Informations et réservations d'hôtels, pas plus de 5 jours à l'avance) Donjon du Capitole ✆ 61 23 32 00, Télex 531508 – A.C. 17 allées J.-Jaurès ✆ 61 62 76 21.

Paris 700 ① – Barcelona 387 ⑦ – ♦Bordeaux 245 ① – ♦Lyon 537 ⑦ – ♦Marseille 401 ⑦.

Plans : Toulouse p. 2 à 5

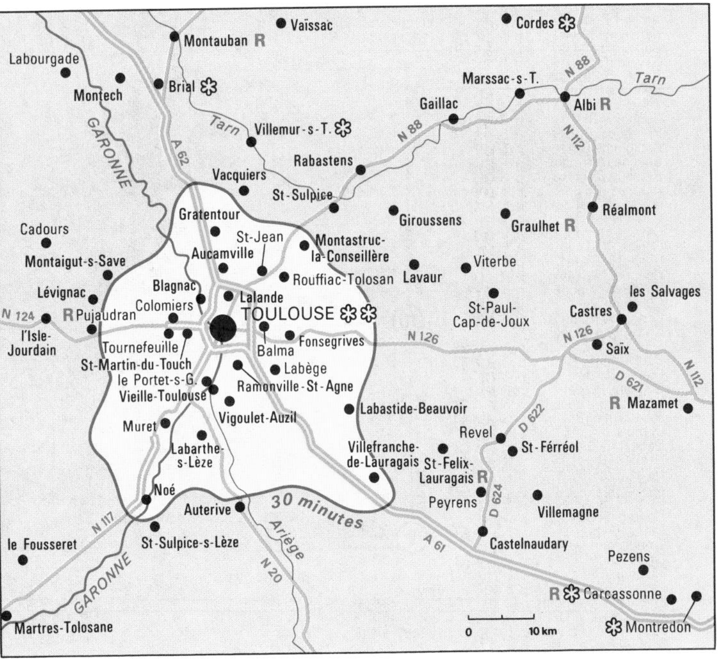

Sofitel Centre M, 84 allées J. Jaurès ✆ 61 10 23 10, Télex 533361, Fax 61 10 23 20 – 🛗 ⇔ ▤ TV ☎ ♿ 🚗 – 🏛 30 à 150. AE ⓓ GB JCB HX **v**
R 160/200 – ☕ 70 – **105 ch** 790, 14 appart. 1300.

Holiday Inn Crowne Plaza M, 7 pl. Capitole ✆ 61 61 19 19, Télex 520348, Fax 61 23 79 96, 🏋, ≡ – 🛗 ⇔ ch ▤ TV ☎ ♿ – 🏛 30 à 100. AE ⓓ GB JCB FY **t**
R 140/180 – ☕ 85 – **160 ch** 780/850.

Gd H. de l'Opéra M, 1 pl. Capitole ✆ 61 21 82 66, Télex 521998, Fax 61 23 41 04, ≡, 🏊 – 🛗 ▤ TV ☎ – 🏛 100. AE ⓓ GB FY **q**
R voir rest. **Les Jardins de l'Opéra** ci-après - **Gd Café de l'Opéra** ✆ 61 21 37 03 *(fermé 26 juil. au 17 août)* **R** carte 150 à 250 – ☕ 75 – **41 ch** 800/1200, 9 appart. 1200/1400.

Gd H. Capoul M, 13 pl. Wilson ✆ 61 10 70 70, Télex 533077, Fax 61 21 96 70, « Décor original évocation art-déco » – 🛗 ▤ TV ☎ ♿ – 🏛 100. AE ⓓ GB GY **n**
R 150/200 🍷 – ☕ 55 – **130 ch** 550/700.

Novotel M 🐎, pl. A. Jourdain ✆ 61 21 74 74, Télex 532400, Fax 61 22 81 22, 🏋, 🏊 – 🛗 ⇔ ▤ TV ☎ ♿ 🚗 – 🏛 60 à 120. AE ⓓ GB EX **u**
R carte environ 160 🍷, enf. 50 – ☕ 45 – **131 ch** 490/600.

Mercure M, r. St-Jérome (pl. Occitane) ✆ 61 23 11 77, Télex 520760, Fax 61 23 19 38, 🏋 – 🛗 ⇔ ch ▤ TV ☎ ♿ – 🏛 25 à 250. AE ⓓ GB GY **s**
R 98 bc/128 bc 🍷, enf. 40 – ☕ 50 – **170 ch** 520/620.

RÉPERTOIRE DES RUES DU PLAN DE TOULOUSE

Alsace-Lorr. (R. d') . . p. 5 FY 2
Capitole (Pl. du) . . . . p. 5 FY 25
Lafayette (R.) . . . . . . p. 5 GY 83
Metz (R. de) . . . . p. 5 GY
Rémusat (R. de) . . . . p. 5 FY
St-Antoine du T. (R.) p. 5 GY 132
Saint-Rome (R.) . . . . p. 5 FY
Wilson (Pl.) . . . . p. 5 GY

Agde (Rte d') . . . . . . p. 3 CT
Albi (Rte d') . . . . p. 3 CT
Alsace-Lorr. (R. d') . . p. 5 FY 2
Arcole (Bd) . . . . p. 5 FX
Arcs St-Cypr. (R.) . . . p. 4 EZ
Arènes Rom. (Av.) . . p. 2 AU 3
Arnaud-Bern. (Pl.) . . p. 5 FX
Arnaud-Bern. (R.) . . . p. 5 FX 4
Barcelone (Allée) . . . p. 4 EY
Barrière de Paris . . . . p. 3 BT 10
Bayard (R. de) . . . . . . p. 5 GX
Baronne (Rte de) . . . p. 2 AU
Béarnais (R. du) . . . . p. 4 EX
Billières (Av. E.) . . . . p. 4 EZ
Bonnefoy (R. Fg) . . . p. 3 BT 15
Bonrepos (Bd) . . . . . p. 5 GX 16
Boulbonne (R.) . . . . . p. 5 GY 18
Brienne (Allée de) . . p. 4 EY
Brunaud (Av.) . . . . . . p. 3 CU
Brunhes (Bd J.) . . . . p. 4 DY
Busca (Pl. du) . . . . . . p. 5 GZ
Capitole (Pl. du) . . . . p. 5 FY 25
Castres (Av. de) . . . . p. 3 CU
Chaîne (R. de la) . . . . p. 5 FX
Changes (R. des) . . . p. 5 FY 32
Chaubet (Av. Jean) . . p. 3 CU
Coll (R. Adolphe) . . . . p. 4 DY
Collignon (Av.) . . . . . p. 5 FX
Concorde (R. de la) . . p. 5 GX
Corps Franc Pomiès (Av. du) . . . . p. 5 AV 33
Coubertin (Pt P. de) . p. 3 BV 35
Crêtes (Bd des) . . . . p. 3 CU
Cugnaux (R. de) . . . . p. 4 EZ
Daurade (Pl. de la) . . p. 5 FY 37
Delacourtie (Bd) . . . . p. 3 BV 40
Demoiselles (Allée) . . p. 5 HZ
Déodat de Sév. (Bd) . p. 3 BV 43
Desbals (R. H.) . . . . . p. 3 BV 45
Dillon (Cours) . . . . . . p. 4 EZ
Dr-Baylac (Pl. du) . . . p. 2 AU 47
Duméril (R. Alfred) . . p. 5 GZ
Duportal (Bd A.) . . . . p. 4 EX
Dupuy (Pl.) . . . . p. 5 HY 49
Embouchure (Bd) . . . p. 4 EX
Embouchure (Port) . . p. 3 BU 53
Espagne (Rte d') . . . . p. 3 BV
Esquirol (Pl.) . . . . p. 5 FY
États-Unis (Av. des) . p. 3 BT 55
Fer-à-Cheval (Pl.) . . . p. 4 EZ
Feuga (Allée P.) . . . . p. 5 FZ 57
Fitte (Allée Ch. de) . . p. 4 EZ
Fontaines (R. des) . . p. 4 DY
Frères Lion (R. des) . p. 5 GY 62
Frizac (Av.) . . . . p. 5 GZ
Fronton (Av. de) . . . . p. 3 BT
Gambetta (R.) . . . . . . p. 5 FY 64
Gare (Bd de la) . . . . . p. 5 HY
Garigliano (Pt du) . . . p. 3 BV 66
Genève (Bd de) . . . . . p. 4 DX
Gloire (Av. de la) . . . . p. 3 CU
Gde-Bretagne (Av.) . . p. 2 AU 67
Grand Rond . . . . p. 5 GZ
Gde R. St-Michel . . . . p. 5 FZ
Griffoul Dor. (Bd) . . . p. 5 HZ 72
Guesde (Allée J.) . . . p. 5 GZ 73
Hauriou (Av. M.) . . . . p. 5 FZ 75
Jaurès (Allées J.) . . . p. 5 GX
Jeanne-d'Arc (Pl.) . . . p. 5 GX
Julien (Av. Jules) . . . . p. 3 BV 80
Kœnigs (Bd G.) . . . . . p. 4 DZ
Lafayette (R.) . . . . p. 5 GY 83
Lafourcade (Pl. A.) . . p. 5 FZ
Laganne (R.) . . . . p. 4 EZ
Langer (Av. M.) . . . . . p. 3 BV 84
Languedoc (R. du) . . . p. 5 GY
Lardenne (Av. de) . . . p. 2 AU
Lascrosses (Bd) . . . . p. 4 EX
Laz.-Carnot (Bd) . . . . p. 5 GY
Lois (R. des) . . . . p. 5 FY
Lombez (Av. de) . . . . p. 3 BU 88

Lyon (Av. de) . . . . . . p. 5 GX
Male (Pl. E.) . . . . p. 4 DZ
Marquette (Bd) . . . . p. 4 EX
Matabiau (Bd) . . . . . p. 5 GX
Matabiau (R.) . . . . . . p. 5 GX
Metz (R. de) . . . . p. 5 FY
Minimes (Av. des) . . p. 3 BT 104
Minimes (Bd des) . . p. 5 GX
Mistral (Allées F.) . . p. 5 GZ
Muret (Av. de) . . . . . p. 3 BV 107
Narbonne (Rte de) . . p. 3 CV
Occitane (Pl.) . . . . . . p. 5 GY
Ozenne (R.) . . . . p. 5 GZ
Pargaminières (R.) . . p. 5 FY 109
Patte d'Oie (Pl.) . . . . p. 4 DZ
Péri (R. Gabriel) . . . . p. 5 HY
Pompidou (Allée) . . . p. 5 HX
Pt Guilheméry (R.) . . p. 5 HY 119

Pujol (Av. C.) . . . . . . p. 3 CU 121
Ravelin (Pl. du) . . . . p. 4 EY
Recollets (Bd) . . . . . p. 3 BV 123
Rémusat (R. de) . . . p. 5 FY
République (R.) . . . . p. 4 EY
Revel (Rte de) . . . . . p. 3 CV 125
Rieux (Av. J.) . . . . . . p. 3 CV
Riquet (Bd) . . . . p. 5 HY
Riquet (R.) . . . . p. 5 HY
Romiguières (R.) . . . p. 5 FY 129
Sabatier (Allées) . . . p. 5 HZ 131
St-Antoine du T. (R.) p. 5 GY 132
St-Étienne (Port) . . . p. 5 HY 133
Saint-Exupéry (Av.) . p. 3 CV
St-Pierre (Pl.) . . . . . . p. 4 EY
Saint-Rome (R.) . . . . p. 5 FY
St-Sauveur (Port) . . . p. 5 HZ 135
St-Simon (Rte de) . . p. 2 AV 136
Ste-Lucie (R.) . . . . . . p. 4 EZ
Salin (Pl. du) . . . . p. 5 FZ
Sarraut (Allée M.) . . . p. 4 DZ
Sébastopol (R.) . . . . p. 4 EX
Ségoffin (Av. V.) . . . . p. 3 BV 140
Séjourné (Av. P.) . . . p. 4 EY
Sémard (Bd P.) . . . . . p. 5 GX 142
Serres (Av. H.) . . . . . p. 4 EX
Seysses (Rte de) . . . p. 2 AV
Strasbourg (Bd) . . . . p. 5 GY
Suau (R. J.) . . . . p. 5 FY 146
Suisse (Bd de) . . . . . p. 3 BT
Tounis (Quai de) . . . . p. 5 FZ
Trentin (Bd Silvio) . . . p. 3 BT 148
URSS (Av. de l') . . . . p. 3 BV 154
Verdier (Allées F.) . . . p. 5 GZ
Wilson (Pl.) . . . . p. 5 GY

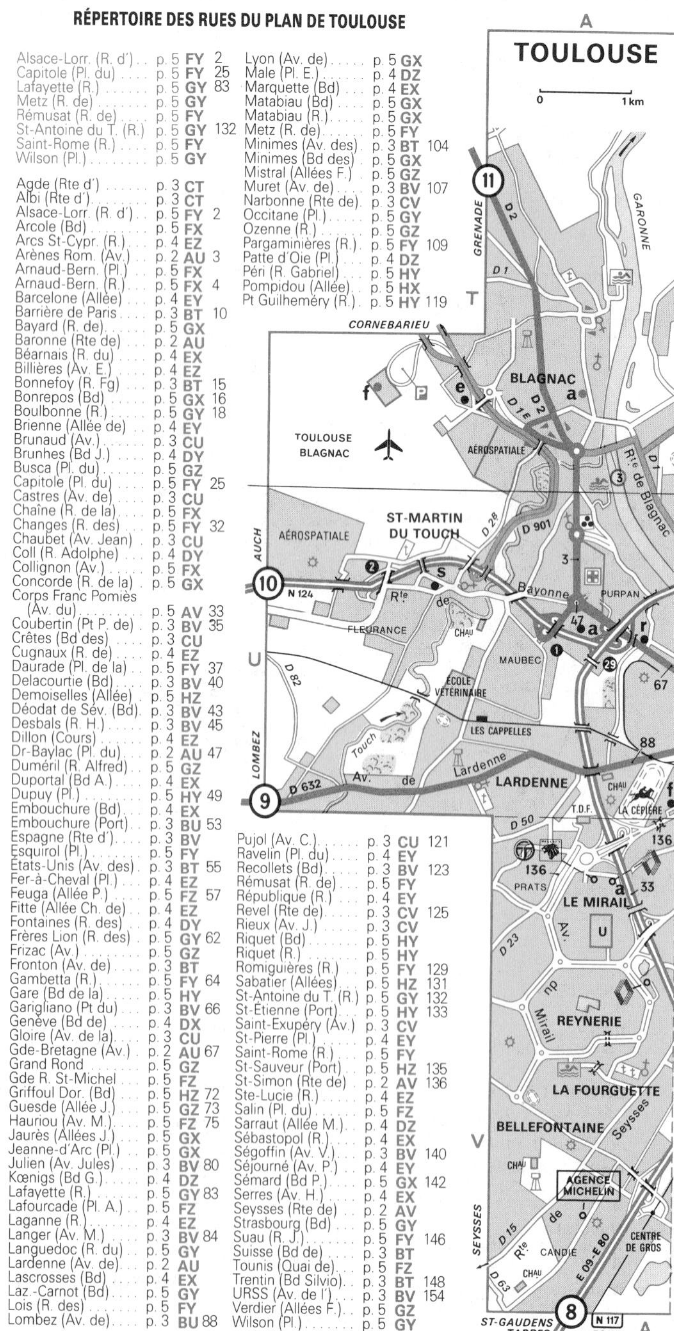

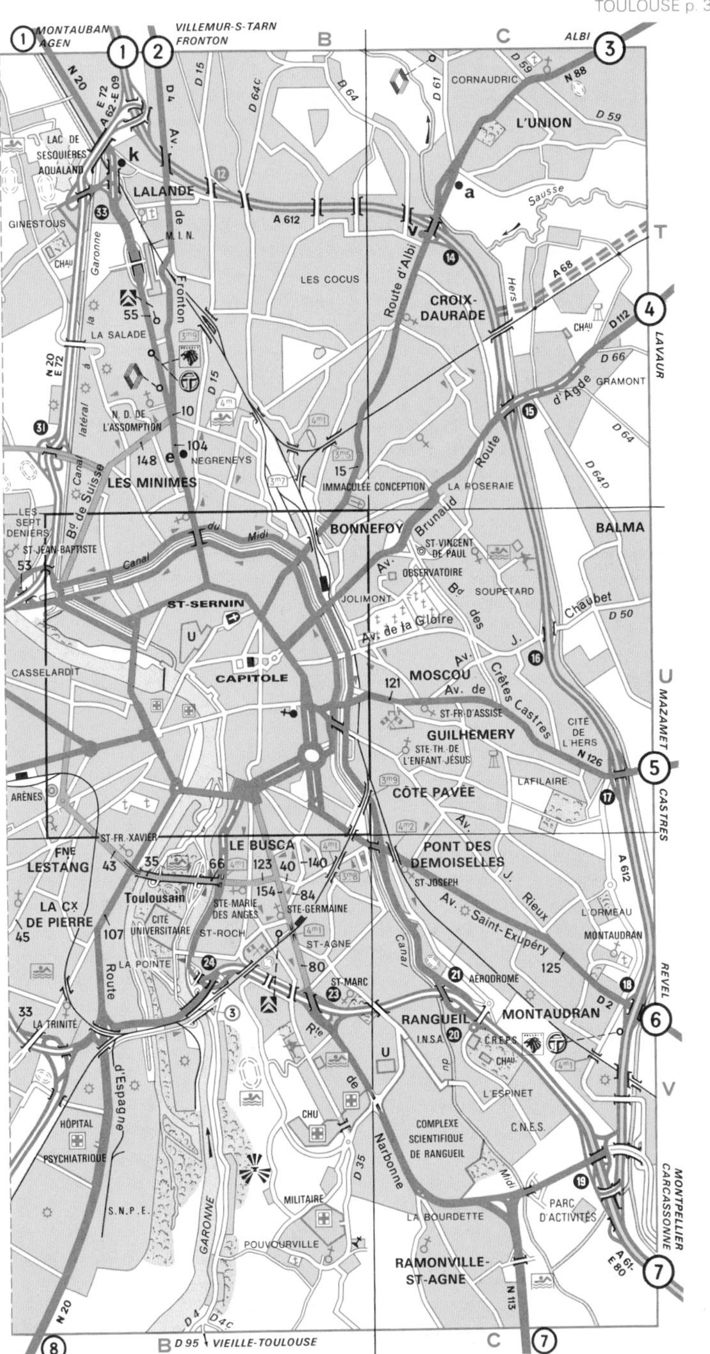

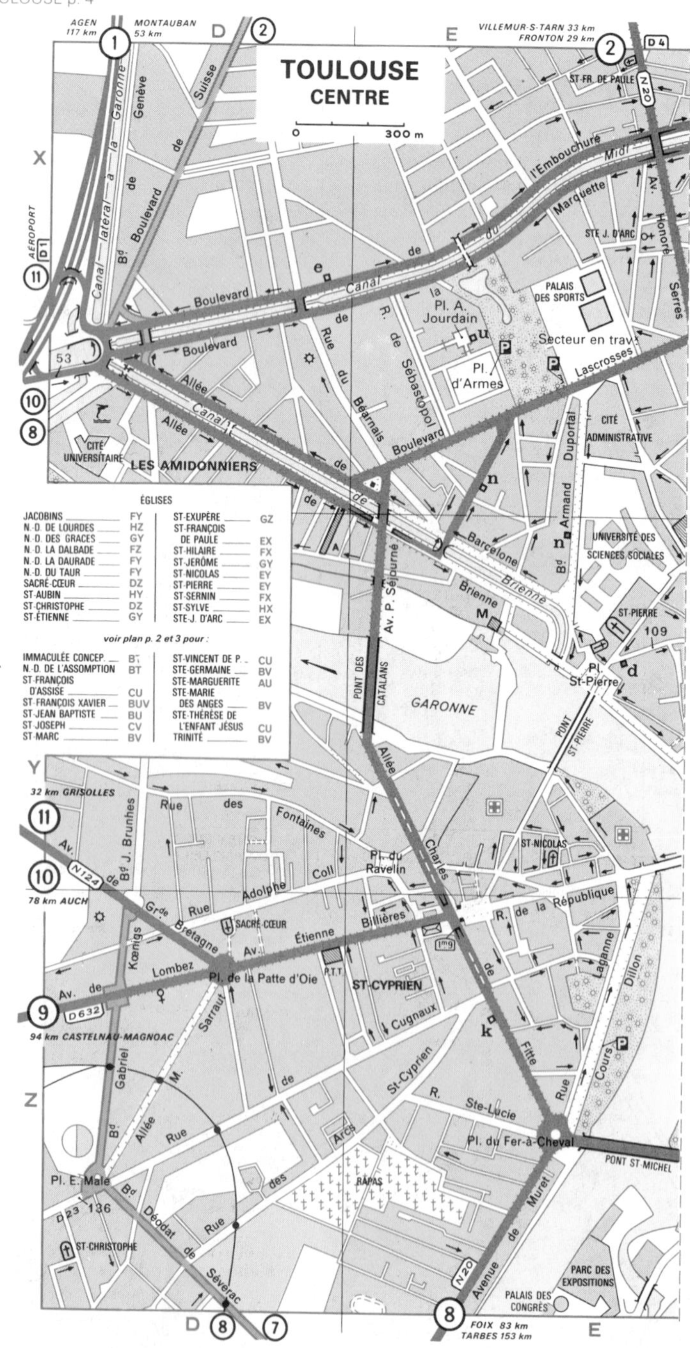
TOULOUSE
CENTRE
0
300 m
AGEN 117 km
MONTAUBAN 53 km
VILLEMUR-S-TARN 33 km
FRONTON 29 km
AÉROPORT
D1
32 km GRISOLLES
78 km AUCH
94 km CASTELNAU-MAGNOAC
FOIX 83 km
TARBES 153 km
ÉGLISES
JACOBINS FY
N.-D. DE LOURDES HZ
N.-D. DES GRACES GY
N.-D. LA DALBADE FZ
N.-D. LA DAURADE FY
N.-D. DU TAUR FY
SACRÉ-CŒUR DZ
ST-AUBIN HY
ST-CHRISTOPHE DZ
ST-ÉTIENNE GY
ST-EXUPÈRE GZ
ST-FRANÇOIS DE PAULE EX
ST-HILAIRE FX
ST-JÉRÔME GY
ST-NICOLAS EY
ST-PIERRE EY
ST-SERNIN FX
ST-SYLVE HX
STE-J. D'ARC EX
voir plan p. 2 et 3 pour :
IMMACULÉE CONCEP. BT
N.-D. DE L'ASSOMPTION BT
ST-FRANÇOIS D'ASSISE CU
ST-FRANÇOIS XAVIER BUV
ST-JEAN BAPTISTE BU
ST-JOSEPH CV
ST-MARC BV
ST-VINCENT DE P. CU
STE-GERMAINE BV
STE-MARGUERITE AU
STE-MARIE DES ANGES BV
STE-THÉRÈSE DE L'ENFANT JÉSUS CU
TRINITÉ BV
Canal latéral à la Garonne
Bd de Genève
Boulevard de Suisse
Boulevard de l'Embouchure
Canal du Midi
Boulevard de Marquette
Av. Honoré Serres
ST-FR. DE PAULE
STE J. D'ARC
PALAIS DES SPORTS
Pl. A. Jourdain
Pl. d'Armes
Secteur en trav.
Boulevard Lascrosses
Rue du Béarnais
R. de Sébastopol
Allée de Brienne
Canal de Brienne
LES AMIDONNIERS
CITÉ UNIVERSITAIRE
Boulevard de Barcelone
Bd Armand Duportal
CITÉ ADMINISTRATIVE
UNIVERSITÉ DES SCIENCES SOCIALES
ST-PIERRE
Pl. St-Pierre
PONT ST-PIERRE
Av. P. Séjourné
PONT DES CATALANS
GARONNE
Allée Charles de Fitte
Rue des Fontaines
Pl. du Ravelin
Rue Adolphe Coll
Rue Billières
ST-NICOLAS
R. de la République
Av. de Grde Bretagne
Bd J. Brunhes
SACRÉ-CŒUR
Av. Étienne Billières
Pl. de la Patte d'Oie
P.T.T.
ST-CYPRIEN
Av. de Lombez
Kœnigs
Sarraut
Cugnaux
St-Cyprien
R. Ste-Lucie
Laganne
Cours Dillon
Bd Gabriel M.
Allée
Rue des Arcs
RAPAS
Pl. du Fer-à-Cheval
PONT ST-MICHEL
Avenue de Muret
Pl. E. Male
Bd Déodat de Séverac
ST-CHRISTOPHE
PARC DES EXPOSITIONS
PALAIS DES CONGRÈS
N20
N124
D632
D23
D4
53
109
136

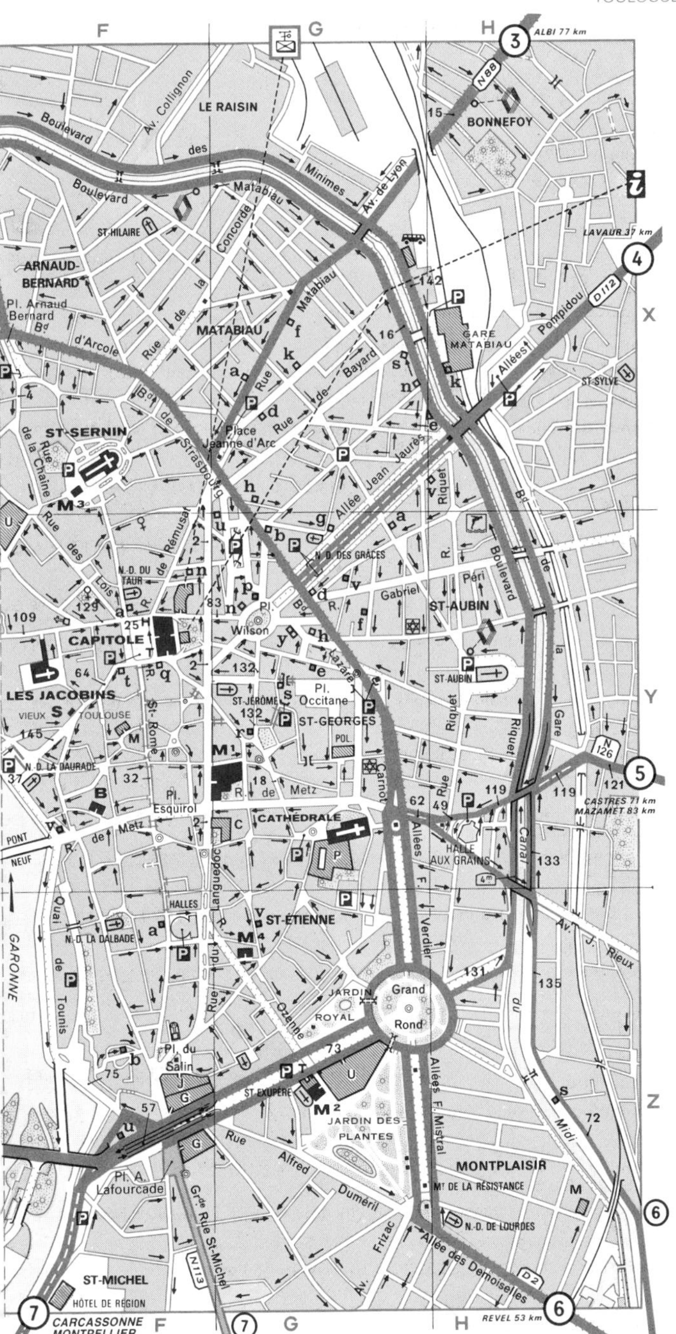

Mermoz M sans rest, 50 r. Matabiau ✆ 61 63 04 04, Télex 532427, Fax 61 63 15 64 – cuisinette – 40. AE GB GX
45 – **52 ch** 480/510.

Altéa Wilson M sans rest, 7 r. Labéda ✆ 61 21 21 75, Télex 530550, Fax 61 22 77 64 – – 50. AE GB GY
57 – **91 ch** 535/690, 4 appart. 750.

Altéa Matabiau sans rest, gare Matabiau ✉ 31500 ✆ 61 62 84 93, Télex 533888 Fax 61 99 27 78 – – 30. AE GB HX
50 – **62 ch** 350/520.

Victoria sans rest, 76 r. Bayard ✆ 61 62 50 90, Télex 521748, Fax 61 99 21 02 – – 30. AE GB JCB GX
fermé 24 déc. au 2 janv. – 35 – **75 ch** 300/400.

Brienne M sans rest, 20 bd Mar. Leclerc ✆ 61 23 60 60, Télex 533031, Fax 61 23 18 94 – P – 30. AE GB EX
50 – **68 ch** 420/505, 3 appart. 850.

d'Occitanie (École hôtelière), 5 r. Labéda ✆ 61 21 15 92, Télex 532178, Fax 61 21 36 33 – . AE GB. rest GY
fermé vacances scolaires – **R** *(fermé sam. soir, dim. et fériés)* 120/160 – **17 ch** 180/380.

Altéa Les Capitouls M sans rest, 29 allées J. Jaurès ✆ 61 62 63 33, Télex 533363 Fax 61 63 15 17 – – 30. AE GB GY
55 – **48 ch** 490/620.

Grande Bretagne M, 300 av. Grande Bretagne ✉ 31300 ✆ 61 31 84 85, Télex 533116 Fax 61 31 87 12 – ch P – 50. AE GB AU
R *(fermé dim.)* 95/150 – 44 – **43 ch** 395/700 – ½ P 320.

Paris M sans rest, 18 allées J.-Jaurès ✆ 61 62 98 30, Télex 521950, Fax 61 63 02 39 – GY
40 ch.

Athénée M sans rest, 13 r. Matabiau ✆ 61 63 10 63, Fax 61 63 87 80 – P – 40. AE GB JCB GX
37 – **35 ch** 330/420.

Royal sans rest, 6 r. Labéda ✆ 61 23 38 70, Fax 61 22 03 90 – – 25. AE GB GY
43 – **31 ch** 299/445.

Vidéotel M, 77 bd Embouchure ✉ 31200 ✆ 61 57 34 77, Télex 533075, Fax 61 23 54 74 – ch P – 45. AE GB DX
R *(fermé sam. et dim.)* 75 bc/100 bc, enf. 39 – 31 – **93 ch** 305.

Orsay M sans rest, 8 bd Bonrepos ✆ 61 62 71 61, Fax 61 62 64 46 – . AE GB GX
28 – **40 ch** 228/295.

Président M sans rest, 45 r. Raymond IV ✆ 61 63 46 46, Fax 61 62 83 60 – . AE GB GX
30 – **31 ch** 260/320.

Albion sans rest, 28 r. Bachelier ✆ 61 63 60 36, Fax 61 62 66 95 – . AE GB GY
26 – **27 ch** 230/250.

Raymond IV sans rest, 16 r. Raymond IV ✆ 61 62 89 41, Télex 533696, Fax 61 62 38 01 – . AE GB GX
45 – **38 ch** 320/410.

Ours Blanc-Victor Hugo sans rest, 25 pl. V. Hugo ✆ 61 23 14 55, Fax 61 23 62 34 – . GB JCB GY
30 – **38 ch** 180/280.

Le Capitole sans rest, 10 r. Rivals ✆ 61 23 21 28, Fax 61 23 67 48 – . AE GB FY
30 – **33 ch** 210/350.

Gascogne M sans rest, 25 allées Ch. de Fitte ✉ 31300 ✆ 61 59 27 44, Télex 521090 Fax 61 42 25 52 – P. AE GB EZ
30 – **53 ch** 250/300.

Bordeaux M, 4 bd Bonrepos ✆ 61 62 41 09, Fax 61 63 06 65 – . AE GB
R snack *(fermé août, sam. et dim.)* 65 – 35 – **31 ch** 210/295. GHX

Victor Hugo sans rest, 26 bd Strasbourg ✆ 61 63 40 41, Fax 61 62 45 41 – . AE GB GY
fermé 24 déc. au 2 janv. – 30 – **32 ch** 210/270.

Trianon M sans rest, 7 r. Lafaille ✆ 61 62 74 74 – . AE GB GX
25 – **28 ch** 195/250.

Prado sans rest, 26 r. Prado par rte St-Simon ✉ 31100 ✆ 61 40 49 29, Fax 62 14 11 75 – P. AE GB AU
22 – **23 ch** 195/255.

Star sans rest, 17 r. Baqué ✉ 31200 ✆ 61 47 45 15 – . GB BT
25 – **17 ch** 192/260.

Taur sans rest, 2 r. Taur ✆ 61 21 17 54, Télex 520643 – . AE GB FY
25 – **41 ch** 215/250.

XXXX ✿✿ **Les Jardins de l'Opéra** -Gd H. de l'Opéra- (Toulousy), 1 pl. Capitole ✆ 61 23 07 76, Télex 521998, Fax 61 23 41 04, ☂ – ▤. AE ⓓ GB FY **q**
fermé 9 au 31 août, 1er au 8 janv., dim. et fériés – **R** 280/480 et carte
Spéc. Tartare de saumon et huîtres spéciales, Escalope de foie gras grillée et panaché de fruits frais en aigre-doux, Figues rôties au Banuyls et glace vanille. **Vins** Madiran.

XXXX ✿ **Vanel,** 22 r. M. Fontvieille ✆ 61 21 51 82, Fax 61 23 69 04 – ▤. AE ⓓ GB GY **e**
fermé 2 au 16 août, dim. et fériés – **R** 200/480
Spéc. Foie gras cru de canard au sel, Pigeon rôti en pâté chaud, Pompe au citron. **Vins** Cahors, Côtes du Frontonnais.

XXXX ✿ **Darroze,** 19 r. Castellane ✆ 61 62 34 70 – AE ⓓ GB. ✂ GY **v**
fermé sam. midi, dim. et fériés – **R** 180/350
Spéc. Poissons de petits bateaux, Demi-pigeon au chou vert et foie gras, Gibier (nov. à janv.). **Vins** Côtes du Frontonnais, Madiran.

XXX **Claude Ribardière,** 21 bd A. Duportal ✆ 61 13 91 12, Fax 61 22 48 09, ☂ – ▤. AE ⓓ GB EY **n**
fermé 3 au 17 août, sam. midi et dim. – **R** 170/280.

XXX **La Frégate,** 16 pl. Wilson (2e étage) ✆ 61 21 59 61, Fax 61 35 19 58 – ▤. AE ⓓ GB GY **p**
R 135/150.

XX **Orsi "Bouchon Lyonnais",** 13 r. Industrie ✆ 61 62 97 43, Fax 61 63 00 71 – ▤. AE ⓓ GB GY **f**
fermé sam. midi et dim. – **R** 149/205.

XX **La Belle Époque,** 3 r. Pargaminières ✆ 61 23 22 12 – ▤. AE ⓓ GB EY **d**
fermé 14 juil. au 15 août, sam. midi, lundi midi, dim. et fériés – **R** 190 bc/270 ♁, enf. 120.

XX **Brasserie "Beaux Arts",** 1 quai Daurade ✆ 61 21 12 12, Fax 61 21 14 80 – ▤. AE ⓓ GB FY **v**
R 90/135 ♁.

XX **Chez Emile,** 13 pl. St-Georges ✆ 61 21 05 56, Fax 61 21 42 26, ☂ – ▤. AE ⓓ GB GY **r**
fermé Noël au Jour de l'An, dim. et lundi – **Rez-de-Chaussée** (poissons) **R** 205 ♁ – **1er étage** (viandes) **R** 185 ♁.

XX **La Jonque du Yang Tsé,** bd Griffoul-Dorval ✉ 31400 ✆ 61 20 74 74, ☂, cuisine chinoise, « Péniche aménagée » – ▤. AE ⓓ GB HZ **s**
fermé lundi midi et dim. – **R** 196.

XX **La Barigoude,** 8 r. Mage ✆ 61 53 07 24 – AE ⓓ GB GZ **v**
fermé 18 juil. au 20 août, dim., lundi et fériés – **R** 140/240 ♁, enf. 70.

X **La Bascule,** 14 av. M. Hauriou ✆ 61 52 09 51, ☂ – ▤. GB FZ **u**
fermé août, Noël au Jour de l'An, lundi soir et dim. – **R** 130.

X **Rôtisserie des Carmes,** 11 pl. Carmes ✆ 61 52 73 82 – GB FZ **a**
fermé merc. soir et dim. de juin à sept. et dim. soir et merc. d'oct. à mai – **R** 85/125, enf. 35.

X **Le Barreau,** 10 r. Moulins ✆ 61 25 25 52 – AE ⓓ GB FZ **b**
fermé 3 au 22 août et dim. – **R** 115/165.

à Lalande N : 6 km sur N 20 – ✉ **31200** Toulouse :

🏨 **Hermès** Ⓜ sans rest, 49 av. J. Zay ✆ 61 47 60 47, Télex 533040, Fax 61 47 56 08 – ⛭ ▤ TV ☎ ♿ P – 🏛 25. AE ⓓ GB BT **k**
☕ 30 – **68 ch** 270/320.

à Aucamville par ① : 7 km – 3 807 h. – ✉ **31140** :

🏨 **Les Pins,** 94 rte Fronton ✆ 61 70 26 04, Fax 61 70 82 85, ☂ – ⛭ TV ☎ P – 🏛 30 à 80. GB
fermé 8 au 18 août – **R** *(fermé dim. soir)* 95/195 – ☕ 30 – **36 ch** 200/260.

à l'Union NE : 6 km – 11 751 h. – ✉ **31240** :

🏠 **Campanile** Ⓜ, sur N 88 ✆ 61 74 00 40, Télex 533884, ☂ – TV ☎ ♿ P – 🏛 40. AE GB
R 77 bc/99 bc, enf. 39 – ☕ 28 – **71 ch** 258 – 1/2 P 234/256. CT **a**

à Gratentour : par ② et D 14 : 15 km – ✉ **31150** :

🏨 **Le Barry** Ⓜ ⛰, ✆ 61 82 22 10, Télex 532453, Fax 61 82 22 38, ☂, 🏊, 🌳 – TV ☎ ♿ P. AE ⓓ GB. ✂ ch
Le Puits Fleuri ✆61 82 38 98 *(fermé vacances de fév., sam. midi, dim. soir et lundi)* **R** 80bc/140 ♁, enf. 65 – ☕ 30 – **22 ch** 280/350.

à la Croix-Daurade NE : 5 km – ✉ **31200** Toulouse :

XXX **Le Grand Clément,** 233 rte Albi (sortie 14 autoroute) ✆ 61 48 60 60, ☂ – ▤. GB CT **v**
fermé août, lundi midi et dim. – **R** 230/300.

à St-Jean par ③ : 9 km – 7 168 h. – ✉ **31240** :

🏨 **Horizon 88** sans rest, ✆ 61 74 34 15, Télex 533071, 🏊, 🌳 – ⛭ TV ☎ 🚗 P – 🏛 30. ⓓ GB
☕ 30 – **38 ch** 195/270.

à Rouffiac-Tolosan par ③ : 12 km – ✉ **31180** :

🏠 **Le Clos du Loup,** N 88 ✆ 61 09 28 39, Fax 61 35 13 97, ☂ – TV ☎ P. GB
R *(fermé dim. soir et lundi)* 95/195, enf. 35 – ☕ 25 – **20 ch** 215 – 1/2 P 180/210.

à Balma par ⑤ et N 126 : 6 km – 9 506 h. – ✉ **31138** :

Espacehôtel M sans rest, 17 av. St-Martin de Boville ✆ 61 24 33 99, Fax 61 24 46 40 – TV ☎ ♿ P. GB
☕ 25 – **58 ch** 215/240.

à Fonsegrives par ⑤ : 8 km – ✉ **31130** Balma :

La Grange, ✆ 61 24 00 55, Fax 61 24 08 73, 🌳 – P. GB
R 105/210, enf. 70.

à Labège Innopole par ⑥ et D 16 : 12 km – ✉ **31670** :

Le Patio M, ✉ 31328 ✆ 61 39 29 00, Télex 532057, Fax 61 39 84 38, 🌳, 🏞, 🎾 – 🛗 🚭 ch ▤ rest TV ☎ ♿ P – 🎤 30. AE ⓓ GB
R 99, enf. 45 – ☕ 40 – **82 ch** 340/360.

Le Sextant M 🌿, ✆ 61 39 27 27, Télex 532281, Fax 61 39 22 27, 🌳, 🏊 – 🛗 🚭 ch TV ☎ ♿ P – 🎤 25 à 50. AE ⓓ GB JCB
R *(fermé 24 déc. au 4 janv., sam., dim. et fériés)* 78/140 🍷, enf. 35 – ☕ 32 – **55 ch** 285/340 – ½ P 230/255.

Aub. de Pouchalou, ✆ 61 39 89 40, Fax 61 39 23 47, 🌳 – P. AE ⓓ GB
fermé 1er au 15 août et dim. soir – **R** 115/165, enf. 50.

à Ramonville-St-Agne SE : 8 km – 11 834 h. – ✉ **31520** :

La Chaumière, 102 av. Tolosane ✆ 61 73 02 02, Télex 520646, Fax 61 75 17 02, 🌳, 🏊, 🏞 – 🛗 ▤ ch TV ☎ 🚗 P – 🎤 150. AE ⓓ GB
R 150 – ☕ 40 – **43 ch** 310/360 – ½ P 275/355.

à Vigoulet-Auzil par ⑦ sortie Ramonville et D 35 : 12 km – ✉ **31320** :

Aub. de Tournebride, ✆ 61 73 34 49, Fax 62 19 11 06, 🌳 – P. GB
fermé 10 au 30 août, dim. soir et lundi – **R** 140/210, enf. 60.

à Vieille-Toulouse S : 9 km par D 4 – ✉ **31320** :

La Flânerie 🌿 sans rest, rte Lacroix-Falgarde ✆ 61 73 39 12, Fax 61 73 18 56, ≤ vallée, parc, 🏊 – TV ☎ 🚗 P. AE ⓓ GB
fermé 23 déc. au 6 janv. – ☕ 40 – **12 ch** 220/520.

à Portet-sur-Garonne S : 10 km par N 20 – 8 030 h. – ✉ **31120** :

L'Hotan M, 80 rte d'Espagne ✆ 62 20 06 06, Télex 533929, Fax 62 20 02 36, 🏊 – 🛗 🚭 ch ▤ TV ☎ ♿ P – 🎤 80. AE ⓓ GB
R *(fermé dim. midi)* 97/145 🍷 – ☕ 40 – **53 ch** 355/385 – ½ P 340/340.

au Sud-Ouest : 8 km par D 23 - AV – ✉ **31100** Toulouse :

Diane, 3 rte St-Simon ✆ 61 07 59 52, Télex 530518, Fax 61 86 38 94, 🌳, 🏊, 🏞 – TV ☎ P – 🎤 30. AE ⓓ GB. 🚫 rest
R *(fermé sam. midi, dim. et fériés)* 130/170 – ☕ 42 – **35 ch** 380/500 – ½ P 420/500.

Les Ombrages, 48 bis rte St Simon ✆ 61 07 61 28, 🌳 – P. AE ⓓ GB
fermé lundi – **R** 120/240, enf. 50.

à Tournefeuille par ⑨ : 8,5 km – 16 669 h. – ✉ **31170** :

Les Chanterelles 🌿 sans rest, S : 1 km par D 63 ✆ 61 86 21 86, « Pavillons dans un jardin fleuri et ombragé » – TV ☎ 🚗 P. 🚫
☕ 30 – **7 ch** 260/350.

à Colomiers par ⑩ : 12 km – 26 979 h. – ✉ **31770** :

Castella et rest. Le Columerin, près église ✆ 61 78 68 68, Télex 530893 – TV ☎ P – 🎤 25. GB
fermé août – **R** *(fermé dim. soir et lundi)* 65/200 🍷, enf. 50 – ☕ 22 – **32 ch** 220/250 – ½ P 180.

à Purpan O : 6 km par N 24 – ✉ **31300** Toulouse :

Novotel M, ✆ 61 49 34 10, Télex 520640, Fax 61 49 63 37, 🌳, 🏊, 🏞, 🎾 – 🛗 🚭 ch ▤ TV ☎ ♿ P – 🎤 150. AE ⓓ GB AU **a**
R carte environ 150 🍷, enf. 52 – ☕ 47 – **123 ch** 425/450.

à St-Martin-du-Touch O : 8 km par N 124 – ✉ **31300** Toulouse :

Airport H. M sans rest, 176 rte Bayonne ✆ 61 49 68 78, Télex 521752, Fax 61 49 73 66 – 🛗 TV ☎ 🚗 P. AE ⓓ GB AU **s**
☕ 29 – **45 ch** 279/309.

à Blagnac NO : 7 km – AT – 17 209 h. – ✉ **31700** :

Sofitel M, accès aéroport ✆ 61 71 11 25, Télex 520178, Fax 61 30 02 43, 🌳, 🏊, 🎾 – 🛗 🚭 ch ▤ TV ☎ P – 🎤 25 à 250. AE ⓓ GB JCB AT **e**
Le Caouec R 160/200 – ☕ 70 – **100 ch** 720/820.

Le Grand Noble M, accès aéroport ✆ 61 30 48 49, Télex 533953, Fax 61 71 85 60, 🌳 – 🛗 🚭 ch ▤ TV ☎ ♿ P – 🎤 30. AE GB
R 85/300, enf. 45 – ☕ 35 – **44 ch** 285/325 – ½ P 255/300.

XXX **Pujol,** 21 av. Gén. Compans ☎ 61 71 13 58, Fax 61 71 69 32, parc, 🏠 – 🅿. AE ⓓ GB AT **a**
fermé 8 au 30 août, 27 fév. au 6 mars, dim. (sauf le midi de sept. à juin) et sam. – **R** (nombre de couverts limité - prévenir) 200/230.

XXX **Horizon,** à l'aéroport par D 1^E ☎ 61 30 02 75, Fax 61 30 07 36, ← – ▤. AE ⓓ GB AT **f**
R carte 210 à 330.

MICHELIN, Agence régionale, ZI, 30 bd de Thibaud AV ☎ **61 41 11 54**

BMW Pelras, 145 r. N.-Vauquelin ☎ 61 41 53 53
BMW Soulié, 15 Gde-Rue-St-Michel ☎ 61 52 93 75
CITROEN Citroën Occitane, 142 av. des États-Unis BT **e** ☎ 61 47 67 01 **N**
CITROEN France Auto, 2 av. Crêtes à Ramonville-St-Agne par N 113 CV ☎ 61 73 81 73
CITROEN Samazan, 29 av. 14e-R.I. BV ☎ 61 52 90 17
CITROEN Carrière, rte de Castres, Lasbordes par ⑤ ☎ 61 24 24 27
FIAT, LANCIA-AUTOBIANCHI S.O.M.E.D.A., 58 rte de Bayonne ☎ 61 49 11 12
FIAT, LANCIA-AUTOBIANCHI AUTO NORD, 127 av. des États-Unis ☎ 61 47 14 00
FORD Auto-Services, 134 rte de Revel ☎ 61 36 86 86
FORD S.L.A.D.A., 83 bd Silvio-Trentin ☎ 61 47 24 24
FORD Auto-Services, 226 rte de Narbonne ☎ 61 73 26 91
HONDA-SEAT Mondial Auto, 109 av. des États-Unis ☎ 61 57 40 52 **N** ☎ 61 42 99 11
JAGUAR Bayard Autos, 143 av. des États-Unis ☎ 61 76 18 18
LADA Castel Auto, ZA Babinet, 4 r. E. Baudot ☎ 61 44 95 55
MERCEDES BENZ Antras Autos, 231 rte d'Albi ☎ 61 61 33 33 **N**
MITSUBISHI-PORSCHE, Alpas, 191 rte d'Albi ☎ 61 11 93 50
NISSAN Gar. Fittante, 6 r. 8 Mai 45 à Ramonville-St-Agne ☎ 61 75 82 42
NISSAN Languedoc Autos, 24 bd Matabiau ☎ 61 62 86 48
OPEL Général Autom., 16 allée Ch.-de-Fitte ☎ 61 42 91 36
OPEL Auto Plus Mirail, 123 r. N.-Vauquelin ☎ 61 44 22 99
OPEL GM Autefage et Magnoler, ZA r. Branly à Ramonville-St-Agne ☎ 61 73 00 00
PEUGEOT-TALBOT Ramonville Auto, 9 av. Crêtes à Ramonville-St-Agne par N 113 CV ☎ 61 73 23 21
PEUGEOT-TALBOT S.I.A.L., 105 av. des États-Unis BT **a** ☎ 61 47 67 67 **N** ☎ 61 54 60 60
PEUGEOT-TALBOT S.I.A.L., 28 av. Daurat CV ☎ 61 54 52 52
PEUGEOT-TALBOT S.I.A.L., r. L.-N.-Vauquelin AV ☎ 61 41 23 33 **N** ☎ 61 54 60 60
RENAULT Renault St Aubin, 32 r. Riquet HY ☎ 61 62 62 21 **N**
RENAULT Succursale, 75 av. des États-Unis BT ☎ 61 10 75 75 **N** ☎ 61 28 79 79
RENAULT Succursale, r. L.-N.-Vauquelin AV **a** ☎ 61 41 11 44 **N** ☎ 05 05 15 15
RENAULT Gar. Bonnefoy, 22 fg Bonnefoy HX ☎ 61 48 84 82
RENAULT Puel, 2 r. J.-Babinet AV ☎ 61 40 41 40
RENAULT Toulouse Montaudran Autom., 125 rte de Revel par ⑥ ☎ 61 54 42 54 **N**
RENAULT Stecav, che. de la Violette à l'Union CT ☎ 61 74 45 00 **N** ☎ 61 09 86 28
ROVER Sterling Autom., 7 rte de Labège à Labège ☎ 61 20 90 33
SAAB Central Garage, 8 r. G.-Péri ☎ 61 62 60 45
SEAT Arquier, rte de Castres, Lasbordes ☎ 61 24 05 92 **N** ☎ 61 42 99 11
TOYOTA Laville, 144 av. des États-Unis ☎ 61 57 52 00
V.A.G Centre Mirail Auto, ZA Babinet ☎ 61 44 44 44
V.A.G Toulouse Autos, à Labège ☎ 61 80 30 40 **N** ☎ 61 54 03 95
V.A.G S.C.A.U., 71 av. de Toulouse à l'Union ☎ 61 74 14 45
V.A.G Toulouse-Automobile, 34 Gde-R.-St-Michel ☎ 61 52 64 08
Gar. Vignard, r. E.-Branly à Ramonville-St-Agne ☎ 61 73 04 91

Ⓜ Bellet Pneus, 344 av. des États-Unis ☎ 61 37 13 14
Bellet-Pneus, 63 bd de Thibault ☎ 61 40 11 12
Central Pneu, 71 bd Marquette ☎ 61 21 68 13
Central Pneu, 19 av. Thibaud ☎ 61 40 28 72
Central Pneu, 82 r. N.-Vauquelin ☎ 61 40 36 86
Central Pneu, ZI Montaudran, 10 av. Daurat ☎ 61 80 19 98
Central-Pneu, 336 av. Fronton ☎ 61 47 59 59
Central-Pneu, av. E.-Serres à Colomiers ☎ 61 78 15 50
Escoffier-Pneus, 205 av. des États-Unis ☎ 61 47 80 80
Le Pneu, 1 rte de Bessières à l'Union ☎ 61 74 23 33
Martignon-Pneus, ZA du Moulin à Aussonne ☎ 61 85 03 53
Pons Pneus, ZA Ribaute à Quint ☎ 61 24 40 94
Taquipneu, 45 rte de Paris à Ancamville ☎ 61 37 10 10
Toulouse-Pneu, ZI de Prat-Gimont, Balma ☎ 61 48 62 04

TOUQUES 14 Calvados 55 ③ – rattaché à Deauville.

Le TOUQUET-PARIS-PLAGE 62520 P.-de-C. 51 ⑪ **G. Flandres Artois Picardie** – 5 596 h. alt. 10 – Casinos La Forêt BZ, Quatre saisons AY.

Voir Phare ←** BY **R** – Vallée de la Canche* par ①.

⛳9 ⛳18 ⛳18 ☎ 21 05 68 47, S : 2,5 km par ②.

✈ du Touquet-Paris-Plage : ☎ 21 05 01 76, E : 2,5 km.

ℹ Office de Tourisme Palais de l'Europe ☎ 21 05 21 65, Télex 134955.

Paris 221 – ♦Calais 63 – Abbeville 56 – Arras 98 – Boulogne-sur-Mer 31 – ♦Lille 128 – St-Omer 69.

LE TOUQUET-PARIS-PLAGE

Londres (R. de) . . . . . **AYZ** 13
Metz (R. de) . . . . **AYZ** 14
St-Jean (R.) . . . . **AZ** 24
St-Louis (R.) . . . . **AZ** 25

Aboudaram (Av. L.) . . . . **BZ** 2
Bourdonnais (Av.) . . . **ABY** 3
Bruxelles (R. de) . . . . . **AYZ** 4
Garet (R. Léon) . . . . **AY** 7
Hubert (Av. Louis) . . . **ABY** 10
Monnet (R. Jean) . . . . . **AZ** 15
Moscou (R. de) . . . . . . **AYZ** 16
Paix (Av. de la) . . . . **AZ** 17
Paix (R. de la) . . . . **AZ** 18
Paris (R. de) . . . . **AYZ** 19
St-Amand (R.) . . . . **AZ** 23
Verger (Av. du) . . . . **BZ** 27

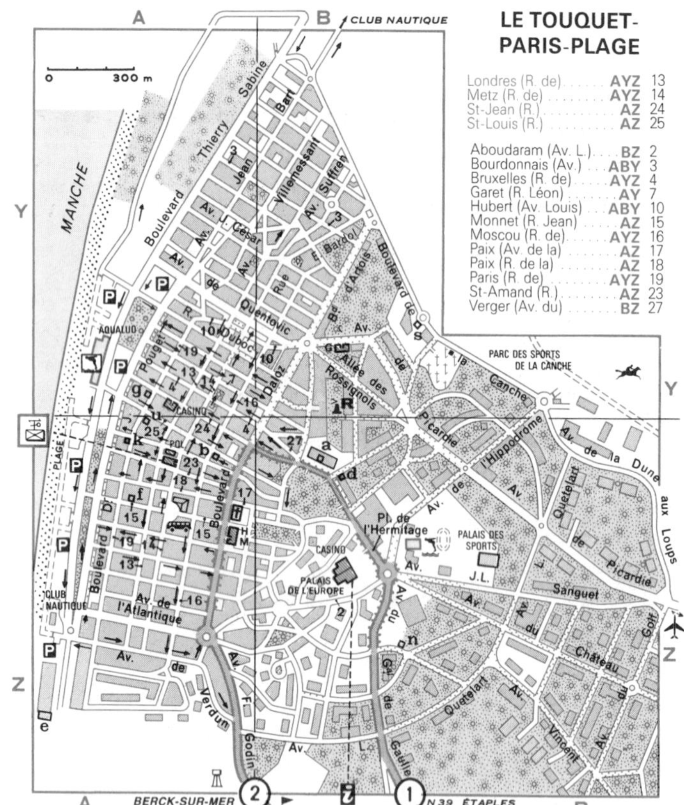

Westminster, av. Verger ✆ 21 05 48 48, Télex 160439, Fax 21 05 45 45 – 25 à 200. — BZ **a**
fermé 5 janv. au 15 fév. – **Le Pavillon** *(fermé 5 janv. au 1er mars)* **R** (dîner seul.) 220/380 – **Coffee Shop** *(fermé 5 janv. au 15 fév.)* **R** 150 bc – 60 – **113 ch** 675/985 – ½ P 650/790.

Grand Hôtel M, bd Canche ✆ 21 06 88 88, Télex 135765, Fax 21 06 87 87, rest – 160. — BY **s**
La Croisette R 190/210, enf. 95 – **Les Dauphins** (brasserie) **R** 95, enf. 60 – 65 – **128 ch** 800/920, 7 appart. – ½ P 625.

Le Picardy M, av. Mar. Foch ✆ 21 06 85 85, Télex 135726, Fax 21 06 85 00 – 80. rest — BZ **n**
Le Touquet's *(fermé merc. sauf le soir en juil.-août et jeudi midi)* **R** (dîner seul. en juil.-août) carte 240 à 375 – **La Mer R** carte 100 à 220, enf. 45 – 60 – **56 ch** 750/950, 32 duplex – ½ P 550/625.

Manoir H., aux Golfs par ② : 2,5 km ✆ 21 05 20 22, Télex 135565, Fax 21 05 31 26 – rest
R 180/395, enf. 70 – **41 ch** 690/1110 – ½ P 555/735.

Novotel M, sur la plage ✆ 21 09 85 00, Télex 160480, Fax 21 09 85 10, ≤, centre de thalassothérapie – rest – 25 à 120. rest — AZ **e**
fermé janv. – **R** 139/160, enf. 58 – 52 – **145 ch** 390/680, 9 appart. 535/850.

Bristol sans rest, r. J. Monnet ✆ 21 05 49 95, Télex 135506, Fax 21 05 90 93 – 40. — AZ **f**
50 – **48 ch** 470/650.

Forêt sans rest, 73 r. Moscou ✆ 21 05 09 88 — AZ **b**
vacances de nov. – 24 – **10 ch** 200/240.

Nouvel H. sans rest, 89 r. Paris ✆ 21 05 87 61 — AY **u**
15 mars-15 déc. – 28 – **20 ch** 140/300.

XXXX ✿ **Flavio-Club de la Forêt** (Delmotte), av. Verger ✆ 21 05 10 22, Fax 21 05 91 55, – AE ⓓ GB JCB BZ **d**
fermé 4 janv. au 19 fév., lundi (sauf juil.-août) et fériés – **R** 380/680
Spéc. Poêlée de langoustines et de Saint-Jacques aux artichauts (oct. à mai). Carte des homards. Escalope de foie gras de canard.

XX **Café des Arts,** 80 r. Paris ✆ 21 05 21 55 – AE ⓓ GB AYZ **g**
fermé vacances de Noël, janv., mardi (du 15 sept. au 1er juil.) et lundi – **R** 140/280.

X **Diamant Rose,** 110 r. Paris ✆ 21 05 38 10 – GB AZ **k**
fermé 1er au 15 oct., 20 déc. au 1er fév., mardi soir et merc. – **R** 87/126.

à l'Aéroport E : 2,5 km BZ :

XX **L'Escale,** ✆ 21 05 23 22 – Ⓟ. AE ⓓ GB
fermé jeudi soir sauf juil.-août – **R** 165 - **Brasserie R** 70bc/110 ♨, enf. 35.

à Stella-Plage par ② : 7 km – ✉ **62780** Cucq :

Dell'Hôtel, bd E. Labrasse ✆ 21 94 60 86, Fax 21 94 10 11 – ☎ Ⓟ. GB
fermé janv. – **R** 70/190 ♨, enf. 45 – ☐ 25 – **30 ch** 120/250 – ½ P 170/215.

RENAULT G.C.R. "Renault le Touquet" centre commercial de la Canche ✆ 21 94 91 00 🅽 ✆ 21 84 13 13

V.A.G Monclaire, Zone Commerciale la Canche ✆ 21 84 32 39

TOURCOING 59200 Nord 51 ⑥ G. Flandres Artois Picardie – 93 765 h. alt. 42.

🏌9 des Flandres (privé) ✆ 20 72 20 74, par ① : 9,5 km ; 🏌18 du Sart (privé) ✆ 20 72 02 51, par ① : 12 km ; 🏌18 🏌18 de Bondues ✆ 20 23 20 62, SO : 7 km ; 🏌18 de Brigode à Villeneuve d'Ascq ✆ 20 91 17 86 par ⑧ : 16 km.

🅸 Syndicat d'Initiative Parvis St-Christophe, pl. République ✆ 20 26 89 03 – A.C. 13 r. Desurmont ✆ 20 26 56 37.

Paris 234 ⑧ – ✦Lille 13 ⑧ – Kortrijk 19 ⑥ – Gent 61 ⑥ – Oostende 66 ⑦ – Roubaix 4 ②.

Plan page suivante

Novotel Ⓜ, au Nord près échangeur de Neuville-en-Ferrain ✉ 59535 Neuville-en-Ferrain ✆ 20 94 07 70, Télex 131656, Fax 20 94 08 80, , , – rest ☎ ♿ Ⓟ – 30 à 300. AE ⓓ GB plan Lille JKR **e**
R carte environ 140, enf. 50 – ☐ 50 – **108 ch** 415/470.

Ibis Ⓜ, r. Carnot ✆ 20 24 84 58, Télex 132695, Fax 20 26 29 58 – ☎ – 25. GB CY **a**
R 78/105 ♨, enf. 36 – ☐ 32 – **102 ch** 280/300 – ½ P 196/216.

XXX **La Saucière,** 189 bd Gambetta ✆ 20 26 67 90 – GB CZ **s**
fermé août, vacances de fév., sam. midi et dim. sauf fériés – **R** 180/250.

XXX **P'tit Bedon,** 5 bd Égalité ✆ 20 25 00 51, Fax 20 25 00 51 – AE ⓓ GB DY **k**
fermé 14 au 31 juil., 1er au 15 sept. et lundi – **R** 250 bc/450 bc.

XX **La Baratte,** 395 r. Clinquet (par D 950B) ✆ 20 94 45 63 – . AE GB
fermé 1er au 24 août, vacances de fév., sam. et dim. – **R** 97/290. plan de Lille JR **a**

XX **Le Plessy,** 31 av. Lefrançois ✆ 20 25 07 73 – AE ⓓ GB DZ **d**
fermé août, dim. soir et lundi – **R** 98/160.

CITROEN Cabour Vancauwenberghe r. du Dronckaert à Roncq ✆ 20 03 23 23 🅽 ✆ 20 75 40 03
FORD Gar. Ponthieux, 147 bis r. Dronckaert à Roncq ✆ 20 94 14 00 🅽 ✆ 20 75 40 03
PEUGEOT Gar. de L'Autoroute, 13 r. Dronckaert à Roncq par ⑦ ✆ 20 94 33 00
RENAULT D.I.A.N.O.R., 53 r. Dronckaert à Roncq par ⑦ ✆ 20 94 01 35 🅽 ✆ 28 40 36 96

RENAULT SNAT, 95 r. Tilleul DZ ✆ 20 26 74 18 🅽 ✆ 20 85 33 92
ROVER Gar. Devernay, 203 r. de Dunkerque ✆ 20 26 80 28
V.A.G Beulque, 20 r. Tilleul ✆ 20 24 36 45
VOLVO Schoon Automobiles, 88 r. du Blanc Seau ✆ 20 26 88 60

Ⓟ Nord-Pneu, 9 bis r. F.-Buisson ✆ 20 25 31 78

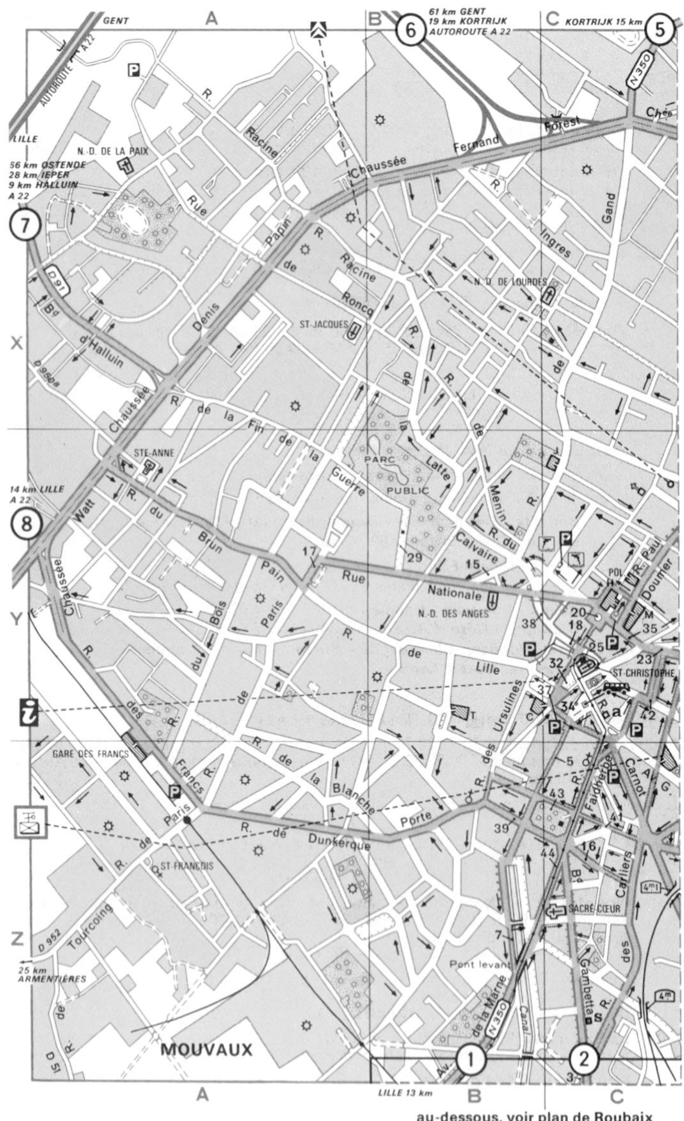

Avant de prendre la route, consultez la carte Michelin n° 911 "FRANCE – Grands Itinéraires".

Vous y trouverez :

- *votre kilométrage,*
- *votre temps de parcours,*
- *les zones à "bouchons" et les itinéraires de dégagement,*
- *les stations-service ouvertes 24 h/24...*

Votre route sera plus économique et plus sûre.

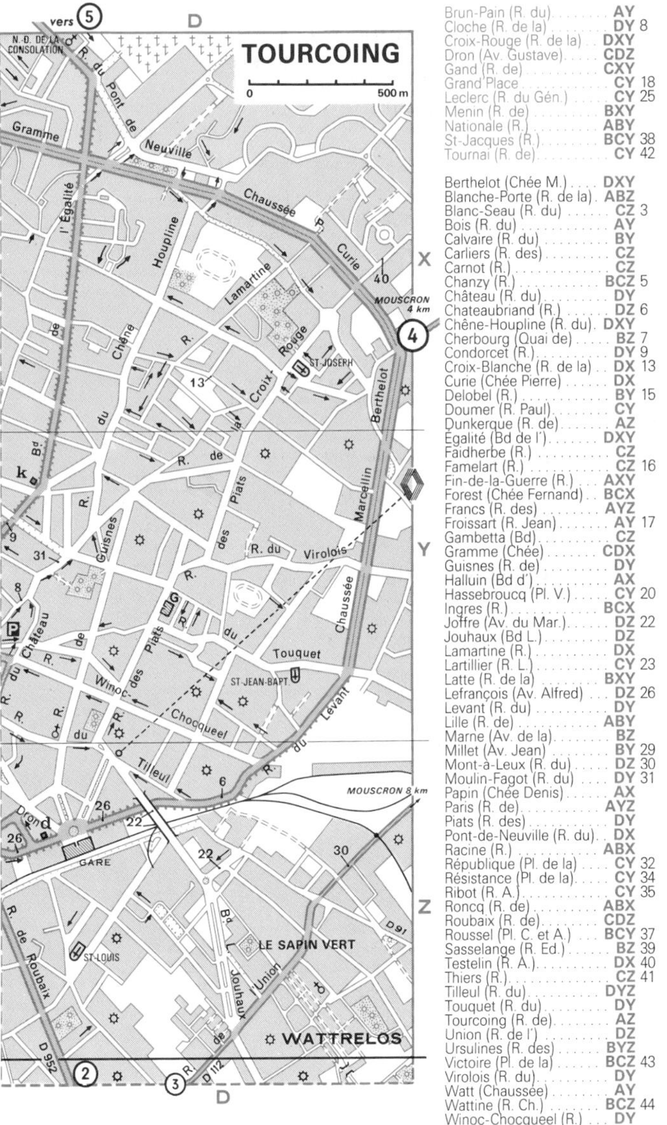

Brun-Pain (R. du) . . . . AY
Cloche (R. de la) . . . . DY 8
Croix-Rouge (R. de la) . . DXY
Dron (Av. Gustave) . . . . . CDZ
Gand (R. de) . . . . CXY
Grand'Place . . . . CY 18
Leclerc (R. du Gén.) . . . . . CY 25
Menin (R. de) . . . . BXY
Nationale (R.) . . . . ABY
St-Jacques (R.) . . . . BCY 38
Tournai (R. de) . . . . CY 42

Berthelot (Chée M.) . . . . DXY
Blanche-Porte (R. de la) . ABZ
Blanc-Seau (R. du) . . . . . . CZ 3
Bois (R. du) . . . . AY
Calvaire (R. du) . . . . BY
Carliers (R. des) . . . . CZ
Carnot (R.) . . . . CZ
Chanzy (R.) . . . . BCZ 5
Château (R. du) . . . . DY
Chateaubriand (R.) . . . . . . DZ 6
Chêne-Houpline (R. du) . DXY
Cherbourg (Quai de) . . . . . BZ 7
Condorcet (R.) . . . . DY 9
Croix-Blanche (R. de la) . . DX 13
Curie (Chée Pierre) . . . . . . DX
Delobel (R.) . . . . BY 15
Doumer (R. Paul) . . . . CY
Dunkerque (R. de) . . . . AZ
Égalité (Bd de l') . . . . DXY
Faidherbe (R.) . . . . CZ
Famelart (R.) . . . . CZ 16
Fin-de-la-Guerre (R.) . . . AXY
Forest (Chée Fernand) . . BCX
Francs (R. des) . . . . AYZ
Froissart (R. Jean) . . . . AY 17
Gambetta (Bd) . . . . CZ
Gramme (Chée) . . . . CDX
Guisnes (R. de) . . . . DY
Halluin (Bd d') . . . . AX
Hassebroucq (Pl. V.) . . . . . CY 20
Ingres (R.) . . . . BCX
Joffre (Av. du Mar.) . . . . . . DZ 22
Jouhaux (Bd L.) . . . . DZ
Lamartine (R.) . . . . DX
Lartillier (R. L.) . . . . CY 23
Latte (R. de la) . . . . BXY
Lefrançois (Av. Alfred) . . . DZ 26
Levant (R. du) . . . . DY
Lille (R. de) . . . . ABY
Marne (Av. de la) . . . . BZ
Millet (Av. Jean) . . . . BY 29
Mont-à-Leux (R. du) . . . . . DZ 30
Moulin-Fagot (R. du) . . . . . DY 31
Papin (Chée Denis) . . . . . . AX
Paris (R. de) . . . . AYZ
Piats (R. des) . . . . DY
Pont-de-Neuville (R. du) . . DX
Racine (R.) . . . . ABX
République (Pl. de la) . . . . CY 32
Résistance (Pl. de la) . . . . CY 34
Ribot (R. A.) . . . . CY 35
Roncq (R. de) . . . . ABX
Roubaix (R. de) . . . . CDZ
Roussel (Pl. C. et A.) . . . BCY 37
Sasselange (R. Ed.) . . . . . . BZ 39
Testelin (R. A.) . . . . DX 40
Thiers (R.) . . . . CZ 41
Tilleul (R. du) . . . . DYZ
Touquet (R. du) . . . . DY
Tourcoing (R. de) . . . . AZ
Union (R. de l') . . . . DZ
Ursulines (R. des) . . . . BYZ
Victoire (Pl. de la) . . . . . . BCZ 43
Virolois (R. du) . . . . DY
Watt (Chaussée) . . . . AY
Wattine (R. Ch.) . . . . BCZ 44
Winoc-Chocqueel (R.) . . . DY

Le TOUR-DU-PARC **56370** Morbihan 63 ⑬ – 672 h. alt. 16.

Paris 475 – Vannes 22 – Muzillac 22 – Redon 59 – La Roche-Bernard 37.

La Croix du Sud M 🔊, ☎ 97 67 30 20, Télex 951948, Fax 97 67 36 06, ⛱, 🌳, 🎾 – cuisinette TV ☎ ♿ P – 🏃 30. AE ⓓ GB
R 140/395 – ☕ 32 – **15 ch** 325/346, 9 appart. – ½ P 310/328.

La TOUR-DU-PIN <SP> **38110** Isère 74 ⑭ **G. Vallée du Rhône** – 6 770 h. alt. 339.

Paris 523 – ♦ Grenoble 66 – Aix-les-B. 53 – Chambéry 48 – Lyon 55 – Vienne 52.

France et rest. Bec Fin, 12 av. Alsace-Lorraine ☎ 74 97 00 08, Fax 74 97 36 47 – ☎ 🚗. GB
R *(fermé dim. soir)* 67/260 🍷, enf. 40 – ☕ 24 – **30 ch** 170/240 – ½ P 150/180.

à St-Didier-de-la-Tour E : 3 km par N 6 – ✉ **38110** :

XX **Lac,** ✆ 74 97 25 53, Fax 74 97 01 93, – **P**. AE O GB
fermé 15 janv. au 15 fév., mardi soir et merc. – **R** 130/240.

à Cessieu O : 6 km par N 6 – ✉ **38110** :

XX **La Gentilhommière** avec ch, ✆ 74 88 30 09, « Jardin » – TV **P**. AE O GB. ch
fermé 16 au 30 nov., dim. soir et lundi – **R** 130/280, enf. 60 – 28 – **7 ch** 230/280.

à Faverges-de-la-Tour E : 10 km par N 516, N 75 et D 145 – ✉ **38110** :

Château de Faverges, ✆ 74 97 42 52, Télex 300372, Fax 74 88 86 40, « Beaux aménagements intérieurs, parc, golf » – TV **P** – 100. AE O GB. rest
9 mai-1er nov. – **R** *(fermé dim. soir et lundi sauf juil.-août)* 250/470 – 80 – **34 ch** 850/1500, 4 appart. 1850 – ½ P 830/1160.

CITROEN Gar. Vial, N 6 ZI à St-Jean-de-Soudain ✆ 74 97 30 34
CITROEN Monin, à St-Clair-de-la-Tour ✆ 74 97 10 82
OPEL Gar. du Centre, 1 r. P.-Vincendon ✆ 74 97 04 57
PEUGEOT-TALBOT Brochier, 9 r. Bruyères ✆ 74 97 03 68
RENAULT Tour-Autos, ZI à St-Jean-de-Soudain ✆ 74 97 25 63
Alp'Gar., 23 r. Pasteur ✆ 74 97 09 84

Bargeon-Pneus, 60 av. Alsace-Lorraine ✆ 74 97 32 05

TOURMALET (Col du) 65 H.-Pyr. 85 ⑱ **G. Pyrénées Aquitaine** – alt. 2 114.
Voir ☼★★.
Env. Pic du Midi de Bigorre ☼★★★ - observatoire – Accès par le col du Tourmalet 5,5 km par route à péage ouverte en été.
Paris 845 – Luz-St-Sauveur 18 – La Mongie 4.

TOURNAN-EN-BRIE 77220 S.-et-M. 61 ② – 5 528 h. alt. 99.
Paris 44 – Brie-Comte-Robert 13 – Meaux 29 – Melun 26 – Provins 48.

XX **Aub. La Tourelle,** 1 r. Melun ✆ (1) 64 25 32 23, – GB
fermé 1 au 15 mars, 3 au 26 août et merc. – **R** (déj. seul.) carte 160 à 280.

FORD Gar. de l'Égalité ✆ 64 07 01 60
SEAT Gar. de la Sécurité ✆ 64 07 04 06

TOURNEFEUILLE 31 H.-Gar. 82 ⑦ – rattaché à Toulouse.

TOURNOISIS 45310 Loiret 60 ⑱ – 332 h.
Paris 125 – ◆Orléans 27 – Châteaudun 23 – Beaugency 33 – Blois 63.

XX **Relais St-Jacques** avec ch, ✆ 38 80 87 03, Fax 38 80 81 46 – TV. GB
fermé vacances de fév., dim. soir et lundi du 15 sept. au 30 juin – **R** 68/170, enf. 45 – 26 – **5 ch** 160/220 – ½ P 200/300.

TOURNON-D'AGENAIS 47370 L.-et-G. 79 ⑥ **G. Pyrénées Aquitaine** – 839 h. alt. 167.
Voir Site★.
Paris 613 – Agen 42 – Cahors 45 – Castelsarrasin 50 – Montauban 63 – Villeneuve-sur-Lot 25.

Midi, ✆ 53 40 70 08, –
fermé 31 août au 23 sept., vacances de fév., vend. soir et sam. sauf juil.-août – **R** 85/100, enf. 35 – 22 – **12 ch** 90/180 – ½ P 190/220.

X **Petite Auberge,** ✆ 53 40 72 51, ←
fermé 9 au 15 juin, 5 au 30 oct., le soir de nov. à Pâques, dim. soir et lundi – **R** 80/170.

RENAULT Gar. Mirabel ✆ 53 40 72 07 **N** ✆ 53 40 73 79

TOURNON-SUR-RHÔNE 07 Ardèche 77 ① – rattaché à Tain-Tournon.

TOURNUS 71700 S.-et-L. 69 ⑳ **G. Bourgogne** – 6 568 h. alt. 193.
Voir Ancienne abbaye★ : église St-Philibert★★.
Office de Tourisme 2 pl. Carnot (mars-oct.) ✆ 85 51 13 10.
Paris 362 ① – Chalon-sur-Saône 27 ① – Bourg-en-Bresse 51 ② – Charolles 60 ③ – Lons-le-Saunier 56 ② – Louhans 29 ② – ◆Lyon 103 ② – Mâcon 31 ② – Montceau-les-Mines 65 ①.

Plan page suivante

✿ **Le Rempart** M, 2 av. Gambetta **(x)** ✆ 85 51 10 56, Télex 351019, Fax 85 40 77 22 – TV **P** – 60. AE O GB
R 155/395, enf. 88 – 50 – **31 ch** 365/780, 6 appart. 750/1100 – ½ P 405/565
Spéc. Salade de queues de langoustines rôties, Poulet de Bresse sauté, Douceur au guanaja. **Vins** Mâcon-Igé blanc et rouge.

H. de Greuze M sans rest, 5 r. A. Thibaudet **(e)** ✆ 85 40 77 77, Télex 351055, Fax 85 40 77 23 – TV **P**. AE O GB JCB
80 – **19 ch** 620/1200.

Le Sauvage, pl. Champ de Mars **(u)** ✆ 85 51 14 45, Télex 800726, Fax 85 32 10 27 – 🛗 ▤ rest TV ☎ 🚗 🅿. AE ⦿ GB JCB
fermé 12 nov. au 18 déc. – **R** 85/250, enf. 45 – ☕ 39 – **30 ch** 292/500 – ½ P 284/306.

Paix, 9 r. J. Jaurès **(k)** ✆ 85 51 01 85, Fax 85 51 02 30 – TV ☎ ♿ 🚗. AE ⦿ GB
fermé 28 avril au 5 mai, 20 au 30 oct., 9 janv. au 3 fév., merc. midi et mardi sauf juil.-août – **R** 77/210 🍷, enf. 48 – ☕ 38 – **23 ch** 246/306 – ½ P 235/276.

✿✿ **Rest. Greuze** (Ducloux), 1 r. A. Thibaudet **(e)** ✆ 85 51 13 52, Fax 85 40 75 42 – ▤. AE GB
fermé 1er au 10 déc. – **R** 260/490 et carte
Spéc. Pâté en croûte "Alexandre Dumaine", Quenelle de brochet "Henri Racouchot", Poulet sauté "Jean Ducloux". **Vins** Mâcon-Villages, Beaujolais-Villages.

Terrasses M avec ch, 18 av. 23-Janvier **(d)** ✆ 85 51 01 74, Fax 85 51 09 99 – ☎ 🚗 🅿. GB
fermé 26 oct. au 2 nov., 4 janv. au 4 fév., dim. soir et lundi – **Repas** 75/210, enf. 48 – ☕ 28 – **18 ch** 210/265.

Terminus M avec ch, 21 av. Gambetta **(s)** ✆ 85 51 05 54, Fax 85 32 55 15, 🌳 – ▤ rest TV ☎ 🅿. GB
fermé 7 au 31 janv., dim. soir et merc. sauf juil.-août – **R** 75/250 🍷, enf. 45 – ☕ 28 – **13 ch** 185/250.

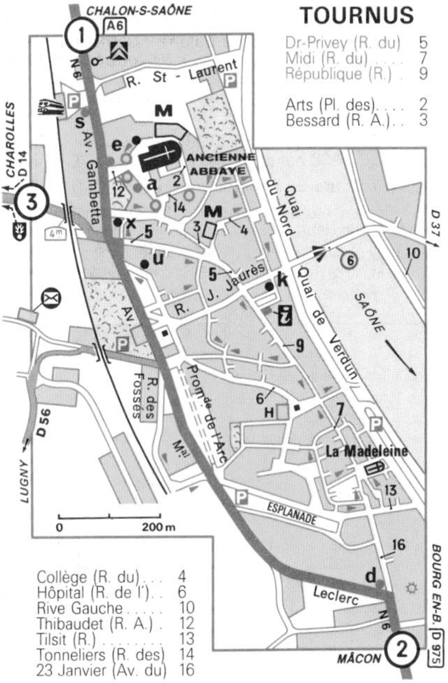

Relais de l'Abbaye, pl. Abbaye **(a)** ✆ 85 40 72 72, 🌳 – GB
fermé jeudi de nov. à mars – **R** 100/190 🍷, enf. 40.

TOURNUS

Dr-Privey (R. du) 5
Midi (R. du) 7
République (R.) 9

Arts (Pl. des) 2
Bessard (R. A.) 3

Collège (R. du) 4
Hôpital (R. de l') 6
Rive Gauche 10
Thibaudet (R. A.) 12
Tilsit (R.) 13
Tonneliers (R. des) 14
23 Janvier (Av. du) 16

à Lacrost E : 2 km par D 37 – ✉ 71700 :

Petite Auberge, ✆ 85 51 18 59 – GB
fermé 16 au 26 mars, 1er au 17 sept., dim. soir et lundi – **R** 63/168 🍷.

à Brancion par ③ D 14 : 14 km – ✉ 71700 Tournus.

Voir Donjon du château ⋞★.

Montagne de Brancion M 🐎 sans rest, au col de Brancion ✆ 85 51 12 40, Fax 85 51 18 64, ⋞ monts du Mâconnais, 🏊, 🌳 – ☎ 🅿 – 🏛 50. AE ⦿ GB
15mars-début nov. – ☕ 50 – **20 ch** 390/560.

CITROEN Gar. Guillemaut, 4 av. Pasteur ✆ 85 51 03 17
FORD Gar. Pagneux, 3 av. Gambetta ✆ 85 51 06 45 **N** ✆ 85 51 02 03

RENAULT Gar. Pageaud, 3 rte de Paris par ① ✆ 85 51 07 05

Ⓜ Bayle Pneumatiques, r. Georges Mazoyer ✆ 85 51 14 14

TOURRETTES-SUR-LOUP 06140 Alpes-Mar. 84 ⑨ 195 ㉕ **G. Côte d'Azur** – 3 449 h. alt. 400.

Voir Vieux village★.

Paris 934 – ♦ Nice 26 – Grasse 20 – Vence 5.

Aub. Belles Terrasses, rte Vence : 1 km ✆ 93 59 30 03, ⋞ – ☎ 🚗. GB
R *(fermé 12 au 30 nov. et lundi)* 80/135 – ☕ 25 – **15 ch** 185/220 – ½ P 215.

Grive Dorée, rte Grasse ✆ 93 59 30 05, ⋞, 🌳 – ☎
fermé 5 au 28 janv. – **R** 100/180, enf. 55 – ☕ 30 – **14 ch** 190/260 – ½ P 215/240.

Petit Manoir, 21 Grande Rue (accès piétonnier) ✆ 93 24 19 19 – AE GB
fermé 16 au 30 nov., vacances de fév., le midi en juil.-août, dim. soir et merc. – **R** 130/210.

Chantecler, rte Vence ✆ 93 59 34 22, ⋞, 🌳 – GB
fermé nov. et merc. – **R** 100 (sauf sam.)/180.

Europe

Si le nom d'un hôtel figure en petits caractères demandez, à l'arrivée, les conditions à l'hôtelier.

TOURS P 37000 I.-et-L. 64 ⑮ **G. Châteaux de la Loire** – 129 509 h. alt. 48.

Voir Quartier de la cathédrale★★ : Cathédrale★★ CY, musée des Beaux-Arts★★ CY **M2**, Historial de Touraine★ (château) CY, La Psalette★ CY **F**, Place Grégoire de Tours★ CY **20** – Vieux Tours★★ : Place Plumereau★ AY , hôtel Gouin★ AY **M4**, rue Briçonnet★ AY 3 – Quartier de St-Julien★ : musée du Compagnonnage★★ BY **M5**, Jardin de Beaune-Semblançay★ BY **B** – Prieuré de St-Cosme★ O : 3 km V **E** – Grange de Meslay★ NE : 10 km par ②.

18 de Touraine ✆ 47 53 20 28 ; domaine de la Touche à Ballan-Miré par ⑪ : 14 km ; 18 d'Ardrée ✆ 47 56 77 38 par ⑭, N 138 puis D 76 et VC : 14 km.

✈ de Tours-St-Symphorien : T.A.T. ✆ 47 51 94 22, NE : 7 km U.

ℹ Office de Tourisme et Accueil de France (Informations et réservations d'hôtels, pas plus de 5 jours à l'avance) bd Heurteloup ✆ 47 05 58 08, Télex 750008 – A.C. 4 pl. J.-Jaurès ✆ 47 05 50 19.

Paris 237 ③ – Angers 109 ⑬ – ♦Bordeaux 346 ⑩ – Chartres 140 ② – ♦Clermont-Ferrand 335 ⑦ – ♦Limoges 220 ⑩ – ♦Le Mans 80 ⑮ – ♦Orléans 115 ③ – ♦Rennes 219 ⑮ – ♦St-Étienne 474 ⑦.

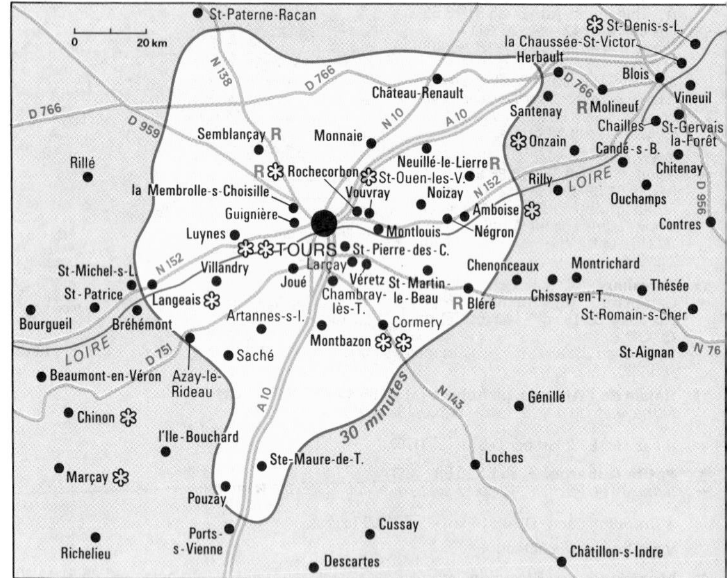

Jean Bardet M ⑤, 57 r. Groison ✉ 37100 ✆ 47 41 41 11, Télex 752463, Fax 47 51 68 72, ←, « Parc », ⛱ – ▤ rest ☐ ☎ P. AE ⓞ GB JCB U k
fermé 21 fév. au 9 mars – **R** *(fermé lundi sauf le soir d'avril à oct. et dim. soir de nov. à mars sauf fériés)* 300/750 et carte, enf. 150 – ☐ 110 – **16 ch** 650/1300, 5 appart. 1800
Spéc. Saumon mi-fumé en harmonie de jeunes poireaux, Gésier de canard et homard rôti au four, Pintadeau fermier truffé. **Vins** Vouvray, Bourgueil.

Alliance M, 292 av. Grammont ✉ 37200 ✆ 47 28 00 80, Télex 750922, Fax 47 27 77 61, ←, ⛱, ☐ – ☐ ☐ ch ▤ ☐ ☎ P – ⛯ 200. AE ⓞ GB JCB X s
R carte 200 à 310, enf. 60 – ☐ 55 – **119 ch** 440/515, 6 appart..

H. de Groison et rest. Jardin du Castel M ⑤, 16 r. Groison ✉ 37100 ✆ 47 41 94 40, Fax 47 51 50 28, ⛱, « Ancien hôtel particulier du 18e siècle », ☐ – ☐ ☎ ⇔. AE ⓞ GB U f
fermé 15 janv. au 15 fév. – **R** *(fermé sam. midi et merc.)* 220/430 – ☐ 78 – **10 ch** 490/750 – ½ P 603/750.

Harmonie M, 15 r. F. Joliot-Curie ✆ 47 66 01 48, Télex 752587, Fax 47 61 66 38, ✕ – ☐ ☐ ch ☐ ☎ ♿ ⇔. AE GB JCB CZ b
hôtel : fermé 20 déc. au 5 janv. ; rest. : fermé 31 oct. au 1er mars, sam. et dim. en saison – **R** (dîner seul.) 99 – ☐ 48 – **48 ch** 360/750, 6 appart. 550/885.

Royal M sans rest, 65 av. Grammont ✆ 47 64 71 78, Télex 752006, Fax 47 05 84 62 – ☐ ☐ ☎ ♿ ⇔ – ⛯ 40. AE ⓞ GB V s
☐ 36 – **50 ch** 306/362.

Univers et rest. La Touraine, 5 bd Heurteloup ✆ 47 05 37 12, Télex 751460, Fax 47 61 51 80 – ☐ ☐ ☎ ⇔ – ⛯ 30. AE ⓞ GB BZ u
R *(fermé sam.)* 180/200 – ☐ 47 – **89 ch** 400/630.

TOURS

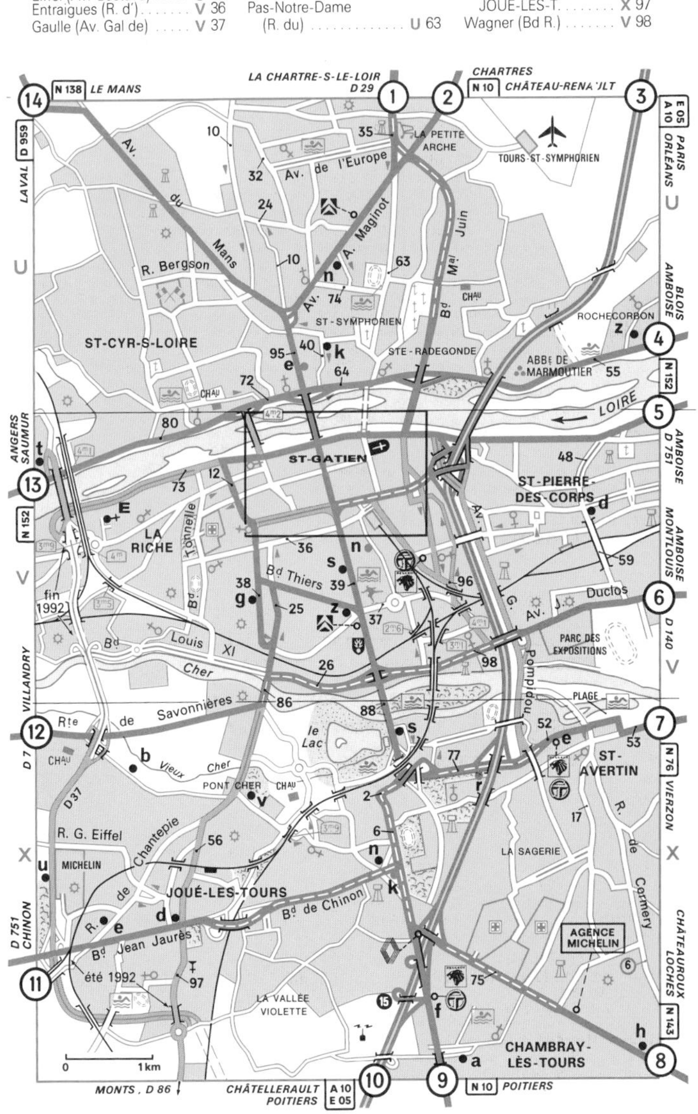

LA CHARTRE-S-LE-LOIR D 29
CHARTRES
N 10 CHÂTEAU-RENAULT
N 138 LE MANS
D 959 LAVAL
E 05 A 10 PARIS ORLÉANS
TOURS-ST-SYMPHORIEN
LA PETITE ARCHE
Av. de l'Europe
Av. du Mans
A. Maginot
Bd Mal Juin
R. Bergson
ST-CYR-S-LOIRE
ST-SYMPHORIEN
STE-RADEGONDE
ROCHECORBON
BLOIS AMBOISE
ABBé DE MARMOUTIER
N 152
LOIRE
ST-GATIEN
ANGERS SAUMUR
AMBOISE D 751
ST-PIERRE-DES-CORPS
LA RICHE
Tonnelle
AMBOISE MONTLOUIS
Bd Thiers
Duclos
Av. J.
fin 1992
Bd Louis XI
Cher
PARC DES EXPOSITIONS
D 140
Pompidou
VILLANDRY
PLAGE
Rte de Savonnières
le Lac
D 7
Vieux Cher
ST-AVERTIN
N 76 VIERZON
PONT CHER
D 37
R. G. Eiffel
R. de Chantepie
LA SAGERIE
MICHELIN
R. de Cormery
JOUÉ-LES-TOURS
Bd de Chinon
D 751 CHINON
Bd Jean Jaurès
AGENCE MICHELIN
CHÂTEAUROUX LOCHES
été 1992
LA VALLÉE VIOLETTE
N 143
CHAMBRAY-LÈS-TOURS
0 1 km
MONTS, D 86
CHÂTELLERAULT POITIERS A 10 E 05
N 10 POITIERS

TOURS

Pour aller loin rapidement, utilisez les cartes Michelin à 1/1 000 000.

To go a long way quickly, use Michelin maps at a scale of 1:1 000 000.

Utilizzate, per lunghi percorsi, la carte stradali Michelin in scala 1/1 000 000.

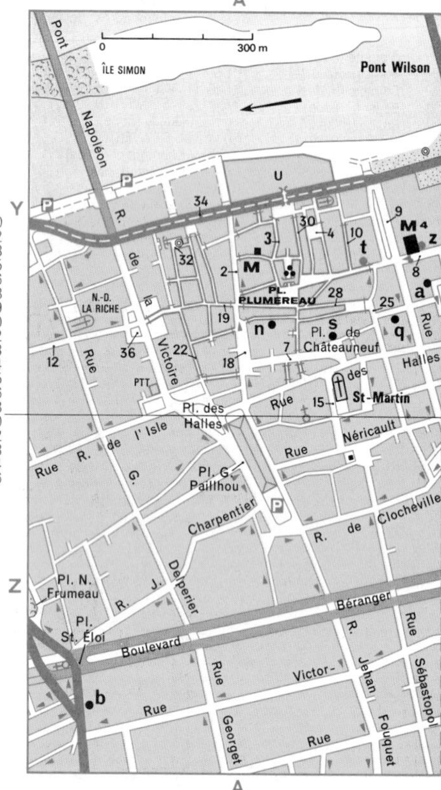

🏨 **Bordeaux,** 3 pl. Mar. Leclerc ✆ 47 05 40 32, Télex 750414, Fax 47 64 05 72 – 🛗 📺 ☎. AE ⓓ GB — BZ **t**
fermé 6 au 20 janv. – **R** 137 🍷 – ☕ 38 – **56 ch** 295/460 – ½ P 335/355.

🏨 **Le Francillon** Ⓜ, 9 r. Bons Enfants ✆ 47 66 44 66, Fax 47 66 17 18, 🌳 – 📺 ☎. AE GB — AY **s**
R *(fermé sam. midi et dim. midi)* 290/400, enf. 80 – ☕ 40 – **10 ch** 320/380 – ½ P 420.

🏨 **Altéa** Ⓜ, 4 pl. Thiers ✆ 47 05 50 05, Télex 752740, Fax 47 20 22 07 – 🛗 ▤ rest 📺 ☎ ♿ 🚗 Ⓟ – 🧑‍🏫 70. AE ⓓ GB — V **z**
R 160, enf. 50 – ☕ 48 – **120 ch** 420/590 – ½ P 453/503.

🏨 **Central H.** sans rest, 21 r. Berthelot ✆ 47 05 46 44, Télex 751173, Fax 47 66 10 26 – 🛗 📺 ☎ ♿ 🚗. AE ⓓ GB — BY **k**
☕ 40 – **41 ch** 280/380.

🏨 **Criden** Ⓜ sans rest, 65 bd Heurteloup ✆ 47 20 81 14 – 🛗 📺 ☎ 🚗. AE ⓓ GB JCB — CZ **g**
☕ 34 – **32 ch** 273/337.

🏨 **Mirabeau** sans rest, 89 bis bd Heurteloup ✆ 47 05 24 60, Fax 47 05 31 09 – 🛗 📺 ☎. AE GB JCB — CZ **e**
☕ 28 – **25 ch** 250/310.

🏨 **Châteaux de la Loire** sans rest, 12 r. Gambetta ✆ 47 05 10 05, Fax 47 20 20 14 – 🛗 📺 ☎. AE ⓓ GB — BZ **x**
fermé 20 déc. au 10 fév., sam. et dim. en nov., déc et fév. – ☕ 29 – **32 ch** 190/273.

🏨 **Relais Bleus** Ⓜ, 8 r. Giraudeau ✆ 47 38 18 19, Télex 752394, Fax 47 39 05 38 – 🛗 ▤ rest 📺 ☎ ♿ 🚗 – 🧑‍🏫 35. AE GB JCB — AZ **b**
R *(fermé sam. et dim. du 11 nov. au 15 mars)* 78/200, enf. 43 – ☕ 35 – **56 ch** 340/375 – ½ P 250/290.

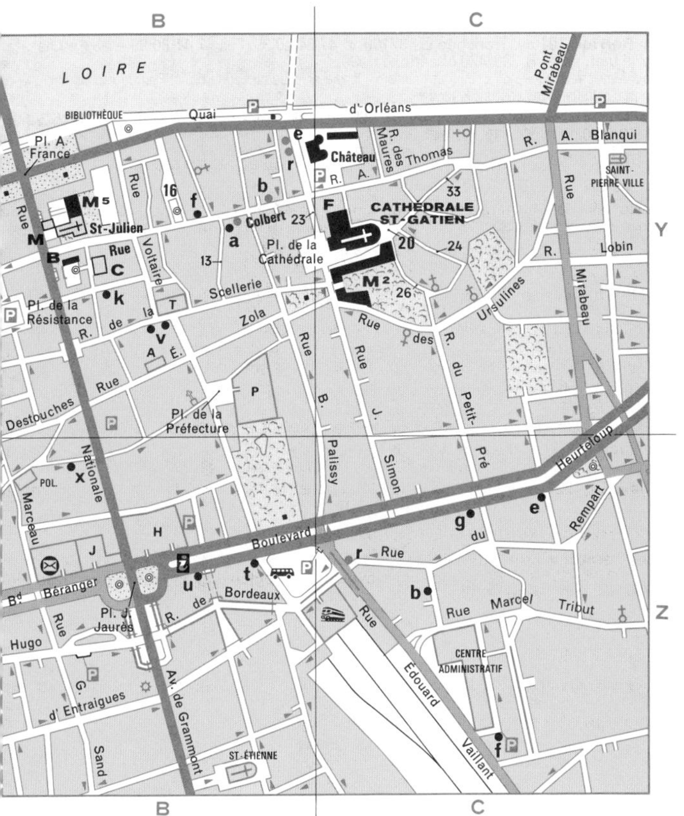

Fimotel [M], 247 r. Giraudeau ☎ 47 37 00 36, Fax 47 38 50 91 – ⎕ TV ☎ ♿ P – 🏛 40. AE ⓓ GB V **g**
R 75/95 ♀, enf. 36 – ☕ 34 – **48 ch** 270/350 – ½ P 235/260.

Otelinn [M], bd Mar. Juin ✉ 37100 ☎ 47 41 67 67, Fax 47 49 02 21 – TV ☎ ♿ P – 🏛 50. AE ⓓ GB JCB
R *(fermé dim. de nov. à mars)* 72/125 – ☕ 30 – **50 ch** 250/265 – ½ P 225.

Colbert sans rest, 78 r. Colbert ☎ 47 66 61 56 – TV ☎. AE ⓓ GB BY **f**
☕ 30 – **18 ch** 140/300.

Cygne sans rest, 6 r. Cygne ☎ 47 66 66 41, Fax 47 20 18 76 – TV ☎ 🚗. AE ⓓ GB BY **a**
☕ 25 – **19 ch** 120/340.

Italia sans rest, 19 r. Devilde ✉ 37100 ☎ 47 54 43 01 – TV ☎ P. GB U **n**
☕ 23 – **20 ch** 160/230.

Mondial sans rest, 3 pl. Résistance ☎ 47 05 62 68 – TV ☎. AE ⓓ GB AY **a**
☕ 24 – **18 ch** 120/270.

Arcade [M], 1 r. G. Claude ☎ 47 61 44 44, Télex 751201, Fax 47 64 60 79 – ⎕ TV ☎ ♿ 🚗 – 🏛 30. AE GB V **f**
R *(fermé 24 déc. au 2 janv., sam. et dim. du 10 nov. au 10 mars)* 70 bc/110 bc enf. 45 – ☕ 37 – **139 ch** 325/350.

Choiseul sans rest, 12 r. Rôtisserie ☎ 47 20 85 76 – TV ☎. GB. ✗ AY **n**
☕ 25 – **17 ch** 170/250.

Balzac sans rest, 47 r. Scellerie ☎ 47 05 40 87 – TV ☎. GB BY **v**
☕ 29 – **20 ch** 154/264.

Théâtre sans rest, 57 r. Scellerie ☎ 47 05 31 29, Fax 47 61 14 22 – TV ☎. AE ⓓ GB BY **v**
☕ 26 – **14 ch** 190/260.

Foch sans rest, 20 r. Mar. Foch ☎ 47 05 70 59, Fax 47 20 95 10 – ☎. GB AY **q**
☕ 28 – **15 ch** 145/245.

XXXX ✿✿ **Barrier,** 101 av. Tranchée ✉ 37100 ✆ 47 54 20 39, Fax 47 41 80 95 – ▤ P. GB
fermé dim. soir – **R** 230/420 et carte, enf. 90 — U e
Spéc. Matelote d'anguille au Chinon et pruneaux, Sandre en peau au beurre blanc, Pied de cochon farci aux ris d'agneau et truffes. Vins Vouvray, Bourgueil.

XXX ✿ **La Roche Le Roy** (Couturier), 55 rte St Avertin ✉ 37200 ✆ 47 27 22 00, Fax 47 28 08 39, 🍽 – P. AE GB — X r
fermé 1er au 24 août, sam. midi et dim. – **R** 198/275, enf. 65
Spéc. Brandade de sandre au beurre de pamplemousse, Aiguillettes de pigeonneau à l'échalote confite, Soufflé chaud aux fruits. Vins Chinon, St Nicolas de Bourgueil.

XXX **La Rôtisserie Tourangelle,** 23 r. Commerce ✆ 47 05 71 21, 🍽 – AE ⓓ GB — AY z
fermé 23 au 30 nov., 9 au 28 fév., dim. soir et lundi – **R** 90/250, enf. 70.

XX **Les Tuffeaux,** 19 r. Lavoisier ✆ 47 47 19 89 – ▤. GB — BY r
fermé 13 au 27 juil., lundi midi et dim. – **R** 150/200.

XX **L'Atlantic,** 59 r. Commerce ✆ 47 64 78 41, poissons et fruits de mer – ▤. GB — AY t
fermé 1er août au 1er sept., dim. soir et lundi – **R** carte 170 à 270.

XX **Les Gais Lurons,** 15 r. Lavoisier ✆ 47 64 75 50 – GB — BY e
fermé 15 au 31 août, 23 déc. au 2 janv., sam. midi et dim. – **R** 98/190.

XX **L'Odéon,** 10 pl. Mar. Leclerc ✆ 47 20 12 65 – AE ⓓ GB — CZ r
fermé dim. – **R** 95/150 ♁.

XX **Le Lys,** 63 r. B. Pascal ✆ 47 05 27 92 – GB — V n
fermé 27 juil. au 18 août, 23 déc. au 5 janv., dim. soir et lundi – **R** 95/280.

X **La Ruche,** 105 r. Colbert ✆ 47 66 69 83 – GB JCB — BY a
fermé 27 juil. au 4 août, 21 déc. au 13 janv., lundi midi, sam. midi et dim. – **R** 78/120.

X **Bigarade,** 122 r. Colbert ✆ 47 05 48 81 – ▤. GB — BY b
fermé 1er au 15 août, merc. midi et mardi – **R** 90/230.

à Rochecorbon NE : rte de Blois par ④ – ✉ **37210** :

🏨 ✿ **Les Hautes Roches** M 🌿, 86 quai Loire ✆ 47 52 88 88, Télex 300121, Fax 47 52 81 30, ≤, 🍽, « Anciennes habitations troglodytiques aménagées avec élégance » – |‡| TV ☎ P. AE GB
fermé 15 janv. au 15 mars – **R** *(fermé dim. soir et lundi sauf fériés)* 220/300 – ☕ 65 – **8 ch** 580/995, 3 appart. 1300 – ½ P 615/975
Spéc. Dos de rouget à la lie de vin, Turbot aux ravioles de Sainte-Maure, Tarte fine aux pommes caramélisées. Vins Vouvray, Chinon.

🏨 **Les Fontaines St Georges** sans rest, 6 quai Loire ✆ 47 52 52 86, 🌳 – ☎ P. AE ⓓ GB
fermé 17 au 28 fév. et lundi soir en hiver – ☕ 35 – **15 ch** 200/350. — U z

XXX **L'Oubliette,** ✆ 47 52 50 49, « Salles troglodytiques » – GB
fermé 24 août au 6 sept., dim. soir et lundi – **Repas** 118 (sauf sam. soir)/258.

XX **La Lanterne,** 48 quai Loire ✆ 47 52 50 02, Fax 47 52 54 46, 🍽 – P. AE GB
fermé mi-janv. à fin fév., dim. soir et lundi sauf fériés – **R** 120/260.

à St-Pierre-des-Corps E : 3,5 km - V – 17 947 h. – ✉ **37700** :

🏨 **Dancotel** M, 10 r. J.-Moulin ✆ 47 44 44 67, Télex 752116, Fax 47 63 19 47 – |‡| ▤ rest TV ☎ P – 🏛 25 à 100. AE ⓓ GB — V d
R snack *(fermé dim. soir en hiver)* 71/145 ♁, enf. 35 – ☕ 28 – **32 ch** 245/257 – ½ P 260.

à Joué-lès-Tours SO : 5 km par rte de Chinon - X – 36 798 h. – ✉ **37300** :

🏨 **de l'Espace et rest. les Bretonnières** M, parc des Bretonnières ✆ 47 67 54 54, Télex 752758, Fax 47 67 54 70, 🍽, 🏊 – |‡| ⇔ ch ▤ TV ☎ ♿ P. AE ⓓ GB JCB
R *(fermé dim. soir en hiver)* 160, enf. 65 – ☕ 50 – **74 ch** 500/680. — X u

🏨 **Château de Beaulieu** 🌿, rte Villandry ✆ 47 53 20 26, Fax 47 53 84 20, ≤, parc – TV ☎ P – 🏛 25. AE GB — X b
R 195/395, enf. 100 – ☕ 48 – **19 ch** 430/660 – ½ P 380/530.

🏨 **Escurial** M, 4 r. E. Branly ✆ 47 53 60 00, Télex 752553, Fax 47 67 75 33 – |‡| TV ☎ ♿ P – 🏛 25 à 70. AE GB — X v
R *(fermé dim. soir en hiver)* 70/185 ♁, enf. 50 – ☕ 30 – **60 ch** 240/280 – ½ P 250/290.

🏨 **Parc** M sans rest, 17 bd Chinon ✆ 47 25 15 38, Fax 47 25 11 43 – |‡| TV ☎ P. GB
☕ 35 – **30ch** 265/285. — X n

🏨 **Chantepie** 🌿 sans rest, r. Chantepie ✆ 47 53 06 09, Fax 47 67 89 25 – TV ☎ P. GB
fermé vacances de Noël – ☕ 34 – **28 ch** 260/280. — X e

🏨 **Chéops** M, bd J. Jaurès ✆ 47 67 72 72, Fax 47 67 85 38 – |‡| TV ☎ ♿ 🚗 – 🏛 30. AE GB — X d
R 82/140, enf. 46 – ☕ 35 – **58 ch** 265/390.

🏨 **Ariane** M sans rest, 8 av. Lac par ⑪ ✆ 47 67 67 60, Fax 47 67 33 36 – TV ☎ ♿ P – 🏛 25. AE GB
fermé 20 déc. au 1er janv. – ☕ 28 – **31 ch** 249/269.

🏨 **Lac,** av. Lac par ⑪ ✆ 47 67 37 87, Fax 47 67 85 43 – TV ☎ ♿ P – 🏛 25. AE GB
R 67/149 ♁, enf. 39 – ☕ 29 – **21 ch** 269 – ½ P 230.

XX **Le Ronsard,** 47 av. Bordeaux (N 10) ✆ 47 25 13 44 – P. GB — X k
fermé 3 au 19 août, vacances de fév., dim. soir et lundi – **R** 130/265.

à Chambray-lès-Tours S : 6,5 km par rte de Poitiers - X – 8 190 h. – ✉ **37170** :

Novotel M, Z.I. La Vrillonnerie - N 10 ✆ 47 27 41 38, Télex 751206, Fax 47 27 60 03, ⛱, ≋ – 🛗 ⇹ ▤ TV ☎ ♿ P – 🎤 25 à 300. AE ◑ GB
R carte environ 150 ⚲, enf. 50 – ☕ 48 – **125 ch** 395/490.

Afitel M, rte Châteauroux N 143 ✆ 47 48 17 17, Télex 752014, Fax 47 28 87 43, ⛱ – TV ☎ ♿ P – 🎤 40. AE ◑ GB. ✂ rest — X **h**
fermé 20 déc. au 2 janv. – **R** *(fermé sam. midi et dim. midi)* 68/190 ⚲, enf. 48 – ☕ 34 – **34 ch** 275/310 – ½ P 274.

à Larçay par ⑦ : 9 km sur rte de Vierzon – ✉ **37270** :

Chandelles Gourmandes, ✆ 47 50 50 02 – ▤. AE GB
fermé dim. soir et lundi – **R** 130/225.

rte de Savonnières par ⑫ : 10 km sur D 7 – ✉ **37510** Joué-lès-Tours :

Cèdres ⛰ sans rest, ✆ 47 53 00 28, Télex 752074, Fax 47 80 03 84, « Parc fleuri », ≋ – 🛗 TV ☎ P. AE GB
☕ 48 – **38 ch** 341/551.

Rest. des Cèdres, ✆ 47 53 37 58, Fax 47 67 26 20 – P. GB
fermé 1er fév. au 2 mars, dim. et lundi sauf de juin à sept. – **R** 125/245 bc, enf. 80.

à Guignière O : rte de Saumur par ⑬ – ✉ **37230** Luynes :

Le Manoir sans rest, ✆ 47 42 04 02, ⋞ – TV ☎ 🚗. GB — V **t**
fermé 1er au 8 mars – ☕ 23 – **16 ch** 165/205.

à La Membrolle-sur-Choisille NO : 6 km par ⑭ – ✉ **37390** :

Host. du Château de l'Aubrière, rte Fondettes ✆ 47 51 50 35, Fax 47 51 34 69, ⋞, ⛱, parc, ≋ – TV ☎ P – 🎤 50 à 80. GB. ✂ rest
fermé vacances de fév. – **R** *(fermé lundi)* 150/300, enf. 100 – ☕ 45 – **9 ch** 500/700, 3 appart. 900 – ½ P 500/600.

MICHELIN, Agence régionale, ZI Chambray-lès-Tours X ✆ **47 28 60 59**

CITROEN SELTA, 194 av. Maginot U ✆ 47 54 04 00
CITROEN SELTA, 157 av. de Grammont V ✆ 47 64 04 00
FIAT Gd. Gar. Ouest, 150 bd Thiers ✆ 47 38 57 10
FORD Leu Autom., 260 av. Maginot ✆ 47 41 00 15
HONDA Gar. Vallet, 19 r. Couvrat Desvergnes ✆ 47 46 13 00
INNOCENTI, MAZDA Gar. Nouveau Tours, 181 bd Thiers ✆ 47 37 96 51

RENAULT Succursale, 1 Grand Sud Avenue à Chambray-lès-Tours X ✆ 47 28 02 37 N ✆ 47 48 10 44

Ⓜ Perry-Pneus, 16 r. Ch.-Huygens ZI La Milletière ✆ 47 51 03 03
Super-Pneus, 55 r. Voltaire ✆ 47 05 74 83
Super-Pneus, 76 av. G. Eiffel ✆ 47 54 19 92
Tours-Pneus, 145 av. Maginot, N 10 ✆ 47 54 57 50 et 20 r. E.-Vaillant ✆ 47 05 41 29

Périphérie et environs

ALFA ROMEO Gar. Stela, à Chambray-les-Tours ✆ 47 48 21 00
BMW Gar. St-Simon, av. Fontaines à St-Avertin ✆ 47 27 89 89 N ✆ 47 35 08 29
FORD Gar. Pont, r. Coulomb-la-Vrillonnerie à Chambray-les-Tours ✆ 47 48 69 00 N ✆ 47 41 15 15
OPEL Touraine Automobiles, 240 av. Mans à St-Cyr-sur-Loire ✆ 47 49 12 12
OPEL-GM Gar. Salva, 151 bd de Chinon à Joué-lès-Tours ✆ 47 67 35 83

PEUGEOT-TALBOT Gds Gar. de Touraine, 207 bd Charles-de-Gaulle U ✆ 47 51 52 53 N ✆ 47 41 15 15 et 51 Grand Sud-Touraine à Chambray-lès-Tours X f ✆ 47 27 66 66 N ✆ 47 41 15 15
PEUGEOT-TALBOT Gar. Cazin, 31 r. Grandmont à St-Avertin X e ✆ 47 27 02 44

Ⓜ La Maison du Pneu, 55 bd de Chinon à Joué-lès-Tours ✆ 47 25 13 66
Perry Pneus, 14 r. J.-Perrin à Chambray-lès-Tours ✆ 47 28 18 55
Tours-Pneus, 83 rte de Bordeaux, Chambray-lès-Tours ✆ 47 28 25 89

☛ *Un automobiliste averti utilise le* guide Michelin *de l'année.*

TOURS-SUR-MARNE **51150** Marne 56 ⑯ ⑰ – 1 152 h. alt. 79.
Paris 156 – ◆ Reims 28 – Châlons-sur-Marne 22 – Épernay 12.

Touraine Champenoise, r. du Pont ✆ 26 58 91 93, Fax 26 58 95 47 – ☎ 🚗. AE ◑ GB. ✂ ch
R 89/250 ⚲ – ☕ 34 – **10 ch** 180/275 – ½ P 200/260.

RENAULT Gar. Croizy av. de Champagne ✆ 26 58 90 99

TOURTOIRAC **24** Dordogne 75 ⑥ ⑦ **G. Périgord Quercy** – 654 h. alt. 140 – ✉ **24390** Hautefort.
Env. Château de Hautefort★★ : charpente★★ de la tour du Sud-Ouest E : 9,5 km.
Paris 471 – Brive-la-Gaillarde 56 – Lanouaille 19 – ◆Limoges 74 – Périgueux 33 – Uzerche 56.

CITROEN Bourrou ✆ 53 51 12 16

TOURTOUR 83690 Var 84 ⑥ **G. Côte d'Azur** – 472 h. alt. 633.

Voir Église ✵★.

Paris 831 – Aups 10 – Draguignan 20 – Salernes 11.

La Bastide de Tourtour M, rte Draguignan ✆ 94 70 57 30, Fax 94 70 54 90, < massif des Maures, parc, ✕ – TV ☎ P – 30. AE GB
7 mars-30 oct. – **R** *(fermé mardi midi en sais. et lundi sauf le soir en sais.)* 270/390, enf. 120 – ☐ 70 – **25 ch** 600/1260 – ½ P 645/975.

Aub. St-Pierre, E : 3 km par D 51 et VO ✆ 94 70 57 17, <, – ☎ P – 25
1er avril-15 oct. – **R** *(fermé jeudi)* (dîner pour résidents seul.) 170/210 – ☐ 45 – **18 ch** 380/500 – ½ P 390/450.

Petite Auberge, S : 1,5 km par D 77 ✆ 94 70 57 16, Fax 94 70 54 52, < massif des Maures, – TV ☎ P. GB
1er avril-15 oct. – **R** (½ pens. seul.) – ☐ 40 – **11 ch** 340/460 – ½ P 350/410.

XX ✿ **ChênesVerts** (Bajade), O : 2 km sur rte Villecroze ✆ 94 70 55 06, – P
fermé du 1er janv. au 15 fév., mardi soir et merc. – **R** (nombre de couverts limité, prévenir) 220/380
Spéc. Assiette du braconnier (juil. à déc.), Feuillantine de caille de foie gras, Poulet de Bresse en deux services. **Vins** Bandol, Côteaux Varois.

TOURVES 83170 Var 84 ⑮ – 2 788 h. alt. 290.

Paris 803 – Aix-en-Pr. 46 – Aubagne 36 – Brignoles 11 – Draguignan 62 – Rians 30 – ♦Toulon 48.

XX **Lou Paradou** avec ch, E : 2 km sur N 7 ✆ 94 78 70 39, – P – 30. GB
fermé 19 au 30 oct., dim. soir et lundi – **R** 107/165, enf. 55 – ☐ 22 – **6 ch** 155/180 – ½ P 200/210.

TOURVILLE-LA-RIVIÈRE 76410 S.-Mar. 55 ⑥ – 1 886 h. alt. 9.

Paris 125 – ♦Rouen 14,5 – Les Andelys 37 – Elbeuf 11 – Gournay en Bray 59 – Louviers 19,5.

XX **Le Tourville,** ✆ 35 77 58 79 – P. GB
fermé vacances de printemps, août, le soir (sauf vend. et sam.) et lundi – **R** carte 215 à 370.

RENAULT Mr. Grison 92 r. Jean-Jaurès ✆ 35 77 15 53 N

TOURY 28390 E.-et-L. 60 ⑲ – 2 640 h. alt. 134.

Paris 82 – ♦Orléans 39 – Chartres 47 – Châteaudun 50 – Étampes 32 – Pithiviers 27 – Voves 29.

Parc, ✆ 37 90 50 06, – . GB
fermé 10 au 28 sept., vacances de fév. et merc. – **R** 65/160 – ☐ 28 – **9 ch** 125/200.

CITROEN Denizet ✆ 37 90 50 25
RENAULT Gar. Georges ✆ 37 90 50 35

La Centrale du Pneu ✆ 37 90 51 61

La TOUSSUIRE 73 Savoie 77 ⑥ ⑦ **G. Alpes du Nord** – alt. 1 690 – Sports d'hiver : 1 800/2 200 m 18 – ✉ 73300 Fontcouverte-la-Toussuire – Office de Tourisme ✆ 79 56 70 15.

Paris 634 – Albertville 80 – Chambéry 90 – St-Jean-de-Maurienne 16.

Les Soldanelles, ✆ 79 56 75 29, Fax 79 56 71 56, <, – TV ☎ ♿ P. GB. rest
juil.-août et 15 déc.-vacances de printemps – **R** 88/280, enf. 51 – ☐ 32 – **33 ch** 185/210, 6 appart. 250/310 – ½ P 186/194.

Les Airelles, ✆ 79 56 75 88, Fax 79 83 03 48, < – ☎ P. GB. rest
juil.-août et 15 déc.-20 avril – **R** 85/170, enf. 50 – ☐ 35 – **31 ch** 155/188 – ½ P 210/290.

TOUZAC 46 Lot 79 ⑥ – rattaché à Puy-l'Évêque.

TRACY-LE-MONT 60 Oise 56 ③ – rattaché à Compiègne.

TRAENHEIM 67310 B.-Rhin 87 ⑮ – 496 h. alt. 200.

Paris 469 – ♦Strasbourg 24,5 – Haguenau 39 – Molsheim 8 – Saverne 20,5.

XX **Zum Loejelgucker,** 17 r. Principale ✆ 88 50 38 19, Fax 88 50 50 49, « Vieille demeure alsacienne », – GB
fermé vacances de fév., lundi et mardi – **R** 120/230.

RENAULT Gar. Astermann ✆ 88 50 38 46

TRAÎNEL 10 Aube 61 ④ – rattaché à Nogent-sur-Seine.

La TRANCHE-SUR-MER 85360 Vendée 71 ⑪ **G. Poitou Vendée Charentes** – 2 065 h. alt. 7.

Office de Tourisme pl. Liberté ✆ 51 30 33 96.

Paris 455 – La Rochelle 62 – La Roche-sur-Yon 39 – Luçon 29 – Niort 90 – Les Sables-d'Olonne 38.

Océan, ✆ 51 30 30 09, Fax 51 27 70 10, <, – ☎ ♿ P. AE GB
1er avril-30 sept. – **R** 110/250, enf. 60 – ☐ 34 – **50 ch** 352/516 – ½ P 326/364.

Dunes, ✆ 51 30 32 27 – ☎ P. GB.
30 mars-25 sept. – **R** 75/165, enf. 50 – ☐ 30 – **50 ch** 190/360 – ½ P 220/330.

X **Milouin,** av. M. Samson ✆ 51 27 49 49, – AE GB
1er mars-1er oct. et fermé mardi du 1er mars au 15 juin – **R** 95/165.

à la Grière E : 2 km par D 46 – ✉ **85360** La Tranche-sur-Mer :

Marinotel Ⓜ sans rest, ☎ 51 27 44 20, – TV ☎ ♿ P. GB. ✻
18 avril-14 sept. – ☕ 38 – **18 ch** 450.

Cols Verts, ☎ 51 27 49 30, Fax 51 27 48 82, – ☎. AE GB
10 avril-2 nov. – **R** 78/350, enf. 42 – ☕ 33 – **40 ch** 180/360 – ½ P 235/315.

Mer, ☎ 51 30 30 37 – AE GB
1er avril-30 sept. – **R** 59/195, enf. 39 – ☕ 28 – **36 ch** 220 – ½ P 240/260.

.ITROEN Gar. du Château d'Eau, 14 rte de La ;oche-sur-Yon à Angles ☎ 51 97 53 34
'EUGEOT-TALBOT Gar. Vrignaud, rte de la Tranche Angles ☎ 51 97 52 27
RENAULT Gar. Byrotheau, à Angles ☎ 51 97 50 57 N
V.A.G Gar. du Maupas ☎ 51 30 38 43

TRAPPES **78** Yvelines 60 ⑨, 106 ㉙ – voir à St-Quentin-en-Yvelines.

Le TRAYAS **83** Var 84 ⑧ 195 ㉞ **G. Côte d'Azur** – ✉ **83700** St-Raphaël.

'oir Pointe de l'Observatoire ≤* S : 2 km – Rocher de St-Barthélemy ≤** SO : 4 km puis 0 mn.

'aris 897 – Fréjus 23 – Cannes 20 – Draguignan 52 – St-Raphaël 20.

La Cigale, N 98 ☎ 94 44 14 17 – AE ① GB
fermé 22 oct. au 6 nov. et lundi – **R** 120/155.

TRÉBEURDEN **22560** C.-d'Armor 59 ① **G. Bretagne** – 3 094 h. alt. 80.

'oir Le Castel ≤* 30 mn – Pointe de Bihit ≤* SO : 2 km.

de St-Samson ☎ 96 23 87 34, NE : 7 km.

Office de Tourisme pl. Crech'Héry (fermé après-midi oct.-déc.) ☎ 96 23 51 64.

'aris 525 – St-Brieuc 72 – Lannion 9 – Perros-Guirec 12.

Ti al-Lannec , ☎ 96 23 57 26, Télex 740656, Fax 96 23 62 14, ≤, parc, – TV ☎ ♿ P – 30. AE ① GB. ✻ rest
29 fév.-12 nov. – **R** 185/360, enf. 80 – ☕ 55 – **29 ch** 395/880 – ½ P 530/660.

Manoir de Lan-Kerellec Ⓜ , ☎ 96 23 50 09, Télex 741172, Fax 96 23 66 88, ≤, – TV ☎ P – 40. AE ① GB
20 mars-15 nov. – **R** *(fermé lundi midi et mardi midi sauf du 15 juin au 15 sept.)* 225/420, enf. 90 – ☕ 60 – **18 ch** 740/1500 – ½ P 500/960.

Du Toëno, rte Trégastel NO : 2 km sur D 788 ☎ 96 23 68 78, ≤ – ☎ ♿ P. AE GB
R (dîner seul.)(résidents seul.) 80/100 – ☕ 28 – **17 ch** 240/270 – ½ P 228/258.

Family, ☎ 96 23 50 31, Télex 741897, Fax 96 47 41 84 – ☎ P. AE GB. ✻ rest
R *(ouvert avril à oct. et fermé lundi hors sais.)* 85/160 – ☕ 30 – **25 ch** 140/280 – ½ P 295/330.

Glann Ar Mor avec ch, 12 r. Kerariou, au bourg ☎ 96 23 50 81, – P. GB. ✻ ch
fermé 5 au 15 oct. et merc. sauf juil.-août – **R** 90/200, enf. 55 – ☕ 30 – **8 ch** 125.

TRÉBOUL **29** Finistère 58 ⑭ – rattaché à Douarnenez.

TRÉGASTEL-PLAGE **22730** C.-d'Armor 59 ① **G. Bretagne** (plan) – 2 201 h.

Voir Rochers** – Ile Renote** NE – Table d'Orientation ≤*.

18 de St-Samson ☎ 96 23 87 34, S : 3 km.

Office de Tourisme pl. Ste-Anne ☎ 96 23 88 67.

Paris 529 – St-Brieuc 76 – Lannion 13 – Perros-Guirec 7 – Trébeurden 11 – Tréguier 27.

Armoric, ☎ 96 23 88 16, Fax 96 23 83 75, ≤, – ☎ P – 30. GB. ✻ rest
28 mai-25 sept. – **R** 140/250, enf. 70 – ☕ 40 – **50 ch** 380/500 – ½ P 300/450.

Belle Vue , ☎ 96 23 88 18, Fax 96 23 89 91, ≤, « Jardin fleuri » – ☎ P. AE GB
hôtel : 1er avril-31 oct. ; rest. : 16 avril-11 oct. et fermé jeudi midi – **R** 105/300, enf. 65 – ☕ 50 – **31 ch** 340/420 – ½ P 340/455.

Mer et Plage, ☎ 96 23 88 03, Fax 96 47 31 11, ≤ – TV ☎ P. GB
R *(1er avril-30 sept.)* 85/185 – ☕ 35 – **22 ch** 260/350 – ½ P 280/340.

Aub. Vieille Église, à Trégastel-Bourg S : 2,5 km ☎ 96 23 88 31 – P. GB
fermé fév., dim. soir et lundi sauf juil.-août – **R** (prévenir) 68/230.

au golf de St-Samson S : 3 km par D 788 et VO – ✉ **22560** Pleumeur-Bodou :

Golf H. Ⓜ , ☎ 96 23 87 34, Fax 96 23 84 59, ≤, , , , – TV ☎ ♿ P – 25 à 70. AE ① GB. ✻ rest
R *(15 mars-15 nov. et fermé dim. sauf du 15 avril au 15 oct.)* 80/125 – ☕ 38 – **54 ch** 280/405 – ½ P 300/310.

Gar. de la Corniche, ☎ 96 23 88 70

TRÉGUIER 22220 C.-d'Armor 59 ② **G. Bretagne** (plan) – 2 799 h. alt. 46.

Voir Cathédrale St-Tugdual★★.

Env. chapelle St-Gonéry★ N : 6 km – Le Gouffre★ N : 10 km puis 15 mn.

Syndicat d'Initiative à la Mairie (Pâques, Ascencion, 1er Mai, Pentecôte, 15 juin-10 sept.) ✆ 96 92 30 19.

Paris 506 – St-Brieuc 55 – Guingamp 28 – Lannion 19 – Paimpol 15.

sur le port :

Aigue Marine M, 5 r. M. Berthelot ✆ 96 92 39 39, Fax 96 92 44 48, ≤, ‹, ‹, ‹ – ‹ cuisinette ‹ rest ‹ ‹ ‹ ‹ – ‹ 25 à 80. GB
R 75/385, enf. 50 – ☕ 50 – **30 ch** 295/445, 18 studios 495/610 – ½ P 288/338.

Roches Douvres M sans rest, 17 r. M. Berthelot ✆ 96 92 27 27, ≤, ‹ – ‹ ‹ ‹ ‹. GB
fermé 1er au 15 oct. – ☕ 30 – **20 ch** 250/290.

Estuaire avec ch, pl. Gén.-de-Gaulle ✆ 96 92 30 25 – ‹. GB. ‹ ch
fermé dim. soir et lundi sauf juil.-août – **R** 76/200 ‹, enf. 50 – ☕ 24 – **15 ch** 105/230 – ½ P 140/180.

au SO : 2 km par rte Lannion et VO – ✉ 22220 Tréguier :

Kastell Dinec'h ‹, ✆ 96 92 49 39, Fax 96 92 34 03, « Jardin », ‹ – ‹ ‹. GB. ‹ rest
fermé 10 au 26 oct., 31 déc. au 15 mars, mardi soir et merc. hors sais. – **Repas** (dîner seul.) 110/290 – ☕ 45 – **15 ch** 350/430 – ½ P 300/410.

PEUGEOT-TALBOT Sté de Vente Automobile du Trégor, 1 r. Gambetta ✆ 96 92 32 52

TRÉGUNC 29910 Finistère 58 ⑪ ⑯ – 6 130 h. alt. 41.

Paris 537 – Quimper 31 – Concarneau 6,5 – Pont-Aven 8,5 – Quimperlé 26.

Aub. Les Gdes Roches ‹, NE : 0,6 km par V 3 ✆ 98 97 62 97, « Fermes aménagées dans un parc fleuri » – ‹ ‹ ‹ – ‹ 30. GB. ‹ ch
hôtel : fermé vacances de Noël, de fév. ; rest. : ouvert de Pâques à début nov. – **R** *(fermé le midi sauf fériés et week-ends, merc. midi et lundi)* 115/240, enf. 50 – ☕ 35 – **19 ch** 230/350, 3 appart. 480 – ½ P 280/320.

Le Menhir, ✆ 98 97 62 35 – ‹ ‹. GB. ‹
1er avril-30 sept. et fermé dim. soir et lundi sauf juil.-août – **R** 78/215 – ☕ 30 – **28 ch** 140/290 – ½ P 210/260.

TRÉLISSAC 24 Dordogne 75 ⑥ – rattaché à Périgueux.

TRELLY 50660 Manche 54 ⑫ – 478 h.

Paris 337 – St-Lô 35 – Avranches 37 – Bréhal 12 – Coutances 12 – Granville 22 – Villedieu-les-P. 24.

Verte Campagne ‹ avec ch, SE : 1,5 km par D 539 et VO ✆ 33 47 65 33, « Ferme normande ancienne », ‹ – ‹ ‹. GB. ‹ ch
fermé 15 nov. au 8 déc., 15 fév. au 1er mars, dim. soir et lundi d'oct. à Pâques – **R** 115/180 – ☕ 30 – **7 ch** 330.

La TREMBLADE 17390 Char.-Mar. 71 ⑭ **G. Poitou Vendée Charentes** – 4 623 h. alt. 8.

Office Municipal de Tourisme bd Pasteur ✆ 46 36 37 71.

Paris 501 – Royan 22 – Marennes 11 – Rochefort 31 – La Rochelle 65.

Mounière sans rest, rte Ronce-les-Bains : 1,5 km ✆ 46 36 09 19 – ‹ ‹ ‹. GB. ‹
☕ 28 – **16 ch** 200/270.

Phoébus sans rest, 13ter r. Foran ✆ 46 36 29 85 – ‹ ‹. GB
fermé lundi – ☕ 28 – **10 ch** 190/260.

CITROEN Gar. Molle bd Joffre ✆ 46 36 09 54

PEUGEOT TALBOT Gar. Horseau, 62 bd Joffre ✆ 46 36 13 23

TREMBLAY 35460 I.-et-V. 59 ⑰ **G. Bretagne** – 1 453 h. alt. 82.

Paris 348 – St-Malo 54 – Combourg 24 – Fougères 23 – ♦Rennes 41.

Roc-Land ‹, ✆ 99 98 20 46, Fax 99 98 29 00, parc, ‹ – ‹ ‹ ‹ – ‹ 30. GB. ‹
fermé 17 oct. au 2 nov. et 15 fév. au 2 mars – **R** *(fermé dim. soir et lundi)* 108/178 – ☕ 35 – **25 ch** 240/320 – ½ P 260/280.

TREMBLAY-EN-FRANCE 93 Seine-St-Denis 56 ⑪, 101 ⑧ – voir à Paris, Environs.

Le TREMBLAY-SUR-MAULDRE 78490 Yvelines 60 ⑨ 106 ㉘ – 668 h. alt. 110.

du Château de Tremblay-sur-Mauldre ✆ 34 87 81 09 ; dans le parc du Château-H.

Paris 41 – Houdan 23 – Mantes 31 – Rambouillet 19 – Versailles 21.

Chateau-H. Tremblay-sur-Mauldre ⑤, ✆ (1) 34 87 92 92, Télex 689535, Fax (1) 34 87 86 27, ←, « Demeure du 17e siècle dans un parc » – TV ☎ P – 40. AE ⓓ GB
fermé 22 au 30 déc. – **R** *(fermé sam. soir du 15 avril au 15 sept. et dim. soir)* carte 250 à 450 – ☐ 48 – **28 ch** 500/1100.

XXX ✿ **La Gentilhommière** (Brun), ✆ (1) 34 87 80 96 – AE ⓓ GB
fermé 2 au 10 mars, 4 août au 8 sept., lundi soir et mardi – **R** carte 270 à 420
Spéc. Salade tiède de homard aux lentilles, Foie gras chaud au caramel, Ris de veau en croûte de sel.

TREMEUR 22250 C.-d'Armor 59 ⑮ – 613 h. alt. 75.

Paris 411 – ♦ Rennes 59 – Dinan 24 – Loudéac 52 – St-Brieuc 46.

Les Dineux M, voie express N 12, sortie Trémeur ✆ 96 84 65 80, Fax 96 84 76 35, – TV ☎ & P – 25. GB
fermé fév. – **R** *(fermé sam. de sept. à juin)* 78/138 ♂, enf. 60 – ☐ 30 – **15 ch** 240/290 – ½ P 220/260.

TRÉMINIS 38710 Isère 77 ⑮ **G. Alpes du Nord** – 173 h. alt. 959.

Voir Site★.

Paris 635 – Gap 73 – ♦Grenoble 66 – Monestier-de-Clermont 32 – La Mure 32 – Serres 57.

Alpes ⑤, à Château-Bas ✆ 76 34 72 94, – P. ✻ rest
fermé nov. – **R** 60/100 ♂ – ☐ 19 – **13 ch** 95/110.

TRÉMOLAT 24510 Dordogne 75 ⑯ **G. Périgord Quercy** – 625 h.

Voir Belvédère de Racamadou★★ N : 2 km.

Paris 544 – Périgueux 54 – Bergerac 33 – Brive-la-Gaillarde 86 – Sarlat-la-Canéda 44.

✿ **Vieux Logis** ⑤, ✆ 53 22 80 06, Télex 541025, Fax 53 22 84 89, ←, « Jardin fleuri ouvert sur la campagne », – TV ☎ & P – 30. AE ⓓ GB JCB
fermé 6 janv. au 17 fév. – **R** *(fermé merc. midi et mardi du 1er oct. au 31 mai)* 210/300, enf. 85 – ☐ 65 – **14 ch** 650/950, 8 appart. 1100 – ½ P 660/885
Spéc. Tarte aux cèpes rôtis, Grosse pomme de terre au four farcie de ris de veau et truffe, Millas sarladais.

rte du Cingle de Trémolat NO : 2 km par D 31E – ✉ **24510** Ste-Alvère.

Voir Cingle★★.

Le Panoramic ⑤, ✆ 53 22 80 42, Fax 53 22 80 51, ← – ☎ P. GB
fermé 3 janv. au 26 fév. – **R** *(fermé lundi de nov. à avril)* 72/182, enf. 48 – ☐ 32 – **24 ch** 165/280 – ½ P 250/330.

CITROEN Gar. Imbert, rte du Cingle ✆ 53 22 80 10

TRÉMONT-SUR-SAULX 55 Meuse 61 ⑩ – rattaché à Bar-le-Duc.

TRÉPASSÉS (Baie des) 29 Finistère 58 ⑬ – rattaché à Raz (Pointe du).

Le TRÉPORT 76470 S.-Mar. 52 ⑤ **G. Normandie Vallée de la Seine** – 6 227 h. alt. 6 – Casino .

Voir Calvaire des Terrasses ←★.

Office de Tourisme Esplanade de la Plage L.-Aragon ✆ 35 86 05 69.

Paris 169 – ♦ Amiens 80 – Abbeville 35 – Beauvais 93 – Blangy-sur-Bresle 24 – Dieppe 29 – ♦Rouen 93.

XX **Le Homard Bleu,** 45 quai François 1er ✆ 35 86 15 89, Fax 35 86 49 21 – AE ⓓ GB
fermé 15 déc. au 15 fév. – **R** 95/280.

XX **Le St Louis,** 43 quai François 1er ✆ 35 86 20 70 – ▤. AE ⓓ GB
fermé merc. soir du 1er oct. au 28 fév. – **R** 95/280 ♂.

XX **La Matelote,** 34 quai François 1er ✆ 35 86 01 13, Fax 35 86 17 02 – GB
fermé 20 déc. au 8 janv. et lundi hors sais. – **R** 89/240.

RENAULT Gar. Moderne, 9 quai S.-Carnot ✆ 35 86 13 90

Gar. Lemercier, 23 r. Falaise ✆ 35 86 30 67

TRETS 13530 B.-du-R. 84 ④ – 7 900 h. alt. 242.

Paris 781 – ♦ Marseille 43 – Aix-en-Provence 24 – Brignoles 36 – ♦Toulon 69.

Vallée de l'Arc sans rest, 1 r. J. Jaurès ✆ 42 61 46 33 – ☎ . ⓓ GB
☐ 25 – **20 ch** 160/220.

FIAT Gar. Icardi, av. Gén.-de-Gaulle ✆ 42 29 20 36

PEUGEOT-TALBOT Gar. Arnaud et Mège, 15 bis av. Mirabeau ✆ 42 29 20 23

TRÉVEZEL (Roc) 29 Finistère 58 ⑥ **G. Bretagne.**

Voir ✻★★ du D 785 : 30 mn.

Env. Église★ de Commana O : 6 km – Allée Couverte★ de Mougau-Bian O : 6 km.

Paris 536 – Huelgoat 18.

TRÉVOU-TRÉGUIGNEC **22660** C.-d'Armor 59 ① – 1 210 h. alt. 70.

Paris 513 – St-Brieuc 62 – Guingamp 35 – Lannion 14 – Paimpol 27 – Perros-Guirec 12 – Tréguier 13.

Ker Bugalic ⑤, ☎ 96 23 72 15, ≤, « Jardin fleuri » – ☎ P. GB. ✗ rest
11 avril-4 oct. et 24 oct. au 1er nov. – **Repas** (prévenir) 90/290, enf. 55 – ☐ 32 – **18 ch** 240/335 – ½ P 295/350.

TRIE-SUR-BAÏSE **65220** H.-Pyr. 85 ⑨ – 1 011 h. alt. 240.

Paris 800 – Auch 49 – Lannemezan 25 – Mirande 24 – Tarbes 30.

Tour, ☎ 62 35 52 12, ☂ – ☎. GB
fermé 28 mars au 6 avril, 3 au 12 oct. et lundi midi – **R** 60/94 ♂ – ☐ 25 – **11 ch** 150/220 – ½ P 170/200.

TRIGANCE **83840** Var 84 ⑥ ⑦ – 120 h. alt. 734.

Paris 822 – Digne-les-Bains 73 – Castellane 20 – Comps-sur-Artuby 11,5 – Draguignan 43 – Grasse 71 – Manosque 86.

Château de Trigance ⑤, accès par voie privée ☎ 94 76 91 18, Fax 94 47 58 99, « Cadre médiéval, terrasse avec ≤ sur vallée et montagnes » – TV ☎ P. AE ⓓ GB JCB
20 mars-8 nov. – **R** *(fermé merc. midi sauf de mai à sept.)* 180/320 – ☐ 60 – **10 ch** 530/800 – ½ P 480/630.

Ma Petite Auberge ⑤, ☎ 94 76 92 92, Fax 94 47 58 65, ≤, ☂, ⛱ – ☎ ♿ P. GB
fermé 1er janv. au 1er mars et mardi d'oct. à mai – **R** 90/230, enf. 40 – ☐ 30 – **12 ch** 240/280 – ½ P 240/260.

La TRINITÉ-SUR-MER **56470** Morbihan 63 ⑫ **G. Bretagne** – 1 433 h. alt. 3.

Voir Pont de Kerisper ≤★.

ℹ Office de Tourisme Môle L.-Caradec ☎ 97 55 72 21.

Paris 485 – Vannes 30 – Auray 11,5 – Carnac 4,5 – Lorient 48 – Quiberon 23 – Quimperlé 63.

Le Rouzic, ☎ 97 55 72 06, ≤ – |♦| TV ☎. AE ⓓ GB
fermé 15 nov. au 15 déc. et du 1er au 15 janv. – **R** *(fermé dim. soir et lundi de mi-sept. à mi-juin)* 113/150 – ☐ 30 – **32 ch** 289/310 – ½ P 303/313.

XXX **L'Azimut**, ☎ 97 55 71 88, ☂ – ✗. GB
fermé 4 au 28 janv. et merc. du 1er oct. au 1er mai – **R** 95/230, enf. 65.

XX **Les Hortensias**, ☎ 97 55 73 69, ≤, ☂ – GB
fermé 2 janv. au 15 fév., mardi et merc. hors sais. – **R** 150/350, enf. 100.

XX **Ostréa** avec ch, ☎ 97 55 73 23, Fax 97 55 86 43, ≤, ☂ – TV ☎ P. GB. ✗ ch
10 avril-20 sept. et fermé mardi sauf juil.-août – **R** 140/195, enf. 58 – ☐ 34 – **10 ch** 220/350.

à St-Philibert E : 2,5 km par D 781 – ✉ **56470** :

Panorama ⑤, ☎ 97 55 00 56, « Jardin fleuri » – ☎ P. AE GB
fin mars-fin sept. – **R** 88/158 – ☐ 28 – **25 ch** 210/240 – ½ P 225/245.

TRIZAC **15400** Cantal 76 ② – 754 h. alt. 935.

ℹ Office de Tourisme à la Mairie ☎ 71 78 60 37.

Paris 529 – Aurillac 68 – ♦Clermont-Ferrand 102 – Mauriac 23 – Murat 51.

Les Cimes, ☎ 71 78 60 30, ☂ – ⇔. ✗
R 55/110 – ☐ 28 – **15 ch** 100/150 – ½ P 160/180.

Les TROIS-ÉPIS **68410** H.-Rhin 62 ⑱ **G. Alsace Lorraine** – alt. 658.

ℹ Office de Tourisme (fermé matin hors saison) ☎ 89 49 80 56.

Paris 443 – Colmar 14 – Gérardmer 45 – Munster 16 – Orbey 12.

Grand Hôtel ⑤, ☎ 89 49 80 65, Télex 880229, Fax 89 49 89 00, ≤ forêt vosgienne et plaine d'Alsace, ☂, parc, ⚒, ⛱ – |♦| TV ☎ P – 🏛 80. AE ⓓ GB
R carte 240 à 370 – ☐ 70 – **44 ch** 680/990, 6 appart. – ½ P 600/855.

Marchal ⑤, ☎ 89 49 81 61, Fax 89 78 90 48, ≤ forêt vosgienne et plaine d'Alsace, ☂, parc – |♦| TV ☎ P – 🏛 30. GB. ✗
fermé 5 déc. au 15 janv. – **R** 150/300 ♂ – ☐ 35 – **40 ch** 320/450 – ½ P 310/390.

La Chêneraie ⑤ sans rest, ☎ 89 49 82 34, Fax 89 49 86 70, parc – ☎ P. GB. ✗
fermé 20 au 25 déc., janv. et merc. – ☐ 45 – **20 ch** 200/260.

Croix d'Or, ☎ 89 49 83 55, Fax 84 49 87 14, ≤, ☂ – TV ☎ P. GB
fermé 23 au 28 mars, 15 nov. au 15 déc. et merc. – **R** 75/220 ♂, enf. 40 – ☐ 30 – **12 ch** 150/270 – ½ P 190/240.

Villa Rosa, ☎ 89 49 81 19, ≤, ⛱, ☂ – ✗ ☎. GB. ✗
15 fév.- 15 nov. et fermé jeudi – **R** (dîner seul.) 85/150 ♂ – ☐ 40 – **9 ch** 220/300 – ½ P 230/270.

XX **L'Auberge**, ☎ 89 49 89 79, Fax 89 49 89 00, ☂ – P. AE ⓓ GB
R 85/160 dîner à la carte ♂, enf. 50.

TROISGOTS 50420 Manche 54 ⑬ **G. Normandie Cotentin** – 316 h. alt. 128.

Voir Roches de Ham ≤** NE : 5 km puis 15 mn.

Paris 304 – St Lô 15 – Avranches 48 – ♦Caen 63 – Vire 30.

XX **Aub. de la Chapelle-sur-Vire,** à la Chapelle-sur-Vire SE : 2 km ☏ 33 56 32 83 – AE GB
fermé 1er au 7 mars, 15 au 30 sept., dim. soir et lundi – **R** 60/160 ♂, enf. 45.

TRONÇAIS 03 Allier 69 ⑫ – ✉ 03360 St-Bonnet-Tronçais.

Voir Forêt de Tronçais*** – Étang de St-Bonnet* NO : 4 km – Étang de Saloup* S : 5 km, **G. Auvergne.**

Paris 311 – Moulins 56 – Bourges 60 – Montluçon 40 – St-Amand-Montrond 23.

Le Troncais ⑤, ☏ 70 06 11 95, « Dans un parc au bord d'un étang », ✗ – ☎ Ⓟ – 🏛 40. GB. ✗ rest
15 mars-15 déc. et fermé dim. et lundi sauf du 1er juin au 30 sept. – **R** 98/175, enf. 60 – ☕ 26 – **12 ch** 174/300 – ½ P 210/248.

La TRONCHE 38 Isère 77 ⑤ – rattaché à Grenoble.

Le TRONCHET 35540 I.-et-V. 59 ⑯ – 818 h. alt. 46.

Paris 381 – St-Malo 26 – Dinan 19 – ♦Rennes 52.

Host. Abbatiale ⑤, ☏ 99 58 93 21, Télex 741629, Fax 99 58 11 08, ⛱, ✗, ✗ – TV ☎ ♿ Ⓟ – 🏛 30 à 60. AE GB. ✗ rest
fermé 2 janv. au 15 fév. – **R** 95/170, enf. 50 – ☕ 50 – **68 ch** 300/800 – ½ P 320/620.

TROO 41800 L.-et-Ch. 64 ⑤ **G. Châteaux de la Loire** – 320 h. alt. 65.

Voir La "butte" ✱* – St-Jacques des Guérets : peintures murales* de l'église S : 1 km.

Syndicat d'Initiative ☏ 54 72 58 74.

Paris 197 – ♦ Le Mans 62 – Château-du-Loir 33 – ♦Tours 54 – Vendôme 27.

XX **Cheval Blanc** avec ch, r. A.-Arnault ☏ 54 72 58 22, Fax 54 72 55 44, ✗ – TV ☎. GB
fermé 15 au 30 nov. – **R** *(fermé lundi soir et mardi)* 110/260 – ☕ 35 – **9 ch** 270/360.

TROSLY-BREUIL 60 Oise 56 ③, 106 ⑪ – rattaché à Compiègne.

TROUVILLE-SUR-MER 14360 Calvados 55 ③ **G. Normandie Vallée de la Seine** – 5 607 h. alt. 5 – Casino AY.

Voir Corniche ≤* BX **B.**

18 de St-Gatien-Deauville ☏ 31 65 19 99, E : 9 km par D 74 BZ.

✈ de Deauville-St-Gatien : ☏ 31 88 31 28, par D 74 : 7 km BZ.

Office de Tourisme 32 bd F.-Moureaux ☏ 31 88 36 19.

Paris 206 ② – ♦ Caen 47 ③ – ♦Le Havre 75 ② – Lisieux 29 ② – Pont-L'évêque 11 ②.

Plan page suivante

Beach H. M, 1 quai Albert 1er ☏ 31 98 12 00, Télex 171269, Fax 31 87 30 29, ≤, ⛱ – 🛗 TV ☎ ♿ 🚗 – 🏛 40. AE ⓓ GB. ✗ rest AY **e**
fermé janv. – **R** 135/155, enf. 55 – ☕ 45 – **102 ch** 400/660, 8 appart. 950/1200 – ½ P 430/510.

Mercure M, pl. Foch ☏ 31 87 38 38, Télex 772494, Fax 31 87 35 41, ✗ – 🛗 ✗ ch ▤ rest TV ☎ ♿ – 🏛 25 à 80. AE ⓓ GB AY **k**
R 100/150, enf. 45 – ☕ 55 – **80 ch** 600/655.

Central, 158 bd F.-Moureaux ☏ 31 88 80 84, Fax 31 88 42 22, ✗ – 🛗 TV ☎ ♿ 🚗. GB AY **n**
fermé 10 au 25 déc. et jeudi sauf vacances scolaires – **R** 120 – ☕ 35 – **20 ch** 260/370.

Les Sablettes sans rest, 15 r. P.-Besson ☏ 31 88 10 66 – ☎. GB. ✗ AY **r**
fermé déc. et janv. – ☕ 25 – **18 ch** 175/310.

Maison Normande sans rest, 4 pl. Mar. de Lattre de Tassigny ☏ 31 88 12 25 – TV ☎. GB. ✗ AY **h**
1er mars-30 sept., vacances scolaires et week-ends d'hiver et fermé mardi hors sais. – ☕ 33 – **20 ch** 240/420.

Carmen, 24 r. Carnot ☏ 31 88 35 43, Fax 31 88 08 03 – TV ☎. AE ⓓ GB. ✗
fermé 6 au 12 avril, 5 au 11 oct., 6 au 10 fév. – **R** *(fermé lundi soir et mardi sauf vacances scolaires)* 90/175, enf. 55 – ☕ 30 – **14 ch** 170/330 – ½ P 200/280. AY **a**

XXX **La Régence,** 132 bd F. Moureaux ☏ 31 88 10 71 – AE ⓓ GB BY **z**
fermé 1er au 28 déc., mardi soir et merc. hors sais. – **R** 128 (sauf sam. soir)/298.

XX **La Petite Auberge,** 7 r. Carnot ☏ 31 88 11 07 – AE GB JCB AY **f**
fermé 15 au 19 juin, 8 au 15 déc., 4 au 20 janv., mardi soir de sept. à juin et merc. (sauf août) – **R** (prévenir) 105/155.

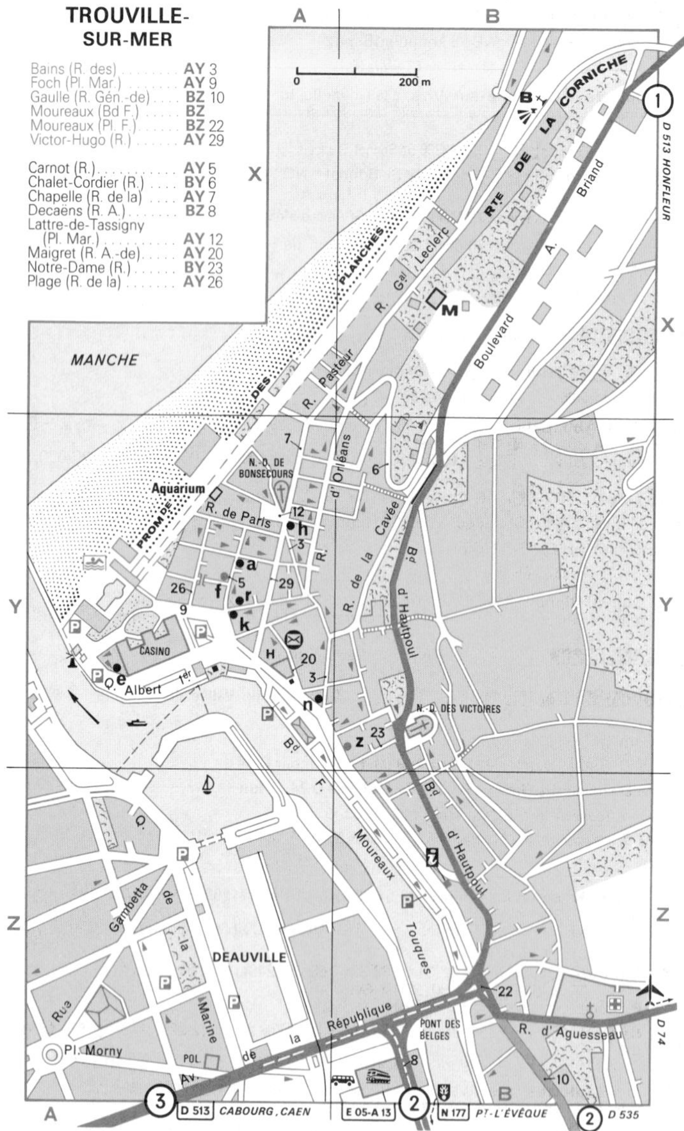

TROYES P 10000 Aube 61 ⑯ ⑰ G. Champagne – 59 255 h. alt. 113.

Voir Cathédrale★★ : trésor★ CY – Le vieux Troyes★★ BZ – Jubé★★ de l'église Ste-Madeleine★ BZ **D** – Basilique St-Urbain★ BYZ **B** – Église St-Pantaléon★ BZ **E** – Pharmacie★ de l'Hôtel-Dieu CY **M4** – Musées : Art Moderne★★ CY **M5**, Historique de Troyes et Champagne★ dans l'hôtel de Vauluisant★ BZ **M1**, Beaux-Arts et archéologie★ CY **M3**, Maison de l'Outil et de la Pensée ouvrière★ dans l'hôtel de Mauroy★ BZ **M2.**

18 de Troyes-La Cordelière, près Chaource ✆ 25 40 18 76 par ④ : 31 km.

Office de Tourisme et Accueil de France (Informations, change et réservations d'hôtels, pas plus de 5 jours à l'avance) 16 bd Carnot ✆ 25 73 00 36, Télex 840216 et 24 quai Dampierre (juil.-15 sept.) ✆ 25 73 36 88 – A.C. 24 quai Dampierre ✆ 25 73 42 28.

Paris 155 ⑦ – ◆Amiens 293 ⑦ – ◆Dijon 152 ④ – ◆Metz 251 ① – ◆Nancy 184 ②.

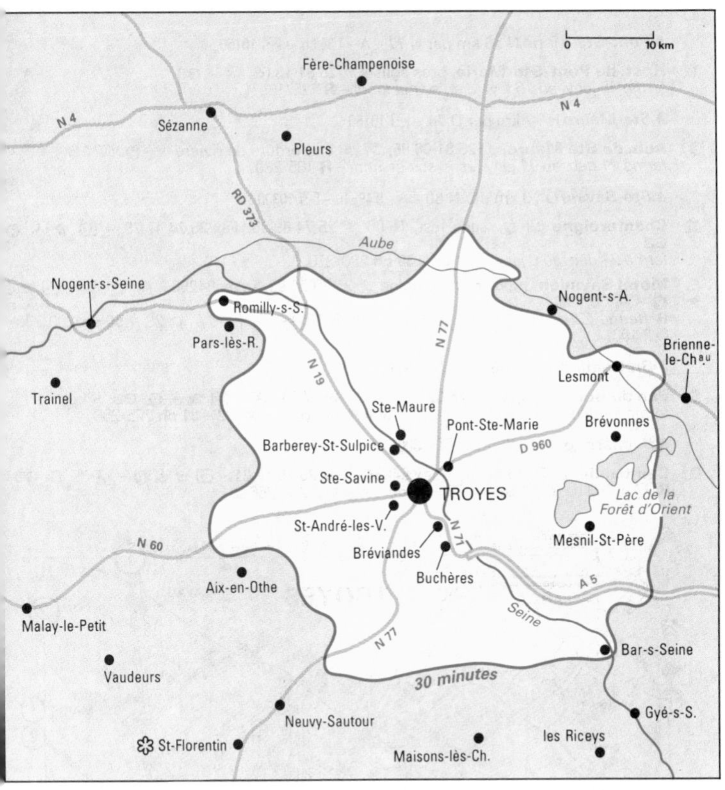

H. de la Poste M, 35 r. E. Zola ✆ 25 73 05 05, Télex 840995, Fax 25 73 80 76 – ▤ rest TV ☎ ♿ – 30. AE GB JCB — BZ **a**
La Table Gourmande ✆ 25 73 84 37 *(fermé 17 août au 7 sept., dim. soir et lundi)* **R** 165/350 – **La Marée** ✆ 25 73 80 78, produits de la mer *(fermé 21 juil. au 14 août et sam. midi)* **R** carte 180 à 270 – **la Pizzeria R** 60 enf. 34 – ☕ 45 – **26 ch** 370/490.

Relais St Jean M sans rest, 51 r. Paillot de Montaubert ✆ 25 73 89 90, Télex 842962, Fax 25 73 88 60 – ▤ TV ☎ ♿ – 35. AE ⓓ GB — BZ **s**
fermé 20 déc. au 3 janv. – ☕ 55 – **22 ch** 410/650.

Grand Hôtel, 4 av. Mar. Joffre ✆ 25 79 90 90, Télex 840582, Fax 25 78 48 93, – cuisinette TV ☎ – 80. GB — BZ **u**
Le Champagne R 120/180 – **Grill Jardin de la Louisiane R** 85/150 – ☕ 35 – **100 ch** 220/400, 3 appart. 500 – ½ P 290.

Royal H., 22 bd Carnot ✆ 25 73 19 99, Télex 842964, Fax 25 73 47 85 – TV ☎. AE ⓓ GB — BZ **n**
fermé 18 déc. au 11 janv. – **R** *(fermé dim. soir, lundi midi et fériés le soir)* 95/170 – ☕ 35 – **37 ch** 255/335.

Patiotel M, 6 r. Ravelin ✆ 25 79 90 90, Télex 840582, Fax 25 78 48 93 – TV ☎ ♿ – 400. GB — BZ **u**
R voir **Gd Hôtel** – ☕ 35 – **50 ch** 220/290 – ½ P 230.

Le Champenois sans rest, 15 r. P. Gauthier ✆ 25 76 16 05 – . GB — BY **m**
☕ 30 – **20 ch** 100/240.

XXX **Le Bourgogne,** 40 r. Gén. de Gaulle ✆ 25 73 02 67 – GB — BY **f**
fermé 2 au 31 août, lundi soir et dim. – **R** carte 210 à 300.

XX **Quatre Saisons,** 14 r. Turenne ✆ 25 73 66 15 – AE GB — BZ **t**
fermé 1er au 14 mai, 2 au 7 nov., lundi soir (sauf juil.-août)et dim. – **R** 110/150.

XX **Le Capucin,** 13 av. P. Brosselette ✆ 25 73 68 28 – GB — BZ **x**
fermé 27 juil. au 27 août, dim. soir et lundi – **R** 90/155.

XX **Chanoine Gourmand,** 32 r. Cité ✆ 25 80 42 06, – AE GB — CY **r**
fermé 16 au 23 mars, 10 au 17 août, 21 déc. au 11 janv., dim. soir et lundi – **R** 165/230.

à Pont-Ste-Marie N : 3 km par N 77 - A – 4 856 h. – ✉ **10150** :

XX **Host. de Pont-Ste-Marie,** près église ☎ 25 81 13 09, 🌳 – GB — A
fermé 15 janv. au 16 fév., dim. soir et lundi – **R** 125/169 🍷.

à Ste-Maure N : 7 km par D 78 – ✉ **10150** :

XXX **Aub. de Ste Maure,** ☎ 25 81 06 85, 🌳, « En bordure de rivière » – Ⓟ. AE GB
fermé 21 déc. au 11 janv., dim. soir et lundi – **R** 185/280.

à Ste-Savine O : 3 km par N 60 - A – 9 495 h. – ✉ **10300** :

Chantereigne M 🐦 sans rest, N 60 ☎ 25 74 89 35, Fax 25 74 47 78 – TV ☎ ♿ Ⓟ
GB — A
fermé 24 déc. au 6 janv. – ☕ 35 – **30 ch** 230/270.

Motel Savinien 🐦, 87 r. La Fontaine ☎ 25 79 24 90, Télex 842504, 🏋, 🏊, 🎾 – TV ☎ ♿
Ⓟ – 🏠 30. GB — A
R *(fermé 22 déc. au 8 janv. et lundi midi)* 75/150 🍷, enf. 45 – ☕ 28 – **90 ch** 200/230 -
½ P 196.

à Bréviandes par ④ : 5 km – ✉ **10450** :

Pan de Bois M 🐦, ☎ 25 75 02 31, Fax 25 49 67 84, 🌳 – TV ☎ ♿ Ⓟ. GB. ✗ ch
fermé lundi (sauf hôtel) et dim. soir – **Grill R** 84/160 🍷 – ☕ 32 – **31 ch** 225/250.

à Buchères par ④ : 7 km – ✉ **10800** :

Campanile, ☎ 25 49 67 67, Télex 840840, Fax 25 75 17 31 – TV ☎ ♿ Ⓟ – 🏠 25. AE GB
R 77 bc/99 bc, enf. 39 – ☕ 28 – **55 ch** 258 – ½ P 234/256.

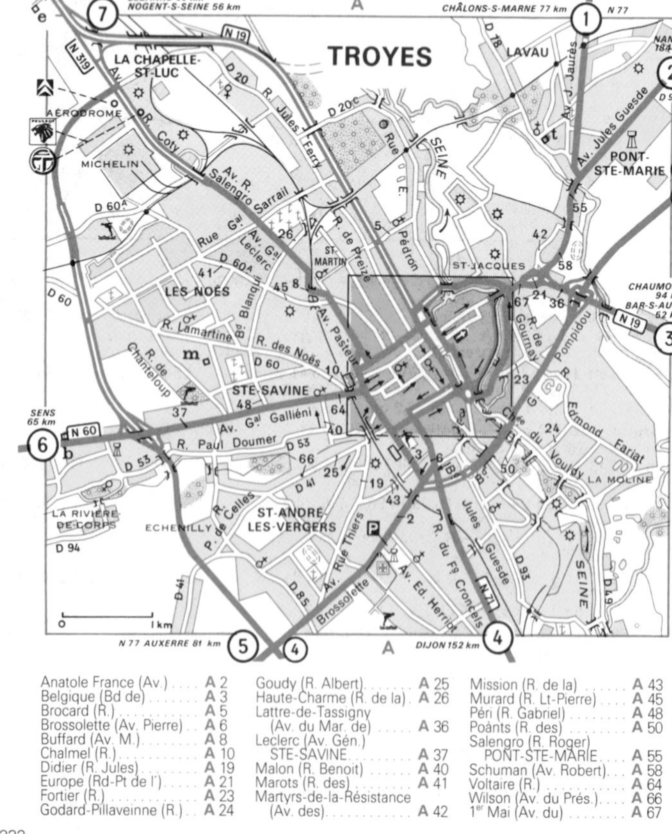

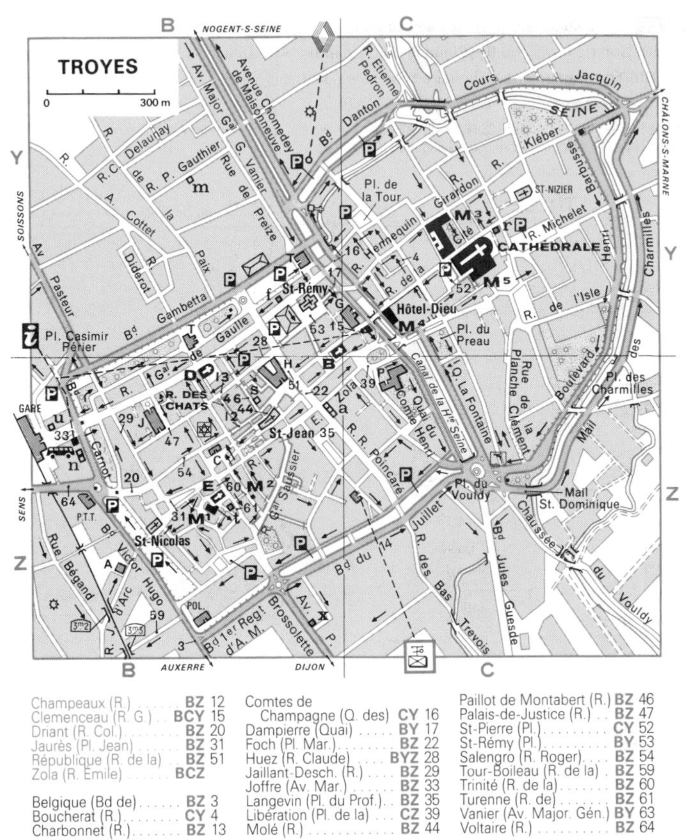

Champeaux (R.) . . . . . . BZ 12
Clemenceau (R. G.) . . BCY 15
Driant (R. Col.) . . . . BZ 20
Jaurès (Pl. Jean) . . . . . . BZ 31
République (R. de la) . . BZ 51
Zola (R. Émile) . . . . . . BCZ

Belgique (Bd de) . . . . . . BZ 3
Boucherat (R.) . . . . CY 4
Charbonnet (R.) . . . . BZ 13

Comtes de Champagne (Q. des) CY 16
Dampierre (Quai) . . . . . BY 17
Foch (Pl. Mar.) . . . . BZ 22
Huez (R. Claude) . . . . BYZ 28
Jaillant-Desch. (R.) . . . . BZ 29
Joffre (Av. Mar.) . . . . . . BZ 33
Langevin (Pl. du Prof.) . . BZ 35
Libération (Pl. de la) . . . CZ 39
Molé (R.) . . . . BZ 44

Paillot de Montabert (R.) BZ 46
Palais-de-Justice (R.) . . BZ 47
St-Pierre (Pl.) . . . . CY 52
St-Rémy (Pl.) . . . . BY 53
Salengro (R. Roger) . . . . BZ 54
Tour-Boileau (R. de la) . BZ 59
Trinité (R. de la) . . . . . . BZ 60
Turenne (R. de) . . . . BZ 61
Vanier (Av. Major. Gén.) BY 63
Voltaire (R.) . . . . BZ 64

à St-André-les-Vergers par ⑤ : 5 km – 11 329 h. – ✉ **10120** :

Les Épingliers sans rest, 180 rte d'Auxerre ✆ 25 75 05 99, Fax 25 75 32 22 – TV ☎ P. GB
fermé 21 déc. au 4 janv. – ☕ 30 – **15 ch** 160/190.

à Barberey-St-Sulpice par ⑦ : 5 km – ✉ **10600** :

Novotel M, ✆ 25 74 59 95, Télex 840759, Fax 25 78 05 73, ☂, ⛱ – ⇔ ch TV ☎ ♿ P – 🏛 60. AE ⓓ GB A e
R carte environ 150 🍷, enf. 50 – ☕ 43 – **83 ch** 380.

Confortel M, ✉ 10600 La Chapelle-St-Luc ✆ 25 78 12 75, Fax 25 79 93 13, ☂ – TV ☎ ♿ P – 🏛 30. AE GB
R 80/120 🍷 – ☕ 32 – **39 ch** 235/255.

FORD Est-Autos, 19 bd Danton ✆ 25 80 02 70
RENAULT STAR, 15 bd Danton ✆ 25 80 02 87 **N** ✆ 25 75 99 71
V.A.G Gar. Scala, 20 bd Pompidou ✆ 25 81 36 30

Ⓜ Devliegher, 8 bd V.-Hugo ✆ 25 73 19 94
La Centrale du pneu, 11 r. Paix ✆ 25 73 35 24
Lohly Pneus, 71 av. P.-Brossolette ✆ 25 73 19 23
Rémy, 94 Mail Charmilles ✆ 25 81 04 10

Périphérie et environs

BMW Gar. Sud-Autom., 132 bd de Dijon à St-Julien-les-Villas ✆ 25 82 03 76
CITROEN La Cité de l'Auto, N 19 à La Chapelle-St-Luc ✆ 25 74 46 98
DATSUN-NISSAN-MERCEDES-BENZ Ets Craeye, 50 av. Martyrs-du-24-Août à Buchères ✆ 25 82 38 78

OPEL Girost, N 60 à Pont-Ste-Marie ✆ 25 81 26 26
PEUGEOT-TALBOT Gds Gar. de l'Aube, N 19 à La Chapelle-St-Luc ✆ 25 79 09 56 **N** ✆ 25 41 12 60
SAAB SEAT Gar. Bruillon, rte d'Auxerre N 77 à Rosières ✆ 25 75 69 50

Ⓜ Lohly Pneus, N 77 à St-Germain ✆ 25 75 68 54

TULLE P 19000 Corrèze 75 ⑨ **G. Berry Limousin** – 17 164 h. alt. 212.

Voir Maison de Loyac★ B **B** – Clocher★ de la cathédrale B **D**.

Env. Ste-Fortunade : chef reliquaire★ dans l'église 9 km par ③.

Office de Tourisme quai Baluze ☏ 55 26 59 61.

Paris 484 ① – Brive-la-Gaillarde 28 ⑤ – Albi 206 ③ – Aurillac 87 ③ – ◆Clermont-Ferrand 140 ② – Guéret 135 ① – ◆Limoges 87 ① – Montluçon 167 ② – Périgueux 102 ⑤ – Rodez 158 ③.

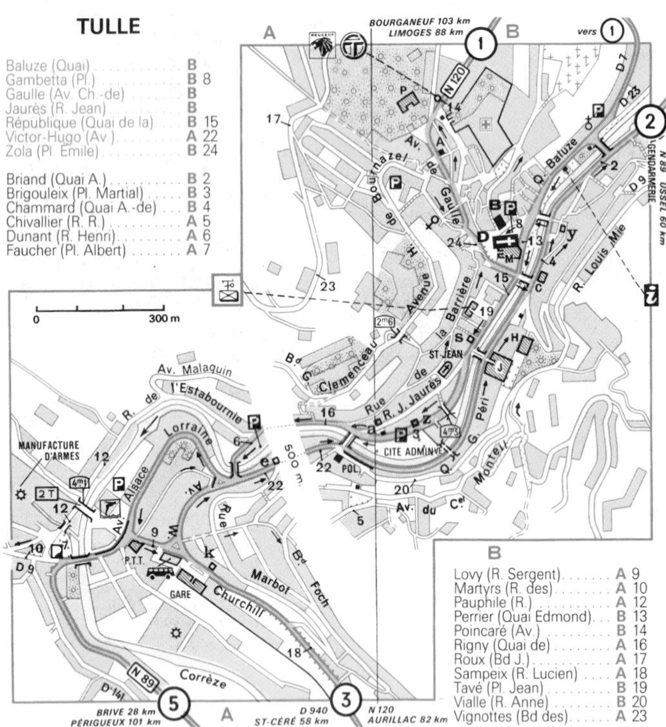

Limouzi, 16 quai République ☏ 55 26 42 00, Fax 55 20 31 17 – |‡| TV ☎ ♿ – 🏛 40 à 150. AE ⓓ GB. ✻ B **s**
fermé 3 au 10 janv. – **R** *(fermé sam. midi et dim.)* 79/170 ♁, enf. 50 – ☕ 25 – **50 ch** 160/270.

Gare, 25 av. W. Churchill ☏ 55 20 04 04, Fax 55 20 15 87 – TV. GB A **k**
fermé 1er au 15 sept. et vacances de fév. – **R** 90/130 ♁, enf. 50 – ☕ 25 – **13 ch** 130/250 – ½ P 180/210.

Royal sans rest, 70 av. V. Hugo ☏ 55 20 04 52 – ☎ ℗. AE ⓓ GB. ✻ A **e**
fermé 12 au 26 juil. – ☕ 25 – **14 ch** 130/240.

Bon Accueil, 10 r. Canton ☏ 55 26 70 57 – ☎ B **y**
fermé 18 au 25 avril, 25 déc. au 3 janv., 14 au 21 fév., sam. soir (sauf juil.-août) et dim. – **R** 65/120 ♁, enf. 35 – ☕ 22 – **12 ch** 110/150 – ½ P 150/160.

XXX **Toque Blanche** avec ch, pl. M. Brigouleix ☏ 55 26 75 41 – ▤ rest TV ☎. AE GB
fermé 7 au 14 oct. 10 au 30 janv. et dim. du 15 sept. au 30 juin sauf fêtes – **R** 129/178 ♁, enf. 50 – ☕ 27 – **10 ch** 150/185 – ½ P 250/270. B **z**

XX **Central,** 32 r. J. Jaurès ☏ 55 26 24 46 – ▤. GB AB **a**
fermé 20 juil. au 9 août, dim. soir et sam. – **R** 120/260.

CITROEN Bru, r. A.-Audubert par ③ ☏ 55 26 18 82
FIAT, LANCIA Autom. Veyres-Périé, Cueille ☏ 55 20 01 75
FORD Éts Carles, rte de Brive ☏ 55 20 08 05
MERCEDES-BENZ, OPEL Gar. de l'Oasis, rte de Brive ☏ 55 20 10 61

PEUGEOT-TALBOT Gar. Bigeargeas, rte de Limoges par ① ☏ 55 20 22 18 N ☏ 55 21 93 14
V.A.G Gar. de St-Abrian, ZI Est ☏ 55 20 03 31

Cammas Vidalie, 3 av. Alsace-Lorraine ☏ 55 20 06 48

TULLINS 38210 Isère 77 ④ – 6 269 h. alt. 201.

ℹ Syndicat d'Initiative à la Mairie ✆ 76 07 00 05.

Paris 552 – ♦Grenoble 30 – Bourgoin-Jallieu 43 – La Côte-St-André 27 – St-Marcellin 23 – Voiron 12.

Aub. de Malatras, S : 2 km sur N 92 ✆ 76 07 02 30, Fax 76 07 76 48, ☂ – ☎ ℗ – 🏛 30. GB
fermé vacances de nov. et merc. – **R** 142/300, enf. 75 – ☕ 38 – **19 ch** 180/300 – ½ P 250/290.

CITROEN Roudet ✆ 76 07 03 40
OPEL Gar. de la Plaine ✆ 76 07 03 67
PEUGEOT-TALBOT Gar. Penon ✆ 76 07 01 25
RENAULT Baboulin ✆ 76 07 02 74

La TURBALLE 44420 Loire-Atl. 63 ⑭ **G. Bretagne** – 3 587 h. alt. 7.

ℹ Office de Tourisme pl. de Gaulle ✆ 40 23 32 01.

Paris 461 – ♦Nantes 84 – La Baule 14 – Guérande 7 – La Roche-Bernard 30 – St-Nazaire 26.

Chants d'Ailes, 11 bd Bellanger ✆ 40 23 47 28, ≤ – TV ☎ ℗. GB. ✻ rest
fermé 15 au 30 nov. – **R** *(fermé dim. soir du 15 oct. au 15 mars)* 75/200 – ☕ 30 – **17 ch** 230/330 – ½ P 210/260.

Terminus, quai St-Paul ✆ 40 23 30 29, ≤ – GB
fermé janv., dim. soir et lundi – **R** 90/138, enf. 60.

L'Horizon, quai St-Paul ✆ 40 23 32 59, ≤ – GB
fermé 30 nov. au 19 déc., 25 janv. au 3 fév., lundi et mardi sauf juil.-août – **R** 85/270, enf. 50.

PEUGEOT-TALBOT Gar. Palais, r. de la Frégate ✆ 40 23 32 23
RENAULT Gar. Pereon, ZA la Marjolaine ✆ 40 23 35 16 **N**

Die im Michelin-Führer

verwendeten Zeichen und Symbole haben –

*dünn oder **fett** gedruckt, in einer Kontrastfarbe oder schwarz –*

jeweils eine andere Bedeutung.

Lesen Sie daher die Erklärungen aufmerksam durch.

La TURBIE 06320 Alpes-Mar. 84 ⑩ 195 ㉗ **G. Côte d'Azur** (plan) – 2 609 h. alt. 480.

Voir Trophée des Alpes★ : ✻★★★ – Intérieur★ de l'église St-Michel-Archange – Place Neuve ≤★.

Paris 948 – Monaco 7,5 – Eze 4,5 – Menton 15 – Monte-Carlo 7 – ♦Nice 16 – Roquebrune-Cap-Martin 7,5.

Le Napoléon, ✆ 93 41 00 54, ☂ – TV ☎. AE ⓓ GB. ✻ ch
fermé 18 fév. au 21 mars – **R** *(fermé mardi hors sais.)* 115/190 – ☕ 28 – **23 ch** 300/400 – ½ P 300.

Moulin d'Alsace, NO : 1,5 km par D 2 204 A ✉ 06340 Laghet ✆ 93 41 11 60, ☂, cuisine alsacienne – ℗. GB
fermé 1er au 15 sept. et jeudi – **R** 110/145, enf. 66.

TURCKHEIM 68230 H.-Rhin 62 ⑱ ⑲ **G. Alsace Lorraine** (plan) – 3 567 h. alt. 225.

ℹ Office de Tourisme pl. Turenne ✆ 89 27 38 44.

Paris 444 – Colmar 6 – Gérardmer 45 – Munster 12 – St-Dié 54 – le Thillot 66.

Au Vieux Turckheim sans rest, r. Vignerons ✆ 89 27 50 78 – cuisinette ☎ ℗. GB
28 mars-11 nov. – ☕ 45 – **11 ch** 300/475.

Berceau du Vigneron sans rest, pl. Turenne ✆ 89 27 23 55 – ☎. GB. ✻
1er mars-31 oct. – ☕ 26 – **16 ch** 200/360.

PEUGEOT-TALBOT Bertrand ✆ 89 27 00 56 **N** ✆ 89 27 22 11

TURENNE 19500 Corrèze 75 ⑧ **G. Périgord Quercy** – 740 h. alt. 350.

Voir Site★ du château et ✻★★ de la tour de César.

Paris 504 – Brive-la-Gaillarde 16 – Cahors 89 – Figeac 75.

Maison des Chanoines avec ch, ✆ 55 85 93 43, ☂ – GB
ouvert 1/3-31/8, 10/9-11/11, week-ends du 12/11 au 28/2 et fermé janv., mardi soir et merc. sauf juil. août – **Repas** (nombre de couverts limité-prévenir) 128/185 – ☕ 35 – **3 ch** 290/360 – ½ P 330/380.

TURINI (Col de) 06440 Alpes-Mar. 84 ⑲ 195 ⑰ **G. Côte d'Azur.**

Voir Forêt de Turini★★ – Monument aux Morts ✻★ NE : 4 km.

Env. Pointe des 3-Communes ✻★★ NE : 6,5 km – Pierre Plate ✻★★ S : 7 km – Cime de Peira Cava ✻★★ S : 8,5 km puis 30 mn.

Paris 906 – L'Escarène 26 – ♦Nice 47 – Roquebillière 18 – St-Martin-Vésubie 28 – Sospel 23.

Trois Vallées ⛰, ✆ 93 91 57 21, Fax 93 79 53 62, ≤, ☂ – TV ☎ ℗. AE ⓓ GB
R 125/320 dîner à la carte, enf. 70 – ☕ 38 – **20 ch** 280/460 – ½ P 320/440.

Les Chamois ⛰, ✆ 93 91 57 42, Fax 93 79 53 62, ≤, ☂ – ℗. GB
fermé 16 au 28 mars et 16 au 28 nov. – **R** *(fermé vend. sauf vacances scolaires)* 70/150 ♁, enf. 48 – ☕ 30 – **11 ch** 260/300 – ½ P 240/260.

TURQUESTEIN-BLANCRUPT **57560** Moselle 62 ⑧ – 22 h. alt. 365.

Paris 396 – ◆Strasbourg 70 – Lunéville 58 – ◆Metz 108 – Sarrebourg 25 – Saverne 49.

Aub. du Kiboki, sur D 993 ✆ 87 08 60 65, Fax 87 08 65 26, ≤, parc, – ☎ Ⓟ. GB.
fermé 1er au 7 mars, 23 au 28 nov., 3 au 28 fév. et mardi – **R** carte 180 à 280 – 38 – **14 ch** 280/350 – ½ P 280/350.

TURRIERS **04250** Alpes-de-H.-P. 81 ⑥ – 276 h. alt. 1 040.

Paris 709 – Gap 35 – Digne 65 – Sisteron 38.

Roche Cline, ✆ 92 55 11 38, ≤, – ☎ Ⓟ. GB.
fermé 18 déc. au 10 janv. et lundi du 30 sept. au 30 mai – **R** 85/110, enf. 55 – 28 – **22 ch** 150/190 – ½ P 220/250.

Gar. Taranger ✆ 92 55 14 66 N

TY-SANQUER **29** Finistère 58 ⑮ – rattaché à Quimper.

Les ULIS **91** Essonne 60 ⑩, 101 ㉝ – voir à Paris, Environs.

UNAC **09** Ariège 86 ⑮ – rattaché à Ax-les-Thermes.

L'UNION **31** H.-Garonne 82 ⑧ – rattaché à Toulouse.

UNTERMUHLTHAL **57** Moselle 57 ⑱ – rattaché à Niederbronn-les-Bains.

URÇAY **03360** Allier 69 ⑪ ⑫ – 294 h. alt. 169.

Paris 304 – Moulins 66 – La Châtre 55 – Montluçon 33 – St-Amand-Montrond 15.

Étoile d'Or avec ch, ✆ 70 06 92 66 – Ⓟ. GB. ch
fermé 15 au 30 oct., dim. soir et merc. – **R** 60/150, enf. 38 – 22 – **6 ch** 115/145 – ½ P 155.

Lion d'Or, ✆ 70 06 92 04
fermé 15 oct. au 15 nov., lundi soir et mardi – **R** 60/200.

URCEL **02000** Aisne 56 ⑤ – 502 h. alt. 88.

Paris 127 – ◆Reims 70 – Fère-en-Tardenois 42 – Laon 11 – Soissons 24 – Vailly-sur-Aisne 12.

Host. de France, rte Nationale ✆ 23 21 60 08 – Ⓟ. GB
fermé 1er au 7 mars, 17 août au 5 sept., 18 au 28 fév., mardi soir et merc. – **R** 125/200.

URCUIT **64990** Pyr.-Atl. 85 ③ – 1 688 h. alt. 32.

Paris 767 – Biarritz 19 – ◆Bayonne 14 – Dax 43 – Orthez 58 – Pau 100.

Au Goût des Mets, O : 4 km sur D 261 ✆ 59 42 95 64, – Ⓟ. GB
fermé vacances de fév. et merc. – **R** 97/130.

URDOS **64490** Pyr.-Atl. 85 ⑯ – 162 h. alt. 760.

Env. Col du Somport★★ SE : 14 km, **G. Pyrénées Aquitaine.**

Paris 865 – Pau 77 – Jaca 46 – Oloron-Ste-Marie 41.

Voyageurs-Somport, ✆ 59 34 88 05, – ☎ Ⓟ. GB
fermé 2 au 23 nov. – **Repas** 65/135, enf. 50 – 25 – **41 ch** 130/230 – ½ P 170/210.

URIAGE-LES-BAINS **38410** Isère 77 ⑤ **G. Alpes du Nord** – alt. 414 – Stat. therm. (avril-nov.).

Voir Forêt de Prémol★ SE : 5 km par D 111.

9 18 de Grenoble ✆ 76 89 03 47, S : 1 km par D 524.

Paris 589 – ◆Grenoble 11,5 – Vizille 9.

Grand Hôtel M, ✆ 76 89 10 80, Fax 76 89 04 62, ≤, – ☎ Ⓟ – 30. GB
R *(fermé 20 déc. au 20 janv., sam. midi, dim. soir et lundi)* 190/350, enf. 110 – 45 – **44 ch** 405/475 – ½ P 329/399.

Le Manoir, ✆ 76 89 10 88, – ☎ Ⓟ. GB
fermé 20 nov. au 10 fév., dim. soir et lundi d'oct. à mars – **R** 70/200, enf. 55 – 30 – **15 ch** 110/360 – P 210/300.

URMATT **67280** B.-Rhin 62 ⑧ ⑨ – 1 243 h. alt. 240.

Voir Église★ de Niederhaslach NE : 3 km, **G. Alsace Lorraine.**

Paris 415 – ◆Strasbourg 39 – Molsheim 13 – Saverne 35 – Sélestat 40 – Wasselonne 21.

Poste, ✆ 88 97 40 55, Fax 88 47 38 32, – ☎ Ⓟ. AE GB. ch
fermé 16 au 31 mars, 30 juin au 6 juil. et lundi sauf fériés – **R** 80/320 – 28 – **13 ch** 190/240 – ½ P 225/250.

Host. Le Clos du Hahnenberg, ✆ 88 97 41 35 – ☎ Ⓟ. AE GB
R 65/330 – 30 – **47 ch** 185/280 – ½ P 240.

A la Chasse, ✆ 88 97 42 64 – ☎ Ⓟ. GB
fermé fév. et vend. – **R** 55/230 – 25 – **9 ch** 140/200 – ½ P 160/175.

URRUGNE 64122 Pyr.-Atl. 85 ② G. Pyrénées Aquitaine – 6 098 h. alt. 33.

Paris 798 – Biarritz 21 – ♦Bayonne 26 – Hendaye 8,5 – San Sebastián 30.

X **Chez Maïté,** ✆ 59 54 30 27 – AE GB
fermé 5 au 28 janv., dim. soir et lundi sauf juil.-août – **R** carte 150 à 210.

URT 64270 Pyr.-Atl. 78 ⑱ – 1 583 h. alt. 42.

Paris 762 – Biarritz 21 – ♦Bayonne 16 – Cambo-les-Bains 28 – Pau 95 – Peyrehorade 24 – Sauveterre-de-Béarn 42.

XXX ✿ **Aub. de la Galupe** (Parra), au port de l'Adour ✆ 59 56 21 84, Fax 59 56 28 66 – GB
fermé 12 au 26 oct., fév., dim. soir (sauf juil.-août) et lundi – **R** (nombre de couverts limité - prévenir) 240
Spéc. Darne de saumon sauvage de l'Adour (mars à mi-août), Boudin du pays maison, Piments "Del Piquillo" farcis à la morue. **Vins** Jurançon, Irouléguy.

URY 77 S.-et-M. 61 ⑪ ⑫ – rattaché à Fontainebleau.

USSAC 19 Corrèze 75 ⑧ – rattaché à Brive-La-Gaillarde.

USSEL ⟨SP⟩ 19200 Corrèze 73 ⑪ G. Berry Limousin – 11 448 h. alt. 631.

ℹ Office de Tourisme pl. Voltaire ✆ 55 72 11 50.

Paris 452 – Aurillac 99 – ♦Clermont-Ferrand 82 – Guéret 103 – ♦Limoges 112 – Tulle 58.

Les Gravades M, à St Dézery NE : 4 km par rte Clermont Ferrand ✆ 55 72 21 53, Fax 55 72 82 49, ≤, parc, piscine, terrasse – TV ☎ P. GB
R *(fermé 20 déc. au 5 janv., vend. soir et sam. midi hors sais.)* 120/160 – ☕ 35 – **20 ch** 270/370.

Gd H. Gare, av. P. Sémard (près gare) ✆ 55 72 25 98 – TV ☎ P. GB
fermé 25 août au 10 sept., vacances de fév., dim. soir et vend. sauf hôtel en juil.-août – **R** 90/220, enf. 55 – ☕ 28 – **25 ch** 230/250 – ½ P 270.

Teillard sans rest, 26 av. Thiers ✆ 55 72 12 54 – ⇆ ☎. GB
Pâques-1er nov. – ☕ 25 – **26 ch** 85/200.

CITROEN N.G.A., 6 rte de Clermont ✆ 55 72 17 81
FIAT, LANCIA Gar. du Centre, 5 r. A.-Chavagnac ✆ 55 72 11 54
OPEL Gar. Barbier, 20 bd Dr-Goudounèche ✆ 55 96 23 59
PEUGEOT Gar. du Collège, RN 89 Eybrail ✆ 55 96 10 68
RENAULT Ussel Autom., N 89 Eybrail ✆ 55 72 40 11 N
SEAT BMW Gar. Thiers, 20 av. Thiers ✆ 55 96 11 01 N ✆ 55 96 14 59
V.A.G Gar. du Stade, 23 bd Dr-Goudounèche ✆ 55 72 12 66
Gar. **Salagnac,** 56 av. Gén.-Leclerc ✆ 55 96 23 23

Estager Pneu, 61 av. Gén.-Leclerc ✆ 55 72 15 83

USSON-EN-FOREZ 42550 Loire 76 ⑦ G. Vallée du Rhône – 1 265 h. alt. 910.

Paris 523 – ♦ St-Étienne 49 – Ambert 34 – Montbrison 41 – Le Puy 51 – St-Bonnet-le-Château 14.

Rival, ✆ 77 50 63 65 – ☎. ⓓ GB
fermé 29 juin au 6 juil., vacances de fév. et lundi hors sais. – **R** 58/220 – ☕ 23 – **13 ch** 120/280 – ½ P 163/220.

CITROEN Gar. Biron, Le Pin Mallet ✆ 77 50 62 15 N
RENAULT Gar. Colombet ✆ 77 50 60 53

USTARITZ 64480 Pyr.-Atl. 85 ② – 4 263 h. alt. 14.

ℹ Syndicat d'Initiative ✆ 59 93 20 81.

Paris 784 – Biarritz 15 – ♦Bayonne 12 – Cambo-les-Bains 8 – Pau 119 – St-Jean-de-Luz 25.

XX **La Patoula** avec ch, ✆ 59 93 00 56, Fax 59 93 16 54, ≤, parc, « Terrasse en bordure de rivière », terrasse – ☎ ♿ P. GB
fermé 5 janv. au 15 fév., dim. soir et lundi du 15 sept. au 15 juin – **R** 130/250, enf. 70 – ☕ 55 – **9 ch** 320/440 – ½ P 330/390.

RENAULT Gar. Etchegaray, à Larressore ✆ 59 93 04 37 N ✆ 59 29 80 02

UTELLE 06 Alpes-Mar. 84 ⑲ 195 ⑯ G. Côte d'Azur – 456 h. alt. 800 – ✉ 06450 Lantosque.

Voir Retable★ de l'église.

Env. Madone d'Utelle ✷★★★ SO : 6 km – Saut des Français ≤★★ SE : 14 km.

UZERCHE 19140 Corrèze 75 ⑧ G. Berry Limousin (plan) – 2 813 h. alt. 333.

Voir Ste-Eulalie ≤★ E : 1 km.

ℹ Office de Tourisme pl. Lunade (avril-oct.) ✆ 55 73 15 71.

Paris 453 – Brive-la-Gaillarde 34 – Aubusson 96 – Bourganeuf 80 – Limoges 56 – Périgueux 91 – Tulle 30.

Teyssier, r. Pont Turgot ✆ 55 73 10 05 – TV ☎ P. AE ⓓ GB JCB
fermé 10 au 18 juin, 12 au 26 nov., mi-janv. à mi-fév. et merc. sauf le soir de mi-juil. à mi-sept. – **R** 105 bc/500 bc, enf. 63 – ☕ 33 – **17 ch** 145/290 – ½ P 220/280.

à Vigeois SO : 9 km par N 20 et D 3 – ✉ **19410** :

XX **Les Semailles** avec ch, rte Brive-la-Gaillarde ☏ 55 98 93 69 – ☎. GB. ✻ ch
fermé 1er déc. au 1er fév., dim. soir et lundi hors sais. – **R** 80/230 – ☕ 28 – **7 ch** 140/250 – ½ P 200/230.

PEUGEOT-TALBOT Gar. Mériguet ☏ 55 73 26 35 RENAULT Gar. Bachellerie ☏ 55 73 15 75 **N**

UZÈS **30700** Gard **80** ⑲ **G. Provence** – 7 649 h. alt. 138.

Voir Duché★ : ≤★ de la Tour Bermonde A – Orgues★ de la Cathédrale B **V** – Tour Fenestrelle★ B **B**.

ℹ Office de Tourisme av. Libération ☏ 66 22 68 88.

Paris 685 ② – Alès 34 ④ – ✦Montpellier 85 ② – Arles 52 ② – Avignon 39 ② – Montélimar 76 ① – Nîmes 25 ②.

UZÈS

Alliés (Bd des) . . . . A 2
Gambetta (Bd) . . . . A
Gide (Bd Ch.) . . . . AB
République (R.) . . . . A 23
Uzès (R. J.-d') . . . . A 29
Vincent (Av. Gén.) . . . . A

Belle-Croix (Pl.) . . . . A 3
Boucairie (R.) . . . . B 4
Chauvin (Av. G.) . . . . A 5
Collège (R. du) . . . . B 6
Dampmartin (Pl.) . . . . A 7
Dr-Blanchard (R.) . . . . B 8
Duché (Pl. du) . . . . A 9
Entre-les-Tours (R.) . . . . A 10
Évêché (R. de l') . . . . B 12
Foch (Av.) . . . . A 13
Foussat (R. Paul) . . . . A 14
Herbes (Pl. aux) . . . . A 15

Marronniers (Prom.) . . . . B 16
Pascal (Av. M.) . . . . B 17
Pelisserie (R.) . . . . A 18
Plan-de-l'Oume (R.) . . . . B 19
Rafin (R.) . . . . B 20
St-Étienne (R.) . . . . A 25
St-Julien (R.) . . . . B 26
St-Théodorit . . . . B 27
Verdun (Pl. de) . . . . B 30
Victor-Hugo (Bd) . . . . A 32
4-Septembre (R.) . . . . A 35

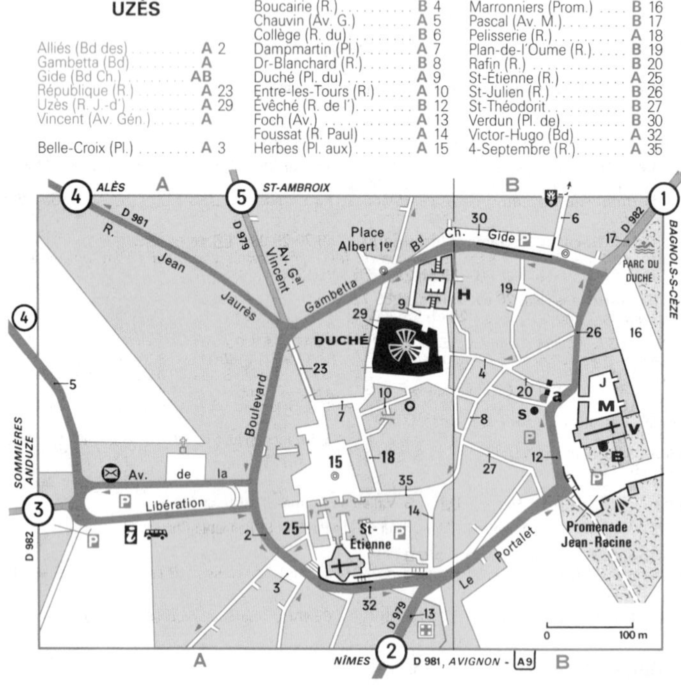

🏨 **d'Entraigues** 🐦, pl. Évêché ☏ 66 22 32 68, Fax 66 22 57 01, 🍽, « Ancien hôtel particulier du 15e siècle » – 📺 ☎ 🚗 – 🧑‍🏫 30. AE ⓓ GB JCB B **s**
R voir rest. **Jardins de Castille** ci-après – ☕ 38 – **19 ch** 290/400 – ½ P 345/400.

🏨 **St-Géniès** 🐦 sans rest, rte St-Ambroix par ⑤ : 1,5 km ☏ 66 22 29 99, 🌳 – ☎ **P**. GB
mars-oct. – ☕ 30 – **18 ch** 210/280.

XX **Jardins de Castille**, pl. Évêché ☏ 66 22 32 68, Fax 66 22 57 01, 🍽 – ▤. AE ⓓ GB B **a**
fermé le midi en juil.-août – **R** 100/175.

à St-Victor-des-Oules NE : 8 km par ① et D 125 – ✉ **30700** :

🏨 **Château de St-Victor-des-Oules** 🐦, ☏ 66 22 76 10, Fax 66 22 46 87, ≤, parc, 🏊, 🎾 – 🛗 📺 ☎ **P** – 🧑‍🏫 25. AE GB
R 220/350, enf. 85 – ☕ 60 – **15 ch** 580/1200.

à St-Maximin par ② et D 981 : 5,5 km – ✉ **30700** :

XX **Aub. St-Maximim**, ☏ 66 22 26 41, Fax 66 22 90 71, 🍽 – AE ⓓ GB
1er avril-31 oct. – **R** (dîner seul.) 145/195, enf. 80.

à Arpaillargues-et-Aureillac par ③ : 4,5 km – ✉ **30700** :

🏨 **H. d'Agoult, Château d'Arpaillargues** 🐦, ☏ 66 22 14 48, Fax 66 22 56 10, 🍽, « Demeure du 18e siècle, parc, 🎾, 🏊 » – 📺 ☎ **P** – 🧑‍🏫 50. AE ⓓ GB. ✻ rest
15 mars-15 nov. – **R** *(fermé merc. hors sais.)* 195, enf. 100 – ☕ 52 – **26 ch** 450/700 – ½ P 425/705.

CITROEN Gar. Mandon, Champs-de-Mars par ② ℘ 66 22 22 64
PEUGEOT-TALBOT Laborie, av. Gare par ③ ℘ 66 22 59 01

RENAULT SUVRA, rte d'Alès par ④ ℘ 66 22 60 99

Rome-Pneus, rte Remoulins pt des Charrettes ℘ 66 22 26 65

VACQUEYRAS **84190** Vaucluse **81** ⑫ – 943 h. alt. 117.

Paris 667 – Avignon 34 – Nyons 35 – Orange 21 – Vaison-la-Romaine 19.

Le Pradet Ⓜ sans rest, ℘ 90 65 81 00, Fax 90 65 80 27 – ☎ Ⓟ. AE GB
30 – **20 ch** 250/300.

VACQUIERS **31340** H.-Gar. **82** ⑧ – 916 h. alt. 230.

Paris 679 – ◆Toulouse 23 – Albi 66 – Castres 73 – Montauban 33.

Villa des Pins Ⓜ, O : 2 km par D 30 ℘ 61 84 96 04, Fax 61 84 28 54, ←, , parc – ☎ Ⓟ – 60. GB
R 80/215 , enf. 42 – 35 – **15 ch** 160/275 – ½ P 200/290.

VAIGES **53480** Mayenne **60** ⑪ – 1 019 h. alt. 91.

Paris 254 – Château-Gontier 38 – Laval 23 – ◆Le Mans 59 – Mayenne 32.

Commerce Ⓜ, ℘ 43 90 50 07, Télex 722520, Fax 43 90 57 40, – TV ☎ Ⓟ – 30. AE ⓓ GB
R 98/220 , enf. 65 – 40 – **30 ch** 295/400 – ½ P 280.

VAILLY-SUR-AISNE **02370** Aisne **56** ④ ⑤ – 1 980 h. alt. 48.

Paris 118 – ◆Reims 48 – Fère-en-Tardenois 29 – Laon 23 – Soissons 17.

Cheval d'Or avec ch, ℘ 23 54 70 56 – AE GB
fermé dim. soir – **R** 65/165 – 25 – **21 ch** 100/150 – ½ P 150/165.

VAILLY-SUR-SAULDRE **18260** Cher **65** ⑫ **G. Berry Limousin** – 865 h. alt. 200.

Paris 182 – Bourges 51 – Aubigny-sur-Nère 17 – Cosne-sur-Loire 23 – Gien 35 – Sancerre 24.

Aub. Lièvre Gourmand, ℘ 48 73 80 23 – GB
fermé janv., fév., dim. soir et merc. – **Repas** (nombre de couverts limité, prévenir) 90/240.

VAISON-LA-ROMAINE **84110** Vaucluse **81** ② ③ **G. Provence** – 5 663 h. alt. 200.

Voir Les ruines romaines★★ Y : théâtre romain★ Y – Cloître★ Y **B** – Chapelle de St-Quenin★ Y **D** – Maître-autel★ de l'anc. cathédrale N.-D. de Nazareth Y – Musée★ Y **M.**

Maison du Tourisme pl. Chanoine Sautel ℘ 90 36 02 11.

Paris 670 ④ – Avignon 47 ③ – Carpentras 27 ② – Montélimar 62 ④ – Pont-St-Esprit 41 ④.

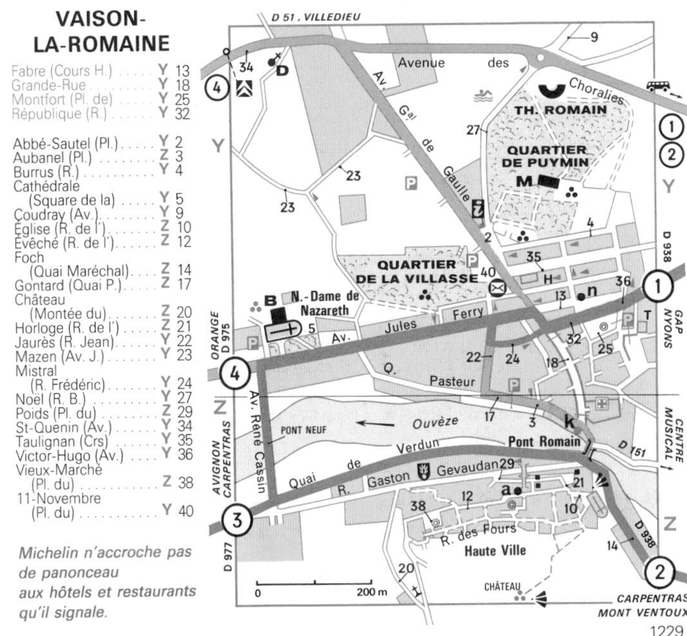

Michelin n'accroche pas de panonceau aux hôtels et restaurants qu'il signale.

Le Beffroi ⛰, Haute Ville ☎ 90 36 04 71, Télex 306022, Fax 90 36 24 78, ≤, 🏡, « Belle demeure du 16e siècle », – TV ☎ P. AE ⓪ GB JCB. ✻ rest Z a
fermé 5 janv. au 20 mars – **R** *(fermé mardi midi sauf juil.-août et lundi)* 98/215, enf. 55 – ☕ 42 – **20 ch** 400/700 – ½ P 420/550.

Les Aurics sans rest, rte Avignon par ③ : 2 km ☎ 90 36 03 15, ⛱ – ☎ P. AE GB. ✻
1er avril-15 nov. et fermé merc. soir sauf de juil. à sept. – ☕ 28 – **14 ch** 240/290.

Burrhus, 2 pl. Montfort ☎ 90 36 00 11, Fax 90 36 39 05, 🏡 – TV ☎. AE ⓪ GB
fermé 15 nov. au 21 déc. et dim. en janv. et fév. – **R** *(1er avril-1er oct. et fermé dim.)* (dîner seul. table d'hôtes) 90/120 – ☕ 34 – **14 ch** 270/320. Y n

Le Bateleur, pl. Th. Aubanel ☎ 90 36 28 04 – GB Z k
fermé oct., dim. soir et lundi – **R** (prévenir) 108/160.

à St-Romain-en-Viennois par ① et D 71 : 4 km – ✉ **84110** :

L'Amourié avec ch, ☎ 90 46 43 72, 🏡 – TV. GB
R *(fermé 15 déc. au 31 janv., lundi soir et mardi du 15 sept. au 15 juin)* 75/155, enf. 50 – ☕ 22 – **5 ch** 195/220 – ½ P 207.

à Entrechaux par ② et D 54 : 7 km **G. Alpes du Sud** – ✉ **84340** :

St-Hubert, ☎ 90 46 00 05, Fax 90 46 00 06, 🏡, – P. GB. ✻
fermé 28 sept. au 10 oct., fév., lundi soir d'oct. à janv., mardi soir et merc. – **R** 60/250 🍷, enf. 55.

à Séguret par ③ et D 88 : 9,5 km – ✉ **84110** :

Domaine de Cabasse ⛰, rte Sablet ☎ 90 46 91 12, Fax 90 46 94 01, ≤, 🏡, ⛱, – TV ☎ P. ⓪ GB. ✻
1er avril-3 nov. – **R** *(fermé lundi sauf juil.-août)* carte 170 à 220, enf. 60 – ☕ 45 – **9 ch** 300/500 – ½ P 450/470.

✿ **La Table du Comtat** (Gomez) ⛰ avec ch, ☎ 90 46 91 49, Fax 90 46 94 27, ≤ plaine, ⛱ – ⇆ rest ▤ rest ☎ P. AE ⓪ GB
fermé 24 nov. au 4 déc., fév., mardi soir et merc. hors sais. sauf fériés – **R** 220/480, enf. 110 – ☕ 63 – **8 ch** 480/650
Spéc. Gourmandise de truffe soufflée en coque d'oeuf. Filets de rouget barbet poêlés (été). Côte d'agneau de pays et son filet mignon. **Vins** Gigondas, Vacqueyras.

à Rasteau par ④ et D 69 : 9 km – ✉ **84110** :

Bellerive M ⛰, sur D 69 ☎ 90 46 10 20, Fax 90 46 14 96, ≤, 🏡, « Au milieu des vignes », ⛱, – TV ☎ P. GB
fermé 2 janv. au 16 mars – **R** 125/300, enf. 60 – ☕ 45 – **20 ch** 480 – ½ P 370/390.

CITROEN Gar. de France, la Rocade ☎ 90 36 10 90
OPEL-GM Adage, 7 cours Taulignan ☎ 90 36 01 50
PEUGEOT, TALBOT, RENAULT Gar. Lagneau, à Entrechaux par ② ☎ 90 36 07 95

PEUGEOT-TALBOT De Luca, rte de Nyons par ① ☎ 90 36 24 33 N

Valerian Pneus, ZA de la Gravière ☎ 90 36 34 89 N ☎ 90 51 55 65

VAÏSSAC 82800 T.-et-G. 79 ⑱ – 636 h. alt. 142.

Paris 640 – ♦ Toulouse 74 – Albi 58 – Montauban 22 – Villefranche-de-Rouergue 65.

Terrassier, ☎ 63 30 94 60, 🏡, ⛱ – ☎ P. GB
fermé 1er au 15 janv., vend. soir et dim. soir sauf juil.-août – **R** 65/205 🍷, enf. 35 – ☕ 28 – **12 ch** 130/240 – ½ P 180/230.

VALADY 12330 Aveyron 80 ② – 1 014 h. alt. 340.

Paris 648 – Rodez 18 – Decazeville 19.

Combes, ☎ 65 72 70 24, – ⇆ TV ☎. GB
fermé 5 au 20 janv. – **R** *(fermé lundi sauf du 1er août au 15 sept.)* 75/140 🍷 – ☕ 22 – **16 ch** 135/250 – ½ P 190/220.

à Nuces SE : 2,5 km – ✉ **12330** Valady :

La Diligence, ☎ 65 72 60 20 – P. GB. ✻
fermé 8 au 12 juin, 30 août au 7 sept., 1er au 24 janv., dim. soir et lundi du 15 sept. au 30 juin sauf fériés – **Repas** 120/280.

Le VAL-ANDRÉ 22 C.-d'Armor 59 ④ – voir à Pléneuf-Val-André.

VALAURIE 26230 Drôme 81 ① ② – 386 h.

Paris 625 – Montélimar 20 – Nyons 31 – Pierrelatte 13.

Valle Aurea ⛰ avec ch, rte Grignan ☎ 75 98 56 40, Fax 75 98 59 59, 🏡, – TV ☎ P. GB. ✻ ch
fermé fév. et mardi – **R** 155/195, enf. 65 – ☕ 65 – **4 ch** 300/350 – ½ P 410/435.

VALBERG 06 Alpes-Mar. 81 ⑨ ⑲ 195 ④ G. Alpes du Sud – alt. 1 669 – Sports d'hiver : 1 430/2 100 m 27 – ✉ 06470 Péone.

Voir Intérieur* de la chapelle N.-D.-des-Neiges.

Office de Tourisme ☎ 93 02 52 77.

Paris 815 – Barcelonnette 76 – Castellane 71 – Digne 109 – ♦Nice 84 – St-Martin-Vésubie 58.

Adrech de Lagas, ☎ 93 02 51 64, Fax 93 02 52 33, ←, – TV ☎ P. AE GB. ch
12 juil.-31 août et 20 déc.-15 avril – **R** 150/220, enf. 45 – ☐ 35 – **20 ch** 450 – ½ P 410/450.

La Clé des Champs , ☎ 93 02 51 45, ←, – TV ☎ P. GB. ch
7 juil.-20 sept. et 20 déc.-15 avril – **R** 90 – ☐ 38 – **18 ch** 290 – ½ P 280/300.

VALBONNE 06560 Alpes-Mar. 84 ⑨ 195 ㉔ ㉕ G. Côte d'Azur – 9 514 h. alt. 202.

18 Opio-Valbonne ☎ 93 42 00 08, NE : 2 km ; 9 du Val Martin ☎ 93 42 07 98, S : 4 km par D 3 puis D 103.

Office de Tourisme bd Gambetta (transfert prévu 11 av. St-Roch) ☎ 93 42 04 16.

Paris 912 – Cannes 12 – Antibes 15 – Grasse 10 – Mougins 8,5 – ♦Nice 27 – Vence 24.

La Cigale, rte Opio ☎ 93 40 24 43, – TV ☎ P. GB
R grill *(fermé merc. sauf juil.-août)* 100/150 – ☐ 32 – **12 ch** 300/400 – ½ P 280.

Moulin des Moines, pl. Église ☎ 93 42 03 41, – AE GB
fermé 10 fév. au 10 mars, dim. soir et lundi hors sais. – **R** 98/195.

Bistro de Valbonne, 11 r. Fontaine ☎ 93 42 05 59 – . AE GB
fermé mars, nov., dim. et lundi – **R** 150/245.

Caves St-Bernardin, 8 r. Arcades ☎ 93 42 03 88 – AE GB
fermé dim. et lundi – **R** (nombre de couverts limité - prévenir) 120/160.

Lou Cigalon, 4 bd Carnot ☎ 93 40 27 07 – . GB
fermé nov., mardi hors sais. et lundi – **R** (nombre de couverts limité, prévenir) 98/148.

au val de Cuberte SO : 1,5 km sur D 3 – ✉ 06560 Valbonne :

Aub. Fleurie, ☎ 93 42 02 80, Fax 93 40 22 27, – P. GB
fermé 15 déc. au 30 janv. et merc. – **Repas** 98/165 .

Val de Cuberte, ☎ 93 42 01 82, – P. AE GB
fermé 16 nov. au 10 déc. et lundi (sauf le soir en juil.-août) – **R** 125/185.

au Sud : 3 km par D 3 et D 103 – ✉ 06560 Valbonne :

Bois Doré, rte Antibes ☎ 93 40 26 25, Fax 93 40 28 73, – P. AE GB
fermé 10 janv. au 22 fév., dim. soir du 1er oct. au 30 avril et lundi – **R** 112/165, enf. 75.

à Sophia-Antipolis SE : 7 km par D 3 et D 108 – ✉ 06560 Valbonne :

Pullman M , rte Dolines ☎ 92 96 68 78, Télex 462130, Fax 92 96 68 96, , , , – ch TV ☎ P – 400. AE GB.
L'Arlequin **R** 140/230 – ☐ 80 – **102 ch** 720 – ½ P 590/670.

Mercure M , r. A. Caquot ☎ 92 96 04 04, Télex 462624, Fax 92 96 05 05, , , – ch TV ☎ P – 250. AE GB
R 135, enf. 45 – ☐ 60 – **104 ch** 560/650.

Novotel M , r. Dostoievski ☎ 93 65 40 00, Télex 970914, Fax 93 95 80 12, , , , – ch TV ☎ P – 200. AE GB
R carte environ 150 , enf. 52 – ☐ 46 – **97 ch** 445/545.

Médiathel M, rte Crêtes ☎ 92 94 68 00, Télex 461072, Fax 93 65 43 41, , – TV ☎ P – 150. AE GB
le Bellet *(fermé 25 juil. au 23 août)* **R** 198/320, enf. 120 – **l'Ensoleïade** grill *(fermé le soir)* **R** 90/148 enf. 68 – ☐ 55 – **100 ch** 480/650 – ½ P 345/465.

Ibis M, r. A. Caquot ☎ 93 65 30 60, Télex 461363, Fax 93 95 83 99, , , – TV ☎ P – 25 à 40. GB
R 93 , enf. 35 – ☐ 32 – **99 ch** 340/390.

RENAULT Gar. Cuberte ☎ 93 42 02 24

VALCEBOLLÈRE 66340 Pyr.-Or. 86 ⑯ – 37 h. alt. 1 470.

Paris 888 – Bourg-Madame 9 – ♦Perpignan 106 – Prades 62.

Les Ecureuils , ☎ 68 04 52 03 – . GB
1er mai-3 nov. et 20 déc.-15 avril – **R** 110/260, enf. 75 – ☐ 35 – **15 ch** 180/340 – ½ P 195/285.

VAL CLARET 73 Savoie 74 ⑲ – rattaché à Tignes.

VALDAHON 25800 Doubs 66 ⑯ – 3 534 h. alt. 649.

Paris 441 – ♦Besançon 32 – Morteau 31 – Pontarlier 30.

Relais de Franche Comté M , ☎ 81 56 23 18, Fax 81 56 44 38, ←, – ch TV ☎ P – 30. AE GB
fermé 20 déc. au 15 janv., vend. soir et sam. midi sauf juil.-août – **Repas** 60/220 – ☐ 30 – **20 ch** 220/240 – ½ P 220/250.

à Chevigney-lès-Vercel NE : 3 km par D 50 – ✉ **25530** :

Promenade, ✆ 81 56 24 76, – ☎ Ⓟ – 30. GB. rest
fermé nov., dim. soir et lundi sauf de mai à sept. – **R** 47/165, enf. 32 – ☐ 27 – **11 ch** 145/180 – ½ P 135.

CITROEN Gar. Pétot ✆ 81 56 27 12 **N** ✆ 81 56 26 19

RENAULT Gar. Duquet, 62 Grande-Rue ✆ 81 56 23 07

Le VAL-D'AJOL **88340** Vosges **62** ⑯ **G. Alsace Lorraine** – 4 877 h. alt. 346.

Office de Tourisme 93 Grande-Rue ✆ 29 30 66 69 et pl. Hôtel de Ville (15 juin-15 sept.) ✆ 29 30 61 55.

Paris 373 – Épinal 43 – Luxeuil-les-Bains 17 – Plombières-les-Bains 9 – Remiremont 21 – Vittel 70.

Résidence, r. Mousses ✆ 29 30 68 52, Fax 29 66 53 00, « Parc », – TV ☎ Ⓟ – 25 à 80. AE ⓓ GB
fermé 15 nov. au 15 déc. – **R** 95/320, enf. 35 – ☐ 35 – **60 ch** 110/350 – ½ P 200/320.

VALDEBLORE (Commune de) **06420** Alpes-Mar. **84** ⑱ ⑲ **195** ⑥ **G. Côte d'Azur** – 664 h. alt. 1 100 – Sports d'hiver à la Colmiane : 1 400/1 800 m 8.

Paris 847 – Cannes 89 – ♦Nice 70 – St-Étienne-de-Tinée 46 – St-Martin-Vésubie 11.

à La Bolline :

Valdeblore, ✆ 93 02 81 05, ← – AE GB
fermé 15 nov. au 28 déc. et lundi du 1er oct. au 1er mai – **R** 90/140, enf. 60 – ☐ 25 – **16 ch** 180/260 – ½ P 205/245.

à St-Dalmas-Valdeblore – alt. 1300 – ✉ **06420** St-Sauveur-de-Tinée.

Voir Pic de Colmiane ★★ E 4,5 km accès par télésiège.

Aub. des Murès , ✆ 93 02 80 11, ←, – Ⓟ. GB
1er juin-30 sept. et 1er fév.-30 avril – **R** 130/160, enf. 60 – ☐ 30 – **10 ch** 280/310 – ½ P 300/330.

Lou Mercantour , ✆ 93 02 80 21, ← – Ⓟ. ch
1er juin-15 sept. et vacances de fév. – **R** 100/120 – ☐ 25 – **22 ch** 180/300 – ½ P 200/280.

VAL-D'ISÈRE **73150** Savoie **74** ⑲ **G. Alpes du Nord** – 1 701 h. alt. 1 840 – Sports d'hiver : 1 750/3 300 m 5 43 – Voir Rocher de Bellevarde ★★★ par téléphérique.

Office de Tourisme Maison de Val d'Isère ✆ 79 06 10 83 avec Val Hôtel (Réservations d'hôtels) ✆ 79 06 18 90, Télex 980077 – Paris 666 – Albertville 83 – Briançon 140 – Chambéry 130.

Sofitel M , ✆ 79 06 08 30, Télex 980558, Fax 79 06 04 41, ←, , , – TV ☎ – 50. AE ⓓ GB JCB
4 juil.-23 août et 1er déc.-4 mai – **R** 250/280 – **48 ch** ☐ 770/1370, 5 appart. – ½ P 860/900.

Latitudes M, ✆ 79 06 18 88, Télex 319113, Fax 79 06 18 87, , – TV ☎ – 100. AE ⓓ GB. rest
4 juil.-23 août et 5 déc.-2 mai – **R** 190, enf. 70 – ☐ 60 – **95 ch** 785/1380, 14 duplex 1110/1530 – ½ P 755/810.

Christiania , ✆ 79 06 08 25, Télex 309782, Fax 79 41 11 10, ← – ☎ Ⓟ. GB. rest
hôtel : 1er déc.-6 mai ; rest. : 20 déc.-20 avril – **R** carte 225 à 400 – **60 ch** ☐ 1202/1670, 10 appart. – ½ P 732/1030.

La Savoyarde M , ✆ 79 06 01 55, Télex 309274, Fax 79 41 11 29, ←, – TV ☎ Ⓟ. AE ⓓ GB JCB
ouvert 8 au 22 août (sauf rest.) et 1er déc.-5 mai – **R** 180/220, enf. 80 – ☐ 55 – **44 ch** 420/1040 – ½ P 655/755.

Gd Paradis M, ✆ 79 06 11 73, Télex 309731, Fax 79 41 11 13, ←, – TV ☎ Ⓟ – 25. AE ⓓ GB. rest
1er juil.-25 août et 1er déc.-15 mai – **R** 240, enf. 65 – ☐ 65 – **40 ch** (½ pens. seul.), 4 appart. – ½ P 740/950.

Tsanteleina, ✆ 79 06 12 13, Télex 980175, Fax 79 41 14 16, ←, , – TV ☎ Ⓟ. AE ⓓ GB JCB. rest
27 juin-23 août et 5 déc.-10 mai – **R** 160/400 – ☐ 65 – **32 ch** 500/750 – ½ P 550/830.

Mercure Village M, ✆ 79 06 12 93, Télex 309150, Fax 79 41 11 12, ←, – TV ☎ – 40. AE ⓓ GB. rest
fermé 15 mai au 15 juin – **R** 100/190, enf. 65 – **41 ch** ☐ 500/1050 – ½ P 675.

Blizzard, ✆ 79 06 02 07, Télex 309662, Fax 79 06 04 94, ←, , , – rest TV ☎ – 50. AE ⓓ GB. rest
1er déc.-10 mai – **R** 150/250, enf. 110 – **80 ch** ☐ 500/1800 – ½ P 600/850.

Altitude M , ✆ 79 06 12 55, Fax 79 41 11 09, ←, , , – ☎ Ⓟ. GB.
3 juil.-28 août et 2 déc.-10 mai – **R** 140, enf. 80 – **40 ch** ☐ 600/860 – ½ P 520/550.

Bellier , ✆ 79 06 03 77, Télex 306022, Fax 79 41 14 11, ←, – TV ☎ Ⓟ. AE ⓓ GB
1er juil.-25 août et 1er déc.-5 mai – **R** (dîner seul.) carte 160 à 200 – ☐ 55 – **20 ch** 400/750 – ½ P 420/700.

La Galise, ✆ 79 06 05 04, Fax 79 41 16 16 – TV ☎. GB. rest
15 déc.-30 avril – **R** (dîner seul.) 110/160, enf. 60 – ☐ 50 – **30 ch** 720 – ½ P 401/460.

Chamois d'Or ⑤, ☎ 79 06 00 44, Fax 79 06 16 58, ← – ☎ P. GB. ✻
1er juil.-31 août et 18 déc.-3 mai – **R** 96/130, enf. 65 – ☐ 40 – **24 ch** 390/425.

L'Avancher, rte Fornet ☎ 79 06 02 00, Fax 79 41 16 07, ←, – ☎. GB
1er juil.-1er sept. et 3 déc.-9 mai – **R** (dîner seul. en hiver) 120/150, enf. 70 – ☐ 40 – **16 ch** 223/492 – ½ P 334/407.

à la Daille NO : 2 km – ✉ **73150** Val-d'Isère.

Office de Tourisme (déc.-fin avril) ☎ 79 06 14 93.

Samovar, ☎ 79 06 13 51, Fax 79 41 11 08, ← – TV ☎. GB. ✻ rest
déc.-mai – **R** (dîner seul.) 188/260, enf. 95 – ☐ 76 – **18 ch** 450/820 – ½ P 475/680.

VALDOIE **90** Ter.-de-Belf. 66 ⑧ – rattaché à Belfort.

VALENÇAY **36600** Indre 64 ⑱ **G. Châteaux de la Loire** (plan) – 2 912 h. alt. 140.

Voir Château★★.

Office de Tourisme à l'Hôtel de Ville ☎ 54 00 14 33 et av. Résistance (15 juin-15 sept.) ☎ 54 00 04 42.

Paris 237 – Blois 55 – Bourges 72 – Châteauroux 42 – Loches 48 – Vierzon 49.

Espagne (Fourré) ⑤, 9 r. du Château ☎ 54 00 00 02, Télex 751675, Fax 54 00 12 63, « Terrasse fleurie » – TV ☎ P. AE ① GB
fermé janv., fév., dim. soir et lundi d'oct. à mars – **R** 200/260, enf. 120 – ☐ 65 – **8 ch** 450/650, 6 appart. 900/1000 – ½ P 600/800
Spéc. Escalope de foie gras de canard aux raisins, Papillotte de ris de veau, Délicieuse au chocolat. **Vins** Valencay.

Médiathel M, 94 r. Nationale ☎ 54 00 38 00, Fax 54 00 38 38, – TV ☎ P – 25 à 150. GB. ✻ rest
R 100/150 – ☐ 35 – **54 ch** 250/300 – ½ P 270.

à Veuil S : 6 km par D 15 et VO – ✉ **36600** :

St Fiacre, ☎ 54 40 32 78, , intérieur rustique – . GB
fermé 4 au 23 janv., mardi soir et merc. sauf fériés – **R** 160, enf. 70.

à Vicq-sur-Nahon S : 7,5 km par D 15 – ✉ **36600** :

Aub. du Nahon, ☎ 54 40 35 26 – GB. ✻
fermé vacances de fév., lundi sauf le midi en juil.-août et dim. soir – **R** 140/195, enf. 50.

CITROEN Huard ☎ 54 00 05 35 N
PEUGEOT-TALBOT Debrais ☎ 54 00 17 99
RENAULT Brault Gar. du Château ☎ 54 00 02 24

VALENCE P **26000** Drôme 77 ⑫ **G. Vallée du Rhône** – 63 437 h. alt. 123.

Voir Maison des Têtes★ BY – Intérieur★ de la cathédrale AZ – Champ de Mars ←★ AZ – Sanguines de Hubert Robert★★ au musée AZ **M**.

de Valence-Chabeuil : ☎ 75 85 44 62, par D 68 : 5 km BYZ.

Office de Tourisme pl. Leclerc ☎ 75 43 04 88 – A.C. 33 bis av. F.-Faure ☎ 75 43 61 07.

Paris 561 ① – Aix-en-Provence 199 ④ – Avignon 127 ④ – ♦Clermont-Ferrand 266 ① – ♦Grenoble 92 ② – ♦Lyon 101 ① – ♦Marseille 212 ④ – Nîmes 150 ④ – Le Puy-en-Velay 114 ⑥ – ♦St-Étienne 118 ①.

Plan page suivante

Novotel M, 217 av. Provence par ④ près échangeur Valence-Sud ☎ 75 42 20 15, Télex 345823, Fax 75 43 56 29, – TV ☎ P – 25 à 300. AE ① GB
R carte environ 150, enf. 50 – ☐ 45 – **107 ch** 420/450.

Yan's H. M sans rest, par ③ et D 561 près centre hospitalier ☎ 75 55 52 52, Fax 75 42 27 37, – TV ☎ P. AE GB
☐ 35 – **39 ch** 290/370.

Valsud M, sortie autoroute Valence-sud ☎ 75 40 80 70, Télex 346506, Fax 75 44 39 20, – ch TV ☎ P – 30 à 80. AE ① GB
R 81/86, enf. 42 – ☐ 32 – **75 ch** 275/320.

France sans rest, 16 bd Gén. de Gaulle ☎ 75 43 00 87, Fax 75 55 90 51 – TV ☎ – 25. AE ① GB — BZ **w**
☐ 28 – **34 ch** 218/305.

Park-H. sans rest, 22 r. J. Bouin ☎ 75 43 37 06, Fax 75 42 43 55 – TV ☎. AE ① GB — AY **u**
fermé 23 déc. au 11 janv. – ☐ 28 – **21 ch** 225/275.

Paris sans rest, 30 av. P. Sémard ☎ 75 44 02 83, Fax 75 41 49 61 – TV ☎. AE ① GB JCB — BZ **h**
☐ 25 – **36 ch** 220/270.

Primevère M, rte Grenoble par ② : 3 km ☎ 75 56 50 00, Télex 651530, Fax 75 56 40 90 – TV ☎ P – 50. AE ① GB
R 75/100, enf. 39 – ☐ 30 – **41 ch** 250 – ½ P 195/225.

Lyon sans rest, 23 av. P. Sémard ☎ 75 41 44 66, Fax 75 44 72 32 – ☎ – 50. GB — BZ **e**
☐ 25 – **56 ch** 140/240.

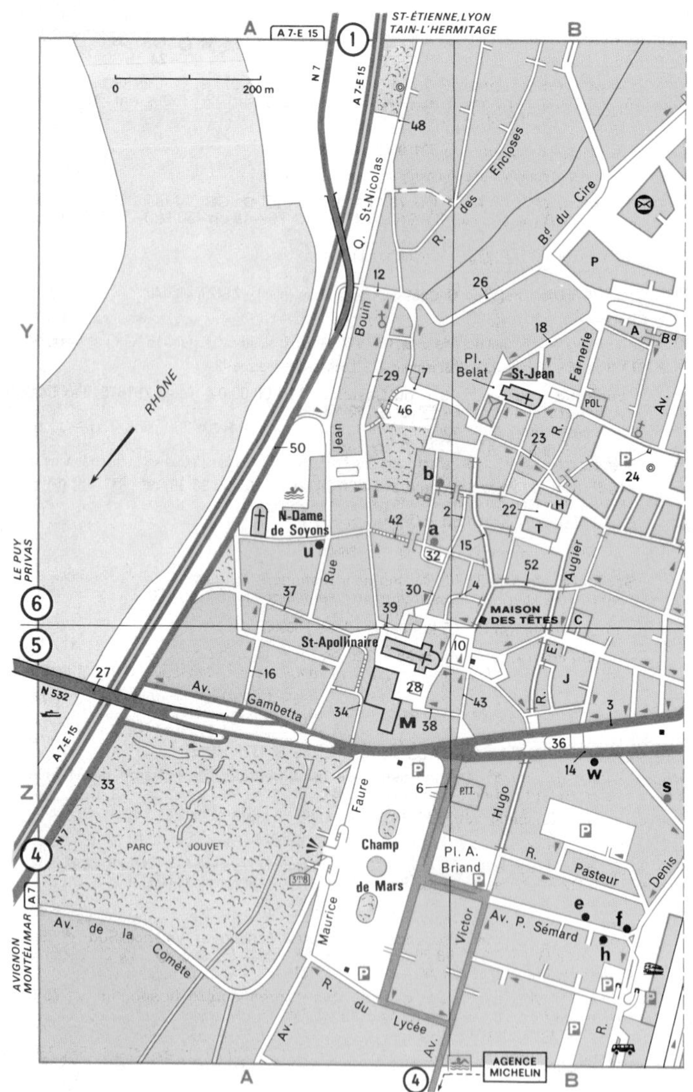

Négociants, 27 av. P. Sémard ✆ 75 44 01 86, Télex 305551, Fax 75 44 77 57 – rest TV ☎. AE GB JCB BZ **f**
fermé 20 déc. au 5 janv. – **R** *(fermé dim.)* 49/180 – 27 – **37 ch** 140/280 – ½ P 195/240.

St-Jacques, 9 fg St-Jacques ✆ 75 42 44 60, Fax 75 42 70 88 – ☎ P. AE GB CY **n**
R 68/225, enf. 45 – 34 – **32 ch** 212/247 – ½ P 198/280.

XXXX ✿✿✿ **Pic** avec ch, 285 av. V. Hugo - ABZ - sortie autoroute Valence-sud ✆ 75 44 15 32, Fax 75 40 96 03, «Jardin fleuri» – TV ☎ P. AE GB JCB
fermé août, dim. soir et merc. – **R** (dim. prévenir) 250 (déj.)/580 et carte 530 à 560, enf. 140 – 85 – **3 ch** 650/850
Spéc. Galette de truffes et céleri au foie de canard, Filet de loup au caviar, Strate de boeuf au Cornas. **Vins** Condrieu, Hermitage.

XX **La Licorne,** 13 r. Chalamet ✆ 75 43 76 83 – AE GB BZ **s**
fermé 14 juil. au 15 août, 23 déc. au 1er janv., sam. midi et dim. – **Repas** (prévenir) 74/300, enf. 50.

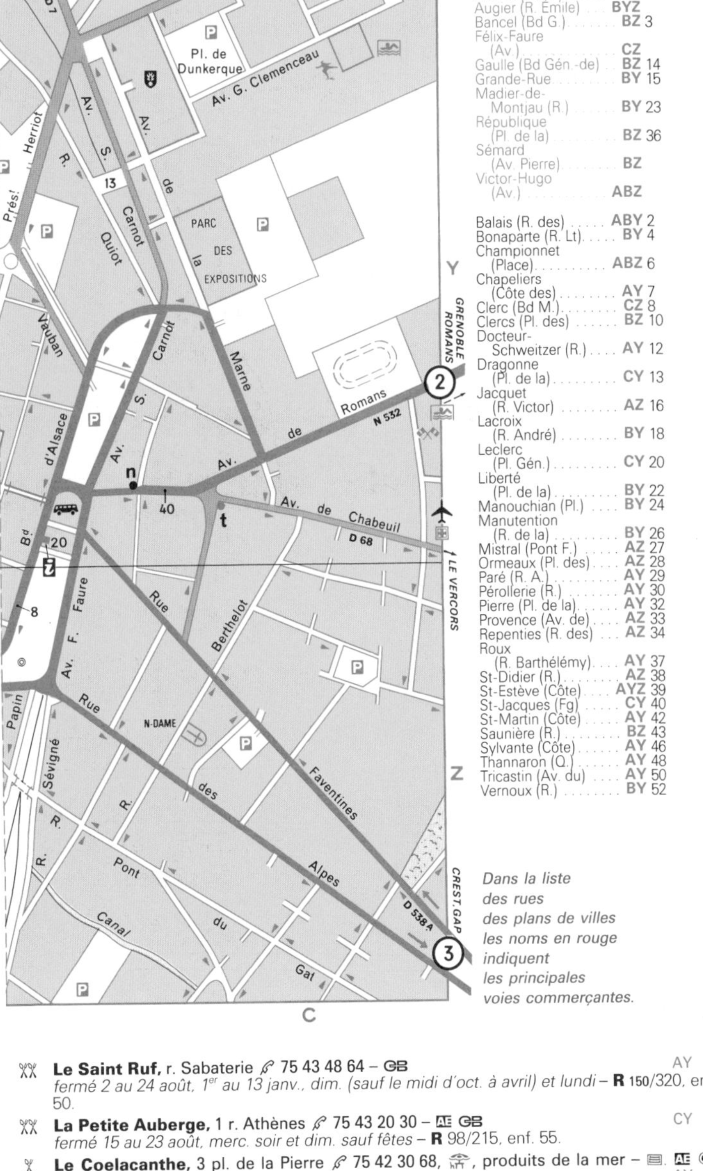

VALENCE

Dans la liste des rues des plans de villes les noms en rouge indiquent les principales voies commerçantes.

XX **Le Saint Ruf,** r. Sabaterie ✆ 75 43 48 64 – GB — AY **b**
fermé 2 au 24 août, 1er au 13 janv., dim. (sauf le midi d'oct. à avril) et lundi – **R** 150/320, enf. 50.

XX **La Petite Auberge,** 1 r. Athènes ✆ 75 43 20 30 – AE GB — CY **t**
fermé 15 au 23 août, merc. soir et dim. sauf fêtes – **R** 98/215, enf. 55.

X **Le Coelacanthe,** 3 pl. de la Pierre ✆ 75 42 30 68, produits de la mer – AE GB — AY **a**
fermé vacances de nov., de fév., lundi midi, sam. midi et dim. – **R** 85/180.

à Bourg-lès-Valence par ① : 1 km – 18 230 h. – ✉ **26500** :

Seyvet, 24 av. Marc-Urtin ✆ 75 43 26 51, Fax 75 55 61 49 – rest TV ☎ P – 30. AE GB
R *(fermé dim. soir hors sais.)* 82/194, enf. 47 – 28 – **34 ch** 220/305 – 1/2 P 220.

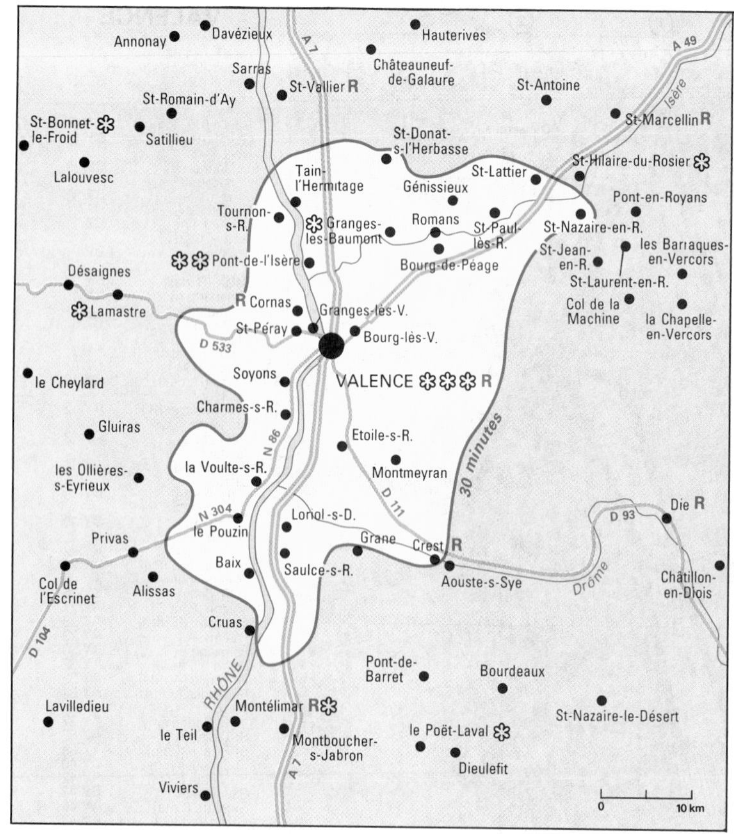

à Pont de l'Isère par ① : 9 km – ✉ **26600** :

XXX ✿✿ **Chabran** Ⓜ avec ch, N 7 ☎ 75 84 60 09, Télex 346333, Fax 75 84 59 65, 🏠 – ⇆ rest ▤ TV ☎. AE ⓓ GB JCB
fermé 4 au 18 janv., dim. soir (sauf fêtes) de sept. à avril et lundi (sauf juil.-août et fêtes) – **R** 255/495 et carte, enf. 150 – ☕ 70 – **12 ch** 350/710
Spéc. Salade de homard au museau de porc, Galette de pommes de terre aux champignons des bois, Aile de pintade farcie de tapenade au jus de Crozes-Hermitage. **Vins** Crozes-Hermitage, Hermitage.

XX **Aub. Chalaye,** 17 r. 16-août-44 ☎ 75 84 59 40, 🏠, 🌳 – AE GB
fermé 2 au 15 sept., 7 au 15 janv., lundi soir et mardi – **R** 145/260, enf. 60.

à Granges-lès-Valence (Ardèche) par ⑤ : 3 km – ✉ **07500** :

🏨 **National,** SO : 2 km par N 533 ☎ 75 41 65 33, Télex 345744, Fax 75 41 69 05 – |♦| TV ☎ 🚗 Ⓟ – 🎤 30 à 100. GB
R 78/165, enf. 41 – ☕ 29 – **52 ch** 190/275 – ½ P 198/225.

🏨 **Alpes-Cévennes** sans rest, 641 av. République ☎ 75 44 61 34 – |♦| TV ☎ 🚗. AE GB
fermé 9 au 23 août et 26 déc. au 4 janv. – ☕ 26 – **28 ch** 172/260.

MICHELIN, Agence, allée Joule, ZI des Auréats par av. V. Hugo ABZ ☎ **75 81 11 11**

ALFA-ROMEO Bourse-Auto, 73 r. Denis-Papin ☎ 75 44 08 08
BMW Fourel, 37 av. de Marseille ☎ 75 44 20 97
CITROEN Minodier, 126 rte de Beauvallon par av. V. Hugo ABZ ☎ 75 44 31 24 **N** ☎ 75 57 23 43
PEUGEOT-TALBOT SOVACA, 125 av. M.-Faure et 268 av. V.-Hugo par av. V.-Hugo ABZ ☎ 75 44 11 66

Ⓜ Barrial-Pneus, 106 av. V.-Hugo ☎ 75 44 24 43
Dorcier, 15 à 19 av. des Beaumes ☎ 75 44 11 40
Piot-Pneu, av. de Provence, Pont-des-Anglais ☎ 75 44 13 40

Périphérie et environs

CITROEN Gar. Pélissier, 82 av. J.-Jaurès à Portes-lès-Valence par l'av. V. Hugo ABZ ✆ 75 57 30 00 N
PEUGEOT-TALBOT Vinson et Verd, 35 r. Cartoucherie à Bourg-lès-Valence par ① ✆ 75 43 01 92

RENAULT Succursale, rte de Lyon à Bourg-lès-Valence par ① ✆ 75 79 01 01

VALENCE 82400 T.-et-G. 79 ⑯ – 4 901 h. alt. 69.

Golf Club d'Espalais ✆ 63 29 04 56, S par D 11 : 3 km.

Paris 746 – Agen 25 – Cahors 66 – Castelsarrasin 23 – Moissac 17 – Montauban 48.

Tout va bien, 35 r. République ✆ 63 39 54 83, Fax 63 39 08 30 – TV ☎. GB
fermé 20 déc. au 6 janv., dim. soir et lundi midi – **R** 60/160, enf. 60 – 30 – **21 ch** 140/260 – ½ P 190/245.

La Campagnette, NE : 2 km par rte Cahors (D 953) ✆ 63 39 65 97, – P. GB
fermé 1er au 7 juin, 1er au 10 sept., 24 fév. au 1er mars, dim. soir et lundi – **R** 150/320, enf. 70.

RENAULT Mosconi ✆ 63 39 52 42

RENAULT Semenadisse ✆ 63 29 03 03 N ✆ 63 39 67 54

VALENCE-SUR-BAÏSE 32310 Gers 82 ④ – 1 157 h. alt. 110.

Voir Abbaye de Flaran★ NO : 2 km, **G. Pyrénées Aquitaine.**

Paris 738 – Auch 36 – Agen 47 – Condom 8.

Ferme de Flaran, rte Condom ✆ 62 28 58 22, – ☎ P – 25. GB
R *(fermé dim. soir et lundi du 1er oct. au 30 avril)* 90/250, enf. 65 – 30 – **12 ch** 250 – ½ P 260.

L'Atlas Routier FRANCE de Michelin, c'est :

– toute la cartographie détaillée (1/200 000) en un seul volume,

– des dizaines de plans de villes,

– un index de repérage des localités..

Le copilote indispensable dans votre véhicule.

VALENCIENNES SP 59300 Nord 53 ④ ⑤ G. Flandres Artois Picardie – 38 441 h. alt. 22.

Voir Musée des Beaux-Arts★ BY **M.**

✆ 27 46 30 10, E : 1,5 km CV.

Office de Tourisme 1 r. Askièvre (fermé matin hors saison) ✆ 27 46 22 99 – A.C. 2 r. Mons ✆ 27 46 34 32.

Paris 209 ⑥ – ♦Lille 50 ⑦ – ♦Amiens 109 ⑥ – Arras 64 ⑥ – Bruxelles 104 ② – Charleroi 84 ② – Charleville-Mézières 127 ③ – ♦Reims 173 ③ – St-Quentin 79 ⑥.

Plan page suivante

Grand Hôtel, 8 pl. Gare ✆ 27 46 32 01, Télex 110701, Fax 27 29 65 57 – TV ☎ – 25 à 100. AE GB JCB — AX **d**
R 97/220 – 45 – **92 ch** 380/560, 6 appart. 650.

Aub. du Bon Fermier, 66 r. Famars ✆ 27 46 68 25, Télex 810343, Fax 27 33 75 01, « Maison du 16e siècle,décor rustique original » – TV ☎. AE GB — AY **a**
R 150 bc/200 bc – 45 – **16 ch** 380/530.

Notre Dame sans rest, 1 pl. Abbé Thellier de Poncheville ✆ 27 42 30 00, Fax 27 45 12 68 – TV ☎. GB — BY **s**
35 – **36 ch** 250/350.

Bristol sans rest, 2 av. de Lattre-de-Tassigny ✆ 27 46 58 88 – TV ☎. AE GB — AX **u**
28 – **20 ch** 160/240.

H. La Coupole sans rest, pl. Gare ✆ 27 46 37 12, Fax 27 33 65 97 – TV ☎. AE GB — AX **e**
28 – **38 ch** 125/220.

L'Alberoi (Buffet-Gare), ✆ 27 46 86 30, Fax 27 29 80 26 — AX

La Potée, 224 av. Dampierre ✆ 27 41 84 73, – AE GB — BV **r**
fermé dim. soir, lundi soir et soirs fériés – **R** 65/240.

à ***Quiévrechain*** par ② et N 30 : 12 km – 6 456 h. – ✉ 59920 :

Au Petit Restaurant, 182 r. J.-Jaurès ✆ 27 45 43 10, – P. GB
fermé 1er au 20 août et lundi – **R** 80/160, enf. 50.

à ***Sebourg*** par ③, D 934 et D 250 : 11 km – ✉ 59990 :

H. Jardin Fleuri , ✆ 27 26 53 31, « Parc » – TV ☎ P. GB
fermé 1er au 15 sept. et vacances de fév. – **R** voir rest. **Jardin Fleuri** ci-après – 25 – **11 ch** 170/230.

Clos de la Perrière, ✆ 27 26 53 33, – P. AE GB
fermé 16 août au 10 sept., vacances de fév., dim. soir d'oct. à avril et lundi – **R** 95/160.

Rest. Jardin Fleuri, D 250 ✆ 27 26 53 44, , « Terrasses fleuries », – AE GB
fermé vacances de fév., dim. soir et fériés le soir – **R** 110/160, enf. 60.

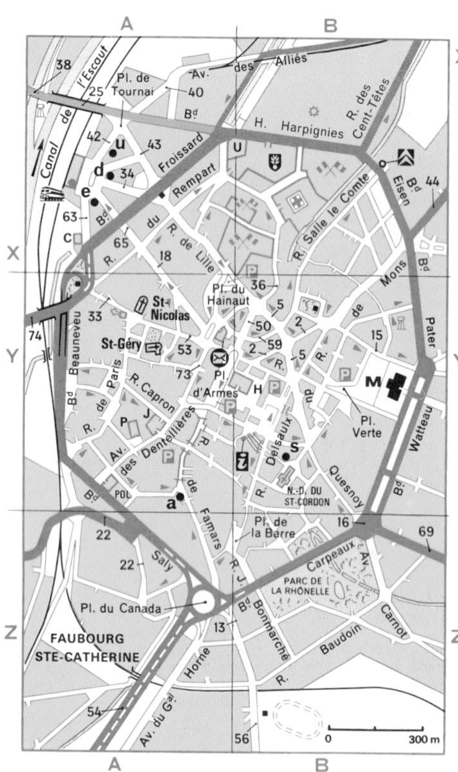

VALENCIENNES

Albert-1er (Av.)	BY	2
Amsterdam (Av. d')	BY	5
Armes (Pl. d')	AY	
Famars (R. de)	AYZ	
Lille (R. de)	AX	
Paix (R. de la)	BY	50
Paris (R. de)	AY	53
St-Géry (R.)	BY	59
Barbusse (R. H.) ST-SAULVE	CV	8
Bourgeois (Ch. des)	BV	9
Cairns (Av. Sergt)	AZ	13
Capucins (R. des)	BY	15
Cardon (Pl.)	BZ	16
Charles-Quint (R.)	CV	17
Clemenceau (Av. G.)	AX	18
Desandrouins (Av.)	BV	20
Digue (R. de la)	AZ	22
Duchesnois (Av.)	CV	23
Dunkerque (Av. de)	AX	25
Faidherbe (Av.)	BV	26
Fg de Cambrai (R.)	BV	29
Fg de Paris (R. du)	BV	30
Ferrand (R.)	AY	33
Foch (Av. Mar.)	AX	34
Gare de Marly (R.)	CV	35
Gaulle (Pl. Gén. de)	BY	36
Glacis (R. des)	CV	37
Jacob (Pont)	AX	38
Jean-Jaurès (R.)	BV	39
Juin (Av. du Mar.)	AX	40
Lattre-de-Tassigny (Av. Mar. de)	AX	42
Leclerc (Av. Mar.)	AX	43
Liège (Av. de)	BX	44
Marquis (R. du)	CV	48
Perdrix (R. J.)	CV	53
Pompidou (Av. G.)	AZ	54
Reims (Av. de)	BZ	56
St-Amand (Av. de)	BV	58
Sénateur-Girard (Av.)	AX	63
Tholozé (R.)	AX	65
Vaillant-Couturier (R. Paul)	BV	67
Vauban (Av.)	BV	68
Verdun (Av. de)	BZ	69
Vieille-Poissonnerie (R.)	AY	73
Villars (Av.)	AY	74

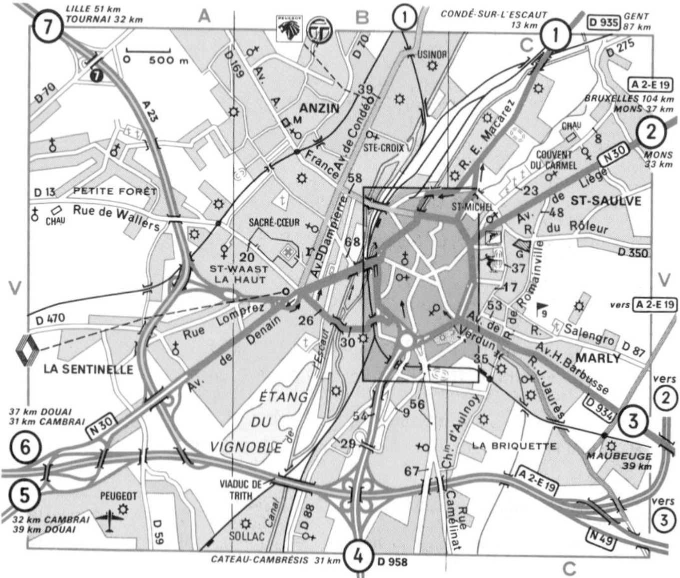

LILLE 51 km
TOURNAI 32 km
CONDÉ-SUR-L'ESCAUT 13 km
D 935 GENT 87 km
A 2-E 19
BRUXELLES 104 km
MONS 37 km
MONS 33 km
ANZIN
Av. de Condé
STE-CROIX
USINOR
R. E. Macarez
COUVENT DU CARMEL
ST-SAULVE
Av. de Liège
R. du Rôleur
ST-MICHEL
PETITE FORÊT
Rue de Wallers
SACRÉ-CŒUR
ST-WAAST LA HAUT
Av. Dampierre
Rue Lomprez
Av. de Denain
LA SENTINELLE
R. de Romainville
R. Salengro
vers A 2-E 19
MARLY
Av. H. Barbusse
R. J. Jaurès
ÉTANG DU VIGNOBLE
LA BRIQUETTE
MAUBEUGE 39 km
37 km DOUAI
31 km CAMBRAI
PEUGEOT
32 km CAMBRAI
39 km DOUAI
VIADUC DE TRITH
SOLLAC
Chin d'Aulnoy
Rue Camélinat
CATEAU-CAMBRÉSIS 31 km
D 958
0 500 m

à la Z.I. de Prouvy-Rouvignies par ⑤ et N 30 : 5 km – ✉ **59300** Valenciennes :

Novotel M, ✆ 27 21 12 12, Télex 120970, Fax 27 21 06 02, ☀, ⛱, ⛚ – ⇌ ▤ TV ☎ ♿ P – 🅐 200. AE ⓓ GB
R carte environ 120, enf. 50 – ☕ 50 – **76 ch** 410/475.

Primevère, ✆ 27 21 15 55, Télex 651530 – TV ☎ ♿ P
42 ch.

Campanile, ✆ 27 21 10 12, Télex 810288, Fax 27 21 08 55 – TV ☎ ♿ P – 🅐 60. AE GB
R 77 bc/99 bc, enf. 39 – ☕ 28 – **105 ch** 258 – ½ P 234/256.

à Haulchin SO : 10 km par ⑤ et N 30 – ✉ **59121** :

XXX **Clos St Hugues,** 3 r. P. Vaillant-Couturier ✆ 27 43 80 83, ☀, ⛚ – P. AE GB
fermé dim. soir et sam. – **R** 120/320, enf. 68.

à Raismes NO : 5 km par D 169 – 14 099 h. – ✉ **59590** :

XXX **La Grignotière,** ✆ 27 36 91 99 – AE ⓓ GB
fermé 3 au 24 août, 1er au 8 fév., dim. soir et lundi sauf fériés le midi – **R** 110/220.

BMW MDA Automobiles, Parc d'Activités Lavoisier à Petite-Forêt ✆ 27 41 01 00 N ✆ 27 44 04 00
CITROEN Filiale Citroën Nord, bd Eisen ✆ 27 46 56 80 N ✆ 27 29 47 77
LANCIA-AUTOBIANCHI-FIAT Gar. du Centre, ZI n° 4, 200 r. Pdt Lecuyer à St-Saulve ✆ 27 46 09 92
MERCEDES-BENZ Marty et Lecourt, 10 bd Saly ✆ 27 46 34 71
NISSAN Le Relais, 17 r. W.-Rousseau à Anzin ✆ 27 29 03 49
PEUGEOT-TALBOT Caffeau et Ruffin, 136 à 162 r. J.-Jaurès à Anzin ✆ 27 46 02 03
RENAULT Succursale, 20 av. Denain ✆ 27 14 70 70 N
ROVER Service Auto Européen, ZI à St-Saulve ✆ 27 33 08 96
SEAT Car Services, r. Vieux Prés, ZI n° 4 à St-Saulve ✆ 27 29 87 13
V.A.G S.A.D.I.A.V., 114 rte Nationale à Aulnoy ✆ 27 29 03 03

Ⓜ Fischbach Pneu, ZI n° 2 Rouvignies à Prouvy ✆ 27 21 02 54
Joncourt Pneus, 152 av. de Denain ✆ 27 29 74 10
Lotterie, 4 bd Saly, sortie Valenciennes Sud ✆ 27 46 41 06
Pneus et Services D.K., 317 av. Dampierre ✆ 27 46 47 03

VALENSOLE 04210 Alpes-de-H.-P. 81 ⑯ **G. Alpes du Sud** – 2 202 h. alt. 569.
Paris 764 – Digne 46 – Brignoles 71 – Castellane 72 – Forcalquier 30 – Manosque 19 – Salernes 60.

Piès ♨, ✆ 92 74 83 13, ←, ☀, ⛚ – TV ☎ P. GB
fermé fév. et merc. du 1er nov. au 31 mars – **Repas** 75/200 🍷, enf. 50 – ☕ 30 – **16 ch** 220/260 – ½ P 260.

CITROEN Tardieu ✆ 92 74 80 43
PEUGEOT TALBOT Meyer ✆ 92 74 92 21
RENAULT Taix ✆ 92 74 80 15

VALENTIGNEY 25700 Doubs 166 ⑱ – 13 133 h. alt. 340.
Paris 484 – ♦Basel 69 – Belfort 25 – ♦Besançon 85 – Montbéliard 12 – Morteau 67.

Voir plan de Montbéliard agglomération.

OPEL S.A.C.M.A., 1 rte de Belchamp ✆ 81 30 66 11
CONSTRUCTEUR : S.A. Peugeot Motocycles, à Beaulieu-Mandeure CZ ✆ 81 91 83 21

VALENTON 94 Val-de-Marne 61 ①, 101 ㉗ – voir à Paris, Environs.

La VALETTE-DU-VAR 83 Var 84 ⑮ – rattaché à Toulon.

VALGORGE 07110 Ardèche 80 ⑧ **G. Vallée du Rhône** – 430 h. alt. 561.
Paris 621 – Alès 75 – Aubenas 40 – Langogne 51 – Privas 70 – Le Puy 80 – Vallon-Pont-d'Arc 45.

Le Tanargue ♨, ✆ 75 88 98 98, ←, parc – ⇅ ☎ 🚗 P. GB
fermé 1er janv. au 10 mars – **R** (en saison prévenir) 92/185, enf. 50 – ☕ 35 – **25 ch** 245/350 – ½ P 250/330.

VALLAURIS 06 Alpes-Mar. 84 ⑨, 195 ㉟ ㊴ – rattaché à Cannes.

VALLERAUGUE 30570 Gard 80 ⑯ G. Gorges du Tarn – 1 091 h. alt. 438.

Paris 696 – Mende 99 – Millau 73 – Nîmes 86 – Le Vigan 21.

Host. Les Bruyères, ☎ 67 82 20 06, – ☎. GB
Pâques-fin sept. – **R** 76/180, enf. 45 – ☐ 25 – **28 ch** 150/260 – ½ P 170/200.

Petit Luxembourg, ☎ 67 82 20 44 – ☎. AE GB
fermé janv., dim. soir et lundi hors sais. sauf vacances scolaires – **R** 70/195 ♁, enf. 45 – ☐ 25 – **10 ch** 150/270 – ½ P 220/240.

VALLET 44330 Loire-Atl. 67 ④ – 6 116 h. alt. 53.

Syndicat d'Initiative 4 pl. Ch.-de-Gaulle (15 avril-sept.) ☎ 40 36 35 87.

Paris 374 – ◆ Nantes 26 – Ancenis 26 – Cholet 34 – Clisson 10.

Don Quichotte M avec ch, 35 rte Clisson ☎ 40 33 99 67, – TV ☎ ♿ P. GB
fermé 1er au 7 janv. – **R** *(fermé dim. soir et fériés le soir)* 84/258 – ☐ 30 – **12 ch** 255/285.

CITROEN Gar. Herbreteau ☎ 40 33 92 39 RENAULT Gar. Leray ☎ 40 36 24 11

VALLOIRE 73450 Savoie 77 ⑦ G. Alpes du Nord – 1 012 h. alt. 1 430 – Sports d'hiver : 1 430/2 600 m 1 31 .

Voir Col du Télégraphe ≤★ N : 5 km.

Altiport de Bonnenuit ☎ **79 59 02 00.**

Office de Tourisme (saison) ☎ 79 59 03 96, Télex 980553.

Paris 647 – Albertville 93 – Briançon 52 – Chambéry 103 – Lanslebourg-Mont-Cenis 57 – Col du Lautaret 24 – St-Jean-de-Maurienne 31.

Gd Hôtel Valloire et Galibier, ☎ 79 59 00 95, Fax 79 59 09 41, ≤, – TV ☎ P – 40. AE GB
15 juin-13 sept. et 19 déc.-15 avril – **R** 82/175 – ☐ 40 – **42 ch** 310/420, 4 appart. 800 – ½ P 400/475.

La Sétaz et rest. Le Gastilleur, ☎ 79 59 01 03, Fax 79 59 00 63, ≤, , – TV ☎ P. GB. rest
5 juin-25 sept. et 18 déc.-10 mai – **Repas** 105/165, enf. 42 – ☐ 38 – **22 ch** 260/370 – ½ P 300/390.

Club les Carrettes M, ☎ 79 59 00 99, Fax 79 59 05 60, ≤, , – ch ☎ P. GB. ch
13 juin-5 sept. et 19 déc.-16 avril – **R** 72/135, enf. 35 – ☐ 30 – **30 ch** 170/380.

Christiania, ☎ 79 59 00 57, Fax 79 59 00 06 – TV ☎. GB. rest
20 juin-10 sept. et 10 déc.-1er mai – **R** 75/150, enf. 42 – ☐ 32 – **26 ch** 180/300 – ½ P 220/330.

Centre, ☎ 79 59 00 83, Fax 79 59 06 87, – ☎. GB. rest
16 juin-7 sept. et 15 déc.-20-avril – **R** 70/120 ♁, enf. 40 – ☐ 30 – **38 ch** 140/260 – ½ P 200/255.

Gentianes, ☎ 79 59 03 66, – P. GB
3 juil.-20 sept. et 20 déc.-5 avril – **R** 75/108 – ☐ 30 – **24 ch** 140/250 – ½ P 205/280.

aux Verneys S : 2 km – ✉ 73450 Valloire :

Relais du Galibier, ☎ 79 59 00 45, ≤, – ☎ P. GB. rest
15 juin-15 sept et 1er déc.-20 avril – **R** 85/185, enf. 43 – ☐ 32 – **26 ch** 180/320.

Crêt Rond, ☎ 79 59 01 64, ≤ – ☎ P. GB
1er juil.-1er oct. et 15 déc.-10 mai – **R** 100, enf. 30 – ☐ 30 – **19 ch** 153/226 – ½ P 210/250.

Gar. Bouvet ☎ 79 59 02 40

VALLON-PONT-D'ARC 07150 Ardèche 80 ⑨ G. Provence – 1 914 h. alt. 118.

Voir Gorges de l'Ardèche★★★ au SE – Arche★★ de Pont d'Arc SE : 5 km.

Paris 657 – Alès 46 – Aubenas 28 – Avignon 79 – Carpentras 87 – Mende 114 – Montélimar 48.

SE par rte des gorges : 6,5 km – ✉ 07150 Vallon pont d'Arc :

Chames , ☎ 75 88 11 33, Fax 75 88 10 20, ≤, , – ☎ ♿ P. GB
hôtel : 25 mars-30 oct. ; rest. : 25 mars-30 sept. – **R** 90/145 ♁, enf. 45 – ☐ 30 – **28 ch** 230/290 – ½ P 270.

VALLORCINE 74660 H.-Savoie 74 ⑨ G. Alpes du Nord – 329 h. alt. 1 261 – Sports d'hiver : 1 260/1 500 m 2.

Syndicat d'Initiative pl. Gare (saison) ☎ 50 54 60 71.

Paris 628 – Chamonix-Mont-Blanc 16 – Annecy 110 – Thonon-les-Bains 97.

Ermitage , au **Buet** SO : 2 km par N 506 et VO ☎ 50 54 60 09, ≤, , – ☎ P. GB. rest
mi-juin-fin sept., vacances de Noël et 1er fév.-31 mai – **R** *(fermé merc. midi d'avril à sept.)* 120/140, enf. 60 – ☐ 35 – **15 ch** 220/280 – ½ P 250/280.

Mont-Blanc, ☎ 50 54 60 02, ≤, – ☎ P. GB
4-9 juin, 16 juin-20 sept., 22 déc.-3 janv. et 31 janv.-31 mars – **R** 74/120 – ☐ 28 – **24 ch** 170/295 – ½ P 192/245.

VALLOUX 89 Yonne 65 ⑯ – rattaché à Avallon.

VALMOREL 73 Savoie 74 ⑰ G. Alpes du Nord – alt. 1 400 – Sports d'hiver : 1 270/2 403 m 2 28 – ✉ 73260 Aigueblanche.

Paris 622 – Albertville 40 – Chambéry 86 – Moutiers 19.

Planchamp M, ℘ 79 09 83 91, Fax 79 09 83 93, ← – TV ☎. GB. rest
juil.-août et 15 déc.-15 avril – **R** 130/390, enf. 65 – 45 – **25 ch** 410/650 – ½ P 600.

VALOGNES 50700 Manche 54 ② G. Normandie Cotentin – 7 412 h. alt. 35.

de Fontenay-en-Cotentin ℘ 33 21 44 27, par ② : 11 km.

de Cherbourg-Maupertus : ℘ 33 22 91 32, par ① : 18 km par D 24.

Syndicat d'Initiative pl. Château (juil.-août) ℘ 33 40 11 55.

Paris 341 ② – Cherbourg 19 ⑤ – ◆Caen 103 ② – Coutances 56 ③ – St-Lô 57 ②.

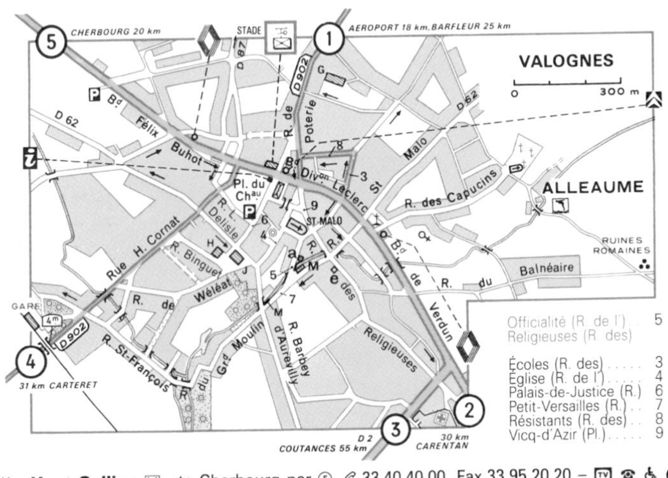

Haut Gallion M, rte Cherbourg par ⑤ ℘ 33 40 40 00, Fax 33 95 20 20 – TV ☎ ♿ P – 50. AE GB
fermé 21 déc. au 7 janv. – **R** *(fermé vend. soir d'oct. à mai et sam. midi)* 68/220, enf. 42 – 30 – **40 ch** 250.

Louvre, 28 r. Religieuses **(e)** ℘ 33 40 00 07 – ☎ P. GB
fermé 1er déc. au 5 janv. et sam. sauf le soir de juil. à sept. – **R** 54/88 – 20 – **20 ch** 90/230 – ½ P 150/220.

Le Carillon, 13 r. Officialité **(a)** ℘ 33 40 30 40 – GB
fermé 14 au 30 juil., 22 déc. au 5 janv., dim. (sauf le midi de sept. à juin) et lundi – **R** (prévenir) 78/200.

CITROEN Gar. Jacqueline, bd Division-Leclerc ℘ 33 40 17 59
OPEL Gar. Luce, Tapotin à Yvetot-Bocage ℘ 33 40 29 09
PEUGEOT-TALBOT Valognes Autom., N 13 par ② ℘ 33 40 09 38
RENAULT Gar. Mangon, 10 bd F.-Buhot ℘ 33 95 05 20 N ℘ 05 05 15 15

VALRAS-PLAGE 34350 Hérault 83 ⑮ G. Gorges du Tarn – 3 043 h. – Casino.

Office de Tourisme pl. R.-Cassin ℘ 67 32 36 04.

Paris 828 – ◆Montpellier 71 – Agde 24 – Béziers 14.

Albizzia M sans rest, bd Chemin Creux ℘ 67 37 48 48, – ☎ ♿ P. GB
37 – **28 ch** 330/400.

La Chaumière, ℘ 67 32 04 78, – ☎. GB
fermé 15 janv. au 15 fév., lundi soir et mardi de mi-oct. à mi-avril – **R** 57/250, enf. 35 – 30 – **14 ch** 237/310 – ½ P 215/245.

Moderne, ℘ 67 32 25 86, Fax 67 32 51 21, – ☎. AE GB
25 mai-20 sept. – **R** 58/125, enf. 40 – 30 – **31 ch** 200/295 – ½ P 230/255.

Au Fer à Cheval, ℘ 67 37 44 00, Fax 67 37 45 00, – GB
15 mars-15 nov. et fermé lundi, mardi et merc. sauf du 1er juin au 15 sept. – **R** 130/280, enf. 40.

Méditerranée avec ch, ℘ 67 32 38 60 – rest ☎. AE GB
hôtel : Pâques-fin oct. ; rest. : fermé vacances de nov., de fév., le soir du 11 nov. à Pâques et lundi – **R** 75/250 – 27 – **12 ch** 220/250 – ½ P 230.

Repas 100/130 Sorgfältig zubereitete, preiswerte Mahlzeiten.

VALRÉAS 84600 Vaucluse 81 ② G. Provence (plan) – 9 069 h. alt. 270.

Office de Tourisme, pl. A.-Briand ℘ 90 35 04 71.

Paris 642 – Avignon 70 – Crest 52 – Montélimar 34 – Nyons 14 – Orange 35 – Pont-St-Esprit 38.

Grand Hôtel, 28 av. Gén. de Gaulle ℘ 90 35 00 26, – ☎. GB. rest
fermé 21 déc. au 28 janv., dim. (sauf hôtel en sais.) et sam. soir hors sais. – **R** 95/200, enf. 50 – ☕ 35 – **15 ch** 250/400 – ½ P 280/360.

L'Étrier, 2 cours Tivoli ℘ 90 35 05 94 – GB
fermé 2 au 27 nov., mardi soir et merc. sauf de mi-juin à fin sept. – **R** 95/220, enf. 55.

CITROEN Gar. Giai, rte d'Orange ℘ 90 35 14 60

Ayme Pneus, 3 r. Marie-Vierge ℘ 90 35 19 08
Plantin-Pneus, av. J. Moulin ℘ 90 35 04 27

VALROS 34290 Hérault 83 ⑮ – 1 021 h. alt. 75.

Paris 761 – ◆Montpellier 57 – Agde 19 – Béziers 16 – Pézenas 7.

Aub. de la Tour, N 113 ℘ 67 98 52 01, – ☎ . GB
fermé 15 janv. au 1er fév. et lundi du 15 sept. au 15 juin – **R** 90/195 , enf. 50 – ☕ 28 – **19 ch** 200/250 – ½ P 218/243.

VALS-LES-BAINS 07600 Ardèche 76 ⑲ G. Vallée du Rhône – 3 661 h. alt. 248 – Stat. therm. – Casino.

Office de Tourisme et du Thermalisme r. J.-Jaurès ℘ 75 37 49 27.

Paris 634 ② – Le Puy-en-Velay 86 ③ – Aubenas 5 ③ – Langogne 57 ③ – Privas 33 ②.

Gd H. des Bains , **(a)** ℘ 75 94 65 55, Télex 346637, Fax 75 37 67 02, , parc – ☎ – 40. AE GB JCB
15 mars-15 déc. – **R** 150/250 – ☕ 50 – **61 ch** 350/600 – P 410/550.

Vivarais, av. C. Expilly **(e)** ℘ 75 94 65 85, Fax 75 37 65 47, , – ☎ . AE GB JCB
R *(fermé fév., dim. soir et lundi midi)* 120/250 – ☕ 46 – **47 ch** 320/480 – ½ P 360.

Lyon, av. P. Ribeyre **(s)** ℘ 75 37 43 70, Fax 75 37 59 11, – ☎ . AE GB
4 avril-4 oct. – **R** 100/175, enf. 50 – ☕ 35 – **35 ch** 280/400 – ½ P 240/320.

Europe, r. J. Jaurès **(r)** ℘ 75 37 43 94, Télex 346256 – ☎. AE GB. rest
10 avril-20 oct. – **Repas** (en sais. prévenir) 100/170 – ☕ 35 – **34 ch** 220/350 – ½ P 245/280.

St-Jean, r. J. Jaurès **(u)** ℘ 75 37 42 50 – ☎ . GB. rest
fin avril-2 nov. – **R** 75/170 , enf. 49 – ☕ 28 – **32 ch** 210/270 – P 275/295.

Runel, r. J. Jaurès **(b)** ℘ 75 37 48 57, , – GB
fermé fév., dim. soir et lundi sauf juil.-août – **R** 120/310, enf. 70.

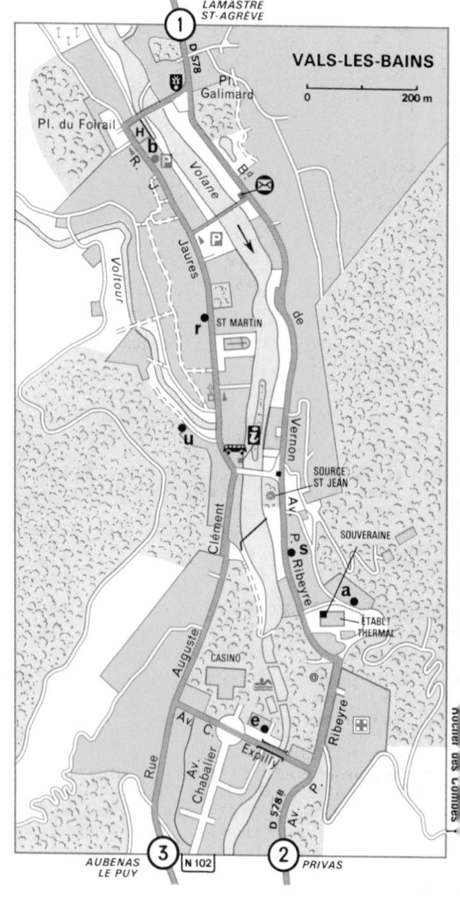

Europe — Si le nom d'un hôtel figure en petits caractères demandez, à l'arrivée, les conditions à l'hôtelier.

VAL-SUZON 21121 Côte-d'Or 66 ⑪ **G. Bourgogne** – 194 h. alt. 363.

Paris 301 – ✦Dijon 18 – Auxerre 138 – Avallon 94 – Châtillon-sur-S. 68 – Montbard 59 – Saulieu 67.

XXX **Host. Val-Suzon** avec ch, N 71 ✆ 80 35 60 15, Télex 351454, Fax 80 35 61 36, « Jardin fleuri avec volière » – ☎ P. AE ⓓ GB. rest
fermé 20 déc. au 20 janv., jeudi midi et merc. sauf juil.-août – **R** (nombre de couverts limité, prévenir) 180/400, enf. 85 – ☐ 45 – **7 ch** 350/380 – ½ P 375/420.

Annexe Chalet de la Fontaine aux Geais M, ✆ 80 35 61 19, Télex 351454, Fax 80 35 61 36 – TV ☎ P. AE ⓓ GB. rest
fermé 20 déc. au 20 janv. et merc. sauf juil.-août – ☐ 45 – **9 ch** 500/550 – ½ P 450/500.

VAL-THORENS 73 Savoie 77 ⑧ **G. Alpes du Nord** – alt. 2 300 – Sports d'hiver : 1 800/3 300 m 4 31 – ✉ **73440** St-Martin-de-Belleville.

Office de Tourisme (saison) ✆ 79 00 08 08, Télex 980572.

Paris 644 – Albertville 61 – Chambéry 108 – Moûtiers 34.

Fitz Roy H. M, ✆ 79 00 04 78, Télex 309707, Fax 79 00 06 11, ≤, – ch TV ☎ – 50. AE ⓓ GB JCB. rest
1er déc.-10 mai – **R** 180/500 – **30 ch** (½ pens. seul.), 3 appart., 3 duplex – ½ P 1000/1250.

Le Val Thorens M, ✆ 79 00 04 33, Télex 309142, Fax 79 00 09 40, ≤, – TV ☎. AE ⓓ GB. rest
1er déc.-3 mai – **R** 110/185, enf. 60 – **82 ch** ☐ 790/1190 – ½ P 740.

Novotel M, ✆ 79 00 04 04, Télex 980230, Fax 79 00 05 93, ≤, – TV ☎ – 120. AE ⓓ GB.
1er déc.-30 avril – **R** carte environ 160, enf. 65 – ☐ 48 – **104 ch** 880 – ½ P 623.

Bel Horizon M, ✆ 79 00 04 77, Télex 305551, ≤, – TV ☎ – 25
saisonnier – **24 ch.**

Le Sherpa M, ✆ 79 00 00 70, Télex 309279, Fax 79 00 08 03, ≤, – ☎. rest
14 déc.-3 mai – **R** 154 – ☐ 55 – **40 ch** (½ pens. seul.) – ½ P 350/650.

Trois Vallées M, ✆ 79 00 01 86, Fax 79 00 04 08, ≤ – TV ☎. GB. rest
1er juil.-31 août et 25 oct.-15 mai – **R** (dîner seul. du 15 déc. au 15 mai) 95/130, enf. 49 – ☐ 50 – **28 ch** 400/500 – ½ P 290/500.

La Marmotte, ✆ 79 00 00 07, Fax 79 00 00 14, ≤ – TV ☎. GB. rest
1er juil.-31 août et 1er déc-10 mai – **R** 100/130 – ☐ 45 – **22 ch** 640/700 – ½ P 360/500.

Le VALTIN 88230 Vosges 62 ⑱ – 101 h. alt. 760.

Paris 417 – Colmar 45 – Épinal 58 – Guebwiller 53 – St-Dié 27 – Col de la Schlucht 8,5.

Le Vétiné sans rest, S sur D 23H ✆ 29 60 99 44, Fax 29 60 80 95, ≤ – cuisinette ☎ P – 25. AE GB
fermé 28 mars au 3 avril, 15 nov. au 15 déc., dim. soir et merc. sauf vacances scolaires – ☐ 25 – **14 ch** 150/200.

X **Aub. Val Joli** avec ch, ✆ 29 60 91 37, Fax 29 60 81 73, – TV ☎ P. GB
fermé 18 nov. au 16 déc., dim. soir et lundi sauf vacances scolaires – **R** 55/136 – ☐ 30 – **12 ch** 132/250 – ½ P 150/205.

VANNES P 56000 Morbihan 63 ③ **G. Bretagne** – 45 644 h. alt. 22.

Voir Vieille ville★ AZ : Place Henri-IV★ AZ 10, Cathédrale★ AZ B, Remparts★, Promenade de la Garenne ≤★★ BZ – Musée archéologique★ dans le château Gaillard AZ **M** – Aquarium océanographique et tropical★ au Sud – Golfe du Morbihan★★ en bateau.

18 de Baden ✆ 97 57 18 96, par ④ puis D 101 : 14 km.

Office de Tourisme avec A.C. 1 r. Thiers ✆ 97 47 24 34.

Paris 457 ② – Quimper 120 ④ – ✦Rennes 108 ② – St-Brieuc 109 ① – St-Nazaire 75 ③.

Plan page suivante

Aquarium H. M, parc du Golfe, près aquarium, SO rte Conleau ✆ 97 40 44 52, Télex 950826, Fax 97 63 03 20, ≤ – TV ☎ P – 40 à 60. AE ⓓ GB
R voir rest. **Dauphin** ci-après – ☐ 45 – **48 ch** 365/420 – ½ P 360.

Manche Océan M sans rest, 31 r. Lt-Col. Maury ✆ 97 47 26 46, Télex 951811 – TV ☎ AY **n**
AE ⓓ GB
☐ 33 – **42 ch** 205/295.

La Marébaudière sans rest, 4 r. A. Briand ✆ 97 47 34 29, Fax 97 54 14 11 – TV ☎ P – BZ **r**
150. AE GB
☐ 32 – **41 ch** 245/310.

Image Ste-Anne, 8 pl. Libération ✆ 97 63 27 36, Télex 950352, Fax 97 40 97 02 – TV AY **x**
☎ P. GB
fermé dim. du 1er nov. au 30 mars – **R** 78/138, enf. 45 – ☐ 35 – **38 ch** 250/350 – ½ P 260.

Oasis, SO rte Conleau, 1,5 km ✆ 97 40 82 05 – TV ☎ P. AE ⓓ GB
R 80/140 – ☐ 30 – **37 ch** 220/310 – ½ P 220.

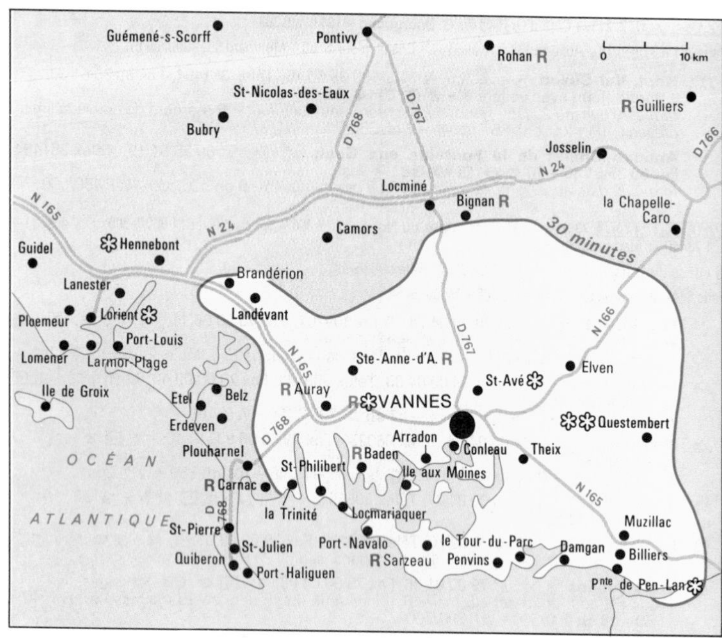

🏨 **Ibis** Ⓜ, Z.U.P de Ménimur (r. E.-Jourdan) par ① ✆ 97 63 61 11, Télex 950521, Fax 97 63 21 33 – TV ☎ Ⓟ – 🚣 50. GB
R 65/81 🍷, enf. 39 – ☕ 32 – **59 ch** 265/340 – ½ P 252.

🏨 **Anne de Bretagne** sans rest, 42 r. O. de Clisson ✆ 97 54 22 19 – TV ☎ 🚗. AE ① GB
☕ 27 – **20 ch** 140/280. BY **d**

🏨 **France** sans rest, 57 av. V. Hugo ✆ 97 47 27 57, Fax 97 42 59 17 – TV ☎. GB
fermé 25 déc. au 3 janv. – ☕ 27 – **25 ch** 150/280. AY **a**

🏨 **Bretagne** sans rest, 34 r. Méné ✆ 97 47 20 21 – TV ☎. AE ① GB
☕ 22 – **12 ch** 145/200. AYZ **b**

🏨 **Verdun** sans rest, 10 av. Verdun ✆ 97 47 21 23 – ☎. GB
fermé 1er au 15 janv. et dim. de nov. à Pâques – ☕ 26 – **24 ch** 105/220. BZ **u**

XXX ✿ **Régis Mahé,** pl. Gare ✆ 97 42 61 41 – AE GB BY **h**
fermé 16 au 30 nov., 15 fév. au 1er mars, dim. soir et lundi sauf fériés – **R** 100/350
Spéc. Bouillon de sole et coquillages. Filets de rouget et pétoncles poêlés. Grillade de bar et pommes de terre écrasées.

XX **Dauphin - Aquarium Hôtel,** parc du Golfe, près aquarium, SO rte de Conleau ✆ 97 40 68 08, Fax 97 63 03 20 – 🛗 ▤ Ⓟ. AE ① GB
fermé dim. soir du 1er oct. au 15 avril – **R** 136/250, enf. 75.

XX **Au Soufflé Vannetais,** 6 r. Lesage ✆ 97 47 09 66 – GB AZ **f**
fermé 20 juil. au 10 août, dim. soir et lundi – **Repas** 85/225.

XX **La Marée Bleue,** 8 pl. Bir-Hakeim ✆ 97 47 24 29, Télex 951975, Fax 97 47 84 16 – Ⓟ. AE GB BZ **u**
fermé 19 déc. au 6 janv. et dim. soir du 11 nov. au 12 avril – **R** 71 bc/265 🍷.

X **La Varende,** 22 r. La Fontaine ✆ 97 47 57 52 – AE GB BY **a**
fermé mardi midi et lundi – **R** 98/190.

X **La Morgate,** 21 r. La Fontaine ✆ 97 42 42 39 – 🚭. GB BY **e**
fermé 1er au 15 nov., 1er au 15 fév., lundi midi et dim. en sais., dim. soir et lundi hors sais. – **Repas** 92/210, enf. 62.

à St-Avé NE : 5 km par ① D 767 et D 135 près centre hospitalier – 6 929 h. – ✉ **56890** :

XXX ✿ **Pressoir** (Rambaud), 7 r. Hôpital ✆ 97 60 87 63, Fax 97 44 59 15 – Ⓟ. AE ① GB
fermé 3 au 12 mars, 30 juin au 7 juil., 6 au 27 oct., dim. soir et lundi – **R** 170/370
Spéc. Huîtres tièdes aux oeufs de caille et caviar. Galette de rougets aux pommes de terre et romarin. Homard rôti au beurre de corail (avril-sept.).

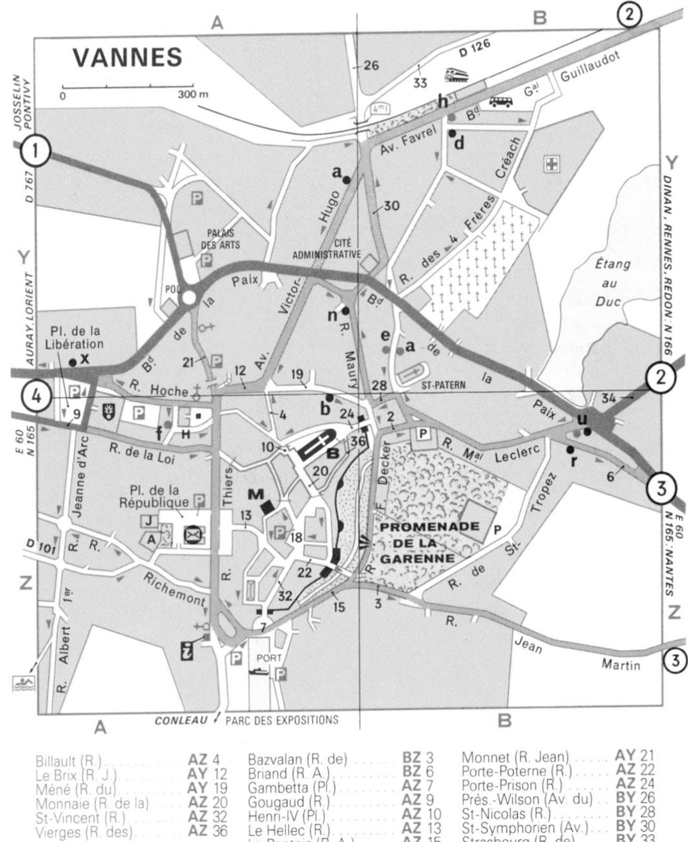

Billault (R.) . . . . . AZ 4
Le Brix (R. J.) . . . . . AY 12
Méné (R. du) . . . . . AY 19
Monnaie (R. de la) . . . . . AZ 20
St-Vincent (R.) . . . . . AZ 32
Vierges (R. des) . . . . . AZ 36

Alain-le-Grand (R.) . . . . BZ 2

Bazvalan (R. de) . . . . . BZ 3
Briand (R. A.) . . . . . BZ 6
Gambetta (Pl.) . . . . . AZ 7
Gougaud (R.) . . . . . AZ 9
Henri-IV (Pl.) . . . . . AZ 10
Le Hellec (R.) . . . . . AZ 13
Le Pontois (R. A.) . . . . . AZ 15
Lices (Pl. des) . . . . . AZ 18

Monnet (R. Jean) . . . . . AY 21
Porte-Poterne (R.) . . . . . AZ 22
Porte-Prison (R.) . . . . . AZ 24
Prés.-Wilson (Av. du) . . BY 26
St-Nicolas (R.) . . . . . BY 28
St-Symphorien (Av.) . . . BY 30
Strasbourg (R. de) . . . . BY 33
Verdun (Av. de) . . . . . BZ 34

rte Plumelec NE : 5 km par D 126 BY et VO – ✉ **56890** St-Avé :

Moulin de Lesnuhé M, sans rest, ✆ 97 60 77 77, – ☎ P. GB
fermé 15 déc. au 15 janv. – ☕ 25 – **12 ch** 190/230.

à Theix par ③ : 9,5 km – 4 435 h. – ✉ **56450** :

Poste sans rest, centre bourg ✆ 97 43 01 18 – ☎. GB.
☕ 25 – **18 ch** 95/254.

à Conleau SO : 4,5 km – ✉ **56000** Vannes – **Voir** Ile Conleau★ 30 mn.

Le Roof M, ✆ 97 63 47 47, Télex 951843, Fax 97 63 48 10, ←, , – TV ☎ P
– 100. AE O GB JCB
R 140/350 – ☕ 45 – **42 ch** 350/620 – 1/2 P 315/430.

à Arradon par ④ : 7 km ou par D 101 – 4 317 h. – ✉ **56610** – **Voir** ←★.

Les Vénètes, à la pointe : 2 km ✆ 97 44 03 11, ← golfe et les îles – TV ☎. GB.
3 avril-28 sept. – **R** *(fermé mardi)* 135/185, enf. 90 – ☕ 39 – **12 ch** 286/425 – 1/2 P 353/423.

Le Stivell M, r. Plessis Arradon ✆ 97 44 03 15, Fax 97 44 78 90, – TV ☎ P – 25.
O GB
fermé 15 nov. au 19 déc. et 5 au 20 janv. – **R** *(fermé lundi du 15 sept. au 15 juin)* 78/230 –
☕ 28 – **25 ch** 275/375 – 1/2 P 230/240.

Les Logoden, face Poste ✆ 97 44 03 35 – GB
fermé fév., merc. soir et jeudi sauf juil.-août – **R** 72/210.

Le Médaillon, 10 r. Bouruet Aubertot ✆ 97 44 77 28 – P. GB
fermé 23 au 30 nov., vacances de Noël, dim. soir et merc. sauf juil.-août – **R** 68/160.

AUSTIN-ROVER Gar. du Golfe, ZA de Kerlann Nord, rte de Ste-Anne-d'Auray ✆ 97 40 73 20
BMW Auto-Diffusion, ZA de Parc Lann, rte de Ste-Anne-d'Auray ✆ 97 40 74 75
CITROEN S.A.V.V.A., rte de Nantes à Séné par ③ ✆ 97 54 22 74 N ✆ 97 46 00 00
CITROEN Gar. Borgat, rte de Pontivy par ① ✆ 97 47 43 77
FIAT Patrick Gimbert Auto, 13 r. A.-Briand ✆ 97 47 45 46
FORD Autorep, 41 r. du Vincin ✆ 97 63 10 35
OPEL Gar. Mahéo, ZC Kerthomas ✆ 97 40 78 78 N ✆ 97 63 23 45
PEUGEOT-TALBOT Gar. Lainé, 9 av. Marne par ④ ✆ 97 63 27 27 N ✆ 97 46 00 00
RENAULT S.V.D.A., 95 av. E.-Herriot par ③ ✆ 97 54 20 70
RENAULT Gar. Le Goff, rte d'Auray par ④ ✆ 97 63 14 73
TOYOTA Gar. Auto Loisirs, rte de Nantes à Séné par ③ ✆ 97 42 77 49
V.A.G Golfe, 8 bd de Montsabert ✆ 97 63 81 81

Foucaud, 13 r. 5e Cuir ✆ 97 47 42 57
Jahier Pneus, r. Nicéphore Niepce, ZI du Prat ✆ 97 47 64 65
Jahier, 2 r. 65e-R.I., rte de Pontivy ✆ 97 47 18 50
Marsat-Pneus, r. Porte de Mortagne ✆ 32 32 39 38

VANNES-SUR-COSSON **45510** Loiret 64 ⑩ – 455 h. alt. 120.

Paris 138 – ♦Orléans 33 – Gien 35 – Lamotte-Beuvron 22 – Montargis 61.

XX **Vieux Relais,** ✆ 38 58 04 14 – GB
fermé 1er au 14 sept., 21 déc. au 10 janv., dim. soir et lundi de sept. au 15 juin – **R** 85/175.

Les VANS **07140** Ardèche 80 ⑧ **G. Gorges du Tarn** – 2 668 h. alt. 175.

Office de Tourisme pl. Ollier (fermé après-midi hors saison) ✆ 75 37 24 48.

Paris 667 – Alès 43 – Aubenas 36 – Pont-St-Esprit 65 – Privas 66 – Villefort 24.

XX **Le Grangousier,** ✆ 75 94 90 86, « Maison du 16e siècle » – GB
1er mars-15 nov. et fermé dim. soir et merc. sauf juil.-août – **R** (nombre de couverts limité-prévenir) 120/250.

X **Cévennes,** ✆ 75 37 23 09 – GB
fermé 27 sept. au 11 oct., fév., dim. soir d'oct. à mai et lundi – **R** (dim. prévenir) 80/160.

au SE : 6 km par D 901 – ✉ **07140** Les Vans :

Mas de l'Espaïre, ✆ 75 94 95 01, Télex 346632, Fax 75 37 21 00, – 30. AE GB JCB
1er mars-30 nov. – **R** 100/200 – ☕ 35 – **35 ch** 370/470 – ½ P 300/350.

CITROEN Brueyre ✆ 75 37 22 39 N ✆ 75 37 35 76
PEUGEOT-TALBOT Boissin ✆ 75 37 21 41
RENAULT Coste ✆ 75 37 21 19

VARCES **38** Isère 77 ④ – rattaché à Grenoble.

VARENGEVILLE-SUR-MER **76119** S.-Mar. 52 ④ **G. Normandie Vallée de la Seine** – 1 048 h. alt. 83.

Voir Site★ de l'église – Parc des Moustiers★ – Ste-Marguerite : arcades★ de l'église O : 4,5 km – Phare d'Ailly ≤★ NO : 4 km.

Paris 176 – Dieppe 11 – Fécamp 59 – Fontaine-le-Dun 18 – ♦Rouen 63 – St-Valéry-en-Caux 26.

à Vasterival NO : 3 km par D 75 et VO – ✉ **76119** Varengeville-sur-Mer :

De la Terrasse , ✆ 35 85 12 54, ≤, « Jardin ombragé », – GB. rest
15 mars-6 oct. – **R** 75/160, enf. 45 – ☕ 28 – **25 ch** 235/280 – ½ P 220/240.

La VARENNE-ST-HILAIRE **94** Val-de-Marne 61 ①, 101 ㉘ – voir à Paris, Environs.

VARENNES-EN-ARGONNE **55270** Meuse 56 ⑩ ⑳ **G. Champagne** – 679 h. alt. 155.

Paris 244 – Bar-le-Duc 64 – Dun-sur-Meuse 25 – Ste-Menehould 24 – Verdun 37 – Vouziers 38.

Gd Monarque, ✆ 29 80 71 09 – GB
fermé 3 au 17 mars – **R** *(fermé dim. soir et lundi)* 53/180 – ☕ 20 – **11 ch** 100/140 – ½ P 120/130.

VARENNES-JARCY **91480** Essonne 61 ① 106 ㉜ ㉝ 101 ㊳ – 1 687 h. alt. 55.

Paris 37 – Brunoy 6 – Évry 14 – Melun 20.

XX **Host. de Varennes,** ✆ (1) 69 00 97 03, , parc – AE GB
fermé août, mardi soir et merc. – **R** 200.

XX **Moulin de Jarcy** avec ch, au NO : 1 km ✆ (1) 69 00 89 20, ≤, , « Ancien moulin, terrasse au bord de l'eau » – GB. ch
fermé 26 juil. au 21 août, 20 déc. au 17 janv., mardi (sauf rest.), merc. et jeudi – **R** (dim. prévenir) 130/170 – ☕ 40 – **5 ch** 150/180.

How do you find your way around the Paris suburbs?
Use the Michelin map no 101
and the four street maps nos 17-18, 19-20, 21-22 *and* 23-24 *:*
clear, precise, up to date.

VARENNES-SUR-ALLIER 03150 Allier 69 ⑭ – 4 413 h. alt. 248.

Syndicat d'Initiative à la Mairie (15 juin-15 sept.) ☏ 70 45 84 37.

Paris 323 – Moulins 29 – Digoin 58 – Lapalisse 19 – St-Pourçain-sur-Sioule 11 – Vichy 26.

Aub. de l'Orisse, SE : 2 km sur N 7 ☏ 70 45 05 60, Fax 70 45 18 55, ≤, parc, – TV ☎ P – 50. AE ① GB
fermé 1er au 16 janv., dim. soir et lundi midi de nov. à Pâques – **R** 98/195, enf. 65 – 30 – **23 ch** 250/300 – ½ P 310/350.

Central, pl. de la Mairie ☏ 70 45 05 07.

à St-Loup N : 3,5 km sur N 7 – ✉ **03150** :

Route Bleue, ☏ 70 45 07 73, Fax 70 45 06 36 – TV ☎ P – 40. ① GB
fermé 15 déc. au 15 janv. et dim. soir du 15 oct. à fin mars – **R** 65/145, enf. 40 – 25 – **22 ch** 135/220 – ½ P 155.

La Locaterie, N : 1 km par N 7 ☏ 70 45 13 90, « Auberge rustique », – P
fermé 3 au 31 janv. et dim. soir – **R** 125/300.

au SE : 8,5 km par N 209 et D 214 – ✉ **03150** Varennes-sur-Allier :

Château de Theillat M, ☏ 70 99 86 70, Fax 70 99 86 33, ≤, « Château du 19e siècle dans un parc », – TV ☎ – 25 à 100. AE ① GB. rest
R 170/380 – 70 – **18 ch** 650/1100 – ½ P 1050/1480.

CITROEN Muet, 37 av. de Lyon ☏ 70 45 00 19 N
FORD Mantin, 58 av. de Chazeuil ☏ 70 45 06 08
PEUGEOT-TALBOT Central Gar., 26 r. 4-Septembre ☏ 70 45 05 02 N
RENAULT Sabot, 13 r. Hôtel de Ville ☏ 70 45 05 23

VARETZ 19 Corrèze 75 ⑧ – rattaché à Brive-la-Gaillarde.

VARILHES 09120 Ariège 86 ⑤ – 2 327 h. alt. 330.

Paris 769 – Foix 10 – Carcassonne 74 – Pamiers 9 – St-Girons 49 – ♦Toulouse 73.

Relais d'Esclarmonde, av. Pamiers ☏ 61 60 70 08 – AE ① GB
fermé dim. et lundi – **R** 90/300, enf. 50.

VARREDDES 77 S.-et-M. 56 ⑬, 106 ㉓ – rattaché à Meaux.

VARS 05560 H.-Alpes 77 ⑱ **G. Alpes du Sud** – 941 h. alt. 1 639.

Paris 732 – Briançon 45 – Gap 70 – Barcelonnette 42 – Digne-les-Bains 125.

à Ste-Marie-de-Vars – alt. 1 658 – ✉ **05560** Vars :

Le Vallon, ☏ 92 46 54 72, ≤, – ☎ P – 30. GB. rest
29 juin-31 août et 21 déc.-20 avril – **R** 95, enf. 55 – 34 – **34 ch** 325/390 – ½ P 290/330.

La Mayt, ☏ 92 46 50 07, ≤ – ☎ P. AE GB. rest
1er juil.-31 août et 20 déc.-10 avril – **R** 82/110, enf. 50 – 33 – **21 ch** 200/290 – ½ P 250/340.

Edelweiss, ☏ 92 46 50 51, ≤ – ☎ P. AE GB. rest
15 juin-13 sept. et 15 déc.-Pâques – **R** *(fermé le midi en juin et sept.)* 85/105, enf. 52 – 32 – **19 ch** 225/300 – ½ P 260/280.

aux Claux – alt. 1 900 – Sports d'hiver : 1 650/2 750 m 2 51 – ✉ **05560** Vars.

Office de Tourisme cours Fontanarosa ☏ 92 46 51 31, Télex 420671.

Caribou, ☏ 92 46 50 43, Fax 92 46 59 92, ≤, – TV ☎ P. AE GB. rest
15 juin-10 sept. et 15 déc.-30 avril – **R** 170, enf. 70 – 42 – **37 ch** 310/650 – ½ P 400/600.

Les Escondus, ☏ 92 46 50 35, ≤, – ☎ P. AE ① GB.
1er juil.-9 sept. et 20 déc.-10 mai – **R** 75/150, enf. 64 – 37 – **22 ch** 300/420 – ½ P 280/410.

L'Écureuil M sans rest, ☏ 92 46 50 72, Fax 92 46 62 51, ≤ – TV ☎ P. ① GB
1er juil.-1er sept. et 12 déc.-5 mai – 38 – **19 ch** 320/420.

Chez Plumot, ☏ 92 46 52 12 – GB
7 juil.-7 sept. et 15 déc.-1er mai – **R** (dîner seul. en été) 170, enf. 60.

VARZY 58210 Nièvre 65 ⑭ **G. Bourgogne** – 1 455 h. alt. 229.

Paris 211 – La Charité-sur-Loire 36 – Clamecy 16 – Cosne-sur-Loire 41 – Nevers 51.

Aub. de la Poste, ☏ 86 29 41 72, – AE GB
fermé fév., lundi du 15 nov. au 1er avril et dim. soir – **R** 100/250.

RENAULT Gar. Moreau ☏ 86 29 42 10
Gar. Lebault ☏ 86 29 43 41

VASSIVIÈRE (Lac de) 87 H.-Vienne 72 ⑲ – rattaché à Peyrat-le-Château.

VASTERIVAL 76 S.-Mar. 52 ④ – rattaché à Varengeville-sur-Mer.

VATAN **36150** Indre 68 ⑧ ⑨ **G. Berry Limousin** – 2 022 h. alt. 132.

Syndicat d'Initiative (juil.-août) ☎ 54 49 71 69 et à la Mairie (hors saison) ☎ 54 49 76 31.

Paris 237 – Bourges 49 – Blois 76 – Châteauroux 32 – Issoudun 21 – Vierzon 26.

XX **France** avec ch, ☎ 54 49 74 11, – ☎ Ⓟ. GB
fermé 2 au 9 sept., 10 fév. au 12 mars, mardi soir et merc. – **R** 80/200 – 28 – **12 ch** 120/345.

CITROEN Thibault ☎ 54 49 75 27 N | Leseche ☎ 54 49 74 02

VAUCHOUX **70** H.-Saône 166 ⑤ – rattaché à Port-sur-Saône.

VAUCIENNES **51** Marne 56 ⑯ – rattaché à Épernay.

VAUCOULEURS **55140** Meuse 62 ③ **G. Alsace Lorraine** – 2 401 h. alt. 254.

Office de Tourisme (saison) ☎ 29 89 51 82.

Paris 272 – ◆ Nancy 46 – Bar-le-Duc 48 – Commercy 19 – Neufchateau 31.

XX **Relais de la Poste** avec ch, ☎ 29 89 40 01 – ☎ . GB.
fermé 23 déc. au 23 janv., dim. soir et lundi – **R** (prévenir) 75/150 – 26 – **10 ch** 200/240 – ½ P 210.

VAUCRESSON **92** Hauts-de-Seine 60 ⑩, 101 ㉓ – voir à Paris, Environs.

VAUDEURS **89320** Yonne 61 ⑮ – 478 h. alt. 160.

Paris 143 – Troyes 50 – Auxerre 45 – Sens 23.

XX **La Vaudeurinoise** avec ch, ☎ 86 96 28 00, Fax 86 96 28 03, – ☎ Ⓟ. GB
fermé fév., merc. soir et jeudi sauf juil.-août – **R** (dim. prévenir) 85/175 – 30 – **10 ch** 175/250 – ½ P 200/220.

VAUGNERAY **69670** Rhône 73 ⑲ – 3 553 h. alt. 430.

Paris 466 – ◆ Lyon 17 – L'Arbresle 19 – Montbrison 56 – Roanne 78 – Thiers 113.

au col de Malval O : 7 km par D 50 – ✉ **69670** Vaugneray :

Voir Col de la Luère★ NE : 2,5 km, **G. Vallée du Rhône**.

XX **Au Petit Malval**, ☎ 78 45 82 66, ≤, , « Jardin » – Ⓟ. GB
fermé 9 au 25 août, dim. soir et lundi – **R** 120/290, enf. 60.

VAUJANY **38114** Isère 77 ⑥ **G. Alpes du Nord** – 242 h. alt. 1 253.

Voir Site★ – Cascade de la Fare★ E : 1 km – Collet de Vaujany ≤★★ NO : 5 km.

Paris 623 – ◆ Grenoble 53 – Allemond 8 – Le Bourg-d'Oisans 18 – Vizille 35.

du Rissiou , ☎ 76 80 71 00, ≤, – Ⓟ. GB. rest
15 mai-15 sept. et 20 déc.-30 avril – **R** 65/125 – 40 – **15 ch** 180/220 – ½ P 250.

VAULT DE LUGNY **89** Yonne 65 ⑯ – rattaché à Avallon.

VAUVERT **30600** Gard 83 ⑧ – 10 296 h. alt. 32.

Syndicat d'Initiative pl. E.-Renan ☎ 66 88 28 52.

Paris 731 – ◆ Montpellier 39 – Aigues-Mortes 19 – Arles 34 – Beaucaire 40 – Nîmes 21.

rte de Lunel O : 4 km par N 572 – ✉ **30740** Le Cailar :

Mas Sauvage, ☎ 66 88 05 40, Télex 485565, Fax 66 88 01 33, , , – ☎ Ⓟ. AE GB.
fermé janv., dim. soir et lundi du 1er oct. au 31 mars – **R** 140/180 – 50 – **28 ch** 265/330 – ½ P 265.

FIAT Gar. Domergue, av. P. Falgairolle ☎ 66 88 24 18
PEUGEOT Gar. Charbois, rte de Nîmes ☎ 66 88 21 34
RENAULT Gasc, r. Pasteur ☎ 66 88 22 09
Velasquez, 92 r. Carnot ☎ 66 88 42 78

VAUX **89** Yonne 65 ⑤ – rattaché à Auxerre.

VAUX-LE-PÉNIL **77** S.-et-M. 61 ②, 106 ⑤ – rattaché à Melun.

VAUX-SUR-MER **17** Char.-Mar. 171 ⑮ – rattaché à Royan.

VEAUCHE **42340** Loire 73 ⑱ **G. Vallée du Rhône** – 7 282 h. alt. 387.

Voir Bras reliquaire★ dans l'église.

Paris 506 – ◆ St-Étienne 18 – ◆ Lyon 78 – Montbrison 19 – Roanne 59.

XX **Relais de l'Etrier**, N 82 ☎ 77 54 60 11, Fax 77 94 87 74, – Ⓟ. GB
fermé 1er au 22 août, 1er au 15 fév., dim. soir et lundi – **R** 140/290 **Grill R** 65/290 , enf. 50.

VEILLAC **15** Cantal 76 ② – rattaché à Bort-les-Orgues.

VELARS-SUR-OUCHE **21** Côte-d'Or 166 ⑪ – rattaché à Dijon.

VELIZY-VILLACOUBLAY **78** Yvelines 60 ⑩, 101 ㉓ – voir à Paris, Environs.

VELLUIRE 85 Vendée 71 ⑪ – rattaché à Fontenay-le-Comte.

VENAREY-LES-LAUMES **21150** Côte-d'Or 65 ⑧ ⑱ **G. Bourgogne** – 3 544 h. alt. 248.

Voir Mont Auxois★ : ✳★ E : 4 km.

Paris 260 – ♦Dijon 68 – Avallon 48 – Montbard 14 – Saulieu 42 – Semur-en-Auxois 13 – Vitteaux 20.

Gare, ☎ 80 96 00 46, – TV ☎ . GB
fermé dim. soir et lundi du 1er oct. au 1er avril – **R** 100/150, enf. 60 – ☕ 35 – **24 ch** 200/230 – ½ P 190.

VENASQUE **84210** Vaucluse 81 ⑬ **G. Provence** – 785 h. alt. 320.

Voir Baptistère★ – Gorges★ E : 5 km par D 4.

Paris 691 – Avignon 36 – Apt 33 – Carpentras 12 – Cavaillon 31 – Orange 36.

Aub. de la Fontaine M, ☎ 90 66 02 96, Fax 90 66 13 14, ambiance guest house – cuisinette ch TV ☎. GB
R *(fermé 11 nov. au 19 déc., merc. et le midi sauf dim. et fêtes)* (nombre de couverts limité, prévenir) 200 – ☕ 50, 5 appart. 700.

VENCE **06140** Alpes-Mar. 84 ⑨ 195 ㉕ **G. Côte d'Azur** – 15 330 h. alt. 325.

Voir Chapelle du Rosaire★ (chapelle Matisse) A – Place du Peyra★ B **13** – Stalles★ de la cathédrale B **E** – Musée Carzou★ B **M** – ≤★ de la terrasse du château N. D. des Fleurs NO : 2,5 km par D 2210.

Env. Col de Vence ✳★★ NO : 10 km par D 2 A.

Office de Tourisme pl. Grand-Jardin ☎ 93 58 06 38.

Paris 929 ① – ♦Nice 21 ① – Antibes 19 ① – Cannes 30 ① – Grasse 25 ②.

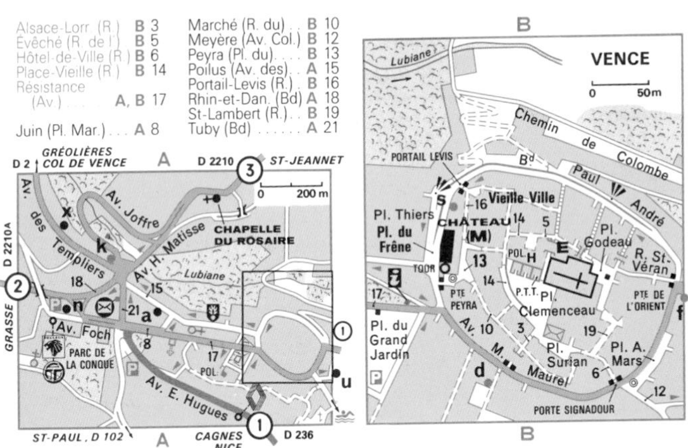

✿ **Château du Domaine St-Martin** M, N : 2,5 km rte Coursegoules par D 2 - A - ☎ 93 58 02 02, Télex 470282, Fax 93 24 08 91, ≤ Vence et littoral, parc, – TV ☎ ♿ P. AE ◑ GB
15 mars-15 nov. – **R** *(fermé merc. hors sais.)* 390/450 – ☕ 105 – **15 ch** 1560/2250, 10 appart. 2900/3200 – ½ P 1255/1600
Spéc. Fleurs de courgettes aux truffes, Filets de rougets en vinaigrette, Poulet de Bresse sauté au citron. Vins Bellet, Bandol.

Relais Cantemerle M, 258 chemin Cantemerle par av. Col. Meyère, SE du plan ☎ 93 58 08 18, Fax 93 58 32 89, – TV ☎ P. AE ◑ GB JCB. rest
15 mars-15 oct. – **R** *(fermé merc. sauf juil-août)* 200 – ☕ 65 (½ pens. seul.), 19 duplex 890 – ½ P 545/695.

Le Floréal M sans rest, 440 av. Rhin et Danube par ② ☎ 93 58 64 40, Télex 461613, Fax 93 58 79 69, – TV ☎ P – 30. GB
☕ 50 – **43 ch** 570.

Diana sans rest, av. Poilus ☎ 93 58 28 56, Fax 93 24 64 06 – cuisinette TV ☎ . AE ◑ GB. A **a**
☕ 35 – **26 ch** 350/370.

Mas de Vence M, 539 av. E. Hugues ☎ 93 58 06 16, Télex 462811, Fax 93 24 04 21, – ☎ ♿ P – 30. AE ◑ GB. rest
R 120/150, enf. 80 – ☕ 32 – **41 ch** 325/390 – ½ P 340.

Miramar sans rest, plateau St-Michel ☎ 93 58 01 32, ≤, – ☎ P. AE GB A **u**
1er mars-25 oct. – ☕ 33 – **17 ch** 320/370.

La Roseraie sans rest, rte de Coursegoules ✆ 93 58 02 20, Fax 93 58 99 31, – TV ☎ P. AE GB A x
fermé janv. – ☐ 43 – **12 ch** 300/450.

Parc H. sans rest, 50 av. Foch ✆ 93 58 27 27, – ☎. AE GB. A n
1er avril-15 oct. – ☐ 35 – **13 ch** 230/330.

XXX **Le Vieux Couvent,** 68 av. Gén. Leclerc ✆ 93 58 78 58 – GB B f
fermé mi-janv. à mi-fév. et merc. – **R** (nombre de couverts limité, prévenir) 180/250.

XX **Aub. des Seigneurs** avec ch, pl. Frêne ✆ 93 58 04 24, auberge provençale – ☎. AE GB B s
R *(fermé 1er au 15 juil., 25 nov. au 10 déc., dim. soir et lundi sauf fériés)* 180/200 – ☐ 47 – **10 ch** 280/300.

XX **Aub. des Templiers,** 39 av. Joffre ✆ 93 58 06 05, – AE GB A k
fermé 10 au 25 mars, 22 déc. au 20 janv., dim. soir et lundi hors sais. – **R** 185/280.

X **Closerie des Genets** avec ch, 4 imp. M. Maurel ✆ 93 58 33 25, – ☎. AE GB
R *(fermé mardi sauf juil.-août et dim. soir)* 150/250, enf. 50 – ☐ 20 – **9 ch** 120/250 – ½ P 210/240. B d

CITROEN Gar. Jouve, 129 av. Gén.-Leclerc ✆ 93 58 07 29
MERCEDES-BENZ, PEUGEOT TALBOT Gar. Simondi, 39 av. Foch ✆ 93 58 01 21 N
RENAULT Gar. de la Rocade, 840 av. E.-Hugues, la Rocade ✆ 93 58 00 29
RENAULT Gar. Mistral, 711 rte de Grasse A ✆ 93 24 03 60

VENDEUIL 02800 Aisne 53 ⑭ – 881 h. alt. 76.

Paris 138 – Compiègne 57 – Saint-Quentin 16 – Laon 30 – Soissons 48.

Aub. de Vendeuil, ✆ 23 07 85 85, Fax 23 07 88 58, – TV ☎ & P – 25. AE GB
R 120/210, enf. 55 – ☐ 31 – **22 ch** 275/325 – ½ P 285/365.

VENDÔME SP 41100 L.-et-Ch. 64 ⑥ G. Châteaux de la Loire – 17 525 h. alt. 82.

Voir Anc. abbaye de la Trinité★ : église abbatiale★★ BZ – Musée★ dans les bâtiments conventuels – Château : terrasses ≤★ ABZ.

de la Bosse ✆ 54 23 02 60, par ② D 917 : 20 km.

Office de Tourisme le Saillant 47/49 r. Poterie ✆ 54 77 05 07.

Paris 168 ① – Blois 33 ③ – Lisieux 194 ① – ♦Le Mans 77 ⑥ – ♦Orléans 76 ① – ♦Tours 58 ④.

Plan page suivante

Vendôme M, 15 fg Chartrain ✆ 54 77 02 88, Télex 750383, Fax 54 73 90 71 – TV ☎ . GB BY a
hôtel : fermé 20 déc. au 5 janv., week-ends du 1er nov. au 5 mars ; rest. : fermé 1er nov. au 5 mars – **R** 110/220, enf. 55 – ☐ 50 – **35 ch** 260/435 – ½ P 350/410.

Gd. H. St-Georges, 14 r. Poterie ✆ 54 77 25 42, Télex 752319 – TV ☎. AE GB
R *(fermé sam. midi)* 80/160, enf. 70 – ☐ 28 – **30 ch** 130/280 – ½ P 300. AZ n

Capricorne, face gare ✆ 54 80 27 00, Télex 750147, Fax 54 77 30 63, – TV ☎ & P. AE GB. rest BX e
R 105/250, enf. 70 - **Resto 7** snack **R** 65/85 enf.50 – ☐ 30 – **34 ch** 200/260 – ½ P 195/215.

Climat de France, rte Blois par ③ : 1,5 km ✆ 54 72 28 38, Télex 750496, Fax 54 77 73 88 – TV ☎ & P – 40 à 150. GB
R 80/110 , enf. 35 – ☐ 30 – **56 ch** 255 – ½ P 210/292.

XX **Le Paris,** 1 r. Darreau ✆ 54 77 02 71, Fax 54 73 14 22 – GB BX z
fermé 17 au 30 août, dim. soir et lundi – **R** 85/260, enf. 50.

XX **Jardin du Loir** avec ch, pl. Madeleine ✆ 54 77 20 79 – TV . GB AY d
fermé vacances de fév. – **R** *(fermé merc.)* 72/190, enf. 40 – ☐ 25 – **9 ch** 125/240 – ½ P 180/195.

par ① : 3 km sur N 10 – ✉ **41100** Vendôme :

Bel air, ✆ 54 72 20 20 – TV ☎ & P – 30. GB
fermé 20 déc. au 5 janv. – **R** *(fermé dim. soir d'oct. à mars)* 74/99, enf. 42 – ☐ 26 – **32 ch** 174/208 – ½ P 190.

aux Fontaines par ① et N 10 : 15 km – ✉ **41100** Vendôme :

XX **Aub. de la Sellerie,** ✆ 54 23 41 43, Fax 54 23 48 00, – P. AE GB
fermé 24 fév. au 12 mars, 22 août au 10 sept., mardi soir et merc. (sauf juil.-août et fêtes) – **R** 98/340.

CITROEN Gar. Granger, N 10, St-Ouen par ① ✆ 54 77 13 06
FORD Coutrey, 19 rte de Paris, St-Ouen par ① ✆ 54 77 14 40
PEUGEOT-TALBOT Nlle Sté Automobile-Vendômoise, 33 rte de Paris, St-Ouen par ① ✆ 54 77 13 50 N ✆ 54 73 02 51
RENAULT Denis Gibaud, N 10 Les Grouets à St-Ouen par ① ✆ 54 77 16 38 N ✆ 54 73 01 14

Moreau, 192 fg Chartrain ✆ 54 77 58 04
Perry-Pneus, 10 r. d'Italie ✆ 54 77 77 35

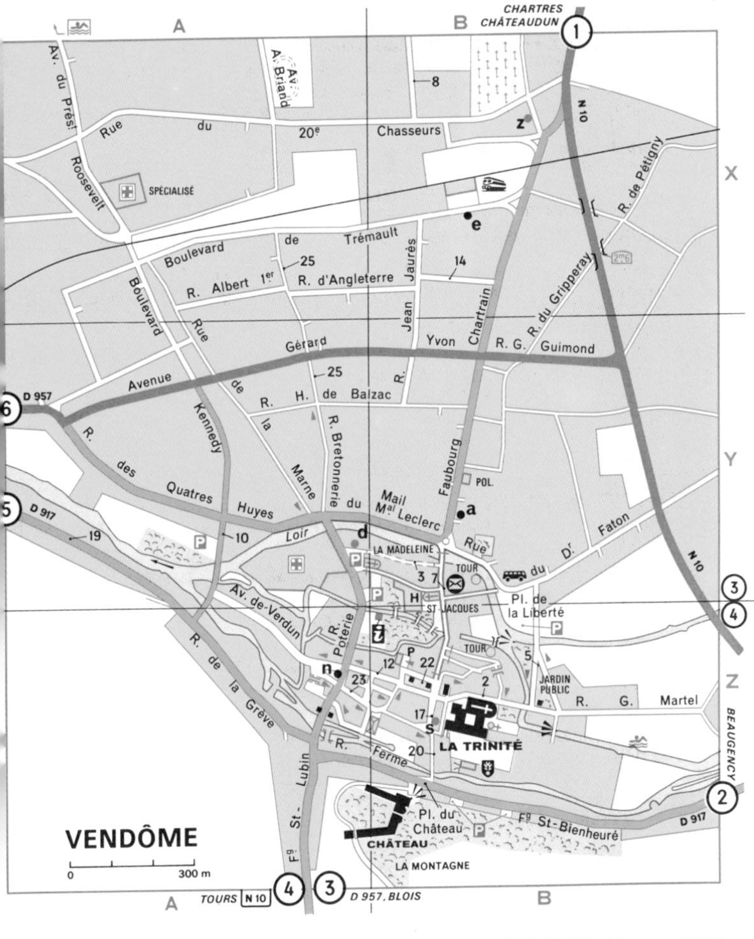

Change (R. du) BY 7
Poterie (R.) AZ
République (Pl. de la) BZ 17
St-Martin (Pl.) BZ 22
Saulnerie (R.) AZ 23

Abbaye (R. de l') BZ 2
Béguines (R. des) BY 3
Bourbon (R. A.) BZ 5
Clemenceau (Av. G.) BX 8
États-Unis (R. des) AY 10

Gaulle (R. Gén.-de) BZ 12
Italie (R. d') BX 14
Rochambeau (R. Mar.) AY 19
St-Bié (R.) BZ 20
Verrier (R. Cdt) AXY 25

En juin et en septembre,
les hôtels sont moins chers qu'en pleine saison, le service est plus soigné.

VENEUX-LES-SABLONS **77** S.-et-M. 61 ⑫, 106 ㊻ – rattaché à Moret-sur-Loing.

VENOY **89** Yonne 65 ⑤ – rattaché à Auxerre.

VENTABREN **13122** B.-du-R. 84 ② **G. Provence** – 3 742 h. alt. 218.

Voir ≤★ des ruines du Château.

Paris 753 – ♦Marseille 32 – Aix-en-Provence 15 – Salon-de-Provence 27.

XX **Petite Auberge,** ☏ 42 28 80 01, ≤, 🍽 – AE
fermé 1er au 15/9, 1er au 15/1, mardi soir et merc. soir d'oct. à mai, dim. (sauf le midi d'oct. à mai) et lundi – **R** 140.

X **L'Alizé,** 2 r. Cézanne ☏ 42 28 79 33, 🍽, « Terrasse avec ≤ étang de Berre » – GB
fermé 15 au 30 sept, 1er au 15 janv., merc. midi et mardi – **R** (nombre de couverts limité, prévenir) 146/300.

VENTRON **88310** Vosges 62 ⑰ – 900 h. alt. 680.

Env. Grand Ventron ※★★ NE : 7 km, **G. Alsace Lorraine.**

Paris 427 – Épinal 54 – ◆ Mulhouse 50 – Gérardmer 26 – Remiremont 29 – Thann 30 – Le Thillot 13.

Les Bruyères, ✆ 29 24 18 63, – ☎ Ⓟ – 25. AE GB
fermé 1er au 26 déc. et lundi sauf vacances scolaires – **R** 68/150 – ☐ 21 – **19 ch** 155/195 – ½ P 205.

Frère Joseph avec ch, ✆ 29 24 18 23
fermé 22 au 30 sept. – **R** 75/120 – ☐ 27 – **15 ch** 150/175 – ½ P 190/215.

à l'Ermitage du Frère Joseph S : 5 km par D 43 et D 43E – alt. 850 – Sports d'hiver : 900/1 150 m ≴8 – ✉ **88310** Cornimont :

Les Buttes ⑤, ✆ 29 24 18 09, Fax 29 24 21 96, ≤, ☒, ✗ – 🏢 TV ☎ ⇔ Ⓟ – 50. AE GB. ✗ rest
fermé 15 nov. au 15 déc. – **R** 125/220, enf. 65 – ☐ 36 – **30 ch** 230/430 – ½ P 320/380.

Ermitage ⑤, ✆ 29 24 18 29, Fax 29 24 16 57, ≤, ✗ – 🏢 cuisinette TV ☎ ⇔ Ⓟ – 25 à 80. AE GB
fermé 15 oct. au 15 nov. – **R** 100/160, enf. 50 – ☐ 30 – **25 ch** 160/400, 35 studios – ½ P 275/320.

VERBERIE **60410** Oise 56 ② 106 ⑩ – 2 627 h. alt. 33.

Paris 68 – Compiègne 15 – Beauvais 55 – Clermont 30 – Senlis 17 – Villers-Cotterêts 31.

Aub. de Normandie, ✆ 44 40 92 33 – Ⓟ. GB
fermé 15 août au 6 sept., vacances de fév., dim. soir et lundi – **R** 128/200.

VERCHAIX **74** H.-Savoie 74 ⑧ – rattaché à Samoëns.

VERDON (Grand Canyon du) ★★★ **04** Alpes-de-H.-P. 81 ⑰ **G. Alpes du Sud.**

Ressources hôtelières : voir à ***Aiguines, Cavaliers (Falaise des), Trigance, Point Sublime, La Palud-sur-Verdon.***

Le VERDON-SUR-MER **33123** Gironde 71 ⑮ **G. Pyrénées Aquitaine** – 1 344 h. alt. 10.

Voir Pointe de Grave : dune ≤★ N : 4 km.

Bac: de la Pointe de Grave : renseignements ✆ 56 09 60 84.

ℹ Syndicat d'Initiative r. F.-Lebreton ✆ 56 09 61 78 et à la Pointe de Grave (juil.-août) ✆ 56 09 65 56.

Paris 510 – Arcachon 144 – ◆Bordeaux 99 – lesparre-Médoc 33 – Royan (bac) 3,5.

Côte d'Argent, ✆ 56 09 60 45, – Ⓟ. AE ⓓ GB
fermé 15 au 30 nov., 15 au 30 janv., lundi soir et mardi d'oct. à avril – **R** 75/185, enf. 40.

VERDUN <SP> **55100** Meuse 57 ⑪ **G. Alsace Lorraine** – 20 753 h. alt. 199.

Voir Ville Haute★ : Cathédrale★ (cloître★) Z E, Palais épiscopal★ Z R – Les champs de bataille à l'Est par N 3.

ℹ Office de Tourisme pl. Nation ✆ 29 86 14 18, Télex 961976 – A.C. 17 pl. A.-Maginot ✆ 29 86 06 56.

Paris 262 ⑤ – ◆ Metz 65 ③ – Châlons-sur-M. 87 ⑤ – ◆Nancy 93 ③ – ◆Reims 120 ⑤.

Plan page suivante

✿ **Host. Coq Hardi,** 8 av. Victoire ✆ 29 86 36 36, Télex 860464, Fax 29 86 09 21 – 🏢 TV ☎ ♿ – 40. AE ⓓ GB — Y v
R *(fermé 2 au 31 janv. et vend. sauf fériés)* 190/420, enf. 90 – ☐ 45 – **40 ch** 290/650, 3 appart. 1200
Spéc. Salade "Coq Hardi", Canard de Challans au vinaigre de framboise, Mirabelles flambées au caramel. **Vins** Bouzy rouge, Chardonnay.

Bellevue, rd-pt de Lattre-de-Tassigny ✆ 29 84 39 41, Télex 860464, Fax 29 86 09 21 – 🏢 TV ☎ ⇔ Ⓟ – 100 à 500. AE ⓓ GB — Y a
1er avril-31 oct. – **R** 95/160, enf. 80 – ☐ 35 – **72 ch** 160/380.

Orchidées M, Z.I. Etain par ② : 2 km ✆ 29 86 46 46, Télex 850196, Fax 29 86 10 20, , ☒, ✗ – TV ☎ ♿ Ⓟ. AE GB
R 70/200 – ☐ 35 – **43 ch** 220/260 – ½ P 230/270.

Montaulbain sans rest, 4 r. Vieille-Prison ✆ 29 86 00 47 – TV ☎. GB — Z e
☐ 24 – **10 ch** 120/185.

aux Monthairons par ④ et D 34 : 13 km – ✉ **55320** :

Host. du Château des Monthairons ⑤, ✆ 29 87 78 55, Télex 850552, Fax 29 87 73 49, ≤, , parc – TV ☎ ♿ ⇔ Ⓟ – 25. AE ⓓ GB JCB
1er mars-16 nov. – **R** *(fermé lundi midi)* 160/380, enf. 100 – ☐ 50 – **9 ch** 390/700, 3 appart. 1100 – ½ P 400/500.

AUSTIN-ROVER Gar. Trévisan, bd de l'Europe à Haudainville ✆ 29 84 41 79
CITROEN Gd Gar. de la Meuse, av. Col.-Driant ✆ 29 86 44 05
FIAT-LANCIA Gar. du Rozelier, bd J. Monnet à Haudainville ✆ 29 84 33 47 N
PEUGEOT-TALBOT Verdun Auto Loisirs, 2 av. 42e Division ✆ 29 84 32 63
RENAULT Friob, av. d'Étain par ② ✆ 29 84 40 72 N ✆ 05 05 15 15
V.A.G Gar. Voie Sacrée, N 3 Regret ✆ 29 86 04 51

Frattini, 21 av. Douaumont ✆ 29 86 04 36
Leclerc-Pneu, 13 av. Col.-Driant ✆ 29 86 29 55
Legros Marceau et Cie, 21 r. Fort de Vaux ✆ 29 84 61 70

VERDUN

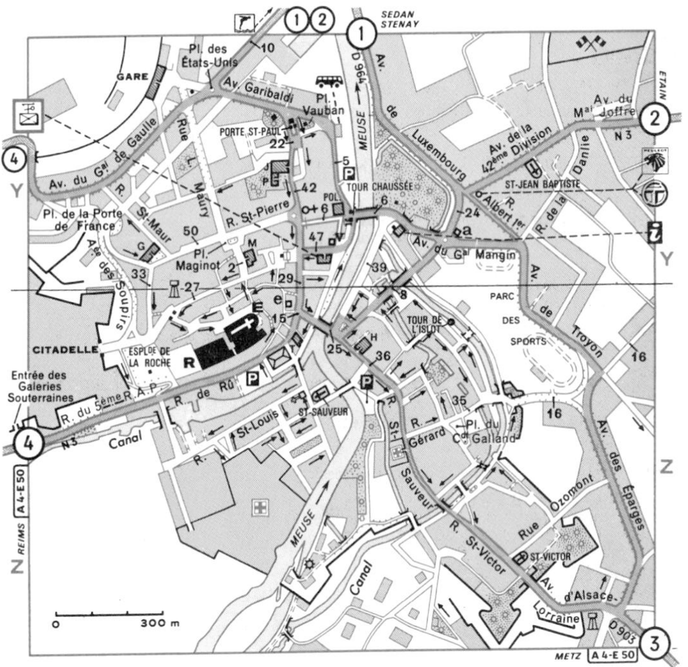

Ne prenez pas la route sans connaître votre temps de parcours.
La carte Michelin nº 911 c'est "la carte du temps gagné".

VERDUN-SUR-LE-DOUBS 71350 S.-et-L. 170 ② G. Bourgogne – 1 065 h. alt. 180.

Syndicat d'Initiative Capitainerie (fermé matin sauf mai-sept.) ☎ 85 91 87 52.

Paris 333 – Chalon-sur-Saône 22 – Beaune 24 – Chagny 24 – Dole 45 – Lons-le-Saunier 57 – Mâcon 79.

XXX **Host. Bourguignonne** avec ch, rte Ciel ☎ 85 91 51 45, Fax 85 91 53 81, – ☎ P. AE GB
fermé 1er au 7 oct., début fév. à mi-mars, mardi soir (sauf juil.-août) et merc. – **R** 110/360 – 40 – **14 ch** 200/400 – ½ P 280/350.

à Chaublanc NO : 10 km par D 184 et D 183 – ✉ 71350 Verdun-sur-le-Doubs :

Moulin d'Hauterive, ☎ 85 91 55 56, Télex 801391, Fax 85 91 89 65, parc, – TV ☎ P – 25. AE GB. rest
fermé 20 au 25 déc., janv., lundi sauf le soir en juil.-août et dim. soir de sept. à juin – **R** 240/350, enf. 80 – 80 – **11 ch** 550/660, 6 appart. 770/880, 5 duplex – ½ P 550/620.

CITROEN Gar. Guenot ☎ 85 91 51 70 N
RENAULT Gar. du Port ☎ 85 91 52 67

VÉRETZ 37270 I.-et-L. 64 ⑮ G. Châteaux de la Loire – 2 709 h. alt. 45.

Paris 240 – ♦Tours 12 – Bléré 15 – Blois 52 – Chinon 55 – Montrichard 31.

Grand Repos sans rest, 18 chemin Acacias ☎ 47 50 35 34, Fax 47 50 58 58, – ☎ P. AE GB
1er avril-15 oct. – 25 – **25 ch** 170/200.

XX **St-Honoré** avec ch, ☎ 47 50 30 06 – TV. GB
fermé 2 au 31 janv., dim. soir et lundi sauf juil.-août – **R** 80/180 – 28 – **9 ch** 160/200 – ½ P 180/200.

VERGÈZE **30310** Gard 83 ⑧ – 3 135 h. alt. 20.

Paris 728 – ♦Montpellier 36 – Nîmes 18.

- **Passiflore** ⛰, ✆ 66 35 00 00, – ch ☎. AE GB
  R *(ouvert 1er avril-11 oct. et fermé mardi sauf juil.-août)* (dîner seul.) 120, enf. 40 – ☐ 31 – **11 ch** 255/285 – ½ P 230/275.
- **Au Veri Gourmand,** pl. République ✆ 66 35 36 68 – . AE ⓓ GB
  fermé vacances de nov., de fév., dim. soir et lundi soir – **R** 75/195 ♂, enf. 38.

PEUGEOT-TALBOT Gar. Rhony ✆ 66 35 04 33

VERMELLES **62980** P.-de-C. 53 ② – 4 584 h.

Paris 210 – ♦Lille 34 – Arras 29 – Béthune 10,5 – Lens 10,5.

- XXX **Le Socrate,** N 43 ✆ 21 26 24 63 – Ⓟ. GB
  fermé lundi (sauf le midi de sept. à juin) et dim. soir – **R** 92/220.

VERMENTON **89270** Yonne 65 ⑤ **G. Bourgogne** – 1 105 h. alt. 125.

Paris 192 – Auxerre 23 – Avallon 27 – Vézelay 27.

- X **Aub. Espérance,** ✆ 86 81 50 42 – GB
  fermé 2 janv. au 4 fév., dim. soir et lundi – **R** 88/200 ♂, enf. 42.

Come districarsi nei sobborghi di Parigi?
Utilizzando la carta stradale Michelin n. **101**
e le piante n. **17-18**, **19-20**, **21-22**, **23-24** *: chiare, precise ed aggiornate.*

VERNET-LES-BAINS **66820** Pyr.-Or. 86 ⑰ **G. Pyrénées Roussillon** – 1 489 h. alt. 650. – Stat. therm. (27 janv.-19 déc.).

Voir Site★ – Église★ de Corneilla-de-Conflent 2,5 km par ①.

Office de Tourisme pl. Mairie ✆ 68 05 55 35.

Paris 965 ① – ♦Perpignan 55 ① – Mont-Louis 35 ① – Prades 11,5 ①.

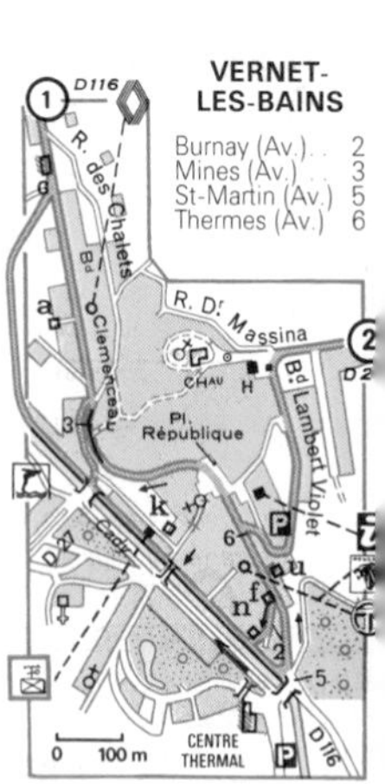

- **Résidence des Baüs et Mas Fleuri** Ⓜ ⛰ sans rest, bd Clemenceau **(a)** ✆ 68 05 51 94, Fax 68 05 50 77, « Parc ombragé », – ☎ Ⓟ. AE ⓓ GB.
  1er avril-31 oct. – ☐ 38 – **35 ch** 275/525.
- **Princess** ⛰, r. Lavandières **(k)** ✆ 68 05 56 22, Fax 68 05 62 45, ←, – cuisinette ☎ ♿ Ⓟ. AE GB. rest
  fermé 3 janv. au 3 fév. – **R** 80/195, enf. 70 – ☐ 30 – **40 ch** 200/320 – ½ P 255/270.
- **Eden,** prom. Cady **(n)** ✆ 68 05 54 09 – ☎ Ⓟ. GB
  1er avril-31 oct. – **R** *(fermé lundi)* 68/140 ♂, enf. 45 – ☐ 27 – **23 ch** 150/270 – ½ P 190/250.
- **Angleterre,** av. Burnay **(f)** ✆ 68 05 50 58, – ☎. GB. ch
  2 mai-5 nov. – **R** 85 – ☐ 19 – **20 ch** 100/200 – ½ P 160/190.
- XXX **Comte Guifred de Conflent** Ⓜ avec ch collège d'application hôt., av. Thermes **(u)** ✆ 68 05 51 37, Fax 68 05 64 11, , – ☎ – 40. AE ⓓ GB
  fermé 26 nov. au 28 déc. – **R** 75/200, enf. 45 – ☐ 33 – **8 ch** 270/325 – ½ P 289/396.

à Casteil S : 2 km par D 116 – alt. 730 – ✉ **66820** :

- **Molière** ⛰, ✆ 68 05 50 97, , – Ⓟ. GB
  fermé mi-nov. au 26 déc., janv. et merc. hors sais. – **R** 85/150, enf. 40 – ☐ 28 – **12 ch** 150/180 – ½ P 190/200.

à Sahorre SO : 3,5 km par D 27 – ✉ **66360** :

- **Châtaigneraie** ⛰, ✆ 68 05 51 04, ←, – Ⓟ. GB. ch
  début mai-30 sept. – **R** 69/115, enf. 53 – ☐ 24 – **10 ch** 150/240 – ½ P 182/223.

PEUGEOT-TALBOT Gar. Villacèque ✆ 68 05 51 14 RENAULT Gar. Pous ✆ 68 05 52 81

VERNEUIL-SUR-AVRE **27130** Eure 60 ⑥ **G. Normandie Vallée de la Seine** – 6 446 h. alt. 175.

Voir Église de la Madeleine★ – Statues★ de l'église N.-Dame.

9 de Center Parcs ✆ 32 23 50 02, par ④ : 9 km.

Syndicat d'Initiative 129 pl. Madeleine (fermé matin) ✆ 32 32 17 17.

Paris 117 ② – Alençon 75 ④ – Argentan 78 ⑤ – Chartres 56 ③ – Dreux 36 ② – Évreux 39 ①.

VERNEUIL-S-AVRE

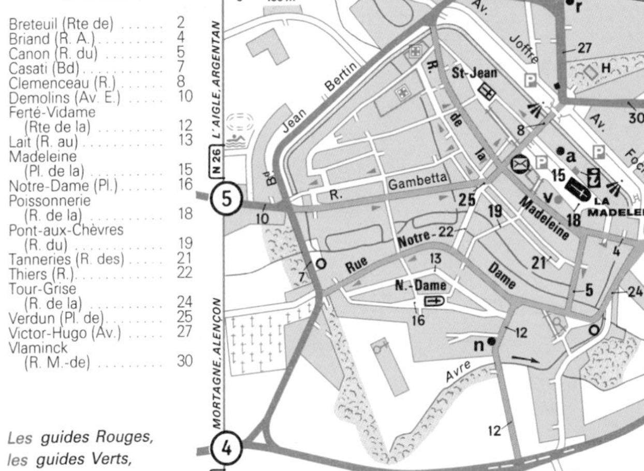

Breteuil (Rte de) 2
Briand (R. A.) 4
Canon (R. du) 5
Casati (Bd) 7
Clemenceau (R.) 8
Demolins (Av. E.) 10
Ferté-Vidame (Rte de la) 12
Lait (R. au) 13
Madeleine (Pl. de la) 15
Notre-Dame (Pl.) 16
Poissonnerie (R. de la) 18
Pont-aux-Chèvres (R. du) 19
Tanneries (R. des) 21
Thiers (R.) 22
Tour-Grise (R. de la) 24
Verdun (Pl. de) 25
Victor-Hugo (Av.) 27
Vlaminck (R. M.-de) 30

Les guides Rouges, les guides Verts, et les cartes Michelin sont complémentaires. Utilisez-les ensemble.

Host. du Clos ⛰, 98 r. Ferté-Vidame **(n)** ✆ 32 32 21 81, Télex 172770, Fax 32 32 21 36, ☂, ⛹, 🌳, 🎾 – TV ☎ ♿ 🅟. AE ⓓ GB
fermé déc., janv. et lundi (sauf hôtel de Pâques à fin sept.) – **R** 180/330, enf. 80 – ☕ 80 – **8 ch** 600/850, 3 appart. 1150 – ½ P 700/900.

Saumon (annexe 🏨 M ⛰), 89 pl. Madeleine **(a)** ✆ 32 32 02 36, Fax 32 32 21 36 – TV ☎ ♿ – 🎓 25. GB
fermé 23 déc. au 5 janv. – **R** 80/235 🍷, enf. 50 – ☕ 35 – **28 ch** 200/260.

Gare, pl. Gare **(r)** ✆ 32 32 12 72, 🌳 – ☎ ♿ 🅟. GB
fermé merc. – **R** 70/250 🍷 – ☕ 23 – **6 ch** 130/250.

Gd Sultan, 30 r. Poissonnerie **(v)** ✆ 32 32 13 41 – GB
fermé lundi – **R** 72/97.

CITROEN Heurtaux, rte de Paris par ② ✆ 32 32 14 83
RENAULT Gar. Poilvez, 228 av. R.-Zaigue par ① ✆ 32 32 17 54 N

VOLVO Gar. Moderne, rte de Paris ✆ 32 32 00 45

Ⓜ Marsat Pneus, r. Porte de Mortagne ✆ 32 32 39 38

VERNIERFONTAINE 25580 Doubs 66 ⑯ – 321 h. alt. 730.

Paris 441 – ♦Besançon 32 – Baume-les-Dames 36 – Morteau 37 – Pontarlier 28.

Fontaine ⛰, ✆ 81 60 04 64, Fax 81 60 05 36 – ☎ 🅟. GB. ✗ ch
R 68/160 🍷, enf. 35 – ☕ 25 – **10 ch** 109/240 – ½ P 144/176.

VERNON 27200 Eure 55 ⑰ ⑱ 106 ① ② **G. Normandie Vallée de la Seine** – 23 659 h. alt. 16.

Voir Église N.-Dame★ BY – Château de Bisy★ 2 km par ③.

🅸 Office de Tourisme 36 r. Carnot ✆ 32 51 39 60.

Paris 80 ② – ♦Rouen 62 ③ – Beauvais 67 ⑤ – Évreux 31 ③ – Mantes-la-Jolie 23 ②.

Arianotel M, rte de Rouen à St-Marcel par ④ ✉ 27950 ✆ 32 21 55 56, Fax 32 51 11 18 – TV ☎ ♿ 🅟 – 🎓 50. GB
R *(fermé lundi midi et dim.)* 64/139 🍷, enf. 41 – ☕ 28 – **37 ch** 240/265.

Strasbourg, 6 pl. Évreux ✆ 32 51 23 12 – TV ☎ 🅟. GB. ✗ rest — BY **u**
fermé 24 déc. au 10 janv. – **R** 60/130 🍷 – ☕ 26 – **25 ch** 150/300.

Haut Marais sans rest, 2 rte Rouen à St-Marcel par ④ ✉ 27950 ✆ 32 51 41 30, Fax 32 21 11 32 – TV ☎ 🅟. GB
☕ 25 – **33 ch** 130/260.

Les Fleurs, 71 r. Carnot ✆ 32 51 16 80 – GB. ✗ — BX **a**
fermé 19 juil. au 18 août, 22 fév. au 3 mars, dim. soir et lundi – **Repas** 98 bc/240 bc.

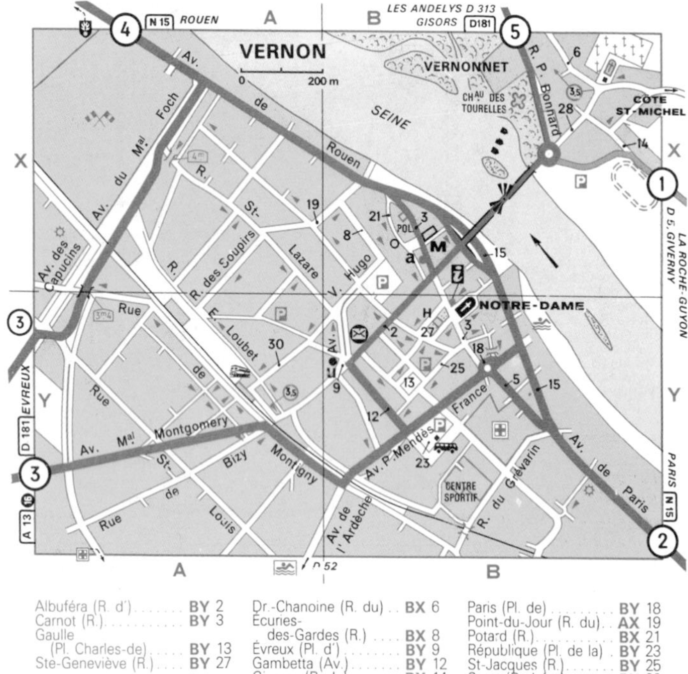

Albuféra (R. d') .... **BY** 2	Dr.-Chanoine (R. du) .. **BX** 6	Paris (Pl. de) .... **BY** 18
Carnot (R.) .... **BY** 3	Écuries-des-Gardes (R.) .... **BX** 8	Point-du-Jour (R. du).. **AX** 19
Gaulle (Pl. Charles-de) ..... **BY** 13	Évreux (Pl. d') .... **BY** 9	Potard (R.) .... **BX** 21
Ste-Geneviève (R.) .... **BY** 27	Gambetta (Av.) .... **BY** 12	République (Pl. de la) . **BY** 23
	Giverny (R. de) .... **BX** 14	St-Jacques (R.) .... **BY** 25
Dr. Burnet (R.) .... **BY** 5	Leclerc (Bd du Mar.). **BXY** 15	Soret (R. Jules) .... **BX** 28
		Steiner (R. E.) .... **AY** 30

à Port-Villez par ② : 4 km – ✉ **78270**.

Voir N.-D. de la mer ≤★ S : 2 km – Signal des Coutumes ≤★ S : 3 km.

XXX **La Gueulardière,** ℘ (1) 34 76 22 12, 帀, 🚫 – **P**. GB
fermé dim. soir et lundi sauf fériés – **R** carte 230 à 340.

CITROEN S.C.A.E., N 15 à St-Just par ④ ℘ 32 51 74 51 **N** ℘ 32 51 40 24
FORD Auto-Normandie, r. Industrie, ZI ℘ 32 51 59 39
PEUGEOT-TALBOT Gervilliers, 10 av. de Paris par ② ℘ 32 51 50 14

Sube-Pneurama, 11 bd Isambard ℘ 32 51 08 95
Ⓜ Marsat Pneus, ZI 11 r. de la Garenne à St-Marcel ℘ 32 21 68 04
Marsat-Pneus Vernon-Pneus, 121 r. Carnot ℘ 32 21 26 52

VERNOUILLET **78540** Yvelines **55** ⑲ **G. Ile de France** – 8 676 h. alt. 39.

Voir Clocher★ de l'église.

Paris 41 – Mantes-la-Jolie 23 – Pontoise 19 – Rambouillet 52 – St-Germain-en-Laye 16 – Versailles 27.

Aub. les Charmilles sans rest, 38 r. P. Doumer ℘ (1) 39 71 64 02, 🚫 – ☎ **P**. GB
☕ 25 – **10 ch** 180/300.

Ⓜ Marsat Pneus, ZI Plein Sud, r. de Rome ℘ (1) 37 42 02 98

La VERPILLIÈRE **38290** Isère **74** ⑫ – 5 595 h. alt. 300.

Paris 497 – ◆Lyon 29 – Bourgoin-Jallieu 12 – Crémieu 15 – ◆Grenoble 76 – Vienne 30.

au Nord : direction Lyon

XX Pascal Grivel, 57 impasse Granges ℘ 74 95 52 11, 帀, 🚫

CITROEN Gar. des Maisons-Neuves, ℘ 74 94 00 01 Ⓜ Bargeon Pneus, ℘ 74 94 03 44

VERQUIÈRES **13** B.-du-R. **84** ① – rattaché à St-Rémy-de-Provence.

La VERRIE **85130** Vendée 67 ⑤ – 3 497 h. alt. 125.

Paris 365 – Angers 73 – La Roche-sur-Yon 51 – Bressuire 44 – Cholet 14 – ◆Nantes 61.

La Malle Poste, pl. Ch.-de-Gaulle ✆ 51 65 46 14 – P. GB. ✻
fermé 1er au 15 août, 1er au 15 fév., dim. soir et lundi – **R** 54/105 ♁, enf. 41.

VERSAILLES 78 Yvelines 60 ⑨ ⑩, 101 ㉒ – voir à Paris, Environs.

VER-SUR-LAUNETTE 60 Oise 56 ⑫ – rattaché à Ermenonville.

VERTOLAYE **63480** P.-de-D. 73 ⑯ – 609 h. alt. 512.

Paris 497 – ◆ Clermont-Ferrand 70 – Ambert 14 – Cunlhat 18 – Feurs 61 – Issoire 58 – Thiers 43.

Voyageurs, près gare ✆ 73 95 20 16, 🌳, 🅰 – ☎ 🚗 P. GB. ✻ rest
fermé 10 au 25 oct., dim. soir et sam. sauf juil.-août – **R** 70/180 ♁, enf. 50 – ☐ 28 – **27 ch** 105/250 – ½ P 190/220.

VERTOU 44 Loire-Atl. 67 ③ – rattaché à Nantes.

VERTUS **51130** Marne 56 ⑯ **G. Champagne** – 2 495 h. alt. 107.

Voir Mont Aimé★ S : 5 km.

Paris 138 – ◆ Reims 47 – Châlons-sur-Marne 29 – Épernay 21 – Fère Champenoise 17 – Montmirail 38.

Host. Reine Blanche, av. Louis Lenoir ✆ 26 52 20 76, Fax 26 52 16 59, Fō, ☐ – ▤ TV ☎ P – 🅰 45. AE ⓓ GB
R 125/250 – ☐ 50 – **28 ch** 395/495 – ½ P 380.

à Bergères-les-Vertus S : 3,5 km par D 9 – ✉ **51130** Vertus :

Mont-Aimé ⑤, ✆ 26 52 21 31, Fax 26 52 21 39, 🌳, ⛱, 🅰 – TV ☎ ♿ P – 🅰 50. AE ⓓ GB
R 80/350 ♁, enf. 60 – ☐ 40 – **29 ch** 180/320 – ½ P 250/280.

CITROEN Dieryckxvisschers, 15 pl. Grande Fontaine ✆ 26 52 13 31

Les VERTUS 76 S.-Mar. 52 ④ – rattaché à Dieppe.

VERVINS <SP> **02140** Aisne 53 ⑯ **G. Flandres Artois Picardie** – 2 663 h. alt. 174.

ℹ Office de Tourisme pl. Gén.-de-Gaulle (fermé après-midi) ✆ 23 98 11 98.

Paris 175 – St-Quentin 49 – Charleville-Mézières 68 – Laon 35 – ◆Reims 85 – Valenciennes 75.

✿ **Tour du Roy** (Mme Desvignes), ✆ 23 98 00 11, Fax 23 98 00 72, 🌳, 🅰 – TV ☎ P. AE ⓓ GB
fermé 15 janv. au 15 fév. – **R** *(fermé dim. soir et lundi midi hors sais.)* (dim. et fêtes prévenir) 160/280 – ☐ 60 – **16 ch** 250/600 – ½ P 370/600
Spéc. "Ode" à la Thiérache, Feuillantine de ris de veau et rognon, Millefeuille craquant de fruits de saison. Vins Champagne.

CITROEN M. Renaud, La Chaussée de Fontaine ✆ 23 98 00 08 N
OPEL Legoc Macogne, N 2 à Fontaine-lès-Vervins ✆ 23 98 10 49

Ⓜ Fischbach Pneu, N 7 rte de Guise à Fontaine-lès-Vervins ✆ 23 98 30 79

VERZÉ **71960** S.-et-L. 69 ⑲ – 575 h.

Paris 393 ← Mâcon 14 – Charolles 49 – Cluny 12 – ◆Lyon 80 – Tournus 30.

Rest. de Verchizeuil, E : 4 km par D 434 et D 134 ✆ 85 33 32 12, 🌳 – P
fermé 15 août au 1er sept., jeudi soir et vend. – **R** 68/150 ♁, enf. 40.

Le VÉSINET 78 Yvelines 55 ⑳, 101 ⑬ – voir à Paris, Environs.

VESOUL P **70000** H.-Saône 66 ⑤ ⑥ **G. Jura** – 17 614 h. alt. 220.

Voir Colline de la Motte ✻★ 30 mn.

ℹ Office de Tourisme r. Bains ✆ 84 75 43 66 – A.C. 6 av. Mairie à Frotey-lès-Vesoul ✆ 84 76 08 23.

Paris 352 ① – ◆Besançon 47 ② – Belfort 64 ① – ◆Dijon 106 ① – Dole 93 ① – Épinal 89 ① – Langres 75 ① – Neufchâteau 106 ① – St-Dié 120 ① – Vittel 85 ①.

Plan page suivante

Relais N 19, rte Paris par ① : NO 3 km ✆ 84 76 42 42, Télex 361766, Fax 84 76 81 94, 🌳, 🅰 – TV ☎ 🚗 P. GB
fermé 24 déc. au 7 janv., sam. et dim. en hiver – **R** 95/260 ♁ – ☐ 38 – **22 ch** 260/390.

Lion M sans rest, 4 pl. République **(a)** ✆ 84 76 54 44, Télex 361773, Fax 84 75 23 31 – 🛗 TV ☎ P. AE GB
☐ 23 – **19 ch** 152/240.

à Frotey-lès-Vesoul par ① : 2 km – ✉ **70000** :

Eurotel, rte Luxeuil ✆ 84 75 49 49, Fax 84 76 55 78, 🌳 – TV ☎ P. GB
R *(fermé 4 au 19 août, 22 au 29 déc., dim. soir et lundi)* 78/250 ♁ – ☐ 30 – **22 ch** 280/295.

VESOUL

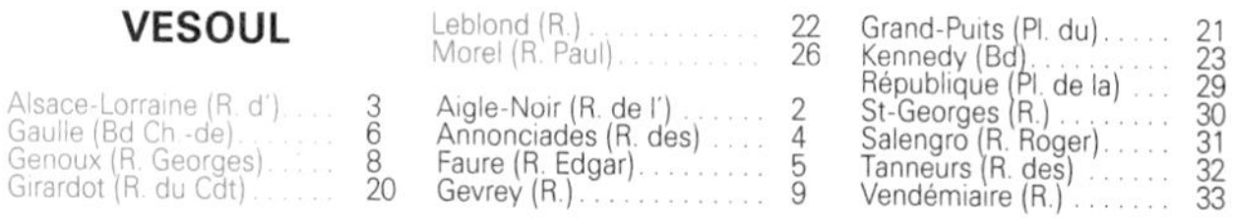

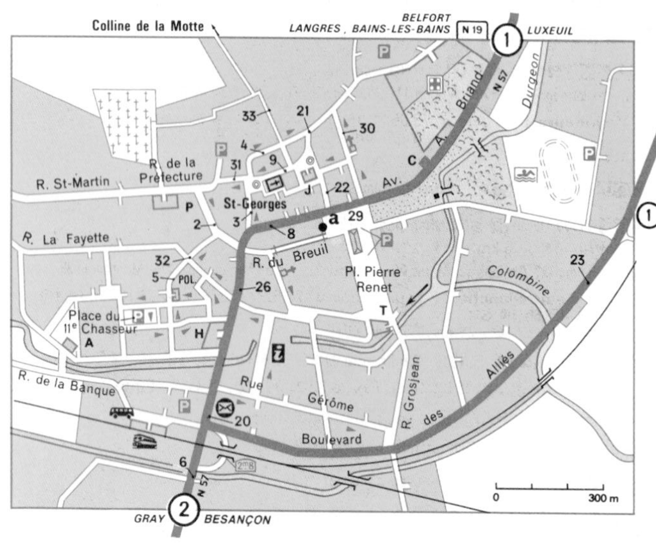

à Pusey NO par ① : 4 km – ✉ **70000** :

Eric H. M, ☎ 84 75 01 02, Fax 84 75 28 11, – TV ☎ ♿ P – 30. GB
R 65/115 ₰, enf. 40 – ▭ 22 – **40 ch** 180/230 – ½ P 170/200.

FORD Dormoy, rte de Paris ☎ 84 75 46 34
LANCIA Goudey, 1 r. Gén.-Leclerc à Navenne ☎ 84 75 21 79
OPEL Comtoise de Distribution, N 19 ☎ 84 76 50 30
PEUGEOT Succursale, rte de Gray à Noidans-lès-Vesoul par ② ☎ 84 76 51 52 **N** ☎ 80 61 53 03
RENAULT Gar. Bougueret, ZI à Noidans-lès-Vesoul par ② ☎ 84 76 27 11

TOYOTA Gar. Konecny, ZA du Petit Montmarin, r. du Talerot ☎ 84 75 67 96

Hyper-Pneus, av. Gare ☎ 84 76 46 47
PAD, 22 bd Charles-de-Gaulle ☎ 84 75 34 32
Pneus et Services D.K., N 19 ZAC Petit Montmarin ☎ 84 75 23 29

☛ *Use this year's Guide.*

VEUIL **36** Indre 68 ⑧ – rattaché à Valençay.

VEULES-LES-ROSES **76980** S.-Mar. 52 ③ **G. Normandie Vallée de la Seine** – 753 h. alt. 42 – Casino.

Syndicat d'Initiative r. Dr-Girard (juil.-août) ☎ 35 97 63 05.

Paris 199 – Dieppe 26 – Fontaine-le-Dun 8 – ♦Rouen 58 – St-Valéry-en-Caux 8.

XXX ✿ **Les Galets** (Plaisance), à la plage ☎ **35 97 61 33, Fax 35 57 06 23** – AE ⓓ GB
fermé 23 au 30 nov., 5 janv. au 5 fév., mardi soir et merc. – **R** (nombre de couverts limité - prévenir) 170/380, enf. 130
Spéc. Galette au concassé d'artichaut frais et aux Saint-Jacques (saison), Blanc de turbot en croustillant, Pigeonneau en crapaudine.

VEULETTES-SUR-MER **76450** S.-Mar. 52 ② ③ **G. Normandie Vallée de la Seine** – 299 h. alt. 2 – Casino.

Syndicat d'Initiative esplanade du Casino (juil.-août) ☎ 35 97 51 33.

Paris 208 – Fécamp 26 – ♦Rouen 65 – Yvetot 30.

XX **Les Frégates** avec ch, ☎ **35 97 51 22, Fax 35 57 05 60**, ← – TV ☎ – 25. ⓓ GB
R *(fermé 20 déc. au 5 janv., dim. soir et lundi midi d'oct. à juin)* 90/182 ₰, enf. 45 – ▭ 27 – **16 ch** 210/235 – ½ P 220.

Annexe Bains ⌂, – TV ☎ ♿ P. GB
R voir **Les Frégates** – ▭ 27 – **20 ch** 220/270 – ½ P 220.

Le VEURDRE 03320 Allier 69 ③ **G. Auvergne** – 595 h. alt. 190.
Paris 270 – Bourges 68 – Moulins 34 – Montluçon 67 – Nevers 31 – St-Amand-Montrond 48.

Pont-Neuf, 70 66 40 12, Télex 392978, Fax 70 66 44 15, parc, – AE GB
fermé 2 au 10 nov., 2 au 31 janv. et dim. soir du 15 oct. au 31 mars – **R** 70/240, enf. 40 – 32 – **36 ch** 190/270 – ½ P 200/250.

VEYRIER-DU-LAC 74 H.-Savoie 74 ⑥ – rattaché à Annecy.

VÉZAC 24 Dordogne 75 ⑰ – rattaché à Beynac et Cazenac.

VÉZAC 15 Cantal 76 ⑫ – rattaché à Aurillac.

VÉZELAY 89450 Yonne 65 ⑮ **G. Bourgogne** – 571 h. alt. 302 Pèlerinage (22 juillet).
Voir Basilique Ste-Madeleine★★★ : tour ★ – **Env.** Site★ de Pierre-Perthuis SE : 6 km.
Syndicat d'Initiative r. St-Pierre (avril-oct.) 86 33 23 69.
Paris 223 – Auxerre 51 – Avallon 15 – Château-Chinon 60 – Clamecy 22.

Poste et Lion d'Or, 86 33 21 23, Télex 800949, Fax 86 32 30 92, – AE GB
1er avril-3 nov. – **R** *(fermé mardi midi et lundi)* 110/290, enf. 60 – 40 – **48 ch** 230/580 – ½ P 265/450.

Le Pontot sans rest, 86 33 24 40, – GB JCB
10 avril-2 nov. – 50 – **10 ch** 500/850.

Compostelle M sans rest, pl. Champ de Foire 86 33 28 63, Fax 86 33 34 34 – AE GB
fermé janv. et dim. soir de nov. à fin mars – 33 – **18 ch** 250/310.

à St-Père SE : 3 km par D 957 – alt. 148 – 89450 – **Voir** Église N.-Dame★.

L'Espérance (Meneau), 86 33 20 45, Télex 800005, Fax 86 33 26 15, « Jardin dans la campagne » – rest AE GB
fermé début janv. à début fév. – **R** *(fermé merc. midi et mardi)* (prévenir) 300 (déj.)/780 et carte 450 à 750 – 100 – **33 ch** 350/1300, 8 appart.
Spéc. Tourte de pommes de terre au caviar, Homard pané au riz sauce safran, Cromesquis de foie gras. **Vins** Vézelay, Irancy.

La Renommée M sans rest, 86 33 21 34 – AE GB
fermé merc. soir du 1er nov. au 1er mars – 26 – **18 ch** 150/280.

à Fontette E : 5 km par D 957 – 89450 Vézelay :

Crispol M, rte Autun 86 33 26 25, Fax 86 33 33 10, colline de Vézelay, « Décor contemporain original », – GB
fermé 1er janv. au 15 fév. et lundi – **R** 110/230 – 40 – **12 ch** 350/450 – ½ P 350/400.

VEZELS-ROUSSY 15130 Cantal 76 ⑫ – 120 h. alt. 630.
Paris 587 – Aurillac 22 – Entraygues-sur-Truyère 27.

La Bergerie, 71 49 42 90, Fax 71 49 44 70, – GB
R 60/100 – 20 – **15 ch** 140/160 – ½ P 185.

VÉZÉNOBRES 30360 Gard 80 ⑱ **G. Gorges du Tarn** – 1 312 h. alt. 219.
Voir ★ du sommet du village.
Syndicat d'Initiative à la Mairie 66 83 62 02.
Paris 710 – Alès 11,5 – Nîmes 33 – Uzès 30.

Le Sarrasin, N 106 66 83 55 55, Fax 66 83 66 83, – AE GB
R 55/150, enf. 35 – 30 – **24 ch** 190/300 – ½ P 200/240.

VIA 66 Pyr.-Or. 86 ⑯ – rattaché à Font-Romeu.

VIALAS 48220 Lozère 80 ⑦ – 384 h. alt. 607 – Paris 652 – Alès 40 – Florac 41 – Mende 64.

Chantoiseau (Pagès) avec ch, 66 41 00 02, Fax 66 41 04 34, – AE GB
fin mars-début nov. et fermé mardi et merc. sauf du 15 juin au 15 sept. – **R** 130/650 – 45 – **15 ch** 360/420 – ½ P 360
Spéc. Miroir de cailles au genièvre et grisets, Sabayon de cèpes au ris d'agneau, Bavaroise des garrigues aux miels et raisiné. **Vins** Costières de Nîmes, Coteaux du Languedoc.

VIAUR (Viaduc du) ★ 12 Aveyron 80 ⑪ **G. Gorges du Tarn** - NE de Carmaux 27 km – alt. 500 – 12800 Naucelle.
Paris 673 – Albi 44 – Millau 96 – Rodez 41 – St-Affrique 73 – Villefranche-de-Rouergue 50.

Host. du Viaduc du Viaur, par D 574 65 69 23 86, viaduc et vallée, – AE GB rest
12 avril-1er oct. et fermé merc. midi et mardi hors sais. – **R** 90/160, enf. 60 – 25 – **10 ch** 150/250 – ½ P 190/240.

VIBRAC 16 Charente 72 ⑬ – rattaché à Jarnac.

VIBRAYE 72320 Sarthe 60 ⑯ – 2 609 h. alt. 124.

Paris 171 – ◆Le Mans 43 – Brou 41 – Châteaudun 52 – Mamers 48 – Nogent-le-R. 38 – St-Calais 16.

Chapeau Rouge avec ch, pl. H. de Ville ☎ 43 93 60 02 – ☎ P. GB. ch
fermé 15 au 30 août, 15 au 30 janv., dim. soir et lundi – **R** 72/280, enf. 65 – ☐ 30 – **10 ch** 210/250 – ½ P 230/280.

CITROEN Guillard ☎ 43 93 60 22 N ☎ 43 93 74 25

VIC-EN-BIGORRE 65500 H.-Pyr. 85 ⑧ – 4 893 h. alt. 215.

Paris 776 – Auch 62 – Pau 43 – Aire-sur-l'Adour 52 – Mirande 37 – Tarbes 17.

Le Tivoli, pl. Gambetta ☎ 62 96 70 39, Fax 62 96 29 74, – TV ☎. GB
R *(fermé 3 au 18 sept., 22 janv. au 6 fév. et lundi sauf fériés)* 55/180 ⅁, enf. 35 – ☐ 21 – **27 ch** 100/200 – ½ P 126/176.

Le Réverbère M avec ch, r. Alsace ☎ 62 96 78 16, – TV ☎. AE GB
fermé 2 au 20 janv. – **R** *(fermé dim. soir du 15 sept. au 15 juin et lundi)* 60/250, enf. 45 – ☐ 22 – **10 ch** 190 – ½ P 177.

Repas 100/130 Repas soignés à prix modérés.

VICHY 03200 Allier 73 ⑤ **G. Auvergne** – 27 714 h. alt. 264 – Stat. therm. (fév.-nov.) – Casinos Élysée Palace BCY, Grand Casino BZ.

Voir Parc des Sources★ BYZ – Parcs de l'Allier★ BZ – Site des Hurlevents ≤★ 4,5 km par ②.

18 ☎ 70 32 39 11 A.

de Vichy-Charmeil : ☎ 70 32 34 09, par ⑥ : 6 km.

Office de Tourisme et de Thermalisme et Accueil de France (Informations, change et réservations d'hôtels, pas plus de 5 jours à l'avance) 19 r. Parc ☎ 70 98 71 94, Télex 990278.

Paris 409 ① – ◆Clermont-Ferrand 54 ③ – Chalon-sur-Saône 157 ① – ◆Limoges 215 ④ – ◆Lyon 160 ① – Mâcon 147 ① – Montluçon 92 ⑥ – Moulins 55 ① – Roanne 72 ① – ◆St-Étienne 140 ②.

Plan page suivante

Pavillon Sévigné (réouverture prévue en mai), 50 bd Kennedy ☎ 70 32 16 22, Télex 392370, Fax 70 59 97 37, « Dans un jardin à la française, ancienne demeure de Madame de Sévigné » – TV ☎ P – 25. AE GB. rest BZ s
R 200/360 – ☐ 60 – **35 ch** 550/1200 – P 850/1150
Spéc. Salade tiède de ris de veau en vinaigrette. Enrubanné de chocolat et son parfait nougatiné. **Vins** Saint-Pourçain.

Régina, 4 av. Thermale ☎ 70 98 20 95, Fax 70 98 60 05, – rest TV ☎. AE GB. rest BY v
15 avril-15 oct. – **R** 120/200, enf. 60 – ☐ 45 – **80 ch** 350/550 – P 420/480.

Novotel Thermalia M, 1 av. Thermale ☎ 70 31 04 39, Télex 990547, Fax 70 31 08 67, – TV ☎ P – 100 à 200. AE GB JCB BY q
R carte environ 150 ⅁, enf. 50 – ☐ 44 – **128 ch** 472/520.

Magenta, 23 av. W. Stucki ☎ 70 31 80 99, Fax 70 31 83 40 – TV ☎. AE GB. rest BY r
début mai-fin sept. – **R** 120/180 – ☐ 35 – **62 ch** 320/450 – P 375/595.

Portugal, 121 bd États-Unis ☎ 70 31 90 66 – rest TV ☎. GB. rest BY t
hôtel : 15 avril-15 oct. ; rest. : 25 avril-5 oct. – **R** 130/190, enf. 65 – ☐ 36 – **50 ch** 290/450 – ½ P 330/440.

Pavillon d'Enghien M, 32 r. Callou ☎ 70 98 33 30, – TV ☎ – 25. AE GB
fermé 22 déc. au 1er fév. – **Jardins d'Enghien** *(fermé dim. soir et lundi)* **R** 95/150 – ☐ 35 – **22 ch** 360/450 – P 328/388. BY b

de Grignan M, 7 pl. Sévigné ☎ 70 32 08 11, Télex 392357, Fax 70 32 47 07 – rest rest TV ☎ P – 30. AE GB JCB. BZ v
fermé 16 oct. au 15 nov. – **R** 65/120, enf. 40 – ☐ 30 – **121 ch** 200/330 – P 265/285.

Lutétia, 5 r. Belgique ☎ 70 97 45 45, Fax 70 97 69 34 – TV ☎ – 30 à 50. AE GB. rest BZ x
R 120 ⅁, enf. 50 – ☐ 43 – **50 ch** 350/390 – P 360/420.

Venise sans rest, 25 av. A. Briand ☎ 70 31 83 23, Télex 392362, Fax 70 31 02 97 – cuisinette TV ☎ – 50. AE GB BZ e
☐ 30 – **25 ch** 240/330.

Louvre, 15 r. Intendance ☎ 70 98 27 71, Télex 393014 – TV ☎. AE GB. rest BY n
R 75 bc/100 ⅁ – ☐ 30 – **45 ch** 185/350 – P 260/405.

Chambord et rest. Escargot qui Tête, 82 r. Paris ☎ 70 31 22 88, Fax 70 31 54 92 – TV ☎. AE GB JCB CY k
fermé fév. – **R** *(fermé dim. soir et lundi sauf juil.-août)* 88/250, enf. 50 – ☐ 28 – **32 ch** 168/260 – ½ P 195/240.

Moderne, 8 r. M. Durand-Fardel ☎ 70 31 20 21 – ☎. GB. BY s
28 avril-6 oct. – **R** 100 – ☐ 30 – **36 ch** 170/260 – P 260/390.

VICHY

Street	Grid	No.
Clemenceau (Av.)	BZ	6
Hôtel-des-Postes (R.)	CY	13
Lucas (R.)	BY	18
Paris (R. de)	CY	
Prés.-Wilson (R.)	BZ	25
Ailes (R. des)	A	2
Auberger (Av. F.)	A	3
Briand (Av. A.)	BZ	4
Casino (R. du)	BZ	5
Foch (Av. Mar.)	CZ	7
Gramont (Av. de)	A	8
Grange-au-Grain (R.)	A	9
Hauterive (Av. d')	A	10
Hôpital (Bd de l')	A	12
Jaurès (Av. J.)	A	14
Lattre-de-T. (Bd Mar. de)	BY	15
Léger (Pl. P.-V.)	CY	16
Lyautey (R. Mar.)	A	19
Mutualité (Bd)	CY	20
Parc (R. du)	BZ	22
Poincaré (Av.)	A	24
République (Av.)	A	26
République (Av.) BELLERIVE	A	27
Russie (Bd de)	BZ	30
Victoire (Pl. de)	CZ	32
Victor-Hugo (Pl.)	BZ	34

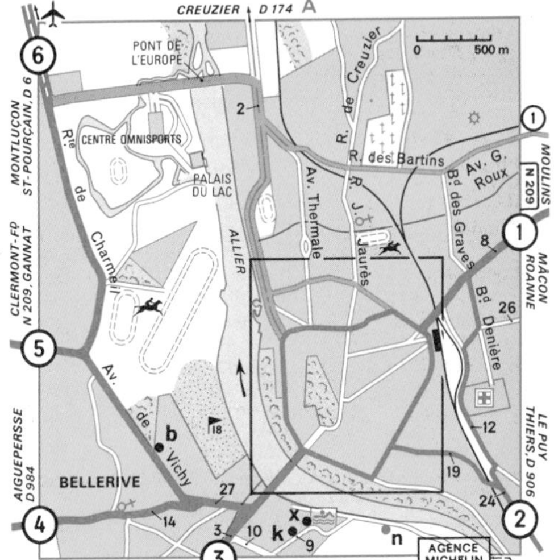

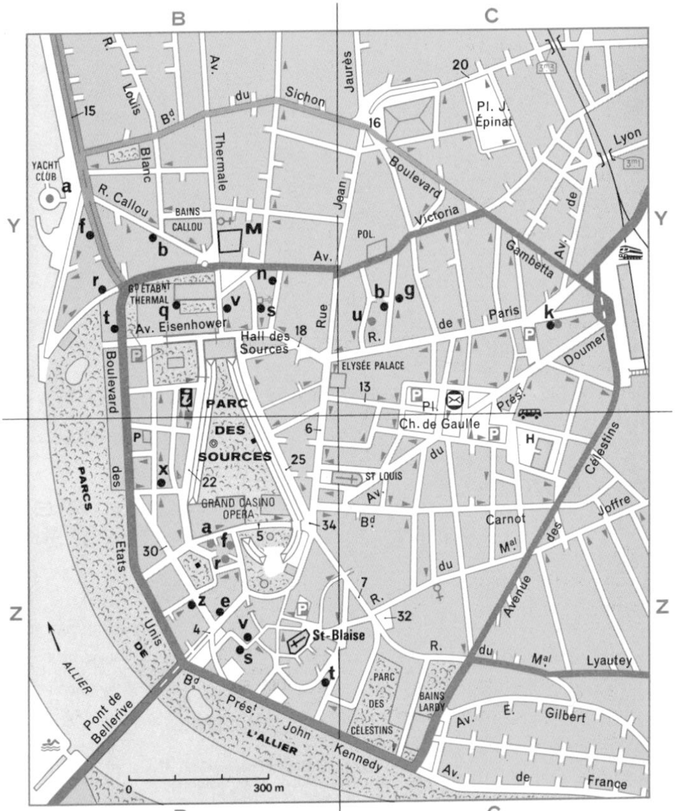

B C Y Z
R. Louis Blanc
Bd du Sichon
Av. Thermale
Rue Jean Jaurès
Pl. J. Épinat
Boulevard Victoria
Lyon
YACHT CLUB
R. Callou
BAINS CALLOU
POL.
Av. Gambetta
Av. de Gramont
Gd ETABLT THERMAL
Av. Eisenhower
Hall des Sources
R. de Paris
Doumer
ELYSÉE PALACE
Pl. Ch. de Gaulle
Prést
Boulevard des Etats Unis
PARC DES SOURCES
PARCS
ST LOUIS
Av. du Mal Carnot
Bd du Mal Foch
Célestins
Joffre
GRAND CASINO OPERA
Avenue des Célestins
R. du Mal Lyautey
St-Blaise
PARC DES CÉLESTINS
BAINS LARDY
Av. E. Gilbert
Av. de France
Bd Prést John Kennedy
Pont de Bellerive
DE L'ALLIER
ALLIER
300 m

Arverna H. M sans rest, 12 r. Desbrest ✆ 70 31 31 19, Fax 70 97 86 43 – 25. AE GB CY
fermé 19 déc. au 11 janv. – 28 – **28 ch** 220/340.

Arcade M sans rest, 11 av. P. Coulon ✆ 70 98 18 48, Fax 70 97 72 63 – TV P 25. AE GB BY
35 – **48 ch** 275/320.

Fréjus, 6 r. Presbytère ✆ 70 32 17 22, Fax 70 32 42 10, – TV AE GB BZ
R 65/160, enf. 50 – 25 – **32 ch** 183/291 – P 228/298.

Trianon sans rest, 9 r. Desbrest ✆ 70 97 95 96 – AE GB CY
fermé 30 oct. au 9 nov. et 19 déc. au 10 janv. – 24 – **36 ch** 100/200.

Londres sans rest, 7 bd Russie ✆ 70 98 28 27 – GB BZ
1er avril-15 oct. – 25 – **20 ch** 114/250.

Les Amandiers sans rest, 16 r. Masset ✆ 70 59 96 92 – cuisinette GB CZ
fermé vacances de noël – 25 – **18 ch** 190/250.

Rotonde du Lac, bd de Lattre de Tassigny ✆ 70 98 72 46, ≤ – AE GB BY
fermé dim. soir et lundi sauf fériés du 1er oct. au 1er mai – **R** 160/230.

L'Alambic, 8 r. N. Larbaud ✆ 70 59 12 71 – GB CY
fermé 24 août au 8 sept., 17 fév. au 10 mars, mardi midi et lundi – **R** (nombre de couvert limité, prévenir) 160/280, enf. 90.

Brasserie du Casino, 4 r. Casino ✆ 70 98 23 06 – AE GB BZ
fermé nov., jeudi midi et merc. – **R** 135.

De l'Opéra, 6 passage Noyer ✆ 70 98 36 17, – GB. BZ
1er mai-30 sept. et fermé lundi – **R** carte 200 à 330.

Temps des Cerises, 13 r. Banville ✆ 70 97 72 00, – GB. BZ
fermé 15 fév. au 20 mars, vend. midi et jeudi – **R** 110, enf. 35.

à Bellerive-sur-Allier : rive gauche - A – 8 543 h. – ✉ **03700** :

Marcotel et rest. Le Châteaubriand, r. Grange aux Grains ✆ 70 32 34 00, Télex 990665, Fax 70 32 54 10, ≤, – rest TV P – 40 à 200. AE GB
fermé 18 au 28 déc. et dim. soir du 25 oct. au 12 mars – **R** 120/165 – 40 – **35 ch** 310/422, 3 appart. 647 – ½ P 350. A

Résidence sans rest, r. Grange aux Grains ✆ 70 32 37 11, Fax 70 32 36 59, ≤ – cuisinette TV P. AE GB A
30 – **114 ch** 210/280.

Campanile, 74 av. Vichy ✆ 70 59 32 33, Télex 392985, Fax 70 59 81 90, – TV – 40. AE GB A
R 77 bc/99 bc, enf. 39 – 28 – **49 ch** 258 – ½ P 234/256.

Chez Mémère avec ch, Chemin de Halage ✆ 70 32 35 22, ≤, – P GB A
18 avril-13 sept. – **R** 96/175, enf. 45 – 30 – **8 ch** 180/230.

à Vichy-Rhue N : 5 km par D 174 – ✉ **03300** Cusset :

La Fontaine, ✆ 70 31 37 45, – P. AE GB
fermé 15 au 30 oct., 23 déc. au 20 janv., mardi soir et merc. – **R** carte 135 à 250.

à Abrest par ② : 4 km – ✉ **03200** :

La Colombière avec ch, SE : 1 km sur D 906 ✆ 70 98 69 15, Fax 70 31 50 89, ≤, « Jardi ombragé en terrasses » – P. AE GB
fermé mi-janv. à mi-fév., dim. soir hors sais. et lundi sauf le midi en sais. – **R** 85/260 – 2 – **4 ch** 140/250.

à St-Yorre par ② : 8 km – 3 003 h. – ✉ **03270** :

Aub. Bourbonnaise avec ch, 2 av. Vichy ✆ 70 59 41 79, Fax 70 59 24 94, – TV P GB
fermé début janv. au 31 mars, dim. soir et lundi sauf juil.-août – **R** 65/240, enf. 39 – 2 – **10 ch** 160/300 – P 250/300.

à l'aéroport de Vichy-Charmeil par ⑥ : 8 km – ✉ **03110** Charmeil :

Aéroport, dans l'aérogare ✆ 70 32 48 09, – P. GB
fermé mi-sept à début oct., mi-fév. à début mars, dim. soir et lundi – **R** 75/165, enf. 50.

ALFA-ROMEO Vichy Automobile, 6 r. de Paris ✆ 70 98 62 73
BMW Auto-Contrôle, ZI Vichy Rhue à Creuzier-le-Vieux ✆ 70 98 65 80
CITROEN Vichy Thermal Automobiles, rte de Paris à Cusset par ① ✆ 70 59 16 55
DATSUN NISSAN Gar. Jean-Jaurès, 63/65 r. J.-Jaurès ✆ 70 31 42 00
LANCIA-AUTOBIANCHI, MERCEDES-BENZ Perfect-Gar., rte de l'Aéroport à Charmeil ✆ 70 32 51 34
PEUGEOT TALBOT Olympic Garage, rte de St-Pourçain à Charmeil par ⑥ ✆ 70 32 42 84
RENAULT Sodavi, 18 av. de Vichy à Bellerive-sur-Allier ✆ 70 32 22 77 N
V.A.G Vichy Auto Sport, rte Aéroport Vichy à Charmeil ✆ 70 31 05 75

Briday-Pneus, 40 bd Hôpital ✆ 70 98 10 69
Métifiot, 46 bd Gambetta ✆ 70 31 18 41

VIC-LE-COMTE 63270 P.-de-D. 73 ⑮ G. Auvergne – 4 155 h. alt. 473.

Voir Ste-Chapelle★.

Paris 444 – ♦Clermont-Ferrand 26 – Ambert 53 – Issoire 18 – Thiers 39.

à Longues NO : 4 km par D 225 – ✉ 63270 Vic-le-Comte :

XX **Le Comté,** ℘ 73 39 90 31, 😊 – 🅿. GB
fermé 24 août au 7 sept., vacances de fév., dim. soir et lundi sauf fêtes – **R** 90/370.

à Parent-Gare SO : 5 km – ✉ 63270 Vic-le-Comte :

🏠 **Mon Auberge,** ℘ 73 96 62 06 – TV ☎. GB
fermé déc. et lundi de sept. à juin sauf fériés – **R** 75/220 🍷 – ☕ 25 – **7 ch** 120/240 – ½ P 150/220.

VICQ-SUR-NAHON 36 Indre 68 ⑧ – rattaché à Valençay.

VIC-SUR-AISNE 02290 Aisne 56 ③ – 1 775 h. alt. 50.

Paris 97 – Compiègne 23 – Laon 54 – Noyon 26 – Soissons 17.

XX **Lion d'Or,** ℘ 23 55 50 20, Fax 23 55 59 09 – AE ⓓ GB
fermé dim. soir et lundi – **R** 95/200, enf. 70.

VIC-SUR-CÈRE 15800 Cantal 76 ⑫ G. Auvergne (plan) – 1 968 h. alt. 681.

ℹ Office de Tourisme av. Mercier ℘ 71 47 50 68.

Paris 555 – Aurillac 20 – Murat 29.

🏨 **Le Castel Blanc** 🌿, ℘ 71 49 63 63, ←, 🌳 – TV ☎ 🅿. AE ⓓ GB. ✗ rest
R (dîner seul.) (table d'hôtes-résidents seul.) 200 bc – ☕ 50 – **8 ch** 430/530 – ½ P 450/500.

🏨 **Family H.** Ⓜ, ℘ 71 47 50 49, Fax 71 47 51 31, ←, parc, 🏊, 🎾 – 🛗 cuisinette ☎ ♿ 🅿. AE ⓓ GB JCB. ✗ rest
R 77/110, enf. 36 – ☕ 32 – **55 ch** 235/380 – ½ P 250/310.

🏨 **Bains** 🌿, ℘ 71 47 50 16, Fax 71 49 63 82, ←, 😊, 🏊, 🌳 – ☎ 🅿. GB
25 avril-1er nov., vacances scolaires et week-ends – **R** 100/150 🍷 – ☕ 36 – **40 ch** 200/260, 17 appart. – ½ P 280.

🏨 **Vic H.,** ℘ 71 47 50 22, Fax 71 45 43 99, 🏊, 🌳 – 🛗 ☎ 🚗 🅿 – 🎪 50. AE GB. ✗ rest
15 avril-1er nov. – **R** 70/150 – ☕ 35 – **49 ch** 220/300 – ½ P 250/280.

🏨 **Beauséjour,** ℘ 71 47 50 27, Fax 71 49 60 04, parc, 🏊 – 🛗 ☎ 🅿. AE GB. ✗ rest
1er mai-30 sept. – **R** 69/120 🍷 – ☕ 27 – **70 ch** 170/300 – ½ P 180/260.

🏠 **Bel Horizon,** ℘ 71 47 50 06, Fax 71 49 63 81, ←, 🌳 – ☎ 🅿. GB
fermé 5 nov. au 10 déc. – **Repas** 70/240 – ☕ 25 – **30 ch** 190/240 – ½ P 170/200.

🏠 **Sources,** ℘ 71 47 50 30, Fax 71 49 63 55 – ☎ 🅿. GB. ✗ rest
24 mai-30 sept., 26 déc.-2 janv. et week-ends de mi-janv. à mi-mars – **R** 75/150, enf. 52 – ☕ 27 – **36 ch** 215/235 – ½ P 175/220.

au Col de Curebourse SE : 6 km par D 54 – ✉ 15800 Vic-sur-Cère :

🏨 **Aub. du Col** 🌿, ℘ 71 47 51 71, Fax 71 49 63 30, ← montagne et vallée, 😊, parc – ☎ 🅿. GB
fermé 16 nov. au 9 déc., dim. soir et lundi hors sais. sauf fériés et vacances scolaires – **R** 70/130 🍷 – ☕ 35 – **30 ch** 320/420 – ½ P 300/350.

RENAULT Dameron ℘ 71 47 50 32 🅽

VIDAUBAN 83550 Var 84 ⑦ – 5 460 h. alt. 56.

ℹ Syndicat d'Initiative pl. F.-Maurel (15 juin-15 sept.) ℘ 94 73 00 07.

Paris 844 – Fréjus 28 – Cannes 60 – Draguignan 17 – ♦Toulon 62.

🏨 **Château les Lonnes** Ⓜ 🌿 sans rest, O : 3,5 km par D84 ℘ 94 73 65 76, Fax 94 73 14 97, ←, parc, 🏋, 🏊, 🎾 – 🛗 TV ☎ ♿ 🅿 – 🎪 25 à 60. AE ⓓ GB. ✗
fermé 22 déc. au 5 janv. – ☕ 100 – **12 ch** 800/2000.

XX **Concorde,** pl. G. Clemenceau ℘ 94 73 01 19, 😊 – AE GB JCB
fermé 17 au 24 mars, 21 sept. au 10 oct., mardi soir (sauf juil.-août) et merc. – **R** 120/380.

VIEILLE-BRIOUDE 43 H.-Loire 76 ⑤ – rattaché à Brioude.

VIEILLE-TOULOUSE 31 H.-Gar. 82 ⑱ – rattaché à Toulouse.

VIEILLEVIE 15120 Cantal 76 ⑫ G. Gorges du Tarn – 146 h. alt. 212.

Paris 617 – Aurillac 45 – Rodez 51 – Entraygues-sur-Truyère 15 – Figeac 42 – Montsalvy 13.

🏠 **Terrasse** Ⓜ, ℘ 71 49 94 00, 😊, 🏊, 🌳, 🎾 – ☎ ♿ 🅿. AE GB
Pâques-1er nov. – **R** 67/175 🍷 – ☕ 30 – **32 ch** 200/220 – ½ P 190/240.

VIELLE-AURE 65 H.-Pyr. 85 ⑲ – rattaché à St-Lary-Soulan.

VIENNE <SP> **38200** Isère **74** ⑪ ⑫ **G. Vallée du Rhône** – 29 449 h. alt. 158.

Voir Site★ – Cathédrale St-Maurice★★ BY – Temple d'Auguste et de Livie★★ B **B** – Théâtre romain★ CY – Église★ et cloître★ de St-André-le-Bas BY – Esplanade du Mont Pipet ≤★ CY – Anc. église St-Pierre★ : musée lapidaire★ AZ – Groupe sculpté★ de l'église de Ste-Colombe AY.

Office de Tourisme 3 cours Brillier ☏ 74 85 12 62.

Paris 491 ① – ◆Lyon 31 ① – Chambéry 99 ② – ◆Grenoble 87 ② - Le Puy 122 ① – Roanne 116 ① – ◆St-Étienne 49 ① – Valence 70 ⑤ – Vichy 189 ①.

✿✿ **La Pyramide** M, 14 bd F. Point par ④ ☏ 74 53 01 96, Télex 308058, Fax 74 85 69 73, – 25. AE GB JCB
fermé 1er fév. au 7 mars – **R** *(fermé jeudi midi et merc.)* 260/480 et carte, enf. 100 – ☐ 80 – **24 ch** 750/800, 4 appart. 1250
Spéc. Gratin de queues d'écrevisses (15 juin au 1er oct.), Pigeonneau de Bresse rôti au jus truffé, Piano praliné aux amandes et chocolat. **Vins** Saint-Joseph blanc, Côtes du Rhône.

VIENNE

Éperon (R. de l') **BY** 12
Marchande (R.) **BY** 17
Miremont (Pl. de) **BY** 18
Orfèvres (R. des) **BY** 20
Ponsard (R.) **BY** 28
Romestang (Cours) **BZ** 32

Allobroges (Pl. des) **AZ**
Alpes (Bd des) **CY**
Asiaticus (Bd) **AZ**
Bosson (R.) **AZ**
Bourgogne (R. de) **BY**
Brenier (R. J.) **BY** 2
Briand (Pl. A.) **AY** 3
Brillier (Cours) **ABZ**
Célestes (R. des) **CY** 4
Chantelouve (R.) **BY** 5
Charité (R. de la) **CY** 6
Cirque (R. du) **CY** 7
Clémentine (R.) **BY** 8
Clercs (R. des) **BY** 9
Collège (R. du) **BY** 10
Coupe-Jarret (Montée) **BZ**
France (Quai A.) **BCY**
Gère (R. de) **CY**
Hôtel-de-V. (Pl. de l') **BY** 13
Jacquier (R. H.) **BY** 14
Jaurès (Quai J.) **AYZ**
Jeu-de-Paume (Pl. du) **BY** 15
Joubert (Av.) **AY** 16
Jouffray (Pl. C.) **AZ**
Nationale (R.) **AY**
Pajot (Quai) **BY** 22
Palais (P. du) **BY** 23
Peyron (R.) **BZ** 24
Pilori (P. du) **BY** 25
Pipet (R.) **CY**
République (Bd de la) **ABZ** 29
Riondet (Quai) **AZ**
St-André-le-Haut (R.) **CY** 34
St-Louis (Pl.) **BY**
St-Marcel (Montée) **CYZ**
St-Paul (Pl.) **BY** 36
St-Pierre (Pl.) **AZ**
Table-Ronde (R. de la) **BY** 37
Thomas (R. A.) **CY**
Ursulines (R. des) **CY** 39
Verdun (Cours de) **AZ** 40
Victor-Hugo (R.) **BCYZ**
11-Novembre (R. du) **AZ** 43

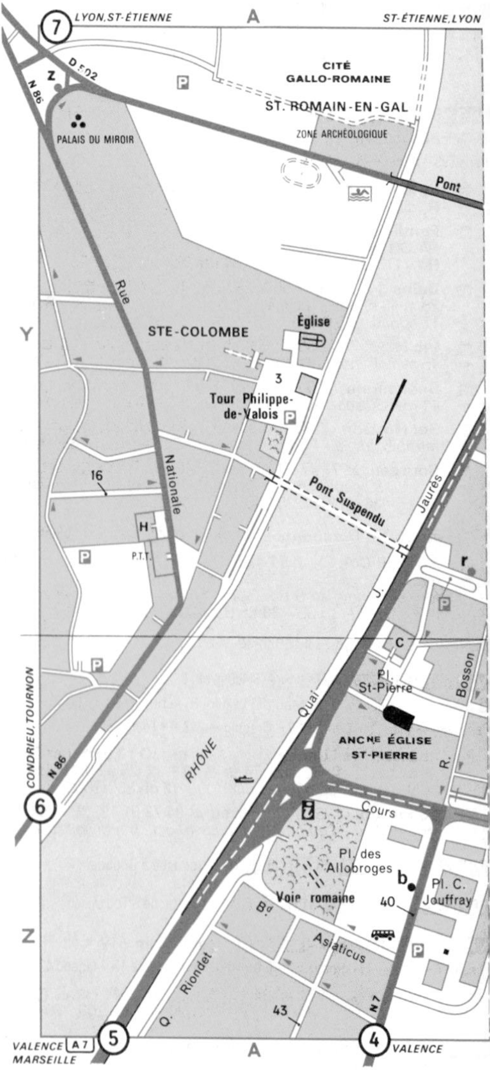

Central sans rest, 7 r. Archevêché ☏ 74 85 18 38, Fax 74 31 96 33 – |‡| TV ☎ 🚗. AE GB — BY **u**
fermé 23 déc. au 3 janv. – ☕ 28 – **25 ch** 260/310.

Bec Fin, 7 pl. St-Maurice ☏ 74 85 76 72 – ▤. GB — AY **r**
fermé vacances de Noël, dim. soir et lundi – **R** 105/330.

à St Romain-en-Gal (69 Rhône) – ✉ **69560**.

Voir Cité gallo-romaine★ AY.

Gallo Romain, rive droite ☏ 74 53 19 72 – ⅋ ▤. AE ⓓ GB — AY **z**
fermé août, dim. soir et lundi – **R** carte 180 à 300.

tourner →

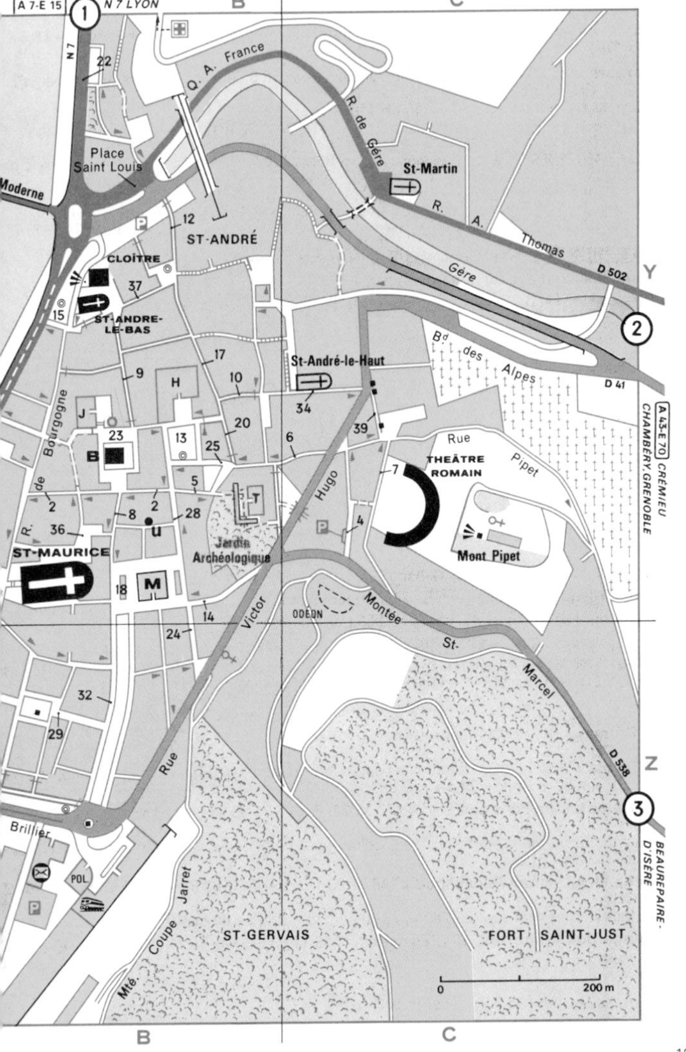

à Pont-Évêque par ② : 4 km – 5 385 h. – ✉ 38780 :

Midi sans rest, pl. Église ✆ 74 85 90 11, Fax 74 57 24 99, – TV ☎ P. AE ① GB
fermé 23 déc. au 14 janv. – ☕ 30 – **17 ch** 275/375.

à Estrablin par ② : 9 km – ✉ 38780 :

La Gabetière sans rest, sur D 502 ✆ 74 58 01 31, parc – TV ☎ P. AE ① GB
☕ 27 – **12 ch** 180/290.

à Chonas l'Amballan au Sud par ④ et N 7 : 9 km – ✉ 38121 :

Host. Marais St Jean, ✆ 74 58 83 28, Fax 74 58 81 96, , – ☎ P. GB. res
fermé 15 au 30 nov. et fév. – **R** *(fermé jeudi midi et merc.)* 170/300, enf. 80 – ☕ 55 – **10 c**
550.

Domaine de Clairefontaine, ✆ 74 58 81 52, Télex 308132, Fax 74 58 80 93, ≤, par
, – ☎ P. GB. rest
fermé 1er déc. au 1er fév. – **R** *(fermé mardi midi et lundi)* 115/320, enf. 75 – ☕ 35 – **16 c**
170/370 – ½ P 290/460.

à Chasse-sur-Rhône par ① : 8 km (Échangeur A7 - sortie Chasse-sur-Rhône) – 4 566 h.
✉ 38670 :

Mercure M, ✆ 72 24 29 29, Télex 300625, Fax 78 07 04 43 – TV ☎ P
25 à 180. AE ① GB
R 100/160 , enf. 45 – ☕ 47 – **115 ch** 410/475.

CITROEN Automobiles Vienne Sud, 163 av. Gén.-Leclerc par ④ ✆ 74 53 16 07 N
FIAT, LANCIA MERCEDES R.V.L., 27 quai Riondet ✆ 74 53 05 54
FORD Gar. Central, 76 av. Gén.-Leclerc ✆ 74 53 13 44
PEUGEOT-TALBOT Barbier Automobile, 140 av. Gén.-Leclerc par ④ ✆ 74 53 22 75
RENAULT Gar. du Rhône, 151 av. Gén.-Leclerc pa ④ ✆ 74 31 44 70 N

Delphis, 4-6 av. Beauséjour ✆ 74 53 23 05
Tessaro-Pneus, 93 av. Gén.-Leclerc ✆ 74 53 19 17

VIERVILLE-SUR-MER 14710 Calvados 54 ④ G. Normandie Cotentin – 256 h. alt. 39.
Voir Omaha Beach : plage du débarquement du 6 juin 1944 E : 2,5 km.
Env. Pointe du Hoc★★ O : 7,5 km – Cimetière de St-Laurent-sur-Mer E : 7,5 km.
Paris 289 – Bayeux 21 – ◆Caen 51 – Carentan 32 – St-Lô 42.

Before setting out on your journey through France
Consult the Michelin Map *no* 911 *FRANCE – Route Planning.*
On this map you will find
– distances
– journey times
– alternative routes to avoid traffic congestion
– 24-hour petrol stations
Plan for a cheaper and trouble-free journey.

VIERZON SP 18100 Cher 64 ⑲ ⑳ G. Berry Limousin – 32 235 h. alt. 122.
Env. Brinay : fresques★ de l'église SE : 7,5 km par ④ et D27.
18 de la Picardière ✆ 48 75 21 43, par ②, D 926 puis RF : 8 km.
Office de Tourisme pl. Hôtel de Ville ✆ 48 75 20 03.
Paris 210 ① – Bourges 36 ③ – Auxerre 141 ② – Blois 74 ⑤ – Châteauroux 59 ④ – Châtellerault 141 ④ – Guéret 14
④ – Montargis 113 ② – ◆Orléans 86 ① – ◆Tours 116 ⑤.

Plan page suivante

Le Sologne, rte Châteauroux par ④ : 2 km ✆ 48 75 15 20, , « Beau mobilier »
☎ P. GB
La Grillade ✆ 48 71 01 89 *(fermé Noël au Jour de l'An, 1er au 15 mars, sam. midi et dim.)*
85/210, enf. 50 – ☕ 35 – **24 ch** 220/320.

Continental, rte Paris par ① ✆ 48 75 35 22, Fax 48 71 83 63 – TV ☎ P – 35. AE ①
GB
R snack *(fermé sam., dim. et fériés)* (dîner seul.) (résidents seul.) carte environ 100
☕ 25 – **37 ch** 170/255.

Arche H. M, Forum République ✆ 48 71 93 10, Fax 48 71 83 63 – TV ☎ P. A
① GB
R snack *(fermé dim. sauf juil.-août)* 75 , enf. 35 – ☕ 25 – **40 ch** 192/350.

Grange des Epinettes, 40 r. Épinettes ✆ 48 71 68 81, Fax 48 71 69 06, – P. AE ①
GB JCB
R 65/200 , enf. 50.

rte de Tours par ⑤ : 3 km – ✉ 18100 :

Champêtre, ✆ 48 75 87 18 – P.

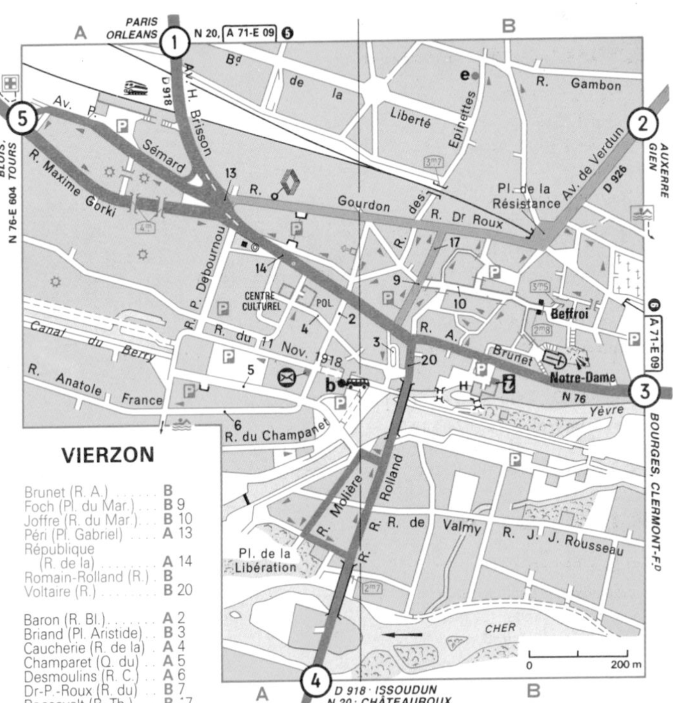

ITROEN Gén. Autom. de Vierzon, 47 av. 14-Juillet ar ④ ℰ 48 71 43 22 🅽 ℰ 48 71 45 13
ORD Gar. Delouche, 50 r. Breton ℰ 48 71 00 32
EUGEOT Paris-Gar., 6 av. E.-Vaillant par ① ℰ 48 71 23 56 🅽 ℰ 48 52 55 24
ENAULT Gar. du Centre, 41 r. Gourdon ℰ 48 71 03 33 🅽 ℰ 05 05 15 15

Estager-Pneu, 24 r. Pasteur ℰ 48 75 15 02
Pneus Europe Service, 24 rte de Brinay ℰ 48 75 06 34

VIEUX-BOUCAU-LES-BAINS **40480** Landes 78 ⑯ **G. Pyrénées Aquitaine** – 1 210 h. alt. 4.

9/18 de la Côte d'Argent ℰ 58 48 54 65 N par D 652 puis D 117 : 10 km.

Office de Tourisme Le Mail ℰ 58 48 13 47.

Paris 746 – Biarritz 44 – Mont-de-Marsan 85 – ♦Bayonne 37 – Castets 28 – Dax 34 – Mimizan 55.

Côte d'Argent, ℰ 58 48 13 17, – **P**. GB. ch
fermé 1er oct. au 15 nov. et lundi du 15 nov. au 31 mai – **R** 89/160 – 27 – **41 ch** 180/310 – ½ P 230/300.

La Maremne, ℰ 58 48 12 70 – **P** GB
20 mars-1er nov. – **R** 75/150 – 28 – **38 ch** 150/270 – ½ P 230/270.

ITROEN Duchon ℰ 58 48 10 42
EUGEOT-TALBOT Gar. Lafarie ℰ 58 48 10 82

RENAULT Gar. Canicas ℰ 58 48 15 31

VIEUX-MAREUIL **24340** Dordogne 75 ⑤ **G. Périgord Quercy** – 350 h. alt. 125.

Paris 489 – Angoulême 44 – Périgueux 43 – Brantôme 15 – ♦Limoges 93 – Ribérac 32.

Château de Vieux Mareuil M, SE : 1 km par D 939 ℰ 53 60 77 15, Fax 53 56 49 33, « Demeure du 15e siècle dans un parc », – TV **P**. AE GB. ch
fermé 15 janv. au 1er mars, dim. soir et lundi du 15 oct. au 1er mars – **R** 120/300, enf. 100 – 50 – **14 ch** 500/800 – ½ P 500/700.

XX **L'Étang Bleu** avec ch, N : 2 km par D 93 ℰ 53 60 92 63, ←, , parc, – **P**. AE GB
fermé 15 janv. au 31 mars, dim. soir d'oct. à Pâques et lundi du 1er oct. au 31 mai – **R** 90/300, enf. 70 – 35 – **11 ch** 320/360 – ½ P 350.

VIEUX-MOULIN 60 Oise 56 ③ – rattaché à Compiègne.

VIEUX-VILLEZ 27 Eure 55 ⑰ – rattaché à Gaillon.

Le VIGAN 30120 Gard 80 ⑯ **G. Gorges du Tarn** (plan) – 4 523 h. alt. 231.

Voir Musée Cévenol★.

Office de Tourisme pl. Marché ✆ 67 81 01 72.

Paris 703 – ♦Montpellier 62 – Alès 66 – Lodève 51 – Mende 106 – Millau 72 – ♦Nîmes 77.

Commerce sans rest, 26 r. Barris ✆ 67 81 03 28 – ☎ P. GB. ✻
☐ 25 – **15 ch** 90/250.

au Rey E : 5 km par D 999 – ✉ **30570** Valleraugue :

Château du Rey sans rest, ✆ 67 82 40 06, parc – ☎ P. GB
15 avril-1er déc. – ☐ 38 – **12 ch** 298/390.

à Pont d'Hérault E : 6 km par D 999 – ✉ **30570** Valleraugue :

Maurice, ✆ 67 82 40 02, Fax 67 32 46 12, ←, 帀, ✕ – TV ☎ P. AE GB. ✻ ch
R *(fermé dim. soir hors sais.)* 150/380 – ☐ 36 – **18 ch** 220/280 – ½ P 270/350.

à Aulas NO : 7 km par D 48 et D 190 – ✉ **30120** :

Mas Quayrol , ✆ 67 81 12 38, ←, ⛱ – TV ☎ P. GB
15 avril-2 nov. – **R** 135/250, enf. 60 – ☐ 34 – **16 ch** 350/390.

CITROEN Gar. Teissonnière ✆ 67 81 03 11

PEUGEOT-TALBOT Gar. Arnal ✆ 67 81 03 77 N ✆ 67 81 01 27

VIGEOIS 19 Corrèze 75 ⑧ – rattaché à Uzerche.

VIGNOUX-SUR-BARANGEON 18500 Cher 64 ⑳ – 1 844 h. alt. 108.

Paris 217 – Bourges 24 – Cosne-sur-Loire 68 – Gien 70 – Issoudun 36 – Vierzon 8.

XX **Le Prieuré** M avec ch, rte St-Laurent (D 30) ✆ 48 51 58 80, 帀, ⛱, 🛋 – TV ☎ P
GB
fermé 31 août au 9 sept., vacances de fév., mardi soir et merc. – **R** 150/180 – ☐ 35 – **7 ch**
300/350 – ½ P 280/320.

VIGOULET-AUZIL 31 H.-Gar. 82 ⑱ – rattaché à Toulouse.

VIHIERS 49310 M.-et-L. 67 ⑦ – 4 131 h. alt. 96.

Paris 333 – Angers 42 – Cholet 28 – Saumur 39.

X **Le Régent,** 2 r. Marquis de Contades ✆ 41 56 12 16 – GB
fermé vacances de fév., dim soir et lundi – **R** 65/155, enf. 45.

PEUGEOT Gar. Menis, 1 r. Nationale ✆ 41 75 80 94 N

VILLAGE-NEUF 68 H.-Rhin 166 ⑩ – rattaché à St-Louis.

VILLANDRAUT 33730 Gironde 79 ① **G. Pyrénées Aquitaine** – 777 h. alt. 31.

Voir Château★ – Collégiale d'Uzeste★ SE : 5 km.

Paris 635 – ♦Bordeaux 55 – Arcachon 84 – Bazas 13 – Langon 17.

Goth, ✆ 56 25 31 25, 帀 – ☎. GB. ✻ ch
fermé 15 nov. au 15 janv., vend. soir et sam. midi du 1er oct. au 31 mai – **R** 95/185 ♁ – ☐ 29
– **8 ch** 185/270 – ½ P 195/225.

VILLANDRY 37510 I.-et-L. 64 ⑭ – 776 h. alt. 94.

Voir Château★★ : jardins★★★, **G. Châteaux de la Loire.**

Paris 254 – ♦Tours 17 – Azay-le-Rideau 11 – Chinon 31 – Langeais 11 – Saumur 53.

Cheval Rouge, ✆ 47 50 02 07, Fax 47 50 08 77 – ▤ rest ☎ P. GB
fermé 2 janv. au 1er mars, dim. soir et lundi d'oct. à avril – **R** 80/140, enf. 45 – ☐ 33 – **20 ch**
295/305 – ½ P 370/380.

VILLAR-D'ARÈNE 05480 H.-Alpes 77 ⑦ – 178 h. alt. 1 650.

aris 650 – Briançon 36 – Le Bourg-d'Oisans 31 – Gap 124 – La Grave 3 – ♦Grenoble 81 – Col du Lautaret 8.

Le Faranchin, N 91 ✆ 76 79 90 01, ← – ☎ Ⓟ. GB
fermé 20 mai au 15 juin et 2 nov. au 20 déc. – **R** 60/150 ♁, enf. 40 – ☕ 30 – **39 ch** 110/260 – ½ P 147/231.

VILLARD-DE-LANS 38250 Isère 77 ④ **G. Alpes du Nord** – 3 346 h. alt. 1 023 – Sports d'hiver : 1 150/170 m 2 35.

Voir Gorges de la Bourne★★★ – Route de Valchevrière★ O par D 215ᶜ.

Office de Tourisme pl. Mure-Ravaud ✆ 76 95 10 38, Télex 320125.

aris 594 ① – ♦Grenoble 34 ① – Die 65 ② – ♦Lyon 126 ① – Valence 67 ② – Voiron 49 ①.

VILLARD-DE-LANS

Adret (Av. de l')	2
Breux (R. des)	3
Chabert (Pl. P.)	4
Chapelle-en-Vercors (Av.)	5
Dr-Lefrançois (Av.)	6
Francs-Tireurs (Av. des)	8
Galizon (R. de)	9
Gambetta (R.)	10
Gaulle (Av. Gén. de)	12
Libération (Pl. de la)	13
Lycée Polonais (R. du)	14
Martyrs (Pl. des)	15
Moulin (Av. Jean)	16
Mure-Ravaud (Pl. R.)	17
Pouteil-Noble (R. P.)	19
Prof. Nobecourt (Av.)	20
République (R. de la)	22
Roux-Fouillet (R. A.)	23
Victor-Hugo (R.)	26

Les plans de villes sont orientés le Nord en haut.

Christiania et rest. Le Tétras, av. Prof. Nobecourt **(k)** ✆ 76 95 12 51, ←, – ☎ Ⓟ. AE ⓓ GB. ✻ rest
20 mai-20 oct. et 15 déc.-1er mai – **R** *(fermé lundi soir et mardi hors sais., lundi et le midi sauf dim. en hiver)* 157/269, enf. 69 – ☕ 45 – **24 ch** 305/510 – ½ P 325/460.

Eterlou, **(e)** ✆ 76 95 17 65, ←, – ☎ Ⓟ. AE ⓓ GB JCB. ✻ rest
10 juin-5 sept. et 20 déc.-1er avril – **R** 160/295, enf. 90 – ☕ 45 – **24 ch** 300/850 – ½ P 450/500.

H. Le Dauphin, av. Gén. de Gaulle **(r)** ✆ 76 95 11 43, Fax 76 95 55 89, – ☎ Ⓟ. GB
R 100/190, enf. 60 – ☕ 37 – **21 ch** 380/550 – ½ P 327.

Pré Fleuri ⛰, rte Cochettes **(t)** ✆ 76 95 10 96, Fax 76 95 56 23, ←, – ☎ Ⓟ. GB. ✻
1er juin-1er oct. et 20 déc.-30 avril – **R** 98/185 – ☕ 35 – **20 ch** 290/340 – ½ P 290/300.

Georges, av. Gén. de Gaulle **(u)** ✆ 76 95 11 75, – ☎ Ⓟ. GB. ✻ rest
1er juin-30 sept. et 20 déc.-29 avril – **R** 85/105, enf. 65 – ☕ 35 – **20 ch** 200/320 – ½ P 240/270.

Villa Primerose, quartier Bains **(d)** ✆ 76 95 13 17, ←, – ☎ Ⓟ. GB
hôtel : fermé 1er nov. au 20 déc. ; rest. : fermé 1er avril au 20 déc. – **R** (dîner seul.) (résidents seul.) 70/90 ♁ – ☕ 35 – **18 ch** 180/260 – ½ P 215/260.

Petite Auberge, r. J. Masson **(b)** ✆ 76 95 11 53
fermé 15 mai au 20 juin, 30 oct. au 15 déc. et merc. – **R** 82/190, enf. 45.

au Balcon de Villard SE : 4 km par D 215 et D 215B – ✉ **38250** Villard-de-Lans :

Playes ⛰, ✆ 76 95 14 42, ←, – ☎ Ⓟ. AE GB. ✻ ch
15 juin-15 sept. et 20 déc.-20 avril – **R** 98/150 – ☕ 35 – **22 ch** 300/350 – ½ P 275/300.

à Corrençon-en-Vercors S : 6 km – alt. 1 110 – ✉ **38250** :

du Golf M ⛰, Les Ritons ✆ 76 95 84 84, Fax 76 95 82 85, ←, – ☎ Ⓟ. ⓓ GB. ✻ rest
fermé nov. – **R** *(fermé mardi)* 85/130, enf. 60 – ☕ 45 – **12 ch** 380/540 – ½ P 370/450.

PEUGEOT-TALBOT Rolland, à la Conterie ✆ 76 95 12 69
RENAULT Chavernoz, av. Professeur Nobecourt ✆ 76 95 15 61

V.A.G Stat. des Olympiades ✆ 76 95 11 49

VILLARD-ST-SAUVEUR 39 Jura 70 ⑮ – rattaché à St-Claude.

VILLARS-LES-DOMBES 01330 Ain 74 ② G. Vallée du Rhône – 3 415 h. alt. 286.

Voir Vierge à l'Enfant★ dans l'église – Parc ornithologique★ S : 1 km.

18 du Clou ✆ 74 98 19 65, S : 3 km par N 83.

Paris 433 – ♦Lyon 37 – Bourg-en-Bresse 28 – Villefranche-sur-Saône 27.

Ribotel M, rte Lyon ✆ 74 98 08 03, Fax 74 98 29 55, – 90. AE GB
R *(fermé 22 déc. au 10 janv., dim. soir et lundi)* 165/330 – 38 – **49 ch** 240/280 – ½ P 27

à Bouligneux NO : 4 km par D 2 – ✉ **01330** :

XX ✿ **Aub. des Chasseurs** (Dubreuil), ✆ 74 98 10 02, , – . GB
fermé 1er au 6 sept., 20 déc. au 20 janv., mardi soir et merc. – **R** (nombre de couverts limité prévenir) 120/300
Spéc. Cassolette de ravioles aux langoustines, Fricassée de chanterelles aux écrevisses (mai à nov.), Colvert aux pet navets (1er oct. au 20 déc.).

VILLARS-SOUS-DAMPJOUX 25190 Doubs 66 ⑱ – 422 h. alt. 363.

Paris 480 – ♦Besançon 81 – Baume-les-Dames 42 – Montbéliard 23 – Morteau 48.

XX **Sur les Rives du Doubs,** à Dampjoux S : 1 km ✆ 81 96 93 82, ← – . GB.
fermé 15 déc. au 15 janv., mardi soir et merc. – **R** carte 155 à 240 .

VILLÉ 67220 B.-Rhin 62 ⑧ ⑨ G. Alsace Lorraine – 1 550 h.

Office de Tourisme à la Mairie ✆ 88 57 11 57 et pl. Marché (vacances scolaires, 15 juin-10 sept.) ✆ 88 5 11 69.

Paris 420 – ♦Strasbourg 53 – Lunéville 82 – St-Dié 38 – Ste-Marie-aux-Mines 25 – Sélestat 15.

Bonne Franquette, 6 pl. Marché ✆ 88 57 14 25 – . GB.
fermé 24 déc. au 2 janv., 7 fév. au 16 mars, merc. soir et jeudi – **R** 52/160 – 28 – **10 c** 190/250 – ½ P 210/250.

à Thanvillé SE : 6 km sur D 424 – ✉ **67220** :

XX ✿ **Au Valet de Coeur,** ✆ 88 85 67 51 – . AE GB
fermé dim. soir et lundi – **R** (nombre de couverts limité - prévenir) 150/350
Spéc. Salade de blanc de volaille au vinaigre de framboise, Baekeoffa de ris de veau aux champignons, Feuilleté tiè aux poires caramélisées. **Vins** Tokay Pinot gris, Riesling.

CITROEN Gar. Jost ✆ 88 57 15 44

La VILLE-AUX-CLERCS 41160 L.-et-Ch. 64 ⑥ – 1 114 h. alt. 143.

Paris 157 – Brou 36 – Châteaudun 27 – ♦Le Mans 73 – ♦Orléans 71 – Vendôme 15.

Manoir de la Forêt , à Fort-Girard E : 1,5 km par VO ✆ 54 80 62 83, Fax 54 80 66 0 ←, , parc – – 30. GB
fermé dim. soir et lundi d'oct. à Pâques – **R** 130/250, enf. 100 – 30 – **19 ch** 270/420 ½ P 415/435.

VILLECIEN 89 Yonne 61 ⑭ – rattaché à Joigny.

VILLECOMTAL-SUR-ARROS 32730 Gers 82 ⑬ – 773 h. alt. 177.

Paris 789 – Auch 49 – Pau 56 – Aire-sur-l'Adour 65 – Tarbes 26.

XX **Rive Droite,** ✆ 62 64 83 08, Fax 62 64 84 02, , – 30. AE GB
fermé 2 au 31 janv., dim. soir et lundi soir – **R** 140/195.

VILLECROZE 83690 Var 84 ⑥ G. Côte d'Azur – 1 029 h. alt. 350.

Voir Belvédère★ N : 1 km.

Paris 842 – Aups 8 – Brignoles 37 – Draguignan 21.

XX **Le Colombier,** rte Draguignan ✆ 94 70 63 23, –
fermé 25 nov. au 15 déc. et lundi sauf juil.-août – **R** 100/250, enf. 65.

au SE : 3,5 km par D 557 et VO – ✉ **83690** Salernes :

X **Bien Être** avec ch, ✆ 94 70 67 57, , , – . GB.
fermé vacances de nov. et de fév. – **R** *(fermé dim. soir et lundi sauf juil.-août)* 105/215, en 60 – 40 – **7 ch** 300 – ½ P 285.

VILLEDIEU-LES-POÊLES 50800 Manche 59 ⑧ G. Normandie Cotentin (plan) – 4 356 h. alt. 103.

Office de Tourisme pl. Costils (mai-nov.) ✆ 33 61 05 69.

Paris 318 – St-Lô 35 – Alençon 121 – Avranches 22 – ◆Caen 77 – Flers 57.

Le Fruitier M, pl. Gostils ✆ 33 90 51 00, Fax 33 90 51 01 – ☎ ♿. GB. ch
R *(fermé 17 fév. au 8 mars)* 70/180, enf. 43 – ☕ 33 – **48 ch** 190/442 – ½ P 213/251.

St-Pierre et St-Michel, pl. République ✆ 33 61 00 11, Fax 33 61 06 52 – ☎ – 80. AE GB
fermé 3 au 30 janv. et vend. du 15 nov. au 15 mars – **Repas** 90/165, enf. 45 – ☕ 28 – **22 ch** 140/280 – ½ P 190/240.

Manoir de l'Acherie avec ch, à l'Acherie E : 3,5 km par déviation N 175 et D 554 ✆ 33 51 13 87, Fax 33 61 89 07, « Dans la campagne », – TV ☎ ♿ P – 100. GB.
fermé 22 juin au 7 juil., vacances de fév. et lundi sauf hôtel en juil.-août – **R** 80/200, enf. 45 – ☕ 35 – **14 ch** 220/320 – ½ P 300/330.

CITROEN Pichon, av. Mar.-Leclerc ✆ 33 61 06 20
PEUGEOT Jouenne, ZA les Monts Havards ✆ 33 61 00 35 N ✆ 33 61 09 60
RENAULT Villedieu Garages, rte d'Avranches ✆ 33 61 00 70

VILLE-EN-TARDENOIS 51170 Marne 56 ⑮ G. Champagne – 530 h. alt. 147.

Paris 125 – ◆Reims 20 – Châlons-sur-Marne 56 – Château-Thierry 39 – Épernay 24 – Fère-en-Tardenois 25 – Soissons 50.

Le Postillon, D 380 ✆ 26 61 83 67 – GB
fermé 12 août au 5 sept., 15 fév. au 7 mars, mardi soir et merc. – **R** 84/250 bc, enf. 42.

Dans ce guide
un même symbole, un même caractère,
imprimé en couleur ou en noir, en maigre ou en ***gras,***
n'ont pas tout à fait la même signification.
Lisez attentivement les pages explicatives.

VILLEFORT 48800 Lozère 80 ⑦ G. Gorges du Tarn – 700 h. alt. 605.

Env. Belvédère du Chassezac★★ N : 9 km puis 15 mn.

Office de Tourisme r. Église (juil.-août) ✆ 66 46 87 30.

Paris 627 – Alès 53 – Aubenas 60 – Florac 66 – Mende 58 – Pont-St-Esprit 89 – Le Puy-en-Velay 86.

Balme, ✆ 66 46 80 14, – ☎. AE GB
fermé 1er au 5 oct., 12 nov. au 31 janv., dim. soir et lundi hors sais. – **R** 98/230, enf. 55 – ☕ 29 – **23 ch** 100/250 – ½ P 190/260.

à la Garde Guérin N : 8 km par D 906 – ✉ 48800 Villefort.

Voir Donjon ✳★.

Aub. Regordane , ✆ 66 46 82 88, – ☎. GB
Pâques-fin oct. – **R** 80/150, enf. 50 – ☕ 24 – **16 ch** 160/225 – ½ P 220/230.

CITROEN Bedos ✆ 66 46 80 07 N

VILLEFRANCHE-DE-CONFLENT 66500 Pyr.-Or. 86 ⑰ G. Pyrénées Roussillon – 261 h. alt. 432.

Voir Ville forte★ – Fort Liberia★.

Syndicat d'Initiative pl. Église (15 juin-15 sept.) ✆ 68 96 22 96.

Paris 959 – ◆Perpignan 49 – Mont-Louis 30 – Olette 10 – Prades 6 – Vernet 5,5.

Vauban sans rest, 5 pl. Église ✆ 68 96 18 03 – ☎. GB
avril-oct. – ☕ 20 – **16 ch** 155/180.

Au Grill, r. St-Jean ✆ 68 96 17 65 – GB
fermé 11 nov. au 31 janv., dim. soir et lundi – **R** 75/125, enf. 42.

VILLEFRANCHE-DE-LAURAGAIS 31290 H.-Gar. 82 ⑲ – 3 316 h. alt. 175.

Paris 740 – ◆Toulouse 33 – Auterive 26 – Castelnaudary 22 – Castres 56 – Gaillac 67 – Pamiers 40.

France, r. République ✆ 61 81 62 17 – TV ☎. AE GB
fermé 6 au 27 juil., 17 janv. au 2 fév. et lundi – **R** 70 bc/140 – ☕ 18 – **20 ch** 140/190 – ½ P 150/180.

PEUGEOT-TALBOT Gar. Moderne ✆ 61 81 60 41 N ✆ 61 27 03 31
RENAULT Fontez ✆ 61 81 60 08

VILLEFRANCHE-DE-ROUERGUE SP 12200 Aveyron 79 ⑳ G. Gorges du Tarn – 12 291 h. alt. 254.

Voir La Bastide★ : place Notre-Dame★, église Notre-Dame★ E – Ancienne chartreuse St-Sauveur★ par ③.

Office de Tourisme Promenade Guiraudet ✆ 65 45 13 18, Télex 530315.

Paris 613 ① – Rodez 57 ① – Albi 72 ③ – Aurillac 106 ① – Cahors 61 ④ – Montauban 73 ④.

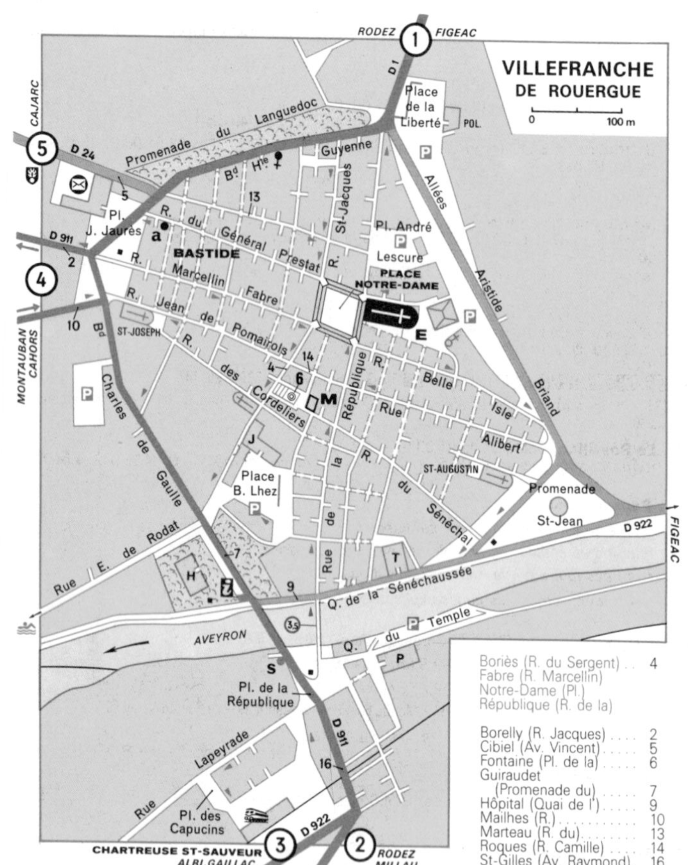

Boriès (R. du Sergent) . . 4
Fabre (R. Marcellin)
Notre-Dame (Pl.)
République (R. de la)

Borelly (R. Jacques) 2
Cibiel (Av. Vincent) 5
Fontaine (Pl. de la) 6
Guiraudet (Promenade du) 7
Hôpital (Quai de l') 9
Mailhes (R.) 10
Marteau (R. du) 13
Roques (R. Camille) 14
St-Gilles (Av. Raymond) . . 16

Univers M, pl. République (1er étage) **(s)** ☎ 65 45 15 63, Fax 65 45 02 21, ← – |♦| TV ☎ AE GB JCB
Repas *(fermé 20 mars au 4 avril, 12 au 20 juin, 14 au 29 nov., vend. soir et sam. sauf de juil. sept. et fêtes)* 70/280 ♁, enf. 60 – ☕ 32 – **30 ch** 185/330 – ½ P 230/270.

Francotel M sans rest, Centre Escale par ⑥ et D1E : 1 km ☎ 65 81 17 22, Fax 65 45 56 09, ⛱ – |♦| ▤ TV ☎ ♿ P – 🏛 100. AE GB
☕ 27 – **28 ch** 230/260, 16 duplex 330/630.

Poste, 45 r. Gén. Prestat **(a)** ☎ 65 45 13 91 – GB
fermé dim. du 1er nov. au 30 mars – **R** 75/130 ♁, enf. 50 – ☕ 29 – **23 ch** 160/260 ½ P 170/220.

Bellevue, 5 av. du Ségala par ② ☎ 65 45 23 17 – 🚗. GB
fermé 15 au 31 janv. et merc. du 15 sept. au 15 juin – **R** 80/210, enf. 45.

au Farrou par ① : 4 km – ✉ **12200** Villefranche-de-Rouergue :

Relais de Farrou M, ☎ 65 45 18 11, Fax 65 45 32 59, ⛱, 🚲, ⛱, 🌳, 🎾 – TV ☎ ♿ P GB
hôtel : fermé 21 au 26 déc. ; rest. : fermé 5 au 17/4, 2 au 19/11, 21 au 29/12, dim. soir et lundi hors sais. – **R** 94/320 ♁, enf. 65 – ☕ 35 – **25 ch** 265/355 – ½ P 270/375.

CITROEN Lizouret, rte de Toulonjac par ⑤ ☎ 65 45 01 74
FIAT-LANCIA MERCEDES Gaubert Ch., rte de Montauban ☎ 65 45 19 65 N ☎ 65 45 33 11

Ⓜ Central-Pneu, Les Plantades, rte Hte du Farrou ☎ 65 81 10 03
Escoffier Pneus, av. du 8 Mai 1945 ☎ 65 45 14 67
Escoffier-Pneus, rte de Toulouse ☎ 65 45 05 44

La guida cambia, cambiate la guida ogni anno.

VILLEFRANCHE-DU-PÉRIGORD 24550 Dordogne 75 ⑰ **G. Périgord Quercy** – 827 h. alt. 270.

Paris 573 – Cahors 40 – Sarlat-la-Canéda 45 – Bergerac 65 – Périgueux 85 – Villeneuve-sur-Lot 49.

Commerce, ☎ 53 29 90 11, Fax 53 29 49 89, – – 40. AE O GB
15 mars-30 nov. – **R** 85/260, enf. 40 – 32 – **23 ch** 205/250 – ½ P 210/260.

Les Bruyères, rte Cahors ☎ 53 29 97 97, , – . GB
fermé 1 au 15/3, 1 au 15/11, 1 au 15/12, 1 au 15/1, 1 au 15/2 et lundi du 1/11 au 15/3 – **R** 68/230 , enf. 40 – 30 – **10 ch** 190/210 – ½ P 210/230.

VILLEFRANCHE-SUR-CHER 41200 L.-et-Ch. 64 ⑱ **G. Châteaux de la Loire** – 2 298 h. alt. 98.

Paris 204 – Bourges 63 – Blois 48 – Châteauroux 60 – Montrichard 48 – Romorantin-Lanthenay 8 – Vierzon 26.

XX Les Deux Pierrots, à **St-Julien-sur-Cher** au S : 1 km par D 922 ✉ 41320 Mennetou-sur-Cher ☎ 54 96 40 07.

VILLEFRANCHE-SUR-MER 06230 Alpes-Mar. 84 ⑨ ⑩ 195 ㉗ **G. Côte d'Azur** – 8 080 h. alt. 22.

Voir Rade★★ – Vieille ville★ – Chapelle St-Pierre★ **B** – Musée Volti★ **M**¹.

Office de Tourisme square F.-Binon ☎ 93 01 73 68.

Paris 939 ⑤ – ♦Nice 7 – Beaulieu-sur-Mer 4 ③.

Accès et sorties : Voir plan de Nice.

VILLEFRANCHE-SUR-MER

Cauvin (Av. V.) 2
Corderie (Quai de la) 3
Corne-d'Or (Bd de la) 5
Courbet (Quai Amiral) 6
Église (R. de l') 7
Foch (Av. du Maréchal) 8
Gallieni (Av. Général) 9
Gaulle (Av. Général-de) 10
Grande-Bretagne (Av. de) 12
Joffre (Av. du Maréchal) 14
Leclerc (Av. Général) 15
Marinières (Promenade des) 16
May (R. de) 18
Obscure (R.) 19
Paix (Pl. de la) 20
Poilu (R. du) 22
Pollonais (Pl. A.) 24
Ponchardier (Quai Amiral) 25
Poullan (Pl. F.) 26
Sadi-Carnot (Av.) 28
Settimelli-Lazare (Bd) 30
Soleil d'Or (Av. du) 31
Verdun (Av. de) 32
Victoire (R. de la) 34
Wilson (Pl.) 35

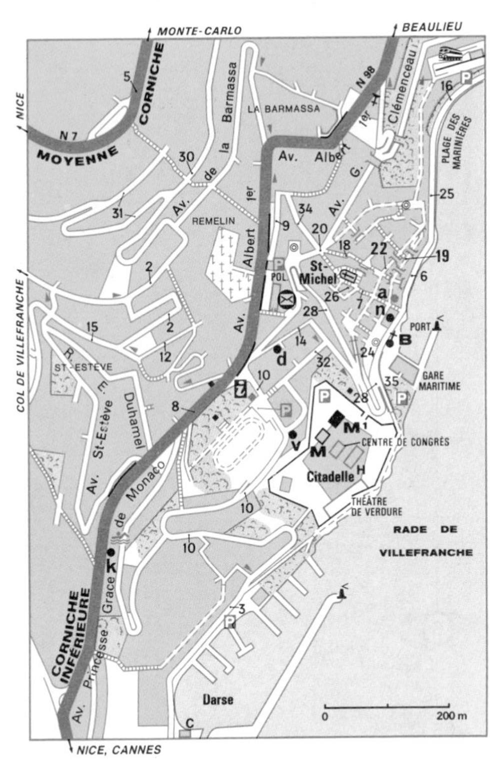

Les cartes Michelin sont constamment tenues à jour.

Michelin maps are kept up to date.

Welcome et rest. St-Pierre, 1 quai Courbet **(n)** ☎ 93 76 76 93, Télex 470281, Fax 93 01 88 81, ←, – AE O GB JCB. rest
fermé 20 nov. au 24 déc. – **R** *(fermé lundi du 1er sept. au 2 juin et le midi du 15 juin au 31 août sauf week-end et fériés)* 170/370, enf. 110 – 50 – **32 ch** 610/780.

Bahia M, av. Albert 1er par ② ☎ 93 01 32 32, Télex 462688, Fax 93 01 29 77, ←, , « Piscine panoramique » – ch . AE O GB JCB
R carte 250 à 350 – 60 – **58 ch** 680/1300 – ½ P 490/790.

Versailles, av. Princesse Grace **(k)** ☎ 93 01 89 56, Télex 970433, Fax 93 01 97 48, ← rade, , – . AE O GB
hôtel : fermé fin oct. à fin déc. ; rest. : fermé fin oct. au 31 janv. et lundi sauf de juil. à sept. – **R** 145/255, enf. 100 – 50 – **43 ch** 550/810, 3 appart. 940 – ½ P 460/590.

Olivettes, av. Léopold II ✆ 93 01 03 69, Fax 93 76 67 25, ≤ rade, 🏊, 🌳 – ▤ ch TV ☎ 🅟. AE ⓓ GB plan de Nice CT f
R (dîner seul.)(résidents seul.) 80 – ☕ 45 – **21 ch** 390/980 – ½ P 530/1120.

Vauban sans rest, 11 av. Gén. de Gaulle **(v)** ✆ 93 01 71 20, Fax 93 01 85 74, 🌳 – ☎
12 ch.

Provençal, 4 av. Mar. Joffre **(d)** ✆ 93 01 71 42, Fax 93 76 96 00, ≤, 🍴, 🌳 – 🛗 TV ☎. AE ⓓ GB
fermé 1er nov. au 22 déc. – **R** 65/125 – ☕ 40 – **48 ch** 200/380 – ½ P 215/340.

XX **Mère Germaine,** quai Courbet **(a)** ✆ 93 01 71 39, ≤, 🍴 – AE GB
fermé 23 nov. au 31 déc. et merc. en hiver – **R** 190/280.

VILLEFRANCHE-SUR-SAÔNE

69400 Rhône 74 ① G. Vallée du Rhône – 29 542 h. alt. 191.

Office de Tourisme avec A.C. 290 rte Thizy ✆ 74 68 05 18.

Paris 434 ③ – ◆ Lyon 33 ③ – Bourg-en-Bresse 51 ② – Mâcon 41 ③ – Roanne 75 ⑤.

VILLEFRANCHE-SUR-SAÔNE

Nationale (R.) BYZ

Belleville (R. de) BY 5
Carnot (Pl.) BZ 9
Faucon (R. du) BY 10
Fayettes (R. des) BZ 12
Grange-Blazet (R.) BZ 14
Marais (Pl. des) BZ 19
République (R. de la) AZ 23
Salengro (Bd R.) AY 27
Savigny (R. J. M.) AZ 28
Sous-Préfecture (Pl.) AZ 30
Sous-Préfecture (R.) AZ 32
Stalingrad (R. de) BZ 34

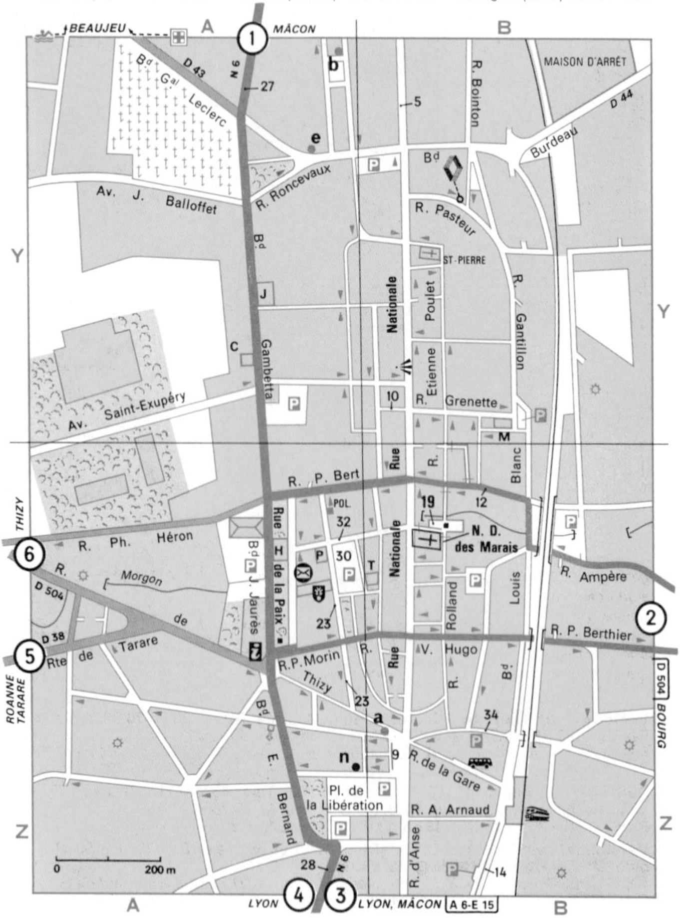

Plaisance sans rest, 96 av. Libération ☎ 74 65 33 52, Télex 375746, Fax 74 62 02 89 – ⇅ ▤ TV ☎ ⇔ P – 🏛 50. AE ⊙ GB AZ n
fermé 24 déc. au 1er janv. – ☐ 32 – **68 ch** 267/360.

Newport M, av. de l'Europe Z.I. Nord-Est par ② ☎ 74 68 75 59, Fax 74 09 08 89, 🏠, ⇐ – TV ☎ ♿ P – 🏛 60. AE GB
R *(fermé dim.)* 68/145 ⚲ – ☐ 28 – **35 ch** 225/250.

Ibis M, par ③ échangeur A 6 (péage Villefranche) ☎ 74 68 22 23, Télex 370777, Fax 74 60 41 67, 🏠 – ⇅ TV ☎ P – 🏛 25 à 70. GB JCB
R 79 ⚲, enf. 39 – ☐ 30 – **116 ch** 270/300.

XXX **Aub. Faisan-Doré,** NE : 2,5 km par bd Burdeau et rte Beauregard BY ☎ 74 65 01 66, Fax 74 09 00 81, 🏠 – P. AE ⊙ GB
fermé lundi (sauf fériés) et dim. soir – **R** 180/350.

XXX **Ferme du Poulet,** 180 r. Mangin, Z.I. Nord-Est par ② ☎ 74 62 19 07, Fax 74 09 01 89, 🏠 – P. GB
fermé 10 au 24 août, dim. soir et lundi sauf fériés – **R** 165/320.

XX **La Fontaine Bleue,** 18 r. J. Moulin ☎ 74 68 10 37, 🏠 – P. AE ⊙ GB. ✻ AZ n
fermé 20 déc. au 13 janv., dim. midi en juil.-août et sam. midi – **R** 89/230 ⚲.

XX **Au vieux St-Pierre,** 16 pl. Oran ☎ 74 68 34 94, 🏠 – AE ⊙ GB AY b
fermé lundi soir et mardi soir – **R** 58/180 ⚲.

X **Le Cèdre,** 196 r. Roncevaux ☎ 74 68 03 69, 🏠 – GB AY e
fermé 1er au 8 mars, 15 août au 1er sept., 24 déc. au 2 janv., mardi soir et dim. sauf fêtes – **R** 80/250.

X **Colonne** avec ch, 6 pl.Carnot ☎ 74 65 43 69 – GB BZ a
fermé sam. midi et dim. midi en été, dim. soir et sam. en hiver – **R** 65/150 ⚲, enf. 45 – ☐ 25 – **13 ch** 100/160 – ½ P 160/170.

à Beauregard NE : 3 km par D 44 - BY – ✉ **01480**.

Voir Château de Fléchères★ N : 3,5 km.

XX **Aub. Bressane,** ☎ 74 60 93 92, 🏠 – P. GB
fermé mardi soir et merc. – **R** 85/250 ⚲.

ALFA-ROMEO Devaux, 361 r. d'Anse ☎ 74 65 12 00
BMW AB Automobiles, 680 av. de l'Europe ☎ 74 60 30 60
CITROEN Gar. Thivolle, 695 av. T.-Braun par ③ ☎ 74 65 26 09 N ☎ 74 65 27 10
OPEL Brun-Autom., 710 av. de l'Europe ☎ 74 65 51 30
PEUGEOT-TALBOT Nomblot, 1 193 av. de l'Europe par D 44 BY ☎ 74 65 22 50 N ☎ 74 68 87 03
RENAULT Longin, 15 r. Bointon ☎ 74 65 25 66 N
RENAULT Villefranche Automobile, 19 av. E.-Herriot à Limas par ③ ☎ 74 65 33 02 N ☎ 74 65 27 10
V.A.G Gar. de l'Europe, 1050 r. Ampère ☎ 74 65 50 59

Métifiot, av. de Joux, ZI Nord à Arnas ☎ 74 65 21 92
Piot-Pneu, ZI, av. E.-Herriot ☎ 74 65 29 75
Tessaro-Pneus, 629 r. d'Anse ☎ 74 65 41 98

VILLEJUIF 94 Val-de-Marne 61 ①, 101 ㉖ – voir à Paris, Environs.

VILLEMAGNE 11310 Aude 82 ⑳ – 192 h. alt. 450.
Paris 770 – ♦Toulouse 70 – Carcassonne 29 – Castelnaudary 15 – Mazamet 42.

Castel de Villemagne ⛰, ☎ 68 94 22 95, parc – ☎. GB. ✻ rest
hôtel : 15 mars-15 nov. ; rest. : 1er avril-15 oct. – **R** *(fermé midi sauf week-ends et fêtes)* (résidents seul du 15 mars au 1er avril et du 15 oct. au 15 nov.) 95/180, enf. 50 – ☐ 36 – **7 ch** 235/400 – ½ P 270/325.

VILLEMOMBLE 93 Seine-St-Denis 56 ⑪, 101 ⑱ – voir à Paris, Environs.

VILLEMUR-SUR-TARN 31340 H.-Gar. 82 ⑧ **G. Pyrénées Roussillon** – 4 840 h. alt. 99.
Paris 667 – ♦Toulouse 36 – Albi 63 – Castres 72 – Montauban 24.

XXX ✿ **La Ferme de Bernadou** (Voisin), rte Toulouse ☎ 61 09 02 38, ≤, 🏠, parc – P. GB
fermé 2 au 16 janvier, dim. soir et lundi – **R** 165/320, enf. 100
Spéc. Colvert flambé à la presse (saison), Ris de veau braisé aux truffes en oreille de porc (automne-hiver), Millefeuille aux oranges confites. **Vins** Côtes-du-Frontonnais.

CITROEN Vacquie ☎ 61 09 01 60
PEUGEOT-TALBOT Terral, à Pechnauquié ☎ 61 09 00 70

VILLENEUVE 04 Alpes-de-H.-P. 81 ⑮ – rattaché à Manosque.

VILLENEUVE 12260 Aveyron 79 ⑩ **G. Gorges du Tarn** – 1 891 h. alt. 421.
Paris 601 – Rodez 51,5 – Cahors 60 – Figeac 25 – Villefranche de Rouergue 11.

Poste, ☎ 65 81 62 13, 🏠 – ☎ ⇔
fermé 15 déc. au 15 janv. – **R** 58 bc/120 bc – ☐ 20 – **14 ch** 100/220 – ½ P 130/180.

VILLENEUVE D'ASCQ 59 Nord 51 ⑯ – rattaché à Lille.

VILLENEUVE-DE-MARSAN 40190 Landes 82 ① ② – 2 107 h. alt. 90.

Paris 702 – Mont-de-Marsan 18 – Aire-sur-l'Adour 21 – Auch 89 – Condom 63 – Roquefort 16.

Francis Darroze M, ☎ 58 45 20 07, Télex 560164, Fax 58 45 82 67, – ☎ – 25. AE GB JCB
fermé 2 au 22 janv., dim. soir et lundi d'oct. à juin sauf fériés – **R** 160/340, enf. 90 – ☕ 70 – **25 ch** 400/750, 3 appart. 950 – ½ P 650/750
Spéc. Civet de homard au Pacherenc moelleux, Coeur d'artichaut à la barigoule et foie gras poêlé, Feuilleté landais à l'Armagnac. Vins Pacherenc du Vic-Bilh, Montagne-Saint-Emilion.

Europe, ☎ 58 45 20 08, – – 100. AE GB
fermé 2 au 16 janv. – **R** 80/260 – ☕ 38 – **14 ch** 150/340 – ½ P 230/260.

CITROEN Roumégoux ☎ 58 45 22 05 RENAULT Avezac ☎ 58 45 80 39

VILLENEUVE-DE-RIVIÈRE 31 H.-Gar. 86 ⑩ – rattaché à St-Gaudens.

VILLENEUVE-DES-ESCALDES 66760 Pyr.-Or. 86 ⑯ – alt. 1 350.

Paris 878 – Font-Romeu 14 – Ax-les-Thermes 56 – Bourg-Madame 6 – Perpignan 102 – Prades 59.

Relais du Belloch, ☎ 68 30 07 24, ←, – . GB
fermé 5 nov. au 15 déc. – **R** 65/125, enf. 42 – ☕ 26 – **26 ch** 168/210 – ½ P 184/204.

VILLENEUVE-LA-DONDAGRE 61 Orne 61 ⑬ – rattaché à Sens.

VILLENEUVE-LA-GARENNE 92 Hauts-de-Seine 55 ⑳, 101 ⑮ – voir à Paris, Environs.

VILLENEUVE-LA-SALLE 05 H.-Alpes 77 ⑧ ⑱ – voir à Serre-Chevalier.

VILLENEUVE-LE-COMTE 77174 S.-et-M. 61 ② 106 ㉒ – 1 297 h. alt. 126.

Paris 40 – Lagny-sur-Marne 12 – Meaux 18 – Melun 37.

XXX **Bonne Marmite,** ☎ (1) 60 25 00 10, – . AE GB
fermé 10 au 29 août, vacances de fév., mardi et merc. – **R** 265/350, enf. 95.

VILLENEUVE-LÈS-AVIGNON 30400 Gard 81 ⑪ ⑫ G. Provence (plan) – 10 730 h. alt. 24.

Voir Fort St-André★ : ←★★ X – Tour Philippe-le-Bel ←★★ X F – Vierge en ivoire★★ et couronnement de la Vierge★★ au musée municipal X M – Chartreuse du Val-de-Bénédiction★ X R.

Office de Tourisme 1 pl. Ch.-David ☎ 90 25 61 33.

Paris 684 ② – Avignon 5 – Nîmes 45 ⑥ – Orange 22 ⑦ – Pont-St-Esprit 41 ⑥.

Plan : voir à Avignon.

Le Prieuré, pl. Chapître ☎ 90 25 18 20, Télex 431042, Fax 90 25 45 39, , parc « Jardins et terrasse ombragés », – ☎ – 50. AE GB JCB. rest
14 mars-3 nov. – **R** 310/420 – ☕ 80 – **26 ch** 510/1100, 10 appart. 1400/1700 – ½ P 645/893. AV

La Magnaneraie M, 37 r. Camp de Bataille ☎ 90 25 11 11, Télex 432640, Fax 90 25 46 37, , « Beaux aménagements dans une ancienne demeure du 15e siècle », – ch ☎ – 25. AE GB JCB AV
R 170/400, enf. 90 – ☕ 60 – **25 ch** 500/950 – ½ P 650/750.

Atelier sans rest, 5 r. Foire ☎ 90 25 01 84, Fax 90 25 80 06, « Maison 16e siècle, patio » – ☎. AE GB AV
fermé début janv. à début fév. – ☕ 32 – **26 ch** 240/400.

Résidence Les Cèdres, à Bellevue, 39 av. Pasteur ✉ 30400 Villeneuve-lès-Avignon ☎ 90 25 43 92, Télex 432868, Fax 90 25 14 66, – ☎ . GB AV
15 mars-15 nov. – **R** (dîner seul.) 118, enf. 80 – ☕ 33 – **24 ch** 310/340 – ½ P 260/280.

Coya sans rest, impasse Rhône ☎ 90 25 52 29, Fax 90 25 68 90 – ☎. GB
☕ 30 – **23 ch** 188/297.

VILLENEUVE-LOUBET 06270 Alpes-Mar. 84 ⑨ 195 ㉕ G. Côte d'Azur – 11 539 h. alt. 11.

Voir Musée de l'Art culinaire★ (fondation Auguste Escoffier) Y M2.

Paris 920 ⑤ – Cannes 20 ⑤ – ◆Nice 14 ③ – Antibes 10 ④ – Cagnes-sur-Mer 3 – Grasse 21 ⑥ – Vence 11,5 ①.

Voir plan de Cagnes-sur-Mer-Villeneuve-Loubet.

Green Sea M, S : 1 km sur D 2 ☎ 93 22 47 39, Fax 97 22 91 94, – ☎ . AE GB. Y n
R *(fermé dim. soir et le midi en semaine d'oct. à mai)* 95/145 – ☕ 38 – **54 ch** 355/510 – ½ P 320/375.

Aub. Franc-Comtoise, Grange Rimade, rte La Colle ☎ 93 20 97 58, Télex 462852, – ☎ . GB. ch
fermé 15 oct. au 1er déc. – **R** *(fermé merc. d'oct. à juin)* 120/140 – ☕ 25 – **30 ch** 273/315 – ½ P 283.

X **Mail-Post,** 12 av. Libération ☎ 93 20 89 53 – . GB Y
fermé 16 mars au 4 avril, 28 sept. au 31 oct. et mardi midi – **R** 95/135.

à Villeneuve-Loubet-Plage :

🏨 **Bahia** Ⓜ sans rest, rte bord de mer ☎ 93 20 21 21, Télex 970922, Fax 93 20 96 96, 🏊, 🏖 – 🛗 ▤ 📺 ☎ 🚗 🅿. AE ⓓ GB Z **a**
☕ 42 – **48 ch** 455/670.

🏨 **Syracuse** sans rest, av. Batterie ☎ 93 20 45 09, Fax 93 20 29 30, <, 🏖 – 🛗 cuisinette 📺 ☎ 🅿. GB. ✂ Z **x**
fermé 15 déc. au 15 janv. – ☕ 37 – **27 ch** 305/475.

MERCEDES-BENZ Succursale, av. Baumettes, N 7 ☎ 93 73 06 11

VILLENEUVE-SUR-LOT ⟨SP⟩ **47300** L.-et-G. **79** ⑤ **G. Pyrénées Aquitaine** – 22 782 h. alt. 55.

⛳ 9 18 de Castelnaud ☎ 53 01 74 64, par ① N 21 : 12,5 km.

ℹ Office de Tourisme bd République ☎ 53 70 31 37.

Paris 605 ① – Agen 31 ⑤ – Bergerac 60 ① – ♦Bordeaux 143 ⑥ – Brive-la-Gaillarde 144 ③ – Cahors 74 ③ – Libourne 109 ⑥ – Mont-de-Marsan 124 ⑥ – Pau 185 ⑥.

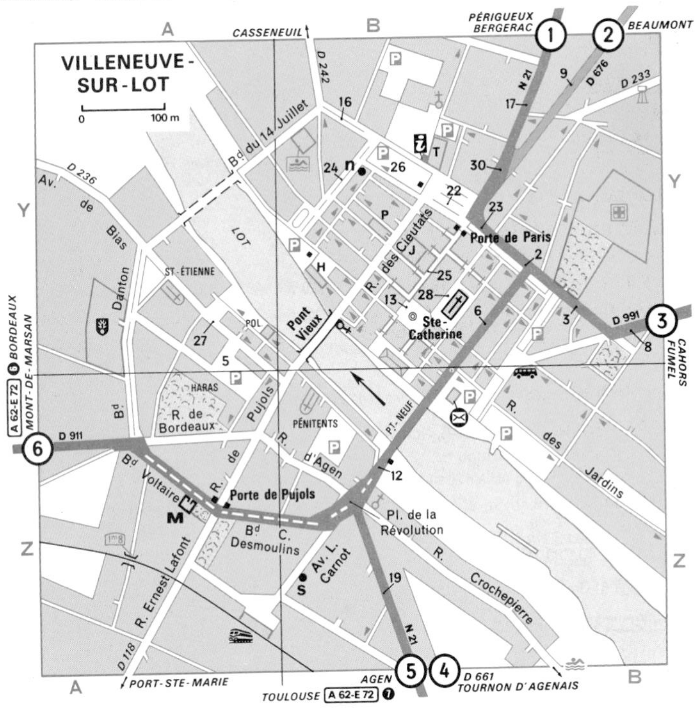

Libération (Pl. de la) .... BY 23
Paris (R. de) .... BY 25

Bernard-Palissy (Bd) ... BY 2
Darfeuille (R.) .... BY 3
Droits-de-l'Homme (Pl. des) .... AYZ 5
Fraternité (R. de la) .... BY 6
Gambetta (Av.) .... BY 8
Gaulle (Av. Gén.-de) ... BY 9
Jeanne-de-France (Av.) BZ 12
La Fayette (Pl.) .... BY 13
Lamartine (Allée) ...... BY 16
Lattre-de-T. (Av. Mar.) . BY 17
Leclerc (Av. Gén.) ...... BZ 19
Leygues (Bd G.) .... BY 22
Marine (Bd de la) ...... BY 24
République (Bd de la) .. BY 26
Ste-Étienne (R.) .... AY 27
Ste-Catherine (R.) ..... BY 28
Victor-Hugo (Cours) ... BY 30

🏨 **Les Platanes** sans rest, 40 bd Marine ☎ 53 40 11 40 – ☎. GB BY **n**
fermé 18 déc. au 5 janv. – ☕ 22 – **21 ch** 95/230.

🏨 **La Résidence** sans rest, 17 av. L. Carnot ☎ 53 40 17 03 – ☎ 🚗. GB BZ **s**
☕ 25 – **18 ch** 115/275.

XXX **Host. du Rooy,** chemin de Labourdette par ④ ☎ 53 70 48 48, 🌳, parc – 🅿. AE ⓓ GB JCB – *fermé 27 avril au 6 mai, 24 août au 6 sept., 2 au 11 mars, dim. soir et merc.* – **R** 110/220, enf. 75.

à Pujols SO : 4 km par D 118 et CC 207 - AZ – 3 608 h. – ✉ **47300** – **Voir** <★.

🏨 **Chênes** Ⓜ 🌿 sans rest, ☎ 53 49 04 55, Fax 53 49 22 74, <, 🏊 – 📺 ☎ 🅿 – 🏛 30. AE ⓓ GB – ☕ 45 – **20 ch** 220/380.

XXX ✿ **La Toque Blanche** (Lebrun), ✆ 53 49 00 30, ≤, 🏠 – ⊭ **P**. AE ⓓ GB
fermé 22 juin au 6 juil., 23 nov. au 1er déc., dim. soir et lundi sauf juil.-août et fêtes – **R** 150/440, enf. 85
Spéc. Escalope de foie de canard au vinaigre de Xéres, Pigeon en crapaudine aux sept épices, Pied de cochon farci à l'ancienne. Vins Buzet, Côtes de Duras.

XX **Aub. Lou Calel,** ✆ 53 70 46 14, ≤ Villeneuve, 🏠 – GB
fermé 8 au 29 janv., mardi soir et merc. sauf août et fériés – **R** 135 (sauf sam.)/220, enf. 75.

à Castelnaud-de-Gratecambe par ① : 10 km – ✉ **47290** :

🏨 **du Golf** M 🐦, SE : 2 km ✆ 53 01 60 19, Télex 572786, Fax 53 01 78 99, ≤, 🏠, parc, 🏊, 🎾 – ▤ rest TV ☎ ♿ **P** – 🏃 50. AE GB
fermé 4 au 17 janv. – **R** *(fermé dim. soir et lundi midi du 4 oct. au 13 mars)* 120/290, enf. 65 – ☕ 45 – **40 ch** 360/430 – ½ P 355/380.

AUSTIN, ROVER, TOYOTA, VOLVO Gar. Franco, 68 av. de Fumel ✆ 53 70 14 54
PEUGEOT-TALBOT Gar. de Bordeaux, rte de Bordeaux à Bias par ⑥ ✆ 53 40 56 05
RENAULT Villeneuve-Auto, 33 av. d'Agen par ⑤ ✆ 53 40 55 55

⓪ Central Pneu, 41 av. de Bordeaux ✆ 53 70 12 57
Stat. Moderne du Pneu, 7 av. de Bordeaux ✆ 53 70 65 75
Villeneuve Pneus, rte de Bordeaux à Bias ✆ 53 40 28 55

VILLENEUVE-SUR-YONNE 89500 Yonne 61 ⑭ **G. Bourgogne** (plan) – 5 054 h. alt. 74.
Paris 135 – Auxerre 44 – Joigny 17 – Montargis 48 – Nemours 58 – Sens 13 – Troyes 71.

XX **Le Dauphin** avec ch, ✆ 86 87 18 55 – ☎. ✂
fermé 1er au 15 oct., vacances de fév., dim. soir et lundi hors sais. – **R** 98/240 – ☕ 40 – **11 ch** 180/480 – ½ P 350/420.

PEUGEOT-TALBOT Lesellier, 23 fg St-Nicolas ✆ 86 87 04 24

VILLENY 41220 L.-et-Ch. 64 ⑧ – 324 h. alt. 131.
Paris 163 – ◆Orléans 35 – Blois 37 – Romorantin-Lanthenay 33.

SO rte de Bracieux par D 18 et VO – ✉ **41220** Villeny :

🏨 **Les Chênes Rouges** M 🐦, ✆ 54 98 23 94, Fax 54 98 23 99, 🏠, « Dans la forêt, en bordure d'un étang » – TV ☎ ♿ **P**. GB
fermé fév. – **R** *(fermé mardi du 1er sept.au 31 mai)* 165 – ☕ 68 – **10 ch** 550/700 – ½ P 467/536.

VILLEPINTE 93 Seine-St-Denis 56 ⑪ – voir à Paris, Environs.

VILLEQUIER 76490 S.-Mar. 55 ⑤ **G. Normandie Vallée de la Seine** – 822 h. alt. 60.
Voir Site★ – Musée Victor-Hugo★.
Paris 172 – ◆Rouen 39 – Bourg-Achard 29 – Lillebonne 13 – Yvetot 16.

XX **Grand Sapin** avec ch, ✆ 35 56 78 73, ≤, 🏠, « Terrasse au bord de la Seine », 🏠 – TV ☎ **P**. GB. ✂ ch
fermé 16 au 30 nov., vacances de fév., mardi soir et merc. sauf juil.-août – **R** 65/180 – ☕ 24 – **5 ch** 240/290.

VILLERAY 61 Orne 60 ⑮ – rattaché à Nogent-le-Rotrou.

VILLERÉAL 47210 L.-et-G. 79 ⑤ **G. Pyrénées Aquitaine** – 1 195 h. alt. 120.
🅘 Maison du Tourisme pl. Halle ✆ 53 36 09 65.
Paris 575 – Agen 61 – Bergerac 35 – Cahors 75 – Marmande 57 – Sarlat-la-Canéda 64 – Villeneuve-sur-Lot 30.

🏨 **Lac** 🐦, rte Issigeac ✆ 53 36 01 39, 🏊, 🏠 – ☎ **P**. GB
20 avril-30 sept. – **R** *(fermé le midi sauf juil.-août)* 80/120, enf. 50 – ☕ 25 – **26 ch** 200/220 – ½ P 200/220.

VILLEROY 89 Yonne 61 ⑬ – rattaché à Sens.

VILLERS-BOCAGE 14310 Calvados 54 ⑮ **G. Normandie Cotentin** – 2 845 h. alt. 140.
🅘 Syndicat d'Initiative pl. Gén.-de-Gaulle (15 juin-15 sept.) ✆ 31 77 16 14.
Paris 267 – ◆Caen 26 – Argentan 71 – Avranches 73 – Bayeux 26 – Flers 42 – St-Lô 36 – Vire 34.

XXX **Trois Rois** avec ch, ✆ 31 77 00 32, 🏠 – TV ☎ **P**. AE ⓓ GB
fermé 23 au 29 juin, fév., dim. soir et lundi sauf fériés – **Repas** 120/260 – ☕ 35 – **14 ch** 195/350.

CITROEN Gar. Breville ✆ 31 77 17 98

VILLERS-COTTERÊTS 02600 Aisne 56 ③ **G. Flandres Artois Picardie** – 8 867 h. alt. 133.
Voir Grand escalier★ du château – Forêt de Retz★ E par D 973.
🅘 Syndicat d'Initiative 2 pl. A.-Briand ✆ 23 96 30 03.
Paris 78 – Compiègne 31 – Laon 59 – Meaux 41 – Senlis 36 – Soissons 22.

Régent sans rest, 26 r. Gén. Mangin ✆ 23 96 01 46, Télex 150747, Fax 23 96 37 57 – TV ☎ P. AE ⓓ GB JCB
28 – **16 ch** 190/340.

Commerce, 17 r. Gén. Mangin ✆ 23 96 19 97, – GB
fermé 14 au 28 août, 20 janv. au 4 fév., dim. soir et lundi – **R** (dim. prévenir) 80/130, enf. 50.

à Oigny-en-Valois SE : 8 km par D 936 et D 1380 – ✉ **02600** :

Château d'Oigny-en-Valois avec ch, ✆ 23 96 01 11, Fax 23 96 38 18, « Demeure du 15ᵉ siècle, parc » – TV ☎ P. AE ⓓ GB. ch
R 150/350 – 50 – **4 ch** 800/1500, 3 appart. 2500 – ½ P 500/950.

CITROEN Gar. des Sablons, 52 av. de la Ferté-Milon ✆ 23 96 04 96
PEUGEOT-TALBOT Féry, 75 r. Gén.-Leclerc ✆ 23 96 19 64 N
V.A.G Vag France Services, rte de la Ferté-Milon ✆ 23 72 60 55

Fischbach-Pneu, 6 r. V.-Hugo ✆ 23 96 13 64
Hurand-Pneu, av. de la Ferté-Milon ✆ 23 96 13 84

CONSTRUCTEUR : V.A.G-France, à Pisseleux, par av. de la Gare ✆ **23 96 08 03**

VILLERSEXEL 70110 H.-Saône 66 ⑥ ⑦ – 1 460 h. alt. 265.
Paris 378 – ◆ Besançon 64 – Belfort 38 – Lure 18 – Montbéliard 31 – Vesoul 27.

Terrasse, rte Lure ✆ 84 20 52 11, Fax 84 20 56 90, – TV ☎ P. GB
fermé 18 déc. au 4 janv. – **R** *(fermé vend. soir et dim. soir hors sais.)* 60/230, enf. 35 – 26 – **15 ch** 160/250 – ½ P 180/240.

Commerce avec ch, ✆ 84 20 50 50 – TV ☎ P. GB
fermé 3 au 13 oct., 2 au 9 janv. et lundi soir – **R** 51/240, enf. 38 – 28 – **17 ch** 160/210 – ½ P 195/250.

à Cubry S : 11 km par D 486 et VO – ✉ **25680** :

Château de Bournel M, ✆ 81 86 00 10, Fax 81 86 01 06, , « Parc et golf » – TV ☎ P – 40. AE ⓓ GB. ch
fermé 5 janv. au 1ᵉʳ mars – **Le Maugré** ✆ 81 86 97 43 *(fermé 5 janv. au 20 fév., lundi soir et mardi)* **R** carte 280 à 410 – 40 – **10 ch** 755/890 – ½ P 690.

VILLERS-LE-LAC 25130 Doubs 70 ⑦ **G. Jura** – 4 203 h. alt. 746.
Voir Saut du Doubs*** NE : 5 km – Lac de Chaillexon* NE : 2 km.
Syndicat d'Initiative r. Berçot (juin-sept.) ✆ 81 68 00 98.
Paris 478 – ◆ Besançon 69 – ◆Basel 122 – La Chaux-de-Fonds 16 – Morteau 6 – Pontarlier 37.

France (Droz), pl. Nationale ✆ 81 68 00 06, Fax 81 68 09 22 – TV ☎ – 30. AE ⓓ GB JCB
fermé 1ᵉʳ déc. au 15 janv. – **R** *(fermé dim. soir et lundi)* 150/370 – 45 – **14 ch** 270/300 – ½ P 275/300
Spéc. Saucisse de Morteau grillée, Mousse de brochet au coulis de crustacés, Jambonnette de poularde aux morilles et Vin Jaune.

PEUGEOT-TALBOT Gar. Franco-Suisse, Les Terres Rouges ✆ 81 68 03 47 N

VILLERS-LES-POTS 21 Côte-d'Or 66 ⑬ – rattaché à Auxonne.

VILLERS-SEMEUSE 08 Ardennes 53 ⑲ – rattaché à Charleville-Mézières.

VILLERS-SUR-MER 14640 Calvados 55 ③ **G. Normandie Vallée de la Seine** – 2 019 h. alt. 38 – Casino .
Office de Tourisme pl. Mermoz (vacances scolaires, 21 mars-15 nov.) ✆ 31 87 01 18.
Paris 213 – ◆ Caen 40 – Cabourg 11 – Deauville-Trouville 7 – Lisieux 31 – Pont-l'Évêque 18.

Bonne Auberge, ✆ 31 87 04 64 – TV ☎ P. GB
15 mars-30 sept. et week-ends – **R** 110/180 – **15 ch** 415/480 – ½ P 313/365.

Frais Ombrages , ✆ 31 87 40 38, , – TV ☎
1ᵉʳ mars-15 nov. et fermé mardi et merc. hors sais. sauf vacances scolaires – **R** 110/150 – 35 – **13 ch** 200/310 – ½ P 260/340.

PEUGEOT TALBOT Gar. du Méridien ✆ 31 87 02 13

VILLEURBANNE 69 Rhône 74 ⑪ ⑫ – rattaché à Lyon.

VILLEVALLIER 89330 Yonne 61 ⑭ – 359 h. alt. 90.
Paris 135 – Auxerre 36 – Montargis 49 – Sens 22 – Troyes 81.

Pavillon Bleu, ✆ 86 91 12 17, Fax 86 91 17 74 – ☎ P – 25. GB
fermé janv., dim. soir et lundi du 15 sept. à Pâques – **R** 68/175 – 30 – **18 ch** 150/195 – ½ P 160/272.

VILLIÉ-MORGON **69910** Rhône 74 ① – 1 522 h. alt. 290.

Paris 414 – Mâcon 21 – ♦Lyon 55 – Villefranche-sur-Saône 22.

- **Le Villon** M, ✆ 74 69 16 16, Télex 340797, Fax 74 69 16 81, ←, ☂, ⛱, ✂ – TV ☎ ♿ P – 🏊 40. GB
  fermé 22 déc. au 26 janv. – **R** 100/160 – ☕ 38 – **45 ch** 250/360 – ½ P 283/300.
- **Parc** sans rest, ✆ 74 04 22 54 – ☎
  fermé 15 au 30 oct. et merc. – ☕ 28 – **8 ch** 120/160.

PEUGEOT-TALBOT Granger ✆ 74 04 23 24 N

VILLIERS-LE-BÂCLE **91** Essonne 60 ⑩, 101 ㉝ – voir à Paris, Environs.

VILLIERS-SUR-MARNE **94** Val-de-Marne 61 ①, 101 ㉘ – voir à Paris, Environs.

VIMOUTIERS **61120** Orne 55 ⑬ **G. Normandie Vallée de la Seine** – 4 723 h. alt. 100.

Office de Tourisme 10 av. Gén.-de-Gaulle (fermé janv.-fév.) ✆ 33 39 30 29.

Paris 184 – ♦Caen 59 – l'Aigle 44 – Alençon 66 – Argentan 31 – Bernay 37 – Falaise 37 – Lisieux 27.

- **H. Escale du Vitou** ⑤, centre de loisirs, rte Argentan : 2 km par D 916 ✆ 33 39 12 04, ←, ☂, parc, ✂ – TV ☎ P – 🏊 25 à 80. GB
  Le Vitou ✆ 33 39 12 37 *(fermé 5 au 20 janv., dim. soir et lundi)* **R** 65/185, ♁, enf.53 – ☕ 35 – **17 ch** 190/250 – ½ P 170/185.

CITROEN Goubin, 8 av. Foch ✆ 33 39 01 95
PEUGEOT Noël-Gérard, 15 av. Dr-Dentu ✆ 33 39 00 27
RENAULT Letourneur, 17 r. d'Argentan ✆ 33 39 03 65

VINAY **51** Marne 56 ⑯ – rattaché à Épernay.

VINCENNES **94** Val-de-Marne 56 ⑪, 101 ⑰ – voir à Paris, Environs.

VINCEY **88** Vosges 62 ⑮ – rattaché à Charmes.

VINEUIL **41** L.-et-Ch. 64 ⑦ – rattaché à Blois.

VINON-SUR-VERDON **83560** Var 84 ④ – 2 752 h. alt. 284.

Paris 779 – Digne-les-Bains 67 – Aix-en-Provence 44 – Brignoles 57 – Castellane 86 – Cavaillon 77 – Draguignan 73.

- **Olivier** M ⑤, rte aérodrome ✆ 92 78 86 99, Fax 92 78 89 65, ←, ☂, ⛱, ✂ – cuisinette TV ☎ P. AE ⓓ GB
  fermé 23 déc. au 20 janv. et sam. du 1er oct. au 1er mai – **R** 110/200, enf. 85 – ☕ 45 – **30 ch** 350/420.

RENAULT Gar. Ramu ✆ 92 78 80 35 N ✆ 92 78 83 87

VIOLAY **42780** Loire 73 ⑱ – 1 425 h. alt. 825.

Paris 480 – Roanne 40 – L'Arbresle 29 – Montbrison 48 – ♦Saint Étienne 63,5.

- XX **Perrier** avec ch, pl. Église ✆ 74 63 91 01 – ▤ rest ☎ 🚗 – 🏊 25. GB
  fermé 6 au 15 oct., vacances de fév., dim. soir et lundi – **R** 78/260 ♁, enf. 45 – ☕ 30 – **12 ch** 220/380 – ½ P 250.

RENAULT Gar. Blein, ✆ 74 63 90 62 N

VIOLÈS **84150** Vaucluse 81 ② – 1 360 h. alt. 96.

Paris 664 – Avignon 31 – Carpentras 17 – Nyons 32 – Orange 15 – Vaison-la-Romaine 16.

- XX **Mas de Bouvau** ⑤ avec ch, N : 2 km rte Cairanne ✆ 90 70 94 08, ☂, ✂ – TV ☎ P. GB. ✻ ch
  fermé 24 août au 8 sept., 22 au 30 déc., vacances de fév., dim. soir et lundi – **R** 110/220 ♁ – ☕ 35 – **5 ch** 290/330.

VIRAZEIL **47** L.-et-G. 79 ③ – rattaché à Marmande.

VIRE SP **14500** Calvados 59 ⑨ **G. Normandie Cotentin** – 12 895 h. alt. 134.

Office Municipal de Tourisme square Résistance ✆ 31 68 00 05.

Paris 301 ③ – St-Lô 39 ① – ♦Caen 60 ① – Flers 29 ③ – Fougères 66 ④ – Laval 90 ④ – Rennes 114 ④.

Plan page suivante

- **France**, 4 r. Aignaux ✆ 31 68 00 35, Fax 31 68 22 65 – ⧉ ▤ ch TV ☎ ♿ 🚗 – 🏊 50. AE GB — A a
  fermé 21 déc. au 10 janv. – **R** 70/180 ♁, enf. 48 – ☕ 32 – **20 ch** 150/260 – ½ P 230/280.
- **St-Pierre** M sans rest, 20 r. Gén. Leclerc ✆ 31 68 05 82 – ⧉ TV ☎ ♿. AE GB — B n
  fermé 21 déc. au 10 janv. – ☕ 32 – **29 ch** 145/260.
- **Voyageurs**, av. Gare ✆ 31 68 01 16 – TV ☎ 🚗 P. GB — B k
  R 45/200 ♁ – ☕ 30 – **13 ch** 132/250 – ½ P 150/180.
- XXX **Manoir de la Pommeraie**, par ③ : 2,5 km sur D 524 ✆ 31 68 07 71, Fax 31 67 54 21, « Jardin » – P. AE ⓓ GB
  fermé 27 juil. au 10 août, vacances de fév., dim. soir et lundi – **R** 114/300, enf. 75.

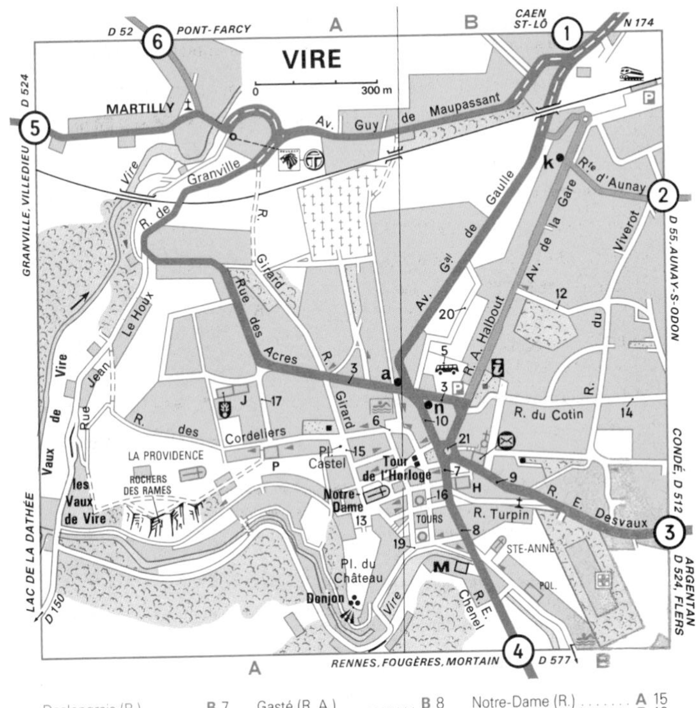

Deslongrais (R.) . . . . B 7
6-Juin (Pl. du) . . . . B 21

Aignaux (R. d') . . . . AB 3
Champ-de-Foire (Pl. du) . B 5
Chénedollé (R.) . . . . A 6

Gasté (R. A.) . . . . B 8
Haut-Chemin (R. du) . . . . B 9
Leclerc (R. Gén.) . . . . B 10
Morgan (R. A.) . . . . B 12
Nationale (Pl.) . . . . A 13
Noes-Davy (R. des) . . . . . B 14

Notre-Dame (R.) . . . . A 15
Remparts (R. des) . . . . . . B 16
Sous-Préfecture
(R. de la) . . . . A 17
Valhérel (R. du) . . . . . . AB 19
Vieux-Collège (R. du) . . . B 20

à St-Germain-de-Tallevende par ④ : 5 km – ✉ **14500** :

✕ **Aub. St.-Germain** avec ch, pl. Église ☎ 31 68 24 13 – ⓓ GB
✦ *fermé 1er au 15 mars, 7 sept. au 2 oct., dim. soir et lundi* – **R** 62/175 🍷, enf. 39 – ☕ 22 – **4 ch** 120/180.

CITROEN Gar. Prunier, rte de Caen par ①
☎ 31 68 33 87
FIAT-LANCIA B.M.J. Onésime, 1 rte de Caen
☎ 31 68 09 98
PEUGEOT-TALBOT Gourney, 19 rte de Granville
☎ 31 68 11 86 **N** ☎ 31 25 98 63
RENAULT S.N.A.V., rte de Caen par ①
☎ 31 68 02 33 **N** ☎ 31 25 93 44

V.A.G Gar. Lemauviel, 12 r. d'Aunay ☎ 31 68 00 78
Gar. Duchemin, 1 r. E.-Desvaux ☎ 31 68 01 46

Colin-Pneus, 77 rte d'Aunay ☎ 31 68 38 65
Vire-Pneus, 28 rte d'Aunay ☎ 31 68 26 75

VIRIEU-LE-GRAND **01510** Ain 74 ④ – 922 h. alt. 267.

Paris 502 – Aix-les-Bains 35 – Annecy 56 – Belley 11 – Bourg-en-B. 71 – Meximieux 56 – Nantua 51.

✕ **Michallet** avec ch, ☎ 79 87 80 97 – **P**. GB. ✻ ch
✦ *fermé 19 au 27 juin, 11 sept. au 4 oct, 5 au 12 fév. et vend. d'oct. à juin* – **R** 70/250 🍷, enf. 50 – ☕ 30 – **9 ch** 115/200 – ½ P 150/180.

PEUGEOT-TALBOT Gar. de la Gare ☎ 79 87 82 76 **N**

VIROFLAY **78** Yvelines 60 ⑩, 106 ⑯ – voir à Paris, Environs.

VIRONVAY **27** Eure 55 ⑰ – rattaché à Louviers.

VIRY **71** S.-et-L. 69 ⑱ – rattaché à Charolles.

VIRY-CHATILLON **91** Essonne 61 ①, 101 ㊱ – voir à Paris, Environs.

VITERBE **81** Tarn 82 ⑩ – rattaché à St-Paul-Cap-de-Joux.

VITRAC 24200 Dordogne 75 ⑰ – 743 h. alt. 150.

Voir Site★ du château de Montfort NE : 2 km – Cingle de Montfort★ NE : 3,5 km, G. Périgord Quercy.

Paris 530 – Brive-la-Gaillarde 60 – Sarlat-la-Canéda 8 – Cahors 54 – Gourdon 21 – Lalinde 51 – Périgueux 75.

Plaisance, au port ☏ 53 28 33 04, Fax 53 28 19 24, ≤, ⛱, 🌳, 🎾 – 🛗 TV ☎ P – 🎪 60. AE GB
fermé 20 nov. au 4 fév. – **R** *(fermé vend. sauf de Pâques au 15 oct.)* 75/220 – ☕ 32 – **42 ch** 185/350 – ½ P 240/270.

XX **La Sanglière,** Les Veyssières, NO : 3 km par VO ☏ 53 28 33 51, Fax 53 28 52 31, ⛱, 🌳 – P. GB
12 avril-30 nov. – **Repas** *(fermé dim. soir et lundi sauf juil.-août)* 90/290, enf. 45.

à Caudon-de-Vitrac E : 3 km par D 703 et VO – ✉ **24200** Sarlat-la-Canéda :

X **La Ferme,** ☏ 53 28 33 35 – P. GB
fermé oct., 21 au 30 déc., vacances de fév. et lundi – **R** 78/155, enf. 48.

VITRAC 15220 Cantal 76 ⑪ – 294 h. alt. 550.

Paris 598 – Aurillac 24,5 – Figeac 43 – Rodez 79.

Aub. de la Tomette, ☏ 71 64 70 94, Fax 71 64 77 11, ≤, ⛱, 🌳 – cuisinette TV ☎. GB. rest
fermé 1er janv. au 15 mars – **Repas** 60/150 ♀, enf. 45 – ☕ 26 – **12 ch** 240/300 – ½ P 240/250.

Plans de villes : *Les rues sont sélectionnées en fonction de leur importance pour la circulation et le repérage des établissements cités. Les rues secondaires ne sont qu'amorcées.*

VITRÉ 35500 I.-et-V. 59 ⑱ G. Bretagne – 14 486 h. alt. 90.

Voir ≤★★ des D178 et D857 A – Château★★ : tour de Montalifant ≤★ A – La Ville★ : rue Beaudrairie★★ A5, remparts★ B, église Notre-Dame★ B – Tertres noirs ≤★★ par ⑤ – Jardin public★ par ④.

Env. Champeaux : place★, stalles★ et vitraux★ de l'église 9 km par ⑤.

ℹ Office de Tourisme promenade St-Yves ☏ 99 75 04 46.

Paris 310 ② – Châteaubriant 51 ④ – Fougères 30 ⑥ – Laval 37 ② – ◆Rennes 38 ⑤.

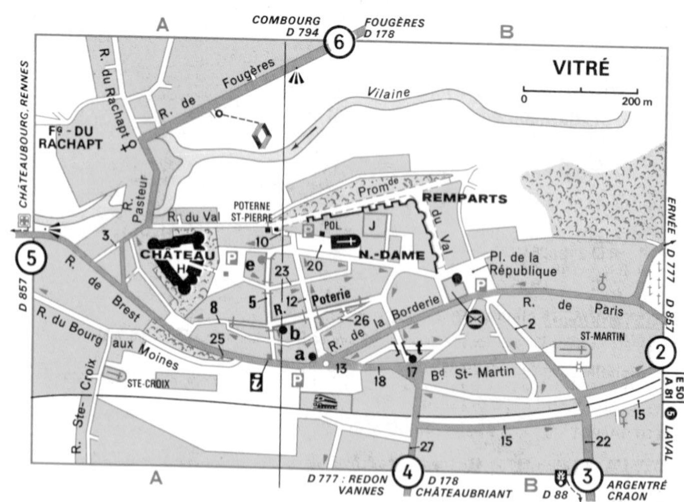

Argentré (R. B.-d') . . . . . B 2
Augustins (R. des) . . . . . A 3
Borderie (R. de la) . . . . . B
En Bas (R. d') . . . . . A 8
Garangeot (R.) . . . . . B 12
Notre-Dame (Pl. et R.) . . . B 20
Paris (R. de) . . . . . B

Pasteur (R.) . . . . . A
Poterie (R.) . . . . . B

Beaudrairie (R.) . . . . . A 5
Four (R. du) . . . . . A 10
Gaulle (Pl. Gén.-de) . . . . . B 13
Jacobins (Bd des) . . . . . B 15

Leclerc (Pl. Mar.) . . . . . B 17
Liberté (R. de la) . . . . . B 18
Rochers (Bd des) . . . . . B 22
St-Louis (R.) . . . . . AB 23
St-Yves (Prom.) . . . . . A 25
Sévigné (R.) . . . . . B 26
70e-R.I. (R. du) . . . . . B 27

Minotel Ⓜ sans rest, 47 r. Poterie ☏ 99 75 11 11 – GB A **b**
30 – **16 ch** 200/320.

H. Petit-Billot sans rest, 5 pl. Mar. Leclerc ☏ 99 75 02 10, Fax 99 74 72 96 – GB
fermé 20 déc. au 3 janv. et dim. hors sais. – 25 – **22 ch** 150/250. B **t**

Chêne Vert, pl. Gén. de Gaulle ☏ 99 75 00 58 – GB. ch B **a**
fermé 22 sept. au 22 oct., vend. soir hors sais. et sam. sauf fériés – **R** 70/170, enf. 40 – 28 – **22 ch** 100/280.

Le Pichet, 17 bd Laval par ② ☏ 99 75 24 09, – GB
fermé 1er au 18 août, dim. soir et lundi – **R** 95/200.

Taverne de l'Écu, 12 r. Beaudrairie ☏ 99 75 11 09, « Vieille maison du 17e siècle » – GB A **e**
fermé 1er au 15 janv., dim. soir et lundi – **R** 75/125.

Rest. Petit-Billot, 5 pl. Mar. Leclerc ☏ 99 74 68 88 – GB B **t**
fermé 15 déc. au 15 janv., vend. soir hors sais. et sam. – **Repas** 70/115.

par ② : 10 km, aire d'Erbrée sur E 50 – ✉ **35500** Vitré :

Patio Vert Ⓜ sans rest, ☏ 99 49 49 99, Fax 99 49 30 22 – GB
28 – **48 ch** 195/260.

CITROEN Gar. Pinel, rte de Laval par ② ☏ 99 75 06 52
PEUGEOT-TALBOT Gar. Gendry, av. d'Helmstedt par ③ ☏ 99 75 00 57
RENAULT Gar. Martin, 18 r. de Fougères ☏ 99 75 01 74
RENAULT Gar. Guilmault, rte de Laval par ② ☏ 99 75 00 53 N ☏ 99 74 91 55
V.A.G Mouton, rte de la Guerche ☏ 99 74 54 00

Vallée Pneus, av. d'Helmstedt ☏ 99 75 17 75

VITROLLES 13 B.-du-R. 84 ② – rattaché à Marignane.

VITRY-LE-FRANÇOIS SP **51300** Marne 61 ⑧ **G. Champagne** – 17 033 h. alt. 105.

Office de Tourisme pl. Giraud ☏ 26 74 45 30 – Paris 177 ⑤ – Châlons-sur-Marne 30 ① – Meaux 143 ⑤ – Melun 151 ⑤ – St-Dizier 29 ③ – Sens 141 ⑤ – Troyes 79 ⑤ – Verdun 96 ②.

VITRY-LE-FRANÇOIS

Armes (Pl. d') ABY
Briand (R. Aristide) AZ
Gde-Rue-de-Vaux BY
Leclerc (Pl. Mar.) BY 23
Pont (R. du) AY

Arquebuse (R. de l') BZ 2
Bac (Rue du) BY 3
Beaux-Anges (R. des) BZ 4
Bourgeois (Fg Léon) BZ 8
Chêne-Vert (R. du) BY 9
Dominé (Bd du Col.) AZ 10
Dominé-de-Verzé (R.) BZ 13
Guesde (R. Jules) AZ 14
Hauts-Pas (R. des) AZ 16
Hôtel-de-Ville (R. de l') BZ 19
Jaurès (Av. Jean) BZ 20
Joffre (Pl. Mar.) BZ 21
Minimes (R. des) AY 24
Moll (Av. du Col.) AZ 25
Paris (Av. de) AY 26
Petit-Denier (R. du) AY 28
Petite-Rue-de-Vaux BY 29
Petite-Sainte (R. de la) BZ 30
République (Av. de la) BZ 33
Royer-Collard (Pl.) BZ 34
St-Éloi (Rue de) BY 35
St-Michel (Rue) ABY 37
Sœurs (R. des) AY 38
Tour (R. de la) AY 39
Vieux-Port (Rue du) BZ 41
Vitry-le-Brûlé (Fg de) BY 42

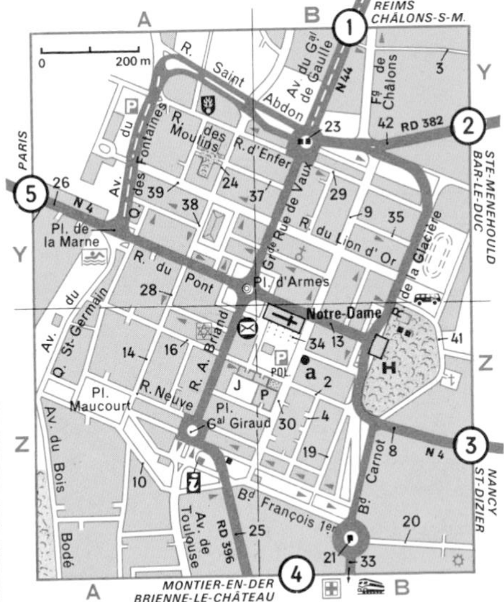

Poste, pl. Royer-Collard ☏ 26 74 02 65, Fax 26 74 54 71 – – 60. GB JCB BZ **a**
R *(fermé 9 au 24 août et dim.)* 105/230 – 38 – **31 ch** 340/650.

à St-Amand-sur-Fion par ① : 11 km par N 44 et D 260 – ✉ **51300** – **Voir** Église★.

Moulin de la Commanderie, ☏ 26 73 96 27, « Ancien moulin dans un jardin » – GB
fermé dim. soir et lundi sauf fériés – **R** 82/208, enf. 40.

à Thiéblemont-Farémont par ③ : 10 km – ✉ 51300 :

XXX **Le Champenois** avec ch, ℘ 26 73 81 03, Fax 26 73 80 95 – TV ☎ P. AE ⓓ GB
fermé 14 au 30 sept., 15 au 28 fév., dim. soir et lundi sauf fériés – **R** 95/315, enf. 75 – ☕ 30 – **9 ch** 180/290 – ½ P 250/290.

CITROEN Blacy Auto., N 4 à Blacy par ⑤ ℘ 26 74 15 29 N
OPEL-GM Gar. Labroche, 201 av. de Champagne à Frignicourt ℘ 26 74 13 58
PEUGEOT-TALBOT Vitry-Champagne-Autom., 2 av. de Paris par ⑤ ℘ 26 74 11 47 N
V.A.G Gar. Ruffo, 10 fg St-Dizier ℘ 26 74 39 33
Ⓜ Auto-Pneu-Marché, 14 av. de Paris ℘ 26 74 04 14
Fischbach Pneu, 138 av. Gén.-Leclerc à Frignicourt ℘ 26 72 27 33

VITTEAUX 21350 Côte-d'Or 65 ⑱ G. Bourgogne – 1 064 h. alt. 325.

Paris 260 – ♦Dijon 48 – Auxerre 97 – Avallon 53 – Beaune 66 – Montbard 34 – Saulieu 29.

X **Vieille Auberge,** ℘ 80 49 60 88 – AE GB
fermé 17 au 27 juin, 12 au 26 nov., 18 au 27 fév., merc. sauf le midi en juil.-août et mardi soir – **R** 68/170 &.

VITTEL 88800 Vosges 62 ⑭ G. Alsace Lorraine – 6 296 h. alt. 324 – Stat. therm. (10 fév.-déc.) – Casino ABY.

Voir Parc★ BY.

9 18 18 ℘ 29 08 18 80.

Syndicat d'Initiative av. Bouloumié ℘ 29 08 08 88.

Paris 334 ② – Épinal 41 ① – Belfort 122 ① – Chaumont 83 ② – Langres 72 ② – ♦Nancy 70 ①.

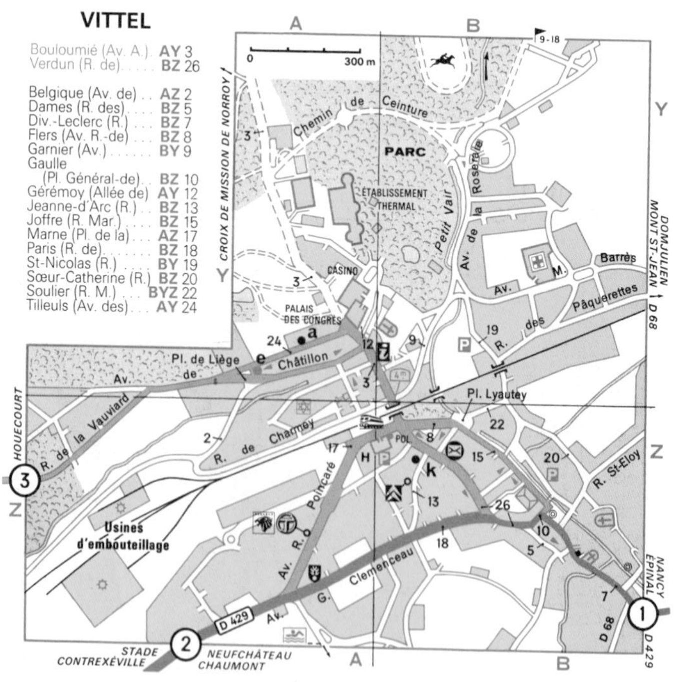

🏨 **Castel Fleuri** &, r. Metz ℘ 29 08 05 20, ⛱ – ☎ P — BZ **k**
20 mai-20 sept. – **R** 97/110 – ☕ 25 – **42 ch** 96/290 – ½ P 170/215.

🏨 **Bellevue** &, 503 av. Châtillon ℘ 29 08 07 98, Fax 29 08 07 48, ⛱ – TV ☎ P AE ⓓ GB — AYZ **b**
15 avril-15 oct. – **R** 95/170 – ☕ 30 – **39 ch** 230/340 – ½ P 255/285.

🏨 **Beauséjour,** 160 av. Tilleuls ℘ 29 08 09 34 – ☎. GB — AY **a**
15 avril-15 nov. – **R** 65/125 &, enf. 36 – ☕ 24 – **37 ch** 130/285 – ½ P 195/300.

XXX **L'Aubergade** M avec ch, 265 av. Tilleuls ℘ 29 08 04 39 – TV ☎. AE GB — AY **e**
R *(fermé 22 déc. au 2 janv., dim. soir et lundi sauf juil.-août)* 180/285 – ☕ 38 – **9 ch** 250/390 – ½ P 400/500.

par ③ : 3 km rte Hippodrome – ✉ **88800** Vittel :

Orée du Bois, ✆ 29 08 88 88, Fax 29 08 01 61, ←, – 40. AE GB. ch
Repas *(fermé dim. soir de nov. à avril)* 56/160 ₰, enf. 37 – ☕ 30 – **36 ch** 201/235 – ½ P 220.

CITROEN Villeminot, 106 av. Jeanne-d'Arc ✆ 29 08 19 44 **N**

PEUGEOT-TALBOT Rambaud, 288 av. Poincaré ✆ 29 08 05 24 **N** ✆ 29 08 19 44

VIVÈS **66** Pyr.-Or. 86 ⑲ – rattaché au Boulou.

VIVIERS **07220** Ardèche 80 ⑩ **G. Vallée du Rhône** (plan) – 3 407 h. alt. 71.

Voir Vieille ville★ – Cathédrale St-Vincent : réseau★ des nervures du choeur – Sommet de la colline la "Jouannade" ←★ 15 mn – Défilé de Donzère★★ au S.

Paris 618 – Valence 57 – Aubenas 40 – Montélimar 11 – Pont-St-Esprit 29 – Privas 41 – Vallon-Pont-d'Arc 37.

Relais du Vivarais avec ch, NO : 2 km sur N 86 ✆ **75 52 60 41**, – **P**
fermé 20 déc. au 1er mars et merc. – **R** (prévenir) 75/155 ₰, enf. 50 – ☕ 25 – **10 ch** 140/200 – ½ P 195.

PEUGEOT-TALBOT Sabadel ✆ 75 52 62 70 **N**

VIVIERS-DU-LAC **73** Savoie 74 ⑮ – rattaché à Aix-les-Bains.

Le VIVIER-SUR-MER **35960** I.-et-V. 59 ⑥ – 1 012 h.

Paris 383 – St-Malo 21 – Dinan 30 – Dol-de-Bretagne 8 – Fougères 59 – Le Mont-St-Michel 31.

Bretagne, ✆ **99 48 91 74** – ☎ **P**. AE ⓓ GB
1er mars-30 nov. et fermé lundi (sauf le soir en juil.-août) et dim. soir de sept. à juin – **R** 100/220, enf. 55 – ☕ 30 – **28 ch** 250/270 – ½ P 260/300.

VIVONNE **86370** Vienne 68 ⑬ **G. Poitou Vendée Charentes** – 2 955 h. alt. 83.

Paris 355 – Poitiers 20 – Angoulême 90 – Confolens 60 – Niort 63 – St-Jean-d'Angély 88.

La Treille, av. Bordeaux ✆ **49 43 41 13**, – AE GB
fermé 15 fév. au 5 mars et merc. – **R** 92/195, enf. 42.

PEUGEOT-TALBOT Babeau ✆ 49 43 41 29 **N**

VOGELGRUN **68** H.-Rhin 62 ⑳ – rattaché à Neuf-Brisach.

VOGLANS **73** Savoie 74 ⑮ – rattaché à Chambéry.

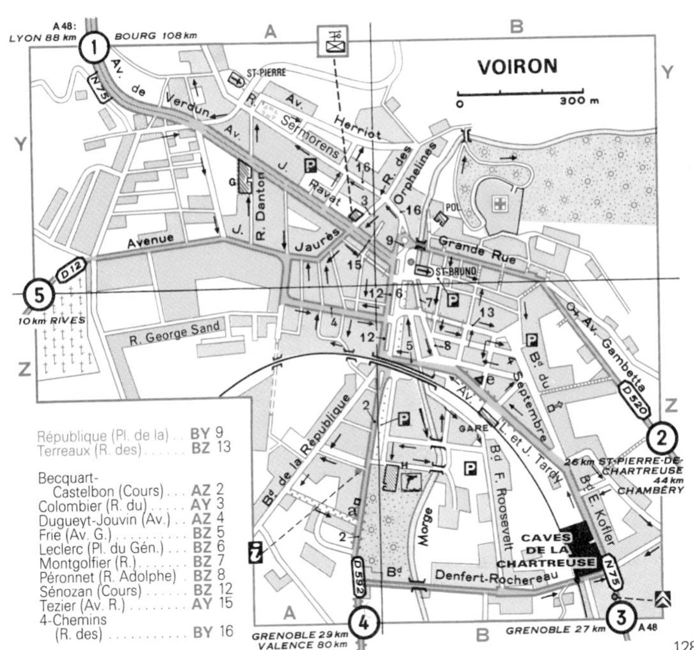

VOIRON 38500 Isère 77 ④ G. Alpes du Nord – 18 686 h. alt. 290.

Voir Caves de la Chartreuse★BZ.

Office de Tourisme 3 r. P.-Vial ✆ 76 05 00 38.

Paris 552 ① – ◆Grenoble 27 ④ – Bourg-en-Bresse 109 ① – Chambéry 44 ② – ◆Lyon 84 ④ – Romans-sur-Isère 73 ④ – Valence 85 ④ – Vienne 68 ④.

Plan page précédente

Abelia M, 72 cours Becquart Castelbon ✆ 76 65 90 00, Télex 308475, Fax 76 65 71 22 – AE GB. rest AZ **a**
R 79/260 , enf. 45 – 32 – **42 ch** 270/290 – ½ P 230.

La Chaumière, r. Chaumière (par bd République -AZ) ✆ 76 05 16 24, Fax 76 05 13 27 – GB.
fermé 23 déc. au 5 janv. et sam. (sauf hôtel en vacances scolaires) – **R** 70/160 , enf. 45 – 25 – **24 ch** 120/250 – ½ P 190/300.

XXX **Serratrice,** 3 av. Tardy ✆ 76 05 29 88, Fax 76 05 45 62 – AE GB BZ **e**
fermé 20 juin au 10 sept., dim. soir et lundi – **R** 130/480 , enf. 60.

XX **Eden,** par ② : 1 km ✆ 76 05 17 40, ←, – AE GB
fermé 5 au 10 mai, 1er au 13 sept., dim. soir et lundi – **R** 92/320.

CITROEN Gar. de Chartreuse, 22 bd E.-Kofler ✆ 76 05 03 16
CITROEN SA Roussillon, ZI les Blanchisseries par ① ✆ 76 65 92 33
OPEL GM Gar. de la Gare, 5 bis av. Tardy ✆ 76 05 03 49
PEUGEOT-TALBOT Guilmeau, ZI des Blanchisseries, N 75 par ① ✆ 76 05 85 33
Piot-Pneu, bd Denfert-Rochereau ✆ 76 05 06 39

VOISINS-LE-BRETONNEUX 78 Yvelines 60 ⑨ – voir à St-Quentin-en-Yvelines.

VONNAS 01540 Ain 74 ② – 2 381 h. alt. 189.

Paris 409 – Mâcon 19 – Bourg-en-Bresse 24 – ◆Lyon 63 – Villefranche-sur-Saône 40.

✿✿✿ **Georges Blanc** M , ✆ 74 50 00 10, Télex 380776, Fax 74 50 08 80, « Elégante hostellerie au bord de la Veyle, jardin fleuri », , – rest AE GB
fermé 2 janv. au 8 fév. – **R** *(fermé jeudi sauf le soir du 15 juin au 15 sept. et merc. sauf fériés)* (nombre de couverts limité - prévenir) 410/620 et carte 450 à 580, enf. 150 – 80 – **34 ch** 600/1600, 7 appart. 1800/3200
Spéc. Crêpe parmentière au saumon et caviar, Saint-Jacques rôties aux cèpes (oct. à avril), Fricassée de poularde de Bresse aux gousses d'ail et foie gras. **Vins** Mâcon-Azé, Chiroubles.

La Résidence des Saules M sans rest, ✆ 74 50 11 13, Télex 380776, Fax 74 50 08 80 – AE GB
fermé 2 janv. au 8 fév – **R** voir rest. **L'Ancienne Auberge** ci-après – 80 – **6 ch** 450/600, 4 appart. 800.

X **L'Ancienne Auberge,** ✆ 74 50 11 13, Télex 380776, Fax 74 50 08 80, – AE GB
fermé 2 janv. au 8 fév. dim. soir et lundi – **R** 130/200.

CITROEN Ferrand ✆ 74 50 00 27
NISSAN Gautret ✆ 74 50 02 41
PEUGEOT-TALBOT Mousset ✆ 74 50 06 02
RENAULT Morel ✆ 74 50 15 66 N

VOUGEOT 21640 Côte-d'Or 166 ⑫ – 176 h. alt. 225.

Voir Château du Clos de Vougeot★ O, G. Bourgogne.

Paris 326 – ◆Dijon 17 – Beaune 26.

à Gilly-lès-Cîteaux E : 2 km par D 251 – ✉ 21640 :

Château de Gilly M , ✆ 80 62 89 98, Télex 351467, Fax 80 62 82 34, « Ancien palais abbatial cistercien, jardins à la française », – – 150. GB. rest
fermé 24 janv. au 7 mars – **R** 250/390, enf. 90 – 75 – **39 ch** 600/1100, 8 appart. – ½ P 650/900.

VOUGY 74130 H.-Savoie 74 ⑦ – 867 h. alt. 351.

Paris 565 – Chamonix-Mont-Blanc 47 – Thonon-les-Bains 53 – Annecy 48 – Bonneville 7 – Cluses 7 – ◆Genève 38.

XXX ✿ **Capucin Gourmand** (Barbin), rte Bonneville ✆ 50 34 03 50 – AE GB
fermé 17 août au 8 sept., 2 au 6 janv., dim. soir et lundi – **R** 190/350
Spéc. Filet de féra à la sarriette (mai à oct.), Feuilleté de foie gras à l'essence de truffe, Fondant truffé aux noix et sorbet cacao. **Vins** Mondeuse, Chignin-Bergeron.

VOUILLÉ 86190 Vienne 68 ⑬ – 2 574 h. alt. 107.

Paris 340 – Poitiers 19 – Châtellerault 39 – Parthenay 34 – Saumur 83 – Thouars 54.

X **Cheval Blanc** avec ch, ✆ 49 51 81 46, Fax 49 51 96 31 – – 25 à 80. AE GB.
R 60/160 , enf. 45 – 28 – **12 ch** 90/170 – ½ P 150/170.

Annexe Le Clovis M sans rest, – AE GB.
28 – **25 ch** 200/250.

VOULAINES-LES-TEMPLIERS 21290 Côte-d'Or 65 ⑨ – 383 h. alt. 280.

Paris 265 – Chaumont 54 – Châtillon-sur-Seine 19 – ◆Dijon 76.

La Forestière sans rest, ✆ 80 81 80 65, – GB
25 – **10 ch** 170/225.

La VOULTE-SUR-RHÔNE 07800 Ardèche 77 ⑪ G. Vallée du Rhône – 5 116 h. alt. 92.

Voir Corniche de l'Eyrieux★★★ NO : 4,5 km – Plan d'eau du Rhône★.

Paris 580 – Valence 19 – Crest 29 – Montélimar 32 – Privas 20.

Vallée, quai A. France ✆ 75 62 41 10, ←, – ☎ . GB
fermé janv. et sam. sauf juil.-août – **R** 68/220 – 26 – **17 ch** 120/250 – ½ P 200/240.

CITROEN Gar. Coutton ✆ 75 62 00 82

VOUVANT 85120 Vendée 67 ⑯ G. Poitou Vendée Charentes – 829 h. alt. 70.

Voir Eglise★ – Château : tour Mélusine★ (✻★).

Paris 399 – Bressuire 44 – Fontenay-le-Comte 15 – Parthenay 48 – La Roche-sur-Yon 61.

XX **Aub. Maître Pannetier** avec ch, ✆ 51 00 80 12 – ☎. GB
fermé vacances de fév., dim. soir et lundi sauf juil.-août – **R** 60/300 – 25 – **8 ch** 160/250 – ½ P 180/270.

VOUVRAY 37210 I.-et-L. 64 ⑮ G. Châteaux de la Loire – 2 933 h. alt. 60.

Paris 237 – ◆Tours 9,5 – Amboise 15 – Blois 49 – Château-Renault 26.

XX **Le Grand Vatel** avec ch, av. Brûlé ✆ 47 52 70 32, Fax 47 52 74 52, – ☎ . GB. ch
fermé 8 au 23 mars, 1er au 15 déc., dim. soir (sauf juil.-août) et lundi – **R** 125/220 – 30 – **7 ch** (½ pens. seul.) – ½ P 240/270.

XX **Au Virage Gastronomique,** 25 av. Brûlé ✆ 47 52 70 02, – . GB
fermé 15 au 25 juil., vacances de Noël, de fév. et merc. – **R** 110/245 , enf. 76.

à Noizay E : 8,5 km par D 46 et D 1 – ✉ **37210** :

Château de Noizay , ✆ 47 52 11 01, Télex 752715, Fax 47 52 04 64, ←, , , , – ☎ – 30. AE GB
15 mars-15 nov. – **R** 210/270, enf. 60 – 60 – **14 ch** 795/995 – ½ P 660/830.

RENAULT Gar. des Sports ✆ 47 52 73 36

VOUZERON 18330 Cher 64 ⑳ – 441 h. alt. 226.

Paris 215 – Bourges 27 – Gien 61 – ◆Orléans 90 – Vierzon 16.

Relais de Vouzeron , ✆ 48 51 61 38, , « Bel intérieur » – . AE GB
fermé 1er au 15 août, 15 au 31 janv. et lundi – **R** carte 180 à 270 – 39 – **9 ch** 250/390 – ½ P 304/374.

VOVES 28150 E.-et-L. 60 ⑱ – 2 785 h. alt. 145.

Paris 98 – Chartres 23 – Ablis 34 – Bonneval 22 – Châteaudun 36 – Étampes 48 – ◆Orléans 58.

Quai Fleuri , rte Auneau ✆ 37 99 15 15, Fax 37 99 11 20, , parc – ☎ – 40. AE GB
fermé 19 déc. au 10 janv., vend. soir de nov. à avril, dim. soir et soirs fériés – **R** 69/239 , enf. 45 – 32 – **17 ch** 180/540 – ½ P 255/295.

CITROEN Jeannot ✆ 37 99 01 70 N
PEUGEOT-TALBOT Poupaux ✆ 37 99 10 55 N
RENAULT Nadler ✆ 37 99 17 82

La VRINE 25 Doubs 70 ⑥ – alt. 836 – ✉ **25520** Goux-les-Usiers.

Paris 458 – ◆Besançon 49 – Morteau 27 – Mouthier-Hte-Pierre 11 – Pontarlier 9,5 – Salins-les-Bains 43.

Ferme H., ✆ 81 39 47 74, Fax 81 39 21 87 – ☎ . GB
R *(fermé dim. soir et lundi)* 75/200 , enf. 45 – 30 – **34 ch** 180/200 – ½ P 230.

WAHLBACH 68 H.-Rhin 66 ⑩ – rattaché à Altkirch.

WANGENBOURG 67710 B.-Rhin 62 ⑧ ⑨ G. Alsace Lorraine – alt. 452.

Voir Site★.

Env. Château et cascade du Nideck★★ SO : 9 km puis 1 h 15.

Syndicat d'initiative rte Gén.-de-Gaulle (juil.-août) ✆ 88 87 32 44.

Paris 469 – ◆Strasbourg 41 – Molsheim 30 – Sarrebourg 37 – Saverne 20 – Sélestat 59.

Parc , ✆ 88 87 31 72, Fax 88 87 38 00, ←, « Joli parc ombragé », , – ☎ – 50. GB.
fermé 3 nov. au 22 déc. et 2 janv. au 20 mars – **Repas** 105/255 , enf. 59 – 46 – **34 ch** 224/358 – ½ P 278/316.

Scheidecker-Fruhauff, ✆ 88 87 30 89 – . GB
1er mars-30 nov. et fermé lundi soir et mardi en hiver – **R** 60/160 – 30 – **26 ch** 120/200 – ½ P 150/180.

à Engenthal N : 2 km carrefour D 218 - D 224 – ✉ **67710** Wangenbourg-Engenthal :

XX **Vosges** avec ch, ✆ 88 87 30 35, ←, , – ☎ . GB
fermé mardi soir et merc. hors sais. – **R** 100/200 – 25 – **11 ch** 100/240 – ½ P 205/230.

La WANTZENAU 67 B.-Rhin 62 ⑩ – rattaché à Strasbourg.

WASSELONNE 67310 B.-Rhin 62 ⑨ G. Alsace Lorraine – 4 916 h. alt. 200.

Office de Tourisme pl. Gén.-Leclerc (15 juin-15 sept.) ☏ 88 87 17 22 et à la Mairie (hors saison) ☏ 88 87 03 28.

Paris 463 – ◆ Strasbourg 26 – Haguenau 39 – Molsheim 15 – Saverne 14 – Sélestat 51.

XX **Au Saumon** avec ch, r. Gén. de Gaulle ☏ 88 87 01 83, Fax 88 87 22 15 – TV ☎ P. AE O GB
fermé 21 au 28 déc., vacances de fév., dim. soir hors sais. (sauf hôtel) et lundi – **R** 90/250 ♨, enf. 40 – ☕ 30 – **16 ch** 110/220 – ½ P 180/230.

CITROEN Gar. Bohnert ☏ 88 87 03 72
RENAULT Gar. Kern ☏ 88 87 01 92 N ☏ 88 87 27 27

WESTHALTEN 68250 H.-Rhin 62 ⑱ G. Alsace Lorraine – 770 h. alt. 240.

Paris 464 – Colmar 20 – Guebwiller 9 – ◆Mulhouse 27 – Thann 26.

XXX ✿ **Aub. Cheval Blanc** (Koehler) M ⛰ avec ch, ☏ 89 47 01 16, Fax 89 47 64 40 – ⇅ TV ☎ ♿ P – 🏃 30. GB
fermé 29 juin au 10 juil. et 9 fév. au 5 mars – **R** *(fermé dim. soir et lundi)* 150/420 ♨, enf. 60 – ☕ 40 – **12 ch** 300/400 – ½ P 380
Spéc. Foie gras d'oie, Croustillant d'escargots à l'alsacienne, Gibier (saison). **Vins** Tokay-Pinot gris, Riesling.

WETTOLSHEIM 68 H.-Rhin 62 ⑲ – rattaché à Colmar.

WIHR-AU-VAL 68230 H.-Rhin 62 ⑱ – 1 089 h. alt. 320.

Voir Soultzbach-les-Bains : autels★★ dans l'église S : 2 km, G. Alsace Lorraine.

Paris 450 – Colmar 14 – Gérardmer 37 – Guebwiller 23 – Munster 5.

🏨 **Motel la Prairie** sans rest, E sur D 417 : 2 km ✉ 68230 Turckheim ☏ 89 71 10 00, Fax 89 71 02 70 – ⇄ ☎ P. AE O GB
☕ 30 – **20 ch** 230/250.

RENAULT Meyer et Philippe ☏ 89 71 11 09

☛ *Pas de publicité payée dans ce guide.*

WIMEREUX 62930 P.-de-C. 51 ① G. Flandres Artois Picardie – 7 109 h.

18 ☏ 21 32 43 20, N : 2 km.

Paris 297 – ◆ Calais 29 – Arras 117 – Boulogne-sur-Mer 6 – Marquise 9,5.

🏨 **Centre,** 78 r. Carnot ☏ 21 32 41 08, 🚗 – TV ☎ P. GB
fermé 9 au 15 juin et 21 déc. au 20 janv. – **R** *(fermé lundi)* 85/150 ♨ – ☕ 26 – **25 ch** 170/290.

🏨 **Paul et Virginie,** 19 r. Gén. de Gaulle ☏ 21 32 42 12, Fax 21 87 65 85, 🌳 – ☎. AE O GB
fermé 15 déc. au 20 janv. – **R** *(fermé dim. soir sauf juil.-août)* 90/240, enf. 75 – ☕ 35 – **16 ch** 178/350 – ½ P 217/266.

XXX **Atlantic H.** avec ch, digue de mer (1er étage) ☏ 21 32 41 01, Fax 21 87 46 17, ← – ⇅ TV ☎ P – 🏃 90. GB. ✻
fermé 20 déc. au 20 fév. – **R** *(fermé lundi hors sais. et dim. soir)* 140/270 – ☕ 32 – **11 ch** 320/370 – ½ P 350/400.

XX **Epicure,** 1 r. Gare ☏ 21 83 21 83 – GB
fermé merc. – **R** (nombre de couverts limité, prévenir) 135/210.

RENAULT Coquart, 5 pl. O.-Dewavrin ☏ 21 32 40 02

WIMILLE 62 P.-de-C. 51 ① – rattaché à Boulogne-sur-Mer.

WINGEN-SUR-MODER 67290 B.-Rhin 57 ⑱ – 1 551 h. alt. 220.

Paris 433 – ◆ Strasbourg 56 – Bitche 19 – Haguenau 40 – Sarreguemines 43 – Saverne 33.

🏨 **Wenk,** ☏ 88 89 71 01, 🚗 – ☎ 🚘 P. GB
fermé 1er janv. au 7 fév. – **R** *(fermé merc. soir et lundi)* 55/210 ♨ – ☕ 33 – **19 ch** 130/210 – ½ P 220/250.

PEUGEOT Gar. Schmitt, 10 r. Gare à Winneau ☏ 88 89 71 39 N

WISEMBACH 88520 Vosges 62 ⑱ – 370 h. alt. 475.

Paris 405 – Colmar 44 – Épinal 65 – St-Dié 14 – Ste-Marie-aux-Mines 10,5 – Sélestat 32.

XX **Blanc Ru** ⛰ avec ch, ☏ 29 51 78 51, 🌳, 🚗 – ☎ P. O GB
fermé 15 au 25 sept., fév., dim. soir (sauf juil.-août) et lundi – **R** 86/180 ♨ – ☕ 30 – **7 ch** 235/295 – ½ P 200/266.

WISSEMBOURG SP 67160 B.-Rhin 57 ⑲ G. Alsace Lorraine – 7 443 h. alt. 160.

Voir Vieille ville★ : église St-Pierre et St-Paul★ A E – Col du Pigeonnier ←★ 5 km par ④.

Env. Village★★ d'Hunspach 11 km par ②.

Office de Tourisme pl. République ☏ 88 94 10 11.

Paris 494 ④ – ◆ Strasbourg 60 ② – Haguenau 31 ② – Karlsruhe 42 ② – Sarreguemines 82 ④.

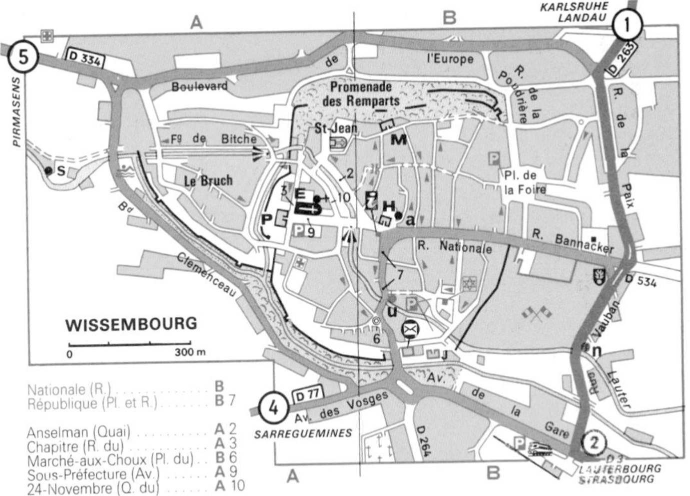

Nationale (R.) . . . . B
République (Pl. et R.) . . . . . . B 7

Anselman (Quai) . . . . A 2
Chapitre (R. du) . . . . A 3
Marché-aux-Choux (Pl. du) . . B 6
Sous-Préfecture (Av.) . . . . . . A 9
24-Novembre (Q. du) . . . . . . A 10

Cygne, 3 r. Sel ✆ 88 94 00 16, Fax 88 54 38 28, – TV ☎. GB. ch — B a
fermé 1er au 20 juil., 1er au 28 fév., jeudi midi et merc. – **R** 100/250, enf. 60 – 35 – **16 ch** 275/350 – ½ P 280/300.

Alsace M sans rest, 16 r. Vauban ✆ 88 94 98 43, Télex 870995, Fax 88 94 19 60 – TV ☎ ♿. P. AE ⓓ GB — B n
fermé 23 déc. au 11 janv. – 27 – **41 ch** 208/262.

Walck , ✆ 88 94 06 44, Fax 88 54 38 03, , – TV ☎ P – 40. GB. ch — A s
fermé 15 au 30 juin, 10 au 31 janv., dim. soir et lundi – **R** 110/220 – 32 – **25 ch** 250/300 – ½ P 250/270.

L'Ange, 2 r. République ✆ 88 94 12 11 – GB — B u
fermé vacances de fév., mardi soir et merc. – **R** 220/310 .

à Altenstadt par ② : 2 km – ✉ **67160** Wissembourg :

Rôtisserie Belle Vue, ✆ 88 94 02 30 – P. GB
fermé 7 au 30 août, 15 au 30 janv., lundi soir et mardi – **R** 151/250 .

RENAULT Gar. Grasser, allée Peupliers par ② ✆ 88 94 96 00 N ✆ 88 53 72 12
Gar. Badina ✆ 88 94 00 25

WOELFLING-LÈS-SARREGUEMINES **57** Moselle 57 ⑰ – rattaché à Sarreguemines.

XONRUPT-LONGEMER **88** Vosges 62 ⑰ – rattaché à Gérardmer.

YENNE **73170** Savoie 74 ⑮ **G. Alpes du Nord** – 2 449 h. alt. 231.

Paris 519 – Aix-les-B. 21 – Bellegarde-sur-Valserine 57 – Belley 11,5 – Chambéry 26 – La Tour-du-Pin 35.

La Diligence, ✆ 79 36 80 78 – AE ⓓ GB
fermé 15 au 30 nov., 15 au 31 janv., dim. soir et lundi sauf fêtes – **R** 65/200 , enf. 35.

CITROEN Gar. Gache ✆ 79 36 90 08
PEUGEOT-TALBOT Gar. Berger ✆ 79 36 70 20
RENAULT Gar. Clément ✆ 79 36 72 32 N ✆ 79 36 86 83

YERVILLE **76760** S.-Mar. 52 ⑭ – 1 948 h.

Paris 170 – ◆ Rouen 33 – Dieppe 41 – Fécamp 48 – ◆ Le Havre 64.

Voyageurs avec ch, ✆ 35 96 82 55, Fax 35 96 16 86, – TV P. GB
fermé dim. soir et lundi – **R** 65/178 – 30 – **10 ch** 170/220 – ½ P 180.

YEU (Ile d') ★★ **85** Vendée 67 ⑪ **G. Poitou Vendée Charentes** – 4 941 h.

Accès par transports maritimes, pour **Port-Joinville** (retenir passage autos très longtemps à l'avance, surtout pour juil.-août) écrire Gare de Port-Joinville ou ✆ 51 58 36 66.

depuis **Fromentine.** En 1991 : en saison, 2 à 6 services quotidiens ; hors saison, 1 à 4 services quotidiens - Traversée 1 h 15 mn – Voyageurs 115 F (AR), autos de 300 à 416 F par Régie Départementale des Passages d'Eau ✆ 51 68 52 32 (La Barre de Monts).

Port-de-la-Meule – ✉ **85530** L'Ile d'Yeu.

Voir Côte Sauvage★★ : ≤★★ E et O – Pointe de la Tranche★ SE.

Port-Joinville – alt. 5 – ✉ **85530** L'Ile d'Yeu.
Voir Vieux Château★ : ≤★★ SO : 3,5 km – Grand Phare ≤★ SO : 3 km.
Office de Tourisme pl. Marché ☎ 51 58 32 58.

Atlantic H. sans rest, quai Carnot ☎ **51 58 38 80**, ≤ – TV ☎. GB.
32 – **15 ch** 320/380.

Flux H., 27 r. P.-Henry ☎ **51 58 36 25**, ≤, – TV ☎ P. GB
fermé 24 nov. au 27 déc. – **R** *(fermé dim. soir hors sais.)* 75/180 – 30 – **16 ch** 230/310 – ½ P 290.

RENAULT Gar. Cantin 55 r. de la Saulzaie ☎ 51 58 33 80 N

YFFINIAC 22 C.-d'Armor 59 ③ – rattaché à St-Brieuc.

YSSINGEAUX 43200 H.-Loire 76 ⑧ **G. Vallée du Rhône** – 6 118 h. alt. 860.
Office de Tourisme pl. Carnot ☎ 71 59 10 76.
Paris 569 – Le Puy-en-Velay 26 – Ambert 72 – Privas 105 – ◆St-Étienne 51 – Valence 96.

H. et rest. Cygne, 7 et 8 r. Alsace-Lorraine ☎ **71 59 01 87**, – TV ☎ P. GB JCB
fermé sept., 21 déc. au 5 janv., dim. soir et lundi d'oct. à juin – **R** 80/210 – 30 – **18 ch** 190/220 – ½ P 280/295.

Le Bourbon avec ch, 5 pl. Victoire ☎ **71 59 06 54** – TV ☎ – 25. AE GB
fermé 25 juin au 6 juil., 1er au 22 oct., dim. soir et lundi sauf juil.-août – **R** 85/280 – 38 – **10 ch** 230/350 – ½ P 215/269.

CITROEN Gar. de Bellevue, rte de Retournac ☎ 71 59 00 68 N
CITROEN Gar. Surrel, r. de Verdun Sud par D 7 ☎ 71 59 07 46 N ☎ 71 59 09 44
PEUGEOT-TALBOT Gar. Berlier, rte de Saint-Étienne ☎ 71 59 06 65 N
RENAULT Renault Yssingeaux, La Guide ☎ 71 59 13 31
RENAULT Gar. Sagnard, ZI La Guide ☎ 71 59 03 39
Chapuis, av. Mar.-de-Vaux ☎ 71 59 05 24 N ☎ 71 59 15 80

YUTZ 57 Moselle 57 ④ – rattaché à Thionville.

YVETOT 76190 S.-Mar. 52 ⑬ **G. Normandie Vallée de la Seine** – 10 807 h. alt. 144.
Voir Verrières★★ de l'église **E**.
Syndicat d'Initiative pl. V.-Hugo ☎ 35 95 08 40.
Paris 177 ② – ◆Rouen 36 ② – Dieppe 54 ② – Fécamp 34 ⑤ – ◆Le Havre 50 ⑤ – Lisieux 86 ⑤.

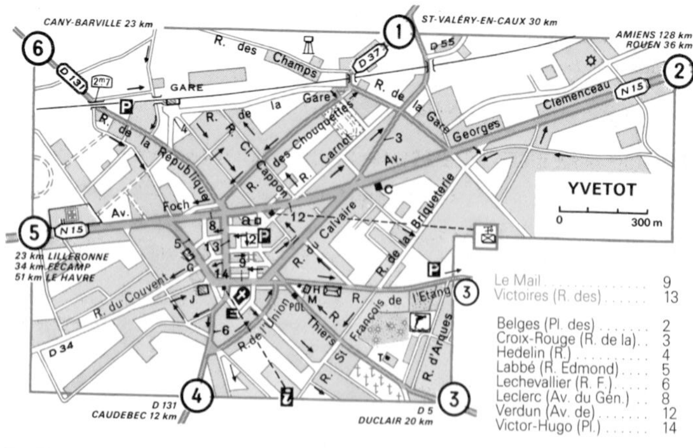

Havre, pl. Belges **(a)** ☎ **35 95 16 77**, Télex 771683, Fax 35 95 21 18 – TV ☎. AE GB
fermé dim. soir – **R** 105/195 – 30 – **28 ch** 160/280 – ½ P 255.

à Croix-Mare par ② et N 15 : 8 km – ✉ **76190** Yvetot :

Aub. de la Forge, ☎ **35 91 25 94**, « Cadre rustique », – P. AE GB
fermé 12 au 27 mars, 12 au 18 nov., mardi soir et merc. – **Repas** 95/245 bc, enf. 70.

FIAT Guillot, ZI d'Yvetot à Ste-Marie-des-Champs ☎ 35 95 18 44
FORD Viking Auto, av. Gén.-Leclerc ☎ 35 95 12 99
PEUGEOT-TALBOT Leroux N 15 bis à Valliquerville par ⑤ ☎ 35 95 16 66
Aubé, ZI ☎ 35 56 89 89
Central Pneu, 58 r. F.-Lechevalier ☎ 35 95 42 13
Rouen Pneus Caux, à Ourville-en-Caux ☎ 35 27 60 35

YVOIRE **74140** H.-Savoie **70** ⑯ ⑰ **G. Alpes du Nord** – 432 h. alt. 390.

Voir Village médiéval★★.

Syndicat d'Initiative pl. Mairie ✆ 50 72 80 21 et au Port de Plaisance (juin-sept.) ✆ 50 72 87 06.

Paris 567 – Thonon-les-Bains 16 – Annecy 72 – Bonneville 43 – ◆Genève 26.

Pré de la Cure M, ✆ 50 72 83 58, Fax 50 72 91 15, ≤, ☂, – TV ☎ P. GB
27 mars-1er nov. – **R** (fermé merc. hors sais.) 80/280 – ☐ 35 – **20 ch** 280 – ½ P 300.

Vieux Logis, ✆ 50 72 80 24, Fax 50 72 90 76, ☂ – ☎. AE ⓓ GB JCB
1er avril-1er nov. et fermé lundi sauf fériés – **R** 90/170, enf. 35 – ☐ 35 – **12 ch** 240.

XX **Port** avec ch, ✆ 50 72 80 17, Fax 50 72 90 71, ≤, ☂, « Terrasse au bord du lac » – TV ☎. AE GB
mi-mars-fin oct. et fermé merc. sauf juil. août – **R** 150/230 – ☐ 40 – **4 ch** 850.

XX **Flots Bleus** avec ch, ✆ 50 72 80 08, Fax 50 72 84 28, ≤, ☂, « Terrasse ombragée face au port » – TV ☎. GB
mars-fin sept. – **R** 95/270 – ☐ 40 – **11 ch** 280/330.

XX **A la Vieille Porte** (ouverture prévue : mai), ✆ 50 72 80 14, ≤, ☂, – GB
mai-1er nov. et fermé lundi – **R** 100/300, enf. 48.

YZEURES-SUR-CREUSE **37290** I.-et-L. **68** ⑤ – 1 747 h. alt. 80.

Paris 317 – Poitiers 66 – Châteauroux 72 – Châtellerault 29 – ◆Tours 84.

La Promenade, ✆ 47 94 55 21 – rest TV ☎. GB
fermé fév., dim. soir et lundi hors sais. – **R** 97/250 – ☐ 37 – **17 ch** 215/280 – ½ P 265.

ZELLENBERG **68** H.-Rhin **62** ⑲ – rattaché à Riquewihr.

ZOUFFTGEN **57330** Moselle **57** ③ – 597 h. alt. 250.

Paris 342 – Luxembourg 20 – ◆Metz 48 – Thionville 17.

XX **La Lorraine,** ✆ 82 83 40 46, Fax 82 83 48 26 – P. GB
fermé 15 au 31 août, 15 au 31 déc., mardi soir et merc. – **R** 160/360, enf. 70.

Distances
entre principales villes

QUELQUES PRÉCISIONS

Au texte de chaque localité vous trouverez la distance des villes environnantes et celle de Paris. Lorsque ces villes sont celles du tableau ci-contre, leur nom est précédé d'un losange ♦.

Les distances sont comptées à partir du centre-ville et par la route la plus pratique, c'est-à-dire celle qui offre les meilleures conditions de roulage, mais qui n'est pas nécessairement la plus courte.

Distances
between major towns

COMMENTARY

The text on each town includes its distance from its immediate neighbours and from Paris. Those cited opposite are preceded by a lozenge ♦ in the text.

Distances are calculated from centres and along the best roads from a motoring point of view – not necessarily the shortest.

Marseille – Strasbourg 801 km

	Amiens	Bâle	Bayonne	Besançon	Bordeaux	Brest	Caen	Calais	Clermont-Ferrand	Dijon	Genève	Grenoble	Le Havre	Lille	Limoges	Lyon	Le Mans	Marseille	Metz	Montpellier	Mulhouse	Nancy	Nantes	Nice	Orléans	Paris	Perpignan	Reims	Rennes	Rouen	Saint-Étienne	Strasbourg	Toulon	Toulouse
Bâle	578																																	
Bayonne	921	1023																																
Besançon	487	151	868																															
Bordeaux	727	831	185	683																														
Brest	611	1096	815	963	621																													
Caen	237	783	749	639	555	372																												
Calais	148	684	1063	589	869	706	333																											
Clermont-Ferrand	574	478	543	328	358	808	555	716																										
Dijon	461	244	816	83	622	868	544	549	266																									
Genève	684	259	951	177	682	1081	767	742	310	199																								
Grenoble	715	403	831	284	656	1122	798	857	296	297	144																							
Le Havre	178	746	817	603	623	482	109	267	578	508	730	762																						
Lille	116	611	992	518	798	726	353	114	645	480	669	786	294																					
Limoges	548	614	414	467	220	597	452	690	176	406	488	472	551	619																				
Lyon	611	401	722	255	538	1018	694	753	178	193	151	105	658	682	354																			
Le Mans	333	704	621	571	427	402	151	496	405	476	687	730	219	425	301	626																		
Marseille	921	711	698	565	648	1211	1005	1063	411	504	452	272	969	992	587	313	808																	
Metz	359	267	1098	268	904	922	572	463	534	265	424	565	536	368	643	461	530	771																
Montpellier	908	698	535	552	486	1107	992	1050	354	491	439	300	956	979	429	300	751	166	758															
Mulhouse	542	35	1009	136	815	1094	692	646	460	229	294	443	656	602	599	387	703	697	236	684														
Nancy	380	209	1046	210	852	885	546	484	483	214	366	514	510	420	622	410	493	720	54	707	178													
Nantes	512	847	517	750	323	297	282	675	461	655	726	717	402	604	303	613	185	972	709	809	878	672												
Nice	1081	737	857	603	808	1370	1164	1223	570	663	478	332	1128	1152	746	472	967	189	931	326	668	880	1131											
Orléans	279	538	650	395	456	545	260	421	301	301	522	555	283	350	275	451	142	709	456	647	523	372	303	868										
Paris	150	554	773	407	579	597	240	292	426	312	538	566	204	221	399	462	205	773	333	760	455	307	384	932	131									
Perpignan	1058	846	433	702	451	1072	1006	1200	455	640	587	449	1025	1129	509	449	878	316	908	153	830	857	774	475	749	909								
Reims	170	412	909	317	715	733	383	274	562	279	470	579	347	203	536	475	342	786	191	770	374	212	521	945	267	144	920							
Rennes	413	849	624	713	430	245	175	509	558	618	833	872	285	567	385	768	152	966	672	916	841	635	107	1125	296	347	881	484						
Rouen	115	682	810	536	616	495	122	211	511	441	666	695	86	231	484	591	194	902	469	889	664	443	377	1061	216	137	958	280	298					
Saint-Étienne	669	458	691	313	507	946	694	811	147	251	199	149	716	740	323	60	543	330	519	317	441	468	608	489	440	520	466	531	697	649				
Strasbourg	516	145	1113	239	919	1079	729	620	563	332	404	548	693	526	703	490	688	801	162	788	112	146	867	773	613	490	937	348	830	626	548			
Toulon	986	776	762	630	713	1275	1069	1128	475	568	517	324	1033	1057	651	377	872	64	836	231	758	785	1036	153	769	837	380	848	1026	966	394	861		
Toulouse	847	934	299	790	245	864	799	989	373	728	675	537	850	918	301	537	670	404	996	241	918	945	567	563	574	698	206	835	674	783	439	1021	468	
Tours	385	656	540	514	346	469	232	527	336	420	528	561	299	456	220	457	81	743	562	682	642	510	197	903	114	237	797	373	219	274	474	719	808	592

PRINCIPALES ROUTES

N 4 — Numéro de route

14 — Distances partielles

Distances entre principales villes : *voir tableau page précédente*

⊙ Carte de voisinage : *voir à la ville choisie*

MAIN ROADS

N 4 — Road number

14 — Intermediary distances

Distances between major towns : *see table on preceding page*

⊙ Town with a local map

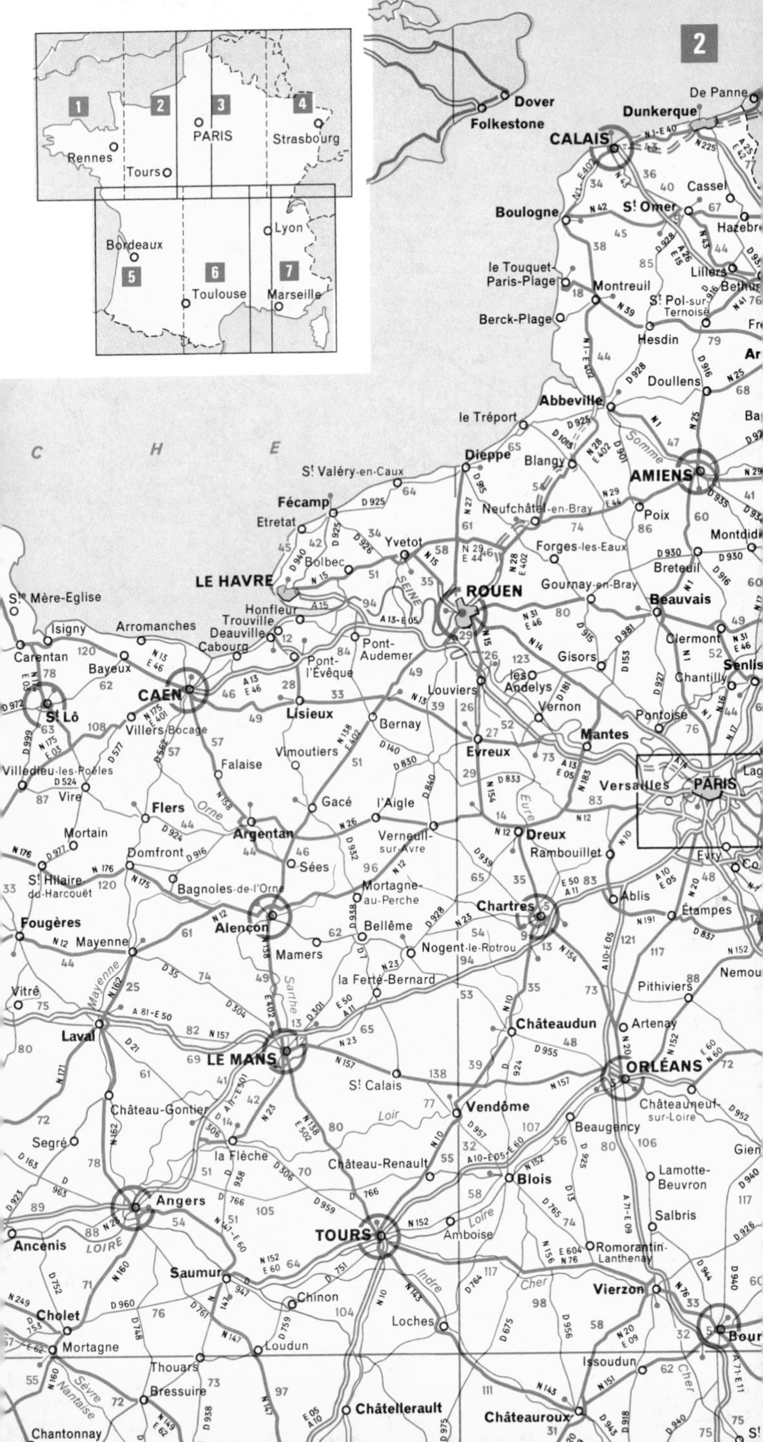
2
Dover
Folkestone
CALAIS
Dunkerque
De Panne
Boulogne
St Omer
Cassel
Hazebrouck
le Touquet-Paris-Plage
Montreuil
Lillers
St Pol-sur-Ternoise
Berck-Plage
Hesdin
Doullens
Abbeville
le Tréport
Dieppe
Blangy
AMIENS
Somme
St Valéry-en-Caux
Fécamp
Etretat
Neufchâtel-en-Bray
Poix
Montdidier
Yvetot
Bolbec
Forges-les-Eaux
Breteuil
LE HAVRE
ROUEN
Gournay-en-Bray
Beauvais
Honfleur
Trouville
Deauville
Cabourg
Pont-Audemer
Pont-l'Évêque
Ste Mère-Eglise
Isigny
Arromanches
Carentan
Bayeux
CAEN
Lisieux
St Lô
Villers-Bocage
Louviers
les Andelys
Gisors
Clermont
Chantilly
Senlis
Bernay
Vernon
Pontoise
Mantes
Evreux
Vimoutiers
Villedieu-les-Poëles
Falaise
Versailles
PARIS
Vire
Flers
Gacé
l'Aigle
Orne
Mortain
Argentan
Verneuil-sur-Avre
Eure
Dreux
Domfront
Sées
Rambouillet
Evry
St Hilaire-du-Harcouët
Bagnoles-de-l'Orne
Mortagne-au-Perche
Chartres
Ablis
Étampes
Fougères
Alençon
Bellême
Mayenne
Mamers
Nogent-le-Rotrou
la Ferté-Bernard
Pithiviers
Vitré
Sarthe
Laval
LE MANS
Châteaudun
Artenay
St Calais
ORLÉANS
Château-Gontier
Vendôme
Châteauneuf-sur-Loire
Loir
Beaugency
Segré
la Flèche
Château-Renault
Blois
Lamotte-Beuvron
Angers
Gien
Ancenis
LOIRE
TOURS
Amboise
Salbris
Romorantin-Lanthenay
Saumur
Chinon
Indre
Cher
Vierzon
Cholet
Loches
Mortagne
Loudun
Thouars
Issoudun
Bressuire
Sèvre Nantaise
Châtellerault
Châteauroux
Chantonnay
1
2
3
4
5
6
7
Rennes
Tours
PARIS
Strasbourg
Bordeaux
Lyon
Toulouse
Marseille

3
Blankenberge
Oostende
Brugge
ANTWERPEN
BELGIË
Dover
Folkestone
De Panne
Dunkerque
Veurne
GENT
Mechelen
CALAIS
Kortrijk
Cassel
Ieper
BRUSSEL
BRUXELLES
Boulogne
St Omer
Armentières
Hazebrouck
ESCAUT
BELGIQUE
le Touquet-Paris-Plage
Lillers
LILLE
Tournai
Montreuil
Béthune
Berck-Plage
St Pol-sur-Ternoise
Lens
Mons
Namur
Valenciennes
Charleroi
Hesdin
Fresnes-les M.
Douai
Meuse
Arras
Maubeuge
Dinant
Doullens
Cambrai
Sambre
Philippeville
Abbeville
Tréport
Bapaume
le Cateau
Avesnes
Givet
Somme
Dieppe
Blangy
Péronne
Guise
Hirson
Rocroi
AMIENS
St Quentin
Charleville-Mézières
Neufchâtel-en-Bray
Poix
Vervins
Neuville-aux-Tourneurs
Sedan
Montdidier
Roye
Forges-les-Eaux
Breteuil
Noyon
Laon
Rethel
Oise
ROUEN
Gournay-en-Bray
Beauvais
Compiègne
Aisne
Vouziers
Clermont
Soissons
Gisors
Senlis
REIMS
les Andelys
Chantilly
Villers-Cotterets
Vernon
Ste Menehould
Pontoise
Marne
Epernay
Mantes
Meaux
Château-Thierry
Evreux
Châlons-sur-Marne
Lagny
la Ferté-sous-Jouarre
Versailles
PARIS
Montmirail
Eure
Coulommiers
Dreux
Sézanne
Vitry-le-François
Rambouillet
Evry
St Dizier
Corbeil-Essonnes
Provins
Aube
Melun
Chartres
Ablis
Etampes
Fontainebleau
Nogent-sur-Seine
Seine
Rotrou
Montereau
Troyes
Nemours
Sens
Bar-sur-Aube
Pithiviers
Châteaudun
Artenay
Yonne
St Florentin
Joigny
ORLÉANS
Montargis
Tonnerre
Vendôme
Châteauneuf-sur-Loire
Auxerre
Châtillon-sur-Seine
Beaugency
Gien
Briare
Montbard
Blois
Lamotte-Beuvron
Bonny-sur-Loire
Loire
Salbris
Clamecy
Avallon
Cosne-sur-Loire
Romorantin-Lanthenay
Saulieu
Pouilly-en-Auxois
Cher
Vierzon
la Charité-sur-Loire
Château-Chinon
Bourges
Beaune
Meursault
Issoudun
Nevers
Autun
Chagny
Châteauroux
Luzy
St Pierre-le-Moutier
le Creusot
St Amand-

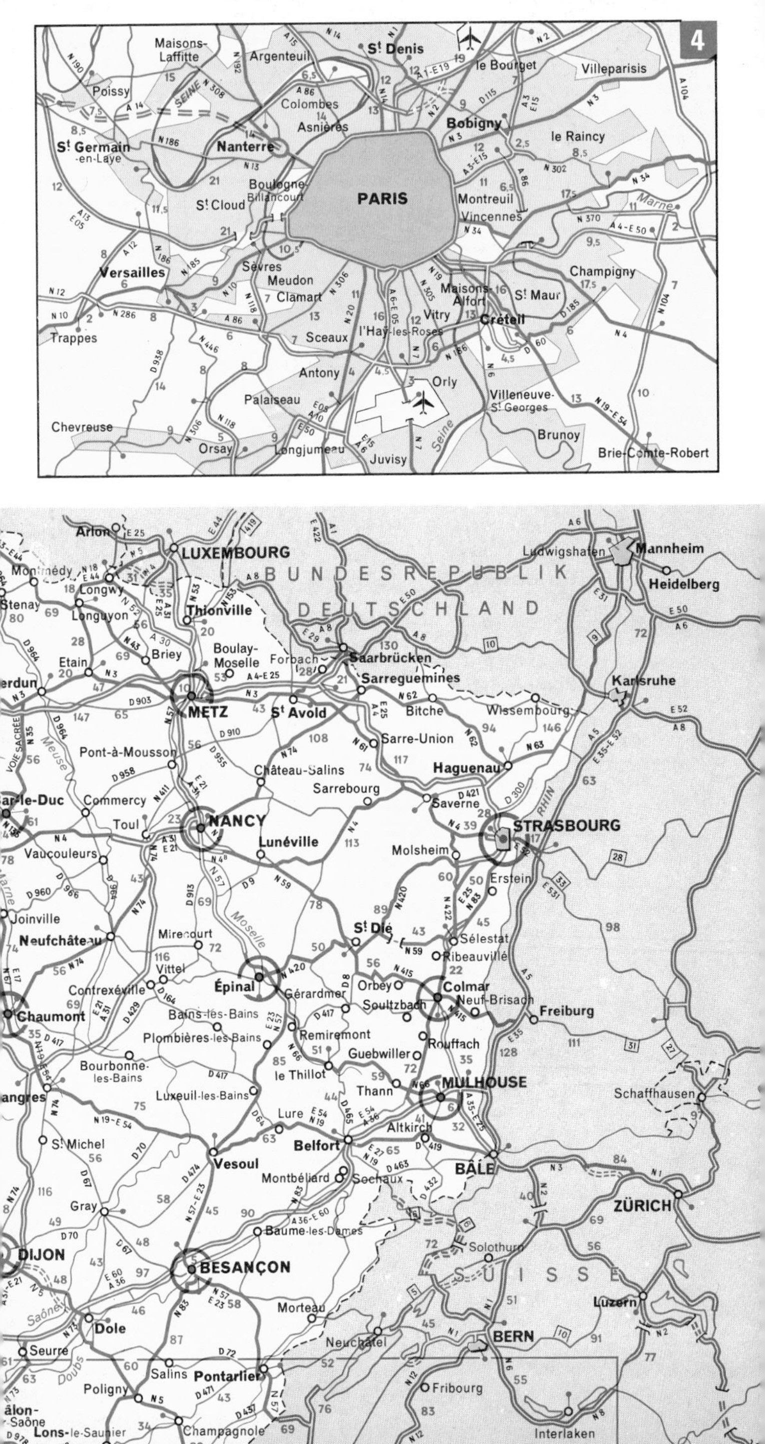

4
Maisons-Laffitte
Argenteuil
St Denis
le Bourget
Villeparisis
Poissy
Seine
Colombes
Asnières
Bobigny
le Raincy
St Germain -en-Laye
Nanterre
PARIS
Boulogne-Billancourt
St Cloud
Montreuil
Vincennes
Marne
Versailles
Sèvres
Meudon
Clamart
Champigny
Maisons-Alfort
St Maur
Vitry
Créteil
Trappes
Sceaux
l'Haÿ-les-Roses
Antony
Orly
Palaiseau
Villeneuve-St Georges
Chevreuse
Orsay
Longjumeau
Juvisy
Brunoy
Brie-Comte-Robert
Arlon
LUXEMBOURG
Montmédy
Longwy
Stenay
Longuyon
Thionville
BUNDESREPUBLIK DEUTSCHLAND
Ludwigshafen
Mannheim
Heidelberg
Briey
Etain
Boulay-Moselle
Forbach
Saarbrücken
Sarreguemines
Karlsruhe
erdun
METZ
St Avold
Bitche
Wissembourg
VOIE SACRÉE
Meuse
Pont-à-Mousson
Sarre-Union
Château-Salins
Haguenau
Sarrebourg
ar-le-Duc
Commercy
Toul
NANCY
Saverne
STRASBOURG
RHIN
Vaucouleurs
Lunéville
Molsheim
Erstein
Marne
Joinville
St Dié
Sélestat
Neufchâteau
Mirecourt
Moselle
Ribeauvillé
Vittel
Épinal
Orbey
Colmar
Contrexéville
Gérardmer
Soultzbach
Neuf-Brisach
Freiburg
Chaumont
Bains-les-Bains
Plombières-les-Bains
Remiremont
Rouffach
Bourbonne-les-Bains
Guebwiller
le Thillot
Thann
MULHOUSE
angres
Luxeuil-les-Bains
Schaffhausen
Lure
Altkirch
St Michel
Belfort
Vesoul
BÂLE
Montbéliard
Sochaux
ZÜRICH
Gray
Baume-les-Dames
DIJON
Solothurn
BESANÇON
SUISSE
Saône
Luzern
Morteau
Dole
Neuchâtel
BERN
Seurre
Doubs
Salins
Pontarlier
Fribourg
Poligny
âlon-s-Saône
Lons-le-Saunier
Champagnole
Interlaken

5
Beauvoir
St Jean-de-Monts
Challans
Ile d'Yeu
la Roche-sur-Yon
Thouars
Bressuire
Châtellerault
Chantonnay
Sèvre Nantaise
Parthenay
POITIERS
le Blanc
la Châtaigneraie
les Sables-d'Olonne
Luçon
Fontenay-le-Comte
Montmorillon
St Maixent l'Ecole
Niort
l'Aiguillon-sur-Mer
Ile de Ré
St Martin de Ré
la Rochelle
Melle
Vienne
Ile d'Oléron
St Pierre
Rochefort
St Jean-d'Angély
Ruffec
Charente
Bellac
Confolens
le Château
Marennes
la Tremblade
Saintes
Rochechouart
Sereilhac
Royan
Cognac
Angoulême
le Verdon
Soulac-sur-Mer
Nontron
Barbezieux
Jonzac
Lesparre-Médoc
Chalais
Périgueux
Blaye
Lacanau-Océan
Libourne
les Eyzies-de-Tayac
BORDEAUX
Bergerac
Dordogne
GARONNE
Cap-Ferret
Arcachon
Castillonnès
Langon
Marmande
Fumel
Lot
Villeneuve-sur-Lot
Casteljaloux
Agen
Houeillès
Nérac
Moissac
Roquefort
Castelsarrasin
Castets
Mont-de-Marsan
Condom
Tartas
St Sever
Dax
St Vincent-de-Tyrosse
Aire-sur-l'Adour
Auch
Peyrehorade
Biarritz
BAYONNE
Orthez
Mirande
Adour
St Jean-de-Luz
Hendaye
Cambo
Sauveterre-de-Béarn
Pau
Donostia/S-Sebastián
Mauléon-Licharre
Oloron-Ste Marie
Tarbes
St Jean-Pied-de-Port
Lannemezan
Lourdes
Bagnères-de-Bigorre
St Gaudens
Laruns
Argelès-Gazost
St Girons
Cauterets
Luz
Arreau
IRUÑEA/PAMPLONA
St Lary-Soulan
Bagnères-de-Luchon
Gavarnie
Bielsa
Jaca
ATLANTIQUE
ESPAÑA

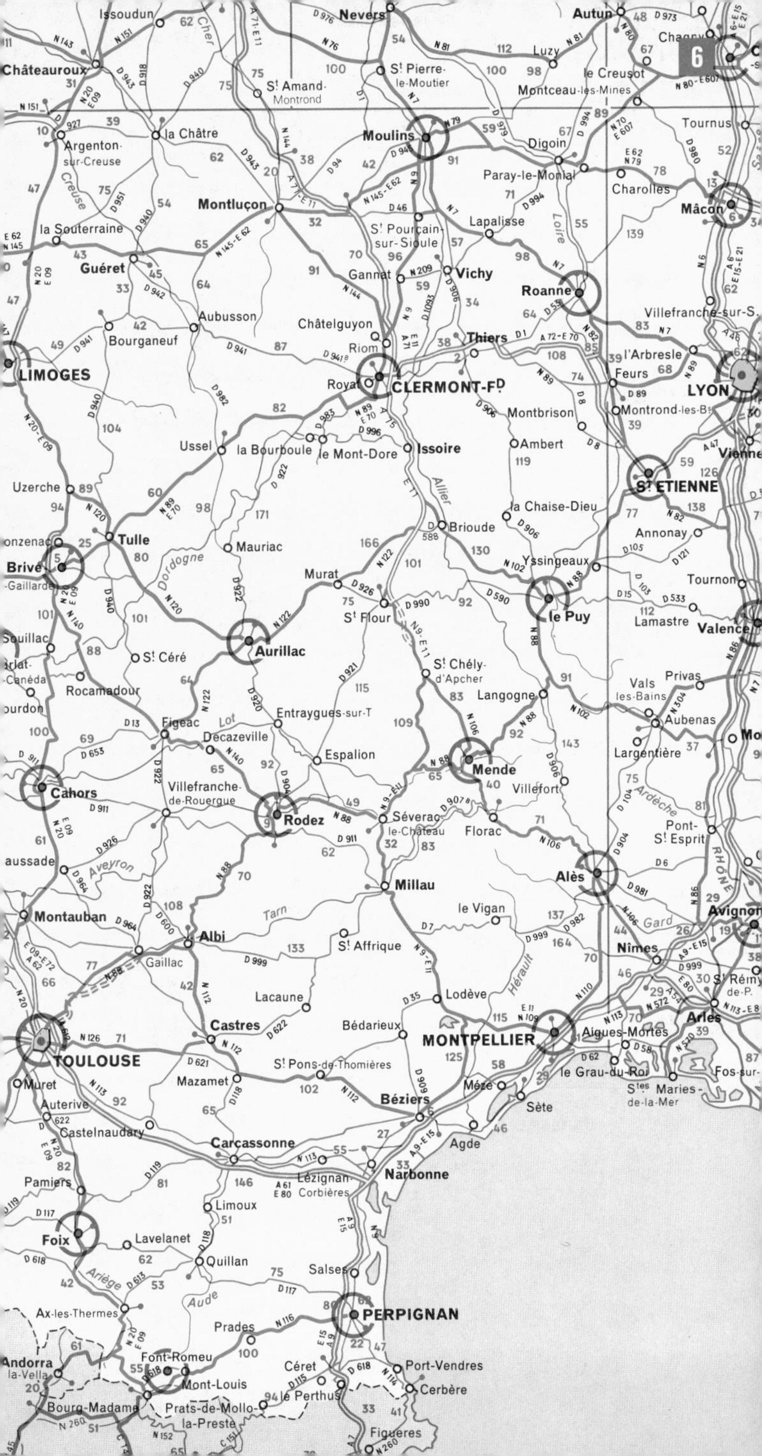

6
Issoudun
Nevers
Autun
Chagny
Châteauroux
St Pierre-le-Moutier
Luzy
le Creusot
St Amand-Montrond
Montceau-les-Mines
Tournus
Argenton-sur-Creuse
la Châtre
Moulins
Digoin
Paray-le-Monial
Charolles
Mâcon
Montluçon
Lapalisse
la Souterraine
St Pourçain-sur-Sioule
Guéret
Gannat
Vichy
Roanne
Aubusson
Bourganeuf
Châtelguyon
Riom
Thiers
Villefranche-sur-S.
l'Arbresle
LIMOGES
Royat
CLERMONT-FD
Feurs
LYON
Montbrison
Montrond-les-Bs
Ussel
la Bourboule
le Mont-Dore
Issoire
Ambert
Vienne
Uzerche
St ETIENNE
la Chaise-Dieu
Tulle
Brioude
Annonay
Brive-la-Gaillarde
Mauriac
Yssingeaux
Murat
Tournon
St Flour
le Puy
Lamastre
Valence
Souillac
Aurillac
St Céré
St Chély-d'Apcher
Rocamadour
Langogne
Vals-les-Bains
Privas
Aubenas
Figeac
Entraygues-sur-T
Decazeville
Espalion
Mende
Largentière
Cahors
Villefranche-de-Rouergue
Villefort
Rodez
Séverac-le-Château
Florac
Pont-St Esprit
Millau
Alès
Montauban
le Vigan
Avignon
Albi
St Affrique
Gaillac
Nîmes
St Rémy-de-P.
Lacaune
Lodève
Arles
Castres
Bédarieux
MONTPELLIER
Aigues-Mortes
TOULOUSE
St Pons-de-Thomières
le Grau-du-Roi
Fos-sur-
Muret
Mazamet
Mèze
Stes Maries-de-la-Mer
Auterive
Béziers
Sète
Castelnaudary
Carcassonne
Agde
Narbonne
Lézignan-Corbières
Pamiers
Limoux
Foix
Lavelanet
Quillan
Salses
Ax-les-Thermes
PERPIGNAN
Prades
Andorra la-Vella
Font-Romeu
Mont-Louis
Céret
Port-Vendres
Cerbère
le Perthus
Bourg-Madame
Prats-de-Mollo-la-Preste
Figueres
Cher
Creuse
Loire
Allier
Dordogne
Lot
Aveyron
Tarn
Hérault
Gard
Ardèche
RHÔNE
Aude
Ariège

7
Chagny
Châlon-sur-Saône
Lons-le-Saunier
Poligny
Salins
Pontarlier
Champagnole
Louhans
Tournus
Morez
Charolles
Mâcon
Bourg-en-Bresse
Nantua
Gex
GENÈVE
Annemasse
Thonon
Evian-les-Bains
Lausanne
Montreux
Fribourg
Interlaken
SUISSE
LAC LÉMAN
Rhône
Sion
Martigny
Pont-d'Ain
Bellegarde-sur-Valserine
St Julien
Bonneville
Cluses
Chamonix
les Houches
Tunnel du Grand St Bernard
Tunnel du Mont Blanc
Aosta
Villefranche-sur-S.
Annecy
Megève
l'Arbresle
Feurs
LYON
Belley
Aix-les-Bains
Albertville
Montrond-les-Bs
Bourgoin-Jallieu
Chambéry
Bourg-St Maurice
la Tour-du-Pin
les Abrets
Moutiers
Vienne
Val d'Isère
St ETIENNE
Voiron
St Jean-de-Maurienne
Lanslebourg-Mont-Cenis
St Etienne-de St Geoirs
Annonay
St Marcellin
GRENOBLE
Tunnel du Fréjus
Susa
TORINO
le Bourg-d'Oisans
Tournon
Vizille
Romans-sur-Isère
Lamastre
Valence
la Mure
Briançon
Aiguilles
Clelles
Vals-les-Bains
Privas
Crest
Die
Drôme
Guillestre
Aubenas
Gap
Embrun
ITALIA
Montélimar
Largentière
Aspres-sur-Buech
Cuneo
Serres
Barcelonnette
Nyons
Ardèche
Pont-St Esprit
St Etienne-de-Tinée
Colmars
Sisteron
Orange
Carpentras
Digne
Tende
Avignon
Gard
Forcalquier
Puget-Théniers
Barrême
Sospel
Castellane
Nîmes
Cavaillon
Apt
Manosque
Mentor
St Rémy-de-P.
Durance
Verdon
NICE
Monte-Car
Monaco
Grasse
Arles
Salon-de-Provence
Antibes
Cannes
Aix-en-P.
Draguignan
Fréjus
St Raphaël
Fos-sur-Mer
Stes Maries-de-la-Mer
Martigues
Brignoles
le Luc
Ste Maxime
MARSEILLE
Aubagne
St Tropez
le Beausset
le Castelet
la Ciotat
Bandol
TOULON
Hyères
le Lavandou
Iles d'Hyères
MÉDITERRANÉE
Bastia
Calvi
Corte
Ajaccio
Propriano
Sartène
Porto-Vecchio
Bonifacio

D'OÙ VIENT CETTE AUTO ?
WHERE DOES THAT CAR COME FROM ?

Voitures françaises :

Le régime normal d'immatriculation en vigueur comporte :
- un numéro d'ordre dans la série (1 à 3 ou 4 chiffres)
- une, deux ou trois lettres de série (1re série : A, 2e série : B,... puis AA', AB,... BA,...)
- un numéro représentant l'indicatif du département d'immatriculation.

Exemples : 854 BFK **75** : Paris – 127 HL **63** : Puy-de-Dôme.

Voici les numéros correspondant à chaque département :

01 Ain
02 Aisne
03 Allier
04 Alpes-de-H.-Pr.
05 Alpes (Hautes)
06 Alpes-Mar.
07 Ardèche
08 Ardennes
09 Ariège
10 Aube
11 Aude
12 Aveyron
13 B.-du-Rhône
14 Calvados
15 Cantal
16 Charente
17 Charente-Mar.
18 Cher
19 Corrèze
2A Corse-du-Sud
2B Hte-Corse
21 Côte-d'Or
22 Côtes d'Armor
23 Creuse
24 Dordogne
25 Doubs
26 Drôme
27 Eure
28 Eure-et-Loir
29 Finistère
30 Gard
31 Garonne (Hte)
32 Gers
33 Gironde
34 Hérault
35 Ille-et-Vilaine
36 Indre
37 Indre-et-Loire
38 Isère
39 Jura
40 Landes
41 Loir-et-Cher
42 Loire
43 Loire (Hte)
44 Loire-Atl.
45 Loiret
46 Lot
47 Lot-et-Gar.
48 Lozère
49 Maine-et-Loire
50 Manche
51 Marne
52 Marne (Hte)
53 Mayenne
54 Meurthe-et-M.
55 Meuse
56 Morbihan
57 Moselle
58 Nièvre
59 Nord
60 Oise
61 Orne
62 Pas-de-Calais
63 Puy-de-Dôme
64 Pyrénées-Atl.
65 Pyrénées (Htes)
66 Pyrénées-Or.
67 Rhin (Bas)
68 Rhin (Haut)
69 Rhône
70 Saône (Hte)
71 Saône-et-Loire
72 Sarthe
73 Savoie
74 Savoie (Hte)
75 Paris
76 Seine-Mar.
77 Seine-et-M.
78 Yvelines
79 Sèvres (Deux)
80 Somme
81 Tarn
82 Tarn-et-Gar.
83 Var
84 Vaucluse
85 Vendée
86 Vienne
87 Vienne (Hte)
88 Vosges
89 Yonne
90 Belfort (Ter.-de)
91 Essonne
92 Hauts-de-Seine
93 Seine-St-Denis
94 Val-de-Marne
95 Val d'Oise

Voitures étrangères :

Des lettres distinctives variant avec le pays d'origine, sur plaque ovale placée à l'arrière du véhicule, sont obligatoires (F pour les voitures françaises circulant à l'étranger).

A Autriche
AND Andorre
AUS Australie
B Belgique
BG Bulgarie
BR Brésil
CDN Canada
CH Suisse
CS Tchécoslovaquie
D Allemagne
DK Danemark
DZ Algérie
E Espagne
F France
FL Liechtenstein
GB Gde-Bretagne
GR Grèce
H Hongrie
I Italie
IL Israël
IR Iran
IRL Irlande
L Luxembourg
MA Maroc
MC Monaco
MEX Mexique
N Norvège
NL Pays-Bas
P Portugal
PE Pérou
PL Pologne
RO Roumanie
RA Argentine
RCH Chili
RL Liban
S Suède
SF Finlande
TN Tunisie
TR Turquie
ROU Uruguay
USA États-Unis
YU Yougoslavie
ZA Afrique du Sud

Immatriculations spéciales :

CMD Chef de mission diplomatique (orange sur fond vert)
CD Corps diplomatique ou assimilé (orange sur fond vert)
D Véhicules des Domaines
C Corps consulaire (blanc sur fond vert)
K Personnel d'ambassade ou de consulat ou d'organismes internationaux (blanc sur fond vert)
TT Transit temporaire (blanc sur fond rouge)
W Véhicules en vente ou en réparation
WW Immatriculation de livraison

NOTES

MANUFACTURE FRANÇAISE DES PNEUMATIQUES MICHELIN

Société en commandite par actions au capital de 2 000 000 000 de francs.

Place des Carmes-Déchaux - 63 Clermont-Ferrand (France)

R.C.S. Clermont-Fd B 855 200 507

Dépôt légal : 3-92 - ISBN 2 06 006 429-5

Printed in France - 1-92-69402

Populations : INSEE - 32e recensement général de la population (1990)

Plans de Bâle et Genève, avec l'autorisation de la Direction fédérale des mensurations cadastrales du 2/1/1992